DER NEUE PAULY

Altertum   Band 1   A–Ari

DER NEUE PAULY

(DNP)

Fachgebietsherausgeber

Prof. Dr. Gerhard Binder, Bochum
Kulturgeschichte

Prof. Dr. Hubert Cancik, Tübingen
Geschäftsführender Herausgeber

Prof. Dr. Walter Eder, Bochum
Alte Geschichte, Rezeption: Staatstheorie, Politik

Prof. Dr. Burkhard Fehr, Hamburg
Archäologie, Rezeption: Kunst, Architektur,
Alltagsleben, Medien

Prof. Dr. Bernhard Forssman, Erlangen
Sprachwissenschaft

Prof. Dr. Fritz Graf, Basel
Religion und Mythologie, Rezeption: Religion

PD Dr. Hans Christian Günther, Freiburg
Textwissenschaft

Dr. Christoph Höcker, Hamburg
Archäologie, Rezeption: Kunst, Architektur,
Alltagsleben, Medien

Prof. Dr. Christian Hünemörder, Hamburg
Naturwissenschaften und Technik

Dr. Margarita Kranz, Berlin
Rezeption: Philosophie

Prof. Dr. André Laks, Lille
Philosophie

Prof. Dr. Manfred Landfester, Gießen, Rezeption:
Wissenschaftsgeschichte, geschäftsführender Herausgeber: Rezeptions- und Wissenschaftsgeschichte

Prof. Dr. Maria Moog-Grünewald, Tübingen
Rezeption: Komparatistik und Literatur

Prof. Dr. Dr. Glenn W. Most, Heidelberg
Griechische Philologie

Dr. Johannes Niehoff, Freiburg
Judentum, östliches Christentum

Prof. Dr. Hans Jörg Nissen, Berlin
Orientalistik

Prof. Dr. Vivian Nutton, London
Medizin, Rezeption: Medizin

Prof. Dr. Eckart Olshausen, Stuttgart
Historische Geographie

Prof. Dr. Filippo Ranieri, Saarbrücken
Rezeption: Rechtsgeschichte

Prof. Dr. Johannes Renger, Berlin
Orientalistik

Prof. Dr. Volker Riedel, Jena
Rezeption: Erziehungswesen

Prof. Dr. Jörg Rüpke, Potsdam
Lateinische Philologie, Rhetorik

Prof. Dr. Gottfried Schiemann, Tübingen
Recht

Prof. Dr. Helmuth Schneider, Kassel
Geschäftsführender Herausgeber; Wirtschafts-
und Sozialgeschichte

Prof. Dr. Frieder Zaminer, Berlin
Musik, Rezeption: Musik

Redaktion

Beate Baumann
Jochen Derlien
Christa Frateantonio
Dr. Matthias Kopp
Anne-Maria Wittke

DER NEUE PAULY

Enzyklopädie der Antike

Herausgegeben
von Hubert Cancik und
Helmuth Schneider

Altertum

Band 1   A–Ari

Verlag J. B. Metzler
Stuttgart · Weimar

Die Deutsche Bibliothek – CIP-Einheitsaufnahme

Der neue Pauly : Enzyklopädie der Antike / hrsg.
von Hubert Cancik und Helmuth Schneider. –
Stuttgart ; Weimar : Metzler, 1996
    ISBN 3-476-01470-3
NE: Cancik, Hubert [Hrsg.]

Bd. 1. A-Ari. – 1996
    ISBN 3-476-01471-1

Gedruckt auf chlorfrei gebleichtem,
säurefreiem und alterungsbeständigem
Papier

ISBN 3-476-01470-3 (Gesamtwerk)
ISBN 3-476-01471-1 (Band 1 A-Ari)

© 1996 J. B. Metzlersche Verlags-
buchhandlung und Carl Ernst Poeschel
Verlag GmbH in Stuttgart

Typographie und Ausstattung:
Brigitte und Hans Peter Willberg
Grafik und Typographie der Karten:
Richard Szydlak
Abbildungen: Günter Müller
Satz: pagina GmbH, Tübingen
Gesamtfertigung: Franz Spiegel Buch
GmbH, Ulm
Printed in Germany

Verlag J. B. Metzler Stuttgart · Weimar

Inhaltsverzeichnis

Vorwort

Der NEUE PAULY ist ein Reallexikon der Antike. Es soll dem alltäglichen Gebrauch dienen, auch denen, die wie einst unsere Klassiker Herder, Goethe und Schiller »nur sehr mäßig Griechisch wissen« (W. v. Humboldt, 1795). Um lesbar und anschaulich zu sein, bietet es einfache Umschriften, Zitate in Übersetzung, viele Abbildungen, Übersichtskarten und Schemata.

Der NEUE PAULY will ein Hilfsmittel sein zum Studium der griechischen und römischen Kultur und ihrer vielgestaltigen Gegenwart in allen Epochen der europäischen und, seit der frühen Neuzeit, auch der Weltgeschichte. Seine Stichworte und Artikel sind nach dem aktuellen Stand der Wissenschaft neu erarbeitet und führen die Tradition weiter, die mit der alten, seinerzeit innovativen »Realencyclopädie der classischen Altertumswissenschaft« von August Friedrich (von) Pauly und Georg Wissowa (1839ff.; 1894ff.) begründet wurde. Sie bieten einen einfachen, direkten Zugang zu den Grundinformationen – den Namen, Orten, Datierungen, Sachen – aus allen Gebieten der griechischen und römischen Kultur, ihrer Vorgänger, Nachbarn und Erben. Diese Artikel des altertumswissenschaftlichen Teils sind kleinteilig, meist objektsprachlich, personen- und textnah. Die Übersichtsartikel dagegen orientieren über Epochen, soziale und wirtschaftliche Strukturen, Gattungen, philosophische Systeme. Dem Drang zu monographischer Breite oder zum geistreichen Essay wird jedoch auch hier widerstanden. »Lexikon« ist eine eigene Gattung.

Das »Sachlexikon«, das August Friedrich (von) Pauly (1796–1845) für das »reale Gebiet der classischen Studien« konzipiert hatte, wurde von Georg Wissowa (1859–1931) und von Konrat Ziegler (1884–1974) fortgeführt und im Jahre 1980 schließlich mit achtundsechzig (Teil-)Bänden, fünfzehn Ergänzungsbänden und dem Register der Nachträge, Supplemente und Namen der 1096 Mitarbeiter beendet.

Eine an modernen Erkenntnisinteressen orientierte Auswahl aus dem »großen« war der »Kleine Pauly« (1964–1975), herausgegeben von Konrat Ziegler, Walther Sontheimer und Hans Gärtner. Aufgrund zahlreicher neuer Artikel, die nicht nur den Zuwachs an Stoff, sondern auch neue Methoden und moderne Aspekte aufgenommen haben, ist der Kleine Pauly mehr als »eine verkürzte Ausgabe« der großen »Realencyclopädie«. Doch fehlten Platz und Zeit für die Bildung von neuen Schwerpunkten.

Seit Pauly und Wissowa ist eine Fülle von Disziplinen, Schulen und richtungsweisenden Thesen der allgemeinen, vergleichenden und antiken Kultur- und Literaturwissenschaft entstanden. In Erinnerung gebracht seien Massenpsychologie, ›histoire des mentalités‹, historische Anthropologie, Sozialgeschichte, Technikgeschichte, Kommunikationswissenschaft, die Luftbild- und Unterwasserarchäologie. Die Reflexionen und Feldarbeiten moderner Forschungsrichtungen wie der ›École des Annales‹ führten, zunächst in der Erforschung des Mittelalters und der frühen Neuzeit, zur Entdeckung und Wahrnehmung bislang wenig beachteter oder vergessener Tatbestände: die Geschichte langer Zeitrhythmen (›longue durée‹), die Geschichte des Körpers und der Sexualität; der Alltag; die Mechanismen von Kommunikation, Identifikation, Distanzierung und psychologische Modelle von Massenphänomenen, welche die Entstehung von Freund- und Feindbildern untersuchen; diese Themen gewannen Einfluß auch in der Altertumswissenschaft. Besonders erwähnt seien Spezialitäten wie Religionsästhetik oder Ethnopsychoanalyse des griechischen Mythos (Georges Devereux). Schon dieser knappe Katalog zeigt, wie die Möglichkeiten und die thematische Weite einer neuen Realenzyklopädie gewachsen sind, allerdings auch der Anspruch, dem sich ein solches Werk stellen muß.

Für den NEUEN PAULY soll die dezentrale Organisation der Arbeit in den mehr als zwanzig Fachgebieten diesem Zuwachs an Material und der Diversifikation der Methoden Rechnung tragen. Die Stichworte sind in den einzelnen Fachgebieten von den Herausgebern in eigener Verantwortung und in ständigem Austausch untereinander entwickelt worden. Die Redaktion, die aus technischen und historischen Gründen in Tübingen angesiedelt ist, dient der Koordination des Unternehmens und der Verwaltung der wissenschaftlichen Arbeit, die von den Herausgebern und Herausgeberinnen, den Autoren und Autorinnen eigenständig geleistet wird. Es sei daran erinnert, daß die ersten Herausgeber, August Friedrich Pauly, Christian Walz (1802–1857), Wilhelm Sigmund Teuffel (1820–1878), in Stuttgart und Tübingen wirkten.

Der NEUE PAULY hat, im Unterschied zum Kleinen Pauly, zwei selbständige Teile – ›Altertum‹ (Teil I: A-Z) und ›Rezeption‹ (Teil II: A-Z) – und den doppelten Umfang. So konnten die neuesten Forschungsergebnisse aufgenommen, zusätzliche Schwerpunkte gebildet und Dachartikel hinzugefügt werden, welche die im »Pauly« traditionell gegenstandsbezogene Nahsicht durch Überblicke ergänzen.

Das Zentrum dieser Enzyklopädie ist das ›klassische Altertum‹, die griechische und römische Kultur in all ihren lebensweltlichen Bezügen – Sprache und Wirtschaft, Familie und Politik, Recht und Religion, Literatur und Kunst, Gesellschaft und Philosophie. Das (klassische) Altertum ist hier konzipiert als Epoche des Kulturraumes ›Méditeranée‹, die frühgriechische als spätaltorientalische Randkultur, das ›Ende der Antike‹ als Ausgliederung der byzantinischen, germanischen und islamischen Kulturen aus ihrem mediterranen Verbund. So bilden die ›Ägäische Koine‹ (Mitte des 2. Jahrtausends v. Chr.) und die Entstehung des frühmittelalterlichen Europa (600/800 n. Chr.) die Zeitgrenzen für den I. Teil des NEUEN PAULY.

Folgende Schwerpunkte seien hervorgehoben:
– die orientalischen Voraussetzungen der griechischen und römischen Kultur, ihre Substrate und ihre Wirkung auf Kelten, Germanen, Slawen, Araber, auf Judentum und Christentum;
– Aufnahme der Byzantinistik;
– Verstärkung der Wirtschafts-, Sozial- und Alltagsgeschichte;
– Ausbau der philosophischen Begriffsgeschichte;
– Gleichstellung der verbalen, visuellen und materiellen Quellen.

Die Wirkung der antiken Kultur und die Geschichte ihrer Erforschung ist ein weiterer Schwerpunkt des NEUEN PAULY. Was ›Antike‹ genannt wird, ist immer das Ergebnis einer unterschiedlichen Interessen verpflichteten Auswahl und Deutung antiker Quellen und Phänomene. Die verschiedenen ›Renaissancen‹, das faktische Fortdauern, die vielfach gebrochenen Kontinuitäten, die Überlagerung der Rezeptionsstufen werden entweder im I. Teil, innerhalb der altertumswissenschaftlichen Artikel (z.B. ›Astrologie‹), oder im II. Teil (›Rezeption‹) mit eigenen Stichworten (z.B. ›Alexandrinis-

mus‹, ›Greek Revival‹, ›Humanismus‹) erfaßt. Dabei werden nicht nur die schöne Literatur, sondern auch Recht und Medizin berücksichtigt, die Wiederverwendung der antiken Architektur, die Fortsetzung der antiken Raumstrukturen in den mittelalterlichen Stadtkernen, den Straßennetzen, der Felderordnung (Limitation). Im Unterschied zum altertumswissenschaftlichen Teil sind die Artikel zu Rezeption und Wissenschaftsgeschichte (Teil II) systematisch konzipiert, problemgeschichtlich, theoretisch, paradigmatisch und in großen Übersichten über Länder und Epochen.

Die Kultur ist die Situation ihrer Texte, der akustischen, optischen, motorischen – also von Musik und Wort, Schrift und Kunst, Gestik, Ritual und Drama. Alle Texte sind durch ihre Kontexte bedingt. Der ›Sitz im Leben‹, die Rolle des Beschauers, Benutzers, Lesers, der ›Erwartungshorizont‹ der Rezipienten ist deshalb nicht nur für die primären Adressaten aufzusuchen, sondern auch für das nach Raum und Zeit entferntere Publikum.

Der Name ›Antike‹ umfaßt verschiedene Sprachen, Kulturen und eine Geschichte von eineinhalb Jahrtausenden. Rezeptionsprozesse sind bereits in der Antike selbst zu beobachten. Diese innerantike Rezeptionsgeschichte soll im NEUEN PAULY über das Ende der Antike hinausgeführt werden und zwar so, daß kein neuer Mythos von bruchloser Kontinuität, von unveränderlicher Antike erzeugt wird. Rezipiert wird ja nicht ›Antike an sich‹, sondern jeweils ein selektives Konstrukt, das seinerseits das Ergebnis mehrfacher Rezeptionsvorgänge ist. Jeder Versuch einer Annäherung an die Antike geht mehr oder weniger bewußt von der eigenen Situation aus, enthält imaginäre Elemente und führt deshalb zu mehr oder weniger starken ›Deformationen‹. Oft sind gerade kreative Annäherungen ›Sprünge‹ aus der eigenen Zeit, über die vermittelnden Tradenten und Institutionen hinweg »zu den Quellen selbst«, gegen die Autoritäten. Die wissenschaftliche Erforschung der Wirkungsgeschichte registriert nicht nur diese Traditionen und Renaissancen, sie benennt Deformationen, Entleerung, Mißbrauch, Ignoranz und Ablehnung.

Die Entwicklung der Künste, der Literatur, der Philologie und anderer Wissenschaften ist seit dem frühen Mittelalter auch ein Prozeß der Aneignung der Antike und der Auseinandensetzung mit ihr gewesen. Die Antike galt als Ideal und diente als Vorbild, wurde aber gleichzeitig kritisiert und bekämpft. Die Aneignung der Antike, die Berufung auf eine tatsächliche oder vorgebliche Kontinuität wird seit dem frühen Mittelalter im Westen und im byzantinischen Osten zum politischen Argument. Das neuzeitliche Europa definierte sein Selbstverständnis in der kontroversen Diskussion über die Antike (Naturwissenschaft, Naturrecht und Menschenrechte, Bildungswesen).

Ein selbständiger Teil innerhalb der Rezeptionsgeschichte ist die Wissenschaftsgeschichte. Sie ist nicht, wie ihre Gegner sagen, der Nekrolog einer Wissenschaft, die sich selbst für tot erklärt, abgeschlossen und historisch. Sie ist auch keine modische Erfindung, sondern schon im 18.Jahrhundert fester Bestandteil der neuen Altertumswissenschaft. Wissenschaftsgeschichte entsteht aus der Notwendigkeit, Rechenschaft von den gesellschaftlichen, politischen und intellektuellen Grundlagen der Forschung und ihren Folgen abzulegen.

Die Wissenschaftsgeschichte im NEUEN PAULY untersucht die Bedingungen, die zur Ausbildung von Gebieten, Themen, Methoden geführt haben, die Geschichte der Disziplinen, der wissenschaftlichen Gattungen und Formen (Kommentar, Fußnote, Register), welche Folgen die Ausdifferenzierung der einst umfassenden Altertumswissenschaft in Alte Geschichte, Archäologie, Sprachwissenschaft für das Fach gehabt hat; wie die Aufspaltung und Zuordnung einzelner Gebiete sich verändert, wie die lateinische Philologie zur Latinistik wird und sich, statt mit der Gräzistik, mit Mittel- und Neulatein verbindet. Im NEUEN PAULY werden Rezeptions- und Wissenschaftsgeschichte in speziellen Länderartikeln entwickelt. Wissenschaftsgeschichte sieht die Gegenwart einer Wissenschaft als historisches Problem; sie dient auch der Selbstkritik, der Erinnerung an Fehler und Sackgassen.

Der Dank der Herausgeber für die Unterstützung des Unternehmens gebührt zuerst dem Verlag J. B. Metzler, der 1992 die Rechte am Pauly-Wissowa und am Kleinen Pauly zurückgekauft und durch die geplante Erschließung der großen Realenzyklopädie und das Engagement für einen »NEUEN PAULY« seine alte Tradition des altertumswissenschaftlichen Sachlexikons neu begründet hat.

Das Philologische Seminar und die Universität Tübingen haben das Projekt auf mannigfache Weise gestützt.

Aufgrund einer alten und fruchtbaren Kooperation zwischen dem Zentrum für Datenverarbeitung (Prof. Dr. Wilhelm Ott, Dirk G. Kottke) und dem Philologischen Seminar war die elektronische Text- und Bildverarbeitung von Anfang an als eine Grundlage des Unternehmens geplant. Dr. Matthias Kopp hat, als Althistoriker und Datentechniker gleichermaßen ausgewiesen, diese Planung in tragfähige Realitäten umgesetzt.

Frau Vera Sauer M.A. (Stuttgart) hat im Bereich historische Geographie wesentliche Arbeiten geleistet. Die Kartographie wurde betreut von Anne-Maria Wittke und Richard Szydlak, das Bildmaterial von Dr. Ingrid Hitzl und Günter Müller.

Wissenschaftliche Mitarbeiter und Hilfskräfte haben bei der Redaktion und in den einzelnen Fachgebieten mit großem Engagement gearbeitet. Cecilia Ames, Georg Dörr, Heike Kunz, Michael Mohr, Dorothea Sigel seien, viele andere repräsentierend, genannt. Ihnen allen gilt unser Dank.

Hubert Cancik   Helmuth Schneider
(Unversität Tübingen)   (Universität Kassel)

im Sommer 1996

Hinweise für die Benutzung

Anordnung der Stichwörter

Die Stichwörter sind in der Reihenfolge des deutschen Alphabetes angeordnet; I und J werden gleich behandelt. Wenn es zu einem Stichwort (Lemma) Varianten gibt, wird von der alternativen Schreibweise auf den gewählten Eintrag verwiesen. Bei zweigliedrigen Stichwörtern muß daher unter beiden Bestandteilen gesucht werden (z. B. *a commentariis* oder *commentariis, a*).

Informationen, die nicht als Lemma gefaßt worden sind, können mit Hilfe des Registerbandes aufgefunden werden.

Gleichlautende Stichworte sind durch Numerierung unterschieden. Gleichlautende griechische und orientalische Personennamen werden nach ihrer Chronologie angeordnet. Beinamen sind hier nicht berücksichtigt.

Römische Namen werden alphabetisch, zunächst nach dem Gentilnomen, dann nach Cognomen und Pränomen angeordnet (*M. Aemilius Scaurus* ist unter Aemilius, nicht unter *Scaurus* eingeordnet). Bei umfangreicheren Einträgen werden *Republik* und *Kaiserzeit* gesondert angeordnet. Frauennamen sind dem Alphabet entsprechend eingestellt.

Schreibweise von Stichwörtern

Die Schreibweise antiker Wörter und Namen richtet sich im allgemeinen nach der vollständigen antiken Schreibweise. Nur antike Autoren und römische Kaiser werden in der im deutschen Sprachgebrauch üblich gewordenen Namensform lemmatisiert; dieser Personenkreis ist ausnahmsweise nicht unter dem Gentilnomen zu finden: *Horaz*, nicht *Horatius*; *Cicero* nicht *Tullius*.

Toponyme (Städte, Flüsse, Berge etc.), auch Länder- und Provinzbezeichnungen erscheinen in ihrer antiken Schreibung (*Asia, Bithynia*). Die entsprechenden modernen Namen sind im Registerband aufzufinden.

Orientalische Eigennamen werden in der Regel nach den Vorgaben des »Tübinger Atlas des Vorderen Orients« (TAVO) geschrieben. Daneben werden auch abweichende, aber im deutschen Sprachgebrauch übliche und bekannte Schreibweisen beibehalten, um das Auffinden zu erleichtern.

In den Karten sind topographische Bezeichnungen – abweichend von der Konvention für die Stichwörter und die Artikeltexte – überwiegend in der vollständigen antiken Schreibung wiedergegeben.

Die Verschiedenheit der im Deutschen üblichen Schreibweisen für antike Worte und Namen (*Äschylus, Aeschylus, Aischylos*) kann gelegentlich zu erhöhtem Aufwand bei der Suche führen; dies gilt auch für *Ö / Oe / Oi* und *C / Z / K*.

Abkürzungen

Abkürzungen sind im Abkürzungsverzeichnis am Anfang des ersten Bandes aufgelöst.

Sammlungen von Inschriften, Münzen, Papyri sind unter ihrer Sigle im zweiten Teil (Bibliographische Abkürzungen) des Abkürzungsverzeichnisses aufgeführt.

Anmerkungen

Die Anmerkungen enthalten lediglich bibliographische Angaben. Aus dem Text der Artikel wird auf sie unter Verwendung eckiger Klammern verwiesen (Beispiel: die Angabe [1. 5²³] bezieht sich auf den ersten Titel der Bibliographie, Seite 5, Anmerkung 23).

Karten

Texte und Karten stehen in der Regel in engem Konnex, erläutern sich gegenseitig. In einigen Fällen ergänzen Karten die Texte durch die Behandlung von Fragestellungen, die im Text nicht behandelt werden können. Die Autoren der Karten werden im Kartenverzeichnis genannt.

Zu den Transkriptionen

Akkadisch (Assyrisch-Babylonisch), Hethitisch und Sumerisch wird nach den Regeln des RLA bzw. des TAVO transkribiert. Für Ägyptisch werden die Regeln des Lexikons der Ägyptologie angewandt.

Verweise

Die Verbindung der Artikel untereinander wird durch Querverweise hergestellt. Dies geschieht im Text eines Artikels durch einen Pfeil → vor dem Wort / Lemma, auf das verwiesen wird.

Querverweise auf verwandte Lemmata sind am Schluß eines Artikels, ggf. vor den bibliographischen Anmerkungen, angegeben; wird auf homonyme Lemmata verwiesen, ist an dieser Stelle auch die laufende Nummer beigefügt.

Verweise auf Lemmata des zweiten, rezeptions- und wissenschaftsgeschichtlichen Teiles des NEUEN PAULY, werden in Kapitälchen gegeben.

Transkriptionen

Transkriptionstabelle Altgriechisch

α	a	Alpha
αι	ai	
αυ	au	
β	b	Beta
γ	g	Gamma; γ vor γ, κ, ξ, χ: n
δ	d	Delta
ε	e	Epsilon
ει	ei	
ευ	eu	
ζ	z	Zeta
η	ē	Eta
ηυ	ēu	
θ	th	Theta
ι	i	Iota
κ	k	Kappa
λ	l	Lambda
μ	m	My
ν	n	Ny
ξ	x	Xi
ο	o	Omikron
οι	oi	
ου	ou oder u	
π	p	Pi
ρ	r	Rho
σ, ς	s	Sigma
τ	t	Tau
υ	y	Ypsilon
φ	ph	Phi
χ	ch	Chi
φ	ps	Psi
ω	ō	Omega
ʽ	h	
ᾳ	ai	Iota subscriptum (analog η, ω)

Die verschiedenen griechischen Akzente werden in der Umschrift einheitlich durch Akut (´) angegeben.

Transkriptionstabelle Hebräisch Konsonanten

א	a	Alef
ב	b	Bet
ג	g	Gimel
ד	d	Dalet
ה	h	He
ו	w	Waw
ז	z	Zajin
ח	ḥ	Chet
ט	ṭ	Tet
י	y	Jud
כ	k	Kaf
ל	l	Lamed
מ	m	Mem
נ	n	Nun
ס	s	Samech
ע	ʿ	Ajin
פ	p/f	Pe
צ	ṣ	Zade
ק	q	Kuf
ר	r	Resch
שׂ	ś	Sin
שׁ	š	Schin
ת	t	Taw

Transkriptionstabelle
Arabisch, Persisch, Osmanisch

ا, ع	ʾ, ā	ʾ	ʾ	Hamza, Alif
ب	b	b	b	Bāʾ
پ	–	p	p	Pe
ت	t	t	t	Tāʾ
ث	ṯ	ṯ	s̱	Ṯāʾ
ج	ǧ	ǧ	ǧ	Ǧīm
چ	–	č	č	Čim
ح	ḥ	ḥ	ḥ	Ḥāʾ
خ	ḫ	ḫ	ḫ	Ḫāʾ
د	d	d	d	Dāl
ذ	ḏ	z	z	Ḏāl
ر	r	r	r	Rāʾ
ز	z	z	z	Zāy
ژ	–	ž	ž	Že
س	s	s	s	Sīn
ش	š	š	š	Šīn
ص	ṣ	ṣ	ṣ	Ṣād
ض	ḍ	ḍ	ḍ	Ḍād
ط	ṭ	ṭ	ṭ	Ṭāʾ
ظ	ẓ	ẓ	ẓ	Ẓāʾ
ع	ʿ	ʿ	ʿ	ʿAin
غ	ġ	ġ	ġ	Ġain
ف	f	f	f	Fāʾ
ق	q	q	q, k	Qāf
ك	k	k	k, g, ñ	Kāf
گ	–	g	g, ñ	Gāf
ل	l	l	l	Lām
م	m	m	m	Mīm
ن	n	n	n	Nūn
ه	h	h	h	Hāʾ
و	w, ū	v	v	Wāw
ي	y, ī	y	y	Yāʾ

Transkription altorientalischer und ägyptischer Sprachen

Akkadisch (Assyrisch-Babylonisch)
Hethitisch und Sumerisch werden
nach den Regeln des RLA bzw. des
TAVO transkribiert. Für Ägyptisch
werden die Regeln des Lexikons der
Ägyptologie angewandt.

Aussprache des Türkischen

Das Türkische verwendet seit 1928 die
lateinische Schrift. Grundsätzlich gelten
in ihr Laut-/Schriftentsprechungen
wie in den europäischen Sprachen,
v.a. wie im Deutschen. Im folgenden sind
daher nur Abweichungen vom
Deutschen aufgeführt.

C	c	wie italienisch ›giorno‹
Ç	ç	wie italienisch ›cento‹
Ğ	ğ	wie norddeutsch g in ›Tage‹, heute manchmal unhörbar
H	h	stets aussprechen, nie dt. Dehnungs-h wie in ›fehlen‹
I	ı	für das Türkische typischer, sehr offener i-Laut, nicht wie deutsches i
J	j	wie frz. ›jour‹
Ş	ş	wie dt. sch in ›Schule‹
Y	y	wie deutsches j in ›Jahr‹
Z	z	wie frz. ›zèle‹, also stets weich

Abkürzungsverzeichnis

1. ALLGEMEINE ABKÜRZUNGEN
2. BIBLIOGRAPHISCHE ABKÜRZUNGEN
3. ANTIKE AUTOREN UND WERKTITEL

1. Allgemeine Abkürzungen

Neben den explizit angegebenen Auflösungen werden die Abkürzungen auch für die deklinierten Formen des jeweiligen Wortes verwendet.
Die Abkürzungen stehen, unter Berücksichtigung der Groß- und Kleinschreibung, für Adjektive und für Substantive. Abkürzungen, bei denen nur die Nachsilbe -isch zu ergänzen ist, sind nicht in das Abkürzungsverzeichnis aufgenommen. Gleiches gilt für allgemein gebräuchliche Abkürzungen (z. B.: bzw.).

√	Wortwurzel
*	geboren
*	erschlossene, nicht belegte Form
†	gestorben
→	siehe (Verweispfeil)
<	etymologisch entstanden aus
>	etymologisch geworden zu
A.	Aulus
a.u.c.	ab urbe condita
Abb.	Abbildung
Abdr.	Abdruck
Abh.	Abhandlung
Abl.	Ablativ, – ablativisch
Acad.	Academia, Academie, Academy
achäm.	achämenidisch
Act.	acts, actes
Adj.	Adjektiv, – adjektivisch
Adv.	Adverb, – adverbial
adv.	adversus
aed. cur.	aedilis curulis
aed. pl.	aedilis plebi
äg.	ägyptisch, – Ägypten, – Ägyptisch
afrikan.	afrikanisch
ahd.	althochdeutsch, – Althochdeutsch
Akad.	Akademie, – akademisch
Akk.	Akkusativ, – akkusativisch
aksl.	altkirchenslawisch, – Altkirchenslawisch
Akt.	Aktiv, – aktivisch
Akt.	Akten
Akz.	Akzent
Alt.	Altertum
altgr.	altgriechisch, – Altgriechisch
altind.	altind(oar)isch, – Altind(oar)isch
altlat.	altlateinisch, – Altlateinisch
Anf.	Anfang, Anfänge
Anm.	Anmerkung
anon.	anonym, – Anonymus;, – Anonymi
ant.	antik, – Antike
Anz.	Anzeiger
Aor.	Aorist, – aoristisch
App.	Appendix, Appendices, Appendizes
App.	Appius
AR	Altes Reich (Ägypten)
aram.	aramäisch

Arch.	Archäologie, – archäologisch
archa.	archaisch
Art.	Artikel
Assim.	Assimilation, – assimiliert
AT	Altes Testament
at.	alttestamentlich
Athen, AM	
	Athen, Akropolis-Museum
Athen, BM	
	Athen, Benaki-Museum
Athen, NM	
	Athen, Nationalmuseum
Athen, NUM	
	Athen, Numismatisches Museum
Av.	Avers
B.	Buch, Bücher
Baltimore, WAG	
	Baltimore, Walters Art Gallery
Basel, AM	
	Basel, Antikenmuseum
bearb.	bearbeitet
Bed.	Bedeutung
Beih.	Beiheft
Beil.	Beilage
Beitr.	Beitrag, Beiträge
Ber.	Bericht
Berlin, PM	
	Berlin, Pergamonmuseum
Berlin, SM	
	Berlin, Staatliche Museen
Bibl.	Bibliothek, – bibliothekarisch
Bibliogr.	
	Bibliographie, – bibliographisch
Bl.	Blatt
Bonn, RL	
	Bonn, Rheinisches Landesmuseum
Boston, MFA	
	Boston, Museum of Fine Arts
Br	Breite
Br.	Bronze
brn.	bronzen
brz.	bronzezeitlich
Bull.	Bulletin, Bullettino
byz.	byzantinisch, – Byzantinisch
c.	contra
C.	Gaius
ca.	circa
Cambridge, FM	
	Cambridge, Fitzwilliam Museum
carm.	carmen, carmina
Cat.	Catalogue, Catalogo, Cataloghi
cen.	censor
christl.	christlich
Cn.	Gnaeus
Cod.	Codex, Codices, Codizes
Cogn.	Cognomen
col.	Kolumne, column
Coll.	Collectio
conc.	acta concilii
Congr.	Congress, Congrès, Congresso
Const.	constitutio
Corp.	Corporation
cos.	consul

cos. des. consul designatus
cos. ord. consul ordinarius
cos. suff.
        consul suffectus
cur. curator
D Dicke
D. Decimus
Dat. Dativ, – dativisch
Datier. Datierung
decret. decretum, decreta
Dekl. Deklination, – dekliniert
Den Haag, MK
        Den Haag, Münzkabinett
Dial. Dialekt
Diss. Dissertation
Dissim. Dissimilation, – dissimiliert
Dm Durchmesser
dt. deutsch, – Deutsch
Du. Dual
E. Ende
Ed. Edition, – edidit, – editio
Edd. Editiones, – ediderunt
Einl. Einleitung
ele. eleisch
EN Eigenname
epist. epistula
epit. epitome
Ergbd. Ergänzungsband
Ergbde. Ergänzungsbände
Ergh. Ergänzungsheft
erh. erhalten
erkl. erklärt
erl. erläutert, – Erläuterung
etr. etruskisch, – Etruskisch
Ét. Études
Etym. Etymologie, – etymologisch
exc. excerpta
Expl. Exemplar
F. Femininum, – feminin
f.l. falsa lectio
Fem. Femininum, – feminin
Festg. Festgabe
FH Frühhelladisch
fig. Figur
fla. flamen
Florenz, AM
        Florenz, Archäologisches Museum
Florenz, UF
        Florenz, Uffizien
FO Fundort
Forsch. Forschung
Forts. Fortsetzung
fr. Fragment (literarisch)
Frankfurt, LH
        Frankfurt, Liebighaus
Frg. Fragment, – fragmentarisch (archäologisch)
frz. französisch, – Französisch
FS Festschrift
Fut. Futurum, – futurisch
gedr. gedruckt
gegr. gegründet
Gen. Genitiv, – genitivisch
Genf, MAH
        Genf, Musée d'Art et d'Histoire

Gent. Gentile, Gentilicium, – gentile
Geogr. Geographie, – geographisch
Geom. Geometrie, – geometrisch
Ges. Gesellschaft
Gesch. Geschichte, – geschichtlich
gloss. glossaria
gr(iech).
        griechisch, – Griechisch
Gramm.
        Grammatik, – grammatisch
GS Gedenkschrift
H Höhe
H. Hälfte
H. Heft
h. heute
Hab. Habilitation
Hamburg, MKG
        Hamburg, Museum für Kunst und Gewerbe
Hannover, KM
        Hannover, Kestner-Museum
Hdb. Handbuch
hell. hellenistisch, Hellenismus
HG Hinterglied
hl. heilig
Hrsg. Herausgeber, – herausgegeben
Hs. Handschrift
hsl. handschriftlich
Hss. Handschriften
HWB Handwörterbuch
I(n)st(it).
        Institut, Institute, Istituto
idg. indogermanisch, – Indogermanisch
imp. imperator
Impft. Imperfekt
Ind. Indikativ, – indikativisch
indeur. indoeuropäisch, – Indoeuropäisch
Inf. Infinitiv
Inschr. Inschrift, – inschriftlich
Inscr. Inscriptiones
Instr. Instrumental
Inv.Nr. Inventarnummer
Iptv. Imperativ, – imperativisch
Istanbul, AM
        Istanbul, Archäologisches Museum
It. Italien, – italienisch, Italienisch
ital. italisch
itin. itineraria
Itp. Interpolation, – interpoliert
J. Jahr
Jb. Jahrbuch
Jbb. Jahrbücher
Jg. Jahrgang
Jh. Jahrhundert
Journ. Journal
Jt. Jahrtausend
K. Kaeso
Kap. Kapitel
Kassel, SK
        Kassel, Staatliche Kunstsammlungen
Kat. Katalog
KG Kirchengeschichte
Kl. Klasse
Köln, RGM
        Köln, Römisch-Germanisches Museum

Komm.   Kommentar, – kommentiert
Kompos.
      Kompositum
Kongr.   Kongreß
Konj.   Konjunktiv, – konjunktivisch
Kons.   Konsonant, – konsonantisch
Kopenhagen, NCG
      Kopenhagen, Ny Carlsberg Glyptothek
Kopenhagen, NM
      Kopenhagen, Nationalmuseum
Kopenhagen, TM
      Kopenhagen, Thorvaldsen-Museum
KS   Kleine Schriften
L   Länge
l.   lex
L.   Lucius
l.c.   loco citato
lat.   lateinisch, – Lateinisch
lautges.   lautgesetzlich
leg.   leges
Lex.   Lexikon
Lfg.   Lieferung
lib.   liber, libri
Lit.   Literatur, – literarisch
Lok.   Lokativ
London, BM
      London, British Museum
luw.   luwisch
Lw.   Lehnwort
m   mittel-
M'.   Manius
M.   Maskulinum, – maskulin
M.   Marcus
MA   Mittelalter
ma.   mittelalterlich
Madrid, PR
      Madrid, Prado
Mag.   Magazin
maked.   makedonisch
Malibu, GM
      Malibu, Getty-Museum
maschr.   maschinenschriftlich
Mask.   Maskulinum, – maskulin
Med.   Medium, – medial
Mél.   Mélanges
mengl.   mittelenglisch Mittelenglisch
Metr.   Metrik, – metrisch
mgr.   mittelgriechisch, – Mittelgriechisch
MH   Mittelhelladisch
mhd.   mittelhochdeutsch, – Mittelhochdeutsch
mil.   militärisch
Mitt.   Mitteilungen
Moskau, PM
      Moskau, Puschkin-Museum
MR   Mittleres Reich (Ägypten)
Ms.   Manuskript
Mss.   Manuskripte
München, GL
      München, Glyptothek
München, SA
      München, Staatliche Antikensammlung
München, SM
      München, Staatliche Münzsammlung

Mus.   Museum, Musée, Museo
myk.   mykenisch, – Mykenisch
Myth.   Mythologie, – mythologisch
Mz.   Münzen
N.   Neutrum, – neutral
N.   Numerius
N.F.   Neue Folge
n.l.   nach links
n.r.   nach rechts
N.S.   Neue Serie, New Series, Nouvelle série, Nuova seria
Nachr.   Nachrichten
Ndr.   Nachdruck
Neapel, NM
      Neapel, Archäologisches Nationalmuseum
New York, MMA
      New York, Metropolitan Museum of Arts
ngr.   neugriechisch, – Neugriechisch
nhd.   neuhochdeutsch, – Neuhochdeutsch
nlat.   neulateinisch, – Neulateinisch
NO   Nordosten
nö   nordöstlich
Nom.   Nominativ, – nominativisch
NR   Neues Reich (Ägypten)
Nr.   Nummer
NT   Neues Testament
nt.   neutestamentlich
Ntr.   Neutrum, – neutral
NW   Nordwesten
nw   nordwestlich
nw.-gr.   nordwestgriechisch, – Nordwestgriechisch
o.   oben, oberer
o.J.   ohne Jahr
öst.   österreichisch
OK   Oberkante
Ol.   Olympiade
ON   Ortsname
Op.   Opus
Opp.   Opera
Opt.   Optativ, – optativisch
or.   oratio
Oxford, AM
      Oxford, Ashmolean Museum
P   Papyrus
p.   pagina
P.   Publius
Palermo, NM
      Palermo, Archäologisches Nationalmuseum
Pap.   Papyrus
Par.   Parallele, – parallel
Paris, BN
      Paris, Bibliothèque Nationale
Paris, CM
      Paris, Cabinet des Médailles
Paris, LV
      Paris, Louvre
Pass.   Passiv, – passivisch
Patron.   Patronymikon
Perf.   Perfekt, – perfektisch
Philol.   Philologie, – philologisch
Philos.   Philosophie, – philosophisch
Photogr.
      Photographie, – photographisch
Pl(ur).   Plural, – pluralisch

Plq.   Plusquamperfekt
Plusq.   Plusquamperfekt
PN   Personenname
pon. max.
            pontifex maximus
pr(aef).   praefatio
praef.   praefectus
Praen.   Praenomen
Präs.   Präsens, – präsentisch
Proc.   Proceedings
procos.   proconsul
procur.   procurator
Pron.   Pronomen
propr.   propraetor
Prov.   Provinz
Ps.-   Pseudo
Ptz.   Partizip, – partizipial
publ.   publiziert
Q.   Quintus
qu.   quaestor
ʳ   recto
R.   Reihe
Reg.   Register
rel.   Religion, religiös
Rev.   Review, Revue
rf.   rotfigurig
Rhet.   Rhetorik, – rhetorisch
Riv.   Rivista
Rom, KM
            Rom, Kapitolinische Museen
Rom, TM
            Rom, Thermenmuseum (=Museo Nazionale)
Rom, VA
            Rom, Villa Albani
Rom, VG
            Rom, Villa Giulia
Rom, VM
            Rom, Vatikanische Museen
Rs.   Rückseite
Rv.   Revers
S(in)g.   Singular, – singularisch
S.   Seite
S.   Sextus
s.v.   sub voce
SB   Sitzungsbericht
SC   senatus consultum
sc.   scilicet
schol.   scholion, scholia
Ser.   Serie, Série, Seria...
Ser.   Servius
serm.   sermo
sf.   schwarzfigurig
SH   Späthelladisch
silb.   silbisch, silbebildend
Slg.   Sammlung
Slgg.   Sammlungen
SO   Südost
Soc.   Society, Societé, Società
sö   südöstlich
Son.   Sonant, – sonantisch
Sp.   Spalte
Sp.   Spurius
St.   Sankt, Saint

St. Petersburg, ER
            St. Petersburg, Eremitage
Stud.   Studia, Studien, Studies, Studi
Subst.   Substantiv, – substantivisch
Suppl.   Supplement
SW   Südwest
sw   südwestlich
syn.   synonym, – Synonymum
Synt.   Syntax, – syntaktisch
T   Tiefe
T.   Titus
t.t.   terminus technicus
Tab.   Tabelle
Taf.   Tafel
Thessaloniki, NM
            Thessaloniki, Nationalmuseum
Tib.   Tiberius
Top.   Topographie, – topographisch
tr. mil.   tribunus militum
tr. pl.   tribunus plebis
tract.   tractatus
Trag.   Tragödie, Tragiker
Übers.   Übersetzung, – übersetzt
UK   Unterkante
Univ.   Universität, University, Université, Università
Unt.   Untersuchung
urgr.   urgriechisch, – Urgriechisch
ᵛ   verso
V.   Vers
Vb.   Verbum
Verf.   Verfasser
Verh.   Verhandlung
VG   Vorderglied
vir clar.   vir clarissimus
vir spect.
            vir spectabilis
vir. ill.   vir illustris
vlat.   vulgärlateinisch, – Vulgärlatein
Vok.   Vokal, – vokalisch; Vokativ, – vokativisch
Vs.   Vorderseite
WB   Wörterbuch
wgr.   weißgrundig
Wien, KM
            Wien, Kunsthistorisches Museum
wiss.   wissenschaftlich
Wz.   Wurzel
Z.   Zeile
z. Z.   zur Zeit
Zit.   Zitat, – zitiert
Zschr.   Zeitschrift
Ztg.   Zeitung

2. Bibliographische Abkürzungen

A&A
    Antike und Abendland
A&R
    Atene e Roma
AA
    Archäologischer Anzeiger
AAA
    Annals of Archaeology and Anthropology

AAAlg
S. Gsell, Atlas archéologique de l'Algérie. Édition spéciale des cartes au 200.000 du Service Géographique de l'Armée, 1911 Ndr. 1973

AAHG
Anzeiger für die Altertumswissenschaften, hrsg. von der Österreichischen Humanistischen Gesellschaft

AArch
Acta archeologica

AASO
The Annual of the American Schools of Oriental Research

AATun 050
E. Babelon, R. Cagnat, S. Reinach (Hrsg.), Atlas archéologique de la Tunisie (1:50000), 1893

AATun 100
R. Cagnat, A. Merlin (Hrsg.), Atlas archéologique de la Tunisie (1:100000), 1914

AAWG
Abhandlungen der Akademie der Wissenschaften in Göttingen. Philologisch-historische Klasse

AAWM
Abhandlungen der Akademie der Wissenschaften und Literatur in Mainz. Geistes- und sozialwissenschaftliche Klasse

AAWW
Anzeiger der Österreichischen Akademie der Wissenschaften in Wien. Philosophisch-historische Klasse

ABAW
Abhandlungen der Bayerischen Akademie der Wissenschaften. Philosophisch-historische Klasse

Abel
F.-M. Abel, Géographie de la Palestine 2 Bde., 1933–38

ABG
Archiv für Begriffsgeschichte: Bausteine zu einem historischen Wörterbuch der Philosophie

ABr
P. Arndt, F. Bruckmann (Hrsg.), Griechische und Römische Porträts, 1891–1912; E. Lippold (Hrsg.), Textbd., 1958

ABSA
Annual of the British School at Athens

AC
L'Antiquité Classique

Acta
Acta conventus neo-latini Lovaniensis, 1973

AD
Archaiologikon Deltion

ADAIK
Abhandlungen des Deutschen Archäologischen Instituts Kairo

Adam
J.P. Adam, La construction romaine. Matériaux et techniques, 1984

ADAW
Abhandlungen der Deutschen Akademie der Wissenschaften zu Berlin. Klasse für Sprachen, Literatur und Kunst

ADB
Allgemeine Deutsche Biographie

AdI
Annali dell'Instituto di Corrispondenza Archeologica

AE
L'Année épigraphique

AEA
Archivo Espanol de Arqueología

AEM
Archäologisch-epigraphische Mitteilungen aus Österreich

AfO
Archiv für Orientforschung

AGD
Antike Gemmen in Deutschen Sammlungen 4 Bde., 1968–75

AGM
Archiv für Geschichte der Medizin

Agora
The Athenian Agora. Results of the Excavations by the American School of Classical Studies of Athens, 1953 ff.

AGPh
Archiv für Geschichte der Philosophie

AGR
Akten der Gesellschaft für griechische und hellenistische Rechtsgeschichte

AHAW
Abhandlungen der Heidelberger Akademie der Wissenschaften. Philosophisch-historische Klasse

AHES
Archive for history of exact sciences

AIHS
Archives internationales d'histoire des sciences

AION
Annali del Seminario di Studi del Mondo Classico, Sezione di Archeologia e Storia antica

AJ
The archaeological journal of the Royal Archaeological Institute of Great Britain and Ireland

AJA
American Journal of Archaeology

AJAH
American Journal of Ancient History

AJBA
Australian journal of biblical archaeology

AJN
American Journal of Numismatics

AJPh
American Journal of Philology

AK
Antike Kunst

AKG
Archiv für Kulturgeschichte

AKL
G. Meissner (Hrsg.), Allgemeines Künsterlexikon: Die bildenden Künstler aller Zeiten und Völker, ²1991 ff.

AKM
Abhandlungen für die Kunde des Morgenlandes

Albrecht
M. v. Albrecht, Geschichte der römischen Literatur, ²1994

Alessio
G. Alessio, Lexicon etymologicum. Supplemento ai Dizionari etimologici latini e romanzi, 1976

Alexander
M.C. Alexander, Trials in the late Roman Republic: 149 BC to 50 BC (Phoenix Suppl. vol. 26), 1990

Alföldi
A. Alföldi, Die monarchische Repräsentation im römischen Kaiserreiche, 1970, Ndr. ³1980

Alföldy, FH
G. Alföldy, Fasti Hispanienses. Senatorische Reichsbeamte und Offiziere in den spanischen Provinzen des römischen Reiches von Augustus bis Diokletian, 1969

Alföldy, Konsulat
  G. ALFÖLDY, Konsulat und Senatorenstand unter den
  Antoninen. Prosopographische Untersuchungen zur
  senatorischen Führungsschicht (Antiquitas 1,27), 1977
Alföldy, RG
  G. ALFÖLDY, Die römische Gesellschaft. Ausgewählte
  Beiträge, 1986
Alföldy, RH
  G. ALFÖLDY, Römische Heeresgeschichte, 1987
Alföldy, RS
  G. ALFÖLDY, Römische Sozialgeschichte, ³1984
ALLG
  Archiv für lateinische Lexikographie und Grammatik
Altaner
  B. ALTANER, Patrologie. Leben, Schriften und Lehre der
  Kirchenväter, ⁹1980
AMI
  Archäologische Mitteilungen aus Iran
Amyx, Addenda
  C.W. NEEFT, Addenda et Corrigenda to D.A. Amyx,
  Corinthian Vase-Painting, 1991
Amyx, CVP
  D.A. AMYX, Corinthian Vase-Painting of the Archaic
  Period 3 Bde., 1988
Anadolu
  Anadolu (Anatolia)
Anatolica
  Anatolica
AncSoc
  Ancient Society
Anderson
  J.G. ANDERSON, A journey of exploration in Pontus
  (Studia pontica 1), 1903
Anderson/Cumont/Grégoire
  J.G. ANDERSON, F. CUMONT, H. GRÉGOIRE, Recueil des
  inscriptions grecques et latines du Pont et de l'Arménie
  (Studia pontica 3), 1910
André, botan.
  J. ANDRÉ, Lexique des termes de botanique en latin, 1956
André, oiseaux
  J. ANDRÉ, Les noms d'oiseaux en latin, 1967
André, plantes
  J. ANDRÉ, Les noms de plantes dans la Rome antique, 1985
Andrews
  K. ANDREWS, The Castles of Morea, 1953
ANET
  J.B. PRITCHARD, Ancient Near Eastern Texts Relating
  to the Old Testament, ³1969, Ndr. 1992
AnnSAAt
  Annuario della Scuola Archeologica di Atenne
ANRW
  H. TEMPORINI, W. HAASE (Hrsg.), Aufstieg und
  Niedergang der Römischen Welt, 1972 ff.
ANSMusN
  Museum Notes. American Numismatic Society
AntAfr
  Antiquités africaines
AntChr
  Antike und Christentum
AntPl
  Antike Plastik
AO
  Der Alte Orient

AOAT
  Alter Orient und Altes Testament
APF
  Archiv für Papyrusforschung und verwandte Gebiete
APh
  L'Année philologique
Arangio-Ruiz
  V. ARANGIO-RUIZ, Storia del diritto romano, ⁶1953
Arcadia
  Arcadia. Zeitschrift für vergleichende Literaturwissenschaft
ArchCl
  Archeologia Classica
ArchE
  Archaiologike ephemeris
ArcheologijaSof
  Archeologija. Organ na Archeologiceskija institut i muzej
  pri B'lgarskata akademija na naukite
ArchHom
  Archaeologia Homerica, 1967 ff.
ArtAntMod
  Arte antica e moderna
ARW
  Archiv für Religionswissenschaft
AS
  Anatolian Studies
ASAA
  Annuario della Scuola Archeologica di Atene e delle
  Missioni italiane in Oriente
ASL
  Archiv für das Studium der neueren Sprachen und Litera-
  turen
ASNP
  Annali della Scuola Normale Superiore di Pisa, Classe
  di Lettere e Filosofia
ASpr
  Die Alten Sprachen
ASR
  B. ANDREAE (Hrsg.), Die antiken Sarkophagreliefs,
  1952 ff.
Athenaeum
  Athenaeum
ATL
  B.D. MERITT, H.T. WADE-GERY, M.F. MCGREGOR,
  Athenian Tribute Lists 4 Bde., 1939–53
AU
  Der altsprachliche Unterricht
Aulock
  H. v. AULOCK, Münzen und Städte Pisidiens (MDAI(Ist)
  Beih. 8) 2 Bde., 1977–79
Austin
  C. AUSTIN (Hrsg.), Comicorum graecorum fragmenta
  in papyris reperta, 1973
BA
  Bolletino d'Arte del Ministero della Publica Istruzione
BAB
  Bulletin de l'Académie Royale de Belgique. Classe des
  Lettres
BABesch
  Bulletin antieke beschaving. Annual Papers on Classical
  Archaeology
Badian, Clientelae
  E. BADIAN, Foreign Clientelae, 1958
Badian, Imperialism
  E. BADIAN, Roman Imperialism in the Late Republic, 1967

BaF
Baghdader Forschungen
Bagnall
R.S. BAGNALL u.a., Consuls of the Later Roman Empire
(Philological Monographs of the American Philological
Association 36), 1987
BalkE
Balkansko ezikoznanie
BalkSt
Balkan Studies
BaM
Baghdader Mitteilungen
Bardenhewer, GAL
O. BARDENHEWER, Geschichte der altkirchlichen Literatur
Bde. 1–2, ²1913 f.; Bde. 3–5, 1912–32, Ndr. 1962
Bardenhewer, Patr.
O. BARDENHEWER, Patrologie, ³1910
Bardon
H. BARDON, La littérature latine inconnue 2 Bde., 1952–56
Baron
W. BARON (Hrsg.), Beiträge zur Methode der Wissen-
schaftsgeschichte, 1967
BASO
Bulletin of the American Schools of Oriental Research
Bauer/Aland
W. BAUER, K. ALAND (Hrsg.), Griechisch-deutsches
Wörterbuch zu den Schriften des Neuen Testamentes und
der frühchristlichen Literatur, ⁶1988
Baumann, LRRP
R.A. BAUMAN, Lawyers in Roman republican politics.
A study of the Roman jurists in their political setting,
316–82 BC (Münchener Beiträge zur Papyrusforschung
und antiken Rechtsgeschichte), 1983
Baumann, LRTP
R.A. BAUMAN, Lawyers in Roman transitional politics.
A study of the Roman jurists in their political setting in the
Late Republic and Triumvirate (Münchener Beiträge zur
Papyrusforschung und antiken Rechtsgeschichte), 1985
BB
Bezzenbergers Beiträge zur Kunde der indogermanischen
Sprachen
BCAR
Bullettino della Commissione Archeologica Comunale
di Roma
BCH
Bulletin de Correspondance Hellénique
BE
Bulletin épigraphique
Beazley, ABV
J.D. BEAZLEY, Attic Black-figure Vase-Painters, 1956
Beazley, Addenda²
TH.H. CARPENTER (Hrsg.), Beazley Addenda, ²1989
Beazley, ARV²
J.D. BEAZLEY, Attic Red-figure Vase-Painters, ²1963
Beazley, EVP
J.D. BEAZLEY, Etruscan Vase Painting, 1947
Beazley, Paralipomena
J.D. BEAZLEY, Paralipomena. Additions to Attic
Black-figure Vase-Painters and to Attic Red-figure
Vase-Painters, ²1971
Bechtel, Dial.¹
F. BECHTEL, Die griechischen Dialekte 3 Bde., 1921–24
Bechtel, Dial.²
F. BECHTEL, Die griechischen Dialekte 3 Bde., ²1963

Bechtel, HPN
F. BECHTEL, Die historischen Personennamen des
Griechischen bis zur Kaiserzeit, 1917
Belke
K. BELKE, Galatien und Lykaonien (Denkschriften
der Österreichischen Akademie der Wissenschaften,
Philosophisch-Historisch Klasse 172; TIB 4), 1984
Belke/Mersich
K. BELKE, N. MERSICH, Phrygien und Pisidien (Denk-
schriften der Österreichischen Akademie der Wissenschaf-
ten, Philosophisch-Historische Klasse 211; TIB 7), 1990
Bell
R.E. BELL, Place-Names in Classical Mythology, Greece,
1989
Beloch, Bevölkerung
K.J. BELOCH, Die Bevölkerung der griechisch-römischen
Welt, 1886
Beloch, GG
K.J. BELOCH, Griechische Geschichte 4 Bde., ²1912–27
Ndr. 1967
Beloch, RG
K.J. BELOCH, Römische Geschichte bis zum Beginn der
Punischen Kriege, 1926
Bengtson
H. BENGTSON, Die Strategie in der hellenistischen Zeit.
Ein Beitrag zum antiken Staatsrecht (Münchener Beiträge
zur Papyrusforschung und antiken Rechtsgeschichte
26, 32, 36) 3 Bde., 1937–52, verbesserter Ndr. 1964–67
Berger
E.H. BERGER, Geschichte der wissenschaftlichen Erd-
kunde der Griechen, ²1903
Berve
H. BERVE, Das Alexanderreich auf prosopographischer
Grundlage, 1926
Beyen
H.G. BEYEN, Die pompejanische Wanddekoration vom
zweiten bis zum vierten Stil 2 Bde., 1938–60
BFC
Bolletino di filologia classica
BGU
Ägyptische (Griechische) Urkunden aus den Kaiserlichen
(ab Bd. 6 Staatlichen) Museen zu Berlin 13 Bde., 1895–1976
BHM
Bulletin of the History of Medicine
BIAO
Bulletin de l'Institut français d'Archéologie Orientale
BiblH&R
Bibliothèque d'Humanisme et Renaissance
BiblLing
Bibliographie linguistique / Linguistic Bibliography
BIBR
Bulletin de l'Institut Belge de Rome
Bickerman
E. BICKERMANN, Chronologie (Einleitung in die
Altertumswissenschaft III 5), 1933
BICS
Bulletin of the Institute of Classical Studies of the University
of London
BIES
The Bulletin of the Israel Exploration Society
BiogJahr
Biographisches Jahrbuch für Altertumskunde
Birley
A.R. BIRLEY, The Fasti of Roman Britain, 1981

BJ
Bonner Jahrbücher des Rheinischen Landesmuseums
in Bonn und des Vereins von Altertumsfreunden im
Rheinlande
BKT
Berliner Klassikertexte 8 Bde., 1904–39
BKV
Bibliothek der Kirchenväter (Kemptener Ausg.) 63 Bde.,
²1911–31
Blänsdorf
J. BLÄNSDORF (Hrsg.), Theater und Gesellschaft
im Imperium Romanum, 1990
Blass
F. BLASS, Die attische Beredsamkeit, 3 Bde. ³1887–98,
Ndr. 1979
Blass/Debrunner/Rehkopf
F. BLASS, A. DEBRUNNER, F. REHKOPF, Grammatik
des neutestamentlichen Griechisch, ¹⁵1979
Blümner, PrAlt.
H. BLÜMNER, Die römischen Privataltertümer (HdbA IV
2,2), ³1911
Blümner, Techn.
H. BLÜMNER, Technologie und Terminologie der
Gewerbe und Künste bei Griechen und Römern
Bd. 1, ²1912; Bde. 2–4, 1875–87, Ndr. 1969
BMC, Gr
A Catalogue of the Greek Coins in the British Museum
29 Bde., 1873–1965
BMCByz
W. WROTH (Hrsg.), Catalogue of the Imperial Byzantine
Coins in the British Museum 2 Bde., 1908 Ndr. 1966
BMClR
Bryn Mawr Classical Review
BMCRE
H. MATTINGLY (Hrsg.), Coins of the Roman Empire
in the British Museum 6 Bde., 1962–76
BMCRR
H. A. GRUEBER (Hrsg.), Coins of the Roman Republic
in the British Museum 3 Bde., 1970
BN
Beiträge zur Namensforschung
Bolgar, Culture 1
R. BOLGAR, Classical Influences on European Culture
A.D. 500–1500, 1971
Bolgar, Culture 2
R. BOLGAR, Classical Influences on European Culture
A.D. 1500–1700, 1974
Bolgar, Thought
R. BOLGAR, Classical Influences on Western Thought AD
1650–1870, 1977
Bon
A. BON, La Morée franque 2 Bde., 1969
Bonner
S. F. BONNER, Education in Ancient Rome, 1977
Bopearachchi
O. BOPEARACHCHI, Monnaies gréco-bactriennes et
indo-grecques. Catalogue raisonné, 1991
Borinski
K. BORINSKI, Die Antike in Poetik und Kunsttheorie
vom Ausgang des klassischen Altertums bis auf Goethe und
Wilhelm von Humboldt 2 Bde. , 1914–24 Ndr. 1965
Borza
E. N. BORZA, In the shadow of Olympus. The emergence
of Macedon, 1990

Bouché-Leclerq
A. BOUCHÉ-LECLERQ, Histoire de la divination dans l'anti-
quité 3 Bde., 1879–82 Ndr. 1978 in 4 Bden.
BPhC
Bibliotheca Philologica Classica
BrBr
H. BRUNN, F. BRUCKMANN, Denkmäler griechischer und
römischer Skulpturen, 1888–1947
BRGK
Bericht der Römisch-Germanischen Kommission des
Deutschen Archäologischen Instituts
Briggs/Calder
W. W. BRIGGS, W. M. CALDER III, Classical Scholarship.
A Biographical Encyclopedia, 1990
Bruchmann
C. F. H. BRUCHMANN, Epitheta deorum quae apud poetas
graecos leguntur, 1893
Brugmann/Delbrück
K. BRUGMANN, B. DELBRÜCK, Grundriß der verglei-
chenden Grammatik der indogermanischen Sprachen
Bde. 1–2, ²1897–1916; Bde. 3–5, 1893–1900
Brugmann/Thumb
K. BRUGMANN, A. THUMB (Hrsg.), Griechische
Grammatik, ⁴1913
Brunhölzl
F. BRUNHÖLZL, Geschichte der lateinischen Literatur des
Mittelalters 2 Bde., 1975–92
Brunt
P. A. BRUNT, Italian Manpower 222 B. C. – A. D. 14, 1971
Bruun
C. BRUUN, The Water Supply of Ancient Rome. A Study
of Imperial Administration (Commentationes Humanarum
Litterarum 93), 1991
Bryer/Winfield
A. BRYER, D. WINFIELD, The Byzantine Monuments
and Topography of Pontus (Dumbarton Oaks studies 20)
2 Bde., 1985
BSABR
Bulletin de Liaison de la Société des Amis de la Bibliothèque
Salomon Reinach
BSL
Bulletin de la Société de Linguistique de Paris
BSO(A)S
Bulletin of the School of Oriental (ab Bd. 10 ff: and African)
Studies
BTCGI
G. NENCI (Hrsg.), Bibliografia topografica della coloniz-
zazione greca in Italia e nelle isole tirreniche, 1980 ff.
Buck
A. BUCK (Hrsg.), Die Rezeption der Antike, 1981
Burkert
W. BURKERT, Griechische Religion der archaischen und
klassischen Epoche, 1977
Busolt/Swoboda
G. BUSOLT, H. SWOBODA, Griechische Staatskunde
(HdbA IV 1,1) 2 Bde., ³1920–26 Ndr. 1972–79
BWG
Berichte zur Wissenschaftsgeschichte
BWPr
Winckelmanns-Programm der Archäologischen Gesell-
schaft zu Berlin
Byzantion
Byzantion. Revue internationale des études byzantines

ByzF
  Byzantinische Forschungen. Internationale Zeitschrift für Byzantinistik
ByzZ
  Byzantinische Zeitschrift
Caballos
  A. CABALLOS, Los senadores hispanoromanos y la romanización de Hispania (Siglos I al III p.C.) Bd. 1: Prosopografia (Monografias del Departamento de Historia Antigua de la Universidad de Sevilla 5), 1990
CAF
  T. KOCK (Hrsg.), Comicorum Atticorum Fragmenta, 3 Bde. 1880–88
CAG
  Commentaria in Aristotelem Graeca 18 Bde., 1885–1909
CAH
  The Cambridge Ancient History 12 Text- und 5 Tafelbde., 1924–39 (Bd. 1 als 2. Aufl.); Bde. 1–2, ³1970–75; Bde. 3,1 und 3,3ff., ²1982ff.; Bd. 3,2, ¹1991
Carney
  T.F. CARNEY, Bureaucracy in traditional society. Romano-Byzantine bureaucracies viewed from within, 1971
Cartledge/Millett/Todd
  P. CARTLEDGE, P. MILLETT, S. TODD (Hrsg.), Nomos, Essays in Athenian Law, Politics and Society, 1990
Cary
  M. CARY, The Geographical Background of Greek and Roman History, 1949
Casson, Ships
  L. CASSON, Ships and Seamanship in the Ancient World, 1971
Casson, Trade
  L. CASSON, Ancient Trade and Society, 1984
CAT
  Catalogus Tragicorum et Tragoediarum (in TrGF Bd. 1)
CatLitPap
  H.J.M. MILNE (Hrsg.), Catalogue of the Literary Papyri in the British Museum, 1927
CCAG
  F. CUMONT U.A. (Hrsg.), Catalogus Codicum Astrologorum Graecorum 12 Bde. in 20 Teilen, 1898–1940
CCL
  Corpus Christianorum. Series Latina, 1954ff.
CE
  Cronache Ercolanesi
CEG
  P.A. HANSEN (Hrsg.), Carmina epigraphica graeca (Texte und Kommentare 12; 15), 1983ff.
CeM
  Classica et Mediaevalia
CGF
  G. KAIBEL (Hrsg.), Comicorum Graecorum Fragmenta, ²1958
CGL
  G. GÖTZ (Hrsg.), Corpus glossariorum Latinorum 7 Bde., 1888–1923 Ndr. 1965
Chantraine
  P. CHANTRAINE, Dictionnaire étymologique de la langue grecque 4 Bde., 1968–80
CHCL-G
  E.J. KENNEY (Hrsg.), The Cambridge History of Classical Literature. Greek Literature, 1985ff.
CHCL-L
  E.J. KENNEY (Hrsg.), The Cambridge History of Classical Literature. Latin Literature, 1982ff.

Chiron
  Chiron. Mitteilungen der Kommission für alte Geschichte und Epigraphik des Deutschen Archäologischen Instituts
Christ
  K. CHRIST, Geschichte der römischen Kaiserzeit von Augustus bis zu Konstantin, 1988
Christ, RGG
  K. CHRIST, Römische Geschichte und deutsche Geschichtswissenschaft, 1982
Christ, RGW
  K. CHRIST, Römische Geschichte und Wissenschaftsgeschichte 3 Bde., 1982–83
Christ/Momigliano
  K. CHRIST, A. MOMIGLIANO, Die Antike im 19. Jahrhundert in Italien und Deutschland, 1988
CIA
  A. KIRCHHOFF U.A. (Hrsg.), Corpus Inscriptionum Atticarum, 1873; Suppl. 1877–91
CIC
  Corpus Iuris Canonici 2 Bde., 1879–81 Ndr. 1959
CID
  Corpus des inscriptions de Delphes 3 Bde., 1977–92
CIE
  C. PAULI (Hrsg.), Corpus Inscriptionum Etruscarum 2 Bde., 1893–1921
CIG
  Corpus Inscriptionum Graecarum 4 Bde., 1828–77
CIL
  Corpus Inscriptionum Latinarum, 1863ff.
CIL III Add.
  M. SASEL-KOS, Inscriptiones latinae in Graecia repertae. Additamenta ad CIL III (Epigrafia e antichità 5), 1979
CIRB
  Corpus Inscriptionum regni Bosporani, 1965
CIS
  Corpus Inscriptionum Semiticarum 5 Teile, 1881–1951
CJ
  Classical Journal
CL
  Cultura Neolatina
Clairmont
  C.W. CLAIRMONT, Attic Classical Tombstones 7 Bde., 1993
Clauss
  M. CLAUSS, Der magister officiorum in der Spätantike (4.–6. Jahrhundert). Das Amt und sein Einfluß auf die kaiserliche Politik (Vestigia 32), 1981
CLE
  F. BÜCHELER, E. LOMMATZSCH (Hrsg.), Carmina Latina Epigraphica (Anthologia latina 2) 3 Bde., 1895–1926
CM
  Clio Medica. Acta Academiae historiae medicinae.
CMA
  Cahiers de l'Institut du Moyen Age grec et latin
CMB
  W.M. CALDER III, D.J. KRAMER, An introductory bibliography to the history of classical scholarship, chiefly in the XIXth and XXth centuries, 1992
CMG
  Corpus Medicorum Graecorum, 1908ff.
CMIK
  J. CHADWICK, Corpus of Mycenaean inscriptions from Knossos (Incunabula Graeca 88), 1986ff.

CML
  Corpus Medicorum Latinorum, 1915 ff.
CMS
  F. MATZ U.A. (Hrsg.), Corpus der minoischen und
  mykenischen Siegel, 1964 ff.
CodMan
  Codices manuscripti. Zeitschrift für Handschriftenkunde
Coing
  H. COING, Europäisches Privatrecht 2 Bde., 1985–89
CollAlex
  I.U. POWELL (Hrsg.), Collectanea Alexandrina, 1925
CollRau
  J.V. UNGERN-STERNBERG (Hrsg.), Colloquia Raurica,
  1988 ff.
Conway/Johnson/Whatmough
  R.S. CONWAY, S.E. JOHNSON, J. WHATMOUGH,
  The Prae-Italic dialects of Italy 3 Bde., 1933 Ndr. 1968
Conze
  A. CONZE, Die attischen Grabreliefs 4 Bde., 1893–1922
Courtney
  E. COURTNEY, The Fragmentary Latin Poets, 1993
CPF
  F. ADORNO (Hrsg.), Corpus dei Papiri Filosofici greci
  e latini, 1989 ff.
CPG
  M. GEERARD (BDE. 1–5), F. GLORIE (BD. 5), Clavis
  patrum graecorum 5 Bde., 1974–87
CPh
  Classical Philology
CPL
  E. DEKKERS, A. GAAR, Clavis patrum latinorum (CCL),
  ³1995
CQ
  Classical Quarterly
CR
  Classical Review
CRAI
  Comptes rendus des séances de l'Académie des inscriptions
  et belles-lettres
CRF
  O. RIBBECK (Hrsg.), Comicorum Romanorum
  Fragmenta, 1871, Ndr. 1962
CSCT
  Columbia Studies in the Classical Tradition
CSE
  Corpus Speculorum Etruscorum, 1990 ff.
CSEL
  Corpus Scriptorum ecclesiasticorum Latinorum, 1866 ff.
CSIR
  Corpus Signorum Imperii Romani, 1963 ff.
Cumont, Pont
  F. CUMONT, E. CUMONT, Voyage d'exploration
  archéologique dans le Pont et la Petite Arménie (Studia
  pontica 2), 1906
Cumont, Religions
  F. CUMONT, Les Religions orientales dans le paganisme
  romain, ³1929, Ndr. 1981
Curtius
  E.R. CURTIUS, Europäische Literatur und lateinisches
  Mittelalter, ¹¹1993
CVA
  Corpus Vasorum Antiquorum, 1923 ff.
CW
  The Classical World

D'Arms
  J.H. D'ARMS, Commerce and Social Standing in Ancient
  Rome, 1981
D'Arms/Kopff
  J.H. D'ARMS, E.C. KOPFF (Hrsg.), The Seaborne
  Commerce of Ancient Rome: Studies in Archaeology
  and History (Memoirs of the American Academy
  in Rome 36), 1980
Dacia
  Dacia. Revue d'archéologie et d'histoire ancienne
Davies
  J.K. DAVIES, Athenian Propertied Families 600–300 B.C.,
  1971
DB
  F. VIGOUROUX (Hrsg.), Dictionnaire de la Bible, 1881 ff.
DCPP
  E. LIPIŃSKI U.A. (Hrsg.), Dictionnaire de la Civilisation
  Phénicienne et Punique, 1992
Degrassi, FCap.
  A. DEGRASSI, Fasti Capitolini (Corpus scriptorum
  latinorum Paravianum), 1954
Degrassi, FCIR
  A. DEGRASSI, I Fasti consolari dell'Impero Romano, 1952
Deichgräber
  K. DEICHGRÄBER, Die griechische Empirikerschule, 1930
Delmaire
  R. DELMAIRE, Les responsables des finances impériales au
  Bas-Empire romain (IVᵉ-VIᵉ s.). Études prosopographiques
  (Collection Latomus 203), 1989
Demandt
  A. DEMANDT, Der Fall Roms: die Auflösung des römi-
  schen Reiches im Urteil der Nachwelt, 1984
Demougin
  S. DEMOUGIN, Prosopographie des Chevaliers romains
  Julio-Claudiens (43 av. J.-C.–70 ap. J.-C.) (Collection
  de l'École Française de Rome 153), 1992
Deubner
  L. DEUBNER, Attische Feste, 1932
Develin
  R. DEVELIN, Athenian Officials 684–321 B.C., 1989
Devijver
  H. DEVIJVER, Prosopographia militiarum equestrium quae
  fuerunt ab Augusto ad Gallienum (Symbolae Facultatis
  Litterarum et Philosophiae Lovaniensis Ser. A 3) 3 Bde.,
  1976–80; 2 Suppl.-Bde., 1987–93
DHA
  Dialogues d'histoire ancienne
DHGE
  A. BAUDRILLART, R. AUBERT (Hrsg.), Dictionnaire
  d'Histoire et de Géographie Ecclésiastiques, 1912 ff.
DID
  Didascaliae Tragicae/Ludorum Tragicorum (in TrGF Bd. 1)
Diels, DG
  H. DIELS, Doxographi Graeci, 1879
Diels/Kranz
  H. DIELS, W. KRANZ (Hrsg.), Fragmente der
  Vorsokratiker 3 Bde., ⁶1951 f., Ndr. Bd. 1, 1992;
  Bd. 2: 1985; Bd. 3: 1993
Dierauer
  U. DIERAUER, Tier und Mensch im Denken der Antike,
  1977
Dietz
  K. DIETZ, Senatus contra principem. Untersuchungen zur
  senatorischen Opposition gegen Kaiser Maximinus Thrax
  (Vestigia 29), 1980

Dihle
  A. DIHLE, Die griechische und lateinische Literatur der
  Kaiserzeit: von Augustus bis Justinian, 1989
DiskAB
  Diskussionen zur archäologischen Bauforschung, 1974 ff.
Dixon
  S. DIXON, The Roman Family, 1992
DJD
  Discoveries in the Judaean Desert, 1955 ff.
DLZ
  Deutsche Literaturzeitung für Kritik der internationalen
  Wissenschaft
DMA
  J.R. STRAYER U.A. (Hrsg.), Dictionary of the Middle
  Ages 13 Bde., 1982–89
DMic
  F. AURA JORRO, Diccionario Micénico, 1985
Dörrie/Baltes
  H. DÖRRIE, M. BALTES (Hrsg.), Der Platonismus in der
  Antike, 1987 ff.
Domaszewski
  A. v. DOMASZEWSKI, Aufsätze zur römischen Heeres-
  geschichte, 1972
Domaszewski/Dobson
  A. v. DOMASZEWSKI, B. DOBSON, Die Rangordnung des
  römischen Heeres, ²1967
Domergue
  C. DOMERGUE, Les mines de la péninsule Iberique dans
  l'Antiquité Romaine, 1990
Drumann/Groebe
  W. DRUMANN, P. GROEBE (Hrsg.), Geschichte Roms in
  seinem Übergange von der republikanischen zur monar-
  chischen Verfassung 6 Bde., ²1899–1929 Ndr. 1964
DS
  C. DAREMBERG, E. SAGLIO (Hrsg.), Dictionnaire des
  antiquités grecques et romaines d'après les textes et les
  monuments 6 Bde., 1877–1919 Ndr. 1969
Dulckeit/Schwarz/Waldstein
  G. DULCKEIT, F. SCHWARZ, W. WALDSTEIN, Römische
  Rechtsgeschichte. Ein Studienbuch (Juristische Kurz-
  Lehrbücher), ⁹1995
Dumézil
  G. DUMÉZIL, La religion romaine archaïque, suivi d'un
  appendice sur la religion des Etrusques, ²1974
Duncan-Jones, Economy
  R. DUNCAN-JONES, The Economy of the Roman
  Empire. Quantitative Studies, 1974
Duncan-Jones, Structure
  R. DUNCAN-JONES, Structure and Scale in the Roman
  Economy, 1990
DVjS
  Deutsche Vierteljahrsschrift für Literaturwissenschaft und
  Geistesgeschichte
EA
  Epigraphica Anatolica. Zeitschrift für Epigraphik und
  historische Geographie Anatoliens
EAA
  R. BIANCHI BANDINELLI (Hrsg.), Enciclopedia dell'arte
  antica classica e orientale, 1958 ff.
EB
  G. CAMPS, Encyclopédie Berbère, 1984 ff.
Ebert
  F. EBERT, Fachausdrücke des griechischen Bauhandwerks
  Bd. 1: Der Tempel, 1910

EC
  Essays in Criticism
Eck
  W. ECK, Die Statthalter der germanischen Provinzen vom
  1.–3. Jahrhundert (Epigraphische Studien 14), 1985
Eckstein
  F.A. ECKSTEIN, Nomenclator philologorum, 1871
Edelstein, AM
  L. EDELSTEIN, Ancient medicine, 1967
Edelstein, Asclepius
  E.J. U. L. EDELSTEIN, Asclepius. A Collection and
  Interpretation of the Testimonies, 1945
Eder, Demokratie
  W. EDER (Hrsg.), Die athenische Demokratie im 4. Jahr-
  hundert v. Chr. Vollendung oder Verfall einer Verfassungs-
  form? Akten eines Symposiums, 3. – 7. August 1992, 1995
Eder, Staat
  W. EDER (Hrsg.), Staat und Staatlichkeit in der frühen
  römischen Republik: Akten eines Symposiums,
  12. – 15. Juli 1988, 1990
EDM
  K. RANKE, W. BREDNICH (Hrsg.), Enzyklopädie
  des Märchens. Handwörterbuch zur historischen und
  vergleichenden Erzählforschung, 1977 ff.
EDRL
  A. BERGER, Encyclopedic dictionary of Roman Law
  (TAPhA N.S. 43,2), 1953, Ndr. 1968
EEpigr
  Ephemeris Epigraphica
EI
  Encyclopaedia of Islam, ²1960 ff.
Eissfeldt
  O. EISSFELDT (Hrsg.), Handbuch zum Alten Testament,
  ³1964 ff.
Emerita
  Emerita. Revista de linguistica y filologia clasica
EncIr
  E. YARSHATER (Hrsg.), Encyclopaedia Iranica, 1985
Entretiens
  Entretiens sur l'antiquité classique (Fondation Hardt)
EOS
  Atti del Colloquio Internazionale AIEGL su Epigrafia e
  Ordine Senatorio: Roma, 14 – 20 maggio 1981, 2 Bde., 1982
EpGF
  M. DAVIES, Epicorum graecorum fragmenta, 1988
EpGr
  G. KAIBEL (Hrsg.), Epigrammata Graeca ex lapidibus
  conlecta, 1878
Epicurea
  H. USENER (Hrsg.), Epicurea, 1887 Ndr. 1963
EPRO
  Études préliminaires aux religions orientales dans l'Empire
  Romain, 1961 ff.
Eranos
  Eranos. Acta Philologica Suecana
Eranos-Jb
  Eranos-Jahrbuch
Erasmus
  Erasmus. Speculum Scientiarum. Internationales Literatur-
  blatt der Geisteswissenschaften
Eretz Israel
  Eretz-Israel, Archaeological, Historical and Geographical
  Studies

Ernout/Meillet
  A. ERNOUT, A. MEILLET, Dictionnaire étymologique
  de la langue latine, ⁴1959
Errington
  R.M. ERRINGTON, Geschichte Makedoniens. Von den
  Anfängen bis zum Untergang des Königreiches, 1986
ESAR
  T. FRANK (Hrsg.), An Economic Survey of Ancient
  Rome 6 Bde., 1933–40
Espérandieu, Inscr.
  E. ESPÉRANDIEU, Inscriptions latines de Gaule 2 Bde.,
  1929–36
Espérandieu, Rec.
  E. ESPÉRANDIEU, Recueil généneral des Bas-reliefs,
  Statues et Bustes de la Gaule Romaine 16 Bde., 1907–81
ET
  H. RIX (Hrsg.), Etruskische Texte (ScriptOralia 23,24,
  Reihe A 6,7) 2 Bde., 1991
ETAM
  Ergänzungsbände zu den Tituli Asiae minoris, 1966ff.
Euph.
  Euphorion
EV
  F. DELLA CORTE U.A. (Hrsg.), Enciclopedia Virgiliana
  5 Bde. in 6 Teilen, 1984–91
Evans
  D.E. EVANS, Gaulish personal names. A study of some
  continental Celtic formations, 1967
F&F
  Forschungen und Fortschritte
Farnell, Cults
  L.R. FARNELL, The Cults of the Greek States 5 Bde.,
  1896–1909
Farnell, GHC
  L.R. FARNELL, Greek Hero Cults and Ideas of Immortality,
  1921
FCG
  A. MEINEKE (Hrsg.), Fragmenta Comicorum Graecorum
  5 Bde., 1839–57, Ndr. 1970
FCS
  Fifteenth-Century Studies
FdD
  Fouilles de Delphes, 1902ff.
FGE
  D.L. PAGE, Further Greek Epigrams, 1981
FGrH
  F. JACOBY, Die Fragmente der griechischen Historiker, 3
  Teile in 14 Bden., 1923–58; Teil I: ²1957
FHG
  C. MÜLLER (Hrsg.), Fragmenta Historicorum Graecorum
  5 Bde., 1841–70
Fick/Bechtel
  A. FICK, F. BECHTEL, Die griechischen Personennamen,
  ²1894
FiE
  Forschungen in Ephesos, 1906ff.
Filologia
  La Filologia Greca e Latina nel secolo XX, 1989
Finley, Ancient Economy
  M.I. FINLEY, The Ancient Economy, ²1984
Finley, Ancient Slavery
  M.I. FINLEY, Ancient Slavery and Modern Ideology, 1980
Finley, Economy
  M.I. FINLEY, B.D. SHAW, R.P. SALLER (Hrsg.),
  Economy and Society in Ancient Greece, 1981

Finley, Property
  M.I. FINLEY (Hrsg.), Studies in Roman Property, 1976
FIRA
  S. RICCOBONO, J. BAVIERA (Hrsg.), Fontes iuris
  Romani anteiustiniani 3 Bde., ²1968
FIRBruns
  K.G. BRUNS, TH. MOMMSEN, O. GRADENWITZ
  (HRSG.), Fontes iuris Romani antiqui, ⁷1909 Ndr. 1969
Fittschen/Zanker
  K. FITTSCHEN, P. ZANKER, Katalog der römischen
  Porträts in den capitolinischen Museen und den anderen
  kommunalen Museen der Stadt Rom, 1983ff.
Flach
  D. FLACH, Römische Agrargeschichte (HdbA III 9), 1990
Flashar
  H. FLASHAR, Inszenierung der Antike. Das griechische
  Drama auf der Bühne der Neuzeit, 1991
Flashar, Medizin
  H. FLASHAR (Hrsg.), Antike Medizin, 1971
FMS
  Frühmittelalterliche Studien, Jahrbuch des Instituts für
  Frühmittelalter-Forschung der Universität Münster
Fossey
  J.M. FOSSEY, Topography and population of ancient
  Boiotia Bd. 1, 1988
FOst
  L. VIDMANN, Fasti Ostienses, 1982
Fowler
  W.W. FOWLER, The Roman Festivals of the Period
  of the Republic. An Introduction to the Study of the
  Religion of the Romans, 1899
FPD
  I. PISO, Fasti Provinciae Daciae Bd. 1: Die senatorischen
  Amtsträger (Antiquitas 1,43), 1993
FPL
  W. MOREL, C. BÜCHNER (Hrsg.), Fragmenta Poetarum
  Latinorum epicorum et lyricorum, ²1982
FPR
  A. BÄHRENS (Hrsg.), Fragmenta Poetarum Romanorum,
  1886
Frazer
  J.G. FRAZER, The Golden Bough. A Study in Magic and
  Religion, 8 Teile in 12 Bden.; Bde. 1–3, 5–9, ³1911–14;
  Bde. 4, 10–12, 1911–15
Frenzel
  E. FRENZEL, Stoffe der Weltliteratur, ⁸1992
Friedländer
  L. FRIEDLÄNDER, G. WISSOWA (Hrsg.), Darstellungen
  aus der Sittengeschichte Roms 4 Bde., ¹⁰1921–23
Frier, Landlords
  B.W. FRIER, Landlords and Tenants in Imperial Rome,
  1980
Frier, PontMax
  B.W. FRIER, Libri annales pontificum maximorum. The
  origins of the annalistic tradition (Papers and monographs of
  the American Academy in Rome 27), 1979
Frisk
  H. FRISK, Griechisches etymologisches Wörterbuch
  (Indogermanische Bibliothek: Reihe 2) 3 Bde., 1960–72
FRLANT
  Forschungen zur Religion und Literatur des Alten und
  Neuen Testaments
Fuchs/Floren
  W. FUCHS, J. FLOREN, Die Griechische Plastik. Bd. 1:
  Die geometrische und archaische Plastik, 1987

Furtwängler
>   A. FURTWÄNGLER, Die antiken Gemmen. Geschichte der
>   Steinschneidekunst im klassischen Altertum 3 Bde., 1900

Furtwängler/Reichhold
>   A. FURTWÄNGLER, K. REICHHOLD, Griechische Vasen-
>   malerei 3 Bde., 1904–32

Fushöller
>   D. FUSHÖLLER, Tunesien und Ostalgerien in der Römer-
>   zeit, 1979

G&R
>   Greece and Rome

GA
>   A.S.F. GOW, D.L. PAGE, The Greek Anthology, Bd. 1:
>   Hellenistic Epigrams, 1965; Bd. 2: The Garland of Philip,
>   1968

Gardner
>   P. GARDNER, A History of Ancient Coinage, 700–300
>   B.C., 1918

Gardthausen
>   V. GARDTHAUSEN, Augustus und seine Zeit, 2 Teile
>   in 6 Bden., 1891–1904

Garnsey
>   P. GARNSEY, Famine and Food Supply in the Graeco-
>   Roman World. Responses to Risk and Crisis, 1988

Garnsey/Hopkins/Whittaker
>   P. GARNSEY, K. HOPKINS, C.R. WHITTAKER (Hrsg.),
>   Trade in the Ancient Economy, 1983

Garnsey/Saller
>   P. GARNSEY, R. SALLER, The Roman Empire, Economy,
>   Society and Culture, 1987

GCS
>   Die griechischen christlichen Schriftsteller der ersten
>   Jahrhunderte, 1897 ff.

Gehrke
>   H.-J. GEHRKE, Jenseits von Athen und Sparta. Das Dritte
>   Griechenland und seine Staatenwelt, 1986

Gentili/Prato
>   B. GENTILI, C. PRATO (Hrsg.), Poetarvm elegiacorvm
>   testimonia et fragmenta Bd. 1: ²1988; Bd. 2: 1985

Georges
>   K.E. GEORGES, Ausführliches lateinisch-deutsches
>   Handwörterbuch 2 Bde., ⁸1912–18 Ndr. 1992

Gérard-Rousseau
>   M. GÉRARD-ROUSSEAU, Les mentions religieuses dans les
>   tablettes mycéniennes, 1968

Germania
>   Germania. Anzeiger der Römisch-Germanischen Kommis-
>   sion des Deutschen Archäologischen Instituts

Gernet
>   L. GERNET, Droit et société dans la Grèce ancienne (Institut
>   de droit romain, Publication 13), 1955, Ndr. 1964

Geus
>   K. GEUS, Prosopographie der literarisch bezeugten
>   Karthager (Studia Phoenicia 13; Orientalia Lovaniensia
>   analecta 59), 1994

GGA
>   Göttingische Gelehrte Anzeigen

GGM
>   C. MÜLLER (Hrsg.), Geographi Graeci Minores 2 Bde.,
>   Tabulae, 1855–61

GGPh¹
>   F. ÜBERWEG (Hrsg.), Grundriß der Geschichte der
>   Philosophie; K. PRÄCHTER, Teil 1: Die Philosophie des
>   Altertums, ¹²1926, Ndr. 1953

GGPh²
>   W. OTTO, U. HAUSMANN (Hrsg.), Grundriß der
>   Geschichte der Philosophie; H. FLASHAR (Hrsg.),
>   Bd. 3: Die Philosophie der Antike, ²1983; Bd. 4: Die helle-
>   nistische Philosophie, ²1994

GHW 1
>   H. BENGTSON, V. MILOJCIC U.A., Großer Historischer
>   Weltatlas des Bayrischen Schulbuchverlages 1. Vorgeschich-
>   te und Altertum, ⁶1978

GHW 2
>   J. ENGEL, W. MAGER, A. BIRKEN U.A., Großer Histori-
>   scher Weltatlas des Bayrischen Schulbuchverlages
>   2. Mittelalter, ²1979

GIBM
>   C.T. NEWTON U.A. (Hrsg.), The Collection of Ancient
>   Greek Inscriptions in the British Museum 4 Bde., 1874–
>   1916

Gillispie
>   C.C. GILLISPIE (Hrsg.), Dictionary of scientific biogra-
>   phy 14 Bde. und Index, 1970–80, Ndr. 1981; 2 Suppl.-Bde.
>   1978–90

GL
>   H. KEIL (Hrsg.), Grammatici Latini 7 Bde., 1855–80

GLM
>   A. RIESE (Hrsg.), Geographi Latini Minores, 1878

Glotta
>   Glotta. Zeitschrift für griechische und lateinische Sprache

GMth
>   F. ZAMINER (Hrsg.), Geschichte der Musiktheorie,
>   1984 ff.

Gnomon
>   Gnomon. Kritische Zeitschrift für die gesamte klassische
>   Altertumswissenaft

Göbl
>   R. GÖBL, Antike Numismatik 2 Bde., 1978

Goleniščev
>   I.N. GOLENIŠČEV-KUTUZOV, Il Rinascimento italiano
>   e le letterature slave dei secoli XV e XVI, 1973

Gordon
>   A.E. GORDON, Album of Dated Latin Inscriptions 4 Bde.,
>   1958–65

Goulet
>   R. GOULET (Hrsg.), Dictionnaire des philosophes
>   antiques, 1989 ff.

Graf
>   F. GRAF, Nordionische Kulte. Religionsgeschichtliche und
>   epigraphische Untersuchungen zu den Kulten von Chios,
>   Erythrai, Klazomenai und Phokaia, 1985

GRBS
>   Greek, Roman and Byzantine Studies

Grenier
>   A. GRENIER, Manuel d'archéologie gallo-romaine 4 Bde.,
>   1931–60; Bd. 1 und 2: Ndr. 1985

GRF
>   H. FUNAIOLI (Hrsg.), Grammaticae Romanae
>   Fragmenta, 1907

GRF(add)
>   A. MAZZARINO, Grammaticae Romanae Fragmenta aetatis
>   Caesareae (accedunt volumini Funaioliano addenda), 1955

GRLMA
>   Grundriß der romanischen Literaturen des Mittelalters

Gruen, Last Gen.
>   E.S. GRUEN, The Last Generation of the Roman
>   Republic, 1974

Gruen, Rome
E.S. GRUEN, The Hellenistic world and the coming of Rome, 1984, Ndr. 1986

Gruppe
O. GRUPPE, Geschichte der klassischen Mythologie und Religionsgeschichte während des Mittelalters im Abendland und während der Neuzeit, 1921

Gundel
W. u. H.-G. GUNDEL, Astrologumena. Die astrologische Literatur in der Antike und ihre Geschichte, 1966

Guthrie
W.K.C. GUTHRIE, A History of Greek Philosophy 6 Bde., 1962–81

GVI
W. PEEK (Hrsg.), Griechische Vers-Inschriften Bd. 1, 1955

Gymnasium
Gymnasium. Zeitschrift für Kultur der Antike und humanistische Bildung

HABES
Heidelberger althistorische Beiträge und epigraphische Studien, 1986 ff.

Habicht
C. HABICHT, Athen. Die Geschichte der Stadt in hellenistischer Zeit, 1995

Hakkert
A.M. HAKKERT (Hrsg.), Lexicon of Greek and Roman Cities and Place-Names in Antiquity c. 1500 B.C. – c. A.D. 500, 1990 ff.

Halfmann
H. HALFMANN, Die Senatoren aus dem östlichen Teil des Imperium Romanum bis zum Ende des 2. Jahrhunderts n.Chr. (Hypomnemata 58), 1979

Hamburger
K. HAMBURGER, Von Sophokles zu Sartre. Griechische Dramenfiguren antik und modern, 1962

Hannestad
N. HANNESTAD, Roman Art and Imperial Policy, 1986

Hansen, Democracy
M.H. HANSEN, The Athenian democracy in the age of Demosthenes. Structure, principles and ideology, 1991, Ndr. 1993

Harris
W.V. HARRIS, War and Imperialism in Republican Rome 327–70 B.C., 1979

Hasebroek
J. HASEBROEK, Griechische Wirtschafts- und Gesellschaftsgeschichte bis zur Perserzeit, 1931

HbdOr
B. SPULER (Hrsg.), Handbuch der Orientalistik, 1952 ff.

HbdrA
J. MARQUARDT, TH. MOMMSEN, Handbuch der römischen Alterthümer Bd. 1–3, ³1887 f.; Bd. 4–7, ²1881–86

HBr
P. HERRMANN, R. HERBIG (Hrsg.), Denkmäler der Malerei des Altertums 2 Bde., 1904–50

HDA
H. BÄCHTOLD-STÄUBLI u.a. (Hrsg.), Handwörterbuch des deutschen Aberglaubens 10 Bde., 1927–42 Ndr. 1987

HdArch
W. OTTO, U. HAUSMANN (Hrsg.), Handbuch der Archäologie. Im Rahmen des HdbA 7 Bde., 1969–90

HdbA
I. v. MÜLLER, H. BENGTSON (Hrsg.), Handbuch der Altertumswissenschaft, ⁵1977 ff.

Heckel
W. HECKEL, Marshals of Alexander's empire, 1978

Heinemann
K. HEINEMANN, Die tragischen Gestalten der Griechen in der Weltliteratur, 1920

Helbig
W. HELBIG, Führer durch die öffentlichen Sammlungen klassischer Altertümer in Rom 4 Bde., ⁴1963–72

Hephaistos
Hephaistos. Kritische Zeitschrift zu Theorie und Praxis der Archäologie, Kunstwissenschaft und angrenzender Gebiete

Hermes
Hermes. Zeitschrift für klassische Philologie

Herrscherbild
Das römische Herrscherbild, 1939 ff.

Herzog, Staatsverfassung
E.v. HERZOG, Geschichte und System der römischen Staatsverfassung 2 Bde., 1884–91, Ndr. 1965

Hesperia
Hesperia. Journal of the American School of Classical Studies at Athens

Heubeck
A. HEUBECK, Schrift (Archaeologia Homerica Kapitel x Bd. 3), 1979

Heumann/Seckel
H.G. HEUMANN, E. SECKEL (Hrsg.), Handlexikon zu den Quellen des römischen Rechts, ¹¹1971

Highet
G. HIGHET, The Classical Tradition: Greek and Roman influences on Western literature, ⁴1968, Ndr. 1985

Hild
F. HILD, Kilikien und Isaurien (Denkschriften der Österreichischen Akademie der Wissenschaften, Philosophisch-Historische Klasse 215; TIB 5) 2 Bde., 1990

Hild/Restle
F. HILD, M. RESTLE, Kappadokien (Kappadokia, Charsianon, Sebasteia und Lykandos) (Denkschriften der Österreichischen Akademie der Wissenschaften: Philosophisch-Historische Klasse 149; TIB 2), 1981

Hirschfeld
O. HIRSCHFELD, Die kaiserlichen Verwaltungsbeamten bis auf Diocletian, ²1905

Historia
Historia. Zeitschrift für Alte Geschichte

HJb
Historisches Jahrbuch

HLav
Humanistica Lavanensia

HLL
R. HERZOG, P.L. SCHMIDT (Hrsg.), Handbuch der lateinischen Literatur der Antike, 1989 ff.

HM
A History of Macedonia Bd. 1: N.G.L. HAMMOND, Historical geography and prehistory, 1972; Bd. 2: N.G.L. HAMMOND, G.T. GRIFFITH, 550–336 BC, 1979; Bd. 3: N.G.L. HAMMOND, F.W. WALBANK, 336–167 BC, 1988

HmT
H.H. EGGEBRECHT, Handwörterbuch der musikalischen Terminologie, 1972 ff.

HN
B.V. HEAD, Historia numorum. A manual of Greek numismatics, ²1911

Hodge
T.A. HODGE, Roman Aqueducts and Water Supply, 1992

Hölbl
> G. Hölbl, Geschichte des Ptolemäerreiches. Politik, Ideo-
> logie und religiöse Kultur von Alexander dem Großen bis
> zur römischen Eroberung, 1994

Hölkeskamp
> K.-J. Hölkeskamp, Die Entstehung der Nobilität.
> Studien zur sozialen und politischen Geschichte der
> Römischen Republik im 4. Jh. v. Chr., 1987

Hoffmann
> D. Hoffmann, Das spätrömische Bewegungsheer und die
> notitia dignitatum (Epigraphische Studien 7) 2 Bde., 1969f.;
> = (Diss.) 1958

Holder
> A. Holder, Alt-celtischer Sprachschatz 3 Bde., 1896–1913,
> Ndr. 1961f.

Honsell
> H. Honsell, Römisches Recht (Springer-Lehrbuch),
> ³1994

Hopfner
> T. Hopfner, Griechisch-ägyptischer Offenbarungszauber
> 2 Bde. in 3 Teilen, 1921–24, Ndr. 1974–90

Hopkins, Conquerors
> K. Hopkins, Conquerors and Slaves. Sociological Studies
> in Roman History Bd. 1, 1978

Hopkins, Death
> K. Hopkins, Death and Renewal. Sociological Studies in
> Roman History Bd. 2, 1983

HR
> History of Religions

HRR
> H. Peter (Hrsg.), Historicorum Romanorum Reliquiae,
> Bd. 1: ²1914, Bd. 2: 1906 Ndr. 1967

HrwG
> H. Cancik, B. Gladigow, M. Laubscher (ab Bd. 2:
> K.-H. Kohl) (Hrsg.), Handbuch religionswissenschaft-
> licher Grundbegriffe, 1988ff.

HS
> Historische Sprachforschung

HSM
> Histoire des sciences médicales

HSPh
> Harvard Studies in Classical Philology

Hülser
> K. Hülser, Die Fragmente zur Dialektik der Stoiker.
> Neue Sammlung der Texte mit deutscher Übersetzung
> und Kommentaren 4 Bde., 1987f.

Humphrey
> J.H. Humphrey, Roman Circuses. Arenas for Chariot
> Racing, 1986

Hunger, Literatur
> H. Hunger, Die hochsprachlich profane Literatur der
> Byzantiner (HdbA 12,5) 2 Bde., 1978

Hunger, Mythologie
> H. Hunger (Hrsg.), Lexikon der griechischen und
> römischen Mythologie, ⁶1969

Huss
> W. Huss, Geschichte der Karthager (HdbA III 8), 1985

HWdPh
> J. Ritter, K. Gründer (Hrsg.), Historisches Wörter-
> buch der Philosophie, 1971ff.

HWdR
> G. Ueding (Hrsg.), Historisches Wörterbuch der
> Rhetorik, 1992ff.

HZ
> Historische Zeitschrift

IA
> Iranica Antiqua

IconRel
> T.P. v. Baaren (Hrsg.), Iconography of Religions,
> 1970ff.

ICUR
> A. Ferrua, G.B. de Rossi, Inscriptiones christianae
> urbis Romae

IDélos
> Inscriptions de Délos, 1926ff.

IDidyma
> A. Rehm (Hrsg.), Didyma Bd. 2: Die Inschriften, 1958

IEG
> M.L. West (Hrsg.), Iambi et elegi graeci ante
> Alexandrum cantati 2 Bde., ²1989–92

IEJ
> Israel Exploration Journal

IER
> Illustrierte Enzyklopädie der Renaissance

Ery
> H. Engelmann (Hrsg.), Die Inschriften von Erythrai und
> Klazomenai 2 Bde., 1972f.

IF
> Indogermanische Forschungen

IG
> Inscriptiones Graecae, 1873ff.

IGA
> H. Roehl (Hrsg.), Inscriptiones Graecae antiquissimae
> praeter Atticas in Attica repertas, 1882, Ndr. 1977

IGBulg
> G. Mihailov (Hrsg.), Inscriptiones Graecae in Bulgaria
> repertae 5 Bde., 1956–1996

IGLS
> Inscriptions grecques et latines de la Syrie, 1929ff.

IGR
> R. Cagnat u.a. (Hrsg.), Inscriptiones Graecae ad res
> Romanas pertinentes 4 Bde., 1906–27

IGUR
> L. Moretti, Inscriptiones graecae urbis Romae 4 Bde.,
> 1968–90

IJCT
> International Journal of the Classical Tradition

Ijsewijn
> J. Ijsewijn, Companion to Neo Latin Studies, ²1990ff.

IK
> Die Inschriften griechischer Städte aus Kleinasien, 1972ff.

ILCV
> E. Diehl (Hrsg.), Inscriptiones Latinae Christianae
> Veteres orientis 3 Bde., 1925–31, Ndr. 1961;
> J. Moreau, H.I. Marrou (Hrsg.), Suppl., 1967

ILLRP
> A. Degrassi (Hrsg.), Inscriptiones latinae liberae rei
> publicae 2 Bde., 1957–63, Ndr. 1972

ILS
> H. Dessau (Hrsg.), Inscriptiones Latinae Selectae
> 3 Bde. in 5 Teilen, 1892–1916, Ndr. ⁴1974

IMagn.
> O. Kern (Hrsg.), Die Inschriften von Magnesia am
> Mäander, 1900, Ndr. 1967

IMU
> Italia medioevale e umanistica

Index
    Index. Quaderni camerti di studi romanistici
InscrIt
    A. DEGRASSI (Hrsg.), Inscriptiones Italiae, 1931 ff.
IOSPE
    V. LATYSCHEW (Hrsg.), Inscriptiones antiquae orae
    septentrionalis ponti Euxini Graecae et Latinae 3 Bde.,
    1885–1901, Ndr. 1965
IPNB
    M. MAYRHOFER, R. SCHMITT (Hrsg.), Iranisches
    Personennamenbuch, 1979 ff.
IPQ
    International Philosophical Quaterly
IPriene
    F. HILLER VON GÄRTRINGEN, Inschriften von Priene,
    1906
Irmscher
    J. IRMSCHER (Hrsg.), Renaissance und Humanismus in
    Mittel- und Osteuropa, 1962
Isager/Skydsgaard
    S. ISAGER, J. E. SKYDSGAARD, Ancient Greek Agriculture,
    An Introduction, 1992
Isis
    Isis
IstForsch
    Istanbuler Forschungen des Deutschen Archäologischen
    Instituts
Iura
    IVRA, Rivista internazionale di diritto romano e antico
IvOl
    W. DITTENBERGER, K. PURGOLD, Inschriften von
    Olympia, 1896, Ndr. 1966
Jaffé
    P. JAFFÉ, Regesta pontificum Romanorum ab condita
    ecclesia ad annum 1198 2 Bde., ²1985–88
JBAA
    The Journal of the British Archaeological Association
JbAC
    Jahrbuch für Antike und Christentum
JCS
    Journal of Cuneiform Studies
JDAI
    Jahrbuch des Deutschen Archäologischen Instituts
JEA
    The Journal of Egyptian Archaeology
Jenkyns, DaD
    R. JENKYNS, Dignity and Decadence: Classicism and the
    Victorians, 1992
Jenkyns, Legacy
    R. JENKYNS, The Legacy of Rome: A New Appraisal, 1992
JHAS
    Journal for the History of Arabic Science
JHB
    Journal of the History of Biology
JHM
    Journal of the History of Medicine and Allied Sciences
JHPh
    Journal of the History of Philosophy
JHS
    Journal of Hellenic Studies
JLW
    Jahrbuch für Liturgiewissenschaft
JMRS
    Journal of Medieval and Renaissance Studies

JNES
    Journal of Near Eastern Studies
JNG
    Jahrbuch für Numismatik und Geldgeschichte
JÖAI
    Jahreshefte des Österreichischen Archäologischen Instituts
Jones, Cities
    A. H. M. JONES, The Cities of the Eastern Roman
    Provinces, ²1971
Jones, Economy
    A. H. M. JONES, The Roman Economy. Studies in Ancient
    Economic and Administrative History, 1974
Jones, LRE
    A. H. M. JONES, The Later Roman Empire 284–602.
    A Social, Economic and Administrative Survey, 1964
Jones, RGL
    A. H. M. JONES, Studies in Roman government and law,
    1968
Jost
    M. JOST, Sanctuaires et cultes d'Arcadie, 1985
JPh
    Journal of Philosophy
JRGZ
    Jahrbuch des Römisch-Germanischen Zentralmuseums
JRS
    Journal of Roman Studies
Justi
    F. JUSTI, Iranisches Namenbuch, 1895
JWG
    Jahrbuch für Wirtschaftsgeschichte
JWI
    Journal of the Warburg and Courtauld Institutes
Kadmos
    Kadmos. Zeitschrift für vor- und frühgriechische
    Epigraphik
KAI
    H. DONNER, W. RÖLLIG, Kanaanaeische und
    aramaeische Inschriften 3 Bde., ³1971–1976
Kajanto, Cognomina
    I. KAJANTO, The Latin Cognomina, 1965
Kajanto, Supernomina
    I. KAJANTO, Supernomina. A study in Latin epigraphy
    (Commentationes humanarum litterarum 40,1), 1966
Kamptz
    H. v. KAMPTZ, Homerische Personennamen. Sprachwis-
    senschaftliche und historische Klassifikation (Diss.) 1956 =
    H. v. KAMPTZ, Sprachwissenschaftliche und historische
    Klassifikation der homerischen Personennamen, 1982
Karlowa
    O. KARLOWA, Römische Rechtsgeschichte 2 Bde.,
    1885–1901
Kaser, AJ
    M. KASER, Das altrömische Jus. Studien zur Rechtsvor-
    stellung und Rechtsgeschichte der Römer, 1949
Kaser, RPR
    M. KASER, Das römische Privatrecht (Rechtsgeschichte des
    Altertums Teil 3, Bd. 3; HbdA Abt. 10, Teil 3, Bd. 3)
    2 Bde., ²1971–75
Kaser, RZ
    M. KASER, Das römische Zivilprozessrecht (Rechtsge-
    schichte des Altertums Teil 3, Bd. 4; HbdA Abt. 10, Teil 3,
    Bd. 4), 1966
Kearns
    E. KEARNS, The Heroes of Attica, 1989 (BICS Suppl. 57)

Keller
 O. Keller, Die antike Tierwelt 2 Bde., 1909–20, Ndr. 1963
Kelnhofer
 F. Kelnhofer, Die topographische Bezugsgrundlage der Tabula Imperii Byzantini (Denkschriften der Österreichischen Akademie der Wissenschaften: Philosophisch-Historische Klasse 125, Beih.; TIB 1, Beih.), 1976
Kienast
 D. Kienast, Römische Kaisertabelle. Grundzüge einer römischen Kaiserchronologie, 1990
Kindler
 W. Jens (Hrsg.), Kindlers Neues Literatur Lexikon 20 Bde., 1988–92
Kinkel
 G. Kinkel (Hrsg.), Epicorum Graecorum Fragmenta, 1877
Kirsten/Kraiker
 E. Kirsten, W. Kraiker, Griechenlandkunde. Ein Führer zu klassischen Stätten, ⁵1967
Kleberg
 T. Kleberg, Hôtels, restaurants et cabarets dans l'antiquité Romaine. Études historiques et philologiques, 1957
Klio
 Klio. Beiträge zur Alten Geschichte
KlP
 K. Ziegler (Hrsg.), Der Kleine Pauly. Lexikon der Antike 5 Bde., 1964–75, Ndr. 1979
Knobloch
 J. Knobloch, u.a. (Hrsg.), Sprachwissenschaftliches Wörterbuch (Indogermanische Bibliothek 2), 1986ff. (1. Lfg. 1961)
Koch/Sichtermann
 G. Koch, H. Sichtermann, Römische Sarkophage, 1982
Koder
 J. Koder, Der Lebensraum der Byzantiner. Historisch-geographischer Abriß ihres mittelalterlichen Staates im östlichen Mittelmeerraum, 1984
Koder/Hild
 J. Koder, F. Hild, Hellas und Thessalia (Denkschriften der Österreichischen Akademie der Wissenschaften, Philosophisch-Historische Klasse 125; TIB 1), 1976
Kraft
 K. Kraft, Gesammelte Aufsätze zur antiken Geschichte und Militärgeschichte, 1973
Kromayer/Veith
 J. Kromayer, G. Veith, Heerwesen und Kriegführung der Griechen und Römer, 1928, Ndr. 1963
Krumbacher
 K. Krumbacher, Geschichte der byzantinischen Litteratur von Justinian bis zum Ende des oströmischen Reiches (527–1453) (HdbA 9,1), ²1897, Ndr. 1970
KSd
 J. Friedrich (Hrsg.), Kleinasiatische Sprachdenkmäler (Kleine Texte für Vorlesungen und Übungen 163), 1932
KUB
 Keilschrifturkunden von Boghazköi
Kühner/Blass
 R. Kühner, F. Blass, Ausführliche Grammatik der griechischen Sprache. Teil 1: Elementar- und Formenlehre 2 Bde., ³1890–92
Kühner/Gerth
 R. Kühner, B. Gerth, Ausführliche Grammatik der griechischen Sprache. Teil 2: Satzlehre 2 Bde., ³1898–1904; W. M. Calder III, Index locorum, 1965

Kühner/Holzweißig
 R. Kühner, F. Holzweissig, Ausführliche Grammatik der lateinischen Sprache. Teil 1: Elementar-, Formen- und Wortlehre, ²1912
Kühner/Stegmann
 R. Kühner, C. Stegmann, Ausführliche Grammatik der lateinischen Sprache; Teil 2: Satzlehre 2 Bde., ⁴1962 (durchgesehen von A. Thierfelder); G.S. Schwarz, R.L. Wertis, Index locorum, 1980
Kullmann/Althoff
 W. Kullmann, J. Althoff (Hrsg.), Vermittlung und Tradierung von Wissen in der griechischen Kultur, 1993
Kunkel
 W. Kunkel, Herkunft und soziale Stellung der Römischen Juristen, ²1967
KWdH
 H.H. Schmitt (Hrsg.), Kleines Wörterbuch des Hellenismus, ²1993
Lacey
 W.K. Lacey, The Family in Classical Greece, 1968
LÄ
 W. Helck u.a. (Hrsg.), Lexikon der Ägyptologie 7 Bde., 1975–92 (1. Lfg. 1972)
LAK
 H. Brunner, K. Flessel, F. Hiller u.a. (Hrsg.), Lexikon Alte Kulturen 3 Bde., 1990–93
Lanciani
 R. Lanciani, Forma urbis Romae, 1893–1901
Lange
 C.C.L. Lange, Römische Altertümer Bde. 1–2, ²1876–79; Bd. 3, 1876
Langosch
 K. Langosch, Mittellatein und Europa, 1990
Latomus
 Latomus. Revue d'études latines
Latte
 K. Latte, Römische Religionsgeschichte (HdbA 5,4), 1960, Ndr. 1992
Lauffer, BL
 S. Lauffer, Die Bergwerkssklaven von Laureion, ²1979
Lauffer, Griechenland
 S. Lauffer (Hrsg.), Griechenland. Lexikon der historischen Stätten von den Anfängen bis zur Gegenwart, 1989
Lausberg
 H. Lausberg, Handbuch der literarischen Rhetorik. Eine Grundlegung der Literaturwissenschaft, ³1990
LAW
 C. Andresen u.a. (Hrsg.), Lexikon der Alten Welt, 1965, Ndr. 1990
LCI
 Lexikon der christlichen Ikonographie
LdA
 J. Irmscher (Hrsg.), Lexikon der Antike, ¹⁰1990
Le Bohec
 Y. Le Bohec, L'armée romaine. Sous le Haut-Empire, 1989
Leitner
 H. Leitner, Zoologische Terminologie beim Älteren Plinius (Diss.) 1972
Leo
 F. Leo, Geschichte der römischen Literatur. 1. Die archaische Literatur, 1913, Ndr. 1958
Lesky
 A. Lesky, Geschichte der griechischen Literatur, ³1971, Ndr. 1993

Leumann
    M. LEUMANN, Lateinische Laut- und Formenlehre
    (HdbA II 2,1), 1977
Leunissen
    P.M.M. LEUNISSEN, Konsuln und Konsulare in der Zeit
    von Commodus bis zu Alexander Severus (180–235 n.Chr.)
    (Dutch Monographs in Ancient History and Archaeology
    6), 1989
Lewis/Short
    C.T. LEWIS, C. SHORT, A Latin Dictionary, ²1980
LFE
    B. SNELL (Hrsg.), Lexikon des frühgriechischen Epos,
    1979ff. (1. Lfg. 1955)
LGPN
    P.M. FRASER U.A. (Hrsg.), A Lexicon of Greek Personal
    Names, 1987ff.
Liebenam
    W. LIEBENAM, Städteverwaltung im römischen Kaiser-
    reich, 1900
Lietzmann
    H. LIETZMANN, Geschichte der Alten Kirche, ⁴ᐟ⁵1975
LIMC
    J. BOARDMAN U.A. (Hrsg.), Lexicon Iconographicum
    Mythologiae Classicae, 1981ff.
Lippold
    G. LIPPOLD, Die griechische Plastik (HdArch III), 1950
Lipsius
    J.H. LIPSIUS, Das attische Recht und Rechtsverfahren.
    Mit Benutzung des Attischen Processes 3 Bde., 1905–15,
    Ndr. 1984
Lloyd-Jones
    H. LLOYD-JONES, Blood for the Ghosts – Classical Influ-
    ences in the Nineteenth and Twentieth Centuries 1982
LMA
    R.-H. BAUTIER, R. AUTY (Hrsg.), Lexikon des Mittel-
    alters 7 Bde., 1980–93 (1. Lfg. 1977), 3. Bd.: Ndr. 1995
Lobel/Page
    E. LOBEL, D. PAGE (Hrsg.), Poetarum lesbiorum
    fragmenta, 1955 Ndr. 1968
Loewy
    E. LOEWY (Hrsg.), Inschriften griechischer Bildhauer,
    1885, Ndr. 1965
LPh
    T. SCHNEIDER, Lexikon der Pharaonen. Die altägyptischen
    Könige von der Frühzeit bis zur Römerherrschaft, 1994
LRKA
    Friedrich Lübkers Reallexikon des Klassischen Altertums,
    ⁸1914
LSAG
    L.H. JEFFERY, The Local Scripts of Archaic Greece.
    A Study of the Origin of the Greek Alphabet and its
    Development from the Eighth to the Fifth Centuries
    B.C., ²1990
LSAM
    F. SOKOLOWSKI, Lois sacrées de l'Asie mineure, 1955
LSCG
    F. SOKOLOWSKI, Lois sacrées des cités grecques, 1969
LSCG, Suppl
    F. SOKOLOWSKI, Lois sacrées des cités grecques,
    Supplément, 1962
LSJ
    H.G. LIDDELL, R. SCOTT, H.S. JONES U.A. (Hrsg.),
    A Greek-English Lexicon, ⁹1940; Suppl. 1968, Ndr. 1992

LThK²
    J. HÖFER, K. RAHNER (Hrsg.), Lexikon für Theologie
    und Kirche 14 Bde., ²1957–86
LThK³
    W. KASPER U.A. (Hrsg.), Lexikon für Theologie und
    Kirche, ³1993ff.
LTUR
    E.M. STEINBY (Hrsg.), Lexicon Topographicum Urbis
    Romae, 1993ff.
LUA
    Lunds Universitets Arsskrift / Acta Universitatis Lundensis
Lugli, Fontes
    G. LUGLI (Hrsg.), Fontes ad topographiam veteris urbis
    Romae pertinentes, 6 von 8 Bden. teilw. erschienen,
    1952–62
Lugli, Monumenti
    G. LUGLI, I Monumenti antichi di Roma e suburbio
    3 Bde., 1930–38; Suppl. 1940
Lustrum
    Lustrum. Internationale Forschungsberichte aus dem
    Bereich des klassischen Altertums
M&H
    Mediaevalia et Humanistica. Studies in Medieval and
    Renaissance Society
MacDonald
    G. MACDONALD, Catalogue of Greek Coins in the Hun-
    terian Collection, University of Glasgow 3 Bde., 1899–1905
MacDowell
    D.M. MACDOWELL, The law in Classical Athens (Aspects
    of Greek and Roman life), 1978
MAev.
    Medium Aevum
Magie
    D. MAGIE, Roman Rule in Asia Minor to the End of the
    Third Century after Christ, 1950, Ndr. 1975
MAII
    Mosaici Antichi in Italia, 1967ff.
MAMA
    Monumenta Asiae minoris Antiqua, 1927ff.
Manitius
    M. MANITIUS, Geschichte der lateinischen Literatur des
    Mittelalters (HdbA 9,2) 3 Bde., 1911–31, Ndr. 1973–76
MarbWPr
    Marburger-Winckelmann-Programm
Marganne
    M.H. MARGANNE, Inventaire analytique des papyrus grecs
    de médecine, 1981
Marrou
    H.-I. MARROU, Geschichte der Erziehung im klassischen
    Altertum (Übersetzung der Histoire de l'éducation dans
    l'antiquité), ²1977
Martinelli
    M. MARTINELLI (Hrsg.), La ceramica degli Etruschi, 1987
Martino, SCR
    F. DE MARTINO, Storia della costituzione romana 5 Bde.,
    ²1972–75; Indici ²1990
Martino, WG
    F. DE MARTINO, Wirtschaftsgeschichte des alten Rom,
    ²1991
Masson
    O. MASSON, Les inscriptions chypriotes syllabiques.
    Recueil critique et commenté (Études chypriotes 1), ²1983
Matz/Duhn
    F. MATZ, F. v. DUHN (Hrsg.), Antike Bildwerke in Rom
    mit Ausschluß der größeren Sammlungen 3 Bde., 1881f.

MAVORS
M.P. SPEIDEL (Hrsg.), Roman Army Researches 1984ff.

MDAI(A)
Mitteilungen des Deutschen Archäologischen Instituts,
Athenische Abteilung

MDAI(Dam)
Damaszener Mitteilungen des Deutschen Archäologischen
Instituts

MDAI(Ist)
Istanbuler Mitteilungen des Deutschen Archäologischen
Instituts

MDAI(K)
Mitteilungen des Deutschen Archäologischen Instituts
(Abteilung Kairo)

MDAI(R)
Mitteilungen des Deutschen Archäologischen Instituts,
Römische Abteilung

MDOG
Mitteilungen der Deutschen Orient-Gesellschaft zu Berlin

MededRom
Mededelingen van het Nederlands Historisch Instituut te
Rome

Mediaevalia
Mediaevalia

Mediaevistik
Mediaevistik. Internationale Zeitschrift für interdisziplinäre
Mittelalterforschung

MEFRA
Mélanges d'Archéologie et d'Histoire de l'École Française
de Rome. Antiquité

Meiggs
R. MEIGGS, Trees and Timber in the Ancient Mediterranean World, 1982

Merkelbach/West
R. MERKELBACH, M. L. WEST (Hrsg.), Fragmenta
Hesiodea, 1967

Mette
H.J. METTE, Urkunden dramatischer Aufführungen in
Griechenland, 1977

MG
Monuments Grecs

MGG¹
F. BLUME (Hrsg.), Die Musik in Geschichte und Gegen-
wart. allgemeine Enzyklopädie der Musik 17 Bde., 1949–86,
Ndr. 1989

MGG²
L. FINSCHER (Hrsg.), Die Musik in Geschichte und
Gegenwart 20 Bde., ²1994ff.

MGH
Monumenta Germaniae Historica inde ab anno Christi
quingentesimo usque ad annum millesimum et quingen-
tesimum, 1826ff.

MGH AA
Monumenta Germaniae Historica: Auctores Antiquissimi

MGH DD
Monumenta Germaniae Historica: Diplomata

MGH Epp
Monumenta Germaniae Historica: Epistulae

MGH PL
Monumenta Germaniae Historica: Poetae Latini medii aevi

MGH SS
Monumenta Germaniae Historica: Scriptores

MGrecs
Monuments Grecs publiés par l'Association pour l'Encou-
ragement des Études grecques en France 2 Bde., 1872–97

MH
Museum Helveticum

MiB
Musikgeschichte in Bildern

Millar, Emperor
F.G.B. MILLAR, The Emperor in the Roman World, 1977

Millar, Near East
F.G.B. MILLAR, The Roman Near East, 1993

Miller
K. MILLER, Itineraria Romana. Römische Reisewege an
der Hand der Tabula Peutingeriana, 1916, Ndr. 1988

Millett
P. MILLETT, Lending and Borrowing in Ancient Athens,
1991

Minos
Minos

MIO
Mitteilungen des Instituts für Orientforschung

MIR
Moneta Imperii Romani. Österreichische Akademie der
Wissenschaften. Veröffentlichungen der Numismatischen
Kommission

Mitchell
S. MITCHELL, Anatolia. Land, men, and gods in Asia Minor
2 Bde., 1993

Mitteis
L. MITTEIS, Reichsrecht und Volksrecht in den östlichen
Provinzen des römischen Kaiserreichs. Mit Beiträgen zur
Kenntnis des griechischen Rechts und der spätrömischen
Rechtsentwicklung, 1891, Ndr. 1984

Mitteis/Wilcken
L. MITTEIS, U. WILCKEN, Grundzüge und Chrestomathie
der Papyruskunde, 1912, Ndr. 1978

ML
R. MEIGGS, D. LEWIS (Hrsg.), A Selection of Greek
Historical Inscriptions to the End of the Fifth Century B.C.,
²1988

MLatJb
Mittellateinisches Jahrbuch. Internationale Zeitschrift für
Mediävistik

Mnemosyne
Mnemosyne. Bibliotheca Classica Batava

MNVP
Mitteilungen und Nachrichten des Deutschen Palästina-
vereins

MNW
H. MEIER u.a. (Hrsg.), Kulturwissenschaftliche Bibliographie zum Nachleben der Antike 2 Bde., 1931–38

Mollard-Besques
S. MOLLARD-BESQUES, Musée National du Louvre.
Catalogue raisonné des figurines et reliefs en terre-cuite
grecs, étrusques et romains 4 Bde., 1954–86

Momigliano
A. MOMIGLIANO, Contributi alla storia degli studi classici,
1955ff.

Mommsen, Schriften
TH. MOMMSEN, Gesammelte Schriften 8 Bde., 1904–13,
Ndr. 1965

Mommsen, Staatsrecht
TH. MOMMSEN, Römisches Staatsrecht 3 Bde., Bd. 1:
³1887, Bd. 2 f.: 1887f.

Mommsen, Strafrecht
TH. MOMMSEN, Römisches Strafrecht, 1899, Ndr. 1955

Mon.Ant.ined.
  Monumenti Antichi inediti
Moos
  P. v. Moos, Geschichte als Topik, 1988
Moraux
  P. Moraux, Der Aristotelismus bei den Griechen von
  Andronikos bis Alexander von Aphrodisias (Peripatoi 5 und 6)
  2 Bde., 1973–84
Moreau
  J. Moreau, Dictionnaire de géographie historique de la
  Gaule et de la France, 1972; Suppl. 1983
Moretti
  L. Moretti (Hrsg.), Iscrizioni storiche ellenistiche
  2 Bde., 1967–76
MP
  Modern Philology
MPalerne
  Mémoires du Centre Jean Palerne
MRR
  T. R. S. Broughton, The Magistrates of the Roman
  Republic 2 Bde., 1951–52; Suppl. 1986
MSG
  C. Jan (Hrsg.), Musici scriptores Graeci, 1895; Suppl.
  1899, Ndr. 1962
Müller
  D. Müller, Topographischer Bildkommentar zu den
  Historien Herodots: Griechenland im Umfang des heuti-
  gen griechischen Staatsgebiets, 1987
Müller-Wiener
  W. Müller-Wiener, Bildlexikon zur Topographie
  Istanbuls, 1977
Münzer[1]
  F. Münzer, Römische Adelsparteien und Adelsfamilien,
  1920
Münzer[2]
  F. Münzer, Römische Adelsparteien und Adelsfamilien,
  [2]1963
Murray/Price
  O. Murray, S. Price (Hrsg.), The Greek City: From
  Homer to Alexander, 1990
Muséon
  Muséon. Revue d'Études Orientales
MVAG
  Mitteilungen der Vorderasiatischen (Ägyptischen) Gesell-
  schaft
MVPhW
  Mitteilungen des Vereins klassischer Philologen in Wien
MythGr
  Mythographi Graeci 3 Bde., 1894–1902; Bd. 1: [2]1926
Nash
  E. Nash, Bildlexikon zur Topographie des antiken Rom,
  1961 f.
NC
  Numismatic Chronicle
NClio
  La Nouvelle Clio
NDB
  Neue Deutsche Biographie, 1953 ff.; Bde. 1–6 Ndr. 1971
NEAEHL
  E. Stern (Hrsg.), The new encyclopedia of archaeolo-
  gical excavations in the Holy Land 4 Bde., 1993
Neoph.
  Neophilologus

Newald
  R. Newald, Nachleben des antiken Geistes im Abendland
  bis zum Beginn des Humanismus, 1960
NGrove
  The New Grove Dictionary of Music and Musicians, [6]1980
NGroveInst
  The New Grove Dictionary of Musical Instruments, 1984
NHCod
  Nag Hammadi Codex
NHS
  Nag Hammadi Studies
Nicolet
  C. Nicolet, L' Ordre équestre à l'époque républicaine
  312–43 av. J.-C. 2 Bde., 1966–74
Nilsson, Feste
  M. P. Nilsson, Griechische Feste von religiöser Bedeu-
  tung mit Ausschluss der attischen, 1906
Nilsson, GGR
  M. P. Nilsson, Geschichte der griechischen Religion
  (HdbA 5,2), Bd. 1: [3]1967, Ndr. 1992; Bd. 2: [4]1988
Nilsson, MMR
  M. P. Nilsson, The Minoan-Mycenaean Religion and
  its Survival in Greek Religion, [2]1950
Nissen
  H. Nissen, Italische Landeskunde 2 Bde., 1883–1902
Nock
  A. D. Nock, Essays on Religion and the Ancient World,
  1972
Noethlichs
  K. L. Noethlichs, Beamtentum und Dienstvergehen.
  Zur Staatsverwaltung in der Spätantike, 1981
Norden, Kunstprosa
  E. Norden, Die antike Kunstprosa vom 6. Jh. v. Chr. bis
  in die Zeit der Renaissance, [6]1961
Norden, Literatur
  E. Norden, Die römische Literatur, [6]1961
NSA
  Notizie degli scavi di antichità
NTM
  Schriftenreihe für Geschichte der Naturwissenschaften,
  Technik und Medizin
Nutton
  V. Nutton, From Democedes to Harvey. Studies in the
  history of medicine (Collected studies series 277), 1988
NZ
  Numismatische Zeitschrift
OA
  J. G. Baiter, H. Sauppe (Hrsg.), Oratores Attici 3 Teile,
  1839–43
OBO
  Orbis Biblicus et Orientalis
OCD
  N. G. Hammond, H. H. Scullard (Hrsg.), The
  Oxford Classical Dictionary, [2]1970
ODB
  A. P. Kazhdan u. a. (Hrsg.), The Oxford Dictionary
  of Byzantium, 1991 ff.
OF
  O. Kern (Hrsg.), Orphicorum Fragmenta, [3]1972
OGIS
  W. Dittenberger (Hrsg.), Orientis Graeci Inscriptiones
  Selectae 2 Bde., 1903–05, Ndr. 1960
OLD
  P. G. W. Glare (Hrsg.), Oxford Latin Dictionary, 1982
  (1. Lfg. 1968)

OlF
Olympische Forschungen, 1941 ff.
Oliver
J.H. OLIVER, Greek Constitutions of Early Roman Emperors from Inscriptions and Papyri, 1989
Olivieri
D. OLIVIERI, Dizionario di toponomastica lombarda. Nomi di comuni, frazioni, casali, monti, corsi d'acqua, ecc. della regione lombarda, studiati in rapporto alla loro origine, ²1961
Olshausen/Biller/Wagner
E. OLSHAUSEN, J. BILLER, J. WAGNER, Historisch-geographische Aspekte der Geschichte des Pontischen und Armenischen Reiches. Untersuchungen zur historischen Geographie von Pontos unter den Mithradatiden (TAVO 29) Bd. 1, 1984
OLZ
Orientalistische Literaturzeitung
OpAth
Opuscula Atheniensia, 1953 ff.
OpRom
Opuscula Romana
ORF
E. MALCOVATI, Oratorum Romanorum Fragmenta (Corpus scriptorum Latinorum Paravianum 56–58) 3 Bde., 1930
Orientalia
Orientalia, Neue Folge
Osborne
R. OSBORNE, Classical Landscape with Figures: The Ancient Greek City and its Countryside, 1987
Overbeck
J. OVERBECK, Die antiken Schriftquellen zur Geschichte der bildenden Künste bei den Griechen, 1868, Ndr. 1959
PA
J. KIRCHNER, Prosopographia Attica 2 Bde., 1901–03, Ndr. 1966
Pack
R.A. PACK (Hrsg.), The Greek and Latin Literary Texts from Greco-Roman Egypt, ²1965
Panofsky
E. PANOFSKY, Renaissance und Renaissancen in Western Art, 1960
Pape/Benseler
W. PAPE, G.E. BENSELER, Wörterbuch der griechischen Eigennamen 2 Bde., 1863–1870
PAPhS
Proceedings of the American Philosophical Society
Parke
H.W. PARKE, Festivals of the Athenians, 1977
Parke/Wormell
H.W. PARKE, D.E.W. WORMELL, The Delphic Oracle, 1956
PBSR
Papers of the British School at Rome
PCA
Proceedings of the Classical Association. London
PCG
R. KASSEL, C. AUSTIN (Hrsg.), Poetae comici graeci, 1983 ff.
PCPhS
Proceedings of the Cambridge Classical Association
PdP
La Parola del Passato

PE
R. STILLWELL u.a. (Hrsg.), The Princeton Encyclopedia of Classical Sites, 1976
Peacock
D.P.S. PEACOCK, Pottery in the Roman World: An Ethnoarchaeological Approach, 1982
PEG I
A. BERNABÉ (Hrsg.), Poetae epici graeci. Testimonia et fragmenta. Pars I: 1987
Pfeiffer, KPI
R. PFEIFFER, Geschichte der Klassischen Philologie. Von den Anfängen bis zum Ende des Hellenismus, ²1978
Pfeiffer, KPII
R. PFEIFFER, Die Klassische Philologie von Petrarca bis Mommsen, 1982
Pfiffig
A.J. PFIFFIG, Religio Etrusca, 1975
Pflaum
H.-G. PFLAUM, Les carrières procuratoriennes équestres sous le Haut-Empire Romain 3 Bde. und Tafeln, 1960 f., Supplément 1982
Pfuhl
E. PFUHL, Malerei und Zeichnung der Griechen, 1923
Pfuhl/Möbius
E. PFUHL, H. MÖBIUS, Die ostgriechischen Grabreliefs 2 Bde., 1977–79
PG
J.P. MIGNE (Hrsg.), Patrologiae cursus completus, series Graeca 161 Bde., 1857–1866; Conspectus auctorum 1882; Indices 2 Bde., 1912–32
PGM
K. PREISENDANZ, A. HENRICHS (Hrsg.), Papyri Graecae Magicae. Die griechischen Zauberpapyri 2 Bde., ²1973 f. (1928–31)
Philippson/Kirsten
A. PHILIPPSON, A. LEHMANN, E. KIRSTEN (Hrsg.), Die griechischen Landschaften. Eine Landeskunde 4 Bde., 1950–59
Philologus
Philologus. Zeitschrift für klassische Philologie
PhQ
Philological Quarterly
Phronesis
Phronesis
PhU
Philologische Untersuchungen
PhW
Berliner Philologische Wochenschrift
Picard
CH. PICARD, Manuel d'archéologie grecque. La sculpture, 1935 ff.
Pickard-Cambridge/Gould/Lewis
A.W. PICKARD-CAMBRIDGE, J. GOULD, D.M. LEWIS, The Dramatic Festivals of Athens, ²1988
Pickard-Cambridge/Webster
A.W. PICKARD-CAMBRIDGE, T.B.L. WEBSTER, Dithyramb, Tragedy and Comedy, ²1962
Pigler, I
A. PIGLER, Barockthemen. Eine Auswahl von Verzeichnissen zur Ikonographie des 17. und 18. Jahrhunderts. 2 Bde., ²1974; Tafelbd., 1974
PIR
Prosopographia imperii Romani saeculi I, II, III 3 Bde., ²1933 ff.

PL
 J.P. MIGNE (Hrsg.), Patrologiae cursus completus, series
 Latina 221 Bde., 1844–65 teilweise Ndr.; 5 Suppl.-Bde.,
 1958–74; Index 1965
PLM
 AE. BAEHRENS (Hrsg.), Poetae Latini Minores 5 Bde.,
 1879–83
PLRE
 A.H.M. JONES, J.R. MARTINDALE, J. MORRIS (Hrsg.),
 The Prosopography of the Later Roman Empire 2 Bde.,
 1971–80
PMG
 D.L. PAGE, Poetae melici graeci, 1962
PMGF
 M. DAVIES (Hrsg.), Poetarum melicorum graecorum
 fragmenta, 1991
PMGTr
 H.D. BETZ (Hrsg.), The Greek Magical Papyri in
 Translation, Including the Demotic Spells, ²1992
Poccetti
 P. POCCETTI, Nuovi documenti italici a complemento del
 manuale di E. Vetter (Orientamenti linguistici 8), 1979
Pökel
 W. PÖKEL, Philologisches Schriftstellerlexikon, 1882,
 Ndr. ²1974
Poetica
 Poetica. Zeitschrift für Sprach- und Literaturwissenschaft
Pokorny
 J. POKORNY, Indogermanisches etymologisches Wörter-
 buch 2 Bde., ²1989
Poulsen
 F. POULSEN, Catalogue of Ancient Sculpture in the
 Ny Carlsberg Glyptotek, 1951
PP
 W. PEREMANS (Hrsg.), Prosopographia Ptolemaica
 (Studia hellenistica) 9 Bde., 1950–81, Ndr. Bd. 1–3, 1977
PPM
 Pompei, Pitture e Mosaici, 1990 ff.
Praktika
 Πρακτικά της εν Αθήναις αρχαιολογικάς εταιρείας
Préaux
 C. PRÉAUX, L'économie royale des Lagides, 1939,
 Ndr. 1980
Preller/Robert
 L. PRELLER, C. ROBERT, Griechische Mythologie,
 ⁵1964 ff.
Pritchett
 K. PRITCHETT, Studies in Ancient Greek Topography
 (University of California publications. Classical Studies)
 8 Bde., 1969–92
PropKg
 K. BITTEL u.a. (Hrsg.), Propyläen Kunstgeschichte
 22 Bde., 1966–80, Ndr. 1985
Prosdocimi
 A.L. PROSDOCIMI, M. CRISTOFANI, Lingue e dialetti
 dell'Italia antica, 1978; A. MARINETTI, Aggiornamenti ed
 Indici, 1984
PrZ
 Prähistorische Zeitschrift
PSI
 G. .VITELLI, M. NORSA, V. BARTOLETTI u.a. (Hrsg.), Pa-
 piri greci e latini (Pubblicazione della Soc. Italiana per la
 ricerca dei pap. greci e latini in Egitto), 1912 ff.

QSt
 Quellen und Studien zur Geschichte und Kultur des
 Altertums und des Mittelalters
Quasten
 J. QUASTEN, Patrology 2 Bde., 1950–53
RA
 Revue Archéologique
RAC
 T. KLAUSER, E. DASSMANN (Hrsg.), Reallexikon für
 Antike und Christentum. Sachwörterbuch zur Auseinan-
 dersetzung des Christentums mit der antiken Welt, 1950 ff.
 (1. Lfg. 1941)
RACr
 Rivista di Archeologia Cristiana
Radermacher
 L. RADERMACHER (Hrsg.), Artium Scriptores. Reste der
 voraristotelischen Rhetorik, 1951
Radke
 G. RADKE, Die Götter Altitaliens, ²1979
Raepsaet-Charlier
 M.-T. RAEPSAET-CHARLIER, Prosopographie des
 femmes de l'ordre sénatorial (I. – II. siècles) (Fonds
 René Draguet 4) 2 Bde., 1987
RÄRG
 H. BONNET, Reallexikon der ägyptischen Religions-
 geschichte, ²1971
RAL
 Rendiconti della Classe di Scienze morali, storiche e
 filologiche dell'Academia dei Lincei
Ramsay
 W.M. RAMSAY, The Cities and Bishoprics of Phrygia
 2 Bde., 1895–97
RAssyr
 Revue d'assyriologie et d'archéologie orientale
Rawson, Culture
 E. RAWSON, Roman Culture and Society. Collected
 Papers, 1991
Rawson, Family
 B. RAWSON (Hrsg.), The Family in Ancient Rome.
 New Perspectives, 1986
RB
 P. WIRTH (Hrsg.), Reallexikon der Byzantinistik, 1968 ff.
RBA
 Revue Belge d'archéologie et d'histoire de l'art
RBi
 Revue biblique
RBK
 K. WESSEL, M. RESTLE (Hrsg.), Reallexikon zur
 byzantinischen Kunst, 1966 ff. (1. Lfg. 1963)
RBN
 Revue Belge de numismatique
RBPh
 Revue Belge de philologie et d'histoire
RDAC
 Report of the Department of Antiquities, Cyprus
RDK
 O. SCHMITT (Hrsg.), Reallexikon zur deutschen Kunst-
 geschichte, 1937 ff.
RE
 G. WISSOWA u.a. (Hrsg.), Paulys Real-Encyclopädie der
 classischen Altertumswissenschaft, Neue Bearbeitung, 1893
 – 1980
REA
 Revue des études anciennes

REByz
Revue des études byzantines
REG
Revue des études grecques
Rehm
W. REHM, Griechentum und Goethezeit, ³1950, ⁴1969
Reinach, RP
S. REINACH, Répertoire de peintures greques et romaines, 1922
Reinach, RR
S. REINACH, Répertoire de reliefs grecs et romains 3 Bde., 1909–12
Reinach, RSt
S. REINACH, Répertoire de la statuaire greque et romaine 6 Bde., 1897–1930, Ndr. 1965–69
REL
Revue des études latines
Rer.nat.scr.Gr.min.
O. KELLER (Hrsg.), Rerum naturalium scriptores Graeci minores, 1877
Reynolds
L.D. REYNOLDS (Hrsg.), Texts and Transmission: A Survey of the Latin Classics, 1983
Reynolds/Wilson
L.D. REYNOLDS, N.G. WILSON, Scribes and Scholars. A Guide to the Transmission of Greek and Latin Literature, ³1991
RFIC
Rivista di filologia e di istruzione classica
RG
W. H. WADDINGTON, E. BABELON, Recueil général des monnaies grecques d'Asie mineure (Subsidia epigraphica 5) 2 Bde., 1908–1925, Ndr. 1976
RGA
H. BECK U.A. (Hrsg.), Reallexikon der germanischen Altertumskunde, ²1973 ff. (1. Lfg. 1968), Ergänzungsbde. 1986 ff.
RGG
K. GALLING (Hrsg.), Die Religion in Geschichte und Gegenwart. Handwörterbuch für Theologie und Religionswissenschaft 7 Bde., ³1957–65, Ndr. 1986
RGRW
Religion in the Graeco-Roman World
RGVV
Religionsgeschichtliche Versuche und Vorarbeiten
RH
Revue historique
RHA
Revue hittite et asianique
RhM
Rheinisches Museum für Philologie
Rhodes
P.J. RHODES, A commentary on the Aristotelian Athenaion Politeia, ²1993
RHPhR
Revue d'histoire et de philosophie religieuses
RHR
Revue de l'histoire des religions
RHS
Révue historique des Sciences et leurs applications
RIA
Rivista dell'Istituto nazionale d'archeologia e storia dell'arte
RIC
H. MATTINGLY, E.A. SYDENHAM, The Roman Imperial Coinage 10 Bde., 1923–94

Richardson
L. RICHARDSON (JR.), A New Topographical Dictionary of Ancient Rome, 1992
Richter, Furniture
G.M.A. RICHTER, The Furniture of the Greeks, Etruscans and Romans, 1969
Richter, Korai
G.M.A. RICHTER, Korai. Archaic Greek Maidens, 1968
Richter, Kouroi
G.M.A. RICHTER, Kouroi. Archaic Greek Youths, ³1970
Richter, Portraits
G.M.A. RICHTER, The Portraits of the Greeks 3 Bde. und Suppl., 1965–72
RIDA
Revue internationale des droits de l'antiquité
RIG
P.-M. DUVAL (Hrsg.), Recueil des inscriptions gauloises, 1985 ff.
RIL
Rendiconti dell'Istituto Lombardo, classe di lettere, scienze morali e storiche
Rivet
A.L.F. RIVET, Gallia Narbonensis with a Chapter on Alpes Maritimae. Southern France in Roman Times, 1988
Rivet/Smith
A.L.F. RIVET, C. SMITH, The Place-Names of Roman Britain, 1979
RLA
E. EBELING U.A. (Hrsg.), Reallexikon der Assyriologie und vorderasiatischen Archäologie, 1928 ff.
RLV
M. EBERT (Hrsg.), Reallexikon der Vorgeschichte 15 Bde., 1924–32
RMD
M.M. ROXAN, Roman military diplomas (Occasional Publications of the Institute of Archaeology of the University of London 2 and 9) Bd. 1: (1954–77), 1978; Bd. 2: (1978–84), 1985
RN
Revue numismatique
Robert, OMS
L. ROBERT, Opera minora selecta 7 Bde., 1969–90
Robert, Villes
L. ROBERT, Villes d'Asie Mineure. Études de géographie ancienne, ²1962
Robertson
A.S. ROBERTSON, Roman Imperial Coins in the Hunter Coin Cabinet, University of Glasgow 5 Bde., 1962–82
Rohde
E. ROHDE, Psyche. Seelenkult und Unsterblichkeitsglaube der Griechen ²1898, Ndr. 1991
Roscher
W.H. ROSCHER, Ausführliches Lexikon der griechischen und römischen Mythologie 6 Bde., ³1884–1937, Ndr. 1992 f.; 4 Suppl.-Bde. 1893–1921
Rostovtzeff, Hellenistic World
M.I. ROSTOVTZEFF, The Social and Economic History of the Hellenistic World, ²1953
Rostovtzeff, Roman Empire
M.I. ROSTOVTZEFF, The Social and Economic History of the Roman Empire, ²1957
Rotondi
G. ROTONDI, Leges publicae populi Romani. Elenco cronologico con una introduzione sull' attività legislativa dei comizi romani, 1912, Ndr. 1990

RPAA
Rendiconti della Pontificia Accademia di Archeologia
RPC
A. BURNETT, M. AMANDRY, P.P. RIPOLLÈS (Hrsg.),
Roman Provincial Coinage, 1992 ff.
RPh
Revue de philologie
RQ
Renaissance Quarterly
RQA
Römische Quartalsschrift für christliche Altertumskunde
und für Kirchengeschichte
RRC
M. CRAWFORD, Roman Republican Coinage, 1974,
Ndr. 1991
RSC
Rivista di Studi Classici
Rubin
B. RUBIN, Das Zeitalter Iustinians, 1960
Ruggiero
E. DE RUGGIERO, Dizionario epigrafico di antichità
romana, 1895 ff.; Bd. 1–3, Ndr. 1961 f.
Saeculum
Saeculum. Jahrbuch für Universalgeschichte
Saller
R. SALLER, Personal Patronage under the Early Empire,
1982
Salomies
O. SALOMIES, Die römischen Vornamen. Studien zur
römischen Namengebung (Commentationes humanarum
litterarum 82), 1987
Samuel
A.E. SAMUEL, Greek and Roman Chronology. Calendars
and years in classical antiquity (HdbA I 7), 1972
Sandys
J.E. SANDYS, A History of Classical Scholarship 3 Bde.,
²1906–21, Ndr. 1964
SAWW
Sitzungsberichte der Österreichischen Akademie der
Wissenschaften in Wien
SB
Sammelbuch griechischer Urkunden aus Ägypten (In-
schriften und Papyri) Bde. 1–2: F. PREISIGKE (Hrsg.), 1913–
22; Bd. 3–5: F. BILABEL (Hrsg.), 1926–34
SBAW
Sitzungsberichte der Bayerischen Akademie der Wissen-
schaften
SCCGF
J. DEMIAŃCZUK (Hrsg.), Supplementum comicum
comoediae Graecae fragmenta, 1912
Schachter
A. SCHACHTER, The Cults of Boiotia 4 Bde., 1981–94
Schäfer
A. SCHÄFER, Demosthenes und seine Zeit 3 Bde.,
²1885–87, Ndr. 1967
Schanz/Hosius
M. SCHANZ, C. HOSIUS, G. KRÜGER, Geschichte der
römischen Literatur bis zum Gesetzgebungswerk des
Kaisers Justinian (HdbA 8), Bd. 1: ⁴1927, Ndr. 1979; Bd. 2:
⁴1935, Ndr. 1980; Bd. 3: ³1922, Ndr. 1969; Bd. 4,1: ²1914,
Ndr. 1970; Bd. 4,2: 1920, Ndr. 1971
Scheid, Collège
J. SCHEID, Le collège des frères arvales. Étude prosopo-
graphique du recrutement (69 – 304) (Saggi di storia
antica 1), 1990

Scheid, Recrutement
J. SCHEID, Les frères arvales. Recrutement et origine
sociale sous les empereurs julio-claudiens (Bibliothèque
de l'École des Hautes Études, Section des Sciences
Religieuses 77), 1975
Schlesier
R. SCHLESIER, Kulte, Mythen und Gelehrte – Anthro-
pologie der Antike seit 1800, 1994
Schmid/Stählin I
W. SCHMID, O. STÄHLIN, Geschichte der griechischen
Literatur. Erster Teil: Die klassische Periode der griechi-
schen Literatur (HdbA VII 1) 5 Bde., 1929–48, Ndr. 1961–80
Schmid/Stählin II
W. CHRIST, W. SCHMID, O. STÄHLIN, Geschichte der
griechischen Litteratur bis auf die Zeit Justinians. Zweiter
Theil: Die nachklassische Periode der griechischen Littera-
tur (HdbA VII 2) 2 Bde., ⁶1920–24, Ndr. 1961–81
Schmidt
K.H. SCHMIDT, Die Komposition in gallischen Personen-
namen, in: Zeitschrift für celtische Philologie 26, 1957,
33–301 = (Diss.), 1954
Schönfeld
M. SCHÖNFELD, Wörterbuch der altgermanischen
Personen- und Völkernamen (Germanische Bibliothek
Abt. 1 Reihe 4, 2), 1911, Ndr. ²1965
ScholiaII
H. ERBSE (Hrsg.), Scholia graeca in Homeri Iliadem
(Scholia vetera) 7 Bde., 1969–88
SChr
Sources Chrétiennes 300 Bde., 1942–82
Schrötter
F. v. SCHRÖTTER (Hrsg.), Wörterbuch der Münzkunde,
²1970
Schürer
E. SCHÜRER, G. VERMÈS, The history of the Jewish people
in the age of Jesus Christ (175 B.C. – A.D. 135) 3 Bde.,
1973–87
Schulten, Landeskunde
A. SCHULTEN, Iberische Landeskunde. Geographie des
antiken Spanien 2 Bde., 1955–57 (Übersetzung der
spanischen Ausgabe von 1952)
Schulz
F. SCHULZ, Geschichte der römischen Rechtswissenschaft,
1961, Ndr. 1975
Schulze
W. SCHULZE, Zur Geschichte lateinischer Eigennamen,
1904
Schwyzer, Dial.
E. SCHWYZER (Hrsg.), Dialectorum graecarum exempla
epigraphica potiora, ³1923
Schwyzer, Gramm.
E. SCHWYZER, Griechische Grammatik Bd. 1: Allgemeiner
Teil. Lautlehre, Wortbildung, Flexion (HdbA II 1,1), 1939
Schwyzer/Debrunner
E. SCHWYZER, A. DEBRUNNER, Griechische Grammatik
Bd. 2: Syntax und syntaktische Stilistik (HdbA II 1,2), 1950;
D.J. GEORGACAS, Register zu beiden Bänden, 1953;
F. RADT, S. RADT, Stellenregister, 1971
Scullard
H.H. SCULLARD, Festivals and Ceremonies of the Roman
Republic, 1981
SDAW
Sitzungsberichte der Deutschen Akademie der Wissen-
schaften zu Berlin

SDHI
Studia et documenta historiae et iuris
SE
Studi Etruschi
Seeck
O. Seeck, Regesten der Kaiser und Päpste für die Jahre
311 bis 476 n. Chr. Vorarbeiten zu einer Prosopographie
der christlichen Kaiserzeit, 1919, Ndr. 1964
SEG
Supplementum epigraphicum Graecum, 1923 ff.
Seltman
C. Seltman, Greek Coins. A History of Metallic
Currency and Coinage down to the Fall of the Hellenistic
Kingdoms, ²1965
Sezgin
F. Sezgin, Geschichte des arabischen Schrifttums, Bd. 3:
Medizin, Pharmazie, Zoologie, Tierheilkunde bis ca. 430
H., 1970
SGAW
Sitzungsberichte der Göttinger Akademie der Wissen-
schaften
SGDI
H. Collitz u.a. (Hrsg.), Sammlung der griechischen
Dialekt-Inschriften 4 Bde., 1884–1915
SGLG
K. Alpers, H. Erbse, A. Kleinlogel (Hrsg.),
Sammlung griechischer und lateinischer Grammatiker
7 Bde., 1974–88
SH
H. Lloyd-Jones, P. Parsons (Hrsg.), Supplementum
hellenisticum, 1983
SHAW
Sitzungsberichte der Heidelberger Akademie der Wissen-
schaften
Sherk
R.K. Sherk, Roman Documents from the Greek East:
Senatus Consulta and Epistulae to the Age of Augustus, 1969
SicA
Sicilia archeologica
SIFC
Studi italiani di filologia classica
SiH
Studies in the Humanities
Simon, GG
E. Simon, Die Götter der Griechen, ⁴1992
Simon, GR
E. Simon, Die Götter der Römer, 1990
SLG
D. Page (Hrsg.), Supplementum lyricis graecis, 1974
SM
Schweizer Münzblätter
SMEA
Studi Micenei ed Egeo-Anatolici
Smith
W.D. Smith, The Hippocratic tradition (Cornell
publications in the history of science), 1979
SMSR
Studi e materiali di storia delle religioni
SMV
Studi mediolatini e volgari
SNG
Sylloge Nummorum Graecorum
SNR
Schweizerische Numismatische Rundschau

Solin/Salomies
H. Solin, O. Salomies, Repertorium nominum
gentilium et cognominum Latinorum (Alpha – Omega:
Reihe A 80), ²1994
Sommer
F. Sommer, Handbuch der lateinischen Laut- und For-
menlehre. Eine Einführung in das sprachwissenschaftliche
Studium des Latein (Indogermanische Bibliothek
Abt. 1 Reihe 1 Bd. 3, Teil 1), ²/³1914
Soustal, Nikopolis
P. Soustal, Nikopolis und Kephallenia (Denkschriften
der Österreichischen Akademie der Wissenschaften,
Philosophisch-Historische Klasse 150; TIB 3), 1981
Soustal, Thrakien
P. Soustal, Thrakien. Thrake, Rodope und Haimimon-
tos (Denkschriften der Österreichischen Akademie der
Wissenschaften, Philosophisch-Historische Klasse 221;
TIB 6), 1991
Sovoronos
J.N. Sovoronos, Das Athener Nationalmuseum 3 Bde.,
1908–37
Spec.
Speculum
Spengel
L. Spengel (Hrsg.), Rhetores Graeci 3 Bde., 1853–56,
Ndr. 1966
SPrAW
Sitzungsberichte der Preußischen Akademie der Wissen-
schaften
SSAC
Studi storici per l'antichità classica
SSR
G. Giannantoni (Hrsg.), Socratis et Socraticorum
Reliquiae, 4 Bde., 1990
Staden
H. v. Staden, Herophilus: The Art of Medicine in Early
Alexandria, 1989
Stein, Präfekten
A. Stein, Die Präfekten von Ägypten in der römischen
Kaiserzeit (Dissertationes Bernenses Series 1, 1), 1950
Stein, Spätröm.R.
E. Stein, Geschichte des spätrömischen Reiches Bd. 1,
1928; frz. 1959; Bd. 2 nur frz., 1949
Stewart
A. Stewart, Greek sculpture. An exploration 2 Bde., 1990
StM
Studi Medievali
Strong/Brown
D. Strong, D. Brown (Hrsg.), Roman Crafts, 1976
StV
Die Staatsverträge des Altertums Bd. 2: H. Bengtson,
R. Werner (Hrsg.), Die Verträge der griechisch-römi-
schen Welt von 700 bis 338, ²1975; Bd. 3: H.H. Schmitt
(Hrsg.), Die Verträge der griechisch-römischen Welt 338
bis 200 v. Chr., 1969
SVF
J. v. Arnim (Hrsg.), Stoicorum veterum fragmenta
3 Bde., 1903–05, Index 1924, Ndr. 1964
Syll.²
W. Dittenberger, Sylloge inscriptionum Graecarum
3 Bde., ²1898–1909
Syll.³
F. Hiller von Gaertringen u.a. (Hrsg.), Sylloge
inscriptionum Graecarum 4 Bde., ³1915–24, Ndr. 1960

Syme, AA
R. SYME, The Augustan Aristocracy, 1986
Syme, RP
E. BADIAN (BDE. 1,2), A.R. BIRLEY (BDE. 3–7) (HRSG.)
R. SYME, Roman Papers 7 Bde., 1979–91
Syme, RR
R. SYME, The Roman Revolution 1939
Syme, Tacitus
R. SYME, Tacitus 2 Bde., 1958
Symposion
Symposion, Akten der Gesellschaft für Griechische und
Hellenistische Rechtsgeschichte
Syria
Syria. Revue d'art oriental et d'archéologie
TAM
Tituli Asiae minoris, 1901 ff.
TAPhA
Transactions and Proceedings of the American Philological
Association
Taubenschlag
R. TAUBENSCHLAG, The law of Greco-Roman Egypt in
the light of the papyri: 332 B. C. – 640 A. D., ²1955
TAVO
H. BRUNNER, W. RÖLLIG (Hrsg.), Tübinger Atlas des
Vorderen Orients, Beihefte, Teil B: Geschichte, 1969 ff.
TeherF
Teheraner Forschungen
TGF
A. NAUCK (Hrsg.), Tragicorum Graecorum Fragmenta,
²1889, 2. Ndr. 1983
ThGL
H. STEPHANUS, C.B. HASE, W. UND L. DINDORF U.A.
(HRSG.), Thesaurus graecae linguae, 1831 ff., Ndr. 1954
ThlL
Thesaurus linguae Latinae, 1900 ff.
ThlL, Onom.
Thesaurus linguae Latinae, Supplementum onomasticon.
Nomina propria Latina Bd. 2 (C – Cyzistra), 1907–1913;
Bd. 3 (D – Donusa), 1918–1923
ThLZ
Theologische Literaturzeitung. Monatsschrift für das
gesamte Gebiet der Theologie und Religionswissenschaft
Thomasson
B.E. THOMASSON, Laterculi Praesidium 3 Bde.
in 5 Teilen, 1972–1990
Thumb/Kieckers
A. THUMB, E. KIECKERS, Handbuch der griechischen
Dialekte (Indogermanische Bibliothek Abt. 1 Reihe 1 Teil
1), ²1932
Thumb/Scherer
A. THUMB, A. SCHERER, Handbuch der griechischen
Dialekte (Indogermanische Bibliothek Abt. 1 Reihe 1
Teil 2), ²1959
ThWAT
G.J. BOTTERWECK, H.-J. FABRY (Hrsg.), Theologisches
Wörterbuch zum Alten Testament, 1973 ff.
ThWB
G. KITTEL, G. FRIEDRICH (Hrsg.), Theologisches Wör-
terbuch zum Neuen Testament 11 Bde., 1933–79, Ndr. 1990
TIB
H. HUNGER (Hrsg.), Tabula Imperii Byzantini 7 Bde.,
1976–1990
Timm
S. TIMM, Das christlich-koptische Ägypten in arabischer

Zeit. Eine Sammlung christlicher Stätten in Ägypten in
arabischer Zeit, unter Ausschluß von Alexandria, Kairo,
des Apa-Mena-Klosters (Der Abu Mina), des Sketis
(Wadi n-Natrun) und der Sinai-Region (TAVO 41)
6 Teile, 1984–92
TIR
Tabula Imperii Romani, 1934
TIR/IP
Y. TSAFRIR, L. DI SEGNI, J. GREEN, Tabula Imperii
Romani. Iudaea – Palaestina. Eretz Israel in the Hellenistic,
Roman and Byzantine Periods, 1994
Tod
M.N. TOD (Hrsg.), A Selection of Greek Historical
Inscriptions to the End of the Fifth Century BC Bd. 1,
²1951, Ndr. 1985; Bd. 2, ²1950
Tovar
A. TOVAR, Iberische Landeskunde 2: Die Völker und
Städte des antiken Hispanien Bd. 1: Baetica, 1974;
Bd. 2: Lusitanien, 1976; Bd. 3: Tarraconensis, 1989
Toynbee, Hannibal
A.J. TOYNBEE, Hannibal's legacy. The Hannibalic war's
effects on Roman life 2 Bde., 1965
Toynbee, Tierwelt
J.M.C. TOYNBEE, Tierwelt der Antike, 1983
TPhS
Transactions of the Philological Society Oxford
Traill, Attica
J.S. TRAILL, The political organization of Attica, 1975
Traill, PAA
J.S. TRAILL, Persons of ancient Athens, 1994 ff.
Travlos, Athen
J. TRAVLOS, Bildlexikon zur Topographie des antiken
Athen, 1971
Travlos, Attika
J. TRAVLOS, Bildlexikon zur Topographie des antiken
Attika, 1988
TRE
G. KRAUSE, G. MÜLLER (Hrsg.), Theologische Real-
enzyklopädie, 1977 ff. (1. Lfg. 1976)
Treggiari
S. TREGGIARI, Roman Marriage. Iusti Coniuges from the
Time of Cicero to the Time of Ulpian, 1991
Treitinger
O. TREITINGER, Die Ostroemische Kaiser- und Reichsidee
nach ihrer Gestaltung im hoefischen Zeremoniell, 1938,
Ndr. 1969
Trendall, Lucania
A.D. TRENDALL, The Red-figured Vases of Lucania, Cam-
pania and Sicily, 1967
Trendall, Paestum
A.D. TRENDALL, The Red-figured Vases of Paestum, 1987
Trendall/Cambitoglou
A.D. TRENDALL, A. CAMBITOGLOU, The Red-figured
Vases of Apulia 2 Bde., 1978–82
TRF
O. RIBBECK (Hrsg.), Tragicorum Romanorum
Fragmenta, ²1871, Ndr. 1962
TRG
Tijdschrift voor rechtsgeschiedenis
TrGF
B. SNELL, R. KANNICHT, ST. RADT (Hrsg.), Tragi-
corum graecorum fragmenta Bd. 1, ²1986; Bde. 2–4,
1977–85

Trombley
F.R. TROMBLEY, Hellenic Religion and Christianization c.
370–529 (Religions in the Graeco-Roman world 115)
2 Bde., 1993 f.
TU
Texte und Untersuchungen zur Geschichte der altchrist-
lichen Literatur
TUAT
O. KAISER (Hrsg.), Texte aus der Umwelt des Alten
Testaments, 1985 ff. (1. Lfg. 1982)
TürkAD
Türk arkeoloji dergisi
Ullmann
M. ULLMANN, Die Medizin im Islam, 1970
UPZ
U. WILCKEN (Hrsg.), Urkunden der Ptolemäerzeit
(Ältere Funde) 2 Bde., 1927–57
v. Haehling
R. v. HAEHLING, Die Religionszugehörigkeit der hohen
Amtsträger des Römischen Reiches seit Constantins I.
Alleinherrschaft bis zum Ende der Theodosianischen
Dynastie (324–450 bzw. 455 n.Chr.) (Antiquitas 3,23),
1978
VDI
Vestnik Drevnej Istorii
Ventris / Chadwick
M. VENTRIS, J. CHADWICK, Documents in Mycenean
Greek, ²1973
Vetter
E. VETTER, Handbuch der italischen Dialekte, 1953
VIR
Vocabularium iurisprudentiae Romanae 5 Bde., 1903–39
VisRel
Visible Religion
Vittinghoff
F. VITTINGHOFF (Hrsg.), Europäische Wirtschafts- und
Sozialgeschichte in der römischen Kaiserzeit, 1990
VL
W. STAMMLER, K. LANGOSCH, K. RUH U.A. (Hrsg.),
Die deutsche Literatur des Mittelalters. Verfasserlexikon,
²1978 ff.
Vogel-Weidemann
U. VOGEL-WEIDEMANN, Die Statthalter von Africa und
Asia in den Jahren 14–68 n.Chr. Eine Untersuchung zum
Verhältnis von Princeps und Senat (Antiquitas 1,31), 1982
VT
Vetus Testamentum. Quarterly Published by the Inter-
national Organization of Old Testament Scholars
Wacher
R. WACHER (Hrsg.), The Roman World 2 Bde., 1987
Walde / Hofmann
A. WALDE, J.B. HOFMANN, Lateinisches etymologisches
Wörterbuch 3 Bde., ³1938–56
Walde / Pokorny
A. WALDE, J. POKORNY (Hrsg.), Vergleichendes
Wörterbuch der indogermanischen Sprachen 3 Bde.,
1927–32, Ndr. 1973
Walz
C. WALZ (Hrsg.), Rhetores Graeci 9 Bde., 1832–36,
Ndr. 1968
WbMyth
H.W. HAUSSIG (Hrsg.), Wörterbuch der Mythologie,
Abt. I: Die alten Kulturvölker, 1965 ff.

Weber
W. WEBER, Biographisches Lexikon zur Geschichtswissen-
schaft in Deutschland, Österreich und der Schweiz, ²1987
Wehrli, Erbe
F. WEHRLI (Hrsg.), Das Erbe der Antike, 1963
Wehrli, Schule
F. WEHRLI (Hrsg.), Die Schule des Aristoteles 10 Bde.,
1967–69; 2 Suppl.-Bde., 1974–78
Welles
C.B. WELLES, Royal Correspondence in the Hellenistic
Period: A Study in Greek Epigraphy, 1934
Wenger
L. WENGER, Die Quellen des roemischen Rechts (Denk-
schriften der Österreichischen Akademie der Wissenschaf-
ten. Philosophisch-Historische Klasse 2), 1953
Wernicke
I. WERNICKE, Die Kelten in Italien. Die Einwanderung
und die frühen Handelsbeziehungen zu den Etruskern
(Diss.), 1989 = (Palingenesia 33), 1991
Whatmough
J. WHATMOUGH, The dialects of Ancient Gaul. Prolego-
mena and records of the dialects 5 Bde., 1949–51,
Ndr. in 1 Bd., 1970
White, Farming
K.D. WHITE, Roman Farming, 1970
White, Technology
K.D. WHITE, Greek and Roman Technology, 1983, Ndr.
1986
Whitehead
D. WHITEHEAD, The demes of Attica, 1986
Whittaker
C.R. WHITTAKER (Hrsg.), Pastoral Economies in
Classical Antiquity, 1988
Wide
S. WIDE, Lakonische Kulte, 1893
Wieacker, PGN
F. WIEACKER, Privatrechtsgeschichte der Neuzeit, ²1967
Wieacker, RRG
F. WIEACKER, Römische Rechtsgeschichte Bd. 1, 1988
Wilamowitz
U. v. WILAMOWITZ-MOELLENDORFF, Der Glaube der
Hellenen 2 Bde., ²1955, Ndr. 1994
Will
E. WILL, Histoire politique du monde hellénistique
(323–30 av. J. C.) 2 Bde., ²1979–82
Winter
R. KEKULÉ (Hrsg.), Die antiken Terrakotten, III 1.
2; F. WINTER, Die Typen der figürlichen Terrakotten,
1903
WJA
Würzburger Jahrbücher für die Altertumswissenschaft
WMT
L.I. CONRAD U.A., The Western medical tradition.
800 BC to AD 1800, 1995
WO
Die Welt des Orients. Wissenschaftliche Beiträge zur Kunde
des Morgenlandes
Wolff
H.J. WOLFF, Das Recht der griechischen Papyri Ägyptens
in der Zeit der Ptolemaeer und des Prinzipats (Rechtsge-
schichte des Altertums Teil 5; HbdA Abt. 10, Teil 5), 1978
WS
Wiener Studien. Zeitschrift für klassische Philologie und
Patristik

WUNT
  Wissenschaftliche Untersuchungen zum Neuen Testament
WVDOG
  Wissenschaftliche Veröffentlichungen der Deutschen
  Orient-Gesellschaft
WZKM
  Wiener Zeitschrift für die Kunde des Morgenlandes
YClS
  Yale Classical Studies
ZA
  Zeitschrift für Assyriologie und Vorderasiatische Archäo-
  logie
ZÄS
  Zeitschrift für ägyptische Sprache und Altertumskunde
ZATW
  Zeitschrift für die Alttestamentliche Wissenschaft
Zazoff, AG
  P. ZAZOFF, Die antiken Gemmen, 1983
Zazoff, GuG
  P. ZAZOFF, H. ZAZOFF, Gemmensammler und Gemmen-
  forscher. Von einer noblen Passion zur Wissenschaft, 1983
ZDMG
  Zeitschrift der Deutschen Morgenländischen Gesellschaft
ZDP
  Zeitschrift für deutsche Philologie
Zeller
  E. ZELLER, Die Philosophie der Griechen in ihrer ge-
  schichtlichen Entwicklung 4 Bde., 1844–52, Ndr. 1963
Zeller/Mondolfo
  E. ZELLER, R. MONDOLFO, La filosofia dei Greci nel suo
  sviluppo storico Bd. 3, 1961
ZfN
  Zeitschrift für Numismatik
Zgusta
  L. ZGUSTA, Kleinasiatische Ortsnamen, 1984
Zimmer
  G. ZIMMER, Römische Berufsdarstellungen, 1982
ZKG
  Zeitschrift für Kirchengeschichte
ZNTW
  Zeitschrift für die Neutestamentliche Wissenschaft und
  die Kunde der älteren Kirche
ZPalV
  Zeitschrift des Deutschen Palästina-Vereins
ZPE   Zeitschrift für Papyrologie und Epigraphik
ZRG   Zeitschrift der Savigny-Stiftung für Rechtsgeschichte.
       Romanistische Abteilung
ZRGG Zeitschrift für Religions- und Geistesgeschichte
ZVRW Zeitschrift für vergleichende Rechtswissenschaft
ZVS   Zeitschrift für Vergleichende Sprachforschung

3. Antike Autoren und Werktitel

Abd   Abdias
Acc.   Accius
Ach. Tat.   Achilleus Tatios
Act. Arv.   acta fratrum Arvalium
Act. lud. saec. acta ludorum saecularium
Aet.   Aetios
Aeth.   Aetheriae peregrinatio
Ail. nat.   Ailianos, de natura animalium
  var.   varia historia

Ain. Takt.   Aineias Taktikos
Aischin. Ctes. Aischines, in Ctesiphontem
  leg.   de falsa legatione
             (περὶ παραπρεσβείας)
  Tim.   in Timarchum
Aischyl. Ag.   Aischylos, Agamemnon
  Choeph.   Choephoroi
  Eum.   Eumenides
  Pers.   Persae
  Prom.   Prometheus
  Sept.   Septem adversus Thebas
  Suppl.   Supplices (ἱκέτιδες)
Aisop.   Aisopos
Alc. Avit.   Alcimus Ecdicius Avitus
Alex. Aphr.   Alexandros von Aphrodisias
Alk.   Alkaios
Alki.   Alkiphron
Alkm.   Alkman
Am   Amos
Ambr. epist. Ambrosius, epistulae
  exc. Sat.   de excessu fratris (Satyri)
  obit. Theod. de obitu Theodosii
  obit. Valent. de obitu Valentiniani (iunioris)
  off.   de officiis magistrorum
  paenit.   de paenitentia
Amm.   Ammianus Marcellinus
Anakr.   Anakreon
Anaxag.   Anaxagoras
Anaximand. Anaximandros
Anaximen.   Anaximenes
And.   Andokides
Anecd. Bekk. Anecdota Graeca ed. I. Bekker
Anecd. Par. Anecdota Graeca ed. J. A. Kramer
Anon. de rebus bell. anonymus, de rebus bellicis
             (Ireland 1984)
Anth. Gr.   Anthologia Graeca
Anth. Lat.   Anthologia Latina (Riese ²1894/1906)
Anth. Pal.   Anthologia Palatina
Anth. Plan. Anthologia Planudea
Antiph.   Antiphon
Antisth.   Antisthenes
Apg   Apostelgeschichte
Apk   Apokalypse
Apoll. Rhod. Apollonios Rhodios
Apollod.   Apollodoros, bibliotheke
App. Celt.   Appianos, Celtica
  civ.   bella civilia (ῥωμαϊκοὶ ἐμφύλιοι)
  Hann.   Hannibalica
  Ib.   Iberica
  Ill.   Illyrica
  It.   Italica
  Lib   Libyca
  Mac.   Macedonica
  Mithr.   Mithridatius
  Num.   Numidica
  reg.   regia (ἡ βασιλική)
  Samn.   Samnitica
  Sic.   Sicula
  Syr.   Syriaca
Apul. apol. Apuleius, apologia
  flor.   florida
  met.   metamorphoses
Arat.   Aratos

Archil.	Archilochos	Arr. an.	Arrianos, anabasis
Archim.	Archimedes	cyn.	cynegeticus
Archyt.	Archytas	Ind.	Indica
Arist. Quint.	Aristeides Quintilianus	per. p. E.	periplus ponti Euxini
Aristain.	Aristainetos	succ.	historia successorum Alexandri
Aristeid.	Ailios Aristeides		(τὰ μετὰ Ἀλέξανδρον)
Aristob.	Aristobulos	takt.	taktika
Aristoph. Ach.	Aristophanes, Acharnenses	Artem.	Artemidoros
Av.	Aves (ὄρνιθες)	Ascon.	Asconius (Stangl Bd. 2, 1912)
Eccl.	Ecclesiazusae	Athan. ad Const.	Athanasios, apologia ad Constantium
Equ.	Equites (ἱππεῖς)	c. Ar.	apologia contra Arianos
Lys.	Lysistrata	fuga	apologia de fuga sua
Nub.	Nubes (νεφέλαι)	hist. Ar.	historia Arianorum ad monachos
Pax	Pax (εἰρήνη)	Athen.	Athenaios (Casaubon 1597; Angabe
Plut.	Plutus		der Bücher, Seiten, Buchstaben)
Ran.	Ranae (βάτραχοι)	Aug. civ.	Augustinus, de civitate dei
Thesm.	Thesmophoriazusae	conf.	confessiones
Vesp.	Vespae (σφῆκες)	doctr. christ.	de doctrina christiana
Aristot. an.	Aristoteles, de anima (περὶ ψυχῆς)	epist.	epistulae
	(Becker 1831–70)	retract.	retractationes
an. post.	analytica posteriora	serm.	sermones
an. pr.	analytica priora	soliloq.	soliloquia
Ath. pol.	Athenaion politeia	trin.	de trinitate
aud.	de audibilibus (περὶ ἀκουστῶν)	Aur. Vict.	Aurelius Victor
cael.	de caelo (περὶ οὐρανοῦ)	Auson. Mos.	Ausonius, Mosella (Peiper 1976)
cat.	categoriae	urb.	ordo nobilium urbium
col.	de coloribus (περὶ χρωμάτων)	Avell.	Collectio Avellana
div.	de divinatione (περὶ μαντικῆς)	Avien.	Avienus
eth. Eud.	ethica Eudemia	Babr.	Babrios
eth. Nic.	ethica Nicomachea	Bakchyl.	Bakchylides
gen. an.	de generatione animalium	Bar	Baruch
	(περὶ ζῴων γενέσεως)	Bas.	Basilicorum libri LX (Heimbach)
gen. corr.	de generatione et corruptione	Basil.	Basilios
	(περὶ γενέσεως καὶ φθορᾶς)	Batr.	Batrachomyomachia
hist. an.	historia animalium (ἡ περὶ τὰ ζῷα ἱστο-	Bell. Afr.	Bellum Africum
	ρία)	Bell. Alex.	Bellum Alexandrinum
m. mor.	magna moralia	Bell. Hisp.	Bellum Hispaniense
metaph.	metaphysica	Boeth.	Boethius
meteor.	meteorologica	Caes. civ.	Caesar, de bello civili
mir.	mirabilia	Gall.	de bello Gallico
	(περὶ θαυμασίων ἀκουσμάτων)	Calp. ecl.	Calpurnius Siculus, eclogae
mot. an.	de motu animalium	Cass. Dio	Cassius Dio
	(περὶ ζῴων κινήσεως)	Cassian.	Iohannes Cassianus
mund.	de mundo (περὶ κόσμου)	Cassiod. inst.	Cassiodorus, institutiones
oec.	oeconomica	var.	variae
part. an.	de partibus animalium	Cato agr.	Cato, de agri cultura
	(περὶ ζῴων μορίων)	orig.	origines (HRR)
phgn.	physiognomica	Catull.	Catullus, carmina
phys.	physica	Cels. artes	Cornelius Celsus, artes
poet.	poetica	Cels. Dig.	Iuventius Celsus, Dig.
pol.	politica	Cens.	Censorinus, de die natali
probl.	problemata	Chalc.	Chalcidius
rhet.	rhetorica	Char.	Charisius, ars grammatica (Barwick 1964)
rhet. Alex.	rhetorica ad Alexandrum	1 Chr, 2 Chr	Chronik
sens.	de sensu	Chr. pasch.	Chronikon paschale
	(περὶ αἰσθήσεως)	Chron. min.	Chronica minora
somn.	de somno et vigilia (περὶ ὕπνου καὶ	Cic. ac. 1	Cicero, Academicorum posteriorum
	ἐγρηγόρσεως)		liber 1
soph. el.	sophistici elenchi	ac. 2	Lucullus sive Academicorum priorum
spir.	de spiritu (περὶ ἀναπνοῆς)		liber 2
top.	topica	ad Brut.	epistulae ad Brutum
Aristox. harm.	Aristoxenos, harmonica	ad Q. fr.	ad Quintum fratrem
Arnob.	Arnobius, adversus nationes	Arat.	Aratea (Soubiran 1972)

Arch.	pro Archia poeta
Att.	epistulae ad Atticum
Balb.	pro L. Balbo
Brut.	Brutus
Caecin.	pro A. Caecina
Cael.	pro M. Caelio
Catil.	in Catilinam
Cato	Cato maior de senectute
Cluent.	pro A. Cluentio
de orat.	de oratore
Deiot.	pro rege Deiotaro
div.	de divinatione
div. in Caec.	divinatio in Q. Caecilium
dom.	de domo sua
fam.	epistulae ad familiares
fat.	de fato
fin.	de finibus bonorum et malorum
Flacc.	pro L. Valerio Flacco
Font.	pro M. Fonteio
har. resp.	de haruspicum responso
inv.	de inventione
Lael.	Laelius de amicitia
leg.	de legibus
leg. agr.	de lege agraria
Lig.	pro Q. Ligario
Manil.	pro lege Manilia (de imperio Cn. Pompei)
Marcell.	pro M. Marcello
Mil.	pro T. Annio Milone
Mur.	pro L. Murena
nat. deor.	de natura deorum
off.	de officiis
opt. gen.	de optimo genere oratorum
orat.	orator
p. red. ad Quir.	oratio post reditum ad Quirites
p. red. in sen.	oratio post reditum in senatu
parad.	paradoxa
part.	partitiones oratoriae
Phil.	in M. Antonium orationes Philippicae
philo.	libri philosophici
Pis.	in L. Pisonem
Planc.	pro Cn. Plancio
prov.	de provinciis consularibus
Q. Rosc.	pro Q. Roscio comoedo
Quinct.	pro P. Quinctio
Rab. perd.	pro C. Rabirio perduellionis reo
Rab. Post.	pro C. Rabirio Postumo
rep.	de re publica
S. Rosc.	pro Sex. Roscio Amerino
Scaur.	pro M. Aemilio Scauro
Sest.	pro P. Sestio
Sull.	pro P. Sulla
Tim.	Timaeus
top.	topica
Tull.	pro M. Tullio
Tusc.	Tusculanae disputationes
Vatin.	in P. Vatinium testem interrogatio
Verr. 1, 2	in Verrem actio prima, secunda
Claud. carm.	Claudius Claudianus, carmina (Hall 1985)
rapt. Pros.	de raptu Proserpinae
Clem. Al.	Clemens Alexandrinus
Cod. Greg.	Codex Gregorianus
Cod. Herm.	Codex Hermogenianus
Cod. Iust.	Corpus Juris Civilis, Codex Iustinianus (Krueger 1900)
Cod. Theod.	Codex Theodosianus
coll.	Mosaicarum et Romanarum legum collatio
Colum.	Columella
Comm.	Commodianus
cons.	Consultatio veteris cuiusdam iurisconsulti
const. Sirmond.	Constitutio Sirmondiana
Coripp.	Corippus
Curt.	Curtius Rufus, historiae Alexandri Magni
Cypr.	Cyprianus
Dan	Daniel
Deinarch.	Deinarchos
Demad.	Demades
Demokr.	Demokritos
Demosth. or.	Demosthenes, orationes
Dig.	Corpus Juris Civilis, Digesta (Mommsen 1905, Autor ggf. vorangestellt)
Diod.	Diodorus Siculus
Diog. Laert.	Diogenes Laertios
Diom.	Diomedes, ars grammatica
Dion Chrys.	Dion Chrysostomos
Dion. Hal. ant.	Dionysios Halicarnasseus, antiquitates Romanae (Ῥωμαϊκὴ ἀρχαιολογία)
comp.	de compositione verborum (περὶ συνθέσεως ὀνομάτων)
rhet.	ars rhetorica
Dion. Per.	Dionysios Periegetes
Dion. Thrax	Dionysios Thrax
DK	Diels/Kranz (nachgestellt bei Fragmenten)
Don.	Donatus grammaticus
Drac.	Dracontius
Dt	Deuteronomium = 5. Mose
Edict. praet. dig.	edictum perpetuum in Dig.
Emp.	Empedokles
Enn. ann.	Ennius, annales (Skutsch 1985)
sat.	saturae (Vahlen ²1928)
scaen.	fragmenta scaenica (Vahlen ²1928)
Ennod.	Ennodius
Eph	Epheserbrief
Ephor.	Ephoros von Kyme (FGrH 70)
Epik.	Epikuros
Epikt.	Epiktetos
Eratosth.	Eratosthenes
Esr	Esra
3 Esra, 4 Esra	Esra
Est	Esther
Etym. gen.	Etymologicum genuinum
Gud.	Gudianum
m.	magnum
Eukl. elem.	Eukleides, elementa
Eun. vit. soph.	Eunapios, vitae sophistarum
Eur. Alc.	Euripides, Alcestis
Andr.	Andromache
Bacch.	Bacchae
Cycl.	Cyclops
El.	Electra
Hec.	Hecuba

Hel.	Helena	Herc. O.	Hercules Oetaeus
Heraclid.	Heraclidae	Herm. Trism.	Hermes Trismegistos
Herc.	Hercules	Herm. mand.	mandata
Hipp.	Hippolytus	sim.	similitudines
Ion	Ion	vis.	Hermas, visiones
Iph. A.	Iphigenia Aulidensis	Hermog.	Hermogenes
Iph. T.	Iphigenia Taurica	Herodian.	Herodianos
Med.	Medea	Heron	Heron
Or.	Orestes	Hes. cat.	Hesiodos, catalogus feminarum (ἠοίαι)
Phoen.	Phoenissae		(Merkelbach/West 1967)
Rhes.	Rhesus	erg.	opera et dies (ἔργα καὶ ἡμέραι)
Suppl.	Supplices (ἱκέτιδες)	scut.	scutum (ἀσπίς) (Merkelbach/West
Tro.	Troades		1967)
Eus. Dem. Ev.	Eusebios, Demonstratio Evangelica	theog.	Theogonia
HE	Historia Ecclesiastica	Hesych.	Hesychios
On.	Eusebios, Onomastikon	Hier. chron.	Hieronymus, chronicon
	(Klostermann 1904)	comm. in Ez.	commentaria in Ezechielem (PL 25)
Pr. Ev.	Praeparatio Evangelica	epist.	epistulae
Eust.	Eustathios	On.	Hieronymus, Onomastikon
Eutr.	Eutropius		(Klostermann 1904)
Ev. Ver.	Evangelium Veritatis	vir. ill.	de viris illustribus
Ex	Exodus = 2. Mose	Hil.	Hilarius
Ez	Ezechiel	Hiob	Hiob
Fast.	Fasti	Hippokr.	Hippokrates
Fest.	Festus (Lindsay 1913)	HL	Hohelied
Firm.	Firmicus Maternus	Hom. h.	hymni Homerici
Flor. epit.	Florus epitoma de Tito Livio	Hom. Il.	Homeros, Ilias
Florent.	Florentinus	Od.	Odyssee
Frontin. aqu.	Frontinus, de aquae ductu urbis Romae	Hor. ars	Horatius, ars poetica
strat.	strategemata	carm.	carmina
Fulg.	Fulgentius Afer	carm. saec.	carmen saeculare
Fulg. Rusp.	Fulgentius Ruspensis	epist.	epistulae
Gai. inst.	Gaius, Institutiones	epod.	epodi
Gal	Galaterbrief	sat.	saturae (sermones)
Gal.	Galenos	Hos	Hosea
Gell.	A. Gellius, noctes Atticae	Hyg. astr.	Hyginus, astronomica (Le Bœuffle 1983)
Geogr. Rav	Geographus Ravennas (Schnetz 1940)	fab.	fabulae
Geop.	Geoponica	Hyp.	Hypereides
Gn	Genesis = 1. Mose	Iambl. de myst.	de mysteriis (περὶ τῶν αἰγυπτίων
Gorg.	Gorgias		μυστηρίων)
Greg. M. dial.	Gregorius Magnus, dialogi (de miraculis	protr.	Iamblichos, protrepticus in philo-
	patrum Italicorum)		sophiam
epist.	epistulae	v. P.	de vita Pythagorica
past.	regula pastoralis	Iav.	Iavolenus Priscus
Greg. Naz. epist.	Gregorius Nazianzienus, epistulae	Inst. Iust.	Corpus Juris Civilis, Institutiones
or.	orationes		(Krueger 1905)
Greg. Nyss.	Gregorius Nyssenus	Ioh. Chrys. epist.	Iohannes Chrysostomos, epistulae
Greg. Tur. Franc.	Gregorius von Tours, historia Francorum	hom. ...	homiliae in ...
Mart.	de virtutibus Martini	Ioh. Mal.	Iohannes Malalas, chronographia
vit. patr.	de vita patrum	Iord. Get.	Iordanes, de origine actibusque Getarum
Hab	Habakuk	Ios. ant. Iud.	Iosephos, antiquitates Iudaicae (Ἰουδαϊκὴ
Hagg	Haggai		ἀρχαιολογία)
Harpokr.	Harpokrates	bell. Iud.	bellum Iudaicum (ἱστορία Ἰουδαϊκοῦ
Hdt.	Herodotos		πολέμου πρὸς Ῥωμαίους)
Hebr	Hebräerbrief	c. Ap.	contra Apionem
Heges.	Hegesippus (=Flavius Iosephus)	vita	de sua vita
Hekat.	Hekataios	Iren.	Irenaeus (Rousseau/Doutreleau
Hell. Oxyrh.	Hellenica Oxyrhynchia		1965–82)
Hen	Henoch	Isid. nat.	Isidorus, de natura rerum
Heph.	Hephaistion grammaticus	orig.	origines
	(Alexandrinus)	Isokr. or.	Isokrates orationes
Herakl.	Herakleitos	Itin. Anton.	Itinerarium, Antonini
Herakl. Pont.	Herakleides Pontikos	Aug.	Augusti

Burdig.	Burdigalense vel Hierosolymitanum	somn.	commentarii in Ciceronis somnium
Plac.	Placentini		Scipionis
Iul. Vict. rhet.	C. Iulius Victor, ars rhetorica	1 Makk, 2 Makk	Makkabäer
Iul. epist.	Iulianos, epistulae	3 Makk, 4 Makk	Makkabäer
in Gal.	in Galilaeos	Mal	Maleachi
mis.	Misopogon	Manil.	Manilius, astronomica (Goold 1985)
or.	orationes	Mar. Victorin.	Marius Victorinus
symp.	symposion	Mart.	Martialis
Iust.	Iustinus, epitoma historiarum	Mart. Cap.	Martianus Capella
	Philippicarum	Max. Tyr.	Maximos Tyrios (Trapp 1994)
Iust. Mart. apol.	Iustinus Martyr, apologia	Mela	Pomponius Mela
dial.	dialogus cum Tryphone	Melanipp.	Melanippides
Iuv.	Iuvenalis, saturae	Men. Dysk.	Menandros, Dyskolos
Iuvenc.	Iuvencus, evangelia (Huemer 1891)	Epitr.	Epitrepontes
Jak	Jakobusbrief	fr.	fragmentum (Körte)
Jdt	Judith	Pk.	Perikeiromene
Jer	Jeremia	Sam.	Samia
Jes	Jesaja	Mi	Micha
1 – 3 Jo	Johannesbriefe	Mimn.	Mimnermos
Jo	Johannes	Min. Fel.	Minucius Felix, Octavius (Kytzler 1982)
Joël	Joël	Mk	Markus
Jon	Jona	Mod.	Herennius Modestinus
Jos	Josua	Mosch.	Moschos
Jud	Judasbrief	Mt	Matthäus
Kall. epigr.	Kallimachos, epigrammata	MY	Mykene (Fundort Linear B-Täfelchen)
fr.	fragmentum (Pfeiffer)	Naev.	Naevius (carmina nach FPL)
h.	hymni	Nah	Nahum
1 Kg, 2 Kg	Könige	Neh	Nehemia
KH	Khania (Fundort Linear B-Täfelchen)	Nemes.	Nemesianus
Klgl	Klagelieder	Nep. Att.	Cornelius Nepos, Atticus
KN	Knosos (Fundort Linear B-Täfelchen)	Hann.	Hannibal
Kol	Kolosserbrief	Nik. Alex.	Nikandros, Alexipharmaka
1 Kor, 2 Kor	Korintherbriefe	Ther.	Theriaka
Lact. inst.	Lactantius, divinae institutiones	Nikom.	Nikomachos
ira	de ira dei	Nm	Numeri = 4. Mose
mort. pers.	de mortibus persecutorum	Non.	Nonius Marcellus (L. Mueller 1888)
opif.	de opificio dei	Nonn. Dion.	Nonnos Dionysiaka
Laod.	Laodiceer	Not. dign. occ.	Notitia dignitatum occidentis
Lex Irnit.	Lex Irnitana	Not. dign. or.	Notitia dignitatum orientis
Lex Malac.	Lex municipii Malacitani	Not. episc.	Notitia dignitatum et episcoporum
Lex Rubr.	Lex Rubria de Gallia cisalpina	Nov.	Corpus Juris Civilis, Leges Novellae
Lex Salpens.	Lex municipii Salpensani		(Schoell / Kroll 1904)
Lex Urson.	Lex coloniae Iuliae Genetivae Ursonensis	Obseq.	Iulius Obsequens, prodigia
Lex Visig.	Leges Visigothorum		(Rossbach 1910)
Lex XII tab.	Lex duodecim tabularum	Opp. hal.	Oppianos, Halieutika
Lib. epist.	Libanios, epistulae	kyn.	Kynegetika
or.	orationes	or. Sib.	oracula Sibyllina
Liv.	Livius, ab urbe condita	Oreib.	Oreibasios
Lk	Lukas	Orig.	Origenes
Lucan.	Lucanus, bellum civile	OrMan	Oratio Manasse
Lucil.	Lucilius, saturae (Marx 1904)	Oros.	Orosius
Lucr.	Lucretius, de rerum natura	Orph. Arg.	Orpheus, Argonautika
Lukian.	Lukianos	fr.	fragmentum (Kern)
Lv	Leviticus = 3. Mose	h.	hymni
LXX	Septuaginta	Ov. am.	Ovidius, amores
Lyd. mag.	Lydos, de magistratibus (περὶ ἀρχῶν	ars	ars amatoria
	τῆς Ῥωμαίων πολιτείας)	epist.	epistulae (heroides)
mens.	de mensibus (περὶ μηνῶν)	fast.	fasti
Lykophr.	Lykophron	Ib.	Ibis
Lykurg.	Lykurgos	medic.	medicamina faciei femineae
Lys.	Lysias	met.	metamorphoses
M. Aur.	Marcus Aurelius Antoninus Augustus	Pont.	epistulae ex Ponto
Macr. Sat.	Macrobius, Saturnalia	rem.	remedia amoris

trist.	tristia
P	Papyruseditionen in der Regel nach E.G. TURNER, Greek Papyri. An Introduction, 159–178
Abinn.	H.I. Bell u.a. (Hrsg.), The Abinnaeus Archive; papers of a Roman officer in the reign of Constantius II, 1962
Bodmer	V. Martin, R. Kasser u.a. (Hrsg.), Papyrus Bodmer, 1954 ff.
CZ	C.C. Edgar (Hrsg.), Zenon Papyri (Catalogue général des Antiquités égyptiennes du Musée du Caire) 4 Bde., 1925 ff.
Hercul.	Papyri aus Herculaneum
Lond.	F.G. Kenyon u.a. (Hrsg.), Greek Papyri in the British Museum 7 Bde., 1893–1974
Mich.	C.C. Edgar, A.E.R. Boak, J.G. Winter u.a. (Hrsg.), Papyri in the University of Michigan Collection 13 Bde., 1931–1977
Oxy.	B.P. Grenfell, A.S. Hunt u.a. (Hrsg.), The Oxyrhynchus Papyri, 1898 ff.
Pall. agric.	Palladius, opus agriculturae
Pall. Laus.	Palladios, historia Lausiaca (Λαυσιακόν)
Paneg.	Panegyrici latini
Papin.	Aemilius Papinianus
Paroem.	Paroemiographi Graeci
Pass. mart.	passiones martyrum
Paul. Fest.	Paulus Diaconus, epitoma Festi
Paul. Nol.	Paulinus Nolanus
Paul. sent.	Iulius Paulus, sententiae
Paus.	Pausanias
Pelag.	Pelagius
peripl. m. Eux.	Periplus maris Euxini
m. m.	maris magni
m. r.	maris rubri
Pers.	Persius, saturae
1 Petr, 2 Petr	Petrusbriefe
Petron.	Petronius, satyrica (Müller 1961)
Phaedr.	Phaedrus, fabulae (Guaglianone 1969)
Phil	Philipperbrief
Phil.	Philon
Philarg. Verg. ecl.	Philargyrius grammaticus, explanatio in eclogas Vergilii
Philod.	Philodemos
Philop.	Philoponos
Philostr. Ap.	Philostratos, vita Apollonii
imag.	Philostratos, imagines
soph.	vitae sophistarum
Phm	Philemonbrief
Phot.	Photios (Bekker 1824)
Phryn.	Phrynichos
Pind. fr.	Pindar, Fragmente (Snell/Maehler)
I.	Pindar, Isthmien
N.	Nemeen
O.	Olympien
P.	Pythien
Plat. Alk. 1	Platon, Alkibiades 1 (Stephanus)
Alk. 2	Alkibiades 2
apol.	apologia
Ax.	Axiochos
Charm.	Charmides

def.	definitiones (ὅροι)
Dem.	Demodokos
epin.	epinomis
epist.	epistulae
erast.	erastae
Eryx.	Eryxias
Euthyd.	Euthydemos
Euthyphr.	Euthyphron
Gorg.	Gorgias
Hipp. mai.	Hippias maior
Hipp. min.	Hippias minor
Hipparch.	Hipparchos
Ion	Ion
Kleit.	Kleitophon
Krat.	Kratylos
Krit.	Kriton
Kritias	Kritias
Lach.	Laches
leg.	leges (νόμοι)
Lys.	Lysis
Men.	Menon
Min.	Minos
Mx.	Menexenos
Parm.	Parmenides
Phaid.	Phaidon
Phaidr.	Phaidros
Phil.	Philebos
polit.	politicus
Prot.	Protagoras
rep.	de re publica (πολιτεία)
Sis.	Sisyphos
soph.	sophista
symp.	symposium
Thg.	Theages
Tht.	Theaitetos
Tim.	Timaios
Plaut. Amph.	Plautus, Amphitruo (fr. jeweils nach Leo 1895 f.)
Asin.	Asinaria
Aul.	Aulularia
Bacch.	Bacchides
Capt.	Captivi
Cas.	Casina
Cist.	Cistellaria
Curc.	Curculio
Epid.	Epidicus
Men.	Menaechmi
Merc.	Mercator
Mil.	Miles gloriosus
Most.	Mostellaria
Poen.	Poenulus
Pseud.	Pseudolus
Rud.	Rudens
Stich.	Stichus
Trin.	Trinummus
Truc.	Truculentus
Vid.	Vidularia
Plin. nat.	Plinius maior naturalis historia
Plin. epist.	Plinius minor, epistulae
paneg.	panegyricus
Plot.	Plotinos
Plut.	Plutarchos, vitae parallelae (βίοι παράλληλοι) (Name ausgeschrieben, Kapitel und Seitenzahlen Stephanus 1572)

am.	amatorius (ἐρωτικός) (Kapitel und Seitenzahlen)	1 QM	Kriegsrolle, Höhle 1
de def. or.	de defectu oraculorum (περὶ τῶν ἐκλελοιπότων χρηστηρίων)	1 QS	Gemeinderegel, Höhle 1
		1 QSa	Gemeinschaftsregel, Höhle 1
		1 QSb	Segenssprüche, Höhle 1
de E	de E apud Delphos (περὶ τοῦ Εἶ τοῦ ἐν Δελφοῖς)	Quint. decl.	Quintilianus, declamationes minores (Shackleton Bailey 1989)
de Pyth. or.	de Pythiae oraculis (περὶ τοῦ μὴ χρᾶν ἔμμετρα νῦν τὴν Πυθίαν)	inst.	institutio oratoria
de sera	de sera numinis vindicta (περὶ τῶν ὑπὸ τοῦ θείου βραδέως τιμωρουμένων)	R. Gest. div. Aug.	Res gestae divi Augusti
		Rhet. Her.	Rhetorica ad C. Herennium
Is.	de Iside et Osiride (Kapitel und Seitenzahlen)	Ri	Richter
		Röm	Römerbrief
mor.	moralia (außer den eigens genannten; mit Seitenzahlen)	Rt	Ruth
		Rufin.	Tyrannius Rufinus
qu.Gr.	quaestiones Graecae (αἴτια Ἑλληνικά; Kapitel)	Rut. Nam.	Rutilius Claudius Namatianus, de reditu suo
qu.R.	quaestiones Romanae (αἴτια Ῥωμαϊκά; Kapitel)	S. Emp.	Sextus Empiricus
		Sach	Sacharia
symp.	quaestiones convivales (συμποσίακα προβλήματα; Bücher, Kapitel, Seitenzahl)	Sall. Catil.	Sallustius, de coniuratione Catilinae
		hist.	historiae
		Iug.	de bello Iugurthino
Pol.	Polybios	Salv. gub.	Salvianus, de gubernatione dei
Pol. Silv.	Polemius Silvius	1 Sam, 2 Sam	Samuel
Poll.	Pollux	Sch. (vor dem Autornamen)	Scholia zu dem betreffenden Autor
Polyain.	Polyainos, strategemata		
Polyk.	Polykarpbrief	Sedul.	Sedulius
Pomp.	Sextus Pomponius	Sen. contr.	Seneca maior, controversiae
Pomp. Trog.	Pompeius Trogus	suas.	suasoriae
Porph.	Porphyrios	Sen. Ag.	Seneca minor, Agamemno
Porph. Hor. comm.	Porphyrio, commentum in Horatii carmina	apocol.	divi Claudii apocolocyntosis
		benef.	de beneficiis
Poseid.	Poseidonios	clem.	de clementia (Hosius [2]1914)
Prd	Prediger	dial.	dialogi
Priap.	Priapea	epist.	epistulae morales ad Lucilium
Prisc.	Priscianus	Herc. f.	Hercules furens
Prob.	Pseudoprobianische Schriften	Med.	Medea
Prok. aed.	Prokopios, de aedificiis (περὶ κτισμάτων)	nat.	naturales quaestiones
		Oed.	Oedipus
BG	bellum Gothicum	Phaedr.	Phaedra
BP	bellum Persicum	Phoen.	Phoenissae
BV	bellum Vandalicum	Thy.	Thyestes
HA	historia arcana	Tro.	Troades
Prokl.	Proklos	Serv. auct.	Servius auctus Danielis
Prop.	Propertius, elegiae	Serv. Aen.	Servius, commentarius in Vergilii Aeneida
Prosp.	Prosper Tiro		
Prud.	Prudentius	ecl.	commentarius in Vergilii eclogas
Ps (Pss)	Psalm(en)	georg.	commentarius in Vergilii georgica
Ps.-Acro	Ps.-Acro, in Horatium	SHA Ael.	scriptores historiae Augustae, Aelius
Ps.-Aristot. lin. insec.	Pseudo-Aristoteles, de lineis insecabilibus (περὶ ἀτόμων γραμμῶν)	Alb.	Clodius
		Alex.	Alexander Severus
mech.	mechanica	Aur.	M. Aurelius
Ps.-Sall. in Tull.	Pseudo-Sallustius, in M. Tullium Ciceronem invectiva	Aurelian.	Aurelianus
		Avid.	Avidius Cassius
rep.	epistulae ad Caesarem senem de re publica	Car.	Carus et Carinus et Numerianus
		Carac.	Antoninus Caracallus
Ptol.	Ptolemaios	Claud.	Claudius
PY	Pylos (Fundort Linear B-Täfelchen)	Comm.	Commodus
4 Q flor	Florilegium, Höhle 4	Diad.	Diadumenus Antoninus
4 Q patr	Patriarchensegen, Höhle 4	Did.	Didius Iulianus
1 Q pHab	Habakuk-Midrasch, Höhle 1	Gall.	Gallieni duo
4 Q pNah	Nahum-Midrasch, Höhle 4	Gord.	Gordiani tres
4 Q test	Testimonia, Höhle 4	Hadr.	Hadrianus
Q. Smyrn.	Quintus Smyrnaius	Heliog.	Heliogabalus
1 QH	Loblieder, Höhle 1	Max. Balb.	Maximus et Balbus

Opil.	Opilius Macrinus
Pert.	Helvius Pertinax
Pesc.	Pescennius Niger
quatt. tyr.	quattuor tyranni
Sept. Sev.	Severus
Tac.	Tacitus
trig. tyr.	Triginta Tyranni
Valer.	Valeriani duo
Sidon. carm.	Apollinaris Sidonius, carmina
epist.	epistulae
Sil.	Silius Italicus, Punica
Sim.	Simonides
Simpl.	Simplikios
Sir	Jesus Sirach
Skyl.	Skylax, periplus
Skymn.	Skymnos, periegesis
Sokr.	Sokrates, historia ecclesiastica
Sol.	Solon
Solin.	Solinus
Soph. Ai.	Sophokles, Aias
Ant.	Antigone
El.	Electra
Ichn.	Ichneutae
Oid. K.	Oedipus Coloneus
Oid. T.	Oedipus Rex
Phil.	Philoctetes
Trach.	Trachiniae
Soran.	Soranus
Soz.	Sozomenos, historia ecclesiastica
Spr	Sprüche
Stat. Ach.	Statius, Achilleis
silv.	silvae
Theb.	Thebais
Steph. Byz.	Stephanos Byzantios
Stesich.	Stesichoros
Stob.	Stobaios
Strab.	Strabon (Bücher, Kapitel)
Suda	Suda = Suidas
Suet. Aug.	Suetonius, divus Augustus (Ihm 1907)
Cal.	Caligula
Claud.	divus Claudius
Dom.	Domitianus
gramm.	Suetonius, de grammaticis (Kaster 1995)
Iul.	divus Iulius
Tib.	divus Tiberius
Tit.	divus Titus
Vesp.	divus Vespasianus
Vit.	Vitellius
Sulp. Sev.	Sulpicius Severus
Symm. epist.	Symmachus, epistulae
or.	orationes
rel.	relationes
Synes. epist.	Synesios, epistulae
Synk.	Synkellos
Tab. Peut.	Tabula Peutingeriana
Tac. Agr.	Tacitus, Agricola
ann.	annales
dial.	dialogus de oratoribus
Germ.	Germania
hist.	historiae
Ter. Maur.	Terentianus Maurus
Ter. Ad.	Terentius, Adelphoe

Andr.	Andria
Eun.	Eunuchus
Haut.	H(e)autontimorumenos
Hec.	Hecyra
Phorm.	Phormio
Tert. apol.	Tertullianus, apologeticum
nat.	ad nationes (Borleffs 1954)
TH	Theben (Fundort Linear B-Täfelchen)
Them. or.	Themistios, orationes
Theod. epist.	Theodoretos, epistulae
gr. aff. cur.	Graecarum affectionum curatio (Ἑλληνικῶν θεραπευτικὴ παθημάτων)
hist. eccl.	historia ecclesiastica
Theokr.	Theokritos
Theop.	Theopompos
Theophr. c. plant.	Theophrastos, de causis plantarum (φυτικαὶ αἰτίαι)
char.	characteres
h. plant.	historia plantarum (περὶ φυτικῶν ἱστοριῶν)
1 Thess, 2 Thess	Thessalonicherbriefe
Thgn.	Theognis
Thuk.	Thukydides
TI	Tiryns (Fundort Linear B-Täfelchen)
Tib.	Tibullus, elegiae
1 Tim, 2 Tim	Timotheusbriefe
Tit	Titusbrief
Tob	Tobit
Tzetz. anteh.	Tzetzes, antehomerica (τὰ πρὸ τοῦ Ὁμήρου)
chil.	chiliades
posth.	posthomerica (τὰ μεθ᾽ Ὅμηρον)
Ulp. (reg.)	Ulpianus (Ulpiani regulae)
Val. Fl.	Valerius Flaccus, Argonautica
Val. Max.	Valerius Maximus, facta et dicta memorabilia
Varro ling.	Varro, de lingua Latina
Men.	saturae Menippeae (Astbury 1985)
rust.	res rusticae
Vat.	Fragmenta Vaticana
Veg. mil.	Vegetius, epitoma rei militaris
Vell.	Velleius Paterculus, historiae Romanae
Ven. Fort.	Venantius Fortunatus
Verg. Aen.	Vergilius, Aeneis
catal.	catalepton
ecl.	eclogae
georg.	georgica
Vir. ill.	De viris illustribus
Vitr.	Vitruvius, de architectura
Vulg.	Vulgata
Weish	Weisheit
Xen. Ag.	Xenophon, Agesilaos
an.	anabasis
apol.	apologia
Ath. pol.	Athenaion politeia
equ.	de equitandi ratione (περὶ ἱππικῆς)
hell.	hellenica
Hier.	Hieron
hipp.	hipparchicus
kyn.	cynegeticus
Kyr.	Cyrupaideia
Lak. pol.	Lakedaimonion politeia

mem.	memorabilia (ἀπομνημονεύματα)	Zenob.	Zenobios
oik.	oeconomicus	Zenod.	Zenodotos
symp.	symposium	Zeph	Zephania
vect.	de vectigalibus (πόροι)	Zon.	Zonaras
Xenophan.	Xenophanes	Zos.	Zosimos
Zen.	Zenon		

Kartenverzeichnis mit Kartenliteratur

Ein Teil der Karten dient der thematischen Visualisierung und Ergänzung der Artikel. In solchen Fällen wird auf das entsprechende Stichwort verwiesen. In der folgenden Auflistung wird nur Literatur, die ausschließlich für die Kartierung verwandt wurde, genannt.

Lemma Kartentitel KARTENAUTOREN Kartenliteratur

Achaimenidai

Hauptkarte: Das Achaimenidische Reich (6.–4. Jh. v.Chr.)
REDAKTION nach TAVO B IV 22; 23 (Autoren: G. Gropp; P. Högemann, ©Dr. Ludwig Reichert Verlag, Wiesbaden)
Nebenkarte: Militärische Operationen im Ägäisraum
REDAKTION, nach TAVO B IV 23
Lit.: J. Feix (Hrsg.), Herodot, Historien, 1988 · G. Gropp, Iran unter den Achämeniden (6.–4. Jh. v.Chr.), TAVO B IV 22, 1985 · P. Högemann, Östl. Mittelmeerraum, das achämenidische Westreich von Kyros bis Xerxes (547–479/8 v.Chr.), TAVO B IV 23, 1985 · Ders., Das alte Vorderasien und die Achämeniden, 1992

Achaioi. Achaia

Der Achaiische Bund vom 7. Jh. bis 146 v.Chr.
OLSHAUSEN/REDAKTION
Lit.: G. Niccolini, La confederazione achea, 1914, 243ff. · K. J. Beloch, Griech. Gesch. 4, 1, 632ff. 2, 525 · J. K. Anderson, A Topographical and Historical Study of Achaia: Annual of the British School at Athens 49, 1954, 72–92 · E. Kirsten, Die griech. Polis als histor.-geogr. Problem des Mittelmeerraumes, 1956, 89 · A. Philippson, E. Kirsten, Die griech. Landschaften. Eine Landeskunde 2, Karte 2 Nr. 29–47; 3,1 1959, 155–199

Ägäische Koine

Ägäische Koine 1: Frühe Bronzezeit
(ca. 2700–2200 v.Chr.)
NIEMEIER/REDAKTION

Ägäische Koine 2: Mittlere – Anfang Späte Bronzezeit: Die »Minoische Koine« (ca. 2200–1400 v.Chr.)
NIEMEIER/REDAKTION
Lit.: W.-D. Niemeier, in: M. Marazzi, S. Tusa, L. Vagnetti (Hrsg.), Traffici micenei nel mediterraneo. Problemi storici e documentazione archeologica, 1986, 245–260

Ägäische Koine 3: Späte Bronzezeit: Die »Mykenische Koine« zur Zeit der ägyptisch-hethitischen Vorherrschaft. Östlicher Mittelmeerraum ca. 1400–1200 v.Chr.
REDAKTION
Lit.: H.-G. Buchholz (Hrsg.), Ägäische Bronzezeit, 1987 · G. Bunnens, A. Kuschke, · W. Röllig, Palästina und Syrien zur Zeit der ägyptisch-hethitischen Vorherrschaft, TAVO B III 3, 1990 · E. Edel, Die Ortsnamenliste aus dem Totentempel Amenophis' III., 1966, 33ff. (Neubearbeitung) · M. Forlani, Kleinasien. Das Hethitische Reich im 14.–13. Jh. v.Chr. TAVO B III 6, 1992 · F. Gomaá, R. Hannig, Ägypten zur Zeit des Neuen Reiches, TAVO B III 1, 1991 · G. Kopcke, Handel, ArchHom, 1990 · G. A. Lehmann, Die myk.-frühgriech. Welt und der östl. Mittelmeerraum in der Zeit der Seevölkerinvasionen, 1984 · C. Mee, AS 28, 1978, 121–156 · J. Osing, JEA 68, 1982, 77f.

Ägypten

Ägypten: Wirtschaft (4.–2. Jh. v.Chr.)
REDAKTION, nach TAVO B V 5 (Autor: H. Waldmann, ©Dr. Ludwig Reichert Verlag, Wiesbaden)
Lit.: H. Waldmann, Wirtschaft, Kulte und Bildung im Hellenismus (330–133 v.Chr.), TAVO B V 5, 1987

Ägypten in römischer Zeit: Verwaltung (1. Jh. v.–3. Jh. n.Chr./ –6. Jh. n.Chr.)
REDAKTION
Lit.: H. Heinen, W. Schlömer, Ägypten in hell.-röm. Zeit, TAVO B V 21, 1989 · P. Högemann, Nordostafrika und Arabische Halbinsel. Staaten und Kulturen (4.–1. v.Chr.), TAVO B V 22, 1987 · E. Kettenhofen, Östl. Mittelmeerraum und Mesopotamien: Die Neuordnung des Orients in diokletianisch-konstantinischer Zeit (284–337 n.Chr.), TAVO B VI 1, 1984 · Ders., Östl. Mittelmeerraum und Mesopotamien: Spätrömische Zeit (337–527 n.Chr.), TAVO B VI 4, 1984 · S. Timm, Ägypten. Das Christentum bis zur Araberzeit (bis zum 7. Jh.), TAVO B VI 15, 1983

Afrika

Provinziale Entwicklung in Nordafrika (146 v.Chr.–395 n.Chr.)
REDAKTION
Lit.: B. E. Thomasson, Zur Verwaltungsgeschichte der röm. Provinzen Nordafrikas (Proconsularis, Numidia, Mauretaniae), ANRW II 10,2, 1982, 3–61 · A. Laronde, La Cyrénaique romaine, des origines à la fin des Sévères (96 av. J.-C. – 235 ap. J.-C.), ANRW II 10, 1, 1988, 1006–1064

Nordafrika von der byzantinischen Periode bis zur islamischen Eroberung (5.–8. Jh. n.Chr.)
LEISTEN
Lit.: J. M. Abun-Nasr, A History of the Maghrib in the Islamic Period, 1987 · G.-H. Bousquet, Les Berbères, 1957 · C. Courtois, Les Vandales et l'Afrique, 1955 · C. Diehl, L'Afrique byzantine: histoire de la domination byzantine en Afrique (533–709). I.II, 1896

Aitoloi. Aitolia

Der Aitolische Bund bis 167 v.Chr.
OLSHAUSEN/REDAKTION
Lit.: F. Noack, AA 1916, 215–239. · E. Kirsten, Neue Jahrbücher 3, 1940, 298–316 · A. Philippson, E. Kirsten, Die griech. Landschaften. Eine Landeskunde 1,1, 1950, 299–367. 558–672. 2, 1958 Karte 2; auch 2, 340; 667; 669f. · B. Schweighart, Bibliographie über Akarnanien und angrenzende Gebiete in der Ant., 1993 · G. Klaffenbach. IG² IX 1,1, 1932 · H. Kiepert, Formae Orbis Antiqui 15

Akarnaneis. Akarnania

Der Akarnanische Bund von 389 v.Chr. bis zu seiner Auflösung unter Augustus (?)
OLSHAUSEN/STRAUCH
Lit.: E. Oberhummer, Akarnanien, Ambrakia, Amphilochien, Leukas im Alt., 1887 (Karte) · F. Noack, AA 1916, 215–239 · E. Kirsten, Neue Jahrbücher 3, 1940, 298–316 · A. Philippson, E. Kirsten, Die griech. Landschaften. Eine Landeskunde 2,2, 1958, 368–417. 585f. 588–672 mit Karte 2 · W. M. Murray, The Coastal Sites of Western Acarnania. A Topographical-Historical Survey, 1982 · D. F. E. Strauch, Röm. Politik und griech. Tradition, 1992 · B. Schweighart, Bibliographie über Akarnanien und angrenzende Gebiete in der Ant., 1993 · IG² IX 1,2 · H. Kiepert, Formae Orbis Antiqui 15 (Kirsten 302). IG² IV 1,95

Alexandreia [1]

Alexandreia

REDAKTION, nach TAVO B V 21 (Autoren: H. Heinen, W. Schlömer, © Dr. Ludwig Reichert Verlag, Wiesbaden)
Lit.: H. Heinen, W. Schlömer, Ägypten in hell.-röm. Zeit, TAVO B V 21, 1989 · E. G. Huzar, Alexandria ad Aegyptum in the Julio-Claudian Age, ANRW II 10,1, 1988, 619–668

Alexandros [4]

Die Feldzüge Alexanders (336–323 v. Chr.)
EDER/REDAKTION, nach TAVO B V 1 (Autor: J. Seibert, © Dr. Ludwig Reichert Verlag, Wiesbaden)
Lit.: J. Seibert, Das Alexanderreich (336–323 v. Chr.), TAVO B V 1, 1985

Antiocheia [1]

Antiocheia in spätbyzantinischer und frühislamischer Zeit
LEISTEN
Lit.: F. Cimok, Antioch on the Orontes, ²1994 · G. Downey, A History of Antioch in Syria from Seleucus to the Arab Conquest, 1961 · J. Lassus, Les portiques d'Antioche. Antioch on-the-Orontes 5, 1972 · G. Le Strange, Palestine under the Moslems, 1890 · J. Weulersse, Antioche, essai de géographie urbaine, in: BEO, 1934, 27–39

Apollon

Apollonheiligtümer als zentrale städtische Heiligtümer
GRAF

Aquae [III 6, Sulis]

Aquae Sulis
TODD/REDAKTION
Lit.: D. W. Cuncliffe, Roman Bath, 1971 · Ders., The Temple of Sulis Minerva at Bath, 1988

Aquileia [1]

Aquileia: Archäologischer Lageplan
HEUCKE/REDAKTION
Lit.: B. Forlati Tamaro u.a., Da Aquileia a Venezia, 1980

Arabia

Arabien zwischen Byzantinern und Sasaniden (6. Jh. n. Chr.)
LEISTEN
Lit.: G. Cornu, Atlas du monde Arabo-Islamique à l'époque classique, 1985 · P. Crone, Meccan Trade and the Rise of Islam, 1987 · R. Dussaud, La pénétration des Arabes en Syrie avant l'Islam, 1955 · Ibn al-Kalb, Kitàb al-Asnàm. Hrsg. und Übers. N. A. Faris, 1952 · I. Shahid, Byzantium and the Semitic Orient Before the Rise of Islam, 1988 · Ders., Byzantium and the Arabs in the Fith Century, 1989

Arelate

Arelate: Archäologischer Lageplan
LAFOND/REDAKTION
Lit.: R. Chevallier, Röm. Provence. Die Prov. Narbonensis, 1979

Argonautai

Argonautenfahrt nach den Vorstellungen des Apollonios von Rhodos
DRÄGER
Lit.: Apollonios de Rhodes, Argonautiques, Bd. 3, bearbeitet von F. Vian und E. Delage, 1981

Arkades, Arkadia

Mitglieder des sog. 2. Arkadischen Bundes (371–338/337 v. Chr.)
OLSHAUSEN/REDAKTION
Lit.: A. Philippson, Der Peloponnes, 1892, 66ff. · C. Callmer, Studien zur Gesch. Arkadiens, 1943 · A. Philippson, E. Kirsten, Die griech. Landschaften. Eine Landeskunde 3,1 hrsg. v. E. Kirsten, 1959, 200–300 · IG V 2 VII sqq.

Abbildungen, Stemmata, Tabellen

Sie finden sich bei den entsprechenden Lemmata.

Abbildungsnachweise:
NZ bedeutet Neuzeichnung unter Angabe des Autors oder der angegebenen Vorlagen.
RP bedeutet Reproduktion nach der angegebenen Vorlage mit kleinen Veränderungen.

Achaimeniden

NZ: A. KUHRT, H. SANCISI-WEERDENBURG

Achilleus

NZ nach: K. KERÉNYI, Die Heroen der Griechen, 1959, 397 Taf. E

Adoptivkaiser

NZ: W. EDER

Aes grave

NZ: A. MLASOWKSY

Agora

Megara Hyblaea: NZ nach G. VALLET, F. VILLARS, P. AUBERSON, Mégara Hyblaea 3, Guide des Fouilles, 1983, Taf. 4
Priene: W. KOENIGS, IstMitt 43, 1993, 386 Abb. 2

Akephalos

NZ nach: P. BEROL., Inv. 5026 (PGM II 106). A. Delatte, BCH 38, 1914, 216 Abb. 6

Alexandermosaik

NZ nach: B. FEHR, in: Bathron. FS H. Drerup, 1988, 122 Abb. 1

Alphabet

NZ: R. WACHTER

Altar

Aschenaltar: NZ; Volutenaltar: NZ; Monumentalaltar: NZ nach A. v. GERKAN, Der Altar des Artemis-Tempels in Magnesia am Mäander, 1929, Taf. 8, Tischaltar: NZ; Rundaltar: NZ

Amphitheater

RP nach: W. MÜLLER, G. VOGEL, dtv-Atlas zur Baukunst I, 1974, 240

Anathyrose

NZ nach: A. K. ORLANDOS, Η ΑΡΧΑΙΑ ΕΛΛΗΝΙΚΗ ΑΡΧΙΤΕΚΤΟΝΙΚΗ, 1958, 194 Abb. 149

Antigoniden

NZ: W. EDER

Antipatros

NZ: W. EDER

Apsis

NZ nach: A. MALLWITZ, Die Werkstatt des Pheidias in Olympia I OF V, 1964, Taf. 13; Apsishaus: NZ

Ara Pacis

NZ nach: E. SIMON, Augustus, Kunst und Leben in Rom um die Zeitenwende, 1986, 32, Abb. 28

Argeaden

NZ: W. EDER

As

NZ: A. MLASOWSKY

Asklepieion

NZ nach: J. TRAVLOS, Bildlexikon zur Topographie des ant. Athen, 1971, 129 Abb. 171

Autoren

Schafik **Allam** Tübingen	S. A.
Luigi **Santi Amantini** Genova	S. Am.
Walter **Ameling** Würzburg	W. A.
Jean **Andreau** Paris	J. A.
Maria Gabriella **Angeli Bertinelli** Genova	M. G. A. B.
Claudia **Antonetti** Venice	C. An.
Peter **Apathy** Linz-Auhof	P. A.
Christoph **Auffarth** Stuttgart	C. A.
Ernst **Badian** Cambridge, Mass.	E. B.
Balbina **Bäbler** Bern	B. Bä.
Matthias **Baltes** Münster	M. Ba.
Pedro **Barceló** Potsdam	P. B.
Dorothea **Baudy** Konstanz	D. B.
Gerhard **Baudy** Konstanz	G. B.
Otto A. **Baumhauer** Neuburg a. d. Donau	O. B.
Jan-Wilhelm **Beck** Bochum	J.–W. B.
Luigi **Bernarbò Brea** Siracusa	L. B. B.
Walter **Berschin** Heidelberg	W. B.
Serena **Bianchetti** Firenze	S. B.
Klaus **Bieberstein** Fribourg	K. B.
Gerhard **Binder** Bochum	G. Bi.
A. R. **Birley** Düsseldorf	A. B.
Jürgen **Blänsdorf** Mainz	Jü. Bl.
Bruno **Bleckmann** Göttingen	B. Bl.
Josine H. **Blok** Groningen	J. Bl.
Horst Dieter **Blume** Münster	H. Bl.
Istvan **Bodnar** Budapest	I. B.
Ewen **Bowie** Oxford	E. Bo.
Hartwin **Brandt** Chemnitz	H. B.
Iris **von Bredow** Bietigheim-Bissingen	I. v. B.
Jan N. **Bremmer** Groningen	J. B.
Burchard **Brentjes** Berlin	B. B.
Klaus **Bringmann** Frankfurt a. M.	K. Br.
Dominique **Briquel** Paris	D. Br.
Luc **Brisson** Paris	L. Br.
Giovanni **Brizzi** Bologna	G. Br.
Sebastian **Brock** Oxford	S. Br.
Kai **Brodersen** Oberschleißheim	K. Bro.
Ezio **Buchi** Verona	E. Bu.
Marco **Buonocore** Roma	M. Bu.
Leonhard **Burckhardt** Basel	L. B.
Jan **Burian** Praha	J. Bu.
Gian Andrea **Caduff** Zizers	G. A. C.
Claude **Calame** Lausanne	C. Ca.
Gualtiero **Calboli** Bologna	G. C.
Lucia **Calboli Montefusco** Bologna	L. C. M.
Hildegard **Cancik-Lindemaier** Tübingen	H. C.–L.
Paul **Cartledge** Cambridge	P. C.
Barbara **Cassin** Paris	B. C.
Angelos **Chaniotis** Heidelberg	A. C.
Armando **Cherici** Arezzo	A. Ch.
Johannes **Christes** Berlin	J. C.
Eckhard **Christmann** Heidelberg	E. C.
M. **Christol** Lyon	M. Chr.
Kevin **Clinton** Ithaca N. Y.	K. C.
Justus **Cobet** Essen	J. Co.
Christian-Friedrich **Collatz** Berlin	C.–F. C.
Carsten **Colpe** Berlin	C. C.
Edward **Courtney** Charlottesville	Ed. C.
Michael **Crawford** London	M. C.
Michel **Crubellier** Villeneuve d'Ascq	M. Cr.
Christo **Danoff**	Chr. D.
Giovanna **Daverio Rocchi** Milano	G. D. R.
Wolfgang **Decker** Köln	W. D.
Enzo **Degani** Bologna	E. D.
Sigrid **Deger-Jalkotzy** Salzburg	S. D.–J.
Marie-Luise **Deißmann-Merten** Freiburg	M. D. M.
Jan **den Boeft** Leiderdorp	J. d. B.
Massimo **Di Marco** Fondi (Latina)	M. D. Ma.
Margherita **di Mattia** Rom	M. d. M.
Albert **Dietrich**	A. D.
Karlheinz **Dietz** Würzburg	K. Di.
Roald F. **Docter** Amsterdam	R. D.
Klaus **Döring** Bamberg	K. D.
Heinrich **Dörrie**	H. D.
Tiziano **Dorandi** S. Baronto (Pistoia)	T. D.
Anne-Marie **Doyen-Higuet** Ciney	A. D.–H.
Paul **Dräger** Oberbillig/Trier	P. D.
Thomas **Drew-Bear** Lyon	T. D.–B.
Theodor **Ebert** Erlangen	T. E.
Werner **Eck** Köln	W. E.
Walter **Eder** Bochum	W. Ed.
Beate **Ego** Tübingen	B. E.
Ulrich **Eigler** Freiburg	U. E.
Paolo **Eleuteri** Venezia	P. E.
Karl-Ludwig **Elvers** Bochum	K.–L. E.
Johannes **Engels** Köln	J. E.
Michael **Erler** Würzburg	M. Er.
Malcolm **Errington** Marburg	Ma. Er.
Marion **Euskirchen** Bonn	M. E.
Marco **Fantuzzi** Pisa	M. Fa.
Martin **Fell** Münster	M. Fe.
Egon **Flaig** Göttingen	E. F.
Reinhard **Förtsch** Köln	R. F.
Menso **Folkerts** München	M. F.
Bernhard **Forssman** Erlangen	B. F.
Dorothea **Frede** Hamburg	D. Fr.
Michael **Frede** Oxford	M. Fr.
Klaus **Freitag M.A.** Münster	K. F.
Edmond **Frezouls** † Strasbourg	E. Fr.
Donatella **Frioli** Rimini	D. F.
Peter **Funke** Münster	P. F.
William D. **Furley** Heidelberg	W. D. F.
Massimo **Fusillo** Roma	M. Fu.
Hans Arnim **Gärtner** Heidelberg	H. A. G.
Hartmut **Galsterer** Bonn	H. Ga.
José Luis **García-Ramón** Köln	J. G.–R.
Bruno **Garozzo** Pisa	B. G.
Paolo **Gatti** Trento	P. G.
Tomasz **Giaro** Frankfurt/Oder	T. G.
Nicoletta **Giovè** Trieste	N. G.
Jost **Gippert** Frankfurt a. M.	J. G.
Claudia **Giuffrida**	C. Giu.
Christian **Gizewski** Berlin	C. G.
Richard **Gordon** Ilmmünster	R. G.
Hans **Gottschalk** Leeds	H. G.
Richard **Goulet**	R. Go.
Fritz **Graf** Basel	F. G.
Herbert **Graßl** Salzburg	H. Gr.
Reinhard **Grieshammer** Dossenheim/Heidelberg	R. Gr.
Fritz **Gschnitzer** Neckargmünd-Dilsberg	F. Gsch.
Linda-Marie **Günther** München	L.–M. G.
G. **Guzzetta** Milano	G. G.

Ilsetraut **Hadot** Limours	I. H.	Amélie **Kuhrt** London	A. Ku.
Pierre **Hadot** Limours	P. Ha.	Paul **Kunitzsch** München	P. K.
Claus **Haebler** Münster	C. H.	Christiane **Kunst** Berlin	C. Ku.
Johannes **Hahn** Heidelberg	J. H.	Yves **Lafond** Bochum	Y. L.
Rudolf **Hanslik**	Ru. Ha.	Marie-Luise **Lakmann**	M.–L. L.
Ruth **Harder** Zürich	R. Ha.	Joachim **Latacz** Basel	J. L.
Henriette **Harich** Graz	He. Ha.	Yann **Le Bohec** Lyon	Y. L. B.
Christine **Harrauer** Wien	C. Ha.	Gustav Adolf **Lehmann** Göttingen	G. A. L.
Stefan **Hauser** Berlin	R. W.	Thomas **Leisten** Tübingen	T. L.
Herbert **Hausmaninger** Wien	H. Ha.	Jürgen **Leonhardt** Bad Doberan	J. Le.
Hartwig **Heckel** Bochum	H. H.	Hartmut **Leppin** Hannover	H. L.
Susanne **Heinhold-Krahmer**		Wolfgang **Leschhorn** Erlangen	W. L.
Feldkirchen / Westerham	S. H.–K.	Anne **Ley** Xanten	A. L.
Marlies **Heinz** Berlin	M. H.	Adrienne **Lezzi-Hafter** Kilchberg	A. L.–H.
Peter **Herz** Regensburg	P. H.	Wolf-Lüder **Liebermann** Bielefeld	W.–L. L.
Clemens **Heucke** Stuttgart	C. Heu.	Cay **Lienau** Münster	C. L.
Thomas **Hidber** Bern	T. Hi.	A. **Lippold**	A. Li.
Friedrich **Hild** Wien	F. H.	R. **Liwak** Berlin	R. L.
Konrad **Hitzl** Tübingen	K. H.	Hans **Lohmann** Bochum	H. Lo.
Christoph **Höcker** Hamburg	C. Hö.	Mario **Lombardo** Lecce	M. L.
Peter **Högemann** Tübingen	P. Hö.	Volker **Losemann** Marburg	V. L.
Nicola **Hoesch** München	N. H.	Maria Jagoda **Luzzatto** Firenze	M. J. L.
Christoph **Horn** Tübingen	C. Ho.	D. **Magnino** Pavia	D. M.
Wolfgang **Hübner** Münster	W. H.	G. **Makris** Köln	G. Ma.
Karl-Heinz **Hülser** Konstanz	K.–H. H.	Giacomo **Manganaro** Sant' Agata li Battiati	Gi. Ma.
Christian **Hünemörder** Hamburg	C. Hü.	Ulrich **Manthe** Passau	U. M.
Hermann **Hunger** Wien	H. Hu.	Gabriele **Marasco** Pisa	Ga. Ma.
Richard **Hunter** Cambridge	R. Hu.	Christian **Marek** Marburg	C. Ma.
Rolf **Hurschmann** Hamburg	R. H.	Christoph **Markschies** Jena	C. M.
Werner **Huss** Bamberg	W. Hu.	Wolfgang **Martini** Treis	W. Ma.
Sarah **Iles Johnston** Ohio	S. I. J.	Stefan **Maul** Heidelberg	S. M.
Hans-Peter **Isler** Erlenbach	H. I.	Andreas **Mehl** Halle / Saale	A. Me.
Karl **Jansen-Winkeln** Berlin	K. J.–W.	Mischa **Meier** Bochum	M. Mei.
Michael **Job** Marburg	M. J.	Burckhardt **Meissner** Halle / Saale	B. M.
Klaus Peter **Johne** Berlin	K. P. J.	Klaus **Meister** Berlin	K. Mei.
Willem **Jongman** Groningen	W. J.	Giovanna **Menci** Firenze	G. M.
Eric **Junod** Lausanne	E. J.	Eckart **Mensching** Berlin	E. M.
Lutz **Käppel** Tübingen	L. K.	Stefan **Meyer-Schwelling** Tübingen	S. M.–S.
Hansjörg **Kalcyk** Petershausen	H. Kal.	Simone **Michel** Hamburg	S. Mi.
Hans **Kaletsch** Regensburg	H. Ka.	Martin **Miller** Ammerbuch-Pfäffingen	M. M.
Klaus **Karttunen** Espoo	K. K.	Alexander **Mlasowsky** Hannover	A. M.
Robert A. **Kaster** Chicago	R. A. K.	Heide **Mommsen** Stuttgart	H. M.
Emily **Kearns** Oxford	E. K.	Franco **Montanari** Pisa	F. M.
Christa **Kessler** Emskirchen	C. K.	Fabio **Mora** Rapallo	F. Mo.
Karlheinz **Kessler** Emskirchen	K. Ke.	Walter W. **Müller** Marburg/Lahn	W. W. M.
Dietmar **Kienast** Neu-Esting	D. K.	Dietmar **Najock** Berlin	D. N.
Wilhelm **Kierdorf** Köln	W. K.	Heinz-Günther **Nesselrath** Bern	H.–G. Ne.
H. **King** Liverpool	H. K.	Richard **Neudecker** Roma	R. N.
Konrad **Kinzl** Peterborough	K. Ki.	Hans **Neumann** Berlin	H. N.
Horst **Klengel** Berlin	H. Kl.	Herbert **Niehr** Rottenburg	H. Ni.
Heiner **Knell** Darmstadt	H. Kn.	Inge **Nielsen** København	I. N.
Matthias **Köckert** Berlin	M. K.	Wolf-Dietrich **Niemeier** Heidelberg	W.–D. N.
Anne **Kolb** Lörrach	A. K.	Hans-Georg **Niemeyer** Hamburg	H. G. N.
Frank **Kolb** Tübingen	F. K.	Wilfried **Nippel** Dannenberg/Elbe	W. N.
Fritz **Krafft** Marburg	F. Kr.	Vivian **Nutton** London	V. N.
J. **Kramer** Siegen	J. Kr.	John H. **Oakley** Williamsburg	J. O.
Herwig **Kramolisch** Eppenleim	He. Kr.	Joachim **Oelsner** Leipzig	J. Oe.
Christoph **Krampe** Bochum	C. Kr.	Norbert **Oettinger** Augsburg	N. O.
Helmut **Krasser** Tübingen	H. Kr.	Eckart **Olshausen** Stuttgart	E. O.
Jens-Uwe **Krause** Heidelberg	J. K.	Robin **Osborne** Oxford	R. O.
Rolf **Krauss** Berlin	R. K.	Jürgen **Osing** Berlin	J. Os.
Christoph **Kugelmeier** Dresden	Chr. Ku.	Claudia **Ott** Berlin	C. O.
Hans-Peter **Kuhnen** Trier	H. Ku.	Gianfranco **Paci** Macerata	G. Pa.

Edgar **Pack** Köln	E.P.	Reinhard **Senff** Bochum	R.Se.
Michael **Padgett** Princeton N.J.	M.P.	Robert **Sharples** London	R.S.
Johannes **Pahlitzsch** Berlin	J.P.	Uwe **Sievertsen** Berlin	U.S.
Robert **Parker** Oxford	R.Pa.	Dorothea **Sigel** Tübingen	D.Si.
Barbara **Patzek** Wiesbaden	B.P.	Kurt **Smolak** Wien	K.Sm.
Christoph **Paulus** Berlin	C.Pa.	Holger **Sonnabend** Filderstadt	H.So.
Rosella **Pera** Genua	R.Pe.	Walther **Sontheimer**	W.So.
Ulrike **Peter** Berlin	U.P.	Andreas **Speer** Köln	A.Sp.
Christian **Pietsch** Mainz	C.Pi.	Wolfgang **Speyer** Salzburg	Wo.Sp.
Volker **Pingel** Bochum	V.P.	Wolfgang **Spickermann** Bochum	W.Sp.
Vinciane **Pirenne-Delforge** Romsée	V.P.–D.	Ekkehard **Stärk** Leipzig	E.S.
Robert **Plath** Erlangen	R.P.	Karl-Heinz **Stanzel** Tübingen	K.–H.S.
Annegret **Plontke-Lüning** Jena	A.P.–L.	Frank **Starke** Dusslingen	F.S.
Karla **Pollmann** London	K.P.	Helena **Stegmann** Bonn	H.S.
Werner **Portmann** Berlin	W.P.	Elke **Stein-Hölkeskamp** Köln	E.S.–H.
Giancarlo **Prato** Cremona	G.P.	Dieter **Steinbauer** Regensburg	D.St.
Friedhelm **Prayon** Tübingen	F.Pr.	Matthias **Steinhart** Lahr/Baden	M.St.
Frank **Pressler** Viersen	F.P.	Britta **Stengl** Eningen u.A.	B.S.
Stefania **Quilici Gigli** Roma	S.Q.G.	Daniel **Strauch** Berlin	D.S.
Dominic **Rathbone** London	D.R.	M.P. **Streck** München	M.S.
Sitta **von Reden** Köln	S.v.R.	Karl **Strobel** Augsburg	K.St.
Michael **Redies**	M.R.	Klaus **Strunk** München	K.S.
Johannes **Renger** Berlin	J.Re.	Giancarlo **Susini** Bologna	G.Su.
Peter **Rhodes** Durham	P.J.R.	Thomas A. **Szlezák** Tübingen	T.A.S.
John A. **Richmond** Blackrock, Co. Dublin	J.A.R.	Hans **Täuber** Wien	H.Tä.
Christoph **Riedweg** Zürich	C.Ri.	Gerhard **Thür** Graz	G.T.
Emmet **Robbins** Toronto, Ontario	E.R.	Günther E. **Thüry** Unterjettingen	G.Th.
Klaus **Rosen** Bonn	K.R.	Franz **Tinnefeld** München	F.T.
Christoph **Rottler** Tübingen	C.R.	Malcolm **Todd** Exeter	M.To.
Jörg **Rüpke** Potsdam	J.R.	Sergej R. **Tokhtas'ev** St. Petersburg	S.R.T.
David T. **Runia** Leiden	D.T.R.	Kurt **Tomaschitz** Wien	K.T.
Klaus **Sallmann** Mainz	Kl.Sa.	Michael **Trapp** London	M.T.
Eleonora **Salomone Gaggero** Genova	E.S.G.	Hans **Treidler**	H.T.
Heleen **Sancisi-Weerdenburg** Utrecht	H.S.–W.	Giovanni **Uggeri** Firenze	G.U.
Marjeta **Šašel Kos** Ljubljana	M.Š.K.	Jürgen **von Ungern-Sternberg** Basel	J.v.U.-S.
Friedrich **Sauerwein**	F.Sa.	Hendrik S. **Versnel** Warmond	H.V.
Kyriakos **Savvidis** Soest	K.Sa.	Konrad **Vössing** Aachen	K.V.
Mustafa H. **Sayar** Wien	M.H.S.	Hans **Volkmann**	H.Vo.
Albert **Schachter** Montreal	A.S.	Wulf Eckart **Voß** Osnabrück	W.E.V.
Dietmar **Schanbacher** Dresden	D.Sch.	Rudolf **Wachter** Basel	R.Wa.
Tanja **Scheer** Rom	T.S.	Jörg **Wagner** Tübingen	J.Wa.
Ingeborg **Scheibler** Stockdorf	I.S.	Christine **Walde** Basel	C.W.
John **Scheid** Paris	J.S.	Irma **Wehgartner** Würzburg	I.W.
Gottfried **Schiemann** Tübingen	G.S.	Peter **Weiß** Kiel	P.W.
Peter L. **Schmidt** Konstanz	P.L.S.	Michael **Weißenberger** Düsseldorf	M.W.
Meret **Schmidt** Bochum	Me.Sch.	Karl-Wilhelm **Welwei** Bochum	K.–W.W.
Pauline **Schmitt-Pantel** Paris	P.S.–P.	Jost **Weyer** Hamburg	J.We.
Winfried **Schmitz** Overath	W.S.	Josef **Wiesehöfer** Kiel	J.W.
Franz **Schön** Regensburg	F.Sch.	Wolfgang **Will** Bonn	W.W.
Hanne **Schönig** Mainz	K.M.	Reinhard **Willvonseder** Wien	R.Wi.
Martin **Schottky** Pretzfeld	M.Sch.	Eckhard **Wirbelauer** Freiburg	E.W.
Christoph **Schuler** Tübingen	C.Sch.	Anne-Maria **Wittke** Kusterdingen	A.W.
Andreas **Schwarcz** Wien	A.Sch.	Michael **Zahrnt** Heikendorf/Kiel	M.Z.
Anna Maria **Schwemer** Tübingen	A.M.S.	Frieder **Zaminer** Berlin	F.Z.
Elmar **Schwertheim** Münster	E.Sch.	Luisa **Zanoncelli** Milano	L.Z.
Johannes **Schwind** Trier	J.Sch.	Maaike **Zimmerman** Groningen	M.Zi.
Jürgen Paul **Schwindt** Bielefeld	J.P.S.	Bernhard **Zimmermann** Allensbach	B.Z.
Klaus **Seibt** Leonberg	K.Se.	Martin **Zimmermann** Stuttgart	Ma.Zi.
Stephan **Seidlmayer** Berlin	S.S.	Raimondo **Zucca** Roma	R.Z.
Christoph **Selzer** Heidelberg	C.S.		

Übersetzer

A. Beuchel	A. Be.	C. Pöthig	C. P.
M. Bulling	M. B.	L. v. Reppert-Bismarck	L. v. R. – B.
S. Felkl	S. F.	D. Sigel	D. Si.
G. Fischer-Saglia	G. F. – S.	M. A. Söllner	M. – A. S.
T. Heinze	T. H.	S. Sohn	S. So.
E. Kraus	E. Kr.	L. Strehl	L. S.
R. P. Lalli	R. P. L.	R. Struß-Höcker	R. S. – H.
M. Mohr	M. Mo.	A. Wittenburg	A. Wi.
S. Paulus	S. P.	S. Wolfinger	S. W.

A

A. Abkürzung des weit verbreiteten röm. Vornamens Aulus. A. ist etr. Herkunft (Aules?) und wird in der Kaiserzeit auch als Cognomen gebraucht.

SALOMIES, 11, 24, 165.   W. ED.

A (sprachwissenschaftlich). Der 1. Buchstabe des griech. → Alphabets bezeichnet 2 griech. Laute, kurzes *a* und langes *ā*; dasselbe gilt demzufolge fürs Lat. (und weitere Sprachen). Im idg. → Ablaut waren *a* und *ā*, trotz ihrer Verbreitung in den Sprachen der Welt, auffälligerweise keine Grundvokale. In vielen Erbwörtern des Griech. und Lat. sind *a*-Vokale erst durch Wirkung eines geschwundenen oder umgewandelten → Laryngals entstanden: ἄγ-ω, *ag-o* < *$_2eg$-; ἀντ-ί, *ant-e* < *$_2ent$-i; στα-τός, *sta-tus* < *sta_2-tos; στᾱ-θι, *stā-men* < *ste_2-; lat. *gnā-tus* < *$ǵn_2$-tos. Ferner geht griech. *ā(n)* in Erbwörtern oft auf *n̥* zurück, so in ἄ-ιδρις < *$n̥$-ịdris, ἄν-υδρος < *$n̥$-udros (»Alpha privativum«); ähnlich -*ra*- < *$r̥$ in δρᾰκ-εῖν < *$dr̥k$-. Häufig ist *a*-Vokal in Elementarwörtern: ἄ, ἄττα; *hahae, mamma, vāh*; hierher gehören vielleicht auch Adj. wie βαιός, *caecus* [1]. In lat. → Lehnwörtern aus dem Griech. und umgekehrt werden *a* und *ā* gewöhnlich beibehalten: *amphitheatrum*, καρνάριος, beide mit der Abfolge *a – ā*.

1 F. DE SAUSSURE, Recueil des publications scientifiques, 1922, 595–599.   B. F.

A. A. Abkürzung des Blankettnamens A(ulus) A(gerius), der im röm. juristischen Schrifttum zur Bezeichnung des Klägers dient (→ *actio*). Für den Beklagten steht N(umerius) N(egidius). Daneben werden, meist zur Bezeichnung Dritter, die Namen Titius, Gaius oder Sempronius gebraucht.   W. ED.

A commentariis s. commentariis, a

A cubiculo s. Cubicularius

A libellis s. libellis, a

A rationibus s. rationibus, a

Aal (ἔγχελυς, *anguilla*), kaum vom Meer-A. (γόγγρος, *conger/congrus*) unterschieden. In der Ilias (21,203; 353) als Wassertier den Fischen entgegengesetzt. Lebens- und Verhaltensweisen sind dem Aristoteles gut bekannt (hist. an. 8,2,591 b 30–592 a 24; 1,5,489 b 26 f.; 2,13,504 b 30 f.; part. an. 4,13,696 a 3 f.: nur 2 Flossen). Theophr. fr. 171,4 führt die Fähigkeit zum Landleben auf kleine Kiemen und geringen Wasserbedarf zurück und glaubt (fr. 171,9) wie Plin. nat. 9,160 an ungeschlechtliche Entstehung. Eine solche aus ›Erddärmen‹ (γῆς ἔντερα) im Schlamm behauptet Aristot. hist. an. 6,16,570 a 3–24

und wendet sich gegen einen angeblichen Geschlechtsdimorphismus (4,11,538 a 3–13). Plin. nat. 9,74 f. erwähnt u. a. einen Massenfang im Herbst am Gardasee in »Aalfängen« (*excipulae*), Aristot. hist. an. 4,8,534 a 20–22 in reusenartigen Tongefäßen im Meer, wohin er aus den Flüssen wandert (hist. an. 6,14,569 a 8 f.). Bei den Griechen hochgeschätzt (vgl. Kritik der Komiker am Tafelluxus [1]), galt er den Römern als Volksspeise (vgl. Iuv. 5,103). Berühmte Fangorte: Strymon, Kopaissee und sizilische Meerenge. A.-Mäster (ἐγχελυοτρόφοι) kennt schon Aristot. 8,2,592 a 2 f., doch galt Gal. de diaet. succ. [2. 8], das weiche Fleisch als schädlich für verdünnende Diäten. Der Fisch war in Ägypten (Hdt. 2,72) und anderswo heilig. Die Glätte der u. a. als Zuchtrute dienenden Haut (Plin. nat. 9,77) war sprichwörtlich (Aristoph. Equ. 864; Nub. 559; Plaut. Pseud. 747). In Wein getötet, sollte er Ekel vor diesem erzeugen (Plin. nat. 32,138). Die Riesen-A.e des Ganges (Plin. 9,4) wurden durch Isid. orig. 12,6,41 dem MA bekannt.
→ Fische

1 KELLER, 2,357–360 2 K. KALBFLEISCH (Hrsg.), De diaet. succ., 1923 (CMG V,4,2).   C. HÜ.

Aalen. Größtes Auxiliarkastell (6,07 ha) am obergerman.-raetischen → *limes* für die aus → Aquileia [2] vorverlegte *ala II Flavia milliaria*. → Principia in neuerer Zeit ergraben. Älteste Bauinschr. von 163/4 n. Chr., gründliche Umbauten 208 n. Chr. Großer → *vicus*.

K. DIETZ, Die Erneuerung des Limeskastells A. vom J. 208 n. Chr., in: Acta praehistorica et archaeologica 25, 1993, 243–252 · M. LUIK, Der Kastellvicus von A., in: Fundber. Baden-Württemberg 19, 1994, 265–355 · D. PLANCK, A., Ostalbkreis: Arch. Plan des röm. Kastells, 1992.   K. DI.

Aalraupe oder Quappe (*Lota lota* L.), ein auf dem Grund lebender Süßwasserfisch aus der Dorschfamilie, von Plin. nat. 9,63 (wohl wegen seiner Gefräßigkeit) als *mustela* (Wiesel) bezeichnet und wegen seiner Leber als Leckerbissen aus dem Bodensee (*lacus Brigantinus*) geschätzt.

Columella empfiehlt die *avidae mustelae* 8,17,8, hier wohl Seequappen [vgl. 1. 177 f.], als lohnenden Besatz für Fischteiche (*piscinae*) an klippenreicher Küste. Deren (*mustelae marinae*) Leber galt als Mittel gegen Epilepsie (Plin. nat. 32,112). Auson. Mos. 107 ff. beschreibt die A. recht genau, noch besser aber im 13. Jh. Thomas von Cantimpré 7,17 als *borbotha* [2. 256].
→ Fische

1 LEITNER 2 Thomas Cantimpratensis, Liber de natura rerum, ed. H. BOESE, 1973.   C. HÜ.

Aaron. Die nachbiblischen Traditionen über A. sind – auf dem Hintergrund der mit → Menelaos einsetzenden

Streitigkeiten um das Hohepriesteramt, das mit der Erbfolge bricht – von dem Bestreben geleitet, diese in der biblischen Überlieferung ambivalent erscheinende Gestalt (vgl. u. a. die Episode vom Goldenen Kalb) zu idealisieren und so sicherzustellen, daß A. (und damit seine Nachfahren) des Hohepriesteramtes tatsächlich würdig war. Die Gemeinde von → Qumran, die aus Protest über die fortgesetzte Entsakralisierung des Amtes durch die Makkabäer mit der Jerusalemer Kultusgemeinde gebrochen hatte, erwartete Aaron sogar als endzeitlichen Priestermessias (CD 14,19; 19,10; 20,1 u.ö.). Eine positive Zeichnung A.s wird auch für die rabbinische Überlieferung bestimmend (SifDeut 307): A. habe gehofft, daß niemand Gold für das Kalb spenden würde (Tan ki-tissa 19); er wollte das Kalb zerstören (WaR 7,1) bzw. beteiligte sich nur aus Furcht um sein Leben an der Verfertigung (bSan 7a; WaR 10,3). Die Schilderung seines Todes in Nm 20,23–29 regte eine reiche Legendenbildung an; erst nach langer Auseinandersetzung gelingt es dem Todesengel, seine Macht über A. auszuüben (vgl. u. a. den frühma. Midrasch *Petirat Aaron*).

M. BROCKE, s. v. A. II., TRE 1, 5–7 · L. GINZBERG, Legends of the Jews, 1909–1938, Index s.v. · L. SABOURIN, Priesthood, 1973 · L. SMOLAR, M. ABERBACH, The Golden Calf Episode in Postbiblical Literature, in: HUCA 39, 1968, 91–116. B.E.

Ab Actis s. Actis, ab

Ab epistulis s. epistulis, ab

Abacus. Wie griech. ἄβαξ, ἀβάκιον bezeichnet *a.* verschiedene, aus unterschiedlichen Materialien gefertigte Gegenstände, denen das Merkmal »Tafel, Brett, Platte« eignet: 1. das für Brett- und Würfelspiele verwendete Spielbrett (→ Brettspiele); 2. das zum Auftragen von Speisen dienende Servierbrett (→ Tafelausstattung); 3. eine Platte der Wanddekoration (→ Decorum, Inkrustation); 4. die Deckplatte des Säulenkapitells (→ Säule).

5. Mehrfach ist *a.* Bezeichnung für die Anrichte, das Sideboard, meist zur dekorativen Aufstellung von wertvollem Gerät. So sagt Cicero über Verres: *abaci vasa omnia, ut exposita fuerunt, abstulit* (Verr. 2,4,35; vgl. Varro ling. 9,46; Cic. Tusc. 5,61; Plin. nat. 37,14); auch bei Iuvenal (3,203–204: *urceoli sex ornamentum abaci*) ist in satirischem Kontext ein solcher *a.* gemeint (so auch [1]; anders ThLL s.v. I.1.). Histor. wird die Einführung des *a.* und einer Reihe anderer Luxusgegenstände nach Rom mit den Aktionen des Cn. Manlius in Kleinasien 189/88 v.Chr. in Verbindung gebracht (Liv. 39,6,7 *monopodia et abacos*, ebenso Plin. nat. 34,14). Auf eine praktische Funktion des *a.* scheint Cato zu verweisen (agr. 10,4; 11,3).

6. Am bekanntesten ist der *a.* als Rechenbrett: Neben den griech. und röm. *a.* werden vergleichbare altägypt. wie auch bis in jüngere Zeit in Südosteuropa, Rußland, Ostasien verwendete Rechenbretter mit dem lat. Be-

griff bezeichnet. Auf dem ant. *a.* rechnete man in von rechts nach links angeordneten Kolumnen mit frei beweglichen Rechensteinen oder -marken (ψῆφος vgl. Pol. 5,26,13; Diog. Laert. 1,59; *calculus*: vgl. Plin. epist. 6,33,9). Die von den Römern weiterentwickelte Form weist auf einem ca. 8x12 cm großen Bronzetäfelchen im oberen Drittel 8 kleinere, im unteren 9 größere (die Kolumnen ersetzende) Schlitze auf, in denen Metallknöpfe nach Bedarf verschoben werden konnten (s. die Abb. nach [2]). Dabei dienten die beiden ersten Reihen von rechts der Bruchrechnung (meist im Unzialsystem), die sich nach links anschließenden Reihen den Rechenoperationen von 1 bis 9 999 999. Ausgangsstellung: untere Knöpfe nach unten, obere nach oben; gerechnet wurde also zur Mitte des *a.* hin. Ein im linken unteren Schlitz nach oben geschobener Knopf und jeder weitere hat z.B. den Wert 1 000 000; der von oben nach unten geschobene Knopf bedeutet 5 000 000, so daß mit den Knöpfen beider Schlitze der Maximalwert 9 000 000 erreicht werden kann (kompliziertere Rechenbeispiele: [2; 3]). Von den röm. *a.* sind 5 Expl. erhalten (beschrieben und abgebildet bei [4]).

7. Alt, obwohl erst relativ spät lit. belegt ist der *a.* als mit feinem Sand oder Pulver bestreute Tafel für besondere technische, geom., astronomische, geogr. Zeichnungen oder Entwürfe: (vgl. vielleicht) Pers. 1,131 und Apul. apol. 16, die nebeneinander von *a.* und *pulvis* bzw. *pulvisculus* sprechen; deutlich etwa Martianus Capella (6,579: *a. nuncupatur res depingendis ... opportuna formis*) u.ö. (weitere Belege s. ThLL s.v. III); griech. ἄβαξ Iambl. v. P. 5,22 und 24, ἀβάκιον Plut. Cato min. 70,8.

1 E. FIECHTER, s.v. A., RE Suppl. 3, 1 2 F. KRETZSCHMER, Bilddokumente röm. Technik, ⁴1978, 3–8 (dort auch Abb. eines Grabsteins aus Trier mit ant. Rechenszene) 3 A. NAGL, s.v. A., RE Suppl. 3, 4–13 4 R. FELLMANN, Röm. Rechentafeln aus Bronze, in: Ant. Welt 14, 1983, H.1, 36–40. G.BI.

Abai (Ἄβαι, Ἀβαί). Im östl. → Phokis auf einem felsigen Ausläufer am Rand der an den ca. 2,5 km entfernten Paß von → Hyampolis grenzenden Ebene beim h. Exarchos, an der Straße von Orchomenos nach Opus (Paus. 10,35,1–5). Etym. abgeleitet von dem argiv. Gründer → Abas (Paus. l.c.). Sitz eines Apollonorakels (Hdt. 1,46; 8,27; 33; 133; Paus. l.c.; Strab. 9,3,13; Diod. 16,58,3–6; SIG 552); Festung am Zugang nach Phokis von → Lokris Opuntia und → Boiotia aus (Diod. l.c.; Reste von polygonalen Mauern aus dem 6.–5. Jh. v.Chr.). Neutral im 3. → Hl. Krieg, wurde A. von Philippos II. verschont. Als hl. Stadt erhielt A. von den Römern die → *autonomia*. Funde aus der Nekropole am Berghang westl. des Heiligtums beinhalten importierte protokorinth., korinth. und att. (archa. und klass.) Keramik, Terrakotta und sehr seltene Bronzeobjekte aus hell.-röm. Zeit.

J. BUCKLER, The Fort at Kyriaki and Phokian Strategy of the 3rd Sacred War, in: Teiresias, Suppl. 2, 1979, 15–17 · Ders., Philip II and the 3rd Sacred War, in: Mnemosyne, Suppl.

109, 1989 · J.M. Fossey, The Ancient Topography of Eastern Phokis, 1986, 78–81 · Müller, 446–448 · Ph. Ntasios, Symbole sten Topographia tes archaias Phokidos, 1992, 29–31 · N.D. Papachatzis, Pausaniu Hellados Periegesis 5, 1981, 436–438 · F. Schober, Phokis, 1924, 20f. · V.W. Yorke, Excavations at Abae and Hyampolis, in: JHS 16, 1896, 291–312.   G.D.R.

Abakainon (Ἀβάκαινον). Siculerstadt auf steilem Hügel beim h. Tripi, ca. 10 km südöstl. der Stadt Tyndaris, bei deren Gründung 396 v.Chr. Dionysios I. A. viel Territorium abnahm (Diod. 14,78,5). In der Liste der Theodorokoi aus → Delphoi aufgeführt (Anf. 2.Jh. v. Chr.; IG XIV 382 a-d; [3. 420; 431]). Bestand bis in die Spätantike.

1 A. Bertino, Atti IV del Convegno di Numismatica Napoli, 1973, 105ff. 2 R. Calciati (Hrsg.), Corpus Nummorum Siculorum 1, 1983, 73–75 3 G. Manganaro, Città di Sicilia e santuari panellenici nelle III e II sec. a. C., in: Historia 13, 1964, 414–439 4 Ders., Dai mikrà kermata di argento al chalkokratos kassiteros in Sicilia nelle V sec. a. C., in: JNG 34, 1984, 11–41, hier 33, Anm. 94 5 E. Manni, Geografia fisica e politica della Sicilia antica (Kokalos Suppl. 4), 1981, 131f.   GI.MA./M.B.

Abakus s. Säule

Abammon s. Iamblichos [1]

Abantes (Ἄβαντες). A. gelten schon bei Hom. (Il. 2,536ff.; 4,464) als die Bewohner der Insel → Euboia, die auch den Namen Abantis trug (Strab. 10,1,3; Paus. 5,22,3). In gesch. Zeit lebte der Name der A. nur noch in der Stadt → Chalkis und dort im Namen der Phyle Abantis weiter (CIL XII 9,946).

E. Meyer, s. v. A., in: LdA 1,61.   H. KAL.

Abantiades. Jeder Nachkomme des → Abas [1], wie Akrisios (Ov. met. 4,607), Kanethos (Apoll. Rhod. 1,78), Idmon (Apoll. Rhod. 2,815) und Perseus, der Urenkel des Abas (Ov. met. 4,673 u.ö.).   F.G.

Abantidas (Ἀβαντίδας). Sohn des Paseas und verschwägert mit der Familie des → Aratos [2] (Tyrann von Sikyon 264–252 v. Chr.); selbst durch den Mord an dem Tyrannen Kleinias an die Macht gekommen wurde er von Deinias und dem sonst unbekannten Dialektiker Aristoteles getötet (Plut. Arat. 2,2; 3,4; Paus. 2,8,2) [1. 394].

1 H. Berve, Die Tyrannis bei den Griechen, 1967.   L.-M.G.

Abaris (Ἄβαρις). Mythische Figur aus dem Umkreis des Apollonkults, dem Vorbild schamanistischer Wunderpriester nachgestaltet [1; 2; 3; 4]. Von Pindar in die Zeit des Kroisos (fr. 270 Maehler), von andern Autoren auch früher datiert [5. 16]. Nach Hdt. 4,36 trug A., aus dem imaginären Nordland der → Hyperboreioi kommend, den Pfeil des → Apollon in Griechenland umher, ohne Nahrung zu sich zu nehmen. Er weissagte im Zustand der Gottbesessenheit (Lykurg. fr. 86 = Orat. Att. p. 271 Baiterus / Sauppius), vollführte exorzistische Heilungen (Plat. Charm. 158 b) und wehrte von den Städten Seuchen und Unwetter ab (Iambl. v. P. 91; Apollon. mirab. 4). Für seine rel. Dienstleistungen sammelte er als Heischegänger Geld ein (Iambl. v. P. 91). Ihm wurden eine Sammlung skythischer Orakel und verschiedene rel. Dichtungen zugeschrieben (Suda, s.v. Ἄβαρις).

Die unterital. Pythagoraslegende machte A. zum Schüler des → Pythagoras [1]: A. erkannte in ihm eine Inkarnation des Apollon und überreichte ihm den Pfeil des Gottes, auf dem er dieser Version zufolge durch die Luft nach Griechenland geflogen war (Porph. vita Pythagorae 28f.; Iambl. v. P. 90–93). Meistens zurückgeführt auf → Herakleides Pontikos, der über A. ein Buch geschrieben hatte (fr. 73–75 Wehrli [6. 38ff.]). Herodots Version wird oft als sekundäre Rationalisierung der angeblich älteren Wunderpfeilerzählung bezeichnet. Doch gibt Hdt. 4,36 vermutlich nur die sichtbare Außenseite eines Brauchs wieder, zu dem der Flug auf dem Pfeil als ritualbegleitende schamanistische Phantasie gehörte [4. 126f.]. – Der Pfeil des A. ist mit jenem Apollonpfeil identisch, der einst mit einer Getreidegarbe von den Hyperboreern nach Griechenland geflogen war (Ps.-Eratosth. cat. 29; Hyg. astr. 2,15 [2. 91 Anm. 2; 6. 40]) – ein verkappter agrarischer Kulturentstehungsmythos, vor dessen Hintergrund A. als Erneuerer der delischen Hyperboreertheorie (Diod. 2,47,5) und als Gründer eines spartanischen Koreheiligtums betrachtet wurde (Paus. 3,13,2).

1 E. Rohde, Psyche II, (1898²) 1991, 90ff. 2 K. Meuli, Scythica (1935), in: Ders., Ges. Schriften, 1975, 817–97; 859f. 3 E.R. Dodds, Die Griechen und das Irrationale, (1951) 1970, 77 4 W. Burkert, Weisheit und Wissenschaft, 1962 5 Bethe, s. v. A., RE I, 16–17 6 P. Corssen, Der A. des Heraclides Ponticus, in: RhM NF 87, 1912, 20–47.   G.B.

Abarnias (Abarnis, Abarnos, Ἀβαρνίας). Mit A. wird von ant. Autoren die Küste 5 km nordöstlich von → Lampsakos (Apoll. Rhod. 1,932; Orph. Arg. 489) bezeichnet [1. 93f.], die zum Gebiet dieser Polis gehörte. Während der Schlacht von → Aigospotamoi (405 v.Chr.) waren hier die Hauptsegel der spartanischen Flotte gelagert (Xen. hell. 2,1,29). Steph. Byz. s.v. A. erwähnt auch eine Polis A., auf die es jedoch keine weiteren Hinweise gibt.

1 W. Leaf, Strabo on the Troad, 1923.

G. Hirschfeld, s. v. Abarnis, RE I, 17.   E. SCH.

Abartos. Nachkomme des athenischen Königs Kodros. Wird zusammen mit den Kodriden Deoites und Periklos aus Erythrai und Teos in die Stadt Phokaia geholt, weil die Ioner Phokaia nicht eher in den ion. Bund aufnehmen wollten, als bis sie Kodriden zu Königen hätten (Paus. 7,3,10). Der Mythos legitimiert den Anspruch Athens auf Hegemonie über Ionien.

A. SAKELLARIOU, La migration grecque en Ionie, 1958, 238 Anm. 3.   F. G.

Abas (Ἄβας). **[1]** Mythos der Peloponnes und Zentralgriechenlands: a) Argos. Sohn des Lynkeus und der Hypermestra. Durch Aglaia, Tochter des Mantineus, Vater der Zwillinge Akrisios und Proitos (Apollod. 2,24; Hes. fr. 129 M-W; vgl. Paus. 2,16,2; 10,35,1) und der Idomene, Mutter von Bias und Melampous durch Amythaon (Apollod. 2,24). Lynkeus gab A. den Schild, den Danaos der Hera geweiht, und zu dessen Feier er den Agon ἄσπις ἐν Ἄργει gegründet hatte (Hyg. fab. 170,9; 273,2) [3]. b) Sohn des Melampous, Vater der Lysimache, der Frau Talaos' (Apollod. 1,103; Schol. Pind. P. 8,73). c) Phokis. Eponymer Heros und Gründer von Abai in Phokis (Paus. 10,35,1). Danach hieß Euboia Abantis (Aristot. fr. 601 R). d) Euboia. Sohn der Nereide Arethousa und Poseidons (Hes. fr. 244 M-W, vgl. fr. 188 A; Hyg. fab. 157). Das Land hieß Abantis, seine Bewohner Abantes (Hom. Il. 2,536–545; Hes. fr. 296, vgl. Archil. fr. 3 WEST).

1 M. L. WEST, The Hesiodic Catalogue of Women, 1985, 99; 180 2 M. L. WEST, in: ZPE 61, 1985, 3 f. 3 M. FINKELBERG, in: CQ 41, 1991, 303–316.   A. S.

[2] (Oder Aias). Griech. Arzt des 5. oder frühen 4. Jh. v. Chr. Einem Bericht im Anon. Londinensis, Sp. VIII, Z. 35–44 zufolge vertrat er die Meinung, Krankheit entstehe durch unterschiedlich starke Reinigungen des Gehirns durch Nase, Ohren, Augen und Mund. Ähnliche Vorstellungen finden sich bei Hippokr. De loc. in hom. 1 und 10 (VI 276 und 294 L.), De gland. 11 (VIII 564 L.). Die Annahme des ersten Herausgebers [1], A. stamme aus Iasos [1], hält einer Überprüfung anhand des Papyrus nicht stand.

1 H. DIELS, F. KENYON, Anon. Londiniensis Eclogae, 1893 2 M. WELLMANN, s. v. Abas 12, RE Suppl. 1, 1–2.   V. N. / L. v. R.-B.

Abascantus s. Flavius Abascantus, T.

Abaskantos (Ἀβάσκαντος). Athener aus Kephisia, Sohn des Eumolpos, seit 135/6 n. Chr. für 34 Jahre παιδοτρίνης διὰ βίου (CIA 3,1112; 740 u. ö.), gest. nach 169/70 TRAILL, PAA, 101125). Sein Sohn A. (TRAILL, PAA, 101135) war 192/3 – 200/1 κοσμητὴς τῶν ἐφήβων (CIA 3, 1159).   M. MEI.

Abaskoi, Abchasen (Ἀβασκοί Arr. per. p. E. 11,3 ROOS, Ἀβασγοί, Ἄβασγοι, Orph. Arg. 754). Westkaukasisches Volk (→ Kaukasos) nördlich von → Kolchis, im Gebiet zw. dem Fluß Singames (h. Inguri) und der

Hafenstadt Pityus (h. Pizunda), bei byz. Autoren Ἀβασγία (*patria Abasgia*, Geogr. Rav.), in der georg. Chronik *Aphchazethi* genannt. In der röm. Kaiserzeit standen sie in einem Teilabhängigkeitsverhältnis; von Hadrian erhielten sie Rhesmagas als *regulus* (Arr. per. p. E. 11,3 (ROOS); unter Theodosius I. hatte die *ala I Abasgorum* ihr Quartier in der großen Oase der Thebaïs (Not. dign. or. 31,41; 55 SEEK). Mitte des 6. Jh. n. Chr. erfolgte Annahme des Christentums, später Hinwendung zum Islam. Ihren Kontakt mit Byzanz bezeugen Prok. BG 4,3 und Iust. Nov. 28. Die Herrschaft der A. dehnte sich im 9. Jh. nach Norden aus (vgl. Konstantinos Porphyrogennetos, de administrando imperio 42, verfaßt zw. 948 und 952 n. Chr.).

In moderner Zeit wehrten sich die A. immer wieder gegen die russische Expansion (Autonomieerklärung 1917, ab 1921 mit dem Status einer autonomen Republik innerhalb Georgiens). Ihre Sprache, das Abchasische, zählt zu den nordwestkaukasischen Sprachen und gehört weder zu den indeurop., semit. oder den Turksprachen.

TOMASCHEK, s. v. A., RE 1, 20 · B. GEIGER u. a., Peoples and Languages of the Caucasus, 1969 · A. DIRR, Einführung in die kaukasischen Sprachen, 1928.   D. SI.

Abastanoi. Indisches Volk (Arr. an. 6,15,1), »Sambastai« bei Diod. 17,102,1, »Sabarcae« bei Curt. 9,8,4–7, nahe dem Zusammenfluß des → Akesines und des Indus als Nachbarn der → Malloi. Sie sind als kriegerisch und demokratisch bezeichnet; von Perdikkas unterworfen. Wohl altind. Ambaṣṭha (s. aber [1. 87f.]), ein westl. Volk im Aitareyabrāhmāna und in den purāṇischen Völkerlisten.

1 P. H. L. EGGERMONT, Alexander's campaign in Southern Punjab, 1993 2 A. HERRMANN, s. v. Sabarcae, RE 1A, 1536f.   K. K.

Abaton. Hl. Stätte im Freien, Sitz einer numinosen Kraft, die zum Schutz dieser Kraft vor Verunreinigung oder zum Schutz vor dieser Kraft grundsätzlich nicht betreten werden darf. Sie ist gegen die profane Umwelt oft durch eine Mauer abgegrenzt und menschlicher Nutzung entzogen. Eine bes. Form des A. ist eine vom Blitz getroffene Stelle (ἠλύσιον, ἐνηλύσιον vgl. → Bidental), an der dem Zeus → Kataibates ein Altar geweiht wird [1], z. B. in Athen (Aischyl. Prom. 358–9; IG II² 4964–4965), Olympia (Paus. 5,14,10), Paros (IG XII 5,233), Melos (IG XII 3,1093–94) und Chios (SEG 17,406). Als A. galten Heiligtümer von Göttern, die mit bes. frommer Scheu verehrt wurden, wie jenes der Aphrodite Ourania in Aigeira (Paus. 7,26,7) und mehrere Heiligtümer in Arkadien (Poseidon Hippios in Mantineia, Zeus Lykaios in Megalopolis und auf dem → Lykaion, Hain der Großen Göttinnen in Megalopolis), vgl. Paus. 8,5,5; 10,3; 30,2; 31,5; 38,6 [2. 133, 221–222, 255–258, 289–290; 3. 34–38]. Als A. galt oft der Sitz einer chthonischen Kraft (→ Eumeniden, → Tritopatores, → Hyakinthides in Athen; Soph. Oid. K. 125–126; IG I² 870; Eur. Erechtheus fr. 65,87 Austin) und die Grabstätte einer heroisierten Person (SIG 1223; vgl. IG XII 3,453–455 Suppl. 1381; XII 5, 255) [4. 167 Anm. 132]. Katachrestisch können als A. Heiligtümer bezeichnet werden, die nur dem Kultpersonal für Opfer zugänglich waren, wie der Hades-Tempel in Elis (Paus. 6,25,2), die Heiligtümer des Sosipolis in Olympia und der Artemis Soteira in Pellene (20,3; 7,27,3) und die Rhea-Höhle auf dem Thaumasion (8,36,3), ferner *teménē* oder geschlossene Räume (*ádyta*), die nur zu bestimmten Zeiten bzw. von befugten, reinen oder eingeweihten Personen betreten werden durften [5; 6. 75–76]. Dies galt bes. für die Inkubationsräume in Heiligtümern von Heilgottheiten, wie Asklepios in Epidauros [7. 187] und Amphiaraos in Oropos [8. 107]. In Epidauros wurden die Worte A. und Adyton als Synonyme verwendet [9. 5].

1 W. Burkert, Elysion, in: Glotta 39, 1961, 208–213 2 Jost, 1985 3 P. Borgeaud, The Cult of Pan in Ancient Greece, 1988 4 R. Parker, Miasma. Pollution and Purification in Early Greek Religion, 1983 5 R. Herzog, s. v. A., RAC 1, 8f. 6 Nilsson, GGR I 7 F. Graf, Heiligtum und Ritual. Das Beispiel der griech.-röm. Asklepieia, in: Le sanctuaire grec (Entretiens 37), 1992, 159–199 8 B. C. Petrakos, Ὁ Ὠρωπὸς καὶ τὸ ἱερὸν τοῦ Ἀμφιαράου, 1968 9 R. Herzog, Die Wunderheilungen von Epidauros, 1931.   A. C.

Abba (Ἄββα, vom lat. Obba, Liv. 30,7,10). Stadt in der → *Africa proconsularis*. Hierher zog sich 203 v. Chr. → Syphax zurück, nachdem sein Lager bei → Utica von C. → Laelius und → Massinissa in Brand gesteckt worden war (Pol. 14,6,12; 7,5). A. dürfte dem h. Henchir Bou Djaoua oder dem h. Henchir Merkeb en-Nabi entsprechen [1. 430f.].

1 F. W. Walbank, A Historical Commentary on Polybius 2, 1967.

AATun 100, Bl. 29, Nr. 87f.   W. HU.

Abbahu. Jüd. Lehrer und Rabbi (ca. 250–320 n. Chr.), Schulhaupt in Kaisareia [3]. A., Kenner griech. Sprache und Kultur, ist bekannt durch seine Disputationen mit den sog. »Minim« (Häretikern). Umstritten ist, inwiefern Christen zu den Diskussionspartnern A.s zu zählen sind. Darüberhinaus soll er samaritanische Priester seiner Stadt von der jüd. Gemeinde ferngehalten und die Samariter in rituellen Belangen den Heiden gleichgestellt haben.

L. J. Levine, Caesarea under Roman Rule, SJLA 7, 1975 • S. T. Lachs, Rabbi A. and the Minim, in: JQR 60, 1969–1970, 197–212.   B. E.

Abbasiden (ʿAbbāsiden). Islam. Dynastie (750–1258 n. Chr.). Machtübernahme der A. nach Schwächung der → Omayyaden durch Nachfolgestreitigkeiten, tri-

bale Gegensätze und soziale Unzufriedenheit sowie iran. Einflüsse, die sich in einer Orientierung nach Osten dokumentierten. 763 Verlegung der Hauptstadt von Damaskus nach Bagdad. Das geistige Leben profitierte von der multinationalen Konstellation. Hell.-iran. geprägte wiss., kulturelle und lit. Blüte unter dem Kalifen Hārūn ar-Raschīd (786–809). Nach dem Erstarken lokaler Dynastien Schwächung des Kalifats. Verlegung der Residenz nach Samarra (bis 892). 945 Machtübernahme durch die iran.-schiitischen Būyiden, die 1055 den türkischen Seldschuken wichen. 1258 unterlag Bagdad den mongolischen Truppen Hülägüs.
→ Al-Mansur; Kalif

B. Lewis, ʿAbbāsids, in: EI I, 15a–23b • T. Nagel, Das Kalifat der A., in: U. Haarmann (Hrsg.), Gesch. der arab. Welt, 1987, 101–165.   K. M.

Abbild (εἰκών, εἴδωλον, *imago*). Das griech. Wort für A. (εἰκών) bezeichnet zunächst Kunstwerke (τέχνῃ εἰκόνες: Standbilder, Gemälde), aber auch natürliche Bilder (φύσει εἰκόνες: Schatten- und Spiegelbilder). Um das Verhältnis von Ideen und Sinnendingen zu beschreiben, gebraucht Platon neben dem Begriff der Teilhabe (μέθεξις) auch den des A.: Im *Timaios* erschafft der Demiurg die Sinnenwelt als A. der Ideen, die als Vorbilder (παραδείγματα) dienen. Im Gegensatz zu späteren Entwicklungen (Philon, Plotin) jedoch gibt es bei Platon keine εἰκόνες in der intelligiblen Welt.

Plotin zieht, um ein falsches Verständnis von Emanation abzuwehren, das A. zur Beschreibung des Verhältnisses der Hypostasen heran, aber er ersetzt dabei die τέχνῃ εἰκών des platonischen Demiurgen durch die φύσει εἰκών, das Spiegelbild (Plot. Enneades 5,8,12,12–20; 6,4,10). Den letzten Spiegel stellt die Materie dar, die selbst nicht erscheint, dem an ihr erscheinenden A. aber von ihrem Nichtsein mitteilt (Enn. 3,6,13 f.)

Um Wahrnehmung und Denken zu erklären, entwickelten die Atomisten eine A.theorie, nach der sich von der Oberfläche der Dinge beständig unsichtbare Atomgruppen (εἴδωλα, *simulacra*) ablösen und durch die Sinnesorgane in die Seele gelangen (Lucr. 4,34ff.).

A. H. Armstrong, Platonic Mirrors, in: Eranos-Jahrb. 55, 1988, 147–181 • W. Beierwaltes, Denken des Einen, 1985 • L. Cardullo, Il linguaggio del simbolo in Proclo, 1985 • F.-W. Eltester, Eikon im NT, 1958 • H. Merki, Ὁμοίωσις θεῷ, 1952 • E. Moutsopoulos, Sur la notion d'EIDOLON chez Proclus, in: Mélanges J. Trouillard, 1981, 265–274 • H. Willms, ΕΙΚΩΝ, 1937.   S. M.-S.

Abbir. Vier nordafrikanische Orte dieses Namens sind bezeugt: **[1]** A. (ohne Zusatz): wird gen. in den Acta conc. I 1112 A Hardouin und Not. episc. proc. Afr. 2ᵃ. **[2]** A. Cella: CIL VIII 1, 893; Suppl. 1, 12344. **[3]** A. Germaniciana: Acta conc. I 164 A; 1252 A Hardouin. **[4]** A. Maius: AE 1975, 243 Nr. 872; Acta conc. I 1085 B Hardouin.

Evtl. sind diese vier Orte auf zwei zu reduzieren: *A. Cella* bzw. *A. Maius* und *A. Germaniciana* bzw. *A. Minus*. *A. Cella* war zunächst eine bescheidene → *civitas* (CIL VIII 1, 893) und stieg dann unter → Caracalla zum → *municipium* auf (CIL VIII Suppl. 1, 12344; AE 1975, 243 Nr. 872); h. Henchir en-Naam, 42 km süd-südwestl. von Tunis. A. Germaniciana entspricht dem h. Henchir el-Khandak.

> AATun 050, Bl. 35, Nr. 130 · C. LEPELLEY, Les cités de l'Afrique romaine au Bas-Empire 2, 1981, 53–56.   W. HU.

Abbius. Oppianicus, Statius, röm. Ritter aus Larinum. Er versuchte seinen Stiefsohn A. Cluentius → Habitus vergiften zu lassen, wurde deshalb 74 v. Chr. von diesem wegen Mordes angeklagt, verurteilt und starb 72 im Exil. 66 verteidigte → Cicero den Cluentius gegen die Gegenklage der Stiefmutter wegen Giftmordes an A. und bezichtigte dabei diesen des Mordes an weiteren Familienmitgliedern, der Testamentsfälschung, der Richterbestechung und anderer Vergehen (Cic. Cluent. passim).

> C.-J. CLASSEN, Recht, Rhet., Politik, 1985, 15–119 · NICOLET 2, 755–756.   K. L. E.

Abbreviatio s. Brevitas

Abdagaeses. Parthischer Adeliger aus dem Hause Suren, der 36 n. Chr. den Gegenkönig → Tiridates gegen → Artabanos [5] II. unterstützte und nach dessen Scheitern nach Syrien floh (Tac. ann. 6,31 u.ö.). Seine Identität mit einem gleichnamigen Heerführer des Artabanos (Ios. ant. Iud. 18,9,4) ist ebenso unsicher wie eine mögliche verwandtschaftliche Verbindung zu dem indoparthischen König Abdagases (1. Jh. n. Chr.)

> E. HERZFELD, in: AMI 4, 1932, 75 ff. ·
> M. KARRAS-KLAPPROTH, Prosopographische Studien zur Gesch. des Partherreiches, 1988 · J. MARKWART, in: ZDMG 49, 1895, 636 f. · P. v. ROHDEN, U. WILCKEN, s. v. Abdagases 1–2, RE I, 21/22.   M. SCH.

Abdalonymos. Verarmter Nachkomme eines Königs von → Sidon, von → Alexandros [4] an Stelle Stratons als Stadtkönig eingesetzt und reich ausgestattet. Bei Curt. 4,2,15–26 und Diod. 17,47 als philos. Novelle ausgeschmückt. Er ist wohl der Grabherr des → Alexandersarkophags.

> BERVE II Nr. 1.   E. B.

Abdemon. Phoiniker aus Tyros (Diod. 14,98) oder Kition (Theop. FGrH 115 F 103), der den tyrischen Usurpator von Salamis ca. 415 v. Chr. ermordete (Isokr. or. 9,26). Der unter A. nach Soloi geflüchtete → Euagoras kehrte 411 zurück (Isokr. or. 9,26–32; Diod.l.c.) und stellte die griech. Monarchie wieder her.

> H. BERVE, Die Tyrannis bei den Griechen, 1967, 341 ·
> F. G. MAIER, Cyprus and Phoenicia, CAH 6², 312.   K. KI.

Abdera [1] Stadt auf Kap Bulustra, 16 km nordöstl. der Nestamündung in die Ägäis, 656 v. Chr. vom ion. → Klazomenai gegründet und befestigt, Anf. des 6. Jh. v. Chr. von Thrakern zerstört. Archa. Gräber sind arch. nachgewiesen. Im Süden von A. wurde vom ion. Teos aus 545 v. Chr. eine zweite Gründung vorgenommen (Hdt. 1,168; Strab. 14,1,30). A. wurde um 512 v. Chr. von den Persern eingenommen und diente diesen als Ausgangsbasis für Operationen in Thrakien (Hdt. 6,46). A. war seit 478 v. Chr. Mitglied des 1. → Att.-Delischen Seebundes. 376 v. Chr. wurde A. von den Triballoi schwer geschlagen, das Gebiet verwüstet (Diod. 15,36,2–4), wovon A. sich nicht mehr recht erholen konnte. Zw. 350 und 196 v. Chr. unter → Lysimachos, Seleukiden und Ptolemaiern, 170 v. Chr. von den Römern und → Eumenes II. erobert und zerstört (Diod. 30,6). Im 6. Jh. n. Chr. lag oberhalb der Ruinen von A. eine kleine Siedlung. Aus A. stammen → Protagoras und → Demokritos.

→ Triballoi; Ptolemaios

> D. LAZARIDIS, A. kai Dikaia, 1971 · E. SKARLATIDOU, The Archaic Cemetery of A., in: Thracia Pontica 3, 1986, 99–108.   I. v. B.

[2] (Abdara). Östlichste der phöniz. Niederlassungen Südspaniens, westl. an der Mündung des Rio Grande de Adra auf dem Cerro de Montecristo (Prov. Almería), mit vorröm. (8.–4. Jh. v. Chr.) und röm. Siedlungsspuren, mehrfach von ant. Autoren genannt [1]. A. prägte phöniz. und, als *municipium*, röm. Münzen.

> 1 A. TOVAR, Iber. Landeskunde II 1, 1974, 83–84
> 2 A. SUAREZ et al., A., in: Madrider Mitt. 30, 1989, 135–150
> 3 E. LIPIŃSKI, s. v. A., DCPP, 2.   H. G. N.

Abderos. Sohn von Hermes bzw. Poseidon (Pind. Paian 2), opuntischer Lokrer, Geliebter des Herakles und eponymer Heros der thrak. Stadt Abdera. Für Herakles bewacht er die dem Bistonenkönig Diomedes geraubten, Menschenfleisch fressenden Stuten und wird dabei selber von ihnen gefressen. An seinem Grab gründet Herakles Abdera (Apollod. 2,97) und setzt jährliche Agone ein, die ohne Pferderennen durchgeführt werden (Philostr. imag. 2,25).

> J. BOARDMAN, s. v. A., LIMC I.1, 1.   F. G.

Abdias. Unter dem Namen A., angeblich erster Bischof von → Babylon und Zeitgenosse des → Origenes, ist eine lat. überlieferte Sammlung apokrypher Apostelgeschichten (*Historia Certaminis Apostolici* oder *Historiae Apostolicae*) bekannt, die im MA oft rezipiert wurde. Sie umfaßt 10 Bücher und soll von A. hebr. verfaßt, von → Eutropios ins Griech. und von Julius, der bekanntlich griech. schrieb, ins Lat. übertragen worden sein. Die Sammlung setzt jedoch die Gesch. → Rufins voraus und muß im 6.–7.Jh. entstanden sein.

→ Apokryphen

W. SMITH und H. WACE (Hrsg.), A Dictionary of Christian Biography, Literature, Sects and Doctrines being a Continuation of the Dictionary of the Bible, Bd. 1, 1967, s.v. A. · L.MORALDI, Apocrifi del Nuovo Testamento II, 1971, 1431–1606.   K.SA.

Abdicatio (»Absage«) bedeutet im allg. Sinne die Aufgabe einer Verpflichtung, Gewohnheit oder Überzeugung, aber auch die formal akzentuierte Absage, wie Aufkündigung der Freundschaft, Aufgabe eines Lasters oder die christl. Absage an die heidnischen Götter (Cic. orat. 2,102; Leo der Gr. Serm. 72,5).

Spezielle Bed. erhält *a.* in der Rechtsprache: 1. Im Staatsrecht: Vorzeitige Niederlegung eines Amtes (auch *renuntiatio*); sie kann aus polit. Gründen insbes. bei Diktatoren und Konsuln freiwillig erfolgen (typ. Anlässe Krankheit: Cass. Dio 49,43,7 und Gewissensgründe: Liv. 4,7,3) oder polit. aufgenötigt werden (Festus, s.v. *abacti*), so wegen Unfähigkeit (Liv. 5,9), Straftaten (Cic. Catil. 3,15) oder Kritik an Sittlichkeit und Ehre (Liv. per. 19). In republikanischer Zeit ist es in der Regel möglich, vor Ablauf der Amtszeit (*honore abire*) auf ein Amt bzw. ein *imperium* zu verzichten, in der Kaiserzeit steht den vom Kaiser in ein Amt Berufenen (*vocati*) der Amtsverzicht prinzipiell nur mit kaiserlicher Genehmigung zu. Das gilt auch für kaiserliche *legati* und die jeweiligen *procuratores* sowie republikanischen Magistraturen.

2. Im Privatrecht: a) Ablehnung oder Ablegung des Amtes eines Vormunds (*tutor*), etwa des testamentarisch berufenen Tutors (epitom. Ulp. 2,17,2: *abdicare autem est dicere nolle se tutorem esse*), soweit bestimmte Entschuldigungsgründe gegeben sind (Dig. 50,5 *De excusatione et vacatione munerum*). b) Ausschlagung einer Erbschaft (Cod. Iust. 6,31,6,2). c) Verstoßung und Enterbung eines Kindes im Falle groben Undanks nach griech. Rechtsgewohnheit (ἀποκήρυξις / *apokḗryxis*) ist nach röm. Recht nicht möglich (Cod. Iust. 8,46,6). d) Die Aufgabe eines zivilen Status-Rechts (Dig. 1,5,21).

→ Amt; munus; honor; status

R. DÜLL, Iudicium domesticum, a. und apokeryxis, in: ZRG 63, 1943, 54–116 · L.F.JANSSEN, A., 1960, 46ff. · KASER, RPR 2, 212, 224, 228 · U. v. LÜBTOW, Das röm. Volk, 1952, 357ff. · MOMMSEN, Staatsrecht, 1, 624ff. C.G.

Abdissares. Ein von Münzen her bekannter König Armeniens, dem der zwölfte Sockel der väterlichen Ahnenreihe → Antiochos' [16] I. von Kommagene zugewiesen werden dürfte. Er wäre dann der Sohn des → Arsames und Vater des Xerxes von Armenien sowie der Herrscher, der sich zu Tributzahlungen an → Antiochos [5] III. verpflichtete (Pol. 8,25). Seine Regierungszeit mag in das Jahrzehnt vor 215 v.Chr. fallen.

M. SCHOTTKY, Media Atropatene und Groß-Armenien, 1989 · M.-L. CHAUMONT, in: Gnomon 67, 1995, 330–336. M.SCH.

Abecedarii (sc. *psalmi* oder *hymni*). Lieder, deren Verse oder Strophen mit je einem Buchstaben des Alphabets der Reihe nach beginnen. Sie sind seit Jer 1–4 in der jüd. Lit. belegt; Ps 145 ist bis h. Kultgebet. In der paganen Lit. sind sie etwa in den späten Hymnen auf Dionysos (Anth. Pal. 9,524) oder Apollon (Anth. Pal. 9,525) und in der Magie (PGM IV 1363) belegt. In der christl. Lit. ist Augustins Psalm *contra partem Donati* (PL 43,25–32) am bekanntesten, gedichtet 393 oder 394 für die ›ganz Ungebildeten zum Auswendiglernen‹. → Akrostichon.

F. DORNSEIFF, Das Alphabet in Mystik und Magie, ²1925, 146–151 · K. THRAEDE, s.v. Abecedarius, RAC Suppl. 1/2, 11–13. F.G.

Abella. Stadt in → Campania bei → Nola an den Straße von → Capua nach → Abellinum (Ἄβελλα, Abellae, Strab. 5,4,11; Plin. nat. 3,63; Ptol. 3,11; Char. 1,35), h. Avella, von Siedlern aus → Chalkis gegr. (Iust. 20,1); myth. Name *Moera*, myth. Gründer Muranus (Serv. Aen. 7,740). Während des → Bundesgenossenkrieges bezahlte A. seine Treue zu Rom 87 v.Chr. mit der Brandschatzung durch → Nola (Granius Licinianus 35,20,8). Vor 73 v.Chr. röm. → *colonia* (Sall. hist. 3, fr. 97), → *municipium* und *colonia* z.Z. des → Vespasianus (Verteilung des Territoriums an Veteranen: liber coloniarum 1,230). Berühmt für den Anbau der *nux abellana* (Haselnuß: Cato agr. 8,2; Columella 5,10; Plin. nat. 15,88; 16,120 f.) und allg. für Früchte (Verg. Aen. 7,740 mit Serv. zur Stelle), nicht jedoch für den Getreideanbau (Sil. 8,543). Bemerkenswert ist der *Cippo Abellano*, er enthält einen zw. Nola und A. in osk. Sprache über einen → Hercules-Kult ausgehandelten Vertrag (2.Jh. v.Chr.; CIL X 1216; vgl. 1207). Erwähnt wird ein Aquädukt (Paul. Nol. 13,672e ff.), ein Theater (CIL X 1217), eine Basilika (CIL X 1208) und ein Amphitheater (CIL X 1211), das man in die Zeit nach der Gründung der Kolonie einordnet. Im Osten und Westen der Stadt Grabmäler von der Eisenzeit bis in röm. Zeit.

A. PROSDOCIMI, Cippo Abellano, in: Popoli e civiltà dell'Italia antica 2, 1974, 853–865 · BTCGI 3, 1984, 339–344 · E. LA FORGIA, s.v. Avella, in: EAA² Suppl. 2,2, 568–570. B.G./S.W.

Abellinum. Stadt der → Hirpini in → Campania, an der Grenze zum südl. Samnium (→ Samnites), beim h. Civitá. *Colonia* des Sulla, Augustus und Severus Alexander, stieg zur → *civitas* auf, *tribus Galeria*. A. liegt auf einer Terrasse links des Sabato, westl. von Atripalda. Erh. sind zwei Mauergürtel (*opus quadratum* 3.Jh. v.Chr., *opus reticulatum* mit Türmen und Graben der augusteischen Kolonie), Thermen, Häuser, Amphitheater im Süden außerhalb der Mauern; Aquädukt nach

→ Misenum; Nekropole im Osten (bis in christl. Zeit; San Ippolisto). Das Erdbeben von 346 n. Chr. und der Vulkanausbruch von 472 n. Chr. bewirkten die Aufgabe von A. CIL 10, 1113–95.

L. VALAGARA, Gli A. dell'Apulia, in: Ricerche e Studi 12, 1979, 81–92 • G. COLUCCI PESCATORI, L'alta valle del Sabato e la colonia romana di A., in: L'Irpinia nella società meridionale 2, 1987, 139–57 • C. GRELLE, Il mosaico, 1993.   G. U. / S. W.

Abenteuerroman s. Roman

Abeona. Röm. »Sondergottheit«, die nach Varro (ant. rer. div. 116 CARDAUNS) in der christl. Polemik (Tert. nat. 2,11; Aug. civ. 4,21) zusammen mit Adeona genannt und von *abire* bzw. *adire* hergeleitet wird. Nach Varro sind beides Gottheiten des Kindesalters; die etym. Herleitung weist wohl auf die ersten Gehversuche. Dem Namen haftet die mit allen → Indigitamenta verbundene Problematik an.

B. CARDAUNS, M. Terentius Varro. Antiquitates rerum divinarum II (Komm.), 1976, 206.   F. G.

Aberglaube s. Deisidaimonia, s. Superstitio

Abgar. Name mehrerer Könige von Osrhoëne in der Zeit von 94 v. Chr. bis 244 n. Chr. Hervorzuheben sind: **[1]** A. II. Ariamnes bar Abgar, regierte 68–53 v. Chr. Er wurde von den Römern bezichtigt, die Katastrophe des Crassus verschuldet zu haben. **[2]** A. V. Ukhama (der Schwarze), 4 v. – 7. n. Chr. und 13–50; spielte 49/50 eine zweifelhafte Rolle im parthischen Thronstreit zw. Gotarzes II. und Meherdates. **[3]** A. VIII., der Große, 177–212. Er soll zum Christentum übergetreten sein. Sein Sohn A. IX. Severus wurde um 214 von → Caracalla abgesetzt. **[4]** A. X. Frahad. Er kam ca. 243 im Zusammenhang mit dem Perserfeldzug → Gordianus' III. auf den Thron, dürfte seine Herrschaft aber bald darauf wegen des persischen Sieges verloren haben.

P. V. ROHDEN, s. v. A., RE 1, 93–96 • J. B. SEGAL, s. v. A., EncIr 1, 210–213.   M. SCH.

Abgarlegende. Die A. ist ein pseudepigrapher Briefwechsel zw. → Jesus von Nazareth und dem König Abgar V. Ukkāmā (= dem Schwarzen; Tac. ann. 12,12,2) von Edessa, der zw. 4 v. und 50 n. Chr. das Königreich von Osroene regierte. Die älteste Fassung bei → Eusebios, der die Briefe dem edessenischen Archiv entnommen und aus dem Syr. übersetzt haben will (h. e. 1,13,6–21). Danach hat A. von den Heilungen Jesu gehört und lädt ihn nach Edessa ein, um von ihm geheilt zu werden. Jesus preist in seiner Antwort den König selig; er könne nicht kommen, werde aber einen Jünger senden. In einem Anhang wird von der Sendung des ›Judas, der auch Thomas heißt, der Apostel Thaddäus, einer der Siebzig‹ berichtet; er heilt A. Die Bed. des Briefwechsels

bezeugen die Pilgerin Egeria bei ihrem Besuch 384 n. Chr. in Edessa (§ 17,1 und 19,7–19 ihres Reiseberichts) und eine breite Überlieferung auf Inschr., Papyri und Ostraka. Im *Decretum Gelasianum* (6. Jh.) ist der Briefwechsel unter die apokryphen Bücher gerechnet (p. 84,110 f. DOBSCHÜTZ). Eine ausführlichere Fassung findet sich in den Versionen der griech. fragmentarisch, syr. vollständig überlieferten *Doctrina Addaï* (3. / 4. Jh., erweitert 5. / 6. Jh.) als Erzählung von der Übergabe eines gemalten Christusbildes an A. Die Legende erzählt Fiktion; deutete man sie früher als Reflex einer tatsächlichen Bekehrung von L. Aelius Septimius Abgar IX. (regierte 179–216; Eus., Chron. ad an. Abr. 2234 p. 214,5 HELM), so heute als antimanichäische Legitimationslegende (DRIJVERS). Die Orthodoxie soll als urspr. Form des edessenischen Christentums nachgewiesen und dieses auf Jesus selbst zurückgeführt werden.

C. BURINI, Epistolari Cristiani I, 1990, 4 f. (Ed., Übers.) • M. ALBERT u. a. (Hrsg.), Christianismes Orientaux, 1993, § 441 (äthiop. Versionen); § 614 (syr. Traditionen, Doctrina Addaï) • H. J. W. DRIJVERS, Abgarsage, in: W. SCHNEEMELCHER (Hrsg.), Nt. Apokryphen II, 1987, 389–395 • Die Inschr. von Ephesus Ia, 1979, Nr. 46 p. 285–291 (Literatur) • R. A. LIPSIUS, Die edessenische Abgar-Sage, 1880.   C. M.

Abguß s. Reproduktionstechniken

Abia (Ἀβία). Küstenstadt in Ost- → Messenien (Plin. nat. 4,22; Ptol. 3,14,31), h. Palaiochora, 6 km südl. von Kalamata. Gleichsetzung mit Ἰρή (Hire), einer der sieben Städte bei Hom. Il. 9,150, fraglich. → Perioikoi-Polis von Sparta, seit 338 v. Chr. von → Messene abhängig, nur 183–146 v. Chr. (als Mitglied des → Achaischen Bundes) selbständig (Pol. 23,17); Heiligtümer des → Herakles und → Asklepios (Paus. 4,30,1; noch nicht identifiziert). In der Kaiserzeit ist A. wieder selbständig. Unbedeutende Siedlungsreste.

R. HOPE SIMPSON, Identifying a mycenaean State, in: ABSA, 52, 1957, 240, 253 • E. MEYER, s. v. Messenien, RE Suppl. 15, 178.   Y. L.

Abila. Stadt (h. Quwailibeh) 15 km nordwestl. von Irbid (Jordanien). Die Ruinen von A. erstrecken sich auf einer Fläche von ca. 1,5 km × 0,5 km über zwei Hügel, Tall A. und die südl. gelegene Khirbat Umm al-ʿAmad [1. 1 f.]. Der seit dem beginnenden 3 Jt. v. Chr. bis in die Eisenzeit durchgehend besiedelte Ort wurde in seleukidischer Zeit neugegründet. Polybios (5,69–70) vermerkt die Eroberung durch Antiochos III. für das Jahr 218 v. Chr. Die Aufnahme in die → Dekapolis erfolgte spätestens zu diesem Zeitpunkt. Aus röm. Zeit sind Reste eines Straßennetzes mit *cardo* und *decumanus*, ein Theater sowie Aquaedukte erhalten. Ausgedehnte Nekropolen aus unterirdisch angelegten Kammergräbern und ihre Ausschmückung in unterschiedlicher Qualität (Fresken) lassen Rückschlüsse auf die sozialen

Schichten im spätröm.-byz. A. zu [2]. Die Periode intensivster Besiedlung erfolgte erst in der byz. Epoche zwischen dem 5. und 7. Jh. n. Chr., aus der drei Basiliken stammen. In frühislamischer Zeit entstanden in der *cavea* des röm. Theaters am Nordabhang von Kh. Umm al-ʿAmad ausgedehnte Bauten aus Spolien.

1 E. Stern (Hrsg.), The New Encyclopedia of Archeological Excavations in the Holy Land I, 1993 2 A. Barbet, C. Vibert-Guigue, Les peintures des nécropoles Romaines d' A. et du nord de la Jordanie, 1988.

G. Schumacher, A. of the Decapolis, 1889 · M. J. Fuller, A. of the Decapolis: A Roman-Byzantine City in Transjordan, 2 Bde., (1987) 1991.   T. L.

Abinnaeus-Archiv. Papyrus-Sammlung des Flavius Abinnaeus, der zw. 342 und 351 n. Chr. *praefectus alae* in Dionysias (Ägypten) war. Darin befinden sich Briefe, Verträge, Rechnungen, Steuer- und andere Listen, die z. T. ausgezeichnet erh. sind und tiefen Einblick in das tägliche Leben im Ägypten des 4. Jh. gewähren. Gesammelt sind die Papyri von Bell [1] (Ergänzungen bei [2; 3] und [4]).

1 H. I. Bell et al., The Abinnaeus Archive, 1962 2 R. Rémondon, Militaires et civils dans une campagne Égyptienne au temps de Constance II, in: Journal de Sav., 1965, 132–143 3 J. Lesaulnier, Un nouveau Papyrus des Archives d'Abinnaeus, in: ZPE 3, 1968, 155 f. 4 P. Maraval, Un nouveau Papyrus des Archives d'Abinnaeus?, in: ZPE 71, 1988, 97 f.

T. D. Barnes, The Career of Abinnaeus, in: Phoenix 39, 1985, 368–374.   M. R.

Abioi (Ἄβιοι). Nach Hom. Il. 13,5 f. ein Volk im Norden von → Thrake, neben den Glaktophagen und Hippemolgen die gerechtesten Menschen. Identisch mit den Γάβιοι (Gabioi) bei Aischylos (*Prometheus Lyomenos* fr. 196,3, TGF 3). In der späteren Lit. Gegenstand etym. und idealisierender Spekulationen (z. B. FGrH Ephoros 70 fr. 42). Zusammen mit Hippemolgen (schon Ps.-Hesiodos, Katalogos Gynaikon fr. 150,15 f. M.-W.) und Glaktophagen (vgl. l.c. fr. 151) identifizierte man sie mit den → Skythai (z. B. Ephoros, l.c.; Poseid. fr. 45 Theiler). Einige dachten aber, daß es sich um ein Appellativum handle, das sich ebenfalls auf Skythai oder → Sarmatae beziehe, andere versuchten, den Volksnamen aus dem Griech. zu erklären (Poseid. l.c.; FGrH Nikolaos von Damaskos 90 fr. 105,5).

H. Erbse, Scholia Graeca in Homeri Iliadem (Scholia vetera) 3, 1974, 392–396 zu 13,6a · H. Seiler, in: Lex. des frühgriech. Epos 1, 1979, 15 f.   S. R. T.

Abisares. Nach seinem Stamm (die Abhisari) genannter indischer Fürst, mit → Poros verbündet. Sein Gebiet reichte von den südl. Ketten des Karakorum bis nach Kaschmir im Osten und Hazera (unweit Rawalpindi)

im Westen. Er unterstützte den Widerstand gegen → Alexandros [4] in Swat (Arr. an. 4,27,7; 30,7), schickte ihm aber dann nach Taxila Geschenke (l.c. 5,8,3; bei Curt. 8,13,1 falsch: Huldigung). Der Hydaspesschlacht (→ Hydaspes) blieb er fern, nachdem man erwartet hatte, er würde Poros unterstützen (Arr. an. 5,20,5; Curt. 8,14,1; anders Diod. 17,87,3). Nach der Schlacht überbrachte eine Gesandtschaft Alexandros reiche Geschenke und seine Huldigung. Doch befahl Alexandros, er solle selbst erscheinen (Arr. l.c., falsch Curt. 9,1,7 f.). Als er später am → Akesines [2] hörte, daß A. zu krank war, um zu reisen, bestätigte er ihn als Herrscher (Arr. an. 5,29,5; »Satrapen«) über sein Gebiet und das Gebiet eines benachbarten Fürsten und legte ihm einen Tribut auf. Nach dem Tod des A. 325 v. Chr., ernannte Alexandros seinen Sohn zum Nachfolger (Curt. 10,1,20 f.).

Berve II Nr. 2.   E. B.

Abis(s)areis. Altindisch Abhisāra, ein Gebirgsvolk im Norden Pakistans (Megasthenes bei Arr. Ind. 4,12), am Soanos, einem östl. Nebenfluß des Indus (h. Sohan oder Suwan [1. 1100 f.]), mit König → Abisares.

1 G. Wirth, O. von Hinüber, (Hrsg. und Übers.) Arrian, Der Alexanderzug – Indische Gesch., 1985.   K. K.

Abiuratio. Ein dem Praetor vorgetragener Rechtsstreit um kreditiertes Geld oder eine sonstige *res certa* konnte noch vor der → *litis contestatio* dadurch beendet werden, daß der Kläger dem Beklagten den Eid über den Bestand der Klageforderung zuschob. Der Beklagte hatte daraufhin die Wahl, zu leisten oder die Forderung abzuleugnen; letzteres ist die *a.* (Isid. orig. 5,26,21). Im Falle dieses Abschwörens wurde die → *actio* des Klägers denegiert; bisweilen wurde statt dessen dem Beklagten eine *exceptio iurisiurandi* gewährt (Dig. 12,2,9 pr.), wenn etwa Existenz und Inhalt des Eides Anlaß zu weiterem Streit boten. Der Terminus *a.* wird insbesondere von den Juristen kaum verwendet, was vermutlich mit dem in der Praxis wohl fließenden Übergang zu dem dabei begangenen und häufiger thematisierten Meineid (→ *testimonium falsum*) zu tun hat. Die spärlichen Quellen bedingen, daß Entstehungszeit, Entwicklung und Wirkungsweise der *a.* umstritten sind; auch die vermögensrechtlichen Konsequenzen eines Meineides sind unklar.

L. Wenger, Inst. des röm. Zivilprozeßrechts, 1925, 114 ff.   C. PA.

Abklatsch. Als A. (engl. *squeeze*, frz. *estampage*) wird der Negativabdruck einer Inschr. auf Papier oder einer Latexfolie bezeichnet. Dabei wird nach der Reinigung des Inschriftenträgers weiches Papier mit einer festen Bürste in die Inschr. geklopft bzw. das flüssige Latex dünn ausgegossen. Der nach dem Trocknen abgelöste A. kann beliebig transportiert und bei günstigem Streiflicht häufig besser gelesen werden als das Original. Große A.-sammlungen befinden sich in der Akademie der Wiss. in Berlin, dem Institute for Advanced Studies in Princeton, New Jersey, dem Ashmolean Museum in Oxford und dem Museum für klass. Arch. in Cambridge.

A. G. Woodhead, Study of Greek inscriptions, ²1981, 78–83.   W. Ed.

Abkürzungen A. Allgemeines B. Papyri B.1 Literarische Papyri B.2 Urkundenpapyri C. Griechische Handschriften D. Römische Zeit E. Spätantike und Frühmittelalter

A. Allgemeines

Eine A. (lat. *notae, sigla, siglae*), besteht aus einem semantischen Element – der alphabetischen Schrift des abgekürzten Wortes – und einem symbol. Element – den Zeichen, die auf den zusammenfassenden Charakter des Geschriebenen hindeuten. Der Gebrauch von A. ist durch eine Mehrzahl praktischer Motive gerechtfertigt: als erstes machen sie das Lesen schneller und sicherer, und in zweiter Linie ergibt sich dadurch eine Platz- und Zeitersparnis. Da im klass. Alt. und in weiterem Sinne bis ins Spätmittelalter, das laute Lesen von oft ohne Worttrennung geschriebenen Texten weit verbreitet war, wird verständlich, wie sich die A. als graphisch geordnete und von diakritischen Zeichen begleitete Struktur vom Kontext abhob und so das Lesen erleichterte und beschleunigte. N. G. u. P. E.

B. Papyri

A. sind in griech. Papyri und Ostraka selten, wenn es sich um lit. Texte handelt, zahlreich in Urkundenschriften.

B.1 Literarische Papyri

[2. XI-XXXVII; 3. 205–208]. Es wird zwischen drei Arten von Texten unterschieden, in denen A. in unterschiedlicher Anzahl und Typologie vorkommen: *a) Kalligraphisch geschriebene Handschriften mit literarischen Texten:* Die einzig ersichtliche A. ist ein hochgestellter horizontaler Strich, als graphisches Zeichen für das ν am Ende der Zeile (ab dem 2. Jh. n. Chr.). *b) Christliche und seltener profane Texte (3.–7. Jh. n. Chr.):* Hier werden die sogenannten *nomina sacra* [5. 2. 122] durch Kontraktion abgekürzt (Wegfall von Buchstaben aus dem Wortinnern) und überstrichen (z. B. ΧΣ = Χριστός, ΠΝΑ = πνεῦμα). Ausnahmsweise werden in lit., nichtchristl. Texten auch bei allg. Termini A. durch Kontraktion vorgenommen, z. T. in Verbindung mit der Suspension der Endbuchstaben (z. B. ἤκ(ου)σεν, γί(νεσ)θ(αι)) [2. XIII]. *c) Literarische oder paraliterarische in informeller oder in. Kursivschrift abgefaßte Texte (3. Jh. v. Chr. – 7. Jh. n. Chr.):* Privatexemplare, Kommentare und Marginalien [2. XI ff.]. Hier sind A. zahlreich [2. 1–119; 3. 209–220]; Texte dieser Art machen jedoch nur einen geringen Prozentsatz in der Gesamtheit lit. Papyri aus.

Das allg. gebräuchlichste System ist die mit ähnlichen Hilfsmitteln wie bei den Urkunden gekennzeichnete

Suspension (Wegfall eines oder mehrerer Laute am Wortende). Ein weiteres System ist die Brachygraphie, die bei einigen häufig auftretenden Wörtern, wie Konjunktionen, Präpositionen und gewissen Formen von εἰμί verwendet wird. Mit wenigen Ausnahmen [2. XI] folgte bei solchen A. auf den Anfangsbuchstaben eines Wortes ein Apex, dessen Richtung bezeichnend ist (z. B. δ᾽ = δέ, δ᾽ = διά). Ein eher seltenes System besteht schließlich in einer Art Tachygraphie, bei der ganze Wörter durch nicht alphabetische Symbole ersetzt werden [2. XIII, 121; 3. 222]. Akrophonische Numeralia sind für die Stichometrie bezeugt [2. XV, 122].

B.2 Urkundenpapyri

A. erscheinen in dieser Art von Texten ab dem 4. Jh. v. Chr. und sind häufig in administrativen und fiskalischen Urkunden, in denen Formeln und Termini sich oft wiederholen. Es wird zwischen zwei Hauptarten unterschieden: A. durch Suspension und durch Symbole.

Bei der Suspension [4. 471–475] wird der Wegfall von Lauten auf unterschiedliche Weise gekennzeichnet. In älteren Dokumenten durch Superposition des zweiten (und in Zweifelsfällen auch des dritten) Buchstabens auf dem Anfangsbuchstaben des Wortes. Die Superposition ist absolut, wenn die Buchstaben an einigen Punkten miteinander verbunden sind (durch Einschließen, Durchkreuzen in einem einzigen Punkt, als Monogramm), relativ, wenn kein Kontaktpunkt besteht, und gemischt, wenn im Falle von drei oder mehr Lauten beide Arten von Superposition verwendet werden [1. 4 ff.]. In der Zeit vom 1. Jh. v. Chr. bis zum 1. Jh. n. Chr. werden die übergestellten Buchstaben auf einfache horizontale Striche reduziert [1. 7]. Ein weiteres oft auftretendes Phänomen ist das Verschieben des übergestellten Buchstabens nach rechts. Bei dieser Praxis kann der Buchstabe bis auf ein sinusförmiges, für alle Buchstaben gleiches S-ähnliches Zeichen reduziert werden. Damit beginnt sich dieses A.-System aufzulösen, ein Phänomen, das sich im 2. Jh., wahrscheinlich unter dem Einfluß der lat. Schrift, bei der horizontale und Schrägstriche sehr gebräuchlich sind, noch verschärft. So verbreitet sich in der griech. Schrift der Gebrauch von konventionellen A.zeichen, die nicht von Buchstaben abgeleitet sind [1. 8 ff.]. Ab dem 4. Jh. wird die Suspension nur noch durch ein sinusförmiges Zeichen (bis ins 6. Jh.) oder einen Schrägstrich gekennzeichnet. Gleichzeitig ist ein Eindringen lat. Techniken zu erkennen [1. 11 ff.], wie des Punktes als diakritisches Zeichen (z. B. φλ᾽ = φλάυιος) und die syllabare Suspension, wobei auf den Anfangsbuchstaben ein oder mehrere Zwischenbuchstaben oder auch ein Schrägstrich folgt. Im Plural wird der letzte beibehaltene Buchstabe verdoppelt. Parallel zum Eindringen der lat. Techniken geschieht innerhalb des griech. Systems eine heftige Reaktion, die sich z. B. durch Wiedereinführung der Superposition von Buchstaben manifestiert oder durch horizontale Striche, die zu im Plural verdoppelten Schrägstrichen werden [1. 13 f.]. Neben diesen Formen des griech.-lat. Synkretismus bleibt jedoch eine gewisse Originalität in der Verbindung von A.-Zeichen bestehen. Der Schrägstrich z. B. kann auch im Singular verdoppelt werden (ινδ// = ινδικτίωνος; mittelalterlich: ἰνδικτιῶνος), und wird einfach oder doppelt auch in Verbindung mit übergestellten Buchstaben eingesetzt werden.

Die Symbole schließlich, die zur Bezeichnung von Gewichten, Maßen, Münzen und Brüchen verwendet wurden [4. 476–477], sind meistens konventionelle Zeichen, die dem Anschein nach in keinerlei graphischem Verhältnis zur Wortbed. stehen. In Wirklichkeit sind einige davon als Deformierung des Anfangsbuchstaben oder Ableitungen aus anderen Sprachen zu erkennen [1. 29–49], (wie L = ἔτος, ein demot. Zeichen, oder ├ = δραχμή, ähnlich dem Zeichen für *da* in Linear B [4. 63]). Ziffern werden in den Urkunden mit den Buchstaben des Alphabets wiedergegeben. Die Buchstaben sind überstrichen oder werden durch einen nachfolgenden, quergestellten Apex gekennzeichnet; die Tausender werden durch einen Apex über dem Buchstaben oder einen Haken links verdeutlicht. Für Brüche mit dem Zähler 1 wird der dem Nenner entsprechende Buchstabe mit einem vertikalen, darübergeschriebenen Zeichen verwendet (für ½ gibt es jedoch auch andere Symbole). Die restlichen Brüche werden als Summe der Brüche mit Zähler 1 angegeben.

→ Demotisch; Nomina sacra; Ostrakon; Papyrus; Tachygraphie; Zahlwort.

1 A. BLANCHARD, Sigles et abréviations dans les papyrus documentaires grecs: recherche de paléographie, 1974 2 K. MCNAMEE, Abbreviations in Greek Literary Papyri and Ostraca, 1981 3 K. MCNAMEE, Abbreviations in Greek Literary Papyri and Ostraca: Supplement, in BASP 22, 1985, 205–225 4 O. MONTEVECCHI, La Papirologia, ²1988, 62/63, 471–475, 476–477 5 A. H. R. E. Paap, Nomina sacra in the greek papyri of the first five centuries A. D., 1959.

H. I. BELL, Abbreviations in documentary papyri, in: Studies D. M. Robinson ²1953, 424–433 · F. BILABEL, s. v. Siglae, RE 2A, 2293–2308 · L. TRAUBE, Nomina Sacra, 1907.   G.M.

C. GRIECHISCHE HANDSCHRIFTEN

Im Bereich der griech. Hss. unterscheidet man gewöhnlich zwischen vier Arten von A.: Kontraktion (Wegfall des zentralen Körpers eines Wortes), Suspension (Wegfall eines oder mehrerer Laute am Wortende), tachygraphische und konventionelle Zeichen. Dennoch finden in den Buchschriften im wesentlichen nur die zweite und dritte Art Verwendung, da das Kontraktionsprinzip in der Praxis nur mit den *nomina sacra* identifiziert wird, und die in der (fast durchweg syllabischen) italo.-griech. Brachygraphie benutzte Kontraktion in den mit Normalschrift geschriebenen Texten keine Entsprechung findet. Andererseits werden in astronomischen, chemischen, magischen und mathematischen Texten die normalen Buchstaben des Alphabets durch konventionelle Zeichen, eine Art Kryptographie, ersetzt. Die Suspension wird auf verschie-

dene Arten kenntlich gemacht: Der letzte geschriebene Buchstabe wird über den vorletzten (παντα^χ = πανταχοῦ), der Plural wird durch die Verdoppelung der beiden letzten Buchstaben angegeben: ἀῆῆ = ἀπόστολοι), oder seltener darunter gesetzt (λ′ = λόγος). Ein horizontaler Strich (über oder unter dem letzten Buchstaben) oder ein Schrägstrich wird bei diesem System mitverwendet oder ersetzt es (Φ^η = φησίν, –μ/ = -μενος). Ein Buchstabe wird eingeschlossen (ὅ = ὅτι) oder in einen anderen versetzt (ℛ = χρόνος). Die von der Tachygraphie, deren Ursprung auf die in der Kaiserzeit verwendeten Systeme zurückgeht, wiederaufgenommenen Zeichen ersetzen Silben aus dem Wortinnern oder vorzugsweise am Ende des Wortes, Konjunktionen, Präpositionen und Partikel. Gewöhnlich werden sie auf oder öfter noch über der Zeile geschrieben, passen sich aber jeweils dem gerade üblichen graphischen Geschmack an. Ab dem 13. Jh. werden die beiden A.-Systeme, die Suspension und die Tachygraphie, oft in demselben Wort kombiniert. In ca. zwanzig italogriech. Hss. erscheinen vor allem in den Marginalien (ein ganzer Text wird Ende des 10. Jh. im Vat. gr. 1809 abgeschrieben) einige besondere A.-Zeichen, die den Untergang (12. Jh.) des in Südit. gebräuchlichen brachygraphischen Systems überlebt haben (z. B. ⌣ = αι, ⌃ = ειν) [1].

In den Majuskelhss. sind A., abgesehen von den *nomina sacra*, in der Regel recht selten, wenn man von den technischen Termini in den technischen Texten absieht. Die gebräuchlichsten sind das N am Wortende (Ō, Ω̄) AI (Ϗ, Ϗ = KAI) OC und ON (ΑΓΪ). Auch bei den Minuskelhss. findet man A. anfangs hauptsächlich in technischen Texten und in Scholien z. B. zu poetischen Texten. Die Anzahl der A. und ihr Schwierigkeitsgrad erhöht sich mit der fortschreitenden Verbreitung der Kursivschrift: Ein klass. Beispiel dafür ist das 13. Jh.

→ Nomina sacra; Tachygraphie; Schrift

1 N. P. CHIONIDES, S. LILLA, La brachigrafia italo-bizantina, 1981.

M. L. AGATI, La congiunzione καί nella minuscola libraria greca, in: Scrittura e civiltà 8, 1984, 69–81 · T. W. ALLEN, Notes on Abbreviations in Greek Manuscripts, 1889 · F. BILABEL, s. v. Siglae, RE 2A, 2308–2309 · G. CERETELI, Sokkraščenja v' grečeskich' rukopisjach' preimuščestvenno po datirovannym' ruskopisjam', S.-Peterburga i Moskvy, ²1904 · V. GARDTHAUSEN, Griech. Palaeographie, ²1913, II 319–352 · J. IRIGOIN, Pour un bon usage des abréviations: le cas du Vaticanus graecus 1611 et du Barocci 50, Scriptorium 48, 1994, 3–17 · O. LEHMANN, Die tachygraphischen A. der griech. Hss., 1880.   P.E.

D. RÖMISCHE ZEIT

In röm. Zeit macht sich im 1. Jh. v. Chr. ein erster eindeutiger Gebrauch von A. bemerkbar, die mit der Zeit mengenmäßig und typologisch immer zahlreicher werden, bis sich im 4. Jh., mit deutlichem Schnitt gegenüber der Vergangenheit, ein regelrechtes, artikuliertes und komplexes A.-System herauskristallisiert. Dieser Tatbestand wird im Prinzip in allen röm. Schriftzeugnissen, gleich welchen Beschreibstoffes oder graphischer und textlicher Form, beibehalten. Die ersten A.-Arten bestehen aus Siglen und Suspensionen. Bei den Siglen, als älteste und radikalste A., wird nur der erste Buchstabe eines Wortes beibehalten, tatsächlich will eine traditionelle, aber unbegründete Etymologie *sigla* von *litterae singulares* oder *singulae* ableiten. Mit den *siglae* werden *praenomina* abgekürzt, vor allem aber gebräuchliche feste Redewendungen, wie Grußformeln – S D, *salutem dicit* – oder juristische Klauseln – P R D, *probam recte dari*, D Q A, *de qua quo agitur* – [1. 2]. Suspensionen dagegen bestehen aus den Anfangsbuchstaben eines Wortes, von dem stets der letzte Teil wegfällt. Zu den kanonisierten Suspensionen gehören neben IMP, COS, KAL, PRAEF, AUG, AUREL diejenigen, bei denen die Endung *-bus*, das Enklitikon *-que*, wie auch der nasale Endlaut wegfällt. Für das 1. Jh. n. Chr. sind viele neuen A.-Arten bezeugt. Vor allem spezifische und konventionelle Zeichen, teils alphabetischer, teils tachygraphischer Herkunft, werden als Symbole für oft gebräuchliche Termini eingesetzt, wie 7 und Ⴕ für *centuria / centurio* und *turma*, sowie X, HS und ꝺ für die Münzeinheiten *denarii*, *sesterii* und *oboli*. Es gibt auch die syllabarische Suspension: bei dieser werden außer dem Anfangsbuchstaben auch die ersten Buchstaben der nachfolgenden Silben, oder zumindest ein oder mehrere Zwischenbuchstaben des Worts beibehalten. In dieser Anfangsphase sind nur Polysyllaba betroffen, die z. T. aus urspr. unabhängigen Teilen zusammengesetzt wurden, wie SS oder PP für *suprascriptus* und *primuspilus*. Schließlich sind noch die Kompendien von Q zu nennen, neben denen im 4. Jh. auch die von P erscheinen: Es handelt sich hier um A. von Monosyllaba, wie die Relativ- und Interrogativpronomina *qui*, *quae*, *quid* und *quod* sowie die Präpositionen *per*, *prae* und *pro*, wo die A. aus einem alphabetischen Stamm in Verbindung mit einem tachygraphischen Zeichen bestehen. In dieser Zeit treten auch die ersten Kontraktionen auf, die als die verbreitetsten und klarsten A. zu betrachten sind: Dabei werden von einem Wort die Anfangs- und Endlaute sowie eventuell ein oder mehrere Zwischenbuchstaben angegeben, wodurch genaue Hinweise für die Auflösung gegeben sind. Diakritische Zeichen treten bei A. anfänglich nur vereinzelt auf, werden aber bald zu einer derartigen Regelmäßigkeit, daß sie struktureller Teil der A. werden. Vor allem wird der Punkt verwendet, der mit der Zeit immer mehr seine Interpunktionsfunktion aufgibt und zum diakritischen Zeichen wird. Neben dem Punkt und anderen teilweise zur Interpunktion gehörenden Zeichen findet man den *titulus*, gewöhnlich ein horizontaler Strich über dem abgekürzten Wort. Auch griech. A. werden im Lat. benutzt, wie z. B. das *theta nigrum* Θ. Die Beziehungen zwischen den beiden Schriftarten sind auch im Hinblick auf die A. sehr intensiv. In einigen Fällen, wie beim Wegfall der Endnasallaute oder der A. durch Hochstellung der Buchstaben, ist der Einfluß des Griech. im Lat. wahrscheinlich, z. T. werden sogar einige griech. Formen passiv über-

nommen. Im 4. Jh. werden alle A.-Arten häufiger und in allen Varianten eingesetzt und bilden vereinzelt Untersysteme mit eigenem Bedeutungsgehalt. So sind in juristischen Texten die *notae iuris* anzutreffen, womit das komplexe in diesem Bereich verwendete A.-System von A. nicht nur juristischer Termini bezeichnet wird [3]. Bei den *notae iuris* sind neben allen zuvor beschriebenen A. weitere und neue, wie die spezifischen Zeichen ꓳ und ' für *cum / con / contra* und *us*, oder der tildenförmige *titulus* ˜ zur Bezeichnung des Wegfalls einer vor oder nach einem Vokal stehenden Liquida anzutreffen. Viele dieser Zeichen gehen auf tachygraphische *notae* zurück, was beweist, wie sehr diese die alphabetischen Kompendien beeinflußt haben. So im Falle der Kontraktion, die unter deren Einfluß wahrscheinlich aus der strukturellen Verarbeitung der syllabarischen Suspension entstand und nicht die *nomina sacra* zum Vorbild hatte: *Nomina sacra* finden im 4. Jh. Verbreitung und werden morphologisch als Kontraktion der Namen für Gott, Christus, Jesus sowie deren Beinamen, wie *dominus*, *sanctus* usw. benutzt: D̄S̄, X̄P̄S̄, ĪH̄S̄, D̄M̄S̄/D̄N̄S̄, S̄C̄S̄ [4].

E. Spätantike und Frühmittelalter

Zur Zeit des geogr. Partikularismus vom 5. Jh. bis zum Anfang der karolingischen Zeit werden einerseits die A.-Formen, insbesondere die Kontraktionen, wenn auch nur schleichend, definitiv, und andererseits reduziert sich die Anzahl der gebräuchlichen A. nach und nach. Es handelt sich also um ein komplexes Bild, auch schon auf Grund der aus den verschieden gearteten textlichen und graphischen Typen ableitbaren Unterschiede. So sind in den profanen und christl. Hss. aus der Spätant. in Capitalis, Unziale und Halbunziale A. sehr selten und beschränken sich fast ausschließlich auf Suspension. In den urkundlichen Quellen, von den ägyptischen zweisprachigen Prozeßprotokollen aus dem 6. Jh. bis zu den merowingischen, karolingischen und langobardischen Urkunden aus dem 7. und 8. Jh., bes. in den mit monotoner Regelmäßigkeit wiederholten Formelsammlungen, erscheinen andere Kurzformen, die von den im Plural verdoppelten Siglen (VV CC, *viri clarissimi*, DD NN, *domini nostri*), über Suspensionen mit verdoppeltem Endbuchstaben für den Plural (IMPP AUGG, *imperatores Augusti*) bis zu einigen Kontraktionen gehen. In den → Nationalschriften schließlich haben die A.-Systeme spezifischen Charakter. So neigt man in der westgotischen Schrift, wahrscheinlich unter arab. Einfluß, bes. bei den Kontraktionen dazu, stets die Vokale wegfallen zu lassen und nur die Konsonanten beizubehalten. So führt die in den insularen *scriptoria* – insbesondere in den irischen – übliche Praxis, als Vorlage vor allem die von den *notae iuris* und *notae tironianae* abgeleiteten A. zu benutzen, zur Ausarbeitung eines eigenen und gut gegliederten Systems, in dem tachygraphische Formen auffallen, die von der alphabetischen Schrift abgeleitet wurden, wie die spezifischen Zeichen für *autem*, *cum*, *est*, *enim*, *et*, *vel*: ⊬ ꓳ Ⴕ H 7 Ⴕ. Ausgehend von dieser A.-Praxis der insularen Schrift entwickelt sich in karolingischer Zeit das System weiter und der Gebrauch von A. in den kontinentalen *scriptoria* wird wieder intensiver.

→ Nomina sacra; Tachygraphie

1 F. BILABEL, s. v. Siglae, RE 2A, 2279–2315 **2** H. GÄRTNER, s. v. Siglen, KlP 5, 180–182 **3** L. SCHIAPARELLI, Note paleografiche. Le notae iuris e il sistema delle abbreviature latine medievali, Archivio Storico Italiano, 73, 1915, 275–322 **4** L. TRAUBE, Nomina Sacra, 1907.

A. CAPPELLI, Lexicon abbreviature, 1928[2] · G. CENCETTI, Lineamenti di storia della scrittura latina, 1954, 353–475 · T. DE ROBERTIS, I. PESCINI, E. CALIGIANI, G. PARIGINO, Quattro contributi per la storia del sistema abbreviativo, Medioevo e Rinascimento 7, 1993, 159–347 · N. GIOVÈ MARCHIOLI, Alle origini delle abbreviature latine, 1993 · L. SCHIAPARELLI, Avviamento allo studio delle abbreviature latine nel Medioevo, 1926 · W. WEINBERGER, s. v. Kurzschrift, RE 11, 2217–2231.   N.G.

Ablabius / -os. **[1]** Flavius A. gehörte zu den einfluß-reichsten Beamten unter → Constantin dem Gr. Er stammte aus Kreta (Lib. or. 42,23), war das Kind armer Nichtchristen (Eun. vit. soph. 6,3,1–7), konvertierte später zum Christentum (Athan. epist. fest. 5). 324/6 n. Chr. war er *vicarius* von Asia (CIL III 352), 329–337 *praef. praet. Orientis*, 331 *cos. ord.* Auf sein Anstiften soll der heidnische Philosoph → Sopatros von Constantin hingerichtet worden sein (Eun. vit. soph. 6,2,12; 3,7,13; Zos. 2,40,3). Er war evtl. noch 338 als *praef.* im Amt, wurde aber noch im selben Jahr von → Constantius II. entlassen und wegen des Verdachts, den Thron anzustreben, hingerichtet (Eun. vit. soph. 6,3,9–13). Seine Tochter Olympia war mit Constans verlobt (Amm. 20,11,3).

J.-R. PALANQUE, Essai sur la préfecture du prétoire du Bas-Empire, 1933, 7 · PLRE 1, 3f.   W.P.

[2, Illustrios] Autor eines aus dem »Kyklos« des Agathias stammenden Epigramms über die Genealogie eines Tellers oder Missoriums (Anth. Pal. 9,762). *Vir illustris* (wie das Lemma versichert); wahrscheinlich identisch mit dem Rhetor aus Galatien, der mit Libanios (epist. 921; 1015, vgl. 493), Gregor von Nazianz (epist. 233) und vielleicht Gregor von Nyssa (epist. 21, vgl. PASQUALI, SIFC N.S. 3, 1923, 102) korrespondierte. Zu Beginn des 5. Jh. schloß er sich den Novatianern an, wurde zum Presbyter geweiht und später Bischof von Nikaia. Von seinen sehr geschätzten Homilien (vgl. Sokr. 7,12) ist keine erhalten.   E.D. / M.-A.S.

[3] Verf. einer durch kurze Zitate bei Iordanes bekannten Gesch. der Goten, die – obwohl vermutlich in lat. Sprache verfaßt – Kenntnis des Dexippos verrät (Iord. Get. 4,28; 14,82; 23,116). Cassiodorus (inst. var. 10,22,2) bezieht sich nicht auf den wohl im 4./5. Jh. lebenden A., sondern auf *abavi vestri* des Iustinian [1. 62,77,89–93;   2. 97,119].

1 W. GOFFART, The narrators of barbarian history (A.D. 550–800), 1988 **2** SCHANZ/HOSIUS Bd. 3. A.SCH.

Ablaut (t. t. von JACOB GRIMM) meint ein aus dem Uridg. stammendes, großenteils durch frühe Akzent-Alternanzen bewirktes System von Vokalwechseln innerhalb flexivischer oder derivationeller Wort- und Formengruppen. Zu unterscheiden sind (1) »quantitativer A.« (auch »Abstufung«) und (2) »qualitativer A.« (auch »Abtönung«). Bei (1) wechselte *e* (in »Vollstufe«, VS) mit Ø (in »Schwundstufe«, SS) und ggf. *ē* (in »Dehnstufe«, DS) wie z. B. im Suffix von gr. Vok. πᾰ-τερ, lat. *Iu-p(p)i-ter.* Gen. gr. πα-τρ-ός, lat. *pa-tr-is*: Nom. gr. πατήρ, **pa-tēr* > *pa-ter* (Kürzung vor *-r*). Bei (2) alternierten *e* und *o*, z. B. in gr. σπένδ-ω: σπονδ-ή wie lat. *teg-o*: *tog-a*, homer. φέβ-ομαι: φοβ-έω wie lat. *dec-* in *dec-et* zu *doc-eo*, auch *ē* und *ō* (DS), z. B. in gr. φρήν: ἄ-φρων. Fälle wie homer. Sg. δῶ-κα: Pl. δό-μεν gehören zu (1), mit VS und SS auf uridg. Laryngal 3 (**déh₃-: *dh₃ ⌣*, dies auch in lat. *dă-mus*).

→ Akzent; Laryngal; Lautlehre

M. LEUMANN, 29–41 · H. RIX, Histor. Gramm. des Griech., 1976, 32–39 · O. SZEMERÉNYI, Einführung in die vergleichende Sprachwiss., ⁴1990, 116–137 (mit Lit.). K.S.

Abnoba mons. Der Schwarzwald, vielleicht unter Einschluß des Odenwalds mit Rothaargebirge im Norden. Hier besuchte → Tiberius 15 v. Chr. die Donauquellen. Eine röm. beeinflußte Bevölkerung existierte im rechten, südl. Oberrheingebiet seit spättiberisch-frühclaudischer Zeit (Mitte 1. Jh. n. Chr.), die intensive mil. Erschließung des Waldgebirges durch West-Ost-Straßen unternahmen die Flavier (2. Hälfte des 1. Jh. n. Chr.) (CIL XVII 2,654); Heiligtümer der (*dea*) Abnoba oder Diana Abnoba waren nicht selten.

R. ASSKAMP, Das südl. Oberrheingebiet in frühröm. Zeit, 1989 · W. HEINZ, R. WIEGELS, Der Diana Abnoba Altar in Badenweiler, in: Ant. Welt 13/4, 1982, 37–43 · R. WENSKUS, s. v. A., RGA 1, ²1973, 13 · G. WIELAND, Augusteisches Militär an der oberen Donau?, in: Germania 72, 1994, 205–216.   K.DI.

Abodah Zara s. Rabbinische Literatur

Abodiacum. Heute Epfach, Landkreis Landsberg am Lech (CIL III 2,5780), röm. Militärstation kurz v. bis ca. 50 n. Chr., spätant. Befestigung am langgestreckten, inselartigen Lorenzberg in Lechschleife mit relativ steilen Hängen. 300 m daneben unter Epfach-Dorf flavischer Straßen-*vicus* an der → *via Claudia*, nordöstl. der Abzweigung nach Gauting. Baumaßnahmen auf dem Hügel E. des 3. und 4. Jh. n. Chr.; evtl. spätant.-frühchristl. Kirche; Siedlung verliert sich in der 1. Hälfte des 5. Jh. n. Chr. In den Ruinen Bestattungen alamannischer Siedler der Merowingerzeit.

W. CZYSZ, Epfach, in: Ders., K. DIETZ et al. (Hrsg.), Die Römer in Bayern, 1995, 439–441.   K.DI.

Abolitio. Die *a.*, überliefert im Digestentitel 48,16, ist im röm. Recht die Einstellung eines Strafverfahrens, oft mit der Wirkung einer Begnadigung (→ *indulgentia*), überwiegend jedoch mit der Möglichkeit, die Anklage zu erneuern, so bei der *a. publica*, die durch den Senat oder ausnahmsweise durch den Kaiser veranlaßt wird, und bei der *a. privata*, die der Richter auf Wunsch des privaten Anklägers ausspricht. Z.B. bei Tod des Anklägers tritt die *a. ex lege* ein. Jedenfalls unter der Bezeichnung *a.* kommt diese erst in der Kaiserzeit vor (vgl. Sen. contr. 5,8).   G.S.

Abolla. [1] Röm. Mantel von unbekannter Form, der aus lit. Quellen bekannt ist, sich aber auf Denkmälern nicht mit Sicherheit nachweisen läßt. Die A. wird als Bauern- und Kriegsgewand der → Toga gegenübergestellt (Non. 538,16) und bei Satirikern auch als Mantel der kynischen und stoischen Philosophen bezeichnet (Mart. 4,53; Iuv. 3,115). Offensichtlich war die A. im Aussehen und in der Tragweise der → Chlamys (Serv. Verg. Aen. 5,421) ähnlich. Möglicherweise ist A. eine allg. Bezeichnung für den Schultermantel (vgl. Iuv. 4,76, als Mantel des *praefectus urbi* erwähnt). Die elegante A. war aus purpurfarbenem Stoff (Mart. 8,48; vgl. Suet. Cal. 35).

→ Kleidung; Pallium; Paludamentum; Paenula; Sagum

> B. ANDREAE, Die röm. Jagdsarkophage, 1980, 52.   R.H.

[2] (Ἄβολλα). Bei → Syrakusai (Steph. Byz. s. v. A.), h. Avola; viele Münzhorte des 5. bis 2. Jh. v. Chr.; prähistor. Funde.

> LIT.: J. A. WILSON, Sicily under the Roman Empire, 1990 · G. MANGANARO, Alla ricerca di poleis mikrai della Sicilia centro-orientale, in: Orbis Terrarum 2, 1996.
> INSCHR.: THOMPSON et al.(Hrsg.), Inventory of Greek Coin Hoards, 1973, Nr. 2085; 2122; 2124; 2169; 2249.   GI. MA. / M.B.

Abolos (Ἄβολος). Wildbach bei → Katane, in dessen Nähe Timoleon Mamerkos besiegte (vor 338 v. Chr.; Plut. Timoleon 34,1).

→ Sicilia

> E. MANNI, Geogr. fisica e politica della Sicilia antica (Kokalos Suppl. 4), 1981, 93.   GI. MA. / M.B.

Abonuteichos (Ἀβώνου τεῖχος). Küstenstadt von → Paphlagonia, des Vorgebirges Karambis (Ptol. 5,4,2). Die Etym. des Namens (*Gordiu Teichos, Panemu Teichos*) ist so dunkel wie die Anfänge der städtischen Existenz von A.; als → Polis seit Traianus (Anf. 2. Jh. n. Chr.) nachzuweisen. Anfangs in der Teilprov. Pontus, wurde A. unter Marcus Aurelius offenbar zur Prov. → Galatia geschlagen. Bes. Publizität gewann A. durch → Lukianos' Pamphlet gegen Alexandros [27], der hier unter Marcus Aurelius (Mitte 2. Jh. n. Chr.) das Orakel des *Neos Asklepios,* der Schlange Glykon, gründete (Lukian.

Ps. 1,9 f.). Der Prophet knüpfte so gute Beziehungen zu Rom, daß er die Umbenennung von A. in Ionopolis (noch h. Inebolu) und die Prägung von Münzen mit dem Bild der weissagenden Schlange erreichte. Ihr Kult verbreitete sich im Raum zw. Donau und Syrien. A. hatte eine ungünstige Hafenlage, ihr Territorium reichte wohl nur bis zu den Küre Dğları im Süden. Inschr. und Reste der röm. Architektur sind spärlich.

> CH. MAREK, Stadt, Ära und Territorium in Pontus-Bithynia und Nordgalatia, 1993, 82–88, 155–157 · L. ROBERT, A travers l'Asie mineure, 1980, 393–421.   C.MA.

Aborigines. In der röm. Tradition Bezeichnung für die früheste Einwohnerschaft von → Latium (Dion. Hal. ant. 1,10; Lyd. mag. 1,10). Die Etym. des Namens ist unsicher: Lykophr. 1253 läßt an eine Ableitung von den Βορείγονοι denken (Weissagung an → Aineias [1], er werde sich ἐν τόποις Βορειγόνων niederlassen); andere konstruieren – eine nomadische Lebensweise der A. postulierend –, eine onomastische Entwicklung von *Aberrigenes (aberrare)* zu A. (Paul. Fest. 19; Dion. Hal. ant. 1,10; *Auctor de origine gentis Romanae* 4,2). Strittig ist in ant. Zeugnissen auch die Herkunft der A.: Man hielt sie entweder für Autochthone (Lyd. mag. 1,22) oder für zugewanderte → Ligures (Dion. Hal. ant. 1,10) bzw. Griechen (Cato HRR fr. 6; Dion. Hal. ant. 1,11; 13; 29 f.; Macr. Sat. 1,7,28). Sall. Cat. 6,1 charakterisiert die A. als unkultiviert, *sine legibus, sine imperio, liberum atque solutum.* Dem widersprechen Informationen anderer Autoren, die ein monarchisch organisiertes Gemeinwesen bezeugen. Als Könige werden genannt Saturnus (Iust. 43,1,3), Thybris (Serv. Aen. 8,72), Faunus (Dion. Hal. ant. 1,31; Suet. Vit. 1,2) sowie der angebliche Namensgeber für die Landschaft Latium, → Latinus. In einer Kombination aus Gründungssage und fiktiver Geschichtsrekonstruktion wurden die A. legendär verknüpft mit dem Aineias-Mythos. In nicht immer übereinstimmenden Versionen erscheinen die A. teils als Gegner, teils als Verbündete, auf jeden Fall aber gemeinsam mit den Trojanern des Aineias als ein Stammvolk der → Latini (Cato HRR fr. 5; Serv. Aen. 1,6; Liv. 1,2; Dion. Hal. ant. 1,9).

> E. TAIS, Βορείγονοι e Aborigeni, in: Sileno 9, 1983, 175–187 · D. BRIQUEL, Virgile et les Aborigènes, in: REL 70, 1992, 69–91.   H.SO.

Abortio, auch *partus abactio,* ist die → Abtreibung im spätröm. Recht. Lange Zeit ist die *a.* in Rom offenbar ebensowenig wie im griech. Rechtskreis (→ *amblosis*) strafbar gewesen. In einer Rechtsordnung, die sogar die Kindesaussetzung zuließ, war dies konsequent. Möglicherweise sorgte freilich der Zensor für eine wirksame soziale Kontrolle gegenüber evidenten Mißbräuchen. Erst mit einem Reskript von Sept. Severus und Caracalla (vgl. Marcianus Dig. 47,11,4) wurde das Exil über abtreibende verheiratete und geschiedene Frauen verhängt. Das geschützte Rechtsgut war hiernach der Kinderwunsch des (gegenwärtigen oder früheren) Ehemannes, nicht das Lebensrecht des *foetus* oder gar ein bevölkerungspolit. Gesichtspunkt. Die Kompilatoren Justinians haben dann einen Ausspruch Ulpians (Dig. 48,8,8), der sich auf dasselbe Reskript bezogen haben dürfte, aus seinem urspr. Zusammenhang gerissen und mit der sullanischen *l. Cornelia de sicariis et veneficiis* Tötungsdelikte in Verbindung gebracht. Hiermit vollziehen sie vielleicht – wenn auch nur punktuell, nicht systematisch – die zunehmende Verurteilung der Abtreibung durch Kirchenväter und Synoden nach.

Enzo Nardi, Procurato aborto nel mondo Greco Romano, 1971. G.S.

Abortiva. Traditionelle Pflanzenkunde und moderne Laboruntersuchungen stimmen darin überein, daß viele Substanzen im ant. Arzneischatz potentiell abtreibende Wirkungen besaßen. Dazu zählen Raute (*Ruta graveolens*), Osterluzei (*Aristolochia*), Poleiminze (*Mentha pulegium*), Granatapfel (*Punica granatum*), Wilde Mohrrübe (*Daucus carota*) und Wacholder (*Juniperus*). Es ist jedoch nicht immer leicht, einen Vergleich zwischen moderner Pflanzenchemie und ant. Medizin zu ziehen; der Anteil an ätherischem Öl und mithin die Wirksamkeit der Pflanzen variierte je nach Bodenbeschaffenheit, Erntezeit und Zubereitungsart. Außerdem war die Dosierung entscheidend, was ant. Schriftstellern wie Dioskurides durchaus bewußt war; einige Substanzen konnten bei unsachgemäßem Gebrauch tödlich wirken. Moderne Tierversuche zeigen, daß die Verwendung der genannten »traditionellen« Abtreibungsmittel das Risiko von Mißgeburten erhöhen. In der hippokratischen Schrift mul. 1,67 wird davor gewarnt, daß Abortivzäpfchen Verletzungen und Ulzerationen der Gebärmutter verursachen können.

A. Keller, Die A. in der röm. Kaiserzeit, 1988 ·
J.M. Riddle, Contraception and Abortion from the Ancient World to the Renaissance, 1992. H.K.

Abradatas (Ἀβραδάτης). Erfundener König von Susa, Protagonist einer Novelle bei Xen. Kyr. (5,1,2; 6,1,45–52; 6,3,35–36; 6,4,2–10; 7,1,29–32; 7,3,2–14). Die schöne Frau des A., Pantheia, wurde als Gefangene des Kyros sehr höflich behandelt und überredete daraufhin A., zu Kyros überzugehen. A. fiel in der Schlacht gegen die Lyder. Pantheia tötete sich auf seinem Grab.

C.J. Brunner, s. v. A., EnclIr 1, 228 · D. Gera, Xenophon's Cyropaedia, 1993, 221–245. A.KU. u. H.S.-W.

Abraham. [1] Die biblische A.gestalt erfährt in Frühjudentum und rabbinischer Zeit unterschiedliche Deutungen. Den traditionell-frommen Kreisen gilt A. als der gesetzestreue Patriarch, der wegen der überzeitlichen Existenz des jüd. Gesetzes die halakhischen Ge-

bote bereits vor ihrer Offenbarung am Sinai beachten konnte (vgl. u. a. Sir 44,19; Jub 15,1; 16,21; 21,5; syrBar 57,2; mQid 4,14; bYom 28b). Da A. die Götzenbilder seines Vaters zerstörte, gilt er als der erste wirkliche Verehrer des einen Gottes (Jub 12). Als Neubekehrter beweist er seinen Glauben durch Standhaftigkeit in zehn Versuchungen, als deren schwerste und letzte die Bindung Isaaks gilt (Jub 19,8; mAv 5,3; ARN 33). Diese Verdienste sind auch in soteriologischer Hinsicht relevant, da seinen Nachkommen aufgrund dieser Taten Hilfe widerfahren kann: vgl. u. a. die Bindung Isaaks als Grund für die Rettung aus dem Schilfmeer in MekhY Beshallah 3 (Horowitz/Rabin 98) zu Ex 14,15; ShemR 1,32 (16d). Das hell. Judentum, das versucht, biblische Erzählungen mit der babylon.-griech. Mythologie zu verbinden, verehrt A. als universalen Kulturbringer, der Astrologie, Astronomie und Mathematik lehrte (samaritanischer Anonymus; Ios. ant. Iud. 1,166–168). Erzählungen über weite Reisen und über A.s internationale Verwandschaft zeigen ihn als Symbolgestalt des Universalismus (samaritanischer Anonymus, Eupolemus, Artapanus u. a.; vgl. 1 Makk 12,6–23; Ios. ant. Iud. 12,226 f.: A. als Stammvater der Spartaner). An den universalistischen Aspekt knüpft auch Paulus an, dem A. als Vater derer gilt, die als Unbeschnittene glauben (Röm 4,11). Bei Philo und Iosephus wird er – unter Rezeption stoischer Gedanken – als idealer Herrscher und Philosoph dargestellt. In christl. Zeit entstanden pseudepigraphische, A. zugeschriebene Schriften, als deren wichtigste die A.-Apokalypse mit der Beschreibung seiner Himmelsreise und das Testament A.s mit der Erzählung seines Todes zu nennen sind.

M. Hengel, Judentum und Hellenismus. Stud. zu ihrer Begegnung unter bes. Berücksichtigung Palästinas bis zur Mitte des 2. Jh. v. Chr., WUNT 10, ³1988, Index s. v. A. · G. Mayer, Aspekte des A.-Bildes in der hell.-jüd. Literatur, EvTheol 32, 1972, 118–127. B.E.

[2] (Abrehā, Abra(h)am), ein christl. südarab. König abessinischer Herkunft, der durch eine Revolte gegen Simyafaʿ (Esimiphaios), den südarab. Vasallen des abessinischen Königs Ella Aṣbeḥā (Elesbaas), um 535 an die Macht gelangte und das Bestreben des Negus vereitelte, das frühere Abhängigkeitsverhältnis wiederherzustellen (Prok. 1,20). Nach der von A. 543 gesetzten sabäischen Inschr. (CIS IV Nr. 541), welche über die Wiederinstandsetzung des Dammes von Mārib berichtet, empfing er Botschafter des abessinischen Königs und des oström. Kaisers, eine Gesandtschaft aus Persien und Abordnungen arab. Fürsten. Eine Felsinschr. (Ryckmans Nr. 506) wurde 547 in Zentralarabien anläßlich einer Strafexpedition A.s gegen Beduinen eingemeißelt. Wahrscheinlich im Jahre 552 – und nicht erst 570 im Geburtsjahr des Propheten Moḥammed – hat wohl der gescheiterte Feldzug A.s gegen Mekka stattgefunden, auf welchen in der 105. Sure des Korans angespielt wird. A. ließ in Ṣanʿāʾ eine Kathedrale errichten, mit deren Bau er auch den Plan verfolgte, diese Stadt zu einem

Wallfahrtsort zu machen. Er dürfte gegen das Jahr 560 gestorben sein.

L. I. Conrad, Abraha and Muḥammad: Some observations apropos of chronology and literary topoi in the early Arabic historical tradition, in: BSOAS 50, 1987, 225–240 · W. W. Müller, Himyar, in: RAC 15, 1989/90, 303–331, bes. 316–322: Christentum in Südarabien unter abessinischer Herrschaft und unter Abrehā · B. Finster / J. Schmidt, Die Kirche des Abraha in Ṣanʿāʾ, in: Arabia felix. Beiträge zur Sprache und Kultur des vorislamischen Arabien, 1994, 67– 86.   W. W. M.

Abrasax (Ἀβρασάξ, Ἀβράξας, lat. Abraxas). Magische Potenz, entstanden durch zahlenmystische Spekulation (7 Buchstaben, Zahlenwert: 365) wohl im Umfeld der ägyptisierenden Gnosis. Etym. ungeklärt, meist zu hebr. *arba(s)* »vier« gestellt [1]; möglicherweise in Zusammenhang mit Bildungen wie Abra(cad)abra [2. 67 f.]. Für das 2. Jh. n. Chr. zuerst belegt. Laut Irenäus (adv. haer. 1,24,7) und Hippolytos (haer. 7,26,6; vgl. Ps.-Tert. adv. haer. 1,5) sah der Gnostiker Basileides in A. den allumfassenden und ewigen »Großen Archon«- der 365 Himmel bzw. Äonen, den Herrn des gesamten (Sonnen-) Jahres. In der (gleichfalls gnostisch beeinflußten) »Weltschöpfung« des Papyrus Leidensis wird A. sogar als ἀριθμὸς τοῦ ἐνιαυτοῦ bezeichnet (PGM 13,466). Aus Hieronymus kann geschlossen werden, daß in onomatomantischer Verfahrensweise der Name A. mit isopsephisch Μείθρας (Mithras als Sonnengott) austauschbar war (in Am. 1,3,9 f.; vgl. Acta Archelai 68,3). Die solare Komponente wird deutlich auch aus Hyg. fab. 183,3 R., wo *Abraxas* Name eines der »homer.« Sonnenpferde ist. A. erscheint häufig in synkretistischen Zaubertexten [3; 4], in denen eine personhafte Auffassung (Reihung unter Götter- und Dämonennamen; vgl. Hier. epist. 75,3) mit der Verwendung als bloßem Machtwort (in Zauberwort-Reihen) wechselt. Gelegentlich auch in jüd. Engelnamenreihen auf Amuletten als Ἀβρασός [5] und Ἀβρασαξαήλ [6].

Die Annahme [2. 76–81], in einem weit verbreiteten und offenkundig apotropäischen Dämonentyp der Spätant. (Hahnenkopf, Schlangenbeine, Schild, Peitsche) das Bild des A. greifen zu können (sog. A.-Gemmen [7]), ist kaum beweisbar. Nachleben bis in die Goethezeit.

→ Basil(e)ides; Gnosis; Zahlenmystik; Zauber

1 H. Leclercq, s. v. Abraxas, DACL I 127–155 2 A. A. Barb, Abraxas-Studien, in: Hommages à W. Deonna, 1957, 67–86 3 H. Betz, The Greek Magical Papyri in Translation, 1986 4 R. W. Daniel, F. Maltomini (Hrsg.), Supplementum Magicum I, 1990 5 R. Reitzenstein, Poimandres, 294 6 J. Michel, s. v. Engel V, RAC 5, 201 f. 7 M. Le Glay, s. v. Abraxas, LIMC I, 2–7; LIMC I.2, 6–14 (Abb.).

C. Bonner, Studies in Magical Amulets, 1950, 123–316 · A. Delatte, Ph. Derchain, Les Intailles Magiques Gréco-Egyptiennes, 1964, 23–42 · A. Dieterich, Abraxas, 1891 · R. Merkelbach, M. Totti (Hrsg.), Abrasax I – III: Ausgewählte Papyri, 1990–92.   C. Ha.

Abrettene (Ἀβρεττηνή). Landschaft in Nordmysia (→ Mysia), nördl. der Abbaitis und südl. der Olympene (Plin. nat. 5,123; Strab. 12,8,9; 11). Z. Z. des 2. Triumvirats (43–36/32 v. Chr.) beherrschte Kleon, ein Anführer der dort zahlreichen Räuberbanden, die Gegend. Vom nachmaligen → Augustus um 30 v. Chr. in seiner Herrschaft bestätigt, war er zugleich Priester des → Zeus Abrettenus [1. 154].

1 E. Schwertheim, Die Inschr. von Hadrianoi und Hadrianeia (IK 33), 1987.   E. Sch.

Abrit(t)os (Ἄβριττος). Röm. Kastell und Zivilsiedlung, 2 km östl. vom h. Razgrad, Bulgarien; vorröm. thrak. Siedlung, vermutlich das Verwaltungszentrum der Strategie Rysiké unter den letzten thrak. Königen (IGBulg 743). Seit 45 n. Chr. Teil der → Moesia Inferior; spätestens ab 78 n. Chr. Lager von *auxilia* (CIL XVI 22); im 2. Jh. n. Chr. Standlager der *cohors II Lucensium* (CIL III 13727); im 4. Jh. n. Chr. stark befestigt. Inschr. belegt ist eine von Veteranen, Thrakern und fremden Zuwanderern bewohnte Zivilsiedlung. → Decius fiel hier 251 n. Chr. im Kampf gegen → Goti (Iord. Get. 284). → Iustinianus ließ sie neu befestigen (Prok. aed. 4,11); Hierokles 63,6,8 erwähnt A. als Stadt und Bischofssitz; sie wurde im 6. Jh. n. Chr. von Awaren und Slawen zerstört. In der Nähe zwei röm. Nekropolen.

B. Gerov, Zemlevladenie v rimska Trakija i Mizija, in: Annales de l'Univ. Sofia, Bd. 72,2, 1980, 97–100 · T. Ivanov, Abritus, 1, 1980.   I. v. B.

Abrogatio. Im öffentlichen Recht bedeutet *a.* die Aufhebung eines Rechts oder Gesetzes. 1a: Die gänzliche Aufhebung eines durch → *rogatio* von der Volksversammlung beschlossenen Gesetzes (→ *lex*) durch die Volksversammlung (Ulp., prooem. 3: *abrogatur legi, cum prorsus tollitur*). 1b: In erweiterter Bed. auch das durch ständige Nichtbeachtung Obsoletwerden eines Rechtssatzes (Dig. 1,3,32,1: *receptum est, ut leges etiam tacito consensu omnium per desuetudinem abrogentur*). 2a: Die Wegnahme eines durch die Komitien übertragenen → *imperium* auf dem Weg einer *rogatio*. 2b: In erweiterter Bed. die Aberkennung von Rechten durch ein zuständiges Gericht (Cod. Theod. 9,10,3). Die *a.* im Sinne von 1a gehört zur Kompetenz der Komitien seit es sie als gesetzgebende in Rom gibt; das Verfahren nach 2a ist erst seit dem Ende des 3. Jh. v. Chr. belegt (Liv. 22,25,10), auch wenn Cicero (off. 3,40) es bereits im ersten Jahr der Republik angewendet glaubt. In den polit. Auseinandersetzungen der späten Republik wird die *a.* an Stelle der → *intercessio* zum stärksten Mittel, einen Amtsinhaber öffentlichkeitswirksam an der Amtsausübung zu hindern, bleibt aber selten. In der Regel stellt ein Amtskollege den Antrag auf *a.* in der Volksversammlung (Plut. Antonius 60). Im polit. Notfall besitzt auch der Senat die außerordentliche Kompetenz zur *a.*, und zwar in Republik und Prinzipat. So werden die

Kaiser Nero, Didius Iulianus und Maximinus Thrax durch eine *a.* ihres jeweiligen Ermächtigungsgesetzes (*lex de imperio*, → *imperator*) vom Senat abgesetzt.

Von der *a.* im Sinn von 1. und 2. unterscheiden sich die »derogatio« (partielle Aufhebung; Ulp. prooem. 3), die »obrogatio« (partielle Änderung) und die »subrogatio« (Ergänzung).

J. BLEICKEN, Lex publica, 1975, 122 · MOMMSEN, Staatsrecht, 1, 628 ff. · ROTONDI, 73 ff., 251.   C. G.

Abrokomas (Ἀβροκόμης, Ἀβροκόμας). [1] Sohn Dareios I. und der Phratagune, fiel bei Thermopylae (Hdt. 7,224) [1]. [2] Persischer General z. Z. Artaxerxes II., 401 v. Chr. mit der Führung des Krieges gegen Ägypten beauftragt; fraglich, ob Satrap von Syrien (Xen. an. 1,3,20; Diod. 14,20,5). Eilte Artaxerxes in der Schlacht von Kunaxa zu Hilfe, kam jedoch zu spät (Xen. an. 1,4,3.5.18; 1,7,12). Sein Versuch, zusammen mit Tithraustes und Pharnabazos Ägypten wiederzuerobern, scheiterte (ca. 385/383; Isokr. 4,140).

1 J. BALCER, A Prosopographical Study of the Ancient Persians, 1993, 109.

J. M. COOK, The Persian Empire, 1983, 84 · O. LEUZE, Die Satrapieneinteilung in Syrien und im Zweistromlande, 1935, 311–317.   A. KU. u. H. S.-W.

Abrote (Ἀβρότη). Nach Plut. mor. 295a die umsichtige Frau des Königs von Megara → Ninos. Zu ihrem Gedächtnis soll er ihre Tracht ἔφβρωμα bei den Megaresinnen eingeführt haben; deren Abschaffung verbot angeblich ein Orakel.   M. MEI.

Abrotonon. In der Tradition wird neben anderen A. als Name der Mutter des → Themistokles genannt (Plut. Themistokles 1, vgl. Athen. 13,576). Ihre thrak. Herkunft soll dazu geführt haben, daß Themistokles kein Vollbürger war.
→ Themistokles

F. J. FROST, Plutarch's Themistocles, 1980, 61–63.   E. S.-H.

Abrupolis (Ἀβρούπολις). Dynast der thrak. Sapaioi östl. des Nestos und nördl. von Abdera; überschritt 179 v. Chr. die maked. Grenze bis Amphipolis, erbeutete Minen im Pangaion, wurde von → Perseus zurückgeschlagen und aus seinem Land vertrieben. Die Forderung Roms 172 nach Wiedereinsetzung seines *socius et amicus* diente als ein Vorwand für den 3. Maked. Krieg (SIG³ 643; Pol. 22,18,2–3; Diod. 29,33; Liv. 42,13,5; 40,5; 41,10–11; App. Mac. 11; Paus. 7,10,6).

Thrak. Namensform, Ἀβλουπορις bekannt aus 2 Inschr. 80 v. Chr. (SHERK, Nr. 20; 21), die einen thrak. Herrscher A. in der thasischen Peraea erwähnen.   U. P.

Abrus. Arabische (urspr. indische) Bezeichnung für die korallenroten, giftigen Samen der Leguminose *Abrus*

precatorius L., die in Indien seit dem Altertum in Medizin, Kriminalistik und als »rati« wie die von *Ceratonia* (karat) als Gewichte benutzt wurden, aber wohl erst nach 1550 nach Europa gebracht (nach Prosper Alpinus, 1553–1617, im J. 1592), bei [1] *pisa rubra*, bei [2. 343] *pisum indicum minus coccineum*, von anderen Botanikern als »Semen Jequiritii« oder »Paternostererbsen« bezeichnet, bes. zu Rosenkränzen wie die Steinkerne des Paternosterbaumes verarbeitet.
→ Gewichte

1 C. GESNERUS (Hrsg.), Horti Germaniae, in: In hoc volumine continentur … Annotationes in Pedacii Dioscoridi … de materia medica (Werke des Valerius Cordus, 1515–1544). Argentorati 1561, fol. 236–301 2 C. BAUHINUS, Pinax theatri botanici. Basileae 1623.   C. HÜ.

Abschläge. Probeprägungen von Münzen und Medaillen, die in der Regel aus einem geringeren Metall hergestellt sind. Bes. von röm. Gold- und Silbermünzen existieren A. aus Erz und Blei [2.64]. Sie stellen oft den einzigen Beleg von verlorengegangenen Originalen oder einer Emission dar, die nie ausgemünzt wurde [1.1 ff.].

Auch Münzen mit sehr breitem Rand, wohl vereinzelte Sonderprägungen zu besonderen Ereignissen, können als A. beschrieben werden [3.32].
→ Münzherstellung

1 A. ALFÖLDI, Zur Kenntnis der Zeit der römischen Soldatenkaiser III, in: ZfN 40, 1930, 1–15 2 M. R. ALFÖLDI, Zum Lyoner Bleimedaillon, in: SM 8, 1958, 63–68 3 GÖBL.

R. BOGAERT, L'essai des monnaies dans l'antiquité, in: RBN 122, 1976, 5–34.   A. M.

Abschrift A. ALLGEMEINES
B. ABSCHRIFT-TECHNIKEN   C. PUBLIKATION
D. ENTWICKLUNG IM MITTELALTER

A. ALLGEMEINES
A. ist in zweifachem Sinne zu verstehen, sowohl als A. eines lit. Werks von der ersten Fassung über die verschiedenen Entstehungsphasen bis zur Umgestaltung des Textes zu einem Buch, als auch die zur programmierten, »verlegerischen« Verbreitung bestimmte A. desselben. A. führt daher auf die Arbeitsweise der Autoren der Antike, wie auch auf den Bereich der Buchproduktion zurück.

B. ABSCHRIFT-TECHNIKEN
Indirekte Zeugnisse über die Arbeitsweise der ant. Schriftsteller stehen nur begrenzt zur Verfügung und sind oft schwer zu interpretieren. Von Bedeutung ist daher der Brief von Plinius d. J. (3,5), in dem er die wiss. Arbeitsweise seines Onkels, Plinius' d. Ä., beschreibt. Auf Grund dieses Briefes und anderer Stellen (Lukian., quomodo historia sit conscribenda 48; Marcell., vita Thucydidis 47e, Plut. de tranquillitate animae 464e –

465a) ist es möglich, sich nicht nur von der Arbeitsweise des älteren Plinius sondern auch von der ant. Autoren im allg. ein Bild zu machen. Am Anfang stand die Lesung eines Buches, *adnotationes*, danach wurden Auszüge zusammengetragen und einem *notarius* (Stenographen) diktiert, der sie auf *pugillares*, Holz- oder Wachstafeln, Papyrusblätter oder Pergament, übertrug und von diesen dann auf Papyrusrollen (in späterer Zeit auf einen Papyrus- oder Pergament-Codex). Diese Rekonstruktion findet eine konkrete und greifbare Bestätigung in einem in seiner Art einzigartigen Dokument, dem PHercul. 1021. Diese Schriftrolle enthält – sofern es sich nicht um eine reine Sammlung von Exzerpten handelt – die erste Ausfertigung oder das Konzept der von → Philodemos von Gadara, dem griech. Philosophen der epikureischen Schule im 1.Jh. v.Chr. verfaßten *Academicorum historia*. Aus der Gegenüberstellung der beiden Zeugnisse lassen sich zumindest die Anfangsphasen der Abfassung eines lit. Werkes im Alt. ermitteln: Entweder las ein Autor seine Quellen, markierte (*adnotare*) mit einem Zeichen die Stellen, die ihm für die Vorbereitung seiner Arbeit als notwendig erschienen, machte davon Auszüge und schrieb sie, zum Teil möglicherweise sogar selbst, auf *pugillares* (d.h. Holz- oder Wachstafeln) ab. Oder er diktierte sie einem Stenographen, der sie dann auf eine Schriftrolle übertrug. Dies ergab dann die erste, noch unvollständige Fassung des Werkes. Das Verfassen ging schrittweise vor sich: Neue Ermittlungen und weitere Überlegungen ergaben weiteres Material, das am Rande des schon gesammelten vermerkt oder auch auf dem Verso der Schriftrolle angefügt werden konnte. Es wurden Anhänge, Ergänzungen, sprachliche und stilistische Verbesserungen vorgenommen, die ebenfalls am Rand und auf den leeren Stellen des Recto oder auf dem Verso Platz fanden. All diese Eingriffe geschahen – zumindest im Falle von Philodemos und Plinius, sehr wahrscheinlich auch bei vielen anderen – nicht von Hand des Autors selbst, sondern wurden von einem Schreiber oder dem berufsmäßigen *diorthōtḗs* eingetragen. Bevor der Text abgeschrieben oder für die Reinschrift diktiert und somit für die Veröffentlichung vorbereitet wurde, konnte das zusammengestellte Material vor dem letzten äußerlichen Schliff noch einmal aufgearbeitet und umgeordnet werden. Diese »Zwischenfassungen« wurden, so scheint es, *hypomnēmatiká* genannt. Ähnliches ergibt sich aus der Analyse der Kolophone einiger Papyri aus Herculaneum (PHercul. 1427, 1506 und 1674), in denen Bücher der Rhetorik des Philodemos überliefert sind, sowie einiger Stellen bei Galen (in Hipp. art. comm. 3,32; 18a,529 K.) und der neuplatonischen Erläuterer des Aristoteles (Ammonios in Aristot. cat. 4,3–13 BUSSE). Daraus hat man geschlossen, daß zumindest in bestimmten Kreisen eine eher formale als inhaltliche Unterscheidung zwischen *hypomnēmatiká* und *syntagmatiká* bestand: auf terminologischer Ebene wurde damit die noch provisorische Fassung eines Werks (*hypomnēmatiká*) von der endgültigen (*syntagmatiká*) unterschieden.

Daß beim Abfassen eines lit. Textes von der provisorischen Fassung oder dem Konzept zur Reinschrift als Zwischenstufe stets ein *hypomnēmatikón* verfaßt wurde, ist sicher auszuschließen. Wahrscheinlicher ist, daß diese zweite Phase oft vermieden werden konnte oder vielmehr eine Alternative zur ersten war. Ein Autor konnte die Schriftfassung seines Werks in Auftrag geben, indem er entweder ein formloses Konzept oder ein *hypomnēmatikón* zusammenstellte und eines davon direkt in die endgültige Fassung seines Werks umwandelte.

Daraus folgt, daß der Zettelkasten zur Abfassung eines lit. Textes nur selten und in begrenztem Maße, und nur in der Anfangsphase, d.h. bei der Sammlung der Exzerpte, benutzt wurde. Zumindest zwei Abfassungs-Phasen eines ant. Werks sind daher zu unterscheiden, von denen die erste, komplexere, nicht für alle Autoren gleich ist: 1.1. Konzepte, die auf Grund einer vorhergegangenen Sammlung möglicherweise auf Täfelchen oder *pugillares* übertragenen Exzerpten verfaßt wurden. 1.2. *hypomnēmatiká*, d.h. vorläufige Abfassungen, bei denen das Material noch nicht den letzten äußerlichen Schliff erhalten hatte. 2. Die endgültige Fassung oder Reinschrift (*hypómnēma, sýntagma*) des Textes, die der eigentlichen Ausgabe, *ékdosis*, meist vorausging. Die *ékdosis* ist die Fassung des Werkes, die ein Autor als abgeschlossen ansah und die er der Öffentlichkeit mit allen publikatorischen Risiken zur Verfügung stellte (*ekdidónai*), die in einer Gesellschaft existierten, in der ein Urheberrecht im modernen Sinn nicht bekannt war. Von der ersten Abfassung eines Textes bis zu seiner Veröffentlichung führten also folgende Schritte: Studium der Quellen und Sammlung von Exzerpten ⇒ erste Abfassung in Form eines Konzepts und/oder einer vorläufigen Fassung ⇒ Übertragung in Reinschrift ⇒ Übergabe der Hs. an einen Herausgeber zur Veröffentlichung.

Bei der Abfassung eines Werks sowie bei der Verlagsproduktion, d.h. wenn eine kommerzielle Verbreitung geplant war, spielte das Diktatsystem eine vorherrschende, wenn nicht dominierende Rolle. Aus den Hss., für die eine eigenhändige Abfassung vorausgesetzt werden kann, sowie den indirekt überlieferten Zeugnisse, die auf Eigenhändigkeit schließen lassen, läßt sich deutlich erkennen, daß Dichter offenbar eine eigenhändige Abfassung vorzogen, während unter den Prosaschriftstellern das Diktatsystem verbreiteter war, sogar nahezu ausschließlich angewandt wurde. Diese Erkenntnisse sollten auf diesem derartig breiten, an Bedingungen, Methoden sowie persönliche oder subjektive Voraussetzungen gebundenen Gebiet nicht verallgemeinert werden.

Gelegentlich sind beide Verfahren (d.h. eigenhändige Abschrift und Diktat) bei ein und demselben Autor gleichzeitig anzutreffen; diese Feststellung gilt nicht nur für das Verfassen von Gedichten und Prosa oder die Übergangsphasen eines Werkes vom Urtext zum Buch. In röm. Kreisen, vor allem in den von neoterischen und alexandrinischen Strömungen beeinflußten lit. Zirkeln, wurde in der Spätzeit der Republik und zu Beginn der Kaiserzeit Dichtung zunehmend eigenhändig verfaßt. Gegen das Überhandnehmen des Diktatsystems auch bei der Dichtung, nicht nur bei gelehrten und technisch-wiss. Prosawerken wandten sich prominente Stimmen, wie z.B. Quintilian (inst. I,I,20): Es sei mit Argwohn zu betrachten, da es – mehr als die Eigenhändigkeit – langer Phasen aufmerksamer Durchsicht bedürfe; junge und noch unerfahrene Autoren konnte das Diktieren hingegen dazu veranlassen, nachlässige, im Wesentlichen improvisierte Werke in Umlauf zu bringen.

C. Publikation

Nun konnte der Text veröffentlicht werden. Ein beliebtes Verfahren bei poetischen Werken war die Lesung zunächst in einem Freundeskreis, dann in der Öffentlichkeit. Wenn sie erfolgreich ausfiel, konnte der Autor entweder sein Werk selbst herausgeben oder – das am weitesten verbreitete Verfahren – es einem Verleger anvertrauen, der die A. besorgte, die Kosten für die Ausfertigung übernahm (in manchen Fällen mit finanzieller Beteiligung des Autors oder seines Mäzens), und sich auch um den Vertrieb kümmerte.

Der wohl berühmteste Herausgeber des Altertums ist Atticus, ein Freund Ciceros, dem von Cicero eine Art Urheberrecht auf seine Werke zugestanden worden war, wiewohl sich dessen Verlagstätigkeit sicherlich nicht ausschließlich auf die Werke Ciceros beschränkte. Atticus hatte in seinen Werkstätten eine Anzahl hochqualifizierter Schreiber (*librarii*) und Korrektoren (*anagnostae*), mit deren Hilfe er qualitativ hochwertige Ausgaben anfertigte. Der Herausgeber sorgte dafür, das Werk durch mehrere A. zu vervielfältigen. Um die Ausfertigungszeiten zu verkürzen, ließ man die Texte von einer Gruppe Sklaven abschreiben. Ein oder zwei Exemplare dienten als Modell zur Reproduktion. Eine Hs. konnte unter mehreren Schreibern aufgeteilt werden, von denen dann jeder einen Teil ins Reine schrieb, der einem oder mehreren Büchern entsprach. Die Frage, ob in dieser Phase der Buchproduktion auch diktiert wurde, ist sehr viel schwieriger zu beantworten. Die These, nach der einige überlieferte Hss. – der *codex Sinaiticus* der Bibel ist der bekannteste – nach Diktat geschrieben wurden, fand kürzlich durch neue Argumente eine Bestätigung. Man war dabei von der Unt. zweier der A. nach Diktat eigenen Komponenten ausgegangen: 1. dem Gebrauch des Wortes für die Übertragung eines Textes und 2. der Zusammenarbeit von mehreren Personen. Eine wesentliche Bestätigung für die Annahme, daß diktiert wurde, ist die Kollationspraxis, in der jeweils in Zweiergruppen gearbeitet wurde. Ein Lektor las den Text der zu vergleichenden Vorlage oder Hs. laut vor, ein Korrektor verfolgte das Gelesene in der A. und nahm die nötigen Verbesserungen vor. Die Kollation hatte eine große Verbreitung in der Diktatpraxis der scholastischen Kreise des Alt. und trug schließlich zu der im öffentlichen und lit. Leben immer wichtiger werdenden Rolle der Stenographie bei. Durch das Diktat

wurde die A. der Texte, wenn auch in kleinen Gruppen, die die Texte verdrei- oder vervierfachten, im Herausgebergewerbe wesentlich erleichtert und die Verbreitung beschleunigt. Zeugnis dieser Methode ist ein nur in syr. Sprache überlieferter Brief des Katholikos, des Patriarchen von Bagdad, Timotheos I. (727/8–832), aus dem hervorgeht, daß zumindest Timotheos und sein Kreis gewöhnlich die Methode des Abschreibens nach Diktat bevorzugten. Für die Beseitigung eventueller Fehler in der »Verlagsphase« waren die Korrektoren (*diorthōtḗs, anagnosta*) zuständig, die jedes einzelne abgeschriebene oder nach Diktat übertragene Exemplar überprüften. In Sonderfällen konnte der Autor selbst oder ein Gelehrter einige der A.en durchsehen, was vielfach zu inhaltlichen Verbesserungen führte und so die Güte der Bücher steigerte. Die Genauigkeit und Qualität der Exemplare dürfte nicht immer einwandfrei gewesen sein, hing sie doch vor allem von der Gewissenhaftigkeit der Herausgeber und dem Können der Korrektoren ab. An der Korrektur arbeiteten sehr wahrscheinlich zwei Personen, von denen einer die Vorlage laut las und der andere den Text in der A. verfolgte und die Korrekturen vornahm. In den ersten Jh. des Röm. Reiches wurden an Stelle von Sklaven nach und nach freie Schreiber und Korrektoren bevorzugt, die im Akkord arbeiteten und für ihre Tätigkeit ein auf Grund der Anzahl der abgeschriebenen Zeilen (Stichometrie) berechnetes Entgelt erhielten. Die Akkordarbeit bewirkte jedoch gleichzeitig eine zunehmende Verschlechterung der Hss.-Qualität.

Nach A. des Buches und Beendigung der Korrektur blieb die Aufgabe des Vertriebs, um die sich z.T. der Herausgeber selbst kümmerte, der manchmal auch Buchhändler war.

D. Entwicklung im Mittelalter

Im byz. und röm. MA wurde neben einigen bedeutenden Änderungen mit der gleichen Methode weitergearbeitet. Zwei beachtliche Wandlungen hatten sich in der Zwischenzeit ereignet. Einerseits wurde zunehmend die Autographie bevorzugt, die – ab dem 11.–12. Jh. zumindest in einigen Kulturzweigen – auch weiter entwickelt wurde. Verursacht und begünstigt wurde diese Entwicklung durch die eigenhändig geschriebenen Schriftstücke der Notare und deren berufliche Praxen; zudem entstehen in dieser Zeit die Skriptorien, in denen nicht nur die Hss. zeitgenössischer Autoren abgeschrieben wurden, sondern auch – in dem Bestreben, deren Weiterleben zu sichern – die der »klass.« Autoren.

Eine methodische Neuerung zeigt sich bei Thomas von Aquin, einem bedeutenden Beispiel für die Beschreibung der Arbeitsweise eines Schriftstellers im röm. MA. Thomas von Aquin schrieb eigenhändig eine Serie von Notizen auf einzelne Zettel (Autograph); von diesen wurde dann von einem als Schreiber tätigen Mitbruder nach Diktat eine A. (Apograph) gemacht, die wiederum vom Autor und seinen Freunden aufmerksam durchgesehen wurde. Erst danach wurde der Text von einem Schönschreiber auf Pergament- oder Papierfaszikel abgeschrieben, die gebunden als Codex oder Hs. für die Bibliothek bestimmt waren. Weniger gut informiert sind wir darüber, was im Osten geschah, wo die Autographie ebenfalls zunehmend Verbreitung fand. Ein sicheres und detailliertes Beispiel für die Arbeitsweise eines byz. Schriftstellers ist uns nicht überliefert. Ein großer Unterschied zu den Systemen in der lat. Welt ist nicht anzunehmen. Eine weitere Veränderung ergab sich im griech. Osten: Im Abendland handelte es sich bei den A. fast immer um eine Buchproduktion für den Eigenbedarf rel., weltlicher oder monastischer Kreise, im Osten dagegen existierte eine große Zahl an Einzelinitiativen zu A. auf privater Basis, die Aufträge an einzelne, oft weltliche Schreiber vergaben, um A.en von Intellektuellen hohen Niveaus aber auch von unbedeutenderen Gelehrten anfertigen zu lassen. Eine Eigenheit der abendländischen Universitäten bestand schließlich in dem sogenannten *pecia*-System. Vom *apógraphon* eines Autors wurden amtliche *exemplaria*-Texte gemacht, die als Vorlage für alle anderen A. dienten. Jedes Exemplar wurde in mehrere Lagen (*peciae*) unterteilt, die dann gleichzeitig von Berufsschreibern abgeschrieben oder gegen ein Entgelt an die Studenten verliehen wurden, damit sie sich ihrerseits A.en für den Eigenbedarf machen konnten.

→ Buch; Buchhandel; Schreiber

T. DORANDI, in: ZPE 87, 1991, 11–33 · Ders., in: W. KULLMANN, J. ALTHOFF (Hrsg.), Vermittlung und Tradierung von Wissen in der griech. Kultur, 1993, 71–83 · T. KLEBERG, Bokhandel och bokförlag i antiken, 1962, 13–83 · A. PETRUCCI, in: C. QUESTA, R. RAFFAELLI (Hrsg.), Il libro e il testo, 1984, 397–414 · D. REINSCH, in: D. HARLFINGER (Hrsg.), Griech. Kodikologie und Textüberlieferung, 1980, 629–644.   T. D. / S. SO.

Absentia. Abwesenheit von Personen oder Fehlen eines Tatbestandes mit erheblichen öffentlichen oder privatrechtlichen Folgen: 1. Abwesenheit eines *civis Romanus* zum → *census*-Termin, bei dem persönliche Anwesenheit nötig ist (Vell. 2,7,7; Ausnahmen: Gell. 5,19,16). Unentschuldigte *a.* kann nachteilige Vermögensschätzung und Klassenzuordnung (Cic. Att. 1,18,8), aber auch Sanktionen bis zum Vermögensverkauf bringen (Zon. 7,19).

2: Die *a.* eines Kandidaten für ein öffentliches Amt sowohl bei der Anmeldung als Kandidat als auch während der Kandidatur. Die Kandidatur setzt die persönliche Meldung bei der wahlleitenden Behörde zur Prüfung der Integrität und Befähigung zum Amt sowie die Bereitschaft, im Wahlkampf persönlich Rede und Antwort zu stehen, voraus. In den Prov. tätigen Promagistraten ist deshalb eine Kandidatur ohne Befreiung von der Präsenzpflicht, die wohl seit der *lex Tullia de ambitu* (63/62 v. Chr.: Cic. leg. agr. 2,24) selten gewährt wird, nicht möglich. Der Streit um die Aufhebung der urspr. gewährten Amtsbewerbung für den in Gallien abwesenden Proconsul → Caesar führt zum Bürgerkrieg (Caes. civ. 1,32,3, Cic. Att. 7,3,4; Phil. 2,24; Liv. per.

107). 3: Die *a.* des Amtsinhabers vom Amtssitz oder seine zeitweilige Nichtverfügbarkeit für die Amtsgeschäfte hat die Bestellung eines *vicarius* zur Folge (Cod. Iust. 9,20,4).

4: Die *a.* des Steuer- und Dienstleistungspflichtigen vom Wohnort kann bei Vorliegen einer *iusta causa* seine Verpflichtungen einschränken oder aufheben (Dig. 50,4). 5: Die *a.* einer Prozeßpartei beim Gerichtstermin führt im Zivilprozeß beim Kläger im äußersten Fall zur Klageabweisung, beim Beklagten zum Versäumnisurteil (Dig. 5,1,71). Im Strafprozeß widerspricht die Verurteilung eines Abwesenden, der sich nicht absichtlich entzieht, dem Anhörungs-Grundsatz. Provinziale können in republikanischer Zeit auch in Abwesenheit zum Tode verurteilt werden, röm. Bürger wegen des Rechts zur → *provocatio* nur zu Geldstrafen (Cic. Verr. 2,2,101 f.). In der Kaiserzeit sind Kapitalurteile gegen abwesende Beschuldigte, nach denen öffentlich geforscht wird (Dig. 48,17), generell verboten (Paul. sent. 5,5,9; Dig. 48,19,5 pr.). *A.* des Anklägers kann zur Verfahrenseinstellung führen (Cod. Iust. 9,2,4). Unentschuldigte *a.* bei Gericht kann als → *contumacia* strafbar sein.

6. Weitere Bed. von *a.*: Fehlen eines rechtlichen Tatbestandsmerkmals bei der Subsumtion (Dig. 44,7,20), der Verlust oder das Abhandenkommen von Sachen (Dig. 50,16,14 pr.), die lange *a.* des Eigentümers von seinem Grundstück mit eigentumsschädigender Wirkung (Cod. Iust. 7,33,12,3), die Unzurechnungsfähigkeit bzw. rechtliche Handlungsunfähigkeit eines ›geistig Abwesenden‹ (Dig. 18,1,1,2).

→ candidatus; munus; actio; exilium; interdictio

· KASER, ZPR, 162 ff., 371 ff. · MOMMSEN, Staatsrecht, 1, 503 ff.; 2, 366 ff.   C. G.

Absolutio ist im röm. Gerichtsverfahren der Gegenbegriff zur »Verurteilung« (→ *condemnatio*): Im Zivilprozeß endet die Formel, in der die Prätoren das Programm für den *iudex* niedergelegt haben, stereotyp mit dem Judikationsbefehl ... *condemnato. Si non paret, absolvito*. Die *a.* führte ebenso wie die *condemnatio* zur Rechtskraft, also dazu, daß die Entscheidung – abgesehen vom Sonderfall der → *appellatio* – unabänderlich war und daß der Streit definitiv beendet war, einer neuen Klage somit die *exceptio rei iudicatae* (Einrede der Rechtskraft) entgegenstand. Das Sprichwort *omnia iudicia absolutoria sunt* (Inst. Iust. 12,2; Gai. inst. 4,114, so allg. formuliert wohl nach sabinianischer Lehre) ist damit zu erklären, daß der Beklagte die Abweisung der Klage auch noch durch Erfüllung des Anspruchs während des Prozesses erreichen konnte.

Im Strafverfahren ist die *a.* der Freispruch durch die Geschworenen (Mitglieder des *consilium*, dazu → *quaestio*). Nach der *l. Acilia* (122 v. Chr.) erhielt jeder Geschworene ein Wachstäfelchen mit den Buchstaben A für *absolvo* und C für *condemno*; den Buchstaben, dem der Geschworene nicht folgen wollte, tilgte er. Auch die Abstimmung mit zwei oder drei verschiedenen Stimmtäfelchen kam vor. Abstimmungen im Strafverfahren waren im übrigen nach Cic. leg. 3,35f. in den *leges tabellariae* der Jahre 137 und 107 v.Chr. geregelt.

1 M.KASER, RZ, 90, 286 2 W.KUNKEL, s.v. Quaestio, RE 24, 765.   G.S.

Abstentio. Nach röm. Recht erwarben *sui heredes* die ihnen angefallene Erbschaft mit dem Erbfall; solange ein *suus* noch nicht äußerlich gezeigt hatte, daß er die Erbschaft behalten wollte, gestattete ihm der Prätor, sich ihrer zu enthalten (*se abstinere*). In diesem Fall blieb der *suus* zwar *heres*, erhielt aber nicht die Erbschaft und haftete nicht für die Nachlaßschulden; der Nächstberufene erhielt die *bonorum possessio*. Ein *extraneus* bedurfte keiner *a.*; da er erst mit Antritt die Erbschaft erwarb, konnte er einfach auf diesen verzichten, aber auch die Ausschlagung erklären (*omittere*).
→ Aditio hereditatis; Beneficium; Erbrecht III B; Immiscere se; Sui heredes

1 H.HONSELL, TH.MAYER-MALY, W.SELB, Röm. Recht, ⁴1987, 469 2 KASER, RPR I, 714f., 718.   U.M.

Abstraktum s. Wortbildung

Absyrtos s. Apsyrtos [1]

Abthugni (pun. ʾp[t]bgn?). Stadt in der Africa Byzacena, h. Henchir es-Souar; zur Überlieferung des Ortsnamens [1]. In der Nähe von A. verlief die → *fossa regia* (CIL VIII Suppl. 4, 23084). Unter → Hadrianus wurde A. → *municipium* (CIL VIII Suppl. 1, 11206; Suppl. 4, 23085). Weitere Inschr.: AE 1991, 461f., Nr. 1641–1644.

1 J.SCHMIDT, s.v. Aptugni, RE 2, 288.

AATun 050, Bl. 42, Nr. 52 · C.LEPELLEY, Les cités de l'Afrique romaine au Bas-Empire, 2, 1981, 265–277. W.HU.

Abtreibung A. CORPUS HIPPOCRATICUM B. ATTISCHES RECHT C. VERHÜTUNG, ABTREIBUNG UND AUSLÖSUNG D. SOZIALE UND KOSMETISCHE GRÜNDE E. RÖMISCHES RECHT F. ABTREIBUNGSMITTEL G. DAS CHRISTENTUM

A. CORPUS HIPPOCRATICUM

A. ist ein in der Ant. häufig belegter Eingriff. Im hippokratischen Eid wird jedoch die Anwendung eines Pessars verboten. Dieser Text, der in der späteren Gesch. der Medizin großen Einfluß besaß, ist äußerst kontrovers, wobei die genannte Klausel eine der meist diskutierten ist. In der Version, die uns überliefert ist, werden weder chirurgische noch orale Abtreibungspraktiken ausgeschlossen. Die berühmte Passage in nat. pueri 13 [1], in der eine Prostituierte ermutigt wird, so lange auf und ab zu springen und dabei mit den Hacken an ihr Gesäß zu schlagen, bis die vermeintliche Leibesfrucht

abgestoßen wird, veranschaulicht die soziale Akzeptanz der A. in der hippokratischen Medizin, solange dabei keine Pessare eingesetzt wurden.

B. ATTISCHES RECHT

Als einziger Beweis, daß A. im klass. Athen als Straftat verstanden wurde, gilt ein umstrittenes Fragment, das Lysias (fr. 10 GERNET) zugeschrieben wird und das einer Frau die A. verbiete, falls ihr Mann im Verlauf ihrer Schwangerschaft versterbe, da dem Erben die Chance gegeben werden muß, sein Erbe anzutreten. In einer solchen Situation überwog das Recht des *kýrios* dasjenige seiner Frau oder seines Kindes, was auch durch Entscheidungen bestätigt wird, die im Zusammenhang mit dem Aussetzen von Kindern getroffen wurden.

C. VERHÜTUNG, ABTREIBUNG UND AUSLÖSUNG

Soranos unterschied zwischen Verhütung und A.: ein Verhütungsmittel (*atókion*) verhindere *sýllepsis* (Empfängnis, wörtl. das Verschmelzen des weibl. und männl. Samens), das Abortivmittel (*phthórion*) zerstöre die Frucht (Soranos, gyn. 1,20,60), so daß sie nicht in der Gebärmutter verbleibe. Auch verwendet er den Begriff *ekbolía*, »Austreibungsmittel«, mit deren Hilfe gestautes Menstrualblut, Samen, ein toter Foetus oder nicht abgestoßene Plazenta oder Lochien aus der Gebärmutter entfernt werden konnten. Da jedoch Empfängnis als gradueller Prozeß verstanden werden konnte, während dessen der Samen sich »einnistet« (z.B. Aristot. ger. an. 737a 33) konnte jeder Eingriff im Frühstadium der Schwangerschaft eher als kontrazeptiv denn als abortiv verstanden werden. Was in medizinischen Schriften als »Auslösung« einer ausgebliebenen Menstrualblutung beschrieben wird, könnte daher aus unserer Sicht eine frühe A. gewesen sein.

D. SOZIALE UND KOSMETISCHE GRÜNDE

Den Diskussionsstand seiner Tage faßt Soranos in der Beschreibung einer Debatte zusammen: diejenigen, die sich auf Hippokrates beriefen, lehnten laut Soranos alle Methoden der Schwangerschaftsunterbrechung ab (dies belegt verschiedene Versionen und Interpretationen des Eides zu seiner Lebenszeit). Dagegen standen diejenigen, die eine Schwangerschaftsunterbrechung unter bestimmten Umständen guthießen. So sei ein therapeutischer Abort annehmbar, wenn er die Gesundheit der Frau bewahre, dagegen verurteilt Soranos eine A. aus, wie wir h. sagen würden, sozialen Gründen, etwa im Falle einer außerehelichen Empfängnis oder aus kosmetischen Gründen (1,20,60). Damit überspielt er die Tatsache, daß der Zweck der in nat. pueri 13 empfohlenen Maßnahme der Werterhaltung einer Unterhaltungssklavin für ihren Besitzer dient. Ovid dagegen (am. 2,14) verurteilt eine A. aus kosmetischen Gründen, sei es durch chirurgische Maßnahmen (die als Waffen, *tela*, gegenüber den *viscera* gesehen werden), sei es durch Gifte, *dira venena*.

E. RÖMISCHES RECHT

Um die ant. Einstellung gegenüber dem Schwangerschaftsabbruch (→ *abortio*) zu verstehen, müssen nicht nur die herrschenden Meinungen zur Embryogenese berücksichtigt werden, denen zufolge ein gradueller Prozeß des Einnistens stattfindet, sondern ebenso die jeweiligen Rechte von Mutter und Vater. Im röm. Recht zur Zeit der Republik und der frühen Kaiserzeit war die A. niemals verboten, da der Foetus nicht als ein vom mütterlichen Körper unabhängiges Wesen betrachtet wurde und daher keinen Rechtsstatus genoß. Zur Regierungszeit von Septimius Severus und Antoninus Pius wurde A. nur strafrechtlich verfolgt, wenn von einer verheirateten Frau ohne Zustimmung ihres Ehemannes, den sie um einen Erben brachte, abgetrieben wurde. Die Tat wurde mit zeitweiser Verbannung geahndet (z. B. D. 47,11,4; vgl. D. 28,2,27,28). Die Verabreichung eines Abortivtrunkes gehörte dann zu den Strafdelikten, wenn sie zum Tode der Frau führte [2]. Die A. war rechtlich und sozial akzeptiert, wenn die Frau nicht starb und die A. mit Zustimmung oder auf Verlangen ihres Vaters oder Ehemannes erfolgte.

F. Abtreibungsmittel

Nach Soranos' Auffassung der jeweiligen Risiken von verschiedenen A.methoden (gyn. 1,20,63–5) führten oral verabreichte Mittel bei Frauen zu Magenverstimmungen und Kopfbeschwerden und könnten äußerst gefährlich sein. Wenn eine A. unumgänglich sei, da anderenfalls das Leben der Frau auf dem Spiel stehe, sei es ratsam, zunächst mit anstrengenden Übungen und kräftiger Massage zu beginnen, mit Umschlägen und Bädern fortzufahren, dann zu Aderlaß (vgl. Hippokr. Aph. 5,31) und Schütteln überzugehen und schließlich, wenn nichts anderes helfe, milde Zäpfchen einzusetzen. Spitze Gegenstände sollten aufgrund der Verletzungsgefahr vermieden werden. Lit. und arch. Zeugnisse verraten jedoch, daß sie während der gesamten röm. Kaiserzeit verwandt wurden.

G. Das Christentum

Dagegen wird die A. im Christentum verurteilt. Einige Schriftsteller griffen auf das Konzept der Sukzessivbeseelung zurück und argumentierten, eine A. nach dem vierzigsten Tag sei Mord, da der Foetus dann voll ausgebildet sei. Bei Diskussionen um die »Durchformung« des Foetus war Aristoteles' Erörterung der Frage ›wo Wahrnehmung und Leben beginnt‹ (pol. 1335b 24–26) zentral für die Entscheidung zwischen erlaubter und unerlaubter Abtreibung. Basilius (ep. 188,2 = PG 32,672) ging jedoch mit seiner Erklärung, ›bei uns gibt es keinen Unterschied zwischen »durchformt« und »nicht durchformt«‹, einen Schritt weiter.

→ Abortiva; abortio; amblosis

1 I. M. LONIE, The Hippocratic Treatises »On Generation«, »On the Nature of the Child«, »Diseases IV«, 1981, 7 2 J. GARDNER, Women in Roman Law and Society, 1986, 158f. 3 J. OPPENHEIMER, When sense and life begin, in: Arethusa 8.2, 1975, 331–344 4 G. CLARK, Women in Late Antiquity, 1993, 86f.

R. CRAHAY, Les moralistes anciens et l'avortement, in: AC 10, 1941, 9–23 · S. K. DICKISON, Abortion in antiquity, in: Arethusa 6, 1973, 159–66 · G. R. DUNSTAN (Hrsg.), The Human Embryo, 1990 · E. EYBEN, Family planning in Graeco-Roman antiquity, in: AncSoc 11/12, 1980/81, 5–82 · M. T. FONTANILLE, Avortement et Contraception dans la Médicine greco-romaine, 1977 · E. NARDI, Procurato aborto nel mondo greco romano, 1971 · J. M. RIDDLE, Contraception and Abortion from the Ancient World to the Renaissance, 1992.   H. K.

'Abū Simbel. Platz auf dem West-Ufer des nubischen Niltals, ca. 250 km südl. von Aswān, wo Ramses II. zwei Felstempel anlegen ließ [1]. Der große Tempel im Süden ist der Reichstriade Amun, Ptah und Re-Harachte und dem König selbst geweiht. Seine pylonförmige Felsfassade beherrschen vier 20 m hohe Statuen des thronenden Königs. Innen führen zwei Pfeilersäle und eine Querhalle zum Sanktuar; die Tempelachse ist so orientiert, daß zur Tagundnachtgleiche das Licht der aufgehenden Sonne bis in das Sanktuar fällt. Auf den Tempelwänden neben Ritualdarstellungen Szenen aus den Kriegen Ramses II., darunter die Schlacht von Kadesch und eine Kopie der Stele, die seine Ehe mit einer hethit. Prinzessin dokumentiert. Der kleinere Tempel im Norden war dem Kult der Hathor von Faras und der Königin Nefertari geweiht [2]. Auf seiner Fassade sechs 10 m hohe Standfiguren des Königs und seiner Gattin. Auf den Tempelfassaden und den anschließenden Felswänden zahlreiche Graffiti, darunter auch solche griech. Söldner, die am nubischen Feldzug Psammetichs II. teilnahmen [3].

1 B. PORTER, R. MOSS, Topographical Bibliography Bd. 7, 1952, 95–119 2 C. DESROCHES-NOBLECOURT, CH. KUENTZ, Le petit temple d'Abou Simbel, 1968 3 R. LEPSIUS, Denkmäler aus Ägypten und Äthiopien, 1849–1858, Abt. VI, Taf. 98f., Nr. 531.   S. S.

Abubakr (Abū Bakr). Erster der vier rechtgeleiteten Kalifen (632–34 n. Chr.), d. h. erster Nachfolger → Mohammeds. Als einem seiner ersten Anhänger und engen Berater wurde A. nach dessen Tod nicht ohne Widerspruch (→ Ali) Kalif. Nach Unterwerfung der Apostasie-Bewegung Verdienst erster Konsolidierungen der jungen islamischen Gemeinschaft, erste Grundlage für die schnelle Expansion.

→ Kalif

W. M. WATT, Abū Bakr, in: EI² I, 109b–111a.   K. M.

Abudius Ruso. Ehemaliger Aedil und Legionslegat unter Cornelius Lentulus Gaetulicus in Obergermanien. Er klagte diesen an, weil er den Sohn des L. → Aelius [II 19] Seianus zum Schwiegersohn ausersehen habe, wurde aber dann selbst verbannt (Tac. ann. 6,30,2). PIR² A. 17.   D. K.

Abulites. Satrap von → Susa unter → Dareios, Vater des → Oxathres. 331 v. Chr. übergab er → Alexandros [4] die Stadt mit 50 000 → Talenten Silber, wurde als Satrap bestätigt. Ihm wurden die unterworfenen → Uxii unterstellt. Bei der Säuberung nach Alexandros' Verlusten in → Gedrosia (324) wurden A. und sein Sohn hingerichtet.

  Berve 2, Nr. 5.   E. B.

Aburius. [1] C., Gesandter an König Masinissa und die Karthager 171 v. Chr.; sein Nachkomme vielleicht der Münzmeister C. Aburius Geminus 134 (MRR 1, 418; RRC 276). [2] M., versuchte als Volkstribun 187 v. Chr. den Triumph des M. Fulvius Nobilior zu verhindern (Liv. 39,4–6); *Praetor inter peregrinos* 176 (Liv. 41,14; 15). Sein Nachkomme vielleicht der Münzmeister M. Aburius Geminus 132 (MRR 2,369; 400; RRC 280). K.L.E.

Aburnius. [1] A. Caedicianus, Q., *legatus Augusti*, wohl einer Legion in Dacia unter Traian (CIL III 1089), Besitzer der Figlinae Furianae und Tempesinae zw. 123 und 140 n. Chr. (CIL XV 227–230; 603–605; 607–608). Er wird von Marcus Aurelius, εἰς ἑαυτόν 4,50 erwähnt (FPD, 213 f.; PIR² A 21).
[2] A. Valens s. → Fulvius.   W. E.

Abusina. Heute Eining. Tab. Peut. 4,3 f. Arusena, aber h. Flußname Abens. Seit 79/81 n. Chr. Kohortenkastell (1,8 ha) am Donauübergang. Reduktionskastell um 300 n. Chr., Rückzug des mittelkaiserzeitlichen → *vicus* in das Kastell: Der Nordvorbau evtl. ein *horreum* aus der 2. H. des 4. Jh. Im »Unterfeld« ein ephemeres Teillager (*legio III Italica*) von ca. 172/179 n. Chr.
→ Horrea; Cohors; Castellum

> A. FABER, Die südgallische Terra Sigillata aus Kastell und Vicus Eining, in: Bayerische Vorgeschichtsblätter 58, 1993, 97–122 · TH. FISCHER, Eining, in: W. CZYSZ, K. DIETZ et al. (Hrsg.), Die Römer in Bayern, 1995, 434–436 · HAKKERT, 45–47 · M. MACKENSEN, Die Innenbebauung und der Nordvorbau des spätröm. Kastells A. Eining, in: Germania 72, 1994, 479–513 · M. RIND, Neues zum röm. Eining, in: Das Arch. Jahr in Bayern 1992, 107 f. K.DI.

Abwasserkanal
s. Kanal.Kanalbau, s. Wasserversorgung

Abwehrgebärden s. Gebärden

Abydenos. Verf. einer ›Geschichte der → Chaldaier‹ (Eus. Pr. Ev. 9,41,1, περὶ Ἀσσυρίων), die von Eusebios und anderen benutzt wurde (z. T. nur armen. erhalten). Dem (verlorenen) Werk liegen vorwiegend Exzerpte aus Alexander Polyhistor zugrunde, die ihrerseits auf Berossos zurückgehen. Über die Lebensumstände ist nichts bekannt, die ionisierende Sprache verweist ihn in das 2. Jh. n. Chr. (FGrH 3 C Nr. 680). J. OE.

Abydos (Ἄβυδος). [1] Als Polis wurde A. von → Miletos in der 1. H. des 7. Jh. v. Chr. mit Erlaubnis des lyd. Königs → Gyges an der engsten Stelle der Dardanellen auf dem asiatischen Ufer gegr. (Strab. 13,1,22) – 5 km nördl. von Çanakkale auf einer Landzunge Kap

Naǧara gelegen und schon Homer bekannt (Il. 2,837; 4,500; 17,584). A. nahm am ion. Aufstand teil und trat 480/79 dem → att.-delischen Seebund mit einem Phoros (→ Phoroi) von 4–6 Talenten bei. 411 v. Chr. fiel A. von Athen ab und wurde der wichtigste Stützpunkt der Spartaner in der → Troas (Thuk. 8,61 f.). Erst mit dem Königsfrieden (387/86 v. Chr.) kam die Stadt wieder unter persische Herrschaft. In den Diadochen-Kriegen wurde A. von verschiedenen Prätendenten besetzt, um nach 281 v. Chr. zum seleukidischen Machtbereich zu gehören. 200 v. Chr. wurde A. von → Philippos V. zerstört (Liv. 16,29–349). Im Krieg gegen die Römer wurde A. durch → Antiochos [4] III. neu besiedelt und befestigt, so daß die Römer die Stadt vergeblich belagerten (Liv. 37,9). Nach 188 v. Chr. scheint sich A. in pergamenischen Besitz befunden zu haben. In byz. Zeit besaß die Stadt als Zollstation und Bischofssitz einige Bedeutung.

  Aufgrund ihrer strategischen Lage und des sichersten Hafens am → Hellespontos war A. häufig Durchgangsstation für Heereszüge von oder nach Europa, wie 480 v. Chr. unter → Xerxes, der hier eine Brücke über den Hellespont schlug (Hdt. 7,34–36; 43–56), oder 334 v. Chr. unter → Alexandros [4] III. Einnahmen aus Zöllen, Fischfang und Bodenschätzen machten den Wohlstand der Stadt aus, der seinen Ausdruck in der beherrschenden Stellung unter den Poleis am Hellespont und der Vereinnahmung von kleineren Städten wie Arisbe oder → Astyra fand.

  1 J. M. COOK, The Troad, 1973.

> HAKKERT, s. v. A. · W. LEAF, Strabo on the Troad, 1973. E.SCH.

[2] Stadt in Oberägypten beim modernen el-Balyana im 8. oberägypt. Gau. Seit prähistor. Zeit lag hier der Elitefriedhof eines regionalen Häuptlingstums, der sich in der Nekropole der Könige der 1. und späten 2. Dynastie fortsetzt (Umm al-Qaab). Die Stadtanlage mit dem Tempel des mit Osiris gleichgesetzten Gottes Chontamenti ist seit dem frühen AR nachweisbar. A. wurde einer der bedeutendsten Kultorte des → Osiris. Eines der Königsgräber der 1. Dynastie galt als sein Grab, in Festen wurden Teile des Osirismythos inszeniert. Privatleute im MR ließen sich an der Prozessionsstraße Kenotaphkapellen errichten, um so dauerhaft am Kultgeschehen teilzuhaben. In griech. Zeit war A. nach Strab. 17,813 verfallen.

> B. PORTER, R. MOSS, Topographical Bibliography Bd. 5, 1937, 39–105 · B. KEMP, s. v. A., LÄ 1, 28–41. S.S.

Acacius s. Akakios

Acca Larentia (seltener Larentina). Schwer faßbare Gestalt von Mythos und Kult in Rom; ob sie mit der (auch von den Arvales verehrten) Mater Larum identisch ist, ist umstritten [9. 587–595; 10]. Ihr aitiologischer Mythos ist in zwei Versionen und einer Erweiterung überliefert (Synthese in den Fasti Praenestini, vgl. Plut. Romulus 4 f.; qu.R. 35,272 ef; [1]): 1. Zur Zeit des Ancus Marcius würfelt der Aedituus des Hercules mit seinem Gott um eine Mahlzeit und eine Frau; der Aedituus verliert und bringt die Dirne A. in den Tempel. Sie träumt, sie schlafe mit Hercules, der ihr den ersten Freier als Mann verspricht: Es ist der reiche Etrusker Tarutius, dessen Vermögen sie später dem röm. Volk vererbt (Cato fr. 9 PETER; Plut. Romulus 5; Tert. nat. 2,10; Macr. sat. 1,10,11–16). 2. Die ehemalige Dirne (*lupa*) A. ist die Frau von Faustulus, zieht die Zwillinge Romulus und Remus auf, heiratet nach Faustulus' Tod Tarutius und macht Romulus zu ihrem Erben (Valerius Antias fr. 1 PETER; Dion. Hal. 1,84,4; Liv. 1,4,7; Plut. Romulus 4,4 f.; Gell. 7,7,5). 3. In augusteischer Zeit wird der Mythos erweitert: A. hatte zwölf Söhne, einer starb, da bot sich Romulus als Ersatz an (Masurius Sabinus fr. 14 HUSCHKE nach Gell. 7,7,8; Plin. nat. 18,6).

Diese augusteische Ergänzung erklärt, weswegen zu den elf → *Arvales fratres* als zwölfter Augustus als *novus Romulus* tritt [4; 8]. Die anderen beiden Mythen geben das Aition für die Larentalia vom 23. Dezember, an denen die *pontifices* (und der *flamen Quirinalis*, Plut. Romulus 4,5; Gell. 7,7,8; Macr. sat. 1,10,15) ein Totenopfer (→ Parentatio) am Grab A.s im Velabrum darbringen (Licinius Macer fr. 1 PETER; Varro ling. 6,23 f.; Fasti Praenestini; Plut. qu.R. 34,272 e); daneben ist (irrtümlich?) auch die Rede von einem Opfer im April (Plut. Romulus 4,5; qu.R. 35, 272 ef). Eine weitergehende Interpretation der beiden Mythen hat in der Forsch. bisher keine Einigkeit erbracht und hängt stark vom verwendeten Interpretationsmodell ab. Die Bezeichnung A.s als Lupa (»Dirne« und »Wölfin«) setzt einen (euhemeristisch gefärbten) Ausgleich mit dem gängigen Zwillingsmythos voraus. Das Würfelspiel weist auf Jahresendriten; von Hierogamie, dem Hauptargument für phönizischen Einfluß, kann nicht die Rede sein [11. 53–64].

1 TH. MOMMSEN, Die echte und die falsche A.L., in: Röm. Forsch. 2, 1879, 1–20 **2** W.F. OTTO, Röm. Sagen. III: Larentalia und A.L., in: WS 35, 1913, 62–74 = Studien zur röm. Religionsgesch., 1975, 145–157 **3** G. RADKE, A.L. und die fratres Arvales. Ein Stück röm.-sabinischer Frühgesch., in: ANRW I 2, 1972, 421–441 **4** SCHEID, Recrutement, 352–364 **5** F. COARELLI, Il Foro Romano. Periodo arcaico, 1983, 270–274 **6** D. SABBATUCCI, La religione di Roma antica dal calendario festivo all'ordine cosmico, 1988, 359–362 **7** I. PALADINO, Fratres Arvales. Storia di un collegio sacerdotale romano, 1988, 233–263 **8** M. BEARD, A.L. gains a son. Myths and priesthood at Rome, in: M.M. MACKENZIE, C. ROUECHÉ (Hrsg.), Images of Authority. Papers Presented to JOYCE REYNOLDS, 1989 **9** J. SCHEID, Romulus et ses frères, 1990 **10** E. TABELING, Mater Larum, 1932 **11** M. LIOU-GILLE, Cultes heroïques romains, 1980.   F.G.

Accensi. Urspr. waren die *a.* (auch *a. velati*, »(nur) mit einem Stoffmantel bekleidet«) Armeeangehörige, die zu arm waren, um sich selbst auszurüsten. Sie begleiteten die Legionen und mußten, aufgestellt hinter den anderen Soldaten, in der Schlacht die Gefallenen mit deren Waffen ersetzen (Fest. 369 M; Liv. 8,8,8; Cic. rep. 2,40). Sie wurden entsprechend ihren Einkünften beim *census* ausgehoben. Seit der Einführung des Solds (nach unserer Überlieferung 406 v. Chr.) erscheinen sie in dieser Form nicht mehr. Der Begriff *a.* bezeichnete danach einen kleinen, wenig geschätzten Truppenteil, der nach den gewöhnlichen Soldaten ausgehoben wurde und auf eine administrative Tätigkeit beschränkt war. Im 4. Jh. n. Chr. wurden sie *supernumerarii* genannt (Veg. mil. 2,19).

1 P. FRACCARO, Opuscula 2, 1957, 315–325
2 W. KUBITSCHEK, s. v. A. RE 1, 135 **3** A.J. TOYNBEE,
Hannibal Bd. 1, 1965, 517 und Anm. 2   Y.L.B.

Acceptilatio ist das förmliche Schulderlaßgeschäft des röm. Rechts (vgl. Dig. 46,4). Der Begriff leitet sich ab von *acceptum ferre* = »zum Erhalten bringen«, »quittieren«. Die *a.* ist vor allem Konträrakt zur → *stipulatio*. Eine Stipulationsverbindlichkeit wird durch *a.* aufgehoben, und zwar in ähnlicher Weise, wie sie begründet wird, nämlich durch förmliche Rede und Gegenrede. Auf die Frage des Schuldners *Quod ego tibi promisi, habesne acceptum* antwortet der Gläubiger: *Habeo* (Gai. inst. 3,169; Dig. 46,4,6; Inst. Iust. 3,29,1). Weil die Erlaßvertragsparteien davon ausgehen, der Gläubiger habe das Geschuldete erhalten, bezeichnet Gaius l.c. die *a.* als *imaginaria solutio*. Urspr. dürfte das Geschäft indessen als mündlicher Quittungsakt von einer wirklichen Leistung des Schuldners begleitet gewesen sein. Durch *a.* kann nur die *stipulatio* aufgehoben werden. Zur Aufhebung anderer Obligationen bedarf es zunächst der Novation in eine Stipulation, ehe es zu einem wirksamen förmlichen Erlaß kommen kann (Gai. inst. 3,170). Ein allg. Schulderlaß kommt dadurch zustande, daß sämtliche Verbindlichkeiten zunächst durch Novation zu einer einzigen Stipulation zusammengefaßt werden und diese dann durch *a.* aufgehoben wird (sog. *stipulatio Aquiliana*, Dig. 46,4,18,1; Inst. Iust. 3,29,2). Ohne Novationsstipulation ist die *a.* einer Real- oder Konsensualverbindlichkeit unwirksam. Doch die Juristen berücksichtigen das in der unwirksamen *a.* liegende formlose Aufhebungs-*pactum* z.B. mittels *exceptio pacti* (Dig. 2,14,27,9; 46,4,8,pr. 19). – Als Formalgeschäft wurde die *a.* in nachklass. Zeit nicht mehr beibehalten. Die im 18.Jh. erfundene *conversio actus iuridici* (vgl. § 140 BGB) stützt sich als Instrument zur Aufrechterhaltung ungültiger Rechtsgeschäfte u.a. auf die genannten Akzeptilationsstellen.

→ Stipulatio; Pactum

A. WATSON, The Form and Nature of a. in Classical Roman Law, in: RIDA 8, 1961, 391–416 · D. LIEBS, Contrarius actus. Zur Entstehung des röm. Erlaßvertrags, in: Sympotica Franz Wieacker, 1970, 111–153 · R. KNÜTEL, Zum Prinzip der formalen Korrespondenz im röm. Recht, in: ZRG 88, 1971, 67–105 · F. STURM, Stipulatio Aquiliana, 1972 ·

C. KRAMPE, An inutilis a. utile habeat pactum quaeritur, in:
TRG 53, 1985, 3–25.   C. KR.

Accessio (»Hinzufügung«) bedeutet: 1. Vergrößerung
(Gegensatz: *decessio*, s. Dig. 39,3,24,3), 2. Nebensache
(Gegensatz: *res principalis*, Dig. 33,8,2), die das rechtliche
Schicksal »Hauptsache« teilt, solange die Verbindung
andauert (Dig. 6,1,23,5; auch 34,2,19,13 für in Silber
und Gold eingeschlossene Edelsteine), 3. die Besitzzeit
eines Vorgängers, die dem Nachfolger für den Besitz-
schutz (*interdictum utrubi*) hinzugerechnet wird (*a. tem-
poris* oder *possessionis*, Gai. inst. 4,151; Dig. 44,3,15,1),
quellenmäßig jedoch nicht für die Ersitzung (vgl. Inst.
Iust. 2,6,13), 4. die zu einer »Hauptforderung« hinzutretende Forderung eines → *adstipulator*, auch die zu einer »Hauptverbindlichkeit« hinzutretende sichernde
Verbindlichkeit von Bürgen (Dig. 45,1,91,4f.). Diese
»Nebenverbindlichkeit« (*a. principalis obligationis*) kann
nicht über die »Hauptverbindlichkeit« hinausgehen, …
nec plus in accessione esse potest quam in principali reo/re (Gai.
inst. 3,126; Inst. Iust. 3,20,5). Hier liegt die Wurzel der
modernrechtlichen Akzessorietät (Abhängigkeit) der
Sicherungsrechte von der (Haupt-)forderung. 5. Auch
die sichernde Haftung von Sachen (*hypotheca*, → *pignus*)
wird als *a.* bezeichnet (Dig. 46,3,43), ferner 6. die Hinzufügung eines alternativen Leistungsempfängers (*a.
personae*) und eines alternativen Leistungsgegenstandes
(*a. rei*, Dig. 44,7,44,4). Andere Bed. von *a.*: Nebenleis-
tungen wie Zinsen (Cod. Iust. 4,28,3; 198 n. Chr.);
Nebenbetrieb (Dig. 3,2,4,2).
→ Interdictum; Intercessio; Sponsio

E. BECKER-EBERHARD, Die Forderungsgebundenheit der
Sicherungsrechte, 1993, 103–179 · H. HONSELL,
TH. MAYER-MALY, W. SELB, Röm. Recht, ⁴1987, 168f.,
176, 285–292 · KASER, RPR I, 398f., 423, 428,
660–666.   D. SCH.

Accipere in der Bed. »empfangen, bekommen« (vgl.
Dig. 50,16,71pr.) kennzeichnet mehrere juristisch rele-
vante Vorgänge: als *a. hereditatem* etwa (Dig. 28,5,77)
den tatsächlichen Empfang der Erbschaft; als *a. censum*
die Entgegennahme der »Steuererklärung«, Deklaration, des Steuerpflichtigen (Dig. 50,4,1,2); als *a. iudicem*
in älterer Zeit die Hinnahme des vom Magistrat ernannten Richters, was alsdann durch die Bedeutung des zwischen den Parteien vereinbarten Richters ersetzt wird. –
In der Bed. »annehmen« bezeichnet etwa *a. legem* die
Annahme eines Gesetzes durch das Volk; *a. nomen* die
Annahme eines Wahlkandidaten durch den Wahlleiter.
Ganz bes. umstritten war in den letzten eineinhalb Jh.en
die in den Quellen vielfach gebrauchte Wendung *a. iudicium*: Der Streit ging dabei im wesentlichen um die
genaue Abgrenzung zu den korrespondierenden Begriffen → *editio actionis* und → *litis contestatio*. Er war vor
allem um 1900 stark geprägt von der die Prozeßrechts-
wiss. seinerzeit insgesamt faszinierenden Neuentdek-
kung der Abgrenzung von Öffentlichem und Privatrecht. Richtiger ist wohl, unter *a. iudicium* die Reaktion

des Beklagten auf die vom Kläger vorgetragene *editio
actionis* zu verstehen: die Annahme der vom Kläger vorgeschlagenen Formel – und somit die personale Um-
schreibung, was abstrakt *litis contestatio* ist.
→ Editio

G. JAHR, Litis contestatio, 1960, 81, 165 · KASER, RZ, 218 ·
A. BÜRGE, Zum Edikt de edendo, in: ZRG 112, 1995,
20–21.   C. PA.

Acci(s). Stadt der → Bastetani (Ptol. 2,6,60), lag am
Kreuzungspunkt der Straße von → Tarraco über
→ Carthago Nova nach → Castulo und → Malaca. Die
ant. Siedlung erstreckte sich entlang der Höhen des
westl. Guadix (Prov. Granada). Ihr röm. Name Colonia
Iulia Gemella bzw. Gemellensis (CIL II 3391; 3393f.)
deutet darauf hin, daß sie als Militärkolonie entweder
von Caesar 45 v. Chr. oder von Augustus angelegt wurde. A. lag in der Jurisdiktion des *conventus Carthaginiensis*.
Ihre Bewohner besaßen das *ius Italiae* (Plin. nat. 3,25);
aus CIL II 3396 läßt sich folgern, daß sie zur *tribus Pupina*
gehörten. Laut Macr. Sat. 1,19,5 genoß der Kriegsgott
Neto bes. Verehrung. Der *episcopus Accitanus* Felix findet
sich in der Teilnehmerliste des Konzils von Iliberi an
erster Stelle. Spätere Bischöfe von A. spielten eine wichtige Rolle bei den Konzilien von Toledo.

J. M. SANTERO, Colonia Julia Gemella Acci, in: Habis 3,
1972, 203–222 · TOVAR 3, 1989, 148–150 · R. WIEGELS,
Die Tribusinschr. des röm. Hispanien, 1985, 89.   P. B.

Accius, L. A. LEBEN   B. WERK   C. REZEPTION
UND ÜBERLIEFERUNG

A. LEBEN
Lat. Dichter und Gelehrter im Gefolge der Alexandriner. Er wurde 170 v. Chr von freigelassenen Eltern
(Hier. chron. a. Abr. 1878; 139 v. Chr.) wohl in Pisaurum geboren, wo das Geschlecht der Accii nachweisbar
ist. In Rom schloß er sich D. Iunius Brutus Callaicus
(cos. 138 v. Chr.) an (Cic. Brut. 107; Arch. 27). Eine
Bildungsreise führte ihn nach Griechenland und Kleinasien (Gell. 13,2). Charakteristisch sind ausgeprägtes
Selbstbewußtsein und Streben nach Unabhängigkeit (s.
Gell. 13,2), was sich auch in der Aufstellung einer Statue
im Tempel der Camenae niederschlägt (Plin. nat.
34,19). Im → *collegium poetarum*, dem er vorstand, weigerte er sich im Bewußtsein seiner lit. Leistung strikt,
sich vor den angesehenen C. → Iulius Caesar Strabo zu
erheben (Val. Max. 3,7,11). Die Hinwendung zur Lit.
wird programmatisch als Abwendung von öffentlich-
polit. Tätigkeit und der durch sie bedingten Unfreiheit
verstanden (Quint. inst. 5,13,43). Auffällig ist die gut
dokumentierte Gegnerschaft zu dem ebenso selbstbe-
wußten → Lucilius (Hor. sat. 1,10,53 und Porph. z. St.,
dazu das 30. B. des Lucil., 1068–1085 sowie 747 KREN-
KEL), zugleich Zeichen der Distanz zum Scipionenkreis.
Das Todesjahr ist unbekannt, doch steht fest, daß A. ein

hohes Alter erreichte. Da Cicero ihm noch begegnete (Cic. Brut. 107), muß er bis Mitte der 80er Jahre gelebt haben.

B. Werk

A. galt vor allem als Trag.-Dichter und trat darin die Nachfolge des → Pacuvius an. Nach Vell. 1,17,1 hat die Trag. mit ihm erst begonnen (vgl. 2,9,3), Colum. 1, pr. 30 stuft ihn gemeinsam mit Vergil als erstrangigen Vertreter der röm. Dichtung ein. Als frühestes Aufführungsdatum ist 140 v.Chr. bezeugt (Cic. Brut. 229). Trotz mehr als 40 bekannter Titel reichen die meist kurzen erhaltenen Fragmente (ca. 700 Verse) nicht aus, um ein verläßliches Bild zu gewinnen. Die Stücke behandeln griech. Stoffe, vor allem aus dem troianischen Sagenkreis, doch u. a. auch aus der Pelopidensage und dem thebanischen Umkreis. A. greift stärker auf → Euripides als auf → Sophokles und → Aischylos zurück, auch ist von Kontaminationen auszugehen. Mit hell. Vorlagen muß man ebenfalls rechnen; wieweit er sich von seinen röm. Vorgängern fernhält, ist aufgrund der Überlieferungslage kaum zu beurteilen; Berührungen im einzelnen sind zu beobachten. Gegenüber den Vorbildern zeigt sich große Selbständigkeit, deutlich nachweisbar z. B. an *Bacchae* und *Phoenissae*. Wort- und Klangfiguren finden sich in großer Zahl, wie überhaupt in der frühlat. Dichtung, dazu ausgesprochenes und forciertes Pathos (vgl. das Vorbild Eur. Phoen. 593 mit TRF 592). Entsprechend gilt A. als *disertissimus poeta* (Cic. Sest. 122), als *altus*, im Gegensatz zu dem *doctus* Pacuvius (Hor. epist. 2,1,56; vgl. Quint. inst. 10,1,97), als *animosi oris* (Ov. am. 1,15,19), aber auch als *atrox* (Ov. trist. 2,359). Antithesen, intensivierende Häufungen, gepaart mit einer nominalen, gelegentlich fast pedantischen Begrifflichkeit, kennzeichnen seinen Stil. Damit steht im Zusammenhang, daß dem Ethos der Personen bes. Bedeutung zukommt (s. Quint. inst. 10,1,97).

C. Rezeption und Überlieferung

Die der Wirkungsabsicht dienende Synthese aus pathetischer Intensivierung und begrifflicher, oft geradezu sentenzenhafter Verdeutlichung dürfte rezeptionssteuernd gewirkt haben. Auffällig ist, daß die von Cicero überlieferten Fragmente fast ausnahmslos unter moralphilos. und polit. Aspekt stehen, wenn auch Schauspielerinterpolationen die Deutung verstärkten (s. Cic. Planc. 59, Sest. 120; Quint. inst. 1,8,5 ff.). Von daher erklärt sich die Möglichkeit radikaler Aktualisierung (Cic. Phil. 1,36 u. ö.). Die neuere Forsch. hat zunehmend erkannt, daß hier Eigentümlichkeiten des frühen röm. Dramas zum Tragen kommen, das von Anfang an weniger mythisch als histor. war und damit die Differenz zu den sog. → Praetextae (für A. selbst sind bezeugt: *Aeneadae aut Decius*, über den Opfertod des jüngeren P. Decius Mus bei Sentinum 295 v. Chr., und *Brutus*, der die Vertreibung der Tarquinier wohl zur Verherrlichung des Geschlechts des vornehmen Gönners behandelte; hierzu Cic. Sest. 123 (zu *Tullia* (?) [10]) als fast künstlich erscheinen läßt. Dem steht eine Rezeptionsform gegenüber, wie sie Cic. fam. 7,1,2 beschreibt

(*Clytaemestra* als Ausstattungsstück); so legitim sie ihrerseits ist, einem verfeinerten Geschmack erscheint sie als Perversion. Kommt die Stilkritik der Neoteriker und Augusteer hinzu, so kann das alte Drama als obsolet gelten (Hor. epist. 2,1; vgl. Tac. dial. 20,5; 21,7).

Während Wiederaufführungen bis in Ciceros Zeit hinein gut bezeugt sind, scheint die Tradition bald danach abzubrechen. Zwar setzt Horaz noch das Repertoire voraus, aber die ästhetische Kritik geht offenbar nahtlos in die spätant. pagane, vor allem aber christl. Ablehnung über. Etwas anders steht es mit der lit. Überlieferung. Varro verdankt seine intime Kenntnis vorrangig der Lektüre. Nach der Rhet. Her. 4,4 (s. auch 2,34; 38 f.) wurden republikanische Trag. ab- und ausgeschrieben (vgl. auch Cic. de orat. 1,246); sie dienten der rednerischen Praxis, man zitierte sie in der privaten Korrespondenz (s. Cic. fam. 9,16,4 ff.). Die Lektüre setzte sich vermutlich bis in die Zeit der Archaisten des 2.Jh. n. Chr. fort, M. Valerius Probus wird dabei eine nicht zu unterschätzende Rolle gespielt haben (Suet. gramm. 24,2 f.). Die Wirkung auf Vergil ist unübersehbar, die Parallelen notieren vor allem Macrobius und Servius Danielis [20]; Einfluß auf Ovid läßt sich ebenfalls feststellen [4. 20 ff., 147 ff.; 15; 16], für die dramatischen Elemente der röm. Historiographie ist er vorauszusetzen. Nach Tac. dial. 21,7 hat Asinius Pollio A. (und Pacuvius) nachgebildet. Mit der Kombination aus nominaler Begrifflichkeit und emphatischem Pathos sowie der Isolierung der Szenen hat A. deutlich die Senecatrag. vorbereitet, bes. auffällig im *Thyestes*. Gellius und Apuleius dürften noch aus erster Hand zitiert haben, desgleichen Nonius Marcellus [19], wobei mit einer Auswahlausgabe aus der Archaistenzeit zu rechnen ist. Daß Dracontius A. noch gelesen hätte, muß bloße Vermutung bleiben, ebenso direkter oder indirekter Einfluß auf Diktys-Septimius [2. 56 ff.]. Die spätant. und frühmittelalterlichen Philologen- und Grammatikerzitate sind im allg. indirekt vermittelt (zu Priscian aber [21]), ebenso die wenigen, teils unsicheren Reste bei den Kirchenvätern.

Philol. Gelehrsamkeit, die den Einfluß der pergamenischen Schule zeigt (einschränkend [3]) und sich bereits in der Wahl von Titeln wie *Nyctegresia* oder *Epinausimache*, sprachlich-semantischer Reflexion (TRF 4 f.; 109 f.; 179 ff.; 296), vielleicht auch in der Euripides-Korrektur im Eingang der *Phoenissae* aufgrund einer Grammatikernotiz dokumentiert (Weiteres bei [2; 4. 74 ff.]), entspringen auch eigenständige Werke: Die *Didascalica* (Vorläufer der menippeischen Satire) behandelten vor allem den Bereich des griech. und röm. Theaters (auch Echtheitsfragen der plautinischen Komödien), ähnlich die *Pragmatica*. Ob die *Parerga* (zu den Titeln [23. 17 ff.]), aus denen ein an Hesiod erinnerndes Fragment über das Pflügen erhalten ist, mit den *Praxidica* (eher *Praxidicus*) identisch sind, ist zweifelhaft. Bei diesem Werk könnte es sich auch um ein astrologisches Lehrgedicht gehandelt haben, das man sogar A. abgesprochen hat [27; dagegen 26]. In die Enniustradition ordnen sich die *Annales* ein, doch weisen die spärlichen Reste (in Hexametern) eher auf eine Kulturgesch. hin (anders [24. 183 f.; vgl. 25]). Die *Sotadica* (Gell. 6,9,16) sind nicht mit den *Didascalica* zu identifizieren (Auszug?), eher noch mit den von Plin. epist. 5,3,6 erwähnten erotischen (?) Gedichten [9. 392]. Von Vorschlägen zur Orthographiereform, die sich teils an die Praxis der ital. Dialekte, teils an die des Griech. anlehnen, haben wir Kenntnis, s. vor allem Mar. Victorin. gramm. 6,8,11 ff.; 19,11 f.; Varro, ling. 7,96; 10,70.

ED.: Gesamt: J. DANGEL, 1995; Trag./Praet.: TRF ²1871, 136 ff. 281 ff. (hiernach zitiert); ³1897, 157 ff. 326 ff.
LEX.: A. DE ROSALIA, 1982.
LIT./ANM.: 1 BR. BILIŃSKI, A. ed i Gracchi, 1958 2 F. E. CONSOLINO, L'Achille sapiens di A. ..., in: V. TANDOI (Hrsg.), Disiecti Membra Poetae 2, 1985, 39–58 3 Dies., A. senza Cicerone, in: Annali della Facoltà di lettere e Filosofia dell' Università di Siena 6, 1985, 13–28 4 R. DEGL'INNOCENTI PIERINI, Studi su A., 1980 5 I. LANA, L'*Atreo* di A. e la leggenda di Atreo e Tieste nel teatro tragico romano, in: Atti dell'Accademia delle Scienze di Torino, cl. sc. mor. 93, 1958–59, 293–385 6 A. LA PENNA, Funzione e interpretazioni del mito nella tragedia arcaica latina, in: Ders., Fra teatro, poesia e politica romana, 1979, 49–104 7 A. PASQUAZI BAGNOLINI, A. grammatico, in: Atti e Memorie dell'Arcadia 7,4, 1980–81, 337–372 8 A. POCIÑA, El tragediógrafo latino Lucio A., 1984 (235–324: Bibl.) 9 O. RIBBECK, Die röm. Trag. im Zeitalter der Republik, 1875, Ndr. 1968, 340 ff. 10 H. B. WRIGHT, The recovery of a lost Roman tragedy, 1910, 25 ff. 11 R. GIOMINI, Echi di A. in Cicerone, in: Atti I Congresso Int. di Studi Ciceroniani 2, 1961, 321–331 12 V. TANDOI, A. e il complesso del Filottete lemnio in Cicerone verso il 60 a. C., in: Ciceroniana 5, 1984, 123–160 13 CH. GUITTARD, Tite-Live, A. et le rituel de la devotio, in: CRAI 1984, 581–599 14 S. STABRYŁA, Latin tragedy in Virgil's poetry, 1970 (darin: Ders., in: Eirene 11, 1971, 209–213) 15 G. D'ANNA, La tragedia latina arcaica nelle Metamorfosi, in: Atti Conv. Int. Ovid. 2, 1959, 217–234, bes. 226 ff. 16 H. M. CURRIE, Ovid and the Roman stage, ANRW II 31.4, 1981, 2701–2742, bes. 2723 ff. 17 J. DANGEL, Sénèque et A., in: J. BLÄNSDORF (Hrsg.), Theater und Ges. im Imperium Romanum, 1990, 107–122 18 S. MATTIACCI, Note sulla fortuna di A. in Apuleio, in: Prometheus 20, 1994, 53–68 19 W. M. LINDSAY, Nonius Marcellus' dictionary of republican latin, 1901 20 H. D. JOCELYN, Ancient scholarship and Virgil's use of republican latin poetry, in: CQ N.S. 14, 1964, 280–295, 15, 1965, 126–144, bes. 127 ff. 21 Ders., The quotations of republican drama in Priscian's treatise De Metris Fabularum Terentii, in: Antichthon 1, 1967, 60–69. 22 F. DELLA CORTE, La filologia latina dalle origini a Varrone, ²1981, bes. 61 ff. 23 K. E. HENRIKSSON, Griech. Büchertitel in der röm. Lit., 1956, 17 ff. 102 f. 24 SC. MARIOTTI, A. in Malsacano, in: RFIC 94, 1966, 181–184 25 G. B. PIGHI, Gli Annali di A., in: FS C. Vassalini, 1974, 371–380 26 S. TIMPANARO, Il Praxidicus di A., in: Maia 34, 1982, 21–30 27 U. v. WILAMOWITZ-MOELLENDORFF, Lesefrüchte, in: Hermes 34, 1899, 637 f. = KS 4, 1962, 108.   W.-L.L.

Acclamatio. Rhythmisch oder sprechchorartig vorgetragene Zurufe, die Glückwunsch, Lob, Beifall, Freude oder Gegenteiliges ausdrücken. Neben der anfänglich bestehenden spontanen *a.* setzte sich im Laufe der Zeit eine festformulierte und bei bestimmten Anlässen immer wiederkehrende *a.* durch. Eine frühe Erwähnung der *a.* findet sich in Hom. Il. 1,22, daneben sind *a.* bei den Beschlüssen in griech. Volksversammlungen [1] oder Kultvereinen bekannt.

In Rom wurde die *a.* bei Hochzeitszügen als *Talasse* und *Hymen, Hymenaee io* (Catull. 61–62; Liv. 1,9,12 oder bei Bestattungen als *Vale, vale, vale* gerufen (Varro bei Non. p. 48,5). Seit spätrepublikanischer Zeit war die *a.* Ausdruck der öffentlichen Meinung, die sich auf dem Forum, beim Einzug in die Stadt, im Theater oder bei den Spielen gegenüber Staatsmännern, dem Princeps oder seiner Familie durch freundliche bzw. mißbilligende Zurufe, Klatschen, Zischen, Pfeifen usw. kundtat, wobei die Grenze zum → Beifall sehr eng ist. Den siegreichen Feldherrn empfing man mit *Io Triumphe* (Varro ling. 6,68, vgl. [2]); über die Ausrufung des Imperators durch *a.* (s. → *imperator*). In der Bildsprache der kaiserzeitlichen und frühchristl. Repräsentations-, Huldigungs- und Adventusszenen u. a. versteht man unter A.s-Richtung die Hinwendung des Akklamierenden durch das Anheben der rechten Hand zur Herrscher- bzw. Gottesgestalt (vgl. Bogen von Benevent, Fries des Konstantinsbogens, Galeriusbogen, Theodosios-Obelisk; → Diptychon). Das A.s-Schema wurde auch für Christushuldigungen bis ins MA übernommen.
→ salutatio

1 C. G. BRANDIS, s. v. ἐκκλησία, RE 5, 2195 2 E. KÜNZL, Der röm. Triumph, 1988, 85–108.

A. ALFÖLDI, Die Ausgestaltung des monarchischen Zeremoniells am röm. Kaiserhofe, in: MDAI (R) 49, 1934, 79–88 · J. ENGEMANN, A.s-Richtung, Sieger- und Besiegtenrichtung, in: JbAC 22, 1979, 152–179 · C. SITTL, Die Gebärden der Griechen und Römer, 1890, 55–65 · D. STUTZINGER, Der Adventus des Kaisers und der Einzug Christi in Jerusalem, in: H. BECK, P. C. BOL (Hrsg.), Spätant. und frühes Christentum, Ausstellung Frankfurt a.M. 1983–1984, 1983, 284–307.   R.H.

Acco. Keltischer Name ungeklärter Herkunft [1]. Führer (?) der → Senones, der 53 v. Chr. zu einem erfolglosen Aufstand gegen die Römer aufrief und daraufhin hingerichtet wurde (Caes. Gall. 6,4; 44).

1 EVANS, 297 f.

E. KLEBS, s. v. A., RE 1, 151.   W. SP.

Accusatio ist nach dem Digestentitel 48,2 die Anklage im röm. Strafprozeß. Träger der *a.* ist dort ein Privatmann. Zunächst erstattete dieser eine Anzeige (→ *delatio nominis*). In der späteren Kaiserzeit bei der gerichtlichen Strafverfolgung *extra ordinem* kam es wohl vor, daß sich der private Anteil am Verfahrensgang hierin erschöpfte. Im republikanischen Verfahren (→ *quaestio*) hingegen immer und auch später noch regelmäßig war der *delator* nach Zulassung der *a.* durch den Gerichtsmagistrat (*receptio nominis*) Partei − vergleichbar dem Ankläger im heutigen amerikanischen Strafprozeß. Er – und nicht etwa eine staatliche Behörde – hatte die Beweise für die Täterschaft und die Schuld des Angeklagten beizubringen [2]. – Eine ›hybride Stellung‹ [1] zwischen Straf- und Privatrecht hatte die *a. suspecti tutoris*, die bereits auf die 12 Tafeln zurückgeht. Auch hier konnte jedermann die *a.* erheben. Die Rechtsfolge des Verfahrens bestand aber nicht in einer Strafe, sondern in der Entlassung des ungetreuen Vormunds (*remotio suspecti tutoris*).

1 KASER, RZ, 361 2 W. KUNKEL, KS, 1974, 74ff. G.S.

Acerra, Weihrauchbehälter, → *pyxis* (πυξίς, κυλιχνίς, λιβανωτίς). Das auf den gr. Denkmälern runde (vgl. Seitenwange des Ludovisischen Throns [1. Abb. 118]) und im röm. oft rechteckige und reich dekorierte Kästchen (z.B. an der → Ara Pacis) diente zur Entnahme des Weihrauchs während der Opferzeremonie, zu deren notwendigen Geräten es zählte (Suet. Tib. 44; Galba 8; Plin. nat. 35,70).
→ turibulum

1 R. LULLIES, Gr. Plastik, 1979.

F. FLESS, Opferdiener und Kultmusiker auf stadtröm. histor. Reliefs, 1995, 16–19, 21. R.H.

Acerrae. [1] Stadt der → Sidicini bzw. → Samnites am Clanius in → Campania (Strab. 5,4,8; 11; Plin. nat. 3,63). 332 v. Chr. *civitas sine suffragio* (Liv. 8, 17, 12; Vell. 1, 14, 4), *praefectura* (Fest. zerstört (Liv. 23, 17, 7; 19, 4), 211 v. Chr. wiederaufgebaut (Liv. 27, 3). Unter Augustus colonia (liber coloniarum 229). Wenige arch. Überreste unter der h. Stadt Acerra.

NISSEN 2, 754 E.O.

[2] Hauptort der → Insubres, h. Pizzighettone. 222 v. Chr. von den Römern eingenommen (Pol. 2,34,4; Plut. Marc. 6; Strab. 5,4,8; Steph. Byz. s. v. A.; Tab. Peut. 4,2). Fundort von Helmen (E. 3. Jh. v. Chr.).

F. COARELLI, Un elmo con inscrizione latina arcaica al Museo di Cremona, in: A. BALLAND (Hrsg.), L'Italie préromaine et la Rome républicaine. Mélanges offerts à JACQUES HEURGON, 1, 1976, 157–173 • NISSEN 2, 192. G.BR.

[3] Vafriae. Archa. Hauptort der umbr. Sarranates, nicht lokalisiert, z.Z. → Catos untergegangen (Plin. nat. 3,114). G.U./S.W.

Acerronia. A. Polla, Vertraute Agrippinas, die bei dem inszenierten Schiffsuntergang im Golf von Baiae im J. 59 n. Chr. umkam (Tac. ann. 14,5 f.; Cass. Dio 61,13,3). Tochter von Acerronius [1] (PIR^2 A 34). W.E.

Acerronius. [1] Proculus, Cn., *cos. ord.* 37 n. Chr. (PIR^2 A 32), vielleicht mit dem Iuristen Proculus identisch [1]. Vater von A. Polla. **[2]** A. Proculus, Cn., Sohn von Nr. 1, *procos. Achaiae* unter Claudius oder Nero (IG III^2 4181; BCH 1926, 442 Nr. 79; PIR^2 A 33 [2]).

1 SYME, RP 3, 141 2 THOMASSON, 1, 196. W.E.

Aceruntia. Ital. Siedlung (*Acheruntia*: Porph. Hor. comm. 3,4,14; *Acerentia*: CIL 9, 6193 [*colonia*]; 6194; 10,1 482; Ἀχέροντις: Prok. BG 3,23; 26; 4,26) auf einem Gipfel des Monte Vulture (833 m) zw. → Lucania und → Apulia, mal lukanisch (Porph. a.O.), mal apulisch (Ps.-Acro, 3,4,14) gen.; *regio III* (Plin. nat. 3,73). Hercules-Kult (CIL 9,947). Wenige Siedlungsreste (u. a. Gräber 6./4. Jh. v. Chr.); h. Acerenza.

BTCGI 3, 8 f. B.G./S.W.

Acestes s. Aigestos

Acetabulum. Von lat. *acetum* (Essig); das kelchförmige Gefäß mit eingeschnürter Wandung diente zur Aufnahme von Essig und Honig, als Tisch- und Kochgefäß bzw. zum Wachsschmelzen; auch Becher der Taschenspieler. Das A. bestand meist aus Ton oder Glas, seltener aus Edelmetall. Sein Volumen war sehr gering (0,068 l [1]); bei Apicius (6,8,3) und *Apici excerpta a Vindario VI* ist A. auch ein Kochgefäß.
→ catinus

1 F. HULTSCH, s. v. A., RE I, 155 f.

G. HILGERS, Lat. Gefäßnamen, BJ (Beih. 31), 1969, 33 f. • E. M. STERN, B. SCHLICK-NOLTE, Frühes Glas der alten Welt, Slg. E. Wolf, 1994, 328–331 Nr. 99–101. R.H.

Achaia. [römische Provinz] In der Senatssitzung vom 13. Januar 27 v. Chr. wurde A. als senatorische Prov. konstituiert (Cass. Dio 53,12; Strab. 17,3,25) aus Mittelgriechenland und → Peloponnesos mit → Epeiros, Akarnania (→ Akarnaneis) samt den ionischen Inseln, → Aitolia, → Thessalia, → Sporaden, → Kykladen ohne Astypalaia und Amorgos, aber mit → Euboia, unter einem → *proconsul pro praetore* (Residenz in der röm. Kolonie *Laus Iulia Corinthus)* mit einem → *legatus Augusti pro praetore* und einem → *quaestor*; verschiedene *procuratores* nahmen die kaiserlichen Interessen in A. wahr. Aus dieser Verwaltung im wesentlichen ausgenommen waren die *civitates liberae* Athenai (Plin. nat. 4,24) und Sparta (Strab. 8,5,5) sowie die röm. Kolonie Nikopolis (Plin. nat. 4,5); röm. Kolonien waren außerdem Dyme (Plin. nat. 4,13), Patrai (Plin. nat. 4,11), Buthroton (Plin. nat. 4,4). Die Aufsicht über die freien Städte übernahmen seit dem 2. Jh. n. Chr. bis Diocletian immer häufiger → *correctores* mit consularischem Rang (*legati Augusti ad ordinandum statum liberarum civitatum:* Plin. epist. 8,24). Nur die Steinbrüche von Karystos auf Euboia und von Paros waren in kaiserlichem Besitz. Es bestanden verschiedene Staatenbünde: → Achaioi, Arkades, Boiotes, Dorieis (Doris), Eleutherolakones, Euboier (Euboia), Lokrer (Lokris), Phokeis (Phokis), Thessaloi (Thessalia) (vgl. SIG^3 796A); die Amphiktyonie von → Delphoi wurde von Augustus neu geordnet. Ein panachaiischer Bund (mit Helladarch und → Archiereus) war zuständig für den Kaiserkult (SIG^n 796B). Ein Panhellenion mit Sitz in Athen wurde von Hadrianus gegründet. Um den Steuerdruck zu mindern (Tac. ann. 1,76), unterstellte Tiberius A. 15 n. Chr. dem *legatus Augusti pro praetore* von Moesia (Tac. ann. 1,76,4; 80,1), was Claudius 44 n. Chr. wieder rückgängig machte (Suet. Claud. 25,3; Cass. Dio 60,24,1). An den Isthmien von 67 n. Chr. (28. November) proklamierte Nero persönlich die Freiheit der Griechen (SIG^n 814); → Vespasianus hob diese (70/74 n. Chr.) wieder auf (Paus. 7,17,4; Suet. Vesp. 8,4). Aus Epeiros mit Teilen von Akarnania (Nikopolis) und den ionischen Inseln wurde unter Hadrianus oder Antoninus Pius eine eigene procuratorische Prov. gebildet (Ptol. 3,14). Antoninus Pius schlug Thessalia und die Phthiotis zur Prov. Macedonia (Ptol. 3,12–14; ILS 1067, 9490), Diocletian schlug die meisten Inseln der Kykladen zur neugebildeten *provincia insularum* (laterculus Veronensis 3; Euboia, Skyros, Lemnos, Imbros verblieben bei A.). Diocletian übertrug ritterlichen *praesides* die Verwaltung der Prov., Constantin I. setzte wieder einen senatorischen Proconsul ein (bis ins 5. Jh. n. Chr. nachweisbar), der dem *praefectus praetorio Illyrici* unterstand. Im 4. Jh. n. Chr. rechnete A. zeitweise zum Westteil des Reichs, seit 395 n. Chr. zum Ostteil. Die byz. Eparchie Hellas umfaßte nach Hierokles (643,6) 79 Städte. A. fiel mit Ausnahme des Westteils mit dem byz. Thema Hellas zusammen (Ende 7. Jh. n. Chr.). Sitz des Metropoliten war Patrai. – 267 n. Chr. drangen thrak. Kostobokoi (Paus. 10,34,5) und german. → Heruli bis auf die Peloponnesos raubend und plündernd vor (Athenai, Korinth, Argos und Sparta – Paus. 10,34,5; SHA Gall. 13); unter den → Goten des Alaricus hatte ganz A. 395/97 n. Chr. schwer zu leiden (Athenai, Argos, Korinthos, Megara, Sparta, Tegea – Zos. 5,5–7), 467 n. Chr. plünderten vandalische Seefahrer die Westküste von A. (Prokop. BV 1,5,22 ff.; 22,16 ff.), 474 n. Chr. Nikopolis (Prokop. BV 1,7,26 ff.; 9,19). – Städte wie Athenai, Elis, Korinthos, Patrai und Sparta waren zeitweise wohlhabend, kleinere Städte und dörflich siedelnde Bevölkerung litten dagegen im Schatten von florierendem Großgrundbesitz bittere Armut (Bevölkerungsrückgang schon E. des 1. Jh. n. Chr.; Plut. mor. 414a).

P. A. Clement, Alaric and the Fortifications of Greece, in: Ancient Macedonia 2, 1977, 135–137 · A. Giuliano, La cultura artistica delle province della Grecia in età romana, 1965 · E. Groag, Die röm. Reichsbeamten von A. bis auf Diokletian, 1939 · Ders., Die Reichsbeamten von A. in spätröm. Zeit, 1946 · U. Kahrstedt, Zwei Probleme im kaiserzeitl. Griechenland, in: Symbolae Osloenses 28, 1950, 66–75 · Ders., Das wirtschaftliche Gesicht Griechenlands in der Kaiserzeit, 1954 · J. Koder, F. Hild, Hellas und Thessalien, TIB 1, 1976 · J. A. O. Larsen, Greek Federal States, 1968 · Ders., Roman Greece, in: T. Frank (Hrsg.), An economic Survey of Ancient Rome 4, 1938, 436–498 · J. H. Oliver, Imperial Commissioners in A., in: GRBS 14, 1973, 389–405 · Ders., Imperial Commissioners Again, in: GRBS 17, 1976, 369–370 · M. W. Weithmann, Die slavische Bevölkerung auf der griech. Halbinsel, 1978. E.O.

Achämeniden s. Achaimenidai

Achaimenes (Ἀχαιμένης, altpers. Hakhmaniš). **[1]** Stammvater und Heros eponymos des persischen Königshauses (Hdt. 7,11), von Dareios I. als Urahne bezeichnet [1. 116]; seine Familie nenne sich nach ihm Hakhmanišiya → Achaimenidai [1. DB I. 3–8; 2. 43–45]. In der griech. Mythologie sind Perseus oder Aigeus Vater des A. (Plat. Alk. 1, 120e; Nik. Dam. FGrH 90 F6). Ail. hist. an. 12,21 berichtet, A. sei von einem Adler ernährt worden (altoriental. Sagen- und Märchenmotiv). Auf der persischen Königsstandarte war ein Adler abgebildet (urspr. auf dem Alexandermosaik zu erkennen) [3. 23–24]. In der röm. Lit. galt A. als Symbol des persischen Reichtums. **[2]** Sohn von Dareios I. und Atossa; Satrap von Ägypten unter Xerxes und Artaxerxes I. (Hdt. 3,12; 7,7; 7,97; 7,236f.), wahrscheinlich mit dem bei Ktesias genannten Achaimenides identisch. Er starb während einer Expedition gegen den Rebellen Inaros [2. 106f., 116, 196]. **[3]** Persischer Prinz, der Land in der Gegend Nippurs besaß (2. H. 5. Jh.), vielleicht Enkel von [2] (vgl. [4. 123–127]).

1 R. G. Kent, Old Persian, 1953 2 J. Balcer, A Prosopographical Study of the Ancient Persians, 1993 · M. Mayrhofer, Onomastica Persepolitana, 1973, 11.1.8.7.1 3 C. Nylander, The Standard of the Great King, in: OpRom 14, 1983, 19–37 4 M. Dandamayev, The Domain Lands of Achaemenes in Babylonia, in: Altoriental. Forsch. 1, 1974. A. KU. u. H.S.-W.

Achaimenidai (Ἀχαιμενίδαι, apers. Hakhāmaniŷa). **[1]** Persische Phratrie (φρήτρη), zum Stamme der Pasargadai gehörig (Hdt. 1,125). **[2]** Persische Dynastie, beherrscht seit Dareios I. das persische Reich (A.-Reich) [1]. Verschiedene, sich widersprechende Stammbäume des A.-Geschlechtes sind überliefert: Laut Zylinder-Inschr. des Kyros II. [2] war dieser Urenkel des Teispes, von dem kein Vorfahr genannt wird. In der Behistun-Inschr. dagegen nennt Dareios I. acht seiner Vorfahren *duvitāparanam* (Bed. unsicher: »in zwei Linien«?) und stellt sich vor als Ururenkel des Teispes, Sohn des → Achaimenes. Es wurde lange angenommen, daß der Urgroßvater Kyros II. mit dem Ahnen Dareios I. identisch sei, und daß beide verschiedenen Zweigen der gleichen Familie angehörten. Es stellt sich aber heraus, daß die Familie des Kyros mit der des Dareios nicht eng verwandt ist. Deshalb sind alle Versuche, die Chronologie Persiens anhand dieser genealogischen Aussagen zu rekonstruieren, hinfällig. Es ist zudem unklar, ob Kyros II. überhaupt ein A. war. Die Inschr. von Pasargadai, die ihn als A. bezeichnet, stammt vermutlich von Dareios I. Die Gesch. Persiens (d. h. der Fars/Persis) im 7. und frühen 6. Jh. muß weitgehend mittels arch. Befunde rekonstruiert werden. In den ca. 300 elam. Verwaltungsurkunden (Tontafeln) aus Susa (Ende 7./Anfang 6. Jh. v. Chr.) sind verschiedene iranische Personennamen enthalten, darunter Kyros. Ein bes. Problem stellt der Stammbaum des Xerxes (Hdt. 7,11) dar, der

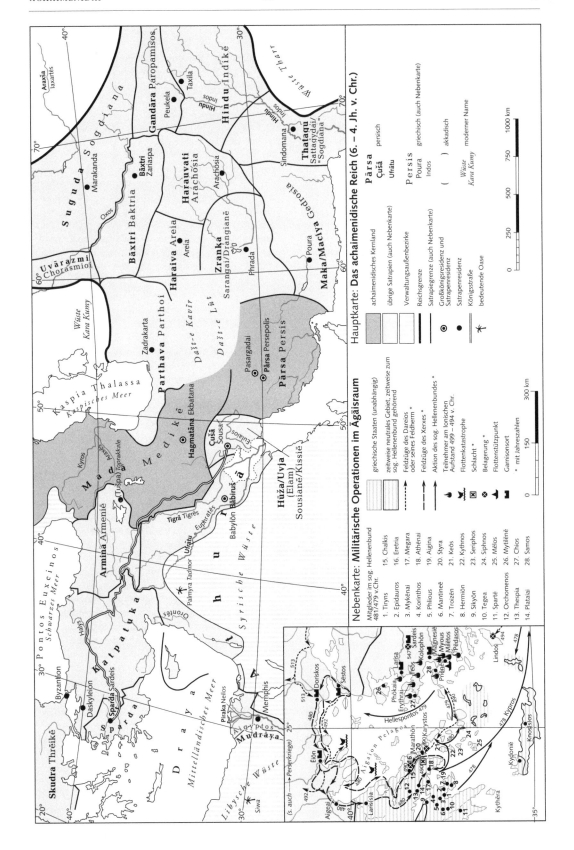

Hauptkarte: Das achaimenidische Reich (6.–4. Jh. v. Chr.)

Nebenkarte: Militärische Operationen im Ägäisraum

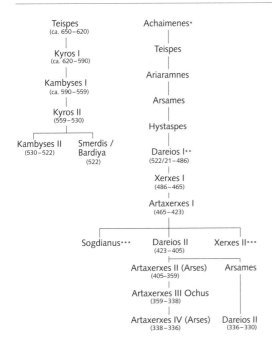

* Zu Dareios, Urenkel des Achaimenes, s. P. DE MIROSCHEDJI, La fin du royaume d'Anšan et de Suse et la naissance de l'Empire perse, in: ZA 75, 1985, 280–284.

** Unklar, ob der von Dareios als Urgroßvater genannte Teispes mit dem Teispes, Vater von Kyros I., identisch ist.

*** Die nur kurz (wenn überhaupt) regierenden Könige, Xerxes II. und Sekundianos/Sogdianus, fallen in die letzten Monate der Regierungszeit Artaxerxes I. und in die ersten Jahre Dareios II.; s. M.W. STOLPER, Entrepreneurs and Empire, 1985, 114–120.

wie eine Kombination der Aussagen des Kyros-Zylinders und der Behistun-Inschr. anmutet. Herodot kann keineswegs als verläßliche Primärquelle gelten. Offensichtlich herrschte im späten 5. Jh. die Vorstellung, daß alle persischen Könige der gleichen Familie angehörten. Bis zum Ende des A.-Reiches (330 v. Chr.) vermochte die A.-Familie erfolgreich, Ansprüche des persischen Adels auf den Thron mittels einer endogamen Heiratspraxis abzuwehren. Entgegen einer weitverbreiteten Meinung in der einschlägigen Lit. wissen wir nicht, wie die Thronfolge geregelt war. Die einzige zuverlässige Aussage lautet: ›Mein Vater hatte andere Söhne. Aber mich [Xerxes] hat Dareios [II.], mein Vater, nach ihm zum größten gemacht (*mathišta*)‹ [3. 150]. Der Kronprinz ist durch die Größe seiner Figur auf Reliefs erkennbar (Schatzhausrelief in Persepolis). Die Berichte griech. Autoren, wonach Königinnen (z. B. → Atossa, → Parysatis) eine maßgebliche Rolle bei der Thronfolge gespielt haben sollen, vermitteln eher die griech. Sicht von den Verhältnissen, als daß sie die histor. Realität widerspiegelten.

→ Anschan; Alexandros [4] (Karte)

1 P. BRIANT, Hérodote et la société perse, in: Hérodote et les peuples non-grecs, 1988, 69–104 2 P.-R. BERGER, Der Kyros-Zylinder, in: ZA 64, 1975, 192–234 3 R. G. KENT, Old Persian, 1953.

P. BRIANT, De Cyrus à Alexandre, 1996 · A. KUHRT, The Ancient Near East, 1995, Kap. 13 · M. C. ROOT, King and Kingship in Achaemenid Art, 1979 · H. SANCISI-WEERDENBURG, Exit Atossa, in: Images of Women in Antiquity (Hrsg. A. CAMERON, A. KUHRT), 1983, 20–33 · R. SCHMITT, s. v. Achaemenid Dynasty, in: EncIr 1, 414–426 · J. WIESEHÖFER, Das ant. Persien von 550 v. Chr. bis 650 n. Chr., 1993.   A. KU. u. H. S.-W.

KARTEN-LIT.: J. FEIX (HRSG.), Herodot, Historien, 1988 · G. GROPP, Iran unter den Achämeniden (6.–4. Jh. v. Chr.), TAVO B IV 22, 1985 · P. HÖGEMANN, Östlicher Mittelmeerraum, das archämenidische Westreich von Kyros bis Xerxes (547–479/8 v. Chr.), TAVO B IV, 1985 · ders., Das alte Vorderasien und die Achämeniden, 1992.

Achaioi, Achaia (Ἀχαιοί, Ἀχαία). **[1]** A. DEFINITION B. 1 FRÜHGESCHICHTE B. 2 ARCHAISCHE UND KLASSISCHE ZEIT B. 3 HELLENISTISCHE ZEIT

A. DEFINITION

Die histor. Landschaft A. erstreckte sich an der Nordküste der → Peloponnesos von Kap Avgo im Osten bis Kap Araxos im Westen; sie ist in drei große geogr. unterschiedliche Bereiche zu gliedern [1. 164–198]. Der mittlere Teil der A. wird vom Massiv des Panachaicon dominiert, einem von Norden nach Süden verlaufenden Gebirgszug mit fast 2000 m hohen Gipfeln; trotz seiner einfachen Form durch seine Massigkeit beeindruckend, überragt er die gesamte achaiische Küste und hat damit gleichzeitig die Funktion einer Grenzregion zw. Osten und Westen. Im Süden wird A. durch die Gebirgsmassive des → Erymanthos und der Aroania von → Arkadia getrennt. Im Norden stellt der Golf von Korinth eine natürliche Grenze dar. Dagegen gehen die Ebenen West-A.s ohne irgendeine geogr. Markierung in die Landschaft → Elis über, im Osten gehört Pellene seiner Lage nach mehr zu Arkadia oder auch zu Sikyon. Starke Kalksteinschwellen streichen vom Gebirge her nordwärts bis zum Meer und schaffen eine Reihe kleiner Küstenebenen, die untereinander fast völlig abgeschlossen sind. A. trug damals den Namen Ἀιγιαλός, Ἀιγιάλεια (Strab. 8,7,1; Apollod. 2,1,1; Paus. 2,5,6; 5,1,1; 7,1,1), umfaßte aber bei Hom. Il. 2,573–575 den Westteil der späteren A. nicht: Es scheint, als ob Ost-A. Rückzugsgebiet der Mykener (→ Mykene) vor den andringenden griech. Völkerschaften gewesen sei [2. 458]. Danach könnten nach der sagenhaften Überlieferung dort Griechen der ersten Wanderungswelle, später als → Iones bezeichnet, gesiedelt haben [3. 341–347]. Die A. sind später, wohl in Zusammenhang mit der → dorischen Wanderung, gekommen und haben den gesamten Landstrich in Besitz genommen. Ob die in hethit. Texten erwähnten Achijawa mit den Ἀχαιοί gleichgesetzt werden können, ist fraglich [4; 5]. Im Epos wurden unter den Ἀχαιοί Gefolgsleute des → Agamemnon und des → Achilleus verstanden, Ἀχαιοί waren gleichbedeutend mit den vor Troia versammelten Griechen insgesamt [17. 350]. In histor. Zeit war der ethnische Begriff nicht auf die Nordküste der Peloponnesos,

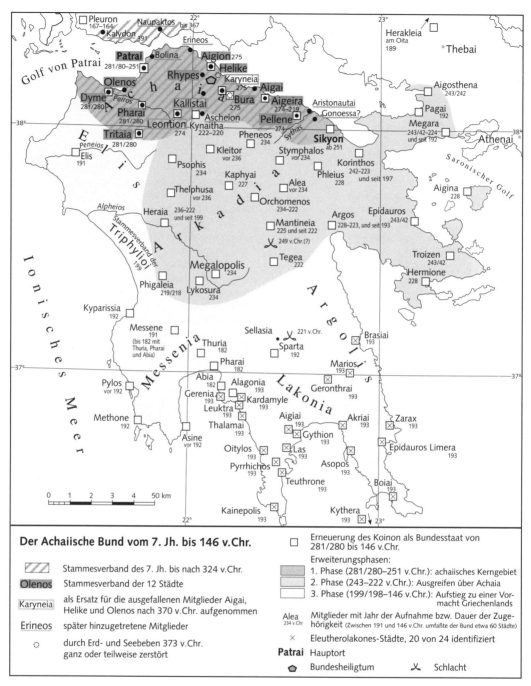

Der Achaiische Bund vom 7. Jh. bis 146 v.Chr.

☐ Erneuerung des Koinon als Bundesstaat von 281/280 bis 146 v.Chr.

Erweiterungsphasen:

1. Phase (281/280–251 v.Chr.): achaiisches Kerngebiet

2. Phase (243–222 v.Chr.): Ausgreifen über Achaia

3. Phase (199/198–146 v.Chr.): Aufstieg zu einer Vormacht Griechenlands

▨ Stammesverband des 7. Jh. bis nach 324 v.Chr.

Olenos Stammesverband der 12 Städte

Karyneia als Ersatz für die ausgefallenen Mitglieder Aigai, Helike und Olenos nach 370 v.Chr. aufgenommen

Erineos später hinzugetretene Mitglieder

◌ durch Erd- und Seebeben 373 v.Chr. ganz oder teilweise zerstört

Alea 234 v.Chr Mitglieder mit Jahr der Aufnahme bzw. Dauer der Zugehörigkeit (Zwischen 191 und 146 v.Chr. umfaßte der Bund etwa 60 Städte)

✕ Eleutherolakones-Städte, 20 von 24 identifiziert

Patrai Hauptort

⬠ Bundesheiligtum ⚔ Schlacht

sondern auch auf Südostthessalien (→ Thessalien) beschränkt (Ἀχαία Φθιῶτις). Bis zur Großen Kolonisation war bei den A. der arkado-kyprische Dialekt offenbar üblich, wie Sprachreste aus Metapontion zeigen; in histor. Zeit sprachen die A. eine dorische κοινή [6. 221–224, 248–262, 456–457]. Schon bei den Iones war das gesamte achaiische Gebiet in 12 Teile (Distrikte, μέρεα, μέρη) gegliedert (Hdt. 1,145; Strab. 8,7,4): Pellene, Aigeira, Aigai, Bura, Helike, Aigion, Rhypes, Patrai, Pha-

rai, Olenos, Dyme, Tritaia. Die Umwandlung dieser Distrikte in Poleis ist nicht einfach zu belegen [2. 466–473; 7]; die Aufzählung dieser 12 Teile, die vermutlich durch die geogr. Gliederung der Landschaft ganz natürlich entstanden sind, ergibt jedoch die Ausdehnung der Landschaft und ermöglicht die Eintragung ihrer Grenzen. Im Westen wird der → Larisos (Paus. 7,17,5), im Osten der → Sythas (Paus. 7,27,12) als Grenze bezeichnet. Später wurde Aigai (nach 370 v.Chr.), Aigeira oder

Aigion (Strab. 8,7,4–5), Olenos Dyme (Strab. 8,7,5; Paus. 7,18,1) einverleibt, nach der Zerstörung von Helike (373 v. Chr.) die Zwölfzahl durch die Hinzunahme von Karyneia, Leontion und Kallistai erreicht. Erineos, Ascheion, Bolina traten später hinzu; die homer. Hyperesie (Il. 2,573) ist die Burg von Aigeira (Paus. 7,26,2–4); die Lokalisierung von Gonoessa/Donussa bleibt umstritten [8]. In Westost-Richtung beschreibt Paus. 7,17,5–27,12 die Landschaft (vgl. die Kommentare von FRAZER, 1898; HITZIG-BLÜMNER, 1904; PAPACHATZIS, 1980; MEYER-ECKSTEIN, 1987).

B.1 FRÜHGESCHICHTE

Die Besiedlung setzt mit der Einwanderung der Griechen (mittelhelladische Funde bei Pharai) ein, ist in der myk. Blütezeit noch selten nachweisbar (bei Gumenitsa), dagegen für die Epoche 1230–1000 v. Chr. (SH III B/C – Protogeometrisch) durch viele FO an der Küste, in der tief landeinwärts ziehenden Anbauzone von → Phara (Chalandritsa), in der Vorhöhenzone und bis ins Gebirgsland belegt. Die Reste, die man in der Nähe von Dyme und auf der Akropolis von Aigeira gefunden hat, lassen vermuten, daß einige Bezirke eine Siedlungsform entwickelt hatten, die auch die nahe Landbevölkerung zum Bleiben einlud. Schon vom Anf. der myk. Periode an hatten die Bewohner von A. die myk. Kultur angenommen. Trotz unvollständiger Kenntnisse der Siedlungen scheint die Annahme eines überregionalen staatlichen Gebildes wegen mangelnder top. und wirtschaftsgeogr. Voraussetzungen nicht begründet zu sein. In dieser Spätzeit wurden westgriech. Inseln (Zakynthos: Thuk. 2,66,1) und das nördl. Adria-Gebiet von A. aus besiedelt. Nach Hdt. 1,145 f., 7,94; Paus. 7,1,1 f., 7,6,1 f. folgten den Iones als Verehrern des → Poseidon Helikonios von Helike nach Kämpfen um Helike Achaioi (ein Pelopide: Paus. 5,4,3), deren Gebiet dann von der dor. Wanderung umgangen wurde. Im Schiffskatalog (Hom. Il. 2,569 f.) gehört A. zum Reich von Mykenai. Dabei werden außer Aigion keine Orte mit myk. Funden genannt, vor allem nicht der in submyk. Zeit dichtbesiedelte Westteil. Die Bewohner von A. im 1. Jt. – nach einer Fundlücke im 10. Jh. [9. 28] – gehören der nordwestgriech., den Dorieis nahestehenden Dialektgruppe an mit Beziehungen zur aitol. Gegenküste. Sie übernahmen von den Vorbewohnern den Landschaftsnamen, nach Hdt. 1,145 von den Iones auch die Siedlungsform als Dodekapolis und den kult. Mittelpunkt im Heiligtum des Poseidon von Helike.

B.2 ARCHAISCHE UND KLASSISCHE ZEIT

Am Anfang der Gesch. von A. (Überblick bei Pol. 2,41,4–5; Strab. 8,7,3; Paus. 7,6,3–5) steht zw. 720 und 670 v. Chr., gleichzeitig mit korinth. Einfluß, die Aussendung von Kolonisten nach dem im Landschaftscharakter verwandten Gebiet am Golf von → Tarentum mit Metapontion, → Sybaris [10], → Kroton [11], → Kaulonia. Dorthin wurde das Alphabet von A. [12] und der Kult des → Zeus Hamarios [13] übernommen (Pol. 2,39,4). Trotz zeitweiliger Sonderstellung von Aigai (Münzprägung 500–370) und Pellene (FGrH 105 fr. 2)

bildete A. eine ethnisch begründete polit. Einheit mit dem Heiligtum des → Zeus Hamarios oder Amarios als kult. Mitte; als Einheit nehmen es Hdt. 8,73 (Ἀχαικὸν ἔθνος), Thuk. (passim) und auch Strab. 8,7,2 [2. 476–483]; selbständige Politik trieb wegen seiner Grenzlage im Osten Pellene (Thuk. 2,9), wird daher auch von Aristot. fr. 567 in den *Politika* neben A. gesondert behandelt. Am Perserkrieg und zunächst am → Peloponnesischen Bund nicht beteiligt, war A. 453–446, 429, 419 v. Chr. von Athen, nach 417 v. Chr. von Sparta beansprucht und auch zur Umgestaltung der urspr. Demokratien der Kleinbauern in Oligarchien gezwungen. A. kämpfte 400, 394, 390 (seit 378 v. Chr. als eigener Aushebungskreis) unter Spartas Oberbefehl. Der alte achaiische Bund hat seine größte Blüte zu einer Zeit erreicht, als A. enger Verbündeter Spartas war [2. 483–495]. Der Zerstörung von Bura und Helike durch Erd- und Seebeben in einer Winternacht 373 folgte 367 v. Chr. die Demütigung beim Einmarsch des → Epameinondas. Doch kamen die von thebanischen Harmosten vertriebenen Oligarchen bald wieder an die Macht (Xen. hell. 7,1,41–43; Syll.ⁿ 181), und Naupaktos jenseits des Golfs wurde wieder (bis 338 v. Chr.) achaiisch. Ein Schiedsgericht der A. zw. Theben und Sparta 371 v. Chr. (Pol. 2,39,8) ist unhistorisch. 360–320 (wie schon einmal nach 371 oder 367 v. Chr.) prägte A. Bundesmünzen, hatte also, wie damals auch Aitolia, Koinon-Charakter angenommen. Schon 391 v. Chr. wurde Kalydon in die → Sympoliteia aufgenommen; als Koinon verhandelte A. 367 v. Chr. mit dem Panionion-Bund. Im 3. und 4. Phokischen Krieg stand A. gegen den Makedonenkönig, ebenso 331/330 im Krieg des Agis von Sparta. Nach 324 v. Chr. (Hyp. 1,18) wurde das koinón aufgelöst. Demetrios legte Garnisonen in die Städte und setzte Tyrannen ein (Diod. 19,66; 20,103).

B.3 HELLENISTISCHE ZEIT

Die Gesch. von A. als hell. *koinón* begann 281/280 v. Chr. neu mit dem Zusammenschluß der westl. Städte Tritaia, Dyme, Pharai und Patrai unter Führung von Patrai (Pol. 2,41; L. MORETTI (Hrsg.), Iscrizioni storiche ellenistiche 1, 1967 Nr. 60; [14. 28–38]). Die Vertreibung der maked. Besatzungen, Sturz oder Abdankung der Tyrannen ermöglichten den Anschluß von Aigion, Bura, Karyneia 275, von Leontion, Aigeira, Pellene 274 v. Chr. Nach Anlehnung an Pyrrhos und im Chremonideischen Krieg an Athen gewann der Achaische Bund größere Bed. erst 251 v. Chr. dank der Hilfe des Aratos durch den Beitritt von Sikyon, der neuen Vormacht. Der Bund griff nun über A. hinaus: Bündnisse mit Arkadia (Schlacht bei Mantineia 249 v. Chr.?), Boiotia 245 mit Angriffen auf Westlokris und Kalydon (Plut. Aratos 16,1), erst seit 241 wieder mit Sparta werden möglich, seit 239 v. Chr. sogar mit Aitolia, zuvor noch Feind (Pol. 2,4,9; 44,1). Entscheidend als Schlag gegen den Makedonenkönig wird die Einnahme von Korinthos 242 v. Chr. durch Aratos. Ptolemaios III. wurde 243/242 v. Chr. zum σύμμαχος ἡγεμονίαν ἔχων gewählt (Plut. Arat. 24; Philop. 8), konnte jedoch A. nur durch eine

Jahreszahlung von 6 Talenten unterstützen. Megara, Troizen und Epidauros (IG ²IV 1, 70f.) wurden 243/242 v. Chr. achaiisch. Eine neue Phase der Ausbreitung, die den Gegensatz zu Sparta verstärken mußte, begann mit dem Anschluß von Kleitor und Thelpusa (vor 236), Heraia (236), Alea und Stymphalos (vor 234), Orchomenos (Syll.³ 490), Megalopolis (Pol. 2,44,5) und Pheneos, ebenfalls in Arkadia (234). Dann folgen Hermione, Aigina, Argos und Phleius (228), Kaphyai (227), Tegea, Mantineia und Kynaitha (222). Schließlich zwang der unglückliche Krieg mit Kleomenes III. von Sparta 228–222 v. Chr. bei zeitweisem Verlust der Argolis, die Hilfe des Makedonenkönigs zu suchen und dafür Korinthos, Heraia und Orchomenos aufzugeben, wo auch nach der Vernichtung des Kleomenes bei Sellasia 221 maked. Besatzungen blieben (auf Megara war schon 224 verzichtet worden: Pol. 20,6,7). Diese Schwächung, auch die der Bundesfinanzen (Pol. 4,60), nützten die Aitoloi 220 v. Chr. (Kynaitha) dann im Bundesgenossenkrieg 219 und 218 v. Chr. zu Einfällen in A.; Dorimachos nahm 219 v. Chr. Aigeira. A. mußte sich nun ganz den Wünschen des Makedonenkönigs → Philippos V. fügen (auch bei der Strategenwahl von 219). Durch Roms Bündnis mit den Aitoloi 212 v. Chr. weiter geschädigt, erholte sich das Besitzbürgertum von A. und der Bund erst unter → Philopoimen wieder. Ihm gelang nach der Reorganisation der Reiterei seit 208 v. Chr. auch die des Bundesheeres. Die Gesch. dieser Zeit hat Polybios wohl seit 183 v. Chr. in der Biographie Philopoimens, dann in den *Achaiká* dargestellt. Im Exkurs 2,37ff. und in vielen Teilen des späteren Gesch.-Werkes bietet Polybios auch das reichste Material für die verfassungsgesch. Entwicklung des Bundes der A. Der Aufstieg von A. zur Vormacht in Griechenland war Folge der Anlehnung an Rom seit 198 v. Chr., aber getragen von einer irrigen Einschätzung des durch Rom gelassenen Spielraums. Mit ihr verband sich auch eine Intensivierung der Mz.prägung (HN 2, 416–418). Bereits 199 v. Chr. kamen westarkadische Städte und Triphylien durch Philippos V., dann nach dem Abschluß eines → *foedus* mit Rom durch Roms Hilfe 194 Korinth, 193 die nunmehrigen Eleutherolakones-Städte an den lakonischen Küsten und Argos (198–193 spartanisch), schließlich 192 Sparta, die messenischen Küstenstädte und erneut Megara und Pagai, 191 Messene und Elis zu A. Der Achaiische Bund umfaßte 191–146 v. Chr. mit maximal rund 60 Poleis verschiedenster Größe die gesamte Peloponnes, doch mußten 189 und 183 Unruhen in Sparta, 183/182 in Messene unterdrückt werden. Insbes. die Auflösung von Bundesstaaten in ihre Poleis (Pol. 23,17,2) stieß auf Widerstand. Die Unterstützung der Reichen durch Rom schürte innere Zwistigkeiten. Nach der Niederlage des Makedonenkönigs (168 v. Chr.) mußten die der maked. Sympathien verdächtigten Kreise 1000 hochgestellte Personen nach Rom abstellen (darunter Polybios). 148 v. Chr. fand Sparta bei Rom Unterstützung. 147 verlangten röm. Legaten die Umwandlung von A. aus einem Bundesstaat in einen Staatenbund. Wie später anderwärts wurde der Widerstand gegen Rom zum Aufstand der Verarmten, der auch die Freilassung der in A. geborenen Sklaven durchsetzte. Die Eroberung von Korinthos durch L. Mummius 146 v. Chr. und ein Strafgericht über die Römerfeinde bedeutete das Ende des Bundes, der nur (SEG 15,254) als sakrales *koinón* fortlebte. A. wurde der Verwaltung des Statthalters der Prov. Macedonia unterstellt (SIG^n 683; SEG 3,378; IGR 1,118 [17. 306ff.]). Unsere Kenntnisse über die Gesch. der letzten Jahre des Achaischen Bundes (179–146 v. Chr.) verdanken wir Pausanias (7,10,1–17,1) [15]. Patrai war zeitweise im *foedus* mit Rom und prägte Mz. Dyme wurde 67 v. Chr. von Pompeius mit kilikischen Seeräubern besiedelt und 27 v. Chr. zur *colonia Iulia Augusta*; 14 v. Chr. wurde Patrai röm. *colonia*, erhielt die Gegenküste zw. dem Acheloos [1] und Naupaktos, seit Traianus bis vor Amphissa ostwärts und auch das Gebiet von Dyme, Rhypes, Pharai, Triteia. Kleine Küstenorte im Osten, *villae rusticae* im Westen des fortbestehenden Dyme, auch bei Aigion und Aigeira, wo noch eine Abschrift des Höchstpreis-Edikts des Diokletianus (CIL III 2328, 58–63; SEG 24,338) gefunden wurde, erweisen die wirtschaftliche Blüte von A. in der Kaiserzeit. Aigion ist als Sitz des Koinon ῶν Ἀχαιῶν (Paus. 7,24,4) weiterhin sakraler Mittelpunkt der Peloponnesos, nicht nur von A. Hierokles (646/648) kennt noch Patrai, Aigion, Aigeira. Eine Römerstraße folgte der Küste [16. 338–349] und berührte diese Orte, dazu Dyme.

→ Griechische Dialekte

1 Philippson / Kirsten, 3, 1959 **2** R. Koerner, Die staatliche Entwicklung in Alt-A., in: Klio, 56, 1974, 457–495 **3** F. Prinz, Gründungsmythen und Sagenchronologie, 1979 **4** H. G. Güterbock, M. J. Mellink, E. T. Vermeule, The Hittites and the Aegean world, in: AJA 87, 1983, 133–143 **5** M. Finkelberg, From Ahhiyawa to Ἀχαιοί, in: Glotta 66, 1988, 127–134 **6** L. H. Jeffery, The Local Scripts of Archaic Greece, ²1990 **7** Y. Lafond, Espace et peuplement dans l'Achaïe antique, in: Studi Urbinati di Storia., Filologia e Lettere, 1996 **8** J. G. T. Anderson, J. K. Anderson, A Lost City Discovered?, in: Californian Studies in Classical Antiquity 8, 1976, 1–6 **9** S. Deger-Jalkotzy, Zum Verlauf der Periode SH III C in A., in: Meletemata 13, 1991, 19–29 **10** P. G. Guzzo, Sibari e la Sibaritide, in: RA, 1992, 3–35 **11** M. Giangiulio, Ricerche su Crotone arcaica, 1989 **12** R. Giacomelli, Achaea magno-graeca. Le iscrizioni arcaiche in alfabeto acheo di Magna Grecia, 1988 **13** M. Osanna, Dialoghi di archeologici 7, 1989, 55–63 **14** T. Schwertfeger, Der Achäische Bund von 146 bis 27 v. Chr., 1974 **15** Y. Lafond, Pausanias historien dans le livre VII de la Périégèse, in: Journal des Savants, 1991, 27–45 **16** G. D. R. Sanders, I. K. Whitbread, Central Places and major roades in the Peloponnese, in: ABSA 85, 1990, 333–361 **17** CAH 2,2, ³1975 **18** J. A. O. Larsen, Roman Greece, in: T. Frank, An Economic Survey of Ancient Rome 4, 1938, 259–498.

A. Accame, Il dominio romano in Grecia dalla guerra acaica ad Augusto, 1946 · J. K. Anderson, A topographical and historical study of Achaea, in: ABSA 49, 1954, 72–92 · A. Bastini, Der Achäische Bund als hell. Mittelmacht,

1987 · J.A.O. Larsen, Greek Federal States, 1968 · Ders., Der frühe Achäische Bund, in: F. Gschnitzer (Hrsg.), Zur griech. Staatskunde, 1969, 298–323 · G.A. Lehmann, Erwägungen zur Struktur des Achäischen Bundesstaates, in: ZPE 51, 1983, 237–261 · Th.J. Papadopoulos, Mycenaean Achaea, in: Studies in Mediterranean Archaeology 55, 1978/1979 · A.D. Rizakis (Hrsg.), A. und Elis in der Ant., Meletemata 13, 1991 · R. Urban, Wachstum und Krise des Achäischen Bundes: Quellenstudien zur Entwicklung des Bundes von 280 bis 222 v. Chr., 1979. Y.L.

[2] Westkaukasisches Volk mit vielen Stämmen (Plin. nat. 6,30), dessen Territorium sich ca. 177 km nordwestl. von Pityus, ca. 150 km südöstl. von Bata über ca. 88 km an der Schwarzmeerküste erstreckte (Strab. 11,2,12; 14; Ps.-Skyl. 75). Wegen des Gleichklangs mit dem der griech. A. wurde den A. eine griech. Herkunft zugeschrieben (FGrH 3 Pherekydes fr. 147; Ps.-Skymn. 902ff. Diller; Strab. 9,2,42; 11,2 12; App. Mithr. 102). Die A. lebten zeitweise von Piraterie (Aristot. pol. 1338b 20). → Mithradates VI. versuchte sie 80 v. Chr. zu unterwerfen, was ihm erst 65 v. Chr. gelang. 75 v. Chr. waren sie mit diesem verbündet (App. Mithr. 102). Unter Kotys' I. Untertanen des → Regnum Bosporanum (CIRB 958 – ca. 50 n. Chr.). Spätestens im 5. Jh. n. Chr. wurde ihr Gebiet von den → Zygoi übernommen. Vgl. auch den Flußnamen Ἀχαιοῦς (Achaius) und den Ortsnamen Παλαιὰ Ἀχαία (Palaia Achaia, Menippos per. p. E. 10r Diller; Arr. per. p. E. 77; Anon. per. p. E. 10r 1,7).

B. Latyschev, IOSPE 2, XIVf. · P. Kretschmer, Die Hypachäer, in: Glotta 21, 1933, 242ff. · F. Sommer, Ahhijavafrage und Sprachwiss., in: ABAW N.F. 9, 1934, 60ff. S.R.T.

Achaios (Ἀχαιός). **[1]** Sohn des Xuthos und der Kreusa, Enkel des Hellen, Bruder des Ion (Hes. fr. 10a 20–24; Apollod. 1,49f.). Er siedelte in Achaia (Eur. Ion 1592–4; Philochor. FGrH 328 F 13) oder in Thessalien (Paus. 7,1,2), von wo aus seine Söhne Archandros and Architeles nach Argos gegangen sein sollen (Paus. 7,1,6). Die Mythen spiegeln Versuche, eine Sonderstellung der Achaier in der Peloponnes zu begründen.

M.L. West, The Hesiodic Catalogue of Women, 1985, 57f. F.G.

[2, aus Eretreia] Tragiker, laut Suda α 4683 geb. 484/3–481/0 v. Chr., Sohn des Pythodoros oder Pythodorides. Erster Auftritt 448/7–445/4, zusammen mit Euripides; 1 Sieg (s. DID A 3a, nicht vor 447); die Zahl der Stücke schwankt zwischen 24 u. 44, überliefert sind 20 Titel, darunter mindestens acht Satyrspiele, die sich hoher Wertschätzung erfreuten (vgl. Diog. Laert. 2, 133); erh. sind ca. 56 Fragmente.

Mette, 161 · B. Gauly et al., Musa Tragica, 1991, 20 · TrGF 20. F.P.

[3, aus Syrakus] d.J., Tragiker. Laut Suda α 4682 verfaßte er zehn Trag.; vielleicht ein Sieg an den Lenäen des Jahres 356 v. Chr. (DID A 3b,52).

Mette, 183 · TrGF 79. F.P.

[4] als Sohn Seleukos' I. nicht bezeugt [1. 226]. Er war Vater von Antiochis (Gattin des Attalos: Sohn Attalos I.) und Laodike (Gattin des Antiochos II.: Sohn Seleukos II.: Strab. 13,624; FGrH 260 F 32,6). **[5]** Sohn des Andromachos, des Schwagers Seleukos' II., Gattin Laodike, Tochter Mithridates' II. von Pontos und Schwester von Antiochos' III. gleichnamiger Gattin. A. rächte die Ermordung Seleukos' III., eroberte für Antiochos 223/2 Westkleinasien von Attalos I. zurück, ließ sich aber 221/0 zum König ausrufen. Ab 216 wurde er von Antiochos bekriegt, in Sardes belagert und 213 gefangen und hingerichtet (Pol. 4,48ff.; 5,57; 7,15ff.; 8,17ff.).

1 A. Mehl, Seleukos Nikator I., 1986.

H.H. Schmitt, Unt. zur Gesch. Antiochos' d. Gr., 1964. A.ME.

Acharnai (Ἀχαρναί). Größter att. Demos, einziger der Mesogeia-Trittys der Phyle Oineis, 22 Buleutai. 60 Stadien von Athen (Thuk. 2,21,2) bei oder südwestl. von Menidi. Umstritten sind die Grenzen [7], ebenso die von Thuk. 2,19 [1; 5; 8] überlieferte Zahl von 3000 → Hoplitai – wohl eine Verschreibung aus 1000 [1; 8. 397ff.], was sehr genau der »Normalrelation« von 42 Vollbürgern je Buleutes entspräche [3. 286f.]. Myk. Kuppelgrab bei Lykopetra südl. von Menidi und bronzezeitliche Siedlung in Nemesis [2; 6]. In klass. Zeit sind für einen Demos dieser Größe neben zahlreichen Einzelgehöften mehrere geschlossene Siedlungen zu erwarten, für A. aber ebensowenig nachgewiesen wie das »Demenzentrum« auf dem Gerovuno [2]. Neben Landwirtschaft (Öl, Wein: vgl. Lukian. Icaromenippus 18) ist Kohlenbrennerei in den Wäldern des → Parnes (Aristoph. Ach. 180f.) bezeugt. 431 v. Chr. verheerten die Spartaner das Gebiet von A. (Thuk. 2,19–20), 404 v. Chr. kämpfte hier → Thrasybulos mit den »30 Tyrannen« (Diod. 14,32). Zahlreiche Kulte nennt Paus. 1,31,6. Zum Kult des → Ares und der → Athena Areia vgl. [4. 293ff.]. Der Ares-Tempel wurde Ende des 1. Jh. v. Chr. auf die Athener → Agora versetzt [6. 1]. Das Demendekret IG II² 1207 erwähnt Athena Hippias, das angebliche Theater von A. beruht auf der willkürlichen Ergänzung ihres Kultnamens im Dekret IG II², 1206 eines unbekannten Demos [3. 276 mit Anm. 1927]. Zur Wasserleitung (SEG 19, 181–182; IG II² 2491, 2502) vgl. [7; 6. 1 f.].

1 S. Dow, Thucydides and the Number of Acharnian Hoplitai, in: TAPhA 92, 1961, 66–80 2 R. Hope Simpson, Nemesis: A Mycenaean Settlement near the Menidi Tholos Tomb, in: ABSA 53/54, 1958/59, 292–294 (Kastro auf Gerovuno ma.) 3 H. Lohmann, Atene, 1993 4 L. Robert, Études épigraphiques et philologiques 272, 1938 5 W.E. Thompson, Three Thousand Acharnian Hoplites,

in: Historia 13, 1964, 400–413 **6** TRAVLOS, Attika, 1 ff., Abb. 2–7 **7** E. VANDERPOOL, The Acharnian Aqueduct, in: Χαριστήριον Ὀρλανδός 1, 1965, 166–175 **8** WHITEHEAD, Index s. v. A.

TRAILL, Attica, 20, 50, 59, 109 (Nr. 1), Tab. 6.   H. LO.

Acharrai (Ἀχάρραι). Stadt in der nordwestl. → Achaia Phthiotis an der Grenze zu Dolopia (→ Dolopes) und Thessaliotis (→ Thessaloi). A. prägte die Bronzemünzen des 4./3. Jh. v. Chr. mit der Aufschrift Ἐκκαρρεων (HN 294); eine Lokalisierung ist bisher nicht gelungen. A. ergab sich im 2. Maked. Krieg 198 v. Chr. den → Aitoloi bei ihrem Zug ins südwestl. Thessalien (Liv. 32,13,13; weitere Quellen bei [1. 154 f.]).

1 F. STÄHLIN, Das hellenische Thessalien, 1924.   HE. KR.

Achates. [1] Ein nach Theophr. de lapidibus 31 [1.68] nach dem gleichnamigen Fluß (heute Carabi oder Canitello) auf Sizilien benannter teurer Edelstein (*gemma*), der mit 11 anderen den Amtsschild des Hohenpriesters Aaron (Ex 39,10–13) schmückte [2.204 f.]. Nach Plin. nat. 37,5 soll König Pyrrhos von Epiros ein Exemplar besessen haben, auf welchem von Natur aus die Streifen (*maculae*) Apollon und die neun Musen zeigten. Nach Plin. nat. 37,139–142 war der A. mit seinen vielen Varietäten zwar wegen häufiger Funde an verschiedenen Orten im Wert gesunken, aber von volksmedizinischer Bedeutung, bes. gegen Skorpionsgift und als Durststiller. Graviert in Ringen und zu Schmuckstükken verarbeitet, hatte er große Bedeutung. Seit dem sog. Steinbuch des Orpheus v. 610–641 [3.115 f.] wird er in vielen gr. und lat. λιθικά bis ins Hohe MA wegen seiner magisch-medizinischen Wirkungen erwähnt.

1 D. E. EICHHOLZ (Hrsg.), Theophrastus de lapidibus, 1965 **2** H. QUIRING, Die Edelsteine im Amtsschild des jüdischen Hohenpriesters und die Herkunft ihrer Namen, in: Sudhoffs Archiv 38, 1954, 193–213 **3** R. HALLEUX, J. SCHAMP (Hrsg.), Les Lapidaires Grecs, 1985.   C. HÜ.

[2] Gefährte des Aeneas, der fast ausschließlich durch seine später sprichwörtliche Treue definiert ist (Verg. Aen. 8,521), sonst in der Aeneis kaum aktiv wird: Er begrüßt als erster It. (3,523) und erscheint in einer einzigen raschen Kampfszene (12,459). Vor Vergil ist er nicht sicher zu fassen. Die einzige unabhängig von Vergil ihm zugeschriebene Tat, daß er den landenden Protesilaos getötet habe (Schol. Il. 2,701; Eust. 326), ist nicht sicher vorvergilianisch und wurde auch Hektor oder Aineias zugeschrieben. Er ist also vermutlich Erfindung Vergils.

F. SPERANZA, s. v. Acate, EV 1,8 f.   F. G.

Acheloides (Ἀχελωΐδες). »Töchter des Acheloos«, gelehrte Bezeichnung in der lat. Dichtung. Sie betrifft **[1]** Flußnymphen, auch wenn sie einmal nicht seine Töchter sein sollten (COPA 15), **[2]** die Sirenen (Ov. met.

5,552; in eng verwandter Bildung *Acheloiades* Ov. met. 14,87; Sil. 12,34). Als ihre Mütter werden verschiedene Musen genannt (→ Acheloos, Sirenen).   F. G.

Acheloos [1] (Ἀχελῷος). Längster, wasserreichster Fluß Griechenlands im Gebiet der Aitoloi und Akarnaneis, urspr. Name Thoas, seit dem MA Aspropotamos, h. wieder A. Quellen im Territorium der Dolopes (Thuk. 2,102,2) beim Berg Lakmon im Pindos, dort von fünf Zuflüssen gespeist, durch Staustufen h. stark umgestaltet. Vom Gebiet der Agraioi und Amphilochoi (Strab. 10,2,1) kommend, trat er bei Stratos (Furt, Thuk. 3,106,1) mit breitem Bett (h. kanalisiert) in die Ebene, aus dem See von Konope der Zufluß Kyathos (Pol. 9,45), bei Konope eine Furt (Strab. 10,2,22). Das Mündungsdelta (sog. Paracheloitis [2. 18–30]) südl. von Oiniadai verbreitete sich durch Sedimente in histor. Zeit, so daß die → Echinaden-Inseln z. T. verlandeten (Hdt. 2,10,3; Strab. 1,3,8; 10,2,19; Paus. 8,24,11). Die Regulierung des Deltas durch → Herakles war nach Strab. l.c. und Dion. Hal. ant. 4,35 Anlaß für den Mythos vom Abbrechen des Horns des A. Schiffbar bis Stratos (Strab. 10,2,3; Skyl. 34; Pol. 4,63 ff.). Selten Grenze zw. → Akarnania und → Aitolia (3. Jh. v. Chr.: IG ²IX 1,1, 3), trennte der A. in der Kaiserzeit die Prov. → Epirus und → Achaia (Ptol. 3,13 f.).

1 N. G. L. HAMMOND, Epirus, 1967 **2** W. M. MURRAY, The coastal sites of West-Akarnania, 1982 **3** E. OBERHUMMER, Akarnanien, 1887, 14–18 • PHILIPPSON / KIRSTEN 2, 576–578.   D. S.

[2] (Ἀχελῷος, etr. Αχλαε). Für den Süßwasserreichtum und die Fruchtbarkeit des Landes zuständiger Wassergott. Sein Name konnte syn. für Wasser gebraucht werden. Sein Kult ist inschr. mehrfach bezeugt und wurde vom Orakel in Dodona verbreitet. Auch einige Flüsse, darunter der größte Fluß Griechenlands, trugen den Namen A. Im Herakles-Mythos tritt A. als Mitbewerber um Deïaneira auf. Zum Kampf erscheint er als Stier, als Schlange und in menschlicher Gestalt. Herakles besiegt ihn, indem er ihm das Horn abbricht. Dieses wird dann mit dem Füllhorn des Reichtums gleichgesetzt. Seit dem Ende des 4. Jh. v. Chr. verlor A. als Kultgott an Bedeutung. In der kaiserzeitlichen Lit. blieb er jedoch als Topos für einen unglücklichen Liebhaber beliebt. Das Abbrechen des Horns wurde seit dem 1. Jh. v. Chr. auch als Korrektur des akarnanischen Flusses durch Herakles rational umgedeutet.

In der archa. und klass. griech. Kunst ist die Darstellung des A. sehr verbreitet. Seine charakteristische Ikonographie ist der Mannstier, d. h. der Stier mit menschlichem Gesicht. Weit häufiger als die Kampfbilder mit Herakles sind Einzeldarstellungen, neben Ganzbildern oft auch Protomen, Köpfe und insbes. Masken. Als Vater der Nymphen erscheint A. auf den att. Nymphenreliefs. Bes. in Großgriechenland und in Sizilien begegnet A. auf Münzen zahlreicher Städte. Auch in der etr. Kunst sind Darstellungen des A. häufig.

→ Deïaneira; Flußgötter; Herakles

H.P.Isler, A., 1970. · H.P.Isler, s.v. A., LIMC 1.1,
12–36 · C.Weiss, Griech. Flußgottheiten in vorhell. Zeit,
in: Beitr. zur Arch. 17, 1984. · H.P.Isler, in: Gnomon 62,
1990, 661–663.   H.I.

Acheloos-Maler s. Leagros-Gruppe

Acherdus (Ἀχερδοῦς, von ἄχερδος, Dornstrauch, →
Achradus). Att. → Paralia(?)-Demos der Phyle → Hippothontis, 1 Buleutes. Lokalisierung unsicher [1. 23 (bei
Goritsa); 2. 217 (bei Eleusis oder Dekeleia); 3. 137], offenbar im Bereich der Thriasia.

1 A.Milchhoefer, Erläuternder Text, in: E.Curtius,
J.A.Kaupert (Hrsg.), Karten von Attika 7–8, 1895, 23
2 Ders., s.v. A., RE 1 3 J.S.Traill, Demos and Trittys,
1986.

Traill, Attica, 52, 109 Nr. 2, Tab. 8 · Whitehead,
23, 336, 372.   H.LO.

Acheron (Ἀχέρων). **[1]** Fluß in → Epeiros, entspringt
an den Hängen des Tomaros [2. 166] (im 4.Jh. v.Chr.
Gebiet der Molossi: Liv. 8,24,2), fließt durch enge
Schluchten der Thesprotia (Thuk. 1,46,3) und bildete in
der Ant. nach Eintritt in die Ebene mit trägen Windun-
gen den sumpfähnlichen See Ἀχερουσία λίμνη (Acherousía límne, h. trockengelegt). Nach Strab. 7,7,5 (wie
Thuk. 1,46,3 aus Hekat. schöpfend [2. 443–469, 478])
mündete er beim γλυκὺς λιμήν (glykýs limén »Süßwas-
serhafen«, Station des röm. → cursus publicus, Tab. Peut.
7,3 [2. 692f.]), nach anderen bei Elaia ins Meer (Skyl.
30; Ptol. 3,14,5) – wohl Hinweis auf eine Mündungs-
verschiebung [2. 63, 514, 547f.]. Südl. von Ephyra (h.
Mesopotamo), beim Zusammenfluß von A. mit dem
Kokytos, befand sich das mindestens seit der Archaik bis
in die Kaiserzeit berühmte Totenorakel Νεκυομαντεῖον
(Nekyomanteíon, Hom. Od. 11,14; Hdt. 5,92,7; Paus.
1,17; 9,30,6), an dem die Seelen der Verstorbenen befragt wurden [1; 3]. Die bei Plin. nat. 4,1,4 erwähnte
1000 Fuß lange (hell.?) Doppelbrücke diente den Besu-
chern als Übergang über den See [2. 66, 236].

1 S.I.Dakaris, in: AK Beih., 1963, 50–54
2 N.G.L.Hammond, Epirus, 1967 3 Praktika, 1975,
146–152 · Praktika, 1991, 178–181.   D.S.

[2] Seit Homer (Od. 10,513) einer der Un- terwelts-
flüsse, und zwar derjenige, der die Grenze der Unterwelt bezeichnet und den → Charon überquert (Aischyl.
Sept. 856; Ant. Pal. 7,67f.). Dadurch wird er oder seine
Ufer auch einfach zur Bezeichung der Unterwelt (Aischyl. Ag. 1160; Pind. P. 11,21; Orph. fr. 222,3). Die
präzisere Topographie variiert: Bei Homer sammelt er
die Wasser von Pyriphlegeton und Kokytos, bei Vergil
(Aen. 6,295) ist er umgekehrt Nebenfluß des Kokytos;
bei Plat. Phaid. 112e fließt der A. innerhalb und gegen-
läufig zum äußersten Ringfluß Okeanos, und sein Was-

ser fließt in den Acherusischen See (Acherousía límnē),
wo die Totenseelen ankommen. Entsprechend kann es
auch heißen, daß die Toten diesen See überqueren müssen (Eur. Alk. 443; vgl. Aristoph. Ran. 181–183), der
wie A. auch einfach zum Ort der Toten wird (Eur. fr.
868 N²). Die Einzelheiten dieser mythischen Geogr.
können von den geogr. Realitäten des thesprotischen A.
beeinflußt sein [1. 307f.]. In den orphischen Unter-
weltsbeschreibungen werden die vier Totenflüsse systematisiert; die allegorische Deutung verbindet sie mit
den Elementen und Himmelsrichtungen, den A. mit
Luft und Süden (Orph. fr. 123. 125).

Die Etrusker kennen → Acheruntici libri, die Opfer-
anweisungen zur Vergöttlichung der Seelen enthalten (Arnob. 2,62; Serv. Aen. 8,398, vgl. 3,168); das kann
man als Anweisungen für Nekyomantie, aber auch als
spezifische eschatologische Rituale verstehen [2. 178f.].

Als unterweltlicher Flußgott gilt A. als Vater des eleusinischen → Askalaphos; Mutter ist Orphne (»Dunkelheit«, Ov. met. 539–541) oder Gorgyra bzw. Gorgo
(Apollod. 1,33; Apollod. FGrH 244 F 102).

1 C.Sourvinou-Inwood, »Reading« Greek Death. To the
End of the Classical Period, 1995 2 Pfiffig 3 Rohde. F.G.

Acheruntici libri. Etruskische sakrale Bücher (Arnob.
2,62; *sacra Acheruntia*, Werk des Wahrsagers Tages bei
Serv. Aen. 8,398), oft mit den *libri fatales* verwechselt
(Varro bei Cens. 14,15; Liv. 5,15,11), in der dreiteiligen
Klassifikation bei Cic. div. 1,72 (*haruspicini / fulgurales /
rituales*) zu den *libri rituales* gezogen (vgl. Cens. 17,5). Im
eigentlichen Sinne betreffen die A. das Jenseits (gemäß
dem allg. Sinn, den der griech. Unterweltsfluß im Etr.
übernommen hat [1. 291–302]) und erklären, wie man
die Verstorbenen in *dii animales*, Götter, die aus einer
anima bestehen, mittels angemessener Opfer (*hostiae animales*: Serv. auct. Aen. 4,56; Macr. 3,5,1; Serv. georg.
4,539, Aen. 3,231; 5,483) verwandelt. Dieser Glaube
war Gegenstand des *De diis animalibus* von Cornelius
Labeo (s.o. Serv. Aen. 4,56), der dem Christentum so
eine heidnisch-ital. Alternative entgegenstellte.

1 C.Pasquali, SE I, 1927, 291–302.

D.Briquel, in: La mort, les morts et l'au-delà dans le monde
romain, Colloquium 1985, 1987, 265–78 · Pfiffig,
178–81 · C.O.Thulin, Die etr. Disciplin III, 1909,
57–75.   D.BR.

Achijawa (Aḫḫijawa). In hethit. Keilschrifttexten des
15.–13.Jh. v.Chr genanntes Land bzw. Königtum, in
der Forschung zuweilen mit griech. Achaia gleichgesetzt. Die Gleichung A. = Achaia ist nach wie vor umstritten, ebenso, ob es ein griech. Gebiet war, ob es in
Kleinasien, auf den ägäischen Inseln und/oder auf dem
griech. Festland lag. Die Hethiter dehnten um 1400
v.Chr. ihren Einfluß in das süd-westl. Kleinasien aus,
doch wurde ihr Madduwatta von Attariššija von Aḫḫija
(wohl = A.) vertrieben. Er soll aber später mit dem Kö-

nig von A. gegen Hatti intrigiert und Alašija/Zypern überfallen haben. Im Entwurf eines Vertrages des Königs Tuthalija IV (um 1230 v. Chr.) mit einem syr. Vasallen wurde der König von A. zunächst unter den gleichberechtigten Großkönigen genannt, dann aber gestrichen. Vielleicht war die Bedeutung von A. als Folge einer veränderten polit. Situation im ägäischen Raum zurückgegangen.

→ Achaioi, Achaia

> W. RÖLLIG, in: I. GAMER-WALLERT (Hrsg.), Troia. Brücke zwischen Orient und Okzident, 1992, 183–200.   H. KL.

Achillas (Ἀχιλλᾶς). Ägypter, *praef. regius*, aber wohl nicht Vormund Ptolemaios' XIII. Er führte die Ermordung des Pompeius durch und wurde von Potheinos im Kampf gegen Caesar zum Oberbefehlshaber des Heeres gemacht (48/7 v. Chr.). → Arsinoe [II 6] IV. beläßt ihn erst in diesem Amt, läßt ihn dann aber auf Veranlassung des → Ganymedes ermorden. PP 6, 14594.

> L. MOOREN, The aulic titulature in Ptolemaic Egypt, 1975, 73 f. Nr. 029.   W. A.

Achilleion (Ἀχίλλειον). Stadt an der Nordwestküste der → Troas bei der Besik-Bucht [1. 185 f.; 2. 195], von → Mytilene im 6. Jh. v. Chr. als Stützpunkt gegen das von den Athenern besetzte → Sigeion erbaut (Hdt. 5,94; Strab. 13,1,39), zählte wohl zu den aktaiischen Städten (→ Aioleis [1. 180]). In hell. Zeit wurde A. von Ilion (→ Troia) vereinnahmt, nach einer Revolte zerstört (Strab. 13,1,39). Benannt war A. nach dem Grabhügel des Achilleus, der u. a. von Alexander d. Gr. (Arr. an. 1,2,12) und Caracalla (Cass. Dio 77,16) besucht wurde.

> 1 J. M. COOK, The Troad, 1973 2 E. PÖHLMANN, Homer, Mykene und Troia: Probleme und Aspekte, in: Studia Troica 2, 1992, 187–199.

> W. LEAF, Strabo on the Troad, 1923 · L. ROBERT, Etudes de numismatique grecque, 1951, 8 f.   E. SCH.

Achilleion kome (Ἀχίλλειον κώμη). Siedlung mit Heiligtum des → Achilleus (Strab. 11,2,6) am äußersten Westende der h. Halbinsel Taman, wo die Straße von Kertsch am engsten ist (Strab. 7,4,5; 11,2,8; Ptol. 5,9,5; Steph. Byz. s. v. A.). Arch. wenig erforscht.

> V. F. GAIDUKEVIC, Das Bosporanische Reich, 1971, 218 f.   S. R. T.

Achilleos Dromos (Ἀχιλλέως δρόμος). Auch Ἠϊόνες (Arr. per. p. E. 31), sandige Landzunge zw. der Mündung des → Borysthenes und dem karkinitischen Meerbusen (h. Länge ca. 65 km, Breite bis 1,8 km), mit dem Festland durch einen schmalen Isthmus verbunden (Ptol. 3,5,25). Das westl. Ende hieß Ἱερὸν ἄλσος τῆς Ἑκάτης (Menippos per. p. 13r 155 DILLER), h. Tendra, das östl. Ende Ταμυράκη oder Ταμθριάκη (Strab. 7,3,19; Menippos l. c.; Anon. per. p. E. 58) oder Μυσαρίς, h.

Dzarylgac. 1824 wurden Reste des Heiligtums des → Achilleus entdeckt.

> IOSPE² 328 f. · I. I. TOLSTOJ, Ostrov Belyi i Tavrika na Evksinskom Ponte, 1918, 55 ff. · A. I. ŠČEGLOV, Zametki po drevnej geografii i topografii Sarmatii i Tavridy, in: VDI 1972, 3, 126–133.   S. R. T.

Achilleus [1, Mythos] (Ἀχιλλεύς, Ἀχιλεύς, etr. Αχλε, lat. Achilles). A. ETYMOLOGIE B. LITERARISCHE ÜBERLIEFERUNG DES MYTHENSTOFFES 1. ALLGEMEIN 2. KINDHEIT DES ACHILLEUS, VORGESCHICHTE DES TROIANISCHEN KRIEGES 3. ILIAS 4. ILIAS PARVA UND AITHIOPIS C. KULT D. WIRKUNGSGESCHICHTE E. IKONOGRAPHIE

A. ETYMOLOGIE

Eine sichere Deutung des Namens des A., der vermutlich vorgriech. Ursprungs ist, steht auch heute noch aus. Ant. Erklärungen differieren: Schol. Il. 1,1 leitet den Namen ab von dem durch A. den Troern (d. h. den »Iliern«) zugefügten »Leid« (*áchos*). Eine andere Deutung (z. B. Tzetzes, Lykophr. 178) erklärt den Namen aus χεῖλος (»Lippe«) und α-*privativum*: A. bedeute »ohne Lippe«, da er nach seiner Geburt durch Feuer eine Lippe verloren habe. Die Wurzel αχελ- (vgl. die Flußgötter Acheron, Acheloos) könnte wie die Abstammung von der Nereide Thetis auf eine Wassergottheit hinweisen (so moderne Erklärungen, vgl. dazu [1]; dagegen [2]). Linear B-Tafeln bezeugen den PN A. in den Formen *a-ki-re-u* bzw. *a-ki-re-we* [3; 4].

B. LITERARISCHE ÜBERLIEFERUNG 1. ALLGEMEIN

A. ist Sohn der Nereide Thetis und des Peleus, des Königs der Myrmidonen im thessal. Phthia, stammt also über seinen Vater von Zeus ab (vgl. Stemma). Eine der

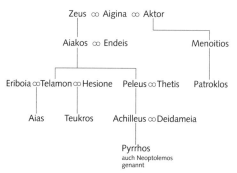

berühmtesten Sagengestalten in der griech. Mythologie, gehört er zu den Helden des Troianischen Krieges (μῆνις Ἀχιλλέως als Leitmotiv der Ilias). Das homer. Epos berichtet nur von den Taten des A. vor Troia, Vorgesch. und Zeit danach werden nur angedeutet. Andere, heute nicht mehr erhaltene ep. Dichtungen schmückten die homer. Mythen aus und ergänzten sie, teilweise divergierend, um Kindheit und Jugend des Helden, seine Kämpfe und Taten auf der Fahrt nach Troia, bei der Landung und während der ersten neun

Kriegsjahre sowie um die Ereignisse nach dem Tod Hektors (Tod des A., seine Bestattung, Entrückung auf die Insel der Seligen, Kult). Greifbar sind diese Erzählungen in den Exzerpten des Proklos bzw. in Fragmenten der Epen *Kypria*, *Aithiopis*, *Iliupersis*, *Ilias parva* und *Nostoi* (→ Epischer Zyklus), in dramatischen Bearbeitungen des Stoffes bei Aischylos und Euripides sowie bei Apollod. epitome, Hyg. fab. (96, 101, 107, 110), Ov. met. (12, 70–145; 580–611), Verg. Aen. (1,456–487; 6, 56–58) und Stat. Achilleis.

2. KINDHEIT DES ACHILLEUS, VORGESCHICHTE DES TROIANISCHEN KRIEGES

Fragmente früher Dichtungen, ergänzt durch Bildkunst (ab 7. Jh. v. Chr.) und spätere schriftliche Überlieferungen beschreiben die Kindheit des A. Der communis opinio der Dichter zufolge habe die Nereide Thetis, Zeus' Liebe zurückweisend, den Sterblichen Peleus geheiratet, eingedenk einer Weissagung, nach der ihr Sohn stärker sein werde als sein Vater (Pind. I. 8,26–41; Apoll. Rhod. 4,800–802; Apollodor. bibl. 174 = 3,13,5). Die Verhinderung der Geburt eines neuen Göttergeschlechts, damit die Rettung der Herrschaft des Zeus, habe die Olympier Thetis' Hochzeit mit Peleus in einem prächtigen Fest feiern lassen. Siedendes Wasser (nach anderer Überlieferung Feuer), in das Thetis ihre Kinder tauchte, sollte deren Sterblichkeit prüfen: A. habe durch das Eingreifen des Peleus überlebt. Daraufhin sei A. aber dem Kentauren Chiron zur Erziehung übergeben worden, bei dem er Reiten, Jagen, Heilkunde, Leierspiel u. ä. erlernt habe (anders bei Homer: Erziehung durch den Pädagogen Phoinix und durch Thetis). In der *Achilleis* des Statius (1. Jh. n. Chr; mit griech. Quellen) taucht Thetis A. in das Wasser der Styx, um ihn unsterblich zu machen (Stat. Ach. 1,269; Hyg. fab. 107). An der linken Ferse, wo sie ihn festhält, bleibt er verwundbar. Um den in einem Spruch geweissagten Tod A.' vor Troia zu verhindern, bringt Thetis ihn zu Lykomedes, dem Königs von Skyros, und versteckt ihn unter dem Namen Pyrrha bei dessen Töchtern. Da nach einem Spruch Troia nur mit Hilfe des A. eingenommen werden kann, fordert eine griech. Gesandtschaft seine Teilnahme am Krieg. Auf Skyros wird der als Mädchen verkleidete A. durch eine List des Odysseus entdeckt (A. verrät sich durch den Griff nach den Waffen; vgl. das fragmentarisch erhaltenes Drama *Skyrioi* des Euripides [5; 6]; Ov. met. 13, 162–180; Stat. Ach. 1,689–880; bei Ov. trist. 2,409–412 Erwähnung einer röm. Tragödie dieses Inhalts). Homer berichtet nichts vom Aufenthalt des A. bei den Töchtern des Lykomedes, sondern läßt ihn in Phthia zusammen mit seinem Freund Patroklos aufwachsen und auch von dort als Führer von fünfzig Schiffen nach Troia aufbrechen (Il. 2,681). A.-Mythen außerhalb des Homer. Epos: → Telephos (vgl. Pind. I. 8,49; Prop. 2,1,63; Ov. met. 12,112; Sen. Troad. 215 ff.), → Iphigenie in Aulis (vgl. Eur. Iph.A.), die Tötung des Apollonsohnes → Tenes durch A. auf Tenedos und zahlreiche Beutezügen gegen Städte in der Troas (u. a. gegen Lyrnessos und Pedasos; in der Beute → Briseis und

→ Chryseis). Ferner gehören in die Vorgeschichte zum Troianischen Krieg die Erzählungen vom Raub der Rinderherde des Aineias und von der Tötung des Priamiden → Troilos, Bruder der Polyxena, im Heiligtum des Apollon Thymbraios. Der Mord am Apollonschützling Troilos im heiligen Bezirk des Gottes ist wie die Tötung des Tenes ein Frevel, der die Feindschaft des Gottes gegen A. begründet und später den Tod des A. durch Apollon zur Folge hat.

3. ILIAS

Homers → Ilias setzt im zehnten Jahr des Krieges mit der Schilderung des Streites zw. → Agamemnon und A. ein und dem daraus resultierenden Rückzug des A. vom Kampfgeschehen. Es folgen: Zuspitzung der Lage der Griechen; erfolglose Gesandtschaft an Achill (eine verlorene Tragödie des Aischylos hatte die *Presbeia* an A. zum Inhalt); Tod des Patroklos in den Waffen des A. durch Hektor, woraufhin A. wieder am Kampf teilnimmt (mit neuen, von Hephaistos geschmiedeten Waffen, ausführliche Beschreibung des Schildes Il. 18,369–615); furchtbares Wüten A.' unter den Troern; Zweikampf A. – Hektor und Tod Hektors, der dem A. sterbend sein nahes Ende weissagt (Il. 22,360); anschließend Schleifung und Lösung des Leichnams (Il. 24,103–672; Eur. Andr. 107 f. und Verg. Aen. 1,483).

4. AITHIOPIS UND ILIAS PARVA

Die Sagen vom Tod Hektors bis zur Bestattung A.' und dem Streit um seine Waffen waren Thema der (nicht erh.) → Aithiopis des → Arktinos von Milet (Inhaltsangabe bei Prokl. Chrestomathie; [7. fr.51–65]): Erzählung von → Penthesilea und ihrer Tötung durch A. (Sagenstoff in röm. Zeit sehr beliebt, vgl. Prop. 3,11,15; Q. Smyrn. 1); Schmähung des A. durch Thersites und dessen Tötung; Entsühnung des A. (Thersites-Stoff im Drama Ἀχιλλεὺς Θερσιτοκτόνος des Chairemon, 4. Jh. v. Chr.; TrGF 217–218 SNELL); die Tötung des Antilochos, des Lieblingsgefährten des A. nach dem Tod des Patroklos, durch den Aithopenkönig Memnon; Zweikampf zw. Memnon und A.; Tötung Memnons (wahrscheinlich stellt die bei diesem Kampf von Zeus vorgenommene Psychostasie, »Seelenwägung«, die Vorlage für die Wägung der Todeslose A. – Hektor in der Ilias dar); heftige Kämpfe; tödliche Verwundung A.' an der Ferse durch Apollon/Paris (Varianten: Erschießung A.' beim Treffen mit Polyxena im Heiligtum des Apollon Thymbraios durch Paris; in der Nekyia Od. 24, 36–42 erzählt Agamemnon vom Tod des A. vor Ilios); Streit zw. Troern und Griechen um A., Bergung des Leichnams durch Odysseus und Aias (Od. 5,309 f.; Prokl. Chrestomathie; [7. fr.63]. Auch die *Ilias parva* berichtete von der Bergung des toten A. sowie vom Streit zw. Aias und Odysseus um A.' Waffen. Zum Begräbnis erscheint die trauernde Thetis mit den Musen und ihren Schwestern (Nachklang der Bestattungszeremonie Od. 24, 43–49, 58–94; Varianten: Entrückung A.' durch Thetis nach der Insel Leuke; teilweise mit der Insel der Seligen identifiziert; in Od. 11,467 ff. befindet A. sich in der Unterwelt).

C. KULT DES ACHILLEUS

Die Datierung der frühesten Kulte des A. als Gott [1] oder Heros ist umstritten [8; 9]; gegen kultische Verehrung als Gott vor dem 5. Jh. HOOKER [2]. Möglicherweise hat sich der A.-Kult von Milet aus zunächst durch die ion. Kolonisation (ca. 650–550 v. Chr.) am Hellespont ausgebreitet; bei Hdt. 5,94, Strab. 13,596 und Plin. nat. 5,125 Bericht von einem in der Troas nahe des Grabhügels gelegenen Ἀχίλλειον (→ Achilleion), ferner ist zu nennen Olbia und der → Achilleos dromos, Plin. nat. 4,83 (meist im Pontos vor der Mündung des Borysthenes lokalisiert). Als Beschützer der Seefahrt und der Seefahrer genieße er – mit dem Beinamen Ποντάρχης – bei den Bewohnern der Küste des Pontos Euxeinos ähnliche Verehrung wie Poseidon, so spätere Quellen (Q. Smyrn. 3,770–779). Bedeutendste Kultstätte war die Insel Leuke vor den Mündungen des Istros (Pind. N. 4. 49; Arrian. peripl. p. E. 21); die von geheimnisvollen Legenden umrankt war (nächtliche Festbanketts des A. u. ä.). Außerhalb des Pontosgebietes ist der Kult bezeugt u. a. auf der Sporadeninsel Astypalaia (Cic. nat. 3,45), in Elis, in A.' Heimat Thessalien [10] in Sparta, wo sich ein Heiligtum befand (Paus. 3,20,8; vgl. auch [11]) und in Unteritalien in Tarent, Lokroi, Kroton (vgl. Lykophron 856). D. SI.

D. WIRKUNGSGESCHICHTE

Das zum Idol stilisierte Bild A.' als mutiger, kampfbegeisterter, jugendlich schöner Held, dem Ruhm über alles geht, läßt sich von Alexander d. Gr. an bis in das 20. Jh. (z. B. bei Stefan George) als »Lichtgestalt«, griech. »Siegfried« verfolgen. Charakteristisch sind für dieses Bild stark emotionale Züge: rasch auflodernder Zorn, starker Haß gegen Feinde, tiefe Liebe zu Freunden, schnelle Rührung zu Tränen; er neigt zu raschem Handeln und ist damit, bes. in der stoischen Philosophie, Gegenbild des Weisen, dessen Handeln durch Vernunft und Intellekt bestimmt ist (verkörpert in Odysseus).

Bis in das 20. Jh. wurde der Sagenstoff immer wieder von bildenden Künstlern, aber auch von Komponisten und Literaten aufgegriffen. Dazu zählen Plastiken wie ›Der Tod des A.‹ von CH. VEYRIER (1639–90; London, Victoria and Albert-Museum) und ›A. und Penthesilea‹ von F. KAAN im Wiener Rathaus oder eine Lithographie ›Achilleus‹ von M. SLEVOGT (1908). Zahlreiche Gemälde zeigen Szenen des A.-Mythos: ›Die Erziehung des A.‹ von G. B. DE ROSSI (1494–1555), A. CARRACCI (1560–1609) und E. DELACROIX (1796–1863; Deckengemälde im Pariser Parlament); ›A. bei den Töchter des Lykomedes‹ von A. VAN DYCK (vor 1618; Madrid, Prado) und N. POUSSIN (1594–1665); ›Der Tod des A.‹, P. P. RUBENS (um 1620–22; Berlin, Kaiser-Friedrich-Museum); ›A. mit der Leiche Hektors‹, D. CRETI (1671–1749; Bologna); ›Der Zorn des A.‹, G. B. TIEPOLO (um 1757, Fresko in der Villa Valmarana); ›Die Griechenfürsten im Zelt des A.‹, J. A. CARSTENS (1754–98) u. a. An dramatischen Bearbeitungen sind z. B. bekannt: A. LOSETI ›Achilleis‹ (um 1365–1441); TH. CORNEILLE, ›Achille‹ (1673); V. K. TREDJAKOVSKIJ, ›Deidamia‹ (1750);

ST. WYSPIAŃSKI, ›A.‹ (1899). J. W. VON GOETHE hat eine ep. Dichtung ›Achilleis‹ verfaßt (1799). Weitere lit. Bearbeitungen: E. SHANKS, ›The island of youth‹ (1921, Dichtung); W. SEIDEL, ›Der Tod des A.‹ (1936, Novelle); CHRISTA WOLF, ›Kassandra‹ (1983, Roman). Musikalische Bearbeitungen liegen in einem Oratorium von M. BRUCH (1885) und zahlreichen Opern, bes. aus barocker Zeit, vor: ›Deidamia‹ von P. F. CAVALLI (1644) und von G. F. HÄNDEL (1739); ›A. et Polyxène‹, J. B. LULLY (1687); ›Achille e Deidamia‹, A. SCARLATTI (1698). Der Text ›A. in Sciro‹ von P. METASTASIO (1736) wurde wiederholt vertont (A. CALDARA, N. JOMELLI, J. A. HASSE u. a.). 1913 verarbeitete E. MARTI den Skyros-Stoff zu seiner Operette ›A. chez Lycomède‹.

1 H. HOMMEL, Der Gott A., SB der Heidelberger Akad. der Wiss. 1 / 1980, 38–44 **2** J. T. HOOKER, The cults of Achilles, in: RhM 131, 1988, 1–7 **3** A. MORPURGO, Mycenaeae Graecitatis Lexicon, 1963 **4** O. LANDAU, Mykenisch-Griech. Personennamen, 1958, 18 f. **5** T. B. L. WEBSTER, The tragedies of Euripides, 1967, 95–97 **6** F. JOUAN, Euripide et les légendes des Chants Cypriens, 1966, 204–218 **7** W. KULLMANN, Die Quellen der Ilias (Troischer Sagenkreis), 1960 (Hermes Einzelschriften 14) **8** D. KEMP-LINDEMANN, Darstellungen des A. in griech. und röm. Kunst, 1975, 242–248 **9** G. GIANNELLI, Culti e Miti della Magna Graecia, 1963, Index s. v. A. **10** S. KARUSU, in: AM 91, 1976, 27–30 **11** S. WIDE, Lakonische Kulte, 1893, Ndr. 1973, Index, s. v. A.

B. DÖHLE, Die Achilleis des Aischylos und die att. Vasenmalerei, in: Klio 49, 1967, 68–125 · B. EFFE, Der homer. Achilleus. Zur gesellschaftlichen Funktion eines lit. Helden, in: Gymnasium 95, 1988, 1–16 · H. FICHTE, Patroklos und A. Anmerkungen zur Ilias, in: Ders., Homosexualität und Lit. 2, 1988, 143–181 · H. HUNGER, Lexikon der griech. und röm. Myth., ⁶1974 · A. KOSSATZ-DEISSMANN, s. v. A., LIMC I, 1, 1981, 37–200 (mit Bibliogr.) · W. RAECK, Modernisierte Mythen: Zum Umgang der Spätant. mit klass. Bildthemen, 1992 · D. SHINE, Naming Achilles, 1987 · CHR. ZINDEL, Drei vorhomer. Sagenversionen in der griech. Kunst, 1974 · J. WOHLLEBEN, Die Sonne Homers, 1980 · F. GRAF, Nordionische Kulte, 1985. D. SI.

E. IKONOGRAPHIE

Früheste Darstellung vermutlich auf einem Elfenbeinsiegel um 800 v. Chr. aus Perachora: Aias trägt den toten A. Dieses und weitere Motive aus lit. Schilderungen des trojan. Krieges auf Schildbändern ab ca. 650 v. Chr., auf Vasen seit dem frühen 7. Jh. v. Chr. und insbes. des 6.–4. Jh. v. Chr.: Verfolgung und Tötung des Troilos, A. und Patroklos, Streit zwischen A. und Agamemnon, Zweikampf zwischen A. und Memnon, Waffenübergabe in Troja, Kampf zwischen A. und Hektor, Schleifung und Auslösung des Hektor; vor allem die Hektor-Episoden wie auch die Begegnung mit der Amazonenkönigin Penthesilea (z. B. auf der Münchener Schale des → Penthesilea-Malers; um 460 v. Chr.) sind häufige Motive auch in röm. Zeit: auf Sarkophagen, Gemmen, Mosaiken, in der Wandmalerei und Toreutik (z. B. die augusteischen Silberbecher aus

Hoby in Kopenhagen). In der archa. Vasenmalerei verbreitet ist das Brettspiel der Krieger Aias und A. im Lager vor Troja (eines der frühesten Beispiele ist die Amphora des → Exekias, Vatikan; um 535/530 v. Chr.). A.' Kindheit in der Obhut des Kentauren Chiron begegnet in Darstellungen seit dem 7. Jh. v. Chr., die Übergabe A.' an Chiron auch am ›Amykläischen Thron‹ (um 550 v. Chr.; Paus. 3,18,12). Der Aufenthalt auf Skyros war Motiv in Gemälden des → Polygnotos (Paus. 1,22,6) und → Athenion (Plin. nat. 35,134), in röm. Wandmalerei und auf Mosaiken; Darstellungen dieser Zeit am häufigsten erh. auf Sarkophagen des 2./3. Jh. n. Chr., vgl. auch den A.-Pokal in Köln, um 200 n. Chr.: seine Entdeckung unter den Töchtern des Lykomedes, A.' Lebenswende, gehört zu den »Tugendbildern«, als die auch die spätant. A.-Zyklen zu verstehen sind (A.-Platten von Kaiseraugst und aus dem Seuso-Schatz, um 350 n. Chr.; Sigillata-Tabletts, Köln – Hildesheim – München, Ende 4. / Anf. 5. Jh.; Elfenbeinpyxis, Xanten, 5. Jh.).

> A. KOSSATZ-DEISSMANN, s. v. A., LIMC I,1, 1981, 37–200 (mit älterer Lit.) • D. STUTZINGER, Die spätant. Achilleusdarstellungen, in: H. BECK, P. C. BOL (Hrsg.), Spätant. und frühes Christentum, 1983, 175–179. • G. GUILIANI, Achill-Sarkophage in Ost und West. Genese einer Ikonographie, in: Jb. der Berliner Museen 31, 1989, 25–39 • K. SCHAUENBURG, Die Bewaffnung des Achill in der unterital. Vasenmalerei, in: AA 1990, 449–466 • W. RAECK, Modernisierte Mythen, 1992, 122–138 • G. SCHWARZ, Achill und Polyxena in der röm. Kaiserzeit, in: MDAI(R) 99, 1992, 265–299 • M. MANGO, Achilles Plate, in: J. H. HUMPHREY (Hrsg.), The Seuso Treasure, in: Journ. of Roman Archaeology Suppl. 12, 1994, 153–180.   A.L.

[2] Aurelius A., 297 n. Chr. Parteigänger des Usurpators → Domitius Domitianus (PLRE 1, 9, A. 1).   B.BL.

Achilleus-Maler. Bedeutender att. Vasenmaler, benannt nach einer Achilleus-Darstellung auf einer Typ B-Amphora im Vatikan (Inv. Nr. 16571). Der A. war ein Schüler des → Berliner Malers und dekorierte Gefäße in drei Techniken (sf., rf. und wgr.). Lekythoi und Nolan. Amphoren waren seine bevorzugten Gefäßformen, aber es sind auch zahlreiche andere von ihm bemalte Gefäße erhalten.

Seine frühesten Arbeiten sind rf. und um 460 v. Chr. entstanden. Thema, Komposition und Malweise haben deutliche Bezüge zum Berliner Maler. Viele seiner rf. Meisterwerke entstammen dem Beginn seiner mittleren Schaffensperiode; sie finden sich auf großen Gefäßen, haupts. Kelchkrateren. Die Themen sind häufig einzigartig, die Figuren scheinen von der Monumentalkunst beeinflußt; insbes. gilt dies für den eponymen Achilleus, der oft mit dem Doryphoros des → Polyklet verglichen wurde. Arbeiten minderen Ranges zeigen eine erhebliche themat. Vielfalt, wobei eine Vorliebe für Verfolgungs- und Gelageszenen deutlich wird.

Der A. war einer der einflußreichsten Maler wgr. Lekythoi (→ weißgrundige Vasenmalerei). Seine sorg-

fältig gezeichneten, einfachen und ausgewogenen Kompositionen von zwei ruhig stehenden Figuren zeigen Parallelen zum Stil der Parthenonskulpturen und haben ihm in der Forsch. oft die Bezeichnung als »klassischer Vasenmaler par excellence« eingebracht. In Frühwerken (460–450 v. Chr.) verwendete der A. einen zweiten weißen Farbton für die Darstellung unbekleideter weibl. Körperteile. Die Lekythoi tragen meistens Lieblingsnamen: Dromippos (Sohn des Dromokleidos), Diphilos (Sohn des Melanopos) und Lichas (Sohn des Samieus) gehören zu den gebräuchlichsten in dieser Zeit. Grabszenen beginnen in der mittleren Schaffensperiode (450–435 v. Chr.), aber sie wurden nie so beliebt wie die Darstellung zweier Frauen, die auf fast allen anderen seiner Lekythoi erscheinen. Bevorzugte Lieblingsnamen sind nun Hygiainon und Axiopeithes (Sohn des Alkimachos). Während seiner Spätzeit (435–430/425 v. Chr.) verwendete der A. Mattfarben für die Umrisse, die den leuchtenden goldfarbenen Tonschlikker ersetzten; die Verwendung von Lieblingsnamen hört gänzlich auf.

Die sf. panathenäischen Preisamphoren des A. sind durchweg Spätwerke. Die Athenadarstellungen auf den Bildseiten sind abzuleiten von den panathenäischen Preisamphoren des Berliner Malers, was bes. der Gorgonenschild verdeutlicht, der möglicherweise eine Art Werkstattzeichen des Berliner Malers gewesen war. A. scheint die Werkstatt des Berliner Malers um 460 v. Chr. übernommen zu haben. Zu ihm kam dann um 450 v. Chr. sein wichtigster Schüler, der → Phiale-Maler. Sie bildeten zusammen mit vier Töpfern den Kern einer Werkstatt, die in der Folgezeit zur Arbeitsstätte vieler herausragender Vasenmaler wurde.

> J. D. BEAZLEY, The Master of the Achilles Amphora in the Vatican, in: JHS 34, 1914, 179–226 • J. H. OAKLEY, The Achilles-Painter, 1996 • I. WEHGARTNER, Ein Grabbild des A., BWpr 129, 1985.   J.O./R.S.-H.

Achilleus Tatios (Ἀχιλλεὺς Τάτιος). **[1]** aus Alexandreia, 2. Jh. n. Chr. A. LEBEN B. DER ROMAN ›LEUKIPPE UND KLEITOPHON‹ C. WIRKUNG

A. LEBEN
Er schrieb außer dem Roman ›Leukippe und Kleitophon‹ (in 8 Büchern) ein Traktat über die Himmelssphäre, ein Traktat über die Etymologie und ein polygraphisches Werk. Dem Suda-Stichwort zufolge (α 4695 ADLER) soll er sich zum Christentum bekehrt haben – eine Legende von der Art, wie es sie auch von → Heliodoros gibt. Es notiert, der Stil gleiche insgesamt dem anderer Verfasser von Liebesromanen [1. 17[10]].

B. DER ROMAN ›LEUKIPPE UND KLEITOPHON‹
Er wurde seit ROHDE als Nachahmung von Heliodoros lange Zeit auf das 5.–6. Jh. n. Chr. datiert, doch erlaubt ein Papyrusfund in Oxyrhynchos (POxy. 3836), die Datierung auf das späte 2. Jh. n. Chr. vorzuziehen. Dieser Roman ist der einzige griech. Liebesroman, der

in der ersten Person erzählt wird. Er beginnt mit einer langen Beschreibung eines Bildes (dem Raub der Europa), das den Anlaß liefert für die Begegnung zwischen dem Autor und dem Protagonisten Kleitophon, der ihm so seine ganze Gesch. erzählt: wie er sich in seine Kusine Leukippe verliebte (I), seine Werbung und die Flucht aus Tyros (II), der erste scheinbare Tod Leukippes (III), die Liebschaft des Soldatenführers Charmides (IV), die Ankunft in Alexandreia, der zweite scheinbare Tod Leukippes, die Ehe mit der Witwe Melite und die »Auferstehung« der Leukippe und Tersanders, des Mannes der Melite (V), die Aufdringlichkeit Tersanders Leukippe gegenüber (VI), das lange Gerichtsverfahren, das er durchgemacht habe (VII), schließlich die glückliche Auflösung dank des Eingreifens des Artemis-Priesters (VIII). Daß der Rahmen am Ende des Romans nicht wiederaufgenommen wird, kommt auch in Platons *Symposion* und bei Theokrit 13 vor.

Die Einführung dient dazu, die Erzählung authentisch zu machen, während das wenig hervorgehobene Ende eine Wirkung von Alltäglichkeit erzeugt. Die Wahl leitet sich vielleicht aus der Konvention her, daß autobiographische Erzählungen ein trauriges Ende implizieren [2]. Die Einteilung in Bücher geschieht nach einem kompositorischen Modell: Am Anfang von I, III und V finden wir eine *ekphrasis*, die die Themen der zwei folgenden Bücher zusammenfaßt; zwischen der Beschreibung und Erzählung entsteht jedenfalls eine komplexe Dialektik, die die Erwartungen des Lesers anregt und enttäuscht [3]. Am Schluß einzelner Bücher werden enzyklopädische Exkurse eingefügt. A. ist stark von der zweiten Sophistik beeinflußt. In seinem Roman verwendet er vielfältiges Material; es finden sich außerdem Fabeln, Briefe, wiss. Theorien und lange Diskurse über die Redekunst vor Gericht.

Die Erzähltechnik schöpft die Wahl eines Ich-Erzählers raffiniert aus; nur was Kleitophon persönlich gesehen hat, oder was er von anderen hat erzählen hören, wird berichtet. Die Erzählung folgt in vielen Fällen der Perspektive des erlebenden Ichs, wobei sie deutliche Spannungseffekte schafft. A. verzichtet so auf die begründete Adelung, die wir bei Chariton und Heliodor finden, und schwächt die topische Parallelität des Paares ab.

Die besondere Position von A. innerhalb der lit. Gattung ist schon 1938 von Durham [4] bemerkt worden, der den Roman als eine Parodie auf Heliodoros interpretierte. Im Unterschied zu den anderen griech. Romanen ist bei ›Leukippe und Kleitophon‹ die Keuschheit des Paares nicht ein hartnäckig verfolgtes Ideal, sondern eine Frucht des Zufalls, denn der ganze erste Teil hat die Form einer komischen Intrige, die vom Sklaven Satyros angezettelt worden ist, um das Bett der Leukippe zu erreichen. Auch wird die Treue nicht streng gehalten. Kleitophon geht eine sexuelle Beziehung mit Melite ein, als Leukippe bereits »wiederauferstanden« ist. Diese rivalisierende Person ist ungewöhnlich positiv charakterisiert und erinnert an die Matrone von Ephesos

bei Petronius. Auch die Vervielfältigung der romantischen Topoi (wie der scheinbare Tod) scheint einen Charakter von meta-lit. Ironie zu haben. Der Roman ist also keine polemische Parodie, sondern ein Pastiche einer volkstümlichen Gattung, der mit einer Mischung von Anteilnahme und Distanz geschrieben ist. Der Roman kehrt am Schluß zur Konvention zurück: die Personen »bekehren« sich zum Kult der Artemis und zur vorehelichen Keuschheit. Mit dieser Vorausschau entfaltet sich die größere Nähe zur komisch-realistischen lat. erzählenden Lit. und zur novellistischen milesischen Geschichte, die tatsächlich immer die erste Person benutzen und der Sexualität und der Päderastie Raum geben.

C. Wirkung

Der Roman des A. wurde viel rezipiert, auch wenn er leicht von der beeindruckenden Wirkungsgesch. des Heliodoros verdunkelt wird. Von der byz. Romantik an (›Hysminias und Hysmine‹ von Eustatios Makrembolites) und dann vor allem 1500–1600 n.Chr. sowohl im Roman (*Almahide* von DE SCUDERY; *Arbasto* von GREENE) als auch im Theater (die ›Comedia der Bettler‹ von ANNIBAL CARO; ›Clitophon und Leucippe‹ von DU RYER; *Cymbeline* von SHAKESPEARE).
→ Roman; Heliodoros

1 E. VILBORG (Hrsg), A., Leucippe and Clitophon. A commentary, 1955 2 G. W. MOST, The Stranger's Stratagem. Self-Disclosure and Self-Sufficing in Greek Culture, in: JHS 109, 1989, 104–133 3 S. BARTSCH, Decoding the Ancient Novel, 1989 4 D. B. DURHAM, Parody in A., in: CPh 33, 1938, 1–19.

L. R. CRESCI, La figura di Melite in Achille Tazio, A&R N. S. 23, 1978, 74–82 · J. P. GARNAUD (Hrsg.), Achille Tatius d'Alexandrine, Le roman de Leucippé et Clitophon, 1991 · M. LAPLACE, A., »Leucippe et Clitophon«: des fables au roman de formation, in: Groningen Colloquia on the Novel 4, 1991, 35–56 · C. SEGAL, The Trials at the End of »A.«, SIFC 77, 1984, 83–91. M. FU. / E. KR.

[2] Griech. Astronom. Seine Lebensdaten ergeben sich daraus, daß A. Astronomen des 2. Jh. n.Chr. zitiert (Adrastos [3] in 43,9; 46,30f., Ptolemaios in 47,14) und selbst von Firmicus Maternus im 4. Jh. n.Chr. zitiert wird (4,17,2); Herkunft und Biographie sind unbekannt, der Beiname nur in der → Suda (s. v. A. Στάτιος, irrig mit A. [1] gleichgesetzt) belegt.

Von andernorts gen. Werken sind *Etymologíai* (ἐτυμολογίαι) und *Historía sýmmiktos* (ἰστορία σύμμικτος) ganz verloren; von der Schrift *Perí sphaíras* (περὶ σφαίρας) ist der erste Teil *Perí tú pantós* (περὶ τοῦ παντός) zu einer Einführung in die *Phainómena* → des Aratos [4] umgearbeitet worden und so (neben kleineren Fragmenten) erh. geblieben.
→ Astronomie

DIELS, DG, 17–18 · E. MAASS, Commentariorum in Aratum reliquiae, ²1958, 25–85 · J. MARTIN, Histoire du texte des phénomènes d' Aratos, 1956, 130 · J. O. THOMPSON, History of Ancient Geography, 1948, 382–383. K. BRO.

Achlis. Elchähnliches Tier nordischer Länder (Scandinavia oder Gangavia), den Römern nur vom Hörensagen bekannt. In Beschreibungen (Plin. nat. 8,39; Solin. 20,3) sind zoologische Mirabilia anderer Tiere (Elch, Elefant, Nashorn) vermischt mit vielleicht echten Erinnerungen an den in histor. Zeit ausgestorbenen Riesenhirsch. Der Plinius-Bericht lebt fort im Nibelungenlied (16,937), wo die A. durch den »Schelch« ersetzt ist.

W. RICHTER, A., in: Philologus 103, 1959, 281 ff.   F. G.

Achlys (Ἀχλύς). Das Dunkel, das bei Homer Sterbenden (z. B. Il. 5,696) oder von den Göttern Geblendeten (z. B. Il. 20,324) über die Augen fällt. Als Personifikation mit barock-scheußlichen Zügen ist sie auf dem Schild des Herakles (Hes. asp. 264) beschrieben, als Gespannführerin der Nyx in den späten Orph. Arg. 341. Lat. entspricht ihr Caligo »Dunkelnebel«, Mutter von Chaos und Nox im kosmogonischen Mythos unbekannter, aber wohl griech. Herkunft (Hyg. fab. praef. 1).

F. QUEYREL, s. v. A., LIMC 1.1, 214 · A. SHAPIRO, Personifications in Greek Art, 1993, 20 f.   F. G.

Acholla. Stadt in der Africa Byzacena, h. Ras Bou Tria [4. 86–89]. Zur Überlieferung des Ortsnamens ([5. 250]; AE 1969/70, 183 Nr. 633). A. scheint von phöniz. oder phönizisierten Maltesern gegr. worden zu sein [1. 312, 380]. A. lag 12 Meilen [2. 5] südl. von Sullectum und 27 Meilen südl. von Thapsos (Tab. Peut. 6,3). Im 3. Pun. Krieg ergab A. sich den Römern und zählte seither zu den *populi liberi* [3. 374–376]. Reiche → *villae* (2. Jh. n. Chr.; Inschr. und Mosaiken) sind arch. nachgewiesen.

1 G. BUNNENS, L'expansion phénicienne en Méditerranée, 1979 2 S. M. CECCHINI, s. v. A., DCPP, 4 f. 3 K. JOHANNSEN, Die lex agraria des J. 111 v. Chr., 1971 4 CH. SAUMAGNE, Quelques inscriptions de Tunisie, in: Bulletin Archéologique du Comité des Travaux Historiques 1928/29, 79–90 5 J. SCHMIDT, s. v. Achulla, RE 1, 250.   W. HU.

Achradine (Ἀχραδίνη). Stadtteil von → Syrakusai mit der Agora, durch eine Brücke mit Ortygia verbunden (Cic. Verr. 2,4,52; 117; Strab. 6,2,4). 405 v. Chr. von Himilkon erobert (Diod. 14, 63), 352 v. Chr. von Nypsios im Auftrag Dionysios' II. geplündert und von Dion befreit (Plut. Dion 42 f.).
→ Sicilia

G. MANGANARO, Iscrizioni, Epitaffi ed Epigrammi in Greco della Sicilia centro-orientale di epoca romana, in: MEFRA 106, 1994, 79–118, hier 79–82 · R. J. A. WILSON, Sicily under Roman Empire, 1990, 39 f., 160 (Karte), 359.   GI. MA. / M. B.

Achradus (Ἀχραδοῦς). Nach Steph. Byz. s. v. A. att. Demos. Ἀχραδούσιος/*Achradúsios* (Aristoph. Eccl. 362) wird als Verballhornung von → Acherdus erklärt [1. 336], doch ist A. auch IG II² 2776 Z. 195 belegt, evtl. als unselbständige → Kome von → Ionidai [2. 53].

1 WHITEHEAD 2 H. LOHMANN, Atene, 1993.   H. LO.

Acilius. Gentilname einer plebeischen Gens, nachweisbar ab dem 3. Jh. v. Chr. Wichtigste Zweige sind die Aviolae (kaiserzeitlich), Balbi und bes. die Glabriones, die vom 3. Jh. v. Chr. bis zum E. des 5. Jh. n. Chr. bezeugt sind [1]. In Rom gab es ein *compitum Acilium*, auf dem 219 der erste griech. Arzt in Rom angesiedelt wurde (Plin. nat. 29,12 [2. 98]), auf dem Pincio die *horti Aciliorum*, in der Kaiserzeit die berühmtesten Gärten Roms [2. 195 f.; 3. 488 ff.].

I. REPUBLIKANISCHE ZEIT

[1] tapferer Soldat in Caesars 10. Legion (Val. Max. 3,2,22; Suet. Iul. 68,4; Plut. Caes. 16).

1 M. DONDIN-PAYRE, Exercise du pouvoir et continuité gentilice. Les Acilii Glabriones, 1993 2 RICHARDSON 3 NASH, Bd. 1.   K. L. E.

[I 2] C., Senator spätestens 155 v. Chr., als er sich der athenischen Philosophen-Gesellschaft als Dolmetscher zur Verfügung stellte (Gell. 6,15,9; Plut. Cato maior 22,5). Er publizierte später (wahrscheinlich 141: Liv. per. 53) eine Gesch. Roms in griech. Sprache (Cic. off. 3,115), die von der Frühzeit bis ins 2. Jh. (wenigstens bis 184: fr. 6 P.) reichte. Als entschiedener Hellenophile erklärte er Rom als griech. Gründung (fr. 1). → Claudius Quadrigarius zitiert das Werk (Liv. 25,39,12; 35,14,5), fertigte aber wohl kaum eine vollständige Übers. an. Ob A. → Diodoros' annalistische Quelle war, bleibt ganz unsicher.
→ Annalistik

FR.: PETER, HRR I² 49–52, bzw. FGrH 813.
LIT.: B. W. FRIER, Libri Annales Pontificum Maximorum, 1979, 208 ff., 249 f.   W. K.

[I 3] L., Legat (?) 181 v. Chr. (Liv. 40; 31; 32). [I 4] L., Rechtsgelehrter, Zeitgenosse des Älteren Cato (Cic. Lael. 6, der ihm dort den Beinamen *Sapiens* gibt), zu identifizieren mit dem bei Pomponius Dig. 1,2,2,38 genannten P. Atilius und vielleicht mit dem bei Liv. 32,27,7 genannten Praetor des J. 197 v. Chr. L. Atilius [1]. Cicero zählt ihn leg. 2,59 zu den *veteres interpretes* der XII Tafeln. [I 5] M'., wurde im Jahr 210 v. Chr. als Gesandter nach Ägypten geschickt und trat im Jahr 208 als Antragsteller im Senat auf (Liv. 27,4,25). [I 6] M'., Münzmeister 49 v. Chr. (RRC 442). [I 7] Balbus, M'., Konsul 150 v. Chr. [I 8] Balbus, M'., Praetor um 117, Konsul 114 v. Chr.

1 E. BADIAN, The clever and the wise, BICS Suppl. 51, 1988, 11–12.

D. R. SHACKLETON BAILEY (Hrsg.), Cicero: Epistulae ad familiares 2, 1977, 435–436 · D. R. SHACKLETON BAILEY, Two studies in Roman nomenclature, ²1991, 4.   K. L. E.

[I 9] Caninus (bzw. **Caninianus), M. (M'?),** 48 v. Chr. Legat Caesars im Bürgerkrieg (Caes. civ. 3,15f., 39f., Cass. Dio 42,12,1), 47 Praetor (?), 46 – 45 Prokonsul in Sicilia (Cic. fam. 13,30–39). Darauf wurde er von Caesar mit einer Armee in Vorbereitung des Partherfeldzuges nach Griechenland (Cic. fam. 7,30,3) bzw. Macedonia entsandt, wo er sich nach dessen Ermordung aufhielt (Nic. Damasc. FGrH 90 F 130.41; MRR 2, 280; 287; 296). w.w.

[I 10] A. Glabrio, M'., *homo novus*, Anhänger des älteren Scipio Africanus, sicherte als Volkstribun 201 v. Chr. Scipio die Fortdauer des afrikanischen Kommandos (E. WEISS, s.v. *l. Acilia Minucia*, RE 12,2, 2319–2320); *X vir sacrorum* 200, Aedil 197. Als Praetor 196 unterdrückte er eine Sklavenerhebung in Etrurien, als Consul 191 schlug er Antiochos bei den Thermopylen, bekämpfte die Aitoler und belagerte Amphissa; überließ den *pontifices* durch die *l. Acilia de intercalando* die Regelung der Schaltzeiten (A. BERGER, s.v. *l. Acilia de intercalando*, RE Suppl. 7, 378–379). Triumph 190; Bewerbung um die Censur 189 wegen eines vom seinen Gegnern angestrengten Prozesses zurückgezogen. Elogium: ILLRP 321a. **[I 11] A. Glabrio, M'.**, weihte 181 v. Chr. den von seinem Vater [I 10] gelobten Tempel der Pietas in Rom. Aedil 166, Consul suff. 154. **[I 12] A. Glabrio, M'.**, Volkstribun 122 v. Chr. (?), Schwiegersohn des Q. Mucius Scaevola. Urheber einer *l. Acilia repetundarum* (Cic. Verr. 1,51; 52), wohl identisch mit dem inschr. überlieferten Repetundengesetz aus Urbino, der sog. Tabula Bembina (ROMAN STATUTES, 1996, Nr. 1; (MRR 3,2). **[I 13] A. Glabrio, M'.**, Sohn von [I 12]. Vielleicht 78 v. Chr. Volkstribun, 70 Praetor und Vorsitzender im Verres-Prozeß, als Consul 67 unterstützte er das Repetundengesetz seines Kollegen C. Calpurnius Piso. (A. BERGER, s.v. *l. Calpurnia de pecuniis repetundis*, RE 12,2, 2338). 66 Proconsul in Bithynia und Pontus, wo er den Oberbefehl gegen → Mithradates von Lucullus übernehmen sollte, aber erfolglos blieb, im selben Jahr abgelöst durch Pompeius. Vielleicht 64 Censor. 63 stimmt er gegen die Catilinarier. Pontifex vor 57 v. Chr. (MRR 3,2–3). K.L.E.

II. KAISERZEIT

[II 1] Attianus, P. Aus Italica in der Baetica stammend. Praetorianerpraefekt, der Hadrians Machtübernahme im J. 117 n. Chr. unterstützte, fiel später bei Hadrian in Ungnade [1] (PIR² A 45). **[II 2] Aviola**, praetorischer Legat der Gallia Lugdunensis 21 n. Chr., der einen Aufstand niederschlug (Tac. ann. 3,41,1; PIR² A 47; vgl. [2] SYME , RP 2, 508 zu einer möglichen Identifizierung mit C. Calpurnius Aviola, *cos. suff.* 24 v. Chr.). **[I 3] Aviola, M'.**, *cos. ord.* 54 n. Chr., *procos. Asiae* 65/66, *curator aquarum* von 74 bis zu seinem Tod 97 (Frontin. aqu. 102; PIR² A 49; [2]. Verheiratet mit → Aedia Servilia. **[I 4] Aviola, M'.**, *cos. ord.* 122 n. Chr. (ILS 9060; PIR² A 50). **[I 5] Aviola, M'.**, *cos. ord.* 239 n. Chr. (PIR² A 51).

1 CABALLOS, 1, 31ff. 2 VOGEL-WEIDEMANN, 456ff. W.E.

[II 6] Glabrio, der als Konsular an der fiktiven Beratung Domitians teilnahm, die Iuv. 4 schildert (PIR² A 62). **[II 7] Glabrio, M.**, *cos. suff.* 33 v. Chr. (ILS 6123), *procos. Africae* 25 v. Chr. ([1]; PIR² A 71). **[II 8] Glabrio, M'.**, Sohn von [II 6]. Als *cos. ord.* 91 v. Chr. kämpfte er in der Arena, im J. 95 n. Chr. von Domitian hingerichtet (Suet. Dom. 10,2; PIR² A 67). **[II 9] Glabrio, M'.**, *cos. ord.* II im J. 186 n. Chr. Am 1. Januar 193 wurde ihm, da aus ältester Familie stammend, von Pertinax die Herrschaft angeboten, die er ablehnte (Cass. Dio 74,3, 3f.; Herodian. 2,3,3f; PIR² A 69; [2]).

1 THOMASSON, 1, 371 2 E. CHAMPLIN, Notes on the Heirs of Commodus, in: AJPh 100, 1979, 288–306.

M. DONDIN-PAYRE, Exercice du pouvoir et continuité gentilice. Les Acilii Glabriones, 1993. W.E.

[II 10] Rufus, L., aus Thermae Himereae auf Sizilien, *cos. suff.* 107 n. Chr., beteiligt am Varenusprozeß im J. 106 (Plin. epist. 5,20,6; 6,13,5; FOst 47) [1]. **[II 11] Strabo, L.**, mit praetorischer Amtsgewalt von Claudius nach Kyrene geschickt, im J. 59 n. Chr. im Senat angeklagt, von Nero freigesprochen (Tac. ann. 14,18,2f.); *cos. suff.* im J. 71, unter Vespasian vielleicht Statthalter in Obergermanien (PIR² A 82).

1 SYME, RP 5, 494ff. 2 ECK, 139f. W.E.

Acipenser (griech. ἀκιπήσιος = *(h)elops*). Seltener kostbarer Seefisch (Plin. nat. 9,60 und 32,145; Macr. Sat. 3,16,1–9; Athen. 7,294f.), nur bis in die Kaiserzeit sehr geschätzt (Plautus bei Macrobius; Lucil. 1240 M; Mart. 13,91; vgl. Plinius und Hor. sat. 2,2,46f.). Die zoologische Bestimmung war schon in der Ant. umstritten (Plin. nat. 32,153 nach Ovid Hal. 96 und Athen. l. c.), heute teils als Stör [1. 7; 2. 2,375 u.ö.], teils als Sterlet (*elops* [1; 3]) gedeutet.
→ Fische

1 LEITNER 2 KELLER 3 KlP 1,52. C.HÜ.

Acoetes s. Akoites

Acquarossa. Etr. Siedlung südl. der späteren röm. Kolonie → Ferentium. A. liegt auf einem 32 ha großen Hochplateau mit steil zu tiefer gelegenen Wasserläufen abfallenden Rändern. Bequemer Zugang von Süden war durch Verteidigungsgräben gesichert. Schwedische Grabungen seit 1966 erbrachten eine Blüte von A. vom späten 7.Jh. bis zur gewaltsamen Zerstörung ca. 500 v. Chr. Am Rand der Siedlungsfläche standen kleinere, zwei bis dreiräumige Rechteckhäuser ohne erkennbares urbanistisches System. Im Zentrum ein größerer, als → Palast anzusehender Komplex aus rechtwinklig zueinander gestellten Bauten mit vorgelagerten Portiken, sowie Tempel. Raumeinteilung mit tricliniumartigem Raum ähnlich dem Palast in → Murlo und der Regia in Rom. Die Häuser besaßen Dächer mit bemalten Ziegeln, Palast und Tempel reliefierte Dachterrakotten. Die

Bevölkerung beutete Eisenerzvorkommen der Umgebung aus und verarbeitete das Metall innerhalb der Siedlung.

→ Haus (etruskisch); San Giovenale

1 C. E. ÖSTENBERG, Case etrusche di Acquarossa, 1975
2 Architettura etrusca nel Viterbese. Ausstellung Viterbo 1986, 1986.   M. M.

Acquisitio. Substantivisch erst spät (etwa Ulp. Dig. 44,4,4,31; epit. 19), früher und häufiger *acquirere*, bedeutet den Erwerb. Die Entwicklung vom Verb zum Substantiv entspricht einer allg. Tendenz zum Nominalstil, wie ein Vergleich mit *alienatio / alienare* (»Veräußerung«, → *alienatio*) zeigt. Erst wird die Veräußerung, dann die *a.* begrifflich gefaßt und rechtlich problematisiert. Erworben werden *res* (»Sachen«), einzeln (*singulae res*) oder als Teile einer Gesamtheit (*per universitatem*), (Gai. inst. 2,97). Der Erwerb vollzieht sich nach *ius civile*, z.B. bei → *mancipatio*, → *in iure cessio* oder → *usucapio*, oder nach *ius naturale*, z.B. bei → *traditio*, → *occupatio* oder → *adluvio*, (Gai. Inst. 2,65 f./70). Urspr. herrscht die Vorstellung originären Erwerbs; erst allmählich hat sich in der Prinzipatszeit die Unterscheidung von originärem und derivativem Erwerb herausgebildet, die noch im gemeinen und modernen Recht gilt.

D. DAUBE, Roman Law, Linguistic, Social and Philosophical Aspects, 1969, 17–22 · H. HONSELL, TH. MAYER-MALY, W. SELB, Röm. Recht, ⁴1987, 154–180.   D. SCH.

Acratus. Griech. Personenname, vor allem unter Sklaven und Freigelassenen verbreitet [1]. A., Freigelassener Neros, sammelte in dessen Auftrag in Achaia und Asia Kunstwerke, auch Götterbilder, mit denen die *domus aurea* ausgestattet werden sollte; Widerstand fand er in Pergamon, nur Rhodos war seinem Zugriff entzogen (Tac. ann. 15,45,2; 16,23,1; Dion Chrys. 31,149; PIR² A 95).

1 H. SOLIN, Die griech. PN, Bd. 2, 1982, 727. W. E.

Acro s. Helenius Acro

Acta A. bezeichnet das Ergebnis von *agere* (etwas bewirken, betreiben). In der Rechtssprache meint *agere* das auf die Entstehung oder Veränderung von Rechten gerichtete Handeln (Dig. 50,16,19) durch Private, vor allem aber durch Organe des öffentlichen Rechts wie Magistrate, Gerichte und generell Inhaber »hoheitlicher Gewalt« (Dig. 4,6,35,8). *Agere* kann rein mündlich erfolgen, wird aber im Interesse der Durchsetzung, Nachprüfung oder Beweisbarkeit auch schriftlich dokumentiert. I. *A.* in rechtlicher Bed. meint die auf verschiedene Weise dokumentierten und archivierten öffentlichen Akte von der Gesetzgebung bis zum Verwaltungshandeln (Dig. 48,9,8,7; → Archiv), aber auch private Akte

(Dig. 26,8,21; 40,7,40,3). Aus der Aktenführung zahlreicher öffentlicher Behörden, Gerichte und Verwaltungsstellen im Verlaufe der röm. Gesch. sind einige Arten von *a.* als histor. Quellen bedeutend geworden, so die *a.* des Senats (1): Seine Beschlüsse werden nach Livius (3,55,13; 39,4,8) seit der Frühzeit der Republik aufgezeichnet, die Verhandlungen aber bis zum 1. Jh. v. Chr. wohl nicht regelmäßig protokolliert; persönliche und offiziöse Mitschriften sind üblich (Cic. fam. 12,23,2; 12,28,3; 15,6,1; Cic. Sull. 40 ff.). Caesar schreibt als Konsul 59 v. Chr. die Abfassung vollständiger Sitzungsprotokolle und ihre Veröffentlichung in den *acta urbis* vor (Suet. Iul. 20,1). Die Protokollführung bleibt bis in die Spätant. üblich (Cod. Theod. praef.), die Publikation findet nur zu bes. Anlässen statt (Suet. Aug. 36,1). Zu den *a.* des Senats, die ein *procurator actorum* (→ *Actis, ab*) verwaltet, gehören auch die kaiserlichen Gesetzesanträge (*orationes*), die Protokollierung ihrer meist unveränderten Annahme und die *sententiae* des Senats, wenn er etwa als Gericht fungiert (Tac. ann. 15,73,3; Suet. Aug. 5,2 und Tib. 73,1; Cod. Theod. praef.)

2. Die *a.* des Kaiserhofes. Die umfassende und systematische Archivierung der Entscheidungen (→ *constitutiones*) des Kaisers, die am Hof ausgefertigt werden (→ *ab epistulis*, → *a libellis*, → *a dispositionibus*), ist durch die Codices Theodosianus und Iustinianus gut belegt. Zu den Konstitutionen zählen die Form des *edictum* (→ Edikt), → *decretum*, *epistula* (→ Epistel), → *rescriptum*, → *subscriptio*, → *privilegium*; auch *mandata*, etwa an die Provinzialstatthalter, und andere »verwaltungsinterne« Vorgänge gehören dazu.

3. *A. urbis* (auch *acta populi Romani* oder *acta diurna*). Sie dienen wohl seit Caesar (Suet. Iul. 20,1) der regelmäßigen Veröffentlichung (→ *album*) amtlicher Nachrichten, sind aber keine »Zeitung« im neuzeitlichen Sinne. Die Vermittlung wichtiger polit. Nachrichten selbst in politiknahen Kreisen ist weiterhin Sache privater Initiative (Cic. fam. 8,1 ff.; 2,8,1). Diese *a.* führt in der Kaiserzeit ein *procurator ab actis*; sie bleiben bis in das 3. Jh. n. Chr. nachweisbar und teilten Staats- und Hofereignisse und andere Tagesneuigkeiten mit (Cic. Att. 6,2,6; Petron. 53; Tac. ann. 12,4,2; 31,31,1; Plin. epist. 7,33,3; paneg. 75,1; Cass. Dio 48,44,4. 4. Die *a. ordinis* (auch *commentarius cottidianus*) sind die auch außerhalb Roms in den Städten üblichen amtlichen Verlautbarungen des städtischen *ordo decurionum* (z. B. CIL XI 3614). 5. Die *a. militaria*, die Bücher der Truppenkörper, die u. a. die Guthaben der Soldaten enthielten (Veg. mil. 2,19). 6. Die *a. triumphorum*, die inschr., aber auch in Buchform veröffentlichten Berichte triumphierender Imperatoren (Plin. nat. 37,12 ff.) 7. Weitere *a.*: Aktenführung der Provinzialverwaltungen, der Gerichte, der Munizipalbehörden, der Steuer- und Domänenverwaltungen sind sowohl in Rechtstexten als auch durch die epigraphische und papyrologische Überlieferung vielfach belegt. Es läßt sich dabei auch der typische Aufbau der von oder bei den Behörden vorgenommenen Geschäf-

te, Registrierungen, Schlichtungs- oder Gerichtsentscheidungen, allg. und Einzelfallregelungen und die Art der Dokumentation in *tabulae, volumina, notitiae* oder durch Verwahrung »insinuierter« Vorgänge (→ *gesta*) in einem *archi(v)um* der Behörde erkennen (Cod. Iust. 7,37,3; Dig. 48,19,9,6; FIRA 1, 157ff., 303f.; 3, 3ff., 501ff.).

II. A. in primär polit. Bed. dient der zusammenfassenden Beschreibung verantwortlichen Regierungshandelns eines Amtsinhabers, in der Kaiserzeit auch des Kaisers. So läßt Caesar im J. 45 v. Chr. die Beamten die Beachtung seiner *a.* beschwören (App. civ. 2,106). Nach seiner Tötung werden durch die *lex Vibia de actis Caesaris confirmandis* (44 v. Chr.) die im Akt des Tyrannen-Mords manifestierten Zweifel an der Rechtsgültigkeit seiner Regierungshandlungen gesetzlich negiert. Die Triumvirn beschwören die *a. Caesaris*, desgleichen die Magistrate (Cass. Dio 47,18,2). Seit 29 v. Chr. gehört die jährliche Loyalitätserklärung der Magistrate und Senatoren gegenüber den *a.* des Augustus zu den allg. akzeptierten polit. Verpflichtungen. Dieser Brauch setzt sich unter den folgenden Kaisern fort. Die *a.* der in das Kaiseramt gelangten Kronprätendenten können im nachhinein für rechtmäßig erklärt werden (FIRA 1, 154ff. *lex de imperio Vespasiani*). Die *a.* der Kaiser Caligula, Nero, Galba, Otho, Vitellius, Domitian, Caracalla werden durch eine *damnatio* andererseits nach ihrem Tode vom Senat für nichtig erklärt (*rescissio actorum*: Cass. Dio 47,18,2; 57,8,4); zweckmäßige Vorschriften werden dennoch weiter beachtet (Gai. 1,33; Dig. 48,3,2,1).

→ Amt, act(u)arius

KASER, ZPR, 26f., 124ff., 339ff., 410ff. • MOMMSEN, Staatsrecht, 1, 621ff.; 2, 909f., 1129ff. • WENGER, 55ff., 381ff., 735ff.　　　　　　　　　　　　　C.G.

Acta Alexandrinorum. Zusammenstellung ägypt. Papyrussammlungen, irreführend auch Märtyrer-Akten genannt, die in Form von Gerichtsprotokollen, Reden, Ansprachen, Gesandtschaftsberichten und Briefen das Verhältnis der Alexandriner zu Rom dokumentiert. Heute gilt als gesichert, daß die Papiere kurz nach den beschriebenen Ereignissen entstanden, d. h. von der 1. H. des 1. bis Anf. des 3. Jh. n. Chr. Sie sind jedoch nicht Abschriften offizieller Dokumente, wie sie vorgeben, sondern halblit. Schöpfungen, die gleichwohl Einblick in das polit. Leben Alexandreias geben und u. a. zur Judenproblematik sehr informativ sind.

1 H. A. MUSURILLO (Hrsg.), The Acts of the Pagan Martyrs. Acta Alexandrinorum, 1954 2 D. HENNIG, Zu der alexandrinischen Märtyrerakte POxy.1089, in: Chiron 4, 1974, 425–440.　　　　　　　　　　　　　M.R.

Acta Martyrum s. Acta Sanctorum, s. Martys

Acta Maximiliana. Die Märtyrerakte des Maximilianus von Tebessa, der 295 n. Chr. den Heeresdienst verweigerte, weil er Christ sei (*quia Christianus sum . . . non milito saeculo, sed milito Deo meo*). Die A. schildern die Musterung durch den Prokonsul Dion, in der Maximilianus den Dienst standhaft ablehnte (*non possum malefacere*), und die anschließende Hinrichtung. Sie haben Bed. für unser Verständnis der christl. Einstellung zum Heeresdienst in der Zeit → Diokletians.
→ Martys

E. PUCCIARELLI, I cristiani e il servizio militare, 1987.　M. R.

Acta Sanctorum. Titel einer Sammlung des gesamten christl. hagiographischen Gutes. In den A. S. erschienen seit 1643 in Antwerpen und Brüssel 68 kalendermäßig geordnete (1. Jan. – 10. Nov.), sowie etliche Begleit-Bände. Aus dem Titel entwickelte sich der Begriff A. S. für die genuin hagiographischen Quellen (→ Martyrien und → Heiligenviten), während Lobreden und Predigten h. der Homiletik zugeordnet werden. Die Märtyrerakten entstanden ab der Mitte des 2. Jhs. zunächst als Schreiben über Verhaltensnormen bei Verfolgungen (Martyrium Polycarpi um 160 n. Chr., sowie die bei Eus., HE 5,1–4 in Auszügen überlieferten Martyrien von Vienne und Lyon, 177 n. Chr.), als Ich-Berichte (Mart. Felicitatis et Perpetuae, 203 n. Chr.), meistens jedoch als Gerichtsprotokolle (Mart. Iustini, um 165 n. Chr.; Mart. Scilitanorum, 180 n. Chr.). Die Verf. interessierte der Tod in Nachahmung der Passion Jesu, nicht das frühere Leben der Zeugen. Einzelmotive und Topoi entnahmen sie sowohl der heidnischen Lit. (Mut vor dem Tyrannen) wie auch der Bibel. Die Märtyrerakten unterlagen mit der Zeit einer stilistischen Schematisierung und sukzessiven Überarbeitung. Authentische Texte sind kaum überliefert, sondern höchstens mit den Mitteln der Kritik erschließbar; das wiss. Instrumentarium dazu hat H. DELEHAYE erarbeitet.

Schon in der von Pontius († 260) verfaßten Biographie des Märtyrer Cyprian von Karthago wird auch dessen Vorleben geschildert, womit sich die Gattung Heiligenvita abzeichnet. Gregorios Thaumaturgos im Osten und Martin von Tours im Westen sind wohl die ersten, die als Heilige verehrt wurden, ohne Märtyrer gewesen zu sein; sie fanden ihre Hagiographen in Gregorios von Nyssa bzw. Sulpicius Severus. Nach dem Sieg des Christentums sind Kämpfer gegen die Mächte der Finsternis (Bischöfe, Kaiser und bes. Mönche) die Helden der Hagiographie. In der Vita des ägypt. Mönches Antonios von Athanasios dem Großen (kurz nach 356 n. Chr. ins Lat. und Sprachen des Ostens übers.), die für die neue Gattung als Vorbild fungierte, fanden auch die Prinzipien der enkomiastischen Rhet. Anwendung. Berichte über Wunder vor und nach dem Tod des Heiligen, Auffindungen und Translationen von Reliquien und sonstige erbauliche Erzählungen wurden zu Bestandteilen der Viten im Westen wie im Osten.

Den Martyrologien, Kalendarien und sonstigen Verzeichnissen von Heiligen der lat. Kirche entsprechen die griech. Synaxarien und Menologien (hagiographische Sammlungen für den Morgengottesdienst der Klöster).

In der lat. Welt fand die Sammlung der *Legenda Aurea* (Ende 13. Jh.) die wohl größte Verbreitung. Die Erschließung der griech. hagiographischen Überlieferung gelang erst A. EHRHARD.

TH. BAUMEISTER, s. v. Hagiographie, LThK 4, 1143–1147 · H.-G. BECK, Kirche und theologische Lit., ²1970, 267–275 · H. DELEHAYE, Cinq leçons sur la méthode hagiographique, 1934 (ND 1981) · Ders., L'ancienne hagiographie byzantine. Les sources, les premiers modèles, la formation des genres, 1991 (postum erschienen; Subsidia hagiographica 73) · A. EHRHARD, Überlieferung und Bestand der hagiographischen und homiletischen Lit. der griech. Kirche von den Anfängen bis zum Ende des 16. Jhs. Erster Teil, Die Überlieferung. I-III, 1937–1952 · D. VON DER NAHMER, Die lat. Heiligenvita, 1994.   G. MA.

Actarius (*actuarius*.) *A.* kann sich sowohl auf → *acta*, als auch auf *actus* (schnelle Bewegung, Transport) beziehen und deshalb Tätigkeiten in verschiedenen Bereichen bezeichnen:

1. Im privaten Bereich meint *a*. (= *actuarius*) den »Schnell(auf)schreiber«, etwa von Gerichtsreden oder Vorträgen (Suet. Iul. 55; Sen. epist. 4,4,9; Tac. ann. 5,4) und von daher auch den Buch- oder Rechnungsführer (Petron. 53,1). *A*. (= *actarius*) bezeichnet einen Aktenführer in privaten und kaiserlichen Haushalten (CIL VI 5 182; VI 6 244; VI 9 106 f.).

2. Im mil. Bereich sind *actuarii* seit Septimius Severus als z. T. hochrangige Magazin- und Proviantverwalter nachgewiesen (CIL XIV 2255; Veg. mil. 2,19; Cod. Iust. 12,37,5,16; Eutr. 9,9; zum Gehalt s. Cod. Theod. 8,1,10), die mit ihrem Privatvermögen für Unregelmäßigkeiten haften (Cod. Iust. 12,37,5,16). S. dazu auch → Heeresversorgung.

3. Im Transportwesen des spätant. Kaiserhofs ist ein *a*. insbes. für die Beschaffung von Pferden und den Versand von Gepäck verantwortlich (Amm. 15,5,3). → acta; Actis, ab

HOFFMANN, 379, 407 · JONES, LRE, 626 ff., 672 ff.   C. G.

Acte s. Claudia Acte

Actio. [1, rhetorisch] *A*. wird in der röm. → Rhet.-Theorie synonym zu *pronuntiatio* verwendet und bezeichnet den Vortrag einer Rede. Die *a*. gilt als die letzte der fünf Produktionsstadien der Rede (→ *partes orationis /artis/rhetorices*). Sowohl auf die Augen als auch auf die Ohren soll der Vortrag wirken, daher beziehen sich die Regeln der *a*. auf Stimmlage, Rhythmus und Lautstärke der Stimme (*figura vocis*), wie auch auf Mimik (*vultus*), Gestik (*gestus*), also Körperhaltung und -bewegung (*motus corporis*).

Im 5. Jh. v. Chr. begann in der att. Demokratie die theoretische Beschäftigung mit der Redekunst. Den Musterreden wurden Anweisungen zur Vortragsweise und bes. zur stimmlichen Gestaltung der Rede beigefügt, z. B. bei → Thrasymachos. Jener erkannte aber nur

inventio, dispositio und *elocutio* als Bearbeitungsphasen an (Quint. inst. 3,3 f.). → *Memoria* und *a*. zählte er zu den Naturanlagen eines Redners (*praesuppositiones*) die nicht erlernt werden können. Diese Auffassung der *a*. erschwerte lange Zeit die Ausbildung einer rhet. Theorie der Vortragsgestaltung. → Aristoteles erkannte zwar die Bed. der Vortragskunst an, vor allem, was die Lautstärke der Stimme, den Tonfall und den Rhythmus betrifft (Aristot. rhet. 1403b), entwickelte aber keine Theorie. Gute Redner dieser Zeit wandten sich daher nicht an den Redelehrer, sondern an den Schauspieler, wenn sie ihre Vortragsweise verbessern wollten (ὑπόκρισις ist der griech. Terminus für *a*.). → Demosthenes, der die *a*. als wichtigstes Stadium der Rede bezeichnete, nahm Unterricht beim Schauspieler Andronikos (Quint. inst. 9,3,6 f.). Eine erste theoretische Abhandlung über den Vortrag (*Perì hypokríseōs*) stammt von → Theophrast. Noch Cicero kannte sie (de orat. 3,221). Eine vollständige *a*.-Theorie findet sich erst in der → *Rhetorica ad Herennium* (3,19–27) und bei → Cicero (de orat. 3,213–228), der die *a*. in ihrer Bed. erkannte (*a., inquam, in dicendo una dominatur* 3,213) und sie in das System der ant. Rhet. eingliederte. Im Gegensatz zu den Vertretern der Naturanlage-Position hielt Cicero die *a*. für erlernbar. In Abgrenzung zu seinem Zeitgenossen → Hortensius lehnte Cicero die Theatralik des → Asianismus ab. Der Redner sollte Mimik und Gestik sparsam einsetzen und mit der Stimme in der Mittellage bleiben. → Quintilian erarbeitete dann in einer Zeit, in der Virtuosenredner bühnenreife Schaureden (*recitationes*) vortrugen, ein detailliertes Regelwerk für den Vortrag (inst. 9,3). Auch er forderte den maßvollen Einsatz von Mimik, Gestik und Stimme, um den Redner vom Schauspieler abzugrenzen. In seinen Anweisungen ordnete er den verschiedenen Stillagen (→ *genera locutionis*) jeweils eine andere Intensität der Stimme zu. Darüber hinaus ordnete Quintilian seine Vorschriften immer dem jeweiligen Teil der Rede (*pars orationis*) zu. Mit Quintilian kann die ant. Rhet.-Theorie der *a*. als abgeschlossen betrachtet werden (zur Rezeptionsgesch. ausführlich [3]).

1 A. KRUMBACHER, Die Stimmbildung der Redner im Alt. bis auf die Zeit Quintilians, Diss. 1920 2 G. UEDING, B. STEINBRINK, Grundriß der Rhet., ²1986, 215 f. 3 B. STEINBRINK, A., in: HWdR I, 43–74.   B. S.

[2, juristisch] A. DEFINITION B. RÖMISCHES RECHT C. GEMEINES RECHT

A. DEFINITION

Im röm. Recht bilden Privatrecht und Zivilprozeßrecht eine Einheit. Daher ist *a*. nicht nur die Klage im Zivilprozeß, sondern auch das vom Kläger (→ *actor*) geltend gemachte materielle Recht (Dig. 44,7,51: *Nihil aliud est actio quam ius quod sibi debeatur iudicio persequendi*). Weitergehend bezeichnet *a*. förmliches Handeln mit Rechtsfolgen, das sich von prozessualem Handeln ableiten kann, wie die *in iure cessio* (Gai. inst. 2,24), aber auch die *stipulatio* (Dig. 17,2,65pr.).

B. Römisches Recht

Im altröm. Verfahren mittels *legis a.* sprechen die Prozeßparteien bestimmte Spruchformeln, deren Wortlaut genau zu beachten war (Gai. inst. 4,11). Dem Erkenntnisverfahren dienen die *legis a. sacramento in rem* (Gai. inst. 4,16) oder *in personam,* ferner die *legis a. per iudicis arbitrive postulationem* und die *legis a. per condictionem.* Vollstreckungsklagen sind die *legis a. per manus iniectionem* und die *legis a. per pignoris capionem.*

Im jüngeren Formularprozeß postuliert der Kläger formlos vom *praetor* die a. Nach einer Vorprüfung gewährt oder verweigert sie der *praetor* (*dare, denegare a.*). Die Erteilung der a. und Einsetzung des ermittelnden und urteilenden *iudex* erfolgte in einer schriftlichen *formula,* in der der *praetor* den *iudex* anweist, den Beklagten unter bestimmten Voraussetzungen zu verurteilen, ansonsten aber freizusprechen. Diese *formula* kann neben der *actio* auch eine *exceptio* enthalten (Dig. 50,16,8,1). Der *praetor* erteilt nicht nur a. *civiles,* sondern kann aufgrund seiner *iurisdictio* neue a. gewähren, sei es im Einzelfall, sei es aufgrund einer Ankündigung im Edikt. Dies förderte die aktionenrechtliche Denkweise: Wer aufgrund des Edikts eine a. beantragen kann, hat ein subjektives Recht, das er grundsätzlich erfolgreich im Prozeß durchzusetzen vermag. Andererseits hat die Begrenztheit der a. zur Folge, daß sich nur Rechtsinstitute entwickeln konnten, für die eine a. vorgesehen war. Dies bewirkte einen Typenzwang nicht nur im Sachenrecht, sondern auch im Obligationenrecht.

Man unterscheidet folgende Arten von a.:

Die a. kann auf eine Leistung gerichtet sein (Dig. 44,7,51 ... *quod sibi debeatur, iudicio persequendi*), wobei die Verurteilung in einen Geldbetrag begehrt wird (*condemnatio pecuniaria*), oder auf Feststellung (z.B. Eigentumsklage *per sponsionem; praeiudicia*) oder Rechtsgestaltung durch *adiudicatio* (z.B. a. *communi dividundo*). Der konkursmäßigen Vollstreckung dient die a. *iudicati.*

a. *adiecticiae qualitatis* richten sich insbes. gegen einen Gewalthaber, dessen Gewaltunterworfener sich rechtsgeschäftlich verpflichtet hat.

a. *aediliciae* beruhen auf dem Edikt der kurulischen Aedile, die eine Sachmängelhaftung beim Kauf von Sklaven oder *iumenta* auf dem Markt festlegten.

a. *annales* sind binnen eines Jahres ab Entstehung des Anspruchs geltend zu machen. Für unbefristete a. *perpetuae* (Gai. inst. 4,110) wurde erst 424 n.Chr. eine allg. Verjährungsfrist von 30 Jahren eingeführt.

a. *arbitrariae,* wie die *rei vindicatio,* enthalten die Klausel *neque ea res restituetur* und fördern die Naturalrestitution. Gibt der Beklagte die Sache aufgrund des richterlichen *iussum de restituendo* heraus, so wird er nicht verurteilt.

a. *bonae fidei* (Gai. inst. 4,62) räumen dem *iudex* weiteres Ermessen als a. *stricti iuris* hinsichtlich Grund und Höhe der Verpflichtung ein. Er soll den Beklagten darauf verurteilen, was dieser nach Treu und Glauben schuldet.

a. *certae* dienen der Durchsetzung von Obligationen auf *dare* einer bestimmten Leistung (*certa pecunia, certa res*), während mit a. *incertae* begehrt wird *quidquid ... dare facere oportet.*

a. *civiles* beruhen auf *ius civile,* während a. *honorariae* prätorisches Recht durchsetzen. Zu den a. *honorariae* zählen etwa die a. *in factum, ficticiae, utiles, ad exemplum.*

a. *directae* betreffen Hauptansprüche, a. *contrariae* hingegen Gegenansprüche, insbes. auf Schaden- oder Aufwandersatz.

a. *famosae* führen zu Infamie des Verurteilten.

a. *ficticiae* (Gai. inst. 4,34ff.) enthalten im Formular eine Fiktion.

a. *in factum* gewährt der Prätor im Einzelfall. Die Kondemnationsbedingungen sind durch eine Tatsachenbeschreibung, nicht durch Rechtsbegriffe konkretisiert; z.B. die a. *praescriptis verbis* aus Innominatkontrakten.

a. *in personam* sind schuldrechtliche Klagen, hingegen richten sich a. *in rem* gegen den, der die Ausübung eines dinglichen Rechts hindert. a. *noxales* (Dig. 9,4) stehen dem durch eine *persona alieni iuris* Geschädigten gegen den Gewalthaber zu, der zwischen Auslieferung des Schädigers und Bußzahlung wählen kann.

a. *poenales* sind auf eine private Deliktsbuße gerichtet (Gai. inst. 4,8), während man mit einer sachverfolgenden a. *rem tantum* verfolgt (Gai. inst. 4,7), also im Fall einer Beschädigung Wertersatz begehrt. A. *mixtae* sind auf *rem et poenam* gerichtet, z.B. die a. *legis Aquiliae* (Gai. inst. 4,9).

a. *populares* kann *quivis ex populo* angestrengen (z.B. a. *de posito vel suspenso* wegen gefährlicher Aufstellung von Sachen).

a. *utiles* und a. *ad exemplum* (z.B. *legis Aquiliae*) beruhen auf Analogien zum *ius civile.*

C. Gemeines Recht

Im älteren gemeinen Recht wirkt das röm. Aktionensystem nach. Zum einen muß aus der Klageschrift erkennbar sein, welche a. gemeint ist; zum anderen bezeichnet a. häufig das materielle Recht. Dies zeigt sich auch in §§ 366, 372, 523, 823 ABGB. Daneben findet sich das subjektive Recht als *causa* der a. Die Trennung der prozessualen a. vom materiellem Anspruch geht auf WINDSCHEID (Die a. des röm. Zivilrechts, 1856) zurück.

KASER, RZ.   P.A.

Actis, ab. Mit der Dokumentation und Betreuung formaler und formloser Verwaltungsakte (→ *acta*) Beschäftigte einer Behörde. *Ab a.* deckt sich nur z.T. mit dem einen höheren Rang im Bürodienst bezeichnenden → *act(u)arius* (Cod. Iust. 2,7,26). Der *optio ab a.* (CIL VI 3884) ist ein mil. Verwaltungsbeamter der Kaiserzeit; der *ab a. senatus* (auch *curator actorum senatus*), ein Senator mit quaestorischem Rang, führt im 2. und 3.Jh. n.Chr. die Senatsprotokolle; der *procurator ab a. urbis* leitet das Büro für die *acta diurna.*

→ commentariis, a

HIRSCHFELD, 324, A. 1. • JONES, LRE, 587ff. • JONES, RGL, 167, 174 • MOMMSEN, Staatsrecht, 3, 1018.　　W. E.

Actor. 1. *A.* ist der Kläger (*is qui agit*) im Zivilprozeß, der sein Recht gegen den Beklagten (*reus; cum quo agitur*) verfolgt. Hinsichtlich einer *exceptio* ist der Beklagte *a.* (Dig. 44,1,1). Das Prozeßverhältnis zwischen *a.* und *reus* entsteht durch → *litis contestatio* vor dem *praetor* (*in iure*) und endet mit dem Urteil des *iudex privatus*. Der *a.* muß parteifähig sein, also die prozessuale Rechtsfähigkeit besitzen, was im klass. röm. Recht für *personae sui iuris*, Haussöhne, *collegia*, Gemeinden, und den *fiscus* zutrifft, nicht aber für Sklaven und gewaltunterworfene Frauen. Prozeßunfähige (Unmündige, Geisteskranke) werden durch einen *tutor* oder → *curator* vertreten, doch kann auch eine prozeßfähige Person die Prozeßführung einem *cognitor* oder *procurator* als Prozeßvertreter überlassen. – 2. *A.* bezeichnet auch den Sklaven, der Geschäfte seines *dominus* als Geschäftsführer oder Verwalter besorgt (Dig. 40,7,40,3); ferner Prozeßvertreter von Personenverbänden (Gemeinde, Verein), auch *syndicus* genannt (Dig. 3,4,1,1).　　P. A.

Actorius. *A. Naso, M.*, Verf. eines Werkes über → Caesar bzw. seine Zeit. Es war offenbar gegen diesen gerichtet, beschuldigte ihn der Teilnahme an der sog. 1. Catilinarischen Verschwörung und enthielt auch Klatschgeschichten (Suet. Iul. 9,3; 52,1).　　W. W.

Actuariae s. Kriegsschiffe

Actus. [1] Handlung, spezieller Rechtshandlung (Dig. 49,1,12) u. a. Definitionsmerkmal der → *alienatio*: *omnis a., per quem dominium transfertur*, Cod. Iust. 5,23,1. Als *A. legitimi* werden förmliche Rechtsakte des alten → *ius civile* bezeichnet, z. B. die → *mancipatio*. Durch Beifügung einer Bedingung werden sie unwirksam. *A.* kann ferner eine Dienstbarkeit → *servitus*) meinen, und zwar das Recht, Zug- und Lasttiere oder ein Fuhrwerk über ein Grundstück zu führen, einschließlich des Wegerechts (*iter*, Dig. 8,3,1pr.). Dieser *a.* ist eine *res mancipi* und wird erworben u. a. durch → *mancipatio*, → *in iure cessio* (Gai. inst. 2,28f.), auch durch förmlichen Vorbehalt bei Eigentumsübertragungen dieser Form, nicht dagegen durch formlose → *traditio*.

H. HONSELL / TH. MAYER-MALY / W. SELB, Röm. Recht, ⁴1987, 182, 183, 189–191 • KASER, RPR I, 143, 227, 255, 440–447.　　D. SCH.

[2] Bereits in Griechenland bekannt, entspricht der *A.* als röm. Längenmaß 35,484 m bzw. 120 Fuß zu 29,57 cm. Der Name stammt vom lat. *ago*, »treiben«, und bezeichnet nach Plin. nat. 18,9 eine Furchenlänge (*in quo boves agerentur cum aratro uno impetu iusto*). Als Flächenmaß hat der *A. quadratus* einen Umfang von 1262 m² = ½ iugerum. Der *A. minimus* bildet eine Fläche von 100 Fuß Länge und 4 Fuß Breite, wohl der vom Areal abzutrennende Weg.

→ Iugerum; Längenmaße; Limitation; Pes

U. HEIMBERG, Röm. Landesvermessung. Limitatio. (Kleine Schriften zur Kenntnis der röm. Besetzungsgeschichte Südwestdeutschlands 17), 1977 • O. A. W. DILKE, Mathematik, Maße und Gewichte in der Ant., 1991.　　A. M.

[3] Akteinteilung im Drama. Die von Horaz (ars 189) geforderte Einteilung eines Dramas in fünf Akte war in der Neuen Komödie wohl die Regel: Menanders Stücke sind in den Papyri durch χοροῦ-Vermerke (Chorintermezzo bei leerer Bühne) in 5 Akte unterteilt. Schon in den späten Stücken des Aristophanes (*Ekklesiazusai*, *Plutos*), die schon die 5-Akt-Struktur aufzuweisen scheinen, finden sich teilweise statt der Chorlieder χοροῦ-Vermerke.

→ Aristophanes [3]; Drama; Menandros

R. L. HUNTER, The comic chorus in the fourth century, in: ZPE 36, 1979, 23–38 • E. PÖHLMANN, Der Überlieferungswert der χοροῦ-Vermerke in Papyri und Hss., in: WJA N. F. 3, 1977, 69–81 • A. H. SOMMERSTEIN, Act Division in Old Comedy, in: BICS 31, 1984, 139–152.　　B. Z.

[4, lateinisch] Die röm. Komödiendichter hatten keinen Chor oder akttrennende Choreinlagen; sie erstrebten einen möglichst kontinuierlichen Handlungsfluß [1]. Erste Bemühungen, bei → Plautus und → Terenz eine Akteinteilung vorzunehmen, scheinen auf → Varro zurückzugehen (vgl. Don. Ter. Hec. praef. 3,6). Das erstmals bei Horaz (ars 189f.) formulierte Fünf-Akt-Gesetz dürfte aus hell. Poetiken stammen ([3] gegen [2]). Szeneneinteilungen sind in den Hss. seit dem 4. Jh. kenntlich; die h. bei Plautus übliche Akteinteilung stammt erst von J. B. PIUS (1500). Über die frühe röm. Tragödie läßt sich kaum etwas sagen; die Stücke → Senecas [2] sind nach dem Fünf-Akt-Gesetz strukturiert.

1 G. E. DUCKWORTH, The Nature of Roman Comedy, 1952, ²1994, 98–101　2 W. BEARE, The Roman Stage, ³1964, 196–218　3 C. O. BRINK, Horace on Poetry, 1971, 248–250.　　H.-G. NE.

Acus (griech. βελόνη, auch ῥαφίς oder ἀβλεννής, Athen. 7,305d; 319cd; 8,355f.). Ein im Schwarm lebender (Aristot. hist. an. 8(9),2,610b 6) Seefisch (Plin. nat. 32,145), die Seenadel [1. 9] aus der Syngnathus-Familie oder der Hornhecht (THOMPSON und JONES bei [1]) mit interessantem Laichverhalten, d. h. Ablegen der großen Eier im Winter (Aristot. hist. an. 5,11,543b11) durch reversibles Aufplatzen des Bauches (6,13,567b22–26; Plin. nat. 9,166: Hinweis auf Bruttasche der Seenadel?) und Nähe der aus diesen geschlüpften Jungen (Aristot. gen. an. 3,4,755a 32–35) zur Mutter (hist. an. 6,17,571a 2–6). Als Nahrung war er wenig beliebt (Athen. 8,355f.; Mart. 10,37,6; Caelius Aurelianus, de acutis morbis 2,37).

→ Fische

1 LEITNER.　　C. HÜ.

Acutia. Gemahlin des P. Vitellius (gest. 31 n. Chr.), wurde 37 n. Chr. wegen Maiestätsbeleidigung verurteilt (Tac. ann. 6,47,1). PIR² A. 102.

RAEPSAT-CHARLIER 1, Nr. 5. D.K.

Acutius. [1] A., M., Volkstribun 401 v. Chr. (MRR 1, 84). [2] A. Rufus, Anhänger des Pompeius (Caes. civ. 3,83,2). K.L.E.
[3] **A. Nerva, Q.**, *cos. suff.* im J. 100 n. Chr., wohl identisch mit dem Statthalter von Niedergermanien um 101/102 (CIL XIII 7697; 7715 f.; FOst 45; PIR² A 101 [1]).

1 ECK, 161 f. W.E.

Ad Fines. → *Statio* an der → *via Aurelia* zw. → Vada Volaterrana und → Pisae am Flüßchen Fine, das z.Z. der röm. Republik die Nord-Grenze It. bildete (Tab. Peut. 4,1).

NISSEN 1, 71. G.U./S.W.

Ad Flexum. [1] Röm. Straßenstation (→ *statio*) zw. → Brixia und → Beneventum (Itin. Burdig. 558,9).

NISSEN 2, 981. H.SO.

[2] → *Statio*, benannt nach der Kurve welche die *via Latina* zw. → Casinum und → Venafrum am 96. Meilenstein bei A. machte (CIL X 6901, h. San Pietro in Fine (Caserta). Strategisch bedeutend, beherrscht von Mauern in Polygonalmauerwerk bei San Eustachio und Marena-Falascosa, in *opus quadratum* und *incertum* bei Muraglie Abbandonate.

A. GIANNETTI, Mura ciclopiche in S. Vittore del Lazio, in: Atti dell'Accademia Nazionale dei Lincei. Rendiconti 28, 1969, 101–112 • G. CONTA, Ricerche su alcuni centri fortificati, 1978, 43 ff. G.U./S.W.

Ad Lunam. Station der Tab. Peut. 4,1 f., evtl. Urspring-Lonsee (Alb-Donau-Kreis): zweiphasiges Kohortenkastell (1,8 ha) seit ca. 80 n. Chr. und → *vicus*. Mz. bis 153/154 n. Chr.
→ cohors; castellum

Mz.: Fundmz. Röm. Deutschland 2,4, 1964, Nr. 4550.
LIT.: J. HEILIGMANN, Der »Alb-Limes«, 1990, 88–101. K.DI.

Ad Novas. [1] Militärstation in → Pannonia inferior (Itin. Anton. 246,3; Not. dign. occ. 32,9: Novas; 32,28: equites Dalmatae, Novas; 32,40: auxilia Novensia, Arsaciana (Antiana?) sive Novas; vgl. CIL III 10665). Baureste, Gräber, Keramik- und Münzfunde nordöstl. von Zmajevac bei Osijek lassen hier A. vermuten.

A. GRAF, Übersicht der ant. Geogr. von Pannonien, 1932, 112 • TIR L 34, 25. J.BU.

[2] Militärstation in → Moesia Superior (Itin. Anton. 218,1; Tab Peut. 7,3.), 17,7 km von Cuppae, 14,8 km von Ad Scrofulas, 53,2 km von → Viminacium entfernt. Arch. Überreste 6 km südl. Brnjica am rechten Ufer der Donau.

A. MÓCSY, Pannonia and Upper Moesia, 1974 • TIR L 34, 1968. J.BU.

Ad Pirum. Bedeutende *statio* zw. Fluvio Frigido und Longaticum (Itin. Burdig. 560,3 f.), an der augusteischen Militärroute (vgl. Fest. p. 7), die durch das Karst-Gebirge (867 m) gebaut wurde, um die Strecke von → Aquileia, → Tergeste nach → Emona um zwei Reisetage zu verkürzen. Der einheimische Name (ungeklärt) wurde als »beim Birnbaum gelegen« verstanden, daher die modernen Namen Hrušica (Birnbaumer Wald, Selva del Pero). A. war Poststation (Tab. Peut. 4,5), Station von → *beneficiarii consulares* (Inscr. Ital. 10,4,348) und eine der Befestigungen innerhalb der *praefectura Italiae et Alpium*. Seit dem E. des 3. Jh. n. Chr. war A. Teil des Systems → Claustra Alpium Iuliarum (für 500 Soldaten). Paß-Verkehr ist bis E. des 5. Jh. n. Chr. nachgewiesen.

J. ŠAŠEL, P. PETRU (Hrsg.), Claustra Alpium Iuliarum 1, 1971, 93–96 • T. ULBERT, A. (Hrušica), 1981. M.S.K.

Ad Solaria. [1] Station in → Etruria an der → *via Cassia* zw. Florentia und Pistoriae (*regio VII* – Tab. Peut. 4,2; Geogr. Rav. 4,36). [2] Eine andere gleichnamige Station befand sich in → Liguria an der *via Aemilia Scauri* zw. Luna und Genua (*regio IX* – Tab. Peut. 3,5; Geogr. Rav. 4,32). G.U./R.P.L.

Ada. Jüngere Tochter des → Hekatomnos, regierte → Karia mit ihrem Bruder und Mann → Idrieus, nach dessen Tod (344/3 v. Chr.) allein, unter persischer Oberhoheit. Von ihrem Bruder → Pixodaros gestürzt, zog sie sich in die Festung Alinda zurück, wo sie unbehelligt blieb. Als → Alexandros [4] Karia erreichte (324), übergab sie ihm Alinda und adoptierte ihn, was ihm die Sympathien der karischen Städte sicherte und die Rechtsnachfolge in Aussicht stellte. Sie wurde als Königin von Karia anerkannt und befehligte karische Truppen bei → Halikarnassos, mit denen sie eine der zwei Akropoleis einnahm (Strab. 14,2,17,C657 – von den Alexanderhistorikern verschwiegen!). Nach ihrem Tod (vor 336) machte Alexandros Karia zur → Satrapie.

BERVE 2, Nr. 20. E.B.

Adad s. Hadad

Adaeratio. In der Spätant. bestand die Möglichkeit, Leistungspflichten, und dies gilt insbes. für fiskalische Leistungen, durch Geld zu ersetzen (*adaeratio*, griech. ἀπαργυρισμός, ἐξαργυρισμός; Komplementärbegriff:

coemptio als Zwangskauf zu vorgegebenen Preisen). Nach Vorläufern im Steuerwesen der Republik und der Principatszeit (*aestimatio*) wurde *a.* im Rahmen der Neuordnung unter Diocletian und Constantin bei prinzipiell geltenden Naturalleistungspflichten zum jeweils privilegförmig bewilligten oder angeordneten Verfahren zur Erfüllung der in Naturalmaßeinheiten statuierten Steuerpflicht; ein solches Verfahren wurde vor allem dann gewählt, wenn Hindernisse einer sinnvollen »gerechten« Umsetzung der Gestellungsaufgabe entgegenstanden (z.B. bei extrem hohen Transportkosten oder bei Verderblichkeit der Güter bei Nichtverbrauch, wie regelmäßig bei erst nachträglich ausgeglichenen, dann überschüssigen Rückständen). Die Bewilligung der *a.* durch den *princeps* orientierte sich an der Billigkeit der Wünsche der Steuerpflichtigen bzw. der Empfänger im Staatsdienst (Heer, Zivilverwaltung). Nach dem Ort der *a.* beim Steuergütertransfer (Steuerzahler – Einnahmeorganisation – Endabnehmer) unterscheidet man Erhebungs- und Verausgabungs-*a.* oder einfacher Steuer- und Verteilungs-*a.* Im 5.Jh. n.Chr. löste eine nach Zeiten und Räumen nicht einheitliche, relativ großzügige Freigabe der *a.*, in bestimmten Fällen auch ein *a.*-Gebot, das urspr. Verbot ab. Das Richtmaß für die *a.* lieferte jeweils ein geltender Marktpreis oder ein unter Aufsicht des *praefectus praetorio* gebildeter staatlicher Festpreis. Kernbereich der *a.*-Problematik war die *annona*, die Hauptsteuer zur Grundversorgung von Heer- und Verwaltungsapparat; daneben tritt sie bei Ablieferung von Uniformen und bei der Stellung von Militärpferden sowie Rekruten und – bes. aufschlußreich – bei der Versorgung Roms und Konstantinopels mit Nahrungsmitteln, darunter auch Schweinefleisch, in Erscheinung, des weiteren bei Gebühren, Sporteln und Liturgien.

→ Steuern

1 M. ALPERS, Das nachrepublikanische Finanzsystem, 1995 2 A. CERÁTI, Caractère annonaire et assiette de l'impôt foncier au Bas-Empire, 153–183 3 R. DELMAIRE, Largesses sacrées et res privata, 1989 4 DUNCAN-JONES, Structure, 187–198 5 J. DURLIAT, De la ville antique à la ville byzantine, 1990 6 J. DURLIAT, Les rentiers de l'impôt, 1993 7 JONES, LRE, 207f., 460f., 629f. 8 J. KARAYANNOPULOS, Das Finanzwesen des frühbyzantinischen Staates, 1958 9 S. MAZZARINO, Aspetti sociali del IV sec., 1951.　　E.P.

Adaios (Ἀδαῖος, lat. *Adaeus*). **[1]** Dynast im südöstl. Thrakien, Mitte des 3.Jh. v.Chr., wohl Nachkomme eines von → Philipp II. eingesetzten maked. Statthalters. Er prägte mehrere Emissionen von Bronzemünzen. Wohl identisch mit dem in Kypsela regierenden A. (Athen. 11,468f.) und dem von → Ptolemaios III. hingerichteten A. (Pomp. Trog. prol. 27; SEG 34, 1984, 878).

K. BURASELIS, Das hell. Makedonien und die Ägäis, 1982, 122–123, 139.　　U.P.

[2] Maked. Epigrammatiker, wird meistens – ohne überzeugende Gründe – mit dem asianischen Rhetor → A. [3], dem Zeitgenossen Senecas d.Ä., identifiziert. In seinen 10 Epigrammen, die aus dem »Kranz« des Philippos stammen (anathematische, Grab- und epideiktische Epigramme, sowie auch ein päderotisches Gedicht, vgl. Anth. Pal. 10,20), erweist er sich manchmal als affekter Imitator des Leonidas, manchmal als Versdichter nicht ohne Originalität (Anth. Pal. 6,228; 7,694; 9,544) und feinen Humor (Anth. Pal. 9,300). Nicht von ihm ist das interessante Epitymbion Anth. Pal. 7,305, das mit Ἀδδαίου Μυτιληναίου überschrieben ist und heute → Alkaios [6] von Messene oder → Alpheios [3] zugewiesen wird.

GA II,1, 4–10; II, 3–13.　　　　　　　　E.D./M.-A.S.

[3] Griech. Rhetor *ex Asianis*, von Seneca (contr. 9,1,12) als bedeutend bezeichnet: er zitiert einige *sententiae* und erwähnt ihre Nachahmung durch lat. Redner, u.a. Arellius Fuscus, was seine Blütezeit zwischen 20–10 v.Chr. vermuten läßt. Da sich *ex Asianis* nur auf den Stil bezieht, könnte er ebenso der maked. wie der mytilenische Epigrammatiker sein; anderer Ansicht: GA II,3.

　　　　　　　　　　　　　　　　　　E.BO./L.S.

Adam. Die frühjüd. und rabbinischen Überlieferungen zu A., dem ersten Menschen, den Gott aus dem Staub der Erde (hebr. *'adama*) formte und dem er den Lebensodem einhauchte (vgl. den sog. jahwistischen Schöpfungsbericht), kreisen hauptsächlich um den Sündenfall. Das frühjüd. Schrifttum verweist auf A.s urspr. Herrlichkeit (Weish 10,1f.; Sir 49,16; 4 Esra 6,53f.) und Schönheit (Op 136–142; 145–150; Virt 203–205), wobei er sogar als Engel bezeichnet werden kann (slHen 30,11f.). Seine Sünde jedoch brachte über seine Nachkommen den Tod (4 Esra 3,7.21; 7,118; syrBar 17,3; 23,4; 54,15) und führte zu einer Minderung der Schöpfung (4 Esra 7,10ff.; syrBar 4,3). An platonische Ideen erinnert die Vorstellung von A. als Mikrokosmos (Op 146; slHen 30,13). Das rabbinische Judentum, das diese Vorstellungen fortführt, setzt eigene Akzente. Vermutlich in Rezeption eines gnostischen Urmensch-Mythos wird die gigantische Gestalt A.s hervorgehoben, die die gesamte Welt erfüllt (bSan 38b; BerR 8,1; 24,2), seine Herrlichkeit, die sogar die Engel verehrten (Ber 8,9f.). Im Vordergrund steht jedoch das Motiv der Rivalität zw. Engeln und Menschen, da jene die Erschaffung A.s verhindern wollen, weil sie die Sündhaftigkeit seines ganzen Geschlechts voraussehen. Wenn Gott trotz ihres Einspruchs A. erschafft, zeigt dies eine grundsätzliche Bejahung der Schöpfung, die auch durch den Sündenfall nicht abgewertet wird (bSan 38b; BerR 8,5). Das rabbinische Schrifttum betont darüberhinaus die Frömmigkeit A.s (bEr 18b). Die Vorstellung von A. als Mikrokosmos, der vom Staub der 4 Enden der Erde geschaffen wurde (bSan 38a; TPsJ Gen 2,7), wird ergänzt durch den Gedanken, wonach A. am Platz seiner Sühne, dem Tempel, geschaffen wurde (BerR 14,8; TPsJ Gen 2,7). Auf platonischen Einfluß könnte der Gedanke von A.s urspr. Doppelgeschlechtlichkeit (BerR 8,1) zurückgehen.

P. Schäfer, A. II, TRE 1, 1977, 424–427 • B. Barc, Le taille cosmique d'A. dans la littérature juive rabbinique des trois siècles aprés J.-C., in: RevSR 49, 1975, 173–185 • L. Ginzberg, The Legends of the Jews, 1909–38, Index s. v. A.   B. E.

Adamclisi. »Kirche der Männer« (türkisch), in der Ant. *Tropaeum Traiani* in → Moesia inferior bzw. Scythia minor (CIL III 7481–84; 12461–75; 13733–36; 14214–14214[18]; 16,58), von → Traianus gegr. und von Traianenses Tropaeenses besiedelt (CIL III 12470). Wohl unter Kaiser → Marcus → *municipium*, am E. des 3. Jhs. n. Chr. zerstört, von → Constantinus I. und → Licinius wieder aufgebaut (Baureste aus dem 4. Jh. z. T. christl.). Im 6. Jh. von den → Avares zerstört. Ca. 1,5 km norwestl. lag das gleichnamige Siegesdenkmal, das 109 n. Chr. von Traianus zur Erinnerung an die Erfolge im Kampf gegen die Dakoi errichtet wurde. Das Tropaeum besteht aus einem mehrstufigen Sockel (Durchmesser ca. 38 m), über dem sich ein Kegel mit dem Denkmal erhebt (CIL III 12467). Die Reliefplatten am oberen Rand des Sockels stellen Kampfszenen und gefangene Barbaren dar. In der Nähe befinden sich Reste eines Mausoleums, das zu Ehre der unter → Domitianus oder eher unter Traianus gefallenen Soldaten errichtet wurde.

Fl. B. Florescu, Das Siegesdenkmal von A., 1965 • TIR L 35, 1969, 74 f.   J. BU.

Adamantios. Arzt und Iatrosophist, der als Jude um ca. 412 n. Chr. aus Alexandreia vertrieben wurde, in Konstantinopel zum Christentum konvertierte und nach Alexandreia zurückkehrte. Autor einer Kurzfassung der Physiognomik des → Polemon aus Laodikeia, (Ed. R. Förster 1893). Einige Rezepturen, die ihm zugeschrieben werden, sind von Oreibasios (Syn. ad Eustathium 2,58–59; 3,24–25; 9,57) überliefert worden. Vermutlich ist er nicht der Autor der Abhandlung ›Über die Winde‹, Ed. V. Rose 1864), die auf die peripatetische Meteorologie zurückgreift und anscheinend aus dem 3. Jh. n. Chr. stammt.

→ Meteorologie; Physiognomik   V. N. / L. v. R.-P.

Adamantius s. Martyrius

Adamas (Ἀδάμας). **[1]** Thraker, der in den 370er Jahren v. Chr. von Kotys abfiel (Aristot. pol. 5,10,1311b). Die Identifizierung mit A. in IG XII 5,245 ist zweifelhaft (SEG 34, 1984, 856).   U. P.
[2] Nur bei Ptol. 7,1,17; 41 erwähnter Fluß Vorderindiens am Golf von Bengalen, mit der jetzigen Subarna rekha identisch. Der Name bedeutet »Diamantenfluß«. Landeinwärts sind bis heute die Diamantgruben von Chota Nagpur bekannt.   J. RE. / H. T.

Adana (Ἄδανα). Stadt in der → Kilikia Pedias (Plin. nat. 92,4; Steph. Byz. s. v. A.), am rechten Ufer des → Saros (h. A.). Nach der Beendigung der Perserherrschaft durch Alexandros [4] (den Gr.) ist A. zuerst im Alexanderreich, danach im Herrschaftsgebiet der Seleukiden. Wohl unter → Antiochos [5] IV. wurde A. kurzfristig in Antiocheia am Saros umbenannt [1. 81]. → Pompeius hat 67 v. Chr. einen Teil der von ihm besiegten Seeräuber in A. angesiedelt (App. Mithr. 96). Seit 72 n. Chr. endgültig in der röm. Prov. Cilicia (→ Kilikien). Station an der von → Tarsos nach → Antiocheia [1] führenden Straße (Itin. Burdig. 580,3). 260 n. Chr. erobert der sasanidische König → Sapor I. auch A. (res gestae divi Saporis 148). Nach der Prov.reform von 408 n. Chr. zu Cilicia I gehörig. Der einzig erh. ant. Bau ist die unter → Hadrian errichtete Brücke über den Saros, die unter → Iustinian erneuert wurde (Prok. aed. 5,5,8–13).
→ Seleukidenreich; Sasaniden

1 E. Levante, Coinage of A. in Cilicia, in: NC 144, 1984, 81–94.

M. Gough, s. v. A., PE, 1976, 8 • F. Hild, H. Hellenkemper, Kilikien und Isaurien, TIB 5, 154.   M. H. S.

Adane (ʿAdan, Aden), eine bedeutende Handelsstadt im SW der arab. Halbinsel am Indischen Ozean, deren Hafen an einer durch zwei vulkanische Halbinseln geschützten Bucht liegt. Die bei Agatharchides, *De mari Erythraeo*, 105a erwähnten *Eudaimones nēsoi*, welche von Handelsschiffen angefahren werden, bezeichnen wohl die Inseln von Adane. Im *Periplus maris Erythraei* § 26 ist der Ort *Eudaimōn Arabia* A., welches nach dem Glücklichen Arabien benannt wurde, dessen wichtigster Hafen es war; er bot günstige Ankerplätze und Wasserstellen, worunter die in den Fels gehauenen Zisternen zu verstehen sein dürften. Eine in Koptos gefundene Widmungsinschrift an Isis wurde 70 n. Chr. von einem Kaufmann aus A. am Erythräischen Meer gestiftet. Ptol. 6,7,9 führt A. seiner Bedeutung als Handelsplatz entsprechend als Ἀραβίας ἐμπόριον an. In der 267/8 n. Chr. datierten sabäischen Felsinschr. Miʿsāl 5 ist von der Hafenbucht von A. (*hyqn/dʿdnm*) die Rede. Als zur Zeit von Constantius II. um 340/42 eine Gesandtschaft an den Himjarenhof geschickt wurde, wurde im röm. Handelsplatz A. eine Kirche gebaut (Philostorgios, Historia ecclesiastica, 3,4).

H. v. Wissmann, Zur Arch. und ant. Geographie von Südarabien. Ḥaḍramaut, Qatabān und das ʿAden-Gebiet in der Ant., 1968 • P. A. Grjaznevič, Morskaja torgovlja na aravijskom more: Aden i Kana, in: Chadramaut. I, 1995, 273–301 • Ḥ. Ṣ. Šihābī, ʿAdan furḍat al-Yaman, 1990.   W. W. M.

Addicere bedeutet das bestätigende Nachsprechen einer förmlichen Parteierklärung durch den Magistrat. Als solches ist es duch Gell. 17,2,10 bereits für den Zwölftafelprozeß bezeugt. Macr. Sat. 1,16,14 bezeichnet *do, dico, addico* (*tria verba sollemnia*) als die wohl bei den wichtigsten verfahrensleitenden Schritten vom Magistrat feierlich und förmlich auszusprechenden Worte, die überdies nur an *dies fasti* zulässig waren (Varro ling.

6,30). Die magistratische Bestätigung war der meist wohl konstitutive Rechtsbegründungsakt etwa bei der *in iure cessio* (Gai. inst. 2,24) der *adoptio* (Gai. inst. 1,134), *manumissio vindicta*, der Parteisäumnis (Gell. 17,2,10) und der personalvollstreckenden *manus iniectio* (Gell. 20,1,44) sowie der *confessio in iure* (→ *addictus*). In späterer Zeit erlangt a. die Bed. eines zusprechenden Urteils oder der Übereignung etwa bei der Zuweisung des Schuldnervermögens an den Meistbietenden durch den Insolvenzverwalter (*magister bonorum*; Gai. inst. 3,79), *a. iudicem* die (auf Parteivorschlag ergehende) Richterbestellung. – Die *addictio in diem* (Dig. 18,2) ist ein kaufrechtlicher Vorbehalt: Er ermöglicht dem Verkäufer, binnen der vereinbarten Frist (*dies*) die bereits verkaufte Sache einem besseren Käufer zu veräußern. Vor allem bei Versteigerungen war die Klausel wichtig, z. B. Plaut. Capt. 179.

→ Accipere

O. BEHRENDS, Zwölftafelprozeß, 1974, 116 • KASER, RZ, 28, 218 • H. LÉVY-BRUHL, Deux Études: a. et auctoritas, 1942 • J. L. MURGA, La addictio del Gobernador en los litigios provincales, in: RIDA 30, 1983, 151–183.   C. PA.

Addictus ist im Legisaktionenverfahren der Schuldner, der nach seiner Verurteilung die Schuldsumme binnen 30 Tagen nicht zahlte und infolgedessen vom Gläubiger mittels *manus iniectio* dem Magistrat vorgeführt und von diesem dem Gläubiger durch → *addicere* zur Vollstreckung überantwortet wurde. Sofern der Schuldner nicht spätestens vor dem Magistrat zahlte oder einen *vindex* stellte, konnte der Gläubiger den a. mit in sein Haus führen und ihn nach detaillierter Maßgabe der Zwölftafeln (3,3–5; Gell. 20,1,45) als einen nach wie vor Freien gefangen halten. Konnte der a. binnen weiterer 60 Tage die Schuldsumme nicht aufbringen, durfte ihn der Gläubiger nach Einhaltung weiterer Formalien töten oder als Sklaven verkaufen.

→ Addicere

KASER, RZ, 101 f.   C. PA.

Addua. Nebenfluß des → Padus, h. Adda. Fließt von den rätischen Alpen durch den *lacus Larius* (Comersee), Grenze zw. Insubres und Cenomanni (Pol. 2,32,2; Strab. 4,3,3; 6,6; 12; 5,1,6; Plin. nat. 2,224; 3,118; 131)

NISSEN 1, 188; 2, 188 • D. OLIVIERI, Dizionario di toponomastica lombarda, ²1961, 46, s. v. A. • C. PODESTÀ ALBERINI, Municipium Cremona, 1954, 3, 38 f.   G. BR. / S. W.

Adeia (ἄδεια). Allg. Freiheit von Furcht; juristisch Freiheit von Strafe bzw. Strafverfolgung, wobei der Staat auf an sich rechtmäßige Straf- bzw. Verfolgungsansprüche verzichtet. Dieser Verzicht wird in Athen durch Volksbeschluß ausgesprochen (Demosth. 24,45; And. 1,77; 1,12; Lys. 13,55; IG I³ 52B16; 370,31+33; 370,64, ausnahmsweise durch Ratsbeschluß (And.

1,15). In den Papyri auch: Schutz vor Unrecht, Verfügungsfreiheit, Erlaubnis, Sicherheit.

A. R. W. HARRISON, The Law of Athens II, 1971, 199.   G. T.

Adeimantos (Ἀδείμαντος). **[1]** Korinther, Sohn des Okytos, floh nach Herodot (8,94) im Krieg gegen Xerxes mit dem korinthischen Kontingent feige vor der Seeschlacht bei → Salamis 480 v. Chr. Tatsächlich sollte er wohl abseits des Schlachtorts die Westzufahrt zum Golf bewachen und wurde auch in den Kampf verwikkelt (vgl. ML 24; Dion Chrys. 37,18; Plut. mor. 870b-871a). Sein Sohn Aristeas (Aristeus) befehligte 432 das korinthische Hilfscorps für das von Athen abgefallene Poteideia; er galt als einer der aktivsten Feinde Athens am Beginn des Peloponnesischen Krieges und wurde später von den Athenern hingerichtet (Hdt. 7,137; Thuk. 1,60). Das mag Herodots negatives Urteil über seinen Vater A. erklären.

K. H. WATERS, Herodotus the Historian, 1985, 84 mit Anm. 21.   E. S.-H.

[2] Athener, Sohn des Leukolophides. A., ein Freund des → Alkibiades [3], wurde mit diesem 415/4 v. Chr. in den Mysterienprozeß verwickelt und verbannt (And. 1,16); seine Güter wurden konfisziert. Bei der Expedition nach Andros (407) erscheint er mit → Aristokrates [2] und Alkibiades als Strategos (Xen. hell. 1,4,21); nach der Schlacht bei den Arginusen 406 wurde er neben → Konon mit → Philokles erneut zum Strategos gewählt (Xen. hell. 1,7,1). Nach der athenischen Niederlage bei Aigospotamoi (405) als Strategos in spartanische Gefangenschaft geraten, wurde er als einziger Athener von → Lysandros freigelassen, weil er allein in der athenischen Volksversammlung gegen den Antrag des Philokles gestimmt hatte, spartanischen Gefangenen die Hände abzuhauen (Xen. hell. 2,1,30 ff.). Später wurde A. deshalb angeklagt, die athenische Flotte verraten zu haben (Xen. hell. 2,1,32; Paus. 10,9,11; PA 202; TRAILL PAA, 107965).   M. MEI.

[3] Athener, Sohn des Ariston, Bruder → Platons (DAVIES, 8792,X,A; TRAILL PAA, 107935).   M. MEI.

Adel. Der für Gesellschaften des Altertums benutzte Begriff A. ist von dem für Mittelalter und Neuzeit geltenden A.-begriff abzugrenzen. Dem A. des Altertums fehlt das grundherrliche Eigentum als Basis der Herrschaft über die Menschen, die das Land bearbeiten, und im Prinzip auch eine Instanz, die den A.-Status begründen kann. Erblichkeit und exklusives Standesdenken sind vor allem im griech. Raum wenig ausgeprägt, auch wenn häufig durch die Weitergabe von Vermögen und personalen Beziehungen in einzelnen durch Reichtum, polit. Erfahrung und Ansehen herausgehobenen Familien faktisch eine dauerhafte Kontinuität von sozialer Macht und polit. Einfluß gegeben ist. Eine Brücke zum mittelalterlich / neuzeitlichen A.-begriff schlägt die Betonung adliger Tugenden (→ *aretē*), die bereits im Alten

Orient vorliegt und seit Platon über vielfältige Brechungen in → Stoa und → Christentum bis ins 18. Jh. ein konstantes Kriterium des A.-begriffs geblieben ist [1. 11–26].

W. Conze, s. v. A., Aristokratie, in: O. Brunner, W. Conze, R. Koselleck (Hrsg.), Geschichtliche Grundbegriffe, 1, 1972.   W. Ed.

[1, Alter Orient] Für die Eliten im Alten Orient ist weder grundherrliches Eigentum im mittelalterlichen Sinne noch eine Institution oder Person nachweisbar, die durch einen formalen Akt den A.-Status verliehen hat. Die gewöhnlich als A. bezeichneten Eliten waren in der Regel mit Palast und Tempel verbunden und konnten damit anteilig oder als Teil der besitzenden Institution über Bodeneigentum verfügen. Privilegien auf Grund edler Abkunft spielten im Rahmen der jeweiligen Dynastiegesch. altoriental. Staaten eine Rolle. Ansonsten wurde eine privilegierte gesellschaftliche Position durch die persönliche Nähe zum Königshaus sowie durch die Aufgaben im Rahmen staatlicher Machtausübung bzw. durch leitende Tätigkeit im religiös-kultischen und wirtschaftlichen Bereich definiert. Eine Ausnahme könnten Verhältnisse im Herrschaftsgebiet des Staates von Mitanni in Vorderasien (2. Hälfte 2. Jt. v. Chr.) darstellen, unter denen sich die mil. Elitetruppe der »Streitwagenfahrer« (*marijanni-na*) möglicherweise in Richtung eines Geburtsadels entwickelt hat [1. 27, 60].

1 G. Wilhelm, Grundzüge der Gesch. und Kultur der Hurriter, 1982.   H. N.

[2, griechisch] Der A. der griech. Poleis zeigt einen relativ schwach ausgeprägten ständischen Charakter und keine gentilizischen Strukturen. Neuere Forschungen haben gezeigt, daß weitverzweigte, generationenübergreifende Verwandtschaftsverbände mit gemeinsamen Kulten und einem dichten Netz von gegenseitigen Bindungen ihrer Mitglieder nicht existierten. Der einzelne Adlige lebte mit seiner Familie und seinen Sklaven in seinem → *oíkos*. Seine Position beruht auf diesem Besitz und auf seiner persönlichen Tüchtigkeit. Geburtsständische Kriterien hatten wenig Bedeutung. Der Begriff *eugeneís*, die »Wohlgeborenen«, erscheint erst in den Quellen des 6. Jh., wohl zur Abgrenzung der alten Elite von Aufsteigern, führt aber nicht zur Bildung eines geschlossenen Standes oder spielt eine wesentliche Rolle bei der Begründung von Ansprüchen. Die seit den homer. Epen üblichen Termini zur Bezeichnung der Elite waren *agathoí*, *aristoí* und *esthloí* – Begriffe, die allg. Vorzüglichkeit und Überlegenheit ausdrücken sollen (→ Aristokratia. Daneben finden sich Bezeichnungen wie *geōmóroi*, *hippobótai* und *kaloikagathoí*, die auf eine spezifische Art von Reichtum der Angehörigen dieser Schicht bzw. auf ihren als typisch betrachteten Lebensstil hinweisen. Der begriffsgesch. Befund weist bereits auf einige der wesentlichen Kriterien für die Zugehörigkeit zum A. hin. Insgesamt läßt sich folgender Katalog von statuskonstituierenden Merkmalen aufstellen:

Reichtum, Bewährung im Krieg und in athletischen Wettkämpfen, Klugheit und Redegewandtheit, Schönheit und eine elegante Erscheinung, Bildung und Kultur und generell ein verfeinerter Lebensstil. Diese Art von Statusmerkmalen gewährleistet an sich keine ständische Abgeschlossenheit. Sie konnten von sozialen Aufsteigern einfach imitiert werden und führten notwendig zu einer strukturellen Offenheit des A. Zudem prägte den griech. A. von Anfang an eine starke Wettbewerbsethik. Unter seinen Mitgliedern herrschte eine stete Rivalität im Kampf, im Sport, in der demonstrativen Zurschaustellung von Reichtum und Kultur, aber auch um polit. Macht. Dieses agonale Element stellte eine starke zentrifugale Kraft dar und schwächte den Gruppencharakter des A.

Die Rolle des A. im Prozeß der Entwicklung staatlicher Strukturen ist komplex. Die Position einzelner Adliger beruhte nicht auf einer flächendeckenden feudalen Herrschaft über Land und Leute. Neben den adligen *oíkoi* gab es stets eine breite Schicht freier Bauern, den *dẽmos*. Die Poleis und ihre Institutionen waren zunächst nicht der zentrale Schauplatz adliger Aktivitäten. Panhellenische Foren wie → Olympia und → Delphi und ausgreifende Unternehmungen wie Kolonistenzüge spielten zunächst noch eine große Rolle. Erst mit dem Wachsen und Erstarken der einzelnen Siedlungen rückten diese stärker ins Zentrum adligen Handelns. Der Prozeß der Polisbildung ging nicht vom A., sondern vom *dẽmos* aus. Er richtete sich zum Teil gegen adlige Willkür. Seiner Wettbewerbsethik und dem daraus resultierenden Partikularismus entsprechend reagierte der A. nicht als Kollektiv auf diesen Prozeß, vielmehr versuchten einzelne Adlige individuell von ihm zu profitieren. Manchen von ihnen gelang es, ein Machtmonopol (→ Tyrannis) aufzubauen, indem sie die Bedürfnisse des *dẽmos* für sich instrumentalisierten. In diesen Positionen beschnitten sie dann die Handlungsspielräume ihrer Standesgenossen durch eine Vielzahl von Maßnahmen.

Dieses Verhaltensmuster setzte sich auch im 5. Jh. fort und gewann etwa in der Entstehungsphase der athenischen → Demokratie bes. Bedeutung. Politiker wie → Kleisthenes, → Miltiades, → Aristeides, → Kimon und → Perikles, die zweifellos zum Adel gehörten, agierten als Führer des *dẽmos* und trieben so den Ausbau der Demokratie weiter voran. Wohl deshalb ist bis zum Peloponnesischen Krieg kein ideologischer Gegensatz zw. Adel und Demokratie erkennbar, wie die Quellen des 4. Jh. suggerieren. Das änderte sich erst, als gesellschaftlicher Status allein nicht mehr ausreichte, um den Zugang zu polit. Führungspositionen zu garantieren und andere gesellschaftliche Schichten in diesem Bereich Einfluß gewannen.

F. Bourriot, Recherches sur la nature du genos 1–2, 1976 · W. R. Connor, The New Politicians of Fifth-Century Athens, 1971 · W. Donlan, The Aristocratic Ideal in Ancient Greece, 1980 · D. Roussel, Tribu et cité, 1976 · M. Stahl, Aristokraten und Tyrannen im archaischen

Athen, 1987 · E. STEIN-HÖLKESKAMP, Adelskultur und
Polisgesellschaft, 1989.   E. S.-H.

[3, römisch] In der langen Gesch. Roms entwickelten
sich mehrere Formen von polit. und sozialen Eliten, die
teils nacheinander, teils nebeneinander existierten und
ihre Funktion im Laufe ihres Bestehens z. T. erheblich
veränderten. Die früheste Form einer deutlich vom
Volk abgehobenen A.-Gruppe sind die *patres*, deren
Nachkommen als *patricii* bezeichnet werden (Cic. rep.
2,73). Diesen »Patriziern« gelingt es wohl schon im 8. Jh.
v. Chr., als Häupter von durch Geburt und Verwandtschaft definierten Gruppen (→ *gens*) zu einer Art
Schutzmacht (→ *patronus*) über nicht zur Verwandt-
schaftsgruppe gehörige Mitglieder der Gemeinde zu
werden und mit anderen *patres* neben dem schwachen
latinischen Königtum die polit.-mil. Leitung zu übernehmen [1. 77–92]. Ob das starke Königtum der
→ Etrusker diesen Kreis durch Aufnahme weiterer Geschlechter erweiterte, ist ebenso fraglich wie die Funktion der *patres* als Senat während der Königszeit
[1. 171 f.]. Der Versuch der Patrizier, ihren auf Geburt,
polit. und relig. Kompetenz, Landbesitz und → *clientes*
gegründeten Führungsanspruch nach der Vertreibung
des Königs durchzusetzen, scheiterte an der → *plebs* und
führte im sog. → Ständekampf im 5./4. Jh. zu einer
neuen Führungsschicht. Gleichwohl bildete das Patriziat als geschlossener Stand weiterhin eine durch Standesabzeichen, religiöse Vorrechte und polit. Privilegien
hervorgehobene Gruppe mit hohem Ansehen [1. 99–
103]. Caesar erhielt als erster das Recht, Patrizier zu ernennen, ebenso Augustus und die folgenden Kaiser; seit
Constantin d. Gr. wurde *patricius* zum höchsten Rang-
titel.

Mit der Zulassung der Plebeier zum Konsulat im J.
366 v. Chr. begann die Entstehung einer aus Patriziern
und Plebeiern bestehenden A.-Gruppe, deren polit.-
sozialer Vorrang sich im Prinzip nicht mehr auf Abstammung, sondern auf die Leistung für den Staat stützte [2].
Zu diesen → *nobiles* (aus *[g]nobiles*: »die [an ihren Vor-
fahren] Erkennbaren«, »Bekannten«) zählten in der Republik die männlichen Mitglieder von Familien, die einen Consul aufweisen konnten [3. 42]. Diese Elite öffnete sich nur zögernd den *homines novi* und blieb ein
enger Kreis führender Senatoren, der keinesfalls alle Senatoren umfaßte. Der niemals klar definierte Status eines *nobilis* wurde zwar vererbt, mußte aber durch polit.
Aktivität gefestigt werden, wobei den jungen *nobiles* das
ungeschriebene Recht auf die Bekleidung von Staats-
ämtern zugute kam. Obwohl die Nobilität anders als das
Patriziat keine spezifischen Standesabzeichen benutzte,
bildete sie eine ziemlich homogene ›Kaste von geboren-
en Berufspolitikern‹ [4. 780] mit eigenen Lebens- und
Repräsentationsformen [2. 221 f.; 232–240]. Die Stabilität ihrer Herrschaft hing von der Fähigkeit ab, die polit. Chancengleichheit innerhalb der Klasse zu wahren
und die horizontalen Beziehungen zwischen den *nobiles*
(→ *amicitia*) zur Herstellung des polit.-sozialen Kon-
sensus zu nutzen. Als diese Fähigkeit zum Ende der Re-

publik schwächer wurde, schwand die Bedeutung der
polit. eigenständigen Nobilität, deren republikanische
Reste sich gegenüber den kaiserzeitlichen Consulfa-
milien abschlossen [3. 121–141].

Die mit Augustus einsetzende starke funktionale und
soziale Akzentuierung des Senatorenstandes (→ *ordo [se-
natorius]*) bzw. Ritterstandes (→ *ordo [equester]*) führte
mit der Heranziehung der munizipalen Oberschicht
(→ *ordo [decurionum]*) zu einem nach Rängen vielfach
gestuften Reichsadel im Dienste der Kaiser. Der Senatorenstand, der höchste Positionen in Verwaltung und
Militär ausfüllte, war erblich, die Ritterwürde, die vom
Kaiser vergeben wurde, blieb dagegen auf den jeweiligen Funktionsträger beschränkt und erschwerte so ein
Standesdenken, auch wenn zunehmend Ritter die Senatoren in ihren Funktionen ablösten. So erhielt sich in
der Spätant. nur in den höheren Rängen des Senatorenstandes (→ *illustris vir*) ein adliges Standesbewußtsein
[5. 306 f.]. Dieser Senatsadel, dessen Mitglieder sich in
Gallien noch im 6. Jh. als *nobiles* und *senatores* bezeichneten, bildet die Brücke zum A. des Mittelalters.

1 B. LINKE, Von der Verwandtschaft zum Staat, 1995
2 K.-J. HÖLKESKAMP, Die Entstehung der Nobilität, 1987
3 M. GELZER, Die Nobilität der röm. Republik, ²1983
4 H. STRASBURGER, s. v. Nobiles, RE 17, 785–791 5 J.
Bleicken, Verfassungs- und Sozialgesch. des röm.
Kaiserreiches, 1, ²1981.   W. ED.

Ademptio legati. Der Widerruf eines förmlichen
Vermächtnisses, anfangs nur durch förmliche Erklärung
(*non do; heres ne dato*) im Testament, seit dem 2. Jh.
n. Chr. auch durch formlose Willensbetätigung (z. B.
Veräußerung des Objekts) möglich (Dig. 34,4).
→ Legatum

KASER, RPR I, 755   U. M.

Aderlaß. In babylonischer, ägypt. wie auch griech.
Medizin war der Blutentzug Teil der ärztlichen Behandlung. Der Eingriff wurde gelegentlich durch direktes
Eröffnen einer Vene vorgenommen, durch Anritzen
derselben oder durch Verwendung eines Schröpfkopfes,
der das Blut zu einem kleinen Einstich saugte. Gemessen
an der Häufigkeit, mit der Schröpfköpfe auf Ärztedar-
stellungen abgebildet wurden, scheint die letztgenannte
Methode die verbreitetste gewesen zu sein [1]. Für den
A. mögen zwei Vorstellungen gesprochen haben: zum
einen verhinderte er das Stocken des Blutes und seine
Transformation in eine schädliche Substanz, zum anderen folgte er dem Beispiel der Natur, die einen Blut-
überschuß durch Haemorrhoidalblutungen, Menstrua-
tion und Nasenbluten zu verhindern wußte. So konnten Schwellungen und Druckschmerzen gelindert sowie einer in hippokratischer Lehre festgeschriebenen,
regelmäßigen Zunahme der Blutmenge während des
Frühlings entgegengesteuert werden. Unter besonderen
Umständen, wie z. B. bei Polyzythaemie und bei
Krankheiten, bei denen durch Aderlaß dem pathogenen

Agens Eisen entzogen wird, empfiehlt die moderne Medizin noch h. die Verminderung des Blutvolumens [3. 158–172]. Vorausgesetzt, der Patient wurde nicht über die Maßen geschwächt, dürfte der Eingriff allein schon ein Gefühl des Wohlbefindens vermittelt und in manchen Fällen, z.B. bei Kopfschmerzen, eine zeitweilige Druckentlastung mit sich gebracht haben. Doch der therapeutische Nutzen dieser weitverbreiteten Vorgehensweise schien einigen nicht groß genug, um sie in ihr therapeutisches Spektrum aufzunehmen. → Erasistratos (fr. 63 GAROFALO) zog es vor, das Blutvolumen seiner Patienten durch Nahrungsentzug zu reduzieren. Seine Anhänger in Rom bekannten sich, durch Galen herausgefordert, zu der wesentlich schädlicheren Lehre des Massenblutens [3. 100–111]. Der energische Befürworter des Aderlasses Galen machte aber auch deutlich, wann ein Aderlaß unterbleiben sollte, und war als praktischer Arzt wesentlich moderater, als jüngere Galenschüler vermuten lassen. In der Spätant. wurden die Richtlinien für einen Aderlaß verbindlicher, und Hippokrates wurde ein Traktat zugeschrieben, der die Interpretation der verschiedenen Blutarten als Hinweis auf die jeweils zugrundeliegende Krankheit zum Thema hatte [2; 4].

1 E. BERGER, Das Basler Arztrelief, 1970 2 D. BLANKE, Die pseudohippokratische Epistula de sanguine cognoscendo, 1974 3 P. BRAIN, Galen on Bloodletting, 1986 4 F. LENHARDT, Blutschau, Unt. zur Gesch. der Hämatoskopie, 1986 5 G. MAJNO, The Healing Hand, 1975. V.N./L.v.R.-P.

Adfinitas (Schwägerschaft). Gai. inst. 1,63 spricht von *a.* im Zusammenhang mit der Aussage: *Item (scil. uxorem ducere non licet) eam, quae nobis quondam socrus, aut nurus, aut priuigna, aut nouerca fuit.* Mit der Schwiegermutter, der Schwiegertochter, der Stieftochter und der Stiefmutter ist demnach im klass. röm. Recht (vielleicht seit der Ehegesetzgebung des Augustus) die Heirat verboten. Dieses Ehehindernis wurde in der Spätant. auf die Schwägerschaft ersten Grades in der Seitenlinie (Frau des Bruders, Schwester der Frau) erweitert (Cod. Theod. 3,12,2).

A. GUARINO, A., 1939. G.S.

Adgandestrius. Namenskompositum ungeklärter Herkunft mit der kelt. Vorsilbe *Ad-*. Chattenfürst, der sich in einem Brief an den röm. Senat erbot, → Arminius zu vergiften (Tac. ann. 2,88).

EVANS, 128–130. • E. KOESTERMANN, Tac. ann. 1, 1963 • A. v. RHODEN, s.v. A. RE I, 359 • SCHMIDT, 112. W.SP.

.

Adherbal ('drb'l; griech. Ἀτάρβας). **[1]** Erfolgreicher Stratege bei der Verteidigung Karthagos 307 v. Chr. gegen → Agathokles (Diod. 20,59; 61) [1. 9]. **[2]** Karthagischer Stratege für Sizilien ca. 256–247 [1. 9–10], erfolgreich im Kampf gegen die Römer 250 bei → Lilybaion und 249 bei der Verteidigung von Drepana

(Pol. 1,46; 49–51). **[3]** Karthagischer Schiffskommandant unter → Mago, entkam 206 in der Meerenge von Gibraltar einer Attacke des C. → Laelius bei Carteia (Liv. 28,30) [1. 11].

1 GEUS. L.-M.G.

[4] Sohn Micipsas (gest. 118 v. Chr.). Mit → Hiempsal und Adoptivsohn → Iugurtha dessen Erbe [1. 59ff.]. Nach Ermordung Hiempsals durch Iugurtha und mil. Niederlage erwirkt A. vom röm. Senat 117 die Teilung Numidiens [2. 51] und erhielt den Ostteil (Sall. Iug. 13–16; Liv. per. 62). 112 schloß Iugurtha in erneutem Krieg A. und ihn unterstützende italische *negotiatores* in Cirta ein und tötete, sie, obwohl er freies Geleit zugesagt hatte (Sall. Iug. 21,2; 26,1–3; Diod. 34f,31; Liv. per. 64).

→ Afrika

1 M. R.-ALFÖLDY, Die Gesch. des numidischen Königreiches und seiner Nachfolger, in: H. G. HORN, C. B. RÜGER (Hrsg.), Die Numider, 1979, 43–74 2 A. BERTHIER, La Numidie, 1981.

H. W. RITTER, Rom und Numidien, 1987. B.M.

Adiabene. Bezeichnung für das Gebiet zw. unterem und oberem Zab, aber auch die nördl. angrenzenden Gebiete (in oriental. Quellen Hadjab). A. umfaßt im wesentlichen die alte Landschaft Assyrien mit → Arbela (Plin. nat. 5,66; 6,25ff.; Amm. 23,6; SHA Sept. Sev. 9,18; Strab. 11,503; 530; 16,736; 745; Ptol. 6,1,2). Als parth. Vasallenstaat von einer lokalen Dynastie regiert, die sich im 1.Jh. n. Chr. zum Judentum bekannte, wird A. in die Kämpfe zw. Rom und Parthern verwickelt. 116 n.Chr. erobert Traian die A. und macht sie unter dem Namen → Assyria kurzzeitig zur röm. Provinz. 195 n.Chr. unterwirft Septimius Severus das Gebiet, in das die Römer unter Caracalla 216 n.Chr. erneut einmarschieren. Nach der Chronik von Arbela verbünden sich dann A. und der Herrscher von Kerkuk mit den Sasaniden → Ardaschir I. gegen den Parther Artabanos IV. Während der sasanidischen Zeit bestanden auch zahlreiche christl.-nestorianische Gemeinden. J.OE.

Gebiet in der Tigris-Region, in hell. Zeit parthischer Vasallenstaat, dessen Königshaus während der Regierungszeit von Izates (36–60 n.Chr.) großen Einfluß im Partherreich hatte. Bevor Izates König wurde, konvertierte er zusammen mit seiner Mutter, Königin Helena, aufgrund von Proselytenwerbung aus polit. Erwägungen zum Judentum (Ios. ant. Iud. 20,17ff.; 34ff.). Die Herrscher A.s unterstützten die Juden Palästinas in finanzieller Hinsicht (u.a. mYom 3,10; Ios. ant. Iud. 20,49ff.). Während des Römischen Krieges entsandte das Königshaus sogar Truppen nach Palästina (Ios. bell. Iud. 2,520).

J. NEUSNER, A History of the Jews in Babylonia I, 1965, 58ff. • Ders., The Conversion of A. to Judaism, in: JBL 83, 1964, 60–66. B.E.

Adiatunnus (Adietuanus, Adiatonnus, Adcatuannus, Adsatuannus). Kelt. Namenskompositum aus *ad-ia(n)tu-* »eifrig (nach der Herrschaft) strebend« [3. 45–47; 5. I 41,42; III 507]. Oberfeldherr des in der Gallia → Aquitania beheimateten Stammes der Sotiates, der 56 v. Chr. das *oppidum* des Stammes, Sot(t)ium, gegen P. Licinius Crassus verteidigte. Nach einem gescheiterten Ausfallversuch mit 600 seiner Gefährten (*soldurii*) mußte A. sich den Römern ergeben (Caes. Gall. 3,22,1; 3,22,4). A. ist ebenfalls in einem Fragment des Nicolaos Damaskos erwähnt (Ἀδιάτομος) (FGrH II A 80 [89]), das Athenaios (6,54 p. 254A) überliefert. Dort sind auch die Solurii (σολιδοῦροι) genannt, Gefährten eines Führers, die diesem auf Leben und Tod verpflichtet waren [4. 915]. Nach seiner Niederlage gegen Crassus scheint A. in seinem Amt belassen bzw. vom Senat als König eingesetzt worden zu sein, da er sich auf Silber- und Bronzemünzen der cäsarischen Zeit REX ADIETUANUS / SOTIOTA nennt [2. 425–427; 1. 287 fig. 160,2. pl. XCVII fig. 1].
→ Sotiates

> 1 A. BLANCHET, Traité monn. gaul., 1905 2 J. B. COLBERT DE BEAULIEU, Monn. Gaul. au nom des chefs ment. dans les Comm. de César, in: Hommage A. GRENIER, 1962, 419–446 3 EVANS 4 H. O. FIEBINGER, s. v. Solurii, RE 3 A, 915 5 HOLDER, Bd. 1 6 E. KEUNE, s. v. Sotiates, RE Suppl. 5, 989–991 7 E. KLEBS, s. v. A., RE 1, 381 8 WHATMOUGH, 87.   W. SP.

Adikema (ἀδίκημα). Untechnisch für eine mit Absicht einer Privatperson gegenüber begangene Unrechtstat (Aristot. eth. Nic. 1135 b 20 f.; rhet. 1374 b 8); wenn A. mit Vermögensschädigung verbunden war, führte es zu einer → Blabes dike. Manchmal wird auch das zu Unrecht gewonnene Gut als A. bezeichnet (Plat. leg. 906d). In den Papyri: Eheverfehlung, tätliche Beleidigung, Unterschleif.   G. T.

Aditio hereditatis. Nach röm. Recht erwarb ein *suus heres* die ihm angefallene Erbschaft ohne sein weiteres Zutun, ein *extraneus* erst durch Antritt (*aditio*). Die *aditio* konnte durch förmliche Antrittserklärung (*cretio*) oder durch formlose Betätigung des Annahmewillens (*pro herede gestio*) geschehen.
→ Erbrecht III B; abstentio

> 1 H. HONSELL, TH. MAYER-MALY, W. SELB, Röm. Recht, ⁴1987, 469 ff. 2 KASER, RPR I, 715 ff.   U. M.

Adiudicatio. Nach Gai. inst. 4,42 ist *a.* derjenige Teil der Prozeßformel, der dem Richter rechtsgestaltende Befugnisse einräumt. Diese waren bei den 3 Teilungsklagen (*familiae erciscundae, communi dividundo, finium regundorum*) erforderlich, weil bei ihnen die vorhandenen Vermögensgegenstände, bzw. bei der letztgenannten Klage die Grenzlinie, unter den Parteien verteilt bzw. geklärt werden mußte. Zu diesem Zweck konnte der Richter sowohl sachenrechtliche Rechtspositionen (Eigentum, Hypothek, Nießbrauch, etc.) zuweisen als auch schuldrechtliche Ausgleichsansprüche begründen. Die rechtsgestaltende Entscheidung heißt ebenfalls *a.* (Dig. 41,3,17).
→ Formula

> KASER, RZ, 244 · K. H. MISERA, Akzession und Surrogation zufolge einer a., in: ZRG 103, 1986, 383–408.   C. PA.

Adiutor. A. bezeichnet allg. den »Helfer« oder »Beistand«, meint aber umgangssprachlich eher peiorativ den »Helfershelfer« (Dig. 47,2,51,3) oder die untergeordnete, wenig bedeutende »Hilfskraft« (Hor. sat. 1,9,46; Phaedr. 5,5,14).

In der Rechtssprache ist *a.* der Gehilfe eines Funktionsträgers sowohl bei privatrechtlichen Aufgaben, etwa bei der → tutela (Dig. 26,1,13,1), als auch im hoheitlichen Bereich bei Magistraten, später bei hohen Beamten in der Rechtspflege, selbst bei leitenden Subalternbeamten (Caes. civ. 3,62,4; Tac., ann. 3,12; Cod. Iust. 1,18,5; 1,31,1). Am Kaiserhof hat auch ein *procurator, praepositus* oder *magister* häufig einen oder mehrere *a.* in vielfältigen Funktionen [1]. Die → Notitia dignitatum belegt bei höheren Hofbeamten, Militärkommandeuren und in der Zivilverwaltung der Prov. neben den *a.* auch noch *subadiuvae*. Beamten ohne eigenes Büro (→ officium) werden *a.* aus anderen → scrinia oder → scholae zugewiesen (Not. dign. or. 12; Cod. Iust. 12,19,15) sowohl als Adjutanten des Amtsinhabers und seiner Büroleiter (*princeps, cornicularius, commentariensis*) als auch in verschiedenen anderen Stabsfunktionen. In den Matrikelordnungen der Behörden stehen die *a.*, die ritterlichen oder senatorischen Ranges sein können, meist den leitenden Beamten (*primates officii*) nahe, mit denen sie Anordnungen auszuführen und ihre Gesetzmäßigkeit zu verantworten haben (Cod. Theod. 14,10,1).
→ Amt

> HIRSCHFELD, 460 · JONES, LRE, 575, 579, 587, 593, 597, 675.   C. G.

Adlectio. Aufnahme in eine definierte gesellschaftliche Gruppe (Körperschaft, Stand, Steuerklasse, Klerus), aber auch in den Freundeskreis, eine Bürgerschaft oder ein Volk (Varro ling. 66; Sen. epist. 74,25 HAASE; CIL XIII 1688; II 3423). In der polit. Sphäre bedeutet *a.* seit der Republik vor allem die seltene und ehrenvolle Aufnahme bisher amtsloser oder nicht ausreichend qualifizierter Personen in den Kreis gewesener Magistrate (*a. inter consulares, praetorios, quaestorios, aedilicios, tribunicios*; CIL XIV 3611; IX 5533; II 4114; Plin. epist. 1,14,5; Suet. Vesp. 9), und zwar verbunden mit den jeweiligen Titeln, Standesabzeichen (→ ornamenta), dem entsprechenden Rang im → Senat und dem Recht, sich für die nächsthöhere Magistratur zu bewerben, etwa als *adlectus inter praetorios* für den Konsulat. In der Kaiserzeit liegt das

Recht zur *a.* beim Kaiser, der auf dem Weg der Censur (*lectio senatus*) den Status bestimmen kann. Die *a.* dient nun zur titularen Ehrung von Personen, deren → *cursus honorum* verkürzt werden soll, und zur Eingliederung verdienter kaiserlicher *praefecti* und *procuratores* aus dem Ritterstand in den Senat (*a. in senatum*).

In der Republik wird auch die Aufnahme eines Plebejers in das Patriziat (CIL VI 1383) oder eines Bürgers in den Ritterstand bzw. in die erste Wählerklasse durch Verleihung des Ritterpferdes (CIL VIII 937) als *a.* bezeichnet. Als *adlecti* werden bes. in der Kaiserzeit auch die Beisitzer in Gerichten, die städtischen Dekurionen oder die in ein Amt Berufenen bezeichnet (CIL XI 3801 und 5215; Cod. Theod. 11,6,12; Cod. Iust. 10, 40,7).

HIRSCHFELD, 415 f. · MOMMSEN, Staatsrecht, 2, 939 ff. C.G.

Adler (ἀετός, *aquila*). Vornehmster Vogel der Ant. (Il. 8,247; 24,315; Aischyl. Ag. 112; Pind. P. 1,6 al.; Plin. nat. 10,6). Beschreibung der 6 Arten bei Aristot. hist. an. 8(9),32,618b 18–619b 12 und mit Änderungen bei Plin. nat. 10,6–8. (1) πύγαργος, νεβροφόνος (»Hirschkalbtöter«) (bei Plin. Nr. 2), mit weißem Schwanz, in Ebenen, Wäldern, Bergen und bei Städten lebend, vielleicht Schlangen-A. [1. 208]. (2) πλάγγος, νηττοφόνος (*anataria*) oder μορφνός, homer. (= περκνός, Il. 24,316), in feuchten Niederungen bzw. an Seen, ein großer und starker Vogel (bei Plin. Nr. 3), wohl der Schrei-A. [1.18]. (3) μελανάετος oder λαγωφόνος (*leporaria*, *valeria* cod., vgl. [1. 31, 162], Zwerg-A. (?), im Gebirge und in Wäldern, kleinste, aber stärkste Art (bei Plin. Nr. 1). (4) περκόπτερος (so nach Plin. Nr. 4), ὀρειπέλαργος »Bergstorch« (wegen Schwarz-Weiß-Zeichnung) oder ὑπάετος, groß, aber schwach und den Raben unterlegen, Aasfresser und (trotz [1. 195]) der Schmutzgeier. (5) ἁλιάετος, der Fisch- bzw. See-A., da beide nicht unterschieden wurden (bei Plin. Nr. 6), mit großem, dickem Hals, gebogenen Flügeln und breitem Schwanz [1. 133]. (6) γνήσιος, der echte, d. h. reinrassige, von mittlerer Größe, rötlicher Färbung, aber selten, vielleicht der Kaiser-A. oder (nach [1. 129]) der Gänsegeier (bei Plin. Nr. 5). Plin. nat. 10,11 kennt noch eine 7. Art, *Aquila barbata* = *ossifraga* bei den Etruskern, den Bartgeier [1. 31].

Bis auf Nr. 4 jagen alle A. lebende Beute (Aristot. 619a 6–8: See-A. = Plin. nat. 10,8: Fisch-A.; Aristot. 619a 31–b12 = Plin. nat. 10,14 (allg.); Aristot. 620a 6–12 = Plin. nat. 10,9: See-A., aber fälschlich auf *anataria* bezogen!. Als Vögel mit krummen Krallen (γαμψώνυχα) trinken A. nicht (Aristot. hist. an. 8(9),18,601a 31–b3), gegen die dort erwähnten Hesiod, kämpfen mit Stieren, Hirschen und Schlangen nach Aristoteles bei Ail. nat. 2,39; Plin. nat. 10,17. Fortpflanzung: Aristot. hist. an. 6,6,563a 17–28; b4–9; Plin. nat. 10,12–13 (mit Hilfe des → Adlersteins). Tötung und Vertreibung der Jungen aus Futterneid: Aristot. 619a 27–31 (Ausnahme: Nr. 3) und 619b 26–31; Plin. 10,6 und 13. Aufzucht der Verstossenen durch die φήνη (Bartgeier?): Aristot. hist. an.

7(8),3,592b 5–6; 8(9),34,619b 23–25 und 34 und Plin. nat. 10,13. Viel zit. wurde im MA die Behauptung des Aristoteles (hist. an. 8(9),34,620a 1–5; Plin. nat. 10,10), der See-A. (ἁλιάετος) ziehe nur die Jungen auf, deren Augen ohne zu tränen gegen die Sonne blicken können. Weitere Besonderheiten [2] sind etwa die Stärkung der Sehkraft durch Gehirn und Galle (Plin. nat. 29,118 und 123; Ail. nat. 1,42; Dioskurides 2,78,2 = 2,96 [3. 190]; Gal. 10,1012a). Gegen Blitzschlag immun (Plin. nat. 10,15), schützten A. gegen Hagel (Geop. 1,14,2) und anderes (Geop. 13,8,8; Plin. nat. 37,124: gegen Trunkenheit, mit Skepsis des Plinius). Als Beizvogel wurden A. in Indien benutzt (Ktesias bei Ail. nat. 4,26). Byz. Ab. zu ant. zoologischen Texten sind erh. [4].

Als einziger göttlicher (Aristot. 619b 6; Anth. Pal. 9,222,2) und mantischer Vogel (Hesiod bei Aristot. 601b 2; Sen. nat. 2,32,5 u.ö.) ist er Siegverkünder, Bote und Helfer des Zeus (seit der Ilias, vgl. [5]; von [6. 1,392] nur als Blitzsymbol gedeutet; zu den beiden A. am Omphalos von Delphi s. [5,178 ff.]) und steht zu vielen Königen des Orients in Beziehung, bes. den Achaimeniden (daher Münz- und Wappentier bei Alexander d. Gr., den Diadochen, Augustus und anderen Kaisern [s. 7. 2,1–6; 8. bes. Taf. 4,28–40; 9. 12; 10. 228–231]. Zeus verwandelt sich in einen A. (Ov. met. 6,108; Lukian. dialogi 4). Weitere Verwandlungen → Periphas, Merops, Nisos, Pandareos, Periklymenos. A. → Sternbilder: Arat. 313f., Hyg. fab. 10 u.a. Als Symbol der Herrscherapotheose: [11. 309¹]. Verwendung als → Feldzeichen (*aquila*)

1 LEITNER 2 ODER, s. v. A., RE 1, 372 f. 3 J. BERENDES, Des Pedanios Dioskurides Arzneimittellehre übers. und mit Einl. versehen, 1902, Ndr. 1970 4 Z. KÁDÁR, Survivals of Greek zoological illuminations in Byzantine manuscripts, 1978, plate 129,1 = VIII,3; 239,2 = 187,2 5 COOK, Zeus 1.2 6 NILSSON, GGR 7 KELLER 8 F. IMHOOF-BLUMER, O. KELLER, Tier- und Pflanzenbilder auf Münzen und Gemmen des klass. Altertums, 1889, Ndr. 1972 9 D'ARCY W. THOMPSON, A glossary of Greek birds, 1936, Ndr. 1966, 2–16 10 TOYNBEE, Taf. 120–121 11 LATTE. C.HÜ.

Adlerstein (ἀετίτης). Ein nach Plin. nat. 36,149 (vgl. Plin. nat. 10,12) in beiden Geschlechtern in Adlernestern gefundener sog. Klapperstein, der in sich wie eine Schwangere einen weiteren Stein enthielt, von dem Plinius nach Sotakos (3. Jh. v. Chr.) [1.468] insges. vier Arten in Afrika, Arabien, auf Zypern und bei Leukas unterscheidet. Ohne deren Gegenwart bringe der Adler keinen Nachwuchs hervor. Nach dem Steinbuch des Evax c. 1 [2.234–236] soll ihn der Adler zum Schutz seiner Eier von der Peripherie der Erde heranbringen. Schon seit Plin. nat. 36,151 und Ail. nat. 1,35 galt er, am Körper von Schwangeren befestigt, als Antiabortivum, nach Evax aber auch für den Träger als glückbringend und Unheil abwehrend. Über Isid. orig. 16,4,22, Solin. 37,14f. und die lat. Lapidarien zog der »ethites« in die hochma. naturkundlichen Enzyklopädien wie Thomas von Cantimpré 14,28 [3.361] ein.

1 M. WELLMANN, Die Stein- und Gemmenbücher der Ant., in: Quellen und Studien zur Gesch. der Naturwiss. und der Medizin 4, 1935, Ndr. 1973, 426–489 2 R. HALLEUX, J. SCHAMP (Hrsg.), Les Lapidaires Grecs, 1985 3 H. BOESE (Hrsg.), Thomas Cantimpratensis, Liber de natura rerum, 1973. C. HÜ.

Adlocutio. Allg. bedeutet *a.* eine Begrüßung oder Ansprache, lit.-rhet. u. a. den Typus der persönlich ermunternden oder tröstenden Rede (griech. *parainesis*) und den der direkten Ansprache eines Auditoriums durch den Rhetor (griech. *apostrophe*: Quint. inst. 9,2,37, Sen. ad. Helv. 1,3; Val. Max. 2,7,4; Varro ling. 6,57). Im polit. und mil. Leben bedeutet *a.* eine persönliche Adresse an den Senat, die Volksversammlung oder eine mil. Versammlung (Suet. Tib. 23; Liv. per. 104; Fronto HOUT, Verus 132,1: *orationes et adlocutiones nostras ad senatum*). In der polit. Symbolsprache der Münzen der Kaiserzeit von Caligula bis Maxentius sowie auf Erinnerungssäulen und Triumphbögen öfters nachweisbar, meint *a.* die »Ansprache des Kaisers an seine Soldaten« als Zeichen der Verbundenheit von Kaiser und Heer. In der Spätant. tritt dieses Motiv zugunsten anderer zurück.
→ Rede

H. COHEN, Monnaies, 1880 (Ndr. 1955–57), 1, 277 Nr. 1; 7, 166 Nr. 1 f.; 8, 350 f. · J. MARTIN, Ant. Rhet., 1974, 283, 291. C. G.

Adluvio (geogr. / geol. Alluvium, alluvial).
GEOGRAPHISCH
A.en sind durch Anschwemmungsprozesse und Ablagerungen an Küsten, in Niederungen und Tälern entstandene junge Böden, besonders großräumig im Bereich von Flußauen und Flußmündungen. So waren h. Binnenorte wie → Pella oder → Ephesos usw. in der Ant. küstennahe Städte. Als t. t. der Juristen und Agrimensoren (→ Feldmesser; Cic. orat. 1,173; Cod. Iust. 7,41) bezeichnet A. die durch diese Naturerscheinungen bewirkte Vermehrung von Grund und Boden des jeweiligen Landeigners (*accessio*). F. SA.
JURISTISCH
Rechtsstreitigkeiten, die *iura adluvionum* und *circumluvionum* betrafen, wurden vor dem Zentumviralgericht verhandelt (Cic. de or. 1,38; 173). In einem engeren, spezifisch juristischen Sinn bedeutet A. die allmählich, in ihrer Entwicklung kaum wahrnehmbare Anschwemmung (Inst. Iust. 2,1,20 *incrementum latens*). Was auf diese Weise ein Ufergrundstück vergrößerte, wurde – anders als ein losgerissenes und abgetriebenes Erdstück – Eigentum des Eigentümers des vergrößerten Grundstücks (Dig. 2,70–71; 41,1,7,1; 2; Inst. Iust. 2,1,20–21), es sei denn, das Ufergrundstück ist geradlinig vermessener *ager limitatus*; in diesem Fall unterliegt der Zuwachs der Aneignung durch → *occupatio* (Dig. 41,1,16).

D. DAUBE, Roman Law, Linguistic, Social and Philosophical Aspects, 1969, 15 f. · H. HONSELL, TH. MAYER-MALY, W. SELB, Röm. Recht ⁴1987, 170 ·

KASER, RPR I, 428 · H. LOUIS, K. FISCHER, Allg. Geomorphologie, 1979. D. SCH.

Admete (Ἀδμήτη). Tochter des Eurystheus, Herapriesterin in Argos, für die Herakles den Gürtel der Amazonenkönigin Hippolyte holte (Apollod. 2,99). Sie flieht mit dem Kultbild nach Samos und wird dort Herapriesterin; daran hängt das Kultaition des samischen Festes der Tonaia (Athen. 15,672). → Hera.

M. SCHMIDT, s. v. A., LIMC I.1, 216–218. F. G.

Admetos (Ἄδμητος). König im thessal. Pherai, Sohn des Pheres und der (Peri-) Klymene. Teilnehmer am Argonautenzug (→ Argonautai; Apoll. Rhod. 1,49; Hyginus, fab. 14), an der kalydonischen Eberjagd (→ Meleagros; Hyg. fab. 173) und den Leichenspielen für Pelias. Apollon dient ihm ein Jahr (nach Serv. Aen. 7,761 neun Jahre) – wegen des Kyklopenfrevels oder aus Liebe (Kall. h. Apoll. 47 ff.; Lukian. sacr. 4) – als Schafhirt (Apollod. 3,122; Hyg. fab. 49–50). Weil Apollon für ihn die Bedingung des Pelias erfüllt, Stier und Eber unter dasselbe Joch zu spannen (Hyg. fab. 50–51), wirbt A. erfolgreich um dessen Tochter → Alkestis. Ein Versäumnis gegenüber Artemis (Apollod. 1,105 f.) bedingt den Moirenspruch über A.' baldigen Tod. Apollon ermöglicht einen Ausweg (Aischyl. Eum. 723 ff.): ein anderer kann für den König sterben. A.' Eltern lehnen ab, Alkestis opfert sich. Durch das Mitleid der Persephone (Apollod. 1,106) oder durch Herakles, der am Grab den Thanatos überwältigt (Apollod. l.c.; Hyg. fab. 51), kehrt Alkestis zurück. Die wichtigste Behandlung erfuhr der Stoff in Euripides' *Alkestis*. Ein Priestergeschlecht auf Thera führte sich auf A. zurück (IG XII 3 Nr. 868; 869), das Apollonheiligtum von Tamynai bei Pharsalos soll von A. gegr. worden sein (Strab. 10,1,10). In der Kaiserzeit war der Mythos von A. und Alkestis ein beliebtes Motiv der Sarkophagkunst.
→ Herakles; Pelias

M. DYSON, Alcestis' Children and the Character of A., in: JHS 108, 1988, 13–23 · A. LESKY, Der angeklagte Admet, in: Maske und Kothurn 10, 1964, 203–16 = Ders., Gesammelte Schriften, 1966, 281–94 · M. SCHMIDT, s. v. A., LIMC I.1, 218–21 · G. A. SEECK, Unaristotelische Unt. zu Euripides. Ein motivgesch. Kommentar zur *Alkestis*, 1985 · H. SICHTERMANN, G. KOCH, Gr. Mythen auf röm. Sarkophagen, 1975, 438. T. S.

Adminius. Britannischer Fürstensohn. 39/40 n. Chr. von seinem Vater → Cunobellinus verbannt, floh A. nach Gallien und unterwarf sich dort dem *princeps* Caligula (Suet. Cal. 44; Cass. Dio 59,25,1–5a). C. KU.

Admissio. Zeremonielle Zulassung zu einer Audienz beim Kaiser. Die zuständige Behörde (*admissionales, officium admissionum*: Suet. Vesp. 14; Amm. 15,5,18) unterstand in der späten Kaiserzeit dem *magister a.* im Bereich des *magister officiorum* (Cod. Theod. 11,18,1; Not.

dign. or. 11,17). Je nach der teils freizügigen (Plin. paneg. 47,3), meist aber strikt förmlichen (SHA Alex. 20)
Praxis der Kaiser, wurden die Besucher nach unterschiedlicher Nähe zum Kaiser in Klassen zur → *salutatio*
eingeteilt. Den kaiserlichen *amici* (→ *amicitia*) standen
andere Formen des Zugangs (*aditus*) zur Verfügung
(Sen. benef. 6,33,4).

Daneben bezeichnet *a.* im Strafrecht die Inkaufnah-
me eines Unrechts (Dig.47,10,34; 46,3,59,1), im Pro-
zeßrecht die Zulassung oder Gewährung (Dig.
47,10,15,24).

ALFÖLDI, 25 ff. · HIRSCHFELD, 310 A. 2. · JONES, LRE,
368 f., 589. C.G.

Adnotatio ist eine Anmerkung, Aktennotiz, wie etwa
die Vormerkung eines Beschuldigten zur Vorladung
(Dig. 48,17,4) oder eines Verurteilten zur Deportation
(Cod. Iust. 9,51,10). Zur Zeit des Dominats wird als *a.*
vor allem der Vermerk bezeichnet, den der Kaiser selbst
auf eine Eingabe (*preces*) schreibt. Sie ist urspr. wohl als
Anweisung an die Kanzlei aufzufassen, die auf dieser
Grundlage die Antwort an den Gesuchsteller ausfertigt
(Cod. Theod. 1,2,1). Die spätere Praxis stellt die *a. sacra*
dem *simplex rescriptum* gegenüber (Nov. Val. 19,1,3;
Cod. Theod. 5,14,30). In diesem Fall ist unter *a.* eine
selbständige Urkunde zu verstehen, ein Reskript, dessen
Ausfertigung die eigenhändige Unterschrift des Kaisers
trägt (vgl. Cod. Theod. 8,5,14).

1 Novellae Valentiniani, in: Leges Novellae ad
Theodosianum pertinentes, ed. P. M. MEYER, ²1934.

P. KRÜGER, Gesch. der Quellen und Lit. des röm. Rechts
²1912, 306 f. · WENGER, 432 f. · MILLAR, Emperor,
266. H. HA.

Adnotationes super Lucanum s. Vacca

Adolenda. In den Akten der → *Arvales fratres* des J.
183 erscheinen zweimal (8. Febr., 13. Mai) in den Listen
von Opferempfängern A., Commolenda, Deferunda,
in denen des J. 224 A. und Coinquenda [1]. Das Opfer
ist jeweils ein *lustrum missum*, das im J. 183 für Herab-
nehmen (*deferre*), Zerteilen (*commolere*) und Verbrennen
(*adolere*) des auf dem Dach des Tempels der Dea Dia
gewachsenen, das Dach schädigenden Feigenbaumes,
im J. 224 für das Zerhacken (*coinquere*) und Verbrennen
der im Hain vom Blitz getroffenen Bäume dargebracht
wurde.

Seit MARINI [2] stellte man sie mit den von Varro
überlieferten, von USENER als »Sondergötter« bezeichneten Gestalten zusammen; die von WAGENVOORT [3]
aufgestellte These einer urspr. animistischen Bed. (es
seien eigentlich Opfer an den Baum, der herabgenom-
men, zerteilt, zerhackt und verbrannt würde, da die Formen auf -*unda* Gerundiva mit medio-passiver Bed.
seien) ist wieder aus der Diskussion verschwunden [4].
Die Gottheiten sind nicht zwingend alt, sie können

kaiserzeitlich archaisierende Neuschöpfung sein: Das
lustrum erscheint erst spät in den Arvalinschr. und vor
allem kann sich die Bed. »verbrennen« für *adolere* ziemlich spät entwickelt haben [4]; das fügt sich zu den auch
sonst für die Arvalen erschlossenen archaisierenden Innovationen [5]. Daß auf jeden Fall priesterliche Konstruktion vorliegt, zeigt der Umstand, daß die Reihenfolge der Opferempfänger dem Alphabet, nicht der natürlichen Abfolge (herabholen – zerhacken – verbrennen) entspricht.

1 W. HENZEN, Acta fratrum Arvalium quae supersunt, 1874,
CLXXXVI. CCXIV. 2 G. MARINI, Marmorea fratrum
Arvalium monumenta, 1737 3 H. WAGENVOORT, Roman
Dynamism, 1947, 80–82 4 F. BÖMER, in: Gnomon 21, 1949,
354 f. 5 J. SCHEID, Romulus et ses frères, 1990. F.G.

Adolios. *Silentiarius* am Hof Iustinians I., Armenier,
Sohn des 539 n. Chr. ermordeten Prokonsuls von Ar-
menia I Arsakios. Teilnehmer an Feldzügen gegen die
Perser, 542 unter → Belisarios, dem er durch taktische
Manöver bei der Eroberung von Kallinikos am Euphrat
beistand, 543 unter Martinos, nach dessen Niederlage
bei Anglon in Armenien er auf der Flucht den Tod fand
(Prok. BG 3; 21; 24 f.).

RUBIN 1, 340–43. F.T.

Adonai, wörtlich »meine Herren«. Das Pluralsuffix re-
kurriert vermutlich auf eine Angleichung an das hebr.
Wort für Gott, Elohim, das gramm. eine Pluralform ist.
Als das Frühjudentum aus Furcht vor Mißbrauch die
Aussprache des Gottesnamens Jahwe tabuisierte (vgl.
u. a. Ex 20,7), diente *A.* als Ersatz. Die Septuaginta gibt
dementsprechend den Eigennamen »Jahwe« durch das
Gottesprädikat »Herr« (κύριος), wieder. Die → Masore-
ten (ca. 7.–9. Jh. n. Chr.), die den zunächst fast nur aus
Konsonanten bestehenden Text der hebr. Bibel fixier-
ten und mit Vokalen versahen, vokalisierten das Tetra-
gramm JHWH mit den Vokalen von *A.*, so daß »Jehova«
entstand. B.E.

Adonis (Ἄδωνις). Mythischer Hirtenjüngling phöni-
zischer Herkunft, der an der Schwelle zum Erwachsenenalter auf einer Eberjagd ums Leben kommt. Er
wurde trotz seiner menschlichen Genealogie im griech.
Privatkult als Gott verehrt. Für Griechenland bezeugt
seit Sappho (fr. 140; 168 VOIGT), für Athen seit dem 5.
5. Jh. v. Chr. Der Kult war seit hell. Zeit vor allem im
östl. Mittelmeerraum weit verbreitet.

Im Mythos [1. 40ff.] ist A. der inzestuös gezeugte
Sohn eines phönizischen Königs – entweder des
Phoinix (Hes. fr. 139 MW), des Theias (Ant. Lib. 34)
oder des → Kinyras (Plat. Com. fr. 3; PCG 7 p. 435;
Schol. Theokr. 1,107; Ov. met. 10,298ff.; Serv. ecl.
10,18) und seiner Tochter → Myrrha [2] oder Smyrna.
Diese verwandelt sich in den gleichnamigen Baum und
gebiert den A., der dann im Bergland als Hirte auf-
wächst. Als Jüngling wird er Geliebter der → Aphrodite;

aus Eifersucht tötet ihn → Ares auf einer Großwildjagd, indem er ihm – in einen Eber verwandelt – mit einem Hauer einen Oberschenkel durchbohrt.

In Phönizien beheimatet, war die Figur des A. ein Nachfolger des in den Ugarittexten bezeugten Alijan Baal (A. = »Herr«, westsemit. Synonym des Gottesappellativs Baal) und wie dieser eine Variante des babylon. Hirten → Tammuz (bzw. des sumer. Dumuzi). Beider Tod im Hochsommer versetzte die ganze Natur in sympathetische Trauer, so daß die Vegetation verdorrte. Ein Gegenstück der jährlich um diese Zeit (Juli) zu Ehren des Tammuz inszenierten Trauerriten bildeten die ostmediterranen Adonien, ein zum Abschluß der Getreideerntesaison während der frühen Hundstage vielerorts gefeiertes Hochsommerfest, bei dem Frauen und Mädchen die mythische Rolle der Aphrodite übernahmen. Nach kaiserzeitlichen Quellen bestand das A.fest aus zwei auf verschiedene Tage verteilten Akten [2. 35 ff.]: Am 1. Tag wurde A. als Toter beweint, am 2. Tag schlug die Trauer in Freude über die Auferstehung des Gottes um (Lukian. Syr. D. 6; Kyrill. v. Alex. in Jes. 2,3, PG 70, col. 441). Symbolisiert wurde die Regeneration des A. durch die sog. A.gärten: Körbe und Krüge mit keimendem Getreide (oder Gemüsesamen). Der Brauch evozierte eine Metamorphose des toten Hirten in die Nutzpflanzen und »erinnerte« gleichzeitig den mythischen Übergang von der Nomadenzeit zum Ackerbauzeitalter [3. 35]. Da die in die pralle Sonne gestellten Keimlinge rasch verwelkten, »wiederholte« sich am gleichen Fest der vorzeitige Tod des Gottes. Zum Zeichen des Festendes warfen die Frauen die verwelkten »A.gärten« am folgenden Morgen ins Meer oder in Fließgewässer und nahmen von A. mit erneuter ritueller Klage Abschied (z. B. Theokr. 15,132 ff.).

Das seit DETIENNE [4] oft als »Anti-Ackerbau« mißdeutete A.garten-Brauchtum war eine ant. Vorform der modernen Saatgutprüfung. Die Widerstandsfähigkeit der Keimlinge entschied über die Auswahl des Saatguts [2. 13 ff.]. Dieser rituelle Selektionsmechanismus verband A. u. a. mit dem ägypt. → Osiris, mit dem er in Byblos (Lukian. Syr. D. 7, vgl. Plut. Is. 15 ff. [p. 357]) und in Amathus auf Zypern (Steph. Byz. s. v. Ἀμαθοῦς) explizit gleichgesetzt wurde [2. 38 ff.], oder mit dem athenischen → Erichthonios [1], dessen mystische Kisten als staatskult. Gegenstücke der privaten A.gärten zu betrachten sind [3. 31 ff.]. An Erichthonios angeglichen erscheint A. in der myth. Version des Panyassis: Aphrodite vertraut den neugeborenen A. der Persephone in einer Larnax an und streitet sich dann mit ihr um die Rückgabe (PEG fr. 27 = EpGF fr. 22a).

Solche Analogien lassen vermuten, daß die in den »Gärten des A.« liegenden Kultbilder des Gottes einen phallischen Charakter hatten und zu einer symbolischen Vorwegnahme der Hochzeit dienten – ein Ritus, der die am Fest jeweils beteiligten Mädchen auf die Ehe vorbereitete [3. 39 f.]. Der in keimenden Samen verwandelte, mit Aphrodite auf dem Liebeslager vereinigte 18- oder 19jährige A. (Theokr. 15,129) war der idealtypi-

sche Platzhalter des künftigen Bräutigams, das mythische Urbild von Hirten, die im Ephebenalter imaginär »starben«, bevor sie – als Erwachsene »wiedergeboren« – den Status heiratsfähiger Bürger erlangten. Daß mit der experimentellen Vorwegnahme der Herbstsaat pränuptiale Initiationsriten verzahnt waren, verlieh den Adonien Züge einer Lizenzperiode: Das Fest stand im Ruf, zu vorehelichen Formen der Sexualität Gelegenheit zu bieten; die Schwestern des A. galten gar als Urheberinnen der Prostitution [3. 38 ff.].

→ Phoiniker; Prostitution

1 W. ATALLAH, A. dans la littérature et l'art grec, 1966
2 G. BAUDY, A.gärten, in: Beitr. z. klass. Philol. 176, 1986
3 Ders., Der Heros in der Kiste, in: A&A 38, 1992, 1–47
4 M. DETIENNE, Les jardins d'A. (¹1972), 1989.

A., Relazioni del colloquio in Roma 22–23 maggio 1981, 1984 • W. W. BAUDISSIN, A. und Esmun, 1911 • W. BURKERT, Structure and History in Greek Mythology and Ritual, 1979, 108 ff. • FRAZER, The Golden Bough IV, Vol. 1 (1913), Ndr. 1980, 236 ff. • R. A. SEGAL, A.: A Greek Eternal Child, in: D. C. POZZI, J. M. WICKERSHAM (Hrsg.), Myth and the Polis, 1991, 64–85 • B. SOYEZ, Byblos et la fête des A., in: EPRO 60, 1977 • N. WEILL, Adôniazousai ou les femmes sur le toit, in: BCH 90, 1966, 664–98.   G. B.

Adoption. Übernahme eines Mitgliedes einer anderen Familie in den eigenen Familienverband; in der Ant. wurden in der Regel nur Erwachsene adoptiert. Bei der A. ging es nicht um das Wohl des Adoptierten, sondern um die Fortführung des agnatischen Familienverbandes, in den der Adoptierte übernommen wurde. Vor allem wurde die A. genutzt, wenn männliche Erben fehlten. Schon im 7./6. Jh. v. Chr. ist die A. in Kreta inschr. bezeugt (IC IV 20; IV 21); sie wird im Recht von Gortyn umfassend geregelt (X 33–XI 23), wobei es für eine A. kaum Einschränkungen gab.

In Athen gab es drei Arten der A.: 1. zu Lebzeiten, 2. durch Testament, 3. postum. Nach Isaios 7,30 hatte die A. die Funktion, die Familie vor dem Aussterben zu bewahren und die Durchführung der traditionellen Opfer und Riten nach dem Tode des Adoptivvaters zu sichern. Als weitere Motive einer A. sind der Erhalt des Vermögens und die Sicherung des Unterhalts der Eltern im Alter zu nennen. Sie galt als ein Vertrag, der den Adoptierten befähigte, nach dem Tod des Adoptivvaters das Erbe anzutreten. Eine testamentarische A. konnte als bloße Absichtserklärung angesehen werden, wobei die Verwandten dem Adoptierten gegenüber in der Erbfolge bevorzugt wurden. Da auf den Fortbestand der einzelnen *oikoi* geachtet wurde, durfte ein einziger Sohn nicht adoptiert werden. Der Adoptierte konnte in das Haus des natürlichen Vaters zurückkehren, wenn er in der Familie seines Adoptivvaters Nachkommen hinterließ. Die bürgerliche Verwandtschaft zu seiner natürlichen Mutter blieb auch nach der A. bestehen (Isaios 7,25), so daß er Anspruch auf ihr Erbe hatte (Isaios 7,22). Wie nach der Geburt eines Sohnes erfolgte auch bei der

A. die Aufnahme in die Phratrie des Adoptivvaters (Isaios 7,15 f.) und später die Eintragung in das Demenregister (Isaios 7,28; Demosth. or. 44,39). Mögliche Adoptivsöhne wurden zunächst in der Verwandtschaft gesucht (Isaios 7,31), wobei oft die Bedingung gestellt wurde, die einzige Erbtochter (*epikleros*) zu heiraten; das durch die A. hergestellte Verwandtschaftsverhältnis galt nicht als Heiratshindernis. Seit hell. Zeit konnten Frauen adoptiert werden und auch selbst adoptieren (P Oxy. 504; 2. Jh. n. Chr.).

Über die A. in Rom informieren vor allem Rechtstexte (Gai. inst. 97–107; Inst. Iust. 1,11,1–12; Dig. 1,7,1–46). Die älteste Form der röm. A. war die sakralrechtlich begründete *arrogatio*, die des Beschlusses der Curiatcomitien bedurfte; durch die *arrogatio* wurde ein Bürger *sui iuris* (also nicht unter väterlicher Gewalt) adoptiert; bei der vorangehenden Prüfung erklärten die *pontifices* die A. für zulässig, wenn der Adoptierende keine eigenen Söhne hatte, er nicht jünger war als der künftige Adoptivsohn, dieser als einziger Sohn adoptiert wurde und das Erbe nicht als einziges Motiv für die A. gelten konnte. Bei der *adoptio* im engeren Sinn befand sich der künftige Adoptivsohn noch in der → *patria potestas* seines natürlichen Vaters. Wie bei der im Zwölftafelrecht (4,2) geregelten *emancipatio* verkaufte der Vater symbolisch dreimal seinen Sohn, der daraufhin durch → *in iure cessio* in die *patria potestas* seines Adoptivvaters übergeben wurde; damit waren alle Bindungen des Adoptierten an seine eigene Familie aufgehoben. Im entwickelten röm. Recht bestanden beide Formen der A. nebeneinander. Unter den veränderten polit. und sozialen Bedingungen der Principatszeit wandelten sich auch die Motive für eine A., die zunächst nur im Interesse des Erhalts der agnatischen Familie angestrebt worden war. Auch die rechtlichen Wirkungen beider Formen der A. wurden einander angeglichen: Während die *adoptio* von Frauen und Sklaven (durch einmalige *mancipatio*) sowie von Kindern wohl seit alters zugelassen war, wurde unter Antoninus Pius die *arrogatio* auf Kinder, sofern sie verwandt waren, sowie von Mündeln zugelassen (Gai. inst. 1,102; Dig. 1,7,32,1; Inst. Iust. 1,22,1). Die *arrogatio* von Frauen wurde durch kaiserliches Reskript oder vor dem Statthalter erlaubt (Gai. inst. 1,101). Unter Leo wird als Grund für die Befugnis von Frauen genannt: ›damit sie ihre Jungfräulichkeit bewahren können‹ (Const. 28). Sklaven erhielten durch A. die Freiheit, nicht jedoch das volle Bürgerrecht. Die bei Gai. inst. 2,101–103 erwähnte testamentarische A. *calatis comitiis* war schon zu Beginn des Principats außer Gebrauch. Die testamentarische A. in anderer Form begründete nur die moralische Verpflichtung, den Namen des Adoptivvaters wie nach einer rechtsgültigen A. zu führen. Anders als in Athen war in Rom zunächst die Heirat zw. Adoptivgeschwistern verboten. Es gab strenge Regeln der Namensgebung, nach denen in der Republik dem neuerworbenen Namen das urspr. Gentilnomen mit der Endung »-ianus« (P. Cornelius Scipio Aemilianus) folgte.

Bereits in der Republik lassen sich Fälle finden, die den rechtlichen Regeln widersprechen. So adoptierte etwa der Enkel des Diktators Q. Fabius Maximus sowohl einen Servilius wie einen Aemilius; umstritten war auch die Rechtmäßigkeit der A. des P. Clodius (Cic. dom. 34–38). Für die Gesch. des Principats hatte die A. eine eminente Bed., wie die A. in der julisch-claudischen Familie (Tiberius, Nero), die A. des L. Calpurnius Piso im Jahre 69 n. Chr. und von Traianus 97 n. Chr. sowie die späteren A. im 2. Jh. n. Chr. zeigen. In einigen Fällen wurden A. auch fingiert, um die Position einer neuen Familie durch vorgebliche familiäre Verbindungen zu vorangegangenen *principes* zu stärken (L. Septimius Severus).

→ epikleros; Erbrecht; Familie; testamentum

1 M. CORBIER, Divorce and A. as Roman Familial Strategies, in: B. RAWSON (Hrsg.), Marriage, Divorce, and Children in Ancient Rome, 1991, 47–78 2 KASER, RPR I, 65 ff., 347 ff., II 208 ff. 3 R. LEONHARD, s. v. A., RE I, 396–400 4 M. H. PREVOST, Les adoptions politiques à rome sous la république et le principat, 1949 5 C. B. WELLES, Manumissions and a., RIDA 3 (= Mélanges DE VISSCHER) 1949, 507–520 6 L. WENGER, A. OEPKE, s. v. A., RAC I, 99–112 7 R. F. WILLETTS, The Law Code of Gortyn, 1967 8 H. J. WOLFF, Beitr. zur Rechtsgesch. Altgriechenlands, 1961, 214 f. M. D. M.

Adoptivkaiser. Der Begriff A. wird auf die Kaiser von → Nerva bis → Marcus Aurelius angewandt, weil sie ihren jeweiligen Nachfolger adoptierten. Das bes. Kennzeichen war, daß dieser angeblich von außerhalb der Familie stammte: *sed Augustus in domo successorem quaesivit, ego in re publica* (→ Galba in seiner Rede bei der Adoption des L. → Calpurnius Piso Frugi, Tac. hist. 1,15,2). Unter der iulisch-claudischen Dynastie sei Rom *unius familiae quasi hereditas gewesen*. Breit ausgeführt wird die Begründung, warum die Nachfolge *per adoptionem* die ideale Form der Herrschaftsnachfolge sei, in dem im J. 100 verfaßten Panegyricus des jüngeren → Plinius. Die Betonung liegt auf der Herkunft von außerhalb der Familie, ohne Einfluß der Ehefrau. Wer über alle herrschen solle, müsse aus allen erwählt werden, er müsse der Beste (*optimus*) sein (paneg. 7–8; 89). Durch die Betonung der angeblichen Wahl des Nachfolgers sollte die Machtlosigkeit des Senats beim Bestimmungsvorgang kaschiert werden. Das Konzept des A.tums war ein ideologisches Konstrukt, das der Wirklichkeit nur übergestülpt wurde. Denn in der Realität war das Konzept gerade dynastisch, weil die Nachfolge auf den (adoptierten) Sohn überging. → Traianus war tatsächlich mit Nerva in keiner Weise verwandt; seine Adoption war eher Folge mil. Drucks. Das Gentilnomen des Nerva übernahm Traian nicht. Traians Nachfolger → Hadrianus, der angeblich auf dem Totenbett adoptiert wurde, war jedoch der engste männliche Verwandte Traians und auch mit dessen Großnichte Vibia → Sabina verheiratet. Zu L. → Aelius [II 6] Caesar und → Antoninus [1] Pius, die der kinderlose Hadrian 136

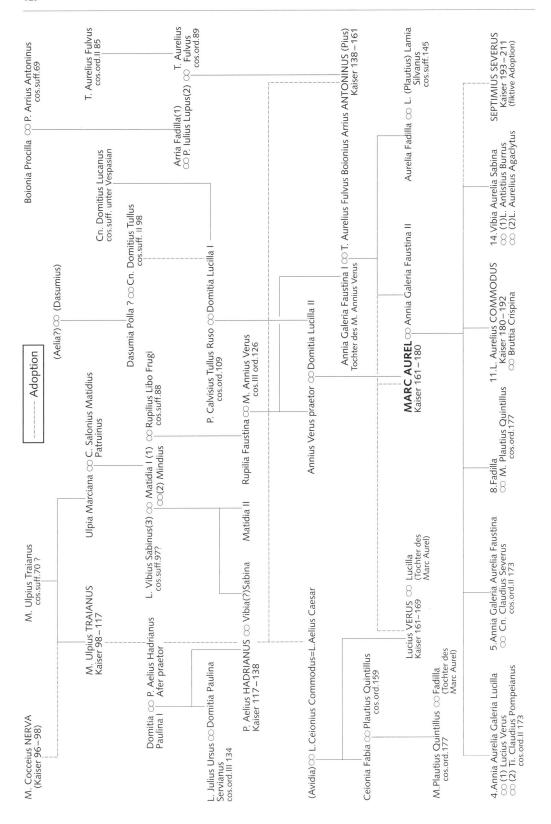

--- Adoption

M. Cocceius NERVA
(Kaiser 96–98)

M. Ulpius Traianus
cos.suff.70 ?

(Aelia?) ∞ (Dasumius)

Ulpia Marciana ∞ C. Salonius Matidius
Patruinus

M. Ulpius TRAIANUS
Kaiser 98–117

Domitia ∞ P. Aelius Hadrianus
Paulina I   Afer praetor

L. Vibius Sabinus(3) ∞ Matidia I (1) ∞ Rupilius Libo Frugi
cos.suff.97?   ∞(2) Mindius   cos.suff.88

L. Julius Ursus ∞ Domitia Paulina
Servianus
cos.ord.III 134

P. Aelius HADRIANUS ∞ Vibia(?)Sabina
Kaiser 117–138

Matidia II

Rupilia Faustina ∞ M. Annius Verus
cos.III ord.126

(Avidia) ∞ L.Ceionius Commodus=L.Aelius Caesar

Ceionia Fabia ∞ Plautius Quintillus
cos.ord.159

M. Plautius Quintillus ∞ Fadilla
cos.ord.177   (Tochter des
                    Marc Aurel)

Lucius VERUS ∞ Lucilla
Kaiser 161–169   (Tochter des
                  Marc Aurel)

Annius Verus praetor ∞ Domitia Lucilla II

Annia Galeria Faustina I ∞ T. Aurelius Fulvus Boionius Arrius ANTONINUS (Pius)
Tochter des M. Annius Verus   Kaiser 138–161

MARC AUREL ∞ Annia Galeria Faustina II
Kaiser 161–180

4.Annia Aurelia Galeria Lucilla
∞ (1) Lucius Verus
∞ (2) Ti. Claudius Pompeianus
      cos.ord.II 173

5.Annia Galeria Aurelia Faustina
∞ Cn. Claudius Severus
  cos.ord.II 173

8.Fadilla
∞ M. Plautius Quintillus
  cos.ord.177

11.L. Aurelius COMMODUS
   Kaiser 180–192
   ∞ Bruttia Crispina

Boionia Procilla ∞ P. Arrius Antoninus
cos.suff.69

T. Aurelius Fulvus
cos.ord.II 85

Cn. Domitius Lucanus
cos.suff. unter Vespasian

Dasumia Polla ? ∞ Cn. Domitius Tullus
cos.suff. II 98

Arria Fadilla(1)
∞ P. Iulius Lupus(2)

T. Aurelius
Fulvus
cos.ord.89

P. Calvisius Tullus Ruso ∞ Domitia Lucilla I
cos.ord.109

Aurelia Fadilla ∞ L. (Plautius) Lamia
                  Silvanus
                  cos.suff.145

14.Vibia Aurelia Sabina
∞ (1)L. Antistius Burrus
∞ (2)L. Aurelius Agaclytus

SEPTIMIUS SEVERUS
Kaiser 193–211
(fiktive Adoption)

bzw. 138 adoptierte, bestand keine h. noch erkennbare Verwandtschaft, ebenso nicht von Antoninus Pius zu Marcus Aurelius, der jedoch sogleich durch Heirat mit Faustina, der Tochter des Antoninus Pius, dynastisch eingebunden wurde. Sein Mitregent Lucius → Verus, der ebenfalls von Antoninus Pius adoptiert werden mußte, war Sohn des 137 verstorbenen L. Aelius Caesar. Mit Marcus Aurelius, der als erster männliche Nachkommen hatte und seinen Sohn → Commodus zu seinem Nachfolger machte, wurde die Künstlichkeit des Konzepts des A.tums entlarvt. Bereits Plinius hatte (paneg. 94,5) dies getan, als er wünschte, Iuppiter möge Traian einen Nachfolger gewähren, den dieser gezeugt und einem adoptierten Sohn ähnlich gemacht habe: *ut ... successorem ei tribuas, quem genuerit, quem formaverit similemque fecerit adoptato.*

H. NESSELHAUF, Die Adoption des röm. Kaisers, in: Hermes 83, 1955, 477–495. W.E.

Adoratio, im Wortsinne »Anbetung«, meint eine bes. respektvolle Anrede, nicht nur das Gebet zu den Göttern (Fest. 162,19). 1. Am röm. Kaiserhof ist a. die von Diokletian nach achäm. und hell. Vorbild im Hofzeremoniell eingeführte fußfällige Begrüßung des Kaisers (→ προσκύνησις, *proskýnēsis*: Eutr. 9,26). 2. Pejorativ wird a. als bes. Form höfischer oder auch anderer Schmeichelei (*adulatio*) verstanden. 3. Seit Beginn der Kaiserzeit steht a. auch für die Verehrung des *genius Augusti* und der *divi Augusti*, die zusammen mit der Dea Roma im Mittelpunkt des röm. Staatskults stehen. Demonstrative Ablehnung der a. gilt als Indiz für Christentum und kann – sogar als *crimen laesae maiestatis* – zum Tod führen (Plin. epist. 10,97).

ALFÖLDI, 48 · JONES, LRE, 40, 337 · TREITINGER, Zeremoniell 84 ff. C.G.

Adramys (Ἄδραμυς). Lyder, Sohn des Königs → Sadyattes, nicht ebenbürtiger Halbbruder des → Alyattes (Nic. Damasc. FGrH 90 F 63). P.HÖ.

Adramyttion (Ἀδραμύττιον oder Ἀτραμύττιον). Die Polis A. wurde im 19. Jh. westl. des Dorfes Kemer auf dem Kap Karatas (h. Ören) gegenüber von → Lesbos lokalisiert. Zur Frühgesch. von A. liegen widersprüchliche Nachrichten (Vorgängersiedlung) vor. Umstritten ist auch, ob die Gründung auf thrak. oder lyd. Initiative zurückgeht. Steph. Byz. s.v.A. nennt den Bruder des lyd. Königs → Kroisos, → Adramys, als Gründer der Stadt [1. 185 f.]. Im lyd. Reich scheint A. eine wichtige Rolle gespielt zu haben; so war Kroisos vor seiner Thronbesteigung Archon der Stadt. Erst durch die auf Erlaubnis des Satrapen von → Daskyleion hin erfolgte Aufnahme von Exulanten aus → Delos 422 v. Chr. wurde A. hellenisiert. Zu einem nicht näher bekannten Zeitpunkt wurde A. wohl auch von Athenern besiedelt (Strabon 13,1,51;

vgl. den Demos Phaleron in A. [2. 125 f.]). 411 v. Chr. wurden zahlreiche Griechen von Arsakes, einem Untergebenen des persischen Satrapen → Tissaphernes ermordet (Thuk. 8,108,4). Trotzdem wurde ihr Einfluß nicht gebrochen, denn die Staatsform von A. erscheint unter den von Aristoteles gesammelten griech. Verfassungen. Im Satrapenaufstand wird A. als Zufluchtsort des → Ariobarzanes [1] 366 v. Chr. von Autophradates belagert. 362/1 v. Chr. werden Münzen der Stadt mit dem Portrait des aufständischen Orontes geprägt. Die strategisch günstige Lage von A. führte auch in hell. Zeit zu Belagerungen und Plünderungen der Stadt: 302 v. Chr. durch → Prepelaos, 201 v. Chr. durch → Philippos V. und 190 v. Chr. durch → Antiochos [4] III. Die Attaliden bauten A., in seinem Gebiet durch die Übernahme von → Thebe, Lyrnessos und Iolla stark vergrößert, als Verwaltungszentrum einer → *dioíkēsis* aus. Diese Aufgabe erfüllte A. bei der Übernahme durch die Römer als Hauptort eines → *conventus* (Plin. nat. 5,122). Trotzdem ergriffen die Bewohner die Partei → Mithradates' VI. und erhoben sich 84 v. Chr. erfolglos gegen diesen (Strab. 13,1,66). 75 v. Chr. wurde in A. ein Sitz des → *portorium Asiae* eingerichtet.

Die Münzprägung endete unter → Gallienus. In byz. Zeit war A. Bischofssitz. Wahrscheinlich um 1100, nicht schon unter → Traianus (Lyd. mens. 4,23), wird der Hafenplatz wegen Verlandung aufgegeben. Sein Name lebt in der Bezeichnung der neuen Siedlung – Edremit – weiter. Die Bed. von A. resultierte aus seiner günstigen Lage im äußersten Winkel des gleichnamigen Golfes (Plin. nat. 5,122), wodurch es sowohl wichtige Land- als auch Seeverbindungen kontrollierte. A. besaß einen sicheren Hafen und war Durchgangsstation für die Erzeugnisse der Ebene von Thebe und der Wälder des → Ida.

1 J. NOLLÉ, s.v.A., in: HAKKERT, 185–190 2 E. SCHWERTHEIM, Neue Inschr. aus A., in: EA 19, 1992, 125–133. E.SCH.

Adrana. Vermutlich die Eder, Fluß im Land der → Chatti (Tac. ann. 1,56,3). K.DI.

Adranodoros (Ἀδρανόδωρος). Schwiegersohn Hierons II. von Syrakus. 215 v. Chr. (mit anderen) zum Vormund des Hieronymus, des 15jähr. Enkels und Nachfolgers Hierons II., bestellt, war er für die radikale Hinwendung der syrakusanischen Politik zu den Karthagern verantwortlich. Nach dem Tod des Hieronymus 214 befestigte er Ortygia und erhielt das Strategenamt (→ Strategos). Der auch von seiner Gemahlin Demarete unterstützte Plan, die Herrschaft über Syrakus zu erringen, führte noch im gleichen Jahr zu seiner Ermordung im Rathaus von Syrakus (Pol. 7,2,1; 5,4 f.; Liv. 24,4,3 f.).

J. BRISCOE, CAH 8, ²1989, 51 · HUSS, 350 ff. · G. DE SENSI SESTITO, in: E. GABBA, G. VALLET (Hrsg.), La Sicilia antica, Bd. 2,1, 1980, 361 ff. K.MEI.

Adranon (Ἀδρανόν, Hadranum). Um 400 v. Chr. von Dionysios I. nahe dem siculischen Heiligtum des Adranos am Westhang des Vulkans Aitne [1] (Diod. 14,37,4) am Adranos (Münzen), Nebenfluß des Symaithos, gegr.; h. Adrano, ant. Reste. In der Nähe schlug Timoleon im Bund mit A. Hiketas (Diod. 16,68–69). A. wurde 263 v. Chr. von den Römern erobert (Diod. 23,4,1); A. erhielt das → *ius Latii* (Plin. 3,91).

Nahe A. das siculische Zentrum von Mendolito mit Inschr. (IG XIV 567–572), Münzen und prähistor. Töpferware (siculische Sammlung im Mus. auf der Normannenburg).

→ Siculi; Sicilia

R. CALCIATI (Hrsg.), Corpus Nummorum Siculorum Bd. 3, 1987, 156–161 • O. A. W. DILKE, s. v. A., in: HAKKERT 2, 1993, 190–192 • G. MANGANARO, Dai mikrà kermata di argento al chalkokratos kassiteros in Sicilia nelle V sec. a. C., in: JNG 34, 1984, 11–41, hier 34 • P. PELAGATTI, Intervento, in: Kokalos 10/11, 1964/65, 245–252.   GI. MA.

Adranos. (Ἀδρανός) Stadtgottheit der gleichnamigen sizilischen Stadt. Gründung des Dionysios I., mit Tempel und Hundeopfer (Diod. 14,37,5; Ail. nat. 11,20). Nach Ausweis der Münzen ist A. ein Flußgott [1].

1 B. V. HEAD, Historia Numorum, 1911, 119.   F. G.

Adrasos (Ἀδρασός). Ort in Hochisaurien (→ Isaurien; Hierokles, Synekdemos 710,6: Δαρασός), h. Balabolu (abgeleitet von Palaiopolis), 27 km westl. von Mut (→ Klaudiopolis); Lokalisierung erschlossen aus der Stellung in der Liste des Hierokles, aus dem Oronym Adras Dağı und der inschr. Bezeugung von Ἀδρασσεύς in der weiteren Umgebung [2. 127]. Schlecht erh. röm.-byz. Siedlung mit Befestigungsmauer, zwei Kirchenbauten (Bistum [3]), nordwestl. davon ausgedehnte Nekropole mit Gräbern verschiedener Typen, z. T. mit Inschr. 4.–6. Jh. n. Chr. [1].

1 E. ALFÖLDI-ROSENBAUM, The Necropolis of A. (Balabolu) in Rough Cilicia (Isauria), 1980 2 R. HEBERDEY, A. WILHELM, Reisen in Kilikien, 1896 3 H. HELLENKEMPER, F. HILD, Kilikien und Isaurien, TIB 5, 1990, s. v. A.   K. T.

Adrasteia (Ἀδράστεια). Mit der kleinasiatischen Bergmutter → Kybele verwandte Göttin. Sie hatte Kult bei Kyzikos (wohl auf dem *Adrásteia óros* vor der Stadt, Strab. 12,8,11; 13,1,13) und auf dem troischen Ida (Aischyl. fr. 158 TGF). A. wurde mit Artemis verglichen (Demetrios von Skepsis apud Harpokr. 6,9; Solin. 7,26) und in Athen im Umkreis der Bendis verehrt (IG I³ 383,142; vgl. 369,67). In der myth. Dichtung geriet sie in den Umkreis der Zeusgeburt: Als Tochter von Melisseus, Schwester von Ide und der Kureten hilft sie bei der Pflege des Zeuskindes, wie eine verbreitete Darstellung des Mythos berichtet haben muß (Kall. h. 1,46; Apoll. Rhod. 3,133; Plut. symp. 3,9,2; Apollod. 1,6).

Gleichzeitig ist der urspr. wohl ungriech. Name verständlich als »Unentrinnbarkeit«. Als solche wird sie als zwingende Notwendigkeit verstanden, als Schicksalszwang (Aischyl. Prom. 936), als ehernes Gesetz (Plat. Phaidr. 248cd), vor allem aber als unentrinnbare Strafe: Im Kult wird sie mit Nemesis zusammen verehrt (Kos: LSCG 160, 161), in der Spekulation gelegentlich mit ihr identifiziert (Antimachos, fr. 53 WYSS; Orph. fr. 54; Amm. 14,11,25). Frühhell. orphische Dichtung kennt die Erzählung von ihrer Rolle bei Zeus' Geburt (Orph. fr. 152. 162), setzt sie vor allem aber als Gesetzgeberin vor die Grotte der Nyx (Orph. fr. 105) [1]. Weitere Spekulationen identifizieren sie mit Isis (PGM VII 503) und weisen ihr in der hermetischen Kosmologie eine Schlüsselstelle zu (Corp. Herm. fr. 23,48 = Bd. IV 16 FESTUGIÈRE-NOCK).

1 M. L. WEST, The Orphic Poems, 1983.   F. G.

Adrastos (Ἄδραστος). **[1]** Anführer des Feldzuges der Sieben gegen Theben. A. besaß urspr. Verbindungen zu Sikyon, wo sein Kult alt war (s. u.). In der kanonischen Gesch. jedoch stammte er aus Argos. Nach dem ausführlichsten Bericht über seine Jugend (schol. Pind. N. 9,30 teilweise nach Menaichmos von Sikyon, FGrH 131 F 10), war er der Sohn des Königs Talaos, des Sohnes von → Bias und Oberhaupt eines der drei regierenden Häuser von Argos. Als Mitglieder der anderen beiden Familien, einschließlich → Amphiaraos, Talaos (oder seinen Nachfolger, A.' Bruder Pronax) töteten, floh A. zu seinem Großvater mütterlicherseits, Polybos, dem König von Sikyon, dessen Tochter er heiratete und dem er später auf dem Thron nachfolgte. Nach der Versöhnung mit Amphiaraos, der darauf A.' Schwester → Eriphyle heiratete, kehrte er nach Argos zurück und regierte dort. Er nahm die Verbannten → Tydeus und → Polyneikes als Schwiegersöhne auf, da er an ihren Schildzeichen erkannte, daß sie Löwe und Eber waren, mit denen er einem Orakelspruch zufolge seine Töchter verheiraten sollte; er beabsichtigte, beide wieder in ihren Königreichen einzusetzten. Um Polyneikes die Herrschaft zurückzuerobern, organisierte er den Zug der Sieben gegen Theben. Alle Erzählungen stimmen – trotz leichter Differenzen bezüglich der Teilnehmer – darin überein, daß die Expedition fehlschlug, wie Amphiaraos vorausgesagt hatte; alle Anführer wurden getötet, mit Ausnahme von A., der von seinem wunderbar schnellen Pferd → Areion gerettet wurde. Zehn Jahre später führte A. die sechs Söhne der Helden (die → Epigonoi) gegen Theben, dieses Mal mit Erfolg. Der einzige Tote auf seiner Seite war sein eigener Sohn Aigialeus; nach Pausanias (1,43,1) starb A. auf der Heimreise in Megara vor Kummer darüber.

A. war eine wichtige Kultfigur in Sikyon; er spielte in Vorformen dramatischer Aufführungen eine zentrale Rolle, bis er vom Tyrannen → Kleisthenes verdrängt wurde (Hdt. 5,67). Er genoß göttliche Verehrung, soll den Tempel der Hera Alea gebaut (Paus. 2,11,1) und die sikyonischen Spiele zu Ehren Apollons begründet haben. Sein sikyonischer Kultort wurde als Ehrengrab gedeutet, sein richtiges Grab wird in Megara vermutet (Paus. 1,43,1; schol. Pind. N. 9,30). A.' Erscheinen außerhalb von Sikyon (Kult in Kolonos Hippios in Attika; sein Haus wurde in Argos gezeigt) wird besser durch ep. Einfluß als durch die Hypothese einer »gesunkenen Gottheit« erklärt.

[2] Troischer Bundesgenosse, Sohn des Sehers Merops aus Perkote, zog mit seinem Bruder Amphios trotz dringender Abmahnung ihres Vaters in den Krieg. Beide wurden von Diomedes getötet (Hom. Il. 2,830–34; 11,328–34). Durch seine Tochter Eurydike, die Ilos heiratete, erscheint er mit dem troischen Königshaus verbunden (Apollod. 3,146). Nach ihm ist die Stadt Adrasteia benannt (Apoll. Rhod. 1,1116) mit einem Altar der Adrasteia (Strab. 13,1,13; Kallisthenes, Antimachos). Dieser A. wird auch mit dem festländischen A. gleichgesetzt [1]; der Name seines Bruders ist offenbar eine Kurzform für Amphiaraos.

1 F. G. WELCKER, KS 5, 34.

E. BETHE, Thebanische Heldenlieder, 1891, 43–67, 86–98 · M. FINKELBERG, Royal succession in heroic Greece, in: CQ 41, 1991, 303–16 · I. KRAUSKOPF, Der thebanische Sagenkreis ... in der etr. Kunst, 1974 · I. KRAUSKOPF, s. v. A., LIMC 1.1, 231–40.   E. K.

[3, aus Aphrodisias] Peripatetischer Philosoph, 1. H. des 2. Jh. n. Chr. Schriften: ›Über die Reihenfolge der aristotelischen Schriften‹; Komm. zu Aristoteles' ›Kategorien‹ und ›Physik‹, und zu Platons *Timaios*; Abhandlungen über die lit. und histor. Anspielungen in den Ethiken von Aristoteles und Theophrast. Die Ethikschrift wurde wahrscheinlich in dem anon. Ethickomm. (CAG 20,122–255), der Timaioskomm. von Theon aus Smyrna und Calcidius benutzt. A. war kein origineller Denker, aber ein gelehrter und klarer Ausleger und als solcher von Porphyrios und Plotin geschätzt.
→ Aristotelismus; Aristoteles-Kommentatoren

H. B. GOTTSCHALK, ANRW 36,2, 1987, 1155f · MORAUX, II, 1984, 294–332 · H. B. GOTTSCHALK, ANRW II 36.2, 1987, 1155f.   H. G.

Adrogatio s. Adoption

Adryades s. Hamadryades

Adsectator. *Adsectari* (hartnäckig, dicht folgen) beschreibt auch den Straftatbestand der Verfolgung einer ehrbaren und schutzbedürftigen Person *contra bonos mores* (Gai. 3,220; Cod. Iust. 47,10,15,19ff.) Im polit. und gesellschaftlichen Bereich bezeichnet *a.* den Parteigänger, Anhänger oder treuen Begleiter meist eines Amtsbewerbers. Cicero (Mur. 70) unterscheidet bei der Selbstdarstellung von Patronen drei Gruppen von Klienten bei der adsectatio: *una salutatorum, cum domum*

veniunt, altera deductorum, tertia adsectatorum. Eine *lex Fabia de numero sectatorum* von 66 und ein *senatus consultum* von 64 v. Chr. gegen übertriebenes Adsektatorenwesen waren offenbar erfolglos.
→ clientes; ambitus; petitio

KASER, RPR, 1, 624 · MOMMSEN, Staatsrecht, 1, 54ff. · ROTONDI, 378f.   C. G.

Adsertor ist derjenige freie Bürger, der die Sache, insbes. die Freiheit, des parteiunfähigen Sklaven vor Gericht vertritt: Als Kläger in der *vindicatio in libertatem* einschließlich der *manumissio vindicta*, als Beklagter in der *vindicatio in servitutem*. Zu den Mißbrauchsmöglichkeiten des Freiheitsprozesses Liv. 3,44ff. Justinian erklärt den Sklaven nach vorhergehenden Auflockerungen endgültig im Freiheitsprozeß als parteifähig (Cod. Iust. 7,17).
→ Vindicatio; Manumissio

E. FERENCZY, in: Studi Donatuti, 1973, 387–401 · KASER, RZ, 161.   C. PA.

Adsessor heißt der ständige juristische Berater eines Magistrats, und zwar bereits jener des republikanischen Prätors in dessen Funktion als Gerichtsmagistrat. Als *a.* fungiert ein junger ausgebildeter Jurist (*iuris studiosus*), der seinerseits in schwierigen Fragen den Rat seines Lehrers (*iuris consultus*) einholt und somit eine wichtige Mittlerstellung zwischen Theorie und Praxis einnimmt. Der *a.* ist insbes. dem Provinzstatthalter in der Ausübung der Gerichtsbarkeit und Verwaltung unentbehrlich. Er konzipiert die Edikte und Dekrete des Magistrats und erledigt den gesamten juristischen Schriftverkehr. Nicht selten entscheidet er selbständig im Namen des Magistrats. Ab der Spätklassik (ca. 160) entwickelt sich die urspr. auf *amicitia* beruhende Assessur zur besoldeten Beamtenstelle, mit Aufstiegsmöglichkeit zu höheren Rängen in der Ämterhierarchie (Dig. 1,22; Cod. Theod. 1,34; Cod. Iust. 1,51).

O. BEHRENDS, Der assessor zur Zeit der klass. Rechtswiss., in: ZRG 86, 1969, 192–226 · KUNKEL, 331–334 · H. F. HITZIG, Die Assessoren der röm. Magistrate und Richter, 1893.   H. HA.

Adsiduus (*assiduus*, von *adsideo*) bedeutet »seßhaft«. Als t. t. der Rechtssprache wurde es als syn. mit *locuples* aufgefaßt, der Gegenbegriff war *proletarius* (Varro bei Non. p. 67 M.). Es bezeichnete also den »auf seinem eigenen Besitz Seßhaften«. Die XII Tafeln bestimmten: *Adsiduo vindex adsiduus esto. Proletario iam civi* (oder *civis*) *qui volet vindex esto* (Gell. 16,10,5).

A. und *proletarius* sind eines der Gegensatzpaare, die sich in der archa. Rechtssprache Roms zahlreich finden [4.182]. Mehr als eben diesen einen Beleg kannten die späteren ant. Autoren nicht, wie ihre etym. Diskussion zur Genüge zeigt: *A.* wird von der »Regelmäßigkeit«

(*assiduitas*) der Steuerzahlung (Gell. 16,10,15), mehrheitlich aber von der Steuerzahlung selbst abgeleitet, also von *as* und *dare* (Fest. 9 M., Charis. 95,11 Barwick) oder – dies die Etym. des Aelius Stilo [1.23] – von *aes* und *dare* (Cic. top. 10; Quint. inst. 5,10,55). Insbes. spiegelt die Zuordnung zur servianischen Ordnung bei Cicero (rep. 2,40) allein den Satz aus dem Zwölftafelrecht wider (vgl. Gell. 16,10,8). Die moderne Auffassung, daß *a.* im frühen Rom der t.t. für »Steuerfähige« [5.237] und Hopliten [2.219] war, hat daher nur eine gewisse Wahrscheinlichkeit für sich. Die Gleichsetzung des Gegensatzes *a.* – *proletarius* mit dem von *classis* – *infra classem* ist problematisch [6.116].

→ Proletarius, Tabulae duodecim, Vindex

1 J. André, Les étymologies d' *a.* et la critique textuelle, in: RPh 50, 1976, 22–23   2 Beloch, RG   3 W. Kubitschek, s. v. A., RE 1, 426   4 A. Momigliano, The rise of the plebs in the Archaic Age of Rome, in: K. A. Raaflaub (Hrsg.), Social struggles in Archaic Rome, 1986, 175–197   5 Mommsen, Staatsrecht Bd. 3, 237–238   6 J.-C. Richard, Patricians and Plebeians: The origin of a social dichotomy, in: Social struggles (s.o.), 105–129   7 Wieacker, RRG, 234 mit Anm. 62, 401.   J.v.U.-S.

Adsignatio. 1. die Unterzeichnung oder Siegelung eines Dokuments (Gai. 2,119; Cod. Theod. 11,1,19; Dig. 45,1,126), 2. die schriftliche Verfügung über Rechte an Sachen und Personen (Dig. 50,16,107; 38,8) sowie die vertragsgemäße Besitzübergabe (Dig. 4,9,1,8; 50,12,1,6), und 3. die richterliche Zuweisung eines Rechts an einen Antragsteller (Dig. 10,2,22,1).

Als Zuweisung eines Rechts auf Grundbesitz gewinnt die *a.* im polit. Bereich Bed. bei der Zuweisung von Landbesitz an röm. Bürger, und zwar an Gruppen zur Koloniegründung (*a. coloniaria*), seit dem 1. Jh. v. Chr. zunehmend an einzelne Veteranen (*a. viritana*). Dabei werden Anteile am → *ager publicus* zu freier Verfügung, aber meist zur abgabepflichtigen Nutzung (*vectigal*, später auch *canon*) aufgrund einer vom Volk beschlossenen *lex agraria* (→ Agrargesetze) übergeben. Diese *lex* (frühestes Beispiel ist die *rogatio Cassia agraria* des J. 483 v. Chr.) regelt nur allg. Umfang und Lage des Gebiets, die Verteilungsbedingungen und die Kompetenzen der bevollmächtigten Magistrate oder Ausschüsse (meist → *tresviri agris dandis adsignandis*), die mit der *a.* betraut sind. Die individuelle *a.* am Ort kann auch durch die *curia* der neuen *colonia* erfolgen.

An dieser Praxis der Organisation einer *a.* von Land ändert sich trotz erheblicher Änderungen der Verfassungsgrundlage seit Sulla nichts Wesentliches: Die Reformen Sullas sehen ein Vorprüfungsrecht des Senats vor (Cic. fam. 2,20,3); die Triumvirn stützen sich nach der *lex Titia* (43 v. Chr.) auf reine Ediktspraxis; in der Kaiserzeit erfolgen Landverteilungen aufgrund kaiserlicher → *constitutiones* in Form eines Edikts (FIRA 1,177 ff.) oder (bis zu Nerva) als vom Kaiser angeregte *leges* (Dig. 47,21,3,1). Von der *a.*, die ein unbeschränktes *dominium* oder ein begrenztes Nutzungsrecht (später *ius*

perpetuum oder *emphyteusis* genannt; Cod. Iust. 4,88) verleiht, ist die staatliche Landverpachtung durch Vertrag (*locatio-conductio*) zu unterscheiden, aus der sich das spätant. Kolonatsrecht entwickelt.

→ leges agrariae

J. Bleicken, Lex publica, 1975, 244 ff. · Jones, LRE, 788 f. · Kaser, RPR, 1, 299, 400 ff.; 2, 73 ff., 246 ff. · Ders., ZPR, 264, 333. · de Martino, 27–31, 50–57. · Mommsen, Staatsrecht, 1, 624 ff.; 2, 995 · M. Rostovtzeff, Studien zur Gesch. des Kolonats, 1910, 248, 266, 383 ff.   C.G.

Adstipulator. Bei einer Schuldbegründung durch → *stipulatio* konnte der Gläubiger (*stipulator*) einen Vertrauensmann als *a.* heranziehen, dem durch ein erneutes Versprechen des Schuldners ebenfalls die vollen Gläubigerrechte einschließlich der Möglichkeit, den Anspruch einzuklagen oder auch zu erlassen, zukamen, der aber im Innenverhältnis an die Anweisungen des Hauptgläubigers gebunden war. Bei Verletzungen dieser Verpflichtung haftete der *a.* dem Hauptgläubiger urspr. aus der → *lex Aquilia* (2. Kap.), in klass. Zeit aus → *mandatum*. Nach dem Bericht des → Gaius (inst. 3,117) wurde zu seiner Zeit der *a.* nur noch beigezogen, um Verpflichtungen begründen zu können, die erst nach dem Tode des Gläubigers wirksam werden sollten, z. B. zur Leistung an den Erben, welchem *post mortem* des Gläubigers sonst nichts versprochen werden durfte.

→ Creditor

G. Scherillo, L'*a.*, in: RIDA 10, 1963, 241–245.   R.Wi.

Aduatuci. Abkömmlinge der → Cimbri und → Teutoni (Caes. Gall. 2,29,4 f.), lebten die A. unter den Germani Cisrhenani, ohne zu diesen zu zählen, zw. den Nervii und Eburones in der Gallia Belgica beidseits der Maas zw. Lüttich-Namur und Limburg. Hauptort Aduatuca (Tungrorum), h. Tongeren, mit einer frühen röm. Militärstation [1].

1 A. Vanderhoeven (et al.), Tongern, Tongres, Tongeren, in: Spurensicherung, 1992, 387–402, 579.

J. R. Marichal, Les frontiers des Aduatiques et des Germains cisrhénans, in: Caesarodunum 16, 1981, 45–51 · L. Rübekeil, Suebica. Völkernamen und Ethnos, 1992, 174 f. · TIR M 31, 26, 36.   K.Di.

Adulis. Am arab. Golf gelegen, war A. lange die einzige Hafenstadt des Königreiches Axum. Über A. lief der Export von hochwertigem Elfenbein, eingeführt wurden u. a. Textilien und Metallwaren aus Ägypten und Indien (peripl. m. Eryth. §§ 4 und 6). Später eine christl. Stadt, scheint A. im 7./8. Jh. zerstört worden zu sein.

E. Littmann, s. v. Adule, RE Suppl. 7, 1 f.   J.P.

Adulterium. Der → Ehebruch (*a.*) war im röm. Recht nach der *l. Iulia de adulteriis coercendis* Gegenstand eines öffentlichen Strafverfahrens (*iudicium publicum*). Die sachliche Nähe dieser Regelung zur sonstigen Ehegesetzgebung des Augustus spricht dafür, daß das Ehebruchsgesetz aus demselben Jahr wie die *l. de maritandis ordinibus* (18 v. Chr.) stammt. Nach einem Bericht des Spätklassikers Paulus (coll. 4,2,2) sind durch die *l. Iulia* mehrere frühere Gesetze aufgehoben worden. Das *a.* dürfte also schon in republikanischer Zeit verfolgt worden sein, vermutlich durch den Gewalthaber (*pater familias* oder Ehemann in der *manus*-Ehe). Über die Sanktionen des früheren Rechts wissen wir nichts. Unter Augustus wurde die Verfolgung im Verfahren der → *quaestio (perpetua)* auf Anklage des Gewalthabers innerhalb der ersten sechzig Tage nach der Tat, danach auf Anklage jedes beliebigen Bürgers vorgesehen. Der männliche Täter wurde mit Verlust des halben Vermögens, die Frau mit Verlust eines Vermögensdrittels sowie der Hälfte der → *dos*, wohl schon von Anbeginn auch mit Verbannung auf eine Insel bestraft (Paul. sent. 2,26,14). In der spätant. Kaisergesetzgebung wurde die Sanktion gegen den *adulter* dann bis zur Todesstrafe verschärft (vgl. Cod. Theod. 9,38; Inst. Iust. 4,18,4).

Seit dem Prinzipat hatte das *a.* ferner eherechtliche Wirkungen: Schon nach der *l. Iulia* durfte die ertappte Ehebrecherin nicht wieder heiraten (Dig. 48,5,30,1). Wohl seit Marc Aurel war die dennoch eingegangene Verbindung nichtig. Seitdem schließlich unter Konstantin Ehen nur noch aus bes. Gründen geschieden werden konnten, wurde das *a.* zunächst ein Scheidungsgrund für den Ehemann (Cod. Theod. 3,16,1), dann (seit 449) auch für die Ehefrau (Cod. Iust. 5,17,8,2). Letzteres freilich nimmt Justinian (Nov. 117) 542 wieder zurück.

→ Scheidung; Stuprum

W. KUNKEL, Unt. zur Entwicklung des röm. Kriminalverfahrens in vorsullanischer Zeit, 1962, 121 ff. • B. SANTALUCIA, Diritto e processo penale nell' antica Roma, 1989, 94 f. mit Lit., 126, 146 f. mit Lit., 150 f.   G. S.

Adventus. »Ankunft« (einer Person), »Eintritt« (eines Ereignisses oder Falles) und speziell die polit. wichtige oder zeremonial hervorgehobene Ankunft etwa eines siegreichen Feldherrn, eines Amtsträgers oder Staatsgastes und insbes. des Kaisers in Rom und an anderem Ort (Verg. Aen. 6,798, Plin. pan. 22). Als *a. in caelo* gilt die Apotheose der Kaiser (Sen. apocol. 5; Claud. carm. 1,242). In der Triumphzeremonie hat der *a.* des Imperators am *pomerium* und am Kapitol-Tempel markante Bedeutung (Liv. 28,9,7; Cass. Dio 43,21, 2).

Im rel. Bereich bezeichnet *a.* sowohl die Erscheinung von Göttern (→ Epiphanie) als auch die Ankunft eines Kultbildes an seinem Bestimmungsort (Cic. nat. deor. 1,105; Varro, ling. 6,15; Tac. Germ. 40). Die Hoffnung auf die Ankunft des Messias (Sach 9,9; Dan 7,25 f.) in der jüd. Religion wird Teil des christl. Glaubens an das im Hl. Geiste gegenwärtige Wirken und die endzeitliche Wiederkunft Christi (Matt 24,3; 28,20; Apk

14,6 – 11; Iren. 4,33,1); das lat. *a.* entspricht dabei dem griech. παρουσία / *parusía*.

→ triumphus

LATTE, 224 ff. • M. LEMOSSE, Les éléments technique de l'ancien triomphe romain et le problème de son origine, ANRW I 2.1, 442–453 • K. SCHNEIDER, Geistesgesch. des ant. Christentums, 1954, 224 ff.   C. G.

Adversus Judaeos. Titel verschiedener patristischer Traktate, die sich apologetisch mit dem Verhältnis des Christentums zum Judentum auseinandersetzen (→ Tertullianus, → Cyprianus, → Johannes Chrysostomos, → Augustinus) und weitere Werke gleichen Inhalts (→ Barnabasbrief, der Brief an → Diognetos, → Justinus' Dialog, die Passa-Homilie des → Melito etc.). Im Vordergrund steht weniger Judenfeindschaft und Mission, sondern die innerchristl. Belehrung und rel. Unterweisung, die die christl. Glaubensinhalte angesichts der als Provokation empfundenen Existenz des Judentums zu legitimieren versuchen. Die Darlegungen beruhen nicht auf konkreten histor. Ereignissen, sondern sind vor dem Hintergrund von Typologie und Allegorese der Hl. Schrift zu sehen: In willkürlicher Weise werden Verheißungen auf das Christentum gedeutet, Strafandrohungen auf das Judentum. Lit. Konventionen und eine begrenzte Anzahl von Argumentationsmustern kreisen um eine enge Themenauswahl: Die Uneinsichtigkeit und Verstocktheit der Juden bedeutet das Ende des Alten Bundes; Tempelzerstörung und Exil sind Strafe für die Nicht-Anerkennung Jesu als Messias; an der Schuld des Gottesmordes haben alle künftigen Geschlechter der Juden zu tragen. Im 5. Jh. verändert sich der Charakter dieser Lit. und erhält legendenhafte Züge (z. B. die Sylvesterakten). Die A. J.-Texte erweisen die Juden ›letztendlich als unbewältigtes Problem christlichen Selbstverständnisses‹ (SCHRECKENBERG).

→ Antisemitismus

L. W. BARNARD, Art. Apologetik I: Alte Kirche, TRE 3, 1978, 371–411 • H. SCHRECKENBERG, Die christl. A.-J.-Texte und ihr lit. und histor. Umfeld (1.–11. Jh.), 1982.   B. E.

Advocatus. Der *a.* als »Herbeigerufener« entwickelt sich vom Beistand zum schließlichen Rechtsbeistand in der Spätklassik (um 200 n. Chr.) Zunächst bezeichnet *a.* eine meist einflußreiche Person, die jemandem als Freudschaftsdienst im (straf- wie – als langweiliger verschriebenen, Cic. opt. gen. 9 f. – zivilrechtlichen) Gerichtsverfahren beisteht – durch seine bloße Anwesenheit oder durch seine (aufgrund seiner Ausbildung und Erziehung erworbenen allg.) Rechtskenntnisse; vgl. Ps.-Asc. zu Cic. in Caec. 11. Darin unterscheidet er sich (zumindest theoretisch) vom *patronus*, der ebenfalls Beistand leistet, vornehmlich aber als Redner, *orator*. Ein weiterer Unterschied zwischen den beiden Beiständen liegt im »Verpflichtungsgrund«: der Patron handelt kraft des Klientelverhältnisses, Mart. 2,32; 8,76; 12, 68, der *a.*

verrichtet einen Freundschaftsdienst, vgl. Suet. Aug. 56 (was freilich die Absicht, die eigene Klientel zu vergrößern, nicht ausschließt). Von beiden ist der *iuris peritus* zu sondern, der als Rechtsgelehrter (Dig. 1,2,2,13) in keinem spezifischen, sozialen Verhältnis zum Rechtssuchenden stand. Zur Zeit des Tacitus (dial. 1) verliert sich allmählich die Bezeichnung *orator* und wird durch *a.* ersetzt. Herbeigerufen wurde offenbar mehr und mehr der Rechtskundige, so daß sich das Begriffsfeld des *a.* bereits zu dieser Zeit dem des modernen Anwalt annähert, vgl. Plin. epist. 1,22, und – wegen seiner auch heute noch gültigen Aktualität besonders eindrucksvoll – Quint. inst. 12,8; freilich mit anderem »Vertretungsumfang« (Dig. 3,1,1,2 zu *postulare*). Als solcher teilt er seine Aufgabe nunmehr mit den von Quintilian (inst. 4, 1, 7, 45; 10,111; 11,1,19) genannten, praktisch kaum mehr differenzierbaren *oratores, patroni, causidici* oder gar den *iuris periti, pragmatici* und *scholastici*. Als Kenner des Rechts fungierten offenbar die von Hadrian (SHA Hadr. 20,6) eingesetzten *advocati fisci*, die den Fiskus auch vor Gericht vertraten (z. B. Dig. 28,4,3 pr.). In der Spätantike wird die Zugehörigkeit zur Advocatur, die nunmehr ständemäßig gegliedert ist (vgl. im einzelnen Cod. Iust. 2,7; zu seiner zeitgenössischen, negativen Einschätzung Amm. 30,4), u. a. von dem erfolgreichen Abschluß eines juristischen Examens abhängig gemacht (Cod. Iust. 2,7,11; von 460). Während urspr. die Tätigkeit als Beistand vor Gericht unentgeltlich war, wurde spätestens im Principat eine Entlohnung üblich (Plin. epist. 5,9) und das Preisedikt des Diokletian (in dem der *a.* mit dem *iuris peritus* gleichgesetzt wird) setzt einen Höchstpreis fest [1] (pro Tag 1000 Denare). Fehler oder Versäumnisse, die der *a.* beging (vgl. Cod. Iust. 2,9) trafen grundsätzlich den von ihm Vertretenen; nur ausnahmsweise (etwa bei Minderjährigen, Dig. 4,4,18,1, oder sogleich widersprechenden Parteien, Cod. Theod. 2,11) wurde eine → *restitutio in integrum* gewährt.
→ Defensor

1 S. LAUFFER, Diokletians Preisedikt, 1971, 7,73.

J. A. CROOK, Legal Advocacy in the Roman World, 1995 (58 ff. Papyri-Nachweise) · D. LIEBS, Röm. Jurisprudenz in Afrika, 1993, 3 (7 ff. epigraphische Nachweise) · M. DE PASCALE, Sul divieto per il »miles« di fungere da »cognitor« o »procurator« in giudizio, in: Index 15, 1987, 399–404 · F. WIEACKER, Cicero als Advocat, 1965.   C. PA.

Adyton s. Abaton, s. Tempel

Aebutius. Röm. Gentilname, seit dem 5. Jh. belegt. Angehörige der Familie der Helvae bekleideten im 5. Jh. nach Ausweis der Fasten mehrmals den Konsulat.
[1] Wahrscheinlich Volkstribun vor 63 v. Chr. und nach den Gracchen. Urheber einer *lex Aebutia*, die Antragstellern von Gesetzen und deren Verwandten untersagte, eine durch das Gesetz geschaffene Funktion zu übernehmen (Cic. leg. agr. 2,21 [1]). Wenn Ae. noch ins 2. Jh. gehört, ist er vielleicht auch Urheber einer *lex Ae-*

butia über die Einführung des Formularverfahrens im Prozeß (Gai. 4,30).

1 E. WEISS, s. v. lex Aebutia, RE 12, 2320.
2. MRR 2,468).   K. L. E.

[2] Ae., P., Sohn eines Ritters, führte zur Aufdeckung und Unterdrückung der Bacchanalien 186 v. Chr. (Liv. 39,9–19).

NICOLET, 2, 757–759.   K. L. E.

[3] Ae. Helva, L., Konsul 463 v. Chr., starb im Amt. **[4]** Ae. Helva, M., Praetor 168 v. Chr. in Sicilia (Liv. 44,17,5; 10; Cognomen möglicherweise gelehrte Erfindung). **[5]** Ae. Helva Cornicen, Postumus, Konsul 442 v. Chr., *magister equitum* 435 (MRR 1, 54; 60). **[6]** Ae. Helva, T., Konsul 499 v. Chr. (MRR 1, 10).
[7] Ae. Liberalis aus Lugdunum. Seneca widmete ihm seine 7 Bücher *de beneficiis* (Sen. ben. 1,1; epist. 91,1; 3; 13). **[8]** Ae. Parrus, T., führte als *tres vir* 183 v. Chr. Kolonien nach Parma und Mutina; 178 war er Praetor auf Sardinia (Liv. 39,55,8; 41,6,5) und behielt das Kommando bis 176 (Liv. 41,15,6). 173 *X vir agris dandis assignandis* in Ligurien und Gallien (Liv. 42,4,3–4).   K. L. E.

Aecae. Stadt in → Apulia an der *via Traiana* (Tab. Peut. 6,3), h. Troia. Im 2. Pun. Krieg zeitweilig auf Seiten Hannibals, 214 v. Chr. von Rom zurückgewonnen (Liv. 24,20,5). In der späteren Kaiserzeit *colonia Augusta Apula Aecae*.

NISSEN 2, 844 · L. VENDOLA, Su alcune iscrizioni latine di Aecae (Troia), in: Annali della Facoltà di Lettere e Filosofia di Bari 27/28, 1984/85, 23–39.   H. SO.

Ächtungstexte. In einem ägypt. Zauber zur Abwehr von Feinden wurden aus Ton, aber auch aus Wachs, Holz oder Stein gefertigte Figuren gefesselter Feinde mit dem Namen der Personen beschriftet, gegen die sich der → Zauber richten sollte. Diesen Vorgang beschreibt Spruch 37 der Sargtexte mit der Anweisung, die Figuren nach der Rezitation eines Zauberspruches in einem Friedhof zu vergraben. Solche sog. Ächtungsfiguren, deren Aufschriften sich gegen Einzelpersonen (manchmal zu Familien gruppiert), insbes. gegen Totengeister (→ Totenkult) richten, sind von der 6. bis zur 18. Dynastie bekannt; tatsächlich stammen sie meist aus Friedhöfen. Unbeschriftete Feindfigürchen auch späterer Epochen dürften ähnlichen Praktiken gedient haben. Noch aus dem AR ist ein entsprechendes Feindvernichtungsritual (→ Magie) großen Stiles belegt, bei dem umfangreiche Gruppen von Figuren und Tongefäßen mit langen Texten, den eigentlichen Ä., beschriftet und sodann rituell zerschlagen und begraben wurden. Ein Fund aus Mirgissa (Nubien) gestattet es, den Ablauf des Rituals, bei dem hier sogar ein Mensch rituell getötet wurde, zu rekonstruieren. Die Ä. geben Listen der asiatischen und afrikan. Nachbarländer Ägyptens, sowie ihrer Fürsten – eine wichtige Quelle für die eth-

nische und polit. Situation vor allem des nubischen und syropalästin. Raumes. Im Bestreben, alle potentiell gefährlichen Elemente durch die bannende Kraft des Zaubers zu neutralisieren, wurden neben den fremden Ländern auch Gruppen der ägypt. Bevölkerung mit ihren womöglich aufrührerischen Elementen, namentlich genannte Einzelpersonen (oft Tote) und zudem global alle bösen Reden, Träume, Absichten etc. genannt. Textgruppen dieser Art sind nur bis zum Ende des MR belegt, doch nennt noch der Pap. Jumilhac (XVIII,8 ff.) in spätptolemaiischer Zeit ein ähnliches Ritual zur Abwehr äußerer Bedrohung wie inneren Umsturzes.
→ Magie; Zauber

G. POSENER, Princes et pays d'Asie et de Nubie, 1940 · Ders., Cinq figurines d'envoûtement, 1987.   S.S.

Aec(u)lanum. Stadt der → Hirpini in Samnium (→ Samnites) im mittleren Calore-Tal an der Kreuzung der *via Herdonitana* (oder Aeclanensis) mit der → *via Appia*, ca. 22 km südöstl. von → Beneventum (Itin. Anton. 102,2; Tab. Peut. 6,5), h. Grotte bei Passo di Mirabella Eclano. Osk. Inschr., darunter eine Weihung an → Mefitis. Von Sulla 89 v. Chr. eingenommen, → *municipium* der *tribus* Cornelia, *regio* II. Im 2. Jh. n. Chr. *colonia Aelia Augusta A.*, dem → *corrector Apuliae et Calabriae* unterstellt; 662 n. Chr. von Constans II. (641–668) zerstört. In der Spätant. nach dem Meilenstein (A.-Beneventum) *ad Quintumdecimum* benannt (Bischofssitz). Mauern in *opus paene reticulatum* mit kleinen Türmen jeweils im Abstand von 20 m und 3 Toren; Theater, Amphitheater, *macellum*, große Thermen, Zisterne, Aquädukt. Frühchristl. Basilika und Baptisterium.

R. GUARINI, Ricerche sull'antica città di Eclano, 1814 · I. SGOBBO, Mirabella Eclano. Monumenti epigrafici oschi scoperti ad A., in: Notizie degli Scavi, 1930, 400–411 · Ders., La fortificazione romana di A., in: Atti dell' II Congresso di Studi Romani, 1931, 394–402 · C. GRELLA, Avellino. Tesoretto repubblicano da Aeclanum, in: Annali dell'Istituto Italiano di Numismatica 25, 1978, 211–21 · Ders., Avellino. Le monete da Aeclanum, in: Annali dell'Istituto Italiano di Numismatica 27/28, 1980/81, 223–36 · L. LOMBARDO, A., in: Locri Epizefirii, 1982, 813–16 · A. SALVATORE, A., 1982.   G.U./S.W.

Aedes s. Tempel

Aedia Servilia. Frau des M'. → Acilius [II 3] Aviola, *cos. ord.* 54 n. Chr.

G. CAMODECA, in: L. DiCosmo, A.M. Villucci (Hrsg.), Il territorio Allifano, 1990, 136f. · RAEPSAET-CHARLIER, Nr. 6.   W.E.

Aedicula. Im röm. Kulturraum bezeichnet A. entweder einen sakralen Schrein (→ Lararium), oft in sepulkralem Kontext (→ Grabbauten), der Urnen oder Bilder der Verstorbenen enthielt, oder einen säulengerahmten Baukörper zur Aufnahme von Statuen und Gemälden, dann entweder als Einzelbauwerk auf meist mannshohem Podium stehend oder als Nische in einen Fassadenverbund integriert. Rück- und Seitenwände sind geschlossen, das flach geneigte Dach meist mit einem ornamentierten Giebel versehen. Vergleichbar ist im griech. Kulturraum der → Naiskos.

NASH, s. v. Faustinae A., 395 · G. FUCHS, s. v. A., KlP 1,83 · P. NOELKE, Ara et a., in: BJ 190, 1990, 79–124 · F. COARELLI, s. v. A. Capraria, in: LTUR I,17–18 · H. v. HESBERG, Elemente der frühkaiserzeitl. A.-Architektur, in: JÖAI 53, 1981/82, 43; 86.   C.HÖ.

Aediles. Der urspr. Aufgabenbereich der *a.* ist noch ungeklärt. *A.* weist auf *aedes* (Tempel) und damit öffentliche Baulichkeiten hin; auf Marktaufgaben läßt die im Griech. übliche Gleichsetzung mit den → Agoranomoi schließen (Iust. 21,5,7).

Die röm. Überlieferung (Liv. 3,55,6f.) stellt die ersten zwei *a. (plebeii)* den seit 494 v. Chr. agierenden *tribuni plebis* zur Seite, wohl als Gehilfen bei Verwaltungsgeschäften am Ceres-Tempel (*aedes Cereris Liberi Liberaeque*), dem Kultzentrum der → *plebs*, und beim Marktbetrieb am nahen Forum Boarium. Vielleicht waren diese *a.* schon für kult. Spiele (*ludi plebeii*: Liv. 6,42,12) verantwortlich. Neben diese *a.* treten wohl 366 v. Chr. mit einer *lex Furia de aedilibus* (Liv. 6,42,11 ff.; Lyd. mag. 1,38) zwei weitere *a.*, die als »curulische« Ämter den Patriziern offen stehen, mit Gerichtsbefugnis und Ehrenzeichen (*ius imaginum*, *praetexta*) versehen sind, aber nicht über Liktoren verfügen, da ihnen ein *imperium* fehlt. Diese *a. curules* besorgen die aufwendigeren *ludi Romani* (Liv. 6,42,12).

In der voll ausgebildeten Verfassung des 1. Jhs. v. Chr. bekleiden die *a.* ihr Amt regelmäßig nach der Quaestur (und evtl. dem Volkstribunat) für ein Jahr; das Mindestalter beträgt 37 Jahre. In ihrer Kompetenz (*potestas*) liegt die Sorge um den Bau und die Erhaltung von Tempeln und öffentlich genutzten Bauten und Straßen in Rom, die Marktaufsicht, die Ausrichtung der öffentlichen Spiele, die Getreide- und Wasserversorgung und andere öffentliche Versorgungs- und Wohlfahrtsmaßnahmen (Cic. leg. 3,7; Dig. 1,2,2,26). Ihre Koerzitionsgewalt macht sie zur wichtigsten innerstädtischen Ordnungsbehörde, sie schließen als Veranstalter der Spiele die entsprechenden Werkverträge und können die im Theaterwesen an sich übliche Form freier Meinungsäußerung (*licentia*) aus polit. oder sittlichen Gründen beschränken.

Die Jurisdiktion der *a. curules* dient als eigenständige Gerichtsbarkeit der Förderung des Marktwesens. Zulässige Klagen sind in einem dem praetorischen Edikt nachgebildeten und später ihm angeschlossenen *edictum aedilium curulium* zusammengefaßt und beschränken sich auf Mängelbeseitigung, Schadensersatz und Tierhalterhaftung (Dig. 21,1,1,1; 1,38pr.; 21,1,40,1 – 42) mit dem Ziel, marktbedingte Streitigkeiten schnell entscheiden und den Parteien die Durchsetzung bestimmter Redlichkeitspflichten garantieren zu können, etwa die Deklaration geschäftserheblicher Nachteile einer Sache (charakterliche Mängel eines Sklaven, Krankheit eines Zugtieres). Die Klagefristen vor den *a.* sind relativ kurz: Die *actio redhibitoria*, mit der ein Kaufvertrag rückgängig gemacht werden kann, ist binnen sechs Monaten zu erheben, die *actio quanti minoris*, die eine Preisminderung erlaubt, innerhalb eines Jahres.

Das Amt lebt auch in der Kaiserzeit fort, doch gehen seine Ordnungsaufgaben zunehmend über den Kaiser auf den → *praefectus praetorio*, → *praefectus urbi* und → *praefectus vigilum* über. Die Getreideversorgung Roms (*cura annonae*), die Caesar noch 44 v. Chr. zwei weiteren *a.* (*cereales*) überträgt (Suet. Iul. 41,1; Dig. 1,2,2,32), übernimmt seit Augustus der Kaiser selbst und läßt sie von einem ihm verantwortlichen *praefectus annonarum* verwalten (R. Gest. div. Aug. 15; 18). Ebenso übernehmen spezielle ritterliche Beamte andere ganz oder zeitweilig von den *a.* wahrgenommene *curae*, etwa die Wasserversorgung (*cura aquarum*). In der Spätant. ist das Amt der *a.* ein städtisches Ehrenamt (Auson., de feriis rom. 31), erscheint aber nicht mehr bei den höheren Reichsämtern (Cod. Iust. 1,26ff.; 12,2–3). Die Spiele richten offenbar die Praetoren aus (Olymp., fr. 44).

In It. und den Prov. lassen die *leges datae* der Munizipien *a.* nach dem Vorbild Roms erkennen. Sie unterstehen dort den *duumviri iure dicundo* und nehmen neben der Marktgerichtsbarkeit weitreichende Verwaltungsaufgaben wahr (Cic. fam. 13,11; Dig. 19,2,30,1; Lex coloniae Ursonensis, LXII ff. / FIRA 1, 183ff.). Sie werden von den → *decuriones* gewählt und sind wie in Rom mit Iudikationsbefugnis und einem Stab von → *apparitores* versehen.

→ tribuni; cursus honorum

A. DEMANDT, Die Spätant., 1989, 280 • E. v. HERZOG, Röm. Staatsverfassung 1 (Ndr. 1965), 798ff. • JONES, LRE, 532, 720 • FIRA 1, 177ff. • KASER, RPR, 1, 554ff. • O. LENEL, Edictum perpetuum, (Ndr.) 1956, 554ff. • MOMMSEN, Staatsrecht, 2, 470ff. • R. M. OGILVIE, Das frühe Rom und die Etrusker, dt. ³1983, 114.   C. G.

Aedinius Iulianus, M. Unter diesem Namen sind bekannt ein *praefectus Aegypti* im J. 222/3 n. Chr. [1. 308f.], ein senatorischer Patron im Album von Canusium (CIL IX 338 = ILS 6121) und ein *legatus Augusti* der Lugdunensis, der später noch *praef. praetorio* wurde (vor 238, CIL XIII 3162; [2]). Vermutlich sind alle Zeugnisse auf eine Person zu beziehen; die gemischte senatorisch-ritterliche Laufbahn ist am ehesten aus der Zeit → Elagabals zu erklären.

1 G. BASTIANINI, Lista dei Prefetti d'Egitto dal 30ª al 299ᵖ, in: ZPE 17, 1975, 263–328 2 H. G. PLAUM, Marbre de Thorigny, 1948.

DIETZ, 40f. • LEUNISSEN, 100, 288.   W. E.

Aedituus. »Tempelhüter«, älter *aeditumus* (Diskussionen der Wortform Varro, ling. 7,12; rust. 1,2,1; Gell.

12,2; ThLL 1,934,6ff.). Der *a.* (auch für Frauen inschr. belegt: CIL VI 2209. 2213) ist vor allem zuständig für die Zutrittsregelung zum Tempel – er öffnet den Tempel, läßt Private selbst zum Kultbild vor (Sen. epist. 41,1), und kann auf Anweisung der zuständigen Magistrate die Tempel auch ausnahmsweise, etwa für Dankesfeiern, öffnen (Liv. 30,17,6). Daneben sorgt er für den gesamten Tempelbezirk, von der Reinigung von Tempel und Kultbild bis zur Aufsicht über im Tempel niedergelegte Weihgeschenke oder Dokumente; er meldet auch im Tempel vorkommende Prodigien (Liv. 43,13,4). Entsprechend wohnt er beim Tempel (Varro ling. 5,50); größere Tempel haben meist mehrere *a.* – etwa derjenige des Iuppiter Optimus Maximus auf dem Kapitol (Gell. 6,1,6) oder von Castor und Pollux in Tusculum (ILS 3396, 6214, 6216; mit einem *magister aedituum* an der Spitze 6215).

Genauere Organisationsformen, Amtsdauer und Wahlbehörde sind unbekannt; unterstellt ist der *a.* gewöhnlich dem Aedilen als dem Beamten, der die *cura aedium sacrarum* wahrnimmt (Varro rust. 1,2,2). *A.* sind zumeist Freie, seltener Sklaven. – Der christl. Kult übernimmt ihn als niedrige Charge des Kultpersonals (Hier. Komm. in Eph. PL 26,590 C, 1. Auflage 1845).

G. WISSOWA, Religion und Kultus der Römer, ²1912, 476f.   F. G.

Aedius. [1] [M. Ae]dius Ba[⸺], Senator aus Allifae, Legat von → Tiberius (CIL IX 2344. 2341); auf ihn ist wohl auch CIL IX 2342 = ILS 944 zu beziehen, somit *per commendationem Ti. Caesaris Augusti ab senatu co(n)s(ul) dest(inatus)* [1. 137ff.]. **[2]** [M. Aedi]us Celer, wohl Sohn von Nr. 1, längere senatorische Laufbahn in augusteisch-tiberianischer Zeit, die bis zum Prokonsulat von Creta-Cyrene führte (CIL IX 2335 = ILS 961; [1; 2] 125ff.]).

1 G. CAMODECA, in: L. DI COSMO, A. M. VILLUCCI (Hrsg.), Il terrritorio Allifano, 1990, 125ff. 2 AE 1990, 222.   W. E.

Aëdon (Ἀηδών). Tochter des Pandareos, wollte aus Eifersucht auf Niobe ihren ältesten Neffen umbringen. Sie tötete aber aus Versehen ihren und Zethos' Sohn Itylos/Itys und wurde in eine Nachtigall verwandelt (Hom. Od. 19,518–523) [1]. Thebanische Version der Erzählung von Prokne und Philomela: Hes. erg. 568 und Sappho fr. 130 V; att. Version: Soph. Tereus: TrGF 4 p. 435–437 und Apollod. 3,193 [2]. Ant. Lib. 11 verlegt die Gesch. nach Ephesos. A. bezeichnet die personifizierte Nachtigall. Älteste bildliche Darstellung auf einer Metope von Thermon [3]. Die Erzählung soll von einem dionysischen Ritual abgeleitet sein [4].

1 J. RUSSO (Hrsg., Komm.), Omero: Odissea Bd. 5, 1987, (zur Stelle) 2 J. G. FRAZER, Apollodorus, 1946, 98 3 E. TOULOUPA, s. v. A., LIMC 7.1, 527 Nr. 1; vgl. 7.1, 527 Nr. 2 4 W. BURKERT, Homo Necans, 1972, 201–207.   A. S.

Aeficianus. Griech. Arzt und Philosoph, Lehrer des
→ Galenos, lebte um 150 n. Chr. in Kleinasien (Gal.
19,58, CMG V 10,2,2, 287). Als langjähriger Schüler des
→ Quintus (Gal. 18A, 575) und Anhänger des → Hippokrates interpretierte er zumindest einige ihrer Lehren
in stoischem Sinne, z. B. aus dem Bereich der Psychologie, in der er dem Stoiker Simias folgte (Gal. 19,58;
18b, 654]. Die Hippokratesdeutung, die ihm in der Galenausgabe von KÜHN bei Gal. 16,484 zugeschrieben
wird, ist eine Renaissancefälschung.   V. N. / L. v. R.-P.

Aefulae. Ort in → *Latium vetus* (Tac. ann. 4,5,3), wohl
auf dem Mons Aeflanus, dem h. Monti di S. Angelo in
Arcese, südl. von Tivoli. Dort wurden Befestigungen
entdeckt, mit denen das Tal des → Anio gesperrt werden
konnte. 211 v. Chr. Verteidigungsanlage (Liv. 26,9,9),
z.Z. des Plinius nicht mehr nachzuweisen (Plin. nat.
3,69); Kult der → Bona Dea existierte jedoch weiter
(CIL XIV 3530).
→ Befestigungswesen

    C. F. GIULIANI, Tibur 2, 1966, 171–192.   S. Q. G. / S. W.

Ägäische Koine A. DEFINITION
B. I NEOLITHIKUM B. 2 FRÜHE BRONZEZEIT
B. 3 DIE MINOISCHE KOINE (MITTLERE UND BEGINN
DER SPÄTEN BRONZEZEIT) B. 4 DIE MYKENISCHE
KOINE (SPÄTE BRONZEZEIT)

A. DEFINITION
Im Gegensatz zu den neuzeitlichen, durch die polit.
Probleme zw. Griechenland und der Türkei bedingten
Verhältnissen hat das ägäische Meer in der Ant. immer
eine verbindende Funktion zw. dem griech. Festland,
den Inseln der Ägäis und der Westküste Kleinasiens gehabt. In der ägäischen Bronzezeit haben sich über die
Seewege mehrmals kulturelle Züge und Ideen dergestalt
ausgebreitet, daß man jeweils von der Existenz einer
ä.K. sprechen kann. Diese ägäischen Koinai zeigen unterschiedliche Ausprägungen. Jene der Frühen Bronzezeit (Mitte und zweite Hälfte des 3. Jt. v. Chr.) basierte
allem Anschein nach auf ökonomischen Beziehungen,
bei denen vor allem der Metallhandel eine wichtige
Rolle spielte, jene der Mittleren und Späten Bronzezeit
(zw. ca. 2000 und 1200 v. Chr.) waren daneben wohl
auch mit machtpolit. Expansionen verbunden, zunächst
durch die sog. min. Kultur Kretas, dann durch die sog.
myk. Kultur des griech. Festlandes.

B. I NEOLITHIKUM
Mit dem Beginn des Neolithikums um 7000 v. Chr.
kam die Idee von Ackerbau und Viehzucht in den ägäischen Raum. Die große Ähnlichkeit in der Anlage und
Architektur der Siedlungen sowie der Artefakte in den
neu angelegten Dörfern auf Kreta sowie in der thessal.
und maked. Ebene zu gleichzeitigen Dörfern in Kleinasien und weiter östl. deuten darauf hin, daß sie – im Fall
von Kreta – das Ergebnis von Kolonisation über See [1]
und – im Fall von Makedonien und Thrakien – das

Ergebnis von Kolonisation über Land durch Thrakien
oder ebenfalls über See war [2]. Der überseeische Austausch zw. den verschiedenen Regionen des ägäischen
Raumes wurde im Verlauf des Neolithikums (ca. 7000
bis 3100 v. Chr.) und vor allem in dessen letzten Jt. stärker.

B.2 FRÜHE BRONZEZEIT
In der zweiten Phase der Frühen Bronzezeit (ca. 2700
bis 2200 v. Chr.) veränderten zwei Schlüssel-Innovatio-
nen die neolithischen Handelsmuster und lösten eine
starke kulturelle Entwicklung im ägäischen Raum aus:
die Bronze-Metallurgie und die Langboote [3–6]. Das
in der Ägäis seltene und in der Herstellung kostspielige
Metall erforderte die Beschaffung wichtiger Rohmaterialien (insbes. von Zinn für die Herstellung der
Zinnbronze) und Kapital-Investitionen (Bergwerke,
Technologie, »menschliches« Kapital, d. h. Spezialisten
mit technischen Kenntnissen) und stellte eine neue
Form des Reichtums dar, es konnte – im Gegensatz zu
den älteren Austauschmaterialien, die nach der Bearbeitung nicht wiederverwendbar waren, lagerbar, jederzeit eingeschmolzen und wiederverwendet, leicht
weitergegeben und angesammelt werden. Es hatte demnach die Eigenschaften, die Ökonomen wesentlich für
den Gebrauch als ein Mittel des Austausches oder Rech-
nungseinheit in einem sich entwickelnden ökonomischen System mit der Zielsetzung, Reichtum anzuhäu-
fen, ansehen. Und in der arch. Hinterlassenschaft zeigt
sich deutlich eine Tendenz der Eliten jener vier Kulturkreise, die sich um das ägäische Meer herum und auf
seinen Inseln herausgebildet hatten, des trojanischen
oder ostägäischen an der Westküste Kleinasiens und den
ihr vorgelagerten Inseln (Lemnos, Lesbos, Samos), des
frühhelladischen in Süd- und Zentral-Griechenland,
des frühkykladischen der Kykladen-Inseln und des
frühmin. Kretas, Reichtum und damit Prestige anzu-
häufen, etwa im sog. Schatz des Priamos aus Troja II [7],
im Thyreatis-Hortfund aus der südl. Argolis [8] oder in
den Beigaben von Goldobjekten in Elite-Gräbern von
Mochlos in Ostkreta [9]. Die Langboote ermöglichten
es, neue Märkte und neue Produzenten zu erschließen
und den Umfang der Transaktionen wesentlich zu erweitern. Durch Blei-Isotopen-Analysen läßt sich die
Existenz eines Metallhandels in der 2. Phase der Frühen
Bronzezeit zw. den vier Kulturkreisen nachweisen [10–
12], eine Anzahl von Metallobjekt-Typen war in der 2.
Phase der Frühen Bronzezeit in allen vier ägäischen
Kulturkreisen oder aber zumindest in drei von ihnen
verbreitet, der ostägäische Kulturkreis scheint die führende Rolle bei der Entwicklung der meisten von ihnen
gespielt zu haben [13]. Den Austausch von rel. Ideen
belegen die Importe und lokalen Imitationen von weiblichen Marmorfigurinen des kykladischen sog. kanonischen Typus auf dem griech. Festland und auf Kreta,
jenen sozialer Praktiken in der Einführung eines Trink-
oder Ausgußgefäß-Typus festländischer Herkunft (*Sau-
ciere*) auf den Kykladen und auf Kreta sowie kleinasia-
tischer Trinkgefäßtypen (*depas*, Henkelkrug) auf den

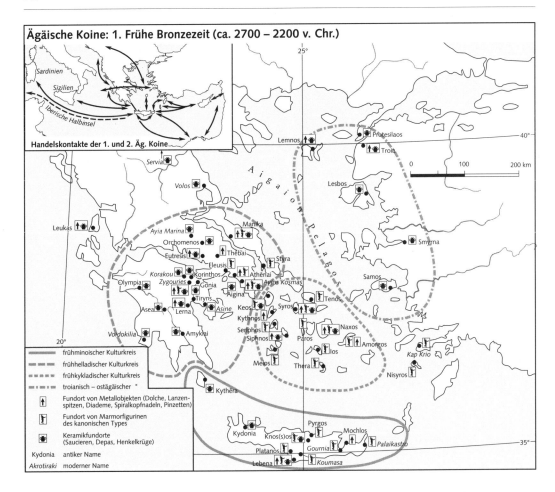

Ägäische Koine: 1. Frühe Bronzezeit (ca. 2700 – 2200 v. Chr.)

Kykladen und dem griech. Festland. C. RENFREW hat in diesem Zusammenhang vom *international spirit* der 2. Phase der ägäischen Frühbronzezeit gesprochen. Man kann sagen, daß es zu dieser Zeit zum ersten Mal eine ä.K. gegeben hat. Allerdings haben die einzelnen Regionen ihre kulturelle Identität bewahrt, wie sich in vielen anderen Funden von begrenzterer Verbreitung zeigt. Die Beziehungen dieser ersten ä.K. gingen auch über den ägäischen Raum hinaus. Bei Import und Verwendung des Zinns für die Zinnbronze in der Ägäis läßt sich an der Rolle levantinischer und syr. Zentren kaum zweifeln. Mit dem Zinn und der Bronzetechnologie wurden auch andere Ideen in den ägäischen Raum vermittelt, so die Verwendung von Siegeln und zur Versiegelung von Tonplomben im Zusammenhang mit der Kontrolle von Warenbewegungen [14; 15]. Nach Kreta kamen zu dieser Zeit aus der Levante und aus Ägypten außerdem Elfenbein (vom Hippopotamus) [16; 17] und Steingefäße [18]. Die Handelswege führten auch nach Westen und Nordwesten über die Ägäis hinaus. Einen Beleg hierfür liefert die Nekropole der sog. R-Gräber von Nidri auf Leukas [19]. Der sich in den Grabinventaren widerspiegelnde Reichtum der Bewohner der zugehörigen Siedlung erklärt sich aus ihrer Involvierung

in Handelsaktivitäten entlang des ionisch-adriatischen Seeweges, bei denen wohl die Kupfervorkommen des Balkans eine wesentliche Rolle gespielt haben. Die Beigaben der R-Gräber zeigen Verbindungen mit den Kykladen, der östl. Ägäis und Kreta an [20]. Nicht ägäischen Ursprungs aber ist der Typus der Grabanlagen: Die Nekropole besteht aus von Steinen eingefaßten Grabhügeln, in die Steinkistengräber eingelassen sind. Diese Grabform kennen wir in dieser Zeit vom nördl. Balkan, vor allem auch in der dalmatischen Küstenzone [21]. Wir haben demnach in den R-Gräbern von Leukas eine Mischkultur aus ägäischen und balkanischen Elementen vor uns. Über Handelsbeziehungen wurden Ideen aus der Ägäis in das zentrale Mittelmeer, nach Sizilien und Sardinien vermittelt, möglicherweise auch darüber hinaus auf die iberische Halbinsel [22]. Gegen Ende des 3.Jt. v.Chr. endete die erste ä.K. in einer Reihe von Zerstörungen, Siedlungsdiskontinuitäten und Veränderungen in der materiellen Kultur auf den Kykladen und in Zentral- und Südgriechenland. Die Ursachen hierfür sind in der Forsch. noch stark umstritten. Vorgeschlagen wurden u.a. Zuwanderungen und Invasionen aus dem westl. Kleinasien und den Inseln der östl. Ägäis, Zusammenbruch der sozialen Struk-

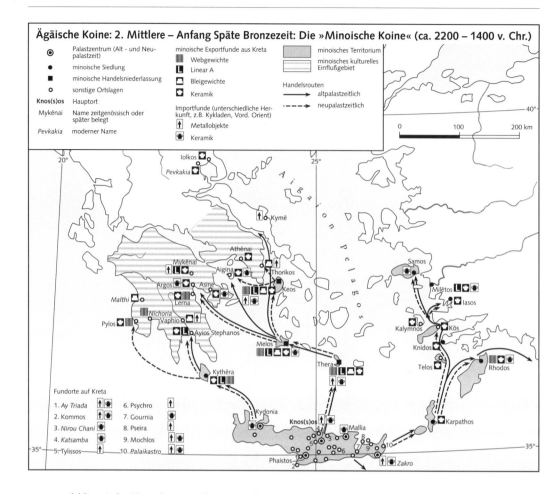

Ägäische Koine: 2. Mittlere – Anfang Späte Bronzezeit: Die »Minoische Koine« (ca. 2200 – 1400 v. Chr.)

turen und klimatische Veränderungen [23; 24]. Allein Kreta blieb von diesen Turbulenzen weitgehend verschont, und die min. Kultur Kretas schaffte als erste im ägäischen Raum den Schritt zur Hochkultur.

B.3 DIE MINOISCHE KOINE

(Mittlere Bronzezeit und Beginn der Späten Bronzezeit). Zu Beginn der Mittleren Bronzezeit, um 2000 v. Chr. wurden auf Kreta die ersten Palastzentren, die sog. Alten Paläste, inmitten von Städten errichtet. Sie bildeten Administrations-, Kult- und Handelszentren [25]. Einen entscheidenden Fortschritt in der Schiffahrt stellte die Einführung der Segeltechnik dar, die nun an die Stelle des menschlichen Antriebs trat [26]. Zur Sicherung der Seerouten zur südl. Peloponnes und nach Kleinasien gründeten die min. Kreter bereits um die Mitte des 3. Jt. v. Chr. eine Niederlassung auf Kythera (Kastri), im frühen 2. Jt. v. Chr. dann auch auf Karpathos, Rhodos (Trianda / Ialysos), Samos sowie in Knidos und Iasos in Karien. Diese Seeroute reichte bis bis in die Nordost-Ägäis, wie die überraschenden Funde von min. Siegelabdrücken auf Samothrake zeigen [27]. Eine dritte Seeroute verband über die noch unabhängigen kykladischen Siedlungen von Akrotiri auf Thera, Phylakopi auf Melos und Agia Irini auf Keos, Kreta mit der

Argolis, mit Attika und Thessalien. Das Motiv für die Organisation dieser Handelsrouten bildete in erster Linie der Bedarf an auf Kreta nicht in ausreichendem Maße vorhandenen Metallen. Nachgewiesen sind Importe von Silber und Blei aus Siphnos und Laurion, andere Metallquellen lassen sich vermuten [28; 29]. In der Altpalastzeit reichten die Handelskontakte Kretas auch erstmals in bemerkenswerter Weise über die Ägäis hinaus in das östl. Mittelmeer. Dies zeigen die Funde von altpalastzeitlicher Keramik der sog. Kamares-Ware auf Zypern (Lapithos, Karmi), in der Levante (Ugarit, Qatna, Byblos, Hazor) und in Ägypten (Auaris und weitere Fundorte in Mittel- und Oberägypten) sowie min. Prestigeobjekten aus Edelmetall in Byblos und Auaris [30]. Im Tontafelarchiv des Palastes von Mari am mittleren Euphrat werden kostbare Importe aus Kreta genannt, darunter ein Prunkschwert und Schuhe. Eine andere Mari-Tafel registriert Zinn, das von der Palastadministration an seine Agenten in verschiedenen Städten verteilt wurde. In Ugarit erwarb ein Kreter Zinn von den Agenten des Mari-Palastes.

Um 1750 v. Chr. fielen die Alten Paläste Kretas Zerstörungen zum Opfer, die zumeist Erdbeben zugeschrieben werden. Diese Ereignisse bedeuteten aber keinen Bruch in der Entwicklung. Es wurden die Neuen Paläste erbaut, und einige Indizien sprechen dafür, daß die gesamte Insel nun unter der Kontrolle von Knossos stand [31]. Die Indizien für min. Präsenz und min. Einfluß im ägäischen Raum sind in der Neupalastzeit noch stärker und weiter verbreitet als in der Altpalastzeit, und dieses Phänomen ist wiederum mit der Rolle des Handels und der Suche nach Metall zu verbinden. Der Charakter der min. Einflüsse zeigenden Siedlung ist in der Forsch. kontrovers diskutiert worden. Die Bandbreite der Vorschläge reicht von ihrer Interpretation als Teile eines min. Seereiches [32] bis jener als unabhängige Handelsstädte, die nur kulturelle Einflüsse aufnahmen [33]. Gegen letztere Deutung spricht aber eine Reihe von Indizien. So wurden in Akrotiri auf Thera, Phylakopi auf Melos, Agia Irini auf Keos, Kastri auf Kythera und in Milet Zeugnisse für den aktiven Gebrauch der min. Linear A-Schrift gefunden, an den ersten drei Fundplätzen sogar Tontafeln administrativen Charakters [34; 35]. Eine ähnliche Verbreitung zeigen Bleigewichte des min. Gewichtssystems. Die tatsächliche Präsenz von Minoern auf einer Reihe von Kykladen- und Dodekanes-Inseln sowie an der Südwestküste Kleinasiens belegt das dortige Auftreten von min. Haushaltsware wie konischen Näpfen, dreibeinigen Kochtöpfen und Webgewichten des scheibenförmigen min. Standard-Typus. Wir haben dabei zw. rein min. Niederlassungen (Kastri auf Kythera, Trianda/Ialysos auf Rhodos, Milet) und solchen Siedlungen zu unterscheiden, in denen Einheimische die Mehrheit der Bevölkerung stellten (Akrotiri auf Thera, Phylakopi auf Melos, Agia Irini auf Keos). Die min. Koine in der Ägäis zur Zeit der kret. Neupalastzeit drückt sich auch in der Übernahme min. Vorbilder in der Architektur, in der vor allem rel. Ikonographie der Freskomalerei sowie in Kultobjekten aus. Ein Zeugnis dafür, daß der Einfluß Kretas auf die ägäischen Inseln nicht nur ein kultureller, sondern auch ein polit. war, findet sich in den ägypt. Quellen, die von Kreta und den »Inseln in der Mitte der großen grünen See« als polit. Einheit sprechen [36]. Der arch. Befund und die ägypt. Quellen scheinen damit die histor. Realität der Überlieferung von der »Thalassokratie des Minos« im ägäischen Meer zu bestätigen. Dagegen ist vorgebracht worden, daß diese Legende nicht älter als Herodot sei [37], aber bereits von Hesiod wurde Minos als der königlichste der sterblichen Könige bezeichnet, der über die meisten der ringsum lebenden Menschen herrscht [38]. Zu der »kulturellen« Koine der minoisierten Ägäis gehört seit der Zeit der sog. Schachtgräber von Mykene und der ersten Tholosgräber in Messenien, d. h. seit der Entstehung der myk. Kultur, auch Zentral- und Südgriechenland. Der vorausgehenden mittelhelladischen Epoche war eine künstlerische Tradition fremd, so daß die aufstrebenden festländischen Eliten min. Prestigeobjekte importierten oder min. Stil und min. Ikonographie imitieren ließen [39]. Diese kulturelle Anhängigkeit war aber keineswegs mit einer polit. verbunden. Außerhalb der Ägäis zeigt die

neupalastzeitliche Keramik eine ähnliche Verbreitung wie die altpalastzeitliche. Von bes. Interesse sind in ägäischer Freskotechnik, Ikonographie und Stil ausgeführte Wandmalereien der Hyksos-Zeit und frühen XVIII. Dynastie in der Levante (Alalach, Tel Kabri) und Ägypten (Auaris), die nicht ohne die zeitweise Präsenz von ägäischen Künstlern denkbar ist [40; 41]. Schließlich bezeugen ägypt. Quellen sowie die Darstellungen von Kretern (Keftiu) in Beamtengräbern der früheren XVIII. Dynastie im ägypt. Theben diplomatische Verbindungen und Handelsbeziehungen zw. Ägypten und Kreta.

W.-D. N.

B.4 DIE MYKENISCHE KOINE

(Ca. 1400–1200 v. Chr.). Urspr. als Spezialterminus für die überregionale stilistische Einheitlichkeit myk. Keramikstile des 14. Jh. v. Chr. geprägt (*koine style*), läßt sich »Koine« darüber hinaus zur Charakterisierung der insgesamt sehr homogenen Kultur der myk. Palastperiode des 14. und 13. Jhs. v. Chr. anwenden. Herausbildung und Verbreitung dieser kulturellen Koine waren eng mit der Entwicklung und Gesch. jenes Herrschafts- und Wirtschaftssystems verbunden, welches sämtliche Funktionen eines Staates in den als »Paläste« bezeichneten architektonischen Großanlagen konzentrierte und welches dem arch. Befund nach um 1400 v. Chr. im myk. Griechenland eingeführt wurde. Die myk. Paläste verdankten ihre Existenz der Herausbildung von Staaten mit größerer Flächenausdehnung, deren monarchisches Regime theokratisch und mit großer Machtfülle ausgestattet war. Zentralistische Herrschaft und »redistributives« Wirtschaftssystem erforderten eine komplizierte, von einem umfangreichen Beamtenapparat getragene Administration und eine Kontrolle durch Bürokratie. Ergebnis war die Entwicklung der sog. → Linear B-Schrift, deren auf Tontäfelchen aufgezeichnete Texte grundlegende Quellen für die Erforsch. der myk. Palastära sind. Durch sie wird eine erste, wichtige Facette der myk. Koine offenbar: Anders als die min. Koine, wurde sie getragen von Sprechern des Griechischen.

Welche polit. und ökonomischen Prozesse zur Herausbildung und Etablierung myk. Paläste im späten 15. oder frühen 14. Jh. v. Chr. führten, ist wenig klar. Arch. Hinweise deuten auf Machtausdehnung auf Kosten kleinerer Herrschaftsbereiche, die in den Territorien der Palast-Staaten aufgingen. Einige Faktoren sind einer endogenen Entwicklung aus der frühmyk. Tradition zuzuschreiben, andere (z. B. der extreme Zentralismus von Herrschaft und Verwaltung) eher oriental. Vorbildern. Offenkundig ist die Vorbildwirkung der min. Paläste für Funktionspläne, Architektur, Ausstattung und für die Grundzüge der Verwaltung myk. Paläste. Die myk. Linear B-Schrift wurde auf der Basis der nicht-griech. min. Kanzleischrift (Linear A) entwickelt, und dasselbe gilt für das myk. Maß- und Zahlensystem. Viele Forscher rechnen auch mit einem min. Vorbild für die myk. Königsideologie. Möglicherweise hing diese Übernahme min. Elemente mit polit. Ereignissen gegen Ende

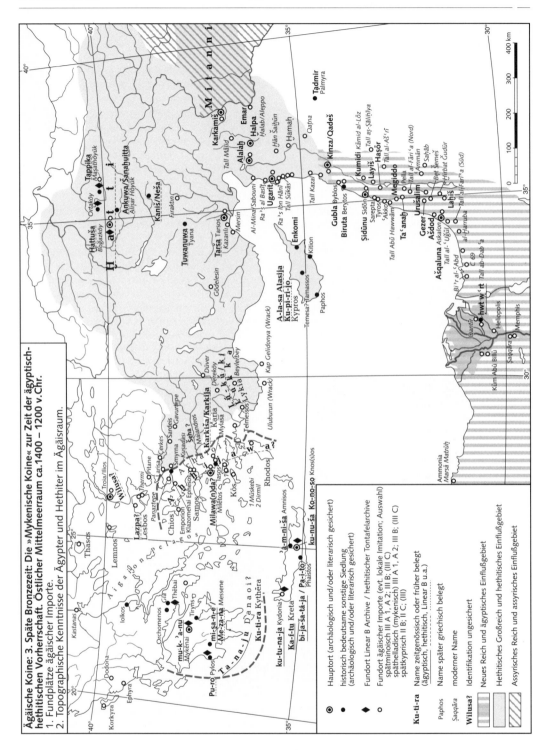

Ägäische Koine: 3. Späte Bronzezeit: Die »Mykenische Koine« zur Zeit der ägyptisch-hethitischen Vorherrschaft. Östlicher Mittelmeerraum ca.1400 – 1200 v.Chr.
1. Fundplätze ägäischer Importe.
2. Topographische Kenntnisse der Ägypter und Hethiter im Ägäisraum.

der min. Palastära zusammen: Schon im 15. Jh. v. Chr. fielen die min. Siedlungen auf den Kykladen in myk. Besitz, und spätestens um 1400 gerieten Knosos und der Großteil Kretas unter myk. Herrschaft. In der Folge ging das gesamte Kommunikations- und Handelsnetz Kretas im östl. Mittelmeer an die Mykener über, und min. Kolonien in der Ägäis und in Kleinasien (z.B. → Rhodos, → Milet) wurden mykenisch. In ihrem Aufstieg zur Führungsmacht in der Ägäis und in der geogr. Weite ihrer Außenbeziehungen (s.u.) war die myk. Palastkultur das Erbe der min. Koine. Verbunden mit diesen Vorgängen war die Akkumulierung von Reichtum an den palatialen myk. Zentren.

Myk. Paläste sind bisher für die Argolis (Mykene, Tiryns, Midea), Böotien (Theben, Orchomenos), für Messenien (Pylos) und für Kreta (Knosos) bezeugt. Ob die Großanlage im böotischen Gla und der Gebrauch der Linear B-Schrift im westkret. Chania (»Kydonia«) diese beiden Fundorte als Paläste ausweisen, wird debattiert. Für Lakonien, Attika (Athen, Eleusis) und die Gegend um Volos (»Iolkos«) werden Paläste postuliert, sind aber arch. nicht gesichert. Arch. Quellen und Linear B-Texte bezeugen die erstaunliche Einheitlichkeit, welche die Paläste in Architektur, Organisation, Kult und Religion, Wirtschaft und Kunst an den Tag legten. Titel (*wanax*) und Charakter des Königtums, Plan und Ausstattung der Königshalle (»Megaron«), Aufbau und Titel der Würdenträger-Hierarchie und offizieller Kult waren an allen Palastzentren gleich und belegen dieselbe Staatsform und dieselbe Königsideologie. Diese Einheitlichkeit ließ in der Forsch. gelegentlich die Vorstellung eines gesamtgriech. »Mykenischen Reiches« unter der Führung Mykenes entstehen. Die Linear B-Texte unterstützen dies aber nicht. Sollte daher der hethit. Ländername → Achijawa tatsächlich auf das griech. Festland zu beziehen sein, dann nicht im Sinne eines gesamtmyk. Reiches. Wohl aber weisen Sachkultur und Linear B-Texte auf enge Beziehungen der Palastzentren untereinander im 14. Jh. und im größeren Teil des 13. Jh. v. Chr. hin. Sie verliefen auf diplomatischer, polit.-wirtschaftlicher, kultureller und gelegentlich mil. Ebene. Die homogene myk. Kultur zw. ca. 1400 und 1250/30 v. Chr. wurde demnach von Palästen geschaffen und getragen. Sie strahlte aus in jene Regionen des myk. Griechenland, wo es keine Paläste gab. Herrschaftsgebiete nachgeordneten Ranges, myk. »Provinzen«, orientierten sich dort am Vorbild der Palastkultur. Sie übernahmen spirituelle Schöpfungen z. B. der rel. Sphäre (Phi-, Tau-, Psi-Idole, Rinderfigürchen, Kultgefäße) und des Totenkultes (Grabarchitektur, Grabsitten), doch auch Architekturelemente, Hausformen, Lebensstil. Ebenso wurden die technologischen Errungenschaften und die Stilrichtungen der Palastwerkstätten auf den Gebieten von Töpferei und Koroplastik, Bronzehandwerk, Goldschmiedekunst, Holz-, Stein- und (Elfen-)Beinverarbeitung in den Prov. rasch aufgenommen. Originalerzeugnisse palatialer Werkstätten erreichten die Prov. durch Handel und diplomatischen Verkehr. Auch Rohmaterialien, die aus dem von den Palästen dominierten Außenhandel stammten, erreichten die Prov.regionen erst sekundär. Meisterleistungen der myk. Koine wie monumentale und repräsentative Architektur, Wand- und Fußbodenmalerei und namentlich Fresken, Luxusobjekte exklusiven Kunsthandwerks blieben den Palästen vorbehalten. Regionale Varianten der Koine entstanden z. B. auf → Kreta und Rhodos, wo die min. Tradition noch stark verwurzelt war.

Während der Palastära nahm der myk. Einfluß im gesamten Mittelmeerraum zu. Kreta, die ägäischen Inseln, Phokis, das Spercheiostal und Westthessalien wurden Teil der myk. Koine, die auch in die Gebiete nördl. des Olymp vordrang. An der anatolischen Küste entstanden myk. Siedlungen (z. B. Milet, Iasos, Panaztepe) und auch Troia weist Spuren myk. Präsenz auf. Im Westen siedelten sich Mykener im Golf von Tarent und auf Sizilien an, während Zypern zwar unter starken myk. Einfluß geriet, aber keine myk. Präsenz jenseits individueller Ansiedlungen aufweist. Die Eingliederung dieser Gebiete in das Einflußgebiet der myk. Koine erfolgte auf Initiative der Paläste, denen sie als Stützpunkte für die Handelsverbindungen und den diplomatischen Verkehr mit Ägypten, der Levante (Ras Schamra-Ugarit), nach Anatolien, nach Norden und ins westl. Mittelmeer dienten. Oriental. und myk. Texte, Bildzeugnisse und Sachobjekte bezeugen vor allem den Osthandel, der seinen Höhepunkt in der Periode von ca. 1340 v. Chr. (Echnaton und die Residenz in Tell Amarna) bis ca. 1250 (Ramses II.) erlangte. Myk. Objekte (meist Vasen) kamen damals bis ins Innere Anatoliens, weit ins syr. Hinterland und nach Mittel- und Oberägypten. Auf myk. Seite wurde dieser vorwiegend mit Metallen, Öl, Wein, Getreide und Sachgütern (bis zur Luxusklasse) befaßte Handel von den Palästen monopolisiert und erreichte die Prov.regionen nur sekundär. Umgekehrt stammten die im Orient und im Westen gefundenen myk. Objekte aus den palatialen Zentren.

Gegen Ende des 13. Jhs. v. Chr. (um 1250/30) begann sich die myk. Koine in regionale Sonderentwicklungen aufzulösen. Die Paläste gerieten damals in eine Situation großer Bedrängnis durch Ursachen, die hier nicht erörtert werden müssen; infolgedessen wurden anscheinend auch die überregionalen Kommunikationsstrukturen unterbrochen. Mit dem Untergang der myk. Palast-Staaten und ihrer Kultur am Ende des 13. Jh. v. Chr. fand auch die myk. Koine ihr Ende. Auf sie folgte der Regionalismus der nachpalatialen Zeit (12./11. Jh. v. Chr.).   S. D.-J.

1 J. F. CHERRY, in: Proceedings of the Prehistoric Society 47, 1981, 41–68 2 M. H. JAMESON, C. N. RUNNELS, T. H. VAN ANDEL, A Greek Countryside: The Southern Argolid from Prehistory to the Present Day, 1994, 341–342 3 C. RENFREW, in: AJA 71, 1967, 1–20 4 Ders., The Emergence of Civilisation: The Cyclades and the Aegean in the Third Millenium B. C., 1972, 308–338; 356–358 5 C. BROODBANK, in: AJA 93, 1989, 319–337 6 Ders., in: World Archaeology 3, 1993, 315–331 7 H. SCHLIEMANN, Bericht über die Ausgrabungen in Troja in den Jahren 1871–1873, 295–301. Taf. 192–209 8 C. REINHOLDT, in: JDAI 108, 1993, 1–41 9 J. S. SOLES, The Prepalatial Cemeteries at Mochlos and Gournia and the House Tombs of Bronze Age Crete, 1992, 255–258 10 N. H. GALE, Z. A. STOS-GALE, in: J. A. MacGILLIVRAY, R. L. N. BARBER (Hrsg.), The Prehistoric Cyclades, 1984, 255–276 11 Z. A. STOS-GALE, N. H. GALE, G. R. GILMORE, in: Oxford Journal of Archaeology 3, 1984, 23–43 12 Z. A. STOS-GALE, in: H. HAUPTMANN, E. PERNICKA, G. A. WAGNER (Hrsg.), Old

World Archaeometallurgy, Der Anschnitt, Beih. 7, 1989, 279–292 **13** M.B. COSMOPOULOS, The Early Bronze 2 in the Aegean, 1991, 56–73 **14** P. FERIOLI, E. FIANDRA in: I. PINI (Hrsg.), Fragen und Probleme der brz.zeitlichen ägäischen Glyptik, Corpus der min. und myk. Siegel, Beih. 3, 1989, 41–53; **15** Dies. in: T.G. PALAIMA (Hrsg.), Aegean Seals, Sealings und Adminstration = Aegaeum 5, 1989, 221–229 **16** O.H. KRYSZKOWSKA, in: BSA 83, 1988, 209–234 **17** Dies., in: I. PINI (Hrsg.), Fragen und Probleme der bronzezeitlichen ägäischen Glyptik, 1989, 111–126 **18** P.M. WARREN, in: Pepragmena tou 4. Kretologikou Synedriou, 1981, 628–637 **19** W. DÖRPFELD, Alt-Ithaka, 1927 **20** K. BRANIGAN, in: BSA 70, 1975, 37–49 **21** B. GOVEDARICA, in: D. SREJOVIC, N. TASIC (Hrsg.), Hügelbestattungen in der Karpaten-Donau-Balkan-Zone während der äneolithischen Epoche, 1985, 57–70 **22** O. HÖCKMANN, in: Kunst und Kultur der Kykladeninseln im 3. Jt. v. Chr., 1976, 168–175 **23** J.L. DAVIS, in: AJA 96, 1992, 754 **24** J.B. RUTTER, in: AJA 97, 1993, 764–767 **25** J.F. CHERRY, in: C. RENFREW, J.F. CHERRY (Hrsg.), Peer Polity Interaction and Socio-Political Change, 1986, 19–45 **26** L. BASCH, Le musée imaginaire de la marine antique, 1987, 93–115 **27** D. MATSAS, in: Studia Troica 1, 1991, 159–179 **28** W.-D. NIEMEIER, in: M. MARAZZI, S. TUSA, L. VAGNETTI (Hrsg.), Traffici micenei nel mediterranea: Problemi storici e documentazione archeologica, 1986, 245–247 mit Abb. 4 **29** Z.A. STOS GALE, C.F. MACDONALD in: N.H. GALE (Hrsg.), Bronze Age Trade in the Mediterranean, 1991, 254, Abb. 1 **30** G. WALBERG, Ägypten und Levante 2, 1991, 111–118 **31** M.H. WIENER, in: Thera and the Aegean World III.1, 1990, 150–151 **32** S. HOOD, in: R. HÄGG, N. MARINATOS (Hrsg.), The Minoan Thalassocracy: Myth and Reality, 1984, 33–37 **33** F. SCHACHERMEYR in: Thera and the Aegean World I, 1978, 423–428 **34** T.G. PALAIMA in: Temple University Aegean Symposium 7, 1982, 15–22 **35** E.B. FRENCH, Archaeological Reports 40, 1994, 69 **36** E. und Y. SAKELLARAKIS, in: R. HÄGG, N. MARINATOS (Hrsg.), The Minoan Thalassocracy: Myth and Reality, 1984, 201–202 **37** C.G. STARR, Historia 3, 1954/55, 282–294 **38** G. HUXLEY, Minoans in Greek Sources, 1968, 2–3 **39** W.-D. NIEMEIER in: Aux origines de l'hellénisme: La Crète et la Grèce, Hommage à H. v. EFFENTERRE, 1984, 111–119 **40** W.-D. NIEMEIER in: S. GITIN (Hrsg.), Recent Excavations in Israel: A View to the West, Archaeological Institute of America, Colloquia & Conference Papers No. 1, 1995, 1–15 **41** M. BIETAK in: W.V. DAVIES, L. SCHOFIELD (Hrsg.), Egypt, the Aegean and the Levant: Interconnections in the Second Millenium B.C., 1995, 19–28.

H.-G. BUCHHOLZ, V. KARAGEORGHIS, Altägäis und Altkypros, 1971 · J. CHADWICK, Die myk. Welt, 1979 · E.H. CLINE, Sailing the Wine-Dark Sea. International Trade in the Late Bronze Age Aegean, 1994 · S. HILLER, O. PANAGL, Die frühgriech. Texte aus myk. Zeit, ²1986 · K. KILIAN, The Emergence of the wanax Ideology in the Mycenaean Palaces, in: Oxford Journal of Archaeology 7, 1988, 291–302 · F. SCHACHERMEYR, Die ägäische Frühzeit II, 1979 · R.-D. TREUIL, J.C. PASCAL-POURSAT, G. TOUCHAIS, Les civilisations égéennes du neolithique et de l'âge du bronze, 1989.
KARTENLITERATUR:
H.-G. BUCHHOLZ (Hrsg.), Ägäische Bronzezeit, 1987 · G. BUNNENS, A. KUSCHKE, W. RÖLLIG, Palästina und Syrien zur Zeit der ägyptisch-hethitischen Vorherrschaft, TAVO

B III 3, · E. EDEL, Die Ortsnamenliste aus dem Totentempel Amenophis III., 1966, 33 ff. Neubearbeitung · M. FORLANI, Kleinasien. Das Hethitische Reich im 14.–13. Jahrhundert v. Chr. TAVO B III 6, 1992 · F. GOMAÁ, R. HANNIG, Ägypten zur Zeit des Neuen Reiches, TAVO B III 1, 1991 · G. KOPCKE, Handel, ArchHom Kap. M, 1990 · G.A. LEHMANN, Die mykenisch-frühgriechische Welt und der östliche Mittelmeerraum in der Zeit der Seevölkerinvasionen, 1984 · J. OSING in: JEA 68, 1982,77 f.

Aegidius. Gallischer Aristokrat, von Kaiser → Maiorianus 456 oder 457 n. Chr. zum *comes et magister utriusque militiae per Gallias* ernannt, verlor Köln an die Franken, entriß 458 den Burgundern Lyon und verteidigte Arles gegen die Westgoten, die er 463 im Bunde mit dem Salierkönig Childerich bei Orléans besiegte. 461 erkannte er Maiorianus' Nachfolger nicht an und schuf sich in Nordgallien mit Zentrum Soissons eine unabhängige Machtstellung, die er bis zu seinem Tode 464/65 vor allem gegen → Ricimer behauptete und seinem Sohn Syagrius hinterließ (Prisc. fr. 30; Greg. Tur. Franc. 2,11; 12; 18; 27; Chron. min. 2, 33 MOMMSEN). PLRE 2, 11–13.

A. DEMANDT, s.v. magister militum, RE Suppl. 12, 687–91.   K.P.J.

Ägineten s. Bauplastik

Äginetischer Standard s. Münzfüße

Aegritudo Perdicae. Im Codex Harleianus 3685 (15. Jh.) überliefertes Epyllion (250 Hexameter), in dem die unselige Liebe des nach dem Studium in Athen heimgekehrten P. zu seiner Mutter mit beachtlichem Einfühlungsvermögen als psychische Erkrankung behandelt wird (s. 174). Ursache ist ein versäumtes Opfer an Venus. P. überwindet die Rachsucht der Göttin und Amors, indem er sich zum Selbstmord entschließt, um so auch den in ihm wütenden Liebesgott zu vernichten. Der Stoff dürfte einer hell. Quelle entstammen (vgl. Ps.-Soran. vita Hippocr. 3; Claud. carm. min. 8; Drac. Romulea 2,39–42, Anth. Lat. 220) und in der Umgebung des → Dracontius versifiziert worden sein. Ob dieser selbst der Verf. ist [3. 1644], bleibt ungewiß [5].

ED.: **1** F. VOLLMER, PLM² 5, 238–250 **2** L. ZURLI, 1987.
LIT.: **3** F. VOLLMER, Dracontius [4], in: RE 5, 1635–1644 **4** J.M. HUNT, The A.P., Diss. Bryn Mawr 1970 **5** É. WOLFF, L'A.P., un poème de Dracontius?, in: RPh 62, 1988, 79–89.   K.SM.

Ägypten. A. EINLEITUNG B. PRÄHISTORIE UND STAATSENTSTEHUNG C. ERSTE ZWISCHENZEIT D. ZWEITE ZWISCHENZEIT E. SPÄTZEIT

A. EINLEITUNG
Das Land am Nil vom 1. Katarakt bis zum Mittelmeer, ägypt. Km.t »das schwarze (Land)«, griech.

Αἴγυπτος. Die Gliederung der Gesch. Ä.s in »Reiche«, »Zwischenzeiten« (Epochen staatlicher Einheit bzw. Zersplitterung) und »Dynastien« geht über Manetho im Prinzip auf die ägypt. Annalistik zurück. Die absolute Chronologie, fußend auf zeitgenössischen Datierungsangaben, Königslisten und astronomischen Berechnungen, liegt nur für Spätzeit und NR (weitgehend) fest. Davor akkumulieren sich die Unsicherheiten auf bis etwa ein Jh. Das Leben in der von Wüsten eingefaßten Stromoase war vom Rhythmus des → Nils bestimmt. Vor Einführung effizienter Wasserhebewerkzeuge in ptolemaiischer Zeit bot Bassinbewässerung die Grundlage zur Ernährung von 1,5–2 Mio. Menschen. Das Trockenklima der Gegenwart wurde im 3. Viertel des 3. Jt. v. Chr. erreicht; davor hatten die angrenzenden Wüsten z. T. noch steppenhaften Charakter.

B. Prähistorie und Staatsentstehung

Im Niltal konnten sich epipaläolithische Kulturen relativ lange halten. Neolithische Kulturen werden im 6. Jt. zunächst im Delta-Fajûm-Bereich, später in ganz Ä. faßbar; sie nutzten die Ressourcen der Steppe, trieben Viehzucht und Ackerbau, gestützt auf natürliche Bassinbewässerung. Bewässerungsbauten setzten in Ä. erst nach dem AR ein und erlangten nie überlokale Bedeutung. Intensivierung der landwirtschaftlichen Produktion, technologische Fortschritte im Handwerk und die Ausbildung überregionaler Handelsnetze waren in der 2. H. des 4. Jt. der Hintergrund sozialer Differenzierung und der Bildung von »Proto-Staaten« in Ober-Ä. Die Überlieferung nennt einen König → Menes (Thiniten, 1.–2. Dynastie) als Reichseiniger und Begründer der 1. Dynastie. Die Identität dieses Staates beruhte auf der Institution des Königtums, dessen zentrale Rolle in der Doktrin der Göttlichkeit des Königs formuliert wurde. Im Kontext der Staatsentstehung wurde auch das hieroglyphische Schriftsystem in Notationsweise und Zeichenformen eigenständig entwickelt, das die Basis zur Abfassung von Verwaltungsdokumenten und Bildbeischriften schuf. Anfangs Motive vorderasiatischer Herkunft integrierend, reflektiert die Kunst in Jagd-, Kampf- und Ritualdarstellungen das Selbstbewußtsein der neuen Führungsschicht. Fähig zu ausgreifenden Militäraktionen gewann Ä. eine übermächtige Stellung im Kreis der Nachbarvölker.

Im AR (3.–6. Dynastie, ca. 2700–2190 v. Chr.) entstand um König und Hof ein komplexer Verwaltungsapparat. Gewachsene Siedlungsstrukturen systematisierend, wurde das Land in Verwaltungsbezirke (später 22 oberägypt. und 20 unterägypt. Gaue) geteilt, die Bevölkerung erfaßt und zu Leistungen herangezogen. Die auswärtigen Interessen waren auf die Gewinnung von Kupfer, Elfenbein, Edelhölzern u. a. durch Expeditionen und an permanenten Außenposten gerichtet. Unter → Pharao Djoser wurde für das Königsgrab die Form der → Pyramide erfunden. In den Monumentalgräbern der Residenzelite entfaltete sich die kanonische Kunst, und hier entstand in biographischen Texten ein ethischer und weisheitlicher Diskurs, der Formen und In-

halte der schönen Lit. des MR vorprägte. Die innere Kolonisation zog eine Dezentralisierung der Staatsstruktur nach sich. Mit der Einrichtung permanenter Verwaltungszentren in den Gauhauptstädten wurde die Entwicklung regionaler Urbanisation vorangetrieben und die Entstehung provinzieller Eliten eingeleitet, die mehr und mehr in den bodenständigen sozialen Strukturen wurzelten.

C. Erste Zwischenzeit

(7.–11. Dynastie, ca. 2190–1990 v. Chr.) Dieser Entwicklung hatte das Königtum nichts entgegenzusetzen und büßte nach → Phiops II. seine Rolle als Zentrum des polit. und ökonomischen Systems ein. Im Land etablierten sich Machthaber, die sich als Wohltäter und Retter des Einzelnen wie der Gemeinschaft in Krisenzeiten und Hungersnöten darstellten. Nicht mehr von kanonischen Normen eingeengt entstanden in einer Blüte der Regional- und Breitenkultur Bilder neuer Originalität und Texte großartiger Sprachkraft. Kriegerische Auseinandersetzungen führten im Süden Ober-Ä.s zum Zusammenschluß größerer Territorien, bis thebanische Fürsten sich als 11. Dynastie den Erben der Könige des AR (9.–10. Dynastie, Herakleopoliten) entgegenstellten und den Sieg erfochten.

Das MR (11.–13. Dynastie, ca. 1990–1630 v. Chr.) knüpfte bewußt an die Formen des AR an; doch nun traten die Könige als überall präsente und aktive Instanz auf. Gaufürstenfamilien wurden schrittweise zurückgedrängt, der Verwaltungsapparat neu organisiert, das Land in Stadtbezirke geteilt. Dasselbe Streben nach eindeutigen Machtstrukturen prägt auch die Außenpolitik des MR. Im Süden wurde Nubien bis zum 2. Katarakt erobert und durch eine Serie gewaltiger Festungen gesichert. Befestigungen und Patrouillentätigkeit sind auch für die anderen Grenzen Ä.s belegbar. Nach klassizistischen Anfängen erwarben bildende Künstler die Fähigkeit zu physiognomischer Individualisierung. Die schöne Lit. ist erstmals belegt. Weisheitslehren (teils fiktiv Verfassern des AR zugeschrieben) formulieren den Normenkodex der Funktionärselite. Erzählungen, Prophezeiungen, Klagen u. a. thematisieren die Ideologie des Königtums (der König als Schützer, oft vor der Folie einer chaotischen, königslosen Zeit), aber auch die Spannungen zwischen Ideal und Wirklichkeit des Staates, zwischen Einzelschicksal und Norm. Diese Lit. und die Sprache des MR galten später als klassisch.

D. Zweite Zwischenzeit

(14.–17. Dynastie, ca. 1630–1550 v. Chr.) In einer Periode dynastischer Diskontinuität nach der 12. Dynastie gelang es den Führern kanaanäischer Zuwanderer, in Ä. die Macht zu ergreifen (→ Hyksos, 15. Dynastie). Ansässig in Auaris im Ostdelta (Tell el-Dab'a) erfaßte ihre Herrschaft im Norden mindestens Südpalästina. Nach Süden reichte ihre Oberherrschaft bis ins südl. Ober-Ä., wo sich Nachfolger der einheimischen Könige halten konnten (17. Dynastie). Die Wirkung der kulturell fremden Herrschaft muß bedeutend gewesen sein. Greifbar ist die Einführung von Pferd und Wagen in der späten Hyksoszeit; Auswirkungen auf die Struktur der ägypt. Führungsschicht, Königtum und Religion werden diskutiert. Auch im Süden Ä.s entstand damals ein Staat, das Reich von Kusch südl. des 3. Katarakts. Damit sah sich die einheimische 17. Dynastie in einer neuen Situation, umgeben und bedroht von anderen, mächtigen Staaten. Unter nationalistischer Propaganda wagten die Könige der 17. Dynastie einen »Befreiungskrieg«, und mit Ahmoses Sieg über die Hyksos beginnt nach der Überlieferung die 18. Dynastie und das NR (18.–20. Dynastie, ca. 1550–1070 v. Chr.).

Die Serie früherer Feldzüge abschließend gelang es Thutmosis I., das Reich von Kusch zu zerschlagen und das Niltal über den 4. Katarakt hinaus zu erobern. → Nubien wurde stabil als Kolonialreich organisiert. Im Norden erreichten mil. Vorstöße Nordsyrien und den Euphrat, aber in der Kollision mit dem Reich von Mittan(n)i (Friedensschluß unter Thutmosis IV.) und in Kämpfen um die Unterwerfung der Stadtfürsten Palästinas kristallisierte sich eine Nordgrenze des ägypt. Herrschaftsbereiches am oberen Orontes heraus. Das Ende der 18. Dynastie prägt die Krise der Amarnazeit. Im Konflikt mit eingesessenen Eliten verkündete → Amenophis IV. eine neue Religion, die ausschließlich den »lebendigen Sonnenball« (→ Aton) verehrte; er änderte seinen Namen zu »Echnaton«, ließ die alten Tempel schließen und gründete eine neue Residenz in → Amarna. Dieser aller Tradition konträre Zustand war nach dem Tod seines Schöpfers nicht haltbar. Unter → Tutenchamun folgte die Rückwendung zu den alten Kulten und die Verlegung der Hauptstadt nach Memphis; Theben blieb rituelles Zentrum. Die Restauration des Staates durch → Haremhab legte polit. die Basis der Ramessidenzeit (19.–20. Dynastie, 1294–1070 v. Chr.). In der Neukonsolidierung des ägypt. Herrschaftsanspruchs über den syro-palästin. Raum stieß Ä. nun mit dem hethit. Reich zusammen. Trotz des unglücklichen Verlaufes der Schlacht von → Qadesch gelang es → Ramses II. in seinem Friedensvertrag mit Hattusilis III., die Grenze der ägypt. Einflußsphäre im wesentlichen zu halten. Die neue Bedrohung durch libysche Stämme, die von Westen in das Niltal drängten, konnte immer wieder abgewehrt werden; Ansiedelung libyscher Gruppen führte aber zur Präsenz eines libyschen Elements in Ä. Auch die Abwehr der → Seevölker-Wanderung zeigt, wie Ä. unter Druck geriet. Im Innern ist die 20. Dynastie durch krisenhafte Entwicklungen (Wirtschaftsprobleme, Versagen der Administration, Korruption) geprägt, und unter den Nachfolgern Ramses III. entglitten der Krone die Herrschaft über die auswärtigen Territorien wie die Kontrolle der Verhältnisse im eigenen Land.

Die Notwendigkeit mil. Selbstbehauptung stärkte die Bed. des Militärs als sozialer Gruppe; Soldat und Feldherr zu sein, wird ein zentrales Attribut der Könige. Ihre Siege brachten unerhörte Reichtümer in das Land, und die Tempel, die sie zur Verwaltung erhielten, wurden zu mächtigen Institutionen. Reichtum und Ver-

feinerung prägten die Entstehung eines urbanen Lebensstils, und eine Neigung zum Dekorativ-Kunstgewerblichen öffnete sich der Aufnahme fremder Einflüsse. Tiefgreifenden intellektuellen Wandel bezeugt ein theologischer Diskurs, der jenseits überkommener mythischer Konstrukte Gott im Kosmos erfuhr und den Gedanken der Einheit eines Schöpfergottes mit der polytheistischen Praxis zu versöhnen trachtete. Der »persönlichen Frömmigkeit« wurde Gott zur subjektiv erfahrbaren Größe; der Fromme »gibt Gott in sein Herz«, interpretiert sein Leben in den Kategorien von Gehorsam und Gnade, Sünde und Strafe. Neben der Pflege der klass. Werke sind die charakteristischsten Schöpfungen der Lit. des NR Erzählungen (Märchen), und eine Lyrik, die eine Atmosphäre der Privatheit und Sensibilität artikuliert, die die Mentalität des NR kennzeichnet.

J. ASSMANN, Ä., Theologie und Frömmigkeit einer frühen Hochkultur, 1984 · W. HELCK, Gesch. des Alten Ä., HdOr I.1.3, ²1981 · M. LICHTHEIM, Ancient Egyptian Literature I–III, 1973–1980 · B. TRIGGER (et al.), Ancient Egypt, A Social History, 1983 · C. VANDERSLEYEN (Hrsg.), Das Alte Ägypten, PropKg 15, 1975. S. S.

E. SPÄTZEIT

Von der 21. Dynastie an wird Ä. bis in die neuere Zeit von Fremden beherrscht. Der Verlust der Selbständigkeit ist *der* große Bruch in der Gesch. Ä.s, der auf allen Gebieten zu spüren ist. Nach zunächst erfolgreichen Abwehrkämpfen gegen »Seevölker« und Libyer kommt es am Ende der 20. Dynastie unter unklaren Bedingungen zum Zusammenbruch des ägypt. Widerstands. Die Machthaber der neuen (21.) Dynastie sind libysche Stammesführer, unter denen das Land zweigeteilt wird: Ober-Ä. (wo kaum Libyer siedeln) wird durch zahlreiche Festungen gesichert und untersteht einem Militärbefehlshaber, der zugleich Hoherpriester des Amun von Theben ist, Unter-Ä. (mit einem großen libyschen Bevölkerungsanteil) regiert der König in Tanis. Ab der 22. Dynastie werden wieder zunehmend Ägypter in die Herrschaft einbezogen, mil. Funktionen sind aber bis in die späteste Zeit ausschließlich Libyern vorbehalten. Ab 900 v. Chr. verstärken sich die feudalistischen Tendenzen, Ä. zerfällt in Kleinfürstentümer. Im späten 8. Jh. wächst einerseits der Einfluß der nubischen Könige auf Ober-Ä., andrerseits die Macht des Fürstentums von Sais im Delta. Um 730 v. Chr. erobert der nubische König Pianchi (Pije) Ä., gibt sich aber mit der Oberherrschaft über die weitgehend selbständigen Kleinfürsten zufrieden. Erst sein Nachfolger Schabako unterwirft das Land vollständig nubischer Kontrolle. Zw. 674 und 664 v. Chr. streiten sich Nubier und Assyrer um den Besitz Ä.s. Von mehreren assyr. Feldzügen sind drei erfolgreich; der letzte (664/3), bei dem auch Theben erobert und geplündert wird, vertreibt die Nubier endgültig aus Ägypten.

Aus der Dritten Zwischenzeit (21.–25. Dynastie) gibt es nur dürftige Zeugnisse, auf wenige Bereiche beschränkt. Texte histor. Inhalts sowie Briefe und Urkun-

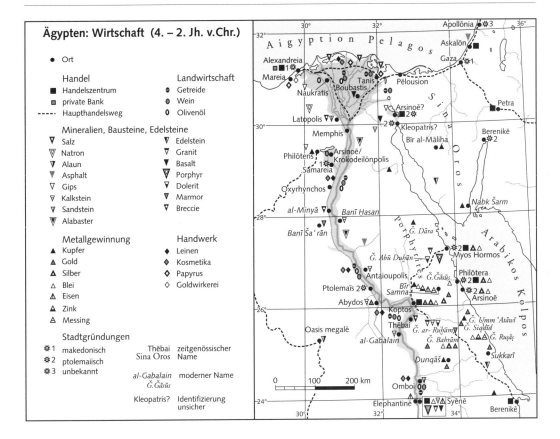

Ägypten: Wirtschaft (4. – 2. Jh. v.Chr.)

● Ort

Handel
- ■ Handelszentrum
- ◾ private Bank
- - - - - Haupthandelsweg

Landwirtschaft
- ⊖ Getreide
- ◍ Wein
- ⊘ Olivenöl

Mineralien, Bausteine, Edelsteine
- ▽ Salz
- ▽ Natron
- ▼ Alaun
- ▼ Asphalt
- ▽ Gips
- ▽ Kalkstein
- ▽ Sandstein
- ▽ Alabaster

- ▼ Edelstein
- ▼ Granit
- ▼ Basalt
- ▽ Porphyr
- ▼ Dolerit
- ▼ Marmor
- ▼ Breccie

Metallgewinnung
- ▲ Kupfer
- ▲ Gold
- ▲ Silber
- △ Blei
- △ Eisen
- ▲ Zink
- △ Messing

Handwerk
- ◆ Leinen
- ◆ Kosmetika
- ◇ Papyrus
- ◇ Goldwirkerei

Stadtgründungen
- ✻1 makedonisch
- ✻2 ptolemaiisch
- ✻3 unbekannt

Thēbai / Sina Oros zeitgenössischer Name

al-Gabalain / Ǧ. Ǧāsūs moderner Name

Kleopatris? Identifizierung unsicher

den sind äußerst spärlich; Chronologie und Herrschaftsverhältnisse sind deshalb immer noch unklar. Gut dokumentiert ist dagegen ab der 22. Dynastie die Privatplastik, die vor allem in der Portraitkunst der 25. Dynastie einen Gipfel erreicht. Seit der 25. Dynastie werden in Theben auch wieder neue Gräber hoher Würdenträger angelegt, teilweise von gewaltigen Dimensionen. Mit Beginn des nubischen Einflusses auf Ober-Ä., ab ca. 750 v. Chr., setzt eine stark archaisierende Tendenz ein: In vielen Bereichen (Architektur, Plastik, Grabdekoration, Schreibweise, Sprache, Titel, Namen etc.) orientiert man sich an Vorbildern aus viel älteren Epochen.

Die 26. Dynastie wird durch den Fürsten von Sais → Psam(m)etich(os) I. begründet. Zunächst noch unter assyr. Oberhoheit kann er sich im Verlauf eines Jahrzehnts zum Herrn von ganz Ä. machen und die Zersplitterung in Teilfürstentümer beseitigen. Nach der Unterwerfung der anderen Deltafürsten unterstellen sich auch Mittel- und Ober-Ä. der Herrschaft von Sais; 656 v. Chr. wird die Tochter Psametichs I. als Nachfolgerin der »Gottesgemahlin« in Theben eingesetzt und damit die Selbständigkeit des oberägypt. »Gottesstaates« beendet. Die fast 140-jährige Herrschaft der 26. Dynastie ist im Inneren erfolgreich; die Macht der libyschen Militärkaste wird durch griech. und andere Söldner ausbalanciert. Außenpolit. kann Ä. in dieser Zeit nur auf

Veränderungen in Vorderasien reagieren. Es sucht den jeweils Schwächeren zu unterstützen und Verbündete zu finden. Mil. Interventionen in Vorderasien unter → Necho II. und → Apries sind wenig erfolgreich. Necho II., der außenpolit. bes. aktiv ist, läßt eine Flotte bauen und beginnt einen Kanal zum Roten Meer. In seinem Auftrag haben nach Hdt. 4,42 phönizische Schiffe Afrika in Ost-West-Richtung umrundet. Obwohl die Könige der 26. Dynastie libyscher Herkunft sind und dynastisch wohl die 24. Dynastie fortsetzen, bricht ihre Art der Regierung vollständig mit den alten feudalen Verhältnissen: Die Kleinfürstentümer werden beseitigt, selbständig Regierende durch königliche Beamte ersetzt. Seit dem NR entsteht zum ersten Mal wieder ein einheitlicher Staat, diesmal mit deutlichem Schwerpunkt in Unter-Ä. Auch die (unterägypt.) → »demotische« Schrift setzt sich jetzt für den täglichen Gebrauch in ganz Ä. durch. Obwohl zu Beginn der 26. Dynastie in Theben sich hohe Beamte noch gewaltige Grabpaläste anlegen können, werden Ober-Ä. und Theben von nun an mehr und mehr provinziell. Ä. tritt jetzt zum ersten Mal in enge Beziehung zur griech. Welt, zunächst durch Söldner, die fester Bestandteil des saitischen Militärwesens sind, dann auch durch griech. Kaufleute in Ä. (→ Naukratis). Diese Beziehungen schlagen sich in den Quellen nieder: Die wichtigste für die Gesch. der 26. Dynastie ist Hdt. 2,147–182. Die

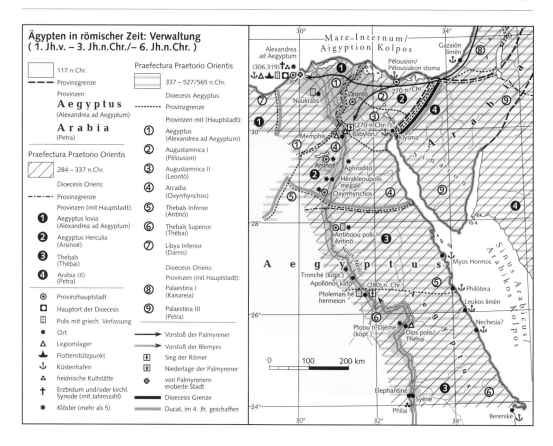

Ägypten in römischer Zeit: Verwaltung (1. Jh.v. – 3. Jh.n.Chr./– 6. Jh.n.Chr.)

| 117 n.Chr. |
| Provinzgrenze |

Provinzen:

Aegyptus
(Alexandrea ad Aegyptum)

Arabia
(Petra)

Praefectura Praetorio Orientis

284 – 337 n.Chr.

Dioecesis Oriens:
Provinzgrenze
Provinzen (mit Hauptstadt):

1 Aegyptus Iovia
(Alexandrea ad Aegyptum)

2 Aegyptus Herculia
(Arsinoë)

3 Thebaïs
(Thebai)

4 Arabia (II)
(Petra)

⊙ Provinzhauptstadt
□ Hauptort der Dioecesis
▣ Polis mit griech. Verfassung
● Ort
△ Legionslager
⚓ Flottenstützpunkt
⚓ Küstenhafen
⚘ heidnische Kultstätte
† Erzbistum und/oder kirchl. Synode (mit Jahreszahl)
✳ Klöster (mehr als 5)

Praefectura Praetorio Orientis

337 – 527/565 n.Chr.

Dioecesis Aegyptus:
Provinzgrenze
Provinzen mit (Hauptstadt):

① Aegyptus
(Alexandrea ad Aegyptum)

② Augustamnica I
(Pelousion)

③ Augustamnica II
(Leontō)

④ Arcadia
(Oxyrrhynchos)

⑤ Thebaïs Inferior
(Antinō)

⑥ Thebaïs Superior
(Thebai)

⑦ Libya Inferior
(Darnis)

Dioecesis Oriens:
Provinzen (mit Hauptstadt):

⑧ Palaestina I
(Kaisareia)

⑨ Palaestina III
(Petra)

→ Vorstoß der Palmyrener
→ Vorstoß der Blemyes
▣ Sieg der Römer
▣ Niederlage der Palmyrener
✖ von Palmyrenern eroberte Stadt
▬ Dioecesis Grenze
▬ Ducat, im 4. Jh. geschaffen

ägypt. Quellen enthalten nur selten konkrete histor. Aussagen; Alltagstexte sind nur spärlich überliefert. Kulturell ist ein bruchloser Übergang von der 25. Dynastie und ein deutliches Anknüpfen an deren »archaisierende« Tendenzen zu beobachten, die sich jetzt noch verstärken. Reliefs und Inschr. etwa sind oft genaue Kopien alter Vorbilder. Die einzelnen Gaue Ä.s entwickeln eine Art von rel. Partikularismus, und die Träger der rel. Überlieferung sind zunehmend rückwärtsbezogen und stehen Neuem und Fremdem feindlich gegenüber. Kurz nach der langen und erfolgreichen Regierung des → Amasis wird Ä. 525 v. Chr. von → Kambyses erobert und ist von nun an eine persische Satrapie. Die neuen Herrn sind äußerst unbeliebt und es kommt immer wieder zu Aufständen der Libyer im Delta, z. T. mit griech. (vor allem athenischer) Hilfe. Erst 404 v. Chr. gelingt es, die persische Herrschaft abzuschütteln, und die letzten drei einheimischen »Dynastien« (28.–30.) libyscher Deltapotentaten regieren bis 343 v. Chr. Mehrere persische Rückeroberungsversuche werden mit Hilfe griech. Söldner abgewehrt, bis 343/2 v. Chr. Artaxerxes III. Ä. noch für ein Jahrzehnt zur Satrapie macht.

Die Perserherrschaft ändert die innere Ordnung Ä.s nicht grundsätzlich; unter Dareios I. ist man bemüht, die alten Verhältnisse wiederherzustellen (Kodifizierung des ägypt. Rechts der 26. Dynastie) und errichtet sogar

neue Tempel. Seine Vorgänger und Nachfolger verfolgen allerdings eine sehr viel repressivere Politik. Neben eigenen Truppen bedienen sich die Perser zur Beherrschung des Landes auch fremder Söldner (jüd. Kolonie in → Elephantine). Die letzte »einheimische« Dynastie (404–343 v. Chr.) entfaltet noch einmal eine sehr umfangreiche Bautätigkeit. In Plastik und Reliefkunst sucht man engen Anschluß an die Werke der 26. Dynastie.

332 v. Chr. nehmen die Makedonen Ä. ein und beherrschen es von nun an für drei Jh. Nach dem Tod Alexanders fällt Ä. seinem General Ptolemaios zu, der sich 304 v. Chr. nach dem Vorbild der anderen Diadochen zum König macht. Er und seine Nachfolger residieren im neugegründeten → Alexandreia, das bald zur bedeutendsten Metropole der hell. Welt wird. Unter Ptolemaios I.-III. gelingen umfangreiche Gebietserweiterungen: Ihre Herrschaft umfaßt auch die Kyrenaika, Zypern sowie Teile von Syrien und Kleinasien. Mit Ptolemaios IV. beginnt der Niedergang; zwar kann im 4. syr. Krieg Syrien noch behauptet werden (Schlacht bei Raphia 217 v. Chr.), aber danach verfällt die äußere Machtstellung der Ptolemaier. Sie können sich kaum mehr gegen die anderen Diadochenreiche behaupten und geraten zunehmend in Abhängigkeit von Rom. Auch im Inneren wird die Lage durch Thronstreitigkeiten, wirtschaftliche Schwierigkeiten und Aufstände

der ägypt. Bevölkerung instabil (vorübergehende Unabhängigkeit Ober-Ä.s 206–186 v. Chr.). Im 1. Jh. ist die Außenpolitik ganz von Rom abhängig, an das auch die Kyrenaika und Zypern verlorengehen. Die von den Ptolemaiern eingeführte Verwaltung ist straff und zentralisiert. Ä. besteht aus 40 Gauen (νομοί), die ihrerseits in Toparchien und Dörfer (κῶμαι) unterteilt sind. Außerhalb dieser Gliederung stehen die griech. Poleis Alexandreia und → Ptolemais (in Ober-Ä.). Diese Verwaltung mit ihrer strengen Kontrolle und Ausbeutung der einheimischen Bevölkerung macht Ä. zum damals reichsten Staat. Der Reichtum ermöglicht polit. Einflußnahme auf andere hell. Länder sowie den Ausbau Alexandreias zur größten Metropole und zum kulturellen Zentrum der Mittelmeerwelt. Bes. erfolgreich betrieben werden die griech.-hell. Naturwissenschaft und Philologie. Der Reichtum des ptolemaiischen Ä. kommt aber durch Neubau und Restaurierung ägypt. Tempel auch der einheimischen rel. Tradition zugute. Der Kult der → Isis breitet sich bald in der ganzen hell. Welt aus. Schon unter Ptolemaios I. wird mit → Serapis eine ägypt.-hell. Gottheit eingeführt und verehrt.

Mit Beginn der röm. Herrschaft (30 v. Chr.) untersteht Ä. als kaiserliche Prov. direkt dem Kaiser, vertreten durch einen Präfekten, der mit drei Legionen das Land kontrolliert. Die Wirtschafts- und Religionspolitik der Ptolemaier wird zunächst fortgesetzt. Die Priester und Tempel erhalten allerdings deutlich weniger Mittel, und die Integration der Ägypter in die oberen gesellschaftlichen Positionen, von den Ptolemaiern ab dem 2. Jh. v. Chr. zunehmend gefördert, wird nicht weitergeführt. Die einheimische Bevölkerung ist noch rechtloser als die der übrigen Provinzen. Die Ausbeutung der Landbevölkerung führt in steigendem Maße zu Steuerflucht und die Zwangsliturgien zur Verarmung der begüterten Schichten. Spätestens ab dem 2. Jh. n. Chr. verfallen die heidnische rel. Tradition und die nur noch in den Tempeln gepflegte alte Schriftkultur zusehends (letzte Reste noch im 4. und 5. Jh.); zunehmender Einfluß des Christentums ist die Folge, das trotz Verfolgungen immer mehr erstarkt. Das ägypt. (koptische) Christentum entwickelt einen ausgesprochen nationalen Charakter, und die ägypt. Kirche ist seit dem Konzil von Chalkedon (451 n. Chr.) auch offiziell eigenständig. Bes. Anachorententum und Mönchswesen sind für Ä. charakteristisch und breiten sich von hier aus. 642/3 n. Chr. wird Ä. von den Arabern erobert.

→ Bewässerung; Koptisch; Ptolemaios

G. HÖLBL, Gesch. des Ptolemäerreiches, 1994 · F. K. KIENITZ, Die polit. Gesch. Ägyptens vom 7. bis zum 4. Jh. vor der Zeitwende, 1953 · K. A. KITCHEN, The Third Intermediate Period in Egypt, ²1986.   K. J-W.

KARTEN-LIT: H. WALDMANN, Wirtschaft, Kulte und Bildung im Hellenismus (330–133 v. Chr.), TAVO B V 5, 1987 · H. HEINEN, W. SCHLÖMER, Ä. in hell.-röm. Zeit, TAVO B V 21, 1989 · E. KETTENHOFEN, Östlicher Mittelmeerraum und Mesopotamien: Die Neuordnung des Orients in diokletianisch-konstantinischer Zeit (284–337

n. Chr., TAVO B VI 1, 1984 · Ders. Östlicher Mittelmeerraum und Mesopotamien: Spätröm. Zeit (337–527 n. Chr.), TAVO B VI 4, 1984 · S. TIMM, Ä. Das Christentum bis zur Araberzeit (bis zum 7. Jh.), TAVO B VI 15, 1983.

Ägyptisch. Die Sprache des pharaonischen Ägypten – im Gegensatz zu modernem Ägyptisch (= Arabisch) im Kontext der afroasiatischen Sprachen auch als Alt-Ä. bezeichnet –, die in der langen Zeit ihrer Überlieferung seit Ende des 3. Jt. v. Chr. mehrere Stufen durchlaufen hat: Alt-, Mittel-, und Neu-Ä. (im AR und MR bzw. seit der → Amarna-Zeit), → Demotisch (seit dem 7. Jh. v. Chr.) bis hin zum → Koptischen, der Sprache des christl. Ägypten, die sich bis weit in die arab. Zeit gehalten hat. Um einen festen Kern herum vollziehen sich bei diesem Wandel erhebliche Veränderungen, gramm. vor allem beim Übergang zum Neu-Ä., lexikalisch vor allem mit dem radikalen Einschnitt beim Übergang zur christl. Kultur. Das Mittel-Ä., in dem die frühesten, später an den Schulen tradierten lit. Werke abgefaßt sind, hat einen Rang als »klass.« Sprachform erhalten und bis an das Ende der pharaonischen Kultur bewahrt. Mit den konsonantischen »Wortwurzeln«, in gramm. Formen und Konstruktionen und im Wortbestand, vor allem bei den Pron., hat das Ä. viele Gemeinsamkeiten mit den afroasiatischen Sprachen. Vielfach steht es lexikalisch und gramm. aber auch ganz isoliert da, so daß die Art der Verwandtschaft sich bisher nicht genau definieren läßt. Im NR, nach der ägypt. Expansion nach Vorderasien, hat das Ä. viele semit. Fremd- und Lehnwörter aufgenommen, mit dem Übergang zur christl. Kultur viele griechische. Aus der Zeit → Ramses II. gibt es einen Hinweis auf große Unterschiede im Ä. zwischen Assuan und dem Delta, doch lassen sich dial. Unterschiede zu jener Zeit nicht genauer fassen. Wie später im Kopt. haben sie vielleicht im Vokalismus gelegen, doch können diese in der vokallosen ä. Schrift ja nicht zum Ausdruck kommen.

→ Ägypten; Hieratisch; Hieroglyphen

A. H. GARDINER, Egyptian Grammar, ³1957 · J. OSING, s. v. Dialekte, LÄ I, 1074–75.   J. OS.

Ägyptisches Recht. Spätestens seit Mitte des 3. Jt. war Ägypten ein Zentralstaat. Wichtige Entwicklungsfaktoren hierfür waren u. a. die Großbauten der Pyramiden, für die alle Ressourcen und Arbeitskräfte erfaßt werden mußten, und die Einführung von Techniken künstlicher Bewässerung in größerem Ausmaß (»hydraulische Hypothese«: der Entstehung der Hochkultur aus der Bewässerungswirtschaft). Ins Leben gerufen wurden schließlich eine durchgreifend geordnete Verwaltung, ein Fiskus mit bes. Steuersystem und eine Justiz mit ausgebildetem Verfahren.

Die rel. orientierte altägypt. Gesellschaft sah die Welt in der Hand göttlicher Mächte, die auch über die soziale Ordnung wachen und gebieten. Daraus erwuchs eine Ideologie der gesamten auf Herkommen beruhenden und darum als göttlich empfundenen Ordnung des Lebens, in deren Grenzen sich menschliches Handeln bewegt. Diese Ideologie stellte man sich als Göttin namens *Maat* (= Ordnung/Richtigkeit/Wahrheit) vor. Sie bindet alles Tun des Menschen an eine bestimmte Ethik und Moral. Der König ist verpflichtet, zu ihrer Verwirklichung u. a. Gesetze zu erlassen. Den Staatsorganen ist sie Richtschnur und Inbegriff der rechten Amtsführung. *Maat* ist zugleich allen Menschen als Aufgabe gestellt: Im Jenseits hat jedermann Rechenschaft darüber zu geben, wieweit er dem Prinzip des rechtmäßigen Handels auf Erden gerecht geworden ist.

Ein Beispiel für das schrittweise Aufkommen von Rechtsformen im ä. R. bietet das Stiftungswesen. Die Bilder und Texte in den Gräbern zeigen, daß der Ägypter immer um seine Ernährung im Jenseits besorgt war. Mit der Zeit suchte er immer häufiger, seinen fortdauernden Unterhalt schon zu Lebzeiten selbst zu regeln und zu sichern. Deshalb nahm er über Generationen hin Personen in Dienst für Opfer und Zeremonien und überließ ihnen in vererblicher Weise Äcker bzw. Einkünfte. Hierdurch wurde dieser Dienst für immer sichergestellt. An Stelle des kraftlos gewordenen religiösen bzw. sittlichen Gebots, für den Toten zu sorgen, trat so ein Rechtsverhältnis. Um eine solche Stiftung noch dauerhafter zu gestalten, ersann der Ägypter die Einsetzung des Tempels mit seinen Priestern. Die ewige Institution des Tempels, vertreten durch die jeweiligen Priester, erfüllte die Funktion einer modernen juristischen Person mit ihrer »Unsterblichkeit«. Manchmal wird die fromme Stiftung sogar für den König errichtet, während die Ausführung der Bestimmung für den Stifter und dessen Grab den Priestern übertragen wird. Dadurch wird der Bestand der Stiftung zusätzlich gesichert und diese quasi unter Aufsicht von Staat und Tempel gestellt.

So begann das Rechtsleben etwa um die Pyramidenzeit (Mitte des 3. Jt. v. Chr.) Formen anzunehmen und sich nach und nach zu verselbständigen, während rel. bzw. moralische Maximen die menschlichen Beziehungen im Alltag immer weniger festlegten. Davon zeugt die Vielfalt der überlieferten Urkunden: Königsdekrete, Verwaltungsakte, Landregister (Vorläufer eines Grundbuches), Besteuerungslisten, Tempelverwaltungs-Archive, (Gerichts)protokolle, Satzungen von frommen Stiftungen, Rechtsvereinbarungen unter Privaten wie Veräußerungen (ohne Festlegung des Entgelts: Leistung und Gegenleistung wurden nach einem Wertmesser eingeschätzt und verrechnet), Darlehen, Pacht, familienrechtliche Abmachungen, Erbteilungen, öffentlich errichtete Testamente usw. Die Wirksamkeit des Rechts schlug sich sogar im rel. Bereich nieder, so z. B. in der Myth., wo die Götter Horus und Seth vor Gericht treten, um ihren Streit durch Richterspruch auszutragen. Erwähnt sei ferner das Totengericht, das einen breiten Raum in den Jenseitsvorstellungen der Ägypter einnahm.

Rückschauend läßt sich sagen, daß Ägypten für die Entwicklung der Rechtskultur im Mittelmeerraum Bedeutendes geleistet hat. Dies richtig zu erkennen, ist uns erschwert durch die Eigenart der noch nicht rechtstechnisch formulierten Quellen, aus denen wir das altägypt. Recht zu rekonstruieren haben und deren Erschließung heute in vollem Fluß steht.

→ Demotisches Recht

1 E. SEIDL, Altägypt. Recht, in: Oriental. Recht, Hdb. der Orientalistik, I. Abt.-Ergbd. III, 1964, 1–48 2 W. HELCK, s. v. Recht, in: LÄ 5, 1984, 182–187 mit Lit.   S. A.

Ägyptisierende Plastik s. Plastik

Aeiphygia (ἀειφυγία). Ewige Verbannung; in Athen archa. Strafe bei φόνος (*phónos*, Mord), τραῦμα (*traúma*, Körperverletzung) und τυραννίς (*tyrannís*), vom Areopag als »Sondergerichtshof« ausgesprochen (nicht von der Heliaia in normalen Dikasterien). Es besteht *Sippenhaftung*, die Lebenden eines Geschlechts gehen in die Verbannung, die Toten werden aus den Gräbern gerissen, das Vermögen konfisziert (Demosth. 21,43 zu IG I³ 104; 20,2. Plut. Solon 12).

U. KAHRSTEDT, Staatsgebiet und Staatsangehörige in Athen, 1934, 97 ff. · P. J. RHODES, A Commentary on the Aristotelian Athenaion Politeia, 1981, 81 ff.   G. T.

Aeisitoi (ἀείσιτοι). A. sind berechtigt, nicht nur gelegentlich, sondern regelmäßig an den von griech. Staaten zubereiteten Mahlzeiten teilzunehmen (vgl. Poll. 9,40). In Athen wurde den so Geehrten → *sítēsis* im → Prytaneion gewährt (z. B. IG II/III² I 1,450b) [2; 3]; als A. wurden auch die Beamten bezeichnet, die dem Rat zugeordnet waren und mit den → *prytáneis* speisten (z. B. Agora XV 86) [1].

1 Agora XV, 1974, 7–8 2 A. S. HENRY, Honours and Privileges in Athenian Decrees, 1983, 275–78 archontes 3 M. J. OSBORNE, Entertainment in the prytaneion at Athens, in: ZPE 41, 1981, 153–170.   P. J. R.

Aelia. [1] Zweite Frau Sullas (Plut. Sull. 6,20).   K. L. E. **[2] Galla.** Frau eines Postumus = ? C. Propertius Postumus, Prop. 3,12,38; mit senatorischen Aelii der augusteischen Zeit verwandt [1; 2]. **[3]** Ae. Paetina. Wohl Tochter von Sex. Aelius Catus; zweite Frau von → Claudius, der sich von ihr trennte (Suet. Claud. 26,2). Ihre gemeinsame Tochter war → Antonia [5]. → Narcissus unterstützte sie im J. 48 n. Chr., als Claudius sich wiederverheiratete (Tac. ann. 12,2; PIR A 305 [2. 306]).

1 R. SYME, History in Ovid, 1978, 102 2 SYME, AA, 308 f.   W. E.

[4, Eudoxia] Tochter des Magister Militum fränkischer Abkunft → Bauto, vielleicht Schwester Arbogasts. Heiratete → Arcadius am 27.4.395 und hatte fünf Kinder (Flaccilla, → Pulcheria, Arcadia, → Theodosius II., Marina). Seit 9.1.400 Augusta, soll sie maßgeblichen

Einfluß auf die Politik ihres Gatten genommen haben. Gilt als Gegnerin des → Eutropius und des → Gainas (s. aber zum letzteren [2. 198; 3. 171]); ihre Zurechnung zum → Antigermanismus ist fraglich [3. 333ff.]. Sie war die Vertreterin einer streng orthodoxen Religionspolitik. Zunächst Anhängerin, später Gegnerin von → Iohannes Chrysostomos, der sie u. a. wegen ihrer aufwendigen Repräsentation kritisierte. Nach HOLUM wandte Chrysostomos sich auch gegen ihren polit. Einfluß [1. 70ff., s. aber 2. 201 f.]. Ihr wird ein wesentlicher Anteil an seiner Verbannung zugesprochen; Ae.s kurz darauf erfolgter Tod am 6.10.404 wude damit in Verbindung gebracht (Sokr. 6,19). Sie wurde in der Apostelkirche bestattet. (PLRE II 410)

1 K. G. HOLUM, Theodosian Empresses, 1982
2 J. H. W. G. LIEBESCHUETZ, Barbarians and Bishops, 1990
3 A. CAMERON, J. LONG, Barbarians and Politics at the Court of Arcadius, 1993.   H. L.

Aelius Name eines röm. plebeischen Geschlech- tes (urspr. *Ailius*), bezeugt vom 4. Jh. v. Chr. bis in die späte Kaiserzeit. Wichtigste Familien sind die Paeti (seit 4. Jh. v. Chr.), Tuberones (seit 2. Jh. v. Chr.), im 1. Jh. kommen die Galli und Lamiae dazu. In der Kaiserzeit, bes. seit Hadrian, dem berühmtesten Träger des Namens, ist das Nomen Aelius so weit verbreitet, daß es – ähnlich wie Flavius und Aurelius – seinen Charakter als Gentiliz verliert.

I. REPUBLIK

[I 1] Ae., unbekannter Urheber einer *lex Aelia* (meist zusammen mit einer *lex Fufia* genannt) um die Mitte des 2. Jh. v. Chr. oder später, in der die Anwendung rel. Hemmnisse gegen Gesetzesanträge (*obnuntiatio* und *intercessio*) geregelt war. MRR 3,3–4.

G. V. SUMNER, Lex Aelia, lex Fufia, in: AJPh 84, 1963, 337–358.   K. L. E.

[I 2] Ae., C., Volkstribun 285 v. Chr. (?), wurde von den Thuriern mit einer Statue und einem goldenen Kranz geehrt (Plin. nat. 34,32).

NICOLET 2, 761.   K. L. E.

[I 3] Gallus, C., Wohl kein Jurist, schrieb gegen Ende der Republik *De verborum, quae ad ius civile pertinent, significatione* (mindestens 2 Bücher; Zitate Dig. 22,1,19 pr.; Dig. 50,16,157).

1 F. BONA, Alla ricerca del »De verborum . . .«, in: Bulletino dell'istituto di diritto romano 90, 1987, 119–168
2 WIEACKER, RRG, 532 f.   T. G.

[I 4] Ae. Lamia, L., röm. Ritter, trat 58 v. Chr. gegen → Clodius für Cicero ein (Cic. fam. 11,16,2; 12,29,1). Im Bürgerkrieg wohl auf Seiten Caesars, war er 45 Aedil (Cic. Att. 13,45,1), 42 erreichte er vermutlich die Praetur (Cic. fam. 11,16,3; Plin. nat. 7,173). MRR 3,4. **[I 5] Ae. Ligus**, unterstützte als Volkstribun 58 v. Chr. Clodius' Kampagne gegen Cicero, der dessen Bild ent-

sprechend stark verzeichnet (*quisquiliae seditionis Clodianae*: Auswurf der Clodius-Bande, Cic. Sest. 94; vgl. 68 f.; dom. 49; har. resp. 5). MRR 2,195; 3,4. **[I 6] Ae. Ligus, P.**, prominentester Vertreter dieser Familie, Praetor 175 v. Chr. (?). Als Consul 172 gehörte er mit P. Popilius Laenas zum ersten rein plebeischen Konsulpaar und war in Ligurien tätig (daher wohl das Cognomen). 167 wurde er als Legat zusammen mit vier Kollegen nach Illyrien zur Regelung der dortigen Angelegenheiten gesandt. MRR 1,402; 410; 435.   W. W.

[I 7] Ae. Paetus, C., Consul 286 v. Chr. MRR I, 186.
[I 8] Ae. Paetus, P., wurde 337 v. Chr. als erster Aelier Consul und kämpfte gegen die Sidiciner (Liv. 8,15,1). 321 war er Magister equitum des Dictators Q. Fabius Ambustus (Liv. 9,7,13). Nach der Zulassung der Plebeier zum Augurenamt durch die *lex Ogulnia* gehörte er im J. 300 zu den ersten fünf Auguren aus der Plebs (Liv. 10,9,2). **[I 9] Ae. Paetus** (Paitus), **P.**, wohl Bruder von [I 11], Pleb. Aedil 204 v. Chr., Praetor urbanus 203, Magister equitum des Dictators C. Servilius Geminus 202. Als Consul (mit Cn. Cornelius Lentulus) 201 griff er die Boier an. 201 – 200 war er *Xvir agris dandis assignandis* zur Ansiedlung der Veteranen des Heeres von P. Cornelius Scipio Africanus, 199 bekleidete er zusammen mit ihm die Censur und war *III vir ad colonos scribendos* (zur Auffüllung von Narnia). 196 (?) – 195 gehörte er zum Kollegium von 10 Legaten zur Vorbereitung des Friedens mit Philipp V., 193–192 zu den Gesandten an Antiochos. Er war Augur von 208 bis zu seinem Tod infolge der Pest im J. 174. Bekannt auch als Jurist. Vater von [I 10]. **[I 10] Ae. Paetus, Q.**, Volkstribun (?) 177 v. Chr., Praetor 170, Consul (zusammen mit M. Iunius Pennus) 167 (Kommando in Gallia Cisalpina), 174 als Nachfolger seines Vaters [I 9] Augur.

BAUMAN, LRRP, 110–121.   K. L. E.

[I 11] Petus Catus, Sex., Bruder des Nr. 9 (P. Aelius Paetus), Konsul 198 v. Chr., Zensor 194 v. Chr., als Verf. des *ius Aelianum* (Dig. 1,2,2,7) oder *cunabula iuris* (Dig. 1,2,2,38) genannten Werks *Tripertita* ist er Begründer der juristischen Fachliteratur. Das Werk enthielt den Text des Zwölftafelgesetzes, seine Auslegung, die prozessualen Spruchformeln und wohl auch Geschäftsformulare. Auf die Tradition des *ius Aelianum* greifen noch die Darstellungen des Zivilrechts bei → Q. Mucius Pontifex und → Sabinus zurück.

WIEACKER, RRG, 290f., 536ff., 570ff. · MRR 1,330, 343.   T. G.

[I 12] Ae. Tubero (?), C. (?), Praetor urbanus, Datierung unbestimmt (Plin. nat. 10,41 u. a.; MRR 2,462).
[I 13] Ae. Tubero, C., Praetor, Datierung unbestimmt (Plin. nat. 7,173; MRR 2,462). **[I 14] Ae. Tubero, L.**, Altersgenosse und guter Bekannter Ciceros (Cic. Lig. 10; 21). 61–58 v. Chr. Legat des Q. Tullius Cicero in Asia. Anhänger des Pompeius, versucht 49 nach → Afrika zu gehen; nach Auseinandersetzungen mit Q. → Ligarius und P. → Attius Varus von dort zu Pompeius

nach Makedonien. 48 nach Pharsalos von Caesar begnadigt. Der Skeptiker → Ainesidemos von Knossos widmete ihm eine Schrift. Er verfaßte (wie sein Sohn [I 17])
eine *historia* (Cic. ad Q. fr. 1,1,10). Namengeber für
einen *logisticus* des → Varro. **[I 15] Ae. Tubero, P.**,
erster bedeutender Vertreter seiner Familie. Plebeischer
Aedil 202 v.Chr., Praetor in Sicilia 201. Legatus in der
Zehnmännerkommission für die Regelung der Verhältnisse in Asia 189/8. 177 Praetor II urbanus und *III vir
coloniae deducendae* nach Luna (MRR 1,363; 389–399).
[I 16] Ae. Tubero Q., Enkel des Aemilius Paullus und
Neffe des Scipio Aemilianus. *III vir capitalis* vor 129
v.Chr., widersprach Scipio in einer juristischen Frage
(Cic. Brut. 117) [1]; bald nach 129 bei der Bewerbung
um die Praetur gescheitert, angeblich wegen seines Gei-
zes bei der Ausrichtung des Leichenschmauses für Sci-
pio (Cic. Mur. 75–76; Val. Max. 7,5,1). Gegner der
Gracchen (Cic. Lael. 37). Als Stoiker Schüler des
→ Panaitios und Adressat mehrerer seiner Schriften
(Cic. off. 3,63 u. ö.); nach Cicero schlechter Redner
(Brut. 117–118), aber guter Jurist (Gell. 2,22,7). Ge-
sprächsteilnehmer im 1. B. von Cic. rep.

    1 MRR 3,5.   K.L.E.

[I 17] Ae. Tubero, Q., bekannt als Jurist. Sohn des L.
→ Aelius T. [I 14] kämpfte im Heer des Pompeius bei
Pharsalos. Nach Versöhnung mit Caesar 46 v.Chr. erfolglose Anklage des Q. Ligarius (ORF⁴ Nr. 175), den
Cicero verteidigte. Widmete sich danach ausschließlich
der Jurisprudenz (Pomponius, Dig. 1,2,2,46) und der
Historiographie, war spätestens 31 auch Senator. Bedeutender Kenner des öffentlichen und Privatrechts
(l.c.; Cicero, bei Gell. 1,22,7), erteilte *responsa* [zum Inhalt 1] und verfaßte mehrere juristische Werke (u.a. *super officio iudicis*: Gell. 14,2,20), die wegen ihres *sermo
antiquus* nicht sehr geschätzt waren. Sein annalistisches
Geschichtswerk (Titel wohl *historiae*) behandelte in
mindestens 14 B. Roms Gesch. von den Anfängen bis
wenigstens zu den Punischen Kriegen (Fragment: HRR
1² 308–312). Sicher benutzt von Dion. Hal. und Livius
(bes. für die Zeit der Ständekämpfe: [2]). Begründete
wahrscheinlich die Tradition von der röm. Gesandtschaft nach Athen zur Vorbereitung der XII-Tafel-
Gesetze [3].

    1 BREMER, Iurisprudentia antehadriana, 1896 [Ndr. 1985],
    1,360 ff. 2 P.G. WALSH, Livy, 1963,123 3 P. SIEWERT,
    Die angebliche Übernahme solonischer Gesetze in die
    Zwölftafeln, in: Chiron 8, 1978, 331–344.

    R.M. OGILVIE, Commentary on Livy, 1965, 16 f. ·
    SCHANZ/HOSIUS Bd. 1, 321 ff. · T.P. WISEMAN,
    Clio's Cosmetics, 1979, 135 ff.   W.K.

[I 18] Ae. Tubero, Q., Sohn von [I 17], 17 v.Chr. *XV
vir sacris faciundis* (ILS 5050, Z. 152), cos. 11. PIR I²,
274.   K.L.E.

II. KAISERZEIT

[II 1] Ae. Apollonides, P., *ab epistulis Graecis* unter
Marcus Aurelius (Fronto ad amicos 1,2).

W. ECK, P. Aelius Apollonides, in: ZPE 91, 1992, 236–242 ·
J. NOLLÉ, Side im Altertum, Bd. 1, 1993, 62.   W.E.

[II 2] Ae. Aristides, P., der Rhetor s. P. Ailios
→ Aristeides [3]

[II 3] Ae. Aurelius Commodus, L. s. Lucius
→ Verus.

**[II 4] Ae. Aurelius Agrippus Memphius Apol-
austus, L.**, Pantomime. Möglicherweise sind die Dokumente mit dem Namen Apolaustus auf mehrere Personen zu beziehen [1; 2].

[II 5] Ae. Aurelius Verus, M. → Marcus Aurelius
[II 6] Ae. Caesar, L. → Ceionius Commodus, L. **[II 7]
A. Catus, Sex.**, cos. ord. 4 n.Chr., Legat an der unteren
Donau (Strab. 7,303; PIR² A 157) [3]. **[II 8] Ae. Coeranus, P.**, Ritter, als erster Ägypter im Senat (Cass. Dio
77,5,5); cos. suff. 212? n.Chr. (LEUNISSEN, 173; PIR² A
161). **[II 9] Ae. Coeranus, P.**, Sohn von [II 8], nach
längerer Laufbahn cos. suff. um 225 n.Chr. (CIL XIV
3586 = ILS 1158) [4]. **[II 10] Ae. Donatus**, der Grammatiker → Donatus.

[II 11] Ae. Gallus, L., Ritter, *praef. Aegypti* ca. 25–24
v.Chr., Feldzug nach Arabia Felix, *amicus* Strabons
(Strab. 2,118; 16,780 ff.; PIR² A 179) [5; 6. 308 ff.].

[II 12] Ae. Hadrianus, P. → Hadrianus **[II 13] A.
Hadrianus Afer, P.**, aus Italica, Senator praetorani-
schen Ranges, Vater des Kaisers Hadrian ([7]; PIR² A 185).
[II 14] (Ae.) Lamia, Freund des Horaz (carm. 1,26; 36;
3,17; epist. 1,14,6 ff.), evtl. verwandtschaftlich zusammenhängend (vgl. zuletzt [6. 394 f.]). **[II 15] Ae.
Lamia, L.**, praetorianischer Statthalter der Tarraconensis seit 24 v.Chr. (Cass. Dio 53,29,3f; [8]). Sein Sohn ist
Ae. [II 17]. **[II 16] Ae. Lamia, L.**, cos. ord. 3 n.Chr.,
procos. Africae 15/16 ? (AE 1940, 69 = IRT 930), enger
Vertrauter des Tiberius, nach 22 nominell Statthalter
von Syria, von Tiberius in Rom zurückgehalten, *praefectus urbi* 32, † 33 (Tac. ann. 6,27; [9; 6. 394 f.]).

[II 17] Marcianus, Jurist, unter Caracalla von 213 bis
218 möglicherweise Libellsekretär [2], schrieb unter
Elagabal und Alexander Severus das in der röm. Jurisprudenz umfangreichste Lehrbuch *Institutiones* (16 Bücher), *Regulae* (5 B.), *De appellationibus* (2 B.; zu all diesen
Werken [3]) und *De iudiciis publicis* (2 B.) sowie »Ein-
zelbücher« *Ad formulam hypothecariam, Ad senatus consultum Turpillianum und De delatoribus*. Ob er auch Papinians
De adulteriis annotierte, ist fraglich [1; 4].

    1 J.A.C.J. VAN DE WOUW, Papinians »Libri duo de
    adulteriis«, in: TRG 41, 1973, 323 f. 2 D. LIEBS, Juristen als
    Sekretäre des röm. Kaisers, in: ZRG 100, 1983, 497 f. 3 L.
    DE GIOVANNI, Giuristi severiani. Elio Marciano, 1989
    4 PIR I² 215.   T.G.

    1 M.L. CALDELLI, Ancora su L. Aurelius Augg. Lib.
    Apolaustus Memphius Senior, in: Epigraphica 55, 1993,
    9–57 2 H. LEPPIN, Histrionen, 1992, 208 ff. 3 R. SYME,
    History in Ovid, 1978, 69 4 SCHEID, Collège, 112, 442 ff.
    5 G. BASTIANINI, Lista dei prefetti d'Egitto dal 30ᵃ al 299ᵖ, in:
    ZPE 17, 1975, 267 6 SYME, AA 7 CABALLOS, 1, 44 f.
    8 G. ALFÖLDY, Studi sull'epigrafia augustea e tiberiana di
    Roma, 1992, 113 ff. 9 VOGEL-WEIDEMANN, 59 ff.   W.E.

[II 18] Ae. Lamia Plautius Aelianus L. s. Plautius

[II 19] Ae. Seianus, L. Sohn des Ritters L. → Seius Strabo, * zw. 23–20 v. Chr. in Volsinii (Tac. ann. 4,1,2; [2. 307]). Seine Mutter war vielleicht eine Iunia, durch die er mit Iunius Blaesus, cos. suff. 10 n. Chr., und den Aelii Tuberones verwandt war; durch die zweite Frau des Vaters, Cosconia Gallitta, auch mit den Lentuli Maluginenses verbunden (CIL XI 7285 = ILS 8996; vgl. Vell. 2,127,3); von L. → Aelius [II 11] Gallus adoptiert [2. 300ff., 308f.]. Durch den Vater, der 14 n. Chr. praef. praetorio war, kam er mit Augustus in nähere Beziehung. C. Caesar, den Adoptivsohn des Augustus, begleitete er auf seiner Orientreise. Unmittelbar nach der Herrschaftsübernahme wurde er von → Tiberius zum praef. praetorio neben seinem Vater ernannt und dem jüngeren → Drusus als rector bei der Niederschlagung des Aufstandes der Legionen in Illyricum beigegeben (Tac. ann. 1,24,2). Als der Vater zum Praefekten von Ägypten gemacht wurde, behielt Ae. allein das Kommando über die Praetorianer (Cass. Dio 57,19,6); er veranlaßte Tiberius, alle cohortes praetoriae in einem Lager auf dem Viminal (Lex. urbis Romae I 251ff.) zusammenzufassen, der Zeitpunkt ist unbekannt (Tac. ann. 4,2,1; Cass. Dio 57,19,6), möglicherweise zw. 20 und 23 n. Chr. Angeblich soll der Einfluß des Ae. auf Tiberius sich frühzeitig entwickelt haben, doch interpretieren Tacitus und Cassius Dio alles vom Endpunkt her. Nach Cass. Dio 57,19,7 soll er schon im J. 20 die ornamenta praetoria erhalten haben, auch wurde seine Tochter mit einem Sohn des Claudius verlobt (Tac. ann. 3,29,4; PIR² C 856). Spannungen zw. Ae. und Drusus, Tiberius' Sohn; A. soll dessen Frau Livia (PIR² L 303) zum Ehebruch und dann zur Ermordung ihres Mannes angestiftet haben, nachdem er sich zuvor von seiner Frau → Apicata getrennt hatte, die nach dem Tod Seians alles enthüllte (Tac. ann. 4,3; 8; 10; 11). Als er 25 Tiberius um Heirat mit Livia ersuchte, lehnte dieser ab. Das bes. Vertrauen des Tiberius gewann er, als er diesen im J. 26 in einer Höhle bei Sperlonga mit seinem Körper gegen herabstürzende Felsbrocken schützte (Tac. ann. 4,59,1f.). A. soll Tiberius dazu gebracht haben, Rom für immer zu verlassen und sich nach Capri zurückzuziehen; so konnte er alle Kontakte des Tiberius mit der Außenwelt durch Praetorianer kontrollieren (Tac. ann. 4,41,1f.). Vor allem Tacitus schildert die Vernichtung der Familie des Germanicus als das Werk des Ae. [1. 86ff.], der dadurch seine eigene Machtstellung ausbaute. Dazu gewann Ae. Anhänger in allen Gruppen der Gesellschaft, vor allem im Senat. Sein Einfluß machte sich durch die öffentliche Feier seines Geburtstages, durch Errichtung zahlreicher Statuen selbst in den Fahnenheiligtümern, durch Ablegen des Herrschereides auf ihn, durch vota für seine Person bemerkbar. Im J. 31 wurde er zusammen mit Tiberius cos., erhielt ein imperium proconsulare sowie Priesterwürden. Alles deutete auf die Gleichstellung mit Tiberius, der ihm aber seit Frühjahr 31 insgeheim nicht mehr vertraute; deshalb Rücktritt vom Konsulat am 9. Mai (FOst, 42). Ae. soll eine Verschwörung

gegen Tiberius geplant haben, die → Antonia [4], die Mutter des Germanicus, enthüllte. Möglicherweise bestand sie [3] in der heimlichen Heirat mit Livia, der Witwe des Drusus. Tiberius benutzte Sutorius Macro, den praef. vigilum, den er heimlich zum praef. praetorio ernannte. Mit der Ankündigung, die tribunicia potestas zu erhalten, wurde Ae. am 18. Okt. 31 in den Senat gelockt, nach Verlesen eines Briefes des Tiberius verhaftet und am selben Tag hingerichtet (FOst 42; PIR² A 255). Seine Kinder wurden ebenfalls hingerichtet. Das Andenken an ihn wurde gelöscht, seine Anhänger in zahlreichen Prozessen verfolgt. Anders als Velleius (2,127f.), der im J. 30 schrieb, schildert ihn vor allem Tacitus als skrupellosen Machtmenschen.

1 D. HENNIG, L. Aelius Seianus, 1975 2 SYME, AA, 300–312 (mit Lit.) 3 J. BELLEMORE, The Wife of Sejanus, in: ZPE 109, 1995, 255–266.   W. E.

[II 20] Stilo Praeconinus, L. Geboren um 150 v. Chr. in Lanuvium (floruit ca. 110?–85?). Er war Ritter, erklärter Stoiker und erster wichtiger röm. Gelehrter. Seine Studien zu lat. Lit., Altertümern, Semasiologie und Etym. übten Einfluß auf seine jüngeren Zeitgenossen → Varro und → Cicero (Cic. Brut. 205–207; ac. 1,8; Gell. 1,18,2) sowie spätere Gelehrte wie etwa → Verrius Flaccus aus. Ihm ist → Coelius Antipaters Gesch. des 2. Pun. Krieges gewidmet (Rhet. Her. 4,12,18; Cic. orat. 230). Seine Tätigkeit als Redenschreiber, u. a. für C. → Aurelius [7] Cotta (Cic. Brut. 169, 205–207), brachte ihm das Cognomen Stilo (»Griffel«) ein. Praeconinus heißt er, weil sein Vater Herold war (praeco: Suet. gramm. 3; Plin. nat. 33,39; 37,9; Varro und Cicero verwenden keinen der Spitznamen). 100–99 v. Chr. begleitete er Q. → Caecilius Metellus Numidicus ins Exil nach Rhodos, wo er Aristarchs Schüler → Dionysius Thrax gehört haben könnte. Die gelehrten Bemühungen des A. umfassen eine Interpretation des → Carmen Saliare (Varro ling. 7,2), Erläuterungen zur Sakralsprache und zur Anwendung der XII Tafeln (Cic. de orat. 1,193), die Verwendung textkritischer Zeichen (notae) im Studium lit. Texte (gramm. 7,533–536), eine Abh. über Lehrsätze (proloquia = ἀξιώματα, Gell. 16,8,2f.) − ein Gegenstand stoischer Dialektik in bezug auf syntaktische Analyse − und eine Liste der echten Stücke des → Plautus, von denen er 25 zählte (Gell. 3,3,1; 3,12). Ein anderer bekannter Plautus-Gelehrter, Ser. → Clodius, war sein Schwiegersohn. A.' Werke sind verloren.

ED.: GRF 51–76.
LIT.: HLL § 192 · R. A. KASTER, Suetonius, De Grammaticis et Rhetoribus, 1995, 68–78.   R. A. K.

Aelius Promotus. Aus Alexandreia stammend, war A. in der 1. Hälfte des 2. Jh. als Arzt und Schriftsteller tätig. Er schrieb über Arzneimittel und sympathetische Heilmittel [1; 2]. Die Mss. zählen zu den Schriften von A. auch eine Abhandlung über Toxikologie [3], deren Kern

zur Zeit des A. entstand und die anscheinend eine der Hauptquellen für → Aetios [3] von Amida war, auch wenn sie Spuren zwischenzeitlicher Überarbeitungen zeigt.
1 E. ROHDE, KS Bd. 1, 1901, 380–410 2 M. WELLMANN, in: SBAW 1908, 772–777 3 S. IHM, 1995.   V. N. / L. v. R.-P.

Aello s. Harpyien

Aemilia. [1] *Vestalis maxima* wohl 178 v. Chr. (Obseq. 8; Val. Max. 1,1,6–7; Dion. Hal. ant. 2,68,3–5 [1]). [2] Vestalin, 114 v. Chr. wegen Inzests mit weiteren Kolleginnen in einem aufsehenerregenden Prozeß verurteilt und hingerichtet (MRR 1,534; 537). [3] Tochter des M. Aemilius Scaurus (cos. 115 v. Chr.), zuerst verheiratet mit M'. Acilius Glabrio (cos. 67), von Sulla 82 (?) zur Heirat mit Pompeius gezwungen (Plut. Sull. 33,4; Pomp. 9,1).

1 MÜNZER, 174–177.   K. L. E.

[4] **Ae. Lepida**, Schwester des M'. A. [II 7] Lepidus, *cos. ord.* 11 n. Chr.; mit L. → Iulius Caesar verlobt; im J. 20 wurde sie im Senat angeklagt und, trotz Verteidigung durch den Bruder, verurteilt (Tac. ann. 3,22; PIR² A 420 [1]). [5] **Ae. Lepida.** Tochter des M. → Aemilius [II 8] Lepidus, *cos. ord.* 6 n. Chr. Verheiratet mit dem Sohn des Germanicus → Drusus; nach dem Tod des Vaters angeklagt, setzte sie im J. 36 ihrem Leben ein Ende (PIR² A 421). [6] **Ae. Pudentilla.** Reiche Frau in der Prov. Afrika, die nach 14 Jahren Witwenschaft → Apuleius [III, von Madaura] heiratete, der sich aus diesem Grund wegen Magie verteidigen mußte (Apul. apol. passim; PIR² A 425 [2]).

1 VOGEL-WEIDEMANN, 326 ff. 2 E. FANTHAM, in: R. HAWLEY, B. LEVICK (Hrsg.), Women in antiquity: new assessment, 1995, 220 ff.   W. E.

Aemilianus (Aimilianus). Cognomen, durch das nach Adoption der urspr. Gentilname gekennzeichnet wird, in rep. Zeit zuerst angenommen vom Vater des C. Livius Drusus (cos. 147 v. Chr.), dann von P. Cornelius Scipio Africanus (cos. I 147) und seinem Bruder Q. Fabius Maximus (cos. 145).   K. L. E.

[1] **Imp. Caes. M. Aemilius Ae. Aug.**, afrikanischer Herkunft (Zon. 12,21), »Maure«, auf der Insel Djerba geboren (Aur. Vict. epit. Caes. 31,2). Konsularischer Statthalter in Moesia, von den Soldaten im Juli oder August 253 n. Chr. zum Kaiser ausgerufen (Aur. Vict. Caes. 31,1; Zos. 1,28,1; 2; Iord. Get. 205). Er zog gegen Gallus und Volusianus nach It.; nach deren Mord bei Interamna wurde Ae. vom Senat anerkannt. Drei Monate (Aur. Vict. Caes. 31,3) bzw. 88 Tage später (Chronogr. a. 354 p. 148 Chron. min. MOMMSEN) wurde er bei Spoletium von seinen eigenen Soldaten getötet, als Valerian heranrückte. PIR² A 330.

RIC 4,3, 190 ff. · KIENAST, 210–211 · M. PEACHIN, Roman Imperial Titulature and Chronology, 1990, 36–37.   A. B.

[2] **L. Mussius Ae. signo Aegippius.** Seine ritterliche Laufbahn bis 247 n. Chr. verzeichnet CIL VI 1624 = ILS 1433. Ab 257 stellvertretender Statthalter Ägyptens, leitete er dort die Christenverfolgung (Eus. HE 7,11). Vom J. 259 bis zum Okt. 261 oder später wurde er *praefectus Aegypti*. Nach dem Untergang des Macrianus und des Quietus zum Augustus erhoben (Aur. Vict. epit. Caes. 32,4), von Aurelius Theodotus besiegt und von Gallienus hingerichtet (SHA Gall. 4,1; trig. tyr. 22,8; 26,4; PIR² 5, M 757; PLRE 1, 23).

KIENAST, 224–225 · PFLAUM, 925–927, Nr. 349.   A. B.

Aemilius GENTILIZ
I. REPUBLIKANISCHE ZEIT   II. KAISERZEIT
GENTILIZ

Name eines sehr alten patrizischen Geschlechtes (inschr. häufiger *Aimilius*), nach dem auch die tribus Aemilia, eine der ältesten Landtribus benannt ist. Republikanische Pseudogenealogie führte die *gens* auf Mamercus, den angeblichen Sohn des Pythagoras bzw. des Numa, zurück oder auf troianische Vorfahren: Aemilia, eine Tochter des Aeneas, Aimylos, einen Sohn des Ascanius, oder den König Amulius selbst (Plut. Aemilius 2; Numa 8; Romulus 2; Fest. 22 L; Sil. Pun. 8,294–296) [1]. Die Aemilier gehörten zu den angesehensten Geschlechtern in der Republik und in der frühen Kaiserzeit, bis ihre führenden Familien im 1. Jh. n. Chr. ausstarben (Tac. ann. 6,27,4). Bereits 484 erreichte der erste Ae. den Konsulat. Unter den Familien traten zuerst die Marmerc(in)i hervor (5. Jh.), dann die Papi und Barbulae seit dem ausgehenden 4. Jh., die Paulli (mit cos. 302), aus deren Reihen der Sieger über Perseus (Aem. I 32) und der Jüngere Scipio (P. → Cornelius Scipio Aemilianus Africanus) hervorgingen, dann die Lepidi (seit M. Ae. Lepidus, cos. 285), deren Angehörige im 2. und 1. Jh. besonders hervorgetreten, die Regilli und die Scauri seit dem ausgehenden 2. Jh. v. Chr. In der späten Republik wurden z. T. alte Praenomina (Mamercus) und Cognomina (Paullus, Regillus) wiederbelebt.

1 MÜNZER, 155 f. 2 T. P. WISEMAN, Roman Studies, 1987, 207.   K. L. E.

I. REPUBLIKANISCHE ZEIT

Darunter Barbulae: I 2–5; Lepidi: I 7–17; Mamerci: I 18–26; Papi: I 27–32; Paulli, Regilli, Scauri: I 33–38

[I 1] **Ae., M.**, Consul (?) 349 v. Chr., nur bei Diod. 16,59,1 (MRR 1, 128).

Aemilii Barbulae. Zum Cognomen »der Milchbart« [1].

[I 2] **Ae. Barbula, L.**, Sohn von [I 5], Consul 281 v. Chr. mit Q. Marcius Philippus. 280 triumphierte als Proconsul über Tarentiner, Samniter und Sallentiner. 269 Censor. [I 3] **Ae. Barbula, M.**, Dictator zwischen 292–285 v. Chr. Elogium: InscrIt 13,3, Nr. 68 (MRR 1, 187). [4] **Ae. Barbula, M.**, Consul 230 v. Chr. mit M. Iunius Pera, Sohn von [I 2]. [5] **Ae. Barbula, Q.**, erster Vertreter der Familie im polit. Leben. 317 v. Chr.

Consul mit C. Iunius Bubulcus Brutus. Als *cos. II* mit demselbem Kollegen triumphierte er 311 nach Ausweis der Fasten über die Etrusker (InscrIt 13,1,87). Vater von [I 2].

[6] Ae. Buca, L., *IV vir monetalis* 44 v.Chr. (RRC 1,480); wohl Fürsprecher im Prozeß gegen M. Ae. [I 38] Scaurus; Ascon. 28 c).

1 KAJANTO, Cognomina, 25,224.　　K.L.E.

LEPIDI I 7–17

Cognomen (»der Anmutige«) in republikanischer Zeit nur bei der Gens Aemilia (zuerst bei M. Ae. Lepidus, *cos.* 285) bezeugt, in der Kaiserzeit dann bei zahlreichen weiteren Gentes und auch bei Sklaven und Freigelassenen verbreitet.

WALDE/HOFMANN, I³, 785 f. · KAJANTO, Cognomina, 72 f., 134, 283 · R. WEIGEL, Augustus' relation with the Aemilii Lepidi, in: RhM 128, 1985, 180–191.　　K.L.E.

[I 7] Ae. Lepidus, M'., Consul 66 v.Chr. mit L. Volcacius Tullus. Vielleicht 65 Zeuge gegen C. Cornelius (Ascon. 60; 79 C. [1. 227, 276]), billigte Ciceros Urteil gegen die Catilinarier (Cic. Phil. 2,12); wahrte 49 bei Ausbruch des Bürgerkrieges vorsichtige Zurückhaltung (mehrfach bei Cic. ad. Att. erwähnt). MRR 3,6.

[I 8] Ae. Lepidus, M., Consul I 232 v.Chr. mit M. Poblicius Malleolus (Feldzug nach Sardinien), *cos. suff.* 221 / 219 (?), gest. 216 (Liv. 32,30,15). MRR 1, 234.

[I 9] Ae. Lepidus, M., 218 v.Chr. Praetor (Sicilia, Liv. 21,49,6); Bewerbung um den Konsulat scheiterte 216 (Liv. 22,35,1), aber möglicherweise *praetor suff.* (Liv. 23,20,6); 213 vielleicht erneut *praetor peregrinus*; bekämpfte die Ausbreitung fremder Kulte (Liv. 25,1,6–12; 12,3). 211 *X vir sacris faciundis* (?). MRR 1, 249; 263; 3,6–7.

1 B. A. MARSHALL, A historical commentary on Asconius, 1985.　　K.L.E.

[I 10] Ae. Lepidus, M., wohl Sohn von Ae. Lepidus [I 9] und einer der führenden röm. Aristokraten in der 1. H. des 2.Jh. v.Chr. 201 jüngstes Mitglied einer Dreiergesandtschaft nach Griechenland und zu Ptolemaios V. Epiphanes; überbrachte allein Philipp V. vor Abydos das Ultimatum des röm. Senats (Liv. 31,2,1–4; 18, 1–4; Pol. 16,27; 34,1–7); nach späterer Familienpropaganda Vormund des Ptolemaios (*tutor regis:* RRC 419/2). Curul. Aedil 193 (Bau der Porticus Aemilia, Liv. 35,10,12), Praetor (Sicilia) 191, Consul I 187 mit M. Fulvius Nobilior. Erfolgreiche Kämpfe in Ligurien und Anlage der Via Aemilia von Placentia bis zum Silarus (Liv. 39,2,7–11; [2]). 183 *III vir* zur Gründung von Mutina und Parma. 179 Censor wieder mit M. Fulvius Nobilior; umfangreiches Bauprogramm, darunter Errichtung der → Basilica Aemilia et Fulvia auf dem Forum Romanum und des → Pons Aemilius (Liv. 40,51); Änderungen in den Abstimmungsmodalitäten der Tribuscomitien. 175 *cos. II* mit P. Mucius Scaevola, Triumph über die Ligurer. 173 *X vir agris dandis* in Ligurien und Gallien. Seit 179

sechsmal *princeps senatus*, seit 199 Pontifex, seit 180 bis zu seinem Tod 152 Pontifex maximus. Statue auf dem Kapitol (Val. Max. 3,1,1).

1 GRUEN, Rome 2 G. RADKE, s. v. Viae publicae Romanae, RE Suppl. 13, 1576–1577.　　K.L.E.

[I 11] Ae. Lepidus, M., Vater des Triumvirn [I 12]. Kämpfte 100 v.Chr. auf Seiten des Senats gegen den Volkstribunen L.→ Appuleius [I 11, Saturninus] (Cic. Rab. perd. 21), Quaestor ca. 91, Militärtribun 89 (?) im Heer des Cn. Pompeius Strabo; bereicherte sich bei den Proskriptionen Sullas, wohl 81 Praetor, 80 Propraetor auf Sizilien (Erpressungen); mit den Gewinnen finanzierte er die Ausschmückung der → Basilica Aemilia (darauf wohl Münzen seines Sohnes [RRC 419/3]). Gegen den Willen Sullas 78 Consul mit Q. Lutatius Catulus. Geriet sofort in Widerspruch mit seinem Kollegen und drang auf die Abschaffung der sullanischen Gesetze, bes. die Rückberufung der Verbannten und die Restitution des enteigneten Landes. Er erhielt die Gallia Transpadana und Cisalpina als Provinz, stellte sich aber in Etrurien an die Spitze der mit der sull. Landverteilung Unzufriedenen, weigerte sich, einem Senatsbefehl zur Rückkehr zu folgen und marschierte 77 auf Rom. Er wurde von Catulus bei Rom, sein Legat M. Iunius Brutus von Pompeius bei Mutina geschlagen. L. floh nach Sardinien, wo er 77 starb, seine Anhänger zu Sertorius nach Spanien. Hauptquellen: Sall. Hist.; App. civ. 1,491–504.

CAH 9², 208–209 · N. CRINITI, M. Aemilius Q. f. M. n. Lepidus, ut ignis in stipula, in: MIL 30, 1969, 419–460 · MRR 3,7.　　K.L.E.

[I 12] Lepidus, M., der Triumvir. Nach einer zunächst bescheidenen Karriere als Pontifex, Münzmeister, Aedil (53 v.Chr. oder früher) und Interrex (52; MRR 2, 236) vollzog sich sein eigentlicher Aufstieg unter Caesars Herrschaft. Als Praetor von 49 ließ Ae. diesen zum Dictator ausrufen (Caes. civ. 2,21,5). 48 und 47 war er Proconsul in Hispania citerior, 46 Consul (neben dem Consul Caesar), anschließend (bis 44) Magister equitum (unter dem Dictator Caesar). Zu den Quellen s. MRR 2, 275; 288; 293 ff.; 306; 318 f. Nach den Iden des März lehnte sich Ae. an Antonius an und wurde mit dessen Unterstützung Pontifex maximus (Cass. Dio 44,53,6 f.). Als Statthalter von Gallia Narbonensis und Hispania citerior führte er i.J. 43 Antonius nach den Niederlagen von Mutina und Forum Gallorum seine Truppen zu [1. 109 ff.]. An dem zwischen Antonius und Octavian (→ Augustus) geschlossenen Abkommen vom 27.11., das als 2. Triumvirat bekannt wurde (*tresviri rei publicae constituendae*), nahm Ae. nur scheinbar gleichberechtigt teil. Während seine Kollegen 42 im Osten gegen die Caesarmörder vorgingen, sollte Lepidus als Consul die Interessen des Triumvirats in Rom wahren (MRR 2, 357 f.). Der Verdacht, mit Sex. Pompeius konspiriert zu haben (App. civ. 5,12), kostete Ae. die ihm 43 zugeteilten Provinzen Hispania citerior und Gallia Narbonensis.

40–36 war er dann Statthalter in Africa und unterstützte 36 in dieser Funktion Octavian im Kampf gegen Pompeius. Als Ae., verstärkt durch die zu ihm übergelaufenen pompeianischen Legionen, Anspruch auf Sizilien erhob, wurde er von Octavian völlig entmachtet [2. 47f.]. Er behielt nur die Würde des Pontifex maximus, die bei seinem Tod im Jahre 12 v. Chr. an Augustus überging [2.103]. Obgleich Ae. eine der glanzvollsten Ämterkarrieren (einschließlich der obligatorischen Triumphzüge) der späten Republik vorweisen konnte, wird er von den Quellen fast einhellig als charakterlos, schwächlich und eitel geschildert [3]. Wieweit dieses Bild, das die Moderne übernahm, auch dem Umstand zu danken ist, daß Ae. immer im Schatten Mächtigerer (Caesar, Antonius und Octavian) stand, muß offen bleiben.

1 H. BENGTSON, Marcus Antonius, 1977 2 D. KIENAST, Augustus, 1982 3 DRUMANN/GROEBE 1, 17.

R. D. WEIGEL, Lepidus, 1992. W. W.

[I 13] Lepidus, M., Sohn des vorigen Triumvirn. Er wurde 31 v. Chr. von Maecenas beschuldigt, in Rom ein Mordkomplott gegen Octavian (→ Augustus) geschmiedet zu haben, verhaftet und zu ihm nach Actium geschickt. Ae. wurde hingerichtet, seine Frau Servilia beging Selbstmord. Vell. 2,88; App. civ. 4,216–219.
W. W.

[I 14] Ae. Lepidus Livianus, Mam., vielleicht Sohn des M. Livius Drusus, cos. 112 v. Chr. [1]. Propraetor 80 v. Chr., cos. 77 mit D. Iunius Brutus; vielleicht 70 *princeps senatus*, 65 vielleicht Zeuge gegen C. → Cornelius (Ascon. 60; 79 C). MRR 3, 8–9.

1 D. R. SHACKLETON BAILEY, Two studies in Roman nomenclature, ²1991, 66. K. L. E.

[I 15] Lepidus Paullus, L., Bruder des Triumvirn M. → Aemilius [I 12] Lepidus. 59 v. Chr. Quaestor, 55 Aedil (?), 53 Praetor (MRR 2, 190; 216; 228). Von → Pompeius protegiert wurde er zum Consul für das Jahr 50 gewählt, doch verpflichtete ihn Caesar mit einer Bestechungssumme von 9 Millionen Denaren zur polit. Neutralität. Im Juni 43 setzte er sich für die Ächtung seines Bruders ein und wurde deshalb von diesem wenig später auf Platz eins der Proskriptionsliste des Zweiten Triumvirats gesetzt (App. civ. 4,45). Er konnte fliehen und starb später in Milet.

DRUMANN/GROEBE 1, 4–8. W. W.

[I 16] Ae. Lepidus, Paullus, Sohn von L. Ae. [I 15], Bruder des Triumvirn (das urspr. Praenomen L. ist gegen das Cognomen vertauscht), Consul suff. 34 v. Chr. (vollendete den Bau der → Basilica Aemilia), 22 Censor mit L. Munatius Plancus (letztes gewähltes Censorenpaar, Vell. 2,95,3; Cass. Dio 54,2,1–3). PIR I² A 373.

SYME, AA. K. L. E.

[I 17] Ae. Lepidus Porcina, M., Consul 137 v. Chr. mit C. Hostilius Mancinus. Gegner der *lex tabellaria* des

C. → Cassius Longinus Ravilla. Als Nachfolger des Mancinus nach Spanien gesandt, erlitt er eine schwere Niederlage gegen die Vaccaer. 125 von den Censoren wegen Verschwendung (?) belangt. Augur vor 125. Von Cicero als Redner geschätzt (Brut. 95–96). MRR 3,9. K. L. E.

AEMILII MAMERCI UND MAMERCINI (I 17–26)

Mamercus (von altit. *Mars* abgeleitet) wurde innerhalb der *gens* Aemilia im 4. und 3. Jh. v. Chr sowohl als Praenomen wie Cognomen gebraucht (auch weitergebildet zu Mamercinus), das Praenomen im 1. Jh. v. Chr. wiederbelebt (s. Nr. I 14).

WALDE/HOFMANN, 2³, 44 · KAJANTO, Cognomina, 176 · SALOMIES, 34–35. K. L. E.

[I 18] Ae. Mamercinus, C., Consulartribun 394 und 391 v. Chr. **[I 19] Ae. Mamercinus, L.**, Consulartribun 391 v. Chr., 389, 387, 383, 382, 380. **[I 20] Ae. Mamercinus (Mamercus), L.**, Consulartribun 377 v. Chr., Magister equitum 368, Consul I 366, II 363, Interrex 355, Magister equitum 352 (Identifikation ungesichert). **[I 21] Ae. (Mamercinus), Mam.**, Quaestor 446 v. Chr., Consulartribun 438, Dictator I 437, wobei er gegen die Veienter und Fidenaten zog und triumphierte. Als Dictator II 434 beschränkte er die Dauer der Censur auf 1 1/2 Jahre (Liv. 4, 23; 24; 428); Mitglied einer Untersuchungskommission (Liv. 4,30,5–6). Als Dictator III eroberte er 426 Fidenae. **[I 22] Ae. Mamercinus, M'.** Consul 410 v. Chr., Consulartribun 405, 403, 401. **[I 23] Ae. Mamercinus (Mamercus), Ti. (oder T.).** *V vir mensarius* 352 v. Chr. zur Regelung von Schulden (?), Praetor 341, Consul 339. **[I 24] Ae. Mamercinus Privernas, L.**, Magister equitum 352 v. Chr. (?), 342 (?). Als Consul I 341 Kampf gegen die Samniter; trat mit seinem Kollegen C. Plautius Venno vorzeitig wegen des Latinerkrieges zurück. Als cos. II 329 erhielt er Gallia als Provinz, eroberte aber mit seinem Kollegen C. Plautius Decianus Privernum und feierte einen Triumph; der Siegerbeiname »Privernas« ist vielleicht spätere Erfindung. Als Dictator II 316 (*rei gerundae causa*) kämpfte er erneut gegen die Samniter. **[I 25] Ae. Mamercus, L.**, ältester Vertreter des Geschlechtes im polit. Leben, Consul I 484 v. Chr., II 478, III 473; geriet als cos. II wegen des nicht genehmigten Friedensschlusses mit den Veientern in Gegensatz zum Senat (Dion. Hal. ant. 9,17). **[I 26] Ae. Mamercus, Ti. (oder T.)**, Sohn von Ae. (I 25). Consul I 470 v. Chr., II 467; stand nach annalistischer Tradition (Liv. 3,1) auf Seiten der Plebeier. K. L. E.

AEMILII PAPI: 27–30

[I 27] Ae. Papus, L., Enkel von Ae. [I 30]. Consul 225 v. Chr. mit C. Atilius Regulus, besiegte bei Telamon die Kelten und triumphierte aufwendig (Pol. 2,23–31). Censor 220 mit C. Flaminius (Liv. 23,23,5; per. 20). *III vir mensarius* 216 wegen Silberknappheit (Liv. 23,21,6). **[I 28] Ae. Papus, L.**, Praetor 205 v. Chr., kämpfte in Sizilien (Liv. 28,38,11; 13; Suet. Aug. 2,2). Vor 172 *X vir sacris faciundis* (Liv. 42,28,10). **[I 29] Ae.**

Papus, M., Dictator zur Abhaltung der Wahlen 321 v. Chr. (Liv. 9,7,14), vielleicht unhistorisch [1]. **[I 30] Ae. Papus, Q.**, siegt als Consul I 282 v. Chr. über die Etrusker und Boier, 280 verhandelte er nach der Schlacht bei Herakleia zusammen mit C. Fabricius Luscinus und P. Cornelius Dolabella mit Pyrrhos über die Rückgabe der röm. Gefangenen. Als *cos. II* 278 kämpfte er erfolgreich in Unteritalien gegen die Verbündeten des Königs (Triumph). Censor 275. Alle Ämter übte er zusammen mit C. Fabricius Luscinus aus. In späterer Tradition mit dem Kollegen *exemplum* röm. Tugenden.

AEMILII PAULLI: 31–34

[I 31] Ae. Paullus, L., Sohn von [I 34], Consul I 219 v. Chr. mit M. Livius Salinator, triumphierte nach Erfolgen in Illyrien, ging 218 als Gesandter nach Karthago (Liv. 21,18,1), cos. II 216 mit C. Terentius Varro, kämpfte und fiel bei Cannae, nachdem die Schlacht gegen seinen Willen von seinem Kollegen angenommen worden war (Pol. 3,107–117; Liv. 22,38–50; Hor. carm. 1,12,38 u.ö.). Pontifex (?) vor 216. Vater von [I 32].

[I 32] Ae. Paullus, L., geb. ca. 228 v. Chr., Sohn von [I 31]. Wohl 195 Quaestor, 194 *III vir coloniae deducendae* (Kroton, Liv. 34,45,5), 193 curul. Aedil (Bau der Porticus Aemiliae, Liv. 35, 10,12; Plut. Aem. 3). Als Praetor 191 erhielt er Hispania ulterior, wo er bis 189 als Propraetor blieb. Zunächst 190 im Gebiet der Bastetaner besiegt (Liv. 37,46,7–8), errang er wohl noch im selben Jahr einen Erfolg über die Lusitaner (Liv. 37,57,6–7; Imperatorentitel: ILLRP 514) und erhielt 189 als *imperator* eine *supplicatio* (Liv. 37,58,5). 189/188 Mitglied der Zehnerkommission zur territorialen Neugliederung Kleinasiens (Liv. 37,55). 182 cos. I mit Cn. Baebius Tamphilus; kämpfte erfolgreich gegen die Ligurer und erhielt als Proconsul einen Triumph (Liv. 40,25–28; 34,7–8). 171 einer der vier Patrone der Spanier bei ihrer Klage gegen Fehlverhalten röm. Magistrate (Liv. 43,2). Als cos. II 168 mit C. Licinius Crassus erhielt er den Oberfehl im 3. Maked. Krieg und besiegte König Perseus bei Pydna am 22. Juni 168 (Liv. 44,30–46); Umarbeitung einer von Perseus nach Delphi gestifteten Säule in ein Siegsdenkmal mit Reiterstatue des Paullus (Inschrift: ILLRP 323). Als Proconsul blieb er 167 zur Ordnung der Verhältnisse auf dem Balkan, unterstützt von einer Senatskommission. Auf dem Rückmarsch Eroberung zahlreicher Städte in Illyrien und Epirus und glänzender dreitägiger Triumph in Rom (Liv. 45,28–40). Der Umfang der Beute, die an die Staatskasse ging, machte im folgenden die Erhebung direkter Steuern überflüssig (Plut. Aemilius 38); Ae. behielt für sich nur die Bibliothek des Perseus (Plut. Aemilius 28). 164 war er mit Q. Marcius Philippus Censor. 162 (? oder 175) Interrex. Augur von ca. 192 bis zu seinem Tode 160, der nach schwerer Krankheit eintrat. Er hinterließ keine direkten Nachkommen; seine leiblichen Söhne aus erster Ehe waren bereits noch zu seinen Lebzeiten in die Familien der Fabier (Q. Fabius Maximus) bzw. Cornelier adoptiert (P. Cornelius Scipio, der spätere Africanus Minor). Sie richteten aufwendige Leichenfeiern

für den Vater aus, bei denen die ›Hecyra‹ und die ›Adelphen‹ des → P. Terentius Afer aufgeführt wurden.

Ae. besaß zwar eine Neigung zu griech. und röm. Kunst und Literatur, war aber kein polit. »Philhellene«. Seit Polybios gilt er in der ant. Tradition im Gegensatz zu seinen adligen Zeitgenossen als Beispiel für Bedürfnislosigkeit, Strenge und Aufrichtigkeit. Hauptquellen: Elogium InscrIt 13,3, Nr. 81 und Nr. 71b. Nachrichten bei Polybios und Livius, Vita des Plutarch (wohl nach Polybios).

1 MÜNZER, 159.

J.-L. FERRARY, Philhellénisme et impérialisme, 1988 · W. REITER, Aemilius Paullus, 1988.   K.L.E.

[I 33] Ae. Paullus, M., stieg als erster seiner Familie 302 v. Chr. zum Konsulat auf (Sieg bei Thurii). Als Magister equitum wurde er 302 oder 301 von den Etruskern geschlagen. **[I 34] Ae. Paullus, M.**, Consul 255 v. Chr., begab sich mit seinem Kollegen Ser. Fulvius Nobilior nach Africa zur Rettung des Heeres des M. → Atilius Regulus, besiegte die karthagische Flotte am Hermäischen Vorgebirge, erlitt auf der Rückfahrt Schiffbruch bei Kamarina (Pol. 1,36,10–37) und triumphierte trotzdem 254 als Proconsul mit Flottenkommando.

AEMILII REGILLI: I 35–36

[I 35] Ae. Regillus, L., Praetor mit Flottenkommando 190 v. Chr., besiegte bei Myonesos die Flotte Antiochos' III. und feierte 189 als Propraetor einen *triumphus navalis* (Liv. 37,14–31; 58). **[I 36] Ae. Regillus, M.**, Praetor (?) vor 217 v. Chr., starb als Flamen Martialis 205.

AEMILII SCAURI

(Cognomen »der Klumpfuß«): I 37–38. **[I 37] Ae. Scaurus, M.**, geb. 163 / 62 v. Chr., aus polit. unbedeutender Familie (Cic. Mur. 16; Ascon. 23C). Aedil 122 (?), Praetor 119 (?), Consul 115, triumphierte über die Ligurer und Gantisker und war Urheber einer *l. sumptuaria* (Gell. 2,24,12; Plin. nat. 8,223) und einer *l. de libertinorum suffragiis* (Inhalt unbekannt); seitdem *princeps senatus* bis zu seinem Tode. 112 ging er als Mitglied einer Senatskommission nach Africa zur Beilegung der Streitigkeiten zwischen Adherbal und Iugurtha, ebenso als Legat des Consuls Bestia 111. Er ließ sich von Iugurtha bestechen, konnte sich aber 109 der gerichtlichen Verfolgung entziehen (Sall. Iug.). Als Censor 109 baute er mit M. Livius Drusus die Via Aemilia über Genua nach Tortona und stellte den Pons Mulvius wieder her. 104 *curator annonae*. Die Ereignisse der letzten Lebensjahre und deren Chronologie bis zum Tod 89/88 sind umstritten, bes. die Gesandtschaft nach Asia (Ascon. 21C); er war entweder Augur oder Pontifex. Guter Redner (Cic. Brut. 110–116) und Verfasser von 3 B. Memoiren (HRR 185). Scaurus, mit den Metellern durch Heirat verbunden, war in der nachgracchischer Zeit einer der einflußreichsten röm. Politiker (*cuius...nutu prope terrarum orbis regebatur*, Cic. Font. 24) Als hochfahrende Persönlichkeit (Sall. Iug. 15,4) mußte er seine eigenen

Machtansprüche gegen die Angriffe seiner Standesgenossen in zahlreichen Prozessen verteidigen. Cic.
schätzte ihn als überzeugten Anhänger der Senatsherrschaft (Sest. 101). Sein Sohn: Ae. [I 38].

P. FRACCARO, Opuscula 2, 1957, 125–147 · E. S. GRUEN,
Roman Politics and the Criminal Courts, 1968 ·
MRR 3,10–12.   K. L. E.

[I 38] Ae. Scaurus, M., Sohn von Ae. [I 37]. Klagte 78
v. Chr. erfolgreich den Cn. Cornelius Dolabella an,
Quaestor des Pompeius 66, als Proquaestor in Syrien
(65–61), kämpfte gegen den Nabatäerkönig Aretas
(Münzen von 58 RRC 422/1). Als curul. Aedil 58 veranstaltete er aufwendige Spiele (Cic. Sest. 116; häufig
bei Plin. nat. erwähnt) und machte enorme Schulden.
Praetor (de vi) 56, anschließend als Propraetor in Sardinien. 54 wegen zuerst wegen Erpressung, dann wegen
Wählerbestechung angeklagt, beide Male von Cicero
verteidigt, im zweiten Prozeß aber verurteilt. Pontifex
seit etwa 60 bis zu seinem Tod im Exil. Ae. besaß auf
dem Palatin ein luxuriös ausgestattetes Haus, das ihm
viel Spott eintrug (Cic. Scaur. 45k – m; off. 1,138; Ascon. 27–28C), in Tusculum eine Villa, eine Sammlung
geschnittener Steine. Verheiratet mit Mucia, Tochter
des Q. Mucius Scaevola.   K. L. E.

II. KAISERZEIT

[II 1] Imp. Caes. M. Ae. Aemilianus
→ Aemilianus [2].

[II 2] Carus, L. Wohl aus dem Osten stammender Senator, der im J. 143 Statthalter von Arabia war (IGRR
3,1364); kurz danach *cos. suff.* und schließlich Legatus
von Cappadocia (CIL VI 1333 = ILS 1077; PIR² A 338).
[II 3] Carus, L., Sohn von [II 2], konsularer Statthalter
der *tres Dacia*e um 173/5 (CIL III 1153; 1415; 7771; FPD,
105 f.). **[II 4] Iuncus, L.**, Senator aus Tripolis in Phoinikien, *cos. suff.* 127 (FOst, 49); Sonderlegat (*corrector*) für
die freien Städte in Achaia (IG III² 4210; V 1,485;
[1. 145 f.]). **[II 5] Iuncus, L.**, Nachkomme von [II 4],
cos. suff. 179 (RMD 3, 185); *procos. Asiae* 193/4 (SEG 38,
1244). Wohl identisch mit dem Konsular, der von Commodus verbannt wurde. **[II 6] Ae. Laetus, Q.**, Praetorianerpraefekt unter Commmodus, auf seine Veranlassung erhielt Septimius Severus die Statthalterschaft von
Pannonien, leitete Ende 192 n. Chr. die Verschwörung
gegen Commodus und tötete ihn (SHA Comm. 17,1 f.;
Cass. Dio 73,22). Nachdem er auch → Pertinax beseitigt
hatte (Cass. Dio 74,10,1; 9,1), ließ → Didius Iulianus ihn
hinrichten (Cass. Dio 74,16,5) [2. 82 ff.].
[II 7] Ae. Lepidus, M'., *cos. ord.* 11 n. Chr. und *augur*,
Enkel des Triumvirn [I 12], der Vater ist nicht sicher
[3. 244]. Im J. 20 verteidigte er erfolglos seine Schwester
im Senat (Tac. ann. 3,22); 21/22 amtierte er als Prokonsul von Asia [3. 326 ff.]; zur Überlieferung bei Tacitus [4. 129]. **[II 8] Lepidus, M.**, *cos. ord.* 6 n. Chr.,
Großneffe des Triumvirn → Ae. [I 12] Lepidus, Sohn
von Ae. [I 16] Lepidus Paullus, des *cos. suff.* 34 v. Chr.,
und Marcella minor, der Nichte von Augustus; Bruder
von [II 13] [4. Stemma IV]. Eng mit Tiberius verbun-

den, am pannonischen Feldzug beteiligt und mit den
ornamenta triumphalia ausgezeichnet (Vell. 2,115,3); 8–9
n. Chr. Statthalter wohl von Pannonien [5. 99]; vgl. aber
[4. 128]. Im J. 14 konsularer Legat der Hispania citerior,
vielleicht für mehrere Jahre [4. 128 f.]. 20 n. Chr. verteidigte er Cn. → Calpurnius Piso im Senat (Tac. ann.
3,11,2). Den Prokonsulat von Africa lehnte er 21 zugunsten von Iunius Blaesus, dem Onkel Seians, ab (Tac.
ann. 3,35). Im Senat stellte er bei mehreren Prozessen
strafmildernde Anträge (Tac. ann. 3,50; 4,20,2); Prokonsul von Asia 26–28, vielleicht bis 29 [3. 266 ff.]. Er
gehörte zu den engsten Vertrauten des Tiberius, bewahrte sich aber dennoch nach Tacitus seine Unabhängigkeit. Über seinen großen Einfluß klagte 32 im Senat
Cotta Messalinus (Tac. ann. 6,5,1). Tiberius unterstützte
ihn finanziell, auch beim Wiederaufbau der *basilica Pauli*
(Tac. ann. 3,72,1). Tacitus rühmte im Zusammenhang
mit seinem Tod 33 n. Chr. seine *moderatio* und *sapientia*
(ann. 6,27,4). Augustus soll ihn kurz vor seinem Tod als
capax imperii bezeichnet haben (Tac. ann. 1,13,2 f.); zur
Herkunft dieser Anekdote [4. 136 ff.]. Durch seine
Mutter mit Augustus verwandt; eine seiner Töchter,
Aemilia [5] Lepida, war mit Drusus, einem Sohn des
Germanicus verheiratet (Tac. ann. 6,40,3); zur Person
[6. 30 ff.; 4. 128 ff.]. **[9] Ae. Lepidus, M.**, Sohn von
[II 8], Bruder von Aemilia [5] Lepida; mit → Caligula
verbunden. Heiratete Iulia Drusilla, die Lieblings-
schwester Caligulas; von diesem deshalb oft als sein
Nachfolger bezeichnet, weshalb er auch die Erlaubnis
erhielt, sich 5 Jahre vor der gesetzlichen Zeit um die
Ämter zu bewerben. Nach dem Tod Drusillas Bündnis
mit → Cornelius Lentulus Gaetulicus und Agrippina [3],
um Caligula zu beseitigen. Auf Befehl Caligulas wurde
er getötet. Seine Asche mußte Agrippina nach Rom
zurückbringen (Cass. Dio 59,22,7 f.; PIR² A 371;
[7. 106 ff.]).

1 HALFMANN 2 A. BIRLEY, Septimius Severus, ²1988
3 VOGEL-WEIDEMANN 4 SYME, AA 5 THOMASSON, Bd. 1
6 R. SYME, Ten Studies in Tacitus, 1970 7 A. BARRETT,
Caligula, 1990.   W. E.

[II 10] Macer. Dichter aus Verona (Hier.-Eus. chron.
p. 143 SCHÖNE = Hier. chronic. a. Abr. 2007; schol.
Bernensia in Verg. ecl. 5,1), der 16 v. Chr. in der Prov.
Asia starb (Hier.). Der junge → Ovid hörte den alten
Mann Lesungen halten (trist. 4,10,43; vgl. Quint. inst.
12,11,27: Vorläufer des → Vergilius). 19 Fragmente seiner Dichtungen sind erhalten (z. T. versehentlich Licinius → Macer zugeschrieben); davon können 17 der
Ornithogonia (O.) und den *Theriaca* (Th.) zugewiesen
werden (offenbar in je 2 B.). Seine O. basierte anscheinend auf einem Werk ähnlichen Titels von → Boio(s),
war aber eindeutig keine Übersetzung. Ebenso basierten
seine Th. auf → Nikandros' *Theriaca* (Quint. inst.
10,1,56), aber einige Fragmente berühren sich eher mit
Nikandros' *Alexipharmaka* (vgl. Ov. trist. 4,10,44: *iuvat
herba*). Ps.-Cato Dist. 2 prol. 2–3 stellt fest, *quod si mage
nosse laboras / herbarum vires Macer haec tibi carmina dicit.*

Diese Stelle bewirkte, daß im Spät-MA das Gedicht *De Viribus Herbarum* von Odo von Meung (?) als Werk des A. umlief. Sein Werk über Schlangen wurde von → Lucanus (9,700–937) und → Plinius dem Ä. (nat. 32) benutzt.

H. DAHLMANN, Über A. M., AAWM 1981, 6 · J.-P. NÉRAUDAU, A. M., in: ANRW II 30.3, 1983, 1708–1731 · COURTNEY, 292.   ED. C.

[II 11, Macer] Jurist unter Caracalla und Severus Alexander, wohl aus konsularer Familie, schrieb Monographien zum Verfahrensrecht (*De iudiciis publicis, De officio praesidis, De appellationibus*) und zum Steuerrecht (*Ad legem vicesimae hereditatum*) sowie das in der röm. Jurisprudenz erste Traktat des sowohl öffentlichen als auch privaten (*testamentum militis, peculium castrense*) Militärrechts *De re militari* (jeweils 2 Bücher).

D. LIEBS, Römische Jurisprudenz in Africa, 1993, 25 ff. · PIR I² 379.   T. G.

[II 12] Papinianus → Papinianus. **[II 13] Paullus, L.**, Sohn von Ae. [I 16] Lepidus Paullus, *cos. suff.* 34 v. Chr., und Cornelia; selbst *cos. ord.* 1 im J. n. Chr.; verheiratet mit Iulia, der Enkelin des Augustus (Suet. Aug. 19; 64). Nach Verschwörung gegen Augustus 8 n. Chr. offensichtlich verbannt; im J. 13 oder 14 gestorben (PIR² A 391) [3; 4]. **[II 14] Scaurus Mamercus**, aus alter republikanischer Familie, mit Aemilia Lepida verheiratet (Tac. ann. 3,23,2), als Redner bekannt. Im J. 32 wegen Maiestätsverbrechen, 34 wegen *adulterium* mit Iulia Livilla angeklagt, tötete er sich vor der Verurteilung selbst (Tac. ann. 6,29). Verfasser der Tragödie *Atreus*, die Tiberius' Zorn erregte (Cass. Dio 58,24,4).

1 1) KUNKEL, 256 f. 2 O. LENEL, Palingenesia Iuris Civilis, Bd. 1, 1960 3 SCHEID, Recrutement, 91 ff. 4 SYME, AA, 115 ff.   W. E.

Aemilius Asper. Der Grammatiker A., wohl aus dem ausgehenden 2. Jh. n. Chr., zieht mit seinen Erklärungen zu → Terenz, → Vergil und → Sallust das Fazit aus der Spannung zwischen archaistischen und klassizistischen Tendenzen des Schulkanons im 2. Jh. In seiner Exegese tritt das Interesse an sprachgesch. Detailphänomenen gegenüber Textkritik, Stilistik und dem Vergleich mit gr. Klassikern zurück. In der Spätant. konstituiert er mit → Probus und → Terentius Scaurus eine Trias gramm. Autoritäten (Auson. praef. 1,18 ff.; epist. 18 (13), 27 ff.), werden seine Arbeiten zu Terenz und Vergil in der Schule gelesen (Hier. adv. Rufin. 1,16) und dienen der moderneren Kommentierung als Basis; eine kleine Schrift zur Stilistik Vergils ist in Bruchstücken erhalten [1]. A.s Ruhm belegen sogar einige Pseudepigrapha.

ED.: 1 H. HAGEN, Servius Grammaticus Bd. 3,2, 1902, XIIf., 533–540.
LIT.: 2 P. WESSNER, A. A., 1905. 3 A. TOMSIN, Étude sur le comm. Virgil. d'A. A., 1952. 4 P. L. SCHMIDT, HLL § 443.   P. L. S.

Aemulatio s. Intertextualität

Aeneatores waren die bereits in der servianischen Centurienordnung belegten Musiker der röm. Legionen; zu ihnen gehörten die *tubicines, cornicines* und *bucinatores*, die im Lager, auf dem Marsch und während der Schlacht die Befehle der Offiziere übermittelten. Das Wort *a.* erscheint in der Kaiserzeit nur einmal (CIL XIII 6503); im 4. Jh. n. Chr. werden sie bei Amm. 16,12,36 und 24,4,22 erwähnt.
→ bucinatores, cornicines, tubicines

1 A. BAUDOT, Musiciens romains de l'Antiquité, 1973 2 R. MEUCCI, Riflessioni di archeologia musicale, in: Nuova Riv. Musicale Italiana 19, 1985, 383–394. 3 M. P. SPEIDEL, Eagle-Bearer and Trumpeter, in: BJ 176, 1976, 123–163.   Y. L. B.

Aenona. Prähistor. Siedlung der → Liburni auf einer kleinen Insel (h. Nin, Kroatien); im Namen A., in den reichen Funden aus Begräbnisstätten und im einheimischen Kult der epigraphisch nachgewiesenen → Venus Anzotica bezeugt. Bedeutende Stadt in frühröm. Zeit (→ Illyricum, später Prov. → Dalmatia); wohl augusteisches → *municipium* der *tribus Sergia* (CIL III 3158), 18 km nordwestl. von → Iader gegenüber der Insel Cissa (h. Pag) am Fuß des Mons Albius (h. Velebit) (Plin. nat. 3,140; Ptol. 2,16,3). Stadtmauerreste erh., Aquädukt, 2 röm. Brücken, Statuen von Kaisern, Inschriften. In spätröm. Zeit weniger bedeutend, jedoch wieder in der frühen kroatischen Geschichte.

J. ŠAŠEL, s. v. A., RE Suppl. 14, 3–13.   M. S. K.

Aenus. Inn, streckenweise schiffbarer Grenzfluß zw. → Raetia und → Noricum, der den gallischen vom illyr. Zollbezirk trennte: Stationen bei → Pons und Boiodurum (Passau-Innstadt).

H. GRASSL, Die Grenzen der Prov. Noricum – Probleme der Quellenkunde in der ant. Raumordnung · E. OLSHAUSEN, H. SONNABEND (Hrsg.), Stuttgarter Kolloquium zur histor. Geogr. des Alt. 4, 1990 (Geographica Historica 7), 517–524 · P. W. HAIDER, Gab es während der röm. Kaiserzeit eine Innschiffahrt auf Tiroler Boden?, in: Tiroler Heimat 54, 1990, 5–24 · TIR M 33,19.   K. DI.

Aeoli Insulae, Aeoliae (Ἀιόλου νῆσοι Ἀιολίδες, Hephaistiades, Volcaniae). 7 vulkanische Inseln im Nordosten von → Sicilia (→ Strongyle und Hiera mit aktiven Vulkanen), h. Eolie oder Lipari (→ Lipara / Lipari, Didyme / Salina, Euonymos / Panarea, Strongyle / Stromboli, Erikussa / Alicudi, Phoinikussa/Filicudi, Hiera Hephaistu bzw. Thermessa/Vulcano). Seit 1948 systematische Grabungen des Mus. Eoliano di Lipari. Lipara und Didyme waren seit dem mittleren (Obsidian aus Lipara), die anderen Inseln seit dem Spätneolithikum (2. H. des 4 Jt. v. Chr.) bewohnt. In der älteren und mittleren Bronzezeit (E. 3. Jt. – 1. H. des 13. Jh. v. Chr.) entstanden hier große befestigte Siedlungen, Vorposten des ägäischen Handels auf der Straße der Metalle (Capo Graziano di Filicudi, Milazzese di Panarea, Portella di Salina etc.). Viele Fragmente myk. Keramik. Außer Lipara waren alle Inseln in der spätbrz. und der griech.-archa. Epoche verlassen. Einige von ihnen wurden von den Liparesern kultiviert (Thuk. 3,88), erst seit dem E. des 5. Jh. v. Chr. wieder bewohnt als Teil des Territoriums von Lipara. Hiera war unbewohnbar; von hier bezogen die Lipareser Schwefel und Alaun, die sie bis nach England exportierten (in den dort gefundenen Amphoren Richborough 527); z. Z. der arab. Einfälle (9. Jh. n. Chr.) waren die Inseln wieder verlassen.

L. BERNABÒ BREA, Gli Eoli e l'inizio dell'età del bronzo nelle isole Eolie e nell' Italia meridionale, 1985 • Ders., Archeologia subacquea nelle Isole Eolie, in: BA, Suppl. 29, 1985, 13–127 • Ders., M. CAVALIER, Meligunis Lipàra III, 1968 (Panarea, Salina, Stromboli); VI 1993 (Filicudi); VIII 1995 (Salina) • M. BOUND, Archeologia sottomarina alle Eolie, 1992 • G. MANGANARO, Le isole Eolie e lo scholion a Nicandro, in: RAL 20, 1965, 212–215 • B. NEUTSCH, Arch. Grabungen und Funde in Sizilien von 1949–54, in: AA 1954, 465–706. L. B. B. / M. B.

Aequi. Osko-samnitisches Volk in Mittelit. zw. → Latini, → Marsi und → Hernici. Im 5. und 4. Jh. v. Chr. kämpften die A. gegen Rom, indem sie latinische Städte besetzten und sich bemühten, das Tal des Algido zu kontrollieren, wo sie 458 v. Chr. das Heer des Consuls L. Minucius einschlossen, aber von → Cincinnatus geschlagen wurden (Liv. 3,25–29; Dion. Hal. ant. 10,22–25). 431 v. Chr. wurden sie vom Dictator A. Postumius Tubertus geschlagen (Liv. 4,27–29; Diod. 12,64; Plut. Camillus 2,1 f.). Ihre endgültige Unterwerfung erfolgte 304 v. Chr., als P. Sempronius Sophus große Teile ihrer Wohngebiete zerstörte (Liv. 9,45,5–18; Diod. 20,101,5); → *civitas sine suffragio* (Cic. off. 1,35); auf ihrem Gebiet wurden die latinischen → *coloniae* → Alba Fucens und → Carsioli gegr. (Liv. 10,1,1; 13,1). Falscher Etym. zufolge stammt A. aus dem → *ius fetiale* (Liv. 1,32,5; Dion. Hal. ant. 2,72,2; Serv. Aen. 10,14; Inscr. Ital. 13,3 Nr. 66). Neuere Ausgrabungen erlauben jetzt die Identifikation einiger Städte der A. im Tal des → Anio.

G. DE SANCTIS, Storia dei Romani 2, 1907; • S. FERRI, A. – Aequiculi – Aequus, in: RAL 20, 1965, 388–391 • G. DEVOTO, Gli antichi italici, 1967, 112 f. • G. PIETRANGELI, La Sabina nell' antichità, in: Rieti e il suo territorio, 1976, 75–86 • M. A. TOMEI, Ricerche nel territorio degli Equi, in: Quaderni Archeologici Etrusco-Italici 5, 1981, 83–90 • Ders., Gli Equi nell' alta e media valle dell' Aniene, in: Enea nel Lazio, 1981, 58 f. GA. MA.

Aequimelium. Unbebauter Bezirk in Rom, Regio VIII, im Süden des Forum Boarium, nahe den Nord-Ausläufern des Kapitols. Nach einer verbreiteten Tradition (Varro ling. 5, 157; Liv. 4, 16, 1; Cic. dom. 101; Dion. Hal. ant. 12, 4; Val. Max. 6, 3, 1; Quint. inst. 3, 7, 20) wurde hier 432 v. Chr. auf Befehl des Senats das Haus des reichen Getreidehändlers Sp. Maelius abgerissen, weil dieser nach der Königsherrschaft gestrebt habe.

RICHARDSON, 3 • G. PISANI SARTORIO, in: LTUR 1, 21. R. F.

Aequinoctium s. Kykloi

Aequitas. Der Sinn des Wortes ae. ist mehrdeutig. Insbes. zum *iustum* ist der Übergang fließend. Letzteres bezeichnet meist eher die Treue zum positiven Recht, ae. eher die das Ganze des Rechts prägende und durchdringende Gerechtigkeit. Die sprachliche Verwandtschaft mit dem Waagerechten verweist auf die Gleichheit im Sinne der Entsprechung von Leistung und Gegenleistung, Fehlverhalten und Sanktion. Darüber hinaus enthält die ae. den Sinn einer sachgerechten Zuordnung von Sachverhalten als gleich oder ungleich zu den im positiven Recht bereits entschiedenen Fällen. Noch weitergehend konnte Celsus (nach Ulp. Dig. 1,1,1 pr.) Anfang des 2. Jh. n. Chr. das Recht überhaupt als *ars boni et aequi* »definieren«. Die ae. wird hier zum zentralen Gegenstand der methodischen Bemühungen (deshalb: *ars*) der Juristen und zum materialen Gehalt des Rechts schlechthin. Diesen Bezug aufs Ganze des Rechts betont Celsus selbst an anderer Stelle (Dig. 1,3,24) für den Umgang mit dem Gesetz, freilich ohne im überlieferten Text erneut die ae. zu erwähnen. Die Notwendigkeit, das *bonum et aequum* durch methodische Bemühung zu erschließen, deutet Celsus mit seinem von Paulus (Dig. 45,1,91,3) berichteten Hinweis an, daß gerade auf diesem Gebiet mit der Autorität der Rechtswissenschaft allzuoft gefährliche Irrtümer verbreitet würden.

Ae., *aequus* und *bonum et aequum* sind schon seit Plautus (Curc. 65; weitere Stellen bei [2]) überliefert. Ihre Verwendung zur Bezeichnung von Recht und rechtlichem Verhalten ist sicher älter als die Auseinandersetzung mit der griech. *epieikeia* in der rechtsphilos. und rhetor. lat. Literatur. Schon 186 v. Chr. wird als Begründung für die Verabschiedung eines Senatsbeschlusses dessen ae. angegeben (Liv. 39,19,6), und dies bleibt seitdem geradezu ein Legitimationstopos. Schon in republikanischer Zeit wird die ae. ferner ausdrücklich in Klagformeln der Prätoren und Aedilen verwendet: Z. B. die Klage auf Herausgabe der Mitgift (*actio rei uxoriae*) geht auf *quod eius melius aequius erit* [1], diejenige wegen Körperverletzung und Beleidigung (*actio iniuriarum*) auf *quantum ob eam rem iudici aequum videbitur* (Ulp. Dig. 47,10,17,2). *Ae.* hat somit einen Platz im geltenden Recht selbst, ist nicht (nur) Maßstab für dessen Kritik oder Überwindung.

Seit Servius im 1. Jh. v. Chr. bis zum Ende der klass. Rechtswiss. berufen sich die Juristen vielfach auf die ae. Die Annahme, all diese Verwendungen der ae. seien interpoliert, ist heute nicht mehr zu halten. Freilich dürfte sich der Gebrauch der Kategorie ae. schon bei den Spätklassikern Anfang des 3. Jh. geändert haben: Bei Modestinus (Dig. 1,3,25) und Paulus (Dig. 50,17,85,2) oder in den Ediktslaudationen Ulpians verliert die *ae.* den Bezug zum »Handwerk« der Juristen und wird eine unter vielen werthaltigen Vokabeln zum Lob des alten und vor allem neuen Rechts, der juristischen Rechtsschöpfungen und nicht zuletzt der kaiserlichen Rechtssetzung. Die Äußerung des Paulus: *In omnibus quidem, maxime tamen in iure ae. spectanda est* (Dig. 50,17,90) ist denkbar umfassend und bleibt gerade dadurch ohne spezifischen Gehalt.

Hierin kündigt sich bereits die Legitimationsprosa der Kaisergesetze seit Konstantin an (Cod. Iust. 3,1,8; 7,22,3; Cod. Theod. 1,2,3; 1,5,3). In ihnen wird *ae.* mehr und mehr zur schlichten Billigkeit, die lästige Bindungen des überkommenen Rechts überwindet. Als »bessere Norm« hat sie spätestens in den Kompilationen des Kaiserrechts den Vorrang vor dem positiven Recht. Ein Abgleiten in willkürliche »Kadijustiz« kann allenfalls durch eine weitgehende Identifikation der *ae.* mit christl. Ethik aufgehalten werden.

Durch die Bewahrung der Quelleneinheit von Kaiserrecht und Juristenrecht im Corpus Iuris Justinians war dann für das MA der Grund einer *ae. scripta* gelegt, die nicht mehr allg., außerjuristischen Billigkeitserwägungen ausgesetzt war, sondern dem positiven Recht selbst integriert blieb. So konnte die *ae.* ein Auslegungskriterium werden, durch das bei Normkonflikten innerhalb der positiven Ordnung beider Rechte eine Hierarchie der Vorschriften begründet werden konnte.

1 O. LENEL, Edictum perpetuum, ³1927, 303 ff.
2 WIEACKER, RRG, 507 Anm. 23 u. 26.

P. PINNA PARPAGLIA, Ae. in libera republica, 1973 ·
D. NÖRR, Rechtskritik in der röm. Ant., 1974, 113 ff.   G. S.

Aequum.

Aequum. Stadt in der Prov. → Dalmatia (h. Ćitluk bei Sinj), an der Straße Salona − Servitium (Itin. Anton. 269,6; Tab. Peut. 5,3, Geogr. Rav. 4,16). Unter Kaiser → Claudius → *colonia* (CIL III 1323; Ptol. 2,16,11). A. war die einzige Stadt in Dalmatia, die nach dem Abzug der → *legio VII* aus Tilurium auf der Grundlage einer Veteranensiedlung gegr. wurde. In A. gab es einen → *conventus civium Romanorum*, dessen *summus curator* Sex. Iulius Silvanus war − nach der Gründung der Kolonie einer der ersten Obermagistrate (CIL III 2733). Seine Nachkommen wurden schließlich in den Senatorenstand berufen (vgl. Cass. Dio 69,13,2).

Die Stadt wurde planmäßig mit → *forum* in zentraler Lage gebaut (evtl. unter Claudius). Das *capitolium* mit Teilen des *forum* wurde ergraben; Reste des Amphitheaters waren im 18. Jh. noch sichtbar.

J. J. WILKES, Dalmatia, 1969 · M. SUIĆ, Antički grad na istočnom Jadranu = The Classical City in the Eastern Adriatic, 1976 · Cetinska krajina od prehistorije do dolaska Turaka = La région de la Cetina depuis la préhistoire jusqu'a l' árrivée des Turcs, Izdanja Hrvatskog arheološkog društva 8, 1984.   M. S. K.

Aequum Faliscum. Nach Strab. 5,2,9 Ort an der → *via Flaminia* zw. Oriculi (h. Otricoli) und Rom, evtl. identisch mit → Falerii (Strab. l.c.). Auf der Tab. Peut. 5,4 (*Aequo Falsico*) östl. des Tiberis [1. 320]. Zusammenhang mit *Aequi Falisci* (Verg. Aen. 7,695; Sil. 8,490) unklar.

1 MILLER 2 NISSEN, 2, 364.   H. SO.

Aequum Tuticum. Wichtige → *mansio* der *via Traiana*, wo sie sich mit der *via Herculia* im Gebiet der → Hirpini kreuzt (Itin. Anton. 112,2; andere Namensformen der Itinerarien: *Equo tutico, Equum tuticum, Aequum tuticum, Aequo tutico, Equum magnum*), h. San Eleuterio bei Ariano Irpino. A. wurde wohl nie zum → *municipium* erhoben, sondern blieb von → Beneventum abhängig (vgl. zwei in A. gefundene Grabinschr.: *genius coloniae Beneventanae*, CIL IX 1418; *permissus decurionum coloniae Beneventanae*, CIL IX 1419).

M. BU./R. P. L.

Aerarium. Das *aerarium populi Romani* war der Schatz des röm. Volkes, der im Tempel des Saturnus am Forum Romanum aufbewahrt wurde; der Name ist auf die Tatsache zurückzuführen, daß das mobile Vermögen der *res publica* urspr. nur aus *aes*, Bronze, nicht aus Gold oder Silber bestand. Seit einem frühen − aber unsicheren − Zeitpunkt unterstand das *a. populi Romani* den *quaestores urbani*, deren Befugnis sich allerdings auf die Verwaltung beschränkte; die Verfügungsgewalt über die im *a.* befindlichen Gelder lag in der Zeit der röm. Republik allein bei dem Senat. Auch röm. Munizipien und von Rom gegründete Kolonien hatten ein *a.* (ThLL 1,1058−9).

In der späten Republik, als der Begriff *provincia* zunehmend in der Bed. »Territorium« verwendet wurde, begann man, in den Prov. ein eigenes Finanzwesen aufzubauen, das als *fiscus* bezeichnet wurde (Cic. Verr. 2,3,197) − ein Wort, das urspr. die Bed. »Geldsack« gehabt hatte. Das Finanzwesen der Feldherren wurde in der Zeit der Bürgerkriege wahrscheinlich ebenfalls *fiscus* genannt. Dieser war auf solchen Gebieten wie etwa der Münzprägung weitgehend autonom. Der *fiscus* des Siegers in den Bürgerkriegen ging an die nachfolgenden *principes* über und wurde damit auch zur wichtigsten Kasse des Imperium Romanum.

In welchem Umfang das *a. populi Romani* in augusteischer Zeit seine frühere Bed. verlor, zeigt die Einrichtung einer bes. Kasse für Zahlungen an Veteranen, des *a. militare*. Unter Augustus wurde das *a.* zunächst *praefecti*, dann den *praetores aerarii* und schließlich unter Nero den *praefecti aerarii* unterstellt (Tac. ann. 13,29). Während der Principatszeit kamen die Einnahmen des *a.* vor allem aus den senatorischen Prov.; einzelne dem *a.* zustehende Einkünfte gingen während des frühen Principats zunehmend auf den *fiscus* über. A. und *fiscus* werden direkt einander gegenübergestellt: ... *quantum aerario aut fisco pendebat in quinquennium remisit* (Tac. ann. 2,47,2).

Das *a.* und seine Amtsträger spielten bei den klass. Juristen nur noch eine rudimentäre Rolle im Kontext von Registrierung und Eintreibung von Geldern. Zur Zeit des Honorius hat der Begriff jedoch jegliche technische Bed. verloren (Cod. Theod. 9,42,20).
→ fiscus

G. BOULVERT, A. dans les constitutions impériales, in: Labeo 22, 1976, 151–177 • P. A. BRUNT, The »fiscus« and its development, in: JRS 56, 1966, 75–91 • M. CORBIER, L'*a.* Saturni et l'*a.* militare, 1974 • HIRSCHFELD, 1 ff.   M. C.

Aerarius. [1] Als strafrechtliche Maßnahme konnten die Censoren das durch öffentliche Gelder finanzierte Pferd eines *eques* einziehen. Weiterhin war es ihnen möglich, *tribu movere, aerarium facere* (oder *aerarium relinquere*, sowie *in aerarios referre*). Die Quellen sind nicht durchgängig klar (ThLL 1, 1055), doch die *lex repetundarum* (Roman Statutes, Nr. 1) 1,28 und die *lex Latina Tabulae Bantinae* (Roman Statutes, Nr. 7) 1,6 erlauben zusammen mit den lit. Quellen den Schluß, daß *tribu movere* und *aerarium facere* dieselbe Bed. hatten oder, wenn beide Ausdrücke nebeneinander gebraucht wurden, einer von ihnen als redundant anzusehen ist. Wurde ein Mann von der Liste seiner *tribus* gestrichen, so bedeutete dies, daß er nicht in den *comitia tributa* seine Stimme abgab und nur als Zahler des *tributum* an das *aerarium* (daher wohl der Name) existierte. Es ist auch möglich, daß innerhalb der *comitia tributa* eine Centurie, die ihre Stimme zuletzt abgab, für all diejenigen geschaffen wurde, die durch Streichung von der Liste ihrer *tribus* von den eigentlichen Centurien ausgeschlossen waren. Auch nach der Abschaffung des *tributum* im Jahre 167 v. Chr. gehörten die *a.* keiner *tribus* an und durften nicht in den *comitia tributa* wählen. Etwas später wurden die *aerarii* im allg. Sprachgebrauch denen angeglichen, die *in Caeritum tabulas relati* (Gell. 16,13,7), in den Listen der Caerites aufgeführt waren. Hierbei handelte es sich um Listen solcher Bürger, die als Angehörige ital. Gemeinden ohne Stimmrecht in die röm. Bürgerschaft aufgenommen und keiner *tribus* zugeordnet worden waren. Diese Listen wurden wahrscheinlich deswegen so genannt, weil Caere zeitweilig als einzige Stadt noch kein volles Bürgerrecht erhalten hatte. Allerdings fehlt diese Bezeichnung in Gesetzestexten. Eine weitere Schwierigkeit besteht darin, daß ein Teil oder der gesamte Besitz einzelner Bürger zur Strafe mit einem Vielfachen seines tatsächlichen Wertes in die Censuslisten eingetragen werden konnte, um so deren *tributum* zu erhöhen. Wurden solche Männer von der Liste ihrer *tribus* gestrichen, wurden auch sie zu *aerarii.*
[2] Kupferschmied, Metallarbeiter. A. sind in der Spätant. zu Zwangskorporationen zusammengefaßt und genießen Befreiung von bestimmten öffentlichen Verpflichtungen (Cod. Iust. 10,66,1).
→ centuria; comitia; equites; tribus; munus

1 BRUNT, 315–18.   M. C.

Ären. A. DEFINITION UND ENTSTEHUNG
B. BERECHNUNG   C. 1 »DYNASTISCHE« ÄREN
C. 2 LOKALE ÄREN HELLENISTISCHER ZEIT.
C. 3 ÄREN RÖMISCHER ZEIT

A. DEFINITION UND ENTSTEHUNG
Ä. bezeichnet eine regelmäßige, fortlaufende Jahreszählung, die von einem allg. anerkannten Ausgangspunkt (Epoche) ausgeht. Im Unterschied zur → eponymen Datierung und zur Zählung von Regierungsjahren (s. u.), die Beamten- bzw. Herrscherlisten erfordern, reicht die Kenntnis des Epochenjahres aus, um Jahreszahlen umrechnen zu können. Die Etym. von Ä. ist umstritten (vielleicht aus Pl. von *aes* mit Deklinationswandel). In Inschr. Spaniens erscheint *aera* bzw. *era* (ἔρα) gleichbedeutend mit *anno* neben Zahlen der span. Ä., zur Bezeichnung der Jahresfolge erst bei Isid. orig. 5,36,4 [4.77f.; 9. 374–376]. Inschr., Mz., Gewichte, seltener Papyri sind häufig nach »politischen« Ä., die auf hist.-polit. Ereignissen basieren, datiert. Kaum in öffentlichen Urkunden verbreitet sind hingegen »lit.«, »gelehrte« oder »astronom.« Ä. (z. B. Olympiaden-Datierung, röm. Zeitbestimmungen *ab urbe condita*, Ä. des Nabonassar). »Sakrale« Ä., von Chronographen und Theologen zur Datier. biblischer Ereignisse erfunden, wurden erst spät offizielle Datierung (z. B. »byz. Weltschöpfungsära« ab 1.9.5009 v. Chr., christl. Ä.) [3. 207–226; 10. 189–194, 250–253].

Aus der Datierung nach Herrscherjahren (schon früh in Ägypten und Mesopotamien), die Alexander der Gr. von den Achämeniden und phöniz. Königen übernahm (danach auch unter Philipp III./V., den Ptolemäern, Attaliden, kappadokischen, paphlagonischen, galatischen, jüd. Königen verbreitet), entstand die Ä. [6. 12–21]. Als die Zählung der babylon. Satrapenjahre des Seleukos I. von seinen Nachfolgern fortgesetzt wurde, war mit der »Seleukidenära« die erste dynastische Ä. geschaffen (s. u.). Da Ä. an gleichmäßige, geordnete Jahre gebunden sind, kamen auch die ersten lokalen Ä. dort auf, wo durch den babylon. Schaltzyklus die Länge des Jahres reguliert war (→ Zeitrechnung). Angebliche frühe Ä., aus den Zahlzeichen auf Mz. in Tyros (Ä. des Azemilkos 349/8?), Sidon (Ä. des Abdalonymos 333/2?), Akko (Ä. Alexanders 332/1) und in Messana/Siz. (5.Jh.) erschlossen, sind umstritten [6.10].

B. BERECHNUNG
Das genaue Ausgangsdatum einer Ä. hängt vom lokalen → Kalender ab. Da Ä. meist einige Zeit nach dem polit. Ereignis, ab dem sie rechneten, eingeführt wurden, konnte entweder der vorangehende oder der folgende Neujahrstag als Beginn des Jahres 1 definiert werden. Nur selten entspricht das Epochenjahr genau einem julianischen Jahr. Daher sind bei der Umrechnung meist Doppeljahre (z. B. 6/5) anzugeben, unter Berücksichtigung möglicher Veränderungen des Kalenders in röm. Zeit. Die Umrechnungsformel lautet in vorchristl. Zeit: Epochenjahr (im folgenden angegeben)–Jahreszahl +1 (bei Rechnung über die Zeitenwende hinweg

entfällt 1), in nachchristl. Zeit: Epochenjahr + Jahreszahl −1.

C.1 »DYNASTISCHE« ÄREN

Am weitesten verbreitet war die seleukidische Ä., die im Westen des Seleukidenreiches und in den griech. Städten (mit Neujahr im Herbst) ab 312/1, im Osten (babylon. Kalender mit Neujahr im Frühjahr) ab 311/0 zu berechnen ist. Danach datiert sind Inschr. und Mz. der Seleukiden, lokale Mz. griech. Städte z. T. bis ins 3. Jh. n.Chr. (Akko-Ptolemais, Alexandreia/Troas, Antiocheia, Apameia, Askalon, Berytos, Byblos, Damaskus, Emesa, Laodikeia a. M., Orthosia, Seleukeia Pieria, Tripolis u. a.), Inschr. bis ins MA in Syrien (Apameia, Damaskus, Dura-Europos, Emesa, Hatra, Kyrrhestike, Orthosia, Palmyra, Tripolis u. a.), seltener in Palästina, Arabien, Kommagene, Kleinasien (z. B. im Königreich Pontos), Mz. der Könige der Charakene und der Elymais sowie Mz. und Urkunden des Partherreiches [2. 781 f.; 6. 22–43; 7. 53–57].

Nachgeahmt wurde die seleuk. Ä. von der parth. »Arsakidenära« ab 248/7 (griech.-maked.) bzw. 247/6 (babylon.) [2. 782], von der bithynischen Königsära ab 297/6 (seit 149/8 auf Mz.), von der pontischen Königsära des Mithridates VI. ab 297/6 (seit 96/5 auf Mz.; außerdem »Ä. der Eroberung Asias« ab 89/8). Die pontische Ä. drang unter Mithridates VI. in das Bosporanische Königreich ein (auf Mz. und in Inschr. bis zum 5. Jh.) [6. 44–64]. Umstritten sind Ä. der indobaktrischen Könige und Saken [13. 494–502] sowie die Sassanidenära ab 226/7 n.Chr. (nur in syr. Texten) [2. 783; 3. 210f.].

C.2 LOKALE ÄREN HELLENISTISCHER ZEIT

Städte des Ostens gaben frühere Jahresdatierungen auf und begannen »Freiheits-Ä.« mit der Entmachtung lokaler Könige (vgl. »Ä. des Volkes« in phöniz. Inschr.), so Tyros 275/4, Sidon Mitte 3.Jh. v.Chr., Kition/Zypern 311/0, Lapethos/Zypern 307/6 [14], oder mit der Gewinnung von Autonomie und Freiheit von seleukidischer bzw. ptolemaischer Herrschaft, so Arados und seine Verbündeten Marathos, Balanea, Paltos, Karne, Simyra, Gabala 259/8, Perge, Sillyon, Aspendos und Phaselis 221/0 oder wenig später, Ariassos/Pisidien 189/8?, erneut Tyros 126/5, Sidon 112/1, Seleukeia Pieria 109/8, Tripolis ca. 105–95, Askalon 104/3, Laodikeia ad mare und Berytos 81/0. Akko-Ptolemais erinnerte sich in röm. Zeit seiner Neugründung als Antiocheia durch eine Ä. ab 174/3, ebenso wie Mitte des 1. Jh. v.Chr. Apameia, Bithynion, Nikaia, Nikomedeia, Prusa und Tios mit einer Ä. ihrer Eingliederung in das Königreich Bithynien 282/1 gedachten [6. 191–197, 390–392; 11; 12]. Lokale Ä. sind auf das Territorium der jeweiligen Stadt beschränkt; selten dringen Ä. benachbarter Gemeinden ein. Mehrfachdatierungen nach verschiedenen Ä. (bis zu vier) sind vor allem aus röm. Zeit bezeugt.

C.3 ÄREN RÖMISCHER ZEIT

Zahlr. griech. Städte begannen (wohl ohne röm. Einflußnahme) Ä. mit der Eingliederung in den röm. Machtbereich. Keine »Provinzial-Ä.«, sondern lokale Ä.

mit unterschiedlichen Epochenjahren sind die »Pompeianische Ä.« in Syria, Phoenicia und Iudaea mit den Epochenjahren 66/5 (Antiocheia, Apameia, Arethusa), 64/3 (Abila, Byblos?, Dion?, Dora?, Gadara, Hippos, Kanatha?, Nysa-Skythopolis, Orthosia, Tripolis?), 63/2 (Akko-Ptolemais?, Gerasa, Pella, Philadelpheia) und 61/0 (Gaba?, Gaza, Raphia; unsicher Botrys, Chalkis und Demetrias) [7. 74–135; 11; 12], in Bithynia-Pontus die »Lucullische Ä.« ab 71/0 (Abonuteichos, Amastris, Sinope), die »innerpaphlagonische Ä.« ab 6/5 (Gangra, Kaisareia, Neoklaudiopolis, Pompeiopolis), die Ä. von Amaseia und Sebastopolis (3/2 v. Chr.), Komana (34/5 n.Chr.), Kerasos, Neokaisareia, Sebaste, Trapezus und Zela (64/5), Nikopolis (71/2), im Osten die Ä. von Samosata (ca. 71/2) und Edessa (213/4). Nur in Macedonia (148/7), Mauretania (40 n.Chr.) und Arabia mit Adraa, Bostra, Medaba, Petra, Rabbathmoba (106/7) [7. 146–304] findet man einheitliche »Provinzial-Ä.« ab der Gründung der Provinz, auch in Galatia (25/4), außer in Tavion (21/0), nicht aber in Asia (nur lokale Freiheits-Ä. ab 134/3 auf Mz. von Ephesos und Sardeis?). In Lydien, Phrygien, Ostkarien, Mysien, Ilion und der Kibyratis verbreitete sich seit dem Mithridatischen Krieg Sullas die »Sullanische Ä.« (85/4) [3. 213f.; 6]. Ungeklärt ist, ob Inschr. der Peloponnes (Aigina, Andania, Argos, Epidauros, Korone, Lykosura, Mantineia, Megalopolis, Pagai u.a.) nach der maked. Ä. (148/7) oder einer Ä. Achaias (ca. 146 v.Chr.) datiert sind.

Der mehrfache Wechsel röm. Machthaber, ihre Verwaltungsmaßnahmen und Autonomieverleihungen führten im 1.Jh. v.Chr. zu zahlreichen neuen Ä., die ältere ersetzten oder (aus polit. Gründen) kurzfristig ergänzten: »Pompeianische Ä.« nur im Nahen Osten (s.o.) und in Kilikien (Neuansiedlungen in Alexandreia, Epiphaneia und Mopsos 68/7, in Mallos 67/6; Neugründung von Soloi-Pompeiopolis 66/5) [15], vielleicht in Berenike/Kyrenaika (68/7); »Caesarische Ä.« nach der Schlacht von Pharsalos in Antiocheia/Syria (49/8), Akko-Ptolemais (49/8), Laodikeia/Syr. (48/7), Ephesos mit dem Kaystrostal (48/7), Apollonis/Lydien (48/7), Aigeai/Kilikien (47/6), Gabala (46/5); »Ä. des M. Antonius« in Rhosos (42/1), Apameia/Syr. (41/0), Thessaloniki (41/0), Leukas / Syr. (38/7?), Balanea (37/6) sowie »Ä. der Kleopatra« in Akko-Ptolemais, Berytos, Chalkis?, Orthosia und Tripolis (37/6); »aktische Ä.« in Makedonien mit Thessaloniki und Philippi? (32/1), in Thessalien (32/1?), Achaia mit Epidauros, Korinth, Messene, Pherai/Messenien, Tegea (31/0), in Kleinasien in Apollonis/Lydien, Philadelpheia, Sardeis?, Aizanoi?, Bageis, Daldis, Charakenoi und Samos (31/0), in Syrien in Antiocheia, Apameia, Arethusa, Botrys, Byblos, Doliche?, Gabala, Gadara?, Laodikeia, Seleukeia und Tripolis (31/0), in der Kommagene (31/0) und der Kyrenaika (31/0); Ä. der »Herrschaft des Augustus« in ägypt. Papyri (30/29) [3. 213–217; 6. 423–428; 11; 12].

In der röm. Kaiserzeit werden Inschr. und Mz. z. T. mit dem Regierungsjahr oder der *tribunicia potestas* des Kaisers datiert [1. 39 f.; 6. 18–21; 7. 335–338, 357–380],

z. T. mit Hilfe alter Ä. (z. B. seleukidischer, sullanischer) oder neuer Ä., basierend auf Stadtgründungen und -umbenennungen (Anazarbos 19/8, Augusta 20/1, Balanea ca. 48/9, Eirenopolis/Kilikien ca. 51/2, Flaviopolis/Kilikien 73/4, Hadrianeia und Hadrianoi/Mysien 130–133, Kaisareia Panias ca. 3/2, Kapitolias ca. 97/8, Neapolis/Palästina 72/3, Philippopolis/Arabia ca. 244/5, Sebaste/Palästina 25/4, Tiberias ca. 19/20), auf Kolonieerhebungen (Emerita/Spanien ca. 25 v. Chr., Laodikeia ad mare 197/8, Samos ca. 20/19?, Sinope 45 v. Chr.) bzw. auf anderen kaiserlichen Gunstweisungen (Amisos 32/1, Kibyra 24/5, Laodikeia ad mare 194/5), die oft mit dem Aufenthalt des Kaisers zusammenhängen (Diospolis ca. 199/200, Eleutheropolis 200/1, Laodikeia / Phrygien 128/9).

Eigene Ä. ab dem Besuch Hadrians hatten Athen, Epidauros, Hermione, Tegea, Troizene (124/5) sowie Gaza (130/1), Epidauros eine Ä. der »Einrichtung des Olympieion und der Gründung des Panhellenion« (131/2). Eine Besonderheit ist die »Ä. der Apotheose des Augustus« in Samos (14/5) [6. 377f.]. Einige lokale Ä. sind ungeklärt: z. B. Chersonesos Taurike (ca. 25/4), Dionysopolis/Phrygien (152/3), Paphos (182/3), Termessos (ca. 72/1?), Tyras (56/7) und die thessal. Ä. von 10/11 n. Chr.; unsicher auch die Art der Ä. auf Mz. aus Viminacium (239 oder 240, Koloniegründung?, auch als Ä. der Prov. Moesia superior gedeutet) und der Ä. Dacias (246/7).

Im Westen sind Ä. selten. Ungeklärt ist, ob die Ä. Spaniens ab 38 v. Chr. (in christl. Inschr. der iberischen Halbinsel vom 5. bis 11. Jh.) identisch ist mit der Ä. heidnischer Inschr. aus Nordwestspanien oder erst aus der christl. Osterberechnung entstand [9]. Die wenigen Ä. Italiens (Gründungsära von Rom, von Interamna ca. 672 v. Chr., der Kolonie Puteoli ca. 194 v. Chr., angebliche Ä. von Feltria 39 v. Chr., Patavia ca. 173 v. Chr., Mediolanum [5] und Praeneste) haben wohl nur antiquarischen Charakter. In Karthago sind außer späten Ä. der vandalischen (439) und byz. Eroberung (533) sakrale Ä. der Cereres-Priester (ca. 44–38) und des Provinzialkultes (ca. 70–72) bekannt. In Ägypt. und Palästina verbreitete sich im 6. Jh. die (urspr. astronomische) »Diokletiansära« (284/5) [7. 314–318].

Die christl. Ä. beruht auf Berechnungen der Osterdaten durch den röm. Mönch Dionysius Exiguus im 6. Jh., der das 248. Jahr Diokletians mit dem Jahr 532 *domini nostri Iesu Christi* gleichsetzte. Aus gelehrten Schriften (z. B. → Cassiodor) und Ostertafeln verbreitete sich die christl. Ä. (*ab incarnatione Domini* u. ä.) in angelsächsischen Urkunden seit dem 7., im Frankenreich seit dem 8. Jh. Die Zählung der Jahre vor Christus wurde erst seit Ende des 18. Jh. angewandt [16].

1 BICKERMAN, ²1963 2 Ders., Time-Reckoning, in: Cambridge History of Iran 3, 1983, 778–791 3 V. GRUMEL, Chronologie, 1958 4 W. KUBITSCHEK, Grundriß der ant. Zeitrechnung, 1928 5 W. V. HARRIS, Era of Patavium, in: ZPE 27, 1977, 283–293 6 W. LESCHHORN, Ant. Ä., 1993 (mit weiterer Lit.) 7 Y. E. MEIMARIS, Chronological Systems in Romano-Byz. Palestine and Arabia, 1992 (Lit.) 8 O. MØRKHOLM, Era of the Pamphylian Alexanders, in: ANSMusN 23, 1978, 69–75 9 O. NEUGEBAUER, *Spanish Era*, in: Chiron 11, 1981, 371–380 10 SAMUEL 11 H. SEYRIG, Les ères de quelques villes de Syrie, in: Syria 27, 1950, 5–50 12 Ders., Les ères pompéiennes des villes de Phénicie, in: Syria 31, 1954, 73–80 13 W. TARN, Greeks in Baktria and India, ²1955 14 J. TEIXIDOR, Ptolemaic Chronology in the Phoenician Inscr. from Cyprus, in: ZPE 71, 1988, 188–190 15 R. ZIEGLER, Ä. kilik. Städte, in: Tyche 8, 1993, 203–219 16 A.-D. VON DEN BRINCKEN, Beobachtungen zum Aufkommen der retrospektiven Inkarnationsära, in: Archiv für Diplomatik 25, 1979, 1–20.   W. L.

Aeria. [1] Alte Bezeichnung Ägyptens in Aischyl. Suppl. 75; s. auch Steph. Byz., s. v. Αἴγυπτος und Apoll. Rhod. 4,267. Etymologie ist unklar, vielleicht von ἀήρ.   K. J.-W.
[2] Stadt in → Gallia Narbonensis (Strab. 4,185), h. vermutlich Mont Ventoux.   Y. L.
[3] (Ἀερία). Name der Aphrodite in Paphos → Aërias.
[4] Mutter des Aigyptos, Frau des Belos (Steph. Byz. s. v. Αἴγυπτος).   F. G.

Aerias. Nur bei Tacitus (hist. 2,3; ann. 3,62,4) genannter Gründer des paphischen Heiligtums der Aphrodite, die nach ihm → Aeria [3] heißt. Vater des Amathus, des Gründers des zweiten großen kyprischen Aphroditeheiligtums. Den Namen leitet die Forsch. teils von griech. ἀήρ, »Luft«, teils von lat. *aes*, »Kupfer« (griech. κύπρος), ab.

V. PIRENNE-DELFORGE, L'Aphrodite grecque, 1994, 330–333.   F. G.

Aerope (Ἀερόπη). Tochter des Katreus, Enkelin Minos' II. Aufgrund eines Orakels, daß Katreus durch A.s Kinder getötet werde, übergibt er sie und ihre Schwester Klymene dem → Nauplios zum Verkauf (Apollod. 3,15) oder zur Tötung, evtl. wegen einer Liebesbeziehung mit einem Sklaven (schol. Soph. Ai. 1297 zu Euripides' ›Kreterinnen‹). Nauplios schont sie jedoch und gibt sie in Argos dem → Pleisthenes zur Frau. Die beiden Söhne → Agamemnon und → Menelaos (Hes. fr. 195,3ff. MW; Eur. Or. 17f.) werden von → Atreus aufgezogen [1. 111, 159f.]. A. betrügt ihn mit Thyestes (Hyg. fab. 86), dem sie auch den goldenen Widder des Atreus übergibt, der nach einem Orakel dem Besitzer die Herrschaft über Mykene garantiert (Apollod. epit. 2,10).

1 M. L. WEST, The Hesiodic Catalogue of Women, 1985.

G. KNAACK, s. v. A. [1], RE I, 677f.   R. HA.

Aëropos (Ἀέροπος). [1] Nach Hdt. 8,137,1 Bruder des Begründers der maked. Königsdynastie. [2] A. I., nach Hdt. 8,139 vierter König der Makedonen (ca. Mitte des 6. Jh.), wohl als histor. zu betrachten.

HM, Bd. 2, 4.   M. Z.

[3] A. II., zw. 400/399 und ca. 394 Vormund des Orestes, des Sohnes des → Archelaos [1]; nach dessen Ermordung König der Makedonen (Daten unsicher). 394 versuchte er vergeblich, Agesilaos [2] den Durchzug durch sein Gebiet zu verwehren (Polyain. 2,1,17). Er starb wohl kurz darauf (Diod. 14,84,6).

> HM, Bd. 2, 168–171, 175 f. (Stemma nach 176). M. Z.

Aerugo (*aeruca* bei Vitr. 7,12, oder *aerugo* [1.136], griech. ἰός). Der durch Einwirkung von feuchter Luft oder Säuren entstehende giftige Grünspan, das Kupferazetat, wurde abgekratzt (ξυστός) oder als Sorte σκώληξ, z. T. mit anderen Stoffen wie Bimsstein verfälscht, als adstringierendes Mittel u. a. bei Dioskurides 5,79 [2.3.49 ff.] = 5,91–92 [3. 511 ff.] äußerlich gegen Geschwüre und bei Augensalben (Plin. nat. 34,113) verwendet.

> 1 D. GOLTZ, Studien zur Gesch. der Mineralnamen in Pharmazie, Chemie und Medizin von den Anfängen bis Paracelsus, 1972 **2** M. WELLMANN (Hrsg.), Pedanii Dioscuridis de materia medica Bd. 3, 1914, Ndr. 1958 **3** J. BERENDES (Hrsg.), Des Pedanios Dioskurides Arzneimittellehre übers. und mit Erl. versehen, 1902, Ndr. 1970. C.HÜ.

Aes alienum s. obligatio

Aes equestre. Nach Livius (1,43,9) sah Servius Tullius vor, daß die *res publica* einem *eques*, einem Reiter, Geld für den Kauf eines Pferdes zur Verfügung stellte und daß das Eigentum vermögender Witwen für die Unterhaltung von Pferden aufgewendet werden sollte. Nach Plutarch wurde das Eigentum von vermögenden Waisen durch Camillus bes. für den Kauf von Pferden verwendet (Camillus 2). Gaius (4,27) bezeichnete es als eine Praxis der Vergangenheit, daß ein Reiter das Recht hatte, eine Sicherheit von denjenigen zu nehmen, die für ein Pferd oder dessen Unterhalt aufkommen mußten, und überliefert uns dabei die Bezeichnungen von zwei Einrichtungen, dem *aes equestre* und dem *aes hordiarium*. Die Praxis, Eigentum von vermögenden Witwen und Waisen aufzuwenden, kann die Abschaffung des *tributum* im Jahre 167 v. Chr. nicht lange überdauert haben. Polybios überliefert, daß ein Reiter Sold (ὀψώνιον) in der Höhe von einer Drachme pro Tag und zusätzlich eine bestimmte Menge Weizen und Gerste, deren Wert wahrscheinlich von dem ὀψώνιον abgezogen wurde, erhielt (6,39,12). Die *res publica* übernahm vermutlich wieder die Verantwortung für die Bereitstellung des Pferdes. In der Gesch. der späten Republik spielte das *aes equestre* im hier diskutierten Sinne keine Rolle mehr, in den Quellen wird der Begriff zum Teil in der Bed. von »Dienstzeit als Reiter« gebraucht.

> 1 MOMMSEN, Staatsrecht Bd. 3, 256, Anm. 4. M. C. / A. BE.

Aes grave. Das von der griech. Münzprägung in Unterital. beeinflußte A. bezeichnet die ältesten gegossenen ital. Bronzemünzen, die nach Plin. nat. 33,43 das → Aes rude ablösen. In Hortfunden tritt das A. zeitgleich mit dem → Aes signatum sowie dem → Didrachmon auf [1.98 ff.] und wird kurz nach 290 v. Chr. bis 212 v. Chr. in Rom und in verschiedenen Städten Mittel- und Unterital. gegossen [5.9 f., 64; 2.28 ff.; 7.230 ff.]. Es ist in sieben Gewichtseinheiten unterteilt, vom As bis zur halben Uncia, und trägt eine Gewichtsangabe, die für die weitere Bronzeprägung der republikanischen Zeit Gültigkeit behält [4.717]. Der röm. As ist dem röm. Pfund (Liberalstandard) angeglichen (327,45g), während in anderen Prägestätten das Pfund abweicht [3.66 f.]. 2 ½, später 3 Asse des A. (vgl. das tresses-Stück der Rad-Serie [2.23 f.]) entsprechen 1 Didrachmon [1.95; 6.35 f., 40]. In den ersten beiden Pun. Kriegen erfolgen aufgrund finanzieller Engpässe mehrere Gewichtsreduktionen (Semilibral-, Quadrantal-, Sextantalstandard), bis der As um 211 v. Chr. nur noch 2 Uncien wiegt [4.595 f.; 3.69 ff.].

Die Götterbildnisse auf dem A. dienen der Selbstdarstellung Roms [2.19 ff.]. Die relative Abfolge der Emissionen ist geklärt, nicht aber die Datierung [8.99 ff.; 7.232 f.].

→ Aes rude; Aes signatum; As; Didrachmon; Libra; Quadrans; Semilibralstandard; Semis; Semuncia; Sextans; Sextantalstandard; Triens; Uncia

> 1 A. BURNETT, The Coinage of Rome and Magna Graecia in the late 4th and 3rd centuries B. C., in: SNR 56, 1977, 92–121 **2** B. K. THURLOW, I. G. VECCHI, Italian cast coinage, Italian aes grave, Italian aes rude, signatum and the aes grave of Sicily, 1979 **3** MARTINO, WG **4** RRC, 1987 **5** A. BURNETT, Coinage in the Roman world, 1987 **6** A. BURNETT, The Beginning of Roman Coinage, in: Annali Istit. Ital. di Numismatica 36, 1989, 33–64 **7** R. ROSS HOLLOWAY, Early Roman Coinage, in: Dédalo 28, 1990, 227–243 **8** P. MARCHETTI, Les fausses certitudes de la numismatique républicaine du IIIe siècle, in: Act. du XIe Congr. Intern. de Numismatique, Bruxelles 1991, 1993, 99–108.
>
> E. J. HAEBERLIN, Aes grave. Das Schwergeld Roms und Mittelitaliens, 1910 · E. A. SYDENHAM, The Aes Grave; in: NC 5.5, 1925, 53–77 · E. A. SYDENHAM, Aes grave: A study of the cast coinages of Rome and Central Italy, 1926 · J. MILNE, Aes Grave of Central Italy, in: JRS 32, 1942, 27–32 · R. THOMSEN, Early Roman coinage: A study of the chronology I-III, 1957–61, s. v. Aes grave · M. H. CRAWFORD, Coinage and money under the Roman Republic, 1985. A. M.

Aes rude. Rohkupfer oder Roherz, das in ganzen oder zerbrochenen Stangen, Platten oder als Gußkönig, vor allem aber in ungeformten Brocken (*raudera*, *aes infectum*; Fest. 321/322) vorliegt [1]. z. T. mit kleinen eingeschnittenen oder eingeschlagenen Marken versehen, wird es im Naturalverkehr Mittel- und Süditaliens sowie Siziliens im frühen 1. Jt. bis zum E. des 4. Jh. v. Chr. neben Vieh (*pecus* → *pecunia*) als Tauschmittel verwendet [1.280 f.; 4.15; 7.228 f.]. Der zahlbare Betrag wird mit Hilfe der Waage ausgewogen. Als ältester Beleg gilt u. a. die *mancipatio*, bei der der *libripens* das Kupfer mit der Waage ausswiegen muß (vgl. auch den Ausdruck *per aes et libram*) [5.62; 6.333 f.].

Die in jeder Schmiede herstellbaren Erzbrocken variieren im Gewicht (8 bis über 300 g) [4.15] und in der Legierung (Verunreinigungen u. a. durch Zinn, Blei und Schwefel im Kupfer) [1.218]. *A. r.* kommen als Depotfunde, in Gräbern und als Weihungen in Brunnen oder Quellen vor [1.213 ff.; 3.201 f.; 8]. Nach Plinius (nat. 33,43 nach Timaios) wird das A. durch das *aes grave* abgelöst. Münzschatzfunde zeigen jedoch, daß das A. noch neben dem → Aes signatum und Aes grave Gültigkeit besaß [2; 3,201; 8,96].

→ Aes grave; Aes signatum; Libripens; Pecunia

1 H. WILLERS, Das Rohkupfer als Geld der Italiker, in: ZfN 34, 1924, 193–283 2 S. L. CESANO, Monete della stipe, in: NSA 5.3, 1927, 249–256 3 R. THOMSEN, Early Roman coinage: A study of the chronology III, 1961 4 B. K. THURLOW, I. G. VECCHI, Italian cast coinage, Italian aes grave, Italian aes rude, signatum and the aes grave of Sicily, 1979 5 MARTINO, WG 6 F. WIEACKER, Röm. Rechtsgesch.: Quellenkunde, Rechtsbildung, Jurisprudenz und Rechtslit., 1988 (HdbA X 3,1,1) HdA III 1.1, 1988 7 R. R. HOLLOWAY, Early Roman Coinage, in: Dédalo 28, 1990, 227–243 8 D. FERRETTI, A. r., in: Act. du XIe Congr. Internationale de Numismatique Vol. 2, Bruxelles 1991, 1993, 95–97.   A. M.

Aes signatum. Moderner t. t. für gegossene rechtekkige Barren aus Metall [2.III 186]. A. löst das ältere → Aes rude ab und bildet den Vorläufer des → Aes grave, obwohl die drei Zahlungsmittel noch kurzzeitig nebeneinander herlaufen [2.III 201; 9.96; 1].

Die ältere Form (6. bis frühes 3. Jh. v. Chr.) mit einem schwankenden Gewicht von 500–2000 g wurde vornehmlich in Nordetrurien gegossen und besteht aus einer Eisenlegierung, entweder unverziert oder mit einem einfachen Zweigmuster auf einer oder beiden Seiten (*ramo secco*) [2.III 202 f.].

Die jüngere Form aus hochwertiger Bronze (um 290–240 v. Chr.) mit einem Gewicht etwa um 1500–1600 g (= 5 röm. Pfund) [2.I 55, 59; 4.93 f.; 8.40] wird den Römern zugewiesen; Prägeorte sind nicht genau lokalisierbar. Folgende Typen sind bekannt: Zwei Füllhörner / Zweig ROMANOM, Adler / Pegasus ROMANOM, Stier / Stier, Ähre / Dreifuß, Schildaußenseite / Schildinnenseite, Schwert / Scheide, Elefant / Sau, Anker / Dreifuß, Dreizack / Füllhorn, pickende Hühner / Zwei Dreizacke, Amphora / Speerspitze [2.I 55, 59; 5.17 f.; 7.717 f.]. Die meeresbezogenen Motive sind histor. den röm. Seesiegen im 1. Pun. Krieg zuzuordnen. Der Typ Elefant / Sau verweist auf den Sieg gegen → Pyrrhos bei Benevent 275 v. Chr., als die Römer mit Erfolg Schweine gegen die Elefanten einsetzten [6.144 f.]. Der Stierbarren stellt schließlich einen etym. Bezug zu *pecunia* her [7.718]. Die Reihenfolge der Typen ist nicht völlig geklärt [2.III 214 ff.; 5.17 f.].

Das Verhältnis zum *aes rude* und *aes grave* sowie zum silb. → Didrachmon ist nicht genau zu bestimmen

[6.6 f.]. Wie das *aes rude*, liegt *a. r.* oft in kleinen, unterschiedlich schweren Brocken zerstückelt vor [2.III 209 f.].

→ Aes grave; Aes rude; Barren; Didrachmon; Pecunia

1 S. L. CESANO, Monete della stipe, in: NSA 5.3, 1927, 249–256 2 R. THOMSEN, Early Roman coinage: A study of the chronology I-III, 1957–61 3 H. H. SCULLARD, The Elephant in the Greek and Roman world, 1974 4 A. BURNETT, The Coinage of Rome and Magna Graecia in the late 4th and 3rd Cent. B. C., in: SNR 56, 1977, 92–121 5 B. K. THURLOW, I. G. VECCHI, Italian cast coinage, Italian aes grave, Italian aes rude, signatum and the aes grave of Sicily, 1979 6 A. BURNETT, Coinage in the Roman World, 1987 7 RRC, 1987 8 A. BURNETT, The Beginning of Roman Coinage, in: Annali dell'Ist. Italiano di Numismatica 36, 1989, 33–64 9 D. FERRETTI, Aes rude, in: Act. du XIe Congr. Internationale de Numismatique, Vol. 2, Bruxelles 1991, 1993, 95–97.

T. L. COMPARETTE, Aes signatum, in: AJN 52, 1919, Ndr. 1978 · R. HERBIG, Aes signatum, in: RhM 63, 1955, 1–13.   A. M.

Aesculapius s. Asklepios

Aesculetum. Hain von Eichen (*aesculus*) in Rom, aus deren Zweigen die *coronae civicae* gebunden wurden. Er lag im westl. Marsfeld, auf der Höhe der Tiberinsel, beim Lungotevere Cenci.

S. PANCIERA, Ancora tra epigrafia e topografia, in: L'Urbs. Espace Urbain et Histoire, 1987, 62–73.   H. GA.

Aesernia. Hauptort der Pentri in → Samnium auf einem Bergkamm zw. den Flüssen Sordo und Carpino an der Quelle des → Volturnus, h. Isernia. Bedeutende Straßenknoten (*via Aesernia*, CIL IX 2655). 295 v. Chr. von den Römern erobert, 264 v. Chr. durch eine latinische Kolonie erweitert (Münzprägung). Nach dem Bundesgenossenkrieg (80 v. Chr.) → *municipium* der *tribus Tromentina*. Mauerreste in polygonalem Stil, die ein Gebiet von 12 ha umschließen, gehören zur latinischen Kolonie. Der → *cardo maximus* entspricht dem corso Marcelli. Die Kathedrale steht auf dem Sockel eines Tempels aus dem 3. Jh. v. Chr. Unterirdische Wasserleitung von S. Mortorio her. Röm. Brücke über den Sordo.

A. LA REGINA, Contributo dell'Archeologia alla Storia Sociale, in: Dialoghi di Archeologia 4/5, 1970/71, 443–459 · S. DIEBNER, A.-Venafrum, 1979 · A. VITI, Res publica Aeserninorum, 1982 · C. TERZANI, La colonia latina di A., in: Samnium, 1991, 111 f.; 225–232 · V. CASTELLANI, La struttura sotterranea dell'antico acquedotto di A., in: Journal of Ancient Topography 1, 1991, 113–128 · A. M. MATTEI, Isernia, 1992.   G. U. / S. W.

Aeserninus. Gladiator aus Samnium, von Lucilius erwähnt und sprichwörtlich geworden (Cic. opt. gen. 17; ad. Q. frat. 3,4,2; Tusc. 4,48).   K. L. E.

Aesillas. Wohl Gentilname, nicht Cognomen. A. prägte als Quaestor bzw. Proquaestor ab 94 v. Chr. (?) Tetradrachmen in seinem Namen in Makedonien.

R. A. BAUSLAUGH, Two Unpublished Overstrikes: New Style Athens and A. the Quaestor, in: ANSMusN 32, 1987, 11–21.   K. L. E.

Aesis. Grenzfluß zw. → Picenum und → Senones (Liv. 5,35), rechnete später zu → Umbria, h. Esino. Entspringt auf dem Territorium von Sentinum, wo er von der → *via Flaminia* an der → *statio ad Aesim* (h. Falconara Marittima) an der Mündung in die Adria überquert wird (mit großer Zisterne: drei parallele Wasserkammern). Das Tal des A. war für vorzügliche Käseherstellung bekannt (Plin. 3,112; 11,241).

Q. MAULE, SE 59, 1993, 87–102.   G. U. / S. W.

Aeso. Stadt der → Lacetani, h. Isona, gehörte zum *conventus Tarraconensis* (Plin. nat. 3,23) und wurde der *tribus Quirina* zugeschlagen, prägte Mz. mit der iberischen Legende *E-S-O* [1. II,63; MLI, 32]. Ein *episcopus ecclesiae Aesonensis* nahm am 6. Konzil von Toledo teil (Conc. 246; Fuentes Históricas Aragonenses 9,294).

1 A. VIVES Y ESCUDERO, La moneda hispánica, 1926.

TOVAR 3, 1989, 451.   P. B.

Aesopus Clodius. Tragödienschauspieler in Rom im 1. Jh. v. Chr.; angesehener Freigelassener (*nostri familiaris* Cic. ad Q. fr. 1,2,14), als Star zu Reichtum gelangt. Verstreute Notizen ergeben kein einheitliches Bild seiner Kunst. Als Atreus soll er, vom Pathos hingerissen, einen Diener mit dem Szepter erschlagen haben (Plut. Cicero 5,5), doch → Cicero nennt sein Wüten simuliert (Cic. Tusc. 4,55). Man rühmte sein Mienenspiel (Cic. div. 1,80), Fronto aber (p. 143,13–14) hebt gerade das intensive Maskenstudium hervor [1.48, 82, 89 Abb.]. Auf den Senatsbeschluß, Cicero aus dem Exil zurückzurufen, reagierte A. mit spontaner Zustimmung und riß das Publikum hin (Cic. Sest. 120–122[2]); zur Einweihung des Pompeiustheaters in Rom (55 v. Chr.) enttäuschte er (Cic. fam. 7,1,2).

1 M. BIEBER, The History of the Greek and Roman Theatre, ²1961 2 H. D. JOCELYN, The Tragedies of Ennius, 1967, 238–242.

C. GARTON, Personal Aspects of the Roman Theatre, 1972, 245–146 • H. LEPPIN, Histrionen, 1992.   H. BL.

Ästhetik A. EINLEITUNG B. PLATON UND DIE PLATONISCHE TRADITION C. ARISTOTELES D. DIE KRITERIEN DES SCHÖNEN E. NACHWIRKUNG

A. EINLEITUNG

Die Frage nach dem Verständnis und dem Gegenstand einer ant. Ä. wird maßgeblich bestimmt durch die neuzeitliche Annäherung. Doch steht hierbei weniger ein Ä.verständnis im Sinne einer allg. Aisthetik (*epistḗmē aisthētikḗ*) Modell, wie es sich noch bei A. G. BAUMGARTEN findet, der als Begründer der Ä. als eigenständiger Disziplin gilt, zum Paradigma geworden ist vielmehr Hegels Konzeption der Ä. als einer Philos. der schönen Kunst. Will man einerseits an der allg. Fragestellung einer philos. Ä. festhalten, zugleich aber das Eigentümliche eines ant. Ästhetikverständnisses, bzw. ant. Ästhetikkonzeptionen nicht aus dem Blick verlieren, so bedarf es einer hermeneutischen Annäherung, die sowohl die ästhetischen Kategorien als auch ihre Verknüpfung nicht in homologer Weise versteht. Vielmehr gilt es, die jeweilige ästhetische Fragestellung allererst zu rekonstruieren. Hierbei lassen sich allgemein gesprochen zwei Positionen benennen: Ant. Ä. wird in erster Linie oder gar ausschließlich als Schönheitslehre oder aber als Kunstlehre verstanden; ihre Begründung erfolgt also im Spannungsfeld von menschlicher Tätigkeit und ontologischer Grundlegung. Als Schönheitslehre läßt sich die ant. philos. Reflexion über das Schöne in ihrer Eigenart nicht ohne den vor- und nichtphilos. Verständnishorizont begreifen. In Mythos, Rel. und Lit. begegnet im Paradigma schöner Gestalten das Schöne als ›das Ehrwürdigste, das Verehrteste und das Göttlichste von allem‹ (Isokr. or. 10,54). Einer objektivierenden Annäherung, die das Schöne auf vorgegebene Verhältnisse zurückzuführen trachtet, entspringt letztlich auch die Gegenhaltung der Philos., die jedem Dichter mißtraut. Vor diesem Hintergrund erscheint Homer als der falsche Erzieher Griechenlands gewissermaßen als Widersacher Platons. Diese Spannung zwischen Dichtung und Philos., die etwa in der Dichterkritik zum Ausdruck kommt, kann gleichwohl als einer der Ausgangspunkte einer ant. philos. Ä. gelten.

B. PLATON UND DIE PLATONISCHE TRADITION

Im *Hippias Maior* unternimmt Platon erstmals den Versuch der Grundlegung einer Schönheitslehre. Die drei Bestimmungen des Schönen als des Schicklichen (493e 7: *prépon*), des Brauchbaren (495 c 3: *chrḗsimon*) und der durch Gehör und Gesicht vermittelten Freude (297e 6; 298a 6: *hedonḗ*) verweisen auf die Frage nach dem Grund des Schönen, in dem die Züge der Zeitlichkeit wie der Ewigkeit zusammenkommen. Im Schönen begegnen wir der Idee des Schönen (Phaid. 75d, Phaidr. 250c-d). Dieses absolute und selbst im höchsten Maß schön genannte Schöne wird ferner mit der wahren Tugend (*aretḗ*) in Verbindung gebracht (Symp. 212a). Die *kalokagathía* wird zum Begriff für die Zusammengehörigkeit von Schönsein und Gutsein. Ebenso ist alles Schöne, gleichwie die Tugend, nicht ohne Maß, Ordnung und Symmetrie (Tim. 87c-e, Phil. 51c-d).

Nicht Aristoteles, der Schönheit vor allem anhand der Begriffe Symmetrie, Ordnung und Größe analysiert (metaph. 13,3; poet. 6–7), erst Plotin greift Platons Frage nach dem Grund des Schönen wieder auf, die für ihn in der Verflechtung mit dem Guten und dem Glück zur zentralen Frage wird. Geformtsein und Symmetrie als die Grundzüge des Schönen verweisen auf etwas Grundsätzlicheres, auf das Eine und Gute als Quell und Ursprung der Schönheit, als ›Schönheit über aller Schönheit‹, auf die alle sinnlich erfahrbare Schönheit verweist (Plot. Enn. 1,6,6–9; 5,8,3). Gemäß dem henadischen Grundzug der Form hängt der Grad der Schönheit des Seienden an seiner Einheit (Enn. 1,6,2–3). Auf dem Rückweg zum Einen zieht das Schöne den hierfür empfänglichen Menschen hinauf; hierbei entzündet sich an der äußeren Schönheit der Natur- wie der Kunstdinge die sehnsuchtsvolle Liebe, der empfindende Blick für das Schöne, in dem der nach wahrer Selbsterkenntnis Strebende sein eigentliches Ziel findet (Enn. 1,6,9).

C. ARISTOTELES

Während Platon die Tendenz zu einem primär technischen Verständnis der Kunst als eine unzulässige Funktionalisierung kritisiert (leg. 937e–938c) und in der Auseinandersetzung mit den Sophisten im wertfreien, abstrakten Gebrauch der Rhet. einen Verstoß gegen die Kunstgerechtigkeit erblickt (Gorg. 460a-c), wird für Aristoteles gerade das technisch-poietische Verständnis der Kunst – dieser Begriff muß im weitesten Sinne verstanden werden – zum Ausgangspunkt ästhetischer Überlegungen. Hierbei bildet die Unterscheidung zwischen auf das praktische Können im allg. gerichteter Praxis und auf das Hervorbringen abzielender Poiesis (eth. Nic. 6,3–4) die Grundlage für die Bewertung derjenigen Bereiche menschlicher *téchnē*, die als »Kunst«formen auch ästhetisch konnotiert sind. Als Modell für diese ästhetische Kunstlehre gilt die aristotelische ›Poetik‹, die als »technisches« Handbuch lehrt, durch die Kenntnis der Gattungen und Kunstmittel und durch die richtige Zusammensetzung der einzelnen Teile schöne Dichtung hervorzubringen (poet. 1447a 8 f.). Wie Platon sieht auch Aristoteles in der → Mimesis das Wesensmerkmal jeder Kunst und Dichtung, doch anders als für diesen ist die Dichtkunst nicht mehr etwas Abgeleitetes und damit Nachrangiges, sondern selbst unmittelbarer Gegenstand der Betrachtung. Die Regeln der aristotelischen ›Poetik‹ sind das Ergebnis empirischer Beobachtungen wie abstrahierender Überlegungen, die die Form der Dichtkunst wie auch die Wirkung von Dichtung auf die Menschen umfassen.

D. DIE KRITERIEN DES SCHÖNEN

Indem Aristoteles der Poetik auf diese Weise eine eigene »Richtigkeit« (*orthótēs*) zubilligt (poet. 1460b 13 ff.), versucht er zugleich, die mimetische Kunst aus dem Zwiespalt zwischen »Trugbildnerei« und »Ebenbildnerei« (soph. el. 234b–236c) zu befreien. Nicht der Enthusiasmus ist die eigentliche Quelle der Dichtung, sondern, wie auch Horaz betont, die Arbeit des Dichters und sein nach lernbaren Regeln geformtes Talent (ars poetica 289–322). Gleiches gilt für die Rhet., die nach Quintilian nur dann als Kunst gelten kann, wenn der Redner die erlernten rhetorischen Kunstmittel gebraucht (inst. 2,17,11). Ebenso wie die Rhet. sich mit dem Aufbau und der Wirkung einer Rede befaßt, so

handelt die Poetik als Kunstlehre der Dichtung von der inneren Disposition und den Teilen eines Werkes sowie von der äußeren Wirkung auf das Publikum, die Aristoteles zufolge auf die Katharsis zielt (Aristot. pol. 1342a 9–16). Die eigene »Richtigkeit« des technisch-poietischen Kunstverständnisses wird offensichtlich über die Eigenart der einzelnen »Kunst«formen, wie Dichtkunst, Rhet. oder Architektur, zu erfassen versucht. Dabei kommt es zur Ausarbeitung einer Kriteriologie, die zunächst der jeweiligen Kunst eigentümlich ist, jedoch in bestimmter Hinsicht auch disziplinübergreifende Kategorien ausbildet. Das gilt exemplarisch etwa für die Kategorien der Angemessenheit (*decorum, aptum, conveniens*), deren Beachtung Horaz zur Bedingung für die anzustrebende Einheitlichkeit des Kunstwerks fordert. Genialischem Dilettantismus stellt Horaz die Autorität tradierter Formen wie Trag. und Satyrspiel entgegen und fordert das Studium der *exemplaria Graeca*, um dem Mangel an handwerklichen Fähigkeiten abzuhelfen (ars 263 ff.). Die dem Rhetor Cassius Longinus zugeschriebene Schrift ›Über das Erhabene‹ nennt 5 Quellen des erhabenen Ausdrucks, von denen einige erlernbar und technischer Natur sind; an erster Stelle aber steht die Kraft zu bedeutenden Entwürfen, die in den angeführten klass. Exempla beispielhaft verwirklicht ist (De sublim. 8). Auf eine ähnliche Weise bestimmt auch Vitruv in seiner Architekturlehre die Baukunst durch ästhetisch konnotierte Grundbegriffe wie Harmonie, Symmetrie, angemessene Proportion und Disposition (Vitr. 1,2). Das Maß der Symmetrie leitet er dabei von den Proportionen des menschlichen Körpers ab (Vitr. 3,1). Schon Chrysipp hatte in seiner Schrift ›Über das Schöne‹ mit Blick vor allem auf den menschlichen Körper das Schöne als die Symmetrie der Teile in bezug aufeinander und auf das Ganze bestimmt (SVF 3,197–200). Die genannten Beispiele stehen für eine Tendenz zur Herausbildung eines Kanons an Bestimmungen, mit deren Hilfe die Angemessenheit der Ausführung einer bestimmten Kunst wie auch die damit verbundene ästhetische Anmutungsqualität urteilsmäßig expliziert werden können. Kategorien wie *utilitas, honestas, aptitudo, venustas* oder *convenientia partium* werden dabei etwa von Cicero zugleich als Bestimmungen des Schönen ausgelegt (off. 1,4,14; Tusc. 4,13,30–31).

E. NACHWIRKUNG

Auf diese Modelle einer urteilsmäßigen Erfassung von Kunst und Schönheit nehmen die ästhetischen Entwürfe der Renaissance und der Neuzeit ausdrücklich Bezug, wie auch die Elemente dieser Bestimmungen ihre Bedeutung für eine allg. Ä. behalten, die nunmehr versucht, gewissermaßen im Schnittfeld von Kunst und Schönheit ihren originären Gegenstand zu finden. Hierbei ist bemerkenswert, daß sich der Begriff der schönen Künste parallel zur Kanonisierung der drei bildenden Künste und – auf ant. Vorbilder zurückgreifend – im Wettstreit mit der Dichtkunst herausbildet. Alle Versuche einer »relecture« ant. Texte von einer neuzeitlichen ästhetischen Fragestellung her müssen je-

doch gleichwohl unter einen generellen hermeneutischen Vorbehalt gestellt werden.

E. GRASSI, Die Theorie des Schönen in der Ant., 1980 ·
W. PERPEET, Ant. Ä., ²1988 · J. J. POLLITT, The ancient view
of Greek art, 1974 · W. TATARKIEWICZ, Gesch. der Ä. I, in:
Die Ä. der Ant., 1979 · J. WALTER, Die Gesch. der Ä. im
Altertum, 1893 · J. G. WARRY, Greek aesthetic theory.
A study of callistic and aesthetic concepts in the works
of Plato and Aristotle, 1962.   A. SP.

Aestii. Die *Aestiorum gentes*, baltische Stämme, siedelten
östl. der Weichsel bis zur Düna (Tac. Germ. 45,2: ›Kü-
stenanrainer rechts des suebischen Meeres‹; nach Brauch
und Aussehen den → Suebi verwandt, doch den
→ Britanni sprachlich näher). Das etym. evtl. zum Flußnamen Aistà im Bezirk Vilkabikis gehörige Ethnikon
war vielleicht doch german. [1]; darüber wurde ein Zusammenhang zu den Σουδινοί (Sudinoi) des Ptol. 3,5,9
postuliert. Die A. waren friedfertige (Iord. Get. 5,36),
mit Keulen ausgestattete Bauern, lebten vom Fischen
und Sammeln des → Bernstein, der bei ihnen *glesum*
hieß (german. *gles / zaz*). Noch zu → Theoderich (E.
des 5. Jh. n. Chr.) brachte eine Gesandtschaft der A.
Bernsteingeschenke (Cassiod. var. 5,2).

1 L. RÜBEKEIL, Suebica. Völkernamen und Ethnos,
1992, 72 f.

M. HELLMANN, s. v. Balten, LMA I, 1390 f. · A. A. LUND,
Kritischer Forsch.bericht zur »Germania« des Tacitus, in:
ANRW II 33.3, 1992, 1989–2222, hier 2174–2181 ·
W. P. SCHMID, s. v. Aisten, RGA I, ²1973, 116–118.   K. DI.

Aestimatio litis. Der mit dem Formularprozeß verbundene Grundsatz der Geldverurteilung (Gai. inst.
4,48) bedingt im Zivilprozeß, daß alle nicht auf eine fixe
Summe gerichtete Klagen in Geldeswert auszudrücken
waren. Vorgang wie Ergebnis der dazu erforderlichen
Schätzung heißt *a. l.*; sie wurde vom Richter, bisweilen
auch vom Kläger (*iusiurandum in litem*, eidliche Schätzung des Streitwertes) vorgenommen. Weigerte sich der
Beklagte, die Naturalleistungspflicht zu erfüllen, sondern zahlte er statt dessen die Geldcondemnationssum-
me, verlor der Kläger die Sache endgültig, und der Beklagte erwarb (einem Käufer vergleichbar) bonitarisches
Eigentum. Spätestens Iustinian führte die Naturalver-
urteilung ein (Inst. Iust. 4,6,32). Soweit sich im Strafprozeß an das Verbrechen eine Schadensersatzpflicht
knüpfte, wurde deren Umfang in einem Nachverfahren
durch *a. l.* ermittelt und der Täter auch dazu verurteilt.
→ Condemnatio

A. BÜRGE, Geld- und Naturalwirtschaft im vorklass. und
klass. röm. Recht, in: ZRG 99, 1982, 128–159 ·
H. HONSELL, Quod interest in bonae fidei iudicium, 1969 ·
MOMMSEN, Strafrecht, 725.   C. PA.

Aetas. Das Alter ist im röm. Recht insbes. für die Hand-
lungsfähigkeit (Geschäfts- und Deliktsfähigkeit) bedeutsam. Man unterscheidet folgende Altersstufen:

1. *Infans*: Kann ein Kind noch nicht die Worte der For-
malakte sprechen (*qui fari non potest*), oder ist es *infanti
proximus* (Gai. inst. 3, 109), so ist es handlungsunfähig.
Nicht einmal mit *auctoritas tutoris* erwirbt es Rechte. Im
nachklass. Recht endet die *infantia* mit 7 Jahren. –
2. *Impubes infantia maior*: Wer noch nicht geschlechtsreif
ist, steht wie ein *infans* unter *tutela*, ist aber beschränkt
geschäftsfähig. Rechtsgeschäfte ohne *auctoritas tutoris*
sind wirksam, soweit der Unmündige etwas erwirbt.
Aus zweiseitig verpflichtenden Geschäften wird er berechtigt, aber nicht verpflichtet (*negotium claudicans*).
Verpflichtungsgeschäfte und Verfügungen sind nur mit
auctoritas tutoris wirksam, doch haftet der *impubes* auch
ohne sie nach einem *rescriptum divi Pii*, wenn er bereichert ist (Dig. 26, 8, 5 pr.). Urspr. haftete ein *impubes
infantia maior* aus Delikten; nach klass. Recht nur mehr,
wenn er als *proximus pubertati* sein Unrecht einsehen
kann (Gai. inst. 3, 208). – **3.** *Pubes*: Der Mündige ist
geschäfts- und deliktsfähig. Bei Mädchen tritt die *pu-
bertas* mit 12 Jahren ein. Bei Knaben stellte man ihren
Eintritt urspr. nach der körperlichen Reife individuell
fest und manifestierte dies durch Anlegen der *toga virilis*.
Später setzt sich die Ansicht der Prokulianer durch, *pu-
bertas* trete mit vollendetem 14. Lebensjahr ein (Inst.
Iust. 1, 22 pr.). – **4.** *Minor XXV annis*: Der frühe Eintritt
der Geschäftsfähigkeit führte dazu, daß Jugendliche
häufig übervorteilt wurden. Zur ihrem Schutz erging
um 200 v. Chr. die *l. Laetoria* (→ *minores*). Auch kann der
minor beim *praetor* einen *curator* als Beistand erbitten.
Dessen *consensus* ist nach klass. Recht noch kein Gültig-
keitserfordernis. Im nachklass. Recht werden *tutela im-
puberis* und *cura minorum* angenähert, so daß der *minor*
nur mehr beschränkt geschäftsfähig ist. Andererseits
verleiht man seit Konstantin Männern ab 20 und Frauen
ab 18 Jahren die *venia aetatis* und damit weitgehende
Geschäftsfähigkeit, wenn sie ihre *honestas morum* und
probitas animi nachweisen (Cod. Iust. 2, 44, 2). Für die
Testierfähigkeit ist nach Paul. sent. 3, 4a, 2 das 18. Lebensjahr maßgebend. Die Fähigkeit zur Freilassung erlangt man urspr. mit 20 Jahren (Gai. inst. 1, 40: *l. Aelia
Sentia*), unter Justinian mit 17 (Inst. Iust. 1, 6, 7). Nach
den Ehegesetzen des Augustus bestand für Frauen im
Alter von 20 bis 50 Jahren und für Männer von 25 bis 60
die Verpflichtung, verheiratet zu sein (Ulp. reg. 16, 1).
Wer dagegen verstieß, war unfähig aus einem
Testament zu erwerben (Inkapazität).
Im älteren gemeinen Recht sind die Altersstufen von
7, 12 bzw. 14 sowie 25 Jahren weiterhin maßgebend.
Doch führen territoriale Gesetzgebung und Kodifikation neue Volljährigkeitsgrenzen ein (art. 388 code civil,
§ 1 (dt.) RGBl 1875, 71 und § 2 BGB: 21 Jahre; ALR I 1
§ 26 und § 21 ABGB: 24 Jahre).

H.-G. KNOTHE, Die Geschäftsfähigkeit der Minderjährigen
in geschichtlicher Entwicklung, 1983.   P. A.

Aeternitas. »Ewigkeit«, Personifikation der Dauer polit. Herrschaft. In der Kaiserzeit kann man sich auf »ewi-

ge Dauer« der Herrschaft eines Kaisers ebenso berufen wie auf seinen Ruhm oder sein Wohl (Plin. epist. 10,41,1; 83). Der Kult der A. setzt in der frühen Kaiserzeit wohl in Spanien ein: Münzen (etwa aus Tarraco und Emerita) unter Augustus und Tiberius stellen einen Tempel mit der Legende *Aeternitati Augustae* dar [1]. Erste Darstellungen der Göttin setzen unter Vespasian ein, der erste Kultbeleg ist ein Opfer der → *Arvales fratres* an *A. imperii* nach der Entdeckung der Pisonischen Verschwörung im Jahre 66 n. Chr. [2]; später beruft sich Plinius auf A. und Salus des Traian (epist. 83).

Das Bild der A. wird stehend oder auf einem von Löwen oder Elephanten gezogenen Wagen dargestellt. Attribute weisen auf die Dauer (Phoenix, die sich in den Schwanz beißende Schlange – Uroboros – und der langlebige Elephant), die erwartete Fülle (Füllhorn), die Herrschaft (Löwe, Szepter, Gubernaculum) oder verbinden A. mit der Ewigkeit des Kosmos (Sonne, Mond, Sterne); mit Sol und Luna wird sie auch in Inschr. verbunden [3; 4]. In poetischer Version wird sie zur Tochter Iuppiters (Mart. Cap. 1,7).

1 W. KOEHLER, Personifikationen abstrakter Begriffe auf röm. Mz. (Diss.), 1910, 23 ff. 2 W. HENZEN, Acta fratrum Arvalium, 1874, 121, vgl. 100f. 3 H. A. AXTELL, The Deification of Abstract Ideas in Roman Literature and Inscriptions, 1907, 33 f. 4 F. CUMONT, Recherches sur le symbolisme funéraire des Romains, 1942, 91 f.   F.G.

Aethalia s. Ilva

Aetheria, Aetheriae peregrinatio
s. Peregrinatio ad loca sancta

Äthiopisch. Eigentlich Geʿez, die klassische Sprache Äthiopiens, gehört zum südl. Zweig der semit. Sprachen. Gesprochen wurde es von den Stämmen Agʿazjan und Ḥabašāt, die aus Südarabien nach Abessinien eingewandert waren, dort das Königtum → Aksum gründeten und Mitte des 4. Jh. n. Chr. von aram. Missionaren zum Christentum bekehrt wurden. Die ersten Nachweise sind Steininschr. (Aksuminschr., Maṭara Obelisk 4. Jh. n. Chr.).

Seit dem 9. Jh. bis heute wird Geʿez nur noch als Lit.- und Kirchensprache verwendet. Semit.-ä. Sprachen im Norden sind Tigriña und Tigre, im Süden Argobba, Harari, Gafat und Gurage. Amharisch, die Amtssprache Äthiopiens, löste im Süden das Geʿez ab. Das → Alphabet (26 Zeichen) ist eine Weiterentwicklung aus dem Altsüdarab., wird aber von links nach rechts geschrieben. Der urspr. semit. Konsonantenbestand ist stark reduziert.

E. BERNARD, A. J. DREWES, R. SCHNEIDER, Recueil des inscriptions de l'Éthiopie des périodes pré-axoumite et axoumite, 1991 • E. ULLENDORFF, The Semitic Languages of Ethiopia, 1955.   C.K.

Aethlios s. Endymion

Aëtion. Griech. Maler (auch Bildhauer?) der Spät-klassik, Vertreter der Vierfarbmalerei (→ Farben). Ausführliche Beschreibung seines berühmtesten Bildes, der Hochzeit Alexanders mit Roxane, bei Lukian. Hdt. 4–6, die viele Renaissance- und Barockmaler zu Neufassungen des Themas anregte. Reflexe dieses oder aber eines weiteren bei Plin. nat. 35,78 überlieferten Vermählungbildes, das die Einigungspolitik Alexanders symbolisieren sollte, vielleicht schon in der pompejanischen Wandmalerei sowie der »Aldobrandinischen Hochzeit« (Rom, VM).

G. BRÖKER, W. MÜLLER, s. v. A. Nr. 1, AKL 1, 458 f. • L. FAEDO, L'impronta delle parole, in: S. SETTIS (Hrsg.), Memoria dell'antico nell'arte italiana 2, 1985, 23–42 • A. LAGI DE CARO, Alessandro e Rossane come Ares ed Afrodite in un dipinto, in: Stud. Pompeiana et Classica 1. FS für W. F. Jashemski, 1988, 75–88 • OVERBECK, Nr. 1937–1941 (Quellen) • I. SCHEIBLER, Griech. Malerei der Ant., 1994, 48–51 sowie passim • A. STEWART, Faces of Power, 1993, 181–190 sowie passim.   N.H.

Aëtios (Ἀέτιος). **[1]** Sohn des Anthas, mythischer König von Troizen; seine Nachkommen besiedeln Halikarnaß und Myndos in Karien (Paus. 2,30,8 f.).   F.G.
[2] Doxograph des 1. Jh. n. Chr. Obwohl histor. kaum faßbar, spielt A. eine zentrale Rolle in der doxographischen Tradition der Ant., weil er das einzige ausführliche doxographische Handbuch verfaßte, das einigermaßen vollständig überliefert ist (→ Doxographie). Große Teile des Werkes können auf der Grundlage von drei Hauptquellen ziemlich genau rekonstruiert werden. Diese Überlieferung wurde von H. DIELS in seinem maßgebenden Werk ›Doxographi Graeci‹ [1] untersucht, das jedoch gegenwärtig in einigen Aspekten einer Revision unterzogen wird [2].

Die einzige Quelle, die A. namentlich erwähnt, ist Bischof Theodoret von Kyrrhos (ca. 393–457), der A.' Schrift Περὶ ἀρεσκόντων ξυναγωγή in seiner *Graecarum afflictionum curatio* als Informationsquelle über Unterschiede in den Lehrmeinungen griech. Philosophen zitiert. Ausführlicheres Parallelmaterial findet man in Buch 1 von Stobaios' *Eklogai* und in der ps.-plutarchischen Epitome Περὶ τῶν ἀρεσκόντων φιλοσόφοις φυσικῶν. Diese Abhandlung hatte größeren Erfolg als A.' eigenes Werk und war in der Spätant. (Eusebios, Ps.-Galen, Kyrillos von Alexandreia) und Byzanz (Johannes Lydos, Psellos) weithin in Gebrauch. Eine vollständige Übers. ins Arab. wurde im 10. Jh. von Qustā Ibn Lūqā angefertigt.

Die urspr. Struktur des Werkes läßt sich am besten an der ps.-plutarchischen Epitome ablesen. Es bestand aus fünf Büchern: Buch 1 Prinzipien, Buch 2 Kosmologie, Buch 3 Meteorologie, Buch 4 und 5 Psychologie und Physiologie von Mensch und Tier. Jedes Kapitel enthält eine Reihe kurzer δόξαι (Meinungen) oder ἀρέσκοντα (*placita*), die einzelnen Philosophen einer Schule zugewiesen werden und gewöhnlich in Abschnitten angeordnet sind, die die Vielfalt und Gegensätzlichkeit der betroffenen Lehren herausstreichen. Es werden nur die δόξαι selbst präsentiert, nicht jedoch Belege oder Argumente, auf denen sie basieren. Außer in den Einleitungskapiteln, die Kritikpunkte herauszustellen versuchen, tritt A. völlig hinter dem von ihm aufgezeichneten Material zurück.

Der späteste von A. (Stob. Ekl. 1,49,1) erwähnte Philosoph ist der Peripatetiker → Xenarchos. Die in der Formulierung der platonischen δόξαι benutzte Terminologie weist Ähnlichkeiten mit derjenigen auf, die man bei Philon von Alexandreia findet. Das weist auf eine Datierung in das 1.Jh. n.Chr., vielleicht auf ungefähr 50 n.Chr. Die ps.-plutarchische Kurzversion kann auf 150–200 n.Chr. datiert werden.

A.' Kompendium gründet sich ganz auf frühere Quellen. Aufgrund zahlreicher Parallelen bei Autoren wie Varro, Cicero und Philon muß DIELS' Theorie, daß es sich bei der Hauptquelle um ein früheres Kompendium handelte (von DIELS Vetusta Placita genannt), das sein Material über die vorsokratische Philos. seinerseits aus den Φυσικαὶ δόξαι des Theophrast bezog, in mehreren Punkten revidiert werden [3; 4]. Dem entscheidenden Beitrag der dialektischen Methode des Aristoteles trägt das Kompendium des A. nicht Rechnung und unterschätzt auch den Beitrag der Neuen Akademie erheblich. Trotz der Kürze des Materials sind die *Placita* des A. eine äußerst wertvolle Quelle für unsere Kenntnis der vorsokratischen und hell. Philosophie.

→ Areios Didymos; Doxographie; Philon von Alexandreia; Stobaios

1 DIELS, DG 1–263 2 D.T.RUNIA, J.MANSFELD, Aëtiana: the Method and Intellectual Background of a Doxographer, 1996 3 J.MANSFELD, Chrysippus and the Placita, in: Phronesis 34, 1989, 311–342 4 J.MANSFELD, *Physikai doxai* and *Problemata physica* from Aristotle to Aëtius (and Beyond), in: W.W.FORTENBAUGH, D.GUTAS (HRSG.), Theophrastus: his Psychological, Doxographical and Scientific Writings, 1992, 63–111.

ED. (Rekonstruktion der Abh. des A.): DIELS, DG, 267–444
IT. ÜBERS.: L.TORRACA, I dossografi greci, 1961 ·
ED. (Ps.plutarchischen Abh.): J.MAU, B.G. Teubner 1971 ·
G.LACHENAUD, Les Belles Lettres 1993
ARAB. ÜBERS.: H.DAIBER, Aetius Arabus: die Vorsokratiker in arab. Überlieferung, 1980

T.DORANDI, s.v. A., in: GOULET I, 58–59. D.T.R./T.H.

[3, aus Amida] Griech. Arzt und Schriftsteller der 1. H. des 6.Jh.s, studierte in Alexandreia und wurde später Hofarzt in Konstantinopel im Range eines *comes* (zum Titel vgl. [9]). Seine 16 Bücher über Medizin sind in 4 Gruppen von *Tetrábibloi* unterteilt (daher der alternative Titel seiner Enzyklopädie). Ähnlich wie sein Vorbild → Oreibasios folgt A. getreu seinen Quellen und behält oft den Wortlaut des Originals bzw. des Vermittlertextes bei. Einigen Hss. zufolge bezieht A. seine Informationen vorwiegend von Galenos, Archigenes, Rufus aus Ephesos, Dioskorides, Herodotos, Soranos, Philagrios, Philumenos, Poseidonios und anderen unter häufiger

Vermittlung des Oreibasios. Die Theorie der Medizin füllt nur wenige Seiten in den 16 Bänden, deren Wert vielmehr in der Darlegung praktischer Ratschläge und Rezepte liegt, die den unterschiedlichsten Quellen, sogar solchen über magisch-animistische Medizin, entnommen sind. A. ist eine für die ant. Ophthalmologie und Chirurgie eminent wichtige Quelle. Später kopierten byz. Verf. medizinischer Schriften häufig ganze Abschnitte seiner Verordnungen in ihre eigene Werke. Begeistert verfaßte Photios eine Zusammenfassung der 16 Bücher (Phot. bibl. cod. 221). Auch wenn zumindest ein Teil seines Werkes Ende des 9.Jh. in arab. Sprache verfügbar war, scheint A. keinen großen Einfluß unter den Arabern gehabt zu haben. Der arab. Text ist h. verloren. Bis h. gibt es noch keine vollständige Ausgabe von Aetios in der griech. Originalversion.

→ Galen; Archigenes; Rufus; Dioskorides; Herodotos; Soranos; Philagrios; Philumenos; Posidonios; Oreibasios

AUSG.: **1** ed. princeps, Venice, 1534 · **2** CMG VIII 1, hrsg. A.OLIVIERI, 1935(B.(1–4), CMG VIII 2, hrsg. A.OLIVIERI, 1950 (B.5–8), 9–16: CMG VIII 3–5, hrsg. F.SBORDONE, A.GARZYA, ET., (B.9–16; IN VORBEREITUNG).
EINZELAUSG.: **3** J.HIRSCHFELD, 1899 (B.7) **4** S.ZERVOS, 1912 (B.9) **5** C.DAREMBERG, 1879 (B.10 TEILWEISE; B.11) **6** G.A.KOSTOMIRIS, 1892 (B.12) **7** S.ZERVOS, 1908 (B.13 ZUM TEIL) **8** S.ZERVOS, 1909 (B.15) **9** S.ZERVOS, 1901 (B.16). DE MELANCHOLIA: (FÄLSCHLICHERWEISE ALLEIN AETIOS ZUGESCHRIEBEN IN KÜHNS GALENAUSGABE, 19, 699–714); WIEDERAUFGELEGT: **10** W.STUDEMUND, INDEX LECTIONUM IN UNIVERSITATE LITTERARUM VRATISLAVIENSI 1888–89, 1888, 12–14.
ÜBERS.: **11** JANUS CORNARIUS, 1542 (LAT.; ALLE 16 BÜCHER); WIEDERAUFGELEGT.
DEUTSCH: **12** M.STEINHAGEN, 1938 (B.4) **13** J.HIRSCHFELD, 1899 (B.7) **14** B. 16 M.WEGSCHNEIDER, 1901.
ARAB.: **15** ULLMANN, 84f. **16** SEZGIN, 164f.
LIT.: **17** M.WELLMANN, S.V.A., RE I, 703f. **18** F.KUDLIEN, S.V.A., DSB I, 68f. **19** PLRE 2,20.
ÜBERLIEFERUNG:
20 A.GARZYA (et al.) Tradizione e ecdotica, 1992
21 A.GARZYA, J.JOUANNA (Hrsg.), Tradition et ecdotique des textes médicaux grecs, 1995 **22** J.HIRSCHBERG, Die Augenheilkunde des A., 1899. V.N./L.v.R.-B.

Aetius. [1] 420 n.Chr. *praef. urbis Constantinopoleos* und 425 *praef. praetorio*; zw. 395–401 war er vielleicht *proc. Achaeae*. Wohl noch als *praef. urbis* legte er 421 eine Zisterne in Konstantinopel an (PLRE 2, 19f., vgl. 30). H.L.
[2] Geb. um 390 n.Chr. als Sohn des *mag. equitum*→ Gaudentius, christl., als Jugendlicher Geisel bei den Westgoten und den Hunnen. Seine guten Kontakte zu den Hunnen blieben lange eine Grundlage seiner Macht. Unterstützt 425 den Usurpator → Iohannes und führt ihm hunnische Einheiten zu, trifft nach dessen Niederlage ein Arrangement mit → Galla Placidia. Seit 425 bis 429 *mag. utriusque militiae Galliarum*, kämpft erfolgreich gegen Goten und Franken (428 wird die Rheingrenze wiederhergestellt) und wird 429 *mag.*

utriusque militiae praesentalis. Ihm gelingt es bei einzelnen Rückschlägen bis 432, sich gegen seine wichtigsten Konkurrenten Felix, Bonifatius und Sebastianus durchzusetzen. Seither einflußreichster Mann im Westen: 433 erzwingt er seine Rehabilitierung als *mag. utriusque mil. praesentalis*, 435 wird er *patricius*; viermal erlangt er das Konsulat (432, 437, 446, 454), eine singuläre Ehrung. A. ist oft in Gallien gebunden, wo er insgesamt erfolgreich gegen Bagauden, Burgunder, Westgoten und Franken kämpft und verschiedene Föderatenverträge abschließt; mit den Vandalen gelangt er zu einem Ausgleich. Seit 438 stärker in It. präsent [1. 229, 239]. 451 im Bündnis mit den Westgoten, erreicht er durch die Schlacht auf den Katalaunischen Feldern den Rückzug der Hunnen aus Gallien, 453 Tod Attilas und somit außenpolit. Beruhigung. A. strebt wie → Stilicho eine verwandtschaftliche Verbindung mit dem Kaiserhaus an: Er verlobt seinen Sohn mit einer Tochter → Valentinians III. Seine Gegner bei Hof gewinnen an Einfluß und nehmen den ohnehin mißtrauischen Kaiser gegen A. ein. Am 21.9.454 wird A. von Valentinian III. während einer Audienz ermordet.

Zur Zeit seiner Herrschaft verlor Rom Britannien, Teile Pannoniens und Afrika, konnte aber Gallien halten; auch das Kaisertum wurde bewahrt. Seine Macht beruhte einerseits auf seiner mil. Bed., andererseits auf der Unterstützung durch zumindest einen bedeutenden Teil des Senats, der ihm zw. 439 und 442 eine große Ehreninschr. (AE 1950, 30) setzte; von → Merobaudes sind zwei Panegyrici auf ihn überliefert. Das Urteil über A. ist geteilt: Bei den Zeitgenossen gilt er als der »starke Mann«. Von Prokop (BV 1,3,14f.) wurde er wegen seiner Abwehrkämpfe zusammen mit → Bonifatius als »letzter Römer« bezeichnet; Stein [1] hebt die Verbindung mit der Aristokratie hervor und unterstreicht den eigennützigen Charakter seiner Politik. Zecchini [2] betrachtet ihn als einen realistischen, vom Bemühen um die Festigkeit des Reiches getragenen und im Rahmen des Möglichen erfolgreichen Politiker (PLRE 2, 21–29).

1 STEIN, Spätröm. Reich, 337 2 G. ZECCHINI, Aezio e la difesa dell'Occidente romano, 1983 (grundlegend).

J. M. O'FLYNN, Generalissimos of the Western Roman Empire, 1983, 74ff. • R. v. HAEHLING, Religionszugehörigkeit, 1978, 477.   H. L.

Aetna. Lateinisches → Lehrgedicht zur Erklärung des Vulkanismus, wohl aus Neronischer Zeit, vielleicht von Senecas Briefpartner Lucilius (vgl. Sen. epist. 79). Der Verf. distanziert sich einmal vom (myth.) Epos (V. 9–23), zum anderen in der eigenen Gattung – mit Polemik gegen → Manilius – von kosmologischer und astrologischer Spekulation (V. 228–250). Unter seinen Informanten hebt sich (vermittelt z. T. durch Sen. nat. 6?) → Poseidonios heraus. Im 2. Jh. Vergil zweifelnd zugeschrieben (s. die Donat (Sueton) -Vita 18), galt das Werk seit der Spätant. als Vergilisch und ist deshalb einmal in der → Appendix Vergiliana, zum anderen (V. 138–286) mit → Claudian überliefert.

ED.: W. RICHTER, 1963 (mit Übers.) • F. R. D. GOODYEAR, 1965 (mit Komm.) • A. DE VIVO, 1987.
LIT.: F. R. D. GOODYEAR, A., in: ANRW II.32,1, 1984, 344–363 • D. LASSANDRO, A., in: EV 1, 45–48 • A. DE VIVO, Sulla tradizione manoscritta dell'A., in: Vichiana 16, 1987, 85–102 • Ders., Considerazioni sull'A., in: ebd. 18, 1989, 63–85.   P. L. S.

Aetos (Ἀετός). **[1]** Aus Aspendos, Sohn des Apollonios, Vater des → Thraseas. Ptolemäischer Stratege Kilikiens und Gründer von Arsinoe [III 3] (zw. 279 und 253 v. Chr.), Alexanderpriester 253/2, als eponymer Offizier belegt 245/4 und 242/1. PP 2, 1828; 3/9 4988; [1]. **[2]** Enkel des A. [1], Alexanderpriester 197/6 v. Chr. Ehrung auf Kos: Bull. 1994, 451. PP 3/9 4988a; [1. 344].

C. HABICHT, A Hellenistic inscription from Arsinoe in Cilicia, in: Phoenix 43, 1989, 317–346.   W. A.

Aetos [3] s. Adler, s. Sternbilder

Afer. Häufig verwendetes Cognomen, seit der späteren Republik fast stets ohne Bezug zur Bed. »aus Africa stammend«. So dennoch z. B. bei dem Dichter P. → Terentius Afer verwendet [1].
[1] Cognomen bei dem Dichter Martialis. Verschiedene Personen sind gemeint: 4,37; 78; 6,77; 9,7; 25; 10,84; 12,42. **[2]** A., Cousin Caracallas, der ihn im J. 212 töten ließ (SHA Carac. 3,6f.; wohl identisch mit L. Septimius Aper, *cos. ord.* 207 [2]).

1 KAJANTO, Cognomina, 205 2 A. BIRLEY, Septimius Severus, ²1988, 214.   W. E.

Afer s. a. Domitius, Terentius

Affe (πίθηκος, *simia*, vulgärlat. *clura*), nur in Afrika und Südasien; früher Vorkommen auf Pithekusa (Ischia) (Xenagoras fr. 13) von Plin. nat. 3,82 bestritten (vgl. die Sage Ov. met. 14,92ff.). In der Ant. bekannt (Aristot. hist. an. 2,8,502a 16–b 24; Plin. nat. 8,216) waren: **1.** der schwanzlose türk. A. (πίθηκος), **2.** die geschwänzte Meerkatze (κῆβος, κερκοπίθηκος), **3.** Mantelpavian (κυνοκέφαλος, lat. *satyrus*). Die Arten 1 und 2 waren beliebte, vielfach abgebildete [vgl. 1, Kap. 3 und Abb. 13–15] und (wegen seines Nachahmungstriebs, s. Ail. nat. 5,26) dressierte (vgl. das A.-Theater bei Iuv. 5,153–155 und FRIEDLÄNDER z. St.; Mart. 14,202) Haus- und Luxustiere. Plin. nat. 8,216 kennt noch den Seidenaffen (Gattung *Guereza, callithrix* nach [2. 1,9], vgl. [3. 66]) und den Gorilla aus Äthiopien (κῆπος: Plin. nat. 8,70 und 6,200 nach [4. 1,13] vgl. [5. 336] zu Ail. nat. 17,9). Ktesias u. a. Geographen erwähnen den indischen Hulaman (Ail. nat. 16,10, vgl. [2]). Häßlichkeit und Bösartigkeit des A. waren sprichwörtlich (vgl. Archil. fr. 81 und 83; Semonides 7,71; Aristoph. Ach. 906; Plaut. Mil. 179f. u. a.), sein Auftreten war ein Vorzeichen (Cic. div. 1,34; Artemidoros 2,12 u. a.). »A.« als Schimpfwort:

Plaut. Most. 887; Hor. sat. 1,10,18 u. a., ebenso καλλίας: Herondas 3,41. Affenliebe beschreiben Plin. nat. 8,216 und Babrios 35, die anatom.-morpholog. Merkmale Aristot. hist. an. 502a 22–b 24 und Plin. nat. 11,215; 246 u. a. Fabulöse Schilderung der A.-Jagd. Diod. 17,90; Strab. 15,699 und im byz. *Physiologos* [6. App. 1, Nr. 5, 305f. und App. 2, Nr. 8, 318f.]. Der A. wurde von Ärzten seziert (Gal. 2,222 u. a.). Sein Fleisch galt als Heilmittel (Ail. nat. 5,39; var. 1,9) für kranke Löwen, aber nie als Menschennahrung.

1 TOYNBEE 2 KELLER 3 LEITNER 4 GGM 5 H. GOSSEN, Die Tiernamen in Älians 17 Büchern περὶ ζῴων, Quellen und Studien zur Gesch. der Naturwiss. und der Medizin 4, 1935, Ndr. 1973, 280–340 6 F. SBORDONE (Hrsg.), Physiologi Graeci ... recensiones, 1936, Ndr. 1976.   C. HÜ.

Affecter. Att. sf. Vasenmaler um 550/540–520, benannt nach dem gezierten Figurenstil, auf Grund dessen ihm 135 Gefäße zugewiesen werden konnten. Der A. war zweifellos zugleich Töpfer und Maler und hat sich auf Amphoren spezialisiert, die er in mehreren eigenen Varianten sehr präzise und dünnwandig ausgeführt und auf bes., z. T. altertüml. Weise dekoriert hat. Bei den Figurenbildern interessierte ihn der erzählende Inhalt weniger als die dekorative Wirkung seiner Kompositionen aus formelhaften Figuren in langen weiten Mänteln oder mit gespreizten Bewegungen. In der Neigung zum Formalismus und in vielen Details folgt der A. dem → Amasis-Maler, dessen künstler. Vitalität ihm jedoch fehlt. Seine eleganten Vasen waren für den Export bestimmt (→ Tongefäße) und sind hauptsächlich in Etrurien gefunden worden.

H. MOMMSEN, Der A., 1975 · BEAZLEY, Addenda², 60–64.   H. M.

Affekte (πάθη, Sing. πάθος).   A. DEFINITION
B. PHILOSOPHIEGESCHICHTLICHES

A. DEFINITION

Ein A. ist ein emotionaler Zustand, der durch ein interpretierendes Gewahrwerden von etwas (als z. B. furchterregend) ausgelöst wird und seinerseits wieder bestimmte körperliche Reaktionen verursacht. Den griech. Philosophen bietet die Darstellung von A. im griech. Drama ebenso wie ihre Erzeugung beim Theaterpublikum Material für ihre Reflexionen.

B. PHILOSOPHIEGESCHICHTLICHES

Bei Platon werden in der Lehre von den drei Seelenteilen in rep. 4 Begierden (Hunger, Durst) von A. (Zorn) unterschieden, da letztere im Prinzip der Beeinflussung durch rationale Einsicht zugänglich sind (rep. 4,439e–440d). Auf die Verknüpfung der A. mit Vergnügen (ἡδονή) und Mißvergnügen (λύπη) weist Platon im *Philebos* (47e) hin.

Diese Verknüpfung findet sich auch in den aristotelischen Definitionen der A. (vgl. rhet. 2,1378a 24–26; eth. Nic. 2,1105b 21–23; eth. Eud. 2,1220b 12–14). Die Beeinflußbarkeit von (bestimmten) A. durch Information/Argument ist der Grund für ihre Behandlung in rhet. 2, 2–11); die *poetica* nimmt die A. Furcht und Mitleid in die Definition der Trag. auf (6, 1449b 24–31), erörtert in poet. 14. Im Unterschied zur *rhetorica* (und zu Platon) behandelt Aristoteles in den Ethiken auch die Begierden als A.

Über die Theorie der A. in der Alten Stoa (Zenon, Chrysipp) sind wir nur bruchstückhaft durch späte Quellen unterrichtet. Die Stoa unterscheidet vier Hauptaffekte: Begierde, Furcht, Vergnügen, Mißvergnügen (SVF I,211). Da sie die platonische Dreiteilung der Seele mit der Annahme eines irrationalen Seelenteils ablehnt (vgl. SVF II,829), sieht sie in den A. ein Abweichen von der Vernunft, das immer die gesamte Person betrifft (vgl. SVF II, 823; III, 459). Als irrational sind A. grundsätzlich verwerflich, daher ist der stoische Weise von A. gänzlich frei: Ideal der ἀπάθεια. Diese altstoische Theorie der A. ist in der mittleren Stoa durch Poseidonios von einem platonisierenden Standpunkt aus kritisiert worden; die Diskussion bei Galen (de plac. Hipp. 4). In der röm. Stoa wird der gr. Ausdruck πάθος unterschiedlich wiedergegeben: *perturbatio* (Cic. Tusc. 4, 11), *affectus* (Sen. de ira 2,3,1).

M. NUSSBAUM, The Therapy of Desire. Theory and Practice in Hellenistic Ethics, 1994.   T. E.

Afilae. Ort in Latium, heute Affile, im Hochtal des → Anio, südl. von Subiaco. → *Municipium* mit Senat und → *seviri augustales*, wohl zur *tribus Aniensis* gehörig (CIL XIV 3442–45). Erh. sind Überreste von Thermen, öffentlichen und privaten Gebäuden.   S. Q. G. / S. W.

Afranius. Plebeisches Geschlecht, aus dem schon im 2. Jh. v. Chr. senatorische Vertreter hervorgegangen sind.

[1] L., *homo novus*, Anhänger des Pompeius, zeichnete sich als dessen Legat 77–73 (?) v. Chr. im Krieg gegen Sertorius (Plut. Sert. 19,3 ff.) aus; 72 (?) Praetor, 71–67 (?) als Prokonsul in Spanien (Eroberung von Calagurris, Triumph). 66–62 Legat im Krieg gegen Mithridates. Mit Unterstützung des Pompeius wurde er, zusammen mit Q. Caecilius Metellus Celer im J. 60 v. Chr. Konsul. 55 von Pompeius als Legat zusammen mit M. Petreius nach Spanien geschickt, um die Prov. für Pompeius zu verwalten, wurden sie am 2.8.49 von Caesar in der Schlacht bei Ilerda geschlagen (Caes. civ. 1,37 ff.). Von dort begab er sich mit einigen spanischen Kohorten nach Dyrrhachium und nahm dann an der Schlacht von → Pharsalos teil (Caes. civ. 3,88,2; App. civ. 2,316). Zunächst flüchtete er erneut nach Dyrrhachium, dann nach Afrika (Cass. Dio 42,10), kämpfte bei Thapsus mit (Plut. Caes. 53) und wurde schließlich von P. Sittius gefangengenommen und getötet.

C. F. KONRAD, A. imperator, in: Hisp. Ant. 8, 1978, 67–76 · MRR 3,12–13 · NICOLET 2, 767–768.   K. L. E.

[2] L., Patron von Magnesia am Mäander und Kaunos, 2. H. des 1. Jhs. v. Chr. (MRR 3, 13). K.L.E.

[3] Sex. f. Burrus, Sex., aus Vasio Vocontiorum in der Narbonensis. Tribun (einer Legion?), *procurator* des Besitzes der Livia (bis 29 n. Chr.), dann *procurator* von Tiberius, (Caligula) und Claudius (CIL XII 5842 = ILS 1321). Nach Tac. ann. 12,42,1, war er *egregiae militaris famae* [3. 82 A. 5]. Im J. 51 wurde er auf Betreiben Agrippinas von Claudius zum alleinigen *praefectus praetorio* ernannt (Tac. ann. 12,42,1). Beim Übergang der Herrschaft auf Nero 54 n. Chr. garantierte er die Loyalität der Praetorianer (Tac. ann. 12,69,1). Zusammen mit Seneca bestimmte er in den ersten Jahren Neros dessen Politik (Tac. ann. 13,2,1; 13,6,3), zunächst mit Agrippina, dann gegen sie. Doch lehnte er die Beteiligung der Praetorianer an der Ermordung Agrippinas ab (Tac. ann. 14,7,4), ohne sich aber gegen Nero zu wenden (Tac. ann. 14,10,2). Diese unentschiedene Haltung setzte A. fort (Tac. ann. 14,15,4), widersetzte sich allerdings der Trennung Neros von Octavia (Cass. Dio 62,13). Im J. 62 starb A., angeblich von Nero vergiftet (Tac. ann. 14,51,1f.; 14,52,1); dadurch war auch der Einfluß Senecas auf Nero beendet (PIR² A 441).

1 DEMOUGIN, 460f. 2 M. T. GRIFFIN, Nero, 1984 3 Ders., Seneca, 1976 4 PFLAUM, Bd. 1, 30ff. W.E.

[4, L.] Nach dem Urteil der ant. Lit.-Kritik (Vell. 2,9,3; Quint. inst. 10,1,100) der bedeutendste Vertreter der *fabula* → *togata*, der röm. Komödie im röm. Gewand. Wie die beiden anderen Togatendichter (→ Titinius und → Quinctius Atta) war A. vermutlich geborener Römer. Alle zeitlichen Indizien weisen sein Schaffen in die 2. H. des 2. Jh. v. Chr. Cicero kennt ihn auch als witzigen Redner, nennt ihn als Komödiendichter beredt (Brut. 167). Von seiner dramatischen Produktion ist mehr erh. als von der des Titinius und Atta zusammen: 43 Titel und rund 300 Fragmente. Doch obwohl zu einem Stück bis zu 33 Fragmente (*Vopiscus*) überliefert sind, ist noch keines zuverlässig rekonstruiert worden. Nur einige Rollen, dramatische Motive und Bauelemente sind zu erkennen. Ein dem A. zugewiesenes Papyrusfragment, das erstmals Reste eines Handlungsablaufs böte (P Ham. 167), gehört mit größerer Wahrscheinlichkeit einem kaiserzeitlichen Mimus an [1. 276; 5. 39]. In der Gesch. der röm. Komödie ist A.' Position durch seine Bewunderung für Terentius (Suet. vita Ter. 7) und durch die bevorzugte Benutzung Menanders (Macr. Sat. 6,1,4; Cic. fin. 1,7) bestimmt. Kritiker aus der Zeit des Horaz waren der Ansicht, A.' Toga hätte auch Menander gestanden (Hor. epist. 2,1,57). Ein terenzisches Element ist die Verwendung des polemisch-lit. Prologs, z.B. in den *Compitalia* (V. 25–30 CRF). Dort bekennt er, Anleihen nicht allein bei Menander gemacht zu haben, sondern auch bei vielen andern Autoren, *etiam a Latino*. Dies läßt auf einen entstehenden Begriff von röm. Originalen schließen [3], ferner auf die freie Verwendung von dramatischen Versatzstücken. Titel und Fragmente sind überwiegend

dem Repertoire der *Nea* und → *Palliata* verpflichtet. Im Mittelpunkt stehen eine Liebeshandlung (*Abducta*, *Brundisina*, *Epistula*, *Exceptus*, *Privignus*, *Suspecta* u. a.), Ereignisse um Heirat und Ehe (*Emancipatus*, *Fratriae*, *Mariti*, *Repudiatus*, *Vopiscus*), Niederkunft (*Fratriae*, *Prosa*, *Virgo*, *Vopiscus*) und drohende Scheidung (*Divortium*, *Simulans*). Die Konzentration auf Familiäres (*Consobrini*, *Fratriae*, *Materterae*, *Privignus*, *Sorores*) ist schon im Alt. aufgefallen (Non. 894 L.). Die behauptete Aufnahme päderastischer Themen (Quint. inst. 10,1,100; Auson. epigr. 75,4 GREEN) läßt sich dagegen nicht verifizieren. Röm. Alltagsleben tritt gegenüber dem Vorgänger Titinius merklich zurück. Sprachlich steht A. dem Plautus näher als dem Terentius [7]. Metrisch ist die Evidenz widersprüchlich: *Cantica* sind ausdrücklich bezeugt (Mar. Victorin. gramm. 6,79), treten aber in den Fragmenten nur spärlich auf. A. wurde bis in die Zeit Neros gespielt (Suet. Nero 11,2). Einen Komm. verfaßte ein gewisser Paulus (Char. gramm. 314 B.), wahrscheinlich der Dichter und Gelehrte → Iulius Paulus [4].

FR.: CRF², 164–222 · A. DAVIAULT (Hrsg.), Comoedia togata. Fragments, 1981.
LIT.: 1 B. BADER, Ein A.papyrus?, in: ZPE 12, 1973, 270–276 2 M. CACCIAGLIA, Ricerche sulla fabula togata, in: RCCM 14, 1972, 207–245 3 R. DEGL'INNOCENTI PIERINI, Un prologo polemico di A., in: Prometheus 17, 1991, 242–246 4 F. DELLA CORTE, Giulio Paolo studioso di Antipatro e A., in: Studi Noniani 7, 1982, 89–96 5 J. DINGEL, Zum Komödienfrg. P. Hamb. 167 (A.?), in: ZPE 10, 1973, 29–44 6 LEO, 374–384 7 A. PASQUAZI BAGNOLINI, Note sulla lingua di A., 1977. E.S.

Africanus. Urspr. Siegerbeiname, zuerst angenommen von P. Cornelius Scipio A. (Maior) nach dem Sieg über Karthago 201 v. Chr. (Liv. 30,45,6), dann von seinem Adoptivsohn P. Cornelius Scipio A.(Minor), *cos.* 147; später als Beiname auch in anderen Familien [1]. In der Kaiserzeit Beiname der Kaiser Gordian I. und II., Iustinian I. und Flavius Mauricius.

1 KAJANTO, Cognomina, 205. K.L.E.

[1] Griech. Arzt des 2. oder 1. Jh. v. Chr., der einige seiner Rezepte einem König Antigonos widmete [1]. Nicht zu verwechseln mit einem anderen, vermutlich aus dem 4. Jh. stammenden, gleichnamigen Arzt, der Autor eines Buches über Gewichte und Maßeinheiten ist, sowie mit → Sex. Iulius Africanus, dem Autor der *Kestoi*.

1 E. ROHDE, in: RhM 1885, 282. V.N./L.v.R.-P.

[2] Statthalter um das Jahr 388 n. Chr. (Prov. unbekannt), 390 wohl in Palaestina, 396/7 *praef. urbis Constantinopoleos* (PLRE 1, 27 A. 6). H.L.

Africus ventus. Lat. Bezeichnung für den Wind Λίψ oder νότος, der von SW aus Afrika (Libyen) nach Südeuropa weht. Bei Plin. nat. 2,119 wird der von Sen. nat. 5,16,5 und Hor. carm. 1,3,12; 3,29,57; epod. 16,22 und

Verg. Aen. 1,85 f. als wild und stürmisch charakterisierte A. auf der astronomischen Strichrose (vgl. Vitr. 1,6,10 bzw. 12) mit insgesamt 15 Winden als Westsüdwest zwischen dem Westwind *Favonius* und der Südsüdwest *Austroafricus* (Λιβόνοτος) angesetzt. Bei Hor. carm. 3,23,5 heißt er *pestilens*. Nach Isid. nat. 37,4 bringt er Regen und Gewitter. Auf Denkmälern röm. Windrosen mit 8 oder 12 Winden begegnet er mehrfach.

R. Böker, s. v. Winde, RE VIII A, 2355, 2365, 2288 · K. Nielsen, Les noms grecs et latins des vents, in: CeM 7, 1945, 1–113.   C. Hü.

Afrika 1. A. Begriffsgeschichte 1. B. Entdeckungsgeschichte 2. Religion 3. Provinz 4. Vandalisch-Byzantinisch-Islamisch

1. A. Begriffsgeschichte

Der Erdteil-Begriff A. hat eine lange und verzweigte Vorgeschichte. Mit dem Wort *Africa* (s. u. 3.) konnten die Römer den Kontinent A. erst bezeichnen, als der lat. Begriff *Africa* eine wenigstens teilweise deckungsgleiche »Fläche« mit dem griech. Begriff Λιβύη ausgebildet hatte – dies aber war frühestens in der 2. H. des 3. Jh. v. Chr. der Fall, und zwar aufgrund der Begriffsinhalte »Nord-A.« oder »pun. beherrschtes A.«. Auf dem Umweg über diesen »Teilbegriff« wurde dann der »Vollbegriff« des Kontinents erreicht; denn *diesen* Begriffsinhalt besaß das griech. Wort Λιβύη seit längerer Zeit ebenfalls.

In der Lit. taucht der griech. Erdteil-Begriff Λιβύη zum ersten Mal bei Pind. P. 9,69 (474 v. Chr.) auf. Er verschwand dann aus den geogr. Vorstellungen der Griechen nicht mehr, wenngleich Λιβύη auch in Zukunft nicht selten »Teil Asiens« oder »Nord-A.« oder »Teil Nord-A.s« bedeuten konnte. Urspr. aber haben den mit dem geogr. Begriff Λιβύη in gewisser Weise korrelierenden ethnischen Begriff Λίβυες nicht Griechen geprägt, sondern Ägypter, die mit diesem Wort den berberischen Stamm oder Stammesverband der *Rbw* bzw. *Lbw* bezeichneten, der westl. des Nildeltas siedelte. Es hat sogar den Anschein, als ob *Rbw/Lbw* letzten Endes eine berberische Bezeichnung war. Sie erhielt sich in einigen ägypt., vom 13. bis zum 8. Jh. v. Chr. reichenden Dokumenten. Im 8. Jh. v. Chr. regierten im Nildelta Herrscher, die den Titel »großer Fürst der *Rbw*« trugen – etwa in der Zeit, in der die homer. Epen entstanden (vgl. Hom. Od. 4,83–90), und ein Jh. vor der Zeit, in der die Griechen die Kyrenaika besiedelten. So scheinen die Griechen über Ägypter mit dem Ethnikon *Rbw/Lbw* = Λίβυες in Berührung gekommen zu sein.

1. B. Entdeckungsgeschichte

Die schrittweise Erkundung von A. unternahmen in erster Linie → Phoiniker bzw. Punier und Griechen bzw. → Makedonianer und in zweiter Linie Römer. Spätestens in der 2. H. des 7. Jh. v. Chr. setzten sich die Phönizier in Mogador an der Westküste von A. fest – vielleicht drangen sie zu dieser Zeit bereits bis zur Insel Kerne (in der Arguin-Bucht?) vor. Auch im Roten Meer waren sie »zu Hause«. Dies wird einer der Gründe gewesen sein, der Pharao → Necho II. (610–594 v. Chr.) bewog, sie mit der Aufgabe der Umsegelung von A. zu betrauen (nach 600 v. Chr.). Zwar wird die Glaubwürdigkeit des entsprechenden Berichts bei Hdt. 4,42,2–4 gelegentlich bezweifelt [3. 148–154], doch wohl zu Unrecht. Wahrscheinlich Ende des 6. Jh. v. Chr. führte der karthagische »König« → Hanno das afrikan. Unternehmen durch, in dessen Verlauf er anscheinend bis zur Bucht von Biafra gelangte (Ἄννωος περίπλους, GGM I, 1–14). Die Wege ins Innere von A. ebneten wohl zu einem beträchtlichen Teil die → Garamantes. Im übrigen ist die Erzählung bei Athen. 2,44e, nach der ein gewisser Mago dreimal die Wüste durchquert hat, nicht ins Land der Märchen zu verweisen. Daß derartige Reisen möglich waren, ist aus dem Beispiel der fünf adligen, in der Gegend der Großen → Syrtis beheimateten → Nasamones zu ersehen, die wahrscheinlich bis Timbuktu gelangt sind (Hdt. 2,32f.).

Die Griechen, die zu Anf. des 2. Jt. v. Chr. auf der Balkanhalbinsel eingewandert waren, erhielten ihre wichtigsten Informationen über A. wohl von den min. Kretern, die ihrerseits über Ägypten von innerafrikan. Verhältnissen Kunde erhalten hatten. Wenn griech. Gruppen am »Sturm der Seevölker« beteiligt waren [4. 78], kamen sie in direkten Kontakt mit ägypt. bzw. libyschen Gegebenheiten. Natürlich war dem zu Beginn der Großen Kolonisation schreibenden Verf. der Ilias Ägypten (Αἴγυπτος = *hwt k3 Pth* = »Haus der Macht des Ptah« = Memphis) bekannt. Er kannte aber auch das Land der Aithiopes – ein Land, das er am → Okeanos-Strom, am Rande der Welt, lokalisierte (Hom. Il. 1,423; 23,205f.). Außerdem hatte er eine – wenn auch evtl. unklare – Kunde von den Pygmäen in A. (Hom. Il. 3,3–6). Der Verf. der Odyssee erwähnte – soweit wir wissen – zum ersten Mal das Land Λιβύη (Hom. Od. 4,85; 14,295) und wußte darüber hinaus die Aithiopes, die ἔσχατοι ἀνδρῶν (Hom. Od. 1,23) in östl. und westl. Aithiopes zu scheiden (Hom. Od. 1,22–24; 4,83–85; 5,282f.). In der Folgezeit erweiterten und vertieften sich die Kenntnisse der Griechen von A. Dazu trugen folgende Ereignisse wesentlich bei: ion. und karische Söldner traten in den Dienst des Pharao → Psammetichos I. (664–610 v. Chr.) (Hdt. 2,152); Bürger von → Thera gründeten beim h. libyschen Ort Sheihat die Stadt → Kyrene (631 v. Chr.) (SEG 9,3; Hdt. 4,150–158); griech., karische und phöniz. Soldaten drangen mit Pharao Psammetichos II. (595–589 v. Chr.) 592 v. Chr. bis in die Gegend des 3. Katarakts, wenn nicht gar bis → Napata vor (SIG³ 1,1; Hdt. 2,161,1); und die Verbindung der griech. Welt zu Ägypten riß auch in den folgenden Jh. nicht mehr ab. Der tieferen Durchdringung von Nordost-A. entsprach die genauere Erforsch. der westafrikan. Küste. So scheint der Massaliote → Euthymenes in der 2. H. des 6. Jh. v. Chr. – wahrscheinlich *vor* dem Karthager Hanno – das Mündungsgebiet des Senegal erreicht zu haben (anders [1. 17–27]).

Der erste aber, der das geogr. Wissen seiner Zeit in einer detaillierten Schrift (Περιήγησις bzw. Περίοδος γῆς) ausbreitete, war → Hekataios von Milet (E. 6. Jh. v. Chr.). Nach seiner Ansicht wurde die kreisrunde Scheibe der Erde durch das Mittelmeer und das Schwarze Meer (→ Pontos Euxeinos) in zwei Hälften geteilt – in die beiden Kontinente »Europa« und »Asien«. → Herodotos wußte von Nordwest-A. und West-A. anscheinend nicht viel mehr, als er bei Hekataios gefunden hatte. Besser war er über die Gebiete des h. Libyen und des Sudan informiert, am besten über Ägypten. Wenn ihm auch manche Trugschlüsse unterliefen, so war es doch verdienstvoll, den Irrtum der »Ioner«, der Nil beziehe sein Wasser vom Okeanos, ausgeräumt zu haben. Neue Impulse zur Erforsch. von A. gingen erst wieder von → Alexandros [4] III. aus. So brachte z. B. das Erreichen der Indus-Mündung die Erkenntnis, daß der Indus und der Nil zwei verschiedene Flüsse waren, daß dementsprechend zw. → India und Ost-A. höchstwahrscheinlich keine Landbrücke bestand. Im 2. oder 1. Jh. v. Chr. scheinen unbekannte Forscher zumindest kognitiv sowohl bis zum Astasobas (= Sobat) und zum Astapus (= Bahr el-Djebel) als auch zum Albert- und zum Victoria-See und damit fast bis zu den Quellen des Nils vorgedrungen zu sein [2].

Bemerkenswert ist auch die Tatsache, daß sich Polybios (über Geminos' Εἰσαγωγὴ εἰς τὰ φαινόμενα 16,33) für die Annahme von der Bewohnbarkeit der Äquatorialzone auf *Augenzeugen* berufen hat. Seit der Zeit → Ptolemaios' II. gewann das Rote Meer für die alexandrinische Regierung zunehmend an Interesse: auf dem Weg über das Rote Meer konnten die für die Kriegsführung so wichtigen Elefanten bequemer und sicherer ins Land gebracht werden als auf dem Weg über das Nil-Tal. So gründeten die Ptolemaier am Roten Meer Stützpunkt um Stützpunkt, bis sie schließlich um 200 v. Chr. – wie es scheint – zum Kap Guardafui vorstießen.

In röm. Zeit erreichte → Polybios zumindest das Kap Juby (146 v. Chr.). L. → Cornelius Balbus gelangte nach → Garama (Djerma) (20 v. Chr.), Septimius Flaccus in ein südl. von Garama liegendes Gebiet (in domitianischer Zeit?) und zugleich → Iulius Maternus nach → Agisymba (wahrscheinlich das Gebiet nördl. des Tschad-Sees). Nilaufwärts kamen Soldaten Neros wohl bis zum Bahr el-Djebel (61–63 n. Chr.). An der Ostküste von A. drangen röm. Kaufleute in iulisch-claudischer Zeit bis Rhapta (bei Dar es-Salaam?) und in traianischer Zeit bis zum Kap Prason (Kap Delgado?) vor. Da man jedoch sah, daß sich die Küste von A. jenseits von Kap Prason nach Südosten wandte, stellten sich Zweifel an der Vorstellung von einer Λιβύη … περίρρυτος (*perírrhytos*, vom Meer umspült: Hdt. 4,42,2) ein. So entstand die lange nachwirkende Idee einer ἄγνωστος γῆ (*ágnostos gé*, unbekanntes Land) bzw. einer *terra australis* (südl. Land), die das Kap → Prason mit dem an den Pforten Chinas liegenden Hafen → Kattigara (Hanoi?) verband (Ptol. 7,3,6; dazu [5. 727–730]).

1 J. DESANGES, Recherches sur l'activité des Méditerranéens aux confins de l'Afrique, 1978 2 W. HUSS, Die Quellen des Nils, in: CE 65, 1990, 334–343 3 A. B. LLOYD, Necho and the Red Sea, in: JEA 63, 1977, 142–155 4 S. PERNIGOTTI, I piu antichi rapporti tra l'Egitto e i Greci, in: Auctores varii, Egitto e Società antica, 1985, 75–91 5 E. POLASCHEK, s. v. Ptolemaios als Geograph, RE Suppl. 10, 680–833.

S. BIANCHETTI, L'idea di Africa da Annone a Plinio, in: A. MASTINO (Hrsg.), L'Africa romana. Atti del VII convegno di studio 2, 1990, 871–878 · J. DESANGES, Pline l'Ancien. Histoire naturelle. Livre V 1–46, 1980, 75–79 · ders., Rom und das Innere A.s, in: H. DUCHHARDT, J. A. SCHLUMBERGER, P. SEGL (Hrsg.), A., 1989, 30–50 · S. GSELL, Hérodote, 1915 · P. W. HAIDER, Griechenland – Norda., 1988 · W. HÖLSCHER, Libyer und Ägypter, ²1955 · E. HONIGMANN, s. v. Libye 2, RE 13, 149–202 · W. HUSS, Die ant. Mittelmeerwelt und Inner-A., in: H. DUCHHARDT, J. A. SCHLUMBERGER, P. SEGL (Hrsg.), A., 1989, 1–29 · W. VYCICHL, La peuplade berbère des Afri et l'origine du nom d'Afrique, in: Onomastica 19, 1975, 486–488 · R. WERNER, Zum Afrikabild der Ant., in: K. DIETZ, D. HENNIG, H. KALETSCH (Hrsg.), Klass. Alt., Spätant. und frühes Christentum. FS A. Lippold, 1993, 1–36. W. HU.

[2, Religion] Mit der röm. Eroberung Nord-A.s war außer dem Verbot der Menschenopfer an → Saturnus keine romanisierende Religionspolitik verbunden. Durch die gegenseitigen Beziehungen bildete sich aber nach und nach eine neue religiöse Wirklichkeit heraus, deren Entwicklung neuere Ausgrabungen greifbar machen [1].

Nach der Zerstörung → Karthagos war die Wirkung pun. Religion auf die früheren pun. Kolonien beschränkt. Durch die *evocatio* erhielten die großen Götter Karthagos seit 146 v. Chr. in einer weiter nicht bekannten Form und Ortschaft einen röm. Kult. Weiter lebten in Nord-A. auch die rel. Gebräuche des numidischen Königreiches. Die allmähliche Durchdringung Nord-A.s durch Rom schuf eine Form von öffentlichen und privaten Kulten, in der einheimisches und röm. Kultgut zu einer neuen Tradition zusammengefaßt wurde. Diese Entwicklung geschah ohne große Umwälzungen, weil die nordafrikanischen Kulttraditionen den röm. grundsätzlich wohl nicht unähnlich waren. Die Religion der röm. *civitates* wurde nach den Prinzipien des röm. Sakralrechts vom jeweiligen Dekurionenrat organisiert. Dabei nahm dieser immer Rücksicht auf lokale Götter, Riten und Heiligtümer. Die kapitolinische Trias, der kaiserliche Genius und sein Numen oder die Divi wurden neben einheimischen Gottheiten berücksichtigt, die sogar oft, wie → Caelestis in Karthago, den ersten Platz einnahmen.

Riten und Kultkalender der meisten Städte sind weitgehend unbekannt. Außer bei den typisch afrikanischen Göttern Saturn, Caelestis, den → Cereres und den mit ihnen verbundenen Göttern können wir meist nicht entscheiden, ob eine lat. benannte Gottheit wie Aesculapius röm. ist oder eine lokale Gottheit (*Eshmun*) verbirgt. Und wenn die Denkmäler wie bei Saturn eine reiche Fülle von Bildern aufweisen, sind wir kaum fähig, diese stummen Symbole und Mythen zu interpretieren. Die Architektur bezeugt das Nebeneinander von einheimischen Tempelformen – die sog. Hoftempel – und typisch röm. Kultgebäuden. Andererseits erkennen wir in den allermeisten *civitates* ohne weiteres neben den herkömmlichen *sacerdotes* des Saturnus oder des Aesculapius mit ihren eigentümlichen Reinheitsvorschriften die röm. Priester- und Kultordnung: Beide gehörten zur öffentlichen Religion der Kaiserzeit. Neben die rel. Traditionen der peregrinen Städte traten allmählich Mischgebilde, so daß seit dem 2. Jh. in dieser Hinsicht kein Unterschied mehr zw. den verschiedenen *civitates* bestand. Nur nomadische Gentes behielten wohl ihre eigenen Kulttraditionen.

Die Privatreligion ist sehr fragmentarisch bezeugt und deshalb schwer greifbar. Das Totenbrauchtum ist dem der Römer sehr ähnlich. Auch hier fand wohl eine langsame Anpassung an die röm. Wirklichkeit statt, die einheimische Familientradition mit neuen, importierten Gebräuchen verband.

In der späten Kaiserzeit war Nord-A. Sitz größerer Christengemeinden, die sich neben den alten polytheistischen Kulttraditionen entwickelten.
→ Augustinus

1 F. RAKOB, Ein pun. Heiligtum in Karthago und sein röm. Nachfolger. Erster Vorbericht, in: MDAI(R) 98, 1991, 33–80.

G. CHARLES-PICARD, Les religions de l'Afrique antique, 1954 · S. GSELL, Histoire ancienne de l'Afrique du Nord, 1920 · M. LE GLAY, Saturne romain. Histoire, 1966 · J. RIVES, Religion and power in Roman Carthage, 1994.   J.S.

[3, römische Provinz] (Africa). Der Begriff A. leitete sich wohl von dem libyschen Stamm der Afri ab, die nördl. des mittleren → Bagradas siedelten [5. 486–488; 3. 208–215; 6. 216f.]. Wie aus dem Sieger-Namen *Africanus* des älteren → Scipio zu ersehen ist, wurde dieser Begriff spätestens in der Zeit des 2. Pun. Kriegs für ein Gebiet verwendet, das weit größer war als das Gebiet der Afri. Und bereits einige Zeit später bezeichnete er – von Ägypten abgesehen – ganz Nordafrika (Sall. Iug. 17,3f.; 19,3). Zu einem Begriff der röm. Verwaltungssprache wurde A., als die Römer 146 v. Chr. das durch die → *fossa regia* begrenzte karthagische Gebiet in das Gebiet der Prov.   A. umwandelten. → Caesar organisierte dann nach seinem Sieg über die Pompeianer und den mit ihnen verbündeten numidischen König → Iuba I. bei → Thapsos (46 v. Chr.) den östl. Teil Ostmassyliens als neue afrikan. Provinz. Diese umfaßte das Gebiet, das im Osten von der *fossa regia* und im Westen von der Linie Tacatua (= Takouch) südwärts begrenzt wurde, außerdem das Gebiet der → Emporia. Der westl. Teil Ostmassyliens – d. h. die Gegend um → Cirta – fiel

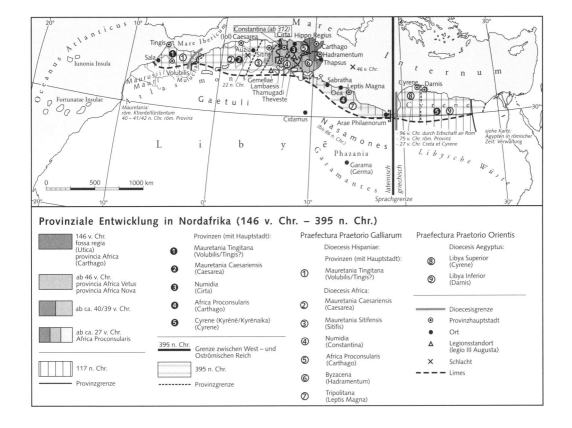

Provinziale Entwicklung in Nordafrika (146 v. Chr. – 395 n. Chr.)

		Provinzen (mit Hauptstadt):	Praefectura Praetorio Galliarum	Praefectura Praetorio Orientis
	146 v. Chr. fossa regia (Utica) provincia Africa (Carthago)		Dioecesis Hispaniae:	Dioecesis Aegyptus:
		❶ Mauretania Tingitana (Volubilis/Tingis?)	Provinzen (mit Hauptstadt):	⑧ Libya Superior (Cyrene)
	ab 46 v. Chr. provincia Africa Vetus provincia Africa Nova	❷ Mauretania Caesariensis (Caesarea)	① Mauretania Tingitana (Volubilis/Tingis?)	⑨ Libya Inferior (Darnis)
		❸ Numidia (Cirta)	Dioecesis Africa:	
	ab ca. 40/39 v. Chr.	❹ Africa Proconsularis (Carthago)	② Mauretania Caesariensis (Caesarea)	⊙ Dioecesgrenze
		❺ Cyrene (Kyrēnē/Kyrēnaika) (Cyrene)	③ Mauretania Sitifensis (Sitifis)	⊙ Provinzhauptstadt
	ab ca. 27 v. Chr. Africa Proconsularis		④ Numidia (Constantina)	● Ort
		395 n. Chr. Grenze zwischen West – und Oströmischen Reich	⑤ Africa Proconsularis (Carthago)	△ Legionsstandort (legio III Augusta)
	117 n. Chr.	395 n. Chr.	⑥ Byzacena (Hadramentum)	✕ Schlacht
	Provinzgrenze	---- Provinzgrenze	⑦ Tripolitana (Leptis Magna)	- - - Limes

an den Kondottiere P. → Sittius, Westmassylien und Ostmasaesylien (die Gegend um Sitifis); → masaesyli an → Bocchus II. von Mauretanien [2]. Die neue Prov. erhielt den Namen *A. nova.* Dementsprechend wurde die alte afrikan. Prov. als *A. vetus* bezeichnet. In den dem Tod Caesars folgenden polit. und mil. Auseinandersetzungen stand die *A. nova* auf der Seite der Triumvirn, die *A. vetus* auf der des Senats. Nach dem Sieg der Triumvirn wurden beide Prov. vereinigt [1]. Neue Hauptstadt wurde (wohl 40 oder 39 v. Chr.) → Karthago [4. 240–247]. Das Gebiet der vereinigten Prov. reichte nun im Osten bis an die Grenzen der Prov. Cyrenae und im Westen bis an die der Prov. → Mauretania. 27 v. Chr. wurde A. – seit dieser Zeit häufig als *A. proconsularis* bezeichnet – senatorische Prov. Der → *legatus proconsularis* war zugleich Befehlshaber der *legio III Augusta.* Nach der Niederschlagung der Revolten des → Tacfarinas (17–24 n. Chr.) und aufgrund von Umtrieben halbnomadischer Stämme übertrug → Caligula das Kommando der *legio III Augusta* einem *legatus,* der im übrigen fast selbständig das zur Prov. A. gehörende Militärterritorium der *dioíkēsis* Numidia verwaltete. → Septimius Severus trennte dann Numidia von A. als kaiserliche Prov. ab. → Diocletian schließlich teilte die alte proconsularische Prov. in die drei Prov. *A. proconsularis, A. Byzacena* und *A. Tripolitana* und faßte diese mit der Numidia, die sich in den J. 303–314 n. Chr. in die *Numidia Cirtensis* (→ Cirta) und in die *Numidia Militiana* (→ Lambaesis) gliederte, der *Mauretania Sitifensis* und der *Mauretania Caesariensis* zur *dioíkēsis* A. zusammen. Im 4. und 5. Jh. n. Chr. erschütterten polit., soziale und rel. Kämpfe die *dioíkēsis* A., die nicht nur wegen ihres wirtschaftlichen Reichtums, sondern auch wegen ihrer geistigen Produktivität für das Reich von hoher Bed. war.

→ Kreta; Masaesyli; Massyli

1 D. Fishwick, On the Origins of A. Proconsularis, in: AntAfr 29, 1993, 53–62; 30, 1994, 57–80 2 W. Huss, Die westmassylischen Könige, in: AncSoc 20, 1989, 209–220 3 T. Kotula, J. Peyras, s. v. Afri, EB 2, 208–215 4 M. Le Glay, Les premiers temps de Carthage romaine, in: Bulletin Archéologique du Comité des Travaux Historiques N. F. 19 B, 1983 (1985) 5 W. Vycichl, La peuplade berbère des Afri et l'origine du nom d'Afrique, in: Onomastica 19, 1975, 486–488 6 Ders., s. v. A., EB 2, 216 f.

F. Decret, M. Fantar, L'Afrique du Nord dans l'Antiquité, 1981 • D. Fushöller, Tunesien und Ostalgerien in der Römerzeit, 1979 • S. Gsell, Histoire ancienne de l'Afrique du Nord, 8 Bde., 1921–1930 (verschiedene Aufl.) • J.-M. Lassère, Ubique populus, 1977 • P. Romanelli, Storia delle province romane dell'A., 1959.   W. HU.

[4, vandalisch-byzantinisch-islamische Zeit] Die Landung der → Vandalen in Mauretania Tingitana 429 n. Chr. zieht keinen unmittelbaren Abwehrversuch der Byzantiner nach sich [1], weshalb sie ungehindert entlang der Küste an die Grenze des Proconsularium gelangen. Widerstand durch den röm. *comes* Bonifacius scheitert westl. von Hippo Regius. Die Stadt fällt 431 und dient → Geiserich (→ Geisericus) als Hauptstadt über die Provinzen Mauretania Tingitana, Mauretania Sitifensis und Caesarensis sowie Westnumidien [1. 326]. Karthago bereitet 439 den Vandalen einen triumphalen Einzug und wird neues Zentrum. Röm. Großgrundbesitzer werden enteignet und durch vandalischen Adel ersetzt, die röm. Kirche wird zugunsten der arianischen benachteiligt und verfolgt. Städte, Grundbesitz und Pflanzungen bleiben in ihrer Substanz weitgehend intakt, doch setzt ein Niedergang der klass. Munizipaltradition (→ Municipium) ein. Die rasche Romanisierung der Vandalen zeigt sich in der Übernahme der lat. Sprache und des röm. Lebensstils. Prokopios betont die Akkumulation von Reichtümern in den Händen der vandalischen Oberschicht. Wiederholte amphibische Unternehmungen gegen die Mittelmeerinseln und das nördl. Festland gipfeln in der Plünderung Roms 455. Da sich die vandalische Herrschaft im Wesentlichen auf A.

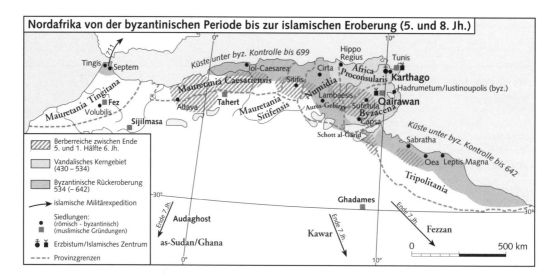

Nordafrika von der byzantinischen Periode bis zur islamischen Eroberung (5. und 8. Jh.)

Berberreiche zwischen Ende 5. und 1. Hälfte 6. Jh.

Vandalisches Kerngebiet (430 – 534)

Byzantinische Rückeroberung 534 (– 642)

islamische Militärexpedition

Siedlungen:
(römisch - byzantinisch)
(muslimische Gründungen)

Erzbistum/Islamisches Zentrum

Provinzgrenzen

Proconsularis beschränkt, entstehen unabhängige Berberreiche in den Mauretanischen Provinzen, dem Mons Aurasius (Aurès-Gebirge), der südl. Byzacena und der Tripolitania. Vandalische Truppen haben sich hier erstmals mit berberischen Kamelreitern auseinanderzusetzen. Aus Inschr. und Quellen (Prokopios) ergeben sich Rückschlüsse auf die Existenz von insgesamt 8 Berberreichen an der Wende vom 5. zum 6. Jh., die sich von Altava (h. Oran) bis in die Tripolitania in den Gebirgen südl. der Prov. Africa. Proconsularis und der Byzacena bilden [1. 42–44, 260–266]. Ihre Herrscher nennen sich *imperator* oder ›König der Mauren und Römer‹ [2; 3]. Eine Königsnekropole aus dem 6. Jh. in Form von Tumuli, die an frühnumidische Grabformen anknüpft, befindet sich in der Gegend von Tiaret (h. Zentralalgerien) [4]. 533 bricht ein von Justinian zur *restitutio imperii* entsandtes Expeditionscorps unter General → Belisarios den vandalischen Widerstand in kürzester Zeit (Prok. BV, Bücher 3 und 4); einheimische Stämme verhalten sich abwartend. Der letzte vandalische König → Gelimer wird nach Galatien deportiert. Die Vandalen fliehen nach Spanien oder assimilieren sich in A. Die sofortige Restauration der röm. Kirche führt zu Proskriptionen gegen Arianer, Donatisten und Juden. Diese Gruppen ziehen sich in die von Berberstämmen kontrollierten Gebiete Mauretaniens (h. Westalgerien) zurück.

Die byz. Rückeroberung A.s wird durch massive Aufstände der Berber des Aurès und der Tripolitania sowie durch Revolten arianischer Truppenteile des byz. Heeres gefährdet. Der von Justinian zum *magister militum Africae* ernannte General Solomon (amtierte 534–536 und 539–544) reagiert mit der Befestigung der Landstädte und mit dem Bau von Festungen entlang der röm. Verbindungsstraßen in den Westen Fora, Tempel und Thermen byz. Städte werden in dieser Zeit zu Forts umgebaut. Der *limes* im Süden verliert entgültig seine Bedeutung. Dagegen werden Küstenstädte (Karthago, Leptis Magna) durch kaiserliche Bauprogramme noch einmal gefördert. Erste Vorstöße arab. Streifscharen nach der Eroberung Ägyptens (641 n. Chr.) zielen gegen die Kyrenaika, ihre Küstenstädte (Oea, Sabratha) und die Oasen von Fezzan, besitzen aber lediglich den Charakter von Raubzügen. 666 erreicht 'Uqba b. Nafi' die Oasen von Kawar (zwischen Tibesti und Aïr [5. 63–65]. In Nord-A. führt die Niederlage des Exarchen Gregorius 647 bei Sufetula zur endgültigen Preisgabe der südl. Byzacena durch die Byzantiner, obgleich die Muslime erst 669 unter 'Uqba zurückkehren. Die Gründung Qairawans im Landesinneren der Byzacena als permanenter Armeestützpunkt (670) ist ein erster Versuch der Ockupation des Landes und der Verankerung des Islam in Nord-A. [6. 824–32], trägt aber der Situation Rechnung, nach der zunächst noch die nördl. Landesteile und Küstenstädte unter Kontrolle der Byzantiner, die Gebirge im Süden und Westen unter berberischer Oberhoheit bleiben. Eine 683 von 'Uqba unternommene Expedition zum Atlantik durchstößt das berberische

Numidien und Mauretanien, endet aber durch Zusammenschluß byz. Kräfte und einer berberischen Koalition aus teilweise christianisierten Stämmen in einer Katastrophe, die zum zeitweiligen Verlust Qairawans führt. Erst 697 besetzen die Muslime Karthago endgültig; einzelne byz. Festungen im Landesinneren halten sich nur wenig länger. Entschlossener Widerstand gegen das islamische Zentrum Qairawan leisten noch für kurze Zeit Berberstämme aus dem Aurès unter Führung der Berberfürstin Kahina [6. 422 f.]. Byz. Landungsversuche (696) bei Karthago werden abgewehrt. Eine organisierte muslimische Küstenverteidigung durch Kastelle und Signaltürme gegen byz. Flotteninvasionen wird erst gegen Ende des 8. und Anfang des 9. Jh. eingerichtet. Septem (Ceuta) an der Straße von Gibraltar fällt als letzter Ort des byz. Exarchats auf afrikanischem Boden 708 an die Muslime. Während der letzte christl. Grabstein mit lat. Inschrift in Volubilis aus dem Jahr 655 stammt [7; 8], bleiben die lat. Sprache in Wort und Schrift sowie die kath. Kirche in den ehemaligen Provinzen Mauretania Caesarensis, Proconsularis und Byzacena auch nach der islamischen Eroberung erh., wenigstens bis in das beginnende 10. Jh. Damals existieren in A. noch 47 Bistümer [7. 421; 9]. Latinophone Einheimische (arab. *afriqi*, pl. *afariqa*) vermerken arab. Geographen im frühen 9. Jh. In Capsa (Gafsa) wird noch in der Mitte des 12. Jh. ein afrikanisch-lat. Idiom gesprochen [10. 104 f.]. Die ethnische und sprachliche Arabisierung Nord-A.s gewinnt erst mit der Einwanderung arab. Stämme im 11. Jh. an Boden. Im Laufe des 8. Jh. werden erstmalig die transsaharischen Routen zunächst für Raubzüge (734 Sus al-Aqsa (Audaghost, im h. Mauretanien)) später für den Gold- und Salzhandels mit West-A. (arab as-Sudan, h. Ghana und Senegal) erschlossen. Städte wie Sijilmasa (h. Rissani/Marokko) und Tahert (h. Tiaret) werden zur Drehscheibe des Transsaharahandels.

1 CH. COURTOIS, Les Vandales et l'Afrique. Histoire de la domination byzantine en Afrique (533–709), 1955 2 J. MARCILLET-JAUBERT, Les inscriptions d'Altava, 1968, no. 194 3 J. CARCOPINO, Un »empereur« maure inconnu d'après une inscription latine récemment découverte dans l'Aurès, in: Revue d'Études Anciennes 46, 94–120 4 F. KADRA, Der Djedar A von Djebel Lakhdar, ein spätes Berbermonument, in: H. G. HORN, CH. RÜGER (Hrsg.), Die Numider, 1979, 263–284. 5 IBN 'ABD AL-HAKAM, Futuh Misr, 1922, 63–65 6 EI² IV 7 T. LEWICKI, Une langue romane oubliée de l'Afrique du Nord, in: Rocznik Orientalistyczny 17, 428 f. 8 J. CUOQ, L'Eglise d'Afrique du Nord du Ie au XIIIe siècle, 1984, 146–149 9 L. VONDERHEYDEN, Berbérie orientale sous la dynastie des Banou l-Arleb, 1927, 66 f. 10 R. DOZY, M. J. DE GOEJE (Hrsg. und Übers.), al-Idrisi, Description de l'Afrique du Nord et de l'Espagne par Edrisi, 1968.   T. L.

Afroasiatisch. Als sprachwiss. Terminus ist eine neuere Bezeichnung für den identisch gebrauchten, traditionelleren Begriff Hamitosemitisch. Er umfaßt alle die zu den verwandten großen Sprachfamilien → (Alt)-Ägypt., Berberisch, Kuschitisch, → Semit., Tschadisch (mehrere Unterfamilien mit allein mehr als 125 Einzelsprachen) und – gelegentlich bestritten – Omotisch, gehörigen Sprachen. Ingesamt handelt es sich um mehr als 200, über einen Zeitraum von fast 5000 Jahren verfolgbare Einzelsprachen, die oft schriftlos sind. Die Rekonstruktion des Proto-A. (u. a. These vom Ursprung in der Sahara um 10 000 v. Chr.) ist durch die ungenügende wiss. Aufarbeitung von Gemeinsamkeiten in Gramm. und Wortschatz noch sehr erschwert.

> D. COHEN, Le chamito-sémitique, in: J. PERROT (Hrsg.), Les langues dans le monde ancien et moderne 3, 1988, 1–30 · H.-J. SASSE, A., in: B. HEINE, TH.C. SCHADEBERG, E. WOLFF (Hrsg.), Die Sprachen Afrikas, 1981, 129–148.   C.K.

Agaclytus.

[1] A. (L. Aurelius), Freigelassener des Kaisers Verus, der gegen den Widerstand des Marcus Aurelius die Witwe des Senators Annius Libo mit dem *libertus* verheiratete (SHA Verus 9,3; 19,5; Marcus 15,2; PIR² A 452; [1. 243] s. v. Annius Libo). **[2]** A. (L. Aurelius). Wohl Sohn von Nr. 1 und verheiratet mit Marcus Aurelius' jüngster Tochter Vibia Aurelia Sabina (CIL XV 7402; [1. 239, 243]).

> 1 A. BIRLEY, Marcus Aurelius, ²1987.   W. E.

Agade s. Akkad

Agalma

(ἄγαλμα). Abgeleitet von griech. *agállein*, »preisen, ehren« (vor allem eine Gottheit, vgl. Hesych. s. v.), ist eigentlich alles, was schmückt, von Ehre (Hom. Il. 4,144) über Waffen (Alk. fr. 15) bis zu Kindern (Aischyl. Ag. 208). Vor allem aber findet es sich in der rel. Sphäre; hier ist A. bereits bei Homer die Weihgabe, wie → Anathema (Hom. Od. 3,438; IG I³ 552, 617 u.ö.). Weiter eingeschränkt, bezeichnet A. Statuen (Hdt. 1,131; Isokr. or. 9,57), aber auch Skulptur als Gegensatz zur Malerei (Aristot. pol. 1336 b 15). Später können mit A. auch die (hl.) Schriftzeichen der Ägypter gemeint sein (Plotin 5,8,6). Die enge Festlegung auf die Bed. »Kultbild« ist Konstruktion der modernen arch. Terminologie aufgrund des spätant. Wortgebrauchs (vgl. Porphyrios, *Perí agalmátōn*).

→ Bild; Bildbegriff; Kultbild; Kunsttheorie; Xoanon

> H. BLOESCH, A. – Kleinod, Weihgeschenk, Götterbild. Ein Beitrag zur frühgriech. Kultur- und Religionsgesch., 1943 · K. KOONCE, ΑΓΑΛΜΑ and ΕΙΚΩΝ, in: AJPh 109, 1988, 108–110.   F.G.

Agamede

(Ἀγαμήδη). Tochter des Augeias, Frau des Mulios, wie Medeia Kennerin von Heilkräutern (Hom. Il. 11,740 f.; Eust. Dion. Per. 322). Durch Poseidon Mutter von Belos, Aktor und Diktys (Hyg. fab. 157). Ihr Name ist sprechend (»Groß Denkende«), wie die Variante Perimede (»Übermäßiges Denkende«, Theokr. 2,16; Prop. 2,4,8) oder der Name von Medeias Mutter Idyia (»Wissende«).   F.G.

Agamemnon

(Ἀγαμέμνων). König der Argeier in Mykenai. In der frühgriech. Epik führt A. das Heer der Argeier (→ Danaer, Achaioi) zur Rache für die Entführung der Frau seines Bruders Menelaos gegen Troia. Er bringt die größte Flotte mit aus der nordöstl. Peloponnes (im Schiffskatalog Il. 2,569–575 gehört die südwestl. Argolis Diomedes, A. der Rest und bis Korinth. Dagegen Herr von »ganz Argos« Il. 2,107; 9,141 [1. 180 f.]). Seine charismatische Herrschaft [2] bringt er in der *Ilias* durch den Raub der Beutesklavin des Achilleus ins Wanken, die drohende Aufkündigung der freiwilligen Heeresfolge der Griechen verhindert Odysseus (Il. 2,84–393). A.s Herrschaftszeichen, das »von Zeus verliehene« Szepter (Il. 9,96–99; 106 schon altoriental.: [3. 9–12]) verwendet Odysseus als Schlagstock (Il. 2,199; 265 f. [4. 468 f.]). Als Achilleus das Angebot einer hohen Gabe ablehnt, mit der A. die zugemutete Beschämung wettzumachen sucht (Reziprozität, Il. 9,9–181), will A. den Krieg durch persönliche Heldentaten gewinnen (Il. 11), wird aber verletzt und will aufgeben (Il. 14,75–81). Erst nach Patroklos' Tod versöhnen sich Achilleus und A. (Il. 19,51–153). Bei den Leichenspielen gewinnt A. kampflos den Speerwurf (Il. 23,884–897). – In der *Odyssee* steht das Atriden-Paradigma als negatives und warnendes Beispiel reziprok zur Heimkehr des Odysseus und Telemachos' Auftrag [5. 297–319]: Mit Kassandra kehrt A. heim, wird aber ermordet von Aigisthos, der die Königin und das Königtum usurpierte (Od. 3,248–312; 4,519–537; Pind. P. 11,31–33). Der Mörder herrscht (ὑπὲρ μόρον Od. 1, 29–43 [6]) sieben Jahre als König in Mykenai, bis Orestes Rache für den Vater übt (Od. 3,304).

Genealogie: Seine Mutter war die Kreterin Aerope, sein Vater Atreus [9] (z. B. Eur. Hel. 390) bzw. Großvater, wenn Pleisthenes als Vater genannt ist. So bei Hes. fr. 195,3–7 M-W und Aischyl. Ag. 1602 [7. 109, 111]. Menelaos ist sein jüngerer Bruder. In Sparta wurden sie vielleicht als mythische Doppelkönige verstanden (s.u.): Stesichoros PMGF 216. Der Ehe mit Klytaimestra, Schwester der Helena (Hygin. fab. 77 f.), entstammen drei (Il. 9,145; 287; Eur. Or. 22–24) oder vier Schwestern: Chrysothemis, Iphianassa und Laodike (=Elektra), dazu Iphigeneia (auch Iphimedeia Hes. fr. 23a,17 M-W; POxy 28. 2482,6). Orestes war der Letztgeborene.

In der Weiterarbeit am Mythos werden andere Themen wichtig. Die Genealogie verschlimmert den Mord am Cousin; Aigisthos wird zum Kind eines Inzests und tötet schon seinen Ziehvater Atreus [7]. Der Fluch im Haus der Pelopiden-Atriden verkettet die Verbrechen. A. büßt für den Frevel seines Vaters Atreus, der die Kinder des Thyestes »opferte« (Aischyl. Ag. 1577–1611). Klytaimestra liefert ins Netz verstrickend den Helden hilflos dem Mörder aus (Aischyl. Ag. 1382; Soph. El. 98). Aber auch A. wird nun schuldbeladen als Vater, der seine Tochter Iphigenaia zu töten bereit ist (Soph. El. 566–607; vgl. Dictys Cretensis 1,29 f.) und so die Mutter ins Leid stürzt. A. tötete Klytaimestras ersten Mann,

Tantalos und erzwang die Ehe (Eur. Iph. A. 1148–1208). Ins Zwielicht setzen A. auch die Behandlung des Philoktetes und des Aias. Zum zentralen Thema aber wird der Konflikt des Muttermords. Wie Klytaimestra stirbt, blieb in der Odyssee offen. Nun wird sie zur Mörderin des Gatten; der Sohn muß sie töten, Apollon verlangt das: Stesichoros PMGF 219 [8. 976–78]. Athen rühmt sich, Entscheidendes für die Entschuldung bewirkt zu haben, so im Aition zu den Anthesterien und besonders in Aischyl. Or. [8]. Angelegt ist Athens Rolle schon Od. 3,307.

Ein Kult des A. entstand eher im Gefolge des homer. Epos, als dessen Voraussetzung zu sein. Der Name scheint eine sprechende (vgl. Plat. Krat. 395a) Neubildung der ep. Dichtung [9; 10; Namenbildung Atreus / Atreidai widerspricht den Lautgesetzen: 11.]. A.-Kulte hängen sich oft an altertümliche Kulte an: Dem Szepter des A. in Chaironeia wurden täglich Speiseopfer dargebracht (Paus. 9,40,11 [12]). In Mykenai beschreibt Paus. (2,16,6f.) das Grab des A. innerhalb der Mauern; gefunden wurde 1 km südl. ein Heroon mit Weihungen für A., die aber erst mit dem 4. Jh. beginnen [13; 14; 15] (älter: Soph. El. 509–517). Aber auch Sparta-Amyklai rühmt sich, das wahre Grab des A. und daher seine Rechtstitel zu besitzen (Hdt. 7,159; Paus. 3,19,6) im Heiligtum der Alexandra = Kassandra (in »Sklavochori« viele »Heroenreliefs« bes. des 6. Jh.: Sitzendes Paar mit Schlange [16]; das Gegenstück in Sparta-Therapne Helena mit Menelaos).

Gar als Gott verehrt wird A. in Sparta als Zeus A. (Lykophr. 335 [17]; polemisch Clem. Al. protr. 2).

1 G. S. Kirk, The Iliad 1, 1985 2 E. Stein-Hölkeskamp, Adelskultur und Polisgesellschaft, 1989, 34–43 3 J. Griffin, Homer on Life and Death, 1980, 9–12 4 C. Auffarth, Der drohende Untergang, 1991 5 U. Hölscher, Die Odyssee, 1988 6 S. West, in: A. Heubeck u. a., A Commentary on Homer's Odyssey 1, 1988, 76–80; 175–181 7 M. L. West, The Hesiodic Catalogue of Women, 1985, 109–112 8 A. Lesky, s. v. Orestes, RE XVIII, 966–1010 9 M. van der Valk, s. v. A., LFE I, 1955, 34–42; 10 Kamptz, 26b; 66. 11 W. Burkert, in: AAW 40, 1987, 91f. 12 Nilsson, GGR I, 209 13 J. M. Cook, in: BSA 48, 1953, 30–68 14 J. M. Cook, in: Geras, FS A. Keramopoulou, 1953, 112–118 15 S. Alcock, Tomb Cult and the Post-Classical Polis, in: AJA 95, 1991, 447–467 16 D. Musti, Pausania, Guida della Grecia 3, 1991 17 H. Schwabl, in: Zeus, RE X A 1, 254f.

O. Touchefeu, LIMC I.1, 256–277; I.2, 191–202 · W. Kullmann, Die Quellen der Ilias (Hermes-Einzelschriften 14), 1960, 90–93.　　　　C. A.

Agamestor (Ἀγαμήστωρ). Elegiker aus Pharsalos, wahrscheinlich hell., verfaßte einen Θέτιδος ἐπιθαλάμιος, von dem Tzetzes (ad Lycophr. 178, II S. 89 Scheer; ad Iliadem S. 811, 31 ff. Bachm.) vier Verse (= SH 14) mit einer etym. Interpretation des Namens Ἀχιλεύς (= ἀ + χεῖλος) überliefert; s. [1].

1 K.-H. Tomberg, Die Kaine Historia des Ptolemaios Chennos, 1968, 97, 127f.　　　　M. D. MA. / T. H.

Agamiu dike (ἀγαμίου δίκη). In Sparta eine Strafklage, die von jedermann gegen denjenigen erhoben werden konnte, der nach Erreichung eines gewissen Alters sich nicht verheiratete (Plut. Lykurgos 15). Durch diese Klage wurde ein mittelbarer Zwang zur Ehe ausgeübt, denn dem Übertreter drohte eine teilweise Aufhebung der Bürgerrechte. Die Klage mag auch sonst noch im dor. Rechtsbereich vorgekommen sein (vgl. Strab. 10,482), in Athen ist sie nicht nachzuweisen. Wenn Platon (leg. 721b; 774a) in seinem Idealstaat einen indirekten Ehezwang, allerdings nicht durch eine Klage, sondern durch eine Junggesellensteuer, einführen wollte, so wird ihm hier die spartanische Einrichtung als Vorbild vorgeschwebt haben.

W. Erdmann, Die Ehe im alten Griechenland, 1934, 113 · D. M. MacDowell, Spartan Law, 1986, 75f.　　　　G. T.

Aganippe (Ἀγανίππη). [1] Den Musen heilige Quelle am Helikon bei Thespiai in Boiotien; wer aus ihr trank, geriet in dichterische Ekstase (Verg. ecl. 10,12; Paus. 9,29,5; → Hippokrene). Die gleichnamige Quellnymphe ist Tochter des Flußgottes Termessos (Paus. 9,29,5) [1]. [2] Frau des → Akrisios, Mutter der Danae (Hyg. fab. 63). Sonst heißt sie Eurydike (Apollod. 2,26).

1 P. Fedeli, s. v. A., EV I, 50f.　　　　F. G.

Agape. Im NT (Jud 12) wird a. auch für das »Liebesmahl« verwendet, insofern es sich um eine Veranstaltung der Bruderliebe handelt (Tert. apol. 39,16: a. entspricht *dilectio*). Bei Tertullian bezeichnet sie eine den ant. Kultmahlen vergleichbare, gemeinsame Gemeindemahlzeit. Da → Ignatios (ca. 110 n. Chr.) die Gemeinde in Smyrna ermahnt, nicht ohne den Bischof die a. zu halten, dürfte hier noch eine gemeinsame Feier von Eucharistie und Sättigungsmahl gemeint sein, wie sie Paulus für Korinth bezeugt (1 Kor 11,20–34), die z. T. bis ins 5. Jh. üblich war (Sokr. 5,22,41–46). Die Hauptlast der Ausrichtung der a. trugen die Wohlhabenderen, obwohl die ganze Gemeinde zur Mahlzeit beisteuerte. → Tertullian beschreibt ihren Ablauf: Gebet, Essen, Vortrag von Bibeltexten oder selbstverfaßtem Gotteslob, Schlußgebet (apol. 39,16–19; vgl. aber de ieiunitate 17). Eine »liturgischere« Abfolge bietet die sog. *traditio apostolica* des (Ps.-?) → Hippolytos (§§ 26–28 Botte). Aus der a. ist ein wohltätiger Dienst geworden, zu dem die Vermögenden die Witwen und Armen in Privathäuser einladen. A. wird dann für die tägliche mönchische Mahlzeit am Abend verwendet (z. B. Palladios, Laus. 16); so auch die synodalen Bestimmungen der Mitte des 4. Jh. (Gangra can. 11). Sie verbieten die ›sog. a.‹ im Kirchengebäude (Laodicäa can. 28).

A. Hamman, A. et repas de charité, in: ders., Vie liturgique et vie sociale, 1968, 151–227 · W.-D. Hauschild, Art.

Agapen, TRE I, 1977 = 1993, 748–753 · H. LECLERQ, Art. A., DACL I/1, 1907, 775–848 · H. LIETZMANN, Messe und Herrenmahl, in: AKG 8, 1926 = 1967 · B. KOLLMANN, Ursprung und Gestalten der frühchristl. Mahlfeier, in: GTA 43, 1990.   C. M.

Agapenor (Ἀγαπήνωρ). Sohn des Ankaios (Hyg. fab. 97), König in Tegea. Zu ihm wurde im Zusammenhang mit dem Mord an → Alkmaion [1] Arsinoe, die Tochter des Phegeus, von ihren Brüdern als Sklavin in einer Kiste gebracht (Apollod. 3,90). Er war einer der Freier Helenas (Apollod. 3,129) und führte vor Troia die Arkader (Hom. Il. 2,609). Bei der Heimkehr kam er nach Zypern, wo er Paphos und das dortige Heiligtum der Aphrodite gründete (Paus. 8,5,2).

W. KULLMANN, Die Quellen der Ilias, 1960, 97.   F. G.

Agapetos. [1] Diakon der Hagia Sophia in Kon- stanti- nopel, Verf. eines an Justinian I. (527–565) gerichteten Fürstenspiegels aus 72 akrostichisch geordneten Senten- zen. A. räumt dem christl. Element gegenüber der To- pik der heidnischen Kaiserideologie eine gewichtige Stellung ein; der Herrscher hat vor allem treuer Diener und Nachahmer Gottes zu sein. Als Hauptquelle diente ihm die paränetische zweite isokratische Rede an Ni- kokles. Der kleine, naive Text übte großen Einfluß auf die Fürstenspiegellit. des griech. MA und in der ost- slavischen Welt aus. Im absolutistischen Zeitalter wurde A. Werk auffallend oft gedruckt und europ. Fürsten ge- widmet; knapp 100 ma Hss. stehen heute ca. 50 Aus- gaben gegenüber.

ED.: MIGNE, PG 86/1, 1163–1185 · R. RIEDINGER, A. Diakonos, 1995 (mit dt. Übers.).
LIT.: W. BLUM, Byz. Fürstenspiegel, 1981, 54–63 · R. FROHNE, A. Diaconus. Unt. zu den Quellen und zur Wirkungsgesch. des ersten byz. Fürstenspiegels, 1985 · P. HADOT, s. v. Fürstenspiegel, RAC 8, 555–632, hier 615–617 · RUBIN I, 171 und 427–429.   G. MA.

[2] Papst 535/6, reiste auf Bitten des Ostgotenkönigs → Theodahat, der seine Wahl gefördert hatte, als Fri- densvermittler nach Konstantinopolis (Cassiod. var. 10, 19; 22; 24; 11, 13; 12, 20). A. der am 22. 4. 536 in Kon- stantinopolis starb, erreichte von Iustinian die Abset- zung des monophysitischen Patriarchen Anthimos.

NAGL, s. v. Agapetos, RE 5 A, 709 · CASPAR, Gesch. des Papsttums 2,260 ff. · F. X. SEPPELT, Gesch. der Päpste I², 1954, 265 ff.   A. LI.

Agapios aus Athen. Neuplatonischer Philosoph, letz- ter Schüler des → Proklos (gest. 485), wurde hauptsäch- lich von Marinos ausgebildet. Iohannes Lydos (de ma- gistr. III 26; p. 113, 12–20 WÜNSCH) studierte 511 in Konstantinopel bei ihm die Philos. Platons und des Ari- stoteles. Nach einem Vers aus dem Gedicht des Christo- doros von Koptos ›Über die Hörer des großen Proklos‹

soll er ›zwar der letzte, aber doch der erste von allen‹ Schülern des Proklos gewesen sein. A. ist im wesentli- chen durch die Fragmente aus der Biographie des Isidor durch Damaskios bekannt. Dort muß man ihn jedoch von dem Arzt Agapios aus Alexandria unterscheiden, der ebenfalls in Konstantinopel Karriere machte. ›Zu- sammen mit den anderen Philosophen‹ wurde er eines Tages unter dem Kaiser Zenon (474–491) verhaftet.
→ Neuplatonismus; Proklos

PLRE II 3 · Goulet I, 63.   R. GO./T. H.

Agariste (Ἀγαρίστη). **[1]** Tochter des Tyrannen → Kleisthenes von Sikyon, Ehefrau des Alkmeoniden → Megakles, Mutter des → Kleisthenes von Athen. Die Gesch. der ausgedehnten Brautwerbung vor ihrer Ver- heiratung um 575 v. Chr. kann als paradigmatische Schilderung des Lebensstils des archa. Adels gelten (Hdt. 6,126 ff.).
→ Adel

E. STEIN-HÖLKESKAMP, Adelskultur und Polisges., 1989, 117–119.   E. S.-H.

[2] Athenerin, Urenkelin des Tyrannen Kleisthenes von Sikyon (Großmutter → Agariste [1]), Nichte des Re- formers Kleisthenes, Tochter des Alkmaioniden Hip- pokrates (→ Alkmaionidai), Gattin des Xanthippos, Mutter des → Perikles (*495–490 v. Chr.). Berühmt ist der Löwentraum, den A. vor der Geburt des Perikles angeblich träumte (Hdt. 6,131).   W. W.

Agaroi. Nach App. Mithr. 400 ein Volk der → Skythai. Ärzte der A., die Wunden mit Schlangengift behandel- ten, haben → Mithradates VI. geheilt (68/67 v. Chr.). Vom Namen ihres Landes (Ἀγαρία τῆς Σαρματίας) stammt wohl ἀγαρικόν, die griech. Bezeichnung von Baumschwämmen (Dioskurides 3,1 f. [1. 122]).

1 R. STRÖMBERG, Griech. Pflanzennamen, 1940.   S. R. T.

Agasias (Ἀγασίας) **[1]** aus Stymphalos. Lochagos im Söldnerheer des jüngeren Kyros, Freund Xenophons, der an A. mutiges Auftreten, Tapferkeit im Kampf und das entschlossene Eintreten für die eigenen Soldaten lobt (vgl. bes. Xen. an. 6,6,7 ff.).   M. MEI.
[2] Sohn des Menophilos, Bildhauer aus Ephesos. Schuf im frühen 1. Jh. v. Chr. in Delos Porträtstatuen für Rö- mer und in Tenos laut Basisinschriften zwei Bron- zegruppen mit dem Kampf des Eros und Anteros im Beisein Nikes, die in Reliefkopien überliefert sind. Eine Gallierstatue in Delos wird ihm zugeschrieben.

R. ETIENNE, Ténos I, 1986, 121, 125 · J. MARCADÉ, Recueil des signatures de sculpteurs grecs 2, 1957, Nr. 4–11 Abb. · B. S. RIDGWAY, Hellenistic sculpture I, 1990, 297–298, 323.   R. N.

[3] Sohn des Dositheos, Bildhauer aus Ephesos. Er schuf die signierte Statue des »Borghesischen Fechters«, die seit ihrer Auffindung 1610 in Antium hochgeschätzt und imitiert wurde. Die Signatur wird um 130–100 v. Chr. datiert, in Übereinstimmung mit späthell. Stilmerkmalen wie der exzessiven Muskelwiedergabe.

F. HASKELL, N. PENNY, Taste and the antique, 1981, 221–223 Abb. · J. MARCADÉ, Recueil des signatures de sculpteurs grecs 2, 1957, Nr.25, 1 · STEWART, 224 Abb.   R. N.

Agasikles (Ἀγασικλῆς), ion. Hegesikles. **[1]** Spartanischer König, Eurypontide, Vater des Ariston. Während der Basileia des A. und des Leon (1. H. des 6. Jh. v. Chr.) erlitten die Spartaner eine Niederlage gegen Tegea (Hdt. 1,65; anders Paus. 3,7,6, der behauptet, A. habe keine Kriege geführt).   M. MEI.
[2] Sohn des Skythes, erlangte durch Bestechung das att. Bürgerrecht. Gegen ihn richtete → Deinarchos eine Rede (Dion. Hal. Dein. 10; vgl. auch Hyp. Eux. 3).   M. MEI.

Agatha. Stadt in → Gallia Narbonensis, Kolonie von → Massalia, im Gebiet der → Volcae Arecomici, h. Agde (Strab. 4,1,5 f.; Plin. nat. 3,33; Ptol. 2,10,2: Ἀγάθη, »die Gute«), liegt am Rand des Hérault-Deltas auf einer seit dem Alt. fortwährend bewohnten Anhöhe. Die Hafenstadt sicherte durch ihre bedeutende Lage den Handel zw. den Mittelmeerländern und Gallia. Im 5. Jh. n. Chr. Bischofssitz.

M. BATS (et al.), Marseille grecque et la Gaule, 1992.   Y. L.

Agathangelos [1] Steinschneider (1. Jh. v. Chr.), signierte die berühmte ›Agathangelos-Gemme‹ mit dem Portrait eines Mannes (Karneol, Berlin, SM) – seit dem 18. Jh. als Sextus Pompeius diskutiert.

ZAZOFF, AG, 12, 281–283, Taf. 79,1.   S. MI.

[2] Sekretär des Arsakiden-Königs → Tiridates IV (239–281 n. Chr.). In der A. zugeschriebenen »Geschichte« wird er als »zuverlässiger Zeuge« bezeichnet. Sie behandelt die Christianisierung Armeniens, die mit Gregor dem Erleuchter (*Lusaworič'*) und mit der Bekehrung Tiridates' verknüpft ist. Die erst im 6./7. Jh. entstandene legendarische Erzählung ist eine armen. Originalschöpfung, die in mehreren Rezensionen (kurze, lange und Epitome) und in mehreren Versionen (griech.-arab., syr.) überliefert ist. Das A.-Buch ist eine wichtige Quelle für die armen. Gesch.sschreibung.
→ Armenier; Constantinus der Gr.

G. TER-MKRTČÈAN, ST. KANAYEANC', Agat'angelos (= Patmagirk' Hayoc' I.2), 1909 · P. PEETERS, S. Grégoire l'illuminateur dans le calendrier lapidaire de Naples, in: Analecta Bollandiana 60, 1942, 91–130 · G. GARITTE, La tradition manuscrite de l'Agathange grec, in: Revue d'histoire ecclésiastique, Studi e testi 127, 1946 · M. VAN ESBROECK, s. v. A., RAC Suppl. 1, 239–248.   K. SA.

Agatharchides von Knidos (Ἀγαθαρχίδης). A. LEBEN B. WERKE

A. LEBEN
Historiker und Geograph. Angaben über Leben und Werk in einer Vita bei Photios 213. Einem Selbstzeugnis bei Photios 250 zufolge 132/1 v. Chr. (oder schon 145?) ein alter Mann. Geburt daher vor 200. Als Vorleser und Sekretär des Herakleides Lembos in Alexandria tätig.
B. WERKE
1. Geschichte Asiens (*Asiatiká*) in 10 B., bis in die Diadochenzeit reichend. Aus B. 2 (sowie aus B. 8 von Artemidors Erdbeschreibung) stammt die Schilderung Äthiopiens bei Diodor (3,2–10); ebenfalls bei Diodor erh. die Beschreibung Arabiens (2,49–54) und die Darstellung der Ursachen der Nilschwelle (1,32–41,3). 2. Geschichte Europas (*Europiká*) in 49 B., daraus einige Fragmente (fr. 5–17) bei Athenaios. Anfang und Ende unsicher, enthielt ausführliche Schilderung der Gesch. Griechenlands und Makedoniens im 3. Jh. v. Chr. 3. ›Über das Rote Meer‹ in 5 Büchern. Alterswerk, daraus umfangreiche und oft wörtlich übereinstimmende Exzerpte bei → Photios (250) und Diodor (3,12–48; vgl. GGM 1, 111–195). Quellen: Königliche Hypomnemata (vgl. Diod. 3,38,1), d. h. offizielle Expeditionsberichte der Ptolemaier, Schilderungen von Augenzeugen, Darstellungen früherer Autoren wie Hekataios von Milet, Herodot, Hellanikos, Ktesias, Ephoros, Eratosthenes. 4. Weitere Titel kleinerer, nicht erh. Werke bei Photios 213.

Vorbilder des A.: Herodot (T 19), Thukydides (T 2), Hieronymos von Kardia (fr. 4), Phylarchos (fr. 3). A. brachte zahlreiche geschichtstheoretische und methodologische Reflexionen, berücksichtigte bisher für geschichtsunwürdig gehaltene Menschengruppen wie Sklaven, Gefangene und Ausgebeutete und gab so ›eine schonungslos enthüllende Dokumentation sozialen Elends‹ (STRASBURGER): Er beeinflußte damit Poseidonios (FGrH 86).

ED.: H. D. WOELK, A. von Knidos, Über das Rote Meer, Diss. 1966
LIT.: K. MEISTER, Die griech. Geschichtsschreibung, 1990, 150 ff. · H. STRASBURGER, Die Wesensbestimmung der Gesch. durch die ant. Geschichtsschreibung, ³1975, 88 ff. · H. VERDIN, in: Studia Hellenistica 27, 1983, 407 ff. bzw. 30, 1990, 1 ff.   K. MEI.

Agatharchos Griech. Maler aus Samos, wirkte in Athen in der 2. H. des 5. Jh. v. Chr. Ant. Quellen verbinden A. mit chronologisch divergierenden hist. Ereignissen. Vitr. 7 praef. 11 bezeichnet A. im Zusammenhang mit der → Bühnenmalerei als den »Erfinder« der → Perspektive in der Malerei und erwähnt eine theoretische Schrift darüber. Das negative Urteil des Zeitgenossen → Zeuxis über seine rasche Malweise (Plut. Perikles 13), die Nachricht, → Alkibiades [2] habe A. zur Ausmalung seines Hauses dort eingesperrt (Plut. Alkibiades 16; ein frühes Beispiel für privaten Ausstattungsluxus) und das Fehlen überlieferter Einzelbilder legt nahe, daß A. eher gemalte Architekturordnungen für Wände und bewegliche Bühnenbilder und keine figürlichen Tafelgemälde schuf. Das Aussehen solcher Dekorationen ist unbekannt, auch auf zeitgenössischen klass. Vasenbildern finden sich nur selten Motive mit perspektivischen Verkürzungen. Anschaulich ist entwickelte Perspektivmalerei auf pompejanischen Architekturprospekten, doch ist ein direkter Einfluß des A. und seiner Theorien darauf beim derzeitigen Stand der Überlieferung nicht zu erhärten.

G. Bröker, M. Müller, s. v. A. Nr. 1, AKL 1, 501 · W. Erhardt, Bild und Ausblick in Wandbemalungen Zweiten Stils, in: AK 34, 1991, 32 · H. Kenner, Zur Arch. des Dionysostheaters in Athen, in: JÖAI 57, 1986/87, 67–74 · F. Lasserre, D'Agatharchos à Brunelleschi, in: La Prospettiva pittorica, Kongr. Rom 1980, 1985, 11–18 · Overbeck, Nr. 1118–1125 (Quellen) · J. J. Pollitt, The Ancient View of Greek Art, 1974, 236–247 · I. Scheibler, Griech. Malerei der Ant., 1994, passim.   N. H.

Agathemeros (Ἀγαθήμερος). Sohn des Orthon (röm. Kaiserzeit), Verf. eines Abrisses der → Geographie *Hypotýpōsis geōgraphías*, (ὑποτύπωσις γεωγραφίας), nur aus Abschriften des Cod. Palatinus gr. 398 (9. Jh. n. Chr.) bekannt (GGM 2,471–487) [1]. A. faßt die wiss. Geogr. von → Thales bis → Poseidonios knapp zusammen, bietet Definitionen und Etym. der Kontinente (Kap. 1), Angaben zur → Windrose (Kap. 2), zu den Meeren (Kap. 3), zu Länge und Breite der → Oikumene (Kap. 4) und zu den Maßen der Mittelmeerinseln (Kap. 5).

Ein anon. Traktat gleichen Titels wurde dem Text des Cod. wohl erst im 9. Jh. (GGM 2,494–509), eine anon. *Diágnōsis* (διάγνωσις) zur Geo- und → Kartographie des → Ptolemaios (GGM 2,488–493) [2] im 15. Jh. den Abschriften des gen. Cod. vorangestellt.

1 A. Diller, Agathemerus. Sketch of Geography, in: GRBS 16, 1975, 59–76 2 Ders., The Anonymous Diagnosis of Ptolemaic Geography, in: Classical Stud. in Honor of W. A. Oldfather, 1943, 39–49.

H. Berger, s. v. A. [4], RE 1, 742–743 · A. Diller, The Tradition of the Minor Greek Geographers, 1952.   K. BRO.

Agathenor. Nur inschr. [1] belegter Komödiendichter aus Ephesos, der zu Beginn des 1. Jh. v. Chr. an den *Ludi Romani* in Magnesia am Mäander mit einer *Milesia* den Sieg davontrug.

1 PCG II, 1991, 1.   H.-G. NE.

Agathias. Geschichtsschreiber und Dichter aus Myrina in Kleinasien, Sohn des Rhetors Memnon. Geb. um 532, gest. kurz nach 580 n. Chr. Er studierte in Alexandreia Rhet. und in Konstantinopel Jura, wo er dann mit Erfolg als Rechtsanwalt praktizierte (weshalb er Σχολαστικός genannt wurde).

Sein Geschichtswerk, das Prokops Werk fortsetzt, erzählt in 5 Büchern – mit langen ethnographischen und chronologischen Exkursen (bis zum Jahre 579 – die Ereignisse der Jahre 559–552. Er versucht, Herodot und Thukydides nachzuahmen, bedient sich gewissenhaft der Aussagen von Augenzeugen und auch persischer Quellen, gibt wiederholt phantasievollen Abschweifungen, panegyrischen und pathetischen Tönen und aufrührerischer Parteilichkeit Raum – immer auf der besessenen Suche nach rhet. Kunstgriffen und erhabenem Stil, der von seltenen Wörtern und häufigen Dichterzitaten genährt ist. Von seinem hexametrischen Jugendwerk *Daphniaká* in 9 Büchern ist nur der Prolog in Anth. Pal. 6,80 erhalten. Ca. 100 Epigramme (dazu einige unsichere), die einst im »Kyklos«, einer von ihm selbst zusammengestellten *Syllogḗ* (die aufschlußreiche Einleitung in drei Teilen in 4,3–5), gesammelt waren, stellen die Versproduktion des A. dar. Dies sind Dichtungen von raffinierter formaler Eleganz (in Metrum und Stil vor allem von Nonnos beeinflußt), die fast alle Gattungen repräsentieren und in denen nur sporadisch – obwohl drei von ihnen unter den »christl. Epigrammen« erscheinen – Spuren des neuen Glaubens zutage treten. Die an gut 62 *hápax legómena* reiche Sprache verrät das aufmerksame Studium der klass. Modelle dieser Gattung (von Kallimachos bis Palladas).

1 Agathiae Myrinaei Historiarum libri quinque, ed. R. Keydell, 1967 2 A. Scholasticus, Historiarum libri quinque, ed. S. Costanza, 1969 3 Agazia Scolastico. Epigrammi. Testo, traduzione e commento a cura di G. Viansino, 1967 (hinzuzufügen sind Anth. Plan. 16,72 und unter den Incerta Anth. Pal. app. 3,145) 4 A., The Histories. Transl. J. D. Frendo, 1975 (CFHB 2 A) 5 Av. Cameron, A., 1970 6 B. Baldwin, Four Problems in A., in: ByzZ 70, 1977, 295–305 7 H. Hunger, Die hochsprachliche profane Lit. der Byzantiner, 1978, I, 303; II, 166–167.   E. D. / M.-A. S.

Agathinos aus Sparta (Ps.-Gal. 19,353). Griech. Arzt des 1. Jh., Schüler des Athenaios von Attaleia, Lehrer des Archigenes und des Pneumatikers → Herodotos. Wenn er auch zumeist den Pneumatikern zugeordnet wurde, glaubten doch einige, er habe seine eigene, die episynthetische oder eklektische, Schule begründet. Die überlieferten Fragmente seiner Schriften lassen Verbindungen zu Empirikern und Methodikern erkennen. Er schrieb über Arzneimittel (ein Fragment über Nieswurz findet sich in Cael. Aurel. 3,16,169; Gal. 13,299,830) und wurde von Gal. 7,367 für seine Auffassung des Fiebers gelobt. Nach Oreib. Syn. 10,7 hielt er kalte Bäder für gesundheitsfördernd (bes. im Frühjahr); warme Bäder seien ohne ärztliche Überwachung gefährlich. Sein Herodot gewidmeter Pulstraktat war Galen, der einige seiner Definitionen und Lehren kurz bespricht, bekannt (7,749; 754; 786; 935 f.). Entgegen der Ansicht von Wellmann [1; 2] ist A. nicht zu verwechseln mit Claudius Agathinos (IG 14,2064 = IGUR 1349), einem in Rom tätigen, ebenfalls griech. Arzt aus antoninischer Zeit.

→ Pneumatische Schule; Athenaios von Attaleia; Archigenes; Herodotos

1 M. Wellmann, s. v. A., RE I, 745　2 M. Wellmann, Die pneumatische Schule, 1895　3 F. Kudlien, Poseidonios und die Ärzteschule der Pneumatiker, in: Hermes 1962, 419–429　4 F. Kudlien, s. v. Agathinos, KlP I, 117　5 Staden, 65, 333.　　　　　　　　V. N. / L. v. R.-P.

Agathoergoi (ἀγαθοεργοί). Die jeweils 5 *a.* – nur bei Hdt. 1,67,5 erwähnte spartanische Amtsträger – wurden aus den Bürgern ausgewählt, die aus dem Verband der *hippeís* ausschieden, und waren in ihrem Amtsjahr als Gesandte tätig. Die *hippeís* (Reiter) waren eine 300 Mann starke Eliteeinheit von 20–29jährigen Spartanern, die die Leibgarde des amtierenden Königs stellten und trotz ihres Namens zu Fuß kämpften (Hdt. 8,124,3; Thuc. 5,72,4; Xen. Lak. pol. 4,3).
→ hippeis　　　　　　　　　　　　P. C. / C. P.

Agathokleia (Ἀγαθόκλεια). **[1]** Mätresse Ptolemaios’ II.; ihre Historizität ist unsicher. PP 6, 14713; [1].

[2] Tochter des Agathokles [5] und der → Oinanthe, Schwester des → Agathokles [6]. 215 v. Chr. im Besitz mehrerer Nilkähne erwähnt, 213/2 Kanephore. Mätresse Ptolemaios’ IV.; 204 an der Ermordung → Arsinoes [II 4] III. beteiligt, wird ihr mit ihrer Mutter der junge Ptolemaios V. anvertraut (als Amme?). 203 beim Sturz des Bruders vom Mob ermordet. PP 3/9, 4984; 6, 14714; [2].

[3] Tochter des → Numenios, Enkelin des Herakleodoros, 166/5 v. Chr. Athlophore Berenikes II., 165/4 Priesterin der Kleopatra in Ptolemais, siegt 162/1 bei den Panathenäen; [3].

1 P. Maas, KS, 1973, 108　2 H. Hauben, in: JJP 23, 1993, 67ff.　3 Habicht, Athen, 109.　　　　　　W. A.

[4] Indogriech. Königin, ca. Ende des 2. Jhs. v. Chr., Mutter von → Straton.

Bopearachchi, 88–90, 251–253.　　　　　　K. K.

Agathokles (Ἀγαθοκλῆς) **[1] aus Athen**. Archon 357/56 v. Chr. (Demosth. or. 47,44; Diod. 16,9).
　　　　　　　　　　　　　　　M. Mei.

[2] Tyrann, später König von Syrakus, geb. 361/0 v. Chr. im sizilianischen Thermai als Sohn des aus Rhegion verbannten Karkinos, der unter → Timoleon in Syrakus das Bürgerrecht erhalten hatte und eine keramische Großmanufaktur betrieb. A. verbrachte eine abenteuerliche Jugend, beteiligte sich an mehreren kriegerischen Unternehmungen und hegte schon frühzeitig weitreichende polit. Ambitionen. Als ehrgeiziger Demokrat war er der Oligarchie der Sechshundert, die nach dem Tode Timoleons in Syrakus regierte, bald suspekt und wurde deshalb um 330 verbannt. Während des Exils versuchte er, sich als Condottiere in Unterit., in Kroton bzw. in Tarent, eine Machtstellung zu verschaffen. Seine Hilfe für das von den 600 belagerte Rhegion bewirkte nicht nur den Entsatz dieser Stadt, sondern hatte auch den Sturz der 600 in Syrakus zur Folge. Der Demos ermöglichte ihm nunmehr die Rückkehr nach Syrakus, doch mußte er nach Wiederherstellung der Oligarchie erneut in die Verbannung. Er warb im Inneren Siziliens Söldner, stellte eine private Streitmacht auf und bedrohte die Oligarchen und die mit ihnen verbündeten Karthager. Durch Vermittlung des → Hamilkar, den A. auf seine Seite brachte, konnte er nach Syrakus zurückkehren und wurde 319/8 zum ›bevollmächtigten Strategen über die festen Plätze Siziliens‹ gewählt (FGrH 239 B 12). Im Jahr 316/5 beseitigte er durch einen blutigen Staatsstreich (vgl. Diod. 19,5,4–9 aus Timaios) die Oligarchie der 600 und wurde nach Ermordung bzw. Verbannung der polit. Gegner in einer Scheinwahl ›bevollmächtigter Stratege und Aufseher über die Polis‹ (Diod. 19,9,4). Damit war eine staatsrechtlich nur notdürftig verbrämte Tyrannis errichtet, die in erster Linie auf Söldnern ruhte. In der Folgezeit wandte sich A. gegen diejenigen Städte, welche die verbannten Oligarchen aufgenommen hatten, bes. Akragas, Gela und Messana. Letztere riefen die Karthager zu Hilfe, schlossen jedoch 314 unter Vermittlung Hamilkars mit A. Frieden. Karthago behielt die Epikratie westlich des Halykos (mod. Platani), Syrakus die Hegemonie über die ansonsten autonomen Griechenstädte (StV 3, 424). Nachdem A. vertragswidrig in die Epikratie eingefallen war, wurde er im Sommer 311 am südl. Himeras von den Karthagern vernichtend geschlagen. Als diese bis Syrakus vordrangen, überließ er die Verteidigung der Stadt seinem Bruder → Antandros [1] und setzte mitten durch die karthagische Blockade nach Afrika über (14. Aug. 310), um die Feinde von Sizilien abzuziehen und im eigenen Lande zu schlagen (Diod. 20,3–5). A. verbrannte die eigenen Schiffe, besiegte die Karthager im offenen Felde und rückte gegen Karthago vor. Während seiner Abwesenheit konnte Antandros zwar Syrakus gegen die Karthager halten, doch gelang es den Akragantinern, durch das Versprechen von Freiheit und Autonomie die meisten Griechenstädte an sich zu binden. In Afrika stand A. seit 309 mit Ophellas, dem Statthalter von Kyrene, in Verbindung, der in Nordafrika ein großes Reich zu gründen beabsichtigte (Diod. 20,40). Nach seiner Ermordung trat das Heer in die Dienste des A. Dieser kehrte 308/7 wegen der durch die Freiheitsbewegung der Akragantiner entstandenen bedrohlichen Entwicklung nach Sizilien zurück. Bald danach wurde sein Heer in Afrika vollständig aufgerieben. A. gab nach seiner Rückkehr den Rest des afrikanischen Heeres den Feinden preis und floh mit wenigen Getreuen nach Sizilien. Im Frieden von 306 wurde erneut der Halykos als Grenze zwischen der karthagischen Epikratie und dem griech. Sizilien festgesetzt (StV 3, 437). A. besiegte anschließend das Heer der Verbannten und brachte das griech. Sizilien mit Ausnahme von Akragas unter seine Herrschaft. Im Jahr 305 nahm er den Königstitel an (Diod. 20,54,1) und heiratete Theoxene, eine Stieftochter Ptolemaios’ I.

Seit ca. 300 stand die Unterit.-Politik im Vordergrund (Diod. 21,4 ff.). In zwei Feldzügen brachte A. für kurze Zeit Bruttium unter seine Herrschaft und unterstützte 298/7 Tarent im Kampf gegen die einheimischen Lukaner und Messapier. Um 295 eroberte er Kroton und schloß Bündnisse mit anderen unterit. Städten. Sogar die Insel Kerkyra kam kurzfristig in seine Gewalt (Diod. 21,2). Sein Ziel war offenbar die Zusammenfassung der sizilianischen und unterital. Griechen unter seiner Herrschaft. In den letzten Lebensjahren rüstete er zu einem neuen Karthagerkrieg, doch starb er 289/8. Familienrivalitäten verhinderten den Versuch, eine Dynastie zu gründen, deshalb gab er auf dem Totenbett ›den Syrakusiern die Freiheit zurück‹ (Diod. 21,16,5).

A. war keineswegs der »tyran populair«, als der er in der Forsch. gerne hingestellt wird (Mossé), sondern ein grausamer Machtmensch und skrupelloser Abenteurer. Seine histor. Leistung und Bed. werden in der Moderne oftmals überschätzt: Erreichte er doch nichts Dauerhaftes, vielmehr brachen in Syrakus, wo man eine *damnatio memoriae* über ihn verhängte (Diod. 21,16,6) und anderswo unmittelbar nach seinem Tod anarchische Zustände aus (Diod. 21,18). Hauptquelle: Diod. 19,5–21,17 (vorwiegend nach Timaios, der von A. verbannt worden war und ein sehr negatives Bild von ihm gezeichnet hat (vgl. fr. 124, bes. fr. 124d bei Diod. 21,17,1–3).

H. BERVE, Die Herrschaft des A., 1953 · H. BERVE, Die Tyrannis bei den Griechen, ²1967, Bd. 1, 441 ff.; Bd. 2, 728 ff. · S. CONSOLO LANGHER, La Sicilia dalla scomparsa di Timoleonte alla morte di Agatocle, in: E. GABBA, G. VALLET (Hrsg.), La Sicilia antica, Bd. 2,1, 1980, 291–342 · HUSS, 176 ff. · K. MEISTER, A., CAH 7.1, ²1984, 384 ff. · C. MOSSÉ, La tyrannie dans la Grèce Antique, 1969   K. MEI.

[3] Sohn von A. [2] aus zweiter Ehe. Als dessen Nachfolger ausersehen, wurde er 289/8 v. Chr. von dem Enkel des A. [2], → Archagathos [2], der sich selbst Hoffnungen auf die Nachfolge machte, bei der Übernahme des Truppenkommandos in Aitne ermordet (Diod. 21,16,2 ff.).

K. MEISTER, CAH 7.1, ²1984, 408 f.   K. MEI.

[4] Vater des → Lysimachos, *phílos* von Philippos.

[5] Sohn von → Lysimachos und → Nikaia, vor 290 v. Chr. in einem Thrakerkrieg seines Vaters vielleicht gefangengenommen, dann freigelassen. 286/5 besiegte und vertrieb er → Demetrios nach dessen Einfall in Kleinasien und erwarb sich durch den Erfolg viel Anhang. Die Ehe des Lysimachos mit → Arsinoe [II 3] erschütterte seine Stellung als Kronprinz; 283/2 wurde er vom Vater einer Verschwörung beschuldigt (vielleicht nicht grundlos) und hingerichtet. Seine Gattin → Lysandra und seine Freunde (einschließlich → Philetairos) flüchteten zu → Seleukos, der daraufhin den Angriff auf Lysimachos begann.

F. L. GATTINONI, Lisimaco di Tracia, 1992 · H. S. LUND, Lysimachus, 1992 (beide mit Bibliographie).   E. B.

[6] Sohn des Agathokles [5] und der → Oinanthe, Bruder der → Agathokleia [2], aus Samos. In seiner Jugend als Mundschenk am Hof Ptolemaios' III., ἑταῖρος, ἐρώμενος und *concubinus* des Kronprinzen Ptolemaios' IV. Unter dessen Herrschaft spätestens 219 v. Chr. mit → Sosibios Leiter der ägypt. Politik, hat wesentlichen Anteil an den erfolgreichen Vorbereitungen der Schlacht von Raphia. 216/5 Alexanderpriester, 207/6 als Inhaber einer δωρεά belegt. Mitte 204 zusammen mit Sosibios Vormund Ptolemaios' V. (mit Hilfe eines gefälschten Testamentes?). Nach dem Tod des Sosibios führt A. allein die Geschäfte, ist aber schon lange beim Volk verhaßt und wird Okt./Nov. 203 wegen Mißwirtschaft (?) gestürzt. Seine Position scheint er einzig persönlichen Verbindungen verdankt zu haben, doch erlaubt die ihm durchweg feindliche Tradition keine gerechte Beurteilung seiner Fähigkeiten mehr.

W. HUSS, Unt. zur Außenpolitik Ptolemaios' IV., 1976, 251 ff. · L. MOOREN, The aulic titulature in Ptolemaic Egypt, 1975, 67 f. Nr. 020 · L. MOOREN, The Ptolemaic court system, in: CE 60, 1985, 214–222.   W. A.

[7] Indogriech. König im 2. Jh. v. Chr., nur durch seine Münzen belegt, mittelindisch *Agathukreya/Agathuklaya*.

BOPEARACHCHI, 56–59, 172–180.   K. K.

[8] μουσικός, Schüler des Pythagoreers Pythokleides, Lehrer von Lamprokles (schol. Plat. Alk. 1, 118c), Damon (Plat. Lach. 180d), vielleicht Pindar (Vita Ambr.), auch Sophist gen. (Plat. Prot. 316 e).   F. Z.

[9] Dichter der Neuen Komödie, erlangte mit seinem Stück (Ὁμόνοια) an den Dionysien d. J. 154 v. Chr. den fünften Rang. Sein Name begegnet ferner auf der inschr. Liste der Lenäensieger [1. test. 1]. Von der lit. Produktion des A. haben sich keine Spuren erhalten.

1 PCG II, 1991, 2.   T. HI.

[10] Historiker, Verfasser einer Lokalgesch. von Kyzikos in ion. Dialekt (Athen. 9,375 f.), 5. oder 4. Jh. v. Chr. (FHG 4, fr. 288–90).

[11] Historiker, Verf. von *Hypomnemata* geogr. und histor. Inhalts (Poseidonios bei Cic. div. 1,50; FHG 4, fr. 290).   K. MEI.

[12] Griech. Arzt augusteischer Zeit, der über Ernährung schrieb (Schol. Nik. Ther. 622). → Andromachos [5] d. J. zitiert eines seiner Rezepte gegen *erysipelas* (Gal. 13,832, womit nicht die moderne Krankheit gleichen Namens gemeint ist). Plin. nat. 22,90 zitiert seinen Komm. über ein Gegenmittel gegen Stierblut.

→ Andromachos [5]   V. N. / L. v. R. – B.

Agathon (Ἀγάθων). **[1]** Attischer Tragiker, ca. 455–ca. 401 v. Chr., Sohn eines Tisamenos (Schol. Lukian. Rhetorum Praeceptor 11). Nach Athen. 5,217b errang er seinen ersten Sieg an den Lenäen 416. Der histor. Rahmen von Platons *Symposion* ist die Nachfeier dieses Sieges. 411 wird er in den *Thesmophoriazusai* des Aristophanes verspottet, in demselben Jahr von Antiphon [4] vor Gericht verteidigt. Vor 405 (vgl. Aristoph. Ran. 83–5, Ail. var. 13,4) verließ er wie Euripides Athen und begab sich an den Hof des Makedonenkönigs Achelaos I., wo er auch verstarb. Kontakte zu Sokrates (Platons *Symposion*) und den Sophisten Protagoras, Prodikos und Hippias (Plat. Prot. 315d-e) sind nachweisbar. Stilistischer Einfluß des Gorgias (Isokola, Antithesen) zeigt seine Rede in Plat. symp. 194e–197e, vgl. 198c (vgl. auch Aristoph. fr. 341 PCG III²; Athen. 5,187c, Ail. var. 14,13) und läßt sich auch in den Fragmenten nachweisen. Polit. scheint er, wie sein Kontakt zu Antiphon von Rhamnus auch nach dessen Verurteilung zeigt (Aristot. Eth. Eud. 3,5,1232b 5–9), oligarchischen Kreisen nahegestanden zu haben. Aufgrund seiner Eleganz und seines guten Aussehens wird er von Aristoph. Thesm. 138 als feminin verspottet. Andere Quellen spielen auf sein homoerotisches Verhältnis zu Pausanias an (Plat. Prot. 315d). Das lebhafte Interesse der Ant. an A., das die Testimonien widerspiegeln, ist vor allem durch Platons *Symposion* und die Agathon-Parodie in Aristoph. Thesm. 39ff. zu erklären.

Von seinem Werk sind 6 Titel bezeugt: *Aerope, Alkmeon, Anthos* (oder *Antheus*), *Thyestes, Mysoi, Telephos*; ca. 50 Verse sind insgesamt erhalten. Ob sich aus Aristoph. Thesm. 157 schließen läßt, daß A. auch Satyrspiele geschrieben hat, ist fraglich. Auf A. gehen mehrere einschneidende Innovationen in der Trag. zurück: Nach Aristot. poet. 9,1451b 21 hat A. im *Anthos* Personen und Handlung frei erfunden. Ebenfalls nach Aristot. poet. 18,1456a 25–32 hat er die bisher mehr oder weniger handlungsbezogenen Chorlieder durch völlig handlungsunabhängige Lieder (*embólima*) ersetzt. Getadelt wird er von Aristot. poet. 18,1456a, weil an ep. Handlungsvielfalt in seinen Tragödien unterzubringen versucht habe. In der Musik soll A. in den ›Mysern‹ das bisher allein gebräuchliche γένος διατονικόν mit dem γένος χρωματικόν gemischt (Plut. symp. 3,1,645de) und die hypodorische und hypophrygische Tonart eingeführt haben (Anon. byz. de trag., ed. R. BROWNING § 5 = TrGF I, T 20c). Die Parodie in Aristoph. Thesm. 101–129 belegt den Einfluß der neuen, durch den → Dithyrambos beeinflußten Musik auf A. (Metrenvielfalt, Rhythmenwechsel, Gesang im Falsett).

→ Dithyrambos; Tragödie

    TrGF I 39 • B. GAULY u. a. (Hrsg.), Musa Tragica, 1991, 96–109 • K. J. DOVER, Plato. Symposium, 1980, 8 f. • P. RAU, Paratragodia, 1967, 98–114 • J. M. SNYDER, Aristophanes' A. as Anacreon, in: Hermes 102, 1974, 244–246 • B. ZIMMERMANN, Critica ed imitazione. La nuova musica nelle commedie di Aristofane, in: B. GENTILI, R. PRETAGOSTINI (Hrsg.), La musica in Grecia, 1988, 199–204 • B. ZIMMERMANN, Unt. en zur Form und dramatischen Technik der Aristophanischen Komödien II, 1985, 22–29.   B. Z.

[2] aus Samos, griech. Geograph hell. Zeit. Die wenigen Fragmente nennen je mindestens zwei Bücher *Skythiká* und ›Über Flüsse‹ (FGrH 843). Einem A. wird auch ein → Periplus des Pontos zugewiesen (FGrH 801).

→ Skythai; Geographie

    H. BERGER, s. v. A. 14, RE I, 762.   K. BRO.

Agathopolis (Ἀγαθόπολις). Das h. Ahtopol an der Westküste des Schwarzen Meeres. Den Namen machen Münzinschr. für das 5. Jh. v. Chr. wahrscheinlich; nach Arr. per. p. E. 36 Aulaiu teichos, Ptol. 3,11,3 Perontikon, Geographus Ravennas 4,6,2–5 Burtinum; seit dem MA als A. bezeugt. Siedlungsspuren seit dem Äneolithikum; im 3. / 2. Jh. v. Chr. griech. Polis (IGBulg 474–478). Mitte des 1. Jh. n. Chr. der röm. Prov. → Thracia eingegliedert. Im 5. und 6. Jh. n. Chr. stark befestigt; von 702 bis 760 n. Chr. im Bulgarischen Reich.

    B. DIMITROV, V. NAJDENOVA, V. VELKOV, Podvodni proucvanija kraj Ahtopol, in: Arheologiceski otkritija i razkopki prez 1984, 1985.   I. v. B.

Agathos Daimon (Ἀγαθὸς Δαίμων, auch *Agathodaímōn*). Als »Gute Gottheit« eine Segensgottheit vor allem des Privatkults, oft mit der Agathe → Tyche (Ἀγαθὴ Τύχη) verbunden [1], als Schützer des einzelnen Orakelbesuchers im Heiligtum des Trophonios (Paus. 9,39,5); wo A. spezifiziert wird, geschieht dies nicht einheitlich. Ein A. erhielt im griech. Haus eine Spende von ungemischtem Wein nach jeder Mahlzeit (Aristoph. Equ. 105–107; vgl. Vesp. 525), hatte in hell. Zeit Hausaltäre [2] und konnte in der Ikonographie des Zeus abgebildet werden [3]; Schlangengestalt ist in Griechenland nirgends belegt. In der Kaiserzeit konnten auch philhellenische Kaiser (Nero, Marcus Aurelius) als A. bezeichnet werden.

In der Kaiserzeit erscheint A., den die Neuplatoniker mit dem persönlichen Schutzgeist (*oikeíos daímōn*, Porph. vita Plot. 10) identifizieren können, auch in der Hermetik und der Magie: Im *Corpus Hermeticum* unterweist er den Hermes als Nous, der über das Geschick dominiert (10,23; 12,1 [4]), in den magischen Papyri wird er bes. mit den ägypt. Göttern Psai und Chnum (Knouphis) identifiziert [5]. Daneben sind andere Identifikationen jederzeit möglich – in den Hymnen des Isidoros von Medinet Madi wird A. als Sokonopis/Suchos mit Agathe Tyche als Hermouthis/Isis verbunden [6]. Als Stadtschützer erhielt A. Kult in Alexandria; angeblich hatte Alexander ihn gestiftet. Hier hatte A. (auch im Plur.) Schlangengestalt und erhielt häuslichen Kult (Ps.-Kallisth. 1,32,10ff.); noch Elagabal hielt sich kleine ägypt. Schlangen (*agathodaímones*, SHA Elag. 23).

    1 L. ROBERT, in: Hellenika 9, 1950, 56–63 2 M. P. NILSSON, Griech. Hausaltäre, in: Opuscula Selecta 3, 1960, 265–270 3 NILSSON, GGR 2, 214 Abb. 1. 4 M. TARDIEU, Les paysages reliques, 1990, 158 f. 5 TH. HOPFNER, Griech.-ägypt. Offenbarungszauber II 1, 1924 Ndr. 1983, § 133 6 V. F. VANDERLIP, The four Greek hymns of Isodorus and the cult of Isis, 1972, 38.

R. Ganschinietz, s. v. Agathodaimon, RE Suppl. III,
37–59 · P. Fraser, Ptolemaic Alexandria, 1970, 209–211 ·
I. Hadot, Le problème du néoplatonisme alexandrin,
1978, 137–140. F. G.

Agathyllos (Ἀγάθυλλος). Hellenistischer Elegiker aus
Arkadien, von dem Dion. Hal. 1,49,1 etwas mehr als
drei Verse (= SH 15) überliefert. Der hier erkennbaren
Version des Mythos zufolge macht Aeneas auf seiner
Reise von Troia in Arkadien halt, bevor er nach »Hesperien« kommt, wo er Romulus zeugt. A. wird auch als
Gewährsmann für die auf Hegesianax von Alexandreia
(FGrH 45 F 9–10) zurückgehende Überlieferung zit.,
nach der Rom von Ῥῶμος (= Remus) gegründet worden
sei, der in dieser Überlieferung wie Romulus ein Sohn
des Aeneas ist (Dion. Hal. 1,72,1 = SH 16). M. D. MA. / T. H.

Agathyrnon (Ἀγάθυρνον). An der Nordküste von
→ Sicilia zw. Tyndaris und Kale Akte, eher bei Capo di
Orlando als bei S. Agata di Militello (wo ein *chōríon* war);
von Agathyrnos, Sohn des Aiolos [1], gegr. (Diod. 5,8),
Tyndaris einverleibt. Von A. überführte der Konsul M.
Valerius Laevinus 210 v. Chr. 4000 Verbannte, die sich
hier festgesetzt hatten, nach → Bruttium (Liv. 26, 40,
16f.). Der Eponym, ein stehender Jüngling, ist auf einer
Bronzemünze (mit entsprechender Legende) darge-
stellt.

C. Franchina Scurria, Problemi della Ellenizzazione del
Retroterra Zancleo: La Questione di Agathyrno, in: Rivista
storica dell'Antichità 11, 1981, 53–68 · G. Manganaro, La
Sicilia da Sesto Pompeio a Diocleciano, in: ANRW II 11.1,
1988, 3–89, hier 65. GI. MA. / M. B.

Agathyrsoi (Ἀγάθυρσοι). Skythischer oder nordthrak.
Stamm am Oberlauf des Mureş, nordöstl. der → Neuroi
(Hdt. 4,48; 4,100; 102). Zu den skythisch-agathyrsi-
schen Beziehungen Hdt. 4,78: Spargapeithes, ein König
von A.; 4,119; 125). Wegen der Bed. der Dakoi um die
Zeitenwende selten erwähnt (Ptol. 3,5,10). Zum myth.
Eponym Ἀγάθυρσος in der griech. Version des skythischen Herkunftsmythos Hdt. 4,10. Spätere Erwähnungen sind stark von Herodot abhängig (FGrH Ephoros 70
fr. 158; Verg. Aen. 4,146; Amm. 31,2,14). Bis 165
n. Chr. ist der Name Agathyrsus inschr. in It. häufig
belegt (vgl. CIL VI 164,9; 8718)

C. Patsch, Die Völkerschaft der Agathyrsen, in: AAWW,
Phil.-hist. Kl., 62, 1925, 69–77 · A. Meljukova,
Pamjatniki skifskogo vremeni lesostepnogo srednego
Podnestrov'ja, in: Materialu instituta arheologii 64, 1958 ·
H. Kothe, Skythenbegriff bei Herodot, in: Klio 51, 1969,
15–81. I. v. B.

Agaue (Ἀγαύη). Tochter des Kadmos und der Harmonia, Gemahlin des Echion, Mutter des → Pentheus.
Sie beschimpft ihre Schwester → Semele, die von Zeus
den Dionysos empfangen hat und im Blitz verbrannte.
Dionysos rächt sich an A., indem er sie und ihre Schwestern dazu bringt, Pentheus, der sich Dionysos wider-

setzt, im Wahnsinn zu zerreissen. Triumphierend trägt
A. das Haupt ihres Sohnes, den sie für ein wildes Tier
gehalten hat, nach Hause. Schon bei Aischylos, erst
recht in Eur. *Bacchae* ist A. eine tragische Figur (vgl. auch
Ov. met. 3,701 ff.). Die künstlerische Überlieferung
kennt sie auch in der Unterwelt (Krater des Da-
reios-Malers im Toledo Art Mus., Ohio).

A. Kossatz-Deissmann, LIMC 7.1, 312f., Nr. 49–60. F. G.

Agbia. Stadt der → *Africa proconsularis*, h. Henchir Hed-
ja nahe Dougga. Zur Überlieferung des Ortsnamens
[1. 766]. A. war z. Z. des → Antoninus [1] Pius → *pagus*
und → *civitas* (CIL VIII 1, 1548), in der Zeit des
→ Diocletianus (284–305 n. Chr.) → *municipium* (CIL
VIII 1, 1550; Suppl. 4, 27415). Aus röm. und byz. Zeit
bedeutende Reste, zahlreiche Inschr. (CIL VIII 1, 1545–
1570; Suppl. 1, 15549–15561; Suppl. 4, 27381–27390).

1 J. Schmidt, s. v. A., RE 1, 766.

AATun 050, Bl. 33, Nr. 190 · C. Lepelley, Les cités de
l'Afrique romaine au Bas-Empire 2, 1981, 62f. W. HU.

Agdistis (Ἄγδιστις). Mythisches Zwitterwesen aus dem
phryg. Attismythos, benannt nach dem Bergfelsen Agdus bei Pessinus (Timotheos bei Arnob. 5,5–7; vgl.
Paus. 7,17,9–12). Nach Paus. 1,4,5 hieß der Berg selbst
Agdistis und war die Begräbnisstätte des → Attis. Dem
von Timotheos (s. o.) überlieferten Mythos zufolge gebar der Felsen Agdus einst, vom Samen des Zeus be-
fruchtet, ein Wesen mit sowohl männlichen als auch
weiblichen Geschlechtsteilen, das so stark und wild war,
daß es sich für mächtiger hielt als die Götter. Dionysos
machte den Zwitter durch eine List betrunken und fes-
selte den Schlafenden so, daß er sich beim Aufwachen
selbst entmannte. Aus den abgerissenen männlichen
Genitalien entstand der Granatapfelbaum. Von dessen
Frucht geschwängert, gebar die Königstochter Nana
den Attis. Als dieser ein Jüngling war, verliebte A. sich in
ihn, nahm ihn mit auf die Jagd und machte ihm die
Beute zum Geschenk. Aus Eifersucht erschien A. zusammen mit → Kybele zur Hochzeit des Attis und verursachte dessen Tod durch Selbstkastration. Obwohl bei
Arnobius (5,5,7) Göttermutter und A. zwei getrennte
Figuren sind, war A. ein Beiname der Kybele (Strab.
10,3,12 [1. 767f.]) und wird mit dieser identifiziert
[2. 773]. Doch paradoxerweise trägt A. als Jagdgefährte
des Attis trotz seiner Entmannung Züge eines Päderas-
sten [3. 61]. Er ist letztlich eine mythische Präfiguration
des entmannten Attis selbst und repräsentiert wie dieser
einen für Initiationsriten typischen Zustand sexueller
Indifferenz. Die vom Mythos als Hybris dargestellte,
von den Göttern als Herausforderung empfundene
Machtfülle des urzeitlichen Zwitterwesens verbindet
den steingeborenen A. mit der Figur des hethit. Ullikummi [4].

1 Knaack, s. v. A., RE 1, 767f. 2 M. Meslin, A. ou
l'androgyne malséante, in: Hommages à M. J. Vermaseren

II, EPRO 68, 1978, 765–776 **3** B.-M. Näsström, The Abhorrence of Love. Studies in Rituals and Mystic Aspects in Catullus' Poem of Attis, 1989 **4** W. Burkert, Von Ullikummi zum Kaukasus: die Felsgeburt des Unholds, in: WJA NF 5, 1979, 253–61.   G. B.

Agedincum. Hauptort der → Senones in → Gallia Celtica, später Lugdunensis, h. Sens. Mehrere Inschr. und Reliefs. CIL XIII 2941–3009, 11271.

A. Grenier 4, 1960, 171–180 • C. Rolley, s. v. A., PE 17.   Y. L.

Ageladas (Hageladas), Bronzebildner aus Argos, galt als Lehrer von → Pheidias, → Myron, → Polykleitos. Siegerstatuen von A. sind ab 520 v. Chr. überliefert. Sein Weihgeschenk der Tarentiner in Delphi wird vor 474 v. Chr. datiert. In Athen ist nach einer Pest – nicht zwingend 430 v. Chr. – sein Herakles Alexikakos aufgestellt worden. Hieraus erschloß Plinius die Akme 432 v. Chr. Weil die dadurch postulierte Schaffenszeit zu lang ist, handelte es sich wohl um zwei Künstler oder um falsche Zuschreibungen. Von den Werken in Aigion – Zeus und Herakles als Knaben – und dem Zeus Ithomaios der Messenier, der nach 457 v. Chr. datiert wird, ist anhand von Münzen eine Vorstellung zu gewinnen.

M. Maass, Das ant. Delphi, 1993, 195–197 • Overbeck, Nr. 389–399, 419, 422, 533, 622, 929, 1016 (Quellen) • B. S. Ridgway, The Severe Style in Greek sculpture, 1970, 88 • Stewart, 247 f.   R. N.

Agelai (ἀγέλαι) stammt wie *agōgḗ* von ἄγειν. Es ist Oberbegriff für Herden (Tiere) oder Gruppen (Menschen, zum Beispiel der Chor der *parthénoi*, Pind. fr. 112). Innerhalb des komplexen sozio-polit. Systems von Gortyn und anderen kret. Städten bezeichnet *a.* als t. t. bestimmte als Altersklassen konstituierte Gruppen. Das Wort *a.* wurde später inoffiziell und ungenau syn. für den spartanischen, aus dem Erziehungswesen stammenden Begriff *boúai* (βοῦαι; Plut. Lykurgos 16,4; Hesych. s. v. βοῦα) verwendet. Letztlich hatte die Einteilung in Altersgruppen in Sparta und Kreta mil. Funktionen. Während aber die spartanischen *boúai* die Altersgruppen von 7 bis einschließlich 17 Jahren umfaßten (→ *agōgḗ*), fielen unter die kret. *a.* in erster Linie die fast erwachsenen jungen Bürger ab einem Alter von 17 Jahren bis zur Heirat (Strab. 10,4,16; 10,4,20; Lex. Gort. 1,40; 3,22; 5,53; 6,36; 7,35; 7,41).
→ Gortyn, Sparta

1 U. Kahrstedt, Griech. Staatsrecht I, 1922, 343 f. (Sparta); 352 f. (Kreta) **2** R. F. Willetts, The Law Code of Gortyn, 1967.   P. C. / C. P.

Agelaos (Ἀγέλαος). Sprechender Heroenname (»Führer des Kriegsvolks«): **[1]** Grieche, den Hektor tötet (Hom. Il. 11,302). **[2]** Troer, den Diomedes tötet

(Hom. Il. 8,257). **[3]** Sohn des Herakles und der Omphale, Stammvater der lyd. Könige (Apollod. 2,165). **[4]** Sohn des Herakleiden Temenos. A. und seine Brüder Eurypylos und Kallias ließen ihren Vater ermorden, weil er ihnen ihre Schwester Hyrnetho und deren Mann Deiphontes vorzog (Apollod. 2,179). **[5]** Sohn des Oineus, des Königs von Kalydon. Er fiel im Kampf gegen die Kureten (Anton. Lib. 2). **[6]** Sklave des Priamos. Er setzte das Baby Paris auf dem Ida aus, nahm ihn aber nach fünf Tagen wie ein eigenes Kind zu sich, als er ihn von einer Bärin gesäugt und unversehrt antraf (Apollod. 3,149f.).   F. G.

[7] aus Naupaktos, Stratege des Aitolerbundes 222/1 (SIG³ 554 [1. 205; 2. 35,6] und 217/6 v. Chr. (Pol. 5,107,5), vermittelte 220 ein kurzlebiges Bündnis der Aitoler mit → Skerdilaidas (Pol. 4,16,10; StV 515) und mahnte 217 bei der Bundestagung in Naupaktos zum Frieden mit → Philipp V. und zur Einigkeit der Griechen angesichts der von den Römern drohenden Gefahr, der »Wolke aus dem Westen« (5,103,9–105,1); die Authentizität der Rede ist vieldiskutiert [3. 103–108; 4. 229–239].

1 G. Klaffenbach, Zur Gesch. Ätoliens und Delphis im 3. Jh. v. Chr., in: Klio 32, 1939, 189–209 **2** J. Deininger, Der polit. Widerstand gegen Rom in Griechenland, 1971 **3** Ders., Bemerkungen zur Historizität der Rede des A. 217 v. Chr. (Pol. 5,104), in: Chiron 3, 1973, 103–108 **4** T. Schmitt, Die Bed. des Zweiten Pun. Krieges für den Frieden von Naupaktos, in: E. Lipinski (Hrsg.), Punic Wars, 1989, 229–239.   L.-M. G.

Agenor (Ἀγήνωρ). Name mehrerer mythischer Gestalten. Am bekanntesten A. **[1]**, König in Sidon oder Tyros, durch Abstammung von Io argiv. Abkunft, Sohn des Poseidon und der Libye (Schol. Hom. Il. 1,42) oder Sohn des Belos (Eur. Phoen. 247f.). Vermählt mit Telephassa oder Argiope, Tyro oder Damno, bei Hyg. fab. 64 verlobt mit Andromeda. A. schickt seine Söhne auf die vergebliche Suche nach der von Zeus entführten → Europa und ist so Stammvater einer (nicht kanonischen) Schar eponymer Heroen und Gründer: Kadmos, Phoinix, Kilix, Syros, Thasos, Phineus und sogar Ahn der Dido (Serv. Aen. 1,338; 642).

A. **[2]**, Abkömmling des Kulturheros Phoroneus und Vater des argiv. Königs Krotopos (Paus. 1,14,2; 2,16,1; Apollod. 2,1). Durch die Verbindung des Namens A. mit Argos läßt sich ein A. **[3]** auch in die Schar westgriech. Eponymheroen eingliedern: Als Enkel des → Aitolos, als Sohn des Pleuron und als Onkel des → Meleagros, der ihn erschlägt (Hyg. fab. 244). Im nahen Patrai wird ein A. **[4]** zum Großvater des Heros Patreus (Paus. 7,18,5). Außerdem erscheint der Name A. in der mythischen Genealogie für diverse Anführergestalten, etwa A. **[5]**, ein troianischer Kämpfer, Sohn des → Antenor und der Theano (Hom. Il. 11,59; 6,298), der es wagt, Achilleus anzugreifen (Hom. Il. 21,590ff.); A. **[6]**, ein Sohn des Arkaderkönigs Phineus (Apollod. 3,89–93) bis hin zu A. **[7]**, einem Nachkommen des

salaminischen Aias, der als Vorfahr des → Miltiades die Brücke zwischen heroischer und menschlicher Genealogie schlägt (Pherekyd. FGrH 3 F 2).
→ Io; Kadmos

F. CANCIANI, s. v. A., LIMC 1, 283.   T. S.

Agentes in rebus. Die 319 n. Chr. zuerst erwähnte *schola* der *a.* war dem *praefectus praetorio* bzw. dem *magister officiorum* unterstellt. Die *a.* hatten ein weites Aufgabenfeld: Aus ihrer Kuriertätigkeit für den Kaiser erwuchs die Überwachung des *cursus publicus* und der Häfen (*curiosi litorum*) sowie die Kontrolle der Reisegenehmigungen. Ferner überwachten die *a.* die *fabricae*, die dem *magister officiorum* unterstanden. Mit weitreichenden Kompetenzen ausgestattet, erregten vor allem die Spitzeltätigkeit (Aur. Vict. 39,44; Amm. 15,3,8; 16,8,9) und die Korruption der *a.* Widerstand in der Öffentlichkeit. Julian versuchte ihre Zahl zu beschränken, doch ohne bleibenden Erfolg: 430 wurde ihre Zahl auf 1174 festgelegt (Cod. Theod. 6,27,23). Die *a.* besaßen eine genau geregelte Laufbahn; es ist eine fünfjährige Probezeit belegt (Cod. Theod. 6,27,4). Innerhalb der *schola* rückte man nach Dienstalter und Leistung in 5 Rangklassen vor, deren Stärke seit Leo (Cod. Iust. 12,20,3) auf 450 *equites*, 300 *circitores*, 250 *biarchi*, 200 *centenarii* und 48 *ducenarii* beschränkt war. Die Rangältesten wurden nach ihrer Dienstzeit zu *principes officii* der *praefecti praetorio* und *urbi*, der *magistri militum*, *vicarii* oder *comites* bestellt oder zu Provinzstatthaltern ernannt. Theodosius nahm sie nach Abschluß dieser Aufgabe als *adlecti inter consulares* in den Senat auf (Cod. Theod. 6,27,5). Justinian gestand selbst den gewöhnlichen *a.* schon während ihrer Dienstzeit senatorischen Rang zu. Die kaiserlichen Erlasse, die die *a.* betreffen, sind im Cod. Theod. 6,27 ff. und im Cod. Iust. 12,20 f. überliefert.
→ magister; praefectus praetorio

1 W. BLUM, Curiosi und Regendarii, Diss. 1969 2 CLAUSS 3 JONES, LRE, 578 ff. 4 R. MOROSI, Il *princeps officii* et la *schola agentum in rebus*, in: Humanitas 32, 1979/80, 23–70 5 E. PACK, Städte und Steuern in der Politik Julians, 1986 6 B. PALME, Flavius Sarapodorus, ein *agens in rebus* aus Hermopolis, in: APF 40, 1994, 43–68.   P. H.

Ager Albanus. Gebiet zw. → *lacus Albanus*, → Bovillae und → Aricia, durchzogen von der → via Appia, urspr. zu → Alba Longa gehörig. A. war wegen seiner Fruchtbarkeit berühmt (Hor. carm. 4,11,2; sat. 2,8,16; Plin. nat. 14,30) und bevorzugt für die Anlage mondäner Landsitze (Cic. orat. 2,224; Cluent. 141; Mil. 27; 46; Rab. Post. 6; Pis. 77; Att. 4,11,1). In der Kaiserzeit überwiegend kaiserlicher Besitz (Dig. 30,39,8), bes. von Domitianus geschätzt (Suet. Dom. 4,19; Iuv. 4,60 ff.; 145; Tac. Agr. 45; CIL 9,5420). Seit Septimius Severus Garnison der *legio II Parthica*, deren Soldaten Ἀλβάνιοι gen. wurden (Cass. Dio 78,13; 34; 79,2; CIL VI 3367–3400). Eine *civitas Albona* (Itin. Hierosolymitanum 612,2; Prok. BG 2,4) lag 3 Meilen (ca. 4,5 km) von Bo-

villae entfernt (Tab. Peut. 6,1 ohne Namensangabe); in der Spätant. Bischofsitz.

T. ASHBY, The Roman Campagna in Classical Times, 1927 · NISSEN, 2, 587.   E. O.

Ager Caecubus. Sumpfgebiet in → Latium (am Lago di Fondi mit einer schwimmenden Insel) beim ant. Amyclae, berühmt für den Wein, bes. den Falernus und den Setinus (CIL VI 9797). In Rom durch zahlreiche Amphoren mit der Aufschrift *Caec(ubum vinum)* belegt; schon z. Z. des Plinius war dieser Wein selten geworden (Plin. nat. 14,61).   G. U. / S. W.

Ager Caletranus. Gebiet der etr. Stadt Caletra, Ruinen bei Marsiliana d'Albegna im Norden von Orbetello (vgl. Plin. nat. 3,52; Liv. 39,55). Gründung der *colonia Saturnia* 183 v. Chr.).   E. O.

Ager Campanus. Gebiet der Stadt → Capua, das die Römer im 2. Pun. Krieg 211 v. Chr. konfiszierten, weil Capua zu Hannibal übergegangen war (Liv. 23,7). Seitdem → *ager publicus populi Romani* (Liv. 26,16,8) mit einer Ausdehnung von etwa 500 km² [1. 36–38]. Rom gewann damit eine der fruchtbarsten Landschaften It. (Liv. 26,26,7). 209 v. Chr. Verpachtung durch die Censoren (Liv. 27,11,8). Zur Sanierung der durch Kriege strapazierten röm. Staatskasse 205 und 199 v. Chr. Verkauf von Teilen des A. (von der *fossa Graeca* bis nach → Kyme: Liv. 28,46,4, bzw. die Region am Fuß des östl. von Capua gelegenen Berges Tifata: Liv. 32,7,3). Auf Antrag des Volkstribunen C. Atinius (Liv. 32,29,3) wurden 194 v. Chr. auf dem A. die *coloniae civium Romanorum* → Volturnum und → Liternum mit je 300 Siedlern angelegt (Liv. 34,45,1). 173 v. Chr. vom Senat angeordnete Prüfung der Besitzverhältnisse (Liv. 42,1,6) führt 172 v. Chr. zu einem Gesetz mit neuem Pachtauftrag an die Censoren (Liv. 42,19,1 f.). In der späten Republik ist der A. in sozialpolit. Konflikte involviert. Das Gebiet bleibt aber von der Ackergesetzgebung ausgenommen. Erst die von Caesar initiierte → *lex de agro Campano* (59 v. Chr.) verteilt auf dem A. Land an 20000 kinderreiche röm. Bürger (Vell. 2,44,4; Suet. Iul. 20; Plut. Cat. min. 33).

1 M. FREDERIKSEN, Campania, 1984.

J. BELOCH, Campanien, ²1890, 360–374 · D. FLACH, Die Ackergesetzgebung im Zeitalter der röm. Republik, in: HZ 217, 1974, 265–295.   H. SO.

Ager Falernus. Vor allem für seinen Wein bekanntes (Plin. nat. 23,24) Gebiet in der nördl. → Campania (Plin. nat. 14,62) zw. Mons Masicus und Volturnus. Seit 340 v. Chr. unter röm. Kontrolle (Landverteilung an röm. Siedler: Liv. 8,11,13 f. 12,12). Im Hannibalkrieg von Karthagern geplündert (Liv. 22,13,9).

NISSEN 2, 689 f.   H. SO.

Ager Gallicus. Küstenstreifen an der Adria zw. Aesis [2] und Utens (evtl. der Vites bei Plin. nat. 3,115). Zunächst umbrisch (Strab. 5,1,11), dann von den → Senones Ende des 4. Jhs. v. Chr. besiedelt (Pol. 2,18ff.; Liv. 5,33–55; Diod. 14,113–117). Nach der Eroberung durch M. → Curius Dentatus 285/284 (Pol. 2,19,7–20) → *ager publicus.* Dort wurden die röm. Kolonie → Sena Gallica wohl 289 v. Chr. (vgl. Liv. per. 11; Strab. 5,2,10) und die latinische Kolonie → Ariminium 268 v. Chr. (vgl. Liv. per. 15; Vell. 1,14,6; Eutr. 2,16) gegründet. Die Senones wurden wohl nicht sofort vertrieben (gegen Pol. 2,19,7f.) [8; 9. 1, 87, 149 Anm. 8]. Das geschah vor 236 v. Chr., wenn tatsächlich der erste Einfall der → Gaesati in Ariminium 236 v. Chr. (Pol. 2,21,2ff.; Zon. 8,18) eine »migration negociée« war, die von den → Boi ausging, um das Gebiet der Senones wieder zu bevölkern [1. 28; 2. 94f.]), oder aber erst 232 v. Chr. anläßlich des von C. Flaminius eingebrachen *plebiscitum de agro Gallico Piceno viritim dividundo* [3; 6; 7; 11], das ihr Ackerland unter röm. Bürgern aufteilte, ohne daß weitere Kolonien gegr. wurden (Pol. 2,21,7; Cic. Cato 11; Brut. 57). Die Definition von Cato frg. 43 HRR (*Ager Gallicus Romanus vocatur, qui viritim cis Ariminum datus est ultra agrum Picentium*) scheint darauf hinzuweisen, daß auch ein Teil des picenischen Gebiets verteilt wurde (Diskussion bei [4. 67ff.; 5. 54–60; 10. 179f.]). Hier entstanden → Fanum Fortunae (evtl. von Kolonisten des C. Flaminius gegr.) und → Pisaurum (Cic. Sest. 9; Liv. 39,44,10; mit archa. lat. Inschr.: CIL I², 368–381). Aushebungen von Soldaten 216 v. Chr. (Liv. 23,14,3). Die Nordgrenze des A. fiel mit der des röm. It. zusammen, anfänglich am Fluß → Ariminus, später an den → Rubico vorverlegt (Strab. 5,1,11; Plin. nat. 3,115; Sidon. epist. 1,5,7). Unter Augustus wurde der A. in die *regio VI,* eingegliedert; der Ariminus wurde wieder Grenze der *regio VIII* (Plin. l.c.; Ptol. 3,1,23; cf. Vibius Sequester 150R: Rubico, ein Fluß Galliens). Im 2. Jh. n. Chr. eigener Bezirk (*Flaminia*), später ins → Picenum eingegliedert (CIL XI 2).

1 G. Brizzi, L'Appennino e le due Italie, in: Atti del Convegno: Cispadana e letteratura antica, 1987, 27–72 2 Ders., Celti e Africani: un'alleanza difficile, in: Ders. (Hrsg.), Carcopino, Cartagine e altri scritti, 1989, 87–106 3 E. Hermon, La lex Flaminia de agro Gallico dividundo, in: M. Mactoux (Hrsg.), Mélanges P. Lévêque 2, 1989, 273–284 4 T. Iwai Sendai, La concessione della cittadinanza romana nel Piceno, in: Studia Picena 42, 1975, 61–75 5 U. Moscatelli, Municipi romani della V regio augustea, in: Picus 5, 1985, 51–97 6 L. Oebel, C. Flaminius und die Anf. der röm. Kolonisation im A. G., 1993 7 G. Radke, Die territoriale Politik des C. Flaminius, in: Beiträge zur alten Gesch. und deren Nachleben, FS F. Altheim, 1, 1969, 366–386 8 E. T. Salmon, Rome's battles with Etruscans and Gauls in 284–282 B.C., in: CPh 30, 1935, 23–31 9 A. J. Toynbee, Hannibal's legacy 1, 1965 10 A. Valvo, Il modus agrorum e la legge agraria di C. Flaminio, in: F. Barbieri (Hrsg.), Quinta Miscellanea Greca e Romana, 1977, 179–224 11 Z. Yavetz, The policy of C. Flaminius and the plebiscitum Claudianum, in Athenaeum N. S. 60, 1962, 325–344.

G. Bandelli, Le prime fasti della colonizzazione cisalpina (295–190 a.C.), in: La colonizzazione romana tra la guerra latina e la guerra annibalica. Atti del convegno di Acquasparta (Dialoghi di archeologia 6), 1988, 105–116 · P. Fraccaro, Lex Flaminia de agro Gallico et Piceno viritim dividundo, in: Athenaeum 7, 1919, 73ff. · E. Gabba, Caio Flaminio e la sua legge sulla colonizzazione dell'agro Gallico, in: Athenaeum N. S. 67, 1979, 159–163 · Nissen 2, 376f. · C. Peyre, La Cisalpine gauloise du IIIe au Ier siècle av. J.-C., 1979, 43ff. · G. C. Susini, Aspects de la romanisation de la Gaule Cipadane: chute et survivance des Celtes, in: CRAI 1965, 143–163, hier 155ff. · Ders., Coloni romani dal Piceno al Po, in: Studia Picena 33/34, 1965/66, 82–143, hier 113ff.   G. BR. / S. W.

Ager Martius s. Campus Martius

Ager Pomptinus. Landschaft in → Latium zw. dem → *mons Albanus* und der Küste des *mare Tyrrhenum.* Der Name ist abgeleitet von der Stadt Pometia (Cic. rep. 2,44; Liv. 2,16,8; 17,5f.; 25,6; Dion. Hal. ant. 4,50; 6,29), deren Lokalisierung nicht möglich ist. Wohl gegen E. des 6. Jhs. v. Chr. kam der A. in den Besitz der benachbarten → Volsci. Rom reagierte darauf mit der angeblich bereits 492 v. Chr. erfolgten Gründung der Kolonie → Norba (Liv. 2,34,6; Dion. Hal. ant. 7,13) am Hang der Monti Lepini [1]. Mit Zurückdrängung der Volsci gerät der A. im 4. Jh. v. Chr. zunehmend unter röm. Kontrolle. Als Element der → Ständekämpfe verlangen Volkstribunen die Verteilung der fruchtbaren (Dion. Hal. ant. 10,37) Landschaft an die *plebs* (389 v. Chr.: Liv. 6,5,2. 6,1). Als Folge akuter Mißernten und aus Furcht vor Verweigerung des Militärdienstes von Seiten der *plebs* setzt der röm. Senat 383 v. Chr. eine Fünferkommission *Pomptino agro dividundo* ein (Liv. 6,21,5), die aber offenbar nichts bewirkte. 358 v. Chr. Einrichtung der → *tribus Pomptina* (Liv. 7,15,11; vgl. Cic. Att. 4,15,9; fam. 8,8,5), zu der auch → Circei gehörte (CIL X 6426; 6428). E. des 4. Jhs. v. Chr. wurde durch den A. die → *via Appia* gelegt, die hier in der Kaiserzeit unter Traianus (Cass. Dio 68,15,3) und später unter Theoderich (CIL X 6850ff.) repariert wurde. Berüchtigt war der A. wegen seiner Sümpfe (*Pomptinae paludes*). Er eignete sich daher auch als top. Szenarium für → *prodigia* (Liv. 42,2,5: bedeckt von Heuschrecken-Wolken). Zudem drohte dort Gefahr von Räuberbanden, die in dem unwegsamen Gelände Zuflucht fanden (Iuv. 3,305–308). Der von den Sümpfen ausgehenden Malariagefahr (Vitr. 1,4,12) versuchten die röm. Behörden durch Anlage von Kanälen und durch Trockenlegung zu begegnen; durch diese Maßnahmen versuchte man zugleich, neues Ackerland zu gewinnen. 160 v. Chr. erneuerte der Konsul M. Cornelius Cethegus einen älteren Abflußkanal und schuf dadurch landwirtschaftlich nutzbare Fläche (Liv. per. 46). Eine Beschreibung des Kanals (vgl. Lucan. 3,85) liefert Horaz in seinem *Iter Brundisinum* (Sat. 1,5,11–23: Strecke von Forum Appi nach Terracina, von Horaz u. a. mit Maecenas 37 v. Chr. im Treidelverfahren zurückgelegt; Klage über schlechtes Wasser, Schnaken und Sumpffrösche). Über ähnliche Erfahrungen berichtet Cic. fam. 7,18,3 von seinem Pomptinum bei → Ulubrae (zur *tribus Pomptina* gehörig, CIL X 6491). Die Trockenlegung der *Pomptinae paludes* wird zu den »letzten Plänen« Caesars gezählt (Cic. Phil. 5,7; Suet. Caes. 44,3; Plut. Caes. 58; Cass. Dio 44,5,1; 45,9,1). Nach obskuren und wenig glaubwürdigen Nachrichten (Ps.-Acro Hor. ars. 66; Porph. Hor. ars. 65) soll Augustus das Projekt vollendet haben. Auch Ingenieure des Nero, Severus und Celer haben die Trockenlegung im Zuge des Planes, einen schiffbaren Kanal vom → *lacus Avernus* bis zur Mündung des → Tiber anzulegen (Suet. Ner. 31,3), avisiert (Tac. ann. 15,42,2).

1 G. Schmiedt, F. Castangnoli, L'antica città di Norba, in: L'universo, Rivista bimestrale dell'Istituto Geografico Militare 37/1, 1957, 141–147.

Nissen 2, 634.   H. SO.

Ager publicus. Es ist möglich, daß sich bereits in der Frühzeit Roms *a.p.*, öffentliches Land, auf dem Territorium der Stadt befand. Doch der größte Teil des *a. p.* entstand durch Konfiskationen in den Gebieten besiegter Völker inner- und außerhalb It., oder durch Einziehung königlicher Ländereien wie der *Attalici agri* in dem früheren Königreich von Pergamon. *A.p. populi Romani* wurde lange Zeit in unterschiedlichem Umfang für Viritanassignationen, für die Gründung röm. und latinischer Kolonien in den eroberten Gebieten sowie für die Verteilung von Land an die Armen genutzt. Daher war die Behandlung des *a.p.* eine der wichtigsten Fragen in den polit. Kontroversen der röm. Republik.

Wurde der *a.p.* niemandem zugewiesen, so wurde er zusammen mit anderem Eigentum der *res publica* verwaltet, um öffentliche Einkünfte zu gewinnen. Ein wichtiger Schritt zur Schaffung einer Finanzstruktur der Republik war um 300 v. Chr. die Übernahme der *agri quaestorii* in Sabinum in die Verwaltung der *quaestores urbani*. Der während des 2. Punischen Krieges konfiszierte *ager Campanus* wurde von den Censoren verpachtet. Bes. nach dem 2. Punischen Krieg unterlag das verpachtete Land weitgehend einer nur geringfügigen Kontrolle, was die Größe der Ländereien, die eine Person besaß, sowie die Einziehung der Pachten anbetraf. Es war gerade dieses Land, das Ti. Gracchus wieder einzuziehen und zu verteilen suchte.

Das röm. Modell wurde sowohl von Municipien als auch von latinischen und anderen verbündeten Städten nachgeahmt, die inner- oder außerhalb It. Ländereien oder anderes Eigentum besaßen. Diese öffentlichen Einkünfte waren für die Zwecke des Gemeinwesens bestimmt; es ist unbekannt, ob solches Land jemals verteilt wurde; allerdings ist dies für die it. Städte vor ihrer Unterwerfung durch Rom durchaus möglich. In den Städten, die der röm. Herrschaft unterstanden, war der Verkauf öffentlichen Eigentums streng verboten. In der Zeit nach Augustus wurde solches öffentliche Eigentum

als *communis* bezeichnet, nicht als *publicus*; dieser Begriff war der *res publica populi Romani* vorbehalten.

Verschiedene Kategorien des *a.p. populi Romani* sind durch die inschr. erhaltene *lex agraria* aus dem Jahre 111 v. Chr. belegt (Roman Statutes, Nr. 2). Diese umfaßten Land, das als Ausgleich für die Wartung von Straßen inner- und außerhalb städtischer Gebiete angewiesen wurde, Straßen und Viehtriften, Land, das *pro patrito*, auf der Basis von Erbpacht verpachtet wurde, und *ager in trientabuleis*, Land, das zu einer rein symbolischen Pacht anstelle einer Rückzahlung des im 2. Punischen Krieg erhobenen außerordentlichen *tributum* im Jahre 200 v. Chr. (Liv. 31,13,9) verpachtet wurde.

Das Gesetz belegt auch die Existenz von *a.p.* in Achaea sowie in bedeutendem Umfang in Afrika, wo nach der mißglückten Koloniegründung durch C. Gracchus in Karthago das Gesetz eine Kategorie von Land schuf, das zwar privates Land war, für das aber dennoch ein *vectigal* zu zahlen war. Große Ländereien wurden auch einfach nur verpachtet. Es bleibt unklar, ob die Kategorie des *ager privatus vectigalisque* je wieder benutzt worden ist.

Der *a.p.* war ein wichtiges Thema der röm. Geschichtsschreibung, wie sich bei Appian (civ. 1,7) und Plutarch (Gracchi 8) zeigt. Der Beruf eines *agrimensor* oder *gromaticus* war nicht nur mit der Verwaltung von Privatland und Streitfällen über Land befaßt, sondern vor allem mit öffentlichem Land sowie mit der Abgrenzung zw. öffentlichem und privatem Land. In der Zeit des Principats verlor der *a.p. populi Romani*, der schon zuvor durch die Landverteilung der Zeit zw. Ti. Gracchus und Augustus reduziert worden war, neben den Besitzungen des Princeps seine Bedeutung. Dennoch begann man gerade in dieser Zeit die Schriften der *agrimensores* zu sammeln, die dann in der Spätant. und im MA häufig gelesen wurden.

→ Agrargesetze

1 E. Gabba, in: Ders. und M. Pasquinucci, Strutture agrarie e allevamento transumante nell'Italia romana, 1979, 13–73.   M. C. / A. BE.

Ager Solonius. Gebiet (*ager* oder *campus*) in → Latium zw. → Ostia, → Ardea und → Lanuvium (Cic. div. 1,36; Liv. 8,12,2; Plut. Marius 35), wohin eine Abzweigung der *via Ostiensis* führte; hier befand sich das → Pomonal (Fest. 296,15 ff.). → Marius und → Cicero besaßen hier Landgüter (Plut. l.c.; Cic. Att. 2,3,3). Die Identität von A. mit der etr. Stadt Solonium ist unsicher (Dion. Hal. ant. 2,37,2).

→ Pomona

A. Alföldi, Early Rome and the Latins, 1965, 233 · G. Pisani Sartorio, S. Quilici Gigli, Trovamenti arcaici nel territorio Laurentino, in: BCAR 89/1, 1984, 9–26.   S. Q. G. / R. P. L.

Ager Teuranus. Gebiet in Bruttium. Einzige Erwähnung auf einer inschr. Kopie des *Senatus Consultum de*

Bacchanalibus von 186 v. Chr. mit Anweisungen an die Lokalbehörde (CIL I² 581,30 *in agro Teurano*; vgl. ILLRP 2, 511). Nach dem FO der Bronzetafel (Tiriolo) ist die Landschaft A. T. in der Umgebung dieses Ortes zu lokalisieren.

→ Bacchanalia

NISSEN 2, 945.	H. SO.

Ager Vaticanus. Territorium auf dem rechten Tiberufer (Plin. nat. 3, 54; Liv. 10, 26,15) unterhalb der Einmündung der Cremera. Das Gebiet wurde landwirtschaftlich genutzt und galt, wie die Qualität seiner Weine (Mart. 1, 18, 2; 6, 92, 3; 10, 45, 5; 12, 48, 14), als arm (Cic. leg. agr. 2, 96). In den nahe Rom gelegenen Gebieten wurden im 1. Jh. v. Chr. Horti (→ Gartenanlagen) angelegt, die später in kaiserlichen Besitz übergingen. Die entlegenen Teile blieben bis in die Spätant. Ackerland (Symm. epist. 6, 58, 1).

RICHARDSON, 405.	R. F.

Agerius. In den meisten der von Gaius (aber auch von anderen, z. B. Dig. 46,4,18,1) mitgeteilten Prozeßformularen steht für den Kläger als im konkreten Fall anzupassender (so ausdrücklich die *l. Rubria*: CIL I 205) Blankettname A(ulus) A. (= *is qui agit*), während der Beklagte Numerius Negidius (= *is a quo numeratio postulatur et qui negat*) genannt wird. Alle 4 Namen können freilich im Einzelfall reell sein.

→ Formula

W. KUNKEL, Röm. Rechtsgesch., ⁹1980, 84.	C. PA.

Agermus. Auch als Ager(r)inus überliefert. Freigelassener der Agrippina [3] der Jüng. (also C. Iulius A.), von Nero fälschlich eines Attentats beschuldigt (Tac. ann. 14,6–10; Suet. Nero 34,3; PIR² A 456).	W. E.

Agesandridas. Spartiat, Sohn des Agesandros, besiegte 411 v. Chr. mit einer peloponnesischen Flotte die Athener unter → Thymochares bei Eretria, was den Abfall Euboias (mit Ausnahme von Oreos) von Athen zur Folge hatte (Thuk. 8,94 ff.). Nach der spartanischen Niederlage bei Kynossema (411) wurde A. mit einem Kontingent zum Hellespont gesandt, wo er erneut Thymochares schlug (Thuk. 8,107; Xen. hell. 1,1,1). 409/08 war er in Thrakien (Xen. hell. 1,3,17).	M. MEI.

Agesandros (Hagesandros), Sohn des Paionios, Bildhauer aus Rhodos. Er schuf zusammen mit → Athanadoros und Polydoros berühmte Kopien hell. Skulpturengruppen in Rom.

B. ANDREAE, Praetorium Speluncae, 1994.	R. N.

Agesias (Ἀγησίας). **[1]** Sohn des Sostratos, einem von Stymphalos (in Arkadien) nach Syrakus ausgewanderten

Zweig der Jamiden entstammend, die in Olympia als Priester des Zeus fungierten. Als Seher und Feldherr im Dienste → Hierons I. von Syrakus tätig, wurde er nach dessen Tod 467 v. Chr. vom Volk umgebracht (schol. Pind. O. 6,165). Der von Pindar O. 6 besungene Sieg des A. mit dem Maultiergespann fand wohl während der Olympischen Spiele des Jahres 468 statt.	K. MEI.

[2] Gehörte zu der Gruppe vornehmer Athener, die vor der Schlacht von → Plataiai (479 v. Chr.) eine Verschwörung anzettelten. Nach Plutarch (Arist. 13) planten sie einen Umsturz und wollten die Sache der Griechen an die Barbaren verraten.	E. S.-H.

Agesidamos s. Hegesidamos

Agesilaos (Ἀγησίλαος). **[1]** A. I., legendärer spartanischer König, Agiade, galt als Sohn des Doryssos und Vater des Archelaos (Hdt. 7,204), »herrschte« nach alexandrinischen Chronographen 929/28–886/85 v. Chr., nach Pausanias (3,2,4) kürzere Zeit.	K.-W. W.

[2] A. II., spartanischer König, Eurypontide, *444/43 v. Chr. Als sein Bruder Agis [2] II. im Sommer 400 starb und dessen Sohn Leotychidas von der Nachfolge ausgeschlossen wurde, erhielt er die Königswürde dank der Hilfe seines Jugendfreundes Lysandros (Xen. hell. 3,3,1 ff.; Plut. Lys. 22; Plut. Ages. 3), der damit seine eigene Großmachtpolitik fördern wollte. Deshalb setzte er sich dafür ein, daß A. 396 den panhellenisch stilisierten Kampf gegen Persien anführte (Xen. hell. 3,4,2 ff.). A. duldete jedoch Lysandros' Einfluß auf seine Politik und Kriegführung nicht. Trotz seines Sieges bei Sardeis, der A. Operationsfreiheit in Kleinasien gab, wurde er 394 zurückgerufen, da nach dem Tod des Lysandros bei Haliartos und dem Versagen des Pausanias die spartanische Hegemonie in Griechenland bedroht war. A. schlug im August 394 die Boioter bei Koroneia; zuvor hatte das Heer des → Peloponnesischen Bundes die antispartanische Koalition am Nemeabach besiegt. Ein erster Friedenskongreß in Sparta (Winter 392/91) scheiterte; A. errang 391/90 im Korinthischen Krieg weitere Erfolge, erzwang auf einem Kongreß 387/86 die Annahme des sog. Königsfriedens durch die Thebaner und die Auflösung des Verbundes von Korinth und Argos (Xen. hell. 5,1,32–36; Xen. Ag. 2,21) und brachte Sparta in die Rolle des Garanten des Friedens. Sein Festhalten an dieser Rolle trotz veränderter Lage auf dem Friedenskongreß in Sparta 371 führte zur Konfrontation mit Theben und nach der Katastrophe bei Leuktra zum Ende der Hegemonie Spartas (Xen. hell. 6,3,18–20; Plut. Ages. 27f.), das er Winter 370/69 sowie 362 vor der Einnahme durch thebanische Truppen schützen konnte (Xen. hell. 6,5,3–32; 7,5,9–14; Plut. Ages. 31–34; Diod. 15,82,6–83,5).

Hochbetagt trat A. als Söldnerführer in den Dienst des Pharao Tachos, dann des Usurpators Nektanabis, um Sparta Subsidien zu beschaffen. Auf der Rückreise starb A. 360/59 in Kyrene (Plut. Ages. 36–40).

A. hat jahrzehntelang die hegemonialen Ziele seiner Polis maßgeblich bestimmt, durch seine rücksichtslose Interessenpolitik aber auch erheblich zum Niedergang Spartas beigetragen. Durch gezielte Gefolgschaftsbildungen in Sparta konnte er verschiedentlich einflußreiche Gruppierungen überspielen, vermied jedoch durch seine Loyalität gegenüber dem Ephorat und der Gerusia einen prinzipiellen Konflikt zw. Polisordnung und Königtum. Durch die Anpassung an traditionelle Verhaltensnormen fand er auch beim Damos Akzeptanz. Gleichwohl zeigt seine Politik, die auf den Erhalt der Machtstellung Spartas um 400 zielte, bei allem taktischen Geschick, daß ihm der polit. Weitblick fehlte.

P. CARTLEDGE, A. and the Crisis of Sparta, 1987 · CH. D. HAMILTON, A. and the Failure of Spartan Hegemony, 1991 · M. JEHNE, Koine Eirene, 1994 · R. URBAN, Der Königsfrieden von 387/86 v. Chr., 1991, 109–125 · J. G. DE VOTO, A. II and the Politics of Sparta 404–377 B. C., 1982.   K.-W. W.

[3] Eurypontide, Sohn des spartanischen Königs → Archidamos [2] III., Bruder von → Agis [3] III. und → Eudamidas I., von Agis 333 v. Chr. mit Söldnern nach Kreta geschickt (Arr. an. 2,13,6; Plut. Agis 3).

[4] Eurypontide (Seitenlinie), mütterlicherseits Onkel → Agis' [4] IV., dessen Reformen er wegen seiner Schulden unterstützt haben soll. Er wurde 242 Ephor, soll sich persönlich bereichert haben und ging nach dem Sieg der Reformgegner ins Exil (Plut. Agis 6; 9; 12 f.; 16). Plutarch bzw. dessen Quelle Phylarch beurteilt ihn sehr negativ, doch war das Scheitern der Reformen wohl nicht nur seine Schuld.

→ Lysandros; Pausanias; Agis [2]; Leotychidas; Eurypontidai   K.-W. W.

Agesilochos (auch: Hagesilochos; Hegesilochos). Rhodier, Sohn der Hagesias, → Prytane 171 v. Chr. (Pol. 27,3,3; Liv. 42,45,3–4). 169 Gesandter nach Rom (Pol. 28,2; 16,5.8) und 168 zu Perseus und → Aemilius Paullus (Pol. 29,10,4; Liv. 44,35,4–6). A. repräsentierte die rhodische Rompolitik der »tertia« pars [1. 185–190].

1 J. DEININGER, Der polit. Widerstand gegen Rom in Griechenland, 1971.   L.-M. G.

Agesipolis (Ἀγησίπολις). **[1]** A. I., Agiade, Sohn des spartanischen Königs Pausanias und älterer Bruder des Kleombrotos I., wurde König, als sein Vater nach der Schlacht bei Haliartos 395 v. Chr. ins Exil gehen mußte (Diod. 14,89; Paus. 3,5,7). Zunächst unter der Vormundschaft seines Verwandten Aristodemos [3] (Xen. hell. 4,2,9), erzielte er bereits 388/87 Erfolge gegen die Argiver (Xen. hell. 4,7,2–7) und zwang 385/84 die Polis Mantineia unter fadenscheinigem Vorwand zum Dioikismos in 4 Dörfer (Xen. hell. 5,2,3–7; Paus. 8,8,7–9). Nach der Niederlage eines spartanischen Heeres gegen den Chalkidischen Bund führte er 381 eine noch größere Streitmacht in den Kampf, starb aber 380 bei der Belagerung Olynths (Xen. hell. 5,3,18 f.; Diod. 15,22,2;

23,2). A. stand lange im Schatten Agesilaos' [2] II., schien dann aber zum Kristallisationspunkt einer Faktion gegen den Eurypontidenkönig zu werden [1].

[2] A. II., spartanischer König, Agiade, Sohn des Kleombrotos I. und Bruder des Kleomenes II., wurde König nach dem Tod seines Vaters in der Schlacht bei Leuktra 371, starb aber schon 370 kinderlos (Diod. 15,60,4; Plut. Agis 3; Paus. 1,13,4; 3,6,2). Sein Nachfolger wurde sein Bruder Kleomenes.

[3] Spartiat, Agiade, Sohn des Kleombrotos II., Vater des Agesipolis [4] III., starb vor 219 (Pol. 4,35,10–12).

1 D. G. RICE, Agesilaus, Agesipolis and Spartan Politics, 386–379 B. C., in: Historia 23, 1974, 164–182.   K.-W. W.

[4] A. III., Sohn des A. [3], wurde als Kind 219 v. Chr. nach dem Tod des Kleomenes III. König unter der Vormundschaft des Kleomenes, des Bruders seines Vaters. Später durch den Eurypontidenkönig Lykurgos vertrieben, wurde er Mittelpunkt einer Gruppe spartanischer Exulanten, konnte aber nicht mehr zurückkehren. 184 wurde er auf einer Reise nach Rom von Piraten getötet (Pol. 4,35,10–12; 23,6,1 f.; Liv. 34,26,14).

→ Pausanias; Agesilaos [2]; Kleombrotos; Kleomenes; Aristodemos [3]; Lykurgos

P. CARTLEDGE, A. SPAWFORTH, Hellenistic and Roman Sparta, 1989, 64 f., 82.   K.-W. W.

Agetor (Ἀγήτωρ, dor. für Ἡγήτωρ). Epiklese des Zeus in Sparta, mit den Voropfern bei Feldzugsbeginn verbunden (Xen. Lac. pol. 13,2), des Hermes in Megalopolis (Paus. 8,31,7, in Hermengestalt) und des Apollon Karneios in Argos (Theopomp, FGrH 115 F 357 = Schol. Theocr. 5,83).   F. G.

Aggar. Zwei Städte in der → Africa Byzacena trugen diesen Namen. **[1]** Die eine Stadt ist aus Bell. Afr. 67,1; 76,2; 79,1 (Plin. nat. 5,30: oppidum liberum) bekannt. Sie dürfte nahe Ksour es-Saf beim h. Maklouba zu suchen sein. **[2]** Die andere, h. Henchir Sidi Amara, befand sich in der Ebene von Kairouan, nahe Ousseltia. 232 v. Chr. wurde die peregrine Stadt → municipium (CIL VIII 1, 714) und später colonia (CIL VIII Suppl. 1, 12145).

AATun 100, Bl. 30, Nr. 262 · M. FANTAR, s. v. A., EB 2, 251–254 · L. LADJIMI-SEBAÏ, Un site de la Tunisie centrale: A.?, in: A. MASTINO (Hrsg.), L'Africa romana. Atti del IV convegno di studio II, 1987, 415–432, Taf. I-XVI · Ders., Une inscription inédite dédiée à Caracalla, provenant du forum de Agger (Hr Sidi Amara-Tunisie), in: A. MASTINO, P. RUGGERI, L'Africa romana. Atti del X convegno II, 1994, 673–676, Taf. If.   W. HU.

Agia, Agios s. Hagia, Hagios

Agiadai (Ἀγιάδαι). Königshaus in Sparta, das nach Herodot (6,51) einen höheren Rang einnahm als das zweite spartanische Königshaus (→ Eurypontidai). Tatsächlich aber basierte die Autorität der einzelnen Könige auf Leistung und Führungsqualität. Als Stammvater der A. galt die mythische Figur des Herakliden → Eurysthenes , dessen Sohn Agis [1] I. der Eponym des Hauses wurde. In der offenbar zur Erklärung des spartanischen Doppelkönigtums schon früh erfundenen Konstruktion erscheinen Eurysthenes und Prokles, der angeblich erste Eurypontidenkönig, als Zwillingssöhne des → Aristodemos [1], des Urenkels des Heraklessohns Hyllos, der wiederum als Eponym der dorischen Phyle der Hylleer galt. Die Fiktion göttl. Deszendenz als Mittel der Statuserhöhung ist allg. bei griech. »Aristokraten« verbreitet, bei der spartanischen erblichen Königswürde verbindet sie sich mit der Vorstellung charismatischer magischer Kräfte herausragender Heilsträger. Die im 4. Jh. v. Chr. für chronologische Spekulationen benutzte Königsliste ist für die ältere Zeit völlig unzuverlässig und für eine Rekonstruktion der spartanischen Frühgesch. unbrauchbar. Die Entstehung der beiden Königshäuser erklärt sich vielleicht aus der Dominanz zweier Familien in den vier alten spartanischen Dörfern vor der Eingliederung Amyklais. Im klass. Sparta war das Doppelkönigtum fest in das institutionelle Gefüge der → Polis Sparta eingebunden.

P. CARLIER, La royautè en Gréce avant Alexandre, 1984, 240–324. K.-W. W.

Agias. [1] Eleer, Sohn des Antiochos, erhielt auf Betreiben seines Bruders, des Sehers Teisamenos, mit diesem gemeinsam das spartanische Bürgerrecht (Hdt. 9,33; 35). [2] Eleer, Sohn des Agelochos, Enkel des Teisamenos. Als Seher soll A. dem → Lysandros den Sieg bei Aigospotamoi (im J. 405) vorausgesagt haben (Paus. 3,11,5 f.). [3] Begleiter des → Aristomachos [4] II., der 235 v. Chr. nach der Ermordung des argiv. Tyrannen → Aristippos [2] durch → Aratos [2] die Stadt besetzte und Aratos vertrieb (Plut. Aratus 29). Seine Herkunft ist unklar. M. MEI.

Agiatis (Ἀγιᾶτις). Reiche Spartanerin, Erbin des ca. 241 v. Chr. verstorbenen Spartiaten Gylippos. In erster Ehe mit dem Reformkönig → Agis [4] IV. vermählt. Nach dessen Tod zwang → Leonidas II. sie, seinen noch jugendlichen Sohn, den späteren Reformkönig → Kleomenes III., zu heiraten. Nach Plut. Kleom. 1,1–3; 22,1–3, der sie als überaus schön und charaktervoll schildert, soll sie ihren zweiten Mann durch Erzählungen über die Reformpläne des Agis angeregt haben, dessen Programm wieder aufzunehmen. Die Bed. dieses emotionalen Elementes für die Initiative des Kleomenes III. ist schwer einzuschätzen. K.-W. W.

Agilo. → Alamanne (Amm. 14,10,8), *tribunus stabuli* 354 n. Chr. (Amm. l.c.). Seinem hohen Ansehen bei Constantius II. verdankte er 360 die außergewöhnliche Beförderung vom *tribunus* einer Palatinschola zum *magister peditum praesentalis* (Amm. 14,10,8; 20,2,5). Nachdem er 360/361 am Tigris gegen die Perser eingesetzt

worden war, begleitete er 361 Constantius auf dem Zug gegen Kaiser → Iulianus. Nach Constantius' Tod stellte er sich Iulianus zur Verfügung. Er gehörte zu den Mitgliedern der Untersuchungskommission von Chalkedon gegen die Günstlinge des Constantius (Amm. 22,3,1). Danach trat er in den Ruhestand (Amm. 21,12,16 f.). Der Usurpator Prokop verlieh ihm 365 wieder ein Amt. Er fiel jedoch 366 von Prokop ab und verhalf Valens zum Sieg bei Nakoleia (Amm. 26,7,4; 9,7; Zos. 4,8,3). Um 360 hatte A. eine Tochter des Araxius, eines Freundes des Iulianus und Libanios geheiratet (Amm. 26,7,6; 10,7). W. P.

Aginis. Dorf (κώμη) in der Susiana, erwähnt von Alexanders Flottenführer Nearchos am Schluß seiner Seefahrt vom Indus nach Babylonien (Arr. Ind. 42,4). A. lag zw. der Tigrismündung und Pasitigris (h. Karun); auch Strab. 15,3,5 beschreibt seine Lage, aber ohne den Namen zu nennen.

F. C. ANDREAS, s. v. A., RE I, 810–816. A. KU. u. H. S.-W.

Agis (Ἆγις). [1] A. I., Eponym der → Agiadai, Sohn des Eurysthenes und Vater des Echestratos, nach anderer Version Vater des legendären Gesetzgebers Lykurgos (Hdt. 7,204; Paus. 3,2,1). Die Einrichtung der Perioikie und der → Helotie durch ihn (Ephoros, FGrH 70 F 117) ist histor. Fiktion. K.-W. W.
[2] A. II., Eurypontide, spartanischer König 427/26–400 v. Chr., Sohn des Archidamos [1] II. und Stiefbruder des Agesilaos [2] II., führte 426 und 425 Aufgebote Spartas und seiner Verbündeten nach Attika (Thuk. 3,89; 4,2; 6) und unterzeichnete 421 mit seinem Mitkönig Pleistoanax den Nikiasfrieden (Thuk. 5,19; 24). Nach erfolglosem Vorstoß bis Leuktra 419 (Thuk. 5,54) zog er 418 gegen die Argiver und deren Verbündete, vermied aber trotz günstiger Lage eine Schlacht und schloß einen viermonatigen Waffenstillstand (Thuk. 5,57–60). Obwohl dies den 421/20 gescheiterten Bemühungen um eine vertragliche Regelung mit Argos entsprach (Thuk. 5,36,1; 41,3) und A. damit die Freunde Spartas in Argos gegen den Damos unterstützte, um den antispartanischen Sonderbund zu spalten, stieß der Waffenstillstand im spartanischen Heer auf starke Opposition. Als A. sich zurückzog und dabei Orchomenos verlor, wurde er zu einer hohen Geldstrafe verurteilt, die aber bald aufgehoben wurde. Fortan sollte auf Beschluß des Damos ein Beirat von 10 Spartiaten A. im Feld begleiten. Kurz darauf siegte er 418 bei Mantineia über Argos und dessen Verbündete (Thuk. 5,63–75). Nach der Besetzung des att. Dekeleia 413 besaß er dort zwar volle mil. Handlungsfreiheit (Thuk. 8,5), konnte aber 411 und 404 nicht über die Friedensangebote Athens an ihn entscheiden (Thuk. 8,70 f.; Xen. hell. 2,2,12 f.). Er unterstützte von Dekeleia aus antiathenische Kräfte in Kleinasien und am Hellespont und versuchte wiederholt, Athen im Handstreich zu nehmen (Thuk. 8,5–11; 70 f.; Xen. hell. 1,1,33–35); dennoch nahm er an der

Belagerung Athens 405/04 (trotz Diod. 13,107) offenbar nicht teil (Xen. hell. 2,3,3). Zw. 402–400 zwang er die Eleier mehrfach, die Autonomie ihrer Perioikenpoleis (→ Perioikoi) anzuerkennen (Xen. hell. 3,2,22–31). Er starb einige Zeit später auf der Rückreise von Delphi.

D. KAGAN, The Fall of the Athenian Empire, 1987. K.-W.W.

[3] A. III., Eurypontide, spartanischer König 338 bis 331 oder 330 v. Chr., Sohn des Archidamos [2] III., Repräsentant der Bestrebungen, die durch die maked. Intervention nach Chaironeia 338 verlorenen Gebiete und letztlich auch Messenien zurückzugewinnen. 333 traf er mit persischen Flottenführern ein Abkommen über Subsidien zum Kampf gegen Makedonien (Arr. an. 2,13,4), doch blieb die Hilfe gering, bis er 332 aus der Schlacht bei Issos entkommene griech. Söldner Dareios' III. übernahm (Diod. 17,48,1 f.; Curt. 4,1,39 ff.). Er konnte 331 eine antimaked. Allianz organisieren, unterlag aber wohl im Frühj. 330 Antipater bei Megalopolis, wurde verwundet und starb auf dem Rückzug.

R. A. LOCK, The Date of A. III's War in Greece, in: Antichthon 6, 1972, 10–27 · E. BADIAN, A. III., in: Hermes 95, 1967, 170–192. K.-W.W.

[4] A. IV., spartanischer König 244 – 241 v. Chr., Eurypontide. Er wollte die sozialen Spannungen Spartas durch umfassende Bodenreformen und Neukonstituierung der Bürgerschaft beseitigen (Einfluß des Stoikers → Sphairos fraglich). Plutarchs Nachricht (Agis 5), um 250 hätten von 700 spartanischen Vollbürgern nur noch 100 »Land und Erbe« besessen, ist sicher übertrieben, doch bestanden zweifellos erhebliche Besitzunterschiede unter den Vollbürgern. Ein 243/42 im Auftrag des A. von dem Ephoren → Lysandros eingebrachtes Gesetz sah einen allg. Schuldenerlaß und die Erweiterung der Bürgerschaft durch die Einrichtung von 4500 Klaroi für Spartiaten und 15000 für Perioiken vor. Obwohl die Mehrheit der Spartiaten die Reformen begrüßte, weigerte sich die → Gerusia mit knapper Mehrheit, die Vorschläge der Volksversammlung vorzulegen, worauf Lysandros A.' Mitkönig → Leonidas II. unter fadenscheinigem Vorwand absetzen ließ (Plut. Agis 11). Da sich nach der Schuldentilgung die Landverteilung angeblich wegen des Egoismus des Mitreformers → Agesilaos [4] verzögerte, verlor A. das Vertrauen vieler Spartiaten. Leonidas kehrte zurück und ließ durch die neuen Ephoren einen Überfall auf A. inszenieren, der in ein Tempelasyl geflüchtet war. A. wurde widerrechtlich hingerichtet (Plut. Agis 16–21). Sein Ziel, durch Sozialreformen die traditionelle Gesellschaftsstruktur Spartas im Prinzip zu erhalten, um auf dieser starken Basis eine hell. Monarchie zu begründen, hatte er verfehlt.

→ Agiadai; Lykurgos; Eurysthenes; Archidamos; Agesilaos; Pleistoanax; Philippos

P. CARTLEDGE, A. SPAWFORTH, Hellenistic and Roman Sparta, 1989, 38–47 · M. CLAUSS, Sparta, 1983, 77–80 ·

B. SHIMRON, Late Sparta. The Spartan Revolution 243–146 B. C., 1972, 14–27 · E. WILL, Histoire politique du monde hellénistique, I, 1972, 333–335. K.-W.W.

[5] Verfasser eines aus dem »Kranz« des Meleagros stammenden Epigramms, in dem ein Jäger dem Apollon einige bescheidene Werkzeuge mit dem Versprechen auf reichere Gaben weiht, falls ihm der Gott eine stattlichere Beute zugestehen will (Anth. Pal. 6,152): Das Thema (sowie das Vokabular) rührt eindeutig von → Leonidas her (vgl. 6,288; 300). Nichts berechtigt die Identifizierung mit dem homonymen Epiker von Argos, dem Zeitgenossen Alexanders (SH 17) und um so weniger die mit dem Autor der ὀψαρτυτικά, der bei Athen. 12,516c erwähnt wird.

GA I,1,3; 2,5 f. E. D. / M.-A. S.

Agisymba. Landschaft im Innern → Afrikas, wohl nördl. des Tschad-Sees. Nach → Marinos von Tyros (Ptol. 1,8,5) brach → Iulius Maternus mit dem König der → Garamantes von → Garama nach Süden auf und erreichte in 4 Monaten 14 Tagen (Ptol. 1,11,5) das äthiopische Land A., in dem es viele Nashörner gab (vgl. auch Ptol. 1,7,2; 8,2; 6 f.; 9,8; 10,1; 11,4; 12,2; 4,8,5; 7,5,2). Maternus scheint als Kaufmann zw. 83 und 92 n. Chr. gereist zu sein. Er war unseres Wissens der Römer, der am tiefsten ins Innere Afrikas vorgedrungen ist.

J. DESANGES, s. v. A., EB 2, 259–261. W. HU.

Agitator, auch *auriga,* Wagenlenker bei den *ludi circenses.* Es handelte sich meist um Sklaven oder Freigelassene (CIL VI 10061.10078.37836), teilweise auch um Freie aus den untersten Schichten. Die Ausbildung der *a.* begann in der Regel früh (CIL VI 10050; ILS 5285). In der Principatszeit formierten sich die 4 *factiones,* die verschiedene Farben – weiß, rot, grün, blau – trugen, Pferde einkauften und trainierten sowie die *a.* engagierten, die Tuniken in der Farbe ihrer *factio* trugen (Plin. epist. 9,6). Erfolgreiche *a.* waren sehr berühmt, ihnen wurden Epigramme gewidmet (Mart. 10,50; 10,53), und sie erhielten Statuen, im griech. Osten auch auf wichtigen öffentlichen Plätzen. In der röm. Gesellschaft waren sie jedoch von der Ausübung öffentlicher Funktionen ausgeschlossen und unterlagen einer weitgehenden sozialen Ächtung (Tert. spect. 22), allerdings in geringerem Maße als Schauspieler und Gladiatoren. Berühmte *a.* der Principatszeit waren P. Aelius Gutta Calpurnius mit 1127 Siegen (CIL VI 10047; ILS 5288), C. Apuleius Diocles aus Spanien, der von 122–146 n. Chr. 4257 Rennen fuhr, 1462 Siege für die Roten errang und Preisgelder in der Höhe von über 35 Mio. Sesterzen gewann, Flavius Scorpus, der es auf 2048 Siege brachte, Pompeius Musclosus mit 3559 Siegen (alle drei CIL VI 10048; ILS 5287) und M. Aurelius Liber mit 3000 Siegen (CIL VI 10058; ILS 5296). Auch einzelne *principes* wie Nero betätigten sich als Wagenlenker (Suet. Nero 22,1 f.). Die Preisgelder gingen an die *factio,* für die der *a.* fuhr; wie groß sein

Anteil an diesen Geldern war, ist unklar. *A.* erhielten häufig Geschenke; viele wurden vermögend. In der Spätant. verbesserte sich ihr sozialer Status; so konnte im 5. Jh. n. Chr. Consentius selbst als Wagenlenker auftreten (Sidon. carm. 23,304–427; PLRE Consentius 2). Bedingt durch den Niedergang der Gladiatur gewannen die Wagenrennen an Bed. bei den öffentlichen Spielen; die Siege der *a.* wurden zu symbolischen Darstellungen des immer siegenden Kaisers [1]. Ihrer sozialen Aufwertung wirkte entgegen, daß man die Magiegesetze gegen die *a.* bes. streng anwandte (Cod. Theod. 9,16,11) und 394 n. Chr. ihre Bildnisse auf den engeren Bereich des *circus* beschränkte (Cod. Theod. 15,7,12). → circus, Spiele

1 A. CAMERON, Porphyrius the Charioteer, 1973, 248f.   E. F.

Aglaia (Ἀγλαΐα, ep. -η, »festlicher Glanz«). **[1]** Jüngste der → Chariten, mit Hephaistos vermählt (Hes. theog. 945; Pind. O. 14,10). **[2]** Gattin des Charopos, Mutter des → Nireus von Syme, des nach Achill schönsten Mannes vor Troia (Hom. Il. 2,671–5; Diod. 5,53).   F. G.

Aglais. Tochter des Megakles (3. Jh. v. Chr.); sie spielte auf der Trompete an der ersten in Alexandreia aufgeführten πομπή (*pompḗ*) das πομπικὸν μέλος (*pompikón mélos*). Athen. 10,415ab berichtet von ihrer Gefräßigkeit (s. auch Ail. var. 1,26).   C. S.

Aglaonike (Ἀγλαονίκη). Tochter des Hegetor (Plut. coniugalia praecepta 48,145c; de def. or. 13,417a), Thessalierin, die als Hexe nicht nur den Mond herabzuziehen vermochte (schol. Apoll. Rhod. 4,59), sondern ihn auch bei Mondfinsternissen rituell reinigte (Plut. l.c. schreibt ihr rationalisierend astronomisches Wissen zu).   F. G.

Aglaophon. Zwei gleichnamige griech. Maler. **[1, der Ältere]** aus Thasos, Vater und Lehrer des → Polygnotos [1], wohl schon seit E. des 6. Jh. v. Chr. tätig, nach Quint. inst. 12,10,3 geschätzt wegen der »Archaik« und des schlichten Kolorits seiner Bilder. Ihr Stil ist nicht faßbar, dürfte dem klassizistischen Rhetoren-Urteil zufolge aber eher einfach gewesen sein. **[2, der Jüngere]**, vielleicht Enkel von [1], von Plin. nat. 35,60 um 420 v. Chr. datiert, malte → Alkibiades in zwei Votivbildern, Allegorien sportlicher Agone. Eines davon sah in der Athener Pinakothek noch Paus. (1,22,7).

G. BRÖKER, W. MÜLLER, s. v. A., AKL 1, 518f. •
OVERBECK, Nr. 1046–1049 (Quellen).   N. H.

Aglaosthenes. Verfasser von Ναξιακά (*Naxiaká*), in denen die Kindheit des Zeus behandelt wurde. Mit A. identisch ist vielleicht der bei Schol. Lykophr. 704 und 1021 genannte Paradoxograph Agathosthenes.

FHG 4, 1868, 293–294 • C. ROBERT (Hrsg.), Eratosthenis Catasterismorum Reliquiae, 1878, 8, 26, 243.   C. S.

Aglauros (Ἄγλαυρος, auch Ἄγραυλος). **[1]** Tochter des → Aktaios, des 1. Königs in Attika, Gemahlin des → Kekrops, Mutter des → Erysichthon, der → Aglauros [2], → Herse und → Pandrosos. **[2]** Tochter der A. [1] und des Kekrops. Athena vertraut A. und ihren Schwestern den von Schlangen bewachten Erichthonios in einer Kiste an mit dem Verbot, diese zu öffnen, was A. und Herse trotzdem tun. Durch das Gesehene werden sie wahnsinnig und stürzen sich zu Tode oder werden von den Schlangen in der Kiste getötet (Eur. Ion; Kall. Hekale, fr. 260 PFEIFFER; Ov. met. 2,552–561; Apollod. 3,189; Hyg. fab. 166; Paus. 1,18,2; Lact. inst. 1.17.11–14). Durch Ares wurde A. Mutter der → Alkippe (Eur. El. 1258–1263; Iph. T. 945f.). Nach Paus. 1,38,3 sind A. und Hermes die Eltern des Keryx, des Stammvaters des att. Geschlechts der Keryken. Zu A.' Eifersucht auf Herse und ihre Bestrafung durch deren Geliebten Hermes vgl. Ov. met. 2,711ff. A. hatte am Abhang der Akropolis ein Heiligtum (Hdt. 8,53) in dem u. a. der Ephebeneid abgelegt wurde (schol. Dem. 19,303; Plut. Alcibiades 15). Zu der Lage des Heiligtums paßt die heroische Version ihres Todes aus dem 4. Jh., nach der A. sich in den Tod stürzte, um das Vaterland zu retten. Eine Höhle der A. spielte am Arrhephorenfest (→ Arrhephoroi) eine Rolle. Daneben galt A. auch als erste Priesterin der Athena; der Demos Argyle war nach ihr benannt.

U. KRON, s. v. A., LIMC 1.1, 283–298 (mit Bibliogr.) •
J. TOEPFFER, s. v. A., RE I, 825–829.   R. HA.

Agnatio. Im röm. Recht die Verwandtschaftsbeziehung zwischen den Personen, die unter der *manus* oder *patria potestas* desselben *pater familias* stehen oder stehen würden, falls dieser noch leben würde (also von diesem in rein männlicher und nicht durch Emanzipation unterbrochener Linie abstammten, Gai. inst. 1,156). Diejenigen Gewaltunterworfenen, die mit dem Tode ihres *pater familias* unmittelbar gewaltfrei wurden, bildeten den engeren Kreis der → *sui heredes*; eine bes. Gruppe der Agnaten waren die → *consanguinei*. Das agnatische System war die Grundlage des zivilen Intestaterbrechts. – *Agnati proximi*: die gradnächsten agnatischen Seitenverwandten, also die *consanguinei*, in Ermangelung solcher die Geschwister des Vaters und die Kinder der konsanguinen Brüder usw. Sie waren bei Fehlen von *sui* zur gesetzlichen Erbfolge berufen. – A. bezeichnet auch das Hinzutreten eines *suus* nach Errichtung eines Testaments (durch Geburt, Adoption, *manus*-Ehe); sie machte ein Testament hinfällig [1. 706]. → Erbrecht III C, E; Cognatio; Manus; Verwandtschaftssysteme

1 KASER, RPR I, 58ff. 2 H. L. W. NELSON, U. MANTHE, Gai Institutiones III 1–87, 1992, 65ff.   U. M.

Agnellus [von Ravenna]. Iatrosophist und Kommentator medizinischer Texte um 600 n. Chr. Mailand,

Ambr. G 108 f. enthält seine Komm. über Galens *De sectis, Ars medica, De pulsibus ad Teuthram* und *Ad Glauconem*, wie sie von Simplicius (nicht der berühmte Aristoteleskommentator!) festgehalten wurden. Der erstgenannte entspricht an vielen Stellen einem Komm., der Iohannes Alexandrinus oder Gesios zugeschrieben wird, sowie griech. Textpassagen, die mit Iohannes und Archonides (?) in Verbindung gebracht werden. So umstritten die Frage ist, ob A. alexandrinische Vorlesungen übersetzte oder lediglich überlieferte Formulierungen aufgriff, so unstreitig ist sein Platz in der alexandrinischen Komm.-Tradition medizinischer Texte. Seine Auslegungsmethode ist identisch mit der alexandrinischer Gelehrter; seine Auswahl komm. Texte deckt sich zum Teil mit dem spätant. Kanon galenischer Schriften, wie er sich in Alexandreia bzw. später auch in anderen Gegenden des Nahen Ostens formierte.

→ Galenos; Ausbildung (medizinische)

ED.: De sectis: **1** L. G. WESTERINK (et al.), 1981
2 N. PALMIERI, 1992 • Ad Glauconem: **3** N. PALMIERI, Un antico commento a Galeno della scuola medica di Ravenna, in: Physis 1981, 197–296.
LIT.: **4** O. TEMKIN, Alexandrian commentaries on Galen's De sectis ad introducendos, in: BHM 1935, 405–430
5 A. BECCARIA, Sulle tracce di un antico canone latino di Ippocrate e di Galeno, in: IMU 1959, 1–56; 1961, 1–75; 1971, 1–24 **6** s. v. Agnellus, PLRE 3, 31 **7** R. J. HANKINSON, Notes on the text of John of Alexandria, in: CQ 1990, 585–591 **8** I. MAZZINI, N. PALMIERI, L'Ecole médicale de Ravenne, in: P. MUDRY, J. PIGEAUD, Les écoles médicales à Rome, 1991, 286–310 **9** V. NUTTON, John of Alexandria again, in: CQ 1991, 509–519 **10** I. SLUITER, Two problems in ancient medical commentaries, in: CQ 1994, 273–275 **11** D. MANETTI, P Berol. 11739A e i commenti tardoantichi a Galeno, in: A. GARZYA (Hrsg.), Tradizione e ecdotica, 1993, 211–235.   V. N. / L. v. R.-P.

Agnos (ἄγνος). Entspricht griech. λύγος (homer.), lat. *vitex* für den Strauch oder Baum *Vitex agnus-castus* L. aus der trop. Gattung der Verbenaceen, der als einzige Art um das Mittel- und Schwarze Meer an Küsten und Flußufern verbreitet ist. Volksetym. Deutung schon in der Ant. bald als ἄγιος = heilig (Dioskurides), bald als ἄγονος (Galen) = *castus* = keusch und im MA als *agnus* = Lamm (Albertus Magnus) und *castus* (*Agnus castus* im 13. Jh. [2. lib. 10,5 = 1. lib. IV. A. 1 u. a.]. Die gefingerten Blätter wurden mit denen von Weiden, Ölweiden und Holunder verglichen und die biegsamen Zweige wie Weidenruten zum Anbinden und Flechten und als Schmuck von Götterbildern (bes. Demeter, Artemis, Hera, Asklepios) verwendet. Als Antaphrodisiakum waren die Blätter, ein Aufguß daraus sowie Blüten und Blätter als Streu beliebt. Auch die öl- und säurereichen Früchte nutzte man medizinisch (bereits um 1555 v. Chr., PEBERS, dann bei Hippokrates, Galen, Dioskurides u. a.).

1 F. PFEIFFER (Hrsg.), Konrad v. Megenberg, Das Buch der Natur, 1861, Ndr. 1962 **2** Thomas Cantimpratensis, Liber de natura rerum, ed. H. BOESE, 1973.   C. HÜ.

Agnostos Theos (ἄγνωστος θεός, »unbekannter Gott«). Die infolge des fortschreitenden rel. Synkretismus (insbes. mit oriental. Göttern) sich ständig verstärkende Ungewißheit über Wirkungsbereiche, Machtausmaß und Erscheinungsformen einer Gottheit ist an Art und Umfang der Anreden an sie zu erkennen. Selbst Polyonymie-Formeln schienen den Menschen, die sich dem Göttl. gegenüber immer hilfloser zu fühlen begannen, einer zusätzlichen Stützung zu bedürfen, um keinen der vielen Namen zu vergessen oder aus Unkenntnis nicht zu erwähnen und damit die Gottheit zu beleidigen. So ergaben sich Absicherungsformeln vom Typ *quoquo nomine, quoquo ritu, quaqua facie te fas est invocare* (Apul. met. 11,2); aber auch die Bevorzugung einer bestimmten Gottheit konnte vielleicht den Zorn anderer erregen, weshalb man namentlichen Weihungen oft καί ἄλλοις θεοῖς hinzufügte. Das Bedürfnis, selbst die globale Nennung (πᾶσι θεοῖς; die *si deus si dea*-Formel im röm. Gebrauch, s. Gell. 2,28, geht offenkundig auf die alte Evocatio zurück, vgl. Macr. Sat. 3,9) noch zu steigern, führte in letzter Konsequenz zu Weihungen von kaiserzeitlichen Altären an die Gesamtheit »unbekannter Götter«, die θεοὶ ἄγνωστοι. Dem Römer waren solche *arae ignotis numinibus* Symbol bes. rel. Scheu, der Ursache für die Größe Roms (Min. Fel. 6,2). Als Kultrealität sind Altäre ἀγνώστων θεῶν lit. und inschr. für rel. Zentren (mit großem Zustrom an Fremdkulten) bezeugt: für Olympia (Paus. 5,14,8), Pergamon (Inschr. s. [1]) und Attika. Die von Paus. (1,1,4) überlieferte Altaraufschrift von Phaleron, θεῶν τε ὀνομαζομένων ἀγνώστων καὶ ἡρώων καὶ παίδων τῶν Θησέως καὶ Φαλήρου (»unbekannt«) bezieht sich wohl auf θεῶν und ἡρώων (s. HITZIG-BLÜMNER, Paus. 1,124) und war offenkundig kein Einzelfall: Philostrat spricht von ἀγνώστων δαιμόνων βωμοί in Athen bzw. Attika (Apol. 6,3; vgl. auch Tert. nat. 2,9; adv. Marc. 1,9), für welche Diogenes Laertios (1,110) ein lang zurückliegendes Aition weiß: Es waren urspr. »namenlose«, βωμοὶ ἀνώνυμοι (d. h. ohne Widmung an einen bestimmten Gott); Epimenides habe bei der Entsühnung Athens nach der Pest auf dem Areopag Schafe freigelassen und befohlen, man solle, wo immer sich eines hinlege, dem »zuständigen Gott« (τῷ προσήκοντι θεῷ) ein Opfer darbringen. – Auch Paulus bezieht sich bekanntlich auf einen solchen Athener Altar, ἐν ᾧ ἐπεγέγραπτο· ἀγνώστῳ θεῷ, wie er behauptet (Apg 17,23). Daß Paulus die tatsächliche Aufschrift ganz bewußt umdeutete und deshalb den Singular wählte, hat schon Hieronymus festgestellt, der ihren Wortlaut so wiedergibt: *diis Asiae et Europae et Africae, diis ignotis et peregrinis* (in Tit. 1,12). Paulus meint den einen Gott, der nur für Christen erkennbar ist durch seine Offenbarung (vgl. Mt 11,27). Das damit gegebene Gottesverständnis und die Ansicht, daß γνῶσις θεοῦ nur einer »auserwählten« Gemeinschaft zuteil wird, entspricht der rel. Auffassung der Zeit, vor allem jener der Gnostiker [2. 65–73]. Spätere Autoren [4. 29 f.] zeigen sich öfter beeinflußt von Paulus und setzen daher den Singular. Gelegentlich werden zur Erklärung des Kults ἀγνώστῳ θεῷ auch die Legende von Epimenides und jene von der Stiftung des Kults für Pan, den die Athener als ihren Helfer nicht erkannt und verehrt hätten (Hdt. 6,105), herangezogen.

1 MDAI(A) 35, 1910, 456 **2** E. Norden, Agnostos Theos. Unt.en zur Formengesch. rel. Rede, 1913, Ndr. 1956 **3** H. Lietzmann, Zu Nordens »Agnostos Theos«, in: RhM 71, 1916, 280f. **4** O. Jessen, s. v. Ἄγνωστοι θεοί, RE Suppl. I, 28–30.

O. Weinreich, De dis ignotis observationes selectae, in: ARW 18, 1915, 1–52 (= Ausgewählte Schriften 1, 1969, 250–297).　　　　　　　　　　　　　　　　C. HA.

Agoge (ἀγωγή). In der nichtspartanischen und philos. Lit. bedeutet *a.* Erziehung und Unterweisung (Plat. leg. 659d; Aristot. eth. Nic. 10,9,1179b). *A.* (von ἄγειν; vgl. lat. *educare*) war außerdem t.t. für die umfassende, zentral organisierte mil. Erziehung und Sozialisation in Sparta (pol. 1,32,1; Plut. Lyk. 22,1; Ages. 1,2). Die ausführlichen lit. Darstellungen (Xen. Lak. pol. 2–3; Plut. Lyk. 16–21; mor. 237–9) werden durch Weihinschr. aus der Zeit zw. dem 4. Jh. v. Chr. und der röm. Epoche im Heiligtum der Orth(e)ia ergänzt. Andere Begriffe dieses Erziehungssystems sind βοῦαι (*boúai*, Herden) und καρτερίας ἀγών (*karterías agón*, Wettbewerb im Ertragen von Schmerzen), ein nur epigraphisch überlieferter Terminus (IG V 1,290 [4]). Die jungen Spartaner wurden in als *boúai* bezeichnete Jahrgangsgruppen zwischen 7 und 17 Jahren eingeteilt. Der Begriff *karterías agón* bezieht sich offensichtlich auf das berühmte und berüchtigte öffentliche Auspeitschen der Jugendlichen am Altar der Orth(e)ia (Plut. mor. 239d; Paus. 3,16,10). Zwar erhielten auch die spartanischen Mädchen eine staatliche Erziehung, was sonst in Griechenland unüblich war, aber der formalen *a.* waren, abgesehen von den Erben der beiden Königsfamilien, ausschließlich die Jungen unterworfen. Die Erziehung war in zwei Hauptphasen unterteilt: Die erste Stufe umfaßte die 7–12jährigen, die zweite die 13–17jährigen. In der ersten Phase wurden neben Musik und Leibesübungen wahrscheinlich auch Lesen und Schreiben gelehrt. Das Stehlen von Essen als Zusatz zu den mageren Rationen wurde nicht unterbunden, aber wenn man gefaßt wurde, waren die Strafen hart. In der zweiten Phase wurde die Überwachung der Jungen durch ihre Erzieher strenger. Diese wurden aus der Gruppe der jüngsten erwachsenen Bürger ausgewählt und standen unter der ständigen Überwachung durch die fünf *ephoroi*. Um den Gruppengeist und den Wetteifer zu stärken, erhielt jede Jahrgangsgruppe einen eigenen Namen. In dieser Phase wurde der Jugendliche der Geliebte (αἴτας) eines jungen erwachsenen Bürgers, der als Vaterersatz und als Vorbild der spartanischen männlichen Tugenden wirkte. Die *a.* endete im Alter von 17 Jahren, wenn der junge Spartaner förmlich die Reihen der παῖδες (*paídes*, Jungen) verließ; voll anerkannter Bürgerkrieger wurde er aber erst mit 30 Jahren.

→ Artemis, Erziehung, Päderastie, Sparta

1 W. Den Boer, Laconian Studies, 1954 **2** P. Cartledge, Agesilaos and the Crisis of Sparta, 1987 **3** N. M. Kennell, The Gymnasium of Virtue, 1995 **4** A. M. Woodward, in: R. M. Dawkins (Hrsg.), Artemis Orthia, 316–17, no. 37.　　　　　　　　　　　　　　　P. C. / C. P.

Agone s. die einzelnen Orte, s. Sportfeste, s. Laufwettbewerbe, s. Skenikoi agones

Agonothetes (ἀγονοθέτης). Während Amt und Funktion des A. in vorgriech. Zeit nicht belegt sind, erfüllt bereits Achilleus als Spielgeber der Leichenspiele zu Ehren des Patroklos (Hom. Il. 23,257–897) in vollendeter Form die Aufgaben späterer A. [1.81–82]. Als Veranstalter stellt er wertvolle Preise aus eigenem Besitz bereit und verteilt sie, wobei seine Fähigkeit als Schiedsrichter mehrfach gefragt ist (Einsprüche, Vergabe von Sonderpreisen). Gleichzeitig betätigt er sich als Kampfrichter: Bezeichnung von Ziel- und Wendemarken (Hom. Il. 23,333; 757), Auslosen der Startplätze (Hom. Il. 23,352–357). Neben dem Begriff A. gibt es zahlreiche andere wie ἐπιμελητής, πανηγυριάρχης in Olympia (und Nemea) ἑλλανοδίκης (Hdt. 6,127) [3.128, 194–195; 4], die alle den Festleiter bezeichnen und sich nur geringfügig unterscheiden dürften. Der A. wacht über die regelgerechte Durchführung der Agone (→ Sportfeste), überprüft Meldung und Einteilung der Wettkämpfer in Altersklassen, entscheidet in Streitfällen, übergibt die Preise und genehmigt Ehreninschr. und Siegerstatue. Bei offiziellen Anlässen trägt er Purpurgewand und Kranz und führt einen Stab; ein Ehrenplatz ist ihm reserviert.

Bei den Panathenäen in Athen wurde per Los ein Gremium von zehn A. (*athlothétai* genannt) – für jede Phyle einer – gebildet, das vier Jahre amtierte und zur Erfüllung seiner Aufgaben über große öffentliche Mittel verfügte [5]; seine Befugnisse beschreibt Aristoteles [6.38–39]. Seit hell. Zeit werden die Aufwendungen für die Agone und damit das Amt des A. stark privatisiert und als Liturgie von den führenden Familien der Städte (oft durch viele Generationen hindurch, z. B. IG 4,606) übernommen [7.275–285, 303 ff.], was diese wiederum von der Übernahme anderer öffentlicher Verpflichtungen entbindet. Klare Vorstellungen von Rechten und Pflichten eines A. vermitteln die Studien von Wörrle über die Demostheneia von Oinoanda in Lykien [8.183–209].

1 S. Laser, ArchHom T **2** E. Reisch, s. v. Ἀθλοθέτης, RE 2, 2063–2065 **3** J. Ebert, Epigramme auf Sieger an gymnischen und hippischen Agonen, 1972, 128, 194–195 **4** J. Oehler, s. v. Hellanodikai, RE 8, 155–157 **5** B. Nagy, The Athenian Athlothetai, in: GRBS 19, 1978, 307–313 **6** D. G. Kyle, Athletics in Ancient Athens, 1987 **7** F. Quass, Die Honoratiorenschicht in den Städten des griech. Ostens, 1993 **8** A. Wörrle, Stadt und Fest im kaiserzeitlichen Kleinasien, 1988.

E. Reisch, s. v. A., RE 1, 870–877.　　　　　　　W. D.

Agora im top. Sinne ist der als hl. Bezirk abgegrenzte polit., religiöse, gesellschaftliche und wirtschaftliche Mittelpunkt der gr. Polis (→ Stadt). Urspr. war die von ἀγείρω (versammeln) abgeleitete A. die Versammlung der männlichen Freien eines Gemeinwesens. Die Gesch. dieser Volksversammlung und ihres Versammlungsplatzes ist in hohem Maße zugleich jene der Entwicklung der → Polis. Die für letztere charakteristische Bürgergemeinde entfaltete sich auf der A., und deren architektonische Gestaltung reflektierte auf ihren verschiedenen Stufen die allmähliche Ausformung der Polis und ihres städtischen Zentrums. Die A. erschien dem Perserkönig Kyros I. als das entscheidende Merkmal der gr. Polis (Hdt. 1,153), und den Griechen der homer. Zeit galt das Fehlen einer A., wie z.B. bei den → Kyklopen, als Indiz eines recht- und gesetzlosen Zustandes (Hom. Od. 9,112).

Die A. tritt gleichzeitig mit der frühesten lit. Überlieferung der Griechen auf und hat von vornherein Doppelbedeutung. Die in der Odyssee erwähnten A. der Phäaken und auf Ithaka lagen offensichtlich am Fuß der Akropolis (Od. 6,266; 7,44; 8,5.12.109; 14,361), ebenso die in der Ilias dargestellte A. auf dem Schild des Achilleus (Il. 18,490ff.; unklar, ob Platz oder Versammlung: Il. 7,345f.; 2,788; 18,274). Die frühe A. lag an-

scheinend in oder an Gräbern von Heroen [8. 5–7] und im → Temenos eines chthonischen Gottes (z.B. Od. 6,266; 7,44; 8,5.12.16.109; 3,5ff.); sie diente als Stätte von Agonen zu deren Ehren sowie als Tagungsort der Volks- und Gerichtsversammlung (Il. 18,497ff.; Hes. Erga 29f.). Hingegen ist eine wirtschaftliche Funktion erst für das 6./5. Jh. v. Chr. bezeugt (Hom. Epigr. 14,5). Die sehr schlichte architektonische Ausstattung der homer. A. umfaßt einen großen ebenen Platz aus gestampfter Erde, steinerne Sitze für die Würdenträger, einen oder mehrere Altäre, Kampfstätten für athletische Agone und bes. eine als χορός oder »heiliger Kreis« bezeichnete Orchestra (→ Theater I) für Chortänze sowie als Ort der Volks- und Gerichtsversammlung (Il. 18,497ff.; Od. 12,318ff; 8,5ff. 109ff. 256ff.). Daher waren die Begriffe A. und χορός sowie ἀγών austauschbar (Hes. theog. 91; scut. 201ff.; Paus. 3,11,9).

Die schlichten, von Schautreppe (θέατρον) sowie Heiligtümern gesäumten freien Plätze in der karisch-lelegischen Siedlung von Alazeytin Kalesi (7./6. Jh. v. Chr.) auf der Halbinsel von Halikarnassos [13. 34–39] und im kretischen Dreros (8.–6. Jh. v. Chr. [8. 103–106] könnten als A. gedient haben, obwohl die Stufen nur für ein stehendes, nicht für ein sitzendes Publikum geeignet waren und gr. Volksversammlungen stets im Sitzen berieten. Eine nur aus einem freien Platz ohne Gebäude bestehende A. ist für das 8. Jh. in Megara Hyblaea nachgewiesen [14. 399]. Auf der A. von Metapont hingegen fanden sich u. a. ein Altar des Zeus Agoraios aus der 2. H. des 6. Jh., ein ebenfalls in archaische Zeit zurückreichendes Heiligtum des Apollon sowie ein um die Mitte

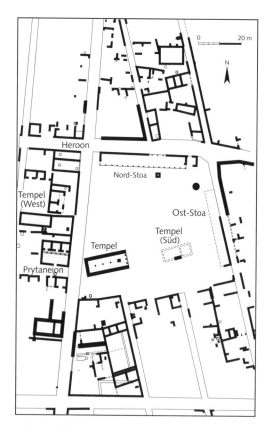

Megara Hyblaea, **Agora**. Archaisch.

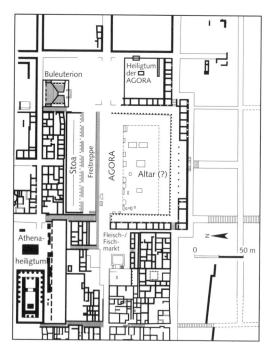

Priene, **Agora**. Ende 3. Jh. v. Chr.

des 6. Jh. errichtetes kreisrundes θέατρον von ca. 62 m Durchmesser, welches anscheinend eine im späten 7. Jh. errichtete Anlage aus Holztribünen (ἴκρια) ersetzte. Beide Anlagen umgaben zweifellos eine Orchestra [10. 664–669].

Die Ausstattung der A. mit nennenswerten Gebäuden scheint in den wohlhabenderen und einer systematischen Planung zugänglicheren Neugründungen der gr. Kolonisation früher begonnen zu haben als im Mutterland. Siedlungsplanerisch spielt die A. dabei freilich eine durchaus unterschiedliche Rolle. Megara Hyblaea stellt das früheste bisher bekannte Beispiel für die Lokalisierung einer A. inmitten einer Siedlung dar. Ein bei der Gründung Mitte des 8. Jh. an einer Kreuzung wichtiger Straßen von Bebauung frei belassener Platz von 63 x 64 m wurde in der zweiten H. des 7. Jh. mit einem Heroon an seiner NW-Ecke, zwei Tempeln im Süd-Bereich des Platzes, zwei Säulenhallen an der Nord- und Ost-Flanke sowie einem am West-Rand gelegenen Amtslokal ausgestattet. In Metapont liegt die A. hingegen in der urspr. Stadtanlage (2. H. 6. Jh.) exzentrisch im SW des streng orthogonalen Siedlungsareals (ähnlich in Selinunt). Erst im 4. Jh. rückt die A. in Metapont infolge Hinzufügung eines weiteren Wohnquartiers in die Mitte der Stadt.

Auf A. des gr. Mutterlandes sind bisher keine vor dem 6. Jh. errichteten Bauwerke entdeckt worden. In Athen beginnt die architektonische Ausgestaltung der an der nördlichen Peripherie des Siedlungsareals und teilweise über einer älteren Nekropole gelegenen A. im Kerameikos wohl nicht vor Mitte des 6. Jh. Die Nachricht des Apollodoros über eine »alte« A., an welcher das Heiligtum der Aphrodite Pandemos im Osten der Akropolis gelegen habe, resultiert aus einer spekulativen Etymologie von Πάνδεμος (Harpokrat. FgrH II B,244 F113). Die im Westen der Akropolis lokalisierten alten Amts- und Kultlokale (Bukoleion, Epilykeion, Prytaneion) müssen keineswegs an einer A. gelegen haben. Weder Thuk. 2,15 in seiner Schilderung des alten Athen noch irgendein anderer Autor der klass. Zeit kennt eine »alte« A. Pausanias nennt in seiner detaillierten Beschreibung Athens nur die A. im Kerameikos. Erst nachdem er sich von der A. entfernt hat, trifft er auf das Prytaneion usw. (1,17,1–2;18,3). Die athenische A. wies im 6. Jh. eine Rennstrecke für → Apobaten (Panathenäischer Weg), ein Heiligtum des Dionysos Lenaios mit einer Orchestra und Holztribünen, eine nahe einer Schwarzpappel gelegene Gerichtsstätte, einen Zwölfgötteraltar, ein Heroenheiligtum (Leokoreion) und einen den Unterweltgöttern geweihten Altar (ἐσχάρα) auf. An der Orchestra dürfte die frühe athenische Volksversammlung zusammengetreten sein, und noch in klass. Zeit fand hier wohl der → Ostrakismos statt [8. 26ff; 52 ff.].

Umstritten ist die Chronologie der frühen Bauten auf der athenischen A. Einigkeit über eine Datierung vor die persische Eroberung 480/479 herrscht nur im Hinblick auf den Zwölfgötteraltar, die benachbarte Eschara, die beiden kleinen Heiligtümer des Zeus und des Apollon Patroos sowie das »Verwaltungsgebäude« F und ein Brunnenhaus. Sicher ist, daß die architektonische Ausstattung der A. selbst in einem so bedeutenden Zentrum wie dem Athen der ersten H. des 5. Jh. höchst bescheiden war und noch keine nennenswerte Raumkonzeption verriet. Erst in der zweiten H. des 5. Jh. wurde die athenische A. auch an ihrer Nord- und Süd-Seite mit Gebäuden, insbes. Säulenhallen, ausgestattet, folglich zunehmend als von Bauten umrahmter Platz gestaltet. Ihre Funktion als Zentrum der Polis kam auch darin zum Ausdruck, daß der Zwölfgötteraltar die Rolle eines zentralen Meilensteins für die aus der Stadt hinausführenden Straßen einnahm (Hdt. 2,7,1 f. IG II/III² 2640). Im 5./4. Jh. erhielten im übrigen auch die Versammlungsplätze athenischer Demen eine bescheidene bauliche Gestaltung mit einem θέατρον, Heiligtümern und Amtslokalen [8. 62 ff.].

Die Gestaltung der A. in anderen gr. Poleis des Mutterlandes blieb eher noch hinter jener in Athen zurück, so etwa in Korinth, wo um 500 v. Chr. die A. nur eine Rennstrecke, einige Brunnenhäuser sowie ein in seiner Zweckbestimmung undefinierbares Gebäude aufwies, oder in Argos, wo erst um die Mitte des 5. Jh., wohl im Gefolge der Einrichtung einer demokratischen Verfassung, zwei Säulenhallen und ein Apollontempel zwei Seiten des freien Platzes architektonisch gestalteten [15].

Die dem 5./4. Jh. angehörende architektonische Gestaltung der A. in den gr. Poleis des Mutterlandes ist Bestandteil einer Urbanisierung, welche zugleich Überlegungen zur Stadtplanung hervorrief (→ Städtebau). In den sog. hippodamischen Stadtplänen des Piräus und Milets spielt die im Zentrum der Stadt plazierte A. die Rolle eines Scharniers, welches die verschiedenen Stadtviertel miteinander verbindet und der Bedeutung der A. im öffentlichen Leben der Polis Rechnung trägt.

Platon und Aristoteles haben die Trennung einer im Zentrum der Stadt gelegenen polit. A. mit Tempeln und öffentlichen Gebäuden von einer als Markt dienenden A. am Hafen bzw. in den Handwerkervierteln an der Peripherie des Stadtareals gefordert. Xenophon schildert dies bei den Persern als bereits verwirklicht (Kyr. I 2,3).

In Milet wurde von vornherein Raum gelassen für einen zweiten großen, freien Platz nahe dem Hafen, der in hell. Zeit zur A. ausgebaut wurde. In Kamarina und Morgantina hat man − jeweils im 3. Jh. − zwei A. unmittelbar nebeneinander angelegt, von denen die eine polit., die andere ökonomische Funktionen hatte [1; 2; 11]. In Athen blieb es bis in späthell./röm. Zeit, als die in unmittelbarer Nachbarschaft des Kerameikos eingerichtete »römische A.« diese Funktion übernahm, bei einer einzigen A., welche im 5. Jh. auch Marktplatz war, auf dem die Gemüse- und Fleischhändler, Geldwechsler usw. jeweils ihre festgelegten Areale hatten (siehe z. B. Aristoph. Lys. 557; Equ. 1557). Die Orchestra diente zu Platons Zeit als Buchmarkt (apol. 26 d-e).

Die Bezeichnung A. in ihrem ökonomischen Aspekt wurde von gr. Autoren auf Marktplätze außerhalb der gr. Welt übertragen (Xen. an. 1,5,6), und in Regionen, welche unter dem Einfluß der gr. Kultur standen, haben die Einheimischen gelegentlich selbst den wichtigsten, nahe der Akropolis gelegenen öffentlichen Platz ihrer Siedlung als A. bezeichnet, so in den lyk. Orten Xanthos und Kyaneai um 400 v. Chr. [TAM I 44 (Xanthos); Kyaneai: noch unpubl. Inschriftenfund]. Diese Plätze scheinen vor allem durch die Errichtung von Dynastengräbern geprägt gewesen zu sein, aber vielleicht auch durch das eine oder andere öffentliche Bauwerk, wie es die vermutlich lyk. A. in der 1992 entdeckten Siedlung auf dem Avsar Tepesi zeigt. Wir wissen nicht, wie der von Herodot (5,101) als A. bezeichnete Platz im lyd. Sardes des 6. Jh. ausgesehen hat.

Eine wirklich bemerkenswerte architektonische Gestaltung erhielt die gr. A. erst seit der 2. H. des 4. Jh., als ihre einzelnen baulichen Elemente allmählich als Einheit konzipiert wurden [3; 9]. Gelegentlich wurde nun das seit dem 4. Jh. allenthalben als Volksversammlungsstätte dienende Theatergebäude an eine Seite der A. gelegt, so im 4. Jh. in Mantineia und Morgantina, im 3. / 2. Jh. in Sikyon, Assos, Akrai und Elis, in der röm. Kaiserzeit z. B. in Tlos und Side. Anderswo hat man bisweilen ein theaterförmiges Buleuterion an einer Seite der A. errichtet (z. B. in Kassope). Auf diese Weise verlieh man einer Seite des Platzes einen monumentalen Blickfang. Kleinere Poleis (z. B. Orchomenos in Arkadien, Kassope, Kolophon) erhielten wenigstens an zwei Seiten der A. im rechten Winkel zueinander stehende Hallenbauten. Im arkadischen Thelpousa und im sizilischen Morgantina wurde die A. seit dem 3. Jh. auf drei Seiten von Hallenbauten gesäumt, an letzterem Ort mit einer anders orientierten, von Theater und Schautreppe dominierten Anlage verbunden [6; 1]. Oft aber erfolgte die monumentale Gestaltung der A. mittels Errichtung von Säulenhallen an allen vier Seiten des freien Platzes sowie hier und da auch durch mehr oder weniger große Tempelbauten an seinem Rand (z. B. in Megalopolis). In Athen brachten erst die vom pergamenischen König → Attalos II. (159–138) gestiftete Stoa an der Ost-Seite sowie die grundlegende Neugestaltung der Süd-Seite des Platzes eine unter damaligen städtebaulich-ästhetischen Aspekten einigermaßen befriedigende Lösung.

Noch im 2. Jh. n. Chr. unterscheidet Pausanias (6,24,2) zwischen A. ›ionischen‹ und ›archaischen‹ Typs. Letzterer war gekennzeichnet durch die getrennte Stellung der Säulenhallen und sonstiger Bauten sowie die Einbeziehung des freien Platzes in das Straßennetz. Zu diesem Typus zählt Pausanias die A. von Elis. Auch die athenische A. zählte im Grunde weiterhin dazu. Der ionische Typus war gekennzeichnet durch die hippodamische Symmetrie und den Einsatz der Stoa als wesentliches Element der auf diese abzielenden Stadtarchitektur. Die seit dem 4. Jh. bisweilen mehr als 100 m langen, mit zwei Geschossen und in der Breite mit bis zu fünf Schiffen ausgestatteten Mehrzweckhallen, in denen Händler, Bankiers und andere Geschäftsleute Büros einrichteten, Amtslokale untergebracht sowie kleine Heiligtümer für Götter und Heroen eingebaut wurden, erhielten auf der ionischen A. ihre architektonisch vollendete Funktion, indem sie einen nach außen hin abgeschlossenen Platz schufen. Der ionische Typus tritt uns vor allem in kleinasiatischen Poleis entgegen, und zwar in zwei architektonischen Formen: Einmal gestaltet er nur den Platz selbst (Priene, Milet); im anderen Fall zeigt er eine auf Außensicht angelegte Monumentalität, wie bei den auf weithin sichtbaren Terrassen angelegten A. von Pergamon und Assos. Die architektonische Entwicklung der A. von Priene dürfte typisch für kleine und mittlere Poleis der hell. Zeit sein [7]. Die hippodamische Planung der Stadt aus der Mitte des 4. Jh. wies die einzelnen Areale nach funktionalen Gesichtspunkten zu. Die A. wurde etwa in der Mitte der Stadt an einer Hauptstraße als in das orthogonale Straßennetz eingebundener, ca. 83 x 88 m großer Platz mit einem Altar in der Mitte angelegt; umittelbar östl. ließ man Flächen für ein Buleuterion und ein Heiligtum frei, nach Westen erhiel-t die A. eine Ausbuchtung, in welcher ein rechteckiger Lebensmittelmarkt eingerichtet wurde – eine ganz ähnliche Lösung wie beim sog. Katagogeion in Kassope, das wohl ebenfalls ein Lebensmittelmarkt war [5. 88–94]. Er ersetzte die zweite, »ökonomische« A., wie größere Städte sie nun häufig aufwiesen. Die A. von Priene diente zweifellos Gerichtsversammlungen und Festveranstaltungen, vor dem Bau des Theaters auch der Volksversammlung. Ihre bauliche Ausgestaltung zog sich über ca. zwei Jahrhunderte hin – eine Folge der knappen Finanzmittel von Poleis dieser Größenordnung. Die im Verlauf des 3./2. Jh. an allen vier Seiten angelegten Säulenhallen gestalteten die A. zu einer vom Straßennetz weitgehend abgeschnittenen Platzanlage um und schieden den Lebensmittelmarkt, das Buleuterion und das Heiligtum räumlich aus. Im NO überspannte ein Torbogen den Zugang zur A. und unterstrich deren geschlossenen Charakter.

Die in Pergamon von Eumenes II. (197–160/59) errichtete Obere A. – daneben gab es eine Untere A. als Marktzentrum – war von vornherein als einheitliche Gesamtkomposition mit dem großen Zeusaltar als Mittelpunkt und Krönung konzipiert und wurde auch in einem Zug ausgeführt. Ziel der Planung war es, ›die optischen Bezüge zwischen den Hauptmonumenten hervorzuheben‹ [12. 266–267]. Die Anlage auf unterschiedlichen Terrassen diente dazu, die Hallenbauten, den Zeustempel, den großen Altar usw. zu einem imponierenden visuellen Gesamteindruck zusammenzuführen und so dem königlichen Repräsentationsbedürfnis gerecht zu werden (ähnlich wohl die A. von Demetrias). In einer monarchischen Residenz traten die administrativen Funktionen der A. hinter kultischen und zeremoniellen Aufgaben zurück.

Die Untere A. von Pergamon entsprach hingegen dem Typus der rein funktionalen, an einen Peristylhof erinnernden geschlossenen Platzanlage (vgl. Magnesia/

Mäander, sog. A. der Italiker auf Delos). In diesem Konzept waren oft sogar die Verwaltungsgebäude aus der eigentlichen Platzanlage hinter die Rückwände der Säulenhallen hinausgedrängt. Die Präferenz der architektonischen Symmetrie gegenüber der polit. Funktion kennzeichnete die Entwicklung der A. von einem polit. zu einem architektonischen Zentrum der Polis. Aus diesem Typus der hell. A. haben sich die ital. → Forumsanlagen und die Kaiserfora entwickelt. Röm. Forumsanlagen haben ihrerseits wieder die A. der kaiserzeitlichen Polis geprägt, z. B. in Side, Perge, die Untere A. in Ephesos oder die röm. A. in Athen. Die in Rom entwickelte → Basilika, prunkvolle Toreingänge, Kaiserkultstätten, Nymphäen und eine wachsende Zahl von Ehrenstatuen sind markante Indizien dieser Entwicklung. Unter röm. Einfluß kam es auch zur Errichtung monumentaler Bauten auf dem freien Platz der A. In Athen wurden in der Mitte der Kerameikos-A. das Odeion des Agrippa und später ein Gymnasium errichtet, nördlich davon ein Tempel des Ares usw. In Ephesos wurde die Obere A. um ein Heiligtum für die Dea Roma und den Divus Julius sowie um eine Terrasse mit einem Domitiantempel bereichert. So erhielt die A. in den kaiserzeitlichen Poleis ein immer feierlicheres, sakraleres, monumentaleres, aber auch museraleres Antlitz [4. 94–95], wurde mehr und mehr architektonisch und polit.-sakrales Prestigeobjekt.

1 M. BELL, Recenti scavi nell'agora di Morgantina, in: Kokalos 30/31, 1984/85, 501–520 2 ders., Excavations at Morgantina, in: AJA 92, 1988, 313–342 3 M. COPPA, Storia dell' urbanistica. Le età ellenistiche, 1981 4 F. FELTEN, Heiligtümer oder Märkte?, in: AK 26, 1983, 84–105 5 W. HOEPFNER, E. L. SCHWANDNER, Haus und Stadt im klassischen Griechenland, ²1990 6 M. JOST, Thelpousa d'Arcadie, in: BCH 110, 1986, 633–645 7 W. KOENIGS, Planung und Ausbau der A. von Priene, in: MDAI(Ist) 43, 1993, 381–397 8 F. KOLB, A. und Theater, 1981 9 H. LAUTER, Die Architektur des Hell., 1986 10 D. MERTENS, Metapont, in: AA 1985, 645–671 11 P. PELAGATTI, Ricerche nell quartiere orientale di Naxos e nell'agora di Camarina, in: Kokalos 30/31, 1984/85, 679–694 12 K. RHEIDT, Die obere A. Zur Entwicklung des hell. Stadtzentrums von Pergamon, in: MDAI(Ist) 42, 1992, 235–285 13 W. RADT, Siedlungen und Bauten auf der Halbinsel von Halikarnassos, in: MDAI(Ist) Beih. 3, 1970 14 G. VALLET, F. VILLARD, P. AUBERSON, Megara Hyblaea I, 1976 15 F. VIRET BERNAL, Argos, du palais à l'agora, in: DHA 18, 1992, 61–88.

W. A. MC DONALD, The Political Meeting Places of the Gr., 1943 • W. L. MAC DONALD, The Architecture of the Roman Empire II: An Urban Appraisal, 1986 • F. KOLB, A. und Theater, 1981 • R. MARTIN, Recherches sur l'agora grecque, 1952 • ders., L'Urbanisme dans la Grèce antique, ²1974.   F. K.

Agoraios (Ἀγοραῖος). Die Götter-Epiklese benennt die lokale und funktionale Beziehung des Gottes zur Agora als polit. und ökonomischer Institution [1]. So wird bes. Zeus als Garant der Satzungen kult. verehrt und im Eid beschworen [2; 3. 197–199], manchmal mit anderen, auch weiblichen Gottheiten (Artemis, Ge). Sonst ist Hermes der Marktgott par excellence (bes. zu Erythrai [3. 270]; IE 201 = SIG 1014, 90–100).

1 R. E. WYCHERLY, in: Agora 3, 1957, 123a 2 H. SCHWABL, s. v. Zeus, RE X A, 256–258; RE Suppl. XV, 1978, 1051–1053 3 F. GRAF, Nordionische Kulte, 1985.   C. A.

Agorakritos. Bildhauer aus Paros, Meister der Hochklassik in Athen. Unsichere Zuschreibungen an A., seinen Rivalen → Alkamenes und ihren Lehrer → Pheidias spiegeln sich in Anekdoten der antiken Kunstliteratur, was die Zuweisung des Œuvres erschwert. Eine im Wettstreit mit Alkamenes unterlegene Aphrodite-Statue habe A. als Nemesis nach Rhamnus verkauft, oder Pheidias habe die von ihm geschaffene Statue von A. signieren lassen. Die Signatur wurde im 3. Jh. v. Chr. von → Antigonos v. Karystos entdeckt, die Statue von Pausanias ausführlich beschrieben, Kopf und Fragmente des Gewandes und der Reliefbasis wiedergefunden und in Kopien erkannt; sie stehen in der unmittelbaren Parthenon-Nachfolge um 420 v. Chr. Das Kultbild der Meter in Athen, von Pausanias fälschlich Pheidias zugewiesen, ist in einem verbreiteten Typus der sitzenden Göttin mit flankierenden Löwen erkannt. Athena Itonia und Zeus-Hades in Koroneia waren die einzigen unumstrittenen und in Bronze gearbeiteten Werke des A.; sie sind in Kopien aber nicht sicher identifiziert. Mitarbeit an den Parthenonskulpturen, am Nike-Tempel und am Giebel von Rhamnus wird vermutet, Zuschreibung weiterer klass. Meisterwerke mit Stiluntersuchungen begründet oder abgelehnt.

G. I. DESPINES, Συμβολή στη μελέτη του έργου του Αγορακρίτου, 1971 • Overbeck, Nr. 808, 829–843 (Quellen) • B. SCHLÖRB, Unt. zur Bildhauergeneration nach Phidias, 1964 • STEWART, 269–271 Abb.   R. N.

Agoranomoi (ἀγορανόμοι). A. regulierten in griech. Poleis das Marktgeschehen und sind in 120 Städten vom 5. Jh. v. Chr. bis zum 3. Jh. n. Chr. inschr. und lit. bezeugt. Die meisten Inschr. stammen aus röm. Zeit, wobei hier das Wort a. auch als Übers. des lat. aedilis stehen kann. Ihr Aufgabenbereich scheint in den verschiedenen Städten unterschiedlich definiert gewesen zu sein. In Athen gab es nach Aristoteles im 4. Jh. v. Chr. 10 durch Los gewählte a., von denen 5 für den Markt in Athen und 5 für den Peiraieus zuständig waren; sie kontrollierten die Qualität und Echtheit der Waren (Aristot. Ath. pol. 51,1). Sie führten die Aufsicht über den Marktverkehr und die zu ihm gehörigen Rechtsgeschäfte, die συμβόλαια (symbólaia), und sorgten für εὐκοσμία (eukosmía), Ordnung aufgrund eines nómos. Ihr Amtsgebäude war das ἀγορανόμιον (agoranomion; SIG 313,11; Plat. leg. 917e). Nach SIG 313 sorgten sie im Peiraieus auch für die Sauberkeit der agorá. Während es in Athen für die Aufsicht der Maße und Gewichte sowie für alle den Getreideverkauf betreffenden Angelegenheiten andere Ämter gab, konnte in anderen Städten und in Heiligtümern beides durchaus in den Aufgabenbereich der *a.* fallen. So oblag den *a.* im Heiligtum von Andania auch die Aufsicht über Gewichte und Maße (SIG 736,99ff.), in Paros über die Arbeitsverträge. In weiteren Inschr. aus röm. Zeit gewähren sie Votivgaben zu Ehren des Hermes.

Im 5.Jh. v.Chr. symbolisieren sie in der Komödie die Ordnung des Marktes (Aristoph. Ach. 724; 824; Vesp. 1406). Platon widmet in den *Nomoi* mehrere Abschnitte der Marktaufsicht und den *a.* (764b; 849a-e; 917b-e); nach Platon konnten die *a.* Sklaven und Fremde mit Prügel oder Gefängnis, Bürger mit Geldbußen bis zu einer Höhe von 100 Drachmen bestrafen lassen (764b). Während der Principatszeit werden für Athen 2, für Sparta 8, für Halikarnassos 9 und Olbia 5 *a.* inschr. erwähnt. Im ptolemäischen und röm. Ägypten sind *a.* für die fiskalische Erfassung des Landbesitzes und für die Bewässerung verantwortlich (Strab. 15,1,50). Im ptolemäisch-röm. Ägypten ist der *a.* Notar.

→ Markt; Marktaufsicht; Peiraieus; sitophylakes

1 BUSOLT/SWOBODA, 491f., 1118f. 2 R. GARLAND, The Piraeus, 1987 3 J.OEHLER, s.v. A., RE I, 883–885 4 WOLFF II 9ff. S.v.R.

Agoratos (Ἀγόρατος). Metoikos im Piräus, Sohn des Sklaven Eumares. 409 v.Chr. wurde A. wegen Beteiligung an der Ermordung des Oligarchen → Phrynichos geehrt (GHI² 85; IG I³ 102). 404 denunzierte er beim Rat die Gegner des von → Theramenes ausgehandelten Friedensvertrages mit Sparta. Sie wurden wegen Verrats verurteilt und hingerichtet. Später erhielt A. Bürgerrecht. Nach 400 brachte ihn ein Angehöriger eines der denunzierten Opfer mittels → Apagoge vor Gericht. Für den Kläger verfaßte Lysias die 13. Rede.

BLASS, Bd. I², 551–562 · M.H.HANSEN, Apagoge, Endeixis und Ephegesis, 1976, 106; 130–132 · M.J.OSBORNE, Naturalization in Athens, Bd. 1, 1981, 28–30; Bd. 2, 1982, 16–21. W.S.

Agra. Nach Ptol. 6,3 und 6,4 Stadt in der westl. Susiana am Tigris. A.KU. u.H.S.-W.

Agraioi (Ἀγραῖοι). Stamm im nordwestl. Aitolien zw. Amphilochoi und Aperantoi. Unabhängig im 5. Jh. v.Chr. (»Königsherrschaft«, Thuk. 3,111,4); 2 Jh. später im Koinon der → Aitoloi.

C.ANTONETTI, Agraioi, in: Dialogues d'histoire ancienne 13, 1987, 199–236. D.S.

Agrapha. Dem histor. Jesus zugeschriebene Sprüche und Parabeln, die nicht in den 4 kanonischen Evangelien überliefert sind. Wichtigste Quellen sind das NT (Apg 20,35), einige Mss. der Evangelien, Fragmente von Apokrypha (POxy. 840; 1224; P. Egerton 2), christl. Autoren vom 2.Jh. bis ins MA, das kopt. Thomas-Evangelium, manichäische (→ Manichäer) und mandäische (→ Mandäer) Texte, der Talmud, der Koran und muslimische Autoren.

Die A. erweisen sich größtenteils als sekundäre Modifikationen anderer Texte des NT oder als späte Erfindungen; auch die wenigen Ausnahmen (bes. Lk 6,5, Thomas-Ev. 82; POxy. 1224; Hier. in Ephes. 5,4) können nicht ohne weiteres als authentische Worte Jesu gelten. Für die Erforsch. der Verkündung wertlos, stellen die A. doch ein wichtiges Zeugnis für die Entwicklung der frühen christl. Kirchen dar.

→ Mandäer; Mani, Manichäer; Thomas [2]

J.DELOBEL, Extra-Canonical Sayings of Jesus: Marcion and Some »Non-Received Logia«, in: W.L. PETERSEN (Hrsg.), Gospel Traditions in the Second Century, 1989, 105–116 · O.HOFIUS, Isolated Sayings of the Lord, in: W.SCHNEEMELCHER (Hrsg.), New Testament Apocrypha I, ²1991, 88–91 · J.JEREMIAS, Unbekannte Jesusworte, ⁴1965. A.C.

Agraphiu graphe (ἀγραφίου γραφή). In Athen Schriftklage wegen »Nichtaufschreibens« eines Schuldners (und damit Annullierung seiner Schuld), von Aristoteles (Ath. pol. 59,3) unter die öffentlichen Klagen gerechnet, die in den Kompetenzbereich der Thesmotheten fallen. Gemeint sind nach Demosthenes (58,51) Staatsschuldner, die eine Löschung ihres Namens auf der öffentlich aufgestellten Liste vorgenommen hatten, obwohl die Schuld nicht bezahlt war (von Demosthenes abhängig Harpokration, der noch Lykurgos und Pytheas als Quellen anführt, ebenso Poll. 8,54; Anecd. Bekk. 184,24; 199,28; 331,21). Der Begriff *A. g.* würde aber auch Nichteintragung in die Staatsschuldnerliste und Verantwortlichkeit der begünstigenden Beamten, die die Aufzeichnung unterlassen oder getilgt hätten, decken (vgl. Hesych. s.v. A. g.).

TH. THALHEIM s.v. Ἀγραφίου γραφή, RE I, 889 · A.R.W.HARRISON, The Law of Athens II, 1971, 15+82. G.T.

Agraphoi nomoi (ἄγραφοι νόμοι, »ungeschriebene Gesetze«). Die frühesten Gesetze der griech. Staaten waren ungeschrieben und lebten im Gedächtnis der führenden Familien fort. Bereits in der archa. Zeit begann man, sie aufzuzeichnen, etwa in den Gesetzen des → Drakon und → Solon in Athen (621/20 bzw. 594/93 v.Chr.) oder in einem Verfassungsgesetz in Dreros auf Kreta (ML 2). Da aber nicht alle geltenden Gesetze sofort niedergeschrieben wurden, blieben ungeschriebene Gesetze neben den geschriebenen in Geltung (z.B. And. 1,115–6, wo sich im Prozeß der eine auf ein ungeschriebenes, der andere auf ein geschriebenes Gesetz beruft). Der Ausdruck wird auch für grundlegende Prinzipien und Regeln der Moral verwendet, die man auch ohne formale gesetzliche Fixierung für allgemein gültig hält (so z.B. in der Gefallenenrede des Perikles, Thuk. 2,37,3). Häufig betrachtete man solche ungeschriebenen Gesetze als von Göttern gegeben, um sie von den durch Menschen erlassenen Gesetzen abzuheben (Soph. Ant. 449–61).

GUTHRIE, 3,117–131 · M. OSTWALD, Exegesis and Argument, presented to G. Vlastos, 1973, 70–104 · J. DE ROMILLY, La loi dans la pensée grecque, 1971, 25–49.   P. J. R.

Agrargesetze (*Leges agrariae*). Seit Beginn der röm. Eroberung It. berichtet die Überlieferung von Konfiskationen von Land besiegter Völker. Solches Land wurde zunächst *ager publicus populi Romani*, seine Nutzung dabei zum Gegenstand polit. Konflikte. Der früheste überlieferte Versuch einer *lex agraria* ist der Antrag des Sp. Cassius aus dem Jahre 486 v. Chr., das konfiszierte Land der Hernici zu verteilen (Liv. 2,41), ein Antrag, dessen Historizität von der Forsch. in Frage gestellt wurde. Zweifellos war der Streit um die Nutzung des Landes ein Leitmotiv der sozialen und polit. Konflikte in der Gesch. der röm. Republik.

Es gab zwei verschiedene Formen von Agrargesetzen: entweder regelten sie die Nutzung des → *ager publicus* oder sie verfügten die Verteilung dieses Landes. Beide Kategorien überschnitten sich jedoch oft. Spätestens vom Zeitalter der Gracchen an hatten die Römer ein klares Konzept von *leges agrariae*. Dagegen scheint kein solches Konzept hinter dem Bericht zu stehen, den Polybios (2,21,7–8) von seinen röm. Quellen oder Informanten über die *lex Flaminia* 228 v. Chr. erhielt. Maßnahmen zur Landverteilung können auch nicht scharf von Koloniegründungen abgegrenzt werden, obwohl erstere tendenziell einer Politik des Volkes, letztere jedoch der Politik des Senates entsprachen, wenn man die klare Rolle der Kolonien, die mil. Beherrschung It. zu sichern, in Betracht zieht.

Eine Periode sozialer Kämpfe gegen die Verschuldung und um den Besitz von Land führte nach unseren Quellen zur *lex Licinia Sextia* 367 v. Chr. Selbst wenn das Gesetz authentisch sein sollte, ist es unwahrscheinlich, daß ein Titel wie *de modo agrorum* vor dem letzten Jh. der Republik gebraucht wurde. Die wichtigsten Bestimmungen dieses Gesetzes waren eine Begrenzung der Größe des *ager publicus*, der von einem röm. Bürger in Besitz genommen werden konnte, sowie eine Begrenzung der Anzahl von Groß- und Kleinvieh, das ein Bürger auf dem *ager publicus* weiden lassen konnte. Die Historizität dieses Gesetzes wurde deswegen bestritten, weil Cato sich in einer Rede 167 v. Chr. (ORF 42,167) auf beide Begrenzungen bezog; es wäre sehr sonderbar, wenn er für seine Argumentation Beispiele aus einem etwa 200 Jahre alten Gesetz gebraucht hätte.

Dennoch sprechen zwei Gründe für die Annahme einer Gesetzgebung im Jahr 367 v. Chr. Zunächst fiel das Jahr an das Ende einer Periode von etwa 15 Jahren ohne Koloniegründungen (seit 383/2 v. Chr.): Dies erklärt den Kampf um Land, der im Jahr 367 v. Chr. in den Versuch mündete, die Ausbeutung des *ager publicus* durch die Reichen einzuschränken. Weiterhin gibt es in unserer Überlieferung ab 298 v. Chr. Berichte über Geldstrafen für eine mißbräuchliche Nutzung des *ager publicus* (Liv. 10,13,14): Es ist unwahrscheinlich, daß in einer relativ gut dokumentierten Epoche derartige Nachrichten erfunden worden wären. Die von unseren Quellen angegebenen Zahlen – 500 *iugera*, 100 Stück Großvieh, 500 Stück Kleinvieh – sind vielleicht etwas zu hoch für das 4. Jh. v. Chr.; es kann durchaus sein, daß niedrigere Begrenzungen im Jahr 367 v. Chr. eingeführt und diese dann im frühen 2. Jh. v. Chr. erhöht wurden.

Unsere Quellen erlauben es nicht, eine Gesch. der Agrargesetzgebung in der Zeit zw. etwa 367 und 228 v. Chr. zu schreiben; aber man kann sagen, daß in dieser Epoche nahezu kontinuierlich Kolonien gegründet wurden. 228 (oder 232) v. Chr. setzte C. Flaminius als Tribun erfolgreich ein Gesetz zur Verteilung von Land durch, das den Galliern im Hinterland von Ariminum, einer 268 v. Chr. gegründeten latinischen Kolonie, weggenommen worden war. Unsere früheste Quelle, Polybios, läßt bereits eine ablehnende Haltung dem Gesetz gegenüber erkennen, weil es angeblich den *populus Romanus* korrumpiert sowie die gallische Invasion nach It. 225 v. Chr. provoziert habe. Die Bed. dieses Gesetzes liegt darin, daß Rom hier einen größeren Teil des konfiszierten Landes als je zuvor während der Eroberung It. verteilte; zudem handelte es sich um den ersten belegten Fall einer Verteilung von Land außerhalb des damaligen It., die nicht direkt mit einer Koloniegründung verbunden war. Außerdem ist bemerkenswert, daß das Volk in dieser Zeit mit Nachdruck eine solche Landverteilung gefordert hatte. Nach dem 2. Punischen Krieg wurden zunächst zahlreiche Kolonien gegründet; um 165 v. Chr. brachen diese Aktivitäten ab. Obwohl eine zuverlässige historiographische Überlieferung für diese Zeit fehlt, kann als sicher gelten, daß es nach 166 v. Chr. keine oder nur wenige Koloniegründungen gab. Da es nicht mehr möglich war, in einer Kolonie Land zu erhalten, kam es 133 v. Chr. zu der Forderung nach einer Bestätigung der gesetzlichen Beschränkungen für die Nutzung des *ager publicus* sowie nach einer Aufteilung des Landes, das damit zur Verfügung stand. Ein dementsprechendes Gesetz wurde auf Antrag des Volkstribunen Ti. Sempronius Gracchus von der Volksversammlung verabschiedet. Gleichzeitig wurde eine Kommission gewählt, die mit richterlicher Gewalt ausgestattet entscheiden sollte, welches Land zum *ager publicus* gehörte. Übergroße Ländereien sollten eingezogen werden, während der Besitz und die Übertragbarkeit des Landes, das die erlaubte Größe nicht überschritt, garantiert wurden. Ferner sollte die Kommission das Land, das nun zur Disposition stand, verteilen.

Das Programm des Ti. Gracchus wurde nach seinem Tode fortgesetzt und von seinem Bruder C. Gracchus 123 v. Chr. durch Pläne, außerhalb It. Kolonien zu gründen, erweitert. Nach 122 v. Chr. wurden diese Gesetze schrittweise zurückgenommen. Die Auswirkungen der Gesetze und Maßnahmen der Jahre von 133 bis 129 sowie 123/2 v. Chr. sind immer noch unklar. Sicherlich zeigen die Censuszahlen für 125/4 v. Chr. – falls sie korrekt überliefert sind – im Vergleich mit den älteren Zahlen einen deutlichen Anstieg. Es ist allerdings unklar, wer im Census eigentlich erfaßt wurde; die Ansicht, daß die Zahl der röm. Bürger mit einem bestimmten Besitz durch die Landzuweisungen der Gracchen angestiegen wäre, wird von allen ant. Zeugnissen widerlegt. Eher ist anzunehmen, daß die wirklich armen Bürger sich viele Jahre lang nicht hatten erfassen lassen, dies aber nun in der Hoffnung taten, als röm. Bürger Land zu erhalten.

Ebensowenig sind die *cippi* mit den Namen der Mitglieder der gracchischen Kommission eine große Hilfe. Diese Steine, die auf den Grenzlinien des erfaßten Landes standen, konzentrieren sich auf die Territorien der Hirpini und Picentini, sowie auf das Vallo di Diano. Es ist kaum anzunehmen, daß diese eigenartige Verteilung der von der Kommissionstätigkeit zeugenden Inschr. repräsentativ ist. Auch mit den Methoden der Feldarch., auf die zunächst große Hoffnungen gesetzt wurden, konnte das vermutete Wachstum von großen Ländereien zwischen 200 und 133 v. Chr. oder eine Umkehrung dieses Trends in der Folgezeit nicht nachgewiesen werden. Die Versuche, mit Hilfe der Luftbildarch. die gracchische Centuriation zu identifizieren, waren ebenfalls erfolglos.

Eine Bestimmung der inschr. erhaltenen *lex agraria* von 111 v. Chr. begrenzte den für den Anbau bestimmten Besitz auf dem *ager publicus* auf 30 *iugera*, was einer großzügigen Landzuweisung in den *coloniae* entspricht. Diese Bestimmung – im Kontext einer generellen Beendigung jeglicher Landzuteilung – legt die Vermutung nahe, daß bis zu diesem Zeitpunkt der Senat entweder gar nicht oder nicht erfolgreich einer umfassenden Verteilung des *ager publicus* an die landlose Bevölkerung im Wege gestanden hatte, wenn man von seiner lit. belegten Opposition sowie dem Tod der Gracchen absieht.

Die *lex agraria* des Jahres 111 v. Chr. ist trotz ihres fragmentarischen Zustandes ein bedeutendes Dokument (CIL I² 585; Roman Statutes Nr. 2). Sie befindet sich auf der Rückseite der sog. *Tabula Bembina*, auf deren Vorderseite die *lex repetundarum* von 123 v. Chr. eingraviert ist. Es handelt sich um 12 Fragmente einer bronzenen Tafel, von denen 11 erstmals in der Bibliothek der Herzöge von Urbino entdeckt wurden und dann in den Besitz des Kardinals PIETRO BEMBO gelangten. Zwei Fragmente wurden 1521 in den *Epigrammata Antiquae Urbis* veröffentlicht; das letzte Fragment tauchte gegen Ende des 19. Jh. im Antiquitätenhandel auf. Wir wissen jetzt, daß die Gruppe von Fragmenten, die seit ihrer Veröffentlichung durch MOMMSEN 1863 als B beschrieben wird, zu der als D bezeichneten Gruppe von Fragmenten gehört. Das Ergebnis ist eine Tafel, auf der immer noch viel fehlt, die jedoch kleiner und weniger unvollständig ist, als man bisher annahm. Der Text

besteht aus drei Abschnitten, die It., Afrika und Griechenland behandeln. Zu Anfang des Abschnittes über It. wird das Land in folgender Weise aufgelistet: Land, das von den *possessores* in Besitz genommen oder zurückbehalten worden ist, eingezogenes und zugeteiltes Land, an *possessores* zurückgegebenes Land, städtisches Land, weiteres Land, dessen Status offiziell festgelegt wurde; das Gesetz machte all dieses Land zu Privateigentum. Einige weitere Bestimmungen betreffen das Land, das von *viasii* und *vicani* gehalten wird, weiterhin die zukünftige Umwandlung von öffentlichem zu privatem Land bis zu einer Höchstgrenze von 30 *iugera* und den *ager compascuus*. Ferner regelt das Gesetz die Rechtsprechung in Streitfällen, wobei das Land der *possessores* ausgenommen ist. Das Land wird dabei entsprechend seinem augenblicklichen Status behandelt. Außerdem werden Regelungen über die Nutzung der *calles* und *viae* getroffen.

Der Abschnitt über Afrika hat in erster Linie die Aufgabe, die Folgen der durch die *lex Rubria* verfügten gracchischen Koloniegründung in Karthago und deren Aufhebung nach 122 v. Chr. zu bewältigen. Das Gesetz, das nicht zw. *venire* »verkauft werden« und *venire* »verpachtet werden« unterscheidet, ist hier aufgrund dieser mangelnden sprachlichen Präzision schwer verständlich. Es ist aber wahrscheinlich, daß das Gesetz einen Rechtszustand aufrechterhielt oder schuf, in dem die Empfänger von Landzuweisungen, ihre Erben und ihre Bevollmächtigten Land besaßen, das zwar Privatland war, für das jedoch an Rom ein *vectigal* zu entrichten war. Wie im Abschnitt über Italien trifft das Gesetz auch hier Verfügungen über die Rechtsprechung. Außerdem regelt es den Rechtsstatus des Landes von *stipendiarii* (Verbündeten von Rom), von Deserteuren aus Karthago, der Söhne des Massinissa und der Stadt Utica sowie des Stadtgebietes von Karthago. Der Abschnitt über Griechenland ist sehr fragmentarisch, doch es gibt auch hier eine Erwähnung von Landbesitz und der zuständigen Gerichtsbarkeit und außerdem auch eine Erwähnung der Landvermessung.

Es gibt eine Reihe von Indizien dafür, daß nach 111 v. Chr. in It. nur noch wenig *ager publicus* zur Verfügung stand, oder daß man dies zumindest glaubte: so die nur unzureichend belegten Vorschläge des Saturninus aus den Jahren 103 und 100 v. Chr., Land in Gallia Cisalpina und Griechenland zu verteilen, die Landverteilungen in Gallia Cisalpina nach 100 v. Chr. und vor allem die Ereignisse, die zur Agrargesetzgebung Caesars 59 v. Chr. führten.

Sulla konfiszierte umfangreiche Ländereien der Proskribierten und besiegter Städte und teilte sie seinen Veteranen zu. Doch dies war ein außergewöhnlicher Vorgang. Ein gravierendes Problem entstand, als Pompeius nach seiner Rückkehr aus dem Osten 62 v. Chr. in It. seine Veteranen entließ. Bereits 63 v. Chr. hatte es Cicero mit den Mitteln der Rhetorik geschafft, einen Gesetzesantrag des Servilius Rullus zu Fall zu bringen, der die Einkünfte aus den Provinzen für den Aufkauf von Land in It. verwenden und vielleicht so den Weg für eine Verteilung von Land an die Veteranen des Pompeius ebnen wollte (Cic. leg. agr. 2). Im Jahre 60 v. Chr. scheiterte in ähnlicher Weise der Vorschlag des Volkstribunen Flavius (Cic Att. 1,19,4); 59 v. Chr. brachte Caesar als Konsul eine *lex agraria* ein. Falls 3 bei den Gromatici unter dem Titel *lex Mamilia Roscia Peducaea Alliena Fabia* überlieferte Abschnitte Teile der *lex Iulia agraria* sind, wäre dieses Gesetz ein umfassendes Regelwerk gewesen, das die Grundsätze über Landbesitz und Landverteilung in systematischer Form darlegte. Wenig später brachte Caesar ein zweites Gesetz durch, das die Verteilung des *ager Campanus* vorsah, der bislang nur verpachtet wurde und von der Landverteilung ausgenommen war. In den Jahren nach 49 v. Chr. begann mit Caesar eine Politik, die nicht mehr die Einkünfte aus den Prov. nach It. brachte, um damit die Forderungen des Volkes zu erfüllen, sondern die Angehörigen der Unterschichten dorthin brachte, wo der Reichtum der Republik herstammte, indem man nämlich die Veteranen in den Provinzen ansiedelte. 3 Fälle sind gut belegt: Karthago, Korinth sowie Urso in Baetica; das Stadtrecht der in Urso gegründeten Kolonie ist zu einem großen Teil erhalten (CIL II 5439). Die *triumviri* konfiszierten nach Philippi in großem Umfang Land in It.; einige Ansiedlungsmaßnahmen wurden von Caius Caesar, dem späteren Augustus, durchgeführt. Die Ansiedlungen in den Prov. erwiesen sich als die Politik der Zukunft: Die Agrargesetzgebung fand mit dem Ende der Republik ihren Abschluß; bis zur Zeit der Völkerwanderung gab es abgesehen von einigen kaiserlichen Koloniegründungen in It. keine umfassenden Ansiedlungsmaßnahmen mehr. Inhalt und Motive einer angeblichen *lex agraria* Nervas sind unklar.

→ ager publicus, L. Apuleius[11] Saturninus, coloniae, L. Cornelius Sulla, C. Flaminius, L. Flavius, C. Iulius Caesar, Cn. Pompeius Magnus, C. Sempronius Gracchus, Ti. Sempronius Gracchus, P. Servilius Rullus, Cicero, Veteranen

MRR · ROTONDI · J.-L. FERRARY, PH. MOREAU, Les lois du peuple romain, 1996 · G. COLUCCI PESCATORI, La romanisation du Samnium, 1991, 85–122 · E. LO CASCIO, The size of the Roman population, in: JRS 84, 1994, 23–40 · BRUNT, 294–344.   M.C./A.BE.

Agrarschriftsteller. A. GRIECHENLAND B. ROM B.1 CATO B.2 RÖMISCHE AUTOREN DES 2./1. JH. V. CHR. B.3 COLUMELLA B.4 RÖMISCHE AUTOREN DER KAISERZEIT C. REZEPTION

A. GRIECHENLAND

Obgleich in den Epen Homers, vor allem in den Gleichnissen, aber auch in der Schildbeschreibung (Hom. Il. 18,478 ff.) die Arbeit auf dem Felde und die Viehhaltung lebendig geschildert werden, müssen die *Erga* des Hesiod (spätes 8. Jh. v. Chr.) als der erste griech. Text gelten, der ausführlich auf Fragen der Landwirtschaft eingeht. Es handelt sich allerdings noch nicht um eine Synthese des landwirtschaftlichen Wissens der archa. Zeit, sondern primär um eine normative Darlegung von Moral und Lebensführung im bäuerlichen Milieu, wobei Arbeit und Fleiß eine wichtige Rolle spielen (Hes. erg. 286 ff.). Daneben gibt Hesiod eine Reihe von Ratschlägen vor allem zum Getreideanbau (Hes. erg. 414 ff.). Im Vordergrund steht der richtige Zeitpunkt, an dem die Arbeiten durchgeführt werden müssen (Hes. erg. 383 ff.); einer überlegten Vorratshaltung wird großes Gewicht beigemessen (Hes. erg. 361 ff; 475 ff.).

Im *Oikonomikos* des Xenophon wird die Landwirtschaft aus der Sicht eines Angehörigen der athenischen Oberschicht im Rahmen der *oikonomía*, der Führung des Haushaltes, behandelt. Die Methoden des Getreideanbaus werden ausführlich beschrieben (Xen. oik. 15–18), während der Weinanbau und die Pflanzung von Olivenbäumen nur kurz abgehandelt werden (Xen. oik. 19). Der Erfolg der Bewirtschaftung des Landes wird auf ständige Arbeit und Fürsorge zurückgeführt, weniger auf umfassende Sachkenntnis; es wird mehrmals betont, daß die Landwirtschaft außerordentlich leicht zu erlernen sei (Xen. oik. 6,9; 15,8 f.; 19,17 f.; 21,1). Unter diesen Voraussetzungen ist die Frage des Fleißes und der Motivation der Arbeitskräfte nach Xenophon ein entscheidender Faktor der Landwirtschaft (Xen. oik. 20,19). Ihre Überwachung und Führung wird so zu der wichtigsten Aufgabe des Gutsbesitzers (Xen. oik. 13 f.; 21,9 ff.).

Die bei Aristoteles erwähnten Schriften von Charetides von Paros und Apollodoros von Lemnos (Aristot. pol. 1,11,1258b) sind ebenso verloren wie die Fachlit. der hell. Zeit. Immerhin enthalten die Werke des Aristoteles zur → Tierkunde und des Theophrastos zur → Pflanzenkunde zahlreiche Informationen zur Landwirtschaft. Von Bed. für die spätere Diskussion war vor allem die positive Bewertung der Landwirtschaft bei Aristoteles (Aristot. pol. 6,4,1318b f.). Eine umfangreiche Liste von griech. A. findet sich bei Varro (Varro rust. 1,1,7 ff.); die Aufnahme griech. Könige in diese Liste deutet auf ein Streben der A. nach Prestige hin, ebenso die Anführung von fünf Philosophen: Landwirtschaft galt als eine Disziplin, die sich von der Philos. abgespalten hatte.

B. ROM

Die röm. Agrarlit. wurde stärker als von den griech. Autoren von dem Werk des Karthagers Mago beeinflußt, das nach der Zerstörung Karthagos aufgrund eines Senatsbeschlusses von D. Silanus ins Lat. und von Cassius Dionysius ins Griech. übersetzt wurde (Varro rust. 1,1,10; Plin. nat. 18,22 f.; Colum. 1,1,13). Die überlieferte röm. Agrarlit., die die für eine erfolgreiche Bewirtschaftung von großen Gütern notwendigen Kenntnisse zu vermitteln sucht, beginnt mit der Schrift Catos und reicht zeitlich bis zu *De re rustica* des Palladius (frühes 5. Jh. n. Chr.). Die röm. Agrarschriftsteller wandten sich seit Cato an Großgrundbesitzer, nicht etwa an Bauern; die bäuerliche Wirtschaft wird erst von Vergil beschrieben.

B.1 CATO

Die frühe Schrift Catos *Ad Marcum filium de agricultura* (nach 192 v. Chr.), die nur fragmentarisch erhalten ist, enthielt neben moralischen auch ökonomische Lehren; es wurden kleine Anbauflächen bevorzugt (fr. 365; Serv. georg. 2,412) und die Vermeidung überflüssiger Ausgaben empfohlen. Ähnliche Gedanken finden sich dann auch in *De agricultura*, der frühesten erh. lat. Prosaschrift. Die Darstellung läßt keine klare Gliederung erkennen, teilweise sind Einzelvorschriften aneinandergereiht. Heute gilt die Auffassung, daß Cato selbst das Buch in dieser Form veröffentlicht hat. Er beschreibt eine auf Sklavenarbeit beruhende Gutswirtschaft, die dem Besitzer möglichst hohe Einkünfte sichern sollte. In der *praefatio* wird zwar festgestellt, daß hohe Gewinne auch im Handel oder mit Wuchergeschäften zu erzielen seien, es wird aber betont, daß allein die Landwirtschaft ehrenvolle und dauerhafte Erträge sichere. Aus den Vorschriften über den Kauf eines Gutes geht klar hervor, daß die Produktion absatzorientiert ist; allerdings werden die Sklaven mit den Produkten des Gutes versorgt (Cato agr. 56 ff.). Mit der Verwaltung des Gutes soll ein *vilicus* betraut werden, der sämtliche Arbeiten beaufsichtigt, die Sklaven überwacht und für die Finanzen verantwortlich ist (Cato agr. 1 f.). Ausgaben für das Gut sollen möglichst vermieden werden, das Grundprinzip der Gutswirtschaft lautet: *patrem familias vendacem, non emacem esse oportet* (Cato agr. 2,7). Der Weinbau wird bei Cato am höchsten geschätzt, ihm folgen die Hortikultur, die Olivenbaumpflanzung, Weideland und erst dann der Getreideanbau. Dementsprechend wird das Inventar von zwei Mustergütern, einer Olivenpflanzung von 240 Morgen Größe und eines Weingutes von 100 Morgen Größe, genau beschrieben (Cato agr. 10 f.); der technischen Ausstattung der Güter wird große Aufmerksamkeit gewidmet (Cato agr. 18 ff.). Als wichtigste landwirtschaftliche Aktivität wird das Pflügen (*bene arare* Cato agr. 61) bezeichnet. Daneben spielt die Düngung eine große Rolle (vgl. etwa Cato agr. 5,8.29.33.37.50). Es soll darauf geachtet werden, daß die Sklaven ständig arbeiten, für schlechtes Wetter sind eine Reihe von Arbeiten vorgesehen, die im Hof oder im Haus verrichtet werden können. Cato geht hier von dem Grundsatz aus, daß Kosten auch dann entstehen, wenn nichts getan wird (Cato agr. 2,3 f.; 39). Die Nahrungsmittelrationen für die Sklaven orientieren sich an der Schwere der Arbeit, die jeweils geleistet werden muß; so bekommen die auf dem Feld arbeitenden Sklaven mehr Getreide als der *vilicus* (Cato agr. 56 f.). In einer Liste wird aufgeführt, in welchen Städten die auf dem Gut benötigten Werkzeuge und Geräte gekauft werden können (Cato agr. 135). Von bes. wirtschaftshistor. Interesse sind die Kauf- und Pachtverträge, die auch zeigen, auf welche Weise die in der Erntezeit notwendigen Arbeitskräfte angeworben wurden (Cato agr. 144 ff.).

B.2 RÖMISCHE AUTOREN DES 2./1. JHS. V. CHR.

Die bei Varro, Columella und Plinius erwähnten Werke der Sasernae und des Cn. Tremellius Scrofa sind nicht überliefert; sie wurden häufig benutzt und hatten einen erheblichen Einfluß auf die spätere Fachliteratur. Die Sasernae sind in ihrer Schrift *De agricultura*, die um die Wende vom 2. zum 1. Jh. verfaßt wurde, ausführlich auf den Einsatz der Arbeitskräfte eingegangen; sie haben versucht, die Zahl der benötigten Arbeitskräfte für die einzelnen Arbeiten genau festzulegen (Varro rust. 1,18,2; 1,18,6; Colum. 2,12,7). Cn. Tremellius Scrofa war älterer Zeitgenosse Varros und galt als hervorragender Fachmann und Stilist (Varro rust. 1,2,10; Colum. 1,1,12; 2,1,2); Varro ehrte ihn, indem er ihn in seiner Schrift *De re rustica* als Dialogpartner auftreten ließ. Die Schrift Scrofas war systematisch gegliedert (Varro rust. 1,5,3 f.); nach Varro hielt er eine genaue Kontrolle des Gutsinventars für notwendig; durch eine bes. Sorgfalt im Anbau oder bei Anpflanzung sollte nicht nur ein schöner Anblick erzielt, sondern sollten auch hohe Erträge gesichert werden (Varro rust. 1,7,2 f.). Er scheint die schon von Theophrast (Theophr. c. plant. 4,4,10) geäußerte These, die Erde altere und die Bodenfruchtbarkeit nehme unaufhörlich ab, geteilt zu haben (Colum. 2,1,2). Es ist möglich, daß er diese pessimistische Ansicht als protreptisches Mittel zu mehr Engagement für die Landwirtschaft benutzt hat.

Die Schrift *De re rustica* von M. Terentius Varro, die 37 v. Chr. erschien und die in Dialogform abgefaßt ist, beruht auf eigener Erfahrung bei der Bewirtschaftung seiner Güter, auf Lektüre der älteren Fachlit. und auf Gesprächen mit erfahrenen Gutsbesitzern (Varro rust. 1,1,11). Im ersten Buch wird der Anbau von Getreide und Wein sowie die Anpflanzung von Olivenbäumen beschrieben. Die ersten Kapitel dieses Buches behandeln die Grundlagen der Landwirtschaft, die als *ars* qualifiziert wird (Varro rust. 1,3), sowie die günstige Lage eines Gutes, die Arbeitskräfte und das Gutsinventar, wobei die Sklaven von Varro zum *instrumentum* gerechnet werden. Er differenziert dabei zw. dem *genus vocale* (*servi*), *semi vocale* (*boves*) und *mutum* (*plaustra*) (Varro rust. 1,17,1). Kennzeichnend für die Behandlung der Arbeitskräfte bei Varro ist der Versuch, die Sklaven durch Belohnung zu motivieren und für ihre Arbeit zu interessieren. Thema des folgenden Buches ist die Viehzucht, deren enge Verbindung mit dem Ackerbau gefordert wird, da einerseits genügend Futter zur Verfügung steht und andererseits das Vieh Dünger liefert (2 praef. 4 f.). Die *pastio villatica*, Kleintier-, Geflügel-, Bienen- und Fischzucht, ist Gegenstand des dritten Buches, das als bedeutendster Beitrag Varros zur Fachlit. gelten kann.

Vergils *Georgica*, die zwischen 37 und 29 v. Chr. entstanden und sich an griech. Vorbildern, insbes. an Hesiods *Erga* orientierten, thematisieren die bäuerliche Wirtschaft in der Poebene. Die Landwirtschaft ist für Vergil die bevorzugte Existenzform; die Arbeit, die von Iuppiter gewollt ist (Verg. georg. 1,118 ff.), wird von Vergil als wichtigste Voraussetzung erfolgreichen Wirtschaftens angesehen (Verg. georg. 2,61). Das Lehrgedicht stellt in vier Gesängen die Landwirtschaft dar

(1: Getreideanbau; 2: Weinbau und Baumpflanzung; 3: Viehzucht; 4: Bienenzucht); insgesamt ist für Vergil eine idyllisierende Sicht der Landwirtschaft charakteristisch (Verg. georg. 2,475 ff.), obgleich auch Hinweise auf Härten des Landlebens nicht fehlen (vgl. die Beschreibung einer Viehseuche, Verg. georg. 3,478 ff.).

B.3 COLUMELLA

Als Höhepunkt der röm. Agrarlit. sind die Schriften des 1. Jh. n. Chr. zu bewerten: Die Darstellung des Celsus innerhalb seines enzyklopädischen Werkes, Columellas *De re rustica* und die Bücher zur Landwirtschaft in der *Naturalis historia* des Plinius. Als weitere Autoren dieser Zeit werden bei Columella Iulius Atticus und Iulius Graecinus genannt, die beide Spezialschriften über den Weinbau verfaßt haben (Colum. 1,1,14). Columellas zwölf Bücher umfassendes Werk steht in der Tradition der älteren Agrarlit. und behandelt trotz einzelner kritischer Bemerkungen zur Sklaverei (Colum. 1 praef.) eine auf Sklavenarbeit beruhende Gutswirtschaft. In enzyklopädischer Weise wird ein Überblick über alle Gebiete der Landwirtschaft gegeben: Lage und Kauf des Gutes sowie die Arbeitskräfte (Colum. 1), Getreideanbau (Colum. 2), Weinbau sowie Oliven- und Obstbäume (Colum. 3–5), Viehzucht (Colum. 6; 7), Geflügel- und Bienenzucht (Colum. 8; 9), Gartenbau (nach dem Vorbild Vergils in Versen, Colum. 10), die Pflichten des *vilicus* und der Gartenbau (Colum. 11) und die Nahrungsmittelzubereitung im Hause (Colum. 12). Bemerkenswerterweise diskutiert Columella eingehend das Problem der Verpachtung; zumindest partiell treten *coloni* an die Stelle der Sklaven; dabei lehnt Columella einen häufigen Pächterwechsel oder aber Pächter aus der Stadt ab und empfiehlt, alteingesessene *coloni* auf dem Gut zu halten (Colum. 1,7). Das Interesse an angemessenen Erträgen kommt bes. in den Ausführungen über den Weinbau zum Ausdruck. Columella berechnet die für die Anlage einer sieben Morgen großen Weinpflanzung notwendigen Investitionen, und gelangt so zu dem Ergebnis, daß durch den Verkauf der Ernten eine Verzinsung von mehr als 6% erreicht wird. Diese Berechnungen sind oft kritisiert worden. Es bleibt aber festzuhalten, daß bei Columella die in der Landwirtschaft erzielten Erträge an einem möglichen Gewinn beim Geldverleih gemessen werden.

B.4 RÖMISCHE AUTOREN DER KAISERZEIT

Auch bei Plinius sind kritische Tendenzen gegenüber der Sklaverei und dem Großgrundbesitz erkennbar (Plin. nat. 18,21; 18,35). Die traditionelle bäuerliche Wirtschaft im frühen Rom wird hingegen verklärt (Plin. nat. 18,4). Plinius ist dennoch an technischen Neuerungen im Bereich der Landwirtschaft außerordentlich interessiert und erwähnt etwa den Räderpflug (Plin. nat. 18, 172), das gallische Mähgerät (Plin. nat. 18, 296) sowie die Schraubenpresse (Plin. nat. 18,317). Auch bestimmte Anbaumethoden wie der Fruchtwechsel und der Anbau von Lupinen als Gründünger werden beschrieben (Plin. nat. 18,187 ff; 18,134). Die eigentlichen ökonomischen Grundsätze sind eher traditionell

und nehmen die Ratschläge Catos auf (Plin. nat. 18,26 ff.; 18,39 f.).

Palladius, der Güter in der Umgebung von Rom und auf Sardinien besaß, übernimmt zwar viele Passagen aus dem Werk des Columella, besitzt aber dennoch eine gewisse Eigenständigkeit, wie bereits die Gliederung zeigt: In den Büchern 2–13 werden jeweils die landwirtschaftlichen Arbeiten, die in einem Monat zu verrichten sind, aufgeführt. Der Weinbau steht im Vordergrund, Getreideanbau, Hortikultur und Viehhaltung sind dem gegenüber sekundär. Über die Arbeitsorganisation bietet Palladius kaum Informationen, so daß unklar bleibt, ob die von ihm beschriebene Landwirtschaft noch auf Sklavenarbeit beruht.

C. REZEPTION

Im MA und in der frühen Neuzeit wurden die ant. A. in großem Umfang rezipiert – von Palladius existieren über 100 Hss. – und zu praktischen Zwecken genutzt; dies gilt auch für das maurische Spanien. Im Übergang zur Renaissance werden bei Petrus de Crescentiis um 1304 die röm. Autoren wieder ausgewertet; während des Humanismus, etwa in der deutschen Hausväterlit., stand meist Columella im Zentrum. Die Physiokraten standen bewußt in der röm. Tradition. Im 18. Jh. erlebte das Studium der Ant. zu praktischen Zwecken neues Interesse. So hat A. Dickson in seinem Werk *The Husbandry of the Ancients* (1788), die Landwirtschaft durch Rezeption röm. Autoren – vor allem Columellas – fördern wollen.

→ Porsius Cato; Columella; Geoponica; Hesiodos; Landwirtschaft; Palladius; Plinius; Sklaverei; Varro; Vergil; Xenophon

1 M. BEAGON, Roman nature. The thought of Pliny the elder, 1992, 161–177 2 DUNCAN-JONES, Economy, 39 ff. 3 M. FUHRMANN, Das systematische Lehrbuch, 1960, 69–78; 157–166. 4 H. GUMMERUS, Der röm. Gutsbetrieb als wirtschaftlicher Organismus nach den Werken des Cato, Varro und Columella, Klio Beih. 5, 1906, Ndr. 1963, 51–55 5 G. HENTZ, Les sources grecques dans les écrits des agronomes latins, in: Ktema 4, 1979, 151–160 6 ISAGER / SKYDSGAARD, 7 7 R. MARTIN (Hrsg.), Palladius, Traité d'agriculture 1, 1976, VII–LXVII 8 Ders., Recherches sur les agronomes latins et leurs conceptions économiques et sociales, 1971 9 E. MARÓTI, Zu Columellas Weiterleben im Frühmittelalter, in: AAntHung 27, 1979, 437–447 10 K. D. WHITE, Farming, 1970, 14–41. E. C.

Agrarstruktur. [1, Griechenland] A. EINLEITUNG B. LANDVERTEILUNG C. BESITZSTRUKTUR

A. EINLEITUNG

In den Linear B-Archiven der späten Bronzezeit wird für Griechenland erstmals ein relativ genaues Bild von Landbesitz und der Nutzung des Landes gezeichnet, die zentral von den Palästen kontrolliert wurde. In Pylos, wo die Tontäfelchen der E-Serien detaillierte Abgaben liefern, war das Land in Kategorien aufgeteilt, von denen zwei sicher definiert werden können: *ko-to-*

na ki-ti-me-na wurde von privaten Landbesitzern oder deren Pächtern bebaut, *ko-to-na ke-ke-me-na* war Gemeineigentum und wurde hauptsächlich als kleine Parzellen verpachtet [3; 5].

B. LANDVERTEILUNG

Disparitäten in der Landverteilung, die für die *Dark Ages* nur aufgrund der unterschiedlichen Ausstattung der Gräber vermutet werden können, sind für das archa. Griechenland durch die frühesten lit. Texte, die *Erga* Hesiods und die ›Elegien‹ Solons, belegt. Es gab Ländereien, die sich in der klass. Epoche und wahrscheinlich bereits in der archa. Zeit im Besitz von Institutionen, insbes. von Tempeln, befanden; die Existenz von Land in Gemeinbesitz ist hingegen weniger gewiß. Wenn Hesiods Vater eine histor. Person ist (erg. 630–40), scheint in Boiotien während des 8. Jhs. für Neuankömmlinge Landerwerb erstrebenswert gewesen zu sein.

Die Landverteilung wurde in der archa. und der klass. Epoche unter zwei Voraussetzungen zu einem zentralen polit. Problem: In den neuerworbenen Gebieten bestand die Notwendigkeit, das Land für eine Ansiedlung aufzuteilen, außerdem mußten die Forderungen des Volkes nach einer Neuverteilung des Landes unterdrückt werden. Es wurde nicht nur üblich, das Recht auf Landbesitz allein Bürgern zuzugestehen, zudem wurde häufig die Forderung erhoben, durch eine Beschränkung der Bürgerschaft auf die Grundbesitzer oder durch eine gleichmäßige Zuteilung des Bodens an Bürger mit demselben Rechtsstatus zu erreichen, daß Landbesitz und Bürgerrecht einander entsprachen [1; 7]. Dies wird durch überlieferte Gründungsurkunden (SIG 141, Kerkyra Melaina; 4. Jh.), durch die historiographische Überlieferung zur Gesch. der frühen Apoikien (→ Apoikia), z. B. Kyrene, und durch die philos. Lit. (Plat. leg. 744b) dokumentiert. Trotz der gut überlieferten Auffassung, Land sei unveräußerlich gewesen (Aristot. pol. 6,4,1319a), konnte Land in allen uns gut bekannten griech. Städten verkauft werden. Es ist unwahrscheinlich, daß eine Polis jemals die Unveräußerlichkeit allen Landes durchsetzen konnte. Obgleich Messenien erst gegen 700 v. Chr. aufgeteilt worden war, wies selbst Sparta in der klass. Epoche offensichtlich erhebliche Ungleichheiten im Landbesitz auf.

Es ist sehr schwierig, die Verteilung des Bodens im ant. Griechenland zu rekonstruieren. Für Athen gehen die meisten Unt. von der Behauptung des Lysias aus (Dion. Hal. Lysias 32), daß bei einer Beschränkung der Bürgerrechte auf Landbesitzer etwa 5000 Personen ihr Bürgerrecht verloren hätten (ungefähr 20 % der Bürgerschaft). Ebenso spekulativ wie diese Annahme ist der Versuch, den Anteil des Großgrundbesitzes an der gesamten Agrarfläche festzustellen; immerhin kann aufgrund des Wertes jener Ländereien, die 378/77 v. Chr. für die *eisphorá* veranlagt wurden, angenommen werden, daß die reichen Athener (etwa 5 % der Bürger) ungefähr ein Viertel bis ein Drittel der gesamten Anbaufläche besaßen [10.23–24]. Bei Demosthenes wird ein großes Gut ausführlich beschrieben; auf den Ländereien des Phainippos wurden Gerste und Wein angebaut, zusätzliche Einkünfte durch den Verkauf von Brennholz erzielt (Demosth. or. 42,5 ff.; 42,20 ff.). Selbst für Athen, wo die Silberbergwerke und die Prosperität des Peiraieus ungewöhnlich viele Möglichkeiten boten, außerhalb der Landwirtschaft Reichtum zu erwerben, ist eine starke Korrelation zw. der Verteilung des Bodens und der Verteilung des Reichtums in der Bürgerschaft wahrscheinlich.

C. BESITZSTRUKTUR

Sinnvoller als eine Unt. der Verteilung des Bodens ist es, jene Mechanismen zu klären, die zur Ausbildung von großen Ländereien führten. In Athen waren die Ländereien – auch reicher Bürger – oft fragmentiert, über verschiedene Orte in einer Region Attikas oder sogar über ganz Attika verstreut [9]. Eine solche Besitzstruktur weist eine Reihe von Vorteilen für die Bewirtschaftung auf, ist aber wahrscheinlich auf die Tatsache zurückzuführen, daß Erbschaft die vorherrschende Methode war, Land zu erwerben. Die Auswirkungen der Vererbung auf die A. hingen weitgehend davon ab, ob die Erbgesetze eine Realteilung oder die Unteilbarkeit des Besitzes vorsahen und ob Töchter Anspruch auf einen Teil des Erbes besaßen.

Wie der *Oikonomikos* des Xenophon zeigt, bestand in Athen und im übrigen Griechenland – wenn man von Sparta absieht – die Idealvorstellung, daß ein Bürger Land besaß und dieses auch bearbeitete. Auf den Besitzungen der Reichen gab es neben dem Besitzer und seiner Familie weitere Arbeitskräfte, aber große von Sklaven verwaltete Güter sind für Athen in klass. Zeit kaum nachweisbar. Hinweise auf eine weite Verbreitung von Pächtern zur Bewirtschaftung von privatem Land existieren kaum, obgleich IG I³ 1 darauf hindeutet, daß die Verpachtung von Land um 500 v. Chr. üblich war. Die weitläufigen Ländereien in Attika, die im Besitz öffentlicher Institutionen waren und langfristig verpachtet wurden, waren eher für wohlhabende als für arme Pächter attraktiv. Ähnliche Verhältnisse scheinen in Boiotien geherrscht zu haben, während in Sparta die landwirtschaftliche Arbeit auf den Gütern ausschließlich von Heloten geleistet wurde. Auch in Städten wie Argos, dessen Bevölkerung teilweise einen Status zwischen Freien und Sklaven hatte, mag zumindest zeitweise ein ähnliches System ländlicher Arbeit existiert haben.

Aufgrund der ungleichmäßigen jährlichen Niederschlagsmengen war die Subsistenzwirtschaft in Griechenland extrem risikoreich; deshalb waren die Bauern partiell in den interregionalen Austausch eingebunden. Steuerzahlungen und weitere Geldausgaben zwangen sie zum Eintritt in den Markt. Große Mengen von Agrarerzeugnissen wurden in der gesamten griech. Welt über größere Distanzen transportiert – darunter die Hauptprodukte Getreide, Öl und Wein (Demosth. or. 35,10); es ist allerdings wahrscheinlich, daß die Großgrundbesitzer – wie etwa Perikles (Plut. Perikles 16) – in größerem Umfang in das Marktgeschehen einbezogen waren als die Besitzer kleiner Höfe.

→ Eisphora; Kleros; Landwirtschaft; Pachtverträge; Pylos; Subsistenzproduktion; Sklaverei; Erbrecht

1 D. Asheri, Laws of inheritance, distribution of land and political constitutions in ancient Greece, in: Historia 12, 1963, 1–21 2 A. Burford, Land and labor in the Greek world, 1993 3 J. Chadwick, The Mycenaean World, 1976 4 Finley, Economy, 213–232 5 Finley, Economy, 199–212 6 Isager / Skydsgaard 7 S. Link, Landverteilung und sozialer Frieden in archa. Griechenland, in: Historia Einzelschr. 69, 1991 8 Osborne, 27–52 9 R. Osborne, Demos, 1985 10 R. Osborne, Is it a farm?, in: B. Wells (Hrsg.), Agriculture in ancient Greece, 1992, 21–27 11 G. E. M. de Ste. Croix, The estate of Phaenippus, in: Ancient Society and Institutions: Studies Presented to Victor Ehrenberg, 1966, 109–114. R. O.

[2, Rom]   A. Einleitung   B. Ager publicus und ager privatus   C. Besitzverhältnisse

A. Einleitung

Die klass. Einteilung des röm. Landes in zwei rechtlich definierte Kategorien, *ager privatus* und *ager publicus* (Privatland und öffentliches Land), entstand wahrscheinlich im späten 6. Jh. v. Chr., als Rom und andere aufstrebende Städte der Region einerseits die Territorien und andererseits allg. Regeln für den Landerwerb festlegten. Flächen ohne einen Besitzer, die verwendet wurden, um Zuwanderer wie Attus Clausus und seine Gefolgsleute mit Land zu versorgen, verschwanden nach und nach, und ebenso verloren die *gentes* die in der Forsch. oft postulierte Kontrolle (deren Reichweite und Form umstritten sind) über den Landbesitz. Das Zwölftafelrecht aus der Mitte des 5. Jhs. v. Chr. liefert den frühesten eindeutigen Beweis für einen rechtlich definierten Begriff des Privatbesitzes in Rom; vielleicht geht dieses Konzept auf das athenische Recht zurück [2]. Der Privatbesitz war jedenfalls Voraussetzung für die in der Überlieferung Servius Tullius zugeschriebene Schaffung der urspr. *classis*, die aus den Bürgern bestand, die die Pflicht und das Privileg besaßen, sich selbst zu bewaffnen; diese Gruppe von Bürgern war durch ihren Besitz, ihren *census*, definiert.

B. Ager publicus und ager privatus

Die in der Republik herrschende Auffassung ließ, abgesehen von gelegentlicher Besteuerung des Privatlandes (*tributum*), faktisch keine Staatseingriffe zu: Herrenloser *ager publicus* wurde, wenn keines der Geschlechter einen Anspruch darauf erhob, zum Besitz eines jeden, der ihn für zwei Jahre in Besitz nahm (*usucapio*). Populistische Vorschläge einer Neuverteilung des *ager privatus* hat es nie gegeben. Der Besitz von *hostes publici* (Hochverrätern) und von verurteilten Straftätern wurde konfisziert, aber durch Versteigerung sofort wieder in Privatbesitz überführt, und bei den Proskriptionen in der Zeit der späten Republik wurde das Land an Veteranen übertragen. Die augusteische Gesetzgebung,

die durch Ausweitung der entsprechenden republikanischen Gesetze einer Übertragung von Land durch Testament an Erben außerhalb der männlichen Nachkommenschaft enge Grenzen setzte und das in den hell. Monarchien geltende Prinzip öffentlichen Anspruchs auf herrenloses oder aufgegebenes Land [5] einführte, wurde daher stark mißbilligt.

Obwohl der Republik einiges Land innerhalb des urspr. Territoriums der Stadt Rom gehörte, stellte der Großteil des *ager publicus* erobertes und konfisziertes Land anderer Gemeinwesen dar. In der gängigen Praxis wurde es in kleine Bauernhöfe aufgeteilt, die röm. Bürgern als Privatbesitz zugeteilt wurden. Eine wachsende Fläche dieses Landes blieb jedoch unverteilt; ein Teil davon wurde an die urspr. Besitzer oder an röm. Landbesitzer verpachtet, der andere Teil wurde als Gemeindewald oder öffentliches Weideland bestimmt. Der Zugang zu diesem Weideland wurde von der Republik durch die Bezahlung einer Abgabe und durch Bestimmungen über die Zahl der Tiere, die ein Bürger auf dem *ager publicus* weiden lassen durfte, begrenzt. Im späten 2. und 1. Jh. v. Chr. wurde der Großteil des anbaufähigen *ager publicus* in It. durch die Gracchen und durch die folgenden Siedlungsprogramme wahrscheinlich eingezogen und erneut vergeben, so daß für weitere Ansiedlungsmaßnahmen kein Land mehr zur Verfügung stand. Unter diesen Umständen kam es zu Proskriptionen, um Privatland und *ager publicus* der *municipia* an die Veteranen verteilen zu können. Mit dem *patrimonium* des *princeps* entstand während des Principates eine neue Form öffentlichen Landes, das zu einem großen Teil seit Mitte des 4. Jhs. n. Chr. der Kirche, insbes. dem *patrimonium Petri*, gestiftet wurde. Rom tendierte dazu, in den Prov. lokale Besitzstrukturen an die röm. Verhältnisse anzupassen. In früheren hell. Königreichen wie Sizilien und Ägypten wurde die *gē basilikē* wie der *ager publicus* behandelt und an Bauern aus der Region verpachtet. Das röm. Modell des privaten Landbesitzes, das wesentlich war für die Definition von gesellschaftlichem Rang und für die Festlegung von Liturgien und Steuern, wurde im gesamten Mittelmeerraum von Ägypten bis zum keltischen Westen verbreitet [5]. Auch in den Prov. wuchsen die Besitzungen des *princeps*, mit denen dann die Kirche ausgestattet wurde.

Im Selbstverständnis der Republik war Rom ein Gemeinwesen von Bürgern, die gleichzeitig Kleinbauern waren und gleich große Höfe besaßen. Die Ansiedlungsmaßnahmen vom 4. bis zum 1. Jh. v. Chr. stellten den Versuch dar, dieses Ideal lokal zu verwirklichen, indem das Land in gleich große Parzellen aufgeteilt wurde (*centuriatio*), die oftmals nur eine reine Subsistenzwirtschaft zuließen. Auf diese Weise waren die Römer im 4. Jh. v. Chr. in der Lage, das *nexum*, eine Form der Abhängigkeit der armen von den reichen Landbesitzern, aufzuheben, als aufgrund von Eroberungen *ager publicus* für Koloniegründungen zur Verfügung stand und Sklaven aus fremden Ländern zunehmend die röm. *nexi* ersetzten. Der Rückgriff auf fremde Sklaven als Arbeitskräfte auf den Gütern der reichen Landbesitzer nahm nach und nach an Bed. zu und führte zur Entstehung der Villenwirtschaft, die vom 2. Jh. v. Chr. bis zum 2. Jh. n. Chr. vorherrschte. Währenddessen erwies sich die künstliche Struktur des Kleinbesitzes, der durch die Koloniegründungen entstanden war, strukturell als instabil. Die ungleiche Größe und die ungleichen Bedürfnisse der Familien sowie die Zersplitterung der Höfe durch Erbteilung brachte einen Arbeitskräfteüberschuß mit sich. Diese Menschen benötigten für ihr Überleben kurzzeitigen, bezahlten Militärdienst und kontinuierliche Ansiedlungsmaßnahmen; beides hatte jedoch mit dem Principat ein Ende. Die Bewirtschaftung des Landes durch Kleinpächter begann im 1. Jh. n. Chr. wieder aufzuleben. In der Spätant. bekam die Verpachtung von Land wiederum eine große Bed., als die auf dem Land der Großgrundbesitzer ansässigen Pächter durch Gesetz zu steuerpflichtigen Abhängigen gemacht wurden, ein System, das als → *colonatus* bezeichnet wurde. Die Ausweitung der röm. Ansiedlungsprogramme und die Übertragung des Begriffs des *ager publicus* auf die Prov. muß die Entstehung von Kleinbesitz auch außerhalb It. beschleunigt haben, doch beides führte niemals zu einer vollständigen Verdrängung traditioneller Formen von Pacht und Abhängigkeit.

C. BESITZVERHÄLTNISSE

Allg. betrachtet gab es während der gesamten röm. Gesch. hindurch die Tendenz einer zunehmenden Differenzierung der Besitzverhältnisse, die durch die wachsende Größe und geogr. Verbreitung des Landbesitzes der Elite verursacht war. In den lit. Quellen kann dies am Beispiel der Consuln aus den Reihen der Kleinbauern im frühen Rom, der Besitzungen des älteren Cato, Ciceros und des jüngeren Plinius bis hin zu den ungeheuren Reichtümern der Senatoren des 4. Jhs. n. Chr. nachgezeichnet werden. Erhaltene Verzeichnisse über den Landbesitz vermitteln zwar einen Eindruck, können aber kein vollständiges Bild der Besitzverhältnisse in einigen Gemeinden spätant. It. oder Ägypten bieten: Sie deuten an, daß sich neben den meist kleinen Bauernhöfen (gerade oder knapp über der Subsistenzgrenze), die in der Größe nicht entscheidend voneinander abwichen, ein großer Prozentsatz des Landes in den Händen einer sehr kleinen Elite befand. Da die großen Besitzungen typischerweise aus einer Anzahl separater Güter bestanden, sind sie in den Verzeichnissen eher unterrepräsentiert [1; 3]. Die kleinen Bauernhöfe werden wohl stets die Subsistenzwirtschaft angestrebt haben, während die Produktionsüberschüsse, die der Versorgung der städtischen Bevölkerung und der Armeen dienten, hauptsächlich auf den großen Landgütern erzeugt wurden. Die Kleinbauern mußten allerdings Pachten und Steuern – biswelen in Geld – bezahlen und hierfür ihre geringen Einkünfte, die sie durch den Verkauf ihrer Erzeugnisse auf dem Markt erzielten, aufwenden; die Großgrundbesitzer hingegen nutzten ihre Überschüsse eher für solche Ausgaben, die ihr Sozialprestige erhöhten, als zur Vergrößerung ihrer Vermö-

gen. Der Umfang, die geogr. Lage und die histor. Bed. der marktorientierten Produktion in der röm. Landwirtschaft bleiben umstrittene Fragen. In den verschiedenen Epochen und in verschiedenen Regionen gab es sicherlich erhebliche Unterschiede, aber generell war die marktorientierte Produktion kleiner Höfe und großer Güter aufgrund des von Rom gesicherten Friedens, der Urbanisierung, der Besteuerung und der Rolle der Geldwirtschaft im Imperium Romanum wahrscheinlich weiter verbreitet und von größerer ökonomischer Bed. als in den meisten anderen vorindustriellen Gesellschaften.

→ ager publicus, census, centuriatum, Colonatus, nexum, patrimonium Caesaris, usucapio

1 R. S. BAGNALL, Landholding in Roman Egypt: the distribution of wealth, in: JRS 92, 1992, 128–149 2 M. H. CRAWFORD (Hrsg.), Roman Statutes, 1996, 2, 666–76 3 DUNCAN-JONES, Structure, 121–142 4 FLACH 5 W. RATHBONE, Egypt, Augustus and Roman Taxation, in: Cahiers du Centre G. Glotz 4, 1993, 81–112 6 G. E. M. DE STE. CROIX, The Class Struggle in the Ancient Greek World, 1981 7 M. WEBER, Die röm. Agrargesch., 1891. D. R. / C. P.

Agraulos s. Aglauros

Agreophon. Aus Kaunos, Vater des Zenon, besucht 253 v. Chr. Ägypten.

H. HAUBEN, Les vacances d'Agréophon (253 av. J. C.), in: CE 60, 1985, 102–108. W. A.

Agrestius. Die westgot. Dichter-Hs. Par. Lat. 8093 (9. Jh.) enthält als *Versus Agresti episcopi de fide ad Avitum episcopum* das Fragment einer hexametrischen Epistel mit brieftopischer Einleitung und persönlichem Glaubensbekenntnis. Der Autor ist wohl identisch mit einem Bischof A. von Lugo in Spanien, von dessen Gegensatz zu den Antipriscillianisten Pastor und Syagrius im J. 433 Hydatius (chron. 93 BURGESS = 102 MOMMSEN) berichtet; als Adressat kommt Avitus von Braga in Frage. Wie die trinitätstheologische Terminologie vermuten läßt, wollte A. den Verdacht des Priscillianismus (→ Priscillianus) abwehren. Das Fragment verrät Vertrautheit mit klass. Dichtung (Vergil, Ovid) und der lat. Bibelepik.

K. SMOLAK, Das Gedicht des Bischofs A., SAWW 284,2, 1973 · A. C. VEGA, Un poema inedito, titulado de fide, in: Buletin de la Real Academia de la Historia 159, 1966, 167–209 · R. W. MATHIESEN, A. of Lugo, Eparchius Avitus, and a Curious Fifth-Century Statement of Faith, in: Journal of Early Christian Studies 2, 1994, 71–102. K. SM.

Agrianes (Ἀγριᾶνες). Thrak. oder paionischer Stamm am Oberlauf des → Strymon. Als Untertanen des → Sitalkes nahmen sie 429 v. Chr. an den Feldzügen gegen → Perdikkas II. teil (Thuk. 2,96); enge Kontakte zu → Philippos II. (FGH 115, Theop. F 145) und → Alexander III. [4], den ihr König → Langaros unterstützte (Arr. an. 1,5,1–10). In hellenistischer Zeit dienten sie oft als Söldner (Liv. 33,18; Pol. 2,65; 10,42). Seit der 2. Hälfte 2.Jh. v.Chr. von den Dentheletai verdrängt.

CH.DANOV, Altthrakien, 1976, 105–107 · A.FOL, Trakija i balkanite, 1975,65–67. I.v.B.

Agricola.
Cognomen z.B. bei den Atilii, Calpurnii, Iulii, Virii.
[1] 418 n.Chr. praef. praetorio II in Gallien [1], 421 cos. (PLRE 2, 36f.) [2] Sohn des Kaisers → Avitus (455/6 n.Chr.), Bruder des Ecdicius und der Papianilla. Er bekleidete wohl ein hohes Amt (vir inlustris), später wurde er Geistlicher; er war Korrespondent seines Schwagers → Sidonius Apollinaris (epist. 1,2; 2,12; PLRE 2, 37 A. 2).

1 R. v.HAEHLING, Religionszugehörigkeit, 1978, 349, Nr. 37. H.L.

Agricola [3, Cn. Iulius] s. Iulius

Agrigentum s. Akragas

Agrimensores s. Feldmesser

Agrinion
(Ἀγρίνιον). Urspr. akarnanische Stadt, 314 v.Chr. unter Kassandros → Synoikismos der → Derieis in A., dann Eroberung durch die → Aitoloi (Diod. 19,67f.) und Mitglied im Aitolischen Koinon (mehrere Strategen aus A.). Stadtanlage (Mauer, Stoa, Häuser) bei Megali Chora 3 km nordwestl. des modernen A. (Mus. der Region) lokalisiert.
→ Akarnania; Strategos

C.ANTONETTI, Les Étoliens, 1990, 236f. · S.BOMMELJÉ (Hrsg.), Aetolia, 1987, 96 · LAUFFER, Griechenland, 80f. D.S.

Agrionia
(Ἀγριώνια). Frauenfest im dor. und aiol. Bereich im Frühling [1]. Die dazugehörigen Mythen schreiben den Frauen mänadenhaftes Verhalten zu. In der Argolis ergreift der Wahnsinn die Töchter des Königs von Tiryns, die Proitiden (Hes. fr. 37,10–15 M-W: Hera als Verursacherin; Hes. fr. 131 M-W: Dionysos); die Frauen zerreißen die eigenen Kinder (Apollod. 2,28; 3,17). Melampous weiß Rat: ein Ferkelopfer reinigt (Proitidenmythos und Ritual: Hesych s.v. ἀγριάνια; Ferkelopfernde Mädchen in Tiryns: [2]). Die Schlacht des Perseus gegen Dionysos und sein Frauenheer (Paus. 2,20,4) könnte Aition für A. in Argos sein [1. 197; 3. 51–122]. – A. in Boiotien: In Orchomenos treibt Dionysos nächtens die widerstrebenden Töchter des Minyas in Wahnsinn und Kindermord (Plut. qu. Gr. 299e; Paus. 9,20f.; Ail. var. 3,42 [4]). Dies wurde jedes zweite Jahr rituell gespielt, wobei der Dionysospriester und die Männer die Frauen verfolgten (in Chaironeia:

Plut. symp. 8,1,717a). NILSSON hielt die A. für eine indeur. »Seelenfeier«, – als dor. Parallele der ion. Anthesteria – zu der später Dionysos als Fruchtbarkeitsgott hinzugenommen worden sei. Dagegen steht eine Interpretation, die Dionysos mit der Epiklese ἄγριος »wild« als Totengott versteht [5; 6]. BURKERT betont den Sparagmos als dionysisches Opfer und die soziale Geschlechterdifferenz.

1 W.BURKERT, Homo necans, 1972, 194 Anm. 23
2 A.FRICKENHAUS, Tiryns I.1, 1912 3 G.CASADIO, Il culto di Dionisio in Argolide, 1994, 51–122 4 SCHACHTER, 179–181 5 ROHDE, 45 6 W.F.OTTO, Dionysos, 1933, 42f., 108–110.

NILSSON, Feste, 271–274 · BURKERT, 254–257. C.A.

Agrios
(Ἄγριος), der »Wilde«. [1] Kalydonier, Sohn von Porthaon und Eureite (Hes. fr. 10a 49; Euryte: Apollod. 1,63), Bruder von Melas und Oineus (Hom. Il. 14,117; dazu Alkathoos Hes. fr. 10a 52f.; vgl. Apollod. l.c.). Er entthront Oineus, wird von Diomedes vertrieben und tötet sich (Hyg. fab. 175, 242); nach anderen sind auch seine Söhne die Usurpatoren und werden von Diomedes getötet (Apollod. 1,77–8; Ant. Lib. 37) [1]. [2] Sohn des Odysseus und der Kirke, Bruder des Latinos und mit ihm zusammen Herrscher der Tyrsener (Hes. theog. 1013–6). Es ist die erste und, was A. betrifft, problematische Erwähnung it. Völker in der griech. Lit. Die Bed. des Namens sagt etwas über die griech. Einschätzung der Kulturen am westl. Rand der Welt aus. In der Wortbed. ist Zivilisationsfeindschaft angelegt. So ist A. auch Name [3] eines Giganten, den die Moirai töteten (Apollod. 1,38), und [4] eines Kentauren, den Herakles von Pholos' Höhle abwehrte (Apollod. 2,84).

1 E.SIMON, s.v. A., LIMC I.1, 306–308. F.G.

Agrippa.
Nach ant. Etym. = aegre partus oder aegripes (Plin. nat. 7,45; Gell. 16,16,1). Urspr. ein Praenomen (so noch bei den Iulii, bes. A. Postumus), dann Cognomen, in den Familien der Antonii, Asinii, Cassii(?), Fonteii, Furii, Haterii, Helvii, Iulii, Lurii, Menenii, Vibuleni, Vipsanii, aber auch bei jüd. Königen (→ Herodes A.). Als Nomen bei verschiedenen Personen belegt. D.K.
[1] M. Vipsanius, geb. 64/3 v.Chr., ritterlichen Geschlechts, wohl aus dem illyr.-dalmat. Raum. Mit Octavian in Rom erzogen, über den er bei Caesar Verzeihung für seinen Bruder erwirkte, der unter Cato in Afrika gekämpft hatte (Nic. Damasc. FGrH II A Nr. 90 p. 393,25ff.). Ging mit Octavian Ende 45 nach Apollonia (Suet. Aug. 94,12) und mit ihm nach Caesars Ermordung im April 44 nach Rom (Nic. Damasc. p. 401,33ff.). 43 (?) Volkstribun (vgl. Serv. Aen. 8,682). 42 Teilnahme an der Schlacht bei Philippi. 41 entlastete A. den Salvidienus Rufus durch die Besetzung von Sutrium (App. civ. 5,122). 40 praetor urbanus; hielt ein Entsatzheer der Antonianer von Perusia fern (App. civ.

5,140f.), Erfolge in Apulien gegen die Truppen des M.
→ Antonius [I 9] (Cass. Dio 48,28,1; App. civ. 5,244).
Mit anderen vermittelte A. den Vertrag von Brundisium
(schol. Hor. sat. 1,5,27 KELLER). 39/38 Statthalter in
Gallien; Erfolge in Aquitanien und am Rhein.

Damals (oder erst 19 v.Chr.?) führte A. die Ubier
über den Rhein und gründete das *oppidum Ubiorum*
(App. civ. 5,386; Cass. Dio 48,49,2f.; Strab. 4,3,4). *Cos.
designatus* im Herbst 38 (RRC Nr. 534; *cos.* im J. 37,
MRR 2,395) legte er bei Cumae den Portus Iulius an
und schuf eine Flotte (Cass. Dio 48,49f.; App. civ.
5,400). Mit Maecenas vermittelte er den Vertrag von
Tarent (Plut. Ant. 35) und heiratete Caecilia Attica
(Nep. Att. 12,1–2) mit der er seine Tochter → Agrippina
[1] bekam. Im Jahr 36 siegte er zur See bei Mylai und
Naulochoi über Sex. Pompeius (App. civ. 5,433ff. und
488ff.) und erhielt die *corona navalis* (Cass. Dio 49,14,3;
35) mit einer Flotte in Illyrien (App. Ill. 47, vgl. 57). Als
Aedil 33 begann A. eine rege Bautätigkeit in Rom (Straßen, Wasserleitungen und Bäder) und gab prächtige
Spiele (Cass. Dio 49,43; Suet. Aug. 42,1). Er führte 31
den Seekrieg gegen Antonius und besiegte ihn bei Aktium (Cass. Dio 50,11ff.). 29 bekam A. hohe Auszeichnungen (Cass. Dio 51,21,3), wurde i.J. 28 *cos.
II* mit
Octavian und hielt mit ihm einen Census ab (ILS 6123).
Er heiratete in 2. Ehe Claudia Marcella, eine Nichte des
Princeps (Cass. Dio 53,1,2), mit der er mehrere Kinder
hatte (Suet. Aug. 63,1). *Cos. III* im J. 27, vertrat er seit
der Abreise des Augustus nach Spanien diesen bis 24 in
Rom, wo er eine rege Bautätigkeit auf dem Marsfeld
begann. Im J. 25 Vollendung des Pantheon, Übersied-
lung in die *domus Augusti* (Cass. Dio 53,27). Im J. 23
übergab Augustus schwer erkrankt dem A. seinen Siegelring, wodurch eine Spannung mit Marcellus entstand
(Cass. Dio 53,30,2ff.). A. erhielt ein *imperium
pro(?)consulare* [1; 2] auf 5 Jahre und ging 23–22 in den
Osten (Ios. ant. Iud. 15,350ff.). Im J. 21 wieder in Rom,
heiratete A. nach Scheidung von Marcella die Augus-
tustochter Iulia (Cass. Dio 54,6,5), mit der er 5 Kinder
hatte (Stemma RE 9 A 1232). 20–19 hielt A. sich im
Westen auf: Ausbau des gallischen Straßennetzes (Strab.
4,6,11), Bautätigkeit in Gallien und – nach Niederwer-
fung der Cantabrier (Cass. Dio 54,11) – in Spanien. Im J.
18 Verlängerung des *imperium proconsulare* und Übertragung der *tribunicia potestas* für 5 Jahre (Cass. Dio
54,12,4). 17 adoptierte Augustus die Söhne des A. als C.
und L. Caesar (→ Iulius). Nach der Säkularfeier im J. 17
reiste A. über Griechenland (Odeion des A. in Athen) in
den Osten, seit 15 enge Freundschaft mit Herodes (Ios.
ant. Iud. 16,12ff.). Mitte 13 war A. wieder in Rom, wo
seine Vollmachten um weitere 5 Jahre verlängert wurden (Cass. Dio 54,28,1). Anfang 12 v.Chr. ging A. nach
Pannonien, erkrankte jedoch und begab sich nach Campanien, wo er Anfang März erst 51jährig starb. Augustus
brachte den Leichnam nach Rom und hielt A. die Leichenrede (EHRENBERG/JONES, Documents Nr. 366
[3; 4]); er ließ ihn im Mausoleum Augusti beisetzen
(Cass. Dio 54,28 [5]). A. hinterließ neben einer Auto-

biographie *commentarii de aquis* und *comm. geographici* für
eine nach seinem Tode aufgestellte Weltkarte (Plin. nat.
3,17).

1 J.M.RODDAZ, Imperium: nature et compétences à la fin
de la République et au début de l'Empire, CCG 3, 1992,
189–211 2 K.M.GIRARDET, Zur Diskussion um das imperium consulare militiae im 1.Jh. v.Chr., ebd. 213–220
3 W.GRONEWALD, in: ZPE 52, 1983, 61–62 4 W.AMELING,
in: Chiron 24, 1994, 1–28 5 S.PANCIERA, in: H. VON
HESBERG, S.PANCIERA, Das Mausoleum des Augustus, 1994,
95ff.
MZ.: RIC I¹, Augustus Nr. 163f., 168ff., 172. Tiberius Nr.
29, 32ff. · RIC I², Augustus Nr. 154ff., 397, 406ff. und p.
186 note · RPC I, Nr. 77ff., 164, 381, 386, 522ff., 533,
658, 864, 942, 976, 1106, 1366f., 1865, 2008, 2011, 2149,
2260.
LIT.: H.HALFMANN, Itinera principum, 1986, 163ff. ·
J.-M.RODDAZ, Marcus A., 1984.   D.K.

[2] Postumus, M. (Vipsanius), *Augusti nepos* [1]. Im
Herbst 12 v.Chr. nachgeborener Sohn des Agrippa [1]
von der Tochter des Augustus, Iulia; er wurde im J. 4
n.Chr. zusammen mit Tiberius von Augustus adoptiert
(seitdem Agrippa Iulius Caesar), 6 n.Chr. (auf Betreiben
der Livia?) nach Sorrent, dann verschärft nach Planasia
(h. Pianosa bei Elba) verbannt (Suet. Aug. 65,1; Cass.
Dio 55,32; Vell. 2,112,7). Nach einem Gerücht soll Augustus wenige Monate vor seinem Tode A. besucht und
sich mit ihm versöhnt haben (Tac. ann. 1,5,1ff.). Gleich
nach dem Regierungsantritt des Tiberius wurde A. ermordet (*Primum facinus novi principatus*, Tac. ann.
1,6,1ff.). Wer für den Mord verantwortlich ist, läßt sich
nicht mehr klären. Ein falscher A. wurde im J. 16 beseitigt (→ Clemens).

1 I.GONZÁLEZ, First Oath, in: ZPE 72, 1988, 113.
MZ.: RPC I, Nr. 1141, 2011, 5420, 5438
LIT.: D.KIENAST, Augustus, 1982, 114f., 119f. · Z.KISS,
L'iconographie des princes Julio-Claudiens, 1975, 65ff. ·
F.SALVIAT, D.TERRER: Les portraits d'A. Postumus et les
monnaies de Corinthe, in: Rev. arch. de Narbonaise 15,
1982, 237–241 · SYME, Tacitus 1, 306f.   D.K.

[3]. Nur bei Diog. Laert. 9,88 genannter Pyrrhoneer;
ihm werden dort fünf skeptische Tropen zugeschrieben,
welche S. Emp. P.H. 1,164 und 177 allgemeiner jüngeren Skeptikern zuweist. A. lebt also nach
→ Ainesidemos und vor Sextus Empiricus, vermutlich
im 1. oder 2.Jh. Bei den Tropen handelt es sich um
Weisen, dogmatische Behauptungen in Frage zu stellen:
1. der bloßen Behauptung wird widersprochen, bzw.
darauf verwiesen, daß sie den Behauptungen anderer
widerspricht, 2. man zeigt, daß der Versuch, sie zu begründen, zu einem unendlichen Regreß führt, oder 3.,
daß die These relativiert werden muß, oder 4. auf einer
bloßen Hypothese beruht, oder 5. auf einem Zirkel-
schluß. Bemerkenswert sind nicht die einzelnen Tropen, sondern ihre Zusammenstellung, offensichtlich in
systematischer Absicht: sie zusammen sind in jedem Fall
anwendbar und führen zum Erfolg, anders als die Tro-

pen des Ainesidemos. Sie ließen sich leicht auf dem Hintergrund von Aristot. an. post. A 3, erklären, wenn man die Reihenfolge vom 2. und 3. Tropos vertauscht.

J. BARNES, Some Ways of Scepticism, in: S. EVERSON, Epistemology, 1990, 204–224.   M. FR.

[4] Astronom, beobachtete um 100 n. Chr. in Bithynien, von Ptol. syntaxis 7,3 p. 27,1 und Prokl. hypotyposis 5,7 erwähnt.

SCHAEFER, RE 1, 897.   W. H.

[5] (Κάστωρ Ἀγρίππας). Antignostischer Schriftsteller zur Zeit Hadrians (um 135 n. Chr.) wird von → Eus. HE 4,6–8 als bedeutsamer Schriftsteller jener Zeit (ἐν τοῖς τότε γνωριμώτος συγγραφεύς) und von → Hieronymus (vir. ill. 21) als *vir valde doctus* hervorgehoben. Er verfaßte nach Eus. als erster kirchlicher Autor antihäretische Schriften. Seine bedeutsame Schrift gegen den Gnostiker Basilides ist nicht erhalten. Unsicher ist, ob A. auch ein Werk gegen Isidor, den Sohn Basilides', schrieb. Dies geht auf eine Aussage → Theodorets zurück (Haer. fab. 1,4), der Basilides und Isidor zu den Gegenspielern von A., → Irenaios → Klemens von Alexandreia und → Origenes zählte.
→ Gnosis

G. SALMON, s. v. A., Dictionary of Christian biography of apostolic Church, Bd. 1 · G. LADOSCI, s. v. A. Castor, Encyclopedia of the early church, Bd. 1, 18.   K. SA.

Agrippina. [1] Vipsania, Tochter des M. Vipsanius Agrippa von Caecilia Attica (Nep. Att. 19,4). Geb. ca. 33 v. Chr., 16–12 verheiratet mit Tiberius (Suet. Tib. 7,2 f.), dem sie 15 den Drusus Caesar (Drusus d. J.) gebar. Ehelichte nach der Scheidung von Tiberius den C. Asinius Gallus (Tac. ann. 1,12; Stemma RE 9 A 1232). Gest. 20 n. Chr. (Tac. ann. 3,19,3).

RAEPSAT-CHARLIER 1, Nr. 811.   D. K.

[2] Vipsania (A. maior), Tochter des M. Vipsanius Agrippa und der Iulia, geb. ca. 14 v. Chr., heiratete 5 n. Chr. den Germanicus, 9 Kinder (Suet. Cal. 7, Stemma RE 9 A 1232). War mit dem Gatten in den J. 14–16 in Germanien (Tac. ann. 1,40,2) und 17–19 im Osten (Tac. ann. 2,54,1; Geburt der Livilla in Lesbos), wo sie zahlreiche Ehrungen erhielt (IGRR 4,22 f.) Im Winter 19/20 brachte sie die Asche des Germanicus nach Rom (Tac. ann. 2,75). In der *tabula Siarensis* mit den Ehrenbeschlüssen für Germanicus war sie offenbar genannt (I. GONZÁLEZ, ZPE 55, 1984, p. 58 I 7,59 I 21). Ihr Auftreten und die Beliebtheit bei Heer und Volk zogen ihr den Haß des Tiberius zu (Tac. ann. 1,69; 3,4), der schließlich ihre Verbannung nach Pandateria erwirkte (Tac. ann. 5,3 ff.; Suet. Tib. 53). Dort starb sie im J. 33 durch Nahrungsenthaltung (Tac. ann. 6,25,1); im J. 37 wurde ihre Asche von Caligula nach Rom überführt und im Mausoleum Augusti beigesetzt (Suet. Cal. 15,1).

RIC 1², Caligula Nr. 7 f., 13 f., 21 f., 30, 55. RPC 1, Nr. 380, 385, 1000, 1174 f., 2012, 2015, 2128, 2340, 2347, 2343 f., 2471, 2499, 2741 f., 3032, 3077, 3081 ff., 4164 ff.
R. A. BAUMANN, Impietas in principem, 1974, 122 ff. · U. HAHN, Die Frauen des röm. Kaiserhauses, 1994, 130 ff. · S. PANCIERA, in: H. VON HESBERG, ders., Das Mausoleum Augusti, 1994, 136 ff. · RAEPSAT-CHARLIER, Nr. 812 · W. TRILLMICH, Familienpropaganda der Kaiser Caligula und Claudius, 1978.   D. K.

[3] Iulia A. (A. minor), * 6. Nov. 15 n. Chr. im *oppidum Ubiorum* (Köln), Tochter des Germanicus und A. [2] maior (Tac. ann. 12,27,1). Im J. 28 wurde sie von Tiberius mit Cn. Domitius Ahenobarbus verheiratet; Geburt des Sohnes Nero im J. 41 (Ios. ant. Iud. 20,149). Im J. 39 wegen Verschwörung von Caligula verbannt (Cass. Dio 59,22). Von Claudius zurückberufen, heiratete sie Passienus Crispus (Plin. nat. 16,242). 49 Heirat mit ihrem Onkel Claudius (Tac. ann. 12,1 ff.). Im J. 50 veranlaßte sie Claudius, ihren Sohn Nero zu adoptieren, sie erhielt den Beinamen Augusta; sie gründete die Colonia Agrippinensium (Köln; Tac. ann. 12,25–27,1). Nach dem Giftmord an Claudius (Tac. ann. 12,66 f.) war sie am Anfang der Regierung Neros für einige Zeit auch in der Politik dominierend. Bald entmachtet, ließ Nero sie im März 59 bei Baiae umbringen (Tac. ann. 14,1–9). Ihre Memoiren waren Tacitus bekannt (ann. 4,53,2; 13,14,3; vgl. Plin. nat. 7,46).

W. ECK, A., die Stadtgründerin Kölns, ²1993.   W. E.

Agrippinus. *Comes et magister utriusque militiae per Gallias* in den Jahren 451/52–456/457 n. Chr., dann von Kaiser → Maiorianus durch → Aegidius ersetzt und angeklagt, von → Ricimer 461 wieder eingesetzt und nach Gallien geschickt, wo er die Stadt Narbo 462 den Westgoten übergab, um diese gegen Aegidius zu gewinnen (Chron. min. 2, 26, 33 MOMMSEN; MGH SS rer. Merov. 3,109; 149–152). PLRE 2, 37 f.

A. DEMANDT, s. v. magister militum, RE Suppl. 12, 669, 689 f.   K. P. J.

Agrius. [1] A., C., röm. Ritter, Freund Varros, im 1. B. rust. wohl wegen seines sprechenden Namens eingeführt. **[2]** A. Publeianus, L., röm. Ritter, Zeuge im Prozeß des Flaccus (Cic. Flacc. 31), wohl *negotiator* in Asia.

NICOLET 2, 768–769.   K. L. E.

Agriwulf. Ermordete 448 n. Chr. nach dem Regierungsantritt des Suebenkönigs Rechiarius in Hispalis den *comes* Censorius (Hydatius Lemicus, Chronica 131 BURGESS), wohl identisch mit Aioulf, dem *cliens proprius* warnischer Herkunft des → Theoderich II., den dieser nach seinem Sieg über Rechiarius 456 zum Statthalter im Suebenreich machte (Iord. Get. 229–233; Hydat. Chron. 166–168). A. dürfte demnach zw. 448 und 456 zum Westgotenkönig geflüchtet sein und sich als *Var*-

norum stirpe genitus, longe a Gothici sanguinis nobilitate seiunctus (Iord. Get. 233) als Prätendent für den Sueben-thron angeboten haben. 457 rebellierte er gegen Theo-derich, strebte ein eigenständiges Königtum an, wurde aber gefangengenommen und starb im Juni 457 in Por-tus Cale (Iord. Get. 234; Hydat. Chron. 173, 180; PLRE 2, 34, 39f.).

> D. CLAUDE, Prosopographie des span. Suebenreiches, in: Francia 6, 1978, 648–676 • G. KAMPERS, Die Genealogie der Suebenkönige in prosopograph. Sicht, in: FMS 14, 1980, 51–58 • W. REINHART, Historia general del reino hispanico de los Suevos, 1952, 45, 47 • E. A. THOMPSON, Romans and Barbarians, 1982, 168f. • H. WOLFRAM, Die Goten, ³1990, 184f.   A. SCH.

Agroecius. Lat. Grammatiker (zur falschen Identifi-zierung mit → Agrestius vgl. [4. 13f.]). Als Bischof von Sens widmete er dem Bischof → Eucherius von Lyon (ca. 434 bis ca. 450 n. Chr.) eine *Ars de orthographia*; daher wird er zeitlich um die Mitte des 5. Jh. eingeordnet. Genaugenommen ist sie keine regelrechte orthogra-phische Abhandlung, sondern eine Aufzählung von 138 *differentiae*, die anscheinend ohne irgendein didakti-sches, logisches oder inhaltlich begründetes Kriterium aneinandergereiht sind. Die Behandlung von *differentiae* in orthographischen Werken hat jedoch Tradition. Sie geht auf die Schriften Ps.-Capers (→ Flavius Caper) zu-rück, die Eucherius dem A. zur Nutzung überließ, und nimmt ihren Anfang in einer Äußerung → Quintilians, nach dem die Orthographie *totam . . . subtilitatem in dubiis habet* (inst. 1,7,1). Über 20 Hss. der *Ars* bezeugen eine große Popularität im MA. A. wird von → Isidor in *De differentiis verborum* benutzt, vom Autor der *Ars Ambro-siana*, von → Beda in *De orthographia*, von Godescalcus von Orbais in den *Quaestiones grammaticae* des Cod. Bern. 83. Darüber hinaus wurde er in einigen gramm. Florilegien verwendet (z. B. im Ms. Valenciennes 393, 9. Jh.).

> ED.: 1 GL 7,113–125 2 M. PUGLIARELLO, 1978.
> LIT.: 3 HLL § 705.7 4 K. SMOLAK, Das Gedicht des Bischofs Agrestius, SAWW 284,2, 1973.   P. G. / G. F.-S.

Agroitas (Ἀγροίτας). Griech. Historiker aus hell. Zeit (von Kyrene?). Verf. von *Libyká* in mindestens 3 Bü-chern. Die wenigen erh. Fragmente lassen eine ratio-nalistische Umgestaltung des Mythos erkennen. A. hat anscheinend das von Diod. 4,26,2–4 zitierte und von ihm 3,52ff. benützte myth. Handbuch beeinflußt (FGrH 762).   K. MEI.

Agron (Ἄγρων). **[1]** Lebte mit seinem Vater Eumelos und seinen beiden Schwestern Meropis und Byssa auf der Insel Kos. Sie verehrten nur Gaia, lehnten den Kult der anderen Götter ab und schmähten Hermes als Dieb, Athena als eulenäugig und Artemis als Nachtschwär-merin, selbst als die Gottheiten ihnen in menschlicher Gestalt erschienen. Zur Strafe wurden sie in Vögel ver-

wandelt, A. in einen Regenpfeifer (Ant. Lib. 15 nach Boios, ›Ornithogonie‹). Hygin (astron. 2,16) fügt die Mutter Echedemeia an. **[2]** Sagenhafter lyd. König, nach Hdt. 1,7 Sohn des Ninos und 1. König aus dem Hause der Herakleiden.   F. G.

[3] Illyrer, Sohn des Pleuratos, Gatte der → Teuta, Schwager (?) des → Skerdilaidas [1. 45–46], »Häuptling« der Sardiaier, beherrschte um 235 v. Chr. eine Konfö-deration diverser Stämme (»illyr. Reich«) [1. 39,41,88; 2. 256–260]; befreite 232/1 v. Chr. im Auftrag des → Demetrios II. → Medion von einer aitolischen Bela-gerung und starb nach der Siegesfeier (Pol. 2,2,4–7; 4,6).

> 1 D. VOLLMER, Symploke, 1990 2 P. CABANES, Les Illyriens, 1988.   L.-M. G.

Agrostis (ἄγρωστις, lat. *gramen*). Bereits bei Homer für Futtergräser belegt, aber nicht mit der über 100 Arten umfassenden gleichnamigen Gattung der Rispengräser identisch. Gemeint sind nach den botanischen Be-schreibungen (Dioskurides 4,29 [1. 2,192] = 4,30 [2. 381], Apuleius u. a.) Ährengräser wie Quecke (*Agro-pyron = Triticum repens* L. nach SPRENGEL [bei 2. 381]) oder Wucherndes Fingerkraut (*Cynodon Dactylon, Pan-icum Dactylum* L.), nach FRAAS [2. 381] das Hippagrostis der Kräuterbücher des 16. und 17. Jh., lästige Wildkräu-ter in Süd- und Mitteleuropa, im Vorderen Orient aber als Futtergräser geschätzt. Quecken-Rhizome dienten zu Heilzwecken.

> 1 M. WELLMANN (Hrsg.), Pedanii Dioscuridis de materia medica, Bd. 2, 1906, Ndr. 1958 2 J. BERENDES (Hrsg.), Des Pedanios Dioskurides Arzneimittellehre übers. und mit Erl. versehen, 1902, Ndr. 1970.   C. HÜ.

Agrotera s. Artemis

Agryle (Ἀγρυλή). Att. → Asty-Demos (Ober- und Un-ter-A.) der → Phyle Erechtheis (Trittys Euonymeis), 306–201 v. Chr. der → Antigonis, nach 200 v. Chr. der Attalis, mit 3–5 Buleutai, angrenzend an → Ankyle (IG II² 2776 Z. 58–59 [2. 70]) am Westhang des → Hymet-tos, oberhalb des Panathenäen-Stadions (Harpokr. s. v. Ἀρδηττός/Ardettos, Strab. 9,1,24) beim h. Pankrati. → Panathenaia; Trittyes

> 1 TRAILL, Attica, 37, 59, 62, 67ff., 109 Nr. 3, 4, 123, 125, Tab. 1 2 S. G. MILLER, A Roman Monument in the Athenian Agora, in: Hesperia 41, 1972, 70 Z. 58 3 J. S. TRAILL, Demos and Trittys, 1986, 125 4 WHITEHEAD, Index s. v. A.   H. LO.

Aguntum. Heute Dölsach und Nußdorf-Debant an der Drautalstraße (Etym. unbekannt); bei den Anf. des 2. Jhs. v. Chr. mit Rom in Kontakt tretenden kelt. Laianci entwickelte sich ca. 2 km östl. der urspr. Stadt das *municipium Claudium Aguntum* (Plin. nat. 3,146) mit → *forum*, → *capitolium*, → *basilica* und → Thermen [1]. Metallbergbau und -verarbeitung gewährten A. mit seinem Gebiet vom Felber Tauern zum Kärntner Tor, von den Lienzer Dolomiten zur Mühlbacher Klause – vom Alamannensturm 275 n. Chr. unterbrochen – bis um 400 n. Chr. wirtschaftliche Blüte. A., inzwischen Bischofssitz, wurde gründlich zerstört; man zog teilweise in die wohl älteren Fliehburgen des Kirchbichl von Lavant; der Name A. wurde erneut transferiert. Die Reste der alten Metropole fielen 452 n. Chr. den Hunnen zum Opfer; um 600 n. Chr. waren vermutlich bairische Kontingente darin; die → Slaven mieden sie. Ausgrabungen seit 1912 bezeugen reiche Bautätigkeit der ersten Jh.; regelmäßige Ber. in JÖAI, Grabungen (zuletzt JÖAI 59, 1989, 15–43); ein ant. Stadtplan ist umstritten (JÖAI 53, 1981/2, Grabungen 50ff.); zu Inschr. vgl. [2].

1 W. ALZINGER, R. TRUMMER, Die ältesten Bauten A.s, in: Röm. Österreich 15/16, 1987/8, 7–15   2 H. TAEUBER, Zu einigen Aguntiner Inschr., in: E. WEBER, G. DOBESCH (Hrsg.), Röm. Gesch., Alt.kunde und Epigraphik, FS A. Betz, 1985, 617–622.

W. ALZINGER, A. und Lavant, ⁴1985 · H. WOLFF, Die Kontinuität der Kirchenorganisation in Raetia und Noricum bis an die Schwelle des 7. Jh., in: E. BOSHOF, H. WOLFF, (Hrsg.), Das Christentum im bairischen Raum, 1994, 1–27, hier: 15f., 18f. · N. HEGER, A. (Prov. Noricum), in: CSIR 3, 4, 1, 1987 · S. KARWIESE, s.v. A., RE Suppl. 12, 4–9 · DERS., Der Ager Aguntinus, 1975.   K. DI.

Agyieus s. Apollon

Agylla s. Caere

Agyrion (Ἀγύριον). Stadt der → Siculi im Innern von → Sicilia, 25 km nordöstl. von Henna, h. Agira, mit Kult des → Herakles, der A. besucht haben soll (Diod. 4,24). Anf. des 4. Jhs. v. Chr. unter dem Tyrannen Agyris mit 20000 Bürgern besiedelt (Diod. 14,95). 339 v. Chr. vertrieb Timoleon den Tyrannen Apolloniades, siedelte 10000 Griechen an und entfaltete rege Bautätigkeit (Diod. 16,82f.). Geburtsort des Historikers → Diodoros. Bronzemünzprägung E. des 5.–2. Jhs. v. Chr.

R. CALCIATI (Hrsg.), Corpus Nummorum Siculorum 3, 1987, 117–137 · V. CAMMARATA, I culti di A. in Diodoro e nella monetazione agirinense, in: Mito, Storia, Tradizione. Diodoro Siculo e la storiografia classica, 1992, 227–253 · G. MANGANARO, Note diodoree, ebd. 201–225, hier 211ff. · DERS., Per una storia della »chora Kataneia«, in: E. OLSHAUSEN, H. SONNABEND, Stuttgarter Kolloquium zur Histor. Geogr. des Alt. 4, 1990 (Geographica Historica 7), 1994, 127–174, hier 149 mit Anm. 63. · HN, 124.   GI.MA./M.B.

Agyrrhios. Athenischer Politiker aus dem Demos Kollytos, tätig von ca. 405–373 v. Chr. Er führte zwischen dem Ende des Peloponnesischen Kriegs und ca. 392 die Zahlung einer Obole für den Besuch der Volksversammlung ein und erhöhte später die Summe von 2 auf 3 Obolen (Aristot. Ath. pol. 41,3). Deshalb wurde ihm

wohl fälschlich die Einführung des → Theorikon zugeschrieben (Harpokr. s.v. θεωρικά). 389 folgte er → Thrasyboulos als Kommandeur der athenischen Flotte in der Ägäis (Xen. hell. 4,8,31). Er verbrachte einige Jahre als Staatsschuldner im Gefängnis (Demosth. or. 24,135), nahm jedoch danach seine polit. Karriere wieder auf und schlug 374/3 ein Getreidegesetz vor. Sein Neffe war → Kallistratos. PA 179.

DAVIES, 277–280 · LPGN 2, s.v. Ἀγύρριος 1 · RHODES, 492.   P.J.R.

Ahab. Hebr. ’aḥ’āb = »Bruder des Vaters« (Ersatzname), Ἄρχ(ι)αβος bei Josephus (Ant. 8,13,1–2), Achab in der Vulgata, regierte in der von seinem Vater und Vorgänger Omri gegründeten Hauptstadt Samaria ca. 871–852 v. Chr. das Nordreich Israel als einer der tatkräftigsten Herrscher. Außerhalb der Bibel ist A. in der Monolith-Inschr. Salmanassars III. (Kol. II 90–102) und in der Meša-Stele, Z. 5, 8 (hier namenlos), bezeugt. Die biblischen Nachrichten in 1 Kg 16,28 – 22,40 zeichnen A. als einen Frevler, der fremdrel. Kulte seiner Frau Isebel, einer Tochter Ethbaals von Sidon (1 Kg 16,31), mit einem Baal-Tempel u. ä. in Samaria fördert (1 Kg 16,32f.; 2 Kg 10,18ff.; 13,6; 21,3; 13). Arch. nachweisbar ist seine umfangreiche Bautätigkeit (1 Kg 22,39) u. a. in Samaria, Hazor, Megiddo. Außenpolit. behält A. die Führung gegenüber Juda und die Herrschaft über große Teile Moabs (vgl. Meša-Stele mit 2 Kg 1,1; 3,5). Er setzt Omris Politik des Ausgleichs mit den Phöniziern und Aramäern fort und beteiligt sich an einer Koalition syr. Kleinstaaten gegen die assyr. Bedrohung; ihr gelingt es, in der Schlacht bei Qarqar 853 v. Chr. Salmanassar III. vorerst erfolgreich abzuwehren.

S. TIMM, Die Dynastie Omri, 1982 · H. WEIPERT, Palästina in vorhell. Zeit, HdArch, 1988, 535–550.   M.K.

Ahala. Cognomen (= ala, die Achselhöhle), Entstehungslegende bei Dion. Hal. ant. 12,4,4–5 [1]. Berühmt als Beiname der Servilii im 5. Jh. v. Chr.

1 MOMMSEN, Röm. Forsch. 2, 1879, 209ff.

F. MÜNZER, s.v. Servilius, RE 2A, 1768.   K.L.E.

Ahenobarbus s. Domitius

Ahhijawa s. Achijawa

Ahiqar. Aram. Name des sagenumwobenen Siegelbewahrers der assyrischen Könige → Sanherib und → Asarhaddon (704–669 v. Chr.), erwähnt bei Apokryphon Tob 1,21f. (2,10; 11,17; 14,10, Ἀχιάχαρος). Assyr. Quellen fehlen. Ein spätbabylon. Keilschrifttext (2. Jh. v. Chr.) nennt einen Aba-enlil-dari mit aram. Namen Ahu’aqār [1. 215–218]. A. ist Titelfigur eines biographischen Romans auf reichsaram. Papyri (5. Jh. v. Chr.) aus → Elephantine. Es folgen Weisheitssprüche des A. an seinen Adoptivsohn (Neffen) und Amtsnachfolger Nadin. Der Roman liegt auch in demot., griech., lat., altkirchenslav., arab., armen., rumän. und syr. Versionen vor. Nach Clem. Al. Strom. 1,15,69 soll Demokrit eine babylon. Version der Sprüche benutzt haben; erwähnt auch bei Theophr. (Diog. Laert. 5,50 Ἀκίχαρος) und Strabon (16,762).

1 J. J. A. van Dijk, Die Inschr.funde der Kampagne 1959/60, in: AfO 20, 1963, 217.

I. Kottsieper, Die Gesch. und die Sprüche des weisen A., TUAT Bd. 3, 1991, 320–347 • T. Nöldeke, Unt. zum A.-Roman, ABWG phil.-hist. Kl. N. F. 4, 1913 • K. T. Zauzich, Demot. fr. zum Ahikar-Roman, in: H. Franke (Hrsg.), Folia Rara, 1976, 180–185.   C. K.

Ahiram. König von Byblos (ca. 10. Jh. v. Chr.), phöniz. »mein Sohn ist erhaben«. Sein reliefverzierter, von seinem Sohn Ittobaʿal in Auftrag gegebener Sarkophag (Tributszenen), ist kunstgesch. bedeutend. Die Inschr. auf dem Deckel ist ein frühes Zeugnis des phöniz. → Alphabets.

E. Lipinski, s. v. A., DCPP 11.   C. K.

Ahnen. Als A. bezeichnet man mit leicht antiquiertem, in bestimmten Wortverbindungen (A.-Kult; A.-Bilder) allerdings verbindlichem Ausdruck die Vorfahren (*maiores*), soweit diese innerhalb der Familie kult. Verehrung (→ Parentalia; → Totenkult, meist bis zur 2. oder 3. Generation) und in aristokratischen Häusern sonstiges ehrendes Gedenken (→ Imagines) erhalten. Unpassend ist der Begriff für die Vorfahren des Gesamtvolkes, deren Verhalten und Einrichtungen den Nachfahren nicht selten als Vorbild vor Augen gestellt werden (→ *mos maiorum*).   W. K.

Ahnenbilder, s. Imagines

Ahorn (*acer*). Die meisten europ. Namen der je nach Artbegrenzung 100–200 Arten umfassenden Laubholzgattung *Acer* L., wozu u. a. griech. ἄκαστος, lat. *acer* und *ornus* gehören, gehen auf einen idg. Baumnamen mit *a*, nicht auf adjekt. *acer* mit *ā* zurück. Außer dem mitteleurop. *Acer pseudoplatanus* L. (Berg-A.), *platanoides* L. (Spitz-A.) und *campestre* L. (Feld-A., Maßholder) gibt es in Südeuropa u. a. *Acer opalus Mill., monspessulanum* L. und *orientale* L. Da man zu den A. auch Laubbäume anderer Familien gerechnet hat, bleibt unklar, worauf sich griech. ἄκαστος (schon bei Hesiod), σφένδαμνος und γλῖνος, lat. *acer* (bei Ovid, Plinius u. a.) beziehen.   C. HÜ.

Ahoros (ἄωρος). »Unzeitig«, als Adj. und Subst. gebraucht, bekannt aus den magischen Papyri als Bezeichnung einer Seele, die vor ihrer Zeit (ἄωρος) gestorben ist. A. taucht in dieser Verwendung auch in lit. Texten auf (Aischyl. Eum. 956; Eur. Or. 1030); A. oder Syn.

(πρόμοιρος, ἀωρόμορος) finden sich auch auf Grabinschr. aller Perioden [1. 14; 2]. Im Allg. ist mit A. der Tod vor Pubertät, Heirat oder Geburt gemeint ([1. 47–83]; vgl. Od. 11,36–41; Verg. Aen. 6,426–29; Plat. rep. 615c; PGM IV 2732–5). Lebende konnten A. befehligen, verschiedene Arbeiten auszuführen, einschließlich Liebe zu erwecken (PGM CI 1–53 [3. 78–115]) und Gegner in Sportwettkämpfen (PGM IV 2211–18; [3. 42–77]) oder Gerichtsfällen [3. 116–150] zu behindern. Nahe verwandt mit den A. sind die βιαιοθάνατοι, βίαιοι (*biaiothánatoi, bíaioi*, »Seelen der gewaltsam Gestorbenen«) und ἄταφοι (*átaphoi*, »Seelen der Unbegrabenen«), welche zu denselben Zwecken angerufen wurden (PGM I 247–62; IV 1390–1495; Apul. met. 9,29; [3. 132–36]). Alle drei können unter dem allgemeineren Terminus → νεκυδαίμων (*nekydaímōn*, »Totendämon«) zusammengefaßt werden.

Götter wie Hekate wurden oft gebeten, diese Seelen zu zwingen oder zu unterstützen, ihre Aufgabe zu erfüllen (PGM IV 296–466; Aischyl. Pers. 628–30; Lucan. 6,693–718 und 730–49). Manchmal manipulierte der den Befehl Aussprechende einen Teil des Körpers oder der Kleidung der Seele (οὐσία, »Substanz«), um Kontrolle über sie zu gewinnen (PGM I 247–62; II 44–52; Lucan. 6,533 ff.). In anderen Fällen hatten solche Substanzen eigene Kräfte (PGM XIV 428–50; Plin. nat. 28,2; 28,11). Manchmal wurde eine → *defixio* ins Grab eines A. oder *biaiothánatos* gelegt (PGM IV 296–466 [3. 18–21]), um Macht über ihn zu gewinnen. Die meisten dieser Glaubensvorstellungen und Riten haben nahöstl. Analogien [7. 65–72].

Vielleicht dachte man, A., *biaiothánatoi* und *átaphoi* seien eher für Manipulationen verfügbar als andere Seelen, weil ihnen der Zutritt zum → Hades verwehrt war und sie deshalb ruhelos zw. den Welten der Lebenden und der Toten umherirrten; Anspielungen auf diesen Glauben scheinen schon bei Homer präsent (Od. 11,36–41; vgl. Verg. Aen. 6,325–83; [4. 69; 5. 138–40]). Wer einer Seele befehligte, konnte ihr als Gegenleistung für ihre Dienste Ruhe versprechen (Lucan. 6,762–770). Manche ruhelosen Seelen schädigten die Lebenden aus eigenem Neid und Ärger heraus (s. v. Gello, Taraxippus; vgl. Aischyl. Choeph. 269–96; Hom. Il. 22,358; Od. 11,71–73; Plat. leg. 865d-e; Lukian. Philops. 29); es waren aber nicht alle Seelen dieser Art gefährlich und einige wurden heroisiert [6]. A., *biaiothánatoi* und *átaphoi* waren unter den Wesen, die Hekate nachts begleiteten (PGM IV 2708–84; TGF fr. 375).
→ Dämon, Zauber

1 E. Griessmair, Das Motiv der Mors Immatura in den griech. metrischen Grabinschr., 1966 2 A.-M. Verilhac, Παῖδες Ἄωροι: Poésie Funéraire, 1982 3 J. Gager, Curse Tablets and Binding Spells from the Ancient World, 1992 4 W. Brashear, in: APF 36, 1990, 49–74 5 S. I. Johnston, in: Helios 21/22, 1994, 137–59 6 A. D. Nock, Vigiliae Christianae 4, 1950, 129–41 = Essays on the Ancient World 2, 1972, 712–19 7 W. Burkert, Die orientalisierende Epoche in der griech. Religion und Lit., 1984.   S. I. J.

Ahriman (mpers., avest. Angra Mainyu, griech. Ἀρει-μάνιος, lat. Arimanius). Einer der beiden Zwillings-götter im System Zoroasters, der »böse Geist« neben Spənta Mainyu, dem »heilwirkenden Geist«, die ein-ander feindlichen Schöpfer der Welt (Yasna 30,3–5) und wohl Söhne → Ahura Mazdās (Yasna 47,2–3), mit dem A. in nachgathischer Zeit verschmilzt. So ist in der bei Plut. Is. 46f. dargestellten Theologie Areimanios Kult-gott und Gegner des Ōromazdes (Ahuramazda); Mittler zw. beiden ist → Mithra. Auf den Reliefbildern des parth. Hatra wird er mit → Nergal, dem babylon.-syr. Planetengott (Mars) identifiziert. Als *Arimanius deus* er-scheint er im Pantheon einiger Mithräen.

J. BIDEZ, F. CUMONT, Les mages hellénisés, Bd. 2, 1939, 70–79 · J. DUCHESNE-GUILLEMIN, Ohrmazd et Ahriman, 1953 · J. DUCHESNE-GUILLEMIN, Ahriman et le dieu suprème dans les mystères de Mithras, in: Numen 2, 1955, 190–195 · C. COLPE, s. v. Ahriman, 239–241, s. v. Angra Maunyu, 270–272, WbMyth 4, 1982 · C. ELSAS, s. v. Ōhrmazd, WbMyth 4, 1982, 288–290. F.G.

Ahura Mazdā (mpers. Ōhrmazd, griech. Ὀρομάζης, Ὀρομάσδης). Oberster Gott (»der weise Herr«) im Sy-stem Zoroasters, der oberste der guten Mächte (*ahuras*), der von einer Schar abstrakter Gottheiten (Aməša Spəntas) als Vermittler seines Wollens und Handelns umgeben ist. Er ist Schöpfer und Segensgott, Adressat des Kults der zoro satrischen Gemeinde und hat → Zoroaster seine Lehre geoffenbart. Diskutiert wird, wie weit er vorzoroastrisch ist; jedenfalls entspricht er dem indischen Varuna. Als Hochgott ist er Gott der achäm. Könige, ausdrücklich seit Dareios I. [5. 300–302]. Ein Königsopfer beschreibt Xen. Kyr. 8,3,11f.; als Himmelsgott wird er griech. als Zeus (Hdt. 1,131), röm. als Iuppiter interpretiert, als Zeus Ōromásdēs etwa in der Inschr. des Antiochos von Kommagene (OGIS 383); als Planetengott Iuppiter erscheint er in den Mithrasmyste-rien.

In der Kosmogonie ist er als gutes Prinzip Widersa-cher des bösen → Ahriman, so im Bericht bei Plut. Is. 46f. [1.70–79] und ausführlicher bei Theodoros von Mopsuhestia, wo Ormizd und Ahrmn die Zwillingssöh-ne des Zerwan sind, die die Welt schaffen und sich nach-einander ihre Herrschaft teilen [1. 88–92; 3. 284–290]; das setzt sich im → Manichäismus fort [4. 108–113]. Demgegenüber bleibt er höchster Gott und Urfeuer in den Oracula Chald. (fr. 3–6 DES PLACES).

1 J. BIDEZ, F. CUMONT, Les mages hellénisés Bd. 2, Les textes, 1939 2 J. DUCHESNE-GUILLEMIN, Ohrmazd et Ahriman, 1953 3 G. WIDENGREN, Die Religion Irans, 1965 4 A. BÖHLIG, Die Gnosis Bd. 3, Der Manichäismus, 1980 5 C. COLPE, s. v. Ahurā Mazda, 244–246, s. v. Auramazdā, 300–302, s. v. Ōrmazd, 413, WbMyth 4, 1982, 413 6 C. ELSAS, s. v. Ōhrmazd, WbMyth 4, 1982, 413–416. F.G.

Ai. Die mit ḫirbet at-tell, 3 km südöstl. von Bētin (Gn 12,8; Jos 7,2), zu identifizierende Ortslage erscheint in der Bibel allermeist mit der Bezeichnung *hāay* (deter-miniertes Appellativ) = »die Trümmerstätte« (Jos 8,28 ; arab. *at-tell*). Dem entspricht der arch. Befund. Die früh-brz., mit drei gewaltigen Ringmauern bewehrte Stadt war ca. 10 ha groß und besaß eine Akropolis mit großem Breitraumtempel. Sie wurde in der Mitte des 3. Jt. völlig zerstört und von den Bewohnern aufgege-ben. Erst um 1200 v. Chr. kam es zu einer bescheidenen unbefestigten Besiedlung. Die Neusiedler lebten von Landwirtschaft und Kleinviehzucht. Sie verließen im 11. Jh. aus bisher unbekannten Gründen den Ort, der seither nie wieder besiedelt wurde. Die Verödung des Ortes ist in der späten Königszeit mit der älteren Kriegserzählung in Jos 8 erzählerisch erklärt und erst dabei mit der Landnahme in Verbindung gebracht wor-den.

V. FRITZ, Das Buch Josua, Hdb. zum AT I/7, 1994, 76–93. M. K.

Aï Chanum. Ruinenstätte im Norden Afghanistans am Zusammenfluß von Amu Darja (→ Araxes) und Kokt-scha. Gegr. wahrscheinlich von Alexander selbst, wohl → Alexandreia [12]. A. war eine griech. Polis mit Tem-peln, Gymnasium, Theater und Akropolis, mit griech. Monumental- und Grabinschr. [1]; unter den Funden zahlreiche Ostraka ökonomischen Inhalts [2], Reste zweier lit. Papyri [3], hell., iran., indische und indo-gr. Münzen A. war Hauptstadt der östl. Prov. Baktriens. In der Mitte des 2. Jh. v. Chr. wurde A. im Zusammenhang mit dem Fall des griech. Baktrien zerstört.

→ Baktrien

1 P. BERNARD (et al.), Fouilles d'Aï Khanoum, Bde. 1–8, 1973–1992 2 C. RAPIN, Les inscriptions économiques de la trésorerie hellénistique d'Aï Khanoum, in: BCH 107, 1983, 315–372 3 C. RAPIN, P. HADOT, Les textes littéraires grecs de la trésorerie d'Aï Khanoum, in: BCH 111, 1987, 225–266.

TAVO B V 11, 1985. K.K.

Aia (Αἶα). Mythisches Wunderland am Okeanos (im Land der Aithiopen: Mimn. fr. 5 Poetae Elegiaci GENTILI/PRATO), in dem Helios einen Thalamos für sei-ne Strahlen hat, urspr. Ziel Iasons (Mimn. fr. 10). In A. (etym. »Erde, Land« [1. 22, 39]) liegt die Stadt des Aie-tes, des »Mannes von A.« (Mimn. fr. 10, vgl. Pherekyd. fr. 105). Die Erkenntnis, daß der Pontos ein Binnensee ist, verlegte A. dann an einen Verbindungsfluß (Phasis) zum Meer (Hes. fr. 241; Hekat. fr. 18a; Pherekyd. F 100; Pind. P. 4,211; Hdt. 1,2,2; 1,104,1; Strab. 1,2,39). Durch die milesische Kolonisation wurde A. mit der griech. Kolonie Kytaia/Kolchis am Ostufer des Pontos gleich-gesetzt (Eumelos fr. 3^A EpGF; A. ἡ Κολχίς, Hdt. 1,2,2 [2. 237, 322; 3. 57ff.]), deren Bewohner nach Hdt. 2,104f. (vgl. Apoll. Rhod. 4,272ff.) aus Ägypt. stam-men.

Da die Odyssee in dieser Gegend eine Zauberin brauchte, die Aietes-Tochter Medeia aber eine Gene-ration zuvor aus A. entführt war (Hes. theog. 992ff.;

Pherekyd. FGrH F 105; Hdt. 1,2,2; vgl. Hom. Od. 12,70), macht Homer (Od. 10,137 ff.) Kirke, die urspr. dem Argonautenmythos angehört (vgl. Apollod. 1,134 [4. 97 ff.]) und wohl im Westen wohnhaft gedacht ist, zur Aietes-Schwester bzw. Helios-Tochter und formt für sie ›nach dem Muster A.‹ (Strab. 1,2,40) die Αἰαίη νῆσος (Od. 12,3 f.) in derselben östl. Gegend [3. 236, 247]; daher ist Αἰαίη Epitheton Kirkes (Od. 12,268) und Medeias (Apoll. Rhod. 3,1136).

→ Aietes; Argonautai; Homeros (Odyssee); Iason; Kirke; Kolchis; Medeia; Phasis

1 A. LESKY, A., in: WS 63, 1948, 22–68 2 U. V. WILAMOWITZ, Hell. Dichtung in der Zeit des Kall. Bd. 2, ²1962 3 P. DRÄGER, Argo pasimelousa I, 1993 4 K. MEULI, Odyssee und Argonautika, 1921, ²1974. P. D.

Aiacius. A. Modestus Crescentianus, Q. Nahm als XV*vir sacris faciundis* im J. 204 n. Chr. an den *ludi saeculares* teil; er war praetorischer kaiserlicher Legat in Arabien. *Cos. suff.*, Legat der Germania superior im J. 209 und *cos.* II *ord.* im J. 228. PIR² A 470.

ECK, 81–82. A. B.

Aiaia (Αἰαία). »Die Frau von → Aia«, entsprechend Beiwort von Kirke (Hom. Od. 9,32; Verg. Aen. 3,386), Kalypso (Prop. 3,12,14), Medea (Apoll. Rhod. 3,89). F. G.

Aiakeion s. Aiakos

Aiakes (Αἰάκης). [1] Vater der Tyrannen → Polykrates und → Syloson von Samos (Hdt. 3,39). Seine Identität mit A., Sohn des Brychon, Stifter einer Statue im Heraion, ist zweifelhaft. [2] Enkel des vorigen, Sohn des Syloson. Tyrann von → Samos und Vasall des Dareios (Hdt. 4,138). Im ion. Aufstand entmachtet, überredete er im Auftrag der Perser mehrere samische Feldherrn, vor der Seeschlacht bei Lade (494 v. Chr.) die Aufständischen zu verlassen (Hdt. 6,13–14) und wurde von den Persern gegen eine einheimische Opposition wieder als Tyrann in Samos eingesetzt (Hdt. 6,22; 25).

H. BERVE, Die Tyrannis, 1967, 115, 588. B. P.

Aiakides (Αἰακίδης). [1] Patronym mythischer und histor. Gestalten, die ihr Geschlecht auf Aiakos zurückführten: Peleus, Achilleus, Neoptolemos, die molossischen Könige [1].

1 P. R. FRANKE, Die ant. Mz. von Epirus, 1961, 270.42 (Lit.). F. G.

[2] Sohn des Molosserkönigs → Arybbas und Vater des → Pyrrhos (Plut. Pyrrhus 1,5 ff.; Paus. 1,11,1; Diod. 16,72,1); er gelangte nach dem Tod Alexandros' [6] des Molossers auf den Thron (Iust. 17,3,16; Paus. 1,11,3) und unterstützte → Olympias, die er 317 nach Make-

donien zurückführte (Diod. 19,11,2; Iust. 14,5,9). Als er die in Pydna Belagerte entsetzen wollte, meuterte das molossische Aufgebot: A. wurde für abgesetzt erklärt (Diod. 19,36,2 ff.) und ging wohl nach Aitolien (19,52,6). Als er 313 in sein Königreich zurückkehrte, wurde er von Kassandros' Bruder Philippos zweimal geschlagen und fiel in der Schlacht (19,74,3 ff.; Paus. 1,11,4). M. Z.

Aiakos (Αἰακός). Sohn von Zeus und → Asopos' Tochter Aigina, wurde als Gründungsheld der Insel Aigina betrachtet. Mit ihm wird allg. die Gesch. der Bevölkerung oder Wiederbevölkerung der Insel verbunden; zu seinen Gunsten verwandelte Zeus alle Ameisen in Menschen (Hes. fr. 205 M-W). Von seiner Gattin Endeïs wurde A. Vater von → Peleus und → Telamon; manche Erzählungen geben ihm noch einen 3. Sohn mit Namen Phokos (Robbe), dessen Mutter die → Nereide Psamathe war. Phokos wurde von seinen Halbbrüdern umgebracht, in den meisten Versionen absichtlich; A. verbannte sie daraufhin. A. selbst war ein Vorbild an Gerechtigkeit und Frömmigkeit (z. B. Plut. Theseus 5a). Seine Gebete retteten Griechenland vor Trockenheit und Hunger, er richtete unter den Göttern (Pind. I. 8,24–5), und nach seinem Tod wurde er einer der Totenrichter, für Aristophanes (Ran. 464 ff.) der Totenrichter schlechthin.

Seine urspr. Heimat war entweder das Gebiet von Thessalien oder Malis, weniger wahrscheinlich der saronische Golf [1. 162–5]. Seine myth. Verbindungen spiegeln jedoch meistens Beziehungen von Aigina zu den Nachbargebieten und die polit. Beziehungen der archa. Periode wider. Seine Gattin Endeïs war die Tochter des → Skiron von Megara, während sein Enkel → Aias der berühmteste Held von Salamis war. Mit Athen hatte A. keine genealogischen Verbindungen; laut Herodot (5,89) wurde sein Tempelbezirk auf der Agora in teilweisem Gehorsam gegenüber delph. Weisungen eingerichtet, während Athen und Aigina einander feindlich gesinnt waren. Sein Heiligtum auf Aigina (Paus. 2,29,6–8) war vermutlich älter; von hier wurden A. und seine Nachkommen für die Schlacht von Salamis aufgeboten (Hdt. 8,64).

1 M. L. WEST, The Hesiodic Catalogue of Women, 1985.

J. BOARDMAN, s. v. A., LIMC 1.1, 311 f. • R. S. STROUD, The Aiakeion and Tholos of Athens in POxy 2087, in: ZPE 103, 1994, 1–9. E. K.

Aiane (Ἀιανή). Maked. Stadt in der → Elimea, 23 km südl. vom h. Kozani am linken Ufer des → Haliakmon. Ausgrabungen erweisen eine wohlhabende Siedlung von der späten Bronzezeit bis 1. Jh. v. Chr., noch um 100 n. Chr. bezeugt [4. 15]. In klass. und hell. Zeit bedeutend (Gründungslegende: Steph. Byz. s. v. A.), wohl Fürstenresidenz mit zwei Stoai und Säulengebäude mit att. Importkeramik des 5. Jhs. v. Chr. Wohl Sitz des → Koinon der Elimiotai [1. 35, 36]. Im 1. / 2. Jh. n. Chr.

umgesiedelt und in Kaisareia umbenannt, ist A. bis ins 6. Jh. n. Chr. als Bischofssitz nachweisbar (Hierokles, Synekdemos 6,42,11). Beide Ortsnamen sind noch erkennbar in den Namen der h. Dörfer Kalliani und Kesaria.

1 HAKKERT s. v. A., 337–339 2 G. KARAMITROU-MENTESSIDI, Aiani of Kozani, 1989 3 F. PAPAZOGLOU, Les villes de Macédoine, 1988, 247 f. 4 TH. RIZAKIS, G. TOURATZOGLOU, Epigraphes ano Makedonias, 1985. MA. ER.

Aianteia s. Aias, s. Sportfeste

Aiantides

Aiantides (Αἰαντίδης, CAT A 5 b, 4) oder Aiantiades (CAT A 5a, 5). Tragiker, wurde zur Pleias tragischer Dichter unter Ptolemaios Philadelphos (282–46 v. Chr.) gerechnet; vielleicht ist er mit dem in DID A 3a, 64 genannten Dichter (vgl. TrGF 107) identisch.

METTE, 163 · TrGF 102. F. P.

Aiantis [1]

Aiantis [1] (Αἰαντίς). Seit der Phylenreform des → Kleisthenes 9. der 10 att. Phylen (Hdt. 5,66). Eponymer Heros → Aias [1], Sohn des Telamon, König von → Salamis. Sie umfaßte im 4. Jh. v. Chr. 4 Paralia-Demen sowie je 1 → Asty- und 1 Mesogeia-Demos (→ Phaleron bzw. → Aphidna), die wegen ihrer Größe die jeweilige Trittys bildeten. 307/6 v. Chr. gab die A. an die neuen maked. Phylen keine Demen ab, später je eine an die → Ptolemais, → Attalis und → Hadrianis. Für die Mesogeia-Trittys der A. sind mehrere unselbständige Komai bezeugt (Kykala, Perrhidai, Petalidai, Thyrgonidai, Titakidai), von denen einige 201/200 v. Chr. Demenstatus erlangten.

TRAILL, Attica, 12 f., 22, 28, 53, 57, 71, 102, Tab. 9. H. LO.

Aiantis [2]

Aiantis [2] Epiklese der Athena im Tempel auf der Akropolis von Megara, nach Vermutung des Pausanias (1,42,4) dediziert von Aias. Das Bild ist vielleicht auf Münzen des 2./3. Jh. dargestellt.

K. HANELL, Megarische Stud., 1934, 49 f. F. G.

Aias

Aias (Αἴας). Name zweier athenischer Helden vor Troia. **[1]** A. Τελαμόνιος (Telamonios), Sohn des Telamon von Salamis und der Periboia (Eriboia). In der Ilias ist er nach Achill der beste Kämpfer der Achaier (Il. 2,768–9): Er ist Defensivkämpfer, trägt einen riesigen Schild, »wie ein Turm«. Er hat keine eigene Aristie, ist aber im Kampf gegen Hektor überlegen (Il. 7,206–82).

Sein bekanntester Mythos spielt nach dem Geschehen der Ilias. Nach Achills Tod holte A. den Leichnam zurück, während Odysseus die Troianer zurückhielt (Aithiopis); danach kam es zum Streit zw. den beiden um Achills Rüstung (Ilias Parva). A. unterlag, wurde verrückt und versuchte, die griech. Anführer zu foltern und zu töten; als er entdeckte, daß er in seinem Wahnsinn stattdessen Schafe getötet hatte, beging er Selbstmord. Diese Gesch. wird in Od. 11,543–64 vorausgesetzt; sie ist auch Thema von Sophokles' *Aias*.

Nicht-ep. Quellen fügen Details hinzu. Herakles betete, Telamons ungeborener Sohn möge so stark werden wie sein eigenes Löwenfell; Zeus sandte als Antwort einen Adler (αἰετός), was den Namen A. erklären soll (Hes. fr.250 M-W; Pind. I. 6,35–54). Ebenso wurde eine Verbindung zw. dem Namen des Helden und αἰαῖ (aiai, »weh«) hergestellt – so Soph. Ai. und Ov. met. 13,394. Ferner wurde erzählt (z. B. Lycophr. 455–6 und schol. = Aischyl. fr. 83 TrGF), daß A. als Baby in Herakles' Löwenfell gewickelt worden war und außer an dem Punkt, wo ihn das Fell nicht berührte, unverwundbar wurde. Daran hängen die Gesch., daß er von den Troianern lebendig begraben oder wie Achill von Paris erschossen wurde.

Im Kult wie auch im Mythos war A.' urspr. Wohnort Salamis, wo er Tempel und Fest hatte. Seine Abstammung von → Aiakos von Aigina, der Ilias unbekannt, spiegelt spätere aiginetische Ambitionen. Aus dem megarischen Kult der Athena Aiantis und einer Version von A.' mütterlicher Abstammung (Paus. 1,42,4) kann auf megarische Ansprüche geschlossen werden. Am bekanntesten ist der athenische Anspruch, der in Il. 2,557–8 verankert ist. Hier wurde A. wohl im Heiligtum seines Sohnes → Eurysakes in Melite verehrt; er war einer der zehn Phylenheroen. Seine Konkubine Tekmessa und die Söhne Eurysakes und Philaios sind hauptsächlich aus athenischen Quellen bekannt. Auch in der att. Vasenmalerei wurde er häufig dargestellt (vgl. auch PMG 898). Weitere Kulte sind in der Troas und in Byzantium bezeugt [1. 408 Anm. 58].

[2] Sohn von Oileus von Lokroi, ›nicht so großartig wie der Telamonide A., sondern viel geringer‹ (Il. 2,528–9). Anders als sein Namensvetter ist er klein, jedoch schnellfüßig und an Geschwindigkeit nur Achill unterlegen. Die beiden A. werden häufig zusammen erwähnt, in der Dualform Αἴαντε (Aiante) wie auch z. B. in 13,701–8. Obwohl A. in der Ilias nicht unter den ersten achaischen Kämpfern ist, spielt er keine unbedeutende Rolle. In etwas lächerlichem Licht erscheint er bei den Leichenspielen für Patroklos: er fällt in den Mist der Opferrinder (23,773–84). Seine berüchtigste Tat erzählt die Iliupersis: bei der Plünderung Troias riß er Kassandra so gewaltsam von der Kultstatue der Athena weg, daß auch das Bild vom Sockel gerissen wurde; dieses Sakrileg wäre auch ohne die meist folgende Vergewaltigung Grund genug für Athenas Feindschaft. Die Odyssee (4,502) bestätigt diesen Haß und fügt die Feindschaft Poseidons hinzu: Nach seinem Schiffbruch brüstete sich A., ohne göttliche Hilfe entkommen zu sein, worauf Poseidon ihn ins Meer zurückstieß und ertränkte (Od. 4,502–11). A.' Kränkung der Athena wurde durch den Brauch gesühnt, zwei lokrische Mädchen für ein Jahr in den Tempel der Athena von Ilion zu senden.

1 FARNELL, GHC, vgl. 305–10.

P. BURIAN, Supplication and hero cult in Sophocles' Ajax, in: GRBS 13, 1972, 151–56 • U. KRON, Die zehn att. Phylenheroen (MDAI(A) Suppl. 5, 1976, 171–76; 275–76 • W. KULLMANN, Die Quellen der Ilias, 1960, 79–85 • J. R. MARCH, Sophocles' Ajax: the death and burial of a hero, in: BICS 38, 1991–92, 1–36 • O. TOUCHEFEU, s. v. A. I, LIMC 1, 312–36 • P. VON DER MÜHLL, Der große A., 1930 • J. CONNELLY, Narrative and image in the Attic vase painting: Ajax and Kassandra at the Trojan Palladion, in: P. J. HOLLIDAY (Hrsg.), Narrative and event in ancient art, 1993, 88–129 • J. DAVREUX, La légende de la prophétesse Cassandra, 1942, 11–19; 139–60 • F. GRAF, Die lokrischen Mädchen, in: SSR 2, 1978, 61–79 • O. TOUCHEFEU, s. v. A. II, LIMC 1, 336–51. E. K.

Aidepsos (Αἰδηψός). Der Kurort A. auf → Euboia, schon im Alt. wegen seiner bis 78 °C heißen, dem → Herakles heiligen Mineralquellen berühmt, lag etwa 3 km nördl. des h. Badeortes Lutra Aidepsu, wo sich die Polis A. befand. A. gehörte zuerst zur Polis → Histiaia, die in ihrer Blütezeit den ganzen Norden der Insel beherrschte. Beim Erdbeben von 427 v. Chr. versiegten die Quellen für drei Tage (FGrH 85 Demetrios von Kallatis fr. 6). Schon im 3. Jh. v. Chr. wurde eine Kurabgabe erhoben und in röm. Zeit war A. ein luxuriöses Kurbad, von Sulla, Hadrian und Constantin besucht. Die zum Bad gehörende Stadt bestand noch unter Theodosius (IG XII 9, 1234, 1236). Im 11. Jh. wird A. letztmals erwähnt, bleibt aber besiedelt.

E. FREUND, s. v. A., in: LAUFFER, Griechenland, 82. H. KAL.

Aidesios [1] Neuplatoniker aus Kappadokien († vor 355 n. Chr.), Schüler des → Iamblichos. Einzige Quelle: Eunapios, *Vitae philosophorum et sophistarum*. Nach dem Tode des Iamblichos übernahm er anscheinend dessen Schüler, zog sich dann nach Kappadokien zurück, um schließlich in Pergamon gemeinsam mit der Philosophin Sosipatra zu unterrichten. Da er sich selbst zu alt fühlte, übertrug er nach kurzer Zeit die philos. Ausbildung des künftigen Kaisers Julian seinen Schülern Chrysanthios und Eusebios aus Myndos. Eunapios unterstreicht, daß A. seine Schüler zur Einfachheit erziehen und sie für das tägliche Leben der Kaufleute und Handwerker interessieren wollte.

GOULET I, 1989, 75–77. P. HA.

[2] Sextilius Agesilaus A. war Zivilbeamter in der Mitte des 4. Jh. n. Chr. Zunächst Anwalt in Afrika, dann am kaiserlichen Hof *magister libellorum, epistularum, memoriae* (vor 355; Amm. 15,5,4), *vicarius hispaniarum* (zw. 355 und 376), Inhaber zahlreicher Priesterämter (CIL VI 510). Er wurde 355 beschuldigt, sich an der Verschwörung des → Silvanus beteiligt zu haben (Amm. 15,5,3; 4; 14). Er lebte noch 376 (CIL l.c.). W. P.

Aidesis (αἴδεσις). Zur Zeit Drakons (vor 600 v. Chr.) ein zwischen den Angehörigen des vorsätzlich oder unvorsätzlich Getöteten und dem Blutschuldigen abge-

schlossener, vermutlich durch einen Eid bekräftigter Vertrag über die Streitbeendigung durch Zahlung des Wergeldes (IG I³ 104,13; Demosth. 43,57), im 4. Jh. die einseitige, von den Angehörigen des Getöteten gewährte Verzeihung bei unvorsätzlicher Tötung.

D. M. MACDOWELL, Athenian Homicide Law, 1963, 123 ff. • A. R. W. HARRISON, The Law of Athens II, 1971, 78. G. T.

Aidoingus (Αἰδόϊγγος). Amaler und Verwandter → Theoderichs des Gr., vor 478 n. Chr. *comes domesticorum* im Osten; Günstling der Kaiserin Verina mit großem Einfluß am Hof (Malchus fr. 20 BLOCKLEY). PLRE 2, 11 f.

H. WOLFRAM, Die Goten, ³1990, 261, 274 • A. SCHWARCZ, Die Goten in Pannonien, in: Mitt. Inst. österr. Geschichtsforsch. 100, 1992, 50–83 bes. 75. A. SCH.

Aidoneus (Ἀϊδωνεύς). Anderer Name des → Hades. In einer rationalistischen Deutung des Mythos, wie Theseus und Peirithoos in die Unterwelt stiegen, um Persephone zu rauben, und dabei überwältigt und gefesselt wurden, ist er König der Molosser, dessen Frau die beiden Heroen entführen wollten (Plut. Theseus 31,4. 35, nach einem Atthidographen [1]).

1 C. AMPOLO, in: Ders., M. MANFREDINI, Plutarco. Le vite di Teseo e di Romolo, 1988, 252. F. G.

Aidos (Αἰδώς). »Scheu, Sittsamkeit, Respekt« [1]; ihr Gegenbegriff ist → Anaideia (Hes. erg. 324); ihr Wirken kann ambivalent sein (erg. 319–320). Sie wird oft personifiziert, wobei die Grenze zw. Apellativum und Personifikation nicht immer leicht gezogen werden kann [1]. – Als umfassende soziale Mächte verlassen A. und Nemesis bei Hesiod (erg. 200) als letzte Götter die Menschen des eisernen Zeitalters (verbunden sind die beiden schon in Hom. Il. 13,121 f.). Bei Sophokles thront sie bei Zeus als Aufseherin allen Handelns (Soph. Oid. K. 1267), nicht anders als Dike (l. c. 1381); ihr Verschwinden (zusammen mit dem der Eusebeia, »Frömmigkeit«) drückt sich darin aus, daß Agamemnons Mörder unbestraft bleiben (Soph. El. 247 f.); in Platons Protagoras-Mythos (Prot. 322c) sendet Zeus Hermes mit A. und Dike den Menschen, um ihr Zusammenleben möglich zu machen. Für den, der sich durchsetzen muß, ist A. gelegentlich hinderlich (Eur. fr. 365). Bezogen auf das Frauenleben behütet sie die unberührten, »jungfräulichen« Blumenwiesen Troizens (Eur. Hipp. 78).

Beide Aspekte stecken in einem att. Mythos, in dem sie als Amme der jungfräulichen Stadtgöttin gilt (Schol. Aischyl. Prom. 12). Kult hat sie in Athen auf einem Altar neben dem alten Athena-Tempel der Akropolis (Hesych. s. v. Αἰδοῦς βωμός, vgl. Paus. 1,17,1; CIA III 367), in Sparta steht ein uraltes Kultbild, geweiht von Penelopes Vater Ikarios (Paus. 3,20,10).

1 H. Lloyd-Jones, The Justice of Zeus, 1971, 131 f.
2 U. von Wilamowitz-Moellendorff, Euripides'
Herakles 3, ²1959, 128 f.

L. Petersen, Zur Gesch. der Personifikation, 1939,
14. 23 f. · M. Scott, A. and Nemesis in the works of
Homer and their relevance to social and co-operative values,
in: Acta Classica 23, 1980, 13–35.   F. G.

Aietes (Αἰήτης). König von Aia/Kolchis, Sohn des He-
lios und der Perse(is), Bruder Kirkes, Pasiphaes, des
Perses. Gatte Idyias oder Asterodeias (bzw. Eurylytes:
Naupakt. fr. 6–7 EpGF), Vater der Chalkiope, die er
Phrixos vermählt, Medeias, des Apsyrtos/Phaethon (so-
wie Kirkes und des Aigialeus bei Diod. 4,45,3 und Dion.
Skyt. fr. 20 Rusten): Hom. Od. 10,136 f.; Hes. theog.
956 ff.; Apollod. 1,83, 129, 147; Apoll. Rhod. 3,240 ff.
   A. will Iason wegen des Goldenen Vlieses, an dessen
Besitz seine Macht hängt (Val. Fl. 5,236 ff. = Diod.
4,47,2 und Dion. Skyt. fr. 24; vgl. Herodor FGrH F 9;
Apoll. Rhod. 3,597 ff.), durch die drei Aufgaben
Jochen, Pflügen und Säen der Zähne (s. Pherekyd.
FGrH F 22) töten (Apollod. 1, 127 ff.; Pind. P. 4,232 ff.;
Apoll. Rhod. 3,1246 ff.; Val. Fl. 7,539 ff.; Verfolgung
der Argonauten: Apollod. 1,133). Perses stürzt A., Medeia setzt ihn wieder ein (Apollod. 1,147). Eumelos (fr.
2–3 EpGF) übertrug die A.-Sage auf Korinth, um sie mit
einem alten Mythos zu verbinden und Medeias Thronansprüche zu rechtfertigen.
→ Aia; Apsyrtos; Argonautai; Chalkiope; Eumelos; Iason; Kirke; Kolchis; Medeia; Perses; Phrixos   P. D.

Aigai [1] (Aigeai, Αἰγαί, Αἰγέαι). Residenz und Begräbnisstätte der maked. Argeadenkönige beim h. Vergina. Ausgangspunkt der maked. Eroberung von Pieria
und → Bottiaia, Hauptresidenz, bis im 4. Jh. v. Chr.
→ Pella dazu ausgebaut wurde. Seither nur zeremonielle
Bedeutung. Fundort der Königsgräber (»Grab Philippos'« II.), 279 v. Chr. von Kelten ausgeplündert, wohl
von Antigonos [2] wiederhergestellt. Im Theater (1981
ergraben) wurde Philippos II. 336 v. Chr. ermordet. Die
große Palastanlage (Fundamente erh.) wurde um 300
v. Chr. erbaut. Die hl. Bezirke der → Eukleia und der
Göttermutter blieben vom 4. bis mindestens Mitte des 2.
Jhs. v. Chr. in Benutzung. Bisher wurden kaum arch.
Spuren aus röm. Zeit gefunden (1995), dagegen eine
frühbyz. Kirche, die auf eine fortdauernde Besiedlung
von A. schließen läßt.

   M. Andronikos, Vergina. The Royal Tombs and the
   Ancient City, 1984 · E. N. Borza, In the Shadow of
   Olympus, 1990, 353 f. · F. Papazoglou, Les villes de
   Macédoine, 1988, 131–135.   MA. ER.

[2] Gehörte zu den aiol. Städten an der Westküste
Kleinasiens (Strab. 13,3,5; Skyl. 98; Plin. nat. 5,121). Im
Landesinneren am Ufer des Tisnaios (heute Koza Çay),
35 km südl. von → Pergamon auf der Anhöhe Nemrud
Kalesi (365 m) gelegen, stand sie in hell. Zeit unter dem
beherrschenden Einfluß von Pergamon, der seinen

Ausdruck in der städtebaulichen Anlage (Stoa, Theater,
zwei Tempel, Gymnasion und Demeterheiligtum) fand,
deren beeindruckende Ruinen im 19. Jh. Ziel arch.
Ausgrabungen waren [1]. Zum Gebiet von A., das laut
der Grenzsteine bis in das → Hermos-Tal reichte, gehörte ein Orakelheiligtum des → Apollon Chresterios
(OGIS 312). Zwar spricht man aufgrund der umfassenden Bautätigkeit in hell. Zeit gleichsam von einer maked. Gründung; wie neue Funde zeigen, bestand die
Siedlung jedoch schon in archa., wenn nicht sogar in
vorgriech. Zeit [2. 481 f.]. Dies korrespondiert mit Angaben bei Herodot, der A. zu der Dodekapolis der aiol.
Städte zählt (1,149). → Themistokles besuchte A. auf
seinen Weg nach → Susa (Plut. Them. 26). 394 v. Chr.
war A. von der persischen Oberhoheit befreit (Xen.
hell. 4,8,5). Seit 218 v. Chr. unterstand A. den Attaliden,
deren Gegner → Prusias II. die Stadt 156 v. Chr. zerstörte. Dieser Widerstand brachte A. die Gunst der Römer ein (Pol. 33,13,8). Zur Zeit Caesars stattete A. dem
Statthalter P. → Servilius Isauricus für zugestandene
Wohltaten ihren Dank ab. Das verheerende Erdbeben
von 17 n. Chr. traf auch A. (Tac. ann. 2,47). Der Dank
an Tiberius für seine Unterstützung beim Wiederaufbau der aiol. Städte ist inschr. erhalten (CIL III 7096; 10,
1624). Noch im 6. Jh. n. Chr. wird A. als eine der Städte
der Eparchie Asia gen. (Hierokl. 660,16).

   1 R. Bohn, C. Schuchardt (Hrsg.), Altertümer von Aigae,
   1889 2 W. Radt, Archaisches in A. bei Pergamon,
   Istanbuler Mitt. 41, 1991, 481–484.   E. SCH.

Aigaion s. Hekatoncheiren

Aigaion Pelagos (Αἰγαῖον πελαγος). Das »Ägäische
Meer«, erstmals Aischyl. Ag. 664; Hdt. 2,97; 4,85; 7,55;
Ps.-Skyl. 58 gen., reichte nach Hdt. 2,113; Strab. 10,4,2
vom Ausgang des → Hellespontos bis zur Insel → Kreta.
Nach anderen Angaben reichte es nur bis zur Insel
→ Kos (Strab. 7,7,4; 2,5,21) oder endete westl.
→ Sunion (Plin. nat. 4,9,19). Nach Strab. 2,5,21 besaß
das A. eine Länge von 4000 Stadien (ca. 708 km) und
eine Breite von 2000 Stadien (ca. 354 km). Die häufige
Abtrennung des → Ikarischen Meers legte die Südost-
Grenze auf den Insel-Bogen → Andros → Mykonos
→ Samos. A. wurde abgeleitet von Aigeus (Hygin. fab.
43; Serv. Aen. 3,74; Suda s. v. A.), vom maked. Aigai
(Strab. 8,7,4), von der Klippe Aix (Plin. nat. 4,18,51).

   C. Lienau, Griechenland. Geogr. eines Staates der europ.
   Südperipherie, 1989, 32.   H. KAL.

Aigaleos (Αἰγάλεως). Höhenzug (bis 458 m) zw. den
Ebenen von Athen und → Eleusis (Thuk. 2,19; partiell
zum Demos → Kolonos gehörig: FGrH 334 Istros fr. 17),
von dem aus → Xerxes 480 v. Chr. die Seeschlacht bei
→ Salamis verfolgte (Hdt. 8,90,4). Im Alt. mit Wald
(Stat. Theb. 12,620) oder Macchie bedeckt (Kall. fr.
238,23 Pf.; Suda s. v. μᾶσσον). Vom → Parnes durch ei-

nen Paß bei Fili (früher Chassia) getrennt, den das sog. Dema abriegelt, bildet der A. im Süden ein weiteres Defilee beim Kloster Daphni, durch das die Hl. Straße nach Eleusis führte. Am Fuß des A. westl. des Klosters das Heiligtum der Aphrodite »in den Gärten«.

PHILIPPSON / KIRSTEN 1, 854ff. · TRAVLOS, Attika 52, 81, 177.   H.LO.

Aigeai (Αἰγέαι). Das h. Yumurtalık, Hafenstadt in der → Kilikia Pedias östl. der → Pyramos-Mündung (Strab. 14,5,18; Stadiasmus maris magni 157f.; Ptol. 5,8,4). Trotz behaupteter Stammverwandtschaft mit Argos [5. 119–128] maked. Gründung [1. 53–96], Münzprägung mindestens seit Antiochos [5] IV. [6. 146–150]. Ärabeginn (→ Ären) Herbst 47 v.Chr. [2. 11–22]; *oppidum liberum* bei Plin. nat. 5,91. A. führte nach- und z.T. nebeneinander zahlreiche Kaiser(bei)namen, als Flottenstützpunkt den Titel Nauarchis. Der → Asklepios-tempel [4. 161–211] diente seit 231 n.Chr. auch dem Kaiserkult [7. 198–203]. Unter Kaiser Decius Martyrium der christl. Ärzte Kosmas und Damianos [8]. 260 n.Chr. von Sapor I. erobert (Res Gestae Divi Saporis 28), der Tempel 331 n.Chr. von Constantinus zerstört (Eus. vita Constantini 3,56; Sozomenos; hist. eccl. 2,5,4), Bistum der Cilicia II. Nur wenige ant. Reste und einige Spolien in der ma. Hafenfestung (= Lajazzo) [2; 3].

1 H. BLOESCH, Hellenistic Coins of Aegeae (Cilicia), in: ANSMusN 27, 1982, 53–96 2 Ders., Erinnerungen an A., 1989 3 L. ROBERT, De Cilicie à Messine et à Plymouth, avec 2 inscriptions grecques errantes, in: Journal des Savants 1973, 161–211 4 Ders., Documents d'Asie Mineure 4: 2 inscriptions de Tarse et d'Argos, in: BCH 101, 1977, 120–129 5 Ders., Monnaies et textes grecs, in: Journal des Savants 1978, 145–163 6 H. HELLENKEMPER, F. HILD, Kilikien und Isaurien (TIB 5), 1990, s.v. A. 7 P. WEISS, Ein Altar aus A., in: Chiron 12, 1982, 191–205 8 R. ZIEGLER, A., der Asklepioskult, das Kaiserhaus der Decier und das Christentum, in: Tyche 9, 1994, 187–212.

G. DAGRON, D. FEISSEL, Inscr. de Cilicie, 1987, 117–127 · J. NOLLÉ, HAKKERT s.v. A. 1 · SNG Schweiz 1 / Levante 1630–1804.   H.TÄ.

Aigeidai (Αἰγεῖδαι). Von Herodot (4,149) als »große Phyle in Sparta« bezeichnet, aber auch (4,147) mit dem kadmeischen Theben in Verbindung gebracht. Bei Aristoteles (fr. 532 ROSE) erscheinen die A. als φρατρία Θηβαίων und bei Pindar (I. 7,15) als »Thebaner« (vgl. Androtion FGrH 324 F 60; schol. Pind. P. 5,101). Nach den Schol. zu Pindar I. 7,18 sollen sie urspr. Phlegraioi gewesen sein. Ob hiermit »Phlegyer« gemeint sind [1. 28], ist unklar. Angeblich sollen die A. mit den Herakliden nach Sparta eingewandert (Hdt. 4,147) oder von den Spartanern gegen Amyklai zu Hilfe gerufen worden sein (Pind. I. 7,13ff.; schol. ad loc. und ad Pyth. 5,101; Aristot. fr. 532 ROSE). Als Eponym der A. galt in Sparta → Aigeus, angeblich ein Enkel des Gründers von Thera.

Von dort sollen A. auch nach Kyrene ausgewandert sein. Nachrichten dieser Art resultieren aus einem Gewebe von Legenden, Mythen und Sagen zur Erklärung gesch. Ursprünge. Sie erlauben entgegen älteren Forschungsthesen [1. 85ff.] nicht den Schluß, daß die A. als Nachfahren mittelgriech. Aioler über Südlakonien nach Sparta gelangt und dort ein mächtiges Adelsgeschlecht geworden seien, da derartige Konstruktionen davon ausgehen, in Griechenland hätte es weitverzweigte, familienübergreifende Geschlechterverbände gegeben. Dies ist jedoch nicht der Fall.

1 F. KIECHLE, Lakonien und Sparta, 1963.   K.-W.W.

Aigeira (Αἴγειρα). Stadt in → Achaia, ca. 1,3 km von der Küste (Pol. 4,57,5), ca. 2,2 km vom gleichnamigen Hafen entfernt (Paus. 7,26,1), im Westen des h. Dorfes Derveni. An drei Seiten durch Steilhänge geschützt und auf der vierten nur über einen schmalen Kamm zugänglich, war A. leicht zu verteidigen und beherrschte gleichzeitig die Küstenstraße. Die Höhensiedlung (ca. 416 m), seit spätmyk. Zeit (12.Jh. v.Chr.) bewohnt, hieß urspr. Hyperesia (Erklärung für die nach 688 v.Chr. erfolgte Umbenennung bei Paus. 7,26,2f.: Hom. Il. 2,573; Od. 15,254; Strab. 8,6,25). Funde aus protogeom. und geom. Zeit belegen eine Besiedlung zw. dem 10. und 8. Jh. v.Chr. Nach 350 v.Chr. (Ps.-Skyl. 42) zogen auch die Bewohner der einst bedeutenden Stadt Aigai in Achaia (Paus. 7,25,12; 8,15,9) an der → Krathis-Mündung beim h. Akrata nach A. (Strab. 8,7,4). In hell. Zeit wird A. mit Agora und Stadtmauerring aus Anlaß des Überfalls der → Aitoloi unter → Dorimachos geschildert (Pol.4,57f.), in der Kaiserzeit als blühende Stadt mit mehreren Heiligtümern auch oriental. Gottheiten (Paus. 7,26,1–9; dazu Mz.: HN 412), in der Spätant. (wie schon Plin. nat. 4,5,12; Mela 2,53) als Straßenstation (→ statio) in Achaia genannt. Der arch. Befund stimmt für alle 3 Perioden zu diesen Angaben (auch beim Fund einer Abschrift des Höchstpreisedikts des → Diocletianus: CIL III 2328; SEG 24,338). Feldforsch. des Stadtgebiets von A. seit 1990.

W. ALZINGER, Was sah Pausanias in A.?, in: The Greek Renaissance in the Roman Empire, 1989, 142–145 · Ders. et al. (Hrsg.), A.-Hyperesia und die Siedlung Phelloë in Achaia, in: Klio 67, 1985, 389–451; 68, 1986, 5–62, 309–347 · S. GOGOS, Kult und Heiligtümer der Artemis von A., Österreichische Jahreshefte 57, 1986/1987, Beibl., 109–140 · Ders., Das Theater von A., 1992 · M. HAINZMANN, Pausanias und die Mz.prägung von A. Meletemata 13, 1991, 195–203
NEUE FUNDE:
Österreichische Jahreshefte 61, 1991/1992, Beibl., 19–24; 63, 1994, Beibl., 32–39.   Y.L.

Aigeis (Αἰγηΐς). Seit der Phylenreform des → Kleisthenes 2. der 10 Phylen Attikas (IG II/III² 1740ff.); eponymer Heros → Aigeus. A. umfaßte im 4. Jh. v.Chr. acht → Asty-, fünf → Paralia- und acht → Mesogeia-

Demen. Vier davon wechseln 308/7 v.Chr. in die maked. Phylen → Antigonis bzw. → Demetrias; nach deren Auflösung 201/200 v.Chr. wieder in der A. → Kydantidai wechselt 224/3 v.Chr. in die → Ptolemais, → Ikarion 201/200 v.Chr. in die → Attalis, → Phegaia 127/8 n.Chr. in die → Hadrianis. In den beiden letzten vollständig erh. Prytanenlisten der A. von 138/9 bzw. 171/72 n.Chr. sind nur sieben bzw. neun Demen repräsentiert.

TRAILL, Attica, 5, 7, 23, 26, 39ff., 57, 71, 102, 104, 133, Tab. 2.   H.LO.

Aigestos (Αἴγεστος). Sohn troianischer Eltern, die nach Sizilien geflohen waren; kämpft mit Elymos vor Troia und gründet nach seiner Rückkehr Egesta/Segesta (Dion. Hal. ant. 1,52). Nach anderer Überlieferung Sohn des sizilischen Flußgottes → Krimisos und der troischen Nymphe Egesta/Segesta (Serv. Aen. 1,550). Vergil erzählt in Aen. 5, wie A. (den er Acestes nennt) Aeneas gastlich aufnimmt.

C. ARNOLD-BIUCHHI, s.v. A., LIMC 1.1, 357f.   F.G.

Aigeus (Αἰγεύς). Mythischer König von Athen, einer der zehn → Eponymoi und Vater von Theseus. Die kanonische Gesch. macht ihn zum Sohn von König → Pandion, der Attika zw. A. und seinen Brüdern Pallas, Lykos und Nisos teilte. A. erhielt das Gebiet um Athen. Aber seine Erscheinung dort könnte auch später erfolgt sein: BEAZLEY ARV[2] 259.1 zeigt die anderen Brüder mit Orneus, nicht mit A. Als König blieb er lange Zeit kinderlos. Bei einer Befragung des delph. Orakels wurde ihm gesagt, ›den Fuß des Weinschlauches nicht zu lösen, bevor er zu Hause sei‹ (Eur. Med. 679–81). A. konnte dies nicht verstehen. Als er in Troizen ankam, erkannte sein Gastgeber → Pittheus, daß A.' Sohn und Nachkomme aus seinem nächsten Geschlechtsverkehr geboren werde; deshalb machte er A. betrunken und brachte ihn mit seiner Tochter Aithra zusammen. So wurde → Theseus geboren, der, als er alt genug war, nach Athen reiste, um seinen väterlichen Erbteil zu verlangen. A. hatte unterdessen → Medeia Asyl gegeben und sie nun als dritte Gattin genommen (ihr Sohn war Medos, Stammvater der Meder); sie versuchte, Theseus zu vergiften und wurde von A. aus Attika fortgeschickt. A. selbst nahm sich bei Theseus' Heimkehr von Kreta das Leben, weil er dachte, sein Sohn sei tot; entweder Theseus oder sein Steuermann hatte vergessen, die schwarzen Segel seines Schiffes auszuwechseln. In einer Version warf er sich ins Meer, und gab ihm so den Namen »Ägäis« (Αἰγαῖον πέλαγος). Manche sahen dies als Teil einer Beweissammlung, die A. mit Poseidon verband, der ebenfalls Anspruch auf Theseus Vaterschaft erhob.

Obwohl A. vor dem 5.Jh., als er in Kunst und Lit. beliebt wurde, eine unbedeutende Gestalt war, gelangte er, wie Theseus, in zahlreiche Kulte und rituelle Bräuche. Die Trauer um seinen Tod erklärte einige der Besonderheiten der → Oschophoria; er soll auch die Kulte von Apollon Delphinios (Anecd. 1,255 BEKKER, vgl. Plut. Theseus 5e) und Aphrodite Urania gegründet haben, letzteren wegen seiner Kinderlosigkeit (Paus. 1,14,7). Sein eigenes Heroon (Paus. 1,22,5; Harpokr.: Aigaion) könnte sich in der Nähe eines dieser Heiligtümer befunden haben.

U. KRON, Die zehn att. Phylenheroen (MDAI(A) Suppl. 5), 1976, 120–40, 264–69 • U. KRON, s.v. A., LIMC 1.1, 1359–67 • L. RADERMACHER, Mythos und Sage bei den Griechen, 1938, 255–261.   E.K.

Aigiale [1] (Αἰγιάλη). Im Norden von → Amorgos gelegen, war eine der drei Poleis dieser Insel (Steph. Byz. s.v. Ἄμοργος). Reste der ausgedehnten Stadt fanden sich bei den Dörfern Tholaria und Langada. Volkstümlich *Giali*, heißt der Ort h. wieder A. (Mz.: HN 481).

H. KALETSCH, s.v. A., in: LAUFFER, Griechenland, 83.   H.KAL.

[2] s. Aigialeia

Aigialeia (Αἰγιάλεια). In der Prosa auch Aigiale, Tochter des Adrastos (Hom. Il. 5,412) und der Amphithea (Apollod. 1,79), Frau des Diomedes. Um sich für ihre Verwundung durch Diomedes (Il. 5,330ff.) zu rächen, treibt Aphrodite sie während Diomedes' Abwesenheit in Troia dazu, sich in Argos mit vielen jungen Männern einzulassen. Den heimkehrenden Diomedes will A. ermorden, oder er flieht aus Abscheu nach Kalydon, dann nach Italien. Der Mythos begründet Diomedes' italische Abenteuer mit dem bes. durch Eur. Hipp. bekannten Zornmotiv [1]. Ov. met. 14,476–9 spielt auf die Gesch. an (vgl. Ant. Lib. 37,1 [2]; anders Verg. Aen. 11,269), ausführlich erzählt Tzetz. ad Lycophr. 610.

1 W. FAUTH, Hippolytos und Phaidra, in: AAWM 1958/59, 572 2 M. PAPATHOMOPOULOS, Antoininus Liberalis. Les Métamorphoses, 1968, 151f.   F.G.

Aigialeus (Αἰγιαλεύς). **[1]** Sohn des → Adrastos, Argiver, der einzige der Epigonen vor Theben, der im Kampfe fiel. Vater oder Bruder der → Aigialeia. A. wurde in Pagai in der Megaris als Heros verehrt (Pind. P. 8,53–55; Apollod. 1,103 u.ö.; Hyg. fab. 71) [1]. **[2]** Autochthone, der den ältesten Teil Sikyons, Aigialeia, gründet und der ganzen Peloponnes den Namen Aigialos gibt (Paus. 2,5,6, verbunden mit einem Athenatempel), oder Sohn des Inachos und der Okeanide Melia; Argiver, nach dem Achaia Aigialeia hieß (Apollod. 2,1). Die Mythenversionen spiegeln die Konkurrenz von Sikyon und Argos. **[3]** Anderer Name für Medeias Bruder → Apsyrtos (Diod. 4,45,3; Pacuvius ap. Cic. nat. 3,48; Iustin. 42,3,1).

1 U. FINSTER-HOLZ, s.v. A., LIMC 3.1, 804f., Nr. 1f.   F.G.

Aigila (Αἰγιλία, Αἰγιαλία). Insel in der südl. Ägäis (→ Aigaion Pelagos; Plin. nat. 4,57; Plut. Kleomenes 31) mit 22 km² Fläche. In byz. Zeit Antikythera, unter venezianischer Herrschaft Cerigotto. Bei Palaiokastro im Nordosten lag die wohl einzige ant. Siedlung. Nördl. von A. wurde 1900 ein ant. Schiffswrack gefunden, aus dem »der Jüngling von A.« und andere Br.- und Marmor-Statuen stammen (h. in Athen, Nationalmuseum). Unter den Funden befand sich auch ein Gerät zur Errechnung von Sternen- und Planetenbahnen.

H. KALETSCH, s. v. Antikythera, in: LAUFFER, Griechenland, 121 f. • I. E. PETROCHEILOS, Ξεροπόταμος. Μία αρχαία Θέση στα Ἀντικυθερα, in: AAA 20, 1987 (1991), 31–42 • P. J. DE SOLA, An ancient greek computer, in: Scientific American 6, 1959, 60–67 • Ders., Gears from the greeks. The Antikythera mechanism. A calendar computer from 80 b.C., 1975.　　　　　　　　　　　　　H. KAL.

Aigilia (Αἰγιλιά). Att. → Paralia-Demos der Phyle Antiochis, später der Ptolemais. Sechs → Buleutai [5. 23, 53, Tab. 10], an der Südwestküste Attikas gelegen (nach Strab. 9,1,21 zw. Thorai und Anaphlystos), jedoch nicht nordöstl. des Olympos [1. 69 ff.] bei Hagios Panteleimon [5. 53; 3. 50 ff.], sondern westl., wohl bei Phoinikia [2. 243 Anm. 10; 4. 829]. Berühmt für seine Feigen (Athen. 14,652E; Theokr. 1,147). A. wurde offenbar mit einem Großteil der Südparalia früh entsiedelt (→ Atene) [3].

1 C. W. J. ELIOT, The Coastal Demes of Attica, 1962
2 H. LAUTER, Ein ländliches Heiligtum hell. Zeit in Trapuria (Attika), in: AA 1980, 242–255 3 A. MILCHHOEFER, s. v. A., RE I, 962 4 PHILIPPSON / KIRSTEN I,3 5 TRAILL, Attica 6 E. VANDERPOOL, A Lex Sacra of the Attic Deme Phrearrhioi, in: Hesperia 39, 1970, 47–53, hier 50 ff.

TRAILL, Attica, 14, 23, 53, 59, 62, 67, 109 (Nr. 5), Tab. 10 • J. S. TRAILL, Demos and Trittys, 1986, 139.　　　H. LO.

Aigilips (Αἰγίλιψ). Im Schiffskatalog Hom. Il. 2,633 ein Odysseus untertäniger Ort, Lage schon in der Ant. umstritten (Strab. 10,2,10: auf → Leukas; Steph. Byz. s. v. Κροκύλειον: auf → Ithake; Suda s. v. A.: auf → Kephallenia), wird h. auf Ithaka gesucht.

C. BURR, ΝΕΩΝ ΚΑΤΑΛΟΓΟΣ, 1944, 79 • R. H. SIMPSON, J. F. LAZENBY, The catalogue of ships, 1970, 103 f.　　D. S.

Aigimios (Αἰγμιός). **[1]** Sohn des Doros, Vater von Dyman und Pamphilos (Hes. fr. 10a 7). Stammvater der Dorier am Oitegebirge (Pind. P. 1,64;5,72; Strab. 9,427 nach Ephoros, FGrH 115 F 15). Er nahm Herakles' Sohn Hyllos nach dem Tod des Vaters neben seinen eigenen Söhnen an, um sich für Herakles' Hilfe erkenntlich zu zeigen. Nach ihnen erhielten die drei dorischen Phylen die Namen Hylleis, Pamphiloi, Dymanes. Andere lokalisierten A. in Thessalien; hier rief er, von den Lapithen bedrängt, Herakles zu Hilfe und versprach ihm ein Drittel seines Landes.　　　　　　　　　　　　　　F. G.

[2] Αἰγιμιός (*Aigimios*) ist der Titel eines Epos in wenigstens 2 Büchern, das Hesiod oder auch → Kerkops von Milet, einem Zeitgenossen des → Onomakritos (6. Jh. v. Chr.), zugeschrieben wurde (Athen. 11,503d). Das Werk, das vermutlich eine Reihe von Episoden enthielt (z. B. die Io-Sage, fr. 296 M.-W.), handelte von Herakles, der den Dorerkönig → Aigimios [1] im Kampf gegen die Lapithen, Dryoper und Amyntor von Ormenion unterstützte.

MERKELBACH/WEST, 151– 154.　　　　　　　　C. S.

[3, aus Elis] Arzt des 4. Jh. v. Chr.; angeblich der erste, der über den Puls schrieb (Gal. 8,498), doch bezweifelt Galen dessen Autorschaft an der Schrift ›Über das Zittern‹ (Gal. 8,751; 498; 716). Er glaubte, Krankheit entstehe durch ein Übermaß an Verdauungsrückständen oder Nahrung, Anon. Londiniensis Sp. 13,21. In gesundem Zustand würden solche Rückstände sowohl in flüssiger Form durch Darm, Blase, Ohren, Nase und Mund ausgeschieden als auch auf unsichtbare Weise. Verdauung und Absorption leerten Gefäße und Kanäle. Krankheit entstehe, falls die Ausscheidung von Rückständen unvollständig sei oder Nahrung aufgenommen werde, ohne daß die bereits zugeführte vollständig verdaut sei. A. empfahl, erst dann ein Bad zu nehmen, wenn Urinfluß den Abschluß des Verdauungsprozesses signalisiere (Gal. 6, 159).　　V. N. / L. v. R.-B.

Aigimuros (Αἰγίμουρος). Insel westl. von Kap Bon ca. 30 Meilen (Liv. 30,24,9) bzw. 230 Stadien von → Karthago entfernt (Itin. Anton. 492,13; 515,1), h. Ile Zembra (Liv. 29,27,14; Strab. 2,5,9; 6,2,11; 17,3,16; Ptol. 4,3,44: Αἰγίμιος; Steph. Byz.: Αἰγίμορος). Plin. nat. 5,42 kennt *duae Aegimoeroe* (Ile Zembra und Ile Zembretta). Verg. Aen. 1,109 und Plin. nat. 5,42 nennen die beiden Inseln *arae* [1. 250 Anm. 270]. Dazu die Bemerkung des Serv. Aen. 1,108: *saxa haec. . ., in quibus aiunt Poenorum sacerdotes rem divinam facere solitos.*

1 W. HUSS, Gesch. der Karthager, 1985.

J. SCHMIDT, s. v. A., RE I, 964.　　　　　　　W. HU.

Aigina (Αἴγινα). Die Insel A. (83 km²), benannt nach der Nymphe A. (Lieblingstochter des Flußgottes Asopos), liegt nahezu in der Mitte des Saronischen Golfes; die Hafenstadt A. ist nur 16 Seemeilen vom → Peiraieus entfernt. A. ist steinig, wasserarm, doch nicht völlig unfruchtbar. Nach Strab. 8,6,16 hatte A. einen Umfang von 180 Stadien (ca. 32 km). In der Ant. lebten hier zw. 13 000 und 20000 Menschen. Die ältesten Siedlungsspuren (E. des 4. Jt. v. Chr.) fanden sich bislang bei Kap Skenderotti (Kolonna). Um 2500 v. Chr. wurde der Platz befestigt, wohl in Zusammenhang mit der Einwanderung der Frühgriechen, der Sage nach → Myrmidones. Die frühen Bewohner der Insel ahmten kret.-min. Keramik nach, später finden sich Importe argiv.-min. Vasen. Um 1300 v. Chr. entstand auf dem → Oros (mit 524 m höchste Erhebung auf A.) eine Gipfelsiedlung mit einem Kult für → Zeus Hellanios. In christl. Zeit wurde hier eine Kapelle für den Propheten → Elias errichtet. Um 1200 v. Chr. ist stellenweise Verödung von A. festzustellen, der erst um 950 v. Chr. eine Neubesiedlung durch → Dorieis folgte, die aus der → Argolis kamen (Hdt. 5,83; 8,46; Paus. 2,29,5; schol. Pind. O. 8,39). Schon früh erfolgte die Hinwendung zur See, die letztlich zur Ausprägung einer Handelsmacht führte. Schon im 8. Jh. v. Chr. ist A. ein gleichberechtigtes Mitglied der Amphiktyonie von → Kalaureia. Um 650 v. Chr. war das aiginetische Währungssystem vorbildhaft für andere dor. Staaten; verschiedene Schildkröten gaben den Münzen ihr charakteristisches Aussehen. A. gründete keine Kolonien, dafür aber Handelsstützpunkte, die über → Kydonia an der Westküste von → Kreta bis nach → Naukratis im Nildelta reichten. Nach Westen trieb man Handel mit Spanien, von wo man möglicherweise auch das → Silber für die Münzprägung bezog. Neben dem Handel und der Seefahrt blühten auf A. aber auch Bronzeguß und Bildhauerei. Die fast vollständig erh. Giebelgruppen des Aphaia-Tempels stammten aus einheimischer Produktion. Hauptort der Insel, damals wie h., war A. an der Westküste, seit 482 v. Chr. von einer Mauer umschlossen mit zwei Häfen (Ps.-Skyl. 53). Der Kriegshafen lag etwas östl., und noch h. sind im klaren Wasser die Reste von Molen und Schiffshäusern zu erkennen; der Handelshafen lag an der Stelle des modernen. Auf dem vorgesch. Stadthügel stand ein Apollon-Tempel, vom zweiten Tempel für → Apollon Thearios – nach 482 v. Chr. errichtet – ist h. außer dem → Stylobat nur noch eine Säule des Opisthodom erh. Ihre letzte Befestigung erhielt A. 267 n. Chr. zum Schutz gegen die → Heruli, wobei das Heiligtum des Apollon zum Fort wurde und → Theater und → Stadion, beide wohl von → Attalos II. erbaut oder zumindest erneuert, dem Festungsbau zum Opfer fielen. Die Besiedlung des nach der einzigen aufrechtstehenden Säule Kolonna gen. Platzes reichte bis in die Br.-Zeit zurück. Schon im FH war die Siedlung durch eine Mauer gesichert worden. In diesem Bereich lagen auch die Grabbauten für die Stadtgründer → Aiakos und → Phokos sowie die → Wasserleitung, die ebenfalls in die Zeit des zweiten Tempelbaus zurückgehen. Ähnlich wie in → Athenai oder auf → Samos wurden weit entfernt liegende Quellen erfaßt, und das Wasser in fast mannshohen unterirdischen Stollen durch tönerne Leitungsrohre zur Stadt geleitet. Auf einem Hügelplateau über der Ostküste lag der Tempelbezirk der Aphaia (→ Diktynna), die später mit der → Athena gleichgesetzt wurde. Das Alter des Kultplatzes für die Fruchtbarkeitsgöttin reicht bis in die Zeit um 1300 v. Chr. zurück. Um 570 v. Chr. wurde ein erster → Oikos errichtet, auf dem um 500 v. Chr. der spätarcha. → Peripteros folgte. Mit den Giebelgruppen hatte es eine besondere Bewandtnis. Insgesamt existierten drei, wobei eine zweite Ostgiebelgruppe 10 bis 20 Jahre später entstand als die erste alleinige Westgruppe. In den Giebeln fanden die Kämpfe des → Herakles und des → Agamemnon um → Troia ihre Darstellung, an denen auch die Aigineten teilnahmen. Während der Westgiebel noch silhouetten- und flächenhaft wirkte, zeigte sich im Ostgiebel die Frühklassik mit ihrer lebensnahen Darstellung. Die Mehrzahl der Figuren wurde 1813 vom Kronprinz Ludwig von Bayern gekauft und für die 1830 eröffnete Glyptothek in München restauriert. Die spätarcha. Ostgiebelgruppe, die in der Ant. nicht zur Aufstellung gelangte, wurde erst 1901 aufgefunden (h. in Athen). Das Verbot in den Solonischen Gesetzen (→ Solon), Getreide aus Attika zu exportieren, traf wohl auch die Aigineten und dürfte ein Ausdruck der wachsenden Rivalität zw. den beiden Staaten gewesen sein. Um 488 v. Chr. unterlag Athen in einer Seeschlacht. An der Schlacht von → Salamis war A. mit 30 Schiffen beteiligt. Dennoch vermied A. die Zugehörigkeit zu den großen griech. Machtblöcken wohl im Hinblick auf seine Getreideimporte aus dem Schwarzmeergebiet. Dennoch verlor A. 456 v. Chr. schließlich seine Selbstständigkeit und mußte dem → att.-delischen Seebund unter Zahlung einer Jahressteuer von 180000 Drachmen beitreten. Die langjährige Rivalität der beiden Nachbarn fand ihren grausamen Höhepunkt, als 431 v. Chr. die Bewohner der Insel zur Auswanderung gezwungen wurden und att. → Kleruchoi ihren Platz einnahmen (vgl. die Vorgesch. bei Hdt. 5,82f; 6,85ff.). A. war endlich vom Peiraieus ›wie die Butter von den Augen‹ weggewischt (Plut. Perikles 8, ähnlich ›Eiterbeule‹ Perikles bei Aristot. rhet. 3 p. 1411a 15). Die Bevölkerung fand teils in der → Lakonike Zuflucht, teils in der → Kynuria, wo sie 424 v. Chr. fast ausgerottet wurde. Nach dem Ende des Peloponnesischen Krieges 404 v. Chr. kehrten die wenigen Überlebenden nach A. zurück, doch die Insel konnte keine eigenständige Politik mehr betreiben. Spartaner, Thebaner und Makedonen lösten sich in der Hegemonie ab. Zuletzt verkauften die → Aitoloi 211 v. Chr. die Insel an Attalos II. von → Pergamon. Nach kurzer Zeit des Friedens und bescheidenen Aufschwungs fiel A. mit der Erbmasse des Pergamenischen Reiches 133 v. Chr. an Rom.

Gegen E. des 3. Jh. n. Chr. bildete sich eine erste jüd. Gemeinde. Noch vor 350 n. Chr. gab es eine christl. Gemeinde. Im 4. Jh. n. Chr. entstand eine Bischofskirche und wohl damit verbunden auch ein Bistum. In byz. Zeit litt die Insel unter den Plünderungen durch die Sarazenen. Die Einwohner zogen sich ins Landesinnere zurück und erbauten im 9. und 10. Jh. Paleochora, wo sich ehemals 27 Kirchen befanden. Im 12. Jh. diente die Insel als Piratenstützpunkt, nach 1204 war A. Lehensland des Herzogtums Athen, 1317 fiel es an die Katalanen, 1425 übernahm Venedig das Protektorat.

H. BANKEL, Der spätarcha. Tempel der Aphaia auf Aegina, 1993 · J. P. BARRON, The fifth-century horoi of A., in: JHS 103, 1983, 1–12 · T. J. FIGUEIRA, Athens and A. in the age of imperial colonization, 1991 · E. B. FRENCH, Archaeology in Greece 1993–94, 13 · G. GRUBEN, Die Tempel der Griechen, ⁴1986 · A. M. HAKKERT, A., in: HAKKERT, 360–366 · KIRSTEN / KRAIKER · R. SCHEER, s. v. A., in:

LAUFFER, Griechenland, 83–86 · E. L. SCHWANDNER, Der
ältere Porostempel der Aphaia auf Aegina, 1985 · U. SINN,
Aphaia und die Aegineten, in: Athenische Mitt. 102, 1987,
131–167 · H. WALTER, Ἀνασκαφὴ στὸ λόφο Κόλωνα, Αἴγινα
1981–82, in: AAA 14, 1981, 179–184 · Ders., A., Die arch.
Gesch. einer griech. Insel, 1993 · E. WALTER-KARYDI, Die
Äginetische Bildhauerschule. Werke und schriftliche
Quellen, 1987.   H. KAL.

Aiginion (Αἰγίνιον). Stadt in der urspr. zu Epeiros ge-
rechneten (Strab. 7,7,9) Tymphaia, seit 191 v. Chr. zu
Makedonia, seit 167 v. Chr. zur thessal. Hestiaiotis gehörig. Strategisch wichtige Lage im oberen Tal des Peneios (nach Liv. 32,15,4 uneinnehmbar), im 3. Maked.
Krieg 167 v. Chr. von den Römern zerstört (Liv. 45,27).
Die Lokalisierung beim h. Kalambaka [4. 121–123;
1. 898] (ma. Stagoi [4. 262 f.]) scheint trotz anderer Versuche (bei Nea Kutsufli [2. 681 f.]) gesichert (Pol. 18,47;
Liv. 33,34. 36,13,6. 44,46; Caes. civ. 3,79,7; Ptol.
3,14,4 f.; IG IX 2, 323–331; 1342; B. HELLY, Gonnoi 2,
1973, Nr. 35 bis).

1 BCH 116, 1992 2 N. G. L. HAMMOND, Epirus, 1967
3 F. STÄHLIN, Das hell. Thessalien, 1924 4 J. KODER, F. HILD,
Hellas und Thessalia (TIB 1), 1976.

LAUFFER, Griechenland, 291 · PHILIPPSON / KIRSTEN I, 1,
23; 33 f.; 275.   D. S.

Aigion (Αἴγιον). Stadt in → Achaia am Golf von Korinth (Hom. Il. 2,574; Hdt. 1,145; Ps.-Skyl. 42; Strab.
8,7,5, und auch Ptol. 3,16,5; Hierokles 647; Geogr.
Rav. 5,13). A. erhebt sich in drei Stufen über dem Meeresspiegel am Rande einer leicht westl. abfallenden
Hochebene, die sich nach Süden bis ans Bergland aus-
dehnt, auf einer geschützten Reede zw. zwei Flußmündungen (Meganitas und → Selinus). Nach Strab. 8,3,2
war die Polis A. aus sieben oder acht (myk.) Siedlungen
(*demoi*) entstanden. A. wurde dank der Nähe des Lan-
desheiligtums in → Helike früh der Hauptort von
Achaia, 373–146 v. Chr. im Besitz dieses Kultplatzes,
nach 146 auch der Polisgebiete von Karyneia und
→ Rhypes, vermutlich später von Aigai (Strab. 8,7,5):
im 1. Jh. v. Chr. soll sich das Polisgebiet von A. im Osten
bis zum → Krathis ausgeweitet haben. Ihr Wohlstand
war durch die Anwesenheit von *negotiatores* bedingt
(BCH 78, 1954, 82–85). Als Stätte der Bundesversamm-
lungen der Achaioi in hell. Zeit oft genannt, erhielt A.
damals zahlreiche Heiligtümer (Paus. 7,23,5–24,4).
Auch im Späthellenismus (mit Beziehungen zu It.) und
in der Kaiserzeit blühte A. mit Bronzemünzprägung
weiter und war wohl kult. Sitz des Provinziallandtags.
Im MA Vostitza, jetzt wieder A. gen., weist die Stadt auf
der Akropolis wie am Hafen keine ant. Monumente
mehr auf (einige ant. Reste im neuen Museum von A.).

INSCHRIFTEN: BCH 77, 1953, 616–628; 78, 1954, 402–409;
OAth 2, 1955 (1956), 4–9; SEG 28, 436; 29, 423; 34, 338; 36,
397; 37, 364 f.; 39, 403; 41, 401.

L. PAPAKOSTA, Παρατηρήσεις σχεετικά με την τοπογραφία
του αρχαίου Αιγίου, in: Meletemata 13, 1991, 235–240 ·
A. STAVROPULOS, Ιστορία τῆς πόλεως Αιγίου ἀπὸ τῶν μυθικῶν
χρόνων μέχρι τῶν ἡμέρων μας, 1954
NEUE FUNDE: AD, Chron., 1984 (1989), 82, 94–99; 1985
(1990), 108, 120–123; 1987 (1992), 151–154.   Y. L.

Aigis (Αἰγίς). Bei Homer ein häufiges Attribut von
Zeus, der regelmäßig als »A.-Träger« beschrieben wird,
und von Athene (Il. 2,446–9; 5,738 ff.; 21,400 f.; Od.
22,279). Ihr Aussehen – ein Metallschild, ein Ziegen-
fellschild oder ein Umhang – ist nicht eindeutig bestimmbar, weil keine feste Tradition vorlag. Die A. soll
»rundum zottig« (Il. 15,309) sein und »Quasten« (100 aus
Gold in Il. 2,448) haben; die Götter tragen sie, Athene
jedoch wirft sie sich statt eines Schildes um die Schulter
(so ist sie unverletzbar Il. 21. 400 f.). Von Zeus auch dem
Apollon ausgeliehen (Il. 15,229 ff.; vgl. 24,20–1). Zeus
»schüttelt« sie gegen die, auf die er wütend ist (Il. 4,167),
und »nimmt« sie, wenn er ein schreckliches Gewitter
vorhat (Il. 17,593); wird sie von Athene oder Apollon
benutzt, dient sie fast ausnahmslos dazu, Furcht im
Kampf einzuflößen (zu ihrer furchterregenden Ausrüstung einschließlich des Hauptes der → Gorgo s.
Il. 5,738 ff.), doch in Il. 24,20 f. wird eine goldene A.
benutzt, um Hektors Leichnam zu schützen. Zeus hat
sie von Hephaistos bekommen (Il. 15,309–10), der jedoch auch nur für die Goldquasten verantwortlich sein
kann, da eine Metall-A. schlecht zur Stelle in der Ilias
(24,20 f.) paßt.

In Kunst und Kult der klass. Zeit wird die A. fast
ausschließlich mit Athene in Verbindung gebracht, obwohl im nordwestl. Attika ein Kult des »Dionysos mit
schwarzer A.«, »Melanaigis« bezeugt ist. Hier ist sie ein
schalähnlicher Umhang, normalerweise über den
Schultern getragen, jedoch manchmal auch um die
Arme geschlungen; gewöhnlich ist sie mit Schlangen-
köpfen umsäumt (welche die homer. Quasten ersetzen),
oft mit schuppenartigen Verzierungen bedeckt, die das
Gorgonenhaupt in der Mitte tragen.

Mit abnehmbaren A. dieser Art wurden offenbar
Kultstatuen der Athene bekleidet (Hdt. 4,189). Die A.
konnten von Priesterinnen herumgetragen werden
(Suda, s. v. A.). Gemäß Euripides' Ion (987 ff.) war
Athenes A. die Haut des von ihr erschlagenen Giganten
Gorgon (zu Varianten s. [1. 67 Anm. 39]; Zeus' A.
stammte von der Ziege Amalthea, schol. Il. 15,229 DIN-
DORF).

Urspr. und Etym. der A. wurden viel diskutiert: Sie
wird auf einfache Ziegenfelle oder *aígeai* (vgl. bereits
Hdt. 4,189), die wahrscheinlich als primitive Rüstung
getragen wurden, oder auf Sturmwinde zurückgeführt
(für diese Bed. von A. s. Aischyl. Choeph. 592; vgl. auch
die homer. Beschreibung von Zeus' Gebrauch der A.).
Wie so häufig ist der Versuch, rel. Symbole mit etym.
Verweisen zu erklären, unbrauchbar.

1 W. BURKERT, Homo Necans, 1983.

A. B. Cook, Zeus III, 1940, 837–42 · P. Demargne, s. v.
Athena, LIMC 2, 1016–18 · R. L. Fowler, AIG- in Early
Greek Language and Myth, in: Phoenix 42, 1988, 102–111 ·
Nilsson, GGR I, 436 f.   R. PA.

Aigissos (Αἰγισσος). Thrak. Festung (1. Jh. v. Chr., Ov.
Pont. 1,8,13), h. Tulĉa (Rumänien) am Donaudelta.
Nekropole vom 6.–1. Jh. v. Chr. Unter →Rhoimetalkes
z. Z. des Augustus unter röm. Kontrolle (Cass. Dio
54,20,1–3). Um 12 v. Chr. von nördl. Stämmen zerstört,
aber wieder aufgebaut; seit dem 2. Jh. n. Chr. wachsende
mil. und zivile Bed. → *statio* zw. Noviodunum und
Salsovia (Itin. Anton. 226,2). Unter Iustinianus befestigt
(Prok. aed. 4,7,20).

G. Simion, Les Gètes de la Dobrudja septentrionale du
VIe-Ier s. av. n. è. (Thraco-Dacica), 1976 · A. Ariescu,
Armaţa în Dobrogea Romana, 1977 · V. Velkov, Roman
Cities in Bulgaria, 1980.   I. v. B.

Aigisthos (Αἴγισθος). Vor-griech. Name [1]; ep. Neubildung, kurz für αἰγι-σθένης [2]. In der Odyssee Sohn
des Thyestes (nur Od. 4,518); usurpiert Thron und Frau
des → Agamemnon. Er ermordet (Od. 3,266–71) den
Sieger von Troia bei dessen Heimkehr. Danach herrscht
er 7 Jahre als König in Mykenai, bis Orestes Rache für
den Vater übt. A. steht als negatives (der Mörder als
König ὑπὲρ μόρον Od. 1,29–43; ἀμύμων, »gutausse-
hend« statt »untadelig« [3; 4]) und warnendes Beispiel
gegen Odysseus' Heimkehr. In der späteren Lit. wird
seine Schuld relativiert, er aber zum Feigling; Klytaimestra wird zur Mörderin des Gatten (bes. Aischyl. Ag.
1577–1673) [5].

1 E.-M. Hamm, H. J. Newiger, s. v. A., LFE 1, 255–59
2 Kamptz 3 A. A. Parry, Blameless Aegisthus, 1973
4 S. West, in: A. Heubeck, A Commentary 1, 1988
5 A. F. Garvie, Aeschylus, Choephori, 1986.

R. M. Gais, LIMC 1.1, 371–378; 1.2, 286–294.   C. A.

Aiglanor. Aus Kyrene, συγγενής und vermeintlich
Beamter des → Ptolemaios Apion; seine Tochter Are-
taphila ermordete den kyrenischen Tyrannen Nikostratos (ca. 88–81 v. Chr.).

A. Laronde, Cyrène et la Libye hellénistique, 1987,
421 f.; 455.   W. A.

Aigle (Αἴγλη). Sprechender Name (»Glanz«, »Strahlen«) für jugendlich strahlende Heroinen, die genealogisch Verbindungen zu Helios haben können: **[1]** Naiade, von Helios Mutter der Chariten (Paus. 9,35,5; Verg.
ecl. 6,20). **[2]** Eine der Heliaden, Tochter von Helios
und Klymene, die mit ihren Schwestern nach dem Tode
ihres Bruders Phaethon in eine Pappel verwandelt wurde (Hyg. fab.154; 156, nach Hesiod). **[3]** Hesperide
(Hes. fr. 360; Apoll. Rhod. 4,1428; Apollod. 2,114). **[4]**
Tochter des Panopeus und eine der Frauen des Theseus

(Hes. fr. 147). **[5]** Mutter des Asklepios von Apollon;
identisch mit Koronis, der Tochter des Phlegyas und der
Kleophema (Isyllos, Paian D 10,19 [1]). **[6]** In Athen
jüngste Tochter des Asklepios und der Heliade Lampetie
(schol. Aristoph. Plut. 701).

1 Wilamowitz, Isyllos von Epidauros, 1886, 89–93.   F. G.

Aigokeros s. Sternbilder

Aigos potamos (potamoi) (Αἰγὸς ποταμός). Ort auf
der thrak. → Chersonesos gegenüber von Lampsakos.
Meeresbreite hier ca. 15 Stadien (Xen. hell. 2,1,21). Ort
der Niederlage Athens 405 v. Chr. durch → Lysandros
(Diod. 13,105). Dort mündet der gleichnamige Bach im
Stammesgebiet der → Dolonkoi.   I. v. B.

Aigosthena (τὰ Αἰγόσθενα, Xen. hell. 5,4,18; 6,4,26;
Skyl. 39; Plin. nat. 4,23; Steph. Byz. s. v. Αἰγοσθένεια;
Ptol. 3,15,18; inschr. auch τὰ Αἰγόστενα: IG 7,1), nördlichste Stadt der Megaris in der Bucht von Porto Ger-
meno, von myk. bis spätant. Zeit bewohnt [3. 20–23].
Die Ringmauer mit Türmen aus dem 5. und 4. Jh.
v. Chr. ist teilweise noch in voller Höhe erh. und ruht
auf archaischen Resten [3. 5]. Die Stadt besaß ein Heiligtum des → Melampus, dem ein jährliches Fest
(Μελαμπόδεια) ausgerichtet wurde (HN, 392–393), ein
Herakleion (IG 7,213) und das Heroon eines Poseidonios (IG 7,43; Paus. 1,44,5). A. schloß sich 243/42 dem
Achaiischen, wohl schon 235 dem Boiotischen und ab
192 v. Chr. wieder dem Achaiischen Bund an [1. 327–
329].

Noch 420 n. Chr. war A. selbständige Stadt. Erh. sind
Überreste röm. Gutshöfe und einer frühchristl. Basilika
(in byz. Z. von Klosteranlage überbaut). Inschr. nach [2]
s. SEG 25,1971 ff.

1 R. Etienne, D. Knoepfler, Hyettos de Béotie et la
chronologie des archontes fédéraux, BCH, Suppl. 3, 1976
2 E. Meyer, s. v. A., RE Suppl. 12, 1970,9
3 M. Sakellariou, N. Faraklas, Μεγαρίς, Αἰγόσθενα,
Ἐρένεια, 1972.

E. F. Benson, Aegosthena, in: JHS 15, 1895, 314–324 ·
G. Hirschfeld, s. v. A., RE I, 977.   C. AN.

Aikeias dike (αἰκείας δίκη). In Athen eine Privatklage
wegen tätlicher Beleidigung. Sie setzte voraus, daß die
körperliche Mißhandlung ohne den Vorsatz der Be-
schimpfung verübt war und daß der Beklagte zuerst angegriffen hatte (Demosth. 47,40; vgl. PEnteuxeis 74; 79;
PHalensis 1,115; 203 f.).

Die Buße, die der Kläger selbst schätzte, fiel ihm bei
Obsiegen im Prozeß zu. Es war die einzige Privatklage,
bei der in Athen keine Gerichtsgebühren zu erlegen
waren.

A. R. W. Harrison, The Law of Athens II, 1971, 93 f. ·
G. Thür, Beweisführung vor den Schwurgerichtshöfen
Athens, 1977, 252 ff.   G. T.

Ailianos [1]. Griech. Militärschriftsteller, verfaßte die τακτικά Αἰλιανοῦ, ein an Traian adressiertes Lehrbuch, in dem Taktik und Aufbau der griech. und bes. maked. Heere der klass. und hell. Zeit erklärt werden. A. war ein Theoretiker ohne praktische Erfahrung, sein Werk wirkt daher schematisch. Er zog laut eigener Aussage (1,2) viele ältere Autoren (Aineias Taktikos, Pyrrhos von Epirus, Poseidonios) zu Rate, hauptsächlich offenbar Polybios. Seine Schrift wurde später recht häufig benutzt (u. a. von Johannes Lydus und Kaiser Leo); sie ist u. a. durch eine Florentiner und eine spätere Pariser Hs. überliefert, ferner liegt eine auf guter Grundlage beruhende arab. Übers. aus dem 9./10. Jh. vor.

1 F. ROBORTELLI, Venedig 1552 2 A. M. DEVINE, Aelian's manual of Hellenistic military tactics, in: The Ancient World 19, 1989, 31–64. L. B.

[2] Claudius A., aus Rom (Ail. var. 2,38 etc., dagegen nennt Suda αι 178 ADLER Praeneste), Schüler des Pausanias (wahrscheinlich nach ca. 193 n. Chr.). Nachdem er feststellte, zum Rhetor nicht geeignet zu sein, wechselte er zur Schriftstellerei. Er starb im Alter von über 60 Jahren als kinderloser Junggeselle (Philostr. soph. 2,31) zw. 222 und 238. Erh. Werke: Περὶ ζῴων ἰδιότητος (*natura animalium* = nat., 17 Bücher), Ποικίλη ἱστορία (*varia* = var., 14 Bücher, vollständig bis zw. 3,3 und 3,12, danach in Exzerpten) und 20 Ἐπιστολαί ἀγροικικαί (diese Zuschreibung wird bezweifelt). Fragmentarisch erh. sind: ›Über die Vorsehung‹ (Περὶ προνοίας), was vielleicht dasselbe Werk ist wie ›Über göttliche Erscheinungen‹ (Περὶ θείων ἐναργείων). Eine Κατηγορία von Elagabalus (nach dessen Tod 222) ist verloren. Sechs Gedichte in elegischem Versmaß auf Hermen von Homer und Menandros (IG 14,1168; 1188), die außerhalb der Porta S. Paolo in Rom gefunden wurden, stammen wahrscheinlich von ihm, obwohl IG 14,1168a eine Bearbeitung von Antipatros von Sidon (Anth. Pal. 7,7) ist [1]. Philostratos rühmt seinen extremen Attizismus, der dennoch poetische und ion. Formen zuläßt [2], und seine ἀφελία. Diese ist gekennzeichnet durch kurze Kola, monotone Parataxen und eine Naivität, die nicht zu den längeren Werken paßt. Dennoch schafft ihre unstrukturierte Darstellung, die mehr aus Merkwürdigkeiten und Paradoxographien als einer ernsthaften Naturgesch. besteht, ein Mosaik aus kleinen Einheiten, die von A. (vgl. Epilog in *Natura animalium*) als durch ihre Vielfalt anziehend wirkender λειμών oder στέφανος, dargeboten werden. Trotz A.' stoischem Glauben an ein göttlich geordnetes Universum geht hier Unterhaltung vor Belehrung. Als Quelle für *nat.* diente A. wahrscheinlich Pamphilos' *Leimón*; möglicherweise kannte er auch Plutarch, Demostratos, Telephos von Pergamon und die *Halieutiká* von Oppian [3]. Die Briefe lehnen sich stark an die Neue Komödie an und ähneln Alkiphron und Longos in der Wahl eines bäuerlichen Schauplatzes.

Wirkungsgeschichte. *Nat.*, *var.* und *De providentia* wurden von Stobaios und der Suda exzerpiert. *Nat.* wurde von folgenden Autoren verwendet: Theophylaktos Simokatta und Georgios von Pisidia (7. Jh.), in der περὶ ζῴων ἐπιτομή für Konstantinos Porphyrogennetos (9. Jh.), für eine weitere Epitome unter Konstantinos Monomachos (11. Jh.), von Michael Glykas (12. Jh.), in Manuel Philes' Περὶ ζῴων ἰδιότητος in 2015 Trimetern (13. Jh.) und in Makarios Chrysokephalos' Ῥοδωνία (14. Jh.). Zur engeren Leserschaft der *var.* gehörte Arethas, zu der der Briefe Aristainetos. Die erste gedruckte Ausgabe von diesen mit anderen Briefen war M. Musurus' Aldina (1499), die den *var.* von C. Perscus (Rom 1545) und der *nat.* von C. Gesner (Zürich 1556) vorausging.

1 E. L. BOWIE, Greek Sophists and Greek poetry, in: ANRW II 33.1, 244–247 2 W. SCHMID, Der Atticismus 3, 1893 3 A. F. SCHOLFIELD, Aelian, On the Characteristics of animals, 1, 1958, xv–xxiv (dazu Artikel von M. WELLMANN und R. KEYDELL, zit. ebd. xxvi–xxix) 4 C. P. BONNER, On certain supposed literary relationships II, in: CPh 4, 1909, 276–277 5 A. R. BENNER, F. H. FORBES, The Letters of Alciphron, Aelian and Philostratos, 1949, 6–18 6 R. L. HUNTER, A Study of Daphnis and Chloe, 1983, 6–15.

ED.: R. HERCHER, Leipzig 1864–6/1870 • A. F. SCHOLFIELD, 3 VOLS., 1958–9 (De natura animalium) • M. R. DILTS, 1974 (Varia historia) • Zu den Briefen: s. [5] • D. DOMINGO-FORASTÉ (ed.), Claudii Aeliani epistulae et fragmenta, 1994 (Briefe, Fr.).
LIT.: B. P. REARDON, Courants Littéraires Grecs, 1971, 225f. • PIR C 769. E. BO. / L. S.

[3] Pythagoreisierender Platoniker des 2. Jh. n. Chr. (?), schrieb ein mindestens zweibändiges Werk zu Platons *Timaios*, wahrscheinlich eine Spezialabhandlung zu musiktheoretischen Problemen [1. 52; 217]. Teile dieser Schrift hat Porphyrios in seinem Komm. zur Harmonik des Ptolemaios erhalten.

1 DÖRRIE / BALTES III, 1993.

GOULET I, 1989, 78. M. BA. u. M.-L. L.

Ailinos (αἴλινος). Ruf, gewöhnlich im Refrain eines Klageliedes αἴλινον αἴλινον (Aischyl. Ag. 121; Soph. Ai. 627; Eur. Or. 1395), aber auch als Bezeichnung eines Spinnliedes (Athen. 14,618d) oder eines Freudengesangs (Eur. Her. 348–9) gebraucht. Diese gegensätzlichen Bedeutungen führten zu der gemeinsamen Grundbedeutung »Lied« (vgl. λίνος, Hom. Il. 18,570) [3. II, 84ff.]. Trotz des unsicheren Ursprungs (FRISK s. v.) assoziierten es die Griechen wegen der Laute αἴ und λίνος mit dem sterbenden Gott Linus (Hdt. 2,79; Pind. fr. 128c,6 SNELL-MAEHLER). Man versuchte, im A. eine Adaption eines Kultrufes oriental. Herkunft zu sehen [2]. Vergleichbare Rufe gibt in der ganzen Welt [1. 218[10]].

1 M. ALEXIOU, The Ritual Lament in Greek Tradition, 1974 2 O. EISSFELD, Linos und Alijan, in: Mélanges R. DUSSAUD, 1939, 161–170 3 U. v. WILAMOWITZ, Euripides Herakles, ²1895. E. R. / L. S.

Aimilianos aus Nikaia. Autor von 3 interessanten Epigrammen aus dem »Kranz« des Philippos: die einzigartige Klage eines Schiffes, das – dem Schiffbruch entronnen – »mit einer Ladung von Toten« zum Hafen zurückkehrt (Anth. Pal. 9,218), und zwei Beschreibungen von Kunstwerken, deren erste (Anth. Pal. 7,623) ein berühmtes Gemälde des Aristeides von Theben (Plin. nat. 35,98), die zweite (Anth. Pal. 9,756) eine Silenengruppe des Praxiteles zu erläutern scheint, die das Monument des Asinius Pollio zierte (Plin. nat. 36,23). Zweifelhaft bleibt jedenfalls die Identifizierung mit dem bei Sen. contr. 10,34,25 erwähnten Rhetor.

FGE 3.   E.D./M.-A.S.

Ain Schems s. Beth Schemesch

Ainarete (Αἰναρέτη). Frau des → Aiolos (Hes. fr. 10a 31; Schol. Plat. Min. 315c), die bei Apollod. 1,51 Enarete heißt.   F.G.

Aineas (Αἰνέας). Aus Stymphalos. Stratege der Arkader um 366 v. Chr. (Xen. hell. 7,3,1). Ob mit → Aineias [2] Taktikos identisch, ist nicht zu entscheiden.
→ Thebai

D. WHITEHEAD, Aineias the Tactician, 1990, 10–13 • A. WINTERLING, Polisbegriff und Stasistheorie des Aeneas Tacticus, in: Historia 40, 1991, 191–229, 201.   W.S.

Aineia (Ἄινεια). An der Nordwestküste der → Chalkidike beim h. Nea Moudania gelegen; Ursprung unbekannt. A. galt nach Ausweis der Münzen schon um 500 v. Chr. als Gründung des → Aineias [1]. Im 5.Jh. v. Chr. im → att.-delischen Seebund, auch über das Jahr 432 v. Chr. hinaus. Spätestens 349/8 v. Chr. wurde A. makedonisch. 315 v. Chr. verlor A. einen Teil der Bewohner an die Neugründung Thessalonike, bestand aber weiter. A. wird in einer delph. Theorodokenliste (um 200 v. Chr.) und im Zusammenhang des 3. Maked. Krieges genannt (171–168 v. Chr., vgl. Liv. 44,10,7; 45,30,4).

H. GAEBLER, Die ant. Mz. von Makedonia und Paionia 2, 1935, 20–22 • F. PAPAZOGLOU, Les villes de Macédoine à l'époque romaine, 1988, 417f. • M. ZAHRNT, Olynth und die Chalkidier, 1971, 142–144.   M.Z.

Aineias [1, Mythos] (Αἰνείας, Αἰνέας). Thrako-illyr. Name [17. 311f.].
A. STAMMBAUM UND MYTHOS   B. AINEIAS IM WESTEN   B. 1 LITERARISCHE ZEUGNISSE   B. 2 ARCHÄOLOGISCHE ZEUGNISSE   B. 3 AINEIAS IN DER RÖMISCHEN LITERATUR   C. REZEPTION

A. STAMMBAUM UND MYTHOS

Sohn des → Anchises und der → Aphrodite (Hom. h. Veneris; Hes. theog. 1008–1010). Vollständige Genealogie in der Rede des A. an Achilleus (Hom. Il. 20,200–258, bes. 215–240); Stammbaum [1. 509]. Troia: In der Ilias ist A. neben den Söhnen Antenors Anführer der Dardaner (Hom. Il. 2,819–823), tapferer Kämpfer (dem Hektor vergleichbar: Il. 6,77–79), Ratgeber (Il. 5,180 u. ö.); er genießt hohes Ansehen bei den Menschen (Il. 11,58) und die Gunst der Götter, die ihn mehrfach retten: Aphrodite und Apollon vor Diomedes (Il. 5,311–346; 445–453), Poseidon (Il. 20,318–329) und Zeus (Il. 20,89–93; 187–194) vor Achilleus. Poseidon rechtfertigt sein Eingreifen damit, daß dem A. und seinen Nachfahren die Herrschaft über die Troianer zugedacht sei (Il. 20,300–308). Eine ganz ähnliche Vorhersage legt der homer. Aphrodite-Hymnos (Anf. 7.Jh. [9. 151–169]) der Göttin in den Mund (h. Veneris 196f.). Ob die sog. homer. Aeneis (dem Iliasdichter zuzuschreiben [10; vgl. 4. 65–93]) und der Aphrodite-Hymnos die Herrschaft angeblicher A.-Nachfahren in der Troas reflektieren [3. 25], ist umstritten [14]. Über das Schicksal des A. nach seiner Rettung durch Poseidon gibt es unterschiedliche Nachrichten [19. 160–162]. In der Iliupersis des Arktinos verläßt A. beim Tod des Laokoon mit seinen Begleitern Troia und zieht zum Berg Ida (Iliupersis 107,24–26 ALLEN). Die Version, A. sei als Gefangener des Neoptolemos nach Pharsalia gekommen (Ilias parva fr. 19 ALLEN = schol. Lykophr. 1268), gehört Simmias von Rhodos (ca. 300 v. Chr.) [8. 12].

B. AINEIAS IM WESTEN

B. 1 Literarische Zeugnisse

Die Verbindung des A. mit zahlreichen Orten im Mittelmeerraum [11] ist kein Reflex bronzezeitlicher Reisen oder früher Handelsrouten, sondern entspringt dem Bedürfnis nach Aitien für Ortsnamen, Kulte etc. [8. 13]. Die lit. Hinweise auf die Präsenz der A.-Sage in It. sind dürftig: Daß A. mit Anchises und Askanios von Troia nach »Hesperien« (Sizilien oder It.) aufgebrochen sei, erzählte vielleicht schon der Lyriker Stesichoros (7./ 6.Jh.); der Wert der → Tabula Iliaca Capitolina (Ende 1.Jh. v. Chr. [6. 106–110]) für die Rekonstruktion der Iliupersis des Stesichoros wird jetzt allerdings bezweifelt [8. 14f.; 13. 238]. Nach dem Zeugnis des Hellanikos von Lesbos (5.Jh.) überquerte A. mit Vater, Söhnen und Götterbildern den Hellespont nach Westen und segelte nach Pallene/Chalkidike (FGrH 4 F 31 = Dion. Hal. ant. 1,45,4–48,1). Ein anderes Hellanikos-Fragment (FGrH 4 F 84 = Dion. Hal. ant. 1,72,1f.) läßt A. zusammen mit Odysseus über das Land der Molosser nach It. gelangen, wo A. Rom gründet, das er nach der Troianerin Rhome benennt [15]. Timaios (3.Jh.) berichtet, ihm seien von Einheimischen die in Lavinium aufbewahrten troianischen *sacra* beschrieben worden (FGrH 566 F 59 J = Dion. Hal. ant. 1,67,4; [13. 240–242]). Möglicherweise war Timaios auch Quelle für Lykophrons Gedicht *Alexandra* (um 270, evtl. – zumindest teilweise – erst 2.Jh. [8. 20]), in dem die polit. Bed. Roms als *vaticinium ex eventu* formuliert ist.

B. 2 ARCHÄOLOGISCHE ZEUGNISSE

Daß die troianischen Ursprünge Roms eine polit. motivierte Konstruktion des 3. Jhs. seien [12], darf als widerlegt gelten. Zahlreiche aus Griechenland importierte und einheimische Darstellungen des A. mit seinem Vater Anchises [8. 18f.] zeigen, daß die A.-Sage spätestens im ausgehenden 6.Jh. in Etrurien bekannt war, wofür verschiedene Erklärungen gesucht worden sind [1. 515f.]. Für A. als Gründungsheros etr. Städte oder für einen etr. A.-Kult gibt es keine Belege. Die Sage wanderte entweder von Etrurien nach Latium oder war durch griech. Vermittlung auch in Latium früh (6. Jh.?) bekannt [5]. Möglicherweise hat man für das 4.Jh. einen A.-Kult in Lavinium anzunehmen. Die Lesung der Inschr. auf dem *cippus* von Tor Tignosa als Weihung an einen »Lar A.« ist zweifelhaft [7. 42], die Deutung eines Tumulus in Lavinium als »Heroon des A.« [16] bzw. Kultort des vergöttlichten A. als *pater indiges* jedoch nicht unwahrscheinlich.

B.3 AINEIAS IN DER RÖMISCHEN LITERATUR

Kennzeichnend sind die vermutlich im 4./3.Jh. einsetzende Harmonisierung der Sage von A. mit der von → Romulus [13. 246–252] und ein von Beginn an kreativer Umgang mit dem Stoff: Bei den Epikern → Naevius und → Ennius ist der Stadtgründer ein Enkel des A.; Naevius bereichert die Erzählung um eine Karthago-Episode. Der Historiker → Q. Fabius Pictor schließt die Jahrhunderte umfassende chronologische Lücke zw. den kanonischen Daten für den Untergang Troias und die Gründung Roms durch Einfügung einer fiktiven Reihe albanischer Könige. Weitere Darstellungen der Sage in Prosa gab es in den *Origines* des M. Porcius Cato, in der annalistischen Geschichtsschreibung und bei Livius.

C. REZEPTION

Unter den dichterischen Bearbeitungen der augusteischen Zeit (Horaz, Tibull, Properz, Ovid) ragt – nicht zuletzt durch ihre lit. Nachwirkung [1. 526–528] – Vergils *Aeneis* hervor, die wesentlich durch die bes. von C. Iulius Caesar beanspruchte Abstammung der Gens Iulia vom Aeneiassohn Iulus/Askanios (und damit letztlich von göttl. Urspr.) geprägt ist [2]. Im MA ist der A.-Mythos ähnlichen polit. Funktionalisierungen ausgesetzt und findet Eingang in verschiedene genealogische Konstruktionen [18. 288–291].

1 G.BINDER, s.v. A., EDM 1, 1977, 509–528 **2** G.BINDER, Der brauchbare Held: A. Stationen der Funktionalisierung eines Ursprungsmythos, in: H.-J. HORN, H. WALTER (Hrsg.), Die Allegorese des ant. Mythos in der Lit., Wiss. und Kunst Europas (Wolfenbütteler Forschungen), 1996 **3** F.BÖMER, Rom und Troia, 1951 **4** A.DIHLE, Homer-Probleme, 1970 **5** G.DURY-MOYAERS, Énée et Lavinium, 1981 **6** G.K.GALINSKY, A., Sicily, and Rome, 1969 **7** G.K.GALINSKY, A. in Latium: Arch., Mythos und Gesch., in: V.PÖSCHL (Hrsg.), 2000 Jahre Vergil, 1983, 37–62 **8** N.M.HORSFALL, The A. Legend from Homer to Virgil, in: J.N.BREMMER, N.M.HORSFALL, Roman Myth and Mythography, 1987, 12–24 **9** R.JANKO, Homer, Hesiod and the Hymns, 1982 **10** L.H.LENZ, Der homer. Aphroditehymnos und die Aristie des A. in der Ilias, 1975 **11** P.M.MARTIN, Dans le sillage d'Énée, in: Athenaeum 53, 1975, 212–244 **12** J.PERRET, Les origines de la légende troyenne de Rome, 1942 **13** J.POUCET, La diffusion de la légende d'Énée en Italie centrale et ses rapports avec celle de Romulus, in: Les Ét. Classiques 57, 1989, 227–254 **14** P.M.SMITH, Aineiadai as patrons of Iliad XX and the Homeric Hymn to Aphrodite, in: HSPh 85, 1981, 17–58 **15** F.SOLMSEN, »Aeneas founded Rome with Odysseus«, in: HSPh 90, 1986, 93–110 **16** P.SOMMELLA, Das Heroon des A. und die Topographie des ant. Lavinium, in: Gymnasium 81, 1974, 273–297 **17** M. VAN DER VALK, s.v. Αἰνίας, LFE 1, 311–316 **18** P.WATHELET, Le mythe d'Enée dans l'épopée homérique. Sa survie et son exploitation poétique, in: F.JOUAN, A.MOTTE (Hrsg.), Mythe et politique. Actes du coll. de Liège 14–16 Sept. 1989, 1990, 287–296 **19** E.WÖRNER, s.v. A., in: ROSCHER I.1, 157–191. H.H.

[2, Taktikos] Nach Ailianos 1,2 der älteste griech. Militärschriftsteller, wirkte Mitte des 4.Jh. v.Chr. und ist möglicherweise mit Aineas von Stymphalos, einem arkadischen Strategen (Xen. hell. 7,3,1), identisch. Er hat mehrere Bücher zu mil. Fragen geschrieben (Ain. takt. 7,4; 14,2), doch ist nur ein längeres Fragment unter dem Titel περὶ τοῦ πῶς χρὴ πολιορκουμένους ἀντέχειν tradiert. Darin werden im nüchternen Stil des Praktikers verschiedene Vorkehrungen zur Verteidigung einer Stadt dargestellt. Die Aufmerksamkeit gilt dabei ebenso der direkten Gefahr von außen wie dem Verrat oder der Zwietracht im Innern, gegen die unablässige Kontrolle und oft drastische Maßnahmen empfohlen werden. Das Werk richtet sich an mil. und polit. Entscheidungsträger einer Polis; es spiegelt die instabilen Verhältnisse der Zeit deutlich wider, berücksichtigt aber kaum neuere Entwicklungen in der → Poliorketik wie den Einsatz von Katapulten und Belagerungsgeräten (vgl. aber 32,8).

1 I.CASAUBON, Amsterdam 1670 **2** H.KÖCHLY, W. RÜSTOW, Griech. Kriegsschriftsteller 1, 1853, Ndr. 1969, 1ff. **3** W.OLDFATHER u.a., 1923, Ndr. 1986 **4** L.W.HUNTER, S.A.HANDFORD, 1927 **5** A.DAIN, A.-M. BON, 1967 **6** D.WHITEHEAD (Hrsg.), Aineias the tactician, How to survive under siege? Transl. with Introd. and Comm., 1990. L.B.

[3] Christl. Rhetor, der Rhetorenschule von Gaza zugehörig. Erh. ist sein Dialog ›Theophrast‹ (hrsg. von [1]), der sich in Alexandreia abspielt und kurz nach 485–486 n.Chr. anzusetzen ist [s. 2]. Das Datum der Publikation ist schwieriger festzusetzen [3; 4]. Der Dialog stellt ein Streitgespräch dar zwischen Theophrast, einem neuplatonischen Philosophen und den Christen Aigyptos und Euxitheos, die den Sieg davontragen. Euxitheos gibt sich als Schüler des Neuplatonikers Hierokles aus. Ob es zulässig ist, die wenigen Angaben des Euxitheos über sein Leben auf den Autor A. selbst zu übertragen, bleibt zweifelhaft. Der Angriff der Christen richtet sich gegen die zeitgenössische neuplatonische Philos. Eine Auswahl von 25 Briefen ist ebenfalls erh. (hrsg. [von 5]).

1 Enea di Gaza, Teofrasto, a cura di M.E.COLONNA, 1958 **2** C.COURTOIS, Les Vandales et l'Afrique, 1955, 298–99 **3** E.GALLICET, Per una rilettura del Teofrasto di Enea di Gaza e dell' Ammonio di Zacaria Scolastico, AAT 112, 1978, 117–135, 137–167 **4** A.SEGONDS, s.v. Ainéas de Gaza, in:

Goulet I, 1989, 82–87 **5** Enea di Gaza, Epistole, a cura di
MASSA POSITANO ²1962. P.HA.

Ainesidemos [von Knossos]. Ursprünglich Akade-
miker (Phot. 212, 169b 33), Begründer des Pyr-
rhonismus. Seine genaue Lebenszeit ist umstritten; seine
Kritik an der Akademie verweist auf den Beginn des 1.
Jh. v. Chr. Daß Cicero ihn nicht erwähnt und die Philos.
Pyrrhons totsagt, heißt nichts, wenn wir klar zwischen
Pyrrhon und Pyrrhonismus unterscheiden. Schriften
sind nicht erh., aber Phot. 212 bietet einen Abriß der
»Pyrrhonischen Darlegungen«. Danach greift A. die
Akademiker an, die dogmatisch behaupten, nichts lasse
sich wissen, da es keine kognitiven Vorstellungen gebe,
die aber ansonsten eine positive Lehre vertreten, die
weithin der stoischen gleicht. A. versucht, den radikalen
Skeptizismus wiederherzustellen, der keine Lehre vertritt, nichts behauptet, auch nicht, das, daß sich nichts
wissen lasse. Denn gegen jeden Grund zu einer Annahme steht ein gleichgewichtiger zur gegenteiligen Annahme. Daher empfiehlt sich Urteilsenthaltung. Dazu,
einen solchen gleichgewichtigen Grund immer leicht
parat zu haben, sollen einem die 10 Tropen des A. ver-
helfen (S. Emp. P.H. 1,36–163). Es gilt aber nicht nur,
jedwede Behauptung als ungerechtfertigte Mutmaßung
bloßzustellen, sondern vor allem auch die in die Schranken zu weisen, die meinen, über die Phänomene hinaus
zur wahren Erklärung der Dinge vorgestoßen zu sein.
Dem dienen A.' ätiologische Tropen (S. Emp. P.H.
1,180–186; Phot. 170b 17–22). Im Leben kann man
nichts anderes tun, als den Phänomenen folgen, d.h.
dem, wie sich einem die Dinge darstellen, vor allem,
wenn sich allen die Sache auf eine bestimmte Weise
darstellt. Die pyrrhonische Skepsis, wie wir sie bei
→ Sextus Empiricus antreffen, geht sicher weitgehend
auf A. zurück. Aber im einzelnen ist oft nicht auszumachen, was bereits A. zuzuschreiben ist. Vor allem
würde man gern wissen, ob der Herakleides, dessen
Diadoche A. sein soll (Diog. Laert. 9,116), der empirische Arzt Herakleides von Tarent ist und sich so das
Zusammengehen von Skeptizismus und Empirismus,
welches man bei späteren Pyrrhoneern findet, bereits
auf A. zurückführen läßt. Unklar bleibt auch, wie die
Notizen zu verstehen sind (z.B. S. Emp. 1,210), nach A.
führe die Skepsis zur Lehre des Heraklit: wenn man
gesehen hat, daß alles widersprüchlich erscheint, fällt die
Annahme leicht, daß alles widersprüchlich ist.

J. ANNAS, J. BARNES, The Modes of Scepticism,
1995. M.FR.

Aineus (Αἰνεύς). Sohn des Apollon und der Peneios-
tochter Stilbe; Mann der Ainete (Αἰνήτη), Vater des
→ Kyzikos (Apoll. Rhod. 1,948). F.G.

Ainiana. Ein nur von Strab. 11,7,1; 14,14 bezeugter
Ort Armeniens am oberen Araxes, dem h. Aras. Zu
Unrecht mit den südthessal. Αἰᾶνες in Verbindung gebracht. Ein binnenländischer Gau Armeniens, Hani,
eine Ortschaft gleichen Namens südwestl. vom Urmia-
see und schließlich ein Platz Ani am oberen Aras –
durchweg alte, einheimische Namen – führten zu diesem trügerischen Schluß. Ebenso wurden der Distrikt
Οἰταία und der Berg Οἴτη zu dem Stamm der Οὐίτιοι
und der Landschaft Οὐιτία im Gebiet des Araxes in Beziehung gebracht mit der Folgerung, die Αἰνιᾶνες hätten
in der Οὐιτία eine befestigte Stadt errichtet (Strab.).
B.B. u.H.T.

Ainianes (Αἰνιᾶνες). Kleiner, mit den → Myrmidones
und den phthiotischen Achaioi (→ Phthia) verwandter
Stamm, urspr. in der Nachbarschaft der → Perrhaiboi
am Titaresios und in der Dotischen Ebene seßhaft, dann
von den von Norden kommenden Thessaloi nach Süden verdrängt, wo sie in histor. Zeit die Landschaft Ainis
im oberen Spercheios-Tal zw. den Dolopes, phthiotischen Achaioi, → Malieis und → Oitaioi bewohnten
(Hom. Il. 2,749; Hdt. 7,198; weitere Quellen [1; 2]).
Dort bildeten die A. einen selbständigen, aber unbedeutenden Staat, der Mitglied der pyläisch-delphischen
→ Amphiktyonie war (Paus. 10,8,2). Das → Koinon lag
im Binnenland, obwohl der Malische Golf auch nach
den A. benannt wurde. Die Siedlungen der A. lagen
meist an den Ausgängen von Seitentälern des
→ Spercheios. Die A. pflegten besonders den → Her-
mes-Kult und waren bekannt als Söldner (Xen. an.
1,2,6; SEG 8,513).

Ab der 1. H. des 4.Jh. v. Chr., evtl. in Zusammenhang mit dem Aufstieg des Hauptortes → Hypata (weitere Orte der A., z.T. unlokalisiert: Erythrai, → Makra
Kome, Spercheai), sind Silber-, ab Ende des 4.Jh. auch
Kupfermünzen bekannt (HN 291). 480 v. Chr. erscheinen die A. unter den griech. Hilfsvölkern, die auf pers.
Seite standen (Hdt. 7,132; 185). Wie die anderen Völker
des Oite- und Spercheios-Gebietes wehrten sich die A.
426 v. Chr. gegen die Gründung von → Herakleia
Trachinia durch Sparta (Thuk. 5,51), standen auch später auf der Seite der Gegner von Sparta, so in der
Schlacht bei Koroneia 394 v. Chr. (Xen. hell. 4,3,15;
Ag. 2,6), beim Einfall der Thebaner in die Lakonike 370
v. Chr. (Xen. Ag. 2,24) und im 3. → Hl. Krieg 356–348
v. Chr. (Diod. 16,29,1). Spätestens 344 v. Chr. kamen
die A. unter maked. Herrschaft. Im → Lamischen Krieg
standen sie 323 v. Chr. zusammen mit den Aufständischen gegen Antipatros [1] (Diod. 18,11,1). 279 v. Chr.
berührten die Gallier bei ihrem Plünderungszug nach
Delphoi das Gebiet der A. (Paus. 10,22,9). Nach 272
v. Chr. gerieten sie unter die Vorherrschaft der
→ Aitoloi und waren mit diesen ab 205 v. Chr. in die
Kämpfe der maked. Kriege gegen Rom verwickelt (Pol.
10,42,5 = Liv. 28,5,15; 32,13,10; 36,16,4).

Ab 168/7 v. Chr. entstand durch röm. Verordnung
das Koinon der A. neu, mit autonomer Verwaltung
(oberste Beamte und Eponyme: Ainiarchai, IG IX 2,
4–8) und eigener Münzprägung (HN 292). Nach der
Schlacht bei → Aktion wurde das Koinon von Augustus

im Zuge seiner Neuordnung von Griechenland dem Thessal. Bund einverleibt (Paus. 10,8,3). Fortan war die Ainis ein wirtschaftlich bedeutender Teil von Thessalien, auch der von → Diocletianus eingerichteten Prov. Thessalia, die bis in byz. Zeit bestand, als das Oite- und Spercheiosgebiet durch ein Befestigungssystem gesichert wurde. Als Folge des 4. Kreuzzuges entstand nach 1204 in der ehemaligen Region der A. das fränkische Herzogtum Neopatra.

1 G. HIRSCHFELD, s. v. A., RE I, 1027 f. 2 F. STÄHLIN, Das hellenische Thessalien, 1924, 219–226.

S. ACCAME, Il dominio romano in Grecia dalla guerra acaica ad Augusto, 1946, 227 f. • Y. BÉQUIGNON, La vallée du Spercheios, 1937 • R. FLACELIÈRE, Les Aitoliens à Delphes, 1937 • K. LIAMPI, Ein Beitrag zur Mz.prägung der Ainianen, in: La Thessalie, quinze années de recherches archéologiques, 1975–1990, in: Actes du colloque international, Lyon 1990, 1994, 327–334 • P. PANTOS, La vallée du Spercheios – Lamia exceptée – aux époques hellénistique et romaine, ebd. 221–228 • PHILIPPSON/KIRSTEN I, 243–251; 263 f. • E. ROGERS, The Copper Coinage of Thessaly, 1932 • J. KODER, F. HILD, Hellas und Thessalia (TIB I), 1976.   HE. KR.

Ainos [1] (Αἶνος). Das h. Enez am türkischen Ufer der Maritza, bereits von Hom. Il. 4,520 als Heimat des → Peiroos erwähnt. Der Name Poltymbria (Strab. 7,7,1) ist spätere Konstruktion. Systematische arch. Unt. sind wegen Überbauung nicht möglich. Spuren einer vorgesch. Siedlung. Aiol. Kolonie von Alopekonnesos mit Siedlern aus Mytilene und Kyme (Hipponax fr. 77) vor 500 v. Chr. mit → Hermes als Stadtgott. → Xerxes zog 480 v. Chr. an A. vorbei (Hdt. 7,58). Aufschwung der Stadt aufgrund von Landwirtschaft und Handel. Mitglied im 1.→ Att.-Delischen Seebund, zahlte A. hohe Abgaben, die später wegen Abgabepflicht gegenüber den → Odrysai zurückgingen. A. blieb im Peloponnesischen Krieg Athen gegenüber loyal, nahm am Zug gegen → Pylos 425 v. Chr. und nach Sizilien 415 v. Chr. teil (Thuk. 2,29). 375 v. Chr. Mitglied im 2. Att. Seebund. Nach 405 v. Chr. wirtschaftlicher Abstieg. Von 341 bis 185 v. Chr. stand A. unter den Ptolemaiern (Pol. 5,34,9) und → Attaliden, die A. 185 v. Chr. Rom vererbten.

B. ISAAC, The Greek Settlement in Thrace until the Macedonian Conquest, 1986, 140–157.   I. v. B.

[2, archaische Erzählform], an eine Person gerichtet. Sie soll im Zuhörer eine unmittelbare Reaktion hervorrufen oder eine Änderung in seiner Haltung erreichen [4. 77]: d. h. er soll entweder dazu bewegt werden, eine Handlung auszuführen, die er nicht beabsichtigt hatte (nach dem a. von Odysseus gibt ihm Eumaios eine Decke: Od. 14,508 ff.); oder er soll in Angst und Spannung versetzt werden, und zwar mit einem orakelhaft-prophetischen Ton (Hes. erg. 202–12; 248–51), oder mit dunklen Drohungen (vgl. Archil. fr. 185 WEST), die den Empfänger auch in den Tod treiben

können (Archil. fr. 174 WEST, gegen den Verräter Lykambes [8. 60–64; 3. 260–62]). A. und *aínigma* (→ Rätsel) sind etymologisch verwandt; ihre dunkle Sprache ähnelt dem Orakel (z. B. Hdt. 5,92–93) und der archa. Diplomatensprache (z. B. Hdt. 4,131). Zwischen Hesiod und Archilochos (ant. Dichter-Seher, der zweite Gesandte zum delphischen Kult) bekommt der A. einen belehrenden, angsteinflößenden Inhalt. Dies und seine Nähe zur dunklen Orakelsprache erklären, warum der Gebrauch von Symbolen aus der Tier-, aber auch aus der Pflanzenwelt (vgl. Kall. fr. 194, eine Streit-Fabel aus dem Nahen Osten) in dieser archa. Phase (die in der griech. Kunst und Kultur auch oriental. Einflüsse aufweist) typisch wird für den *a.* Ein archa. Text [3], der alle typischen Elemente eines *a.* enthält, ist die assyr. ›Gesch. von → Aḥiqar‹ (7. Jh. v. Chr.). Von derselben Art war ein *a.* aus dem 8. Jh. v. Chr. in VT 2 Kg 14,9 aus dem polit.-diplomatischen Bereich. Diese symbolischen Aspekte des archa. **a.** wurden von Lukillos von Tarrha im Prooemium seiner Sprichwortsammlung gesammelt (vgl. Ammon. de adfin. vocab. diff. fr. 18 NICKAU); Dieser erwähnt als Vorbilder für *a.* die Stellen von Hesiod, Archilochos und Kallimachos (mit Zitaten), nicht aber die Fabeln des → Aisopos. Als im 6. Jh. die berühmte Lehrfabel des Aisopos entsteht, die programmatisch frei ist von Dunkelheit und kryptischen Symbolen, hat die archa. *a.* ein Ende gefunden. Es ist bezeichnend, daß der Terminus *a.* im Gegensatz zur aisopischen Fabel keinen Platz in der Kodifizierung der griech. Rhet. hat [9. 296]. Eine andere und weitere Bedeutung von *a.*, bei dem der Terminus auch auf die aisopische Fabel angewandt wird, findet sich in [1], ist vorausgesetzt von [2], und gebraucht von [5], [6], [7], um die Mechanismen der herodotischen Fabel zu analysieren.

1 E. FRAENKEL, Zur Form der ainoi, in: RhM 73, 1920, 366–70 2 T. KARADAGLI, Fabel und A., 1981 3 M. J. LUZZATTO, Ancora sulla »Storia di Aḥiqar«, in: QS 39, 1994, 260–62 4 K. MEULI, Herkunft und Wesen der Fabel, in: Schweizer Archiv für Volkskunde 50, 1954, 73–77 5 G. NAGY, The Best of the Achaeans, 1979 6 G. NAGY, Mythe et prose en Grèce archaique: l'a., in: Métamorphoses du mythe en Grèce antique, ed. C. CALAME, 1988, 237–41 7 P. PAYEN, Logos, mythos, a., in: QS 39, 1994, 43–77 8 A. PIPPIN-BURNETT. Three Archaic Poets, 1983 9 H. G. SCHEUER, s. v. A., HWdR I, 1992, 295–7.   M. J. L. / E. KR.

Aioleis [1] (Αἰολεῖς). A. ETYMOLOGIE B. KLEINASIEN C. THESSALIEN D. WANDERUNG E. MYKENISCHE ZEIT F. AITOLIA G. ANTIKE WISSENSCHAFT/DIALEKTE

A. ETYMOLOGIE

A. (Sg. *Aioleus*), älter *Aiwōlewes* (Sg. *Aiwoleus*), ist der Name eines oder mehrerer griech. Stämme und seiner (ihrer) Angehörigen, belegt zuerst wohl in einem spätmyk. Knosostext (Ws 1707) und dann wieder seit Hesiod (erg. 636; fr. 9 M.-W.). Der Name leitet sich, wie der myth. Personenname → *Aiolos*, vom Adjektiv αἰωόλος ab, das schon im Myk. (als Name eines Stieres, *a₃–wo-ro*/*Aiwolos*/KN Ch 896) belegt ist. Es bezeichnet urspr. schnelle, bes. schwirrende Bewegung, aber auch flimmerndes Licht und schließlich etwas wie »bunt« (aber nicht »buntgemischt«).

B. Kleinasien

Ein histor. Stamm dieses Namens ist nur in der nach ihm benannten kleinasiatischen Aiolis zw. den Golfen von → Adramyttion und → Smyrna mit den Inseln → Lesbos, Nasos und → Tenedos sicher zu fassen. In diesem Gebiet finden wir A. wohnhaft, soweit uns die Schriftquellen der »alphabetischen« Zeit zurückführen, also etwa seit dem 8. Jh. v. Chr. Die einzelnen Städte waren, soweit wir zurückschauen können, polit. selbständig; Relikte einer früheren polit. Einheit des Stammes oder direkte Zeugnisse dafür, wie in der benachbarten Ionia, finden sich nicht; aber der gemeinsame, durch eine Fülle von Merkmalen gut gekennzeichnete »asiatisch-aiol.« (»lesbische«) Dialekt sowie die weitgehend gleichartigen Institutionen der einzelnen Städte (auch die Kalender scheinen nahe verwandt zu sein) weisen auf alte und enge, urspr. wohl auch polit. Zusammengehörigkeit hin.

Von Lesbos, Tenedos und Kyme aus sind dann in archa. Zeit Gebiete in der südl. und westl. → Troas besiedelt (und zum Teil in polit. Abhängigkeit festgehalten) worden [1]; auch auf diese Gebiete wurde nun der Name Aiolis erstreckt, doch blieben die alte und die neue Aiolis durch ein von Lydern kolonisiertes Gebiet um Adramyttion getrennt. Schließlich griffen die asiatischen A. auch auf die europ. Seite der Meerengen über: → Sestos, → Madytos und Alopekonnesos auf der Thrakischen Chersones und → Ainos an der Mündung des → Hebros wurden aiol.

C. Thessalien

Mit dem »asiatisch-aiol.« Dialekt sind der Dialekt der Thessaloi (→ Thessalien), Magnetes (→ Magnesia), → Perrhaiboi und der der Boiotoi (→ Boiotia) nahe verwandt; alle zusammen bilden die »aiol.« Dialektgruppe, die schon in myk. Zeit von den anderen Dialektgruppen des Griech. deutlich abgehoben war ([4] gegen [3]); ihre Sprecher waren auch durch Gemeinsamkeiten im Kultwesen, namentlich im Kalenderwesen miteinander verbunden. Die A., die wir in histor. Zeit in Kleinasien finden, dürften also – wie die Boiotoi – früher in Thessalien gesessen haben und von dort über die Ägäis zur asiatischen Gegenküste gewandert sein (wie ihre südl. Nachbarn, die Iones, aus dem östl. Mittelgriechenland kamen und die Dorieis in Karia und der vorgelagerten Inseln aus der → Peloponnesos). Die Angabe, Thessalien habe einst Aiolis geheißen (Hdt. 7,176,4; Diod. 4,67,2), würde dazu gut passen, mag aber auf gelehrter Konstruktion beruhen.

D. Wanderung

Die Wanderung nach → Kleinasien, die wir uns auch als eine Folge von Kolonistenzügen vorstellen mögen, arch. zu datieren, ist bisher anscheinend nicht gelungen

[2]; sie dürfte etwas älter sein als die entsprechende, bisher ebensowenig datierbare Wanderung der Iones, da diese ihr Gebiet offenbar auf Kosten der A. nach Norden erweitert haben (Smyrna früher aiol.; → Phokaia vor aiol. Hinterland; aiol. Substrat in den nordion. Dialekten). Jünger als die Einwanderung der A. und der Iones in Kleinasien ist die der gleichfalls aus Thessalien gekommenen Magnetes. Das ergibt sich einerseits daraus, daß die Magnetes spät von Norden her in die magnesische Halbinsel eingedrungen sind und zunächst nicht als eigentliche Griechen, sondern als Verwandte der Makedones (→ Makedonia) angesehen wurden (Schiffskatalog Hom. Il. 2,756–59; Hes. fr. 7 M.-W.), andererseits aus der Lage ihrer beiden Städte in Kleinasien jenseits der aiol. (→ Magnesia am Sipylos) bzw. ion. Städte (→ Magnesia am Maiandros): die näher gelegenen Siedlungsräume waren also schon besetzt, als die Magnetes nach Kleinasien kamen.

E. Mykenische Zeit

Daß es schon in myk. Zeit einen Stamm der A. gab – sei dies nun derselbe Stamm, den wir später in Kleinasien finden oder nur ein gleichnamiger –, zeigt, wenn das erste Zeichen richtig gelesen ist, die Nennung von /*Aiwolewes*/ (Dat. *a₃–wo-re-u-si*) in dem Knosostext Ws 1707; es dürfte sich, wie in den Fällen anderer Stammesnamen in den Linear B-Täfelchen (→ Linearschriften), um Berufskrieger fremder Herkunft handeln. Wo damals ihre Heimat lag, bleibt im Dunkeln.

F. Aitolia

Eine weitere einigermaßen greifbare Spur von A. bietet eine Angabe des → Thukydides (3,102,5), wonach der dem Bergland von Aitolia vorgelagerte Küstenstrich um → Kalydon und → Pleuron → Aiolis [2] hieß; hier muß also einmal ein Stamm oder Stammessplitter des Namens A. gesessen haben.

G. Antike Wissenschaft/Dialekte

Dagegen ist auf die Angaben ant. Gelehrter, in bestimmten Gegenden Griechenlands hätten einst A. gesessen, nicht viel zu geben. Denn sie sind einerseits mit dem Auftreten des myth. Personennamen → Aiolos verknüpft, dessen ältester Träger wohl erst sekundär als Stammvater der A. aufgefaßt wurde, andererseits mit den Theorien von der Einteilung der Griechen in wenige Großstämme (wobei schließlich unter dem Namen der A. alles zusammengefaßt wurde, was man weder den Dorieis noch den Iones zurechnen konnte).

Ebensowenig können Spuren von Dialektformen der »aiol.« Dialektgruppe (nicht speziell des Asiatisch-Aiol.) in verschiedenen Gebieten Griechenlands als Zeugnisse dafür gelten, daß dort einst A. saßen; denn dieser Name bezieht sich ja (im urspr., nicht durch gelehrte Erkenntnisse und Theorien bestimmten Sprachgebrauch) nur auf die A. Kleinasiens, nicht auf die Sprecher »aiol.« Dialekte im allgemeinen.

→ Dialekte 1

1 J. M. Cook, The Troad, 1973, bes. 360–363 2 Ders., CAH 2.2, ³1975, 776–782 3 J. L. García Ramón, Les origines post-mycéniennes du groupe dialectal éolien, 1975

4 C.J.Ruijgh, Scripta minora ad linguam Graecam pertinentia, 1991, 662–675.   F.GSCH.

[2] Mit A. wird urspr. der gesamte von den A. besiedelte Raum bezeichnet, die Inseln → Tenedos und → Lesbos sowie das gegenüberliegende Festland, das während der Wanderungen im 11.Jh. v.Chr. in Besitz genommen wurde (Strab. 13,1,3; Vell. 1,4). Im Zuge der Kolonisation gewannen die A. an der Süd- und Westküste der → Troas Gebiete hinzu, so daß das Siedlungsgebiet im Norden bis zum ion. → Abydos [1] reichte. Über den Verlauf und den Zeitpunkt dieser Bewegung ist man im unklaren. Neuere Funde in → Ilion deuten auf eine frühere Besiedlung als das späte 8.Jh. v.Chr. hin [2. 140]. Von der Küste aus wurde anschließend mit → Kebren Kyme und Palaiskepsis bzw. → Skepsis das innere → Skamandros-Becken besiedelt. Diesem Zugewinn im Norden steht im Süden, wo die A. bis zum → Hermos reichte (Strab. 13,1,2), der Verlust der Polis → Smyrna gegenüber, die vor 700 v.Chr. an die → Iones abgegeben werden mußte. Eigentliches aiol. Kernland war die Gegenküste von Lesbos ›zwischen Ionia und Mysia‹ (Paus. 3,2,1), wo sich 12 Poleis zu einer Dodekapolis um das Apollon-Heiligtum von Gryneion als Kultmittelpunkt zusammengeschlossen hatten [4. 87 Anm. 3]. Bis zur Eroberung von Smyrna waren dies: Kyme, → Larisa , Neonteichos, → Temnos, → Killa, → Notion, Aigiroessa, → Pitane, → Aigai, → Myrina, Gryneion und → Smyrna (Hdt. 1,149; Strab. 13,3,5f.; Plin. nat. 5,121). Der von den Bewohnern gesprochene aiol. Dialekt und die Gemeinsamkeiten in der Kunst wie z.B. der Keramik (sog. Buccherokeramik) und den Kapitellen demonstrierte die Stammeszugehörigkeit. Diese fand ihren Ausdruck in der Solidarität der Poleis, als Smyrna von den Ionern erobert und die Bewohner von den übrigen 11 Städten aufgenommen wurden und das jeweilige Bürgerrecht erhielten (Hdt. 1,150). Davon unterschieden sind die aiol. → Troas, → Tenedos und → Lesbos mit 6 Poleis, unter denen → Mytilene eine gewisse Vorherrschaft besaß. Diese Polis trieb in erster Linie die Kolonisation der Troas voran, wo sie sich mit der Schaffung abhängiger Siedlungen, den aktaiischen Städten, eine feste Basis aufbaute. Diesem Sonderstatus der aiol. Städte in der Troas tragen die Quellen Rechnung, indem sie dieses Siedlungsgebiet in der Regel nicht zur A. zählen (Strab. 13,1,4). Bes. die durch das Ida-Gebirge vom Adramyttischen Golf getrennten Siedlungen im Skamanderbekken und an der West- und Nordwestküste nahmen eine eigenständige Entwicklung. Für Plinius ist deshalb das Kap → Lekton die Westgrenze der A. (nat. 5,123). Ähnliches gilt auch für die Poleis auf Lesbos. Deshalb bezeichnet der histor. Begriff A. nur das Gebiet der Dodekapolis. Es teilt zumeist das Schicksal der ion. Städte des Festlandes. Eine Sonderentwicklung ist nicht feststellbar. Unter → Kroisos wurde die A. der lyd. Oberhoheit unterstellt, um mit der Niederlage des Lyderkönigs gegen → Kyros Bestandteil des persischen Reiches zu werden. Seit 478 v.Chr. waren einzelne Städte

Mitglieder im att.-delischen Seebund, wobei Kyme – unter diesen Städten in einer gewissen Vorrangstellung (Strab. 13,3,6) – mit zunächst 12 und später 9 Talenten den mit Abstand höchsten Phoros (→ Phoroi) zahlte. 411 v.Chr. berührte → Mindaros auf seiner Fahrt nach Abydos die Küste bei A. 399 v.Chr. befreite → Derkylidas die Poleis von der persischen Herrschaft. Seit dem Königsfrieden (387/86 v.Chr.) unterstand die Gegend zwar wieder dem Großkönig, einzelne Poleis demonstrierten aber große Unabhängigkeit. Bes. unter → Hermias von Atarneus, der weite Teile der Küste zw. → Atarneus im Süden und → Assos im Norden zu einem Sonderreich zusammenfaßte und von den übrigen Poleis als Schiedsrichter und Vertragspartner gesucht wurde, kam es kurzfristig zu einer Verselbständigung der A. Dieser Zustand wurde durch die Erstarkung des Perserreiches beendet. Trotz eines Bündnisses mit den Makedonen → Philippos II. wurde Hermias durch die Perser überwunden und hingerichtet. Die in der A. landenden maked. Truppen wurden 336 v.Chr. von → Memnon vertrieben. Erst der Siegeszug → Alexandros [4] III. beendete die Perserherrschaft. Umstritten ist, ob er die Städte der A. zu einem → Koinon zusammenfaßte. Von Prepelaos dem → Antigonos [1] Monophthalmos entrissen, gehörte die Landschaft seit 302 v.Chr. zum Reich des → Lysimachos, um 281 v.Chr. an die Seleukiden zu fallen. Während der Diadochenkämpfe und der daran anschließenden Phase gerieten die Poleis immer mehr in den Schatten des aufstrebenden Pergamon. Seit 261 v.Chr. gehörten Teile der A. zum Reich der Attaliden, die nur um 223 v.Chr. kurzfristig vom seleukidischen Ursupator → Achaios [5] zurückgedrängt wurden. Die in einer Art Münzliga zusammengeschlossenen Städte → Aigai [2], Myrina, → Phokaia und Kyme blieben wohl bis 246 v.Chr. unter seleukidischer Herrschaft [1. 77, 189]. 218 v.Chr. eroberte → Attalos II. die A. endgültig. Sie verblieb seitdem bis auf ein kurzes seleukidisches Intermezzo um 190 v.Chr. im pergamenischen Reich. 156 v.Chr. wurden weite Teile der A. durch → Prusias II. verwüstet und einzelne Städte zerstört. Beim Wiederaufbau z.B. von Aigai manifestierte sich die pergamenische Herrschaft auch auf dem kulturellen Sektor. In Aigai entstand ein kleines Abbild von Pergamon [2. 481]. Von einer eigenständigen aiol. Kunst kann nicht mehr gesprochen werden. 129 v.Chr. wurde die A. zusammen mit den aiol. Poleis der Troas Bestandteil der Prov. → Asia. Während die Troas zum → conventus von → Adramytteion gehörte, zählten die Poleis der A. zum conventus von Smyrna (Plin. nat. 5,120–123). Nochmals um 85 v.Chr. war die A. Schauplatz kriegerischer Auseinandersetzungen. Der Einfall → Mithradates VI. und die von den Römern eingeleiteten Gegenmaßnahmen und Strafaktionen forderten von der Bevölkerung einen hohen Blutzoll und verursachten große finanzielle Schäden. Insgesamt waren es jedoch weniger die Folgen dieser und weiterer kleinerer Kämpfe in der A., sondern der Aufstieg der Metropoleis → Alexandreia [2], Troas, Smyrna und Pergamon, die mit ihren besseren Häfen bzw. der günstigeren Lage sowie dem größeren polit. Gewicht die provinziellen Städte der A. überflügelten und einen wirtschaftlichen Niedergang der Region mit der Aufgabe einzelner Städte einleiteten (Plin. nat. 5,121). Dieser negative Trend wird in der Kaiserzeit durch zwei verheerende Erdbeben 17 (Tac. ann. 2,47) und 105 n. Chr. (Oros. 7,12,5) verstärkt. Allein Kyme – wie Myrina Kaisarea gen. – besitzt noch größere Bed. [1. 193–198]. Myrina wird außerdem Sebastopolis genannt (Plin. nat. 5,121). Die Münzprägungen kommen bis auf wenige Ausnahmen (Kyme, Myrina) unter Augustus zum Erliegen. Das wirtschaftliche Leben beschränkt sich in erster Linie auf die Landwirtschaft, zumal die Poleis selbst während ihrer Blütezeit keine bedeutenden Handelsstädte waren. Ihr Schwerpunkt lag mit Ausnahme von → Elaia als Hafen von Pergamon auf agrarischem Sektor. Die A. war bekannt für ihren fruchtbaren Boden (Hdt. 1,149). In der Spätant. verblieb die A. zusammen mit den Poleis an der Südküste der Troas in der Prov. Asia, während die aiol. Städte im Norden der Prov. Hellespontos zugeschlagen wurden. Hierokles 660f. kennt noch 6 der 12 Städte: Aigai, Temnos, Myrina, Pitane, Kyme und Elaia, von denen 5 (Kyme, Pitane, Myrina, Aigai und Elaia) einen Bischofssitz beherbergten.

1 H. ENGELMANN, Die Inschr. von Kyme (IK 5), 1976
2 D. HERTEL, Troias Fortleben in den dark ages, Studia Troica 1, 1991, 130–144 3 W. RADT, Archa. in A. bei Pergamon, IstMitt. 41, 1991, 481–484 4 L. ROBERT, Villes d'Asia mineur, ²1962.

E. W. BUISSON, Die aiol.-ion. Westküste Kleinasiens, 1917 · E. MEYER, Die Grenzen der hell. Staaten in Kleinasien, 1925 · A. N. SHERWIN-WHITE, Roman policy in the east, 1984 · H. WIEGARTZ, Äolische Kapitelle, in: Ders., E. SCHWERTHEIM (Hrsg.), Neue Forsch. zu Neandria und Alexandria Troas, 1994, 119–132.   E. SCH.

Aiolia (Αἰολία sc. νῆσος). Wohnsitz des → Aiolos [2], des Herrn der Winde. Es ist eine schwimmende Insel, die von Steilklippen und einer Bronzemauer eingefaßt ist (Hom. Od. 10.3 f.); in gewissem Gegensatz zu diesen Märchenmotiven – bes. dem Schwimmen der Insel – steht die sehr griech. Vorstellung, daß darauf die Stadt und die »schönen Häuser« des A. und seiner Familie stehen (l. c. 13). Seit dem 5. Jh. wird sie in der realen Geogr. verortet und bes. mit den liparischen oder äolischen Inseln (Αἰόλου νῆσοι) identifiziert (Antiochos von Syrakus FGrH 555 F 1; Thuk. 3,88).

R. STRÖMBERG, The Aeolus episode and Greek wind magic, Acta Univ. Gothoburgiensis 56, 1950 · D. PAGE, Folktales in Homer's Odyssey, 1972, 73–78.   F. G.

Aiolidai (Αἰολίδαι). Nicht nur die Söhne des Aiolos, wie Sisyphos, Athamas und Kretheus, sondern auch ihre Nachkommen, z. B. Bellerophontes und Iason bei Pindar, Minyas, Phrixos, Idmon bei Apoll. Rhod. In Ver-

gils Aeneis (6,529) nennt Anchises den Odysseus Aeolides, nach der Tradition, die ihn zum Sohn des Sisyphos macht (seit Soph. Phil. 417).

M. SCARSI, s. v. Eolide, EV 2,324.   F. G.

Aiolis. [1] Name einer mit agrarischem Reichtum verbunde- nen Göttin (*karpophóros*) in kaiserzeitlichen Inschr. von Lesbos und Aigai; gleichgesetzt mit Agrippina I. und II. (als Θεὰ Αἰολὶς Σεβαστή IG XII Suppl. 134). Sie entspricht der bei Alc. fr. 129 LP genannten Αἰοληία θεά, die zusammen mit Zeus und Dionysos Omestes im gesamtlesbischen Heiligtum bei Messa verehrt wurde.

L. ROBERT, Recherches épigraphiques V. (Inscriptions de Lesbos), in: REA 62, 1960, 285–315 · L. A. STELLA, Gli dei di Lesbo in Alceo fr. 129 LP, in: Parola del Passato 11, 1956, 321–34 · H. G. BUCHHOLZ, Methymna, 1975, 220–22.   F. G.

[2] Landschaft an der Nordwestküste des Golfs von Patras (vgl. Eur. fr. 515), östl. der Lagune von Mesolonghi, strategisch bedeutend wegen der Nähe zum → Acheloos [1] und zur Einfahrt in den Golf. Der Name A. bleibt ungeklärt, als Beleg frühgriech. Wanderbewegungen [4. 353–355, 572f., 628, Anm. 24f.] h. sehr umstritten [2. 302–306; 1. 121–136]. Im Schiffskatalog Hom. Il. 638–644 gehören die Städte dieser Gegend (Chalkis, Kalydon, Olenus, Pleuron, Pylene) zu den → Aitoloi, im 5. Jh. v. Chr. hat sich A. gegenüber den Aitoloi verselbständigt (Thuk. 3,102,5). A. wird von → Akarnanes (Xen. hell. 4,6,1; Strab. 8,2,2) und → Achaioi bedrängt (Paus. 10,18,1–3), die 389 v. Chr. Kalydon besetzen. Seit dem 4. Jh. v. Chr. gehört die A. den Aitoloi [3. 303–311], in der Kaiserzeit wird sie von → Patrai verwaltet (Strab. 10,2,21).

1 A. M. BIRASCHI (Hrsg.), Strabone, 1994 2 S. BOMMELJÉ, Aeolis in Aetolia, in: Historia 37, 1988, 297–316 +3 I. L. MERKER, in: Hesperia 58, 1989, 4 PHILIPPSON / KIRSTEN 2.   D. S.

Aiolisch (Lesbisch). Das Lesbische (in der Ant. »Aiolisch« genannt) ist durch Inschr.en aus Lesbos (FO: Mytilene, Methymna, Eresos), der Aiolis (Aigai, Kyme) und der Troas (Assos), auch z. T. zuverlässig durch die Lyriker (→ Alkaios [4], → Sappho, kaum → Iulia Balbilla) bezeugt.

Abgesehen von einem mytilenischen Vertrag aus dem 5. Jh. v. Chr. stammen die wichtigeren Inschr. vorwiegend aus dem 4.–3. Jh.: sie enthalten aber schon att. bzw. κοινή-Formen, sowie Mischformen, bes. die offiziellen Urkunden; gegen E. 2. Jh. hat sich die κοινή durchgesetzt, obwohl eine Kontinuität des L. nicht ausgeschlossen ist [1]. In Inschr. aus röm. Zeit (bis 3. Jh. n. Chr.) läßt sich eine archaisierende Wiederbelebung des L. nach dem Vorbild der Lyrikerausgaben, z. T. nach den älteren Inschr. feststellen [2]. Das nur z. T. einheitliche L. der Inschr. zeigt neben Übereinstimmungen (a) mit den aiol. Dial. und bes. (b) mit dem → Thessalischen, sowie auch (c) mit dem → Ionischen Kleinasiens, (d) eine Reihe eigener Merkmale.

Zu (a): *$r̥$ > ro; athemat. Dat. Pl. auf -εσσι, ἴα »1« in μηδε-ία, Perf. Ptz. mit -nt- (γεγόνοντα = γεγονότα); Gebrauch des Patron. Zu (b): Geminata aus Gruppen wie *ns, *sn sowie aus *-ln- (μήννος, ἔμμεναι, βόλλα = μηνός, εἶναι, βουλή), *-ti̯- > -ss- (τόσσος neben Präs. auf -σσω); athemat. Flexion der Verba auf -e-, vgl. Iptv. κατάγρεντον, Gen. Pl. Ptz. κατοικέντων neben zweideutigen τιμάτω, στεφανώτω (-ā-, -ō- athemat., oder themat. aus -a-e-, -o-e-); ἄπυ, ὀν-, ὄτα, αἴ κε (= ἀπό, ἀνά, ὅτε, ἐάν). Zu (c): *-ti(–) > -si(–), Schwund von h- (Psilose), πρός, εἴκοσι; auch sind die Vorstufen von -ω (Gen. Sg.), -ην (themat. Inf.), εἰς, βόλλομαι, ἴρος mit denjenigen des Ion. (*-oo, *-een, *en-s, *g^ʷol-n-, *īrós) identisch. Zu (d): Barytonese (→ Akzent), -Vis < *-Vns, -Vis- < *-Vns- mit sekundärem -s- (Akk. Pl. -οις und -αις, παῖσα, Ptz. fem. -οισα = -ους und -ας, πᾶσα, -ουσα); Dat. Pl. auf -οισι und -αισι (τοῖς, ταῖς beim Art.), 3. Pl. ἔσσι »sind«, Iptv. 3. Pl. auf -ντον, -σθον, themat. Präs. 3. Sg. τίμαι, στέφανοι, Aor. -σσα- nach kurzer Silbe (καλε-σσα-), sonst -σα- (ἐπαινη-σα-), athemat. Inf. -μεναι nach kurzen Einsilblern, sonst -ν (δόμεναι / δίδων, °στᾶν); πέδα, ὔμοιος (= μετά, ὁμοῖος). Wegen (a) und (b) erweist sich das L. als aiol. Dial., der dem Thessal. nähersteht; (c) weist z.T. auf einen sekundären Einfluß des Ion. hin, z.T. (Psilose, *isrós) auch auf uralte sprachliche Gemeinsamkeiten der ersten in myk. Zeit an der nordanatolischen Küste angesiedelten Griechen. Das L. der Lyriker ist stark ep. geprägt, es enthält ferner Mischformen und wohl auch künstliche Hyperaiolismen (→ Griech. Literatursprachen), die der Lehre der Gramm. zuzuschreiben sind.

Probe (Mytilene, 5.Jh.): δικ[α]σ[ταις δε εμ]μεναι ... ταις αρχαις παισαις πλεας των αιμισεων ...· αι δε κε απυφ[υ]γηι μ[η] θελων αμβροτην, τιματω το δικαστηριον οττι χρη αυτ⟨ο⟩ν παθην η κατθε[μ]εναι; entsprechend: »δικαστὰς δὲ εἶναι ... τὰς ἀρχὰς πάσας πλείους τῶν ἡμισέων ...· ἐὰν δὲ ἀποφύγῃ μὴ ἐθέλων ἁμαρτεῖν, τιμάτω τὸ δικαστήριον ὅ τι χρὴ αὐτὸν παθεῖν ἢ καταθεῖναι«.

→ Griechische Dialekte

1 A.C.CASSIO, Continuità e riprese arcaizzante nell'uso epigrafico del dialetti greci: il caso dell'eolico d'Asia, in: AIΩN 8, 1986, 131–146 2 R.HODOT, Le dialecte éolien d'Asie, 1990, 22 und passim.

QUELLEN: IG XII 2, 1899, XIIs, 1939 · R.HODOT, Le dialecte éolien d'Asie, 1990, 269–322 (Répertoire des inscriptions).

LIT.: BECHTEL, Dial. I, 1–130 · W.BLÜMEL, Die aiol. Dial., 1982 · C.BRIXHE U.A., Le lesbien, in: REG 98, 1985, 304–307 (Forsch.ber.) · R.HODOT, Le dialecte éolien d'Asie, 1990 · THUMB / SCHERER, II, 76–109.   J.G.-R.

Aiolos (Αἴολος). **[1]** Eponym des Aiolerstamms. Sohn des Hellen (Hes. fr. 9 MW), Enkel des → Deukalion, dessen vielfache genealogische Verbindungen das myth. Weltbild der Griechen auch geogr. gliedern helfen. Seine Brüder Doros und Xythos wandern aus, A. ist

König im väterlichen Magnesia/Thessalien. Durch Enarete, Tochter des Deimachos, hat er zahlreiche Kinder: Die Söhne Kretheus, Athamas, → Sisyphos, Salmoneus und Perieres (Hes. fr. 10 MW, bei Apollod. 1,51 außerdem Deïon und Magnes) und die Töchter → Kanake, Alkyone, Peisidike, Kalyke und Perimede. Andere überliefern stärker geogr. gebundene Namen der A.-Kinder: so etwa Mimas (Diod. 4,67,2 ff.), Tanagra und Arne (Paus. 9,20,1; 40,5).

→ Doros; Hellen; Xythos

F. GRAF, Griech. Myth., ³1991, 122 f.   T.S.

[2] Sohn des Hippotes, homer. Herrscher über die Winde, der auf Aiolia, einer schwimmenden Insel im äußersten Westen lebt.

Odysseus bleibt einen Monat bei ihm und erhält einen Sack, in den die ungünstigen Winde eingesperrt sind. Der wird jedoch von seinen Gefährten geöffnet (Hom. Od. 10,1–79). Die Vorstellung vom Sack geht wahrscheinlich auf magische Praktiken zurück; Homer unterdrückt auch die Vorstellung der Winde als Gottheiten.

A.' sechs Söhne und sechs Töchter haben einander geheiratet. Schon das 5.Jh. fand diesen Inzest nicht tolerierbar: In Euripides' Aiolos zwingt A. seine Tochter Kanake zum Selbstmord, weil sie ihren Bruder Makareus liebt. Ovid malt das in grellen Farben aus (epist. 2). In hell. Zeit wurde A. von den Liparaeern verehrt (Diod. 20,101,2 [1]). Bei Vergil lebt A. auf den Aeolischen Inseln, wo er die Winde in einer Grotte einsperrt und sie zeitweise losläßt (Aen. 1). Auf diese Weise wird er meistens auch von späteren Dichtern dargestellt (Ov. met. 1,262; 11,748; 14,223 ff.; Val. Fl. 1,576; Q. Smyrn. 14,475). Die diversen Figuren namens A. wurden von Diod. (4,67) in ein einziges genealogisches Schema eingepaßt. In euhemeristischer Deutung wird er Gebieter der Winde, weil er die Schiffer den Gebrauch der Segel gelehrt und aus den Vorzeichen des Vulkanfeuers den Wechsel der Winde vorhergesagt habe (Palaiphatos 17 = MythGr 3,2,25; Diod. 4,67; 5,7 f.).

→ Odysseus

1 G.HUXLEY, Mimas and A. in Ausonia, 1992, 385–87.

F.GIUDICE, s.v. A., LIMC I.1, 398 f. · A.HEUBERG, A.HOEKSTRA, A commentary on Homer's Odyssey II, 1989, 43 · R.STRÖMBERG, in: Acta Universitatis Gothenburgensis 56, 1950, 71–81 · K.TÜMPEL, RE I, 1036–41.   J.B.

[3] Sohn des Poseidon und der Melanippe, Bruder des Boiotos im Stammbaum, der alle drei A. verbindet (Diod. 4,67): Hellen – Aiolos [1] – Mimas – Hippotes – Aiolos [2], der Windgott – Arne (→ Melanippe) – Aiolos [3]. Melanippe setzt die Kinder aus, sie werden in Metapontion gefunden. A. tötet die Frau seines Pflegevaters, flieht auf die nach ihm benannten aiol. Inseln, gründet Lipara, wo er nach einer Weihung des 6.Jh. Kult empfängt [5. 345].

5) Kokalos 14/15, 1968/69, 345.

R. Strömberg, Acta Universitatis Gothoburgensis 56, 1960, 71–81.   F. G.

Aiolou nesoi s. Aeoli insulae

Aiora (αἰώρα, »Schaukel«). Beim Frühlingsfest der Anthesterien wurden an Bäumen mit Seilen Sitzkissen oder Stühle aufgehängt, auf denen die Kinder schaukeln durften. Auf Choen-Kannen ist das dargestellt [1. Taf. 31,2; 4. Taf. 18]. Der Brauch ist für das att. Ikaria bezeugt, den mythischen Ankunftsort des Dionysos als Weingott. Weil die wilden Hirten die Gabe des Gottes verkennen, versuchen sie ihn zu töten, treffen statt seiner aber den Alten, den Gastgeber des Gottes, Ikarios. Die Tochter Erigone irrt vergebens auf der Suche nach ihm umher und erhängt sich schließlich an einem Baum (Eratosth. bei Hyg. astr. 2,4 [2], anders Etym. m. 62,4; Hesych s. v. αἰώρα). Der Mythos verbindet die Rituale Schaukeln als Wiederholung des sich Erhängens, das Kultlied ἀλῆτις (*aletis*, »die Umherirrende«) für eine Prozession [3; 4. 155 f. dagegen 5. 119 und 6. 38 Anm. 10] und ein Erntespiel [7. 323–325] mit der ambivalenten Aufnahme des Dionysos. Das Schaukeln ist überliefert für Athen (Kall. fr. 178 Pfeiffer) und Kolophon (Aristot. fr. 515 Rose = 520,1 Gigon). Es war auch in min. Zeit üblich, wie Tonfigürchen auf der Schaukel aus Hagia Triada zeigen [8]. Erklärungen als Fruchtbarkeits-, Reinigungs-, apotropäischer Ritus sind kaum zu begründen [7].

1 E. Simon, Festivals of Attica, 1983, 92–99
2 R. Merkelbach, Die Erigone des Eratosthenes, in: Miscellanea A. Rostagni, 1963, 469–525   3 M. Nilsson, Opuscula 1, 1951, 145–166 (1915), 414–424 (1930)
4 Nilsson, GGR 1,585 f.   5 Deubner, 118–121, 267
6 B. C. Dietrich, A rite of swinging during the Anthesteria, in: Hermes 89, 1961, 36–50   7 C. Auffarth, Der drohende Untergang, 1991, 244–247, 316–327   8 S. Laser, Sport und Spiel, in: ArchHom T, 1987, 112 f.   C. A.

Aiorai (Αἰῶραι). Eine nach Poll. 4,131 aus Seilen bestehende Theatermaschine, mit der Götter oder Heroen fliegend heranschwebten, offenbar eine hell. Erfindung [1.291].

1 H. Bulle, in: ABAW 1928.   C. HÜ.

Aioulf s. Agriwulf

Aipytos (Αἴπυτος). **[1]** Arkad. Heros, Sohn des Elatos, Vater des Peirithoos (Hes. fr. 166). Sein schon Homer (Il. 2,604) bekanntes Grab zeigte man am Berge Sepia bei Kyllene, wo er von einer Schlange gebissen worden war. Pindar (O. 6,30) gibt ihm Phaisane am Alpheios als Wohnsitz; Pitane vertraut ihm ihre Tochter von Poseidon an, Euadne, die von Apollon Mutter des Sehers Iamos werden wird. **[2]** König des arkad. Trapezus, Sohn des Hippothoos, Vater des Kypselos. Er erblindete, weil er in das Heiligtum des Poseidon Hippios in Manti-

neia eingedrungen war (Paus. 8,5,4 f.). **[3]** Beiname des Hermes in einem Tempel bei Tegea, was auf einen gemeinsamen Kult weist (Paus. 8,47,4). **[4]** Sohn des Herakleiden Kresphontes und der Merope. Einem Aufruhr fielen Vater und Brüder zum Opfer, während er gerettet wurde; später eroberte er sein väterliches Erbe Messenien zurück (Paus. 4,3,6; 8,5,7). Das euripideische Drama *Kresphontes* behandelt die Rückkehr des A., der aber bei ihm wie der Vater Kresphontes heißt [1].

1 H. v. Arnim, Supplementum Euripideum, 1913, 25; 28.   F. G.

Air-tam. Graeco-baktrische Siedlung am Nordufer des Amu-darja. Buddhistischer Tempel mit Reliefschmuck im nordbaktrischen Stil der Gandhara-Kunst. Reste zweier Stupas und eine mehrzeilige griech. Inschr. aus der Zeit des Huvischka.

B. Staviski, Mittelasien. Kunst der Kuschan, 1979, 134–138.   B. B.

Aisa (Αἶσα), »Anteil«, »Portion« (in der Sprache des Epos und in Randdialekten): der von der Gottheit zugewiesene Schicksalsanteil (Hom. Il. 9,608 *Diós aísa*); daher synonym mit → Moira. Personifiziert ist sie seit Homer Spinnerin des Schicksalsfadens (Il. 20,127 f.; in Od. 7,196 f. mit den Klothes, den »Spinnerinnen«, verbunden), aber unterschieden von der Moira Klotho, »Spinnerin« (Hes. Theog. 905). Bei Aischylos ist sie als »Trägerin des (Rache)schwertes« mit Dike und Erinys verbunden (Choeph. 647 ff.). Von daher ist verständlich, daß sie zusammen mit Klotho und Lachesis im sog. »Moirenlied« (fr. adesp. 1018b PMG) Tochter der Nyx heißt.

W. Krause, Die Ausdrücke für das Schicksal bei Homer, in: Glotta 25, 1936, 143–152 • U. Bianchi, DIOS AISA, 1953 • B. C. Dietrich, Death, Fate, and the Gods, 1965.   F. G.

Aischines. [1] Aus dem att. Demos Sphettos, Sohn des Lysanias, Schüler des Sokrates. * 430/420 v. Chr., gest. nach 375/6. A. war beim Prozeß und Tod des Sokrates zugegen (Plat. apol. 33e; Phaid. 59b). Er soll, als er sich Sokrates anschloß, arm gewesen sein. In einer Rede des Lysias wurde er als übler Schuldenmacher angeprangert (Athen. 13,611d–612f). Ob die in den Quellen zu lesende Behauptung, A. habe sich als Verf. von Gerichtsreden betätigt und gegen Bezahlung Vorträge gehalten (Diog. Laert. 2,62–63), mehr als eine Spekulation Späterer ist, muß offenbleiben. Sicher falsch ist die Behauptung, er habe zusammen mit Sokrates Unterricht in der Rhetorik erteilt (Diog. Laert. 2,20). Mindestens ein Mal, wahrscheinlich häufiger hielt er sich am Fürstenhof in Syrakus auf.

A. verfaßte sieben Dialoge mit den Titeln *Miltiades*, *Kallias*, *Axiochos*, *Aspasia*, *Alkibiades*, *Telauges* und *Rhi*-

non. Die schon wenige Jahrzehnte nach dem Tod des A. kolportierte Behauptung, Verf. dieser Dialoge sei in Wahrheit Sokrates und A. habe sie nach dessen Tod von Xanthippe geschenkt bekommen (Diog. Laert. 2,60; Athen. 13, 611de), läßt den Rückschluß zu, daß Sokrates in allen sieben Dialogen als Erzähler fungierte. Was über weitere Schriften des A. berichtet wird, ist teils problematisch, teils erweislich falsch. Alle sieben Dialoge des A. sind verlorengegangen, von *Aspasia* und *Alkibiades* läßt sich der Verlauf jedoch aufgrund von Reflexen bei späteren Autoren und Papyrusfunden zumindest in groben Zügen rekonstruieren und vom *Miltiades* sind wenigstens Gesprächskonstellation und Thema faßbar. Zentrales Thema der Dialoge des A. war das Problem der richtigen Erziehung, verstanden als Hilfe zur Selbstentfaltung. Spätere Autoren behaupten, A. habe ›den Charakter des Sokrates‹ (τὸ Σωκρατικὸν ἦθος) und seiner Gespräche besonders getreu nachgebildet (Diog. Laert. 2,61).

1 SSR VI A 2 H.DITTMAR, A. von Sphettos, 1912
3 K.DÖRING, Der Sokrates des A. von Sphettos und die Frage nach dem histor. Sokrates, in: Hermes 112, 1984, 16–30 4 K.DÖRING, A. aus Sphettos, in: GGPh 2.1, 1996, § 16 (mit Lit.) 5 B.EHLERS, Eine vorplaton. Deutung des sokratischen Eros. Der Dialog Aspasia des Sokratikers A., 1966. K.D.

[2] A. LEBEN B. WERKE C. WIRKUNG

A. LEBEN

Att. Redner und Politiker, Sohn des Atrometos aus Kothokidai und der Glaukothea. Geburts- (ca. 399–396 oder 391–389 v. Chr.) und Todesjahr (ca. 322 oder 315) sind nicht sicher bekannt [1. 108, dagegen 2. 211–214]. Die Nachrichten über sein Leben (acht Viten aus ant. bzw. byz. Zeit, Hinweise in seinen eigenen Reden sowie bei seinem Gegner → Demosthenes) sind z.T. widersprüchlich, z.T. tendenziös und mit Vorsicht auszuwerten. Zwar trat er in frühen Jahren als Schauspieler auf (Demosth. or. 18,262), doch zählten auch seine Brüder Philochares und Aphobetos als Rhetoren und Strategen zu Athens polit.-mil. Elite (ca. 355 bis 338). Zunächst zum Hypogrammateus und Grammateus gewählt, wurde seine polit. Karriere seit dem Ende der 350er Jahre durch die Heirat in die Familie des Philokrates und eine polit. Freundschaft zu dem Strategen Phokion und dem Rhetor Eubulos gefördert. Von 348/7 bis 338/7 reicht die wichtigste Dekade der polit. Biographie A.' [3; 4; 5]. 348/7 warb er als Gesandter bei den Arkadern um Unterstützung gegen Philippos II. (Aischin. leg. 79 und 157; Demosth. or. 19,11 und 304–307). Bei seinem Bericht vor Rat und Ekklesia agierte er erstmals als Rhetor (→ Rhetorik) vor der Volksversammlung (Aischin. leg. 79; Demosth. or. 19,10–11). 346 war A. als Gesandter am »Philokratesfrieden« mit Philippos beteiligt [5. 50–77; 6; 7. 329–347], trat auch nach 346 nachdrücklich für diesen Status-quo-Frieden ein und wurde deshalb 345 (erfolglos) von Timarchos

wegen Verrates angeklagt (Aischin. Tim.). Als ihn Demosthenes 343 wegen seiner Rolle als Gesandter 346 anklagte, entging er nur durch die Fürsprache des Eubulos und Phokion einer Verurteilung (Aischin. leg.; Demosth. or. 19). Im Streit um die Prostasia des delischen Heiligtums wurde A. als Vertreter Athens (ca. 345–343) durch seinen Gegner Hypereides ersetzt, war aber 340/39 Pylagore bei der delph. Amphiktyonie [8]. Noch 338 Mitglied der athen. Friedensgesandtschaft zu Philippos (Aischin. Ctes. 227), verringerte sich nach 338 im Athen Lykurgs sein polit. Einfluß deutlich [9; 10]. Seine Klage im Jahr 336 gegen Ktesiphon wurde 330 im berühmten »Kranzprozeß« entschieden und führte zu einer Niederlage, die einem Plebiszit über seine und die Politik des Demosthenes zw. 348 und 338 und später glich (Aischin. Ctes.; Demosth. or. 18). A. ging ins Exil; eine polit. Tätigkeit nach 330 ist nicht sicher bezeugt.

Der in der älteren Forsch. betonte Gegensatz zw. einer »promaked.« Außenpolitik des A. und einer »antimaked.« des Demosthenes verkennt die polit. Struktur Athens und die polit. Überzeugung des A. Umstritten zw. A. und seinen Gegnern war freilich die Strategie, mit der Athens außenpolit. Position gewahrt und eine Koexistenz mit dem expansiven Makedonien ermöglicht werden sollte. J.E.

B. WERKE

Verloren sind eine (unechte) »delische« Rede sowie erotische Gedichte (Aischin. Ctes. 136). Erh. sind zwölf (allg. als unecht geltende) Briefe [11] und drei umfangreiche Reden [12;13] (Χάριτες): 1. ›Gegen Timokrates‹ (345). Anklage gegen einen polit. Freund des Demosthenes [14]; A. gewann den Prozeß. 2. ›Über den Gesandtschaftsbetrug‹ (343, vgl. Demosth. or. 19). Verteidigung gegen eine Anklage des Demosthenes wegen A.' Tätigkeit als Gesandter im Jahre 346; A. wurde mit knapper Mehrheit freigesprochen. 3. ›Gegen Ktesiphon‹ (330, vgl. Demosth. or. 18). → Paranomie-Klage gegen einen Antrag auf Ehrung des Demosthenes; A. erhielt nicht einmal ein Fünftel der Richterstimmen und verließ Athen, um der hohen Geldstrafe zu entgehen.

C. WIRKUNG

A. gehört zum Kanon der zehn besten Redner der Ant., obwohl er eine regelrechte rhetor. Ausbildung nie genossen zu haben scheint. In seinen letzten Jahren soll er auf Rhodos eine Rhetorenschule gegründet haben. A. wurde in der Ant. beinahe einhellig als Redner hochgeschätzt und fleißig studiert; die erh. → Scholien sind im Verhältnis zur Textmenge die umfangreichsten zu einem griech. Redner. Als Vorzüge seines Stiles galten Durchsichtigkeit und Klarheit (εὐκρίνεια, σαφήνεια) sowie Schönheit der Diktion (σεμνολογία), getadelt wurden allzu große Heftigkeit (σφοδρότης) und mangelnde Sorgfalt (ἐπιμέλεια) [15]. Die von unkritischer Demosthenes-Gläubigkeit verursachte Herabsetzung des A. in der Moderne [16] ist haltlos: A. verfolgte seine polit. Ziele [3] mit denselben Mitteln wie sein Gegner und jener rhetor. Formung der rechtlichen Tatbestände und

der histor. Situation, die sämtliche att. Redner kennzeichnet [17].
→ Athenai (4. Jh.); Rhetorik   M. W.

1 D. M. LEWIS, When was A. born? in: CR 8, 1958, 108
2 E. M. HARRIS, When was A. born? in: CPh 83, 1988,
211–214 3 G. RAMMING, Die polit. Ziele und Wege des A.,
1965 4 E M. HARRIS, The political career of A., Diss. 1983
5 Ders., A. and Athenian politics, 1995 6 M. M. MARKLE,
The Peace of Philocrates, Diss. 1967 7 G. T. GRIFFITH, A
history of Macedonia, Bd. 2, 1979 8 G. ROUX,
L'Amphictyonie, Delphes et le temple d'Apollon au IVᵉ
siècle, 1979, 30–36 9 W. WILL, Athen und Alexander, 1983
10 J. ENGELS, Stud. zur polit. Biographie des Hypereides,
²1993 11 C. SCHWEGLER, De A. quae feruntur epistulis, Diss.
1913 12 A. DILLER, The manuscript tradition of A.' orations,
in: ICS 4, 1979, 34–64 13 P. L. M. LEONE, Appunti per la
storia del testo di Eschine, in: Annali facoltà di Lettere,
Macerata 5/6, 1972–73, 9–43 14 K. J. DOVER, Greek homo-
sexuality, 1978 15 J. F. KINDSTRAND, The stylistic evaluation
of A. in antiquity, 1982 16 F. BLASS, Att. Ber. 3, 2, 153 ff.,
²1898, Ndr. 1962 17 M. NOUHAUD, L'utilisation de
l'histoire par les orateurs attiques, 1982.

GESAMT-ED.: F. BLASS, ²1908, corr. U. SCHINDEL, 1978 ·
V. MARTIN, G. DE BUDÉ, ³1962.
EINZEL-ED.: or. 2 (leg.): J. M. JULIEN, H. M. PÉRÉRA,
1902 · or. 3 (Tim.): G. AMMENDOLA, 1934.
INDEX: S. PREUSS, ²1926, Ndr. 1965.
SCHOLIEN: M. R. DILTS, 1992.
LIT.: DAVIES, 14625, II · DEVELIN, Nr. 51 · V. SADOURNY,
A la recherche d'une politique, in: REA 81, 1979, 19–36 ·
SCHÄFER, 1, 215–258; 2 passim; 3, 221–191 · U. SCHINDEL,
Doppeltes Recht oder Prozeßtaktik?, in: Hermes 106, 1978,
100–16 · H. WANKEL, Demosthenes: Rede für Ktesiphon
über den Kranz, 2 Bd., 1976.   J. E. u. M. W.

[3] Rhetor aus Milet, Zeitgenosse des Cicero, gest.
wohl kurz vor 46 v. Chr. (Cic. Brut. 325); wohl identisch mit dem bei Sen. mai. (contr. 1,8,11; 16) erwähnten Deklamator. Wegen seiner Äußerungen gegen
Pompeius wurde er verbannt (Strab. 14,1,7). Cicero
(Brut. 325) nennt ihn als Hauptvertreter einer asianischen Stilrichtung zusammen mit → Aischylos [3] aus
Knidos. A. ist vielleicht Verf. des Epigramms Anth. Pal.
6,330.
→ Asianismus

H. BORNECQUE, Les déclamations et les déclamateurs d'après
Sén. le père, 1902, Ndr. 1967, 145.   M. W.

[4, aus Neapolis] (in einer Homonymenliste bei Diog.
Laert. 2,64). Akademiker, einer der jüngsten Schüler des
Karneades (vgl. die Anekdote bei Plut. An seni res publica
gerenda sit 791ab); unter Kleitomachos, Charmadas und
A. stand nach Cic. de orat. 1,45 die Akademie in Blüte.
→ Akademie   K.-H. S.

[5, aus Sardes] (Αἰσχίνης Σαρδιανός). Jambograph;
eine genaue Datierung ist unmöglich. Bei ihm heißen
die Kerkopen Κάνδαυλος und Ἄτλαντος (Harpokr.
174,17 ff. D. = κ 42 KEANEY: IEG II 28; vgl. Suda σ 1405
ADLER). Gegen die Hypothese, daß A. von Schreibern
mit Aischrion von Samos verwechselt worden sei, s. [1].

1 U. v. WILAMOWITZ-MOELLENDORFF, KS 2, 1941,
158.   M. D. MA. / T. H.

Aischrion (Αἰσχρίων). Die Suda (s. v. 354 ADLER) erwähnt einen Epiker aus Mytilene, Gefährte Alexanders
d. Gr. und Schüler des Aristoteles (ohne erh. Zitate);
Athen. 7,296f und 8,335c-d zitiert choliambische Verse
eines A. von Samos. Tzetz. chil. 8,398 ff. nennt – vielleicht zu Recht – nur A. von Mytilene, einen Autor
beider Genres. Authentische iambische Verse sind a) ein
Epitaph für Philainis, die die Verleumdungen eines
Polykrates zurückweist, b) handelt von der Speise, die
Glaukos unsterblich machte und c) vom Mond in der
Form eines Sigma. Auch ein Werk namens Ἐφημερίδες
wird erwähnt. Bestimmte Formen des katalektischen
iambischen Dimeters nannte man Aeschrionum.

1 GA II,1, 3–5 2 SH 1–12.   E. R. / L. S.

Aischrologia s. Genera causarum

Aischylos [1, aus Athen], der Tragiker.
A. BIOGRAPHIE B. WERKÜBERBLICK
C. DRAMATURGIE UND THEOLOGIE D. POLITISCHE
FUNKTION E. ÜBERLIEFERUNGSGESCHICHTE
F. REZEPTION

A. BIOGRAPHIE
Wichtigste Zeugnisse zur Biographie (zit. nach TrGF
III) sind die Vita, das Marmor Parium und die Suda (s. v.
Αἰσχύλος, αι 357 ADLER): Geb. 525/4 v. Chr. in Eleusis
(T 1,1; 8; 98,3), Sohn eines Euphorion (T 1,1 f.; 2,1;
162,1), aus dem Adelsgeschlecht der Eupatriden. An den
Perserkriegen nahm er 490 bei Marathon (T 16) und 480
bei Salamis (T 14) teil. Auf Einladung des Tyrannen
→ Hieron inszenierte er die 472 aufgeführten *Persai*
nochmals in Syrakus (T 1,68 f.; 56). Bei diesem Aufenthalt (wohl kaum schon 476/5) wurden auch die *Aitnaiai*,
ein für die von Hieron gegr. Stadt Aitnai (476/5) ver-
faßtes Festspiel, aufgeführt. Bei einem weiteren Sizi-
lienaufenthalt starb A. 456/5 in Gela (T 3; 4; 162). Nach
seinem Tod wurde durch Volksbeschluß seinen Stücken
das Wiederaufführungsrecht eingeräumt (T 1,48 f.).
Zwei Söhne des A. wurden Tragiker: → Euphorion und
→ Euaion, ebenso der Sohn seiner Schwester, → Philokles.
Am trag. Agon der Dionysien debütierte A. wahrscheinlich schon 499 (T 2,4; 52). Seinen ersten Sieg errang er erst 484 (T 54a), belegte danach aber zwölfmal
den ersten Platz im Agon (T 1,51 f., vgl. T 55 (*Persae*:
472); T 58 (*Septem adversus Thebas*: 467); T 70 (*Supplices*:
vermutlich 463); T 65 (*Orestie*: 458). 468 unterlag er dem
jungen Sophokles. Die in der Ant. dem A. zugeschriebene Zahl von Stücken schwankt zwischen 70 und 90
(T 1,50; 2,6 f.; 162).
Die Bed. des A. in der Gesch. der Trag. besteht nach
Aristot. poet. 4,1449a darin, daß er den zweiten Schauspieler eingeführt, die Chorpartien reduziert und die

Rede zum wichtigsten Bestandteil gemacht habe (T 100, vgl. T 102). In der Ausstattung der Bühne und der Schauspieler scheint er Beeindruckendes bevorzugt zu haben (T 103). In der Choreographie gilt er als Erfinder verschiedener Tanzfiguren (σχήματα), die er selbst als Chorodidaskalos mit dem Chor einstudiert habe (Aristoph. fr. 696,1 PCG III²). Seine Inszenierungen hinterließen bleibenden Eindruck (vgl. Aristoph. Ran. 830 ff.), mag auch die Panik im Publikum, die die Erinyen in den ›Eumeniden‹ hervorgerufen haben sollen (T 66–69; 95), spätere Erfindung sein. In der sprachlichen Gestaltung werden die gewagten, teilweise dunklen Neologismen und kühnen Metaphern betont (Aristoph. Ran. 830 ff.). A. kann als der Schöpfer der themat. geschlossenen Trilogie bzw. Tetralogie gelten, die es ihm ermöglichte, das Schicksal von Generationen in einem übergreifenden Zusammenhang nachzuzeichnen (s.u. C).

B. WERKÜBERBLICK

1. ›PERSER‹ (PERS.)

Aufgeführt 472 zusammen mit den Trag. *Phineus, Glaukos Potnieus* und dem Satyrspiel *Prometheus Pyrkaieus* (T 55a), Chorege war der junge Perikles (T 55b), 1. Platz. Wie → Phrynichos (›Einnahme Milets‹: 492?; ›Phönizierinnen‹: 476) bringt A. die Gesch. der jüngsten Vergangenheit auf die Bühne: die Niederlage der Perser bei Salamis, die aus der Sicht der Unterlegenen gesehen wird. Die Trag. zerfällt in 4 Abschnitte: a) V. 1–248: Ohne Nachricht vom Schicksal des persischen Heeres baut der Chor in der Parodos (1–139) eine Stimmung von banger Erwartung auf, die durch einen Unheil verheißenden Traum Atossas verstärkt wird (176–199) und b) in dem Bericht des Boten über die persische Niederlage (302–330) ihre Bestätigung erhält. c) Zentrale Szene ist die Totenbeschwörung und Epiphanie des Königs Dareios (598 ff.), der eine theologische Deutung der Niederlage gibt: Zwar weist auch er wie zuvor der Bote (354), Atossa (472; 724) und der Chor (515) einem Daimon Schuld an der Niederlage zu (739 ff.). Verantwortlich ist jedoch Xerxes, der die den Persern von Gott gesetzten Grenzen, nur zu Lande Macht auszuüben, nicht beachtete (742 ff.). d) Der letzte Teil führt das Ausmaß der Niederlage vor Augen (908 ff.): Xerxes' Klagen (→ Kommos) und die Aufzählung der persischen Verluste rufen die stolzen Worte der Parodos in Erinnerung, in der der Chor die persische Größe pries, und zeigen um so deutlicher die Katastrophe, in die Persien durch seine Schuld stürzte.

2. ›SIEBEN GEGEN THEBEN‹ (SEPT.)

Aufgeführt 467 als 3. Stück der thebanischen Tetralogie zusammen mit den Trag. *Laios, Oidipus* und dem Satyrspiel *Sphinx* (T 58), 1. Platz. In der thebanischen Trilogie verfolgt A. das Schicksal des Labdakidenhauses über drei Generationen (Laios, Oidipus, Eteokles und Polyneikes). In *Sept.* wird das Schicksal der unter dem Fluch ihres Vaters stehenden Oidipus-Söhne Eteokles und Polyneikes, unter denen Streit über die Herrschaft in Theben entbrannt ist, auf die Bühne gebracht. a) Pro-

log (1–77) und Parodos (78–180) sind als kontrastierende Szenen angelegt: Während im Prolog Eteokles in besonnener Weise die Vorbereitung gegen den zu erwartenden Angriff trifft, betont die Parodos der thebanischen Frauen (Chor) die Greuel des Krieges. b) Den zentralen Teil bilden die sieben Redenpaare (375–676): In Rede und Gegenrede (Späher – Eteokles) werden die Angreifer beschrieben und die Verteidiger benannt. Wohl aus freiem Willen stellt Eteokles sich am siebten Tor seinem Bruder entgegen. Erst jetzt erkennt er den Sinn des Vaterfluches (653–655). d) Im Schlußteil (792 ff.) beklagt der Chor den Tod der Brüder. Die V. 1005–1078 sind eine Itp. des 4. Jh., die im Zusammenhang der Wiederaufführung alter Trag. unter dem Einfluß von Euripides' ›Phoenissen‹ in den Text gelangte.

3. ›DIE SCHUTZFLEHENDEN‹ (SUPPL.)

Durch POxy. 2256 (T 70) kann das Stück, das bis 1952 aufgrund der Dominanz des Chores als eine der ältesten Trag. des A. galt, in die Zeit zwischen 465 und 460 (wohl 463) datiert werden; 1. Platz vor Sophokles. Neuere Untersuchungen sehen in den *Supplices* entgegen der bisherigen *communis opinio*, nach der die Trag. die Trilogie einleitet, das 2. Stück (nach den *Aigyptioi*, vor den *Danaides* und dem Satyrspiel *Amymone*) [1]. a) Der Konflikt der Trilogie erwächst aus der Weigerung der 50 Töchter des Danaos, ihre Vettern, die 50 Söhne des Aigyptos, zu heiraten, und aus der Flucht der Danaiden und ihres Vaters nach Argos, ins Land ihrer Stammutter Io (Parodos, 1–175). b) Die zentrale Szene ist das Ringen um die Gewährung des Asyls in Argos (234–523, vgl. 176–233). Durch die Selbstmorddrohung der Danaiden gedrängt, gerät König Pelasgos in eine tragische Entscheidungssituation (379 f., 407–417): Krieg mit den Aigyptossöhnen droht bei Gewährung des Asyls, eine Ablehnung dagegen bedeutet die Verletzung der rel. Pflicht. Er gewährt das Asyl und will sich die Entscheidung durch die argivische Volksversammlung bestätigen lassen (516–523). c) Die 2. Hälfte der Trag. führt wie in den *Pers.* und *Sept.* die Reaktion auf die zentrale Szene vor: die Freude der Danaiden (600 ff.), die Ankunft der Aigyptos-Söhne (710 ff.) und die Abwehr der Gefahr durch Pelasgos (911 ff.).

4. ›ORESTIE‹

Einzige erh. Trilogie (*Agamemnon, Choephoroi, Eumenides*; das Satyrspiel *Proteus* ist verloren), aufgeführt 458, 1. Platz.

4.1 ›AGAMEMNON‹ (AG.)

a) 1–781: Der 1. Teil ist geprägt von der Spannung zwischen Bühnenhandlung, Vorgesch. und Zukunft. Nach dem kurzen Prolog (1–39: Feuerzeichen melden den gr. Sieg) unterzieht in der Parodos (40–257) der Chor die Vorgesch. des troianischen Kriegs einer theologischen Deutung: Zeus' Herrschaft wird als Erziehung der Menschen nach dem Prinzip πάθει μάθος erklärt. Durch das ihm widerfahrende Leid kann der Mensch zur Einsicht in sein Handeln und die göttl. Weltordnung gelangen (176–183). Iphigenies Opferung in Aulis zeigt die tragische Situation Agamemnons, der, wie er sich auch entscheidet, Schuld auf sich lädt (206-217). Klytaimestra bereitet der Ungewißheit des Chores mit der Meldung vom Fall Troias ein Ende (281-316), die von einem Boten bestätigt wird (555 ff.). b) Nach seiner aus verschiedenen Perspektiven vorbereiteten Heimkehr läßt Agamemnon sich von Klytaimestra dazu bewegen (877 ff.), auf einem Purpurteppich in den Palast und damit in den Tod zu gehen (914 ff.; 1343; 1345: Todesschreie). Die troianische Seherin Kassandra sieht in einem lyrischen, in der Vision vorweggenommenen Botenbericht nicht nur ihren eigenen Tod, sondern auch die Blutschuld, die auf den Atriden lastet (1072 ff.). c) Die Leichen hinter sich (auf dem → Ekkyklema), bekennt sich Klytaimestra ohne Reue zu ihrer Tat (1372 ff.).

4.2 ›CHOEPHOREN‹ (CHOEPH.)

a) Der 1. Teil (1-305) hat die → Anagnorisis (212 ff.) von Orest und Elektra zum Inhalt. b) Den Mittelteil bildet ein → Amoibaion von Orestes, Elektra und dem Chor (306-478), das der emotionalen Vorbereitung des Muttermordes dient, während in den Sprechversen 479 ff. die Rache rational geplant wird. c) V. 560-1076: Incognito, als durchreisender Fremder, meldet Orestes seinen eigenen Tod (→ Intrige). Als er nach Aigisthos' Ermordung (869) seiner Mutter gegenübersteht und zaudert, erinnert ihn Pylades, der nur an dieser Stelle sein Schweigen bricht (900-903), an Apollons Auftrag, den Vater zu rächen. d) Der Schlußteil zeigt die Folgen des Muttermordes (973 ff.): Gepeinigt von den Rachegeistern stürzt Orestes davon.

4.3 ›EUMENIDEN‹ (EUM.)

a) V. 1-234 in Delphi: Apollon befiehlt Orestes sich unter Hermes' Schutz nach Athen zu begeben, um dort durch einen Richterspruch Erlösung zu finden. Die Erinnyen (Chor) nehmen die Verfolgung auf (μετάστασις χοροῦ). b) Ortswechsel: Athen (235-777): Athena setzt ein Geschworenengericht athenischer Bürger unter ihrem Vorsitz ein (480 ff.; → Areopag). Von den Erinnyen (→ Erinys) angeklagt, die in einer → Epiparodos wieder eingezogen sind (254 ff.), und von Apollon verteidigt, wird Orestes mit Stimmengleichheit freigesprochen, wobei die entscheidende, Gleichheit herstellende Stimme von Athena kommt (711 ff.). d) V. 778-1047: Athena beschwichtigt die Erinnyen und bewegt sie dazu, als Eumeniden in der neuen Ordnung eine wohltuende Funktion zu übernehmen.

5. ›DER GEFESSELTE PROMETHEUS‹ (PROM.)

Die Urheberschaft von A. ist umstritten. Metr., stilistische, aufführungstechnische und inhaltliche Erwägungen machen es aber unwahrscheinlich, daß A. der Autor ist [2; 3]. a) V. 1-125: Auf Zeus' Befehl wird Prometheus von Hephaistos, Kratos und Bia an den Kaukasos geschmiedet. b) Die weitere Struktur ist bestimmt durch das Auf- und Abtreten von Personen, die sich mit Prometheus unterhalten: Im Dialog mit den Okeaniden (Chor, Parodos 126 ff.) und Okeanos (298 ff.) streicht Prometheus seine Leistungen als Kulturbringer heraus. c) Mit der in eine Kuh verwandelten Io erscheint ein

weiteres Opfer des Zeus (561 ff.), der Prometheus ihr weiteres Schicksal voraussagt (700 ff.). d) An den Chor gewandt, prophezeit er das Ende von Zeus' Herrschaft (907 ff.). Da Hermes nichts Näheres von ihm erfahren kann, läßt Zeus den Titanen samt dem Chor in einem Aufruhr der Elemente versinken (1080-1093).

6. FRAGMENTE

Zusätzlich zu den hsl. überlieferten Trag. sind 451 Frg. (teils auf Papyri) erh. (TrGF III). Von A.' Satyrspielen, die im Alt. als die bedeutendsten Stücke der Gattung überhaupt galten (Paus. 2,13,6; Diog. Laert. 2,133) [4], läßt sich von den *Theoroi* oder *Isthmiastai*, in denen Satyrn als wenig konkurrenzfähige Teilnehmer an den Isthmischen Spielen antreten (fr. 78-82), und den *Diktyoulkoi*, dem Satyrspiel einer Perseus-Tetralogie, in dem Danae in einem Kasten mit Hilfe der Satyrn von Fischern an Land gezogen wird und sich der Annäherungsversuche Silens erwehren muß (fr. 46-47), ein grober Eindruck gewinnen.

C. DRAMATURGIE UND THEOLOGIE

Die theologische Deutung menschlichen Lebens und Handelns durchzieht alle Stücke des A. Die Protagonisten handeln auf der einen Seite unter einem äußeren Zwang (Geschlechterfluch, Daimon). So ist durch einen Orakelspruch der Untergang der persischen Macht vorausgesagt (Pers. 739 ff.), Eteokles und Polyneikes stehen unter Oidipus' Fluch (Sept. 739 ff.), auf Agamemnon liegt die Schuld seines Vaters Atreus (Ag. 1178 ff.).

Andererseits lädt der Mensch auch selbst Schuld auf sich: Durch sein verblendetes Handeln (ἄτη) verletzt er die den Menschen von den Göttern gesetzten Grenzen (ὕβρις). Dareios spricht aus göttl. Warte diese theologische Interpretation menschlichen Handelns aus: ›Denn ist einer selbst zu eifrig, trägt ein Gott zum Fall noch bei‹ (Pers. 742). Er bestreitet nicht die Einwirkung eines Daimons; doch die Schuld, daß das Unglück so schnell über Persien hereinbrach, liegt allein bei Xerxes, der aus Ehrgeiz, es dem Vater gleichzutun, Persien ins Unglück stürzte (vgl. schon 101 ff.). Dieselbe Konstellation liegt in *Sept.* und *Ag.* vor: Zwar stehen Eteokles und Agamemnon unter dem Fluch ihres Geschlechtes, doch beide treiben durch ihr Handeln den Gang des Schicksals voran: Eteokles, indem er sich wohl aus freien Stücken zum Bruderkampf entscheidet (Sept. 653 ff.), Agamemnon, der sich aus einem inneren Impuls heraus zur Opferung seiner Tochter durchringt (Ag. 215 ff.). Im Zeus-Hymnos (Ag. 176 ff.) gibt der Chor die theologische Erklärung mit dem Satz des πάθει μάθος, deutet also menschliches Leid als Erziehung zur vernünftigen Einsicht (σωφροσύνη). Vor diesem theologischen Hintergrund wird auch der enge Zusammenhang von Theologie und Dramaturgie deutlich: Die von A. entwickelte Form der inhaltlich geschlossenen Tetralogie (s.o. A) bietet das geeignete Medium, um die theologische Konzeption der Verkettung von Ate, Hybris und Dike über mehrere Generationen hinweg zu entfalten.

D. Politische Funktion

Die Abschiedsworte, die Pluton in Aristoph. Ran. 1500–1514 A. mit auf den Weg gibt, die Stadt mit gutem Rat zu retten, unterstreicht die Bed., die man in der Krise der Polis im J. 405 A. beimaß. A. wurde zum Symbol für eine Zeit, in der die junge Demokratie sich gegen den persischen Angriff siegreich verteidigte und noch Konsens zwischen den polit. Kräften herrschte [5]. Diese ausgleichende Tendenz im Sinne der πάτριος πολιτεία (vgl. Aristoph. ran. 674 ff.) ist vor allem in den *Eumenides* deutlich erkennbar: Indem Athena den Areopag einsetzt und ihm genau den Aufgabenbereich zuweist, der ihm nach Ephialtes' Reformen (462) noch blieb (Blutgerichtsbarkeit), verlagert A. die polit. Entscheidung, der er auf der Bühne eine göttl. Legitimation gibt, in eine mythische Vergangenheit und entzieht sie dadurch dem Disput der Gegenwart. Gleichzeitig verleiht er dem Areopag als Kompensation des verlorenen Einflusses eine aus dem polit. Alltagsgeschäft herausgehobene Ehrenstellung.

E. Überlieferungsgeschichte

Die Beliebtheit des A., die seinen Stücken schon 456 v. Chr. das Wiederaufführungsrecht verschaffte, brachte es mit sich, daß vor der Herstellung des athenischen Staatsexemplars der Tragiker unter → Lykurgos (um 330) Schauspielerinterpolationen in die Texte gelangten (vgl. Sept. 1005 ff.) [6]. Von den alexandrinischen Philologen machte sich → Aristophanes [4] von Byzanz um A. verdient. Wann es zur Reduzierung auf die erh. »Heptas« gekommen ist, läßt sich mit Sicherheit nicht feststellen (wohl erst nach 200 n. Chr.). Die älteste von den über 100 A.-Hss. ist der Mediceus (Laurentianus) 32, 9 (M), entstanden um 1000 in Konstantinopel, 1423 von G. Aurispa nach Florenz gebracht, mit einer Vielzahl von Textvarianten, Interlinear- und Marginalscholien. WEST vertritt in seiner Ausgabe (XVII–XIX) die These, daß alle Hss. von einem einzigen byz. Expl. abstammten, das im 9/10. Jh. im Zuge der Umschrift der Codices in die Minuskelschrift hergestellt worden sei. Auf die byz. Philologen des 13./14. Jh. geht die byz. Trias zurück (*Prom.*, *Septem adversus Thebas*, *Persae*), die von Demetrios Triklinios (1280–1340) um *Ag.* und *Eum.* erweitert wurde (Neapolitanus II F 31, von ihm selbst geschrieben). Die Ausgaben dieser Gelehrten bestimmten wesentlich die Gestaltung der ersten Drucke des 16. Jh. (ed. princeps F. ASULANUS, Venezia 1518) [7].

F. Rezeption

Wenn in Aristophanes' *Ranae* A. und Euripides zum trag. Agon in der Unterwelt gegeneinander antreten, ist dies eine dramatische Umsetzung der produktiven Auseinandersetzung der jüngeren mit den älteren, die Gattung prägenden Tragiker. A., der aufgrund des Wiederaufführungsrechts im 5. Jh. auf der Bühne ständig als Herausforderung der jüngeren präsent war, gab die Deutung der Mythen vor, mit der sich die folgenden Dichter in einem gleichsam zeitlosen Agon auseinanderzusetzen hatten (vgl. die Synkrisis der Philoktet-Bearbeitungen der 3 Tragödien bei Dion. Chrys. 52).

Die Wertschätzung des A. änderte sich im 4. Jh.: Nun galt Euripides als der Tragiker par excellence (Aristot. poet. 13,1453a 29–38), der nach der Einführung des Agons alter Trag. (386) die Bühne und die dramatische, komische wie tragische Dichtung beherrschte und mit Senecas Trag. als Bindeglied die frz. Trag. des 17. Jh. beeinflußte. Eine aktive Auseinandersetzung der Dramatiker mit A. setzte wieder im 19. Jh. ein. Die Form der Trilogie bzw. Tetralogie wurde als dramaturgische Herausforderung erkannt: Ch. Leconte des Lisles' *Les Erinnyes* (1837) und Alex. Dumas' *Orestie* (1865) sind erste Versuche, die Atriden-Trag. insgesamt zu dramatisieren. Zu Beginn des 20. Jh. fand A. im Zusammenhang mit einer antinaturalistischen Grundstimmung, der Bewunderung eines »großen Theaters« und der Idee des Gesamtkunstwerks, der Verbindung von Wort, Gesang, Musik, Tanz und Bühnenausstattung im Sinne R. Wagners, seinen Weg wieder zurück auf die Bühne (Inszenierung der Orestie am 24.11.1900 im Theater des Westens, Berlin, in der Übers. von U. v. Wilamowitz-Moellendorff). Wagnerianisch war auch die Aufführung des *Agamemnon* 1914 in Siracusa (Übers. und Regie: E. Romagnoli, Reprise 1994). E. O'Neills *Mourning Becomes Electra* (Uraufführung New York, 26.10.1931) verweist schon im Untertitel (A Trilogy) auf A. als Vorbild: Der Geschlechterfluch, der bei A. auf den Atriden lastet, wird von O'Neill psychologisch umgedeutet. Im Gegensatz zu A. fehlen die Elemente des πάθει μάθος und der χάρις, so daß eine Entsühnung der Schuldigen wie in den *Eumenides* nicht möglich ist. Der Einfluß von A.' Dramaturgie auf O'Neill ist in der symbolischen Deutung des Bühnenraums unübersehbar (s.o. C): Das Herrenhaus mit seinen vernagelten Fenstern wird bei O'Neill zum szenischen Symbol für Lavinias Gefangenschaft in sich selbst und ihren Erinnerungen. Eine Auseinandersetzung mit A.' Theologie und Theodizee findet auch in G. Hauptmanns Atriden-Tetralogie statt (1941–1948): Der Mensch ist ein ohnmächtiges Werkzeug in der Hand einer allmächtigen, undurchschaubaren Gottheit. Wie bei O'Neill fehlt auch bei Hauptmann das Element des πάθει μάθος und der χάρις. Kassandras Gestalt steht im Mittelpunkt von Christa Wolfs gleichnamiger Erzählung (1983): In einem von Assoziationen, Erinnerungen und Vorausblicken geprägten inneren Monolog deutet die Seherin angesichts des nahen Todes ihr Schicksal als Frau, die sich von ihren sozialen und emotionalen Bindungen befreien konnte, indem sie, ohne Gehör zu finden, aussprach, was sie dachte und als Folgen des Krieges kommen sah. Auf der Bühne der Gegenwart ist A. durch P. Steins Inszenierung der Orestie (Berliner Schaubühne, Premiere 18.10.1980) einem größeren Publikum bekannt geworden. Stein versucht, das modernisierende Regietheater der 70er J. hinter sich lassend, dem Zuschauer mit den Mitteln eines modernen Theaters eine griech. Tragödie in ihrer Aktualität und Alterität erfahrbar zu machen (dies allein schon durch das zeitliche Erlebnis der über 9 Stunden dauernden Aufführung) [8].

1 M. Sicherl, Die Tragik der Danaiden, in: MH 43, 1986, 81–110 · W. Rösler, Der Schluß der Hiketiden und die Danaiden-Trilogie, in: RhM 136, 1993, 1–22 · A. H. Sommerstein, The Beginning and the End of Aeschylus' Danaid-Trilogy, in: Drama. Beiträge zum ant. Drama und seiner Rezeption Bd. 3, 1995, 111–134 2 R. Bees, Zur Datier. des Prometheus Desmotes, 1993 3 M. Griffith, The Authenticity of 'Prometheus Bound', 1977; B. Marzullo, I sofismi di Prometeo, 1993 4 I. Gallo, Ricerche sul teatro Greco, 1992, 43–94 5 B. Zimmermann, Gattungsmischung, Manierismus, Archaismus, in: Lexis 3, 1989, 33–36 6 D. L. Page, Actors Interpolations in Greek Tragedy, 1934 7 H. Erbse, Überlieferungsgesch. der griech. klass. und hell. Lit., in: H. Hunger, O. Stegmüller, u. a., Die Textüberlieferung der ant. Lit. und der Bibel, 1975, 207–283 8 H. Flashar, Inszenierung der Ant., 1991, 260–265.

ED./FRG.: D. L. Page, 1972 (OCT) · M. L. West, 1990 (BT) · TrGF III, 1985.
KOMM.: Ag.: J. Bollack, 1981 ff. · J. D. Denniston, D. L. Page, 1957 · E. Fraenkel, 3 Bde., 1950 · Choeph.: A. F. Garvie, 1986 · Eum.: A. J. Podlecki, 1989 · A. H. Sommerstein, 1989 · Suppl.: H. Friis Johansen / E. W. Whittle, 1980 · Pers.: H. D. Broadhead, 1960 · L. Belloni, 1988 · Prom.: M. Griffith, 1983 · Sept.: G. O. Hutchinson, 1983.
LIT.: V. Citti, Eschilo e la lexis tragica, 1994 · H. Görgemanns, A. Die Tragödien, in: G. A. Seeck (Hrsg.), Das griech. Drama, 1979, 13–50 · H. Hommel (Hrsg.), A., 2 Bde. (Wege der Forsch.), 1974 · C. W. Macleod, Politics in the Oresteia, in: JHS 102, 1982, 122–144 · M. H. McCall (Hrsg.), Aeschylus. A Collection of Critical Essays, 1972 · J. Latacz, Einführung in die griech. Tragödie, 1993, 86–160 · A. Lesky, Die trag. Dichtung der Hellenen, ³1972, 65–168 · K. Reinhardt, A. als Regisseur und Theologe, 1949 · O. Taplin, The Stagecraft of Aeschylus, 1977 · W. C. Scott, Musical Design in Aeschylean Theatre, 1984 · R. P. Winnington-Ingram, Studies in Aeschylus, 1983 · B. Zimmermann, Die griech. Tragödie, ²1992, 32–62.   B. Z.

[2, aus Alexandreia], vermutlich 2. H. 1. Jh. v. Chr.; nach Athen. 13, 599e (TrGF I 179) Verf. einer Trag. *Amphitryon* und von Μεσσηνιακὰ ἔπη.   B. Z.

[3, aus Knidos] Rhetor des 1. Jh. v. Chr. aus Knidos, wohl etwas älter als Cicero und → Aischines [3] von Milet. Wie letzterer war er Vertreter einer asianischen Stilrichtung, die bes. durch die *lectio,* also durch gesuchte Wortwahl, zu beeindrucken suchte (Cic. Brut. 325). Cicero nennt ihn unter denjenigen Rhetoren, mit denen er bei seinem Aufenthalt in Athen (78 v. Chr.) den intensivsten Kontakt hatte: Mit → Xenokles galt er als führender Asianist (Brut. 316).
→ Asianismus   M. W.

Aisepos (Αἴσηπος). Fluß in → Mysia, h. Gönen Çay, entspringt auf dem Kotylos im → Ida-Gebirge (Strab. 13,1,43). Er wird schon von Homer erwähnt (Il. 2,825; 4,91; 12; 21). Auf seinem Lauf nach Nordosten nimmt er den Karesos auf. Nach 500 Stadien ergießt er sich bei der Insel Halone (h. Pasalimani) in die → Propontis (Strab. 13,1,11). Sein Tal bildete schon zu Homers Zei-

ten die östl. Grenze der → Troas (Strab. 13,1,9) und war im Mittellauf dicht besiedelt (Strab. 13,1,45).

W. Leaf, Strabo on the Troad, 1923.   E. SCH.

Aison (Αἴσων). **[1]** Sohn des Kretheus und der Tyros (Skarphes: schol. D Hom. Il. 532), Gatte Polymelas oder Alkimedes, Vater Iasons (Hom. Od. 11,258; Hes. theog. 992; fr. 38–40 M-W; Pherekyd. FGrH F 104; Apollod. 1,107), Sohn des Promachos (Apollod. 1, 143; Diod. 4,50,2). Eponym der Stadt Aison (Pherekyd. FGrH F 103; Pind. fr. 273; Apoll. Rhod. 1,411 mit schol.), wohnt aber stets in Iolkos, dessen rechtmäßiger Herrscher sein älterer Halbbruder Pelias ist (Hom. Od. 11,254; Hes. fr. 37; Apollod. 1,107). Nur bei Pindar (P. 4,152) hat A. Thronansprüche; er wird von Medeia verjüngt (Nost. fr. 6 EpGF; Ov. met. 7,162). Selbstmord durch Stierblut (Apollod. 1,143; Diod. 4,50,2; Val. Fl. 1,815 ff.).
→ Alkimede; Argonautai; Iason; Kretheus; Medeia; Pelias; Tyro

P. Dräger, Argo pasimelousa I 1993, 35 ff.; 105 ff. · Ders., Αἴσων und Αἰσών, in: RhM 137, 1994, 197–209.   P. D.

[2] Att. rf. Vasenmaler, um 435–415 v. Chr. tätig. Die rund 60 überlieferten Gefäße stammen aus verschiedenen Werkstätten. A. beginnt mit Ephebenbildern in der Schalenwerkstatt des → Kodros-M., signiert aber seine Madrider Prachtschale mit Theseuszyklen in einer Folgewerkstatt des → Penthesilea-M., wo Aristophanes sein Nachfolger wird. Für die Mehrzahl der geschlossenen Gefäße hingegen schließt er sich mit dem → Schuvalow- und dem → Eretria-M. zusammen, die der polygnotischen Tradition verpflichtet sind (so das zweite Paradestück, die Bauchlekythos im NM Neapel, die eine Amazonenschlacht nach Art des Parthenonschildes trägt). Zwei Lekythenbilder (Paris, Louvre u. Athen, AM) belegen A.s thematische Hinwendung zu Adonis und seinem Kult; stilistisch berührt er sich hier bereits den Reichen Stil, den der → Meidias-M. als ein später Schüler weiterführt. Im Frühwerk des A. verwischen sich die Grenzen zum Kodros-M., im Spätwerk zum Meidias-M., was sich bes. auf → Choenkannen (Ferrara, Mus.; Athen, Kerameikos-Mus.) mit dionysischen Bildern zeigt. Die schwankende Qualität seines Œuvres mag Folge eines unsteten Werkstattwechsels gewesen sein; es deshalb heute zum Großteil zu verwerfen, würde dem A. jedoch nicht gerecht.

Daten: Beazley-Archiv · Beazley, ARV², 1174–1178 · Beazley, Paralipomena, 460 · Beazley, Addenda², 339 f. · U. Knigge, Aison, der Meidias-Maler?, in: MDAI(A) 90, 1975, 123–143 · A. Lezzi-Hafter, Der Eretria-Maler, 1988, passim · R. Olmos, Coloquio sobre Teseo y la copa de Aison, in: R. Olmos (Hrsg.), Anejos de Archivo Español de Arqueología 12, 1992.   A. L.-H.

[3] Die vom Namen A. des Vaters → Iasons abgeleitete Bezeichnung Αἰσώνια πόλις (Apoll. Rhod. 1,411) ließ Steph. Byz. s. v. A. auf eine Stadt dieses Namens in der

Nähe von Iolkos schließen, die von der älteren Forsch.
bei den frühbrz. Siedlungsplätzen Dimini oder Sesklo
vermutet wurde, aber wohl nie existiert hat.

S. C. BAKHUIZEN, Neleia, a Contribution to a Debate, in:
Orbis Terrarum 2, 1996, im Druck • F. STÄHLIN, Das
hellenische Thessalien, 1924, 62, 64.   HE. KR.

[4] Küstenfluß, der wie der Leukos (Λεῦκος) zw.
→ Dion und → Pydna durch die Ebene von Katerini am
Ort der Schlacht vom 22. Juni 168 v. Chr. vorbei ins
Meer fließt (Plut. Aemilius Paullus 16).

N. G. L. HAMMOND, The battle of Pydna, in: JRS 104, 1984,
31–47.   MA. ER.

Aisop-Roman Der A.-R., der im cod. G (11. Jh.
n. Chr.) den Titel ›Buch des Philosophen Xanthos und
seines Sklaven Aisopos‹ trägt, ist uns in zwei vorbyz.
Rezensionen G und W überliefert sowie in einer byz.
Rezension Pl (herausgegeben von Maximos Planudes).
Die fünf erh. Papyri aus der Zeit zwischen dem 2. und
dem 7. Jh. n. Chr. bestätigen, daß der A.-R. tatsächlich
obszöne Episoden enthielt, die in G, Pl und einigen
Kodizes der Gruppe W einer Zensur anheimgefallen
waren, und sie zeigen die flüssige Gestaltung der einzelnen Fassungen, indem sie einmal mit G und dann mit
W übereinstimmen. In den ältesten Papyri und in W
fehlt die Verbindung von Aisopos mit den Musen, die
verschiedene Abschnitte in G und in dem Papyrus des 7.
Jh. n. Chr. kennzeichnet [9. 10–11]. Von der Feindselig-
keit Apollons gegenüber Aisopos (nur in G) findet sich
im 4. Jh. n. Chr. noch keine Spur (vgl. Himerios, or.
46,4 COLONNA; Liban. apol. Socr. 181, vol. V 119,1
FOERSTER). Es ist daher wahrscheinlich, daß W den
urspr. Inhalten nähersteht und nicht als Epitome anzusehen ist [2. 80]. Daß die in G vorliegende gemeinsame
Überlieferung des A.-R. mit der *Collectio Augustana*
(→ Fabel) auf ein Volksbuch der frühen Kaiserzeit zurückgeht [8. 163–73], ist nicht mit Sicherheit erwiesen:
Gal. de meth. med. 2,5 (X 111 KÜHN) und Amm.
30,4,21 bezeugen für die Kaiserzeit die Koppelung des
A.-R. mit dem → Philogelos, in dem, wie im A.-R., die
scholastikoí aufs Korn genommen wurden. Der Titel des
A.-R. in G zeigt, daß er nicht als eine einleitende Biographie der Fabelsammlung angesehen wurde, außerdem enthält die darauf folgende *Collectio Augustana* einige Fabeln, die schon im A.-R. erzählt werden, was darauf schließen läßt, daß die beiden Werke nicht als ein
einheitlicher Block aufgefaßt wurden. Die Gewohnheit, den A.-R. mit der Sammlung aisopischer Fabeln
zusammenzufassen, die nicht vor dem 11. Jh. n. Chr. (G)
belegt ist, wird dann ein regelmäßiges Kennzeichen der
byz. Ausgaben [7]. Die Struktur des A.-R. ist kompakt
und einheitlich [2. 87–91], und die Einfügung der
›Gesch. von → Ahiqar‹, wohlbekannt bei Philosophen
von Demokrit bis Theophrast [5], spielt in ihr eine entscheidende Rolle. Hinter dem A.-R. steht die bewußte
Mühe gelehrter Forsch., als deren Folge einige auf alte

Zeit zurückgehende Einzelheiten der aisopischen Biographie wiedergewonnen werden, wenn auch unter
Hinzufügung romanhafter Elemente (Kap. 88–100: Aisopos, die Samier und Kroisos; Kap. 124–142: Aisopos
in Delphi). Diese Arbeit weist auf kulturelle Verhaltensmuster der hell. und vorhell. Zeit zurück, die noch einer
systematischen Untersuchung harren; vgl. indes bereits
[3] und [4]. Der A.-R. ist als Text der Gebrauch-Lit.
fortlaufender sprachlicher Anpassung unterzogen worden. Heute liegen uns zwei Fassungen der späten Kaiserzeit vor, aber der A.-R. hat sehr viel ältere Wurzeln;
von Zeit und Ort her ist sein Ursprung dort anzusiedeln,
wo die ›Gesch. von Ahiqar‹ ebensosehr ein gebräuchlicher Text war wie die aisopischen Werke [6].

1 A. BESCHORNER, N. HOLZBERG, A Bibliography of the
Aisop Romance, in: N. HOLZBERG (Hrsg.), Der
Aesop-Roman, 1992, 165–187 2 N. HOLZBERG, Die ant.
Fabel, 1993, 80–93 3 S. JEDRKIEWICZ, Sapere e paradosso
nell'antichità, 1989, 108–215 4 A. LA PENNA, Il romanzo di
Esopo, in: Athenaeum N. S. 40, 1962, 264–314
5 M. J. LUZZATTO, Greci e Vicino Oriente: tracce della
»Storia di Ahiqar‹«, in: QS 36, 1992, 5–84 6 M. J. LUZZATTO,
Esopo, in: S. SETTIS (Hrsg.), I Greci, I 2, 1995, 980–998
7 P. MARC, Die Überlieferung des Äsopromans, in: ByzZ
19, 1910, 383–421 8 B. E. PERRY, Studies in the Text History
of the Life and Fables of Aesop, 1936 9 B. E. PERRY (Hrsg.),
Aesopica I, 1952, 1–208.   M. J. L. / A. WI.

Aisopos A. LEBEN B. WERK C. NACHLEBEN

A. LEBEN
A. gilt bereits in der Ant. als der wichtigste Vertreter
des lit. Genos der Fabel bei den Griechen (→ Fabel; vgl.
Phaedr. prol. 3,52; Babr. prol. 2,1–5; Theon. progymn.
p. 73,14–20 SPENGEL) und kann in gewissem Ausmaß als
histor. Persönlichkeit angesehen werden, wenn man
sich auf spätestens aus alexandrinischer Zeit stammende
Quellen und auf die zuverlässigsten chronographischen
Sammlungen stützt. A. ist danach in Thrakien an der
Westküste des Schwarzen Meeres geboren, wo später
die wichtige Stadt Mesambria entstehen sollte (Euagon.
FGrHist 535 F4 = Aes. T6; Aristot. fr. 573 ROSE), und
starb in Delphi Ol. 54/1 (im Jahre 564/3 v. Chr., vgl.
Eus. Chron. arm. 2 p. 94 SCHOENE; Chron. Rom.
FGrHist 252 B5), wie auch Aristot. fr. 611,33 R. und
Heracl. Lemb. fr. 33D. bestätigen. Er trägt im übrigen
einen Namen, der gerade im 6. Jh. v. Chr. bei den Griechen im Bereich des Schwarzen Meeres eindeutig belegt
ist (SIG I³, Nr. 2). Den histor. und gelehrten Quellen
stehen späte lit. Quellen wie der → Aisop-Roman (GW
1), der Fabeldichter → Phaedrus (prol. 3,52) und zahlreiche rhetor. und sophistische Texte der Kaiserzeit
(Aes. T4) gegenüber, die A. als aus Phrygien gebürtig
bezeichnen [3. 439, Anm. 57]. Histor. und gelehrte
Quellen aus der Zeit vor dem 3. Jh. v. Chr. überliefern
zwei weitere biographische Einzelheiten: (1) A. sei Sklave in Samos gewesen und habe zunächst einem Manne
namens Xanthos / Xanthes gehört (Aristot. fr. 573 R.

aus der constit. Sam.), dann einem anderen namens Iadmon, Sohn des Hephaistopolis (Hdt. 2,134,3; Aristot. l.c.). (2) A. sei von der Stadt Delphi zum Tode verurteilt und vom Felsen Hyampeia gestürzt worden. Die Angelegenheit habe ein langes gerichtliches Nachspiel gehabt, das erst einige Jahrzehnte nach 564/3 mit der Zahlung einer Entschädigung durch die Stadt Delphi an einen Nachkommen des Iadmon auf ausdrückliche Anordnung des Orakels ein Ende gefunden habe (Hdt. 2,134,3; Aristot. fr.487 R. aus der constit. Delph.). Aristoph. Vesp. 1446–1448, eine Quelle des 5.Jh. v.Chr., berichtet, A. sei wegen → *hierosylía* angeklagt worden (vgl. Schol. vet. z. St.), eine Form der Anklage, die gerade für Delphi aus frühester Zeit histor. belegt ist (Aristot. pol. 1304a; Heracl. Lemb. fr.52 D.). Eine in die Einzelheiten gehende Version des Geschehens in Delphi, das im 5.Jh. v.Chr. sehr verbreitet bekannt war (neben Aristophanes vgl. auch Socr. in Plat. Phaedr. 60d–61b, dazu [3. 444]), findet sich in der fragmentarischen Vita des A. des POxy. 1800 (2.Jh. n.Chr., vgl. Aes. T 25) und bei Plut. de ser. num. vind. 556f. Aus Kall. fr. 192,15–16 und Plut. l.c. wissen wir, daß A. aus Sardes nach Delphi gekommen war, als er von Kroisos, dem König von Lydien, für den er auch bei Periandros von Korinth gewesen war (Plut. sept. sap. 150a), mit einer diplomatischen Mission betraut worden war. Neuere Forschungen [3. 433–35; 10. 414] haben diese Angaben und das Todesjahr des A. als miteinander vereinbar erwiesen. Sehr alt ist die Nachricht von einem Zusammentreffen des A. mit Solon in Sardes (Alex. PCG fr. 9; Plut. Solon 28). Die berühmte Gnome des A. war bereits Xenophanes bekannt, (vgl. DIELS / KRANZ⁶ 21 A 1,19). Keine histor. oder gelehrte Quelle erklärt, wie A. mit Kroisos in Verbindung gekommen sei. POxy. 1800 ist gerade an dieser Stelle verstümmelt. Eine mögliche Antwort könnten die Kap. 94–100 des → Aisop-Romans bieten, deren histor. Hintergrund Hdt. 1,26–27 ist. Daß A. in Samos polit. tätig war, ist indes bereits bei Aristot. rhet. 1393b und fr. 573 R. belegt. Die schnelle große Bekanntheit des Weisen in Samos bereits im 6.Jh. v.Chr. scheint durch Aristot. fr. 573 R. belegt sowie durch Ibykos T A 11 (in PMGF I,1991) und den Gebrauch, den Anakr. fr. 437 und 449 PAGE vom Logos des Kuckuck macht [4. 285]. Die Zahl der überlieferten Einzelheiten macht es also schwer, von A. als nur von einer mythischen Persönlichkeit zu sprechen; letztere These wird vor allem von jenen vertreten, die der anthropologischen Interpretation von A. als einem delphischen *pharmakós* [14] anhängen [11. XLI; 13. 117].

In POxy. 1800 wird ein Heroon des A. aus dem 6. Jh. v.Chr. in Delphi erwähnt. Von einem Aisopeion des 6.Jh. v.Chr. in Samos erzählt der Aisop-Roman in einem der sehr alten Teile (GW 100). Ein Standbild des A. zusammen mit den Sieben Weisen hat Lysippos geschaffen (Anth. Pal. 16,332), ein anderes, das in der Ant. sehr berühmt war, Aristodemos (4. Jh. v.Chr., vgl. Tatian. ad Gr. 34); auf letzteres bezieht sich vielleicht Phaedr. 2 Epil. 2–4. Der alte Mann mit dem Fuchs auf

einer Kylix von ungefähr 480 v.Chr. [2. 443; 12. 72 Abb. 264] ist nicht unbedingt A. [5. 57–60]. Ein Pinax, auf dem ›A. und die Tiere‹ abgebildet sind, wird bei Philostr. imagines 1,3 beschrieben (vgl. Babr. prol. 1,8–11).

B. WERK

Die ältesten Quellen (Hdt. 2,134,3; Aristoph. Av. 651; Pax 129; Aristot. Rhet. 1393b) nennen die Werke des A. *lógoi* und ihren Verf. *logopoiós* (ebenso Hekataios von Milet, vgl. Hdt. 2,143,1; 5,36,2; 6,137,1); diese Terminologie erlaubt indes nicht von vornherein auszuschließen, daß es im Verlauf des 6. und 5.Jh. v.Chr. eine schriftliche Überlieferung aisopischer Werke gegeben hat. Aristoph. Av. 471 ist ein Beleg, daß im 5.Jh. v.Chr. in Athen ein *biblíon* im Umlauf war, als dessen Autor, zu Recht oder zu Unrecht, A. galt [9. 473; 14. 25]. Plat. Phaedr. 60d zeigt uns, daß der aisopische *lógos* in Prosa verfaßt war (Sokrates habe daraus Verse gemacht). Da der Tradition des *wisdom book* sowohl in Griechenland wie im Vorderen Orient autobiographische Elemente durchaus nicht fremd sind, ist es wahrscheinlich, daß das *biblíon* des 6.Jh. v.Chr. die verschiedenen *lógoi* nach Art des Hesiod einfügte (vgl. Hes. erg. 106 oder 202); bes. in den Teilen, die polit. Weisheiten verkündeten, zeigte es möglicherweise viele Gemeinsamkeiten mit dem »autobiographischen« *biblíon* des Weisen und Zeitgenossen des A., Solon von Athen [6. 996]. Zusammen mit der aisopischen schriftlichen Überlieferung war auch schriftliches oder mündliches biographisches Material im Umlauf, das zu dem ältesten im Bereich der Gesch. der gr. Biographie gehört [7. 32]. Das ion.-att. Symposion, bei dem man sich Anekdoten über A. erzählte (Aristoph. Vesp. 1259–60; 1403f. [5. 30]), ist vermutlich einer der Hauptstränge der mündlichen Überlieferung gewesen. Außerdem können das Heroon in Delphi und vielleicht das Aisopeion auf Samos bei der Verbreitung von biographisch-anekdotischen Nachrichten über den heroisierten Weisen eine Rolle gespielt haben (wie im Falle des Archilochos das Archilocheion von Paros [8. 301 u. 304]).

Nach Aristot. const. Sam. fr. 473 R. begann der Ruhm des A. mit den *lógoi*, die er an eine Stadt, nämlich Samos, richtete. Der aisopische *lógos*, von dem Aristot. rhet. 1393b berichtet, unterscheidet sich von einer bei Stesichoros erzählten ähnlichen Tierfabel, die sich ebenfalls an die Bürger einer Stadt wendet, durch den Umstand, daß die Fabel bei Stesichoros in den größeren Zusammenhang einer Rede eingebunden ist (so Aristot. rhet. 1393b), während die Fabel des A. für sich allein eine *dēmēgoría* darstellt. Die gr. lit. Tradition kannte bereits seit Hesiod die Tierfabel als *exemplum* oder *parádeigma*, das innerhalb einer längeren Erörterung zum Einsatz kommt; unbekannt war bei den Griechen hingegen der ungebundene rhetor. Wert der Fabel, wie er im Vorderen Orient auf polit.-diplomatischer Ebene zwischen dem 8.Jh. (vgl. VT 2 Kg 14,9) und dem 6.Jh. v.Chr. (Hdt. 1,141) hinreichend belegt ist. Den öffentlichen und polit. Einsatz der Fabel durch A. bezeugen folgende

Quellen: (1) Aristot. rhet. 1393b, in Samos (Fuchs, Stachelschwein und Zecken); (2) Kall. fr. 192 in Delphi (Urspr. der Stimme bei den Menschen); (3) Aristoph. Vesp. 1446f., Pax 126f., Lysistr. 695 und der Aisopos-Roman GW 134–139, in Delphi (Käfer, Adler und Zeus); (4) Socr. fr.1 IEG, in Korinth (Thema verloren [3. 444]). Von diesen ältesten lógoi hat nur (3) Eingang in die uns überlieferten Sammlungen des A. gefunden (CFA 3 I = Aes. F 3). Der archa. Tradition des A. gehören sicher die folgenden aisopische lógoi an, die durch ihren kosmogonischen Hintergrund, durch typische Elemente des Synkretismus der ion. Gelehrsamkeit des 6. Jh. v. Chr., durch Aitiologien und durch die Gegenwart vorolympischer wie olympischer Götter gekennzeichnet sind: (a) die erste Lerche und der Leichnam des Vaters (Aristoph. Av. 471–76), vgl. den ägypt. kosmogonischen Mythos vom Vogel *bnw* (ANET, p. 3; → Phoinix) und den lógos vom Vogel Phoinix bei Hekat. FGrH 1 F 324 [6. 987]; (b) Charybdis läßt das Land emporsteigen und das Meer sich zurückziehen (Aristot. meteor. 2,3,356b): die homer. Charybdis wird in einen kosmogonischen Zusammenhang gestellt und wird zum Ungeheuer des salzigen Meeres Tiamat (ANET, p. 72); in CFA 8 I = Aes. 8 ist dieser archa. lógos völlig entstellt; (c) Momos kritisiert Zeus, weil er den Stier nicht gut erschaffen habe, Prometheus wegen der schlechten Erschaffung des Menschen und Athena wegen der mangelhaften Behausung des Menschen (Aristot. part. an. 3,2,663b; CFA 100 I = Aes. F 100); die Kritik an Prometheus war bereits Gegenstand des sehr alten Skolions PMG 889 PAGE; (d) = (2) supra enthält eine Kritik an Zeus, der die Stimme von den Tieren auf die Menschen übertragen hat (Kall. fr. 192); A. erzählte die Fabel von Menschen, die wie Esel, Hunde oder Papageien sprechen, so wie Semonides, ein anderer Vertreter der ion.-samischen Kultur, über die Frauen gespottet hatte, die wie Füchse, Hündinnen oder Affen seien [6. 990]; (e) = (3) *supra* rächt der Käfer den Tod des Hasen, indem er die Eier des Adlers bis in den Schoß des Zeus verfolgt und zerstört; daß die Wahl auf das Symbol des Käfers fällt, der, von dem ägypt. Sonnenmythos inspiriert, als importiertes Gut in Form von Siegel und Amulett weiteste Verbreitung findet (→ Skarabäus), kann kaum ein Zufall sein in einem lógos, der im Heiligtum des Sonnengottes von Delphi erzählt wird [6. 988]; (f) Der Kukkuck, der sich in einen Sperber verwandelt (Anakr. fr. 437 PAGE; Plut. Aratos 30 [4. 281]); (g) die Fabel vom Fuchs, dem meineidigen Adler und Zeus (Aristoph. Av. 651; CFA 1 I = Aes. F 1) ist eine späte Version des sehr alten babylonischen Mythos von Etana [11. XXXIV], der sich bereits bei Archil. fr. 174–184 WEST findet. Die Tatsache, daß Aristophanes A. zit. und nicht Archilochos, bestätigt den verbreiteten Ruhm des biblíon im Athen des 5. Jh. v. Chr. (wurde es vielleicht in der Schule benutzt?). Die lógoi (a), (e) und (f) enthalten von altersher überlieferte Aitia und Erklärungen der natürlichen Welt: (a) erklärt, warum die Lerche eine Haube hat, (e) warum der Adler seine Eier legt, wenn die Käfer

nicht fliegen, (f) warum der Kuckuck und der Sperber nie gemeinsam auftauchen. Nur wenn man sich diese typischen Aspekte des archa. aisopischen lógos vor Augen führt (die in den uns überlieferten späten Sammlungen verschwunden sind), kann man die berühmte Äußerung des Sokrates verstehen, der zeigt, wie A. einen Mythos über das Verhalten von Lust und Schmerz hätte schaffen können (Plat. Phaidr. 60b): die Art des Eingreifens des Zeus ist dieselbe wie am Ende der Fabel (e) = (3) supra.

C. NACHLEBEN

Die erste Sammlung aisopischer Fabeln, von der wir Nachricht haben, ist die des Demetrios von Phaleron (→ Fabel). Sie hat zwar, wie es scheint, den Zusammenhang der alten lógoi bewahrt (in Übereinstimmung mit der ältesten peripatetischen Überlieferung, die Fabeln (1) und supra), hat aber mit Sicherheit das archaische biblíon in seine Einzelteile zerlegt, um das Material nach neuen und einer großen Bibliothek wie Alexandreia angemessenen Kriterien für Auswahl und Lektüre neu zu ordnen. Zum ersten Mal wurde eine systematische Sammlung von Aesopica gebildet, und im Laufe der Jh. folgten andere. Die Fragmente der ältesten uns erh. aisopischen Sammlung (P Ryland. 493; → Fabel) zeigen, daß der aisopische lógos im 1. Jh. n. Chr. bereits jede Verbindung zur ion.-archaischen Weisheit verloren hatte, aus der er hervorgegangen war; er ist zu einem parádeigma geworden, das man in den Schulen der Rhet. benutzt, und er ist daher den Prozessen von Veränderung, von Nachahmung und Wetteifer unterworfen, die die aisopische Authentizität zunehmend unterminieren. Das urspr. aisopische Element, sofern überhaupt noch vorhanden, ist in den uns überlieferten Sammlungen nicht mehr mit Sicherheit zu erkennen, seien sie unter dem Namen eines Autors erh. (Phaedrus, Babrios) oder anon. und systematisch wie die umfangreichste und angesehenste, die unter der Bezeichnung Collectio Augustana bekannt ist. Eine bes. archaisierende Sammlung aisopischer lógoi muß Plutarch in Sept. Sap. 150ab, 150f., 155b, 156a, 157b benutzt haben [3. 442]. Im Ganzen gesehen erscheint A. also als ein typischer Vertreter der ion. Weisheit der archa. Zeit. Keines der ältesten Zeugnisse erlaubt die Vermutung, es habe sich bei ihm um einen Vertreter der Interessen der sozial Schwächeren gegen die Mächtigen gehandelt [3. 427–28; 1. 18–19]. Sein häufig pessimistischer lógos, der sich mehr den Fehlern als den Tugenden des Menschen zuwendet (vgl. Semonides von Amorgos), hat seine Wurzeln in einer Gattung didaktischer Dichtung mit langer Tradition (Hesiod), und ist Ausdruck einer sparsamen und anschaulichen Rhet., die seit Jahrhunderten an den Höfen des Vorderen Orients verbreitet war.

→ Ainos; Aisop-Roman; Fabel

1 N. HOLZBERG, Die ant. Fabel, 1993 2 L. LAURENZI, s. v. Esopo, Enciclopedia d. Arte Antica 3, 1960, 443 3 M. J. LUZZATTO, Plutarco, Socrate e l'Esopo di Delfi, in: IClS 13, 1988, 427–45 4 M. J. LUZZATTO, La donna tyrannos. Anacr. frr. 437,449 Page, in: Sileno 16, 1990,

279–85 **5** Grecia e Vicino Oriente: tracce della 'Storia di Ahiqar, in: QS 36, 1992, 5–846 M.J.LUZZATTO, Esopo, in: S.SETTIS (Hrsg.), I Greci, I 2, 1995, 980–998 **7** A.MOMIGLIANO The Development of Greek Biography, 1971 **8** G.NAGY, The Best of the Achaeans, 1979 **9** M.NOJGAARD, La fable antique, I, 1965 **10** V.PARKER, Zur gr. und vorderasiatischen Chronologie des 6.Jh. v.Chr., in: Historia 42, 1993, 385–417 **11** B.E.PERRY, Babrius und Phaedrus, 1965, XI–XLVI **12** G.M.A.RICHTER, The Portraits of the Greeks, 1965 **13** M.L.WEST, The Ascription of Fables to Aesop in Archaic and Classical Greece, in: Entretiens XXX, 1984, 105–28 **14** A.WIECHERS, Aesop in Delphi, 1961.

Aesopica I, 1952 (=1980), ed. B.E.PERRY (= Aes.; T = Testimonia; F = Fabulae) · Corpus Fabularum Aesopicarum, 1959–70, ed. A.HAUSRATH, H.HUNGER (= CFA). M.J.L./A.WI.

Aisthesis s. Ästhetik, s. Wahrnehmungstheorien

Aisymnetes (αἰσυμνήτης). Gebildet aus *aísa* (»Schicksal«) und √ *mna* (»im Sinne haben«): »einer, der das Schicksal im Sinn hat (und das Zustehende verkündet)«. Die Phaiaken (Hom. Od. 8,258–9) ernennen neun *aisymnêtai*, die für Wettbewerbe (*agónes*) zuständig sind, in der Ilias 24,347 tritt ein Fürstensohn als *aisymnêtês* auf. Aristoteles sieht im A. des archa. Griechenland eine Art von Monarch, einen »gewählten Tyrann«, wie er sich beispielhaft in → Pittakos von Mytilene um 600 zeigt (pol. 3,1285a 29 – b 1). Im 5.Jh. scheint das Wort in Teos gleichbedeutend mit »Tyrann« gewesen zu sein (SIG³ 38 = ML 30,A; SEG 31,985). An einigen Orten wurde A. als reguläre Amtsbezeichnung gebraucht. In Megara scheinen die A., ähnlich wie die → *prytáneis* in Athen, einen ständigen Ausschuß des Rates gebildet zu haben (IG VII 15 = SIG³ 642); in den megarischen Kolonien bezeichnete *proaisymneín* den Vorsitz in diesem Rat (z.B. IK Kalchedon 10,12 = SIG³ 1011, 1009; IOSPE I² 352 = SIG³ 709 von der taurischen Chersonnes). Die Megarer leiteten das Wort von einem eponymen Heros Aisymnos ab (Paus. 1,43,3); im achaiischen Patras gab es einen Kult des Dionysos Aisymnetes (Paus. 7,20,1). A. war in Naxos der Titel eines eponymen Beamten (SIG³ 955), auch die *stephanophóroi* in Milet und seinen Kolonien Olbia und Sinope konnten *aisymnêtai* der *molpoí* genannt werden (Milet: SIG³ 57; s. die Listen in Milet I3, 122–8).

R.K.SHERK, The eponymous officials of Greek cities: mainland Greece and the adjacent islands, in: ZPE 84, 1990, 275–76 Nr.40; The eponymous officials of Greek cities, IV: The register, in: ZPE 93, 1992, 230–32, 235–36, 246 Nr.136, 144, 170. P.J.R.

Aithalidai (Αἰθαλίδαι). Att. Mesogeia-Demos der Phyle → Leontis (IG II² 1742), dann der Antigonis. Zwei Buleutai. Lage unsicher, Zusammenhang mit → Eupiridai, → Kropidai und → Pelekes möglich [2; 3. 45, Karte 1]. Zur Grabinschr. eines Aithalides beim h. Marathon s. [4. 319 Anm. 2]. Mit 94 überlieferten Namen erstaunlich hohe Erwähnungsquote [1. 59].

1 A.W.GOMME, The Population of Athens, 1933 **2** A.MILCHHOEFER, s.v.A., RE 1, 1092f. **3** TRAILL, Attica, 8, 45, 68, 109 (Nr. 6), 133, Tab. 4, 11 **4** E.VANDERPOOL, The Deme of Marathon and the Herakleion, in: AJA 70, 1966, 319–323.

J.S.TRAILL, Demos and Trittys, 1986, 130 · WHITEHEAD, 210, Anm. 199, 370, 417. H.LO.

Aithalides (Αἰθαλίδης). **[1]** Sohn des Hermes und der Eupolemeia, der Tochter des Myrmidon, am thessal. Flüßchen Amphrysos geboren. Herold beim Argonautenzug (Apoll. Rhod. 1,51–55, 640–47). Hermes gestattete ihm, sich auch nach dem Tod zu erinnern und sich deswegen zw. Unterwelt und Oberwelt zu bewegen (Pherekydes FGrH 3 F 109; Apoll. Rhod. 1,644–7). Seine Seele soll in den Körper des Pythagoras eingegangen sein, erzählt als erster Herakleides Pontikos (fr. 89 W. = Diog. Laert. 8,1,4) [1]. **[2]** Eponymer Heros des att. Demos Aithalidai (Steph. Byz. s. v.) [2].

1 W.BURKERT, Lore and Science, 1972, 138 f. **2** KEARNS, 142. F.G.

Aithanarid. Gelehrter am Hof → Theoderichs des Gr. in Ravenna, schrieb um 500 n.Chr. ein geogr. Werk, das durch Auszüge in der Kosmographie des Anonymus Ravennas bekannt ist. A. berichtet als erster von extremer Kälte im Gebiet der Finnen in Nordeuropa (Anon. Rav. 4,12,201). Hauptsächlich von ihm übernimmt der Anonymus auch die Beschreibung der Francia Rinensis (4,24,226) und der Gebiete der Thüringer und Alamannen (4,25,229). Eine Besonderheit ist die systematische Anordnung der Städte nach der Lage an Flüssen [1. 43].

1 F.STAAB, Ostrogothic geographers at the court of Theodoric the Great, Viator 7, 1976, 27–58 **2** H.WOLFRAM, Die Goten, ³1990, 327. A.SCH.

Aither (Αἰθήρ). Der »leuchtend klare« Himmel, seit dem Epos (Hom. Il. 2,412) Wohnsitz der Götter; in der Kosmologie bis in die Spätant. der oberste und reinste Teil des Kosmos (Macrob. Sat. 1,17,70). In der kosmogonischen Dichtung hat A. verschiedene Rollen. Bei Hesiod ist der lichte A. Sohn der dunklen Potenz Nyx »Nacht« (und Erebos, Akusilaos von Argos FGrH 2 F 6b), aber Bruder der Hemera, »Tag« (Theog. 124); mit Hemera zeugt er den rätselhaften Brotos (Hes. fr. 400), nach späterer Überlieferung Erde, Himmel und Meer (Hyg. fab. 2; Cic. nat. 3,44), die bei Hesiod in direkter Linie von Chaos herkommen. In anderen Theogonien steht er (evtl. zusammen mit Hades) am Beginn (Diehls/Kranz 2 B 14). Er gilt auch als Gatte der Erde (Eur. fr. 839; vgl. 1023) und (spielerisch) als Vater der Wolken (Aristoph. Nub. 569f.). In der orphischen sog. rhapsodischen Theogonie ist er Sohn des Chronos, Bruder von Chaos und Erebos, entstanden wohl durch Masturbation (Orph. fr. 54; vgl. Orph. Arg. 14) [1]; in einem orphischen Hymnos wird er als Weltseele gefaßt (Orph. h. 5).

In der Allegorese wird A. (als Gott oder Element) mit Zeus gleichgesetzt (Pherekydes von Syros VS 12 A 9; vgl. Eur. fr. 941).

1 M. L. WEST, The Orphic Poems, Oxford 1985, 198–200.

A. B. COOK, Zeus 1, Cambridge 1914, 15 Anm. 6; 27 Anm. 3 · LIMC 1.1, 413. F. G.

Aithilla (Αἴθιλλα). Koseform von Αἰθία (Polyain. 7,47), Tochter des Laomedon, Schwester des Priamos, nach der Eroberung Troias von Protesilaos' Gefährten gefangen. Auf der Halbinsel Pallene verbrennt sie mit ihren Mitgefangenen die griech. Schiffe, worauf die Griechen Skione gründen (Konon FGrH 26 F 1,13; Tzetz. Lykophr. 921). F. G.

Aithiopia s. Nubien

Aithiopiaka s. Heliodoros

Aithiopis (Αἰθιοπίς, »Gedicht vom Aithiopen«). Verlorenes Epos in 5 Büchern (kein wörtliches Fragment erh.), das zum → Epischen Zyklus gehörte. Als Verf. wird in späten Quellen (p. 332 KAIBEL, aus dem 1. Jh. v. Chr.; Proklos; Eusebios) ein Arktinos von Milet angegeben: diese Zuschreibung gilt seit WILAMOWITZ [1. 345,353 f., 370 f.] als Spekulation der peripatetischen Literaturforsch. (BETHE [2. 63]; DAVIES [3. 99 f.]): Verf. und genaue Abfassungszeit sind unbekannt (fallen aber nach Ilias und Odyssee, → Epischer Zyklus), der Titel kann alt sein (so wie die Titel → Kypria und → Epigonoi, die schon Herodot zitiert), die Buch-Einteilung stammt wohl aus der »alexandrinischen Pinakographie« (BETHE [2. 63]). Der Inhalt ist uns in großen Zügen bekannt aus den Prosa-Inhaltsangaben des → Proklos und des → Apollodoros, aus gelegentlichen Scholiasten-Bezugnahmen und aus den Namensbeischriften in Bild-Erzählungen (T 8–11, p. 66 f. BERNABÉ [von den »Tabulae Iliacae« und einem »Homer. Becher«]). Danach bestand die A. mindestens aus den 2 Hauptteilen *Amazonia* (ant. Terminus) und *Memnonis* (moderner Terminus): Die Amazone → Penthesileia kommt nach Hektors Tod und Bestattung (= Schluß der *Ilias*) den Troern zu Hilfe und wird von Achilleus getötet; Thersites beschimpft Achilleus wegen angeblicher Liebe zu Penthesileia; Achilleus tötet Thersites. Der König der Aithiopen → Memnon kommt den Troern zu Hilfe, tötet Nestors Sohn Antilochos (so schon Od. 4,187 f.) und wird von Achilleus getötet. Achilleus treibt die Troer in die Festung und wird von Paris und Apollon getötet. Thetis mit den Musen und Nereiden beklagt ihren Sohn Achilleus und entrückt ihn vom Scheiterhaufen auf die »Weiße Insel«. Bei den Leichenspielen entbrennt zwischen Aias und Odysseus ein Streit um Achilleus' Waffen. – Falls die Angabe eines Pindar-Scholiasten zutrifft, in der A. habe auch noch Aias' Selbstmord gestanden (F 5 BERNABÉ = F 1 DAVIES), könnte die Annahme von WILAMOWITZ [1. 371] (fortentwickelt von KULLMANN [4. 215–218]) zutreffen, die A. habe mit der → *Iliou persis* urspr. eine Einheit gebildet, die mit der → *Ilias mikra* (jünger und in der Nachwelt erfolgreicher) konkurrierte. – Seit über 100 J. (s. bes. WILAMOWITZ [1. 372]) ist klar, daß der Dichter unserer *Ilias* den (oder Teile des) Stoff(s) der A. kannte und in vielfältigen Motivbrechungen verarbeitete; aus dem Wunsch, diesen Verarbeitungsprozeß zu rekonstruieren, entwickelte sich in der Homerforsch. die → Neoanalyse.

1 U. V. WILAMOWITZ-MOELLENDORFF, Homer. Unt.en (Der ep. Cyclus), 1884, 328–380 2 E. BETHE, Der Troische Epenkreis, (²1929 =) 1966 3 M. DAVIES, Prolegomena and Paralegomena to a New Edition (with Commentary) of the Fragments of Early Greek Epic, in: Nachrichten der Akad. der Wiss. in Göttingen, Philol.-histor. Kl. 2, 1986, 91–111 4 W. KULLMANN, Die Quellen der Ilias (Troischer Sagenkreis), 1960. J. L.

Aithon (Αἴθων), »der Feurige«. [1] Urgroßvater des Odysseus, unter dessen Namen Odysseus unerkannt vor Penelope erschien (Hom. Od. 19,183). [2] Nach dem »brennenden Hunger« Beiname des → Erysichthon (seit Hellanikos FGrH 4 F 7). Suidas (s. v.) macht ihn zum Sohn des Helios. [3] Ep. Pferdename (»Brandfuchs«) nach Hektors Pferd (Hom. Il. 8,185); spätere Dichter nannten Pferde des Helios, der Eos, des Ares, des Pluton so. Bei Verg. Aen. 11,89 weint das Pferd A. um Pallas, seinen toten Herrn. F. G.

Aithra (Αἴθρα). Tochter des Pittheus, des Königs von Troizen, Mutter des → Theseus von → Aigeus oder Poseidon (Bakchyl. 17,33 ff. SM; Apollod. 3,208; 216; Hyg. fab. 37). Die Variante bei Paus. 2,33,1 erklärt die Gründung des Tempels der Athena Apaturia auf der Insel Sphairia durch A. Theseus vertraut A. die von ihm geraubte → Helena an. Als die → Dioskuren diese befreien, wird A. als Sklavin mitgenommen und gelangt später mit Helena nach Troia (Hom. Il. 3,144; Alkm. fr. 21 PMGF; Plut. Theseus 16b; Apollod. 3,128; epit. 1,23; Hyg. fab. 79; 92). Nach der Zerstörung Troias kommt sie als Gefangene ins Griechenlager und wird von ihren Enkeln → Demophon und Akamas befreit (Il. Parv. PEG fr. 20, Iliup. PEG arg.). Nach Hyg. fab. 243 tötet sie sich aus Gram über den Tod ihrer Nachkommen.

U. KRON, s. v. A. I, LIMC 1.1, 420–431 · K. WERNICKE, s. v. A. [1] RE I, 1107–1109. R. HA.

Aithusa (αἴθουσα). Bei Homer (Od. 17,29; 18,102; 22,466; Il. 6,243; 20,11) die Bezeichnung für die Eingangshalle des → Hauses, die mit Säulen versehen und mit dem Hoftor verbunden ist. Der davor gelegene Teil heißt → Prothyron (Il. 24,323; Od. 3,493). Eingangshallen dieser Art finden sich bereits an den Palästen des 2. Jt. und in der frühgriech. Hausarchitektur; sie werden dann gängiges Element am griech. → Tempel.

F. NOACK, Homer. Paläste, 1903, 53 · H. L. LORIMER, Homer and the Monuments, 1950, 415–422 · H. DRERUP,

ArchHom II, O (Baukunst), 1969, 80–84 · K. Fagerström, Greek Iron Age Architecture, 1988, 99–107.   C. Hö.

Aitiologie

Aitiologie (in der griechischen Dichtung). A. nennt man die meist unter Hinweis auf eine myth. Vergangenheit (aitiologischer Mythos → Mythos) gegebene Erklärung des αἴτιον, d. h. des Ursprungs eines die Gegenwart des Autors und die seines Publikums betreffenden Phänomens, sei es ein Gegenstand, eine Stadt, ein Brauch oder, wie es sehr häufig vorkommt, ein religiöses Ritual.

Bis zum 3. Jh. v. Chr. ist die A. keinem bes. lit. Genos vorbehalten, sondern stellt in den verschiedenen Genera eine formale Abschweifung dar, die den zeitlichen Ablauf der Erzählung unterbricht, um eine kausalen Zusammenhang zwischen Vergangenheit und Gegenwart herzustellen (sie steht in enger Verbindung mit der Vorliebe für die Etymologie und die Suche nach dem *prôtos heurétēs*). In archaischer und klass. Zeit hat die A. in erster Linie eine erzieherische Funktion im ethisch-religiösen Bereich. Daher sind die aitiologischen Hinweise in der homer. Epik, welche allgemeinere enzyklopädische Ziele verfolgt und darüberhinaus eine zeitlich zusammenhängende Darstellung der vergangenen Ereignisse zu geben sucht, ausschließlich kurzgehalten, und sind in keinem Falle offen auf die Gegenwart des Autors bezogen. Es handelt sich häufig um Hinweise auf die zukünftigen materiellen Belege ihres κλέος durch einzelne Helden, wie z. B. Hom. Il. 7,81–90; Od. 11,74–78; 24,80–84; stärker aus dem Zusammenhang gelöst und aus dem Munde des Autors erfahren wir, bezeichnenderweise in der Aussageform des Gleichnisses, die Geschichte der zur Nachtigall gewordenen → Prokne Od. 19,518–523; aus dem Munde des Autors auch Il. 12,3–35 das erstaunliche Aition über das Fehlen aller aitiologischer Spuren (entsprechend [Hes.] Scut. 472–480). Ebenfalls sehr selten sind, wie zu erwarten, die aitiologischen Hinweise der monodischen Lyrik (aber vgl. zumindest Sappho fr. 17 Voigt). Die A. kommt hingegen häufig in solchen Werken vor, in denen die ethisch-religiöse Erbauung eine mehr oder weniger vorrangige Rolle spielt und/oder durch den rituellen Anlaß ihres Vortrags vorausbestimmt ist. Das gilt z. B. für die »homer.« Hymnen, bei denen bes. die Aitia für die einzelnen Schritte des eleusinischen Kults im Demeterhymnos oder für die mythischen Ursprünge der Gründung des Apollonheiligtums auf Delos oder des delphischen Orakels im Apollonhymnos zu erwähnen sind; ebenfalls gilt das für die Theogonie Hesiods, wenn der Verf. »histor.« zu erklären sucht, was in seiner Kosmologie oder Theologie vom »logischen« Standpunkt aus als Aporie erscheinen mußte: theog. 535–616 und erg. 42–105 motivieren die Aufteilung des Opfertieres, die Entdeckung des Feuers und die göttliche Zuteilung des Elends der Arbeit und des schönen Übels der Frau auf Grund des → Prometheus-Mythos; theog. 154–210 motiviert die Erhebung des Himmels hoch über die Erde auf Grund der Trennung von Gaia und Uranos;

und schließlich gilt das noch für die Chorlyrik, wo die Gründungsmythen der athletischen Agone und der damit in Zusammenhang stehenden Kulte, aber auch jene der Heimatstädte der Sieger häufig vorkommen.

Im att. Drama des 5. Jh. v. Chr. ist für die A. die Verbindung der theatralischen Agone mit den Festen zu Ehren des Dionysos von Bedeutung sowie die bei den Alten verbreitete Überzeugung, daß die Trag. ihren Ursprung in einer ritualen Handlung für Dionysos habe. Dabei ist die Bezugnahme auf Dionysos als aitiologisches dramatisches Prinzip Anlaß und Rechtfertigung für viele über den Bereich des Theaters hinausgehende Passagen sowohl der Komödiendichter (vor allem Aristophanes' *Ranae* und Herodas 8; man vgl. auch P Köln VI 242 A) wie auch der Trag.: Euripides' *Bacchae* führt bekannte Ursprungsmythen des Dionysoskults als Aitia des Theaters selbst und somit als ideale Modelle der euripideischen Dichtung an, vgl. [1; 7]; zu anderen möglichen Spiegelungen des ursprünglichen dionysischen Ritus vgl. [4]. Dieser rituelle Bezug konnte die Tragiker im übrigen dazu veranlassen, mythische Einzelheiten hervorzuheben, die auch in anderen kultischen oder baulichen Zusammenhängen erkennbare Spuren hinterlassen hatten und für das athenische Publikum Belege einer echten »Geschichtlichkeit« seines religiösen Lebens darstellen konnten: Die ›Eumeniden‹ des Aischylos (und damit die Trilogie der ›Orestie‹ als Ganzes) fanden z. B. ihren Höhepunkt und Abschluß in dem Aition vom Kult und Heiligtum der *semnaí theaí* auf dem Areopag und dem Gerichtshof des Areopag (804–807; 833–836; 854–857; 1022–1031; s. auch die Verse fr. 43 und 44 Radt der ›Danaiden‹, die die gleichnamige Trilogie beschlossen); die ›Trachinerinnen‹ des Sophokles enthalten das Aition von der Gründung des Zeustempels von Kap Kenaion (237–289; 751–754); ein neues rationales Vorgehen ist charakteristisch für Euripides, wenn er am Ende vieler seiner Trag. vom *deus ex machina* (oder in anderen Fällen von einer handelnden Person) eine aitiologische Prophezeihung verkünden läßt, die einen seinem Publikum mehr oder minder bekannten Kult betrifft, wie, um nur einige Beispiele zu nennen, El. 1258–1275 und Or. 1646–1652 oder Iph. T. 949–960 und 1447–1468; vgl. dazu [1]. Als zahlreiche und vor allem lokale Kulte der rationalistischen Mythenkritik standhielten, führte das von den ersten Atthidographen des 4. Jh. v. Chr. an und in der hell. Dichtung zu einem erneuerten Interesse für die A., das von drei Tendenzen gekennzeichnet ist: Die A. nahm erstens andere Formen an und an die Stelle der ursprünglichen erzieherischen Ziele trat die Vorliebe für das Wunderliche und die Auffächerung des Wissens; auf diese Weise findet zweitens die A. aus eigenem Antrieb eine völlig neue Grundlage der eigentlichen myth. Erzählung; drittens befreit sie sich damit aus ihrer vorhergehend limitierten Rolle als eine Aussageform innerhalb verschiedener Arten lit. Werke und wird ein eigenes, in Hexametern oder Distichen abgefaßtes lit. Genos. Als solches zeigt sie neue Aspekte, die eng verbunden sind mit diesen drei Funk-

tionswandlungen: 1. Mit der einzigen Ausnahme des Sieges des Herakles über den nemeischen Löwen ist keiner der Mythen, die wir in den Fragmenten der *Aitia* des Kallimachos erkennen können, in der vorangehenden Dichtung belegt, aber viele finden wir auch von den Atthidographen behandelt. 2. In einigen seiner Hymnen (zu ihnen vgl. [3]) reichert Kallimachos die vorliegenden Erzählungen des Apollon- und Demeterhymnos entscheidend durch formale Motive der Chorlyrik an, und die *Hekale* gipfelt in einem Aition, ebenso Theokr. 12 und 18; bei Apollonios Rhodios werden der Auszug und die Rückkehr der Argonauten zu einer Rundreise von einem zum anderen kulturellen Wahrzeichen des Mittelmeerraums im 3. Jh. v. Chr. (zur A. im Epos vgl. schon Antimachos' *Thebais*, fr. 3 und 53 WYSS); ein großer Teil der thematischen Kerne, die man für die Dichtungen des → Euphorion rekonstruieren kann, waren aitiologische Mythen oder sie enthielten aitiologische Hinweise; im ep. Lehrgedicht des → Aratos [4] und des → Nikandros sind fast alle der seltenen myth. Bemerkungen Aitia. 3. Das lit. Genos der A. beschäftigt sich speziell mit drei verschiedenen Fragen: erstens mit dem kultisch-antiquarischen Aspekt, vgl. Kallimachos' *Aitia* und Eratosthenes' *Erigone*, dann mit den metamorphischen Erscheinungen, vgl. Boios' *Ornithogonia*, Nikandros' *Heteroiumena* und Parthenios' *Metamorphoseis*, und schließlich mit den Gründungsepen (→ Ktisis-Epos).
→ Etymologie; Mythos; Ktisis-Epos

1 SCHMID / STÄHLIN I 3,705, Anm. 7.

s 2 A. F. H. BIERL, Dionysos und die griech. Tragödie, 1991 3 M. DEPEW, Mimesis and Aetiology in Callimachus' Hymns, in: M. A. HARDER, R. F. REGTUIT, G. C. WAKKER (ed.), Callimachus, 1993, 57–77 4 H. P. FOLEY, Ritual Irony: Poetry and Sacrifice in Euripides, 1985 5 P. M. FORBES IRVING, Metamorphosis in Greek Myths, 1990 6 M. FUSILLO, Il tempo delle Argonautiche, 1985, 116–142 7 R. MERKELBACH, Die Erigone des Eratosthenes, in: Miscellanea di studi alessandrini in memoria di A. Rostagni, 1963, 469–526 8 CH. SEGAL, Dionysiac Poetics and Euripides' Bacchae, 1982.   M. FA. / A. WI.

Aitne (Αἴτνη). **[1]** Vulkan (h. Höhe ca. 3340 m, ca. 1000 km² Fläche) im Nordosten von → Sicilia, nördl. vom → Akesines, westl. vom → Symaithos begrenzt. Seine sich jährlich ändernde Höhe erwähnt Sen. epist. 79,2; eine allg. Schilderung der Lage, Anbaugebiete, Wälder und Lavafelder gibt Strab. 6,2,3; 8 (*expositio totius mundi* 210 ROUGÉ). Ausbrüche: 476/75 v. Chr. (Aischyl. Prom. 367f.; Pind. P. 1,21ff.; FGrH 239 Marmor Parium fr. 52 zum Jahr 479/78 v. Chr.); dieser Ausbruch war für → Hieron Anlaß für die Gründung von → Aitne [2] anstelle von → Katane, 425 v. Chr. (Thuk. 3,116), 396 v. Chr. (Diod. 14,59,5; Oros. 2,18,6), 140 v. Chr. (Obseq. 23), 135 v. Chr. (Obseq. 26; Oros. 5,6, 2), 126 v. Chr. (Obseq. 29; Oros. 5,10, 11), 123 v. Chr. (Oros. 5,13,3), 49 v. Chr. (Petron. 122), 44 v. Chr. (Verg. georg. 1,471); 38 v. Chr. (App. civ. 5,117), 32 v. Chr. (Cass. Dio 50,8), 40 n. Chr. (Suet. Cal. 51).

Im zentralen Krater die → Hephaistos-Schmiede (vgl. Verg. Aen. 8,416–422); der unter der A. begrabene → Enkelados (bzw. → Typhoeus) als Ursache von Erdbeben und Ausbrüchen (vgl. Verg. Aen. 3,578–582); die Lavahöhlen der A. als Behausung der → Kyklopen (Hom. Od. 9,113f.; Eur. Cycl. 298). Mit der A. ist die Legende der Pii Fratres aus Katane verbunden [2. 161 ff.].

1 G. GIARIZZO, La costruzione storica del territorio etneo, in: Annuario 83 del 7. motoraduno int. dell'Etna, Belpasso 1983, XIIff. 2 G. MANGANARO, Per una storia della »chora Katanaia«, in: E. OLSHAUSEN, H. SONNABEND (Hrsg.), Stuttgarter Kolloquium zur Histor. Geogr. des Alt. 4, 1990 (Geographica Historica 7), 1994, 127–174.   M.D.M./M.B.

[2] Anstelle von → Katane 475 v. Chr. von → Hieron bes. mit Hilfe messenischer Söldner gegr., 463/61 v. Chr. nach → Inessa verlegt (Diod. 11,76,3 f.; Strab. 6,2,3), wohl heute Civita bei Paternò (von dort ein → *caduceus* aus → Rhegion [2]); von → Syrakusai (Thuk. 3,103,1; 6,94,3 – hier Inessa gen.) gegen → Dionysios I. befestigt, der A. 403 v. Chr. eroberte (Diod. 14,14,2). Um 200 v. Chr. in den Theodorokoi-Listen von → Delphoi genannt. Von → Verres schikaniert (Cic. Verr. 2,3,47; 57; 61–63). Von hier aus Vulkan-Besteigungen (Strab. 6,2,8; SHA Hadr. 13,3). Mitte des 5. Jh. v. Chr. Silber-Tetradrachmen, später Bronzemünzen [1]. (Inschr.: IG XIV 573; CIL X 2, 6999f.).

1 R. CALCIATI (Hrsg.), Corpus Nummorum Siculorum 3, 1987, 141–153 2 G. RIZZA, Un caduceo dei Reggini a »Civita« di Paternò, in: Cronache di Archeologia e di Storia dell'Arte 3, 1964, 16–20.

G. MANGANARO, Città di Sicilia e santuari panellenici nel III e II sec. a. C., in: Historia 13, 1964, 414–439 · Ders., La caduta dei Dinomenidi e il politikon nomisma in Sicilia nella prima metà del V sec. a. C., in: Annali dell' Istituto Italiano di Numismatica 21/22, 1974/75, 9–40 · E. PROCELLI, Aspetti e Problemi dell' Ellenizzazione Caldicese nella Sicilia Orientale, in: MEFRA 101,2, 1989, 679–689.   M.D.M./M.B.

Aitoloi, Aitolia (Αἰτωλοί, Αἰτωλία).
A. TOPOGRAPHIE B. GESCHICHTE
B.1 MYKENISCHE UND ARCHAISCHE ZEIT
B.2 KLASSISCHE ZEIT B.3 HELLENISMUS
B.4 RÖMISCHE ZEIT

A. TOPOGRAPHIE

Größte Landschaft (4500 km²), bedeutendster Stamm in Mittelgriechenland. Eine exakte Bestimmung des Siedlungsgebietes und der Phasen der frühen Ausbreitung der A. ist mit den vorhandenen Quellen nur bedingt möglich. Die zum Ethnos der A. zählenden Stämme lebten zwischen den Gebirgen Vardousia und Gkiona im Osten (h. Verwaltungsbezirk Phokis), dem 2319 m hohen Thymphrestos im Norden (h. Bezirk Evritania) und dem Acheloos [1] im Westen (h. Bezirk Aitoloakarnania), während die nordwestl. des Acheloos ansässigen → Agraioi erst im 3. Jh. v. Chr. zum Koinon

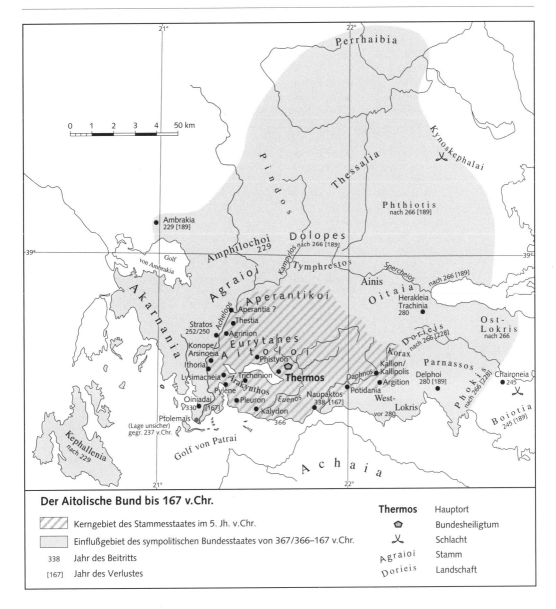

Der Aitolische Bund bis 167 v.Chr.

▨	Kerngebiet des Stammesstaates im 5. Jh. v.Chr.
▦	Einflußgebiet des sympolitischen Bundesstaates von 367/366–167 v.Chr.
338	Jahr des Beitritts
[167]	Jahr des Verlustes

Thermos	Hauptort
⬠	Bundesheiligtum
⚔	Schlacht
Agraioi	Stamm
Dorieis	Landschaft

der A. gehörten. Das von Hom. Il. 2,638–44 zu A. ge-rechnete Gebiet am Golf von Korinth zw. dem Mün-dungsgebiet des Acheloos im Westen und dem Berg Taphiassos (h. Klokova) im Osten gehörte als → Aiolis [2] in der Klassik polit. nicht zu A. Zu den A. zählten die großen Stämme der Eurytanes, Apodotoi und Ophiones (bzw. Ophieis, mit den Dorfgemeinden/»Gauen« Bomies, Kallieis), die Aperantoi und später die Agraioi (Lokalisierung [22. 55–87; 1; 2], Karten [22. 53; 2. Karte II; 6. 25; 16. Karte II]). Viele ihrer Städte (Ausnahmen: Aigition, Kallipolis, Poteidania, Teichion) und Gaue sind nicht lokalisiert [9. 541–548] (IG ²IX 1,1, p. 105–109). Ant. Autoren (FGrH 70 Ephor. F 122; Diod. 18,24f.; Pol. 5,14,9; Strab. 10,2,3) beschreiben die zer-klüftete Bergwelt im südl. → Pindos, in der neben

Hirtentum [11. 217–235; 6. 16] nur Ackerbau in klei-nen Ebenen die Lebensgrundlage bildete; die Kom-munikation wurde kaum durch die nordöstl-südwestl. verlaufenden Hauptflüsse → Euenos und Daphnos (h. Mornos) verbessert [16. 303–305; 3. 25–27]. Südl. der Bergregion lag um die Seen von Trichonis und Lysi-macheia die fruchtbare Ebene (Landwirtschaft, bes. Viehzucht, Strab. 8,8,1; Pol. 18,22,5; Liv. 33,7,13) des aitolischen Beckens [16. 328–343], in deren Nordosten sich das rel., polit. und kommerzielle Zentrum → Thermos befand: durch seinen Zugang zu Euenostal und Pindos bildete es das Scharnier zw. altem A. im Süden und kulturell hinzugewonnenem A. im Norden (Strab. 10,2,3: Ἀ. ἀρχαία/archaía und ἐπίκτη-τος/epíktetos). Um die Seen verteilten sich Orte wie

→ Agrinion, → Konope/Arsinoeia, Phistyon, → Phytaion und Thestia. Durch das Arakynthos-Gebirge hiervon getrennt lag die Küstenregion mit urbaner Tradition, deren Orte bereits Hom. (Il. 2,638–44) kannte: → Chalkis, → Kalydon, Olenos, → Pleuron, Pylene; wichtige Orte waren zudem Ithoria, Paianion, Phana. In archa. Zeit zählten Mythen (Hom. Il. 9,529–599), Genealogie (FGrH 4 Hekat. F 15 f.), Trag. (Phryn. TrGF I 3 F 5) und Anekdoten (Hdt. 6,127; 8,73) die A. zum griech. Kulturraum [3. 43–143]. Thuk. kennzeichnete die A. als Griechen eines frühen Zivilisationsniveaus (1,5 f.: Waffentragen, Raub), den Stamm der Eurytanes mit einem kaum verständlichen Dial. (3,94,5: ἀγνωστότατοι γλῶσσαν / agnostòtatoi glóssan); Eur. Phoen. 138 nannte die A. μειξοβάρβαρος (meixobárbaros, »mit Barbaren vermischt«). Nach dem Aufstieg der A. führten Machtpolitik und archa. anmutende Religion vollends zur Abwertung: Pol. 18,5,8 bezeichnete sie als »grausam«, »verschwenderisch« und »Nichtgriechen« [3. 133–139]); in röm. Zeit galten sie als Barbaren (Liv. 34,24). Aus der ant. Lit. vgl. z.B. die Aitolika des Nikandros (FGrH 271–272 F 1–7), die Lobgedichte der Aristodama (FGrH 483) und die Schriften des Derkyllos (FGrH 288), des Dositheos (FGrH 290), des Diokles (FGrH 302). Die Religion war, evtl. als Erbe einer matriarchalischen myk. Praxis [5. 27–34; 3. 297–302], von Gottheiten wie → Artemis Aitolia (bzw. Laphria), → Aphrodite, → Demeter und → Kore geprägt; → Apollon wurde Artemis zur Seite gestellt, Zeus fehlte. Die Frauen der A. besaßen eine relativ große Eigenständigkeit; ihre kriegerischen Leistungen bei der Galater-Abwehr beschreibt Paus. 10,22,5–7, in → Delphoi stifteten und erhielten sie viele Weihungen (SIG 1, 511–514; FdD 3,1, 142–154, 575 f.) [3. 129–131]. Die Sprache der A. wird zu den nordwest.-griech. Dial. gezählt. Im 5. Jh. v. Chr. siedelten die Stämme κατὰ κώμας ἀτείχιστους (káta kómas ateíchistus, »in unummauerten Dörfern«; Thuk. 3,94,4), doch spätestens im 4. Jh. v. Chr. bildeten sich auch im Landesinneren Poleis (Diod. 18,38,4; 19,74,6; Skyl. 34; [16. 604–608]). Kallipolis z. B. wurde planmäßig im 4. Jh. v. Chr. als administratives Zentrum der Kallieis angelegt. Surveys bestätigten, daß in der Klassik der Hauptteil der Bevölkerung außerhalb der Ortschaften (bekannt sind bisher 44 befestigte Siedlungen) lebte [6. 23]. Einen weiteren Schub erhielt die urbane Entwicklung durch den Neu- bzw. Umbau einiger Städte (z. B. Arsinoeia/→ Konope, → Lysimacheia, Neu- → Pleuron, Ptolemais) mit Unterstützung hell. Herrscher zu Beginn des 3. Jh. v. Chr.

B. GESCHICHTE

B.1. MYKENISCHE UND ARCHAISCHE ZEIT

Die Beziehung zw. den A. des Homer und den histor. A. bleibt dunkel, da Homer nur Städte (keine Stämme) im Süden von A. kennt, diese Region aber (als »Aiolis«) im 5./4. Jh. von Akarnanen und Achaiern beansprucht wird. Die A. bezeichneten sich selber als »autochthon« (FGrH 70 Ephor. F 122; Pol. 5,8), während die Myth. eine urspr. Besiedlung durch → Kure-

ten, → Hyantes oder → Aioleis kennt (Strab. 10,2,5; 3,1). Die durch Historisierung der Mythen (z. B. Krieg zw. Kureten und A. bei Hom. Il. 9,529–599; Strab. 10,3,1–23) und Interpretation des arch. Befundes postulierte Existenz der A. in myk. Zeit [3. 156–159; 4] erscheint beim h. Stand der arch. Forsch. nicht gesichert [6. 15 f., 27–31; 7. 306–8]. Mittel- und späthelladische (myk.) Funde an der Küste und im Landesinnern [19. 102–4, 181 f.; 6. 21–23, 30, Karte fig. 2.2] zeigen Verbindungen mit → Achaia und → Epeiros an [5. 27–38, 50–57]. Die myk. Funde von Thermos weisen auf Kontakte mit Phokis, Epeiros und dem Tal des Spercheios, die evtl. durch Hirtenwanderungen zu erklären sind [6. 57–60; 11. 358; 3. 156–9]. Kulturelle Verwandtschaft zw. Nord- und Süd-A. impliziert der seit geom. Zeit in Thermos und Kalydon nachzuweisende Feuerkult (Verbrennung der Opfergaben) der Artemis Laphria bzw. Aitolia [3. 261] (Patrai: Paus. 7,18; 21). Nicht nur die korinth. Kolonien Chalkis und Molykreion (Thuk. 2,83; 86; 3,102), auch die anderen (polit. nicht zu A. zählenden) Küstenstädte waren früh in Kontakt mit ihren Nachbarn: Keramik, Kunst (Metopen der Tempel in Kalydon, auch Thermos) und Schrift zeigen Einfluß von Korinthos, Achaia und Sikyon (SEG 38,427).

B.2. KLASSISCHE ZEIT

Die histor. Quellen setzen im Peloponnesischen Krieg ein. Nach einem Kriegszug der Athener und Naupaktier gegen A. (Thuk. 3,94–98) konnte eine Gesandtschaft der A. Sparta zum Eingreifen veranlassen (Thuk. 3,100; der Vertrag der Spartaner mit den A. Erxadieis, SEG 26,461; 38,332 wird z. T. auf diese J. bezogen); mit deren Hilfe nahmen die A. 426 v. Chr. Molykrion als erste Küstenstadt ein (Thuk. 3,102). Im Krieg gegen Sparta (402–400 v. Chr.) unterstützten die A. Elis, mit dem Beziehungen seit archa. Zeit existierten (Diod. 14,17,9; FGrH 70 Ephor. F 122) [10. 17–19]. Die bis dahin bestehende Organisation der A. als Stammesstaat (οἱ Αἰτωλοί) wurde gegen E. des 5. Jh. v. Chr. nach einer Neuformierung (anders [20]) durch einen sympolit. Bundesstaat, bestehend aus Gauen und Poleis, ersetzt [10. Kap. 1,2], der 367/6 erstmals → Koinon genannt wird. Im Korinth. Krieg noch auf Spartas Seite (Xen. hell. 4,6,14), schlossen sich die A. bald den Thebanern einem Bündnis gegen Sparta an; mit dessen Unterstützung 367 v. Chr. Vertreibung der achaischen Besatzung Kalydons (Diod. 15,57,1). Naupaktos kam endgültig erst 338 v. Chr. nach der Eroberung durch Philippos II. zu A. (FGrH 115 F 235 [8. 166 f.], keine Auflösung des Koinon durch diesen [10. Kap. 1, 2]); mit der Eroberung von Oiniadai 330 v. Chr. war die Küstenexpansion abgeschlossen (Diod. 18,8,6).

B.3. HELLENISMUS

Im → Lamischen Krieg schloß A. 323 v. Chr. ein Bündnis mit Athen (Diod. 18,11,1; IG ²II/III 370) [13. 149–152]. In den Kriegen des Kassandros, gegen den sich A. mit Athen (Paus. 1,26,3; IG ²II/III 358; SEG 21,326, aus dem J. 307/6, [anders 8. 167 f.]) und 301

v. Chr. mit → Boiotia (StV 3,463) verbündet hatte, wurde A. mehrfach von Makedonen, Akarnanen, Epeiroten (322, 321, 314, 313 v. Chr.) durchzogen (IG ²IX 1, p. XIIIf.). Wegen der (vorübergehenden) Besetzung von Delphoi durch A. zog Demetrios Poliorketes 289 v. Chr. gegen A. (FGrH 76 Duris F 13; Plut. Demetrios 41; Pyrrhos 7). Tatsächlich kam die Stadt in einem Prozeß der Aneignung (anders [9]) zw. E. des 4. Jh. und 280 v. Chr. an die A.: so wurde ihnen zw. 338/7 und 315 v. Chr. (FdD 3, Chronologie 21–24) die → Promantie gewährt. 280 v. Chr. fielen Delphoi → Herakleia Trachinia, zuvor auch Westlokris, an A. Nach ihrem Sieg 279 v. Chr. über die nach Griechenland eingefallenen Galater bei Kallipolis (Paus. 1,4,2; 16,2; 10,19–23) stifteten die A. in Delphoi zunächst jährliche Soterien [14] und weihten Statuen und andere Geschenke (Paus. 10,15,2; 16,4; 18,7, Waffen der Galater). Die nun verstärkte Integration mittelgriech. Staaten in das Koinon bzw. der Abschluß unzähliger Bündnisse erklärt sich durch die Wertschätzung des Galatersieges und die Tatsache, daß die Bundesverfassung der A. eine polit. Beteiligung aller, auch der annektierten Gliedstaaten, garantierte [10. Kap. 2,2]. Die Beamten des Koinon (städtische Beamte), der → Strategos, → Hipparchos und Sekretär, wurden von der Bundesversammlung (zuerst FGrH 70 Ephor. F 122) auf ihrer Herbsttagung (den »Thermika«, Pol. 5,8,5; die Panaitolika in wechselnden Städten, IG ²IX 1, 192) in Thermos gewählt. Die Mitgliedsgemeinden waren vertreten im → Synhedrion (bzw. in der → Bule), das allein zuständig für die Außenpolitik war. Die Tagesgeschäfte dieses Rats (1 500 Mitglieder?) erledigte die Kommission der Apokleten unter Vorsitz des Strategos. Die ältesten Bundesmünzen in Gold und Silber aus den 270er bzw. 240er J. v. Chr. (BMC Thess. 194–200 [17; 18 App. 1]) stellten die auf den Trophäen des Keltensieges von 279 v. Chr. sitzende Aitolia in Delphoi und Thermos dar (Paus. 10,18,7); Städte prägten keine Münzen. Nach der Galater-Abwehr wurden mit Athen zwei Allianzen geschlossen: die erste zw. 278–275/4 v. Chr. (IG ²IX 1,176), die zweite zw. 277–266/5 v. Chr. (StV 3,470). Anhand der Amphiktyonensitze in Delphoi läßt sich erschließen [9; 18], daß nun sukzessive die → Dolopes, die → Malieis, → Ostlokris, → Doris, → Phokis und → Phthiotis in das Koinon integriert wurden. Dem Sympoliteia-Vertrag 262 v. Chr. mit → Akarnania (IG ²IX 1,3 A; StV 3,480) folgte 252/0 die Aufteilung dieses Landes durch ein Bündnis mit Alexandros von Epeiros (Pol. 9,34,7; StV 3, 485), so daß die gesamte Acheloos-Ebene mit → Stratos zu A. kam. Als 245 v. Chr. die von Aratos [2] unterstützten Boioter vernichtend geschlagen wurden (Plut. Aratos 16; Pol. 20,4f.), war A. der mächtigste Staat in Mittelgriechenland. → Asylia-Verträge mit ägäischen Städten (u. a. Delos, Chios, Tenos, Smyrna, Miletos, Keos, Mytilene [6. 20–23]) und Einfälle nach → Arkadia und Achaia (Pol. 4,34; 70; 77; 9,34) sollten den Einfluß der A. vergrößern. 229 v. Chr. konnten → Ambrakia und → Amphilochia, etwas später → Kephallenia dauerhaft

integriert werden. Doch verlor A. im folgenden J. durch Antigonos Dosons Einfall nach Phokis und Doris (SEG 38,1476), trotz des aitolisch-ptolemaiischen Bündnisses, die thessal.-perrhaibischen Gebiete und Phokis. Der überfallartige Feldzug Philippos' V. 218 v. Chr. zum Zentrum Thermos traf die A. völlig unvorbereitet (Pol. 11,7,2; auch 207 v. Chr. ein Angriff auf Thermos Pol. l.c): Der Apollontempel und Stoai mit Votivwaffen wurden zerstört. Trotz anfänglicher Kooperation mit den Römern, so dem Vertrag von 212/1 *ut Acarnaniam Aetoli haberent* (Liv. 26,24f.; IG ²IX 1,2, 241; StV 3,536) und der Teilnahme an der Schlacht bei Kynoskephalai auf röm. Seite 197 v. Chr. (Pol. 18,21f.) wuchs der Gegensatz zu Rom. Im röm.-syr. Krieg litt das Küstengebiet 191 v. Chr. unter dem Durchzug der Truppen Antiochos' III., das Gebiet der Eurytanes beim Feldzug des M. → Acilius Glabrio (Liv. 36,11; 30,1; 38,7; Paus. 10,18,1).

B.4. RÖMISCHE ZEIT

Im Friedensvertrag 189 v. Chr. mußte A. ein → *foedus* mit Rom eingehen und verlor Ambrakia, Phokis, Malis, Dolopia und Phthiotis sowie die Kontrolle über Delphoi. Zu den territorialen Verlusten kamen ökonomische Probleme (bereits nach 206 v. Chr., Pol. 13,1,1; zur Oberschicht [15]). Die hohen Reparationszahlungen an Rom 189 v. Chr. verursachten den wirtschaftlichen Zusammenbruch mit blutigen Unruhen (Pol. 13,3f.; 30,11; Liv. 41,25,1 ; 42,2; 4; 5,7; 12; 40; SIG 1,643 Z. 20–25). Ausdruck dieser Entwicklung war die Abwanderung Verarmter A. als Söldner [12. 176–201] (SEG 40,141) und die Entstehung von prächtigen Familiengräbern außer in Delphoi (SIG 1,631) in Kalydon, Pleuron und Trichonis, also den Orten, die jetzt überwiegend die Bundesbeamten stellten. Durch den Frieden von 167 v. Chr. wurde A. auf das alte Stammesgebiet (mit Stratos, ohne Oiniadai, Pol. 21,32) reduziert, die Romfeinde deportiert (Liv. 45,28f.) Das zur Bedeutungslosigkeit degradierte Koinon bestand bis in das 1. Jh. v. Chr. (IG ²IX 1, 139), blieb jedoch gegenüber einem Einfall der Agraioi 57/56 v. Chr. machtlos (Cic. Pis. 91). 49, 48 und 31 v. Chr. wurde A. Nebenschauplatz der röm. Bürgerkriege (Caes. civ. 3,34f.; 35). Zu Beginn des Prinzipats wurde A. in die Prov. → Achaia integriert (Strab. 17,3,25), einige Bewohner nach Nikopolis umgesiedelt und der Süden der Colonia Augusta *Aroë Patrensis* (Patrai) attribuiert, von der aus Veteranen in Naupaktos und Kalydon siedelten (CIL III 509; SEG 25,621; CIL III Add. 255; [21]). Poleis existierten in den Ebenen nicht mehr (Strab. 10,2,21; 8,8,1; Paus. 7,18; 8,24,11; 10,38,4) und Thermos verfiel [3. 209], aber Siedlungen und *villae rusticae* [22. 114; Kat. bei 21], vor allem entlang der Reichsstraße (→ *cursus publicus*) waren zahlreich. Im Osten von A. (h. Bezirk Phokis) dagegen bildete sich eine ausgeprägte röm. Besiedlung in städtischen Zentren aus, während der Norden (h. Evritania) kaum mehr bewohnt war [6. 23]. In frühbyz. Zeit entstanden neue Siedlungen ohne Kontinuität zu Poleis, auch die h. Hauptorte Messolongi und Agrinion haben keine ant. Vorgänger. Erdbeben zerstörten 551/2 die Bischofsstadt Naupaktos (Prok. bell. 8,25,17).

→ Soteria; Sympoliteia; Amphiktyonia

1 C. ANTONETTI, in: Dialogues d'histoire ancienne 13, 1987, 199–236 2 P. CABANES (Hrsg.), L'Illyrie méridionale et l'Epire dans l'antiquité 1, 1987, 95–113 3 C. ANTONETTI, Les Étoliens, 1990 4 Ders., in: A. M. BIRASCHI, Strabone, 1994, 121–136 5 Ἀρχαιολογικό και Ιστορικό Σθνέδριο Αιτωλοακαρνανίας, Praktika Suppl. 1991 6 L.-S. BOMMELJÉ (Hrsg.), Aetolia and the Aetolians, 1987 7 Ders., Aeolis in Aetolia, in: Historia 37, 1988, 297–316 8 A.-B. BOSWORTH, in: AJAH 1, 1976, 164–181 9 R. FLACELIÈRE, Les Aitoliens à Delphes, 1937 10 P. FUNKE, Gesch. und Struktur des A. Bundes, 1985 11 E. KIRSTEN, Gebirgshirtentum und Seßhaftigkeit – die Bed. der Dark Ages für die griech. Staatenwelt: Doris und Sparta, in: S. DEGER-JALKOTZY (Hrsg.), Griechenland, die Ägäis und die Levante, 1983, 355–445 12 M. LAUNEY, Recherches sur les Armeés Hellénistiques 1, 1949 13 D. MENDELS, in: Historia 33, 1984, 129–180 14 G. NACHTERGAEL, Les Galates en Grèce et les Sôtéria de Delphes, 1977 15 O'NEIL, in: Ancient Society 15–17, 1984–86, 33–61 16 PHILIPPSON / KIRSTEN, 2 17 F. SCHEU, in: NC 1960, 37–51 18 F. SCHOLTEN, A. foreign policy 300–219 BC, Diss. 1987 19 R. H. SIMPSON, O. DICKINSON, Gazetteer of Aegean Civilization I, 1979 20 M. SORDI, in: F. GSCHNITZER, Zur griech. Staatskunde, 1969, 343–375 21 D. STRAUCH, Die Umgestaltung Nordwest- Griechenlands unter röm. Herrschaft, Diss. 1993 22 W.-J. WOODHOUSE, Aetolia, 1897. D.S.

Aitolos (Αἰτωλός). Eponym der Aitoler, bei Hekataios (FGrH 1 F 15) Abkömmling des Deukalion und derselben Generation zugehörig wie andere Stammesheroen (→ Aiolos, → Doros und Xythos), sonst Sohn des Königs → Endymion von Elis (Paus. 5,1,4; Apollod. 1,57). Den Wettlauf um die Thronfolge in Elis gewinnt A.' Bruder → Epeios. Wegen eines Totschlags bei den Leichenspielen für Azan geht A. ins Land der Kureten, wo er seine Gastfreunde Doros, Laodokos und Polypoites, die Söhne der Phthia, tötet. Er benennt das Land am Acheloos nach sich und wird Vater der Heroen Pleuron und Kalydon. Sein Nachkomme Oxylos kehrt mit den Herakliden nach Elis zurück (Ephor. FGrH 70 F 115). In Thermos besaß A. eine Statue, des Oxylos wurde auf der Agora in Elis gedacht (Strab. 10,3,2).

→ Deukalion; Kalydon; Oxylos; Pleuron

C. ARNOLD-BIUCCHI, s. v. A., LIMC 1.1, 433 ·
F. HILLER V. GAERTRINGEN, s. v. A., RE I, 1127–1129. T.S.

Aius Locutius. (Liv. 5,50,5; Plur. Aios Locutios neben den Lares: Arnob. 1,28; Aius: Varro bei Gell. 16,17; Locutius: Tert. nat. 2,11; Aius Loquens: Cic. div. 1,101; 2,69; griech. φήμη καὶ κληδών: Plut. Camillus 14,30; mor. 319a).

Vergöttlichung der »Sprechenden Stimme«, abgeleitet von *aio* und *loquor*, die sich von den eigentlichen *indigamenta* dadurch unterscheidet, daß sie mit einem einmaligen histor. Ereignis verbunden ist. Im Jahre 391 v. Chr. soll der Plebeier M. Caedicius (so der Name bei

Liv. und Plut.) eine Stimme aus dem *lucus Vestae*, nahe den *nova via* [1.234–36], gehört haben, die die Mauern und Tore instand zu setzen befahl (Cic., Liv. und Plut. erwähnen kurz die Ankunft der Gallier). Der Senat beachtete die Warnung nicht, und erst nach der Katastrophe erkannte man ihren göttl. Charakter und errichtete an der betreffenden Stelle einen Kultplatz. Sie gehört zu den oft im Wald vernommenen prophetischen Stimmen (*silva Arsia*: Liv. 2,7,2; Dion. Hal. ant. 5,16,2–3; Val. Max. 1,8,5; Plut. Publicola 9), in denen man eine Offenbarung des Faunus sah (Dion. Hal.; Silvanus bei Livius), dessen Name ἀπὸ τῆς φωνῆς (Serv. Aen. 7,81; Varro ling. 7,36; Serv. ecl. 6,11; georg. 1,10; Aen. 8,314; Origo gentis Romanorum 4,5) erklärt wird [2. 57–75; 3. 77–90].

1 F. COARELLI, Il foro romano I, 1983 2 A. BRELICH, Tre variazioni romane sul tema delle origini, 1955 3 D. BRIQUEL, in: Les bois sacrés, 1989, Ndr. 1993. D. BR.

Aius Sanctus, T. Rhetoriklehrer des → Commodus (SHA Comm. 1,6; Ateius bzw. Attius, nach AE 1961, 280 zu verbessern). Ritterlicher Prokurator, u. a. *ab epistulis Graecis, a rationibus*; *praef. Aegypti* 179/180 [1]. Aufnahme in den Senat, *cos. suff.* um 184, *praef. alimentorum*; seine Grabinschr. u. a. von M. Aurelius Cleander errichtet (AE 1961, 280).

1 G. BASTIANINI, Lista dei prefetti d'Egitto dal 30ᵃ al 299ᵖ, in: ZPE 17, 1975, 263–328 2 W. ECK, s. v. T. Aius Sanctus, RE Suppl. 14, 40f. W.E.

Aix (αἴξ) »Ziege«. Nach dem nachhesiodeischen Mythos wurde das Zeuskind in der kret. Höhle von einer Ziege (→ Amaltheia) oder einer Nymphe namens »Ziege« ernährt. Zeus tötet sie, benutzt ihr Fell als Schild (→ Aigis) im Titanenkampf und versetzt sie zum Dank unter die Sterne (Eratosth. catast. 13 CAPELLA; Ant. Lib. 36). Die Nymphe ist Mutter von Aigipan und Aigokeros (Steinbock, Eratosth. catast. 27). Die Vorstellung vom Sternbild des Ἡνίοχος, der die Ziege auf der Schulter, ihre zwei Böcklein (ἔριφοι) auf dem Arm trägt (Arat. 156–67), verbindet zwei urspr. getrennte Deutungen der Konstellationen. – Sprichwort ist Αἴξ οὐρανία, »die himmlische Ziege«, in der altatt. Komödie (Kratinos bei Zenob. 1,26; Antiphanes bei Athen. 9,66,402e). F.G.

Aixone (Αἰξωνή). Att. → Paralia-Demos der Phyle → Kekropis (IG II² 2375) an der Süswestküste Attikas zw. Glyphada und Voula [3]. Acht Buleutai [7]. Im Westen vom Meer begrenzt, im Osten vom → Hymettos, dessen Hänge terrassiert waren [1; 2. 29ff.] – die φελλεῖς (*phelleís*) in IG II² 2492. Im Norden schlossen Halimus und Euonymon an. Da Hydrussa (h. Prasonisi) κατὰ τοὺς Αἰξωνέας (*katá tús Aixonéas*, Strab. 9,1,21) lag, müßte A. im Süden bis Ano Vula gereicht haben, wo es an Halai Aixonides grenzte. Die ausgedehnten Siedlungsreste umfassen eine myk. Nekropole bei Kap Punta (zugehörige Siedlung unbekannt), geom. Gräber, Nekropolen beiderseits der Hauptstraße von Athen und neben Spuren vieler Einzelgehöfte auch ein dörflich verdichtetes Habitat bei Vula, für das [5. passim, bes. 151ff.] aber die Identifizierung mit → Anagyrus erwägt. Ein Demenzentrum klass. Zeit wird bei der Kirche Hagios Nikolaos στὸ κάτω Πιρναρί (stó káto Pirnarí) angenommen [3. 20], bei der anscheinend im 19. Jh. mehrere Demendekrete (IG II² 1196–1202; 2492; 3091) gefunden wurden [3. 7ff.]; doch könnte die Kirche, wie auch sonst häufig, nur als Sammelplatz fungiert haben. Berühmt für ihre Seebarben und ihre Streitsucht [6. 1131], besaßen die Aixoneer eine → Lesche (IG II² 2492 Z. 23) sowie ein Theater (IG II² 1197; 1198; 1202; [4. 218f.]), das man – vermutlich unter der falschen Prämisse eines »lykurgischen« Koilon – vergeblich an den Hymettoshängen gesucht hat [6]. Bezeugt sind Kulte der → Hebe, des → Herakles und der → Alkmene (IG IIH:2 1199). → Phelleis

1 J. BRADFORD, Fieldwork on Aerial Discoveries in Attica and Rhodes, in: Antiquaries Journ. 36, 1956, 172–180 2 Ders., Ancient Landscapes, 1959 3 C. W. J. ELIOT, Coastal Demes, 1962, 6ff. 4 N. KYPARISSIS, W. PEEK, Att. Urkunden, in: MDAI(A) 66, 1941, 218f. 5 H. LAUTER, Att. Landgemeinden in klass. Zeit, in: MarbWPr 1991, 1–161, bes. 151ff. 6 A. MILCHHOEFER, s. v. A., RE 1, 1130f. 7 TRAILL, Attica, 20f., 50, 59, 67, 109 (Nr. 7), Tab. 7.

WHITEHEAD, Index s. v. A. H. LO.

Akademeia (Ἀκαδήμεια, Ἀκαδημία). Die von Platon gegr., über drei (nach anderen: neun) Jh. kontinuierlich fortbestehende Philosophenschule in Athen. Im folgenden soll die A. als Institution im Vordergrund stehen: mehr zum Dogmatischen in den Art. zu den einzelnen Philosophen sowie zu → Mittelplatonismus und → Neuplatonismus.

I. DIE SCHULE PLATONS II. ALTE AKADEMIE III. MITTLERE UND NEUE AKADEMIE IV. VON ANTIOCHOS ZUR SPÄTANTIKE V. DIE NEUPLATONISCHE SCHULE IN ATHEN

I. DIE SCHULE PLATONS

Philos. Unterricht zu erteilen begann Platon um 387/6 v. Chr., nach der Rückkehr von seiner Reise nach Sizilien und Unterit., wo er mit den Pythagoreern um Archytas von Tarent zusammengekommen war. Als Ort wählte er die »Akademeia«, einen nach dem Heros Akademos (oder Hekademos) benannten Park mit reichem Baumbestand, Gymnasion und Kultstätten im NW von Athen, ca. 1,5 km vom Dipylon entfernt (Diog. Laert. 3,7; Cic. fin. 5,1). Ganz in der Nähe des Parks erwarb er einen Garten mit Haus (Diog. Laert. 3,20). Auf seinem Grundstück weihte er den Musen einen Bezirk mit Altar (ein μουσεῖον, Diog. Laert. 4,1 und 19; durch Speusippos kamen später Statuen der Chariten hinzu: Diog. Laert. 4,1, Philod., Acad., col. 6,30ff.). Daß die A. auch rechtlich ein religiöser Verein

(θίασος) zum Kult der Musen gewesen sei, läßt sich aus den Quellen nicht erweisen [1. 108–127]. Von anderen »Schulen« unterschied sich Platons A. in mehreren Punkten: (1) Unentgeltlichkeit des Unterrichts, (2) philos. Lebensgemeinschaft (πολλὴ συνουσία, τὸ συζῆν epist. 7,341c 8–9), (3) gemeinsame Schulfeste (Apollons Geburtstag) und Symposien, (4) eine Mehrzahl von Forschern und Lehrern, (5) »Filialen« der A. auswärts (so in Atarneus und Assos), (6) Vorsorge für den Fortbestand der Schule über den Tod des Gründers hinaus, (7) objektive Erkenntnis (ἐπιστήμη) der Gerechtigkeit und des Guten (statt Interessendurchsetzung durch Rhet.) als Grundlage des polit. Anspruchs der Schule, (8) Wichtigkeit der Mathematik und der Kosmologie, (9) Unsterblichkeitsglaube. Die Kombination dieser Merkmale bringt die A. in eine deutliche Nähe zu den Gemeinschaften der Pythagoreer [anders 1. 60–63], deren Dogmatismus und Geheimhaltung Platon freilich vermied.

Der Unterricht konnte sowohl im Gymnasion als auch in Platons Haus erfolgen (vgl. Ail. var. 3,19), was zweifellos die Möglichkeit bot, Gespräche mit Fortgeschrittenen von solchen mit Anfängern auch räumlich zu trennen [2. 7, 11]. Die Quellen reden von einem περίπατος (gedeckter Wandelgang) und einer ἔξεδρα (Vorlesungsraum mit Sitzgelegenheiten), wohl beides im Gymnasion (Ail. var. 3,19, Cic. fin. 5,1, Diog. Laert. 4,19). Zur Ausrüstung des Hauses gehörten neben den Büchern, für die Platon nicht wenig Geld ausgab, eine Tafel, ein Erd- und ein Himmelsglobus, Landkarten und ein Modell der Planetenbewegungen [2. 8, mit Belegen und Sekundärlit.]. Die Lehrtätigkeit der A. dokumentiert ein Fragment des Komikers Epikrates (fr. 10 PCG V), das eine Übung in botanischer Klassifikation schildert. Während dieses Zeugnis wohl einen Aspekt des »normalen« Unterrichts karikiert, bezieht sich der Bericht des Aristoxenos (harm. 30/1 M.) über Platons öffentliche Vorlesung Περὶ τἀγαθοῦ wohl auf einen einmaligen Vorgang (zur histor. Deutung s. [3], der mit Recht Platons mündliche Lehre über die Prinzipien als Voraussetzung des Berichts betrachtet). Warum Platon der Mündlichkeit einen Vorrang gegenüber der Schrift einräumte, wird aus den Dialogen selbst und dem 7. Brief (340b–345c) klar [4]. Die Zeugnisse zu Platons ἄγραφα δόγματα (vgl. Aristot. phys. 4,209b 15) sind zusammengestellt bei [5. 441–557].

Die A. genoß schon gut zwei Jahrzehnte vor Platons Tod größtes Ansehen. Sie zog begabte Studenten (so den jungen Aristoteles 367 v. Chr.) wie auch selbständige Gelehrte von auswärts an (so den großen Mathematiker Eudoxos von Knidos). Zeitweilig oder dauernd gehörten der A. ferner an: Speusippos, Xenokrates, Herakleides Pontikos, Theaitetos, Philippos von Opus [weitere Namen bei 6. 982¹]. Geforscht wurde in der A. in allen damals bekannten mathematischen Disziplinen, ferner in der Zoologie, Botanik, Logik, und Rhet. In der Mathematik und Astronomie scheint Platon die Probleme und Erkenntnisziele für die im übrigen selbständigen Forsch. anderer vorgegeben zu haben (Philod. Acad. col. Y 4 ff.; Prokl. In Eucl. el. 66,4 ff. Fr.; Simpl. cael. 488,16 ff.). In der A. konnten auch Ansichten vertreten werden, die von denen Platons weit abwichen: offenbar herrschte ein Klima toleranter Meinungsvielfalt [7. 6]. Selbstverständlich wird auch die mündliche Prinzipienlehre in diesem Geist diskutiert worden sein [5. 591]. – Das große Ansehen der A. zeigte sich auch darin, daß ihre polit. Theorie Beachtung seitens der Praxis fand: Nicht wenige Mitglieder der A. traten als polit. Ratgeber, Reformer oder Gesetzgeber auf (Plut. Adversus Colotem 1126 C-D) [8].

II. Die Alte Akademie

Platon wurde nach seinem Tod (347 v. Chr.) als »göttlicher«, von Apollon gezeugter (Diog. Laert. 3,2) Gründer verehrt, sein Geburtstag als Schulfest gefeiert. Die ersten beiden Scholarchen nach Platon waren seine unmittelbaren Schüler Speusippos (ein Neffe Platons; Schulleitung 347–339) und Xenokrates (339–315/4). Speusippos versuchte u. a. eine Fortentwicklung des Seinsentwurfs der platonischen ἄγραφα δόγματα (vgl. Aristot. metaph. 7,1028b 21–24, 13,1086a 2–6: an die Stelle der platonischen Ideen traten bei ihm, wohl in Fortführung pythagoreischer Ansätze, die Gegenstände der Mathematik) und des Dihairesis- und Definitionsverfahrens (fr. 5–26, 31–32 L.). Xenokrates scheint demgegenüber eine mehr »orthodoxe« Platonauslegung mit systematischer Ausdeutung des Weltbildes des *Timaios* angestrebt zu haben, womit er später nachhaltigen Einfluß auf den Mittleren Platonismus gewann. In Athen genoß Xenokrates hohes Ansehen; Aristoteles jedoch verließ während seiner Schulleitung die A. und gründete um 335 seine eigene Schule. Auf Xenokrates folgten der Athener Polemon (Scholarch 314 – 270/269) und Krates (nur kurze Zeit Scholarch, um 269/8), während Polemons Schüler Krantor, Verf. der vielzit. Trostschrift Περὶ πένθους und des ersten *Timaios*-Komm., vor Übernahme der Schulleitung starb (wohl 276/5). Diese zweite und dritte Generation versuchte die Lehre der A. möglichst unverändert weiterzugeben (Antiochos bei Cic. ac. 1,34); daher (und wegen der spärlichen Überlieferung) ist wenig Eigenes erkennbar. Auf Polemon geht die Telosbestimmung des ›naturgemäßen Lebens‹ (*secundum naturam vivere*, Cic. fin. 4,14) zurück, die durch seinen Schüler Zenon, den Gründer der Stoa, inhaltlich umgedeutet im Stoizismus weiterwirkte. – An Änderungen des Schullebens in dieser Zeit ist überliefert, daß Speusippos für den Unterricht Gebühren nahm (Diog. Laert. 4,2) und daß Polemon nur noch im Garten der Schule unterrichtete, während die Schüler in Hütten neben dem Museion wohnten (Diog. Laert. 4,19).

III. Die Mittlere und die Neue Akademie

Mit → Arkesilaos (Scholarch 268/4 (?) – 241/0) kam etwas gänzlich Neues in die Akademie: Er bestritt die Möglichkeit sicherer Erkenntnis und erklärte das bloße Suchen der Wahrheit und die Vermeidung des Irrtums als Aufgabe der Philos. (Cic. ac. 2,60, 66). Arkesilaos'

Kampf gegen definitive Antworten richtete sich primär gegen die Stoa; innerhalb der A. scheint er seine Umorientierung als Rückkehr zum sokratisch-aporetischen Element bei Platon propagiert zu haben. Nach S. Emp. P. H. 1,234 f. wäre neben der nur propädeutisch gemeinten Skepsis insgeheim die »dogmatische« Philos. Platons weitergelehrt worden. Die »skeptische« Richtung wurde im 2. Jh. v. Chr. ausgebaut durch → Karneades (Scholarch 156/5–137/6), mit dem die Neuere A. beginnt. Karneades antwortete vor allem auf den Stoiker Chrysippos, der seinerseits die skeptischen Einwände des Arkesilaos zurückgewiesen zu haben glaubte. Gesicherte Erkenntnis schien auch Karneades unerreichbar, doch lasse sich durch methodisches Argumentieren das »Wahrscheinliche« (πιθανόν) ermitteln, das für das praktische Handeln die gleiche Sicherheit biete wie das unerreichbare Wissen. Karneades, ein glänzender Dialektiker, machte anläßlich einer Gesandtschaft athenischer Philosophen in Rom 156/5 großen Eindruck durch seine Reden für und wider die Gerechtigkeit. Sein wichtigster Schüler, Kleitomachos aus Karthago, leitete die A. 127/6 – 110/9 unter Wahrung des konsequenten Skeptizismus seines Lehrers. Bei anderen Schülern des Karneades und bei Philon von Larissa (Scholarch 110/109–84 [vgl. 9. 916]) scheint die skeptische Urteilsenthaltung (ἐποχή) eher nur als dialektisches Instrument im Kampf gegen die »Dogmatiker« gegolten zu haben, im übrigen berief man sich zunehmend auf positive Lehrentscheidungen Platons. Über der Frage des positiven Gehalts der platonischen Tradition kam es 87 v. Chr. zum Zwist zwischen Philon und seinem Schüler → Antiochos [21]. Zuvor war Philon im Mithridatischen Krieg, als Athen von Rom abfiel, 88 nach Rom geflohen, wo ihn Cicero hörte (Brut. 306). Bei der Belagerung Athens durch Sulla 86 v. Chr. wurde der Hain an der A. abgeholzt; das Schicksal der Gebäude und der Bibliothek ist nicht bekannt. Als Cicero 79 v. Chr. die A. besuchte, war sie kein Ort der philos. Lehre mehr (fin. 5,1–5): Philon war nicht zurückgekehrt, Antiochos lehrte in einem Gymnasion in der Stadt, scheint aber nicht offizieller Scholarch der A. gewesen zu sein. So endete die A. als Institution etwas mehr als 300 Jahre nach der Gründung mit dem Tod des letzten Scholarchen im Exil.

Die Gliederung der Gesch. der A. in Alte, Mittlere und Neue A. (Philod. Acad. col. 32,37–42; S. Emp. P. H. 1,220) wird in einer Variante weitergeführt: mit Philon habe die vierte, mit Antiochos die fünfte A. begonnen (S. Emp. P. H. 1,234 f.; Gal. Hist. phil. 2 = (DDG 600.3–4). Keine Quelle führt die Gesch. der A. weiter als ins 1. Jh. v. Chr. In der Spätant. wurde jedoch die ungebrochene Kontinuität der Schule von Platon bis Proklos behauptet [1. 183–187; 10. 296–329], und die moderne Forsch. war bemüht, eine möglichst lückenlose Liste der Scholarchen zu erstellen [11; 12. 663–666]. Daher wird auch hier die Gesch. der Bemühungen um Platon in Athen weiterverfolgt, auch wenn die Kontinuitätsthese [seit 10] als widerlegt gelten darf.

IV. Von Antiochos zur Spätantike

Antiochos von Askalon (125(?) –68 v. Chr.) sprach es offen aus, daß die A. seit Arkesilaos mit der Lehre Platons gebrochen hatte. Er selbst sah Platon als »Dogmatiker«, leitete die anderen Schulen letztlich von ihm ab und glaubte an die Vereinbarkeit der Lehren der A., des Peripatos und der Stoa. Seine »Schule«, die er folgerichtig »Alte Akademie« nannte (Cic. ac. 2,70), wurde bis ca. 50 v. Chr. fortgeführt von seinem Bruder Aristos (Philod. Acad. col. 35,2–5; Cic. Brut. 332). Brutus hörte 44 v. Chr. Vorlesungen eines Akademikers Theomnestos (Plut. Brut. 24,1). Danach gibt es für ca. 100 Jahre keine Nachricht über platonische Philos. in Athen; Sen. nat. 7,32,2 bezeugt ausdrücklich, daß die A. zu seiner Zeit nicht mehr bestand. Plutarch wurde im 1. Jh. n. Chr. in Athen von einem Ammonios in platonischer Philos. unterwiesen (Plut. *quomodo adulator ab amico internoscatur* 70 E; *de E apud Delphos* 385 Bff.); niemand wird deswegen von einer neuen A. sprechen [vgl. 13]. Die philos. Beschäftigung mit Platon ging natürlich auch ohne eine Institution namens A. weiter: die neue Blüte, die wir als »Mittleren Platonismus« bezeichnen, hat sich außerhalb Athens entwickelt, z. T. aus »neupythagoreischen« Ansätzen heraus (Eudoros von Alexandreia, Moderatos von Gades, Numenios von Apameia). In der Mitte des 2. Jh. n. Chr. wirkte der Platoniker L. Kalvenos Tauros in Athen, von seiner »Schule«, die ein privater Ein-Mann-Betrieb gewesen zu sein scheint, berichtet Gellius (1,26, 7,13, 17,8). Nach Cassius Dio 72,31,3 errichtete Marcus Aurelius 176 n. Chr. Philos.-Lehrstühle für alle Richtungen, also auch für Platonismus. Als διάδοχοι im 3. Jh. werden gen. Theodotos und Eubulos (Longinos bei Porph. Vita Plot. 20). Im 4. Jh. scheint es eine erneute Unterbrechung der Kontinuität gegeben zu haben. Inzwischen erlebte die philos. Platonexegese einen Höhepunkt bei Plotinos, der 244–270 in Rom unterrichtete. Keiner der bedeutenderen Platoniker des 3. und 4. Jh. (Porphyrios, Iamblichos, Aidesios, Theodoros) wirkte in Athen, keiner stand einer »A.« vor.

V. Die neuplatonische Schule in Athen

Seit ca. 410 n. Chr. gab es in Athen für ca. 120 Jahre wieder intensive philos. Beschäftigung mit Platon. Stifter und erstes Schulhaupt der neuen Schule war der reiche Athener Plutarchos (gestorben 431/2). Das beträchtliche Vermögen der Schule verblieb im Privatbesitz des jeweiligen Scholarchen, was ihr Unabhängigkeit vom längst christl. gewordenen Staat sicherte. Auch das ehemalige Grundstück der A. scheint wieder im Besitz der Platoniker gewesen zu sein (Damaskios bei Phot. Bibl. cod. 242, p. 38,32–38 Henry). Der Unterricht fand jedoch in einem Privathaus am Südhang der Akropolis statt (Marinos, Vita Procli 29, p. 166 Boiss.). Als Hauptaufgabe wurde die Erklärung und Kommentierung der Werke Platons angesehen (Syrianos, Scholarch 431/2–(?), komm. auch Aristoteles). In den Platonkomm. des Proklos (410–485) erreichte die neuplatonische Scholastik ihren Höhepunkt. Philos. war für die Schule von Athen, wie schon für Platon, zugleich Gottesdienst: Dies machte sie zu einem Zentrum des geistigen Widerstandes gegen das polit. siegreiche Christentum. Die Konsequenz war die von Kaiser Justinian 529 n. Chr. verfügte Beendigung des Philos.unterrichts (Cod. Iust. 1.5.18.4, 1.11.10.2 – gegen Versuche, die Bed. dieser Maßnahme herunterzuspielen, überzeugend [14. 369–385]). Aus Verbitterung über das kaiserliche Verbot begaben sich sieben prominente Platoniker, unter ihnen Simplikios und Damaskios, der letzte Scholarch, 532 zum Perserkönig Chosroes I., kehrten freilich im Jahr darauf enttäuscht in die griech. Welt zurück (Agathias 2,30–31). Simplikios schrieb seine Aristoteles-Kommentare nach dem persischen Intermezzo, vielleicht weil ihm platonische Themen nunmehr versagt waren [so 14]. Philos. Lehre überlebte nur bei den christl. gewordenen Neuplatonikern in Alexandreia.

1 J. P. Lynch, Aristotle's School, 1972 2 M. Baltes, Plato's School, the Academy, in: Hermathena 155, 1993, 5–26 3 K. Gaiser, Plato's Enigmatic Lecture on the Good, in: Phronesis 25, 1980, 32–50 4 Th. A. Szlezák, Platon und die Schriftlichkeit der Philos., 1985 5 K. Gaiser, Platons ungeschriebene Lehre, ²1968 6 Zeller, II.1, ⁵1922 7 H. Krämer, Die Ältere Akademie, in: GGPh² 3, 1–174 8 K. Trampedach, Platon, die Akademie und die zeitgenössische Politik, 1994 9 W. Görler, Älterer Pyrrhonismus – Jüngere Akademie – Antiochos aus Askalon, in: GGPh²4, 717–989 10 J. Glucker, Antiochus and the Late Academy, 1978 11 K. Zumpt, Über den Bestand der philos. Schulen in Athen und die Succession der Scholarchen, 1844 12 K. Praechter, Die Philos. des Alt., ¹²1926 13 J. Dillon, The Academy in the Middle Platonic Period, Dionysius 3, 1979, 63–77 14 J. Blumenthal, 529 and its sequel: what happened to the Academy?, in: Byzantion 48, 1978, 369–385 15 M.-F. Billot, Académie. Topographie et archéologie, in: Goulet I 1989, 693–789.   T. A. S.

Akademos (Ἀκάδημος). Attischer Heros, der im Hain → Akademeia, 1,6 km westl. des athenischen Dipylon, verehrt wurde (Kultbau vermutet). Wohl älter ist die Namensform Hekademos (Vaseninschrift hεκα[δεμος] Beazley, ABV 27,36). Er verriet Kastor und Polydeukes, daß Theseus ihre aus Sparta geraubte Schwester Helena in Aphidna verborgen hielt (Plut. Theseus 32,3–5), und gründete das Gymnasium (Hesych. s. v. *akadēmía*). Zum Dank verschonten die Spartaner bei ihren Einfällen in Attika die Akademie. Der Mythos konkurriert mit einem anderen, in dem der Heros → Dekelos Theseus verrät (Hdt. 9,73). Dikaiarch (fr. 66 Wehrli, bei Plut. Theseus 32,4) leitete den Ortsnamen vom Arkader → Echemos ab, der die Tyndariden nach Attika begleitete.

U. Kron, LIMC 1.1, 433 f. · Kearns, 157 · E. Stavropoulos, ArchEph 1958, 5–13.   F. G.

Akadra [1] Bei Ptol. 7,2,6 erwähnter Küsten- platz Hinterindiens. Grabungen in Arikamedu belegen röm. Handelskontakte im 1. Jh. n. Chr. mit jener Region. **[2]**

Nur von Ptol. 7,3,5 genannte Stadt Südchinas; evtl. mit πόλις Ἀσπίθρα und dem von Plin. nat. 6,35 erwähnten Fluß Psitharas zu verbinden. B.B.

Akaina (Ἄκαινα). Eigentlich eine Rute zum Antreiben der Tiere, wird aber bei den Griechen auch als Stab zur Vermessung der Felder verwendet und entspricht 10 Fuß (πούς), schwankt regional zwischen ca. 27 und 35 cm). 10 A. machen 1 → Plethron aus. Eine Fläche zu 100 Quadratfuß wird unter den Ptolemäern in Ägypten als A. bezeichnet.

→ Längenmaße; Plethron; Pus

F. HULTSCH, Griech. und röm. Metrologie, ²1882 · ders., s.v. A., RE I 1, 1893, 1138–1139 · E. PFEIFFER, Die alten Längen- und Flächenmaße, 1986 · O. A. W. DILKE, Mathematik, Maße und Gewichte in der Ant., 1991. A.M.

Akakios (Ἀκάκιος). **[1]** Rhetor und Dichter aus Caesarea, Zeitgenosse des → Libanios, aus zahlreichen Erwähnungen in dessen Briefen sowie durch Eunapios (Vitae Sophist. 497) bekannt (vgl. PLRE s.v. Acacius 6–8). Nach einem Studium in Athen lehrte er in Antiocheia [1] und soll in Konkurrenz zu Libanios diesem durch sein Naturtalent überlegen gewesen sein. A. ist vielleicht Verf. der unter → Lukians Namen erh. Trag.-Parodie Ὠκύπους (Lib. epist. 1380 W. = 1301 f.). Später gab er seine Lehrtätigkeit auf und betätigte sich in seiner Heimatstadt als Anwalt. Er bekleidete mehrere Ämter in der kaiserlichen Verwaltung und starb relativ jung.

K. GERTH, 2. Sophistik, in: RE Suppl. 8, 734 · O. SEECK, Die Briefe des Libanios, 1906, 39–43. M.W.

[2] von Kaisareia/Palästina, μονόφθαλμος, seit ca. 341 Nachfolger des Eusebios als Bischof von Kaisareia/Palästina. Er folgte seinem Lehrer auch in theologischer und kirchenpolitischer Hinsicht und gehörte zeitweilig zu den wichtigsten Vertretern der sogen. homöischen (d.h. einer Christus dem Vater subordinierenden) Reichskirchenpolitik unter Constantius II. 359 gab er ihr wohl auch mit einer Passage der vierten sirmischen Formel (Athan., syn. 8,4) den bis heute verwendeten Namen, indem er den Sohn als dem Vater ὅμοιον … κατὰ τὰς γραφάς qualifizierte. A. wurde 364/65 abgesetzt und ist bald darauf verstorben. Von seinen zahlreichen Schriften (Hier., vir. ill. 98,1 / Sokrates, h.e. 2,4) existieren nur noch geringe Fragmente seiner exegetischen Arbeiten (CPG II, 3510/11) samt eines Stückes aus seiner Schrift gegen Markellos von Ankyra (5512).

H. CHR. BRENNECKE, Studien zur Geschichte der Homöer, Beiträge zur historischen Theologie 73, Tübingen 1988 · J. M. LEROUX, Acace, évéque de Césarée de Palestine (341–365), Studia Patristica 8, 1966, 82–85 · M. SIMONETTI, s.v. Acacius of Caesarea, Encyclopedia of the Early Church I, 1992, 5. C.M.

[3] ursprünglich ein bekannter Asket und Mönch, wurde 378 zum Bischof von Beroia (Aleppo) ordiniert. Nachdem er urspr. ein vertrauter Freund des Johannes Chrysostomos war, entwickelte er sich zu einem seiner erbittertsten Gegner und betrieb dessen Verurteilung 403. Epiphanios schrieb das antihäretische Werk »Panarion« auf seine Bitten; kurz nach der ephesinischen Union von 433 (Formel bei DENZINGER-HÜNERMANN §§ 271–273), an deren Zustandekommen er maßgeblich beteiligt war, dürfte er gestorben sein. Von seinen Schriften sind nur wenige Fragmente geblieben (CPG III, 6477–6482).

G. BARDY, Acace de Bérée et son rôle dans la controverse nestorienne, Revue des Sciences Religieuses 18, 1938, 20–44 · A. GRILLMEIER, Jesus der Christus im Glauben der Kirche I, ²1982. C.M.

[4] amtierte als Patriarch von Konstantinopel zwischen 471 und 489. Gegenüber dem gegen die christologische Formel von Chalkedon gerichteten Kurs des Usurpators Basiliskos (475/76) leistete er Widerstand, vielleicht (anders die traditionelle Sicht) auch aus theologisch begründeter Sympathie für das Konzil von 451. Nach *Zenons Rückkehr zur Macht unterstützte der Patriarch freilich dessen auf Vermittlung zwischen den Parteien hin angelegte Kirchenpolitik, wie sie im sogen. »Henotikon« (E. SCHWARTZ, ABAW 32/6, 1927, 52–54) zum Ausdruck kommt: Chalkedon wird entschärft, aber nicht verworfen. Trotzdem wurde A. 484 von Rom wegen angeblicher antichalzedonensischer, monophysitischer Tendenzen exkommuniziert. Von da an bis zur Aufhebung des Henotikons 518 unter Justinian dauerte das »akakianische Schisma« zwischen West- und Ostrom.

E. SCHWARTZ, Publizistische Sammlungen zum Acacianischen Schisma, ABAW 10, 1934 · A. GRILLMEIER, Jesus der Christus im Glauben der Kirche II/1, 1986. C.M.

Akalan. Archa. Wohnsiedlung 18 km südwestl. von Samsun in der Nähe der pontischen Küste in Nord-Anatolien. Ausgrabungen durch TH. MACRIDY [3] 1906 erbrachten die Reste einer befestigten Zitadelle und vor allem qualitätvolle Dachterrakotten in griech.-ion. Stil [1]. Auch die Keramik verweist auf enge Kontakte nach Ionien bzw. zu den ion. Kolonien der pontischen Küste [2]. Der ant. Name der nur im 6.Jh. v.Chr. blühenden Siedlung ist unbekannt, die Bevölkerung dürfte vorwiegend einheimisch-pontisch gewesen sein.

1 Å. ÅKERSTRÖM, Die Architektonischen Terrakotten Kleinasiens, 1966, 121–132 2 W. W. CUMMER, IstMitt 26, 1976, 31–39 3 TH. MACRIDY, MVAG 12, 1907, 167–175. F.PR.

Akalanthis s. Pierides

Akamantis (Ἀκαμαντίς). Seit der Phylenreform des → Kleisthenes fünfte der zehn Phylen Attikas (IG II/III² 1700ff.); eponymer Heros → Akamas. Sie umfaßte im 4.Jh. v.Chr. fünf → Asty-, drei → Paralia- und fünf

→ Mesogeia-Demen. Drei wechselten 308/7 v. Chr. in die maked. Phylen Antigonis bzw. → Demetrias; nach deren Auflösung 201/200 v. Chr. wieder in der A. → Prospalta wechselte 224/3 v. Chr. in die → Ptolemais, → Hagnus 201/0 v. Chr. in die → Attalis, Eitea 127/8 n. Chr. in die → Hadrianis. Die A. bestand zuletzt aus zehn konstitutionellen Demen, acht davon stehen in der Prytanenliste von 167/68 n. Chr. (IG 2² 1744).

TRAILL, Attica, 8f., 19, 23, 47f., 57, 71, 102, 105, 133 Tab. 5.　　　　　　　　　　　　　　　　　　　　H.LO.

Akamas (Ἀκάμας). Sohn von Theseus, normalerweise eng verbunden mit seinem Bruder → Demophon. Beiden Brüdern werden ähnliche Gesch. zugeordnet. Ihre Mutter erscheint in unterschiedlicher Form: Phaidra (Diod. 4,62; Apollod. epit. 1,18), Ariadne (schol. Od. 11,321) oder Antiope (Pind. fr. 175). Obwohl sie in der Ilias fehlen, sind sie nach der Iliupersis (fr. 6 PEG) in Troia anwesend und befreien bei der Stadtplünderung ihre Großmutter Aithra aus der Gefangenschaft. In verschiedenen Quellen werden beide Brüder als Geliebte von Priamus' Tochter Laodike bei Troia und von Phyllis in Thrakien genannt. In der Erzählung von Parthenius 16 (von Hegesippos von Mekyberna, FGrH 391 F 4) begleitete A. vor Kriegsausbruch Diomedes auf einer Mission nach Troia; dort traf er → Laodike, die ihm einen Sohn, Munitos, gebar. Seine Heirat mit → Phyllis, der Tochter des Königs der Bisaltoi, fand nach dem Krieg statt; ihre Mitgift war das Gebiet von Ennea-Hodoi, und die Tradition weist deutlich athenische Ansprüche in Thrakien auf. Ähnlich in dieser Hinsicht sind auch die Gesch., die ihn mit den Chersonesen (schol. Thuk. 1,11) und Zypern (Strab. 14,6,3) verbinden. Sein Name wurde, wie derjenige von Demophon auch, mit dem Herbeischaffen des troianischen Palladions nach Athen und und der Gründung des Hofes ἐπὶ Παλλαδίῳ (*epí Palladíō;* Phanodemos FGrH 325 F 16) in Verbindung gebracht. Obwohl viele Überschneidungen vorhanden sind, hat A. weniger mit Athen zu tun als Demophon; er wurde jedoch in Attika verehrt, einerseits allein [1. 131–138], andererseits mit Demophon zusammen (Paus. 1,1,4). Er erlangte Ansehen als einer der → Eponymoi.

1 M. Th. MITSOS, Ek tou Epigraphikou Mouseiou, in: ArchE 7, 1965.

U. KRON, s. v. A., LIMC I, 435–46 · U. KRON, Die zehn att. Phylenheroen, MDAI(A) Suppl. 5, 1976, 141–70, 269–75 · KEARNS, 88 f.　　　　　　　　　　　　　　　　　　　E. K.

Akampsis (Arr. per. p E. 7,4,5), *flumen* Acampseon (Plin. nat. 4,12), Acampsis, Acapsis (Geogr. Rav.; Ἀκαψις Suda), byz. Boas. Fluß, der am Nord-Hang des Parchari entspringt (armen. Gebirge, Prok. BG 4,2; h. Ardicin Dagi, Nordost-Türkei) und in das süd-östl. Schwarze Meer mündet; bildet nach Prokop die Westgrenze Lazikas (georg. Coroch, türk. Çoruh Nehri).

An seiner Mündung liegt die Festung → Apsaros.

A.P.-L.

Akanthis und Akanthos (Ἀκανθίς, »Zeisig« und Ἄκανθος, »Distelfink«). Tochter und Sohn von Autonoos und Hippodameia, Geschwister von Erodios (»Reiher«), Anthos (unklarer Vogelname), Schoineus (ebenso). Als die Stuten der väterlichen Pferdezucht den Anthos zerrissen, trauerte die Familie um ihn, bis Zeus und Apollon aus Mitleid alle in Vögel verwandelten: Die Eltern in Rohrdommel und Haubenlerche, die Kinder in die Vögel, deren Namen sie trugen (Anton. Lib. 7).

P. M. C. FORBES IRVING, Metamorphosis in Greek myth, 1990, 224 f.　　　　　　　　　　　　　　　　　　F. G.

Akantho (Ἀκανθώ). In den Katalogen göttl. Homonyme (Cic. nat. 3,54; Arnob. adv. nat. 4,14) Mutter des vierten Helios, des Vaters der rhodischen Eponymen Ialysos, Kameiros, Lindos. Die Kataloge sind das Resultat eines Versuchs, verschiedene mythische Traditionen zu vereinheitlichen: Hier steht lokale rhodische Epik dahinter.　　　　　　　　　　　　　　　　　　　　　　F. G.

Akanthos (Ἄκανθος). [1] An der Ostküste der → Chalkidike beim h. Ierissos gelegene Kolonie von → Andros; während des Xerxeszuges (480/79 v. Chr.) wichtiger persischer Stützpunkt (Hdt. 7,22; 115ff.); später Mitglied des → Att.-Delischen Seebundes, fiel 424 v. Chr. ab (Thuk. 4,84–88) und konnte sich auch gegenüber dem Chalkidischen Bund behaupten (SIG 1,135). Seit 349/8 v. Chr. makedonisch. Im 2. Maked. Krieg wurde A. von den Römern geplündert (199 v. Chr.; Liv. 31,45,16), bestand bis in die Kaiserzeit fort und wurde später unter dem Namen Hierissos Bischofssitz.

F. PAPAZOGLOU, Les villes de Macédonie à l'époque romaine, 1988, 221, 433 f. · M. ZAHRNT, Olynth und die Chalkidier, 1971, 146–150.　　　　　　　　　　M. Z.

[2] Nur 4 der 20 Arten von *Acanthus L.* der tropischen Sympetalenfamilie *Acanthaceae* gibt es auch im Mittelmeergebiet, vor allem die schon von Dioskurides 3,17 [1. 2,23 f.; vgl. 2. 272 f.] und Plin. nat. 22,34 (*a. aculeatus* und *crispus*) unterschiedenen *A. spinosus L.* mit dicht bestachelten Blättern (ἄ. ἄγρια) und *A. mollis L.* (ἄ. = μελάμφυλλον). Die Blätter von letzterer nahm nach Vitr. 4,1,10 der Bildhauer Kallimachos zum Vorbild für die Kapitelle der korinth. Säulen. Diese Art ist in mitteleurop. Gärten seit dem 16. Jh. eingebürgert. Nur bis Istrien findet man *A. longifolius Host*. Aber *A. germanicus* (»Teutsch Bärnklauw« der Kräuterbücher seit Brunfels) ist identisch mit dem Doldengewächs *Heracleum sphondylium L.*

1 M. WELLMANN (Hrsg.), Pedanii Dioscuridis de materia medica, Bd. 2, 1906, Ndr. 1958 2 J. BERENDES (Hrsg.), Des Pedanios Dioskurides Arzneimittellehre übers. und mit Erl. versehen, 1902, Ndr. 1970.　　　　　　C. HÜ.

Akanthos [3] s. Akanthis

Akarnan (Ἀκαρνάν). Eponym Akarnaniens und der Akarnanier, die früher Kureten hießen (Paus. 8,24,9). Sohn des Argivers → Alkmaion und der Acheloos-Tochter Kallirhoe (Thuk. 2,102; Apollod. 3,92 f.). Diese bringt Zeus dazu, ihre Söhne A. und Amphoteros vor der Zeit zu Erwachsenen machen. Sie sollen ihren Vater rächen, der auf Veranlassung seines früheren Schwiegervaters Phegeus von Psophis wegen des Halsbands der Harmonia ermordet worden ist (Ov. met. 9,412 ff.). Nach erfolgter Rache weihen A. und sein Bruder das Halsband und den Peplos der Harmonia nach Delphi und lassen sich in Akarnanien nieder, das nach dem älteren Bruder benannt wird. Nach schol. Pind. O. 1,79 findet A. als Freier der → Hippodameia den Tod.
→ Harmonia   T. S.

Akarnanes, Akarnania (Ἀκαρνᾶνες, Ἀκαρνανία). Stamm und Landschaft im Westen von Mittelgriechenland zw. Ion. Meer, Ambrakischem Golf und Golf von Patras; im Osten bildete im 3. Jh. v. Chr. der → Acheloos [1] die Grenze zu den → Aitoloi (im 4. Jh. v. Chr. siedelten A. auch östl. des Flusses: Agrinion, Aiolis). A. wird untergliedert von vier nordsüdl. verlaufenden Senken [17. 368–373]: Die östlichste (Stratike oder Akarnanikon Pedion) am Acheloos, östl. der Lykovitsi-Höhen, geht in die (größtenteils zu Aitolia zählende) wasserreiche Binnenebene über. Hier lagen die Poleis → Limnaia, → Stratos, → Metropolis und → Oiniadai, die westlichste bildet ein schmaler Isthmus östl. von Leukas, den nach ant. Tradition Korinther bei der Kolonisation von Leukas durchstachen (Strab. 10,2,8 f.). Die beiden mittleren Senken werden vom Kalkgebirge Akarnanika Ori geschieden; dieses teilt sich im Süden am Berg Bumistos und umschließt die Küstenkammer von Alyzeia. In dieser westl. Senke lagen → Thyrrheion, → Anaktorion, → Palairos und → Sollion, in der östl. Senke → Euripos, → Medeon, → Torybeia, → Phoitiai, → Koronta und → Astakos. Wegen des Wasserreichtums war in den östl. Ebenen die Viehzucht verbreitet (Xen. hell. 4,6,4 f.; 7,1; Strab. 8,8,1); die Senke südl. von Limnaia (h. Amphilochia) war in der Ant. versumpft (h. Ambrakia- und Ozeros-See [18. 83–100]). In den Kalkbergen dagegen herrschte Wassermangel (h. Xeromeros »Trockengebiet«). Da trotz vieler Landeplätze an der Küste gute Häfen fast völlig fehlten, die vorhandenen aber korinth. Kolonien gehörten, waren die A. urspr. weniger Seefahrer denn Bauern (im 3. Jh. v. Chr. jedoch Nauarchoi als Bundesbeamte, s. u.). Die Bewohner galten – im Gegensatz zu den benachbarten Amphilochoi – als Hellenen (Skyl. 33; Plut. Perikles, 17,2; Paus. 6,2,1), und wurden als »bäuerlich-konservativ« charakterisiert: Thuk. 1,5,3 nennt Raubzüge und stetiges Waffentragen, Pol. 4,30,1 und Liv. 33,16 f. loben »Loyalität« und »Freiheitsliebe«. Schon früh stellten die A. leicht bewaffnete Söldner (Peltastai, Schleuderer, Speerschützen, Thuk. 7,31,5; Xen. an. 4,8,18) [14. 201–209].

In Astakos und Leukas wurden Gräber sowie eine Siedlung der frühen Bronzezeit (Frühhelladisch II-III, 2. H. des 3. Jt.) ausgegraben, die kykladische Einflüsse aufweisen sollen [1. 23–26, 39–49]. Die Funde aus myk. Zeit weisen auf Beziehungen mit den Küsten von Achaia, Epeiros und den Ion. Inseln [1. 35–38, 50–57; 21. 182–185, 373]. Der ant. Bezeichnung vorgriech. Bewohner von A. als »Kureten«, »Leleger« u. a. (Aristot. fr. 474; Strab. 7,7,2; 7; 10,2,24 f.) kann schwerlich ein Hinweis auf myk. Verhältnisse entnommen werden. Die Sprache der A. wird dem (dor. nahestehenden) nordwest.-griech. Dial. zugerechnet [20. 26–34]. Die A. erscheinen nicht in den Epen Homers (FGrH 70 F 123 f., deshalb bereits ant. Hom. Od. 14,100–103 auf A. bezogen), sondern zuerst in der → Alkmaionis, fr. 5 (vgl. Thuk. 2,102,5 f.) [9. 155–166]). In Archaik und Klassik bestand ein Gegensatz zw. binnenländischen A. und eigenständigen Küstenstädten, der erst mit dem Zusammenwachsen des Gemeinwesens endete. Im 7. Jh. v. Chr. gründete Korinth die Küstenstädte Anaktorion, Sollion, Leukas (FGrH 90 F 57 [3. 185–194; 5. 6–49]), die an den Perserkriegen teilnahmen (Hdt. 9,28; 31). In den Kolonien wurden korinth. Alphabet und Münztypen, in A. dagegen wurde vor allem die Schrift Achaias benutzt. Die wachsende Konkurrenz zw. Korinth und Athen um die Seewege führte zu Konflikten um Oiniadai, das ca. 456/5 v. Chr. von Naupaktiern und in erster gemeinsamer Aktion von A. (Paus. 4, 25), zwei J. später von Perikles vergeblich belagert wurde (Diod. 11,85,1 f.; Thuk. 1,111,2 f.; [15. 292 f.; 6]). → Amphilochia wurde seit den frühen 430er J. ein Teil von A. (Thuk. 2,68). Spätestens 432 v. Chr. trat A. in die → Symmachia-Verhältnis zu Athen ein (nicht in den 1. Att. Seebund, Thuk. 2,68). Die Küstenstädte ergriffen 431 v. Chr. gegen Athen Partei, Astakos und Sollion wurden dafür bestraft (Thuk. 2,9,4; 30,1; 82; 102,2). Ein athenischer Angriff unter Phormion auf Oiniadai wurde 429 v. Chr. verschoben, blieb 428 v. Chr. ohne Erfolg (Thuk. 2,80–82; 102,1 f.; 3,7,1–5 [6]). Dem Neutralitätsvertrag zw. Ambrakia [1], den Amphilochoi und A. 426 v. Chr. (Thuk. 3, 114, 2 f.; StV 2,175) folgte 425 v. Chr. die Einnahme von Anaktorion und Neubesiedlung durch A., 424 v. Chr. die Eroberung von Oiniadai und ein Feldzug der A. gegen die Agraioi (Thuk. 4, 49; 77). So bewirkte der → Peloponnesische Krieg ein Zusammenwachsen der A., deren → Koinon [13. 89–95] erstmals 389 v. Chr. explizit genannt wird. Mehrere Strategoi und ein Bundesrat standen ihm vor (Thuk. 3,107,2; Xen. hell. 4,6,4; Aristot. fr. 474: A. Politeia). Der Hauptort Stratos, mit 70 ha die größte Stadt von A. [12. 244] bildete mit Phoitiai einen Bundeskern (IG ²IX 1,2, 390; [10]). Die Stadt besaß bereits im 5. Jh. v. Chr. Mauern (im 4. Jh. v. Chr. Ausbau der → Agora, Theateranlage für 6–8 000 Besucher). Drei archa. Kultstätten finden sich bei Stratos: Ein Tempel im Nordwesten bei Spathari oberhalb der Ebene, in der sich das Heeresaufgebot versammelte, das Zeus-Heiligtum über der westl. Stadtmauer und ein ländliches Heiligtum in

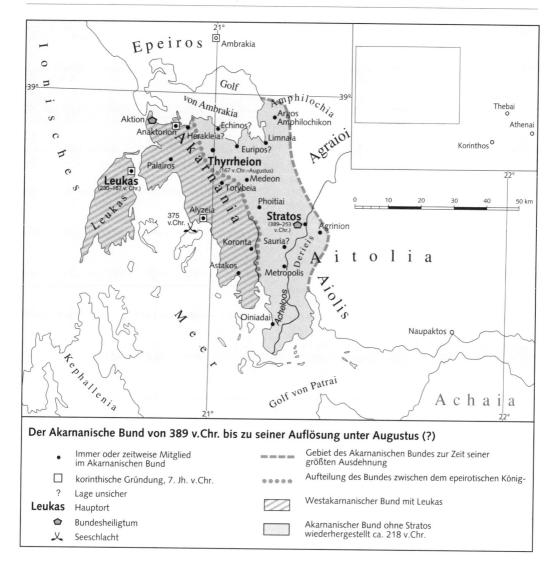

Der Akarnanische Bund von 389 v.Chr. bis zu seiner Auflösung unter Augustus (?)

- Immer oder zeitweise Mitglied im Akarnanischen Bund
- □ korinthische Gründung, 7. Jh. v.Chr.
- ? Lage unsicher
- **Leukas** Hauptort
- Bundesheiligtum
- Seeschlacht

- – – – Gebiet des Akarnanischen Bundes zur Zeit seiner größten Ausdehnung
- • • • • Aufteilung des Bundes zwischen dem epeirotischen König-
- Westakarnanischer Bund mit Leukas
- Akarnanischer Bund ohne Stratos wiederhergestellt ca. 218 v.Chr.

der Ebene zw. diesen Tempeln [12. 246]. Stratos prägte im 5.Jh. v. Chr. Münzen für A. (mit dem späteren Bundessymbol des → Acheloos [2]-Kopfes [8. 15f.]; BMC Thess. 168, 191). Auch in anderen Städten hatten sich in klass. Zeit urbane Strukturen entwickelt [15. 444–457; 12. 242–244; 19. 115–143]. Ab 350 v.Chr. setzte die Münzprägung nach Vorbild der korinth. Pegasi ein ([5. 132–148; 15. 464–493] BMC Cor. 114–140). Von der städtischen Selbstverwaltung sind in Stratos ein Rat mit Bularchos und Schreiber nachzuweisen, denen in Anaktorion eine Haliaia und → Prytaneia entsprechen (IG²IX 1,2, 212, 390). Sonderpolitik trieben zeitweise die Hafenstädte → Echinos, Thyrrheion, Alyzeia und Anaktorion (IG ²II/III 208; Xen. hell. 6,2,37; SIG 1,201; IG ²IX 1,2 p. XVII Z. 85–97); im auswärtigen Verkehr wurde auch die Heimatstadt gen. (IG²II/III 266, 237 Z. 33–35). So erscheint A. in den Quellen als landschaftliche Einheit (Theorodoken: IG ²IV 1, 95; BCH 90,1966,

157; SEG 36,331; Geogr.: Skyl. 34; Skymn. 455–465; Dion. Kall. 46–49), während das Koinon vergleichsweise schwach ausgeprägt blieb [4. 343–357]. Als Strafe für den Angriff auf die Kalydon besetzenden Achaier drang 389 v. Chr. Agesilaos [2] nach A. vor und erzwang 388 v. Chr. den Eintritt in den Peloponnesischen Bund, in dem A. ab 382 v. Chr. den 8. Kreis bildete (Xen. hell. 4,6,2; 7,1; Paus. 3,10,2; Diod. 15,31,2). Nach dem Sieg des Timotheos 375 v. Chr. bei Alyzeia trat A. in den 2. Att. Seebund ein (Xen. hell. 4,2,17; IG ²II/III 43, 96), 342 v.Chr. in den Hellenischen Bund (IG ²II/III p. XVIf.; StV 2,343). A. suchte in dieser Zeit Anbindung an Makedonien, das Athen als Schutzmacht ablöste. Kassandros bezog A. 314–312 v.Chr. in seine Strategie gegen → Aitolia ein (Diod. 18,38,4; 19, 67, 68, 74, 88; IG ²IX 1,2, 462). Angesichts der Bedrohung durch die Aitoloi riet Kassandros den östl. Grenzbewohnern zu einem → Synoikismos in geschützteren Siedlungen. Unter diesem Druck verfestigte sich die Organisation des Koinons, von dem nun nachzuweisen sind: ein → Synhedrion der Poleis, sieben Strategoi (aus 7 Bundeskreisen) als Anführer des Bundesheeres, das zugleich die Bundesversammlung (οἱ χίλιοι, die 1 000 Mann) bildete, → Hipparchos und → Tamias (Diod. 19,77; IG ²IX 1,1, 3 A). Dieses Koinon übernahm die (korinth.) Münztypen der Einzelstädte (BMC Cor. 113). In Stratos wurde ein neuer Zeus-Tempel erbaut (nicht vollendet). Seit 294 v. Chr. war A. von → Pyrrhos abhängig ([16. 48 f.]; Plut. Pyrrhos 6; Paus. 1,9,7), schloß dennoch zwei J. nach der Befreiung, 283 v. Chr. durch → Lysimachos , einen Vertrag mit Pyrrhos (IG ²IX 1,2, 207). Leukas, im 4. Jh. v. Chr. noch eigenständig (Xen. hell. 4,6,1), gehörte nach 281 v. Chr. zum Koinon. Nach einem → Sympoliteia-Vertrag mit Aitolia 263/2 (IG ²IX 1,1,3 A; [11]), führte A. Alexandros II. auf den Thron von Epeiros zurück [15. 326–329]. Ca. 253/2 wurde A. zw. Epeiros und Aitolia geteilt (Pol. 2,45,1; 9,34,7; Paus. 10,16,6 [4. 61 f., 91–93]). Die östl. Senke und der Mittelteil des Binnentals mit Phoitiai kamen an Aitolia, das offensichtlich auch Thyrrheion (IG ²IX 1,1, 3 B) erlangte. Ein west-a. Hilferuf an Rom 239 v. Chr. ist unhistor. (Iust. 28,1 [16. 92–97]). Der Zusammenbruch des epeirotischen Königtums (Pol. 2,6,9; [7. 97–99]) gab 230 v. Chr. West-A. die Freiheit wieder, das ein neues Koinon mit Leukas als Hauptstadt bildete (Liv. 33,17,1). Dem Beamtengremium, bestehend aus Hipparchos, Nauarchos und Sekretär, stand nun ein (eponymer) → Strategos vor. Unter Leitung eines Promnamon berieten Vertreter der Poleis im Rat. Die Volksversammlung nannte sich τόν κόινον oder (bis in das 2. Jh. v. Chr.) οἱ χίλιοι [13. 264–273; 7]. Der Bund verlieh Bürgerrechte und Proxenien mit Geltung für alle Poleis, die ihrerseits Proxenien verteilen konnten (IG ²IX 1,1, 243, 391 f.) und eigene Strategoi, Probuloi und einen Polemarchos (Leukas) besaßen (IG ²IX 1,1, 245; IG ²IX 1, 534). Das Koinon prägte Bundesmünzen in Silber und Gold mit dem Bild des Apollon Aktios und des Acheloos (BMC Thess. 168–170; HN 333 f.). Ein Bündnis mit → Teuta von Skodra und der Angriff auf Korkyra machten A. 230/229 zum Gegner Roms [4. 202–208]. Das Bündnis mit → Antigonos [3, Doson] 224 v. Chr. knüpfte bis 197 v. Chr. enge polit. Beziehungen zu Makedonien (Pol. 4,9,4, 221 v. Chr. in Sellasia beteiligt, Pol. 2,65 f.). Es ermöglichte die nahezu vollständige Rückgewinnung von A. (außer Stratos, Pol. 5,96,1–3). Zum Anschluß der noch aitolisch besetzten Städte erfolgten maked. Kriegszüge 219 v. Chr. und 218 v. Chr. von Nordwesten her und gewannen erst Phoitiai und Metropolis, dann Oiniadai, dessen Hafenanlagen befestigt und ausgebaut wurden ([15. 36–40]; Pol. 4,30; 63–65; 5,5–14; Kupfermünzen: SNG 1985, Nr. 1555–1560; [8. 15–17]). Nach Abschluß dieses Krieges trat Anaktorion wegen finanzieller Probleme das Heiligtum von Aktion an das Koinon ab (IG ²IX 1,2, 583; SEG 18,261). Der röm.-aitolische Bündnisvertrag von 212 v. Chr. *ut Acarnaniam Aetoli haberent*, überliefert von Liv.

26,24 f. und in einer Inschr. aus Thyrrheion (IG ²IX 1,2, 241), das vielleicht kurzzeitig wieder zu Aitolia gehörte, setzte A. unter großen Druck: Oiniadai wurde im gleichen J. von Rom erobert und ins Aitolische Koinon integriert (Liv. 26,24,15; Pol. 9,39,2), der Verlust im Vertrag von → Phoinike, 205 v. Chr., sanktioniert (Liv. 26,24 f.). Im 2. Maked. Krieg stand A. daher gegen Rom, mußte aber nach der Eroberung von Leukas, 197 v. Chr. durch Flamininus, im J. 196 eine → *societas* (als *foederati* oder civitas libera [16. 52–54]) mit Rom eingehen (Liv. 33,17,15; 36,12,1). Auf Betreiben der Aitoloi drang 191 v. Chr. Antiochos III. über Medion nach Thyrrheion vor (Liv. 36,11 f.; App. Syr. 16), konnte jedoch die Mehrheit der A. nicht zum Abfall von Rom bewegen. Nach einem aitolischen Einfall 189 v. Chr. erhielt A. durch Rom Oiniadai, nicht aber Stratos (Liv. 38,4 f.; 11,9; Pol. 21,32,14; [16. 63–67]). In den seit 197 v. Chr. faßbaren Parteiungen gewannen im 3. Maked. Krieg zwar die Römerfreunde die Oberhand (*principes* bei Liv. 22,16,3; 36,12,8; Pol. 28,5; 30,13), ohne aber ihre Forderung nach röm. Besatzungen in A. durchzusetzen. Rom befahl am Ende des Krieges die Auslieferung seiner Feinde (Pol. 30,13 ; Liv. 45,31,12) und wurde hierbei von romfreundlichen A. unterstützt [7]. 167 v. Chr. wurde Leukas → *civitas libera* und von Thyrrheion, dem Zentrum der Rom-Partei, als Hauptstadt des Koinons abgelöst (Liv. 45,31,12); Thyrrheion prägte Bundesmünzen, nunmehr mit seinem eigenen Stadtnamen ([8. 41 f., 174–178] HN, 329, 332). Das Koinon wurde 167 v. Chr. nicht aufgehoben, spielte aber in Griechenland bis zur Auflösung (unter Augustus?) nur eine untergeordnete Rolle; Bundesheiligtum blieb Aktion (3. Jh. v. Chr.: IG ²IX 1,3, 207; nach 167 v. Chr.: IG ²IX 1,3, 208 f., 588). Thyrrheion schloß 94 v. Chr. ein Bündnis (→ *foedus*) mit Rom (IG ²IX 1,2, 242; AD 18,1963, B 148). 48 v. Chr. stellte A. sich auf die Seite Caesars (Caes. civ. 3,56; 58; App. civ. 2,291). Die monatelange Stationierung riesiger Heere, vor der Schlacht von → Aktion, ruinierte A. Viele Bewohner der umliegenden Städte wurden nach 31 v. Chr. in die Neugründung → Nikopolis umgesiedelt, ihre Städte größtenteils zu abhängigen Orten degradiert (Strab. 7,7,6 p. 325; 10,2,2 p. 450; Anth. Pal. 9,533; Paus. 10,38,4). *Villae rusticae* und Weiler ersetzten das urbane Leben in A. (z. B. AD 29,1973/74, B 2,536; 42,1987, B 1,175 f., Kat. bei [22]), jedoch blieben entlang der röm. Reichsstraße (AD 35,1980, A 186–205; SEG 36,537) Siedlungen und ein Asklepiosheiligtum bestehen (SEG 36,533–536). A. gehörte zur Prov. Achaia (Strab. 17,3,25 p. 840), im 2. Jh. n. Chr. zur Prov. Epirus (Ptol. 3,13,1). In der Spätant. entstanden, ohne Siedlungskontinuität zu den Poleis, größere Dörfer mit mehrschiffigen Basilika-Kirchen (z. B. in Mytikas [22. 200–205]).

→ Polis; Naupaktos; Symmachia; Proxenia; Probulos; Polemarchos; Asklepios [1]

1 *Praktika*, Suppl. 1991 2 *La Béotie antique, Actes du colloque international à Lyon 1983*, Hrsg. vom Centre National de la Recherche Scientifique, 1985 3 P. CABANES

(Hrsg.), L' Illyrie méridionale et l'Epire dans l'antiquité, 1987 **4** Ders., L' Épire de la mort de Pyrrhos à la conquête Romaine, 1976 **5** D. DOMINGO-FORASTÉ, A history of Northern A., Diss. 1988 **6** K. FREITAG, in: Klio 76, 1994, 212–238 **7** P. FUNKE, H.-J. GEHRKE, L. KOLONAS, in: Klio 75, 1993, 131–144 **8** F. IMHOOF-BLUMER, in: NZ 10, 1878, 1–179 **9** F. JOUAN (Hrsg.), Mythe et Politique, 1990 **10** E. KIRSTEN, in: N. Jbb. Ant. 3, 1940, 298–316 **11** G. KLAFFENBACH, in: Historia 4, 1955, 46–51 **12** F. LANG, in: Klio 76, 1994, 239–254 **13** J. A. O. LARSEN, Greek Federal States, 1968 **14** M. LAUNEY, Recherches sur les Armeés Hellénistiques, 1, 1949 **15** W. M. MURRAY, The coastal sites of West-Akarnania, Diss. 1982 **16** S. I. OOST, Roman Policy in Epirus and Akarnania, 1954 **17** PHILIPPSON / KIRSTEN 2,2 **18** PRITCHETT 7, 1991 **19** Ders., 8, 1992 **20** R. SCHMITT, Einführung griech. Dial., ²1991 **21** R. H. SIMPSON, Gazetteer of the Aegean Civilization in the Bronze Age 1, 1979 **22** D. STRAUCH, Die Umgestaltung Nordwest-Griechenlands unter röm. Herrschaft, Diss. 1993.

E. OBERHUMMER, A., 1887 · Quellensammlung der Fasti IG ²IX 2.   D. S.

Akastos (Ἄκαστος). Sohn des Pelias und der Anaxibia (vgl. Apollod. 1,95), wohl von Anfang an Argonaut (Apollod. 1,112). A. veranstaltet Leichenspiele für seinen Vater und vertreibt Iason und Medeia aus Iolkos (Apollod. 1,144), dessen König er wird (Apollod. 3,164; vgl. Diod. 4,53,1; Hyg. fab. 25,5). Entsühnt Peleus vom Mord, um den A.' Frau Astydameia (bei Pind. Hippolyte) vergeblich wirbt und ihn dann bei A. verleumdet; A. läßt Peleus waffenlos im Pelion zurück, wo Chiron ihn rettet (Apollod. 3,164–167; Hes. fr. 208–209; Pind. N. 4,57 ff.). Peleus erobert mit Iason und den Dioskuren Iolkos und tötet Astydameia (Apollod. 3,173) und A. (schol. Apoll. Rhod. 1,224–26a). Nur bei Ov. met. 8,306 ist A. Teilnehmer an der Kalydonischen Jagd.
→ Argonautai; Astydameia; Chiron; Hippolyte; Iason; Meleagros/Kalydonische Jagd; Peleus; Pelias   P. D.

Akateion istion s. Takelage

Akatos s. Schiffahrt

Akazie (ἀκακία, Dioskurides 1,133; ἄκανθα, Theophr. h. plant. 6,1,3). Der bereits bei Hdt. 2,96 gen. ägypt. Schotendorn oder Gummibaum gehört zur im Mittelmeergebiet weit verbreiteten Gattung der Mimosengewächse. Der von dem Baum ausgeschwitzte Saft (kommì, Gummi) fand bei den Ägyptern Verwendung bei der Einbalsamierung von Leichen (Hdt. 2,86), dann aber auch in der Humanmedizin (Augenheilkunde) und wurde in röm. Zeit teuer gehandelt (Plin. nat. 13,63). Den A.-saft verarbeitete man zu Mundpastillen (Plin. nat. 24,109) für einen angenehmen Atem bzw. nutze ihn als Haarfärbemittel (Petron. 23; Dioskurides 1, 133; Plin. nat. 24,110). Das Holz der A. wurde zum Schiffbau genutzt, seine präparierte Hülsenfrucht diente zum Ledergerben (nach Plin. nat. 23,65 auch zur Klei-

derreinigung). Aus den Blüten der A. flocht man gerne Kränze. In Mythos, Kult und Kunst ist die A. ohne Bedeutung.

1 M. WELLMANN (Hrsg.), Pedanii Dioscuridis de materia medica, Bd. 1, 1907, Ndr. 1958 **2** J. BERENDES (Hrsg.), Des Pedanios Dioskurides Arzneimittellehre übers. und mit Erl. versehen, 1902, Ndr. 1970 **3** K. SPRENGEL, Theophrast Naturgesch. der Gewächse, T. 2, Erläuterungen, 1822, Ndr. 1971.   R. H.

Akephalos (Ἀκέφαλος). Kopflose, ambivalent ausgedeutete Dämonengestalt des griech. Volksglaubens vom Alt. bis in die Neuzeit, vergleichbar den kopflosen Spukgeistern im Aberglauben des übrigen Europa [1]. Negativ gesehen wurden die ἀκέφαλοι als Totengeister aus der Gruppe der ἄωροι, der »vorzeitig ums Leben Gekommenen«, deren gewaltsame Todesumstände durch Unfall oder Enthauptung (deshalb auch βίαιοι, βιαιοθάνατοι genannt) sie als bes. bösartige Gespenster erscheinen ließen. A. ist deshalb Individualname für solch kopflose »Wiedergänger« von der Spätant. (Test. Salomon. 9) bis ins 18. Jh.: »Mord«-Dämon, Φόνος; daneben existierte im Christl. die positiv aufgefaßte Sondergruppe der wundertätigen kopflosen Märtyrer

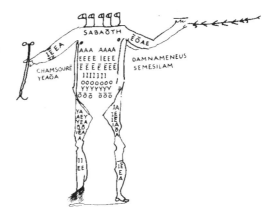

Akephalosfigur nach P. Berol. inv. 5026 (PGM II 166)

[2.214 f.]. Auf Synkretismus mit ägypt. Osirisvorstellungen beruht die Auffassung des A. als Schöpfer- und Allgott in den Zauberpapyri des 3./4. Jh. n. Chr. (PGM 2,97–176; 5,99–172; 7,22–249; 8,65–110; ›Du bist der gute Osiris‹: PGM 5.101 f.), wobei, wie die Abb. zu PGM 2.166 zeigt, die Vorstellung vom »Kopflosen« eher durch die bes. in Darstellungen der ägypt. Spätzeit übliche Austauschbarkeit von Kopf und Attribut [3] bedingt gewesen sein dürfte, als durch Maschalismos [anders 4.12]. Auf Ägypt. wird wohl auch das Sternbild A. (1. Jh. n. Chr. bei Teukros) zurückgehen [1.70–75]. Die Vorstellung von Akephalen ist kaum von jener der »Brustgesichter«, Stethokephalen, zu trennen (vgl. auch die akephalen Wundervölker bei Hdt. 4,191, Plin. nat. 5,46 u. a.). Die Akephalie des Molos (Plut. de def. or.

14) und des Triton von Tanagra (Paus. 9,20,4 f.) ist vielleicht als Phallosverlust zu verstehen [1. 7 f.].

Ἀκέφαλοι war außerdem die Bezeichnung für eine monophysitische Gruppe des ägypt. Mönchtums (»ohne Oberhaupt«) [5].
→ Molos; Osiris; Magie

1 K. PREISENDANZ, A. der kopflose Gott, 1926 2 K. DERS., s. v. A., RAC 1,211–216 3 E. HORNUNG, Der Eine und die Vielen, ³1983, 106–108 4 K.-H. ABEL, s. v. A., RE Suppl. XII,9–14 5 W. A. BIENERT, s. v. Akephalen, LThK³ 1,288. C. HA.

Akeratos Grammatikos. Autor eines Epitymbions auf Hektor, der für Troia ›ein stärkeres Bollwerk war als die von den Göttern errichtete Mauer‹ und bei dessen Tod »Meonides« selbst nicht anders konnte, als die Ilias zu beenden (Anth. Pal. 7,138). Es ist kein Dichter oder Grammatiker dieses Namens bekannt, aber Thema und Stil des Epigramms führen auf den »Kranz« des Philippos zurück: Das unklare Epitheton »Meonides« war ein Lieblingswort bei den Epigrammatikern des 1. Jh., und es wird kein Zufall sein, daß das äußerst seltene Adjektiv θειόδομος – zur Bezeichnung der Mauer Troias – einen einzigen weiteren Beleg bei Alpheios, Anth. Pal. 9,104,4 findet. E. D. / M.-A. S.

Akesamenos (Ἀκεσ(σ)αμενός). König von Pierien, Gründer und Heros von Akesamenai in Makedonien (Steph. Byz. s. v. Ἀκεσαμεναί); Vater der Periboia, die von dem Flußgott Axios Mutter des Pelegon wurde (Hom. Il. 21,142). F. G.

Akesias (Ἀκεσίας). Griech. Arzt des 3. Jh. v. Chr. (?). Einem vorsätzlich zweideutigen Sprichwort zufolge behandelte er nur die, die am schlimmsten (Leiden oder Arzt) litten (Aristoph. Byz., Zenob. 1,52). Möglicherweise schrieb er auch über die Kochkunst (Athen. 12, 516c). V. N. / L. v. R.-P.

Akesidas. Paus. 5,14 zufolge wurde A. in Olympia als Held angesehen und war an anderer Stelle unter dem Namen Idas bekannt. Sein Name läßt vermuten, daß er als Heilgott verehrt wurde, der womöglich mit → Paionios, → Iason und → Herakles einen auf dem Peloponnes weit verbreiteten Heilkult teilte. V. N. / L. v. R.-P.

Akesimbrotos (Ἀκεσίμβροτος, lat. Acesimbrotos). Rhodischer Nauarch im 2. Maked. Krieg, unterstützte 199 v. Chr. mit 20 Schiffen die Römer bei der Eroberung von Oreos (Liv. 31,46,6; 47,2) und vertrat 198/7 in den Verhandlungen zw. → Flamininus und → Philipp V. die rhodischen Forderungen (Pol. 18,1,4; 2,3) [1. 70].

1 H. H. SCHMITT, Rom und Rhodos, 1957. L.-M. G.

Akesines (Ἀκεσίνης). [1] Fluß in → Sicilia (Thuk. 4,25,8 Ἀχεσίνης, Plin. nat. 3,88 Asines), der h. Alcantara, der nördl. von Randazzo entspringt und am Nordfuß

der → Aitne [1] entlangfließt [2. 137] und südl. von → Naxos in den → Ionios Kolpos mündet, identisch mit Assinos (als gehörnter Jünglingskopf auf dem Av. einer Mz. aus Naxos dargestellt, Legende ΑΣΣΙΝΟΣ [1. 65 f., 93 f.].

1 H. A. CAHN, Die Mz. der sizilischen Stadt Naxos, 1944 2 G. MANGANARO, Per una storia della »chora Katanaia«, in: E. OLSHAUSEN, H. SONNABEND (Hrsg.), Stuttgarter Kolloquium zur Histor. Geogr. des Alt. 4, 1990 (Geographica Historica 7), 1994, 127–174. GI. MA. / M. B.

[2] Nebenfluß des Indus im Panjab, altindisch (vedisch) Asiknī, h. Chenab aus altindisch Candrabhāga, bei Ptol. 7,1,26 f. Σάνδαβάλ.

G. WIRTH, O. VON HINÜBER (Hrsg. und Übers.), Arrian, Der Alexanderzug – Indische Gesch., 1985, 1096 f. K. K.

Akesis (Ἄκεσις). Heilheros in Epidauros (akéomai »heilen«), den die Pergamener mit Telesphoros, die Sikyonier mit Euhamerion gleichsetzen (Paus. 2,11,7). Die Gleichsetzung mit Telesphoros kennt auch der kaiserzeitliche inschriftl. Telephoros-Hymnos aus Athen, IG II/III ed. minor 3,1 4533,36 (KAIBEL 1027) [1]. Die klass. Form wäre *Akesios [2].

1 EDELSTEIN, Asclepius Bd. 1, 89 Anm. 50 2 SCHWYZER, Gramm., 1953, 473. F. G.

Akeso (Ἀκεσώ). Heilheroin (akéomai »heilen«), Tochter des Asklepios und der Epione, verehrt in Epidauros (Suda s. v. Ἠπιόνη 578 ADLER). In Athen ist sie inschriftl. mit Iaso, Panakeia, Hygieia (LSCG 21 A) und → Aigle [4] als Tochter Epiones verbunden (CIA III 171 b).

EDELSTEIN, Asclepius Bd. 2, 87 ff. • J. LARSON, Greek Heroine Cults, 1994, 62 f. F. G.

Akestes s. Aigestos

Akestor (Ἀκέστωρ), »Heiler«, lit. Epitheton Apollons (Eur. Androm. 900), aber auch Anthronym (unbekannter Athener: Aristoph. vesp. 1221). [1] Sohn des Ephippos von Tanagra, von Achilleus getötet (Plut. qu. Gr. 37, 299c, nach lokaler Epik). F. G.

[2] Heros in der Genealogie der Philaiden, nämlich Urenkel des → Philaios (Pherek. FGrH 3 F 2; Markell. v. Thuk. 3). F. G.

[3] Athener, angeblich Nachkomme von Aiakos und Philaios, Sohn des Epilykos und Vater des Agenor (Pherekydides bei Marcellinus vit. Thuk. 3). Zur Etym. des nach Epilykos benannten Epilykeions vgl. [Aristot.] Ath. pol. 3 bei RHODES, z. St. DAVIES 8429 III. ME. SCH.

[4] Tragiker, Rivale des Euripides (DID C 18), zw. 430 und 400 v. Chr. von den Komödiendichtern verspottet als Fremder, Myser oder Sakas – nach einem thrak. (Aristoph. Av. 31 Sch. V E Ald, Suda σ 33) oder skythischen (Phot. 496,18) Volk [1.132 f.] – (vgl. Aristoph. Vesp. 1219 und Sch. vett., Theop. PCG VII,61,

Phot. 496,18), der danach strebt, Bürger zu werden; dabei ist es unsicher, ob er es wurde oder bereits war (s. Aristoph. Av. 31 und Sch. V E Ald; Metagenes PCG VII,14; s. PA 474). Ferner als Parasit (Eupolis PCG V,172) und als schlechter Dichter (Kallias, Com. fr. 13 K., Kratinos fr. 85 K., Val. Max. 3,7 ext. 1) verhöhnt.

1 J. HENDERSON, The Maculate Muse, 1975 2 TrGF 25.
F. P.

Akestoridas (Ἀκεστορίδης). Aus Korinth. Ca. 323/2 v. Chr. von den Syrakusiern zum Strategen gewählt, um Oligarchen und (gemäßigte) Demokraten miteinander zu versöhnen, suchte er angeblich den der Tyrannis verdächtigten → Agathokles [2] zu beseitigen (Diod. 19,5,1).

K. MEISTER, CAH 7.1, ²1984, 387f.
K. MEI.

Akidalia (Ἀκιδαλία). Venus heißt *Acidalia mater* (Verg. Aen. 1,270, nach Serv.) nach einer Quelle bei Orchomenos, wo die Göttin mit den Chariten badete.
F. G.

Akis. Sohn des → Faunus und einer Tochter des Flußgottes Symaethus, Geliebter der Nereide → Galateia, von dem Kyklopen → Polyphemos aus Eifersucht getötet, in den Fluß A. verwandelt (Ov. met. 13, 780–897). A., wohl der nördl. von → Katane mündende fiume di Jaci (vgl. Theokr. 1,69), war sprichwörtlich wegen seiner Kälte. Am A. wurden gefunden bei Capo Mulini ein Tempel aus augusteischer Zeit, bei Casalotto ein griech. Epigramm, welches → Priapos preist und eine lat. Inschr. des 5. Jhs. n. Chr. [2]. Anth. Pal. 6, 203 besingt nicht die Thermalquellen bei Acireale, sondern bezieht sich auf die Salinelle di Paternò [1].

1 G. MANGANARO, Iscrizioni, Epitaffi ed Epigrammi in Greco della Sicilia centro-orientale di Epoca romana, in: MEFRA 106, 1994, 79–118 2 A. CALBI, (Hrsg.), L'epigrafia del villaggio, 1993, 583.

G. MANGANARO, La Sicilia da Sesto Pompeio a Diocleciano, in: ANRW II 11.1, 3–89, bes. 29 · Ders., Per una storia della »chora Kataneia«, in: E. OLSHAUSEN, H. SONNABEND (Hrsg.), Stuttgarter Kolloquium zur Histor. Geogr. des Alt. 4, 1990, 127–174 (mit Berichtigung in MEFRA, l.c.; neue Ed. des Epigramms für Priapos, ebd. 110–111) · R. J. A. WILSON, Sicily under Roman Empire, 1991, 105, 372 Anm. 304.
GI. MA. / M. B.

Akītu-Fest. Eines der bedeutendsten und ältesten Feste der mesopotamischen Kulturen. Es ist bereits in der Mitte des 3. Jt. v. Chr. für Nippur bezeugt. Das mehrtägige Fest wurde in vielen Städten Mesopotamiens zu unterschiedlichen Terminen zweimal jährlich im Abstand von sechs Monaten begangen. In feierlicher Prozession geleitete der Stadtfürst bzw. der König das Kultbild des Stadtgottes, begleitet von den Statuen der übrigen Götter, in ein außerhalb der Stadt gelegenes Festhaus, wo der Stadtgott den in den jeweiligen Mythen beschriebenen Kampf gegen die Kräfte des Chaos zu bestehen hatte. Zentrales Geschehen des Festes war der prunkvolle, triumphale Einzug des Stadtgottes und des Stadtfürsten/ Königs in die Stadt und in den Tempel. Der als siegreicher Götterkönig gefeierte Stadtgott bestimmte für einen neuen Zyklus das Schicksal des Fürsten und seiner Stadt. Dieses Kultgeschehen war von großer Bed. für die Legitimation eines Herrschers. Aus dem A. hat sich das berühmte babylon. → Neujahrsfest entwickelt.

M. COHEN, The Cultic Calendars of the Ancient Near East, 1993, 400 ff.
S. M.

Akkad (Agade). Inschriftl. bis in die zweite Hälfte des 1. Jt. v. Chr. bezeugte, arch. jedoch nicht nachweisbare Stadt in Nord-Babylonien; erlangte bes. Bedeutung als Königsresidenz und Hauptstadt des Reiches von A., des ersten großen Territorialstaates in → Mesopotamien. → Akkadisch

B. R. FOSTER, Select Bibliography of the Sargonic Period, in: History of the Ancient Near East. Stud. 5, 1993, 171–182 · Répertoire géographique des textes cunéiformes Bd. 1, 1977, 5–9; 2, 1974, 6; 3, 1980, 7; 4, 1991, 4–6; 5, 1982, 7–10; 8, 1985, 4–5.
H. N.

Akkadisch. Einheimische, von der Hauptstadt der Dynastie von Akkad (24.–22. Jh.) abgeleitete Bezeichnung für die Sprache der semit. Bewohner Babyloniens (Südmesopotamien) und Assyriens (Nordmesopotamien) in vorchristl. Zeit. A. ist eine Schriftsprache; Umfang, Vielseitigkeit sowie zeitliche und räumliche Ausdehnung der in Keilschrift abgefaßten Überlieferung erheben A. zur bedeutendsten Sprache des Alten Orients [1–5].

A. wird meist als nordöstl./ nordperipherer Zweig oder Vertreter des alten Typs der semit. Sprachen bezeichnet [6]. Im Areal der altoriental. (mit Ausnahme des A. nichtsemit.) Sprachen, insbes. im engen Kontakt mit dem im 3. und beginnenden 2. Jt. im südl. Babylonien gesprochenen Sumer., hat A. mehrere phonologische, morphologische, synt. und semantische Merkmale entwickelt, die es von den anderen semit. Sprachen unterscheiden [7].

Die a. Sprachgesch. beschreibt den histor. Sprachwandel, die dialektale Gliederung und die durch verschiedene Textgattungen bedingten Sprachebenen des A. Sie berücksichtigt darüber hinaus die nach Zeit, Ort und Textkategorie differenzierte Keilschriftorthographie. Ihre Grenzen liegen in der nur schriftlichen Natur der Tradition.

Der Begriff *Alt-a.* [8; 9] für die semit. Sprachzeugnisse des 3. Jt. vereinfacht eine komplizierte sprachliche Situation. Die frühesten semit. Belege sind Personennamen und einzelne Wörter in sumer. Verwaltungstexten der frühdynastischen Zeit (vor dem 25. Jh.). Sie setzen eine erste Adaption der sumer. Keilschrift an das frühe Semit. voraus. Nord-Babylonien, Mari an der

Grenze zu Syrien und Ebla [10; 11] in Nord-Syrien bezeugen nach der Mitte des 3. Jt. und vor der im wesentlichen durch sumer. Dokumentation geprägten Ur III-Zeit am Ende des 3. Jt. vor allem durch Verwaltungsurkunden und Königsinschr. ein Bündel semit. Dial., die in noch unklarer Beziehung zueinander und zu den seit Beginn des 2. Jt. erkennbaren akkad. Hauptdial. *Babylon.* und *Assyr.* stehen [12]. Beide Dial. lassen sich bis ins 1. Jt. hinein verfolgen und werden in Gestalt stufig einander ablösender Phasen beschrieben. Die sehr zahlreichen und sich auf alle Textgattungen verteilenden Quellen für das *Altbabylon.* (bis ca. 1500) greifen über den Süden des Zweistromlandes im Osten bis in den West-Iran, im Nordwesten dem Euphrat folgend bis nach Nord-Syrien aus und präsentieren die Sprache trotz kleiner orthographischer und gramm. Dial.unterschiede [13] in einheitlichem Gewand. Lit. Texte zeigen erstmals die Entwicklung einer Kunstsprache. Die Schrift paßt sich dem vielleicht unter sumer. Einfluß veränderten Lautstand der Sprache weiter an. Sumerer und die ins Land eindringenden nomadischen Amurriter werden sprachlich und kulturell assimiliert. Einen noch weiteren geogr. Horizont weist das *Mittelbabylon.* [14] (bis ca. 1000) auf. Es dient nach der Absorption der aus dem Osten einwandernden Kassiten in ganz Vorderasien als *lingua franca* dem diplomatischen Schriftverkehr zwischen den Machtzentren Babyloniens, Assyriens, Mittan(n)is, Syrien-Palästinas, Ägyptens und der kleinasiatischen Hethiter sowie in mehreren lokalen Ausprägungen [15–18] auch als Verwaltungssprache. Das *Altassyr.* [19] (bis ca. 1750) kennen wir vor allem durch Briefe und Verwaltungstexte aus der assyr. Handelskolonie Kaniš in Ost-Kleinasien und wenige Königsinschr. aus Assyrien selbst. Die Sprache besitzt in Phonologie und Morphologie deutlich archaischere Züge als das gleichzeitige Altbabylonisch. Vergleichsweise schwach bezeugt ist das *Mittelassyr.* [20] (ca. 1500–1000) in Briefen und Verwaltungstexten. Die Königsinschr. dagegen bedienen sich des als feiner empfundenen Babylonischen. Überaus zahlreich fließen trotz des etwa seit 1000 in ganz Vorderasien stetig vordringenden Aram. die sich auf alle Textgattungen verteilenden Quellen dann wieder für das *Neuassyr.* (ca. 1000–600) und das *Neubabylon.* (z. T. auch »Spätbabylon.«) [21] (ca. 1000–0), die im Zuge der Großreichsbildung unter Assyrern, Chaldäern und – aus Prestige – Achämeniden auch außerhalb des Zweistromlandes anzutreffen sind. Als ein wesentliches morphologisches Charakteristikum beider gilt die Aufgabe der Kasusflexion und anderer kurzer Auslautvokale. Die Orthographie zeigt eine zunehmende Tendenz zur Anlehnung an die aram. Konsonantenschrift, während der Einfluß der aram. Sprache relativ gering bleibt. Das umfangreiche Corpus der lit. Texte und der Königsinschr. verwendet ein in verschiedenem Maße archaisierendes, in Assyrien auch assyrisiertes, sich von der Sprache der Briefe und Verwaltungstexte stilistisch abhebendes Babylon. (auch »Jungbabylon.«). Neuassyr. Quellen aus der Zeit nach der Zerstörung des Assyrerreiches (612) besitzen wir nicht, doch lebte die Sprache vermutlich länger. Neubabylon. gebrauchte man noch im 1. Jh. n. Chr. als Schriftsprache. In gesprochener Form erlosch es, zuletzt auf immer kleinere Bereiche Babyloniens beschränkt, wohl schon einige Jahrhunderte früher; der sprachliche Kontakt zwischen Babyloniern und Griechen fällt in diese Zeit [22].

→ Amoritisch; Sumerisch

1 I. J. GELB (et al.) (Hrsg.), The Assyrian Dictionary of the Oriental Inst. of the Univ. of Chicago, 1956ff. 2 E. REINER, A Linguistic Analysis of Akkadian, 1966 3 W. VON SODEN, Grundriß der Akkad. Gramm., ³1995 4 Ders., Akkad. HandWB, 1958–1981 5 Ders., Das Akkad. Syllabar, ⁴1991 6 J. OELSNER, Gedanken zur Klassifizierung der semit. Sprachen, ZDMG Suppl. 10, 1994, 52–61 7 O. PEDERSÉN, Some Morphological Aspects of Sumerian and Akkadian Linguistic Areas, DUMU-E₂-DUB-BA-A, FS Sjöberg, 1989, 429–438 8 I. J. GELB, Old Akkadian Writing and Grammar, ²1961 9 Ders., Glossary of Old Akkadian, 1957 10 P. FRONZAROLI, Per una valutazione della morfologia eblaita, Studi Eblaiti 5, 1982, 93–120 11 M. KREBERNIK, Prefixed Verbal Forms in Personal Names and Semitic Name-Giving, 45–69 12 S. PARPOLA, Proto-Assyrian, Heidelberger Stud. zum Alten Orient 2, 1988, 293–298 13 R. M. WHITING JR., Old Babylonian Letters from Tell Asmar, 1987, 8–21 14 J. ARO, Stud. zur Mittelbabylon. Gramm., 1955 15 J. HUEHNERGARD, The Akkadian of Ugarit, 1989 16 S. IZRE'EL, Amurru Akkadian: A Linguistic Study, 1991 17 W. H. VAN SOLDT, Stud. in the Akkadian of Ugarit. Dating and Grammar, 1991 18 G. WILHELM, Unt. zum Ḫurro-Akkad. von Nuzi, 1970 19 K. HECKER, Gramm. der Kültepe-Texte, 1968 20 W. MAYER, Unt. zur Gramm. des Mittelassyr., 1971 21 M. P. STRECK, Zahl und Zeit. Gramm. der Numeralia und des Verbalsystems im Spätbabylon., 1995 22 S. MAUL, La fin de la tradition cunéiforme et les »Graeco-Babyloniaca«, Cahiers du Centre G. Glotz VI, 1995, 3–17. M. S.

Akme s. Lebensalter

Akmon (Ἄκμων, »Amboss«). **[1]** Einer der idäischen Daktylen in der → Phororonis (fr. 2,3 PEG), passend zu den Daktylen als Schmiedegottheiten: Das Namensglied findet sich auch bei den andern göttl. Schmieden, den Kyklopen (Pyracmon, »Feueramboss« Verg. Aen. 8,425; Acmonides, »Sohn des Amboss« Ov. fast. 4,288). **[2]** In einer frühgriech. Theogonie Sohn der Gaia, Vater des Uranos (Hes. fr. 398; Alkman fr. 61). Die gelehrten Alexandriner übernehmen dies (Kallim. fr. 110,65) und nennen Uranos *Akmonides* (Kallim. fr. 498; Antimachos fr. 44 WYSS); in etym. Spiel wird der Name mit *akámatos* »unermüdlich« verbunden [1].

R. PFEIFFER, Ad Kallim. fr. 498, Bd. 1, 369. F. G.

Akoites. Nur lat. *Acoetes* überliefert; die griech. Form *Ἀκοίτης scheint nicht belegt.
[1] Steuermann eines tyrrhenischen Piratenschiffs, widersetzte sich der Absicht seiner Gefährten, den schönen

Knaben Dionysos zu entführen, und entging daher als einziger der Verwandlung in einen Delphin (Ov. met. 3,582–691 als Ich-Erzählung an Pentheus; Hyg. fab. 134; vielleicht nach gemeinsamer hell. Quelle, die auf Hom. h. 7 zurückging; in allen anderen Erzählungen dieses Mythos fehlt der Name oder die ganze Episode [1]. **[2]** Euanders Waffenträger, begleitet den jungen Pallas (Verg. Aen. 11,30; 11,85).

1 O. CRUSIUS, Der homer. Dionysoshymnus und die Legende von der Verwandlung der Tyrsener, in: Philologus 48, 1889, 193–228.   F.G.

Akoniti (ἀκονιτί). Ehrender t. t. der agonistischen Sprache: »kampflos«, wörtl. »ohne Staub«, d.h. ohne nach dem Einölen den Körper mit dem diätetisch wichtigen Sandstaub (Philostr. de gymnastica 56) bestreuen zu müssen. A.-Siege gab es, wenn nur ein Athlet gemeldet hatte (z.B. Paus. 5,21,14) oder, häufiger, wenn die Gegner aus Furcht oder mangels Erfolgsaussicht zurücktraten. Das geschah zumeist in den Kampfsportarten, aber nicht nur im Ringen, wie Philostr. de gymnastica 11 zeigt. Beispiele: Dromeus von Mantinea, Pankration (Paus. 6,11,4); Theogenes von Thasos, Faustkampf [1. Nr. 37]; im Pentathlon: Akmatidas von Sparta (Ende 6. Jh. v. Chr.), ist zugleich die älteste Erwähnung von ἀσσοκονικτεί, auf einem Halter [1. Nr. 9; 2. Nr. 8]; im Lauf: M. Aurelius Abas [2. Nr. 76, 11, ergänzt].

1 J. EBERT, Epigramme auf Sieger an gymnischen und hippischen Agonen, 1972   2 L. MORETTI, Iscrizioni agonistiche greche, 1953.

M. POLIAKOFF, Studies in the Terminology of Greek Combat Sports, ²1986, 7, 143 · M.B. POLIAKOFF, Combat Sports in the Ancient World, 1987, 106, 109, 119–121.   W.D.

Akoniton (ἀκόνιτον). Welche Giftpflanzen mit dem ἀκόνιτον λυκοκτόνον und κυνοκτόνον bei Dioskurides 4,77 [1. 2,238 f.] = 4,78 [2. 412 f.], Nik. Alex. 13,41 und *aconitum, scorpion* und *myoctonon*, Plin. nat. 27,4–7, gemeint sind, ist unsicher. Die als gefährliches Aphrodisiakum dienende ›Wolfesgelegena‹ der Hildegard von Bingen [3. 1,156 = 4. 47] ist wohl nicht die Arnika (Wolverlei), sondern eher wie die ›alexandria‹ des Konrad von Megenberg V. 36 (im Kap. Eleborus = Nieswurz) [5. 399] eine Art der giftigen Ranunculaceengattung *Aconitum* (Eisen- oder Sturmhut), von der in Griechenland nur *A. ranunculifolium*, in Italien und Mitteleuropa 4–6 Arten mit gelben oder blauen Blüten vorkommen.

1 M. WELLMANN (Hrsg.), Pedanii Dioscuridis de materia medica, Bd. 2, 1906, Ndr. 1958   2 J. BERENDES (Hrsg.), Des Pedanios Dioskurides Arzneimittellehre übers. und mit Erl. versehen, 1902, Ndr. 1970   3 Hildegardis physica, PL 197   4 Hildegard von Bingen, Naturkunde übers. und erläutert von P. RIETHE, 1959   5 F. PFEIFFER (Hrsg.), Konrad von Megenberg, Das Buch der Natur, 1861, Ndr. 1962.   C.HÜ.

Akontion s. Speerwurf

Akontios s. Kydippe

Akoris. **[1]** Stadt in Mittelägypten, nördl. von Minia auf dem Ostufer des Nils, h. Tehne (el-Gebel). A. ist seit ptolemaiischer Zeit belegt, seit röm. Zeit amtliche Bezeichnung. **[2]** 3. König der 29. Dynastie (393/2–380 v. Chr., ägypt. Hkr), Verwandtschaft mit Vorgänger und Nachfolger unsicher [2]. Er schließt mit Athen und → Euagoras von Salamis antipersische Bündnisse und kann 385–83 v. Chr. mit Hilfe griech. Söldner unter dem Athener → Chabrias einen persischen Angriff abwehren. Unter ihm werden die ersten ägypt. Münzen zur Bezahlung dieser Söldner geprägt. In Oberägypten war ein Psammuthis kurzfristig Gegenkönig des A. Umfangreiche Bautätigkeit in ganz Ägypten.

1 D. KESSLER, Histor. Topographie, 1981, 253–290   2 TH. SCHNEIDER, Lexikon der Pharaonen, 1994, 43 f.   K.J.-W.

Akra Leuke. GARCÍA Y BELLIDO [2. 59–60] sah in der von Diod. 25,10,3 f.; 25,10,12 erwähnten Gründung durch → Hamilkar auf Grund des griech. Namens den Beleg für eine griech. Vorgängersiedlung bei A. Allg. wird A.L. mit fragwürdiger Interpretation der Toponymie von A. – Castrum Album / Lucentum / Alicante – im Stadtgebiet von Alicante vermutet; andere Vorschläge wie der von SUMNER [3. 205–246] postulierte Ansatz von A. nach Castulo haben mehr Anklang gefunden. Wäre A., die Operationsbasis der Feldzüge Hamilkars, mit dem h. Alicante identisch, warum verlegte dann → Hasdrubal diese vorgeschobene Bastion einige J. später nach Carthago Nova? In diesem Fall hätten die Karthager die Kontrolle über ein äußerst attraktives Gebiet aufgegeben. Folglich kann A. durchaus südl. von Carthago Nova (im Lande der Mastieni) an der Küste oder im Binnenland gelegen haben, da das Adj. *leukos* keineswegs nur Küstenorte kennzeichnet.

1 P. BARCELÓ, Karthago und die Iberische Halbinsel vor den Barkiden, 1988, 118–120   2 A. GARCÍA Y BELLIDO, Hispania Graeca, 2, 1948   3 G. V. SUMNER, Roman Policy in Spain before the Hannibalic War, in: HSPh 72, 1968   4 TOVAR 3, 1989, 201–204.   P.B.

Akragas (Ἀκράγας, lat. Agragantum / Agrigentum, im MA Girgenti). Fluß und Stadt (h. Agrigento) an der Südwestküste von → Sicilia, 4 km landeinwärts auf steilem Felshügel, der von 50 m im Süden bis 328 m im Norden und 351 m im Nordosten aufsteigt, umschlossen von den Flüssen → Hypsas im Westen und A. (S. Biagio) im Osten, die sich südl. von A. vereinigen. Das Areal der ein unregelmäßiges Viereck bildenden Stadt mißt ca. 625 ha, der Mauerring über 10 km. Stadt und Umgebung waren schon prähistor. besiedelt. Die offizielle Gründung von A. erfolgte (Thuk. 6,5,4) 153 J. nach der von → Syrakusai (734 v. Chr.), also 582/81 v. Chr.; doch ist diese Datierung wohl um etwa 20 J. hinaufzurücken.

Die Kolonisten wurden von → Gela (unter den Oikisten Aristonoos und Pystilos) und dessen dor. Mutterstadt → Rhodos entsandt. Die bedeutende Macht von A. schon im 6. Jh. v. Chr. bezeugen die sagenhaften Ber. über den Tyrannen → Phalaris und die damals errichtete Befestigungsanlage. Nachdem Phalaris in A. an die Macht gekommen war, weitete er den Einflußbereich von A. auf Kosten von Gela aus, indem er das → Eknomon besetzte und → Sikanoi an sich zog. Bürgern aus Rhodos und Gela gelang es unter der Führung des Telemachos einige Jahrzehnte später, Phalaris zu beseitigen. Zu Anf. des 5. Jhs. v. Chr. warf sich → Theron zum Tyrann von A. auf, und zwar im Bunde mit → Gelon, der → Damarete, die Tochter Therons heiratete. Nach dem Tode des → Hippokrates warf sich Gelon in Gela zum Tyrann auf, um dann Syrakusai zu besetzen, wo er seine Residenz aufschlug. Zusammen erwiesen sich die beiden Tyrannen stark genug, 480 v. Chr. die Karthager bei → Himera zu schlagen. Der Friedensvertrag sicherte ihnen eine bedeutende Kriegsentschädigung in Silber (Steigerung der städtischen Münzprägung, Förderung des Baus von Tempeln; die mächtigsten in A. – sie blieben unvollendet). Nach dem Sturz der Tyrannen wollten Sikanoi unter → Duketios A. erobern und verursachten so die Intervention von Syrakusai. Nach dem Scheitern der Athener 413 v. Chr. begann auf Betreiben von → Segesta seit 409 v. Chr. eine großangelegte karthagische Offensive. Mit Söldnerheeren gelang es den Karthagern 406/05 v. Chr., nach → Selinus und Himera auch A. zu besetzen. A. mußte einen hohen Tribut zahlen und die Stadtmauer schleifen. Von diesem Schlag hat sich A. nicht mehr erholt. Nur der von → Timoleon veranlaßten Kolonisation verdankte A. einen gewissen Bevölkerungszuwachs. Im 1. Pun. Krieg wurde A. von den Römern besetzt (261 v. Chr.), 255 v. Chr. von den Karthagern. Im 2. Pun. Krieg fiel A. als letzter Stützpunkt der Karthager 210 v. Chr. den Römern in die Hände, die die gesamte Bevölkerung versklavten, zw. 197 und 193 v. Chr. aber mit Sikanoi wieder besiedelten (Cic. Verr. 2, 123) [1; 2]. Mit landwirtschaftlicher Produktion gewann A. wieder etwas an Bed., weshalb die Stadt unter → Verres schwer zu leiden hatte. A. erhielt das → ius Latii und prägte reichlich Bronzemünzen. Hier gab es auch eine jüd. Gemeinde.

INSCHR.: IG XIV 262–265; CIL X 7192–7195.

1 D. ASHERI, Nota sul senato di Agrigento, in: RFC 97, 1969, 268–272 2 E. GABBA, Sui senati delle città siciliane nell'età di Verre, in: Athenaeum 37, 1959, 304–320.

D. ASHERI, Agrigento libera, in: Athenaeum 78, 1990, 483–501 · L. BRACCESI, E. DE MIRO (Hrsg.), Agrigento e la Sicilia Greca: storia e imagine (580–406 a. C.), 1992. Atti della settimana di studio Agrigento 2 – 8 maggio 1988 (Beitr. von D. Asheri, D. Musti, A. Van Compernolle, Kl. Meister, J. A. de Waele, G. Manganaro) · R. CALCIATI (Hrsg.), Corpus Nummorum Siculorum 1, 1983, 143–229 · S. CONSOLO LANGHER, L'età di Falaride, in: Kokalos 34/35, 1988/89, 231–263 · P. DANNER, A., Hakkert 409–426 ·

L. DUBOIS, Inscriptions grecques dialectales de Sicile, 1989, Nr. 178–185 · G. MANGANARO, Darici in Sicilia e le emissioni auree delle poleis siceliote e di Cartagine ne V-III sec. a. C., in: REA 91, 1989, 299–317 · Ders., Un ripostiglio siciliano del 214–211 a. C., in: JNG 31/32, 1981/82, 37–52 · Ders., La Sicilia da Sesto Pompeio a Diocleiano, in: ANRW II 11.1, 1988, 3–89 · E. MANNI, Geografia fisica e politica della Sicilia antica, 1981, 133–136 · SEG 26, 1055ff. · J. A. DE WAELE, A. Graeca, 1971 · R. J. A. WILSON, Sicily under Roman Empire, 1990, 20f., 132f., 169ff.   GI. MA. / M.B.

Akrai. Natürlich befestigte Stadt in → Sicilia, 35 km westl. von → Syrakusai, von wo aus A. 664 v. Chr. (Thuk. 6,5,2), gegründet wurde; A. blieb mit der Mutterstadt durchwegs verbunden (vgl. → Hieron II.: Diod. 2,3,4). Nahm 214 v. Chr. an der Erhebung gegen Rom teil (Liv. 24,36,1). → Civitas stipendaria (Plin. nat. 3,91); h. Palazzolo Acreide. Prähistor., hell. (Theater, Buleuterion, Felsskulpturen aus dem Zusammenhang des → Kybele-Kults), und frühchristl. Präsenz, unterirdische → Nekropolen (von röm. bis arab. Zeit in Benutzung).

INSCHR.: IG XIV 203–239; CIL X 2, 7188; SEG 35,1985, 998.

1 L. BERNABÒ BREA, A., 1956 2 Ders., Il tempio di Afrodite di A. (Cahièrs du Centre J. Bérard), 1986 3 R. CALCIATI (Hrsg.), Corpus Nummorum Siculorum 3, 1987, 37 4 P. DANNER, s. v. A. Nr. 1, Hakkert 426–430 5 G. MANGANARO, Iscrizioni »rupestri« di Sicilia, in: Rupes Loquentes, Atti del convegno internazionale di studio sulle iscrizioni rupestri di età romana in Italia, Roma-Bomarzo 1992, 447–501 6 S. TUSA, La Sicilia nella preistoria, 1983, 118ff. 7 G. VOZA, s. v. A., PE 26f. 8 R. J. A. WILSON, Sicily under the Roman Empire, 1990.   G.G. / M.B.

Akraia (Ἀκραία). **[1]** Felshügel in Argolis, dessen Name in der Sage von einer Tochter Akraia des Flußgottes Asterion abgeleitet wird (Paus. 2,17,1); **[2]** (auch Akraios, Ἀκραῖος) Epiklese von Göttinnen (Aphrodite, Artemis, Athena, Hera, der phrygischen Meter [1]) und Göttern (Zeus [2]; Men), deren Heiligtümer sich auf einer Anhöhe befanden.

1 Denkschriften der Akad. Wien 80, 1962, 5 Nr. 2 2 H. SCHWABL, s. v. A., RE X A, 265f.   F.G.

Akraiphia. (Ἀκραίφια, Ἀκραιφία, Ἀκραιφίαι, Ἀκραίφιον, Ἀκραίφνιον, Ἀκραίφνια. Zum Namen: [5. 125]). Boiot. Stadt am Ostrand des ehemaligen Kopaissees auf dem westl. Ausläufer des → Ptoion, nördl. einer tief eingeschnittenen Bucht, die etwa vom 6. Jh. v. Chr. bis zum 1. Jh. n. Chr. durch mehrfach erneuerte Dammbauten gegen den See geschützt und trockengelegt war [3]. Im Norden bildete der Höhenzug des Megalo Vouno und des Phtelia die Grenze zum Territorium von → Kopai (IG VII 2792; SEG 30,440). Besiedelt war A. seit Anf. des 1. Jts. v. Chr.; das Toponym ist griech. Ursprungs. Spätere ant. Tradition suchte A. mit dem nur

bei Hom. Il. 2,507 gen. Arne gleichzusetzen und so nachträglich mit dem trojanischen Sagenkreis zu verbinden (Strab. 9,2,34). Die Akropolis der ant. Siedlung lag auf der steilen Felskuppe Kriaria südöstl. des h. Akraiphnion (früher: Karditsa); die ant. Siedlung erstreckte sich bis zur h. Ortschaft. Die in Teilen noch gut erh. Befestigungsanlage wurde in zwei Bauphasen (4. Jh. und 3./2.Jh. v.Chr.) errichtet; die zahlreichen Nekropolen datieren von protogeom. bis in röm. Zeit [2. 267–269, mit Karte]. Zu A. gehörten auch die ca. 3 km nordöstl. der Stadt gelegenen Heiligtümer für Apollon Ptoios und den Heros Ptoios. Zeitweise scheint sich → Thebai den bestimmenden Einfluß auf das Apollonheiligtum gesichert zu haben (Hdt. 8,135,1); wahrscheinlich verblieb aber dessen Verwaltung weiter bei A.; so auch in hell. Zeit, als das Apollonheiligtum als offizielle Orakelstätte des boiot. Bundes fungierte [6. 69ff.]. Die Pflege der Kulte im Ptoion, die frühen Dammbauten und die reichen Grabbeigaben in den Nekropolen belegen eine große Blüte von A. schon in archa. Zeit; der früheste Beleg für einen städtischen Archonten stammt vom E. des 6. Jhs. v. Chr. (JEFFERY 60, Nr. 13); eigenständige, von Thebai unabhängige Mz.-Prägung ca. 2. Hälfte 6.Jh. bis 480 v. Chr. und 456 bis 446 v. Chr. Ab 446 (?) v. Chr. bildete A. gemeinsam mit dem benachbarten Kopai und (nach 424) → Chaironeia einen der 11 Bezirke des neugeschaffenen boiot. Bundesstaates und stellte im Wechsel mit ihnen einen → Boiotarchen (Hell. Oxyrh. 19,3,394–396). Nach der Auflösung des Bundes 386 v. Chr. zunächst wieder selbständig, stand A. dann von 375 und bis zur Zerstörung von Thebai 335 v. Chr. (möglicherweise innerhalb eines wiederhergestellten Bundesbezirks) unter thebanischer Kontrolle (Paus. 9,23,5); danach Mitglied des erneuerten boiot. Bundes bis zu dessen Auflösung 146 v. Chr.; 197/6 war A. ein Zentrum des boiot. Widerstandes gegen die Römer (Liv. 33,29). Wirtschaftliche Probleme führten in der frühen röm. Kaiserzeit trotz der Restaurationsbemühungen des Grundherrn Epameinondas zum Niedergang von A., der sich auch auf das von A. verwaltete Apollonheiligtum auswirkte (Plut. mor. 411f. 414 A). Unklar bleibt, ob die Wiederbelebung des Heiligtums im 2.Jh. n. Chr. auch zu einem neuen Aufschwung von A. geführt hat [6. 72; 1]. Eine Zusammenstellung des reichen inschr. Materials bei [2. 369f.; 4].
→ Boiotia; Kopais

1 J.M. FOSSEY, The Cities of the Copais in the Roman Period, in: ANRW II 7, 1, 554–560 2 FOSSEY 3 H. KALCYK, Der Damm von A., in: Boreas 11, 1988, 5–14 4 D. KNOEPFLER, Sept années de recherches sur l'épigraphie de la Béotie, in: Chiron 22, 1992, 478–480 5 E. MEYER, Theopomps Hellenika, 1909 6 SCHACHTER, 1, 52–73.

S. LAUFFER, Kopais 1, 1986 · N.D. PAPACHATZIS, Παυσανίου Ελλάδος Περιήγησις, 5, ²1974–1981, 147–151.   P.F.

Akrillai (Ἄκριλλαι). Ortschaft in → Sicilia, ›nicht weit von Syrakusai‹ (Steph. Byz. s.v.A.); Plut. Marcellus

18,2; Liv. 24,35,8; wenn man die Gleichsetzung mit dem h. Chiaramonte Gulfi akzeptiert [1], bestand es bis in spätant. Zeit (griech. Grabinschr.).

A. DI VITA, Iscrizioni funerarie siciliane di età cristiana, in: Epigraphica 11, 1950, 93–110.   G.G./M.B.

Akrisios (Ἀκρίσιος). Argiver, Sohn des Abas und der Aglaia (Apollod. 2,24; Schol. Eur. Or. 965; Okaleia), Gatte der Aganippe (Eurydike Paus. 3,13,8), Vater der Danaë. A. vertrieb seinen Zwillingsbruder Proitos aus dem Land, der jedoch A. mit Hilfe seines Schwiegervaters, des Lykiers Iobates (Amphianax), sein Reich mit ihm zu teilen; Proitos bekam Tiryns, A. Argos. Wegen eines Orakels, ein Enkel werde ihn ums Leben bringen [1], sperrte A. Danaë in ein unterirdisches ehernes Gewölbe (oder in einen ehernen Turm; verbunden bei Paus. 2,23,7). Danaë aber, von Zeus in goldenem Regen (oder von Proitos, Pind. fr. 284) besucht, gebar den Perseus. Mutter und Kind, in einer Kiste ins Meer geworfen, wurden in Seriphos aufgefangen und freundlich aufgenommen (Apollod. 2,34f.). Später traf Perseus seinen Großvater in Larissa, wo er ihn versehentlich bei Kampfspielen tötete. So ging das Orakel in Erfüllung (Apollod. 2,47f.; Paus. 2,16,1–4). Dem A. wurde ein Heroon errichtet.

1 J. FONTENROSE, The Delphic Oracle, 1978, 364 L 23.

A. MOREAU, Le discobole meurtrier, in: Pallas 34, 1988, 1–18 · s.v. A., LIMC 1.1, 449.   F.G.

Akrobaten s. Unterhaltungskünstler

Akrokeraunia (τὰ Ἀκροκεραύνια). Gebirgszug an der Küste von → Epeiros (h. Karaburun in Albanien) in der Fortsetzung der Keraunischen Berge im Gebiet der → Chaones, Grenze zum Illyricum (Strab. 7,7,5; Plin. nat. 3,97,1; 145,2), desgleichen Halbinsel, 16 km lang, 3–5 km breit und bis zu 800 m hoch, die den Golf von Aulon (Vlores) und den Hafen → Orikos schützt. Wegen und Unwirtlichkeit und häufiger Unwetter metonymisch für »gefährliche Orte« (Ov. rem. 739; vgl. ThLL 1, 42).

N.G.L. HAMMOND, Epirus, 1967, 679, 690–92 · PHILIPPSON/KIRSTEN 2, 11f., 59f., 211f.   D.S.

Akrolithon. Arch. Bezeichnung für Statuen, deren nackte Körperteile aus Marmor und deren Gewänder aus Metall über einem Holzkern gearbeitet sind. Der Begriff begegnet erstmals in Tempelinventaren im 2.Jh. v. Chr., später bei Vitruv für kolossale Statuen. Die Technik geht auf die frühesten, bekleideten Kultidole zurück und wird ab der Klassik häufig für Kultstatuen angewendet. Zahlreichen beschriebenen A. stehen nur wenige erhaltene Fragmente gegenüber, so die Füße und Hände des Apollon von Phigalia, die Füße, der Kopf und die bronzenen Haare des Apollon von Cirò.

Bei einigen Köpfen läßt die Form des Halsabschlusses akrolithe Technik vermuten.

→ Bildhauertechnik; Goldelfenbeintechnik; Sphyrelaton

G. Despines, Ἀκρόλιθα, 1975 · H. G. Martin, Röm. Tempelkultbilder, 1987 · D. Mustilli, s. v. acrolito, EAA 1, 48–50.   R. N.

Akron [aus Akragas]. Sohn eines gleichnamigen Arztes (Diog. Laert. 8,65), älterer Zeitgenosse des Hippokrates. Er soll Athen durch das Anzünden großer Feuer im Jahre 430 v. Chr. von der Pest befreit haben (Plut. Is. 80 [vgl. 1]). Den → Empirikern (Ps.-Gal. 14,638) galt A. als Begründer ihrer Schule und trat als solcher in die doxographische Tradition ein [2]. Er könnte sich an Debatten über den epistemologischen Wert der Sinneswahrnehmung beteiligt haben (er war mit Empedokles bekannt). Ob Philinos und spätere Empiriker, die eine Doxographie ihrer Schule begründeten, über direkte Zeugnisse verfügten, ist aus den Quellen über ihn und seine Schriften [3] nicht erkennbar.

1 J. Pinault, Hippocratic Lives, 1992, 45 2 Deichgräber, 40 f., 270 3 Wellmann, 1901.   V. N. / L. v. R.-P.

Akropolis 606, Maler von. Att. sf. Vasenmaler um 570/560 v. Chr., benannt nach seinem Dinos von der Akropolis (Athen, AM 606) mit der Darstellung einer homer. Schlacht mit 8 → Streitwagen; im Nebenfries die früheste Wiedergabe eines zeitgemäßen Reitergefechts. Der A., dem 7 Vasen zugewiesen werden, ist ein Zeitgenosse des Klitias, aber seine Zeichenweise ist großformatiger und leidenschaftlicher; außerdem liebt er ungewöhnl. Figurenüberschneidungen. Ein vom A. bemaltes Frg. in Odessa ist der früheste Beleg für att. Keramikimport in Südrußland.

Beazley, ABV, 81 · Beazley, Addenda², 22 · Ders., The Development of Attic Black-figure, ²1986, 35–37, Taf. 30,5–32,4 · J. Charbonneaux u. a., Das archa. Griechenland, 1969, 63–64, Abb. 70.   H. M.

Akrostichon A. Definition B. Altertum C. Rezeption

A. Definition

Gr. ἀκροστιχίς (Dion. Hal. ant. 4,62,6), ἀκροστίχιον (or. Sib. 11, 17 u. 23) und plur. τὰ ἀκρόστιχα (als Überschrift: Anth. Pal. 9,385). An der Spitze aufeinander folgender Verse bzw. Zeilen (ὁ στίχος, der Vers, die Prosazeile) oder Strophen stehende Buchstaben, Silben oder Wörter, die einen sinnvollen Zusammenhang ergeben. Von dieser Besonderheit her nannte man auch das ganze Gedicht A. Wenn eine senkrechte Buchstabenreihe, u. a. durch Abstand hervorgehoben, das A. bildete, wurde dies παραστιχίς bzw. παραστιχίδιον genannt [7. 81–82; 2. 3–4]. Ergab sich das Alphabet, konn-

te man von einem Abecedarius [3. 146–151, 187–8; 4. 22–26] sprechen. Ein sich zufällig ergebendes Wort ohne Sinnbezug zum Text wie λευκή (Hom. Il. 24, 1–5) ist kein A. [6. 143]. Das A. diente als Gedächtnisstütze, zum Schutz des Textes gegen Ausfall und Einschub, gab dem Leser in den Text des Werkes verwobene Informationen über Autor und Adressat, Werktitel und -inhalt und war Ausdruck raffinierten poetischen Spiels.

B. Altertum

Das A. ist im Orient in babylonischen Texten nachweisbar und dürfte seinen Ursprung in Buchstabenmystik und -magie haben [3. 1–3]; es findet sich mehrfach im hebr. AT., z. B. in Psalm 119. In der griech. Lit. ist das Vorkommen des A. bei Epicharmos umstritten [2. 9]; Chairemon (TGrF 1² 71,14b) gibt sich in einem Autoren-A. zu erkennen. Nicht selten findet es sich in hell. Zeit: Aratos [4] bringt das poetologisch bedeutsame Adj. λεπτή am Anfang von Phainomena 783 und zugleich als A. in den Versen 783–787 [7. 83–87]; ein solches »Gamma-A.« findet sich auch bei Philostephanos [4. 25] und in Inschriften [2. 11; 6. 143]. Nikandros und Dosiadas verwenden Autoren-A. in Figurengedichten [4. 83–90]. Eine Fälschung aus dem 2. Jh. v. Chr. ist die Zuweisung eines Werkes mit Hilfe eines Autoren-A. an Eudoxos von Knidos (Frg. 137 Lasserre) [2. 9]. Die dem Dikaiarchos von Messene zugeschriebene Ἀναγραφὴ τῆς Ἑλλάδος wird durch ein A. dem Dionysios, Sohn des Kalliphon (um Chr. Geburt) zugewiesen ([7. 88–89]; weitere Autoren-A. [2. 13]). Vor allem in Orakeltexten sollte das A. zur Sicherung gegen Änderungen dienen. Nach Dion. Hal. ant. 4,62,6 (vgl. Cic. div. 2,112) waren in den nach dem Brande des Kapitols, 83 v. Chr., rekonstruierten Oracula Sibyllina unechte Erweiterungen durch A. nachweisbar [vgl. 2. 4–5]. In der uns überlieferten Sammlung liest man or. Sib. 8,217–250 an den Versanfängen Ἰησοῦς χρειστὸς θεοῦ υἱὸς σωτὴρ σταυρός. In der lat. Lit. kennzeichnete Ennius Gedichte durch A. (Cic. div. 2,111); in den Argumenta zu den plautinischen Komödien erscheinen die Titel der Stücke als A. Die A. der acht ersten und letzten Verse der Ilias Latina (poet. Lat. min. 3,18) besagen: Italicus scripsit. In der christl. Lit. erfreute sich das A. größter Beliebtheit. Commodianus verwendete A. in seinen Instructiones als Inhaltsangaben und zur Selbstvorstellung (2,39). In griech. Sprache verfaßten u. a. Gregor von Nazianz und Romanos, in lat. Sprache u. a. Hilarius von Poitiers und Augustinus (retract. 1, 20) Abecedarii geistlichen Inhalts. Optatianus Porfyrius baute A. in komplizierte Figurengedichte ein [4. 95–142]. Zahlreich sind Namens-A. in griech. und lat. Grab- und Dedikationsinschriften. Das A. ist in der Ant. formal und in seinen verschiedenen Funktionen voll ausgebildet.

C. Rezeption

Das A. bleibt in byz. Zeit in der griech. Poesie, vor allem in der Kirchendichtung, lebendig [5; 4. 738–765]. Im Westen finden sich A. im ganzen MA in vielen Nationalliteraturen in allen Funktionen reichlich vertreten, u. a. bei Otfried von Weißenburg und Gottfried von

Straßburg [4. 149–167, 539–560 und passim]. Es besteht
weiter z. B. bei G. Boccaccio und Sir J. Davies [7. 80]; im
17. und 18. Jh. sind in dt. Dichtung nicht-alphabetische
A. üblich, so bei M. Opitz, P. Fleming und P. Gerhardt
[1. 316].

1 U. BRAND, s. v. A., HWdR 1, 313–317 2 E. COURTNEY,
Greek and Latin Acrostichs, in: Philologus 134, 1990, 3–13
3 F. DORNSEIFF, Das Alphabet in Mystik und Magie, ²1925
4 U. ERNST, Carmen figuratum, 1991 5 K. KRUMBACHER,
Die Akrostichis in der griech. Kirchenpoesie, 1904
6 G. MORGAN, Nullam, Vare ... Chance or Choice in Odes
1,18?, in: Philologus 137, 1993, 142–145 7 E. VOGT,
Das A. in der griech. Lit., in: A&A 13, 1967, 80–95. H. A. G.

Akrotatos. [1] Älterer Sohn des → Kleomenes II.,
Agiade, verließ 315/14 v. Chr. ohne Einwilligung der
Ephoren Sparta, um für die verbannten Syrakusaner und
ihre Verbündeten den Krieg gegen → Agathokles [2] zu
leiten, soll hierbei aber sehr grausam und ausschweifend
gewesen sein, ohne größere mil. Erfolge zu erringen; er
wurde daher vertrieben und starb bald darauf in Sparta
noch vor seinem Vater (Diod. 19,70f.; Paus. 1,13,5;
3,6,2; Plut. Agis 3). [2] Enkel von Nr. 1, Sohn des Königs → Areus [1]. Bei der Belagerung Spartas durch
→ Pyrrhos 272 v. Chr. gelang es A., die Stadt bis zum
Eintreffen eines Entsatzheeres unter seinem Vater zu
halten. Nach dessen Tod 265 wurde er selbst König, fiel
aber zw. 264 und 260 beim Sturm auf Megalopolis (Plut.
Pyrrhus 26; 28; Agis 3; Paus. 8,27,11). M. MEI.

Akroter (Akroterion). Akroteria sind plastische Figuren oder Ornamentaufsätze, die den First (Mittel-A.)
oder die Seiten (Seiten-A.) von → Giebeln repräsentativer öffentlicher Gebäude zieren. A. können aus Ton
oder Stein (Poros, Marmor) sein; im 7./6. Jh. v. Chr.
dominieren zunächst ornamentierte, runde Schei-
ben-A. (z. B. Heraion von Olympia), später dann pla-
stisch ausgearbeitete Pflanzenkombinationen (Voluten
u. Palmetten) oder statuarische Figuren und Figuren-
gruppen (Gorgo, Nike, Sphinx u. a. myth. Gestalten).
Vgl. → Bauplastik.

A. DELIVORRIAS, Att. Giebelskulpturen und Akrotere des
5. Jh. v. Chr., 1974 · M. Y. GOLDBERG, Types and
Distribution of Archaic Greek Akroteria, 1982 ·
P. DANNER, Griech. Akrotere der archaischen und klass.
Zeit, 1989. C. HÖ.

Akrothoon / Akrothooi (Ἀκρόθωον, Ἀκρόθῳοι).
Städtchen auf der Halbinsel → Athos, südöstl. des Xer-
xes-Kanals (Hdt. 7,22,1; beim h. Magistis Lavras?). Man
sprach dort neben dem einheimischen Dialekt auch
Griech. (Thuk. 4,109,3). Im 1. Jh. n. Chr. (Plin. nat.
4,37) existierte A. nicht mehr.

M. ZAHRNT, Olynth und die Chalkidier, 1971, 150f.
MA. ER.

Akšak. Hauptort eines nord-babylon. Stadtstaates, der
um die Mitte des 3. Jt. v. Chr. die Vorherrschaft über
Nordbabylonien ausübte. Gegenüber von → Seleukeia
am Tigris gelegen. Umstritten ist die Identifizierung mit
Upī (griech. → Opis) in jüngeren Quellen [1. 111 Anm.
608; 2. 46–48].

1 J. A. BRINKMAN, A Political History of Post-Kassite
Babylonia. 1158–722 B. C., 1968 2 D. R. FRAYNE, The
Early Dynastic List of Geographical Names, 1992. H. N.

Aksum s. Axum

Aktaion (Ἀκταίων). a) Theben: Sohn des Aristaios, des
Sohnes von Apoll und Kyrene, und der Autonoë, Tochter des Kadmos und der Harmonia (Hes. fr. 217 A; Eur.
Bacch. 230). b) Attika: Mythischer König und Eponym
von Attika (Strab. 9,1,18; Paus. 1,2,6: Aktaios). Varianten von a): 1. A. vergewaltigt Semele; darauf schickt
Zeus Artemis, um A.s Hunde auf ihn zu hetzen. A. wird
zerfleischt. (Hes. fr. 217, vgl. 346; Stesich. fr. 236 PMG;
Akusilaos FGrH 2 F 33; Apollod. 3,31). 2. A. wird getötet, weil er sich brüstet, ein besserer Jäger als Artemis
zu sein (Eur. Bacch. 337–340; Diod. 4,81,4–5). 3. A.
erblickt Artemis unabsichtlich beim Baden (Kall. h.
5,107–166; Ov. met. 3,138–252) [1]. 4. A. versucht
Artemis in ihrem eigenen Heiligtum zu heiraten (Diod.
4,81,4–5). Variante 1 ist wohl die urspr. Version [2] (s.
aber [3]). Die Kränkung und ihr Ausgang fanden an den
Hängen des Kithairon statt (Paus. 9,2,3) [4]. A. wurde
vom Kentauren Chiron erzogen, der auch die trauern-
den Hunde beruhigte, indem er eine Statue ihres Herrn
schuf (Apollod. 3,31); vgl. die Bronzestatue des A. in
Orchomenos, die seine Seele, die die Gegend heimgesucht hatte, binden sollte (Paus. 9,38,5) [5]. A. war einer
der sieben Archegetai-Heroen der Plataiis (Plut. Aristeides 11,3). Er gehört zu all diesen Gegenden Nord-
und Zentralgriechenlands. Seine präzise Lokalisation
auf dem Kithairon muß mit den dionysischen Verbindungen der thebanischen Version zusammengebracht
werden.

1 F. BÖMER, Komm. P. Ovidius Naso: Metamorphosen
I–III, 1969, 487–514 2 L. GUIMOND, s. v. A., LIMC 1.1,
454–469 3 L. R. LACY, A. and a lost »Bath of Artemis«, in:
JHS 110, 1990, 26–42 (Zusammenfassung von Quellen:
26f.) 4 PRITCHETT, Part I, 1965, 113–115, 117 fig. 7
5 C. FARAONE, in: Classical Antiquity 10, 1991, 187f. A. S.

Aktaios (Ἀκταῖος), »der von der Küste (akte)« oder
»von Akte«. [1] Att. Urkönig, der erste (Paus. 1,2,6)
oder Nachfolger des Porphyrion (Paus. 1,14,7); Vater
der (ersten) Aglauros, der Frau des Kekrops und Mutter
von Aglauros [2], Herse und Pandrosos (Apollod. 3,180,
der in 3,177 erst Kekrops zum Urkönig macht). Nach
ihm hieß Attika erst Akte, wie in histor. Zeit noch die
Piraeushalbinsel (Apollod. 3,177; Harpokrat. s. v. Akte).
Nach Pherekydes (FGrH 3 F 60) ist er Vater des Telamon von Glauke, der Tochter des salaminischen Lo-
kalheroen Kychreus; das spiegelt Athens Anspruch auf
Salamis. [2] Epiklese eines mantischen Apollon in Adra-

steia (Troas; Strab. 13,588 C), und des Dionysos auf
Chios [1].

1 GRAF, 35. F.G.

Aktia. In Erinnerung an den entscheidenden Sieg, den
Augustus am 2. September 31 v. Chr. gegen Marcus
Antonius in der Seeschlacht von Kap Aktion davontrug,
gründete er die penteterischen A. (Strab. 7,325; Suet.
Aug. 18; Cass. Dio 51,1), die zum ersten Mal wohl am
Jahrestag der Schlacht 27 v.Chr. gefeiert [1.105–106]
und in den Rang der Periodos erhoben wurden. In der
Kaiserzeit in vielen Siegeskatalogen, gelegentlich in einem Atemzug mit Olympien und Pythien aufgeführt
[2.275]. Sie bestanden aus gymnischem, musischem
(Stat. silv. 2,2,6–8) und wohl auch hippischem Programm und wurden in der ca. 10 km nördl. von Aktion
aus Anlaß des Sieges neugegr. Stadt Nikopolis [3.469–
471] begangen, deren Stadion und Theater noch heute
unweit des Siegesdenkmales, das Augustus an der Stelle
seines Lagers errichtet hatte [4], sichtbar sind [5. 155].
Die früher bei Aktion zu Ehren des Apollon ausgetra-
genen jährlichen A., die der Akarnanische Bund
(→ Akarnania) organisierte, hatten in ihrem Programm
auch eine Wettfahrt mit Schiffen [3.94].

1 J.M.CARTER, Die Seeschlacht bei Actium, 1972
2 L.MORETTI, Iscrizioni agonistiche greche, 1953
3 LAUFFER 4 TH. SCHÄFER, Zur Datier. des Siegesdenkmals
von Aktium, in: MDAI(A) 108, 1993, 239–248
5 W.M.MURRAY, P.M.PETSAS, Octavian's Campsite
Memorial for the Actian War, 1989.

E.REISCH, s.v.A., RE I, 1213–1214 · R.RIEKS, Sebasta
und A., in: Hermes 98, 1970, 96–116 · T.C.SAVIKAKIS,
Ἄκτια τὰ ἐν Νικόπολει, in: Ἀρχαιολογική Ἐφημερίς 15, 1965,
145–162 · M.LÄMMER, Die Aktischen Spiele von
Nikopolis, in: Stadion 12/13, 1986/87, 27–38. W.D.

Aktion (τὸ Ἄκτιον, Actium). Flache, sandige Halbinsel
(ma. Punta) gegenüber dem h. Preveza an der Einfahrt
zum Ambrakischen Golf (Strab. 10,2,7; [9]), in der Ant.
zu → Anaktorion gehörig, Schauplatz der Entscheidungsschlacht zw. Octavianus (→ Augustus) und
→ Antonius [9]. Hier befand sich das Heiligtum des
→ Apollon Aktios, von den korinth. Siedlern Anak-
torions um 600 v.Chr. gegr.; das hohe Alter wird durch
arch. Funde (Kuroi des frühen 6.Jh. v.Chr. [12. 40f.,
85f., Abb. 154–6, 255–7]) und Lit. (Herakl. bei Clem.
Al. Protreptikos 2,39,8; Hyp. fr. 155; Kall. fr. 403;
Thuk. 1,29,3 zum J. 435 v.Chr.) bezeugt. A. erhielt 425
v.Chr. mit Eroberung von Anaktorion durch die
→ Akarnanes (Thuk. 4,49) den Charakter eines Bundes-
heiligtums (Pol. 4,63,4), in dem internationale Verträge
aufgestellt wurden (IG ²IX 1,1, 3 Z. 14; IG ²IX 1,2, 206).
Seit dem 5.Jh. v.Chr. erscheint die Göttin Aktia auf
Münzen von Anaktorion. 216 v. Chr. übergab Anaktorion wegen finanzieller Probleme das Heiligtum an das
Akarnanische Koinon (Vertrag: [7]; vgl. [4]). Das jährlich stattfindende Hauptfest hieß ἡ Ἀκτιάς (daneben

schon im 4.Jh. v.Chr. τὰ Ἄκτια, SEG 15,400). Zum Fest
gehörten Prozession [7. Z. 41–43] unter Führung des
obersten Priesters (ἱεραπόλος), Opfer, gymnische und
musische → Agone (die hippischen und nautischen
Agone des Steph. Byz. s.v. Ἄκτια erst unter Augustus),
hinzu trat der Festmarkt (panegyris) mit bes. wirtschaft-
licher Bedeutung [4. 105–109; 1. 497–500]. Folgende
Gebäude sind lit. bekannt: Tempel auf einem Hügel
(Strab. 7,7,6; Plin. nat. 4,5; Suet. Aug. 18,2) mit hl.
Hain, Lagerplätze für die Besucher, ein Heleneion, fer-
ner ein Tempelschatz und Weihgeschenke [7. Z. 36–39].
Kulte für → Aphrodite Aineias (Epiklese wie in
→ Leukas spät entstanden) und die Großen Götter
(→ Theoi Megaloi) (Dion. Hal. ant. 1,50,4). Im 2. Jh.
v.Chr. wurden weiterhin Bundesdokumente aufgestellt
(IG ²IX 1,2, 208f., 582, 588). Wegen der exponierten
Lage von A. wurden die Häfen (Strab. 10,2,7; Cass. Dio
50,12,8 [9. 271 f.]) häufig von fremden Flotten genutzt
(434 v.Chr., Thuk. 1,29,3; 219 v.Chr., Pol. 4,63,4; von
Römern 167 v.Chr., Liv. 44,1,3; Piratenüberfälle im
1.Jh. v.Chr., Plut. Pompeius 24) oder dienten als Rei-
sestationen (51 v.Chr. von Cicero: Cic. Att. 5,9,1; fam.
16,6,2; Iulius Hyginus fr. 3). Vor der Seeschlacht zw.
Octavianus und Antonius, die am 2. September 31
v.Chr. vor der Küste stattfand (Plut. Antonius 65–68;
Cass. Dio 50,31–35; 51,1; 5; Flor. epit. 2,21; Oros.
6,19,10ff.; Vell. 2,85 [8. 1–54; 10. 131–151]), hatten
sich die feindlichen Heere monatelang bei A. gegen-
übergelegen (Münzschätze [2. 23–56]); Antonius ließ
an der Durchfahrt zum Golf Türme errichten (noch in
der Kaiserzeit zu sehen: Tac. ann. 2,53); die Teilnehmer
an der Schlacht hießen später Actiaci (ILS 2243; 2336).
A. wird zum Siegessymbol in der augusteischen Lit. und
Kunst [3.37–100; 5; 6; 14], die Gründung des Heiligtums nun Aineias zugeschrieben (Verg. Aen. 3,280
[2. 57–69]). Zur Erinnerung an den Sieg weihte Octavianus zehn Schiffe in eine Werft nach A., die aber bald
verbrannten (Strab. 7,7,5; Tac. ann. 2,53; Cass. Dio
51,1,2), vergrößerte (oder erneuerte) den bestehenden
Tempel (Suet. Aug. 18,2; Cass. Dio 51,1,2) und setzte
eine monumentale Weihinschr. [10; 13. 248–289]. Seit
die Spiele ab 27 v.Chr. in veränderter Form in → Nikopolis gefeiert wurden, sank die Bed. von A. rapide.

Für eine größere Ansiedlung war das Klima von A.
zu ungesund (vgl. das Opfer an den fliegenabwehren-
den Apollon, Clem. Al. Protreptikos 2,39,8 und die erkrankten Soldaten des Antonius, Cass. Dio 50,12,8;
Plut. Antonius 63), ein Dorf ist jedoch bezeugt (SEG
18,261; IG ²IX 1,2, 562; SPrAW 1936, 362f.; Strab.
10,2,7), in der Kaiserzeit Station des → cursus publicus
(Tab. Peut. 7,4).

Die ant. Baumaterialien sind z.T. in den Festungen
des Aly Pasha in A. verbaut, A. selber ist versumpft und
wird u. a. als Militärflughafen genutzt. Bei frühen Grabungen wurden angeblich eine archa., hell. und röm.
Bauphase festgestellt, Reste des → Temenos werden in
Reiseberichten des 19. Jhs. beschrieben [11. 204–206,
287–289].

1 T. BLAWATSKY, Über den Sklavenmarkt von Actium, in: Klio 56, 497–500 2 E. CHRYSOS (Hrsg.) Proceedings of the 1st international Symposion on Nicopolis, (Preveza 1984) 1987, 3 J. GAGÉ, in: MEFRA 53, 1936 4 CH. HABICHT, in: Hermes 85, 1957, 86–122 5 T. HÖLSCHER, in: JDAI 99, 1984, 187–214 6 Ders., Denkmäler der Schlacht von Actium, in: Klio 67, 1985, 81–102 7 J. KROMAYER, in: Hermes 34, 1899 9 W. M. MURRAY, The coastal sites of West-Akarnania, 1982, 266–272 10 W. M. MURRAY, P. M. PETSAS, Octavian's Campsite Memorial, 1989 11 E. OBERHUMMER, Akarnanien, 1887 12 G. RICHTER, Kouroi, 1960 13 T. SCHÄFER, Zur Datierung des Siegesdenkmals von Aktium, in: MDAI (A) 108, 1993, 239–248 14 G. ZECCHINI, Il carmen de bello actiaco, 1987.   D. S.

Aktionsart. Seit AGRELL [1] und Späteren sind A.en (auch »Zeitdauerarten« u. ä.) als Verben selbst inhärente Bedeutungskomponenten und → Aspekt(e) trotz Wechselbeziehungen zu trennen. Es gibt Durativa wie gr. ζητεῖν »suchen« gegenüber – im Griech. oft aorist. – Punktativa wie homer. εὑρεῖν »finden« und dazu Inchoativa, Terminativa (für Vorgänge im Anfangs- oder Endstadium), Iterativa usw. Manche Forscher [2.300–304 mit Lit.] unterscheiden weiter zw. rein semantisch geartetem »Verbalcharakter« und morphologisch bedingter A. (im engeren Sinne). So heben sich ihren A.en nach z. B. ab: im Lat. präverbhaltiges *adīre* »hingehen« vom Simplex *īre* »gehen«, mit Suffix *-sce/o-* abgeleitetes *ārēscere* »vertrocknen« vom Grundverb *ārēre* »trocken sein«, im Griech. – vergleichbar suffigiert – distributiv-iteratives Präteritum homer. οὔτασκε »verwundete (jeweils)« von dem des Grundverbs, homer. οὗτα »verwundete« (Il. 15,745 und 746).

→ Aspekt; Wortbedeutung

1 S. AGRELL, Aspektänderung und A.bildung beim polnischen Zeitworte, 1908 2 W. DRESSLER, Studien zur verbalen Pluralität, 1968.   K. S.

Aktisanes. Nach Diod. 1,60 äthiopischer König, der Ägypten von der Herrschaft eines Amasis befreite und Rhinocolura (El-Arisch) als Sträflingskolonie gründete. Weder Historizität noch zeitliche Stellung des A. sind gesichert.

A. BURTON, Diod. Sic., Book I, 1972, 180 f.   K. J.-W.

Aktor (Ἄκτωρ). Häufiger (sprechender) Heroenname (»Führer«), der oft Nebenfiguren myth. Erzählungen zukommt, wie [1] dem Vater des Argonauten → Menoitios, Großvater des Patroklos, aus dem lokrischen Opus (Hom. Il. 11,785; 23,85), Mann der Aigina (Pind. O. 9,69), [2] dem Sohn des Deion von Phokis, Bruder von → Kephalos (Apollod. 1,86), [3] einem Argonauten, Sohn des Hippasos, (Hyg. fab. 14,40), [4] dem irdischen Vater der → Aktorionen. [5] In den Peleusmythen erscheinen verschiedene Träger des Namens. A., König von Phthia, reinigt Peleus von Blutschuld und setzt ihn, da selbst kinderlos, zum Nachfolger ein (Diod. 4,72,6), oder er ist Vater des Eurytion, der Peleus entsühnt (Apollod. 3,163; vgl. Tzetz. Lycophr. 175 p. 84,19 SCHEER, → Iros). Anlaß zur Entsühnung war ein unbeabsichtiger Mord (Tzetz. Lycophr. 901).   F. G.

Aktorione (Ἀκτορίωνε, Dual). Monströses Zwillingspaar (Hes. fr. 18 M-W τερατώδεις); es ist durch zwei Köpfe, vier Arme und Beine und einen zusammengewachsenen Körper unheimlich stark (Hes. fr. 17; 18). Nestor rühmt sich in der Ilias, er habe die A. Molione, Kteatos und Eurytos töten können, wenn Vater Poseidon ihnen nicht beigestanden hätte (Il. 11,750–752). Bei anderer Gelegenheit besiegen sie Hektor im Wagenrennen (Il. 23,638). Die Genealogie ist dreifach: Neben dem göttl. (Poseidon) ein menschlicher Vater (Aktor, Bruder des Augeias: Eust. Il. 303,5), die Mutter stammt aus aitolischem Königsgeschlecht [1]. Als siamesische Zwillinge erscheinen sie (nicht notwendig in der Ilias [2]) bei Hes. und Ibykos und sind als Bildtyp in spätgeom. Kunst mehrfach belegt [3; 4; 5]. Ibykos (PMGF 285) läßt sie gar aus einem silbernen Ei geboren sein. Ihre Söhne, Amphimachos und Thalpios, schließen sich Nestor gegen die Troianer an (Il. 2,620). Herakles lauert ihnen bei ihrem Besuch der Isthmia auf und tötet sie nahe Kleonai, nachdem er sich für Ihre Unterstützung des die Belohnung verweigernden Augeias nicht auf kriegerischem Weg rächen kann (Pind. O. 10,26–34; Pherekydes FGrH 3 F 79a; Apollod. 2,139 ff.; Paus. 5,1,10–2,2; 2,15,1).

1 D. MATTHES, s. v. A., LFE I, 444 f. 2 J. B. HAINSWORTH, in: G. S. KIRK, The Iliad 3, 1993 3 B. SCHWEITZER, Herakles, 1922, 17–129 4 K. FITTSCHEN, Der Beginn der Sagendarstellungen, 1969, 68–75 5 R. HAMPE, LIMC 1.1, 472–476.   C. A.

Akumenos [aus Athen]. Arzt des späten 5. Jh. v. Chr. Als Vater des Arztes → Eryximachos, der mit Sokrates und Phaidros befreundet war, taucht A. kurz als fiktiver Gesprächspartner in Plat. Phaidr. 268a und 269a auf, um die These zu unterstreichen, die ärztliche Kunst umfasse mehr als lediglich das aus Büchern und von Lehrern gewonnene Wissen.   V. N. / L. v. R.-P.

Akusilaos (Ἀκουσίλαος) aus Argos. Lebte Ende des 6. und 1. H. des 5. Jh. v. Chr., war nach Hekataios von Milet einer der ersten griech. Prosaschriftsteller und schrieb im ion. Dialekt. Er wird traditionell zur Gruppe der sog. *Logographen* (eine allg. Bezeichnung des Thuk. 1,21,1) gerechnet (→ Logographos) und beschäftigte sich, soweit wir wissen, hauptsächlich mit → Mythographie. Seine Γενεαλογίαι oder Ἱστορίαι umfaßten drei Bücher, die, wie es scheint, der Einteilung in göttliche, heroische und menschliche Genealogie entsprachen: Eine große Darstellung des kosmologischen und theogonischen Materials, das auf die Geschlechter der Menschen vom »ersten Menschen« Phoroneus bis zu den

Ereignissen nach dem troianischen Krieg ausgedehnt wurde. A. stützte sich im wesentlichen auf die ep., vor allem die hesiodeische Tradition (zusammen mit anderen Quellen wie dem verlorenen Gedicht *Phoronis*), die er allerdings manchmal nach anderen Quellen korrigierte, indem er den Erzählstoff des Epos anhand der genealogischen. Struktur neu ordnete. Die Züge einer einfachen und vielleicht geradezu trockenen Erzählung und die Elemente eines zuweilen naiv erscheinenden Inhalts in den Fragmenten scheinen (wenn uns die Quellen und die singuläre Knappheit des Materials nicht täuschen) gegen eine Zurechnung des A. zur Richtung der rationalen Mythosinterpretation zu sprechen, für die sich die Entwicklung des historiographischen Denkens von Hekataios bis Herodot besonders interessierte. → Genealogie; Logographos; Mythographie; Hekataios von Milet; Herodotos

ED.: DIELS / KRANZ, 9 · FGrH 2.

LIT.: H. FRÄNKEL, Dichtung und Philos. des frühen Griechentums, ³1962, 395–97 · A. KORDT, De Acusilao, Diss. 1903 · D. PELLEGRINI, Sulle »Genelaogie argive« di Acusilao di Argo, in: Atti Accademia Patavina di scienze, lettere e arti 86, 1973–74, 155–171 · P. TOZZI, Acusilao di Argo, in: RIL 101, 1967, 581–624.   F.M./T.H.

Akustik   A. DEFINITION   B. HARMONIE   C. SCHALLÜBERTRAGUNG UND WAHRNEHMUNG   D. PRAKTISCHE AKUSTIK

A. DEFINITION

Abgeleitet von griech. ἀκούειν, »hören« bedeutet A. im modernen Sprachgebrauch generell die Physik der Schallerscheinungen (physikalische A.), sodann die Gesamtheit der physiologischen Vorgänge beim Hören (physiologische A.), aber auch die subjektiven, im Bewußtsein und künstlerischen Erleben auftretenden Gehörserscheinungen (psychologische A.). Auch in der griech.-röm. Antike waren alle drei Bereiche bekannt, wenn auch in der Regel weder methodisch noch lit. getrennt; vieles wird deshalb im Rahmen der → Musik(theorie) (Harmonik) abgehandelt, die tendenziell schon zur Zeit des Aristoteles (pol. 8,5–7) zur allg. »Musenkunst« (μουσικὴ τέχνη) zur »Tonkunst« wird, vor allem im Zusammenhang mit der Erzeugung von Schall und Tönen. ›Schall (ψόφος) ist das πάθος geschlagener (πλησσόμενος) Luft‹, definiert Ptolemaios (harmon. 1,1). Euklid (*sectio canonis*, prooem.), Adrastos von Aprodisias, Theon von Smyrna (*expositio rerum mathematicarum* p. 50), Porphyrios u. a. sprechen von der πληγὴ ἀέρος – und gibt damit die Grundvorstellung der Griechen seit den Pythagoreern, wenn nicht von Anbeginn an wieder [1], und (harmon. 1,3): ›Schall ist eine kontinuierliche Spannung (τάσις συνεχής) der Luft‹, die sich von der Anschlagstelle aus nach außen verbreitet (deshalb werde der höhere/»stärkere« Ton durch einen aus geringerem Abstand zwischen Anschlagendem und Angeschlagenem erfolgenden heftigeren Schlag, der tiefere/»schwächere« durch einen aus größerem Ab-stand erfolgenden und deshalb schwächeren Anschlag erzeugt (Ptolemaios zieht hierzu das Hebelgesetz heran). Bei gleichbleibender Spannung entstehe ein Ton. Die Pythagoreer Hippasos und Archytas sowie Ptolemaios, Porphyrios u. a. gehen deshalb auch in der Harmonielehre der Töne vom Schall und seiner Entstehung durch »Bewegung« aus, deren Schnelligkeit oder Langsamkeit die Tonhöhe ausmache (Hippasos frg. A 13 aus Theon von Smyrna), was Aristoxenos strikt ablehnt (Porph. in harm. p. 7f. DÜRING). Seneca (nat. 2,6,3) definiert ebenfalls die Stimme als ›Spannung der kontinuierlichen Luft‹ (*intentio*), die bei der Annahme von Atomen nicht möglich sei.

B. HARMONIE

Vom Ertasten der schwingenden Saite oder vibrierenden Pfeife her charakterisierten die Griechen die Töne taktil als »hoch« (spitz) oder »tief« (schwer, drückend), je nachdem ob sie von einer schnell oder langsam schwingenden Saite erzeugt werden (Hippasos frg. A 13); Pythagoreer und Ptolemaios faßten Höhe und Tiefe der Töne deshalb nicht als Qualitäten (wie Theophrast), sondern als Quantitäten auf. Archytas (frg. B 1) erhielt so die Grundlagen seiner Sphärenmusik, indem er davon ausging, daß ebenso die schneller bewegten Planeten einen höheren Ton erzeugen, daß der höhere Ton sich deshalb aber auch schneller als ein tieferer fortpflanze (so auch Platon Tim. 37), er sei zudem kraftvoller und pflanze sich weiter fort – hierzu mußte er noch, wie Demokrit von seiner Wirbeltheorie her, annehmen, daß der äußerste Planet sich am schnellsten, der innerste am langsamsten bewegt (was dann seit Platon umgekehrt wird, → Astronomie C), so daß die Töne gleichzeitig auf der Erde eintreffen. Die Theorie der Harmonie der Gestirnssphären wurde nach Platon von Aristoteles abgelehnt (cael. 2,9), aber bei späteren Autoren auch im Rahmen der *artes*-Lit. wieder aufgenommen (Cicero, Nikomachos, Martianus Capella, Boethius).

Pythagoreer sowie Harmoniker und deren Kommentatoren (Aristoxenos, Didymos, Euklid *sectio canonis* und *introductio harmonica*, Ptolemaios, Porphyrios sowie die Darstellungen im Rahmen des Quadriviums bei Martianus Capella, Boethius usw.) beschäftigen sich allerdings vorwiegend mit der Erzeugung der Töne und ihrer Harmonien, die angeblich Pythagoras selbst am Monochord entdeckt haben soll, für die aber zumindest die Pythagoreer Hippasos und Archytas mit der »Harmonik« eine selbständige mathematische Disziplin neben der Arithmetik und Geometrie geschaffen haben (Hippasos frg. 15). Hippasos soll zur empirischen Bestimmung der harmon. Proportionen eherne Disken benutzt haben, Lasos gleichgroße, aber unterschiedlich gefüllte Gefäße, die sog. Kanoniker (Eukl. *sectio canonis*) – möglicherweise schon Pythagoras selbst – demonstrierten sie dagegen am Monochord, einer einzelnen Saite auf einem Resonanzkasten mit verschiebbarem mittleren Steg. Unterteilt der Mittelsteg die Saite im Verhältnis 2:1 (Stellung auf ⅔ der vollen Saitenlänge), so sind zwei Töne der höchsten Konsonanz, nämlich die Oktave im Schwingungsverhältnis 2:1 zu gewinnen, bei einer Unterteilung von ⅗ zu ⅖ das Verhältnis 3:2 einer Quinte (die nach Pythagoras benannte Tonleiter beruht auf der Zusammenstellung solcher »reinen« Quinten); Hippasos hat den Intervallbestand über die Oktave hinaus zur Duodezime (3:1) und Doppeloktave (4:1) ausgeweitet, Philolaos teilt die Oktave harmonisch in Quinte (3:2) und Quarte (4:3) mit der »Differenz« des Ganztones (9:8), nach der Proportionenlehre entstanden aus (3:2):(4:3) = (3:2):(3:4), und führte den kleinen (256:243) und großen Halbton (2187:2048) ein, Archytas die Terz (5:4), die allerdings erst bei Ptolemaios (harm. 6 innerhalb einer Kritik der harm. 5 dargestellten pythagoreischen Theorie) als harmonisch anerkannt wird; ein zusätzliches Problem stellte der Viertelton dar. Auch Archytas und Eudoxos suchten allein in den Zahlenverhältnissen den λόγος συμφωνιῶν, während Aristoxenos (2. H. 4.Jh. v.Chr.) die Tradition der Empiristen aufnahm und statt der nur zu errechnenden Tonhöhendifferenzen allein nach dem Gehör den kleinsten Tonintervall zu bestimmen suchte – möglicherweise vertrat er also als erster nicht die »akustische Reinheit«, sondern so etwas wie die moderne »gleichschwebende Temperatur«, jedenfalls stellte er den Einzelton in die jeweils umgebende, umstimmbare Tonskala. Platon wandte sich mit Entschiedenheit sowohl gegen die zahlenmäßige Bestimmung der Harmonien durch die Pythagoreer, als deshalb auch gegen die experimentellen Methoden der Empiristen (rep. 7,11).

C. SCHALLÜBERTRAGUNG UND WAHRNEHMUNG

Über Schallentstehung wird auch seit den frühesten Vorsokratikern im Zusammenhang mit dem Entstehen des Donners nachgedacht; aber die Schallfortpflanzung und das Schallempfinden blieb meist ohne Erklärung.

Aristoteles unterscheidet in seiner Wahrnehmungstheorie (de an. 3,2) zwischen Hörfähigkeit (ἀκουστικόν), tatsächlichem Hören/Gehör (ἀκοή, ἄκουσις), das durch extrem hohes und tiefes Schallen / Tönen zerstört werde, und Hörorgan einerseits sowie Schallfähigem, Schallerzeugendem und Schall/-Ton, der gehört werden kann (dann ἀκούσματα), andererseits. Schall soll im Gegensatz zum Licht keine Veränderung bewirken, sondern bloß (Orts-) Bewegung sein. Eine Abrundung erhält diese Theorie durch die Ausführungen des Herakleides (Pontikos ? – nicht aufgenommen in [2]) bei Porphyrios (in harm. p. 30), der offensichtlich seiner Abhandlung als »Hypothese« voranstellte (ὑποκείσθω), daß Tonbewegungen eine Art Ortsbewegung seien, die geradlinig bis zum wahrnehmenden Teil des Gehörs erfolge, wo sie das Gehör (Gehörsinn: ἀκοή) in Bewegung setzen und in ihm eine Wahrnehmung bewirken. Jede Saitenschwingung erzeuge einen eigenen Ton, so daß eine schwingende Saite mehrere, zeitlich auseinanderliegende Töne nacheinander hervorbringe, die jedoch für das Sinnesorgan zu schnell aufeinander folgen, als daß es sie einzeln wahrnehmen könne; sie scheine also nur kontinuierlich zu tönen.

D. PRAKTISCHE AKUSTIK

Über Anwendungen der theoret. A. im praktisch-technischen Bereich berichtet Vitruv nach griech. Quellen im Anschluß an ein Referat der Harmonielehre des Aristoxenos (Vitr. 5,5 [3]): Nach harmonischen Verhältnissen abgestimmte eherne Resonanzgefäße seien unter harmonischen Gesichtspunkten in Hohlräumen unter den Sitzreihen der Theater angeordnet worden, was allerdings nur bei steinernen Bauten erforderlich sei, da die (röm.) hölzernen Bauten genügend Bretter als natürliche Resonanzgeber enthielten. Auch in den griech. Theatern des Hellenismus bildete der erhöhte hölzerne Proskenionboden mit den bemalten Holztafeln zwischen den Pfeilern einen die A. verbessernden Resonanzkasten. Es sind zwar in keinem erh. Theater entsprechende Hohlräume gefunden worden, doch berichtet Vitruv von mehreren so ausgestatteten Theatern in Italien und in griech. Städten; auch habe Lucius Mummius aus dem Theater des 146 v.Chr. zerstörten Korinth solche Gefäße als »Spolien« mit nach Rom gebracht und im Tempel der Luna aufgestellt. In Theatern kleinerer Städte hätten die Baumeister wegen fehlender Finanzmittel statt dessen auch mannshohe tönerne *dolea* nach denselben harmonischen Regeln aufgestellt und damit gute Wirkungen erzielt. Relativ gut erhaltene griech. Theater aus späterer Zeit, wie das Theater in Epidauros, besitzen allerdings schon durch die architekton. Konstruktion eine so ausgezeichnete A., daß selbst Flüstern auf der Orchestra bis zu den höchsten Sitzreihen deutlich zu vernehmen ist, weshalb solche Hilfsmittel in nachvitruvischer Zeit nicht mehr nötig gewesen zu sein scheinen. Eine schalltrichterartige Verdeutlichung und Verstärkung der Stimme wurde auch durch die (allerdings kaum dazu eingeführten, wenn auch vielleicht mit deshalb beibehaltenen) Theatermasken mit spezieller Mundform erreicht [4]. – Den umgekehrten Effekt des Schallschluckens scheint Plinius (nat. 36,154) anzusprechen, wenn er davon berichtet, daß man die Decken von *musaea* (Musenhöfen) aus ›zerfressenem‹ Bimsstein gestaltete.

Auf akust. Erkenntnissen und Erfahrungen aus dem Bau von → Musikinstrumenten beruhen auch die vielen pneumatischen Geräte mit Geräuscherzeugung – angefangen mit der von Platon konstruierten Weckeinrichtung über die Geräte eines Ktesibios, Philon von Byzanz und Heron von Alexandreia bis hin zu der von Heron (pneumat. 1,42) und Vitruv (10,13) beschriebenen, von Ktesibios (3.Jh. v.Chr.) erfundenen Wasserorgel (Hydraulis) mit bis zu acht Registern, deren Bau neben der Funktionstechnik für die Konstruktion der Pfeifen auch umfassendes akustisches Wissen und Können erforderte. Das seit der Kaiserzeit sowohl in großen privaten Haushalten benutzte als auch bei Massenveranstaltungen in Theater und Zirkus eingesetzte Gerät ist in mehreren Exemplaren bruchstückhaft erh. [5]. Der pneumatische Arzt Archigenes von Apameia (2. H. 1.Jh.) soll als erster den Ärzten den Einsatz von Hörrohren empfohlen haben.

1 L. Schönberger, Studien zum 1. Buch der Harmonik des Claudius Ptolemaeus, 1914, 26–41 2 Wehrli, Schule H. 7: Herakleides Pontikos, ²1969, 113 3 P. Thielscher in FS F. Dornseiff, 1953, 334 ff. 4 A. Neuburger, Die Technik des Altertums, 1919, ²1977, 361–363 5 W. Walcker-Mayer, Die röm. Orgel von Aquincum, 1970.

C. Graf, Theorien der A. im griech. Altertum, 1894 · I. Düring, Ptolemaios und Porphyrios über die Musik, 1934 · H. B. Gottschalk, The De audibilibus and Peripatetic acoustics, in: Hermes 96, 1968, 435–460 · U. Klein, in: Aristoteles Werke in dt. Übersetzung XVIII,3: De audibilibus, übers. v. U. Klein, 1972 · E. S. Stamatis, Ἡ ἀκουστικὴ τοῦ ἀρχαίου Ἑλληνικοῦ θεάτρου, in: ΠΛΑΤΩΝ 34/35, 1982/83, 3–7. F. KR.

Akyphas (Ἄκύφας). Stadt der dor. → Metropolis, auch → Pindos gen., am Fluß Pindos oberhalb von → Erineos, möglicherweise ca. 5 km westl. von Kastelli, ca. 3 km südl. von Oinochori bei Ano Kastelli am Oberlauf des Kananitis, wo zahlreiche Spuren ant. Besiedlung (z. T. in einer fränkischen Festung verbaut) bes. aus hell. Zeit erh. sind (Strab. 9,4,10. 5,10; Steph. Byz. s. v.; SEG 27,123,12. 39,476).
→ Doris

D. Rousset, Les Doriens de la Métropole, in: BCH 113, 1989, 199–239. P. F.

Akzent A. Definition B. Griechisch C. Lateinisch

A. Definition

Unter A. (Wortakzent) wird herkömmlicherweise die Hervorhebung einer Silbe innerhalb eines Wortes durch Druckstärke (Intensität) und (bzw. oder) Tonhöhe (Intonation), die ihrerseits oft mit der Dauer (Quantität) gekoppelt sind, verstanden. Dementsprechend lassen sich ein Druck- oder Intensitätsakzent (dynamischer A.) und ein Tonhöhenakzent (musikalischer A.), nach anderer Auffassung vielmehr ein Silben- und ein Morenakzent unterscheiden. Bisweilen meint A. auch A.-zeichen (→ Schrift).

B. Griechisch

Die A.-zeichen des Griech. (´ ˜ `), von → Aristophanes [4] von Byzanz (Ende 3. Jh. v. Chr.) erfunden, sind zunächst nur gelegentlich, seit dem 2./3. Jh. n. Chr. systematischer, seit dem 9./10. Jh. durchgängig verwendet worden. In Inschr. fehlen sie völlig. Rückschlüsse auf die A.-stelle gestatten auch gr. Lw. in anderen Sprachen sowie das Ngr. Die Angaben der Grammatiker deuten darauf, daß der Wortakzent des klass. Griech. ein phonologisch relevanter Tonhöhenakzent war, Unterschiede der Druckstärke dagegen keine entscheidende Rolle spielten: οἶκοι »zu Hause« / οἶκοι Nom. Pl. »Häuser«; νόμος »Gesetz« / νομός »Bezirk«. Die mit Akut (´) bezeichnete Intonation (προσῳδία ὀξεῖα) war offenbar ein steigender Ton (Stoßton), die mit Zirkumflex (˜) bezeichnete

(πρ. περισπωμένη) ein steigend-fallender (Schleifton). Der Unterschied zwischen Hoch und Tief betrug eine Quint (Dion. Hal. comp. p. 40,17 ff, U-R). Im Gegensatz zum Akut war der Zirkumflex auf Silben mit Langvok. und Diphthongen beschränkt. Der Gravis (`, πρ. βαρεῖα) bezeichnete zunächst den Tiefton (Papyrus: περὶκλὺτος = περικλυτός), erst in spätant. Zeit den gestoßenen Hochton innerhalb des Satzes.

Die A.-stelle war innerhalb der letzten drei Wortsilben beschränkt frei. Eine von ihnen kann akutiert, nur eine der letzten zwei kann zirkumflektiert sein; Akut auf der drittletzten, Zirkumflex auf der vorletzten Silbe ist ausgeschlossen, wenn die letzte langen Vok. oder Diphthong aufweist (Dreisilbengesetz). In nominalen Paradigmen bleibt die A.-stelle des Nom. Sg. grundsätzlich gewahrt, während in finiten Verbalformen die A. nach dem Wortanfang rückt. Wörter ohne unabhängigen A. schließen sich an das vorausgehende Wort an (Enklise) oder an das folgende (Proklise). – Besonderheiten der Dial. entziehen sich weitgehend unserer Kenntnis. Für das → Aiolische (Lesbische) kennzeichnend ist die sog. Barytonese: Der A. tritt so weit zurück, wie es die Quantität der Schlußsilbe gestattet (πόταμος, λεῦκος). – Vermutlich schon im 1. Jh. v. Chr. bahnte sich, begleitet vom Verlust der vok. Quantitätsoppositionen, der Schwund der Intonationsoppositionen an und kam spätestens gegen Ende des 4. Jh. mit dem Ersatz derselben durch einen Druckakzent, wie ihn noch das Ngr. zeigt, zum Abschluß.

C. Lateinisch

Eine A.-bezeichnung hat weder die inschr. noch die hsl. Überlieferung des Lat. Rückschlüsse auf den A. gestatten Lautveränderungen im lat. Vokalismus sowie die Lautgestalt von Lw., schließlich die roman. Sprachen. Die Aussagen der älteren Grammatiker sind hingegen oft nicht eindeutig, da sie zunächst ganz unter gr. Einfluß stehen; bezeichnende Lehnübers. sind *accentus, acutus, gravis* nach gr. προσῳδία, ὀξεῖα, βαρεῖα. Welcher Art der A. des Lat. in histor., bes. in klass. Zeit gewesen ist, ist eine alte, bis h. nicht entschiedene Streitfrage. Unbestritten ist aufgrund von Grammatikerangaben aus dem 4. und 5. Jh., daß mindestens seit dem 4. Jh. ein Druckakzent herrschte, wie er sich dann auch in den roman. Sprachen zeigt. Auf einen Tonhöhenakzent scheinen dagegen Grammatikerzeugnisse aus dem 1. Jh. v. Chr. zu deuten, die einen höheren und einen tieferen Ton unterscheiden, doch wird ihr Wert durch ihre Abhängigkeit von gr. Vorbildern gemindert. Schon aufgrund sprachgesch. Kontinuität bleibt ein Druckakzent im Lat. der histor. Zeit erwägenswert. Auf einen solchen weisen u. a. auch gelegentliche Synkopierungen in der gesprochenen Sprache (*caldus < calidus*). – Unstrittig ist die A.-stelle. Sie richtet sich nach der seit dem frühen 3. Jh. v. Chr. gültigen Paenultima-Regel (Dreisilbenbetonung): In mehrsilbigen Wörtern liegt der A. auf der vorletzten Silbe (Paenultima); ist diese kurz, auf der drittletzten. – Kontrovers bleiben die Wechselbeziehungen zwischen A. und Metrik, bes. der Versakzent

(»Iktus«). – In vorlit. Zeit hat das Lat. sicher einen Druckakzent auf der ersten Silbe jedes Wortes (Initialakzent) besessen. Er ist aus seinen Wirkungen auf Vok. der Folgesilben erschließbar: einerseits aus Vokalschwächungen (*cōnficiō* < *kónfakiō*; *trutina* < *trútanā* < gr. dor. τρυτάνα, Lw.), andererseits aus Synkopierungen kurzer Vok. (*dexter* < *déksiteros*). Die Ersetzung des Initialakzentes durch die Paenultima-Regel fällt vermutlich ins 4. Jh. v. Chr.; vielleicht entstand in mehrsilbigen Wörtern zuerst ein Nebenakzent (`), der dann zum Hauptakzent (´) wurde: *sápientia* > *sápièntia* > *sapiéntia*.

Der für die idg. Grundsprache bes. aus dem vedischen Altind. und dem Griech., z. T. auch aus dem German. (→ Germanische Sprachen), Litauischen und Slavischen erschließbare A. war ein freier Tonhöhenakzent. Das klass. Griech. hat ihn als solchen in seinem A.-system teils bewahrt, teils verändert, bes. die A.-stelle z. T. verschoben oder beschränkt; das klass. Lat. dagegen weist ein grundlegend geneuertes A.-system auf.

→ Ablaut; Aussprache; Lesezeichen

W. S. ALLEN, Accent and Rhythm, 1973 · E. H. STURTEVANT, The Pronunciation of Greek and Latin, ²1940, 94–105 (Griech.), 177–189 (Lat.) · E. SCHWYZER, Gramm. 1, ²1953, 371–395 · H. RIX, Histor. Gramm. des Griech., ²1992, 40–45 · M. LEJEUNE, Phonétique historique du mycénien et du grec ancien, 1972, 293–300 · B. LAUM, Das alexandrinische Akzentuationssystem, 1928 · M. LEUMANN, Lat. Laut- und Formenlehre, ⁴1977, 235–254 · F. SOMMER, R. PFISTER, Hdb. der lat. Laut- und Formenlehre, ⁴1977, 72–92 · E. PULGRAM, Latin-Romance Phonology: Prosodics and Metrics, 1975 · F. SCHOELL, De accentu linguae Latinae veterum grammaticorum testimonia, 1876 · O. SZEMERÉNYI, Einführung in die vergleichende Sprachwiss., ⁴1990, 75–86 (mit spezieller Lit. auch zum Griech. und Lat.).   C. H.

Al-Andalus s. Hispania III

Al-Mansur (al-Manṣūr). Abū Ǧaʿfar al-Manṣūr, zweiter abbasid. Kalif (754–775 n. Chr.). Eigentlicher Begründer der Dynastie, Gründer Bagdads (763). Konsolidierte das Reich, indem er Revolten unterdrückte und Verbesserungen in Verwaltung, Verkehrs-, Nachrichtenwesen, Wirtschaft und Handel vornahm. Nicht ohne Widerspruch designierte er seinen Sohn al-Mahdī als Nachfolger.

→ Abbasiden

H. KENNEDY, Manṣūr, in: EI 6, 427a–428b.   K. M.

Al-Mīnā. Ort bei der Orontesmündung, an dessen Stelle sich im 2. Jt. v. Chr. der Hafen der Stadt → Alalach befand; er bestand auch nach dessen Ende (um 1200 v. Chr.) noch mehrere Jh. fort. Durch die Gründung von → Seleukeia (Pieria) als Hafen von → Antiocheia [1] verlor A. dann seine Bedeutung. Ausgrabungen zufolge war A. phönik.-aram. Siedlung mit Kontakten zu Zypern (→ Kypros) und dem griech. Raum.

A. NUNN, RLA 8, 1994, 208 f.   H. KL.

Ala [1]. Teil des röm. Atriumhauses (→ Haus; → Atrium). Zwei einander gegenüberliegende, auf ganzer Breite und Höhe offene Räume, die die Querachse vor dem Tablinum, dem Hauptraum des Hauses bilden, werden als *a.* bezeichnet. *A.* sind im röm. Hausbau weit verbreitet, geeignete Entwurfsproportionen nennt Vitruv (6,3,4). Die Herkunft des Typus ist unklar; die in Vitruvs Beschreibung des tuskanischen Tempels (4,7,1) oft konjizierten *alae* (anstelle des überlieferten *aliae*) als Terminus für die beiden äußeren *cellae* des etr. Tempels (→ Tempel) sind Fiktion. *A.* hatten keine spezielle Funktion; sie dienten u. a. als Eßraum, Garderobe, Abstellkammer oder als Verwahrort der Ahnenbilder.

E. M. EVANS, The Atrium Complex in the Houses of Pompeii, 1980.   C. HÖ.

[2, militärisch]. Das Wort *a.* bezeichnete urspr. die Reiterei an den Flügeln des Heeres. Zw. 338 und 91 v. Chr. wurde der Begriff *a.* für latinische und ital. *socii* verwendet, später für die Reiterei und die Fußtruppen aus der Prov.; die *a.* waren rechts und links der Legion aufgestellt (pol. 6,26; 6,30). Im Principat handelte es sich um eine zu den *auxilia* gehörende Einheit der Reiterei, die ungefähr 500 Mann stark war (*a. quingenaria*); sie war in 16 *turmae* unterteilt, die jeweils von einem *decurio* befehligt wurden. Die *a. miliaria* (etwa 1000 Mann in 24 *turmae*) trat spätestens unter den Flaviern auf. Anfangs wurden die *a.* bei den Afrern (*ala Afrorum*), später in der Prov. des jeweiligen Legionslagers ausgehoben. Sie unterstanden dem Befehl eines *praefectus alae* aus dem *ordo equester* und existierten bis ins 4. Jh. n. Chr.

→ auxilia, equites, decurio, praefectus, turma

1 E. BIRLEY, Alae named after their commanders, in: Ancient Society 9, 1975, 257–273 2 G. L. CHEESMAN, The Auxilia of the Roman Imperial Army, 1914 3 C. CICHORIUS, s. v. A., RE 1, 1124–1270 4 K. KRAFT, Zur Rekrutierung der Alen und Kohorten an Rhein und Donau, 1951.   Y. L. B. / C. P.

Alabanda (Ἀλάβανδα). Ca. 40 km südl. des → Maiandros-Tals in der mittelkarischen Ebene (→ Karia) von Çine, im Altertum deren Vorort, auf 2 eng nebeneinander liegenden Hügeln (Strab. 14,2,26) und in nördl. anschließender Ebene, am linken Ufer des → Marsyas, h. Araphisar. Erstmals erwähnt für 480 v. Chr. (Stadttyrann Aridolis in griech. Gefangenschaft: Hdt. 7,195 – unklar, wie die Nachricht bei Hdt. 8,136 damit zu vereinbaren ist); Blütezeit Mitte 4. Jh. v. Chr. unter → Maussollos; E. 3. Jh. v. Chr. zu Ehren Antiochos' III. vorübergehend »Antiocheia der Chrysaorier« gen., d. h. der im gleichnamigen → *koinon* zusammengeschlossenen Karer; von den Kriegen des 3.–2. Jh. in Mitleidenschaft gezogen (Pol. 5,79,6; 16,24,6; 8; 30,5,15; 31,12,8; 31,20,1; Liv. 33,18,7), auch vom röm. Bürgerkrieg (Cass. Dio 48,26,4); weiteres Ptol. 5,12,1; Cic. nat. deor. 3,39; 50. Die Bewohner (Ἀλαβανδεῖς) galten als sprichwörtlich wohlhabend (Steph. Byz. s. v. A.) und verschwenderisch (Strab. 14,2,26). Histor. war A. wenig bed., jedoch wohlbekannt, auch in Artemidoros' Wegmessungen einbezogen (Strab. 14,2,29); in der Kaiserzeit *urbs libera* (Plin. nat. 5,109).

Türk. Ausgrabungen 1904/05 stellten u. a. Stadtmauern, Buleuterion (1. / 2. Jh. n. Chr.) mit Agora fest (Statuenschmuck: Vitr. 7,5,6), röm. Thermen, Theater; den Apollontempel (→ Apollon »Isotimos«, d. h. gleichgeehrt sc. mit → Zeus Chrysaoreus) des einheimischen Baumeisters Menesthes (Vitr. 3,2,6), einen Ps.-Dipteros (Friesfragment einer Amazonomachie) mit unkannelierten Säulen (2. H. 2. Jh. v. Chr.).

Aus A. stammten der Architekt → Hermogenes, der Maler Apaturios (Vitr. 3,2,6; 7,5,5; 7) und die Redner → Apollonios [5] ὁ μαλακός und Apollonios → Molon.

> Reisekarte Türkiye-Türkei, Türk. Verteidigungsminist. / kartograph. Vlg. Ryborsch, Obertshausen b. Frankfurt/M. 1994, Bl. 2 • H. EDHEM BEY, in: CRAI 1905–06 • G. E. BEAN, Kleinasien 3, 1974, 189–199 • E. AKURGAL, Griech. und röm. Kunst in der Türkei, 1987, 412 f. • W. KOENIGS, Westtürkei, 1991, 156 f. • Ü. ÖZIŞ, Alabanda und seine ant. Wasserversorgung, in: Ant. Welt 22, 1991, 2, 106–113.   H. KA.

Alabarches. Dissimilierte Form von Arabarches in den Iosephos-Mss. AP 11, 383 und den unten zitierten Texten (anders [1]). Die Identifikation mit einem eigenständigen Amt der jüdischen Gemeinde ist unmöglich (s. TAM 2,1, 256; Cod. Iust. 4,61,9); BCH 16, 1892, 119 Nr. 44.

> 1 ABD-EL-GHANY, The Arabs in Ptolemaic and Roman Egypt through papyri and inscriptions, in: L. CRISCUOLO, G. GERACI (Hrsg.), Egitto e storia antica, 1989, 233–242, 236 f.   W. A.

Alabastron (ἀλάβαστρον, ἀλάβαστος). Schlankes, fußloses Parfümgefäß, dessen Inhalt mit Stäbchen entnommen wurde (→ Gefäßformen). Erh. in Ton, Edelmetall, Glas, Blei. Ägypt. Vorläufer aus Alabaster früh in Griechenland importiert. Griech. Ton-A. schon um 600 v. Chr. in Ostionien; abweichend die protokorinth. Beutelform. In Attika reiche Produktion bemalter Ton-A. um 550–450 v. Chr. Größere Stein-A. dienten in der Spätklassik als Grabaufsatz.

> D. A. AMYX, Attic Stelai, in: Hesperia 27, 1958, 213–217 (Quellen) • K. SCHAUENBURG, Unterital. A., in: JDAI 87, 1972, 258–298 (A. mit Fuß).   I. S.

Alaisa (Ἅλαισα; lat. Halaesa). Ortsname, der mehreren Städten zugeschrieben wird (Diod. 14,16,2); eine lag südl. von → Tauromenion, eine andere bei St. Agata di Militello [3. 394, Anm. 45; 5. 142]; die bekannteste, Ἁ. Ἀρχωνίδειος, 403 v. Chr. von → Archonides [2], dem Dynasten in → Herbita, mit Hilfe von Söldnern gegr. nahe der kleinen Kirche St. Maria di Palatii bei Tusa

lokalisiert (8 Stadien vom Meer entfernt: Diod. 14, 16, 1–4). Diese Stadt unterwarf sich 263 v. Chr. den Römern (Diod. 23,4), wurde *civitas libera et immunis* (Cic. Verr. 2,3,13; Diod.14,16,3 f.), in Augusteischer Zeit → *municipium* (CIL X 7458. Ital. Händler, die einem L. Cornelius Scipio eine Weihinschr. aufgestellt haben (CIL X 2, 7459), ließen sich in A. nieder. A. Erscheint in der Liste der delphischen → Theorodokoi [6. 24 f.; 4. 421, Z. 115]. Noch im 2./3. Jh. von bes. Wohlstand, der in byz. Zeit zurückging [1. 26 ff.; 2. 293 ff.].

> INSCHR.: IG XIV 352–358 [7]; CIL X 2, 7458–60.

> 1 M. BOLLANI, Imola, in: Notizie degli scavi di antichità 1961, 26–32 G. CARETTONI, Tusa, in: Notizie degli scavi di antichità, 1959, 293–349 3 A. HOLM, Gesch. Siziliens im Alt. 3, 1898 4 G. MANGANARO, Città di Sicilia e santuari panellenici nell III e II sec. a. C., in: Historia 13, 1964, 415–439 5 E. MANNI, Geografia fisica e politica della Sicilia antica (Kokalos Suppl. 4), 1981 6 A. PLASSART, La liste des thèorodoques, in: BCH 45, 1921, 1–85 7 G. SCIBONA, Epigraphica Halaesina, in: Kokalos 17, 1971, 3–20.

> R. CALCIATI (Hrsg.), Corpus Nummorum Siculorum Bd. 1, 1983, 59–63 • G. LANCILLOTTO CASTELLI, La storia di Alesa, 1753.   C. GIU. / M. B.

Alalaḫ. In der keilschriftlichen Überlieferung genannter Name der brz. Stadt (h. Tell Açana) in der Amuq-Ebene nahe dem unteren Orontes, 32 km östl. von Antakya; u. a. wurden ein Tempel und ein Palast aus der 1. H. des 2. Jt. v. Chr. freigelegt, deren Ausstattung auf Kontakte zur min. Kultur deutet. Ein Keilschriftarchiv aus dem 18./17. Jh. v. Chr. bezeugt A. als Sitz einer Sekundogenitur von Ḫalab (→ Aleppo). Die im 17. Jh. nach Nord-Syrien vordringenden Hethiter kämpften auch im Raum von A., das dann jedoch unter die Kontrolle des Mitanni-Staates geriet. Zum Königssitz wurde A. erneut zur Zeit des Idrimi (frühes 15. Jh.), dessen Statue mit akkad. Inschrift autobiographischer Art in sekundärer Verwendung gefunden wurde. Palastarchive bezeugen u. a. das Verhältnis zu benachbarten Fürstentümern. Seit Mitte des 14. Jh. v. Chr. gehörte A. zum hethit. Einflußbereich und wurde von einem hethit. Beamten verwaltet. Dem Grabungsbefund zufolge wurde A. um 1200 v. Chr. (→ »Seevölkerzeit«) zerstört.

> H. KLENGEL, Gesch. Syriens im 2. Jt. v. u. Z. I, 1965, 203–257.   H. KL.

Alalia s. Aleria

Alalkomenai (Ἀλαλκομεναί). [1] Kleine boiot. Stadt am Südrand des ehemaligen → Kopais-Sees, zw. → Haliartos und → Koroneia am Fuß eines niedrigen Berges, mit dem berühmten → Athenaheiligtum in der Ebene am Tritonbach (Geburtsstätte der Athena), in unmittelbarer Nähe zum Heiligtum der Athena Itonia. A. lag wahrscheinlich südöstl. unterhalb vom h. Solinarion, das Athenaheiligtum entweder nordöstl. bei der Kirche

Agios Ioannis oder nordwestl. bei Agios Paraskevi (früher: Agoriani) oder auch beim h. Alalkomenai (früher: Marmoura). Nach dem Raub des alten Kultbildes durch → Sulla 86 v.Chr. verfiel das Heiligtum, der Ort selbst bestand fort (Hom. Il. 4,8; Diod. 19,53,7; Strab. 9,2,26–27. 35–36; Paus. 9,33,5–34,1; Plut. mor. 301 D; Suda s. v. ἀπιθής).

FOSSEY, 332–335 · J. KNAUSS, Die Melioration des Kopais-Beckens durch die Minyer im 2. Jt. v. Chr., 1987 · N. D. PAPACHATZIS, Παυσανόυ Ελλάδος Περιήγησις 5, ²1974–1981, 212–214 · PRITCHETT, 2, 85–87 · SCHACHTER, 1, 111–114 · P. W. WALLACE, Strabo's Description of Boiotia, 1979, 143 f.   P. F.

[2] Ort auf → Ithake bei Strab. 10,2,16; Steph. Byz. s. v. Ἀλκομεναί, auf dem Isthmos am Berg Aetos, besiedelt von archa. (Altäre, Apollon-Tempel, korinth. Keramik des 8. Jhs. v. Chr.) bis in röm. Zeit.

W. A. HEURTLEY, in: ABSA 33, 1932/33, 22–65 · Ders., in: ABSA 43, 1948, 1–124 · Ders., in: ABSA 48, 1953, 255–361 · FGrH 3 B Suppl. p. 656 zu 334 F 58 · Praktika, 1986, 234–240 · Praktika, 1990, 271–278.   D. S.

Alamanni. Aus Kampf- und Wanderhaufen verschiedener Herkunft, im Zuge der Südwest-Wanderung elbgerman. → Suebi, speziell von Semnonen (Cass. Dio 71,20,2; Suda s. v. Κελτοί) nach 180 n. Chr. gebildeter und in Auseinandersetzung mit Rom sich ständig erneuernder german. »Stamm«. Der erstmals in byz. exc. des Cass. Dio zu 213 n. Chr. genannte Name A. (»Allmänner«) deutet wohl auf die alte Stammesbildungen sprengende Offenheit der Kampfgemeinschaft hin. So galten die um 260 n. Chr. mit den → Semnones identifizierten selbständigen → Iuthungi [1] Mitte des 4. Jhs. n. Chr. ebenso wie die Bucinobantes als Teil der A. (Amm. 17,6,1; 29,4,7). Zw. Untermain und obergerman.-raetischem → limes wurde die Aggressivität der A. [3] von → Caracalla mil. und diplomatisch gemindert (abwegig [4]). Die häufigen Truppenabordnungen zur Ostgrenze nutzten die A. seit 233 n. Chr. trotz erfolgreicher Gegenoperationen des → Maximinus Thrax zu wiederholten Einfällen in → Raetia und in die → decumates agri. Um 260 n. Chr. gelang ihnen der Durchbruch über die → Alpes nach → Arelate und Italien [5], weitere Vorstöße folgten 267/8, 270, 275 n. Chr., wobei auch die A. im Konflikt zw. → Gallienus und → Postumus, der schon 260 n. Chr. Raetia an sich zog, eine Rolle gespielt haben werden. Noch vor 268 n. Chr. konnten sie die decumates agri (Laterculus Veronensis 15,7) und die westl. Teile von Raetia besetzen, was konsequent zur weitgehenden Veränderung auch der transdanubischen Limeszone führte. Die ansässige Bevölkerung wurde mit einer rechtsrheinischen milizionären Grenzwacht verbunden [7]. Fortdauernden röm. Besitzansprüchen und mil. Teilerfolgen zum Trotz nahm → Diocletianus die ausgebaute Grenzlinie an die um 300 n. Chr. neu befestigte Rhein-Iller-Donau-Linie zurück ([6]). Eine umfassende Landnahme durch A. erfolgte noch vor der Mitte des 4. Jhs. n. Chr. [2]; seit ca. 300 n. Chr. sind A. bes. im Bereich der Main- und Neckarmündung sowie im mittleren Neckartal arch. faßbar durch wenige Siedlungsreste und Gräber mit Gefäß-, Schmuck- und Waffenbeigaben, die Beziehungen zu Mitteldeutschland und zum Elbegebiet aufweisen, aber auch provinzialröm. geprägt sind. Auf den Verlust linksrheinischer Gebiete an die A. reagierte → Iulianus durch seinen Sieg über Chnodomar 357 n. Chr. bei → Argentorate. → Valentinianus befestigte die Rheingrenze neu; doch weder so noch durch weitere Feldzüge war die Macht der A. auf Dauer zu brechen; ebenso vergeblich versuchten → Eugenios und → Stilicho, die Unterwanderung diplomatisch aufzuhalten. Anf. des 5. Jhs. n. Chr. stießen Teile der A. erneut ins Elsaß und in die Nord-Schweiz vor und nach dem Abzug der → Burgundiones auch wieder in die Regionen südl. des Main (435/43 n. Chr.). Nach dem Tod des → Aetius [3] (454 n. Chr.) erlangten die A. Herrschaft über das Iller-Lech-Gebiet. Vorstöße nach Westen bis Besançon und Langres, nach Norden bis Speyer, Worms, Würzburg und nach Osten bis Passau blieben Episoden. Den von Nordwesten her vordringenden → Franci gelang es, die A. zur Aufgabe der Gebiete an Main und Nahe zu zwingen. → Chlodovechus besiegte die A. vermutlich 496/7 n. Chr. (bei Zülpich?), verdrängte die A. vom Mittelrhein oder unterwarf sie. Ihre südlicheren Teile im alpenländischen Raetien standen wohl unter ostgot. Schutz, bis auch sie 536 n. Chr. dem Frankenreich als Bundesgenossen angegliedert wurden. Die Merowinger errichteten den alamannischen Dukat in den neuen Grenzen zw. Rhein, der Linie Oos-Ludwigsburg-Ellwangen, dem Lech und Churrätien.

1 L. BAKKER, Raetien unter Postumus, in: Germania 71, 1993, 369–386 2 J. BENEDETTI-MARTIG, I Romani ed il territorio degli Agri Decumati nella tarda antichità, in: Historia 42, 1993, 352–361 3 TH. FISCHER, Ein röm. Denarfund aus dem Vicus des Kastells Dambach, in: JNG 35, 1985, 49–57 4 A. HENSEN, Zu Caracallas Germanica Expeditio, in: Fundber. Baden-Württemberg 19, 1994, 219–254 5 L. LORETO, La prima penetrazione alamanna in Italia (260 d. C.), in: B. und P. SCARDIGLI (Hrsg.), Germani in Italia, 1994, 209–237 6 M. MACKENSEN, Das spätröm. Grenzkastell Caelius Mons-Kellmünz, 1995 7 K. STRIBRNY, Römer rechts des Rheins nach 260 n. Chr., in: BRGK 70, 1989, 351–505, hier: 425–437.

R. CHRISTLEIN, Die A., ²1979 · C. DIRLMEIER et al. (bearb. und übers.), Quellen zur Gesch. der A., 7 Bde., 1976–1987 · G. GOTTLIEB, Die Alemannen im Lichte der lat. Quellen, in: P. FRIED, W. D. SICK (Hrsg.), Die histor. Landschaft zw. Lech und Vogesen, 1988, 107–113 · H. KELLER, Alemannen und Sueben nach den Schriftquellen des 3. bis 7. Jh., in: FMS 23, 1989, 89–111 · H. KUHN et al., s. v. A., in: RGA 1, ²1973, 137–163 · W. MÜLLER s. v. A., TRE 2, 153–155 · P. NEUMEISTER, Die Quellen zur Alamannengesch., in: Klio 69, 1987, 274–279 · L. OKAMURA, Alamannia Devicta, Diss. Michigan 1984 · D. G. WIGG, Mz.umlauf in Nordgallien um die Mitte des 4. Jh. n. Chr., 1991 · TH. ZOTZ, H. AMENT, s. v. A., LMA 1, 263–266.   K. DI.

Alani (Ἀλανοί). Stammesverband im Steppenraum vom Tanais bis zum Aralsee, vgl. → Asioi und → Asianoi, h. Osseten. Berichte in Ios. ant. Iud. 18,4,6 und bell. Iud. 7,7,4 lokalisieren A. am Ufer des Tanais und der Macotis. Der Name Alanen erscheint im 1.Jh. n.Chr. in den Gebieten der Sauromaten und Massageten. Arch. Befunde sprechen für massive Zuwanderungen aus dem östl. Westsibirien. Beschreibung bei Amm. 30,2,3 (s. auch Iord. Get. 24). Unterstämme der A. unternahmen im Laufe des 2. und 3.Jh. n.Chr. Streifzüge in die thrak. Prov. des röm. Reiches. 242 vor Philippopolis (SHA Gord. 34,4). 451 belagerten Hunnen den alanischen Hauptsitz Orleans. A. waren am Zug der Vandalen nach Spanien und Afrika beteiligt; sie siedelten in Nordkaukasien, ein Teil zog sich vor dem Vorstoß der Hunnen in die Berge zurück. Von Byzanz im 5.–6.Jh. christianisiert, leben sie in den Osseten fort.   B.B.u.CHR.D.

Alanoi (Ἀλανοί). Iran. Stammesverband nördl. der → Kaspia Thalatta, vom Kaukasos bis zum Tanais. A. erscheinen seit dem Ende der röm. Republik in den Quellen an Stelle der sarmatischen Stämme. Pompeius stieß beim Feldzug gegen → Mithradates VI. auf A. (Lucan. 8,133). Seit Ende des 1.Jhs. n.Chr. Einfälle in Media und Armenia; unter Hadrianus (117–138 n.Chr.) bedrohten sie Kappadokia. Zu ihrer Kultur Lukian. toxotai 51; Amm. 30,2,3; Iord. Get. 24. Ende des 3. Jhs. n.Chr. im Zuge der ersten Einfälle der → Hunni von diesen besiegt (Amm. 31,3,1). Die A. hatten aber unter diesen eine privilegierte Stellung und erhielten sich ihre Souveränität (Iord. Get. 250). Mit den Hunni zogen sie zum → Istros (SHA Maxim. 4,4; Gord. 34,4; Amm. 26,11,6). Nach 406 n.Chr. bestand das Bündnis nicht mehr. Man findet A. Anf. des 5. Jhs. n.Chr. in röm. Diensten (Zos. 4,35; Not. dig. occ. 6). Die alanischen Sadages siedelten sich nach dem Tod des → Attila (453 n.Chr.) unter Candac in der Scythia Minor und → Moesia Inferior an (Iord. Get. 50); andere zogen nach → Pannonia (Iord. Get. 31), wo sie noch im 6. Jh. n.Chr. bezeugt sind (Martinus Bracarius, Epitaphium S. Martini in Basilica Dumiensi). 406 n.Chr. wanderten sie mit → Vandalen und anderen Stämmen zum Rhein und nach → Gallia. Der A.-Führer Respendial kämpfte gegen die → Franken (Greg. Tur. Franc. 2,9). Der A.-König Eochar erhielt von → Aëtius die Stadt Armorica zugewiesen (Acta Sanctorum zum 7. Juli 216 n.Chr.). Ein Einfall von A. unter ihrem König Beorgus in It. 406 n.Chr. wurde abgewehrt (Iord. Get. 45). 409 n.Chr. fielen A. in Spanien ein, wo sie den arianischen Glauben (→ Arianismus) annahmen (Salvianus, *de gubernatione dei* 7,66). Der größte Teil der A. zog 429 n.Chr. mit den → Vandalen weiter nach → Afrika; nach dem Ende des Vandalenreichs 534 n.Chr. sind sie hier nicht mehr nachzuweisen. A. hielten sich nach vielen byz. Autoren (vgl. Theophanes zum Jahr 709; auch in persischen, arab., syr., georgischen und armen. Quellen) im Steppengebiet zw. Kaukasus, Don und der unteren Wolga. Im 6. und 7.Jh. n.Chr. begegnen sie meist als Verbündete der

→ Sasaniden (vgl. Prok. BG 8,3,4). 558 n.Chr. vermittelten A. zw. den Avares und Iustinianus I. (Menandros Protector fr.4). Im 7. und 8.Jh. n.Chr. ständig schwere Kämpfe mit Turkvölkern (Hazaren, → Bulgaroi). Die Kultur der A. ist arch. gut dokumentiert.

Ju. Kulakovskij, Alany po svedenijam klassičeskih vizantijskih pisatelej, 1899 • W. Tomaschek, s.v. A., in: RE I, 1282–1285 • F. Altheim, Gesch. der Hunnen 1, 1959, 57–84 • V.A. Kuznecov, Alanskaja kul'tura Central'nogo Kavkaza i ee lokal'nye varianty v V–XIII vekah, in: Sovetskaja arheologija 2, 1973.   I.v.B.

Alaricus [1] (Alarich). Mitte des 4. Jh. n.Chr. König der Eruler, die damals nach dem von Iordanes in diesem Zusammenhang zit. → Ablabius [3] am Asowschen Meer saßen (*iuxta Maeotidas Paludes habitans*). Sie wurden vom Greuthungenkönig → Ermanaricus besiegt und teilweise vernichtet, der Rest unterworfen. Über das persönliche Schicksal des A. ist danach nichts mehr bekannt (Iord. Get. 117–119).

H. Wolfram, Die Goten, ³1990, 44, 97, 150.   A.SCH.

[2] A.I., aus der Familie der Balthen (Iord. Get. 146), um 370 n.Chr. nördl. der Donau geboren. Sein Name taucht erstmals 391 in schweren Kämpfen des → Theodosius I. mit den in Thrakien und Moesien stationierten Goten auf, die A. wohl damals zu ihrem König erhoben hatten. → Stilicho erneuerte im Auftrag des Kaisers 392 den Vertrag von 382 mit ihm [4. 173]. 394 nahm das Heer der got.→ *foederati* unter seiner Führung, aber unter dem Oberkommando des → Gainas am Feldzug Theodosius' I. gegen Eugenius teil und erlitt als Vorhut in der Schlacht am Frigidus (5.9.394) entsetzliche Verluste (Zos. 4,57 f.; Oros. 7,35,19). Ihre Rückkehr nach dem Osten geriet rasch zur offenen Rebellion, die erst ein vor den Toren Konstantinopels mit dem *praef. praetorio* Rufinus geschlossenes *foedus* beendete. Möglicherweise erhielt A. bereits dabei das *magisterium militum per Illyricum* (Claudian. in Rufinum 2,36–85), das aber nach dem baldigen Tod des Rufinus und ergebnislosen Kämpfen mit Stilicho 395 und 397 erst ein neuerliches Abkommen 397 mit der östl. Reichsregierung unter Stationierung der Goten in der *Emathia tellus* Makedoniens bestätigte [4. 88]. Herbst 401 griff A., wohl in Absprache mit der östl. Reichsregierung, erstmals Italien an, belagerte im Feb. 402 Kaiser → Honorius in Mailand, wurde aber von Stilicho abgedrängt und mußte nach den Niederlagen von Pollentia am Ostersonntag 402 und von Verona im Sommer desselben Jahres geschwächt nach Nordosten abziehen [4. 182–185]. Die nächsten Jahre beunruhigte er vom Barbaricum nördl. der mittleren Donau aus die Gebiete Ostillyricums. Erst 405 schloß Stilicho mit A. ein *foedus* und ließ ihn zum *magister militum per Illyricum*, diesmal für das Westreich, ernennen [1. 732; 6. 160]. Ende 406 besetzte A. für Honorius Epirus, die erhoffte westl. Unterstützung blieb jedoch wegen des Einfalls des Radagaisus nach Italien aus. Anfang 408 zog A. daher nach

Noricum und verlangte von dort aus eine Neuregelung des *foedus* und die Zahlung der versprochenen *annonae*. Die Hinrichtung Stilichos verhinderte aber die bereits vertraglich vereinbarten Pläne, den Gotenkönig als *magister militum per Gallias* einzusetzen. Im Okt. 408 marschierte A. daher erneut in Italien ein und belagerte Rom. Auch die jetzt geschlossenen Vereinbarungen hielt Honorius nicht ein. 409 duch Zuzug aus Pannonien unter seinem Schwager → Athaulf verstärkt, zwang A. schließlich mit einer neuerlichen Belagerung Roms den Senat, Priscus Attalus zum Gegenkaiser zu erheben, der seinerseits den Gotenkönig zum *mag. utriusque mil. praesentalis* machte. Als sich Priscus Attalus weigerte, A. mit der Eroberung Nordafrikas zu betrauen, setzte ihn dieser Juli 410 wieder ab, aber Annäherungsversuche an den Hof in Ravenna schlugen auch weiterhin fehl. Darauf besetzten die Goten am 24.8.410 Rom und plünderten es drei Tage lang (Zos. 5,26–33; Olympiodoros fr. 11 BLOCKLEY; Aug. de urbis excidio; Oros. 7,39; 42; Soz. 9,7f.). Das Ereignis wirkte prägend auf die christl. Historiographie der Zeit und veranlaßte u.a. Augustinus zur Abfassung von *De civitate dei*. Danach zog A. nach Süden, um doch nach Nordafrika überzusetzen, was aber durch das Ausbrechen der Äquinoktialstürme verhindert wurde. Noch 410 starb A. in Consentia und wurde im Busento begraben. Sein Nachfolger wurde sein Schwager Athaulf (Iord. Get. 157f.; Oros. 7,43,2; Olympiodoros fr. 11,4 BLOCKLEY). Eine Verwandtschaftsbeziehung zum Westgotenkönig → Theoderich I. ist anzunehmen. PLRE 2, 43–48.

1 A. DEMANDT, s. v. magister militum, RE Suppl. 12, 533–790, bes. 730–32 2 E. DEMOUGEOT, De l'unité à la division de l'Empire Romain, 1951 3 S. MAZZARINO, Stilicone, 1942 4 A. SCHWARCZ, Reichsangehörige Personen got. Herkunft, Diss. 1984 5 STEIN, Spätröm. R. 1 6 H. WOLFRAM, Die Goten, ³1990. A.SCH.

[3] A. II., Sohn und Nachfolger des Westgotenkönigs → Euricus, Vater des → Amalaricus, Schwiegersohn des Ostgotenkönigs Theoderich d. Gr. Seine Regierungszeit (484–507 n. Chr.) war geprägt von inneren Spannungen zw. den arianischen Westgoten und den katholischen Romanen und der äußeren Bedrohung durch die expansiven Franken unter dem katholischen Chlodwig (→ Chlodovechus; Taufe 496/7: Greg. Tur. Franc. 2,30). Die Spannung wuchs, als Chlodwig 486/7 den Syagrius aus seinem Gebiet um Soisson vertrieb und die Grenze nun erst an der Seine, dann direkt an der Loire verlief. Die Bemühungen A.' um Ausgleich im Innern und nach außen scheiterten: A. lieferte den zu ihm geflohenen Syagrius aus (zum Zeitpunkt s. [1. 195f.]) und traf sich 502 zu einem Gespräch mit Chlodwig, der seit 493 Schwager Theoderichs d. Gr. war. Er versuchte, der katholischen Bevölkerung seines Reiches entgegenzukommen, indem er Anf. 506 mit Zustimmung der Bischöfe und hohen Provinzialen in Fortsetzung der Rechtspolitik des Euricus ein einheitliches Recht schuf (→ Lex Romana Visigothorum; Breviarium Alaricium; [1. 197–201]) und im selben Jahr ein

gallisches Konzil in Agde einberief [1. 201–206]. Dennoch zwangen Franken und Burgunder 507 den A. zum Kampf. A., der von seinen Großen gedrängt nicht auf Verstärkung durch Theoderich wartete, verlor bei Vouillé (bei Poitiers) gegen Chlodwig Schlacht und Leben. Damit endete das Regnum Tolosanum (Reich von Toulouse), obwohl sich ein Gotenstaat an der frz. Mittelmeerküste und Spanien unter Theoderichs Schutz hielt (PLRE 2, 49, A. 3).

1 H. WOLFRAM, Die Goten, ³1990.

1 W. ENSSLIN, Theoderich d. Gr., ²1960 2 L. SCHMIDT, Die Ostgermanen, ²1941, 495ff. 3 WENGER, 555ff. W.ED.

Alaschia. Das Land A. wird in spätbronzezeitlichen Urkunden aus Ägypten, → Ebla, Mari, Babylon, → Alalach, → Ugarit und Hatuša genannt. Darin enthaltene top. Angaben weisen auf die Insellage von A. hin, was mit der Aufzählung von Produkten des Landes, bes. Kupfer (Produktion und Export in der Bronzezeit für → Kypros gut bezeugt), den Ausschlag für Identifizierung von A. mit Kypros gegeben hat. In den → Amarna-Briefen wird der König von A. als »Bruder des Pharao« bezeichnet, hethit. Quellen erwähnen eine Eroberung durch Schupiluliuma II. In hethit. und ugarit. Texten als Verbannungsort erwähnt. Die Einengung der Bezeichnung A. auf eine der bronzezeitlichen Städte von Kypros, etwa Engomi (ältere Forsch.), ist nicht zu bestätigen.

H. G. BUCHHOLZ, A., Zypern. Lit.-Bericht, in: Ders. (Hrsg.), Ägäische Br.zeit, 1987, 227–236 · W. HELCK, Zur Keftiu-, Alasia- und Achhijawa-Frage, in: H. G. BUCHHOLZ (Hrsg.), Ägäische Br.zeit, 1987, 218–226. R. SE.

Alastor (ἀλάστωρ, auch ἐλάστωρ). Rachegeist, der insbes. Blutschuld zu sühnen zwingt; auch Beiname von rächenden und damit die Ordnung wieder etablierenden Gottheiten wie den Erinnyen oder des Zeus A. (Orph. h. 73,3) bzw. Alasteros/Elasteros (Athen, Thasos, Paros).

In Athen ist er Gott einer Phratrie (Demosth. or. 43,57), in Thasos einer gentilizischen Gruppe, die beide die Mordsühne vornehmen [1]. Man schreibt den A. Sendung von Krankheit zu (Hippokr. de morbo Sacro 1; Soph. Trach. 1235). Aus Kyrene und Selinus liegen Sakralgesetze vor, die von der rituellen Beseitigung eines A. handeln [2].

In der Lit., bes. der Tragödie ist A. der auf einem Hause lastende Rachegeist, der einen Frevel rächt, indem er einen neuen hervorruft, der wiederum frevelnde Rache veranlaßt (Atriden: Aischyl. Ag. 1501: *alastor Atreos* [3]). Xerxes wurde durch einen A. versucht, um seine Hybris zu rächen (Aischyl. Pers. 354 [4]); auch Oidipus spricht von seinem A. (Soph. Oid. K. 788). Als Auslöser neuer Gewalttat kann auch der Mörder als A. bezeichnet werden (Aischyl. Eum. 236: Orest).

Bei Homer führen verschiedene Griechen und Troer den Namen A., ohne daß seine Bed. klar würde.

1 GRAF, 35 **2** M. JAMESON, D. JORDAN, R. A. KOTANSKY, A Lex Sacra from Selinous, 1993, bes. 114–120 **3** M. NEUBURG, Clytaemnestra and the Alastor (Aeschylus, Agamem. 1497 ff.), in: QUCC 38, 1991, 37–68 **4** E. R. DODDS, The Greeks and the Irrational, 1951, 38–40.   F. G.

Alaternus. Unter lat. *a.* (Plin. nat. 16,108: mit Blättern zwischen Steineiche, *Ilex*, und Ölbaum, *Oliva*) werden immergrüne Bäume und Sträucher des Mittelmeergebietes mit Steinfrüchten (Plinius: ohne Frucht!) aus den Familien der Rhamnaceen (*bes. Rhamnus alaternus L.*, Kreuzdorn) und der Oleaceen (*Phillyrea media L.* und *angustifolia L.*) verstanden. Zu *Phillyrea* scheint κήλαστρος (*celastrus*) bei Theophr. h. plant. 1,9,3 zu gehören, da die Celastreengattung *Celastrus L.* am Mittelmeer fehlt. HORT [1] übers. die dort folgende φιλύκη mit *a.*

1 A. HORT, Theophrastus, Enquiry into Plants, Bd. 1, 1961.   C. HÜ.

Alaun (στυπτηρία, *alumen*). Bezeichnung für eine Gruppe von bereits den Babyloniern [1.76 f.] bekannten Erdsalzen (*salsugo terrae*, Plin. nat. 35,183), nämlich den Salzen der Schwefelsäure, die in sogen. A.werken (μέταλλα τῆς στυπτηρίας) nach Dioskurides 5,106 [2.3.75] = 5,122 [3.532] in Ägypten, Makedonien und u. a. auf gr. Inseln gefördert wurden und wegen ihrer Seltenheit und starken Nachfrage nach A. gewinnträchtig waren (vgl. Diod. 5,10; Strab. 6,2,10). Anwendung des A. z. B. als imprägnierende und beizende Chemikalie bei der Holzverarbeitung, in der Gerberei und zur Färbung von Wolle, aber auch als adstringierendes Medikament, bes. mit äußerlicher Anwendung bei Geschwüren (Dioskurides und Plin. nat. 35,183–190).

1 D. GOLTZ, Studien zur Gesch. der Mineralnamen in Pharmazie, Chemie und Medizin von den Anfängen bis Paracelsus, 1972 **2** M. WELLMANN (Hrsg.), Pedanii Dioscuridis de materia medica Bd. 3, 1914, Ndr. 1958 **3** J. BERENDES (Hrsg.), Des Pedanios Dioskurides Arzneimittellehre übers. und mit Erl. versehen, 1902, Ndr. 1970.   C. HÜ.

Alausa. Vom wahrscheinlich kelt. Baumnamen *alausa*, *aliza* oder *alisa* sind roman. und german. Namen für 2 Rosaceengattungen abgeleitet, nämlich die Mehl- und Elsbeere (*Sorbus aria* und *torminalis*) und die Traubenkirsche oder Aletschbeere (*Prunus padus* = *Padus racemosa*). Ob dazu auch ἄλιζα (Hesychios) gehört, das auch *alnus* (Erle) und *populus* (Pappel) bedeuten soll, ist fraglich.

BERTOLDI, in: Zschr. für Celtische Philol. 17, 1927.   C. HÜ.

Alazones (Ἀλαζῶνες). Landwirtschaft treibendes Volk im nördl. → Skythia (Ἀλαζόνες, Ἀλιζῶνες, vgl. Hom. Il. 2,856; FGrH 70 Ephoros fr. 114), wo → Tyras und → Hypanis am nächsten aneinandertreten (etwa bei Podolien) und wo sich die bittere Quelle Exampaios befand (Hdt. 4,17; 52). Die ethnische Zugehörigkeit ist nicht geklärt.

A. I. DOVATUR et al., Narody našej strany v »Istorii« Gerodota, 1982, 226 • B. HEMMERDINGER, Eliminatio codicum Herodoteum, in: CQ 2, 1952, 97 ff.   S. R. T.

Alazonios. Fluß (Strab. 11,3; 11,2; Olazanes, Plin. nat. 6,29), der am Süd-Hang des Zentralkaukasus entspringt und in den → Kyros mündet (georg. Alasani). Bei Plinius Grenze zwischen → Iberia und → Albania [1].   A. P.-L.

Alba. Hauptort der → Helvii in der → Gallia Narbonensis, im MA Aps genannt, trägt seit 1903 wieder den ant. Namen, der nur in Texten vom 1. Jh. n. Chr. an erwähnt wird (Plin. nat. 3,36; 14,43). A. wurde im Laufe der ersten 2 Jh. n. Chr. erbaut, aber die Besiedlung des Landstriches ist seit der Urgesch. belegt. Gesicherte Kenntnisse über die Gesch. von A. liegen nicht vor. Der Wohlstand der Stadt beruhte auf Weinbau, Handwerk und Handel (vier → *collegia*). Eine Zerstörung von A. durch die Barbaren im 3. Jh. n. Chr. wird h. nicht mehr angenommen. Der Durchzug der Westgoten (ca. 475 n. Chr.) veranlaßte die Verlegung des Bischofssitzes nach Viviers; seither war A. ein einfacher → *vicus*. Ant. Reste: Theater, Heiligtum, Thermen, Häuser mit Säulenumgang.

J. C. BÉAL, J. DUPRAZ, Architecture et urbanisme antiques d'A. (Ardèche): documents nouveaux, in: Revue archéologique de Narbonaise, 1989, 99–145 • R. LAUXEROIS, Le Bas-Viverais à l'époque romaine. Recherches sur la cité d'A., in: Revue archéologique de Narbonaise, Suppl. 9, 1983 • Ders. et al., A. De la cité gallo-romaine au village (Guides archéologiques de la France 5), 1985.   Y. L.

Alba Docilia. H. Albisola Superiore, → *mansio* im Gebiet von → Vada Sabatia (*regio* IX) an der Küstenstraße von → Genua nach Vado zw. Ad Navalia und Vico Virginis (Tab. Peut. 3,4; Geogr. Rav. 4,32; 5,2). Überreste einer großen → *villa* (vom 1. bis 5./6. Jh. n. Chr. benutzt). Einzige inschr. Erwähnung 1. Jh. v. Chr. [1].

1 Actes du Colloque d'épigraphie Latine en mémoire de A. Degrassi, 1991, 421–424.

G. FORNI (Hrsg.), Fontes Ligurum et Liguriae antiquae, 1976, s. v. A. • F. BULGARELLI, Albisola Superiore (Savona), in: Bollettino di Numismatica 11, 1988, 184–192 • F. TINÉ BERTOCCHI, A., in: Archeologia in Liguria 1, 1976, 113–122.   E. S. G. / S. W.

Alba Fucens. Latinische → *colonia* mit 6000 Kolonisten, 304 v. Chr. (Liv. 10,1,2) im Gebiet der → Aequi als Festung zur Kontrolle eines Straßenknotenpunkts gegr.: Hier trafen sich die spätere *via Valeria* (zw. Rom und der

Adria; → *decumanus* der rechtwinklig angelegten Stadt) und eine Straße, die Eturia mit Campania entlang des Liris verband. Verbannungsort des Syphax, des Perseus und des Bituitus. Niedergang seit dem 3. Jh. n. Chr., nahm 537 n. Chr. ein byz. Heer auf. H. verlassen beim Dorf Albe (Gemeinde Massa d'Albe, 8 km westl. von Avezzano). Auf dem Hügel (in nordsüdl. Richtung, 1150 m x 675 m) Stadtmauer in Polygonalmauerwerk (2925 m) mit 4 Toren, Forum, Tempel und Theater. Außerhalb Amphitheater, Aquädukt. Belgische Ausgrabungen seit 1949.

A. F. 1/2, 1969; 3, 1982 (Institut historique belge de Rome) • M. BUONOCORE, Monumenti funerari, in: MEFRA 94, 1982, 715–741 • J. MERTENS, A., 1981 • Ders., A., in: Journal of Ancient Topography 1, 1991, 93–112.   G. U. / S. W.

Alba Longa. Stadt in → Latium am → *mons Albanus* beim h. Castelgandolfo. Nach legendärer, um Verbindung Roms mit Troia bemühte Überlieferung gegr. von → Aineias' [1] Sohn → Ascanius (in der röm. Version auch Ilus, Verg. Aen. 1,267, bzw. Iullus, Cato HRR fr. 9). Eine frühe Vormachtstellung in Latium ist wahrscheinlich. Wohl bereits im 7. Jh. v. Chr. wurde A. L. vom etr. dominierten Rom eingemeindet. Die Tradition hat dies dem König Tullus Hostilius zugeschrieben (Liv. 1,29; Dion. Hal. ant. 3,31,3–6). Die Bevölkerung wurde nach Rom umgesiedelt, der *mons Caelius* (→ Roma) in das röm. Stadtgebiet integriert (Liv. 1,30,1). Später reklamierten viele patrizische *gentes* eine Herkunft aus A. L., darunter die Familie der Iulii (CIL I² 1439).

E. MENSCHING, Tullus Hostilius, A. L. und Cluilius, in: Philologus 110, 1966, 102–118 • A. ALFÖLDI, Das frühe Rom und die Latiner, 1977, 218–256.   H. SO.

Alba Pompeia. Heute Alba. Ort in → Liguria (Plin. nat. 17,25; Ptol. 3,1,45) seit dem frühen Neolithicum; → *municipium* mit → *duoviri* (CIL V 7605 f.), zur → *tribus Camilia* gehörig (CIL V p. 863), an der Straße von Pollentia nach Aquae Statiella (Tab. Peut. 3,5) in der → *regio IX* (Plin. nat. 3,49). Geburtsort des → Pertinax (Cass. Dio 74,3,1). Arch. Überreste, Inschr., Münzen. Spätestens seit 459 n. Chr. Bischofssitz.

G. FORNI (Hrsg.), Fontes Ligurum et Liguriae antiquae, 1976, s. v. A. P. • F. SANTI, Le epigrafi rinvenute nell'agro di A. P., in: Alba Pompeia 11,1, 1990, 39–51.   S. AM. / S. W.

Albania. [1] Kaukasische Landschaft am mittleren und unteren → Kyros (Kura) (Strab. 11,4; Ptol. 5,11). Hauptort war Cabavla (Plin. nat. 6,29 Cabalaca, woran h. der Berg Kalak erinnert). Die Ἀλβάνιαι πύλαι (Ptol. 5,9,15; 12,6) sind vermutlich mit dem ostkaukasischen Paß von Khacmâz identisch. Kabala und andere Städte Albaniens sind ausgegraben worden. Eine Felsinschr. an dem Kobystan-Felsen am Kaspischen Meer belegt den Vorstoß der XII. Legion Domitians (um 80 n. Chr.).

L. BRETANIZKI, B. WEIMARN, B. BRENTJES, Die Kunst Aserbaidshans vom 4. bis zum 18. Jh., 1988, 11–13, 38–46.   B. B.

[2] Nach Tab. Peut. Itinerarstation in der Landschaft Chalonitis (laut Geogr. Rav. zu → Assyria gerechnet), wird mit den Ruinen von Holwan/Hulman (am Paß von Saripul-Zohab im Zagros) identifiziert. Bereits in altoriental. Zeit als Halman (oder ähnlich) bezeugt.

Répertoire géographique des textes cunéiformes Bd. 5, 1982, 15 und 115.   J. OE.

Albanisch. Das in Albanien und in benachbarten Gebieten gesprochene A. bildet einen selbständigen idg. Sprachzweig (→ Indogermanische Sprachen) (*është* »ist«: gr. ἐστί, lat. *est*); es ist eine → Satemsprache (*zë/zëri*, im gegischen Dial. *za/zani* »Stimme«: aksl. *zvonŭ* »Schall« < idg. *ǵhu̯onos*). Beziehungen zu den ant. Sprachen Illyrisch und Thrakisch (→ Balkanhalbinsel: Sprachen) sind strittig. Neben einigen Lw. aus dem Agr. (*presh* »Poree« ← πράσον) steht eine starke Schicht lat. Lw., die auf engen Kontakt weist (*qytet* »Stadt« ← *civitatem*); später kamen bulgarische, serbische, mgr., ngr., it., türk. Lw. dazu.

Die Überlieferung des A. beginnt im 15. Jh.; die Schriftsprache wurde erst im 20. Jh. normiert; seit 1908 wird Lateinschrift verwendet.

C. HAEBLER, Der Weg des A. zur Nationalsprache, in: C. HANNICK (Hrsg.), Sprachen und Nationen im Balkanraum, 1987, 77–100 • E. P. HAMP, The Position of Albanian, in: H. BIRNBAUM, J. PUHVEL (Hrsg.), Ancient Indo-European Dial., 1966, 97–121 • G. MEYER, Etym. WB der a. Sprache, 1891 • M. E. HULD, Basic Albanian Etymologies, 1984 • H. ÖLBERG, Griech.-a. Sprachbeziehungen, in: Serta philologica Aenipontana 2, 1972, 33–64 • A. LANDI, Gli elementi latini nella lingua albanese, 1989.   C. H.

Albanius C., Senator vor 60 v. Chr., Schwiegervater des P. Sestius (Cic. Sest. 6; MRR 2,487 [1])

1 D. R. SHACKLETON BAILEY, Two studies in Roman nomenclature, ²1991, 5.   K. L. E.

Albanoi (Ἀλβανοί). Stammesverband in → Albania (Strab. 11,4), im h. Dagestan. Sie kämpften mit → Dareios gegen → Alexandros III. [4] (Arr. an. 3,8,5; 11,4; 13,1). A. erscheinen wieder im Zusammenhang des 3. Mithradatischen Krieges (74–63 v. Chr.): Oroizes, der König der A., griff 65 v. Chr. Pompeius mit 60000 Mann Infanterie und 22000 Reitern am Kyros (h. Kura) an, als dieser auf dem Marsch von Armenia an die Kaspia Thalatta durch ihr Land zog. Geschlagen schlossen sie mit Rom Frieden (Liv. Per. 101; App. Mithr. 480–483; Cass. Dio 36,54; Plut. Pompeius 34). In der Spätant. mußten sie immer zw. Rom und den Arsakiden (→ Arsakes) bzw. zw. → Konstantinopolis und den → Sasaniden lavieren.

W. TOMASCHEK, s. v. A. Nr. 1, RE 1, 1305 f. • K. V. TREVER, Očerki po istorii Kavkazkoj Albanii (IV v. do n. e. – VII v. n. e.), 1959. I. v. B.

Albinia. Fluß in → Etruria, entspringt in den Bergen von Saturnia, mündet nördl. von → Cosa ins Meer (Tab. Peut. 4,4; Itin. Anton. 500,1 f.: Alminia).

C. HÜLSEN, s. v. A, RE 1, 1312. S. B. / S. W.

Albinius. Plebeischer Gentilname.
[1] A. s. → Albanius, C. **[2]** A., L., brachte beim Galliereinfall 387 v. Chr. die Vestalinnen nach Caere in Sicherheit (Liv. 5,40,9). **[3]** A., M. (L.?) Konsulartribun 379 v. Chr. **[4]** A., L., Paterculus, einer der ersten Volkstribunen 494 bzw. 493 v. Chr. Er wird nicht in allen Quellen genannt und heißt bei Liv. 2,33,3 L. Albinus (MRR 1,15). K. L. E.
[5] A. Saturninus, L., Senator, *sodalis Antoninianus* vor 169 n. Chr. [1]; *cos. suff.* in der Spätzeit des Marcus Aurelius, *procos. Asiae* (CIL X 4750) [2].

1 H. G. PFLAUM, Sodales Antoniniani, 1966, 71 ff.
2 LEUNISSEN, 222. W. E.

Albinos aus Smyrna. Platonischer Philosoph des 2. Jh. n. Chr., von Proklos unter die »Spitzenplatoniker« gerechnet [2. 18; vgl. 2. 20], Schüler des Platonikers → Gaios, lehrte 150 n. Chr. in Smyrna, wo ihn der Arzt Galenos hörte (Gal., Scripta minora 2,97,8 ff. MUELLER). Er verfaßte Komm. zu Platons *Timaios*, ›Staat‹ und *Phaidon* [2. 18, 50, 152, 188 ff.], 205, 213 f.], eine zusammenfassende Schrift über Platons Lehren [2. 60, 238] sowie einen Traktat über das Unkörperliche [2. 74, 289] und war Herausgeber der Vorlesungen des Gaios, die auch in einer Auswahl von 11 Büchern kursierten [2. 28, 182 ff.]. All diese Werke sind verloren. Erh. hat sich unter dem Namen des A. die Nachschrift einer Einführung in Platons Dialoge [2. 341], die vielleicht ein Teil der zuvor genannten zusammenfassenden Schrift war und uns einen Einblick in den Schulunterricht der Zeit vermittelt [1. 90, 96 ff.; 3. 58 ff.]. Umstritten ist die Zuweisung des unter dem Namen → Alkinoos überlieferten *Didaskalikos* an A. [2. 62, 238, 391].
A. ist ein typischer Vertreter des philol. und pädagogisch orientierten → Mittelplatonismus; wie die meisten seiner Kollegen verstand er sich in erster Linie als Erklärer der Platonischen Dialoge [1. 90, 96 ff., 341 ff., 356 ff; 2. 50, 167 ff., 213 f.]. Eine zeitliche Entstehung der Welt lehnte er für Platon ab [2. 50, 214]. Nur den vernünftigen Teil der Seele hielt er für unsterblich, den unvernünftigen und den pneumatischen Seelenwagen für sterblich (Prokl. in Tim. 3,234,8 ff. DIEHL). Den Abstieg der vernünftigen Seele führte er auf eine unvernünftige freie Entscheidung derselben zurück (Stob. 1,375,10 f. W.-H.). Die platonische Lehre von der Seelenwanderung stammt seiner Ansicht nach aus Ägypten, möglicherweise von Hermes Trismegistos; A. hat diese

Lehre mit großem Scharfsinn verteidigt (Tert. de an. 28,1; 29,4). Ziel aller Philos. ist für ihn die Schau des Göttlichen, wie sie der platonische *Timaios* lehrt [1. 100; 2. 366 f.].
Bedeutend scheint die Nachwirkung des A. gewesen zu sein, denn seine Lehren werden von Tertullian, Iamblichos, Proklos, Priskianos [2. 183 f.], Ephraim dem Syrer und Photios (Bibl. cod. 167 S. 155,26 HENRY) namentlich angeführt und diskutiert.

1 DÖRRIE / BALTES II, 1990 2 DÖRRIE / BALTES III, 1993
3 J. MANSFELD, Prolegomena, 1994, 58–107.

ED. EISAGOGE: C. F. HERMANN, Platonis dialogi VI, 1856, 147–151 • J. FREUDENTHAL, Der Platoniker A. und der falsche Alkinoos, 1879, 322–326 • O. NÜSSER, Albins Prolog und die Dialogtheorie des Platonismus, 1991,30–34 • Eine komm. Neuausg. wird von B. REIS vorbereitet.
ED. DIDASKALIKOS: C. F. HERMANN Platonis dialogi VI,1856,152–189 • J. WHITTAKER, P. LOUIS, Alcinoos, 1990 KOMM.: J. DILLON, Alcinous, 1993

GOULET I, 1989, 96–97, 112–113. M. BA.

Albinovanus. Plebeischer Gentilname.
[1] P. (?), einer der Ankläger des P. Sestius 56 v. Chr. *de vi* (Cic. Vatin. 3,41). **[2]** P., Legat (?) des C. Norbanus 82 v. Chr. (App. civ. 1,91). **[3]** P., Pontifex minor vor 69 v. Chr. bis nach 57 (MRR 2,71; 135; 3,14) – identisch mit [1] oder [2] ? **[4]** Celsus, Privatsekretär (*comes scribaque*) des jungen → Tiberius und Dichter (an ihn Hor. epist. 1,8); begleitete ihn 20 v. Chr. nach Kleinasien (Hor. epist. 1,3,15–20).

SCHANZ / HOSIUS, 2, 279. K. L. E.

[5, Pedo] Sen. suas. 1,15 zitiert 22 ½ kraftvolle, rhet. Hexameter eines Pedo *in navigante Germanico* (wahrscheinlich 16 n. Chr.: Tac. ann. 2,23 f.). Pedo muß Ovids Freund A. sein (Sen. contr. 2,2,12; Ov. Pont. 4,10). Quint. inst. 10,1,90 empfiehlt seine ep. Dichtung, Mart. 5,5 u. ö. erwähnt seine Epigramme. Er wird mit jenem Pedo gleichgesetzt, der als *praef. equitum* unter Germanicus 15 n. Chr. diente (Tac. ann. 1,60,2).

FPL, 147 f. J. A. R.

Albinus. Cognomen der Clodii, Decii, Iunii, Lucceii, Mummii, Pescennii, Postumii (fingierter Name bei Mart. 4,37,2). K. L. E.
[1] D. Clodius Albinus = *imperator* Caesar D. Clodius Septimius Albinus, afrikanischer Herkunft, aus Hadrumetum (SHA Alb. 1,3; 4,1). Diese Angabe, wie sehr viel anderes in dieser Vita, wurde zwar manchmal als fiktiv bezeichnet (vgl. schon [1]), könnte aber wegen der außergewöhnlichen Goldmünze des A. mit *Saeculum Frugiferum* (die Colonia Hadrumetum hat den Beinamen *frugifera*) verteidigt werden [2]. Unter → Commodus kämpfte er um 182/84 n. Chr. in Dakien (Cass. Dio 72,8,1), wohl als Legionslegat (FPD 1, 267 ff.). Die Lauf-

bahn bei den SHA ist erfunden (vgl. [1; 2]). *Cos. suff.* und, wohl vor dem Tode des Commodus, Statthalter Britanniens (Cass. Dio 73,14,3; Herodian. 2,15,1; vgl. SHA Alb. 13,4;6), akzeptierte A. von → Septimius Severus zum Zeitpunkt von dessen Staatsstreich im J. 193 den Caesarentitel, blieb aber in seiner Provinz. Münzen wurden für ihn als Caesar geprägt (Herodian. 2,15,5; [3]), er wurde cos.II ord. 194 als Kollege des Severus. Nach dem Sieg über → Niger änderte sich das Verhalten des Severus (Herodian. 3,5,2–6,1). Nun strebte A. Ende 195 nach der Alleinherrschaft und nannte sich Augustus: Auf seinen Münzen behielt er auch den Namen Sep(timius) bei, den er wohl erst 193 angenommen hatte [3]. Im Dezember 195 zum → *hostis* erklärt (Cass. Dio 75,4,1 ff. erwähnt eine Circusdemonstration gegen den neuen Bürgerkrieg in Rom), setzte er mit seinen 3 Legionen nach Gallien über und besiegte den severischen Feldherrn → Virius Lupus (Cass. Dio 76,6,2), doch am 19. Feb. 197 schlug Severus bei Lugdunum die Truppen des A. Dieser selbst fiel auf der Flucht (Dio 75,5–7; Herodian. 3,7).

1 J. HASEBROEK, Die Fälschung der Vita Nigri und Vita Albini, 1916 2 BIRLEY, 147 (mit Hinweis auf P. CINTAS, Rev. Afr. 91, 1947, 1 ff.) 3 RIC 4/1, 40 ff.

A. R. BIRLEY, The African Emperor Septimius Severus, ²1988 · KIENAST, 160 f. A.B.

[2, Caeonius Rufus] Philosoph, 335 Konsul, 335–37 Stadtpräfekt in Rom, Verf. verlorener Werke u. a. über Dialektik, Geom., Metr., Musik. Boethius zufolge (Inst. mus. 1, 26) hat A. die griech. Tetrachordnamen übers. und (1, 12) eine Einteilung der Stimmbewegung in 3 Arten überliefert: zwischen Sprechen und Singen (→ Aristoxenos) als mittlere das Rezitieren des *heroum poema* (vgl. Arist. Quint. 7 MEIBOM).

C. v. JAN, Der Musikschriftsteller A., in: Philologus 56, 1897, 163–166 · G. WILLE, Musica Romana, 1967. L.Z.

Albion s. Britannia

Albis. Die Elbe (nie die Alb [3], trotz [1]) entspringt nach Tac. Germ. 41,2 [2. 242 f.] bei den → Hermunduri, nach Ptol. 2,11,1 in den Sudeten, nach Cass. Dio 55,1,3 richtig im »Vandalischen Gebirge« (Riesengebirge / Krkonoše). Seit → Caesar den Römern bekannt, von → Drusus und → Tiberius 9 und 5 v. Chr. erreicht, bald von L. → Domitius Ahenobarbus überschritten, sollte sie die german. Grenze Roms werden – ein Plan, der scheiterte. Daher Tac. (Germ. 41,4) nur noch vom »Hörensagen« bekannt (*nunc tantum auditur*).

1 R. MUCH, s. v. A., in: RGA 1, ²1973, 129 f. 2 G. PERL, Tac. Germ. (übers. und komm.), 1990 3 J. STRAUB, Alba = Elbe oder Alb?, in: Regeneratio Imperii, 1972, 418–442.

K.-P. JOHNE, Die Elbe als Ziel röm. Expansion, Sitzber. Akad. Wiss. DDR 1982, Nr. 15/G, 37–44 · TIR M 33, 20. K. DI.

Albius. Röm. Gentilname.
[1] A. Sabinus, Miterbe Ciceros 45 v. Chr. (Cic. Att. 13,13,4). **[2]** Kunstsammler (Hor. sat. 1,4,28; 109). **[3] A., C.**, aus Cales, 206 v. Chr. als Meuterer hingerichtet (Liv. 28,24,13; 29,7). **[4] A., P.**, Praetorier vor 129 v. Chr. (?), Mitglied im *consilium* des Senatsbeschlusses *de agro Pergameno* (MRR 3,14).
[5] A. Oppianicus Statius, s. Abbius [1]. K. L. E.

Albius [6] s. Tibullus

Albruna (Albrinia, Aurinia). German. Namenskompositum (»die mit dem Geheimwissen der Alben Versehene«?) [1. 553], wohl kein Personenname, sondern Bezeichnung für eine seherische Frau. Nach Tac. Germ. 8 ist A. zusammen mit anderen schon vor → Veleda bei den Germanen fast göttl. verehrt worden. Mehrere solcher Seherinnen sind lit. überliefert, so Ganna, → Waluburg und weitere, nicht namentlich gen. Frauen (Suet. Vit. 14; Cass. Dio 55,1). Ihre Bed. wird weithin überschätzt, sie hatten eher niedrige Funktionen in Kultus und Gesellschaft [2. 151–162].

1 H. BIRKHAN, Germanen und Kelten bis zum Ausgang der Römerzeit, SAWW, 1970 2 R. BRUDER, Die german. Frau im Lichte der Runeninschr. …, 1974.

R. SIMEK, s. v. A., Lex. german. Myth., 1984, 10–11. W. SP.

Albucilla. Gattin des Satrius Secundus, durch ihre Liebschaften berüchtigt, wurde wegen Unehrerbietigkeit (*impietas*) gegen den Princeps angeklagt und starb 37 n. Chr. nach einem Selbstmordversuch im Gefängnis. In ihren Untergang wurden mehrere angesehene Senatoren hineingezogen (Tac. ann. 6,47,2 ff.; Cass. Dio 58,27,4).

R. A. BAUMAN, Impietas in principem, 1974, 130 ff. D. K.

Albucius. **[1]** Röm. Gentilname.
Name eines Giftmischers bei Hor. sat. 2,1,48, wohl nicht identisch mit dem ebd. 2,2,67 genannten. K. L. E.
[2] T., Anhänger Epikurs, geriet 120 v. Chr. in Athen wegen seiner Graekophilie in einen Streit mit dem Praetor Q. → Mucius Scaevola. A. klagte ihn 119 erfolglos an und wurde deshalb von → Lucilius im 2. Satirenbuch verspottet. Praetor und Propraetor 105/4 (107/6 ?) in Sardinien, triumphierte dort nach einen kleinen Erfolg, weshalb ihm der Senat die *supplicatio* versagte (Cic. prov. 15 u. ö.). Wohl 103 wegen Erpressung verurteilt, ging er nach Athen ins Exil (Cic. Tusc. 5,108).

ALEXANDER, 17, 34–35 · C. J. CASTNER, Prosopography of Roman Epicureans, 1988, 1–6 · C. CICHORIUS, Unt. zu Lucilius, 1908, 88–89, 237–251 · MRR 3,14. K. L. E.

[3] Silus, C., ca. 50 v.–ca. 16 n. Chr. [1], aus Novarium (ebd. *cursus honorum* bis zur Aedilität), gehörte nach Seneca zu den besten vier Rednern augusteischer Zeit (contr. 10, pr. 13; vgl. Hier. chron. a. Abr. 2011), der das

Lat. dem Griech. ebenbürtig machte; Verf. einer Abh. über Rhet. (Quint. inst. 3,3,4; 2,15,36; 3,6,62). In Rom gehörte er zum Zirkel des Rhetors L. → Munatius Plancus, gründete jedoch bald eine eigene Schule. Er schied in hohem Alter in Novarium durch Nahrungsverweigerung aus dem Leben.

Seine Karriere ist geprägt von der einsetzenden Divergenz zwischen forensischer Beredsamkeit und den Rhetorenschulen (Sen. contr. 7, pr.; Suet. rhet. 30 [2. 217–226]). Nach Prozeßniederlagen gegen L. Piso in Mediolanum und L. Arruntius in Rom, trat A. nicht mehr vor Gericht auf [2. 227f.]. Die von ihm bevorzugten privaten Deklamationen verursachten wegen der Rededauer Qual – und Begeisterung wegen des perfekt inszenierten Vortrags (Sen., l.c.). Die umständliche, oft philos. Argumentation kontrastierte mit seiner Fähigkeit zur prägnanten sprachlichen Realisierung (Kostproben: Sen. contr. 7,1,1–3; 9,2,6–8; suas. 1,3; 6,9).

1 W.-D. LEBEK, Zur Vita des A. S. bei Sueton, in: Hermes 94, 1966, 360–372 **2** K. HELDMANN, Ant. Theorien über Entwicklung und Verfall der Redekunst, 1982.   C. W.

Albula [1] s. Tiberis
[2] Kanal zw. → Aquae Albulae und dem → Anio an der *via Tiburtina* (Vitr. 8,3,2; Strab. 5,3,11; Mart. 1,12,2; Stat. silv. 1,3,75), ca. 24 km von Rom entfernt (Tab. Peut. 5,5).

Z. MARI, Tibur 3, 1983, 40, 316, 320, 378.   S.Q.G. / S. W.

[3] Fluß im Picenum (Plin. nat. 3,110); die Identifikation mit dem h. A. bei San Benedetto del Tronto muß mit Hilfe ma. Dokumente noch geleistet werden.

N. ALFIERI, La regione V dell'Italia augustea nella Naturalis Historia, in: Plinio il Vecchio sotto il profilo storico e letterario 2, 1982, 204.   G.PA. / S. W.

Albula [4] s. Albinia

Album [1] s. Schreibmaterial
[2] *A.* wird eine weiße (*albus*) Tafel genannt, auf der amtliche Mitteilungen verschiedener röm. Behörden und auch gerichtliche Entscheidungen (*in albo proposito*: Dig. 2,1,7) veröffentlicht werden können. Bes. Bed. hat ferner das *a. praetoris*, das die vom Praetor als Gerichtsbehörde zugelassenen Klage- und sonstigen Antragstypen und die Formeln für das Verfahrensprogramm unter jeweils roten Überschriften (*rubricae*) enthält. Die Beschädigung dieser Tafeln (*albi corruptio*) ist strafbar und von jedermann einzuklagen (*iudicium populare*: Dig. 2,1,7–9; Paul. sent. 1,13a,3) Auch die curulischen → aediles geben die für ihre Marktgerichtsbarkeit zugelassenen Klage- und Prozeßformeln durch *a.* bekannt.

Das von den → *quaestores* geführte *a. iudicum* (Sen. benef. 3,7,6; CIL IV 1943) verzeichnet alle Bürger, die als *iudices pedanei* für das Verfahren *in iudicio* einsetzbar

sind (z.Z. des Augustus nur Senatoren, Ritter und Bürger mit mindestens dem halben Ritter-Census).

Das *a.* der provinzialen Promagistrate oder kaiserlichen Statthalter enthält alle in ihrer Gerichtsbarkeit liegenden Verfahrenstypen nach dem *edictum provinciale* (Gai. 1,6).

Von anderer Art sind das *a. senatorium*, das seit Augustus die Mitglieder des Senats mit ihrem Rang sowie Neuaufnahmen und Entfernungen verzeichnet, die dem Kaiser als *censor* zustehen (vgl. Tac. ann. 4,42), und das *a. decurionum* (Dig. 50,3,1f.; Cod. Iust. 10,32,45) mit den städtischen → *decuriones* und ihrer Rangfolge. Bed. im öffentlichen Leben haben neben anderen (häufig Mitgliederverzeichnisse von Kollegien) das *a. pontificis maximi* (→ Annales maximi; Cic. de orat. 2,52), das *a. professionum* (Geburtenregister) oder das *a. profitentium citharoedum* (öffentlich zugelassene Künstler; Suet. Ner. 21,1).

→ acta; tabula

KASER, ZPR, 35 · WENGER, 55ff.   C. G.

Album Ingaunum. Das h. Albenga in Italien. *Oppidum* (Plin. nat. 3,48) der → Ligures (Ptol. 3,1,3; Strab. 4,6,1), → *municipium* mit → *quattuorviri* in der → *regio IX*, in der → *tribus Publilia*, an der *via Iulia Augusta*; Hafen. 69 n.Chr. von den Anhängern des → Otho besetzt (Tac. hist. 2,15). Geburtsort des Usurpators → Proculus (SHA Proculus 12); von → Constantius wieder aufgebaut (CIL V 7781). Spätröm. und hochma. Bauphasen; Bischofssitz.

Überreste: *campus,* Mauer, Aquädukt, Thermen, öffentliche Gebäude, Amphitheater, Nekropole mit monumentalen Gräbern, frühchristl. Baptisterium.

G. FORNI (Hrsg.), Fontes Ligurum et Liguriae antiquae, 1976, s. v. A.I. · MENELLA GIOVANNI (Hrsg.), Supplementa Italica 6, 1990, 243–304 · F. DELLA CORTE, La ricostruzione di Albingaunum, in: Revue d'études ligures 50, 1984, 18–25 · G. SPADEA NOVIERO, Albenga. Note di topografia romana, in: Archeologia in Liguria, 3,2, 1990, 435–444.   R.PE. / S. W.

Album Intimilium. Das h. Ventimiglia in Italien. Stadt der → Liguri Intimilii (Strab. 4,6,2), → *municipium* mit → *duoviri* der → *regio IX* (Plin. nat. 3,48), → tribus Falerna, an der → *via Iulia Augusta*, Bischofssitz, byz. *castrum.* Unruhen 49 v.Chr. (Cic. fam. 8,15,2), Verwüstungen durch die Anhänger des → Otho 69 n.Chr. (Tac. Agr. 7; hist. 2,13). Im Hochma. aufgegeben. Arch. Überreste: Mauer, → *insulae*, Thermen, Theater, Nekropole, Aquädukt.

G. FORNI (Hrsg.), Fontes Ligurum et Liguriae antiquae, 1976, s. v. Albintimilium · MENELLA GIOVANNI (Hrsg.), Supplementa Italica 10, 1992, 99–135 · N. LAMBOGLIA, F. PALLARÉS, Ventimiglia romana, 1985 · F. PALLARÉS, Considerazioni generali sulla topografia di Albintimilium, in: Quaderni di cultura e storia Liguria 12, 1987, 597–604.   E.S.G. / S. W.

Alburnus maior. Röm. Bergbausiedlung in → Dacia superior, h. Roşia Montană / Rumänien; Zentrum der Goldgewinnung im 2./3. Jh. n. Chr. A. wurde bald nach Eroberung durch → Traianus mit dalmatischen und griech. Bergleuten besiedelt. Gefunden wurden Inschr. (CIL III 1260–1277; 7820–7831; AE 1990, 827–850; [1. 376–386, vgl. 329–337; 2. 374–422]), Artefakte bes. aus dem Montanbereich [3], so die 25 zw. 1786 und 1854 gefundenen Wachstafeln (CIL III p. 913–958 von 139–167 n. Chr. [1. 386–415, vgl. 336–347]), die sich u. a. auf die Auflösung eines → collegium funeraticium (tabula cerata I), verschiedene Darlehensgeschäfte (II, III, V, XII, XIII), Arbeits- (IV, IX–XI), Sklavenkaufverträge (VI, VII, XXV) und einen Hauskauf (VIII) beziehen.

1 H.-CHR. NOESKE, Stud. zur Verwaltung und Bevölkerung der dakischen Goldbergwerke in röm. Zeit, in: BJ 177, 1977, 271–416 **2** I. I. RUSSU (Hrsg.), Inscripţiile Daciei Romane 3,3, 1984 **3** A. SÂN TIMBREANU, V. WOLLMANN, Aspecte tehnice ale exploatării aurului în perioda Romană la A., in: Apulum 12, 1974, 240–279.

RUGGIERO 1, 394 · S. MROZEK, Die Goldbergwerke im röm. Dazien, in: ANRW 2,6, 1977, 95–109 · HAKKERT, s.v. A., 458f. · L. MARINESCU, s.v. A., PE, 34 · E. PÓLAY, Verträge auf Wachstafeln aus dem röm. Dakien, in: ANRW 2,14, 509–523 · W. TOMASCHEK, s.v. A., RE 1, 1338 · S. SOPRONI, TIR L 34, 1968, 26 · H. WOLFF, Dacien, in: Hdb. der Europ. Wirtschafts-und Sozialgesch. 1, 1990, 616–630, hier 621f.   E. W.

Alcestis Barcinonensis. Anonyme lat. hexametrische Dichtung wohl des 4. Jh. n. Chr. des Barcelonenser Pap. inv. 158–161 über den Opfertod der A. für ihren Gatten (Stoff auch im Vergilcento (→ Cento) Anth. Lat. 15). Aufbau wie Details (Einbeziehung des Phoenix-Mythos, vielleicht nach → Lactantius) weichen von der A. des Euripides ab. Auffällig ist der fast ausschließliche Gebrauch direkter Reden; in diesem »Pseudo-Drama« fand ein Formprinzip der späteren Epik extreme Anwendung (vgl. den Orestes des → Dracontius).

ED.: W. D. LEBEK, Die A. B., in: ZPE 70, 1987, 39–48 · M. MARCOVICH, A. B., in: ICS 9, 1984, 111–134 · L. NOSATI, Anonimo, L'Alcesti di Barcellona, 1992 · R. ROCA-PUIG, A., 1982 (Erstausgabe). LIT.: K. SMOLAK, HLL § 549.   K. SM.

Alchemie. A. WESEN   B. GESCHICHTE
C. SCHRIFTEN   D. LEHRE
E. WIRKUNGSGESCHICHTE

A. WESEN

Die A. hatte einen »naturwiss.« und einen spirituellen Aspekt, die miteinander verwoben sind. Das naturwiss. Ziel war die Vervollkommnung der unedlen Metalle, was in der Praxis meist auf Versuche zur Umwandlung (Transmutation) der unedlen Metalle in Gold oder Silber hinauslief. Das spirituelle Ziel galt der »Erlösung« der Materie und, hiermit verbunden, der Läuterung und Vervollkommnung der Seele des Alchemisten. Neben

der A. gab es als weitere Zweige der frühen Chemie die praktische Chemie, d. h. die chemischen Gewerbe, mit dem Ziel, Stoffe für den täglichen Bedarf zu produzieren, und die Naturphilos. mit dem Ziel, die Entstehung und den Aufbau der Welt zu erklären. In den Schriften kommen gelegentlich die Bezeichnungen χυμεία oder χημεία vor, was etym. wahrscheinlich mit χῦμα (Metallguß) zusammenhängt. Daraus wurde im Arab. kīmiyaʾ bzw. al-kīmiyaʾ und hieraus im Lat. alchemia oder alchimia. Zu Beginn der Neuzeit wurde zur Kennzeichnung der Chemie im engeren Sinn der arab. Artikel al wieder weggelassen.

B. GESCHICHTE

Die ant. A. entstand etwa im 1. Jh. n. Chr. in Ägypten, das damals kulturell noch unter dem Einfluß des Hellenismus stand, und endete etwa im 7. Jh. n. Chr. Zentren der A. waren wahrscheinlich Alexandreia und andere oberägypt. Städte. Vermutlich wurde die A. urspr. in den ägypt. Tempelwerkstätten praktiziert; denn nur bei der hellenistisch gebildeten Priesterschaft waren alle für die Entstehung der A. notwendigen Voraussetzungen gegeben. Verschiedene Quellen haben zur Entstehung der gr. A. beigetragen: die praktische Chemie, die myth. Vorstellungen der Handwerker, die aristotelische und die stoische Materietheorie, die Gnosis, die babylon. Astrologie und die ägypt. Mythologie. Von der praktischen Chemie übernahmen die Alchemisten die meisten Stoffe, Geräte und Verfahren. Von den myth. Vorstellungen der Bergleute, Schmelzer und Schmiede findet man bei den Alchemisten u. a. die Grundeinstellung zur Materie als etwas Heiligem, die Übertragung des Prinzips der Sexualität auf die Materie und die Idee von der Mitarbeit am Werk der Natur. Aus der aristotelischen Materietheorie übernommenes Gedankengut sind der Aufbau der Stoffe aus Materie und »Form«, ihre Zusammensetzung aus den vier Elementen (→ Elementenlehre) Erde, Wasser, Luft und Feuer und die Möglichkeit der Umwandlung der Materie ineinander. Die Ersetzung der »Form« durch das → Pneuma in der stoischen Materietheorie spiegelt sich in der A. in der Dualität von »Körper« und »Geist« wider. Auf Einflüsse der → Gnosis gehen die alchemistischen Vorstellungen von der Erlösung der Materie oder des Geistes in der Materie zurück. Von der babylon. → Astrologie über die griech.-röm. Astrologie übernommen wurden die Zusammenstellung von Sonne, Mond und den fünf Planeten zur Siebenzahl der Planeten, die Verbindung der Planeten mit bestimmten Metallen (z. B. Venus und Kupfer) und die Einteilung der Planeten in Anlehnung an die gr. Myth. in männliche und weibliche.

C. SCHRIFTEN

Die Schriften der ant. A. sind in gr. Sprache abgefaßt, sodaß man sie auch als gr. A. bezeichnet. Die wichtigsten alchemistischen Autoren sind: Ps.-Demokritos (ca. 1. Jh. n. Chr., Gleichsetzung mit Bolos von Mendes ist unsicher; Teile seines Werkes Φυσικὰ καὶ μυστικά erh.), Ostanes, Hermes Trismegistos (sagenhafter Begründer der A., meist gnostische Schriften), Isis, Maria die Jüdin (ca. 1. Jh. n. Chr., nur Fragmente überliefert; sie führte wichtige apparative Verbesserungen durch und bedeutet den Höhepunkt der gr. A.), Agathodaimon und Zosimos aus Panopolis (um 300 n. Chr., Teile seiner alchemistischen Enzyklopädie erhalten) [alle Texte in 1]. Die Autoren der Spätzeit sind meist Kommentatoren ohne experimentelle Erfahrung. Ein typischer Vertreter ist Stephanos von Alexandreia (1. Hälfte 7. Jh. n. Chr.) [2]. Im 7. oder 8. Jh. wurde in Konstantinopel eine Sammlung der damals noch existierenden alchemischen Schriften veranstaltet. Die heute noch erh. Texte sind Kopien des 11.–15. Jh.

D. LEHRE

Aufbauend auf der aristotelischen Elementen- und Transmutationslehre entwickelten die gr. Alchemisten einen Transmutationsprozeß, bei dem sie Theorie und Praxis in Einklang zu bringen suchten. Zunächst mußten geeignete Stoffe auf die Urmaterie (μελάνωσις, Stufe der Schwärzung) zurückgeführt werden, die abweichend von Aristoteles isolierbar sein sollte. Die Urmaterie mußte dann schrittweise durch Zuführung der erforderlichen Qualitäten verändert werden, bis die Stufe des Silbers (λεύκωσις, Weißfärbung) und danach die des Goldes (ξάνθωσις, Gelbfärbung) erreicht war. Angedeutet ist an einigen Stellen noch eine vierte Stufe: die der »Goldkoralle« (ἴωσις, Violett- oder Purpurfärbung). Die »Goldkoralle« war ein gedanklicher Vorläufer des »Steins der Weisen«, einer Substanz, mit der man unedle Metalle in Gold oder Silber verwandeln konnte und die bereits in ganz geringer Menge wirksam war. Ein anderer Anknüpfungspunkt ist die Anschauung des Aristoteles, daß z. B. wenig Zinn gegenüber viel Kupfer als eine Art Färbemittel fungiere. Ein derartiger Zusatz wurde im Gr. als ξηρίον (Streupulver) bezeichnet. Daraus wurde im Arab. iksīr bzw. al-iksīr, im Lat. elixir. Die Idee vom »Stein der Weisen« wurde in der gr. A. noch nicht zu einer umfangreichen Lehre ausgebaut. Ein weiterer Beitrag zur chemischen Theorie ist die Klassifizierung der Stoffe in σώματα (»Körper«, Metalle), ἀσώματα (»Nichtkörper«, Nichtmetalle) und als Sondergruppe der letzteren Klasse die πνεύματα (»Geister«, leichtflüssige Stoffe). Zur Kennzeichnung dieser Stoffe führten die gr. Alchemisten chemisch-alchemistische Symbole ein und legten damit den Grundstein zur chemischen Zeichensprache.

E. WIRKUNGSGESCH.

Die gr. A. wurde von der arab. A. abgelöst, die etwa vom 8.–14. Jh. dauerte. Sie begann mit einer Übersetzung der gr. alchemischen Schriften ins Arab., der bald auch eigenständige arab. Werke folgten. Wichtige Kontaktstellen waren Alexandreia und andere ägypt. Städte wie Ḥarrān, Nisibis und Edessa im westlichen Mesopotamien. Die sich daran anschließende lat. A. (Ende 12.–15. Jh.) begann analog wie die arab. mit einer Übers. alchemischer Schriften vom Arab. ins Lat., wodurch auch die gr. Autoren dem Abendland bekannt wurden. Auch dort entwickelte sich dann eine eigenständige Alchemie. Parallel zur gr. A. und unabhängig hiervon ex-

istierte auch in China eine A. (Blütezeit 1. – 8. Jh.).

→ Astrologie; Elemente; Gnosis; Pneuma

1 M. BERTHELOT (Hrsg.), Collection des anciens alchimistes grecs 3 Bde., 1888, Ndr. 1963 2 F. S. TAYLOR, The Alchemical Works of Stephanos of Alexandria, in: Ambix 1, 1937, 116–139 und 2, 1938, 38–49.

E. O. v. LIPPMANN, Entstehung und Ausbreitung der A. Bd. 1, 1919 · A. J. HOPKINS, Alchemy, Child of Greek Philosophy, 1934 · C. G. JUNG, Psychologie und A., 1944, ³1972 · M. ELIADE, Forgerons et alchimistes, 1956, dt.: Schmiede und Alchemisten, 1960 · J. LINDSAY, The Origins of Alchemy in Graeco-Roman Egypt, 1970 · F. S. TAYLOR, A Survey of Greek Alchemy, in: JHS 50, 1930, 109–139 · Ders., The Origins of Greek Alchemy, in: Ambix 1, 1937, 30–47 · Ders., The Evolution of the Still, in: Annals of Science 5, 1945, 185–202 · A. J. HOPKINS, A Modern Theory of Alchemy, in: Isis 7, 1925, 58–76 · Ders., A Study of the Kerotakis Process, as Given by Zosimus and Later Alchemical Writers, in: Isis 29, 1938, 326–354 · H. J. SHEPPARD, Gnosticism and Alchemy, in: Ambix 6, 1957, 86–101 · Ders., The Redemption Theme and Hellenistic Alchemy, in: Ambix 7, 1959, 42–46 · Ders., The Ouroboros and the Unity of Matter in Alchemy, in: Ambix 10, 1962, 83–96.   J. WE.

Alcimus [1, Latinus A. Alethius]. Figuriert, vermutlich auf der Basis eines Katalogs von Musterreden aus Bordeaux, als berühmter Rhetor bei → Sidonius, wo seine rednerische *fortitudo* gerühmt wird: epist. 5,10,3 (s. Hier. chron. a. Abr. 2371). Vermutlich auch Verf. eines sonst nicht mehr kenntlichen rhet. Handbuchs (Sidon. epist. 8, 11, 2; ebd.: Herkunft aus Agen; zu falschen Identifizierungen PLRE 2, Alethius 2, gegen [3] und [4]). Nach Auson. 192, p. 50 f. verfaßte A. Panegyrici (?) auf Iulian und Flavius Sallustius, den *praef. praet. Galliarum* 361–363 und Konsul (mit Iulian) d. J. 363, war aber auch als Dichter tätig. A. ist wohl der Verf. von *libri*, die in einem Bibliothekskatalog des späten 8. Jh. erwähnt werden (anders [6]), wie auch Verf. von Anth. Lat. RIESE 1,233 (= Anth. Lat. SHACKLETON BAILEY 225), 674a, 713–715, 740 (= PLM BAEHRENS 4,110, 193, 115–117. 192) (anders [2]; zurückhaltend [4]).

1 R. P. H. GREEN, The Works of Ausonius, 1991, 333 f. (mit Bibl.) 2 A. JÜLICHER, Alkimos [19], in: RE 1,2, 1544 3 PLRE 1, 1971, 39 4 K. SMOLAK, HLL § 546.3 (s. a. 5,104. 171) 5 B. BISCHOFF (Hrsg.), Das geistige Leben, 1965, 42–62, hier 57 ff. 6 B. L. ULLMAN, A list of classical manuscripts ..., in: Scriptorium 8, 1954, 24–37.   E. M.

Alcimus [2, Ecdicius Avitus] s. Avitus [2]

Alea [1] s. Würfelspiel

[2] (Ἀλέα). Epiklese Athenas in Arkadien, wo sie Pausanias für Alea (8,23,1), Mantineia (8,9,6) und vor allem Tegea (8,45,4–47,3), dazu ein Xoanon in Amyklai (3,19,7) belegt. Das tegeatische Heiligtum genoß großes Ansehen und hatte Asylrecht (Paus. 3,5,6); den Priesterdienst versah ein Knabe. Den klass. Tempel, den größten und schönsten der Peloponnes (Paus. 8,45,5), baute Skopas. Das alte Kultbild des Endoios hatte Augustus nach Rom geholt.

M. JOST, Sanctuaires et cultes d'Arcadie, 1985, 106–109.　　　　　　　　　F.G.

[3] Stadt in Nordostarkadien (→ Arkadia; Paus. 8,23,1) beim h. Bugiati, in der Kaiserzeit zur → Argolis gerechnet; Stadtmauer aus hell. Zeit.

M. JOST, Sanctuaires et cultes de l'Arcadie, in: Études Péloponnésiennes 9, 1985, 106–109 • E. MEYER, Peloponnesische Wanderungen, 1939, 19–30.　　Y.L.

[4] Bezirk südl. von → Tegea mit Heiligtum der → Athena Alea; IG V 2, 3.

M. JOST, Sanctuaires et cultes de l'Arcadie, in: Études Péloponnésiennes 9, 1985, 368–385 • M.E. VOYATZIS, The Early Sanctuary of Athena A. at Tegea, 1990.　　Y.L.

Aleïon Pedion (Ἀλήϊον πεδίον). Fruchtbares, wasserreiches Flachland in → Kilikia Pedias mit Bäumen aller Art, Weinstöcken, Sesam und Getreide (Xen. an. 1,2,22), nach Eust. Kommentar zu Dion. Per. (GGM 2,370) zw. → Kydnos und Pinaros (gemeint ist wohl der → Pyramos), h. Çukurova, mit → Adana als Zentrum; reiche Baumwollproduktion.

Nach der Sage stürzte hier → Bellerophon vom → Pegasos (Dion. Per. 871f.).

A. ERZEN, Kilikien bis zum E. der Perserherrschaft, 1940, 14f.　　　　　　　F.H.

Alekto s. Erinys

Alektor. Sprechender Heroenname (»Abwehrer«), der in mehreren Genealogien vorkommt. [1] Vater (Schol. Hom. Od. 4,22) oder Onkel (Pherekyd. FGrH 3 F 132) des Eteoneus, Diener des Menelaos (Hom. Od. 4,22) und der Iphiloche (Echemela), die Megapenthes, Menelaos' Sohn von einer Sklavin, heiratete (Hom. Od. 4,10); er war Sohn des → Argeios und der Hegesandra (Pherekydes l.c.). [2] Argiv. König, Sohn des Megapenthes, Vater des Anaxagoras (Paus. 2,18,4) und des Iphis (Apollod. 3,60). [3] König von Elis, holt aus Angst vor Pelops den Lapithen Phorbas als Mitregenten ins Land (Diod. 4,69,2). [4] Vater des Leïtos in den Katalogen der Argonauten und der Freier um Helena (Apollod. 1,113; 3,130).　　　　　　　　　　F.G.

Alektryon (Ἀλεκτρυών, »Hahn«). [1] Ares' Aufpasser beim Zusammensein mit Aphrodite. Als A. den Morgen verschlief, entdeckte Helios die Liebenden und verriet sie an Hephaistos. Ares verwandelte A. in einen Hahn (Lucian. Gallus 3; Auson. 26,2,27) [1]. [2] Vater des Leitos (Hom. Il. 17,602), Argonaute (Apollod. 1,113).

1 C. ROBERT, Alektryon, in: Hermes 37, 1902, 318–320.　　　　　　　　　　F.G.

Alemannische Minuskel s. Minuskel

Aleos. [1] König und Gründer von Tegea (Paus. 8,45,1), eponymer Oikist von Alea (Paus. 8,23,1) und des tegeatischen Heiligtums der Athena Alea (Paus. 8,4,8); gelegentlich heißt er König ganz Arkadiens. Gewöhnlich ist er Sohn des Apheidas und Enkel des Arkas, mit Neaira Vater von Lykurgos, Kepheus, Amphidamas und der Auge (Paus. 8,4,8; etwas anders Apoll. Rhod. 1,161–171: Tochter Alkidike, Mutter der → Tyro Diod. 4,68,1), die A. zur Athenapriesterin macht. Von Herakles geschwängert, gibt A. sie Nauplios zur Tötung, um eine Seuche zu heilen; sie aber gebiert unterwegs → Telephos (Diod. 4,33; Apollod. 3,103). Er hatte sie zur Priesterin gemacht, um dem Orakel zu entgehen, daß ein Sohn von ihr ihn töten würde (Alkidamas Od. 14–16). [2] Sohn des Aigisthos. Er usurpierte die Herrschaft von Mykenai, als Orestes von den Erinyen verfolgt umherirrte. Er wurde vom zurückkehrenden Orestes getötet (Hyg. fab. 122, 124). Von Soph. dramatisch bearbeitet.

E. SIMON, LIMC 1.1,485f.　　　　　　F.G.

Aleppo. Stadt in Nord-Syrien (arab. Ḥalab), als Ḥalab bereits in den Keilschrifttexten von → Ebla (Mitte 3. Jt. v. Chr.) erwähnt, damals bereits Kultort des Wettergottes. Für das frühe 2. Jt. v. Chr. bezeugen Keilschrifttexte (Mari, → Alalach) A. als Residenz einer → amoritischen Dynastie, die von A. aus den Staat Jamḫad regierte, der dann im 17./16. Jh. zunächst von den Hethitern, dann von Mitanni und Mitte des 14. Jh. vom hethit. Großkönig erobert wurde, der dann einer seiner Söhne zum König in A. einsetzte. In der Folgezeit spielte A. im hethit. Syrien keine größere Rolle. Im frühen 1. Jt. v. Chr. wurde A. Teil des aram. Fürstentums Bit-Agusi. Assyr., aram. und bild-luw. Texte bezeugen A. weiterhin als einen Kultort des Wettergottes (aram. Hadad). Mehrfach von den Assyrern erobert und ab dem 8. Jh. v. Chr. in deren Imperium integriert, gehörte es später zum neubabylon. und persischen Reich. Für die hell. Zeit → Beroia [3].

H. KLENGEL, Syria 3000 to 300 B.C., 1992.　　H.KL.

Aleria, Alalia (Ἀλερία, Ἀλαλή). Stadt an der Ostküste von → Corsica auf einer vom Fluß Ῥότανος begrenzten Ebene nahe der Flußmündung. Heute Aléria. Der Sitz alt- und jungsteinzeitlicher Gemeinschaften wurde von Griechen aus → Phokaia ausgebaut (565 und 545 v. Chr.) Im Laufe der 2. Kolonisationswelle, die etwa die Hälfte der Einwohner von Phokaia (damals von den Persern belagert) umfaßte, wurden verschiedene Heiligtümer errichtet (Hdt. 1,166), darunter wohl auch ein Artemision (vgl. Ἀρτέμιδος λιμήν bei A. in röm. Zeit: Ptol. 3,2,5). Nach einer Niederlage der Phokaier von A. gegen eine etr.-pun. Flotte verließen die Siedler 540 v. Chr. A., nun von Etruskern in Besitz genommen. A.

blieb vom 6. Jh. v. Chr. bis zu Anf. des 3. Jhs. v. Chr. unter etr. Herrschaft. Nach einem kurzen Protektorat Karthagos eroberten die Römer 259 v. Chr. unter L. Cornelius Scipio die Stadt. A. wurden von Sulla Siedlern zugewiesen, seither *colonia Veneria A.* (Plin. nat. 3,12,1). Die Kolonie wurde (nach den Entwürfen Caesars) unter Augustus zw. 36 und 27 v. Chr. von Soldaten der *legio* III wiedererrichtet, jetzt *Colonia Veneria Iulia Pacensis Restituta Tertianorum Aleria.* In der Kaiserzeit wurde A., ausgestattet mit einem *ordo decurionum*, von → *duoviri* verwaltet. Bezeugt ist auch ein Flaminat, für die ausgehende Kaiserzeit ein *principalis coloniae Aleriae.* A. war seit der Schaffung der Prov. Corsica Sitz des *legatus Augusti.* Im Hafen war eine Abteilung der *classis Misenensis* stationiert.

Eine große Nekropole wurde in der h. Innenstadt aufgedeckt (klass. und hell. geprägt), außerdem in Casabiada im Süden von A. die zw. 50 und 30 v. Chr. errichtete Stadtmauer, das Amphitheater und das trapezförmige Forum mit dem → *capitolium* und mit dem → *praetorium* des Gouverneurs. Die Bed. und Größe der Diözese (seit 591 n. Chr. im *epistularium* des Papstes Gregorius Magnus) machen ein Überleben des Stadtkerns bis ins MA hinein wahrscheinlich.

G. Camps, La préhistoire dans la region d'A., in: Archeologia Corsa 4, 1979, 5–21 · J. und L. Jehasse, A. antique, 1987 · E. Lenoir, R. Rebuffat, Le rempart romain d' A., in: Archeologia Corsa 8/9, 1983/84, 73–102 · Ph. Pergola, s. v. A., EAA¹, Suppl. (1971–1994) · Ders., s. v. A., EAA² 1 (1994), 158 f.   R. Z. / R. P. L.

Alesia. → *Oppidum* der → Mandubii in → Gallia Celtica, h. Alise-Sainte-Reine (Côte-d'Or). A. nahm auf dem Mont Auxois (Mons Alisiensis) ein Plateau von ca. 80 ha ein mit bemerkenswertem natürlichen Schutz. 52 v. Chr. wurde → Vercingetorix hier von Caesar belagert und mußte trotz des Eingreifens eines Entsatzheeres kapitulieren (Caes. Gall. 7,68–90). A. bestand als galloröm. Zentrum während der mittleren Kaiserzeit dank ihrer rel., wirtschaftlichen (Plin. nat. 34,162) und verwaltungstechnischen Funktion fort. Seit dem 3. Jh. christl., in der späten Kaiserzeit aufgegeben.

A. Berthier, A. Wartelle, Alésia, 1990 · J. Le Gall, Alésia (Guides archéologiques de la France 4), 1985 · Ders., Alésia: archéologie et histoire, 1990 · A. Grenier 1, 1931, 206–225; 2, 1934, 702–716; 3, 1958, 342–346; 819–823.   Y. L.

Aletes (Ἀλήτης). Sprechender Heroenname, »Herumstreifer«. **[1]** Sohn des Herakleiden Hippotes, erobert und besiedelt Korinth nach Vertreibung der Nachkommen des → Sisyphos mit Hilfe des Melas, eines Ahnen des → Kypselos (Strab. 8,8,5; Konon FGrH 26 F 1,26; Paus. 2,4,3 f; 5,18,8), oder er erhält die Herrschaft von den Herakliden (Diod. 7,9,2). Seine Dynastie wird durch die → Bakchiaden abgelöst, nach ihm heißen die Korinther poetisch *Alḗtídai.* – Die Macht in Korinth eroberte er mit Hilfe des dodonäischen Orakels, das ihm

voraussagte, er werde Korinth erobern, wenn ihm jemand korinthische Erde reiche – was geschah, als er einen korinthischen Bauern um Brot bat – und wenn die Stadt bekränzt sei: A. griff an einem Totengedenktag an, und er überredete die jüngste Tochter des Königs Kreon mit einem Heiratsversprechen, ihm die Tore zu öffnen (schol. Pind. N. 7,155 [1]; zum Motiv [2]). **[2]** Sohn des Aigisthos. Er usurpierte die Herrschaft von Mykenai, als Orestes von den Erinyen verfolgt umherirrte; A. wurde vom zurückkehrenden Orestes getötet (Hyg. fab. 122, 124). Von Sophokles dramatisch bearbeitet.

1 N. Strosetzki, Ant. Rechtssymbole, in: H 86, 1958 14 f. 2 A. H. Krappe, Die Sage von Tarpeia, in: RhM 78, 1929, 249–262.

E. Simon, LIMC 1.1, 485 f.   F. G.

Aletheia (Ἀλήθεια), die »Wahrheit«. Personifiziert als Tochter des Zeus (Pind. O. 10,4 und fr. 205) und Amme des Apollon (Plut. qu. conv. 3,9 657e); ihr Thron ist aus Erz (Them. or. 22,281c Hercher). Bei den Römern Tochter des Kronos (Saturnus) (Plut. qu. R. 11,267e) bzw. Tempus, »Zeit«, was das griech. Verständnis von Kronos als Chronos voraussetzt (Gell. 12,11,7, nach einem *vetus poeta*); wohl ad hoc-Einfall ist die *nuda Veritas* bei Hor. (carm. 1,24,7).

Bildlich dargestellt auf dem berühmten Gemälde der Verleumdung des → Apelles (Lucian. de calumn. 5), nachgeahmt von Botticellis »La Calunnia«. – Im Gnostizismus erscheint A. zusammen mit → Autogenes als Emanation von Ennoia und Logos (Iren. 1,19,2, Sethianer), als Tochter des Schweigens (Sigē, Ennoia), entstanden zusammen mit dem Nous (Iren. 1,1; Hipp. ref. 6,29,6 f.; 44,1 ff.) und Partnerin des Anthropos (Epiphan. panar. 31,5 f.) in der valentinischen Ogdoas (Iren. 1,12,1; 14,2 ff.; Hippolyt. 6,38,6; 44,1 ff., NH Cod II 5 98 1)

H. Jonas, Gnosis und spätant. Geist, 1954, 1, 363 f. · S. Settis, s. v. A., LIMC 1, 486 f.   F. G.

Aletis s. Aiora, s. Erigone

Aletium. Stadt der → Sal(l)entini (Plin. nat. 3,105: *Aletini*), h. Alezio bei Gallipoli, Ἀλητία Strab. 6,3,6, Ἀλήτιον Ptol. 3,1,76, *Baletium* Tab. Peut. 7,2, Geogr. Rav. 4,31, *Valentium* Guidonis Geographia 29; 72. Gräber u. a. arch. [1. 9–38, 165–174; 2] und epigraphische [1. 59–113, 215–263; 4; 5] Zeugnisse der prähistor., messapischen, sallentinischen und röm. Zeit (bis ins 5. Jh. n. Chr.).

→ Messapii

1 Atti dell VIII Convegno dei Comuni messapici peuceti e dauni, 1983 2 G. P. Ciongoli, Alezio, in: Archeologia dei Messapi. Catalogo della mostra, 1990, 197–200 3 M. T. Giannotta, s. v. Alezio, Bibliografia Topografica della Colonizzazione Greca in Italia e nelle isole tirreniche,

3, 1984, 150–153 4 C. Santoro, Nuovi studi messapici, 1, 1982, 99–110 5 ders., l. c. Suppl. 1984, 72–91. M.L.

Aletrium. Stadt im Gebiet der → Hernici (Plin. nat. 3,63), h. Alatri. Wie Ferentinum und Verulae beteiligte sich A. 307/06 v. Chr. nicht an dem Krieg der Hernici gegen Rom (Liv. 9,42,11) und wurde deshalb wie diese mit Autonomie und → *conubium* belohnt (Liv. 9,43,23). Wenige bauliche Überreste, u. a. Aquädukt und Mauer.

Nissen 2, 654. H.SO.

Aleuadai (Ἀλευάδαι). Aristokratische Familie aus Thessalien, die in → Larissa und Umgebung herrschte. Aleuas »der Rote« soll die mil. und polit. Ordnung des Thessalischen Bundes geschaffen haben (Aristot. frg. 497 Rose; Plut. mor. 492A-B). Zahlreiche A. bekleideten die *tageia*, das Oberamt dieses Bundes. Nach Herodot (7,6; 130; 9,58) traten sie vor den Perserkriegen an Xerxes heran, um ihn zum Einfall in Griechenland zu veranlassen; einige schlossen sich sogar dem Perserheer an. Ab 404 v. Chr. wurde die polit. Entwicklung Thessaliens wesentlich durch die anhaltenden Auseinandersetzungen zw. den A. und den nach Vorherrschaft strebenden Tyrannen von → Pherai geprägt. Dabei bemühten sich die A. wiederholt um mil. Unterstützung aus Makedonien. → Philippos II. intervenierte zw. 356 und 349 mehrfach, besiegte schließlich die Herren von Pherai (Diod. 16,14; 35; 37; 52) und gliederte dabei Thessalien in den maked. Herrschaftsbereich ein. Einige A., die wesentlich dazu beigetragen hatten, erhielten von Philippos das Amt eines → Tetrarches (Demosth. or. 18,48; Athen. 249c). Die Gesch. der A. spiegelt die polit. Gesch. Thessaliens wider, die noch sehr lange von der uneingeschränkten, »archa.« Machtfülle führender Familien und ihren willkürlichen Aktionen geprägt war.

H.-J. Gehrke, Stasis, 1985, 184–197 · H. D. Westlake, Thessaly in the Fourth Century B. C., 1935. E.S.-H.

Alexamenos. Aus Kalydon, Stratege der Aitoler 197/6 v. Chr., organisierte auf einen Wink des → Flamininus die Ermordung des → Brachylles (Pol. 18,43,11) [1. 56]. Er sollte 192 das Regime in Sparta stürzen und ermordete → Nabis, vernachlässigte aber über Plünderungen die polit. Neuordnung und wurde getötet (Liv. 35,35,7–35,9), so daß Sparta nun an den Achäischen Bund kam [1. 73; 2. 77].

1 J. Deininger, Der polit. Widerstand gegen Rom in Griechenland, 1971 2 P. Cartledge, A. Spawforth, Hellenistic and Roman Sparta, 1989. L.-M.G.

Alexanderhistoriker. Sammelname für die ant. Autoren, die zur Gesch. und Biographie von → Alexandros [4] (der Gr.) schrieben. → Kallisthenes zog als Hofhistoriker mit ihm und leistete bis zu ihrem Streit die erwarteten Dienste. Auf seiner sofort publizierten Gesch. (bis 330 v. Chr.?) fußen viele der späteren. Von den Augenzeugen scheinen nur → Ptolemaios und → Aristobulos [7] alle Feldzüge beschrieben zu haben, beide zum Lob von Alexandros. Sie schrieben viele Jahre später, benutzten Kallisthenes und wohl auch inzwischen erschienene Werke, sind also keine Primärquellen. Andere der Teilnehmer, z.B. → Nearchos und → Onesikritos, behandelten Ereignisse, an denen sie führend beteiligt waren, zur Selbstverherrlichung; manche (z. B. → Chares und → Ephippos) schrieben über anekdotisch auszumalende Themen. Den größten lit. Erfolg erzielte → Kleitarchos, der Alexandros kannte und im Urteil ausgeglichener schrieb, aber seine Gesch. z. T. auf Erinnerungen von Teilnehmern niederen Ranges aufbaute, die er reichlich ausschmückte. Er allein wurde in Rom gelesen. Von diesen Werken und vom Großteil der immensen späteren Lit. kennen wir höchstens bei anderen zitierte Fragmente.

Außer → Iustinus, der nicht viel bietet, sind die einzigen ganz enthaltenen Autoren → Plutarchos und → Arrianos [2] (2.Jh. n.Chr.). Von → Diodoros Buch 17 (1.Jh. v. Chr.) ist fast alles erh., von → Curtius Rufus drei Viertel (1.Jh. n. Chr.). Die zwei letzteren (und auch Iustinus) schöpfen meist aus einer gemeinsamen Quelle, wohl Kleitarchos, die man auch bei den anderen findet. Diese Tradition nennt man die Vulgata. Arrianos will hauptsächlich Ptolemaios und Aristobulos herangezogen haben, benützt aber oft Nebenquellen ohne verläßliche Angabe. Unser Alexanderbild beruht fast vollständig auf diesen Autoren. Ihre Auswertung ist methodisch schwierig und oft subjektiv. (FGrH 2B 118, 124–153).

A. B. Bosworth, Conquest and Empire, 1988, 295–300 · J. Seibert, Alexander der Große, 1972 (⁴1994), 1–51. E.B.

Alexandermosaik Monumentales Fußbodenmosaik (5,82 × 3,13 m), das eine Schlacht zwischen Makedonen und Persern, angeführt von Alexander d. Gr. und Dareios, darstellt. Im Oktober 1831 in der »Casa del Fauno« in Pompeji entdeckt (Regio VI,12; jetzt Neapel, NM). Das unvollständig erh. Werk in *opus vermiculatum* (→ Mosaik) besteht aus über 1,5 Mio. mineralisch gefärbten Steinchen. Große, mit Stuck gefüllte Fehlstellen v. a. der l. Hälfte und Ausbesserungen mit gröberen Steinchen sind ant. Reparaturen nach dem Erdbeben von 62 n. Chr.; außerdem kleinere Transportschäden und moderne Restaurierungen [14. 85].

Vor der Folie heftigen Kampfgetümmels beider Heere, deren Masse durch die in relativ gleicher Höhe hintereinander gestaffelten Soldaten und Pferde sowie durch die darüber aufragenden Lanzen bildhaft wird, ist der entscheidende Moment des maked. Sieges wiedergegeben. Von links stürmt Alexander auf seinem Pferd Bukephalos heran, einen sich ihm entgegenwerfenden persischen Edlen mit seiner Lanze durchbohrend. Rechts davon in wilder Flucht, alle anderen

Neapel, Museo Nazionale, **Alexandermosaik**. Mit antiken Beschädigungen. 2. Jh. v. Chr.

überragend, Dareios, dem der Angriff eigentlich gilt, mit hilfloser Geste auf einem Viergespann. Wagenrad und -kasten rahmen das scheuende Fluchtpferd in Rückansicht und dessen Führer, daneben ein zu Boden gestürzter Krieger, den Schild mit seinem Spiegelbild darin gegen das ihn überrollende Rad gestemmt. Die rechte untere Ecke nehmen die Gespannpferde ein, die über einen weiteren Perser hinweggaloppieren. Die Kampfszene gewinnt Raum vor dem breiten, hellen, nur durch einen Baumstumpf gegliederten Hintergund sowie dem podestartig gestalteten Vordergrund.

Vor allem wegen der dokumentarischen Genauigkeit der antiquarischen Details gilt das A. allg. als getreue Kopie eines Gemäldes des ausgehenden 4. Jh. Einzelne Unklarheiten, v. a. in der Bildmitte und bei den Wagenpferden, werden häufig auf Schwierigkeiten der Kopistenwerkstatt bei Anpassung der Vorlage an das Raumformat oder die komplizierte direkte Versatztechnik zurückgeführt [1. 123 ff.]. Umstritten ist der Herstellungsort der Kopie. Die jüngst erneut geäußerte Annahme, die Kopie sei aus einem Palast des hell. Ostens importiert [9], ist allerdings aufgrund der transporthemmenden Ausmaße, des fehlenden Rahmens oder Setzkastens sowie des pompejanischen Mörtelgrundes unwahrscheinlich.

Ebenso kontrovers ist bis heute der Disput um Maler und Lokalisierung des Originals, dessen Auftraggeber und mögliche Rezipienten. Hier überwiegt die Ansicht, das Mosaik sei eine Kopie des bei Plin. nat. 35,110 überlieferten Schlachtengemäldes des → Philoxenos, vom späteren Makedonenkönig → Kassandros wohl zwischen 324 und 317 v. Chr. in Auftrag gegeben [1; 11]. Vielleicht gelangte es nach der Schlacht von Pydna 168 v. Chr. als Kriegsbeute des Aemilius Paullus nach Rom (→ Kunstraub). Andere lokalisieren das Originalbild im ptolemäischen Ägypten oder in Syrien [5; 7]. Gründe hierfür sind Interpretationen der Bildaussage,

die auch andere Diadochen als Auftraggeber plausibel machen können.

Als einziges erh. Zeugnis eines Schlachtengemäldes ist der Wert des A. für das Wissen über die große Malerei des Frühhellenismus unbestritten [13. 63]. Aufbau und Formgebung beruhen primär auf der Zeichnung, an der sich die plastische Modellierung der Figuren durch Abschattierung und Glanzlichter orientiert [4]. Die Plastizität der Figuren, die Wirkung des einheitlich von links einfallenden Lichts, das in Schlag- und Körperschatten faßbar wird, sowie auch die wechselnde → Perspektive der Einzelmotive und kühne Verkürzungen lassen den Bildraum dreidimensional erscheinen. Das gedämpfte, bräunlich wirkende Kolorit ist Beleg für die lit. überlieferte, in dieser Zeit bewußt gepflegte Tradition der »Vierfarbmalerei« (→ Farbe). Auch über die Kompositionsweise des späten 4. Jh. v. Chr. gibt das A. Auskunft. Dramatik wird durch Bewegung und Gegenbewegung erzeugt, trotz individueller Einzelschicksale in manchem Zweikampf sind alle Figuren in einen übergreifenden Handlungszusammenhang gebracht [6; 8]. Diese kompositorischen Mittel finden sich auch in den Wandmalereien von Vergina, was für eine Entstehung des Originals in Makedonien spricht.

Kontrovers diskutiert wird auch der Charakter des A. als Historienbild (→ Historienmalerei). Ein Großteil der Forschung bezieht die Speere und die (weitgehend zerstörte) Standarte im Hintergund auf ein bestimmtes taktisches Manöver, einen maked. Umgehungsangriff, und sieht damit ein konkretes histor. Ereignis dargestellt. Überwiegend vorgeschlagen wird die Schlacht bei Gaugamela (Issos: [12. 134–139]). Der Maler wird hier als ein objektiver Berichterstatter aufgefaßt. Andere bestreiten gerade diese Unparteilichkeit und verweisen auf die vom Auftraggeber intendierte polemische Gegenüberstellung von maked. Königtum und orientalischem Despotismus [2. 188 f.]: auf der einen Seite Alexander,

der als Vorkämpfer der Hetairoi in vorderster Front den Sieg erringt, auf der anderen Dareios, der, um sein eigenes Leben zu retten, seine Gefolgsleute überrollt. Diese Kontrastierung würde noch gesteigert, bezöge man die Speere und die Standarte, als Ausdruck zahlenmäßiger Überlegenheit, wieder auf das persische Heer [5; ablehnend: 8; 12. 128].

Zur Frage nach den Auftraggebern, den röm. Interessenten an einer Kopie sowie allg. den ant. Rezeptionsaspekten solcher als vorbildlich aufgefaßten Bildkonzepte s. → Kunstinteresse. Nachklänge des A. finden sich am → Alexandersarkophag aus Sidon, auf etr. Urnen, ital. Reliefs sowie in Einzelmotiven verschiedener Gattungen. Im 19. Jh. wurde eine Fliesenkopie in den Röm. Bädern im Park von Sanssouci verlegt [11].

1 T. HÖLSCHER, Griech. Historienbilder des 5. u. 4. Jh. v. Chr., 1973, 122–162 **2** B. FEHR, Rez. zu [1], in: Gnomon 49, 1977, 179–192 **3** B. ANDREAE, Das A. aus Pompeji, 1977 (zahlr. Farbabb.) **4** V. v. GRAEVE, Zum Zeugniswert der bemalten Grabstelen von Demetrias f. d. griech. Malerei, in: La Thessalie, Actes de la Table-Ronde Lyon 1975, 1979, 123–124 **5** C. NYLANDER, The Standard of the Great King – A Problem in the A., in: OpRom 14, 1983, 19–37 **6** T. HÖLSCHER, Röm. Bildsprache als semantisches System, Abh. Heidelberg 1987, Nr. 2, 20–29 **7** B. FEHR, Zwei Lesungen des A., in: Bathron, FS H. Drerup, 1988, 121–134 **8** T. HÖLSCHER, Zur Deutung des A., in: Akurgal's Armagan. FS E. Akurgal (Anadolu 22, 1981–83), 1989, 297–307 **9** M. DONDERER, Das pompejan. A. – Ein östl. Importstück?, in: Das ant. Rom u. der Osten, FS K. Parlasca, 1990, 19–31 **10** H. PHILIPP, Der Große Trajanische Fries. Überlegungen zur Darstellungsweise am Großen Trajanischen Fries und dem A., 1991 **11** H. NEHLS, Das A. im Caldarium der Röm. Bäder zu Potsdam-Sanssouci, in: Jb. f. brandenburgische Landesgesch. 43, 1992, 128–136 **12** A. STEWART, Faces of Power. Alexander's Image and Hellenistic Politics, 1993, 130–150 **13** I. SCHEIBLER, Griech. Malerei, 1994, passim **14** N. DE VOS, in: PPM 5, 1994, 83–85,123 **15** P. ZANKER, Pompeji, 1995, 47–49.   N. H.

Alexanderroman [I, griechisch] s. Ps.-Kallisthenes [II, lateinisch].

A. BEGRIFF   B. 1 DER EIGENTLICHE ALEXANDERROMAN   B. 2 VERWANDTE SCHRIFTEN C. REZEPTIONS- UND WISSENSCHAFTSGESCHICHTE

A. BEGRIFF

Unter dem lat. A. werden die beiden lat. Versionen des Ps. → Kallisthenes sowie mit diesem in Umlauf gebrachte, inhaltlich verwandte Schriften verstanden, in denen Fremdlandschilderungen oder (auf den Kynismus zurückgehende) Kritik der westl. Zivilisation, die vornehmlich durch christl. Interpreten formuliert wurde, überwiegen. Lit.- (Alexanderhistoriker) und gattungsgesch. (Biographie und Brief; histor. Roman; Anleihen aus dem Reiseroman/Peripluslit.) ist der lat. A. als Übers.-Lit. einzustufen. Ein Interesse an der Person Alexanders des Großen ist in Rom bes. in der ausgehenden Republik feststellbar: Eine *imitatio Alexandri* (durch Crassus, Pompeius, Caesar) fördert diese Be-

geisterung, so daß die Übers. auch von daher verständlich ist.

B. 1 DER EIGENTLICHE ALEXANDERROMAN

1. Die *Res gestae Alexandri Magni:* Der A. wird Anfang des 4. Jh. durch den Alexandriner → Iulius Valerius erstmals ins Lat. übertragen. Er benutzt die älteste Fassung des griech. A. (Rez. α). Das nach dem biographischen Schema in *ortus – actus – obitus* in 3 B. aufgeteilte Werk gelangt in B. 1 bis zur Zerstörung Thebens, in B. 2 bis zum Tode des Dareius und der Vermählung Alexanders mit dessen Tochter Roxane, in B. 3 über Alexanders Zug nach Indien bis zu seinem Tod. Ab B. 2 nehmen Briefe als Erzählelement den ersten Platz ein, unter denen wiederum der Brief Alexanders an Aristoteles über Indien (3,17,316–612) herausragt. Eine eigene Tendenz des Valerius wird nicht sichtbar; Romorientierung verrät einzig ein Zusatz in 1,31 (907 f.).

2. Die *Zacherepitome:* Die Übers. des Valerius wurde im MA kaum benutzt, jedoch ein Auszug eines Anon. (2 weitere epit. existieren), abgefaßt an der Wende vom 8. zum 9. Jh., erfreute sich großer Beliebtheit. Er zeigt in B. 2 größere Auslassungen, von B. 3 des Valerius sind nur Fragmente aufgenommen.

3. Unter dem Titel *Nativitas et victoria Alexandri Magni regis* übersetzte Mitte des 10. Jh. der Neapolitaner Leo Archipresbyter die Rezension δ* (aus α abgeleitet) des griech. A. Seine Übers. war für die ma. Verbreitung des Alexanderstoffes maßgeblich. Drei durch Interpolationen erweiterte Fassungen *(Historia de preliis)* sind aus ihr hervorgegangen: J¹, interpoliert, vordringlich darum bemüht, den holprigen Stil der Vorlage zu emendieren, aus dem 11. Jh.; J², bereichert durch Orosius, Valerius Maximus, Ps.-Methodius (Legende von Gog und Magog), Ps.-Epiphanios und Josephus, um die Wende zum 12. Jh.; J³ aus dem 1. Drittel des 13. Jh., mit christl. und oriental. Sentenzen ausgestattet. J³ wurde 1236–38 von Quilichinus de Spoleto in lat. Distichen übertragen.

B. 2 VERWANDTE SCHRIFTEN

1. Die *Epist. Alexandri ad Aristotelem magistrum suum de itinere suo et de situ Indiae,* die bedeutendste sekundäre Alexanderschrift, die verkürzt im griech. A. (Rez. α) und bei Leo Presbyter überliefert wird, nimmt auf das angeblich enge Verhältnis zw. Aristoteles und Alexander Bezug. Digressionen über Flora, Fauna und Bewohner der östl. Wunderwelt beherrschen die Schrift. Dieses Bedürfnis nach inhaltlicher Variation fügt sich in die Paradoxographie, die die Mirabilia-Lit. rund um Alexander kennzeichnet, ein. Wenngleich Teratologisches in der *Epist.* vorherrscht, ist bisweilen ein aufklärerischer Ton bei der Deutung von Naturereignissen anzutreffen (Kap. 41). Die reiche Überlieferung und zahlreiche Übers. in die Volkssprachen zeugen von ihrer enormen Beliebtheit.

2. Die Metzer Alexander-Epit. *(incerti auctoris Alexandri Magni Macedonis epitoma rerum gestarum),* in nur einer Hs. aus dem 10. Jh. überliefert, erzählt in knappem Berichtstil von den Feldzügen Alexanders ab dem Tode des Dareios bis zu seiner Ankunft an der Indusmündung.

Eingelegt finden sich ein Brief des Porus an Alexander (Kap. 56), der indischen Weisen an ihn (71–74) sowie ein Gespräch mit den Gymnosophisten (78–88). Für den Gang der Ereignisse benutzt der Epitomator einen Historiker der kleitarchischen Tradition (Parallelen zu Curtius, Iustinus und Diodor sind häufig), für die Briefe scheint er auf eine lat. Briefsammlung zurückgegriffen zu haben, die der Vorlage des Ps.-Kallisthenes überaus ähnlich war.

3. *De morte testamentoque Alexandri Magni liber* ist als eigene Schrift (Kap. 87–133) in der Metzer Alexander-Epit. überliefert und zudem in zwei spanischen Hss. aus dem 16. Jh. Parallelen zum griech. A. (3,30–33) können auf Schritt und Tritt ausgemacht werden, Abweichungen von den Historikern, von denen nur Curt. 10,10,5 und Diod. 20,81 das Testament Alexanders erwähnen, sind beträchtlich. Etliche Ungereimtheiten des A. kennt der *libellus* nicht. Der Verf. dürfte auf eine verlorene Vorlage des A.s zurückgegriffen haben.

4. Die *Epist. de rebus in Oriente mirabilibus*, als Brief eines gewissen Fermes (d.i. der Armenier Pharasmanes) konzipiert, beruft sich in der Fremdlandschilderung auf den Zug des Makedonen in den Osten. Der Brief ist in Form eines Itinerars (→ Katalog) angelegt, in ihm überwiegen Wunderberichte über Großarmenien, Mesopotamien, Arabien und Ägypten; u. U. liegt ihm ein urspr. selbständiges Schreiben Alexanders an Aristoteles oder Olympias zugrunde. Der *liber monstrorum* (7.–8. Jh.) schöpft aus der *Epist.* und kann somit als terminus ante quem für ihr Entstehen angesehen werden. Einen Teil der Nachrichten bezieht der Verf. aus der lat. Übers. des A., doch selbst Spuren des griech. A. können gefunden werden. Aus dem Brief des Pharasmanes gelangten Zusätze in J² und J³ der *Historia de preliis*. Eine Vielzahl von Monstren wurde durch ihn in der lat. und volkssprachl. Lit. des MA bekannt.

5. Die *Sancti Ambrosi vita Bragmanorum* wurde aus der reicheren Fassung des Palladius ins Lat. übers. und hat – zu Recht – in das Textcorpus des Ambrosius Eingang gefunden. Sie ist abgehoben von jeglicher Wunderthematik, will vielmehr eine Kritik westl. herrscherlicher Lebensführung sein. Berichtet wird vom Wunsch Alexanders, die Weisheit der Brahmanen kennenzulernen. Das Gespräch wird mit dem Gymnosophisten Dandamis über Gottesfurcht versus -verachtung, über die Erkenntnis einer Wechselbeziehung zwischen Gott und Natur begonnen. Ambrosius formt zwar die Vorlage nicht eigenständig aus, kürzt den griech. Text jedoch an mehreren Stellen. Die Betonung von Natur und Askese in dem Traktat treffen sich mit seinen Anliegen.

6. Die *Collatio Alexandri Magni cum Dindimo rege Bragmanorum de philosophia facta* umfaßt 5 Schreiben, die zw. Alexander und dem Brahmanen Dindimus (= → Dandamis) ausgetauscht worden sein sollen. Eine griech. Version ist unbekannt. Eine Nähe zum Brahmanentraktat ist gegeben; im Gegensatz dazu geht Alexander in der Disputation als Sieger hervor. Überlegungen zur Askese

bilden den Kern der Schrift, in der christl. Gedanken eine grundlegende Rolle spielen (z. B. Kritik des Polytheismus). Die Wirkung im MA war beträchtlich, ihre antiasketische Tendenz wurde dabei übersehen.

C. Rezeptions- und Wissenschafts-geschichte

Die Bed. des lat. A. beruht auf seiner immensen Wirkung auf die lat., bes. aber volkssprachliche Lit. des MA, indem er die Grundlage für Alexanderdichtungen bildete, aber auch Eingang fand in Weltchroniken und Enzyklopädien (*speculum mundi*-Motiv). Nicht zuletzt wurden die Erzählungen von den Wunderreichen im Osten im Zuge der Kreuzzugspropaganda im Sinne einer Politprotreptik, d. h. einer *adhortatio ad militiam*, funktionalisiert. Wiss. hat den A. als Produkt sog. Subkultur nur geringe Beachtung gefunden.

ED.: M. Rosellini, Iuli Valeri res gestae Alexandri Macedonis transl. ex Aesopo Graeco, 1993 · J. Zacher, Iulii Valerii epitome, 1867 · F. Pfister, Der A. Archipresbyter Leo, 1913 · D. J. A. Ross, A New Ms. of Archipriest Leo of Naples, in: CM 20, 1959, 98–158 · A. Hilka, K. Steffens, Historia Alexandri Magni (Historia de preliis), Rez. J¹, 1979 · A. Hilka, Rez. J², 2 Teile, 1976–1977 · K. Steffens, Rez. J³, 1975 · M. Feldbusch, Der Brief Alexanders an Aristoteles über die Wunder Indiens, 1976 · P. H. Thomas, Epitoma rerum gestarum Alexandri Magni cum libro de morte testamentoque Allexandri, ²1966 · C. Lecouteux, De rebus in Oriente mirabilibus, 1979 · S. V. Yankowsi, The Brahman Episode, 1962 · B. Kübler, Alexandri Magni regis Macedonum et Dindimi ... collatio, 1888.
Übers.: W. Kirsch, Die Historie von Alexander, ⁴1984.
Lit.: T. Hägg, The Novel in Antiquity, 1983, 125–140 (A.) · D. Romano, Giulio Valerio, 1974 (B.I.1) · A. Cizek, Ungeheuer und magische Lebewesen in der Epist. Alexandri, in: Proceedings 3rd International Beast Epic, Fable and Fabliau Colloquium 1979, 78–94 · L. L. Gunderson, Alexander's Letter to Aristotle about India, 1980 (B.II.1) · R. Merkelbach, Die Quellen des griech. A., ²1977, 161–164 (B.II.2) · F. F. Schwarz, Alexanders Gespräch mit den Brahmanen, in: Litterae Latinae 31, 1975/76, 1–16 (B.II.5) · B. J. B. Berg, Tales of Alexander and the East, Wonders and Wise Men, Diss. Stanford 1973, 127–138 (B.II.6) · G. Cary, The Medieval Alexander, 1956 · D. J. A. Ross, Alexander Historiatus. A Guide to medieval illustrated Al. Literature, ²1988. HE.HA.

[III, orientalisch]. Die oriental. Versionen des A. erscheinen in einer Vielfalt von Bearbeitungen und unter Aufnahme zahlreicher nicht dem Ps.-Kallisthenes entstammender Elemente. Gemeinsam ist ihnen die Darstellung Alexanders als Vorkämpfer der jeweiligen Religion bzw. ethnisch-polit. Identität. So erscheinen seine Reisen im Islam als Bekehrungszüge zur Ausbreitung des wahren Glaubens und Vernichtung des Götzendienstes. Die südarab. Alexanderüberlieferung versteht ihn als Herrscher von Südarabien; in einigen persischen Fassungen zeigt er sich tolerant gegen die zoroastrische Religion. In den christl.-oriental. Bearbeitungen tritt Alexander als christl. König auf, in der kopt. Version auch als Ägypter.

Direkte Übers. des Ps.-Kallisthenes aus dem Griech. (Zweig α) sind nur für das Armen. (vor 504, wichtigste Bearbeitung von Ḥač'atur um 1300) [1] und das Mittelpersische oder Pahlawi (6./7. Jh., nicht erh.) belegt. Die kopt. Version (6. Jh.), im Stil der Mönchslit. abgefaßt, ist dagegen eine selbständige Arbeit nach griech. Vorlage [2]. Aus dem Pahlawi wurde der Roman im 7. Jh. ins Syr. übersetzt [3. 11–24]. Außer dieser ostsyr. Fassung und ihrer westsyr. Bearbeitung, die Spuren des β- und γ- Zweiges trägt, waren eine mit diesen nur locker verbundene christl.-syr. »Alexanderlegende« (nach Zweig β) sowie deren poetische Bearbeitung, das »Alexanderlied«, im Umlauf [4]. Der syr. »Alexanderlegende« kommt bes. Bed. für die arab. Überlieferung zu: sie enthält Motive, auf die im Koran Bezug genommen wird. Eine arab. Übers. des Ps.-Kallisthenes konnte bisher nicht nachgewiesen werden. Spuren des A. finden sich in folgenden Bereichen der arab. Lit., wobei Alexander häufig als Ḏū l-Qarnain »Der Zweigehörnte« auftritt: a) im Koran, Sure 18,60–64: Der Fisch, der durch die Berührung mit dem Wasser des Lebensquells lebendig wird; Sure 18,83–98: Alexanders Reisen an die Enden der Welt; Dammbau gegen Gog und Magog [5]. b) Bei Historikern des 9./10. Jhs. in Abrissen über Alexanders Leben und die Gründung und Gesch. der Stadt Alexandria [6]. c) In der »Chadhirlegende«, in der die mythische Figur al-Ḥiḍr (»der Grüne«, auch al-Chadhir) als Alexanders Begleiter auf der Suche nach dem Lebensquell, dem Zug ins Land der Finsternis und anderen Reisen auftritt. Diese Legende findet sich in theologischen, geogr. und biographischen Werken, auch in den Quellen zu b) [7]. d) In den von Ibn Hišām († ca. 830) gesammelten südarab. Legenden um Ḏū l-Qarnain [8] und schließlich e) in den meist unter dem Titel sīrat al-Iskandar (Leben und Taten Alexanders) verschriftlichten arab. Alexanderepen. Aus der reichen und weitverbreiteten arab. Alexanderüberlieferung sind weitere oriental. Versionen hervorgegangen, wie die christl.-äthiopische [9. xxiv]. Die zweite äthiopische Version, eine Übers. des Ps.-Kallisthenes, basiert dagegen auf einer unbekannten, vielleicht späten arab. Übers. [3. 53–54]. In den noch relativ nah am syr. bzw. griech. Ps.-Kallisthenes orientierten Darstellungen bei den arab. Historikern (s. o. b) sind die Quellen für die persische Version im Šāhnāme (»Königsbuch«) des Firdausī († 1020) zu suchen [3. 50–52]. Das persische Eskandar-Nāme (»Alexanderbuch«) des Nizāmī († ca. 1200) spiegelt dagegen die ganze Vielfalt der muslimischen Alexanderüberlieferung [10]. Unter anderen Quellen speiste sich auch die osmanisch-türkische Version des Aḥmedī († 1413) aus dem Werk des Nizāmī [11]. Eine mongolische Version ist in Fragmenten des 14. Jhs. aus Turfan erhalten [12]. Wohl im 15. Jh. entstand die malaiische Version eines arab. Alexanderepos [13].

1 N. Akinian, Die hsl. Überlieferung der armen. Übers. des A. von Ps.-Kallisthenes, in: Byzantion 13, 1938, 201–206 2 C. D. G. Müller, s. v. A.: Kopt. Version, Kindler 18, 82 3 T. Nöldeke, Beitr. zur Gesch. des A., (= Denkschriften der kaiserlichen Akad. der Wiss. in Wien, philos.-histor. Cl., XXXVIII.5), 1890 4 J. Assfalg, s. v. A.: Syr. Versionen, Kindler 18, 82–84 5 A. J. Wensinck, s. v. al-Khaḍir, EI² IV, 902–905 6 F. C. W. Doufikar-Aerts, A Legacy of the Alexander Romance in Arab Writings: Al-Iskandar, Founder of Alexandria, in: J. Tatum (Hrsg.), The Search for the Ancient Novel, 1994, 323–343 7 I. Friedländer, Die Chadhirlegende und der A., 1913 8 T. Nagel, Alexander der Große in der frühislamischen Volkslit., 1978 9 E. A. W. Budge, The Alexander Book in Ethiopia, 1933 10 A. Abel, s. v. Iskandar Nāma: Persian, EI² IV, 127–128 11 U. Wolfart, s. v. A.: Osmanisch-türkische Version, Kindler 18, 86–87 12 F. W. Cleaves, An Early Mongolian Version of the Alexander Romance, in: Harvard Journal of Asiatic Studies 22, 1959, 1–99 13 P. J. Van Leeuwen, De Malaische Alexanderroman, 1937.

Fondazione Memmo (ed.), Alessandro magno, storia e mito, 1995, 153–191, 320–377. C. O.

Alexandersarkophag. Moderner t. t. für den prächtigsten gr. Reliefsarkophag (→ Relief; → Sarkophage). 1887 in der Königsnekropole von Sidon gefunden, wird er dem lokalen Regenten → Abdalonymos (333–312 v. Chr.) zugewiesen. Er gehört zur Gruppe der Haussarkophage mit Architekturdekor und ist für die Reliefbilder berühmt, an denen Reste der Bemalung erhalten sind. Alexander wird zumeist in einem Kämpfer mit Löwenexuvien in der Perserschlacht erkannt, Abdalonymos innerhalb der Löwenjagd. Gesichert ist der Einfluß der zeitgenössischen Historienbilder, umstritten das Verhältnis zwischen histor. Authentizität und allgemeiner Herrscherdarstellung. Der A. wurde von einer gr. Werkstatt gearbeitet, die weitere Sarkophage der Nekropole schuf; er steht am Beginn hell. Kunstschaffens im Orient.

V. v. Graeve, Der A. und seine Werkstatt, IstForsch 28, 1970 • W. Messerschmidt, Histor. und ikonographische Unt. zum A., in: Boreas 12, 1989, 64–92. R. N.

Alexanderwall. Legendäre Bezeichnung für Grenzbefestigung von der Küste des Kaspischen Meeres bis in die ca. 200 km entfernten Berge von Pischkamar. Wahrscheinlich partisch und sasanidisch. Heute noch 175 km lang bei 2,5 m Höhe und 10 m Breite; davor Graben von 3 m Tiefe und 30 m Breite; verschiedene Zusatzmauern. 40 Forts folgen im Abstand von 0,4–6 km südl. der Mauer. Gegrabene Forts: Qaleh Kafar, Qaravol Tappeh. Bot Schutz für ca. 500 Dörfer und Städte.

M. Y. Kani, Parthian Sites in Hyrcania, in: A M I, Erg. Bd. 9, 1982. B. B.

Alexandra Salome. 140–67 v. Chr., in 1. Ehe mit → Aristobulos [1] I., in 2. mit → Alexandros Iannaios [II 16] verheiratet, folgte diesem 76 in der Königswürde und bestimmte ihren Sohn → Hyrkanos II. zum Hohepriester. Sie beendete den ererbten Konflikt mit den

→ Pharisaioi, beteiligte sie an der Regierung. Deren Absicht, die Ratgeber des Alexandros Iannaios hinzurichten, verhinderte der Einspruch der Jerusalemer Aristokratie. Vor den Expansionsplänen → Tigranes I. von Armenien bewahrten sie Geldzahlungen und die Offensive des Lucullus. Kurz vor ihrem Tod erhob sich mit Unterstützung der Aristokratie Jerusalems ihr jüngerer Sohn → Aristobulos [2] II. , um sich die Nachfolge zu sichern (Ios. ant. Iud. 13,405–32; bell. Iud. 107–19).

SCHÜRER, Bd. I, 229–232.   K.BR.

Alexandreia (Ἀλεξάνδρεια).
Name zahlreicher Stadtgründungen Alexanders d. Gr.; darunter neun im östl. Iran, Afghanistan, Pakistan und Indien. **[1, in Ägypten]** A. TOPOGRAPHIE B. BEVÖLKERUNG C. WIRTSCHAFT UND KULTUR D. CHRISTENTUM/SPÄTANTIKE

A. TOPOGRAPHIE
Stadt an der ägypt. Mittelmeerküste, 331 von Alexandros unweit der ägypt. Siedlung Rhakotis westl. des kanopischen Nilarms gegründet, zwischen Meer und Mareotissee gelegen. Die Stadt ist von dem Architekten → Deinokrates geplant worden; wichtigste Quelle ist Strab. 17,791 ff. Durch Zerstörung, Überbauung und natürliche Veränderungen der Wasserstände ist heute kaum noch etwas von der alten Stadtanlage bekannt. Die vorgelagerte Insel → Pharos wurde durch einen Damm (Heptastadion) mit der Stadt verbunden, so daß zwei Häfen entstanden: Der östl. befestigte Haupthafen und der westl. (Eunostos), mit einem künstlich angelegten Teil (Kibotos), der durch einen Kanal mit dem Mareotissee verbunden war. Der dort gelegene Binnenhafen hatte nach Strabon für den Import größere Bed. als die Seehäfen. Auf der Insel Pharos stand der berühmte Leuchtturm, unter → Ptolemaios I. und Ptolemaios II. errichtet, der erst im 14. Jh. ganz zerstört wurde. Die Stadt selbst war seit Ptolemaios I. von einer Mauer umgeben, wuchs aber bald darüber hinaus. Breite Hauptstraßen kreuzten sich im rechten Winkel. Die Anlage ist im Detail nicht mehr zu ermitteln; einzelne Straßennamen sind überliefert. Westl. und östl. der Stadt lagen ausgedehnte Nekropolen. Der Palastbezirk, in röm. Zeit Brouchion genannt, lag am östl. Hafen wie auch das → Museion und die Grabstätte Alexandros' und der Ptolemaier. Im Westen lag das Ägypterviertel Rhakotis (h. Kom eš-Šugafa) mit dem → Serapeum. Die Stadt selbst war in fünf Bezirke (A-E) eingeteilt.

B. BEVÖLKERUNG
A. war eine selbständige griech. Polis und gehörte nicht zu Ägypten (A. ad Aegyptum). Seit Beginn der röm. Herrschaft, evtl. schon früher, besaß sie aber keinen eigenen Stadtrat (boulé) mehr; er wurde erst im Jahr 200 n. Chr. wieder eingeführt. Zwischen 320 und 311 löste A. Memphis als Residenzstadt ab. Die Bevölkerung umfaßte nach Diod. 17,52 mehr als 300000 Freie, und so könnte A. in seiner Blütezeit insgesamt von einer Million Menschen oder mehr bewohnt gewesen sein. A. war von Beginn an eine ausgeprägt multiethnische Stadt. Die größten Gruppen unter den Freien waren Griechen und Makedonen, Ägypter sowie Juden und Syrer. Die bedeutende jüd. Gemeinde bewohnte den Distrikt »D« östl. des Palastviertels. Zuwanderung und Status der Juden wurden bes. von Ptolemaios VI. Philometor begünstigt.

C. WIRTSCHAFT UND KULTUR
Die große wirtschaftliche Bed. A.s beruhte auf dem Handel, vor allem auf dem Getreidehandel, für den die Stadt durch ihre Lage, mit Seehäfen sowie Schiffsverbindungen zum ägypt. Binnenland und zum Roten Meer, prädestiniert war. Auch das Handwerk, Textil-, Glas- und Metallverarbeitung ebenso wie die Papyrusherstellung, waren bedeutend. A. wurde bald zum wichtigsten Zentrum von Kunst und Wissenschaft in der hell. Welt, vor allem durch Gründung und Förderung des Museions und dessen Bibliothek, zu der später

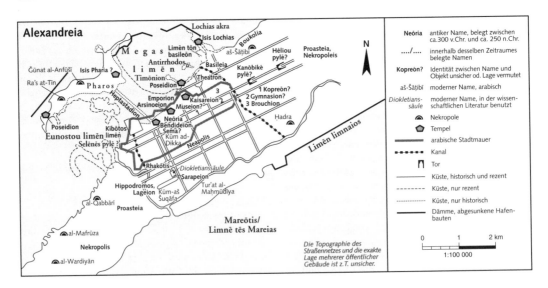

unter Ptolemaios I. und Ptolemaios II. eine zweite bedeutende im → Serapeum kam. Die Bibliothek soll zeitweise etwa eine halbe Million »Bücher« umfaßt haben. Bes. intensiv und erfolgreich war das Studium der Naturwiss., der → Medizin und → Anatomie, → Mathematik (→ Eukleides), Geographie (→ Eratosthenes) und Astronomie (→ Aristarchos [3, von Samos]). Ebenso renommiert war die alexandrinische Literaturwiss., Philologie und Grammatik (→ Grammatiker). Bekanntestes Produkt der jüd.-hell. Literatur ist die griech. Bibelübersetzung (Septuaginta). Dagegen hat die alexandrinische Philos. erst in spätröm. Zeit größere Bed. erlangt (→ Neuplatonismus).

Die Blütezeit A.s liegt in der ptolemaiischen Epoche. Aber auch in röm. Zeit war es neben Rom das bedeutendste Zentrum, wurde weiter ausgebaut und oft von röm. Caesaren besucht. In dieser Zeit war A. oft Schauplatz von antiröm. Aufständen und ethnischen Auseinandersetzungen (jüd. Aufstand 115–117).

D. CHRISTENTUM / SPÄTANTIKE

Die christl. Gemeinde wurde der Legende nach vom Evangelisten Markus gegründet. A. ist Sitz des Patriarchen; etwa ab 200 wird der christl. Einfluß sehr bedeutsam. 269 wird A. im Krieg mit Palmyra (269–73) erobert und schwer zerstört, vor allem das ehemalige Palastviertel. In byz. Zeit schwindet die Bed. der Stadt; nach der arab. Eroberung 642 wird die Hauptstadt nach Fustat / Kairo verlegt und A. tritt mehr und mehr in den Hintergrund.

→ Bibliothek

P. M. FRASER, Ptolemaic Alexandria, 3 Bde., 1972 · W. SCHUBART, s. v. A., RAC I, 271–83 · H.-A. RUPPRECHT, Kleine Einführung in die Papyruskunde, 1994, 67–8 (mit weiterer Lit.) · J. SEIBERT, Das Alexanderreich (336–323 v. Chr.), TAVO B V I, 1985 · H. HEINEN, W. SCHLÖMER Ägypten in hell.-röm. Zeit, TAVO B V 21, 1989.　K. J.-W.

[2] Stadt in der → Troas, h. Dalyanköy, wurde kurz nach 306 v. Chr. auf → Antigonos' [1] I. Veranlassung durch → Synoikismos von mindestens sechs Städten an der Westküste unter dem Namen Antigoneia an einer Stelle gegr., die vorher Sigia geheißen haben soll (Strab. 13,1,26; 33). In hell. Zeit nahm die Stadt, die unter → Lysimachos in Alexandreia Troas umbenannt wurde, einen raschen Aufschwung. In den Kämpfen zw. Seleukiden und Attaliden ergriff A. die Partei der Pergamener. Nach 188 v. Chr. wurde sie zur freien Stadt erklärt und später – wohl unter Caesar – zur röm. → colonia Colonia Alexandria Augusta Troas erhoben. Als einzige Stadt der Troas zusammen mit → Parion besaß sie das → ius Italicum (Dig. 50,15,8) und die Zollhoheit [3. 114 f.]. Von → Caesar und → Constantinus wurde erwogen, A. zur Hauptstadt des Reiches zu erheben (Suet. Caes. 79; Zos. 2,30; Zon. 13,3). Der Aufstieg von → Konstantinopolis und mehrere Erdbeben führten zum Verlassen der Stadt. Von ihrem ehemaligen Wohlstand zeugen die noch h. sichtbaren Bauten wie das von → Herodes Atticus finanzierte Bad, das Theater, die Wasserleitung, die Stadtmauern, eine → Basilika und ein

Tempel, ebenso seit hell. Zeit eine reiche Münzprägung. Aufgrund der Ruinen wurde A. von Reisenden der Neuzeit mit → Troia verwechselt [2. 111 f.]

1 J. M. COOK, The Troad, 1973 2 D. F. EASTON, Troy before Schliemann, Studia Troica I, 1991, 111–129 3 H. ENGELMANN, D. KNIBBE, Das Zollgesetz der Prov. Asia, in: EA 14, 1989.

A. R. BELLINGER, Troy, 1961 · W. LEAF, Strabo on the Troad, 1923 · W. ORTH, Die Diadochenzeit im Spiegel der histor. Geogr., 1993 · E. SCHWERTHEIM, H. WIEGARTZ (Hrsg.), Neue Forsch. zu Neandria und A. Troas, 1994.　E. SCH.

[3] In Syrien (h. Iskanderun/Alexandrette) zw. Issos und Antiocheia [1] (Strab. 14,676; Ptol. 5,14,2), erscheint in den röm. Itin. [1] an einem Straßenschnittpunkt. [4] Stadt in der Susiana unweit der Tigrismündung (Plin. nat. 6,138).

1 MILLER, 753 f., 760 mit Skizze Nr. 219, 665 f.

J. SEIBERT, Das Alexanderreich (336–323 v. Chr.), TAVO B V I, 1985.　J. RE. u. H. T.

[5] Ἀ. μαργιάνη, später → Antiocheia [7] (Plin. nat. 6,46–47); heute Giaur Kala in → Merv.

J. SEIBERT, Das Alexanderreich (336–323 v. Chr.), TAVO B V I, 1985.　B. B.

[6] In → Areia [2] (Strab. 11,514, 516, 723; Ptol. 6,17,6), h. Herāt, Afghanistan. [7] In → Arachosia (Ptol. 6,20,4), auch Alexandropolis genannt, h. Kandahar.

J. SEIBERT, Das Alexanderreich (336–323 v. Chr.), TAVO B V I, 1985.　J. RE. u. H. T.

[8, Eschate] (Ἀλεχάνδρεια Ἐσχάτη). Nördlichste Gründung (327 v. Chr.) → Alexandros' III. [4] am Iaxartes (Arr. an. 4,1,3; Plin. nat. 6,49; Curt. 7,6,13,25 f.; Tanais); h. Kodzent/Leninabad.

D. N. WILBER, s. v. Alexandrian Foundations, in: PE 39.　I. v. B.

[9] Ἀ. πρὸς Καυκάσῳ (Arr. an. 3,28,4; 4,22,4; Diod. 17,83) ἐν Παραμισάδαις, h. Charikar nördl. von Kabul.

J. SEIBERT, Das Alexanderreich (336–323 v. Chr.), TAVO B V I, 1985.　B. B.

[10] Ἀ. Βουκέφαλα → Bukephala. [11] Am Zusammenfluß des Indus und der fünf Panjab-Ströme (Arr. an. 6,15,2; Diod. 17,102; Curt. 9,8,8).

J. SEIBERT, Das Alexanderreich (336–323 v. Chr.), TAVO B V I, 1985.　K. K.

[12] Ἀ. ὠξειανή (Ptol. 6,12,6), wohl → Ai Chanum.

J. SEIBERT, Das Alexanderreich (336–323 v. Chr.), TAVO B V I, 1985.　B. B.

Alexandrinische Bibliothek s. Bibliothek

Alexandrinische Philologie
s. Philologie, s. Aristarchos [6], s. Aristophanes [4]

Alexandrinische Schule.
Hierunter wurden die vom 5.–6. Jh. n. Chr. in Alexandreia unterrichtenden Neuplatoniker, u. a. Hypatia, Hierokles, Hermeias, Ammonios, David, Elias, Philoponos, zusammengefaßt, letzterer nur insoweit, als er einige Komm. des Ammonios herausgab. Der Begriff »Schule« bezeichnet hier nicht, wie im Falle der neuplatonischen Schule in Athen, eine durchorganisierte Lehrinstitution, sondern jeder der in Alexandreia unterrichtenden Neuplatoniker stand wirtschaftlich auf eigenen Füßen. Die meisten der in Alexandreia unterrichtenden Neuplatoniker hatten in Athen studiert, und der anfangs in Alexandreia unterrichtende Damaskios wurde später Diadoche in Athen. Simplikios, der zunächst bei Ammonius in Alexandreia studierte, wurde später der Schüler des Damaskios in Athen. Schon aus diesem Grunde schieden grundsätzliche doktrinale Unterschiede, wie [1; 2] sie festzustellen glaubten, aus. Neuere, gründlichere doktrinale Untersuchungen kamen zu dem gleichen Ergebnis, d. h. daß bei den alexandrinischen Neuplatonikern weder christl. Einfluß festzustellen ist noch ein Rückgriff auf ältere, einfachere Formen des Platonismus [3; 4; 5].

→ Neuplatonismus

1 K. Praechter, Richtungen und Schulen im Neuplatonismus, in: KS, hrsg. von H. Dörrie, 1973 2 K. Praechter, Christl.-neuplatonische Beziehungen, 1904, 138–164: Ndr. s. [1] 3 I. Hadot, Le problème du néoplatonisme alexandrin: Hiéroclès et Simplicius, 1978 4 K. Verrycken, The Metaphysics of Ammonius son of Hermeias, in: R. Sorabji, Aristotle Transformed, 1990, 199–231 5 I. Hadot, A propos de la place ontologique du Démiurge dans le système philosophique d'Hiéroclès, in: REG 106, 1993, 430–459. I. H.

Alexandrinische Unziale s. Unziale

Alexandrinisches Relief s. Relief

Alexandrinismus s. hellenistische Dichtung

Alexandros
I. Mythos II. Angehörige hellenistischer Herrscherfamilien (2 – 16) III. Weitere politisch tätige Personen (17 – 20) IV. Andere Personen (21 – 33) Bekannte Persönlichkeiten: Alexander d. Gr. (III.) → [4]; der Philosoph A. [26] aus Aphrodisias.

I. Mythos [1] s. Paris.

II. Angehörige hellenistischer Herrscherfamilien (2–16)

[2] A. I., Sohn von → Amyntas [1] und sein Unterhändler mit → Dareios . Als maked. König unterstützte er → Xerxes' Invasion in Griechenland, gab aber vor, ein Freund der Griechen zu sein (später »Philhellen« genannt). Herodot hat seine Zweideutigkeit subtil gezeichnet. Sein Reich konnte er mit Hilfe der Perser und auch nach deren Rückzug vergrößern. Die Grenzen sind unbekannt, doch schloß es Bergwerksgebiete am → Strymon ein, die es ihm ermöglichten, als erster maked. König Silbermünzen zu prägen. In der griech. Politik nach den Perserkriegen spielte er aber keine Rolle. In → Olympia setzte er die Anerkennung der mythischen Abstammung der → Argeadai von den Temenidai durch. Er starb nach 460 v. Chr.

Errington, 15–23 · Borza, s. Index · E. Badian, Herodotus on Alexander I of Macedon, in: S. Hornblower (Hrsg.), Greek Historiography, 1994, 107–130. E. B.

[3] A. II, ältester Sohn von → Amyntas [3] und sein Nachfolger. 370 v. Chr. mußte er seinen Bruder → Philippos den Illyrern und später → Pelopidas als Geiseln ausliefern. Eine Intervention in Thessalien verwickelte ihn in einen Krieg mit Theben. Er mußte Thessalien aufgeben, doch rettete ihn Pelopidas von dem durch die eigene Mutter → Eurydike unterstützen Prätendenten → Ptolemaios Alorites. Von Pelopidas' Armee beeindruckt, gründete er die → Pezetairoi, hatte aber keine Zeit, diese revolutionäre Maßnahme durchzusetzen. 368 wurde er von Ptolemaios ermordet (FGrH 72 F4).

Errington, 40 f. E. B.

[4] »der Große«, König von Makedonien (Alexander III.), 356–323 v. Chr.
A. Quellen B. Jugend und erste Thronjahre C. Krieg mit Dareios III D. Widerstand im Heer und Befriedung Irans E. Indien und Rückmarsch F. Die letzten Jahre

A. Quellen
Als Quellen haben wir fast nur späte Sekundärlit., die aus zwei Traditionen schöpft (→ Alexanderhistoriker). Epigraphische Zeugnisse sind spärlich, Münzen mit A.' Porträt wurden noch lange nach seinem Tod geprägt, sind schwer zu ordnen und kaum histor. auszuwerten [1].

B. Jugend und erste Thronjahre
Geb. Sommer 356, Sohn von → Philippos II. und → Olympias. Seine Erziehung sollte maked. Kriegertum mit griech. Kultur verschmelzen. 343–340 war → Aristoteles [6] sein Lehrer. Er las griech. Lit., vor allem Homer, dessen Helden ihm zu Vorbildern wurden. Philosophieunterricht ist nicht nachzuweisen. 340 war er (wohl unter Aufsicht) Reichsverweser. Bei → Chaironeia (338) führte er den Angriff, der die Elitetruppen Thebens vernichtete. Nach Philippos' Vermählung mit → Kleopatra fiel er in Ungnade und verschlimmerte seine Lage durch eine Intrige mit → Pixodaros; seine Freunde wurden verbannt, er selbst blieb isoliert. Philippos scheint sich → Amyntas [4] zugewandt zu haben. Eine Beteiligung des A. an Philippos' Ermordung wurde vermutet, ist aber nicht beweisbar. Er wurde so-

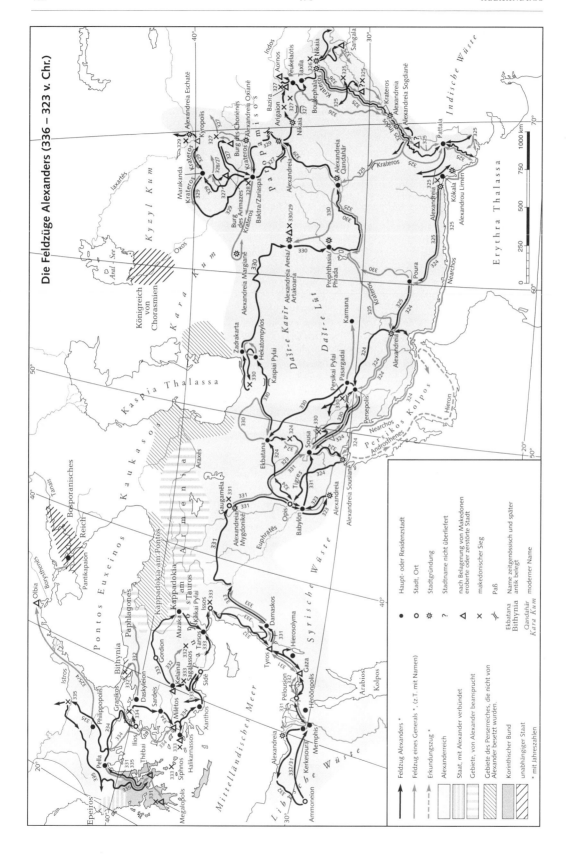

Die Feldzüge Alexanders (336 – 323 v. Chr.)

gleich, wohl durch → Antipatros [1], dem Heer als König präsentiert, beseitigte seine Gegner (→ Arrabaios [2]) und den Rivalen Amyntas, und erzwang seine Anerkennung als Hegemon des Hellenenbundes mit dem Mandat zum »Rachekrieg« gegen Persien. → Parmenion ließ seinen Schwiegersohn, Kleopatras Onkel, ermorden und trat für einen hohen Preis zu A. über: Bei der Invasion von Asien kommandierte er die maked. Infanterie und hatte seine Verwandten (→ Asandros [1], Koinos, Nikanor, Philotas) in Schlüsselstellungen gebracht. Nachdem A. die Barbarengrenzen im Norden und Osten gesichert, einen Aufstand Thebens niedergeschlagen und die Stadt (formal im Auftrag des Bundes) zerstört und die Einwohner versklavt hatte, setzte er mit einer kleinen Armee (Diod. 17,17) nach Asien über. Antipatros blieb mit der Hälfte des stehenden Heeres als Statthalter von Europa zurück.

C. KRIEGE MIT DAREIOS III.

A. opferte seinem »Ahnherrn« → Achilleus [1] in Troia. Am → Granikos schlug er ein kleines Satrapenaufgebot und besetzte fast ohne Widerstand Lydien und die Städte der Westküste. Wie offenbar erwartet, verkündete er den Griechen Kleinasiens »Freiheit« und Demokratie. Die vom Hellenenbund gestellte, wohl unzuverlässige Flotte entließ er. Mit Hilfe von → Ada, die ihn adoptierte, eroberte er Karien. Den Winter verbrachte er in → Gordion, wo ihn Nachschub erreichte. Nach einer Erkrankung in Kilikien überquerte er den → Tauros und marschierte südwärts. Dareios verfolgte ihn von Norden her, wurde aber bei → Issos vernichtend geschlagen und verlor seinen Harem und den Kriegsschatz (November 333). Dennoch leistete Tyros Widerstand; es wurde nach langer Belagerung erobert und zerstört. Ägypten besetzte er widerstandslos und wurde beim Besuch des Ammonheiligtums in der Wüste als Sohn von Zeus-Ammon begrüßt, was Orakel aus Kleinasien sogleich bestätigten. Er gründete → Alexandreia [1], schlug Friedensangebote von Dareios aus und ordnete die Verwaltung der eroberten Gebiete. Im Sommer 331 überschritt er Euphrat und Tigris und vernichtete am 1. Oktober bei → Gaugamela das letzte, starr zur Verteidigung aufgestellte Heer des Dareios. Dessen Flucht nach Ekbatana gab Babylon und Susa mit ihren Schätzen A. preis. Er begann sich nun als Nachfolger des Dareios zu gebärden und ernannte Perser zu Satrapen (mit maked. Garnisonskommandanten). Gegen erbitterten Widerstand besetzte er Persepolis (Januar 330) und wartete dort vergeblich bis Mai auf Nachrichten vom Krieg, den → Agis [3] in Griechenland entfacht und zu dessen Beendung er von Susa enorme Summen an Antipatros gesandt hatte. Erst dann griff er das Motiv des hellenischen Rachekriegs wieder auf und zerstörte vor dem Aufbruch nach Ekbatana die Paläste der → Achaimenidai. Als er bei Ekbatana erfuhr, daß Agis tot und der Krieg beendet war, war der Fehler nicht wieder gutzumachen.

Dareios hatte sich nach Osten zurückgezogen, schien aber zur Aufgabe des Kampfes bereit. Deshalb wurde er von → Bessos und anderen festgesetzt, dann ermordet (Mitte 330). A. erfuhr das von Überläufern, setzte alles daran, den König lebend aufzufinden, um seine eigene »Legitimität« zu retten, fand aber nur dessen Leiche, die er königlich bestatten ließ. Bessos rief sich zum König aus (»Artaxerxes V.«) und fand als Achaimenide Anhang in Ostiran und Indien. Einige hohe Perser schlossen sich A. an (→ Artabazos [3], Phrataphernes), doch konnte er später den Opportunisten nicht trauen und kehrte zu griech.-maked. Satrapen zurück.

D. WIDERSTAND IM HEER UND BEFRIEDUNG IRANS

A. besetzte Areia, unterdrückte einen gefährlichen Aufstand und setzte den Marsch nach Drangiana fort. Dort nahm er in Phrada die Gelegenheit wahr, sich von der Macht Parmenions zu befreien. Der Hofhistoriker → Kallisthenes hatte ihn schon als schlechten Ratgeber und Feigling bei Gaugamela geschildert. Parmenion war in Ekbatana geblieben, um den dort unter → Harpalos gesammelten Staatsschatz zu bewachen, und war somit vom Machtzentrum entfernt. Sein Sohn Philotas, Kommandeur der → Hetairoi, hatte A.' Benehmen schon in Ägypten mißbilligt: Seither hatte seine Mätresse laufend an A. zu berichten (Plut. Alex. 48–9). Nun, kurz nach dem Tod seines Bruders Nikanor, beging er den Fehler, dem A. eine Verschwörung nicht zu melden. Nachts von vertrauten Freunden A.' verhaftet, wurde er von A. vor der Heeresversammlung des Hochverrats angeklagt. A. bestand auf sofortiger Hinrichtung. Um eine Reaktion Parmenions und seiner Armee zu verhindern, ging ein Eilbote nach Ekbatana ab, wo → Kleandros den Befehl, seinen Patron zu ermorden, sofort ausführte. → Hephaistion und → Kleitos teilten sich Philotas' Kommando: Übermächtige Kommandos sollte es nie mehr geben. Vier der Freunde, die den Staatsstreich durchgeführt hatten (Hephaistion, → Perdikkas, → Krateros und Philotas' Schwager Koinos) avancierten rasch zu »Reichsmarschällen«.

Nach kurzer Rast in Seistan führte A. die Armee nach Kandahar, dann über die Berge nach Ghazni. Während in seinem Rücken die Satrapen endlose Aufstände niederwerfen mußten, fand er selbst bei den Stämmen keinen Widerstand. Unter ungeheuren, in den Quellen rhet. ausgemalten Strapazen überquerte er im Winter den → Paropamisos, erreichte das Kabultal und dann Baktria. Überall gründete er Veteranenkolonien als Stützpunkte. Er überschritt den Oxos, wo Bessos, von seinen Anhängern verlassen, ihm ausgehändigt wurde. Er ließ ihn unter Foltern töten. Der aufreibende Partisanenkrieg in Baktria und Sogdiana dauerte noch zwei Jahre, bis A. die Bergfestung des Fürsten → Oxyartes einnahm und dessen Tochter → Roxane heiratete. Am Syr-Darja bei Chodschent gründete A. eine große Kolonie, Alexandreia Eschate (»die Entfernteste«).

Inzwischen hatte er sich noch eines hohen Offiziers entledigt. Bei einem Gelage tötete er Kleitos, der ihm einst das Leben gerettet hatte, aber Philippos zu sehr lobte. Offiziell wurde die Ermordung mit der Vernachlässigung eines Dionysosopfers begründet. Die Armee aber verurteilte Kleitos postum wegen Hochverrats. A. erlaubte gnädig seine Bestattung. Nach Curtius (8,4,30) war dies das Ende der Freiheit: A. war Herr seiner Armee. Er und sein Hof trugen teilweise persische Tracht, und A. versuchte nun, die → Proskynesis von den oriental. Untertanen auf Makedonen und Griechen auszudehnen, da er, Zeussohn und Großkönig, als Heros anerkannt werden wollte. Aber die Inszenierung bei einem Gastmahl mißlang: Kallisthenes distanzierte sich und die Makedonen lachten über den Fußfall. Wütend gab A. den Plan auf. Kallisthenes wurde etwas später beschuldigt, eine Verschwörung der königlichen Pagen angezettelt zu haben, und hingerichtet.

E. Indien und Rückmarsch

In Indien war die persische Oberhoheit z. T. anerkannt, es gab aber keine Satrapien. Nach brutaler Eroberung der Nordwestgrenze wurde A. am Indos von → Taxiles freundlich empfangen. Er setzte zwei maked. Satrapen ein (bis zum Indos bzw. bis zum Hydaspes [Dschelum]); die Struktur der Stämme mit ihren Radschas blieb dabei intakt, wenn sie A. anerkannten. Er überschritt den Hydaspes, besiegte den »tapferen« Poros (326), machte ihn zum Klientelkönig und eilte im Monsunregen weiter. Am Hyphasis (Beas) wollte die Armee nicht weiter. Da die Offiziere die Meinung der Soldaten teilten, mußte A. nachgeben. Er baute Altäre und verkündete, die Götter hätten ihm verboten, den Fluß zu überschreiten. Anstatt aber umzukehren, wandte er sich südwärts zum Ozean. Die Stämme, von den Brahmanen ermutigt, zwangen A. ständig zum Kleinkrieg, woraufhin er viele von ihnen ausrottete. Die Armee kämpfte nicht mehr so ergeben wie vorher, bis sich nach A.' fast tödlicher Verwundung im Land der → Malloi das alte Verhältnis erneuerte. In Südindien hatte er zwei weitere Satrapien eingerichtet und Kolonien gegründet. Nach A.' Abmarsch entglitt Indien fast vollständig seiner Kontrolle; er ließ es geschehen.

In Patala, an der Indosmündung, bereitete er im Sommer 325 den Rückmarsch vor. Die Verwundeten und Älteren sollten unter Krateros eine wenig strapaziöse Route nehmen; → Nearchos sollte mit der Flotte die Küste entlang segeln und sie erkunden; A. wollte den Rest der Armee durch die Wüste von → Gedrosia führen, um nach Nearchos' Bericht (Arr. an. 6,24,2; Strab. 15,1,5) zu leisten, was Semiramis und Kyros nicht gelungen war. Das Resultat war eine Katastrophe: Die meisten Nichtbewaffneten gingen zugrunde, die Armee verlor sicher mehr als die Hälfte des Bestandes. Bei der Ankunft in Pura begann die Suche nach »Sündenböcken«.

F. Die letzten Jahre

In einer Schreckensherrschaft fielen sicher ein Drittel, vielleicht die Hälfte, der Satrapen der Säuberung zum Opfer, ebenso vier hohe Offiziere (unter ihnen Kleandros); andere hatten Geiseln zu stellen. A. mißtraute nun fast jedem. Die Satrapen mußten die in den Prov. dienenden Söldner entlassen. Da viele Verbannte

unter ihnen waren, wurde den griech. Städten befohlen (324), sie wieder aufzunehmen, was dort zu Konflikten führte. A. besuchte die entlegene Krönungsstadt Pasargadai, wohl um sich zum Großkönig krönen lassen. Doch fand er das für das Ritual wichtige Grab des Kyros geschändet vor. Bei einem großen »Siegesfest« in Susa zwang er 90 seiner Freunde und Offiziere, iranische Fürstentöchter zu heiraten; er selbst heiratete zwei Königstöchter, behielt aber auch Roxane. Die Geliebten der Soldaten wurden als Ehefrauen anerkannt und die Gatten reich beschenkt. Dann musterte er 30000 iranische Aristokratensöhne (er nannte sie »Nachfolger«), die er griech. erziehen und maked. hatte bewaffnen lassen. Als er in Opis die ausgedienten Makedonen reich beschenkt nach Hause entlassen wollte, meuterten die Soldaten, die meinten, er sei zum Perserkönig geworden. Nach einem Versöhnungsmahl setzte er dennoch seine Absicht durch (Arr. an. 7,8–11), behielt aber die Kinder aus den Mischehen, um sie königstreu auszubilden. Krateros sollte die Entlassenen nach Hause führen und Antipatros ablösen, der A. zu mächtig erschien. Er wurde beschuldigt, die Städte zu unterdrücken, und an den Hof befohlen, sandte aber nur zwei Söhne als Geiseln.

In Ekbatana verlor A. Hephaistion, damals Wesir und nun A.' einziger Freund. Nach langer Trauerzeit erhob er ihn mit Ammons Erlaubnis zum Heros. Nach einem kurzen Feldzug gegen ein Gebirgsvolk kehrte er nach Babylon zurück, wo viele griech. Gesandte mit Glückwünschen und Ansuchen ankamen. In mehreren Städten wurde er jetzt auf seinen Wink hin als Gott verehrt. Während er einen Feldzug nach Arabien vorbereitete, angeblich weil die Araber ihn nicht als Gott anerkannten (Aristob. bei Strab. 16,1,11.), erkrankte er plötzlich; Alkoholgenuß verschlimmerte die Krankheit und am 10. Juni 323 starb er. Gerüchte über eine Vergiftung durch die Söhne des Antipatros wurden ausgestreut, sind aber als bloße Propaganda zu werten. Vor dem Tod soll er Perdikkas seinen Siegelring übergeben haben. Er hinterließ keinen Nachfolger, doch war Roxane mit → Alexandros [5] schwanger.

Was A. noch geplant hatte, ist nicht mehr zu ermitteln. Die Liste seiner Pläne bei Diod. 18,4 ist polit. motivierte Fälschung.

1 M. J. Price, The Coinage in the Name of Alexander the Great and Philip Arrhidaeus, 1991 (Umfassende Reg.).

J. Seibert, Alexander der Große, 1972, ⁴1994 (voll komm. Bibliogr. bes. für dt.spr. Lit.) · A. B. Bosworth, Conquest and Empire, 1988, 300–314 (umfassendste Darstellung) · Ders., in: CAH 6, ²1994, 939–944 (neuere unkomm. Lit.) · F. Schachermeyr, Alexander der Große, 1973.
Literatur zur Karte:
J. Seibert, Das Alexanderreich (336–323 v. Chr.), TAVO B V I, 1985.   E.B.

[5] A. IV., nach Alexanders [4] d. Gr. Tod von → Roxane geborener Sohn, Mitkönig von Philippos →Arridaios [4]. Beide standen zeitlebens unter Vormundschaft der Reichsverweser → Perdikkas, → Antipatros [1], → Polyperchon. Nach dem Bruch zw. den Königen nahmen Roxane und A. mit Polyperchon und → Olympias an einer Invasion von Makedonien teil, die zum Tod Philippos' und seiner Frau → Eurydike, dann aber nach einem Sieg des → Kassandros über die Invasoren zur Festnahme von Roxane und A. führte. Nach dem Frieden von 311 v. Chr. ließ Kassandros sie töten (Arr. succ. = FGrH 156; Diod. 18–19).

[6] Bruder der → Olympias, am Hof → Philippos' erzogen und 342 v. Chr. als König der → Molossoi eingesetzt, gewann die Hegemonie über → Epeiros, heiratete 336 Philippos' Tochter → Kleopatra und folgte 334 einer Einladung von → Tarentum nach Italien. Er kämpfte erfolgreich gegen südital. Stämme und schloß angeblich Freundschaft mit Rom. Dann wandte er sich gegen Tarentum, kämpfte aber weiter gegen die Stämme, bis er nach einer Niederlage ermordet wurde (331–30).

BERVE, II Nr. 38.   E.B.

[7] Einer von drei Brüdern (s. Arrabaios [2]) aus der Königsfamilie von → Lynkestis, Schwiegersohn → Antipatros' [1], huldigte als erster → Alexandros [4] nach → Philippos' II. Tod. Während seine Brüder hingerichtet wurden, wurde er mit wichtigen mil. Aufgaben betraut, doch im Winter 334/3 v. Chr. beschuldigt, mit den Persern die Ermordung Alexandros' zu planen, und abgesetzt. Zuerst nur verhaftet, wurde er nach der Hinrichtung → Philotas', ohne der Teilnahme an dessen »Verschwörung« beschuldigt zu werden, verurteilt und hingerichtet.

HECKEL, 357f.   E.B.

[8] Sohn → Polyperchons, von → Antipatros [1] 321 v. Chr. zum Leibwächter des Philippos → Arridaios [4] ernannt, kämpfte unter Polyperchon, dann mit ihm unter → Antigonos [1] gegen → Kassandros. Er wechselte zu Kassandros über und wurde sein Strategos der Peloponnes, doch fand er bald in einer Verschwörung einiger Sikyonier den Tod (314). Seine Frau → Kratesipolis behauptete sich in Sikyon noch einige Jahre (Arr. succ. = FGrH 156; Diod. 19).   E.B.

[9] Sohn des → Krateros [2], fiel nach dessen Tod um 250 v. Chr. von → Antigonos [2] ab. Als »König« (s. Suda; Euphorion) von Korinth und Euboia schnitt er Antigonos von der Peloponnes ab, schloß mit dem Koinon der → Achaioi und mit → Aristomachos [1] Frieden (dem auch Athen beitrat: IG II² 774) und gewann wahrscheinlich die Unterstützung von Ptolemaios. Nach seinem Tod (245/4) übernahm seine Gattin → Nikaia die Herrschaft, verlor sie aber sogleich an Antigonos.

ERRINGTON, 156f. • HM, Bd. 3, 301–303 (beide zum Teil überholt) • R. A BILLOWS, A Macedonian Officer at Eretria, in: ZPE 96, 1993, 249–57.   E.B.

[10] König von Epeiros (A. II) 272 – ca. 250 v. Chr., Sohn des → Pyrrhos und der → Lanassa, geb. 294/3 (Plut. Pyrrh. 9) [1. 75–76]; kämpfte um 270 erfolgreich

gegen den Illyrer Mytilos, griff im → Chremonideischen Krieg 263/2 Makedonien an und wurde von → Antigonos [2] Gonatas kurzfristig aus Epeiros vertrieben (Iust. prol. 25; 26,2,9–21; Iust. prol. 26,3,1) [1. 81–82, 85–91; 2. 175, 213]. Um 252 (?) teilte A. sich mit den Aitolern Akarnanien (Pol. 2.45,1; 9,34,7; StV 485; [1. 91–93]).

1 P. CABANES, L'Epire, 1976   2 H. HEINEN, Unt. zur hell. Gesch. des 3. Jh. v. Chr., 1972.   L.-M. G.

[11] Sohn → Ptolemaios' III. und Berenikes II. PP 6, 14479.

W. HUSS, Die zu Ehren Ptolemaios' III. und seiner Familie errichtete Statuengruppe von Thermos CIG IX 1,1²,56, in: CE 50, 1975, 316.   W. A.

[12] Sohn des → Perseus, 168 v. Chr. nach dem röm. Sieg bei Pydna auf Samothrake in röm. Kriegsgefangenschaft geraten, im Triumphzug des → L. Aemilius [I 32] Paullus mitgeführt und in → Alba Fucens interniert; letzter Überlebender der maked. Dynastie, angeblich in It. als Behördenschreiber tätig (Liv. 45,42,4; Plut. Aem. 26; 33; 37).   L.-M. G.

[13, Balas] niederer Abkunft, aus Smyrna, wurde von Attalos II. mit Duldung Roms als Sohn → Antiochos' [6] IV. ausgegeben und als Thronprätendent gegen Demetrios I. aufgestellt (um 158 v. Chr.). Er wurde von den Herrschern Kappadokiens und Ägyptens unterstützt (∞ Kleopatra Thea, Tochter Ptolemaios' VI.) und baute durch Siege über Demetrios I. ab 153, endgültig seit 150 in Syrien eine Machtstellung auf. Mackabäer und A. halfen und förderten sich gegenseitig; Ionathan wurde durch A. Hohepriester und Statthalter. A.' offensichtlich schlimme Herrschaft brachte ihm durch Ptolemaios VI. und Demetrios II. 146 den Verlust der Herrschaft und der Ehefrau und durch die Nabatäer 145 den Tod (Pol. 33,15; 18; 1 Makk 10ff.; Diod. 31–33ff.; Liv. per. 52; Ios. ant. Iud. 13,35ff.). **[14] Zabinas** wurde von Ptolemaios VIII. als angeblicher Adoptivsohn Antiochos' IV. oder Sohn des Alexandros [13] gegen → Demetrios II. als Thronprätendent aufgestellt und besiegte diesen 125 v. Chr. bei Damaskos, setzte sich jedoch trotz guter Beziehungen zu dem Makkabäer Iohannes Hyrkanos in Syrien nicht durch. Nachdem er Ptolemaios' Unterstützung verloren hatte, wurde er 123 (?) von Demetrios' II. Sohn Antiochos VIII. (Grypos) besiegt und hingerichtet (Diod. 34/35,22,1; 28,1–3; Ios. ant. Iud. 13,269f.; 273; Iust. 39,1–2). → Ammonios

LIT.: → Antiochos [5–14] • J. HOPPE, Unt. zur Gesch. der letzten Attaliden, 1977.   A. ME.

[15, von Pherai] wurde 369 v. Chr. nach Ermordung seines Onkels → Polyphron Tyrann von Pherai und *tágos* (τάγος) der Thessaler. Die → Aleuadai in Larisa und thessal. Städte erbaten zunächst von Alexandros [3] II. von Makedonien Hilfe gegen A., dann von den Thebanern, die nach mehreren Feldzügen 364 bei Kynoskephalai siegten und A. zum Verzicht auf die Herrschaft in Thessalien zwangen. Auf Pherai und Pagasai beschränkt, unternahm A. Raubzüge gegen die Kykladeninseln und den Piraieus. 358 wurde er auf Anstiften seiner Frau ermordet.

H. BERVE, Tyrannis, 1967, 290–293; 670f.
Mz.: D. KNOEPFLER, Tétradrachmes attiques et argent »alexandrin« chez Diogène Laërce, in: MH 46, 1989, 193–230.   W.S.

[16] Iannaios, 129 – 76 v. Chr., Sohn des Iohannes → Hyrkanos, folgte 103 seinem Bruder → Aristobulos I. [1] und nahm nach Ausweis seiner Münzen als erster den Königstitel an. Er vergrößerte das Hasmonäerreich in wechselvollen Kämpfen gegen Ptolemaier und Seleukiden, Moabiter und Galaaditer um große Gebiete an der Küste und im Ostjordanland (Ios. ant. Iud. 13,395–97) und behauptete sich gegen den Nabatäerkönig → Aretas III. [3]. Im Inneren führte er ca. 94–86 Bürgerkrieg gegen die pharisäische Opposition, in den auch der Seleukide → Demetrios III. eingriff. Die Opfer des Bürgerkriegs, angeblich 50000 Gefallene, 800 Gekreuzigte und 8000 Verbannte, verdüsterten sein Bild in der jüd. Überlieferung. Er starb 76 während der Belagerung von Rhagaba im Ostjordanland (Ios. ant. Iud. 13,320–404; bell. Iud. 1,85–106).

SCHÜRER I, 219–28.   K.BR.

III. WEITERE POLITISCH TÄTIGE PERSONEN (17–20)

[17] Aus einer vornehmen und reichen jüd. Familie Alexandreias stammend, Bruder des jüd.-hell. Philosophen → Philon von Alexandreia. Er bekleidete das einträgliche Amt eines → Arabarches und war Vermögensverwalter der jüngeren Antonia [4], der Mutter des späteren Kaisers Claudius. Dem Jerusalemer Tempel machte er Stiftungen (Ios. bell. Iud. 5,205) und unterstützte finanziell → Herodes Agrippa, mit dessen Tochter Berenike er 41 n.Chr. seinen Sohn Marcus verheiratete. Von Caligula gefangen gesetzt, erlangte er 42 durch Kaiser Claudius die Freiheit zurück (Ios. ant. Iud. 18,159f.; 259; 276; 19,277; 20,100)   K.BR.

[18] Tiberius Iulius A., Sohn des A. [17], dem Judentum entfremdet, war Epistrategos der Thebais (OGIS 663), dann *procurator* von Iudaea (46–48 n.Chr.), wo er die Söhne des Iudas von Galiläa, des Begründers der Zelotenbewegung, hinrichten ließ, und diente 63 während des Partherkriegs im Stab des Cn. Domitius Corbulo. Vor 68 zum *praefectus Aegypti* ernannt, schlug er in Alexandreia einen jüd. Aufstand blutig nieder. In die Regierungszeit Galbas fallen die erh. Edikte OGIS 669 und P Oxy. 6,899,28. Im Einverständnis mit Licinius Mucianus rief er am 1.7.69 in Alexandreia Vespasian zum Kaiser aus und vereidigte die Truppen auf ihn. Im Stab des Titus nahm er an der Belagerung und Eroberung von Jerusalem teil und setzte sich vergeblich für die Erhaltung des Tempels ein. Ob aus P Hibeh 215 abgeleitet werden darf, daß er unter den Flaviern die Position

eines *praef. praet.* in Rom bekleidete, ist umstritten (Ios. ant. Iud. 20,100–03; bell. Iud. 2,220; 223; 309; 492f.; 497; 4,516–618; 5,45; 205; 510; 6,237; 242; Tac. ann. 15,28; hist. 1,11; 2,74; Suet. Vesp. 6,3).

V. BURR, Tiberius Julius Alexander, 1955 • E.G. TURNER, Tiberius Julius Alexander, in: JRS 44, 1954, 54–64.   K.BR.

[19] A. Helios, Sohn Kleopatras VII. und des Marcus → Antonius [I 9]; geb. 40 v.Chr., 34 mit der medischen Königstochter Iotape verlobt und als König Armeniens, Mediens und großer Teile Parthiens proklamiert; zeitweise erzogen von → Nikolaos von Damaskus; im Triumphzug Octavians (→ Augustus) mitgeführt. Weiteres Leben unsicher, evtl. im Haus der → Octavia. PP 6, 14482; PIR² A 495.   W.A.

[20] Byz. Kaiser 912–13, jüngster Sohn Kaiser Basileios' I. (»Maked.« Dynastie), Mitkaiser seit 879, Nachfolger seines Bruders Leon VI., gemäß byz. Geschichtsschreibung ein zur Herrschaft unfähiger Lebemann.

ODB 1, 56f.   F.T.

IV. ANDERE PERSONEN

[21, Aitolos] (Αἰτωλός), Sohn des Satyros, laut Suda α 1127 Grammatikos und Dichter von Tragödien (s. Athen. 15, 699); er zählte zur Pleias trag. Dichter um Ptolemaios Philadelphos (282–246 v.Chr.); Zeitgenosse des Aratos (Suda α 3745); ein Titel erh.: *Astragalistaí*, ein Stück über die Jugend des Patroklos, weitere sechs Trag.-Fragmente sind nicht mehr zuzuweisen, daneben andere Fragmente (u.a. Elegien u. Epyllien, s. [1]). Von Ptolemaios wurde er mit der Ordnung der Trag. u. Satyrspiele beauftragt (Tzetzes, π. κωμ., CGF 19).

1 CollAlex, 121–130   2 TrGF 101.   F.P.

[22, aus Ephesos], mit dem Beinamen Λύχνος (Lychnos), Rhetor, Staatsmann und Historiker, dem auch eine Gesch. des Marsischen Krieges zugeschrieben wird (Aur. Vict. origo gentis Romanae 9,1). Strab. 14,1,25 kennt ihn als Verf. astronomischer und geographischer Werke. In der Nachfolge des *Hermes* des → Eratosthenes stehen die φαινόμενα (phainómena), aus denen 26 Verse erh. sind, die die Sphärenharmonie beschreiben. Ein geographisches Gedicht, das in drei Teilen Asien, Europa und Libyen beschrieb, diente Dionysios dem Perihegeten und vielleicht Varro von Atax als Vorbild. Als Cicero eine *geographia* zu schreiben beabsichtigte, konsultierte er jedenfalls das Werk, dessen Nützlichkeit, aber geringe poetische Qualität er betont (Att. 2,20,6; 2,22,7).

W. Burkert, Hell. Pseudopythagorica, in: Philologus 105, 1961, 32–43 • SH 9–16 • A. MEINEKE, Analecta Alexandrina, 1843, 371–377.   C.S.

[23, Polyhistor] (Ἀλέξανδρος Πολυίστωρ). Griech. → Grammatiker aus Milet, geb. um 110 v.Chr. Gefangener im Mithradatischen Krieg und Sklave eines Cornelius Lentulus in Rom, dessen Erzieher er wurde (er nahm den Gentilnamen Cornelius an); auf Anordnung

Sullas wurde er freigelassen und erhielt wahrscheinlich
81 das Bürgerrecht. Danach wurde er Lehrer des C. Iulius Hyginus und starb nach 40 v. Chr. Seine zahlreichen
Werke über verschiedene Themen (25 Titel sind bekannt) brachten ihm den Spitznamen »Polyhistor« ein:
Er stellte Zitate von verschiedenen Autoren in doxo-
graphischer Ordnung zusammen und gab gerne von der
allg. Tradition abweichende Angaben. Viele Schriften
gehören der ethnographischen Periegese an (benutzt
von Stefanos Byzantinos); wichtig ist die Schrift Περὶ
Ἰουδαίων (häufig von Eusebios zit.). Histor.-philos. Inhalts sind die Φιλοσόφων Διαδοχαί (bei Diogenes Laertios zit.) und Περὶ Πυθαγορικῶν. Als Philologe verfaßte
er einen Komm. zu → Korinna und ein Werk mit geographischen Erklärungen zu → Alkman: Suda α 1129
definiert ihn als ›Grammatiker, Schüler des Krates‹.

→ Alkman; Doxographie; Diogenes Laertios; Eusebios;
Korinna; Stephanos von Byzantion

FGrH 273 • R. GIANNATTASIO ANDRIA, I frammenti delle
successioni dei filosofi, 1989, 115–144 • P. F. ATENSTAEDT,
Quellenstudien zu Stephanos von Byzanz I: A. Polyhistor,
Progr. Schneeberg 1910 • F. JACOBY, FGrH III a Komm.,
248–313 • E. SCHWARTZ, s. v. Alexandros, RE I,1, 1449–
1452 • F. SUSEMIHL, Gesch. der griech. Lit. in der Alexandrinerzeit, 1891–1892, II 356–364 • L. TROIANI, Sull'opera
di Cornelio A. soprannominato Polistore, in: Ders., Due
studi di storiografia e religione antiche, 1988,
7–39. F.M./M.-A.S.

[24] Att. Dichter der Neuen Komödie, Sohn eines Ariston oder Aristion [1. test. 1–4]. A. wurde zweimal in
Delphi geehrt (106/5 und 97/96 v. Chr.) [1. test. 1, 2]
und war je einmal an den Charitesia und den Homoloïa
von Orchomenos siegreich [1. test. 3, 4]. Zwei der drei
noch bekannten Stücktitel (Διόνυσος, Ἑλένη, Πότος),
deren Zuweisung an A. allerdings nicht völlig gesichert
ist [1. 18], sind offenbar mythischen Charakters und damit für die Neue Komödie eher untypisch.

1 PCG II, 1991, 17–20. T. HI.

[25] Griech. schreibender Rhetor des 2. Jh. n. Chr.,
Sohn des Rhetors Numenios (Suda s. v. A.; Verf. einer
Trostrede an Hadrian nach dem Tode des Antinoos).
Sein Hauptwerk περὶ τῶν τῆς διανοίας καὶ τῆς λέξεως
σχημάτων (2 B.) ist die wichtigste Abh. über Wortfiguren (→ Figuren) nach → Caecilius [III 2] (in der urspr.
und der erweiterten Fassung erh.), die alle späteren
griech. und lat. Autoren (z. B. Martianus Cappella, Aelius Herodianus) zu diesem Thema beeinflußte. Er hat
die wichtigsten Quellen sorgfältig und zuverlässig selbst
aufgearbeitet und die Materie präzis und verständlich
dargelegt. In einer allg. gehaltenen Studie τέχνη (ῥητο-
ρικὴ) περὶ ἀφορμῶν ῥητορικῶν, die uns in Auszügen bei
dem → Anonymus Seguerianus faßbar ist, äußert er sich
zu den drei → *Genera elocutionis* und wendet sich gegen
den Doktrinarismus der Apollodoreer: Er plädiert, im
Sinne der Theodoreer (in Anschluß an → Hermagoras),
dafür, die Redekunst Anlaß und Umständen anzupassen.

ED.: Spengel, 1,425–460 (Anon. Seguerianus), 3,1–40.

J. BRZOSKA, A. 96, in: RE I,1, 1456–59 • G. KENNEDY, The
Art of Rhet. in the Roman World, 1972, 617f. • Ders.,
Greek Rhet. under Christian Emperors, 1983,
123–125. C. W.

[26, von Aphrodisias] Aristoteles-Kommentator
A. LEBEN B. WERKE 1. KOMMENTARE
2. MONOGRAPHIEN UND SONSTIGES 3. ARABISCHE
ÜBERLIEFERUNG C. ALEXANDROS ALS
KOMMENTATOR UND PHILOSOPH

A. LEBEN

A. war Schüler von → Herminos und → Sosigenes,
möglicherweise des Aristoteles aus Mytilene, und wurde
irgendwann zwischen 198 und 209 zum öffentlich anerkannten Lehrer aristotelischer Philos. (wahrscheinlich
in Athen) bestellt. Dies zeigt die Widmung von ›Über
das Schicksal‹, die er an Septimius Severus und Caracalla
(nicht aber an Geta) richtet.

B. WERKE: 1. KOMMENTARE

Die Komm. des A. über Aristoteles' logische, physikalische und metaphysische Schulabhandlungen beruhen auf der Tradition der Interpretation, die sich seit
→ Andronikos entwickelt hatte. Sie bildeten ein Fundament für alle spätere Arbeit über diese Texte. Von den
späteren neoplatonischen Komm. über Aristoteles unterscheiden sich die des A. darin, daß in ihnen nicht
formale Instruktion im Vordergrund steht.

Erh. Komm., über die *metaphysica* (nur I-V ist echt,
der Rest stammt wohl von Michael von Ephesos), *analytica priora* I, *topica*, *de sensu* und die *meteorologica* werden
herausgegeben in [1]; komm. engl. Übers. machen
Fortschritte bei [2]. Andere Komm. sind jetzt nur aus
Berichten bei späteren Kommentatoren bekannt (s.
etwa [3]). Der noch vorhandene Komm. über *sophistici
elenchi* ist unecht (s. [4]); es wird diskutiert, ob A. je
einen Komm. zur ›Nikomachischen Ethik‹ schrieb.

2. MONOGRAPHIEN

(griech. erh.). Diese enthalten: *de anima* (hrsg. in
[6. 1–100]; übers. und komm. in [7]), ›Über das Schicksal‹ (hrsg. in [8. 164–212], [9] und [10]; übers. und
komm. in [9; 10; 11]), ›Über die Mischung‹ (hrsg. in
[7. 213–238] und, mit Übers. und Komm., in [12]). Nur
in arab. erh.: ›Über die Prinzipien der Universums‹
(Text in [13. 253–277], Übers. in [14. 121–139; seine
Authentizität ist bezweifelt worden]); ›Über die Vorsehung‹ (Text, Übers. und Komm. in [15] und [16]); ›Gegen Galen (?) über die Bewegung‹ (Text, Komm. und
Übers. in [17]); ›Über die Unterschiede‹ (Text, Übers.
und Komm. in [18]). A. werden auch zahlreiche kurze
Diskussionen zugeschrieben; Daß A. diese Texte selber
geschrieben hat, kann nicht sicher erwiesen werden,
doch sie spiegeln sicher die Aktivität seiner »Schule«
wider [s. 19]. Die größere erh. griech. Sammlung solcher Texte schließt die ›Gewichtszugabe‹ oder *Mantissa*
mit ein, die als das zweite Buch des Werks *de anima* [hrsg.
in 6. 101–186] überliefert worden ist, und die ›Fragen
über die Natur‹ und ›Probleme in der Ethik‹ [hrsg. bei

8. 1–163]. Die ›Medizinischen Fragen und Probleme über die Natur‹ [Ausg.: 20. 3–80 und 21]) sind unecht. Komm. Übers. der *Mantissa*, ›Fragen über die Natur‹ und *Probleme in der Ethik* erscheinen bei [2]. Ein Abschnitt der *Mantissa*, die kurze Abhandlung ›Über den Intellekt‹ (übers. und komm. in [22]), hat größeren Einfluß auf islamische und westliche mittelalterliche Philos. gehabt als A.' Werk ›Über die Seele‹ selbst.

3. ARABISCHE ÜBERLIEFERUNG

Einige Texte in arab. Sprache, die A. zugeschrieben werden, sind Fehlzuweisungen und basieren auf Texten von Proklos oder Philoponus. Zur Bibliographie s. [23. 1192–4] (D29 und D30, D9 und D16 sind aber zu streichen, s. [24; 25; 26]). ZIMMERMANN bei [24] fördert unser Verständnis darin sehr, wie unterschiedlich arab. »Übersetzer« des A. ihre Originale veränderten.

C. ALEXANDROS ALS KOMMENTATOR UND PHILOSOPH

Sowohl in seinen Komm. als auch in seinen anderen Schriften führte A. die Tradition fort, die die aristotelischen Abhandlungen als Grundlage nahm und durch Erklärung offenkundiger Unstimmigkeiten zu interpretieren versuchte – so trug er dazu bei, Aristoteles' Gedanken in ein System zu verwandeln, den → Aristotelismus. A. ist beeinflußt von der Kontroverse mit Stoikern und Platonikern; seine Annäherung an diese Schulen geschieht oft dann, wenn ihre Ideen zu seinen eigenen Argumenten beitragen können; er sollte daher mit Vorsicht als Quelle für sie genutzt werden. A.' Stärke liegt mehr in den Details eines Arguments als in der Konstruktion globaler Positionen. In der Metaphysik ist er sowohl des Nominalismus als auch des Materialismus beschuldigt worden; aber Behauptungen, daß er Aristoteles' Gedanken falsch darstelle, sind tendenziös. A. leugnet, daß Universalien getrennt von ihrer jeweiligen individuellen Verwirklichung real existieren, scheint aber die Arten als Realitäten zu betrachten, die in den ihnen zugehörigen Individuen existieren. Konzepte werden vom Verstand durch Abstraktion produziert, aber dieser Prozeß führt nicht zu »nominalen« Wesenheiten. A. definiert wie Andronikos die Seele als das Produkt einer Mischung von körperlichen Elementen; das muß nicht reduktiven Materialismus bedeuten, und auch für Aristoteles erfordert eine gegebene Form gegebene Materie zu ihrer Verwirklichung. A.' Blick impliziert in der Tat die Sterblichkeit der menschlichen Seele. Dafür war er in der Renaissance bekannt. Seine histor. einflußreichste Lehre ist die Identifikation des Aktiven Intellekts aus Aristot. an. 3,5 mit Gott, dem Unbewegten Beweger, weniger mit einem unsterblichen Element in der Seele eines jeden Individuums. A. identifizierte Schicksal mit der zum größten Teil, aber nicht immer realisierten Natur. Er sah Vorhersehung als etwas an, was durch die Bewegung der Himmelssphären ausgeübt wird und so die Kontinuität der Arten sicherte, sich aber nicht um das kümmerte, was den Individuen geschieht.
→ Andronikos aus Rhodos; Aristoteles; Aristoteles-Kommentatoren; Aristotelismus; Peripatos

1 CAG 1–3, 1883–1901 2 R. SORABJI (Hrsg.), Ancient Commentators on Aristotle, 1987ff. 3 P. MORAUX (Hrsg.), Le commentaire d'Alexandre d'Aphrodisias aux Secondes Analytiques d'Aristote, 1979 4 S. EBBESEN (Hrsg.), Commentators and Commentaries on Aristotle's Sophistici Elenchi, 1981 6 I. BRUNS (Hrsg.), Supplementum Aristotelicum 2.1, 1887 7 P. ACCATTINO, P. L. DONINI (Übers.), Alessandro di Afrodisia.: De Anima (erscheint demnächst) 8 I. BRUNS (Hrsg.), Supplementum Aristotelicum 2.2, 1892 9 R. W. SHARPLES, A. of Aphrodisias, On Fate, 1983 (Übers.) 10 P. THILLET (Hrsg.), A. d'Aphrodisias: Traité du Destin, 1984. 11 C. NATALI, A. di Afrodisia: De fato (erscheint demnächst) 12 R. B. TODD (Hrsg.), A. of Aphrodisias on Stoic Physics, 1976 13 A. BADAWI (Hrsg.), Arisṭū l-ʿArāb, 1947 14 A. BADAWI (übers.), La transmission de la philos. grecque au monde arabe, 1968 15 H.-J. RULAND (Hrsg.), Die arab. Fassungen zweier Schriften des A. von Aphrodisias, 1976 16 S. FAZZO, M. ZONTA, A. di Afrodisia, Sulla Provvidenza, (Übers.) (erscheint demnächst) 17 N. RESCHER, M. MARMURA (Hrsg.), A. of Aphrodisias: the refutation of Galen's treatise on the theory of motion, 1969 18 A. DIETRICH, Die arab. Version einer unbekannten Schrift des A. von Aphrodisias über die Differentia specifica, in: Nachr. Göttingen 1964, phil.-hist. Kl., 85–148 19 R. W. SHARPLES, The School of A., in: R. SORABJI (Hrsg.), Aristotle Transformed, 1990, 83–111 20 J. L. IDELER (Hrsg.), Physici et Medici Graeci, vol. 1, 1841 21 H. USENER (Hrsg.), Alexandri Aphrodisiensis Problematorum libri 3 et 4, 1859 22 F. M. SCHROEDER, R. B. TODD, Two Aristotelian Greek Commentators on the Intellect, 1990 23 R. W. SHARPLES, A. of Aphrodisias: Scholasticism and Innovation, in: ANRW II 36.2, 1176–1243 24 F. W. ZIMMERMANN, Proclus Arabus rides again, in: Arabic Sciences and Philosophy 4, 1994, 9–51 25 F. W. ZIMMERMANN, Topics and the misnamed »Book of Poetic Gleanings« attributed to Aristotle and A. of Aphrodisias in a medieval Arabic manuscript, in: W. W. FORTENBAUGH, D. C. MIRHADY (Hrsg.), Peripatetic Rhetoric after Aristotle, 1994, 314–319 26 A. HASNAWI, Alexandre d'Aphrodise vs Jean Philopon: notes sur quel ques traités d'Alexandre »perdus« en grec, conservés en arabe, in: Arabic Sciences and Philosophy 4, 1994, 53–109.

P. MORAUX, A. d'Aphrodise: Exégète de la noétique d'Aristote, 1942 · MORAUX, 3, (erscheint demnächst) · G. MOVIA, Alessandro di Afrodisia, tra naturalismo e misticismo, 1970.   R. S. / E. KR.

[27, aus Abonuteichos] Lebte von ca. 105–175 n. Chr.; Zeitgenosse Lukians, dessen Schrift Ἀλέξανδρος ἢ ψευδόμαντις (verf. nach 180 n. Chr.) die Hauptquelle über A. darstellt. A. war Schüler des Neupythagoreers → Apollonios [14] von Tyana. Anknüpfend an einen bestehenden Kult von Asklepios-Hygieia gründete A. um 150 n. Chr. Kult und Orakel des → Glykon in → Abonuteichos. Das Orakel bestand noch bis Mitte des 3. Jh. n. Chr., der Kult verbreitete sich bis nach Rom (Lukian. Alex. 36f.). Vorbild war Eleusis: *hýmnos klētikós*, Verrätselung, Auftritt eines Propheten, kultisches Schweigen, Mysterienfest; berüchtigt ist die »Wegbietung« (Lukian. Alex. 38): ›Hinaus die Christianer, hinaus die Epikureer‹. Lukian charakterisiert A. als intelligenten, aber skrupellosen Scharlatan, der die religiösen Bedürfnisse seiner Zeitgenossen – vgl. die erneute Blüte des Orakelwesens im 2. Jh. n. Chr. (Lukian. bis accusatus) – für eigenen Gewinn ausnutzt. Sein *bíos* des A. ist getragen von dem aufklärerischen Pathos, den Betrüger zu entlarven.

Mit Glykon geprägte Münzen erscheinen unter Antoninus Pius (ab 145), Caracalla und Maximinus. Das Fortbestehen des Glykonkultes und die Verehrung des heroisierten A. bezeugt Athenagoras, supplicatio pro Christianis 26 (jedoch ohne Orakel).

→ Abonuteichos; Lukianos

O. WEINREICH, A. der Lügenprophet und seine Stellung in der Religiosität des 2. Jh. n. Chr. (1921), in: Ders., Ausgewählte Schriften 1, 1969, 525–531 • M. CASTER, Études sur Alexandros, 1938 • S. EITREM, Orakel und Mysterien am Ausgang der Antike, 1947 • H. D. BETZ, Lukian von Samosata und das Christentum, 1959, 226ff. • L. ROBERT, À travers l' Asie Mineure: poètes et prosateurs, Monnaies grecques, voyageurs et géographie, 1980, 393–436 • C. P. JONES, Culture and Society in Lucian, 1986.   D. Sl.

[28, aus Seleukeia] Sohn des Alexandros (Suda α 1128 ADLER), Sophist aus Seleukeia in Kilikien, geb. ca. 115 n. Chr. Er trug den Spitznamen *Pē_plátōn* (»Lehmplato«) und war Schüler von Dionysios und Favorinos. Über seinen Narzißmus wegen eines Sekretärspostens (? 138) ärgerte sich Antoninus Pius, doch Philostratos (soph. 2,5) preist sowohl seine Erscheinung wie seine Vorträge: asianische Gedankengänge, Rhythmen und kurze Kola kennzeichnen zahlreiche Zitate. A. hielt Reden in Antiocheia, Tarsos, Ägypten, Athen und Rom. Von Mark Aurel wurde er während der markomannischen Kriege mit dem Amt *ab epistulis Graecis* betraut (169 oder später) und starb, noch im Amt oder bereits im Ruhestand, im Alter von ca. 60 Jahren in Italien.

1 D. A. RUSSELL, Greek Declamation. 1983, 84–86
2 G. W. BOWERSOCK, Greek sophists in the Roman empire, 1969, 53–4.   E. BO. / L. S.

[29, von Tralleis] Griech. Arzt um 565 n. Chr., Sohn eines Arztes namens Stephanos. Er stammte aus einer wohlhabenden Familie, einer seiner Brüder war der Architekt Anthemios. A. reiste durch Italien, Afrika, Gallien, Spanien, möglicherweise mit den Truppen des Iustinian, sowie durch den ganzen ägäischen Raum, bevor er sich in Rom als praktischer Arzt und Lehrer der Medizin niederließ [15].

Auch wenn die Grundzüge seiner Physiologie galenistisch sind, wandte er sich im Interesse der praktischen Medizin vehement gegen einen dogmatischen Galenismus. In der aus 12 Büchern bestehenden Therapeutik, die er in hohem Alter schrieb, nahm er bereitwillig Wunder- und Volksheilmittel, Gesänge und Amulette, heidnische, christl. und jüdische Elemente auf. Seine Behandlungsweise war eher traditionell mit deutlicher Betonung von Diät und sportlicher Betätigung gegenüber Arzneimitteln und Chirurgie. Auf-

grund seiner langjährigen Erfahrung wußte er jedoch, daß der Arzt auf die Mitarbeit seines Patienten angewiesen war, auch wenn dies bedeutete, daß die verschriebenen Mittel gelegentlich schwächer waren, als es seiner Empfehlung entsprochen hätte [16. 26]. A. verwendet mit Bedacht ein einfaches Vokabular, um leichter mit den Kranken kommunizieren zu können, und stellt in Anlehnung an Galen detaillierte Regeln für die Ausstattung des Krankenzimmers wie für den Arztbesuch auf. Seine Bücher, deren letztes er Kosmas, dem womöglich mit Kosmas Indikopleustes identischen Sohn seines (alexandrinischen?) Lehrers, widmete, gliederte er nach Krankheiten und Therapien, vom Kopf bis zu den Füßen. Ferner schrieb er über Wurm- und Augenleiden [5; 6; 7]. Seine Schriften vereinen beachtliche Kenntnis älterer Lit. mit Erfahrungsberichten aus seiner eigenen langjährigen Arztpraxis und vermitteln abgesehen von den Schriften Galens die besten Einblicke in den Arbeitsalltag eines ant. Arztes. Sie wurden bald ins Lat. übersetzt, Fragmente finden sich auch im Arabischen.

ED.: 1 Therapeutica: ed. princeps J. GOUPYL et al., 1548
2 T. PUSCHMANN (Hrsg. und Übers.), 1878–9 3 F. BRUNET, 1936–7 (frz. Übers.) 4 De febribus: J. L. IDELER (Hrsg.), 1841 5 T. PUSCHMANN (Hrsg. und Übers.), 1878 5 De vermibus: T. PUSCHMANN (Hrsg. und übers.), 1879 6 G. ONGARO, Acta med. hist. Patavina 1964, 119 (ital. Übers.) 7 De oculis: T. PUSCHMANN (Hrsg. und Übers.), in: Berliner Studien, 1886 8 T. PUSCHMANN, Ndr. 1963 9 Practica Alexandri yatros Greci, with notes by J. DESPAIRS, SIMON VON GENUEN, LYONS, F. FRADIN, 1504, Ndr. B. DE GARALDIS, Pavia 1520, O. SCOTUS, Venedig 1522 (alte lat. Version) 10 arab. Überlieferung: SEZGIN, 162 11 ULLMANN, 85f.
LIT.: 12 M. WELLMANN, s. v. Alexandros, RE I, 1460 13 F. KUDLIEN, s. v. A. [23], KlP 1, 253–254 14 F. KUDLIEN, s. v. Alexander of Tralles, Gillispie 1, 121 15 PLRE 3, s. v. Alexander Trallianus, 44 f. 16 J. M. DUFFY, Byzantine medicine in the sixth and seventh centuries, in: DOP 1984, 21–27.   V. N. / L. v. R.-B.

[30] De Urinis, Autor einer Puls- und Urin-Schrift, die häufig fälschlicherweise mit → Alexandros [29] von Tralleis in Verbindung gebracht wird und in einigen lat. Versionen unter dem Namen Galens erh. ist. In ihr werden Pulslehren, die bis auf Galen zurückgehen, systematisiert und die im Alexandreia des 5. und 6. Jh. verbreiteten Vorstellungen zur Urindiagnose kurz dargestellt. Die Schrift wurde im frühen MA zweimal übers. und ist eine wichtige Quellen zur Vermittlung spätant. Uroskopielehren an das ma. Europa.

E. F. FARGE, 1891 • (1. Version) B. NOSSKE, 1919 (2. Version) • H. POHL, 1922 • E. LANDGRAF, 1895 (Teiled., Übers. u. Komm.; Galen zugeschrieben) • H. LEISINGER, 1925 (Teiled., Übers. u. Komm.; Ps.-Galen zugeschrieben) • M. STOFFREGEN, 1977.   V. N. / L. v. R.-B.

[31, Philalethes] Herophileischer Arzt, der ca. 6. v. Chr. Zeuxis als Oberhaupt der Men Karou-Schule (ein Tempeldorf bei Laodikeia) ablöste und dort Aristoxenos und Demosthenes Philalethes unterrichtete.

Als urspr. Anhänger des → Asklepiades 6, von Bithynien] teilte er dessen Ansichten über Lethargie und Verdauung und führte dessen Überlegungen zu Atomen und Poren fort, verfolgte jedoch in seiner Pulstheorie und mit seiner Ansicht, der männliche Samen entstehe aus Blutschaum, einen eher herophileischen Ansatz. Er schrieb mindestens 2 Bücher über Gynäkologie, bestritt jedoch, daß es spezifische Frauenkrankheiten gebe. Seine mindestens 5 Bücher umfassenden *Aréskonta* sind ein wichtiges Bindeglied innerhalb medizinischer Doxographie, die sich bis nach Alexandreia zurückverfolgen läßt. Auch wenn der → Anonymus Londiniensis A. häufig zitiert, ist es unwahrscheinlich, daß sein Verf. seine doxographischen Informationen ausschließlich von ihm bezieht.

→ Anonymus Londinensis; Herophilos

1 STADEN, 532–539 2 D. MANETTI, Doxographical deformation of medical tradition in the report of the Anonymus Londinensis on Philolaus, in: ZPE 1990, 219.   V. N. / L. v. R.-B.

[32, aus Kotiaeion] in Phrygien (Κοτιαεύς). Griech. Grammatiker (70/80 – ca. 150 n. Chr.), Lehrer des Rhetoren Ailios → Aristeides, der in seiner 12. Rede biographische Nachrichten und das Porträt eines toleranten und großzügigen Mannes bietet. In Rom hielt A. gegen Entgelt einen berühmten Unterricht ab und wurde aufgrund seines Rufes Lehrer der kaiserlichen Familie unter Mark Aurel. Durch seinen Einfluß bei Hofe konnte er seiner Heimatstadt Bevorzugungen zuteil werden lassen; diese erwies ihm nach seinem Tod Ehrungen wie einem Halbgott. Die Quellen deuten auf eine sehr breite exegetische Tätgkeit zu verschiedenen Dichtern und Prosaschriftstellern hin; die Fragmente betreffen zumeist Homer, aber er hat sich anscheinend auch mit Aisopos beschäftigt. Bekannte Titel sind: Ἐξηγητικά oder Ὁμηρικὴ συγγραφή, Παντοδαπά.

→ Grammatiker

A. R. DYCK, The Fragments of Alexander of Cotiaeum, in: Illinois Classical Studies 16, 1991, 307–335 · H. ERBSE, Beiträge zur Überlieferung der Iliasscholien, 1960, 36–37, 53–54 · K. LEHRS, Quaestiones epicae, 1837, 8–16 · SANDYS, I³, 312 · M. VAN DER VALK, Researches on the Text and Scholia of the Iliad, 1963–64, I, 113–114 · G. WENTZEL, in: RE 1, 1455–56.   F. M. / T. H.

[33] Sohn des Menides, Bildhauer. Seine nach einer Inschrift aus Thespiai ergänzte Signatur auf verschollener Basis aus Melos wird häufig mit der nahebei gefundenen »Venus von Milo« verbunden, nicht ohne Widerspruch.

STEWART, 224 Abb.   R. N.

Alexanor (Ἀλεξάνωρ). Heilheros mit sprechendem Namen (»Schützer der Männer«, vgl. → Alkon), der zusammen mit dem Heilgott Euhamerion im Asklepieion von Sikyon (Titane) verehrt wurde. Er ist in nordostpeloponnesische Heilmyth. eingebunden: Der lokale

Mythos machte ihn zum Sohn des Asklepiossohns → Machaon und Stifter des sikyonischen Heiligtums mit seinem altertümlichen Kultbild (Paus. 2,11,5–7). In Argos galt er als Bruder des Sphyros (Stifter des argiv. Asklepieions: Paus. 2,23,4), in Eua in der Thyreatis als der des lokalen Heilers Polemokrates (Paus. 2,38,6).
                                                                          F. G.

Alexas Vater von → Aulos [2] u. Quintus, eine wohl kampan. Steinschneiderfamilie röm.-republikan. Zeit mit bevorzugt aphrodisisch-dionysischer Thematik. Die Signatur des A. nur auf einem Kameo-Frg. mit Seetier (London, BM).

→ Gemmen- u. Kameenschneider

ZAZOFF, AG, 286 Anm. 113.   S. MI.

Alexinos aus Elis, → Megariker, lebte in den Jahrzehnten vor und nach 300 v. Chr. A. lehrte zunächst in seiner Heimatstadt Elis, dann in Olympia. In seiner Schrift ›Über Erziehung‹ (Περὶ ἀγωγῆς) bezog er in der Streitfrage, ob den Philosophen oder den Rhetoren der Primat auf dem Gebiet der Bildung zukomme, eine vermittelnde Position: Zwar könne man bei den Rhetoren durchaus eine gewisse Fertigkeit im Argumentieren erlernen; da deren Argumente jedoch nur auf Erfahrung, Wahrscheinlichkeit und Vermutung, nicht auf der Kenntnis wiss. Beweisformen basierten, müßten sie sich die Kontrolle durch den dialektisch geschulten Philosophen gefallen lassen (Philod. rhet. 2 col. XLIV 19– XLIX 19). In einer anderen Schrift suchte A. Zenons Beweis für die Vernünftigkeit der Welt als ungültig zu erweisen (Cic. nat. 3,22–23; S. Emp. 9,104; 108). Weitere für A. bezeugte Schriften sind ein Paian, ›Erinnerungen‹ (Ἀπομνημονεύματα) und eine Schrift, in der er den Historiker Ephoros angriff (Athen. 15,696ef; Euseb. Pr. Ev. 15,2,4; Diog. Laert. 2,110)

SSR II C · K. DÖRING, A., in: GGPh 2.1, 1996 (erscheint voraussichtlich 1996).   K. D.

Alexion. **[1]** Arzt und Freund Ciceros (Cic. Att. 15,1–3), der im Jahre 44 v. Chr. plötzlich an einer undefinierbaren Krankheit starb. Sein Kummer über den Verlust dieses *summus medicus* hielt Cicero nicht davon ab, sich zu erkundigen, wen A. in seinem Testament bedacht hatte.   V. N. / L. v. R.-P.

[2] (Ἀλεξίων). Griech. Grammatiker der 2. H. des 1. Jh. n. Chr., genannt χωλός (der Hinkende): er verfaßte eine Epitome der *Symmikta* des → Didymos, die von Herennius Philon zitiert und von Herodianos benutzt wurde. Titel sind keine bekannt, aber er arbeitete gewiß über Homer: Die Fragmente (viele in den Homer-Scholien des Herodianos und in den Etymologica) enthalten selten exegetische Fragen, sondern meistens etym. und grammatikalische Beobachtungen (Schreibweise, Akzentuierung u. ä.).

→ Didymos; Herennius Philon; Herodianos; Scholia

R. BERNDT, De Charete, Chaeride, A. grammaticis
eorumque reliquiis, 1906, II 4–44 • G. WENTZEL,
RE 1,1, 1466–1467.   F. M. / M.-A. S.

Alexios. Eine Legende aus → Edessa berichtet über einen jungen Byzantiner (5. Jh.), der seine Frau in der
Hochzeitsnacht verläßt, um ein asketisches Leben zu
führen [1. 36–44]. Die Gestalt des A., die zum Typos des
Asketen wurde, ist auch in Konstantinopel im 9. Jh. bekannt, wo Melodos († 833) zu A. Ehren einen Hymnus
verfaßte. Die Entdeckung einer lange unberücksichtigt
gebliebenen griech. Fassung dieser Legende, die in den
Hauptzügen mit der syr. Version des 6. Jhs. überein-
stimmt, ohne deren Übers. zu sein [2. 56c], warf erneut
die Frage nach der Sprache des Originals auf. Weitere
griech. Versionen der A.-Vita enthalten Menologien
und Synaxarien [2. 51–55]. Die älteste lat. Übers. geht
auf das 10. Jh. zurück. Sein Kult behauptete sich in Rom
996. Die Fresken der S. Clemente zeigen den verarmten
»Mann Gottes« unter der Leiter.

→ Askese; Syrien

1 Bibliothecaa hagiographica orientalis. Ed. P. PEETERS
2 Bibliotheca hagiographica graeca. 3me éd. par F. HALKIN,
Vol. I–III, 1957.

A. AMIAUD, La légende syriaque de S. Alexis, l'homme de
Dieu, 1889 • M. RÖSSLER, Alexiusprobleme, Zeitschr. für
Roman. Philol. 53, 1933, 508–28 • H.-G. BECK, Intractam
sponsam relinquens. A propos de la Vie de S. Alexis, in:
Analecta Boll. 65, 1947, 157–195 • P. PEETERS, Le tréfonds
oriental de l'hagiographie byzantine, 1950, 178 • L. DU-
CHESNE, Les légendes chrétiennes de l'Aventin: Scripta
minora, 1973, 234–50.   K. SA.

Alexipharmaka, »Medikamente, die Gifte abwehren«. Die Suche nach wirksamen Gegengiften ist so alt
wie die Gifte selbst. Auch wenn sich schon bei
→ Theophrastos (ca. 380–288/5 v. Chr.) Besprechun-
gen einzelner Gegengifte finden (fr. 360, 361 FORTEN-
BAUGH), scheint die ernsthafte Unters. von Giften in
Alexandreia mit → Herophilos und → Erasistratos (um
280 v. Chr.) ihren Anfang genommen zu haben und von
Apollodoros und Nikandros von Kolophon (2. Jh.
v. Chr.), dessen *Theriaká* und *Alexiphármaka* die ältesten
überlieferten Abhandlungen zu diesem Thema darstellen, weitergeführt worden zu sein.

A. können sowohl als Gegenmittel nach der Verabreichung eines Giftes eingesetzt werden wie auch zur
Prophylaxe. Die berühmtesten A. sind das Mithridatium, das urspr. von Mithridates V. entwickelt wurde,
sowie die verschiedenen Theriaka, die Galen beschreibt. Die Tradition des toxikologischen Schrifttums,
einschließlich der Werke von Ps.-Aelius Promotus und
Ps.-Dioskurides, scheint nur gelegentlich mit den bedeutendsten pharmazeutischen Schriften in Berührung
gekommen zu sein, obwohl Diskussionen über die Wirkungen dieser Mittel in medizinischen als auch pharmakologischen Debatten über die Physiologie des Patienten von Bedeutung waren.

1 A. TOUWAIDE, Studies in the history of medicine
concerning toxicology after 1970, in: Soc. Ancient
Medicine Newsletter 1992, 8–34 (führt Publikationen seit
1970 auf) 2 G. WATSON, Theriac and Mithridatium, 1966
3 I. LASKARATOS, Κυλίκες Ζωῆς Κατευναστριαι, 1994
4 A. TOUWAIDE, Galien et la toxicologie, in: ANRW 37.2,
1995.   V. N. / L. v. R.-P.

Alexis. Aus dem unterital. Thurioi stammender att.
Komödiendichter, der der Onkel und Lehrmeister des
→ Menandros gewesen sein soll [1. test. 1.2]. Ein Sieg
beim Komödienagon der großen Dionysien von 347
v. Chr. ist das früheste sichere Zeugnis von A.' Laufbahn
[1. test. 6], doch gibt es Hinweise, daß er schon früher
aufführte: Auf der inschr. Liste der Lenäensieger erscheint er nur vier Plätze nach → Antiphanes [1. test. 8];
in fr. 19 ist von dem schlechten Dichter Argas (tätig in
der ersten Hälfte des 4. Jh.) die Rede, im fr. 1 vom noch
lebenden Platon. Auf der anderen Seite reichen die
Hinweise mindestens bis ans E. des 4. Jh.: In fr. 207 sind
der Diadoche Seleukos, in fr. 116 wahrscheinlich Antigonos Monophthalmos, sein Sohn Demetrios und dessen Frau Phila nach dem Seesieg von 306 v. Chr. erwähnt; die Nennung von Ptolemaios II. und seiner
Schwester in fr. 246 würde sogar in die Zeit um 270
v. Chr. führen, wenn diese Verse dem Stück nicht später
hinzugefügt wurden. Jedenfalls soll A. sehr alt (106 J.)
geworden [1. test. 4] und als aktiver und erfolgreicher
Dramatiker gestorben sein [1. test. 5]; von urspr. 245
Stücken [1. test. 1] sind noch 135 Stücktitel erhalten.
Davon führt nur ein geringer Teil (höchstens ein Sieb-
tel) auf mythische Stoffe (aus dem *Línos* ist noch eine
schöne Herakles-Szene erhalten [1. fr. 140]), erheblich
mehr weisen auf Sujets hin, wie sie dann in der Neuen
Komödie typisch waren (in dem um 341 v. Chr. aufgeführten *Stratiōtēs* gab es eine Umkehrung der Situation
von Menanders *Epitrépontes: keine* von zwei Parteien will
ein kleines Kind haben [1. fr. 212]). Ein Chor im älteren
Stil (mit eupolideischen Versen!) scheint noch im *Tro-
phónios* aufgetreten zu sein [1. fr. 239]; andererseits wird
in der *Kurís* ein Chor von Komasten in der gleichen
Weise eingeführt [1. fr. 112] wie am Ende des 1. Aktes
von Menander-Stücken. Daß A. wohl einige Bed. bei
der Entwicklung typischer Rollen der Neuen Komödie
gehabt hat, zeigt sich vor allem bei der Koch- und der
Parasitenrolle [2. 302–305; 313–315], weniger bei der
Sklaven- und Soldatenrolle [2. 294f.; 327f.]. Er galt später als bedeutendster Vertreter der Mittleren Komödie
neben → Antiphanes; mit wenigstens der Hälfte seines
Schaffens aber hat er sich kaum von Nea-Dichtern unterschieden und wurde neben ihnen gerne als Vorlage
von röm. Komödiendichtern herangezogen [1. test. 11].

1 PCG II, 1991, 21–195 2 H.-G. NESSELRATH, Die att.
Mittlere Komödie, 1990.   H.-G. NE.

Alfen(i)us. [1] Avitianus, L., praetorischer Statthalter
Arabiens und konsularischer Statthalter der Pannonia

inferior in der Severerzeit; *frater Arvalis* (anwesend im Kollegium 218 und 231 n. Chr.). PIR² A 519.

LEUNISSEN, 256, 262.   A. B.

[2] Senecio, L., Sohn eines gleichnamigen *procurator Aug.* aus Cuicul in Numidien, *legatus Aug. pro praetore* in Koilesyrien unter Severus und Statthalter von Britannien zw. 205 und 207. PIR² A 521.

LEUNISSEN, 231 f., 263.   A. B.

[3] Varus, P., *praefectus castrorum* im J. 69 n. Chr. unter Fabius Valens, an der Schlacht von Bedriacum beteiligt (Tac. hist. 2,29,2; 2,43,2). Von Vitellius im Herbst 69 zum *praefectus praetorio* befördert, überlebte er dessen Tod (Tac. hist 3,36,2; 4,11,3 [1. 209]).

1 B. DOBSON, Die Primipilares, 1978.   W. E.

[4] Suffektkonsul 39 v. Chr., Jurist, neben Ofilius der bedeutendste Schüler des → Servius Sulpicius (Dig. 1,2,2,44), schrieb *Digesta* (40 Bücher), in denen er die Responsen seines Lehrers mit eigenen kritischen Bemerkungen und selbständigen Erörterungen versah, und wohl auch (Gell. 7,5,1) *Coniectanea* (mindestens 2 B.). *Digesta*, in der justinianischen Kompilation nur in zwei unvollständigen Auszügen, einem anonymen (mindestens 7 B.) und einem von → Paulus (8 B.), überliefert [2], bezeugen die noch wenig abstrakte Kasuistik spätrepublikanischer Jurisprudenz [3], aber auch deren Begriffs- und Definitionsbildung [1].

1 I. MOLNÁR, Alfenus Varus, in: Studia V. Pólay, 1985, 319 ff. 2 WIEACKER, RRG, 608 3 M. BRETONE, Gesch. des röm. Rechts, 1992, 142 ff.   T. G.

[5] A. Varus, P., Nachkomme des Konsuls von 39 v. Chr., *cos. ord.* 2 n. Chr. (DEGRASSI, FCIR, 6; PIR² A 523).   W. E.

Alfius. Röm. Gentilname.
[1] 1. Jh. v. Chr., verfaßte ein Geschichtswerk oder Epos wohl über den 1. Pun. Krieg (*bellum Carthaginiense* Fest. 158 M), vielleicht identisch mit Nr. 5 [1]. **[2]** Bankier (Hor. epod. 2,67). **[3]** Marius, Campaner, fiel 215 v. Chr. gegen Rom (Liv. 23,35,13; 19).

1 SCHANZ / HOSIUS, I, 202.   K. L. E.

[4, Avitus] Lat. Dichter des 2./3. Jh. n. Chr. (Datierung nach Ter. Maur. 2448 *pridem*). Verf. einer mehrbändigen Darstellung bedeutender Ereignisse der röm. Gesch. in akatalektischen iambischen Dimetern (*libri rerum excellentium*, 3 Fr. = 11 V. in Anlehnung an Episoden bei Livius). Identifizierungsversuche (s. etwa CIL II,4110) bleiben Spekulation.
→ poetae novelli

ED.: FPL 174 f.
KOMM.: S. MATTIACCI, I frammenti dei »poetae novelli«, 1982, 207–214 · COURTNEY 403 f.
LIT.: P. STEINMETZ, Livius bei A., in: FS Burck, 1983, 435–447.   J.-W. B.

[5, Flavus] Wird als tüchtiger und im frühen Jugendalter berühmter, später aber wegen der dichterischen Tätigkeit und *desidia* heruntergekommener Rhetor bei Sen. contr. 1, pr. 8; 1,1,22 f. erwähnt (s. a. 2,6,8). Einige Aussprüche des Angegriffenen (contr. 1,7,7; 2,2,3) hat → Cestius als aus Ovid (met. 8,877 f.) entlehnt verspottet (Sen. contr. 3,7; 1,1,22). Ein A. F. kommt auch bei Plin. nat. 9,25 vor; ein *Bellum Carthaginiense* 1 von A. (nicht A. F.) wird von Fest. 156 M zitiert (dazu eingehend [2]).

1 PIR ²A 532 2 C. CICHORIUS, Röm. Studien, 1922, Ndr. 1961, 58–67 3 SCHANZ/HOSIUS I, 202 4 BARDON, I, 102 5 J. FAIRWEATHER, Seneca the Elder, 1981.   G. C.

[6] Flavus, C., Parteigänger der »Triumvirn« → Caesar, → Pompeius und Licinius → Crassus. A. war 59 v. Chr. Volkstribun und führte 54 als Praetor bzw. Quaestor den Vorsitz in den Prozessen gegen Gabinius und Plancius.

MRR 2, 189, 222, 227 (Anm. 3).   W. W.

Algae. → *Statio* in → Etruria, zw. → Centumcellae und → Graviscae am Meer (Itin. Anton. 498,5 f.), nicht lokalisiert.   G. U. / S. W.

Algidus. Berg in der Kette der Albanerberge, h. Artemisio, der → Diana heilig (Hor. carm. 1,21,6; carm. saec. 69), Sitz eines → Fortuna-Heiligtums (Liv. 21,62,8). Eine bescheidene Siedlung A. gab es hier in augusteischer Zeit (Strab. 5,3,9). Mit dem A.-Pass (h. Cava d'Aglio), über den die *via Latina* führte, hatte A. in den Kriegen Roms gegen die → Aequi (5. Jh. v. Chr.) strategische Bedeutung (Liv. 3,2,7; 23,5; 25,6; 27,8; 4,26,3. 6; Dion. Hal. ant. 10,21. 11,23. 28; Ov. fast. 6,722). Von Eichenwäldern bedeckt (Hor. carm. 4,4,58), kalt (Hor. carm. 1,21,6. 3,23,9; Stat. silv. 4,4,16), wurde der A. in der Kaiserzeit doch für seine Anmut gerühmt (sil. 12,536 f.; Mart. 10,30,6).

F. MELIS, S. QUILICI GIGLI, Votivi e luoghi di culto nella Campagna di Velletri, in: ArchCl 35, 1983, 19–24.   S. Q. G. / R. P. L.

Ali (ʿAlī). Ali ben Abi Talib, letzter der 4 rechtgeleiteten Kalifen (656–661 n. Chr.). Vetter, Schwiegersohn und einer der ersten Anhänger → Mohammeds. Nach Meinungsverschiedenheiten und Kämpfen mit dem → Omayyaden Muʿāwiya Abspaltung der Sekte der Charidschiten, die A. schließlich töten. Für die Schiiten ist A. der erste rechtmäßige Nachfolger Mohammeds, der erste Kalif → Imam.
→ Kalif; Schiiten

V. VAGLIERI, ʿAlī b. Abī Ṭālib, in: EI 1, 381b–386a.   K. M.

Alienatio bedeutet Veräußerung, vereinzelt auch Veräußerungsbefugnis, hingegen nicht schon den Verkauf (Dig. 50,16,67 pr.). Cicero (top. 5,28) definiert *ab-*

alienatio als Gattung für *traditio alteri nexu* (d. h. → *mancipatio*) und → *in iure cessio*. Gaius (inst. 2,65) fügt dem die → *usucapio* hinzu (*a. iure civili*) und unterscheidet hiervon *alienare iure naturali*, wozu etwa die → *traditio* gehört. Die Bedeutung von *a.* erfaßt auch die Zuerkennung einer Sache durch Fehlurteil (Dig. 40,7,29,1). Das prätorische Edikt trifft Regelungen über die *a. iudicii mutandi causa* (zum Zwecke der Prozeßerschwerung, Dig. 4,7,1; 4,7,3 pr.) über die Veräußerung *in fraudem creditorum* (zur Gläubigerbenachteiligung, Dig. 42,8,6,5) und über die Veräußerung von Sklaven angesichts der *actio de peculio* (Dig. 15, 2, 1 pr., → *peculium*). Die *l. Iulia de adulteriis* (18 v. Chr.) verbietet die *a.* von Mitgiftgrundstücken (zur Definition der *a.* aus diesem Anlaß → *actus* [1]). Dieselbe *l.* untersagt der geschiedenen Frau für eine bestimmte Zeit die *a.* ihrer Sklaven (hierzu Ulp. Dig. 40,9,14,6: *Alienationem omnem omnino accipere debemus*). Eine *oratio Severi* (195 n. Chr.) untersagt die *a.* (einschließlich der Ausschlagung eines Legates, Dig. 27,9,5,8) von *praedia rustica* und *suburbana* Unmündiger durch *tutores* oder *curatores* (Dig. 27, 9, 1, 2). Eine Konstitution des J. 386 beschränkt die *a.* ländlicher und städtischer Grundstücke der Dekurionen (Cod. Iust. 10,34,1).

D. DAUBE, Roman Law, Linguistic, Social and Philosophical Aspects, 1969, 17–22 · H. HONSELL, TH. MAYER-MALY, W. SELB, Röm. Recht, ⁴1987, 375 f. · KASER, RPR I, 248, 251 f., 334, 361, 371, 406; II 94 f., 150, 269 · F. STURM, Abalienatio, Essais d'explication de la definition de Topique (Cic. Top. 5, 28), 1957; Rez.: M. KASER, in: ZRG 75, 1957, 410–412.   D. SCH.

Aligern. Sohn des Fredigern, jüngster Bruder des letzten Ostgotenkönigs Teja. Nach dessen Tod (552 n. Chr.) hielt A. die Festung Cumae mit den Königsinsignien und dem Schatz noch über ein Jahr (Agath. 1,8,6; Prok. 8,34,19 f.), bis er sie wohl Ende 553 an → Narses übergab (Agath. 1,20,1–7). In seinem Auftrag kämpfte er gegen die Franken (Agath. 1,20,9–11) und war 554 an dessen Sieg über den Alemannen → Butilinus bei Casilinum beteiligt (Agath. 2,9,13; PLRE 3A, 48).

STEIN, Spätröm. R., 2, 603 ff.   W. ED.

Alimenta. A. waren seit dem späten 1. Jh. n. Chr. eingerichtete Geldzuteilungen zugunsten röm. Kinder in den Städten It. Zu diesem Zweck wurden meist von den *principes*, in einigen Fällen aber auch von sehr reichen privaten Wohltätern Alimentarstiftungen eingerichtet. Das Finanzierungssystem war kompliziert: Die *principes* liehen ihr privates Geld an lokale Landbesitzer, die Zinsen an ihre Stadt zahlten, damit diese die Geldzuteilungen finanzieren konnte. Die *a.* sind als eine Finanzierungshilfe für die Landwirtschaft oder auch als eine Subvention für Familien mit Kindern erklärt worden. Ein Relief auf dem Bogen von Beneventum zeigt die Verteilung von *a.* unter der Aufsicht des *princeps*. Epigraphisch sind *a.* der *principes* aus mindestens 52 Städten

It., vor allem aus den urbanisierten und dicht bevölkerten Regionen Mittel-It. bekannt. Zwar nahm die Zahl solcher Alimentarstiftungen bes. unter Traian zu, doch das System ist wahrscheinlich von Nerva oder gar von Domitian begründet worden. Es existierte noch zur Zeit der Severer, aber überlebte wahrscheinlich nicht mehr die Geldentwertung des 3. Jh. n. Chr. Außerhalb It. waren *a.* zumeist private Geldzuwendungen. Hadrians *a.* in Antinoopolis entstand aus dem persönlichen Kummer des *princeps* über den Tod des Antinoos.

Zwei große Bronzeinschr. aus Veleia (CIL XI 1147, nahezu vollständig) und Ligures Baebiani (CIL IX 1455, teilweise vollständig) dokumentieren im Detail die Bestimmungen für *a.* der *principes* in diesen Städten. In Veleia lieh der *princeps* 1 044 000 HS 46 Landbesitzern, die Land im (zumeist) 12,5fachen Wert des gewährten Darlehens verpfänden mußten und 5% Zinsen an die Stadt zahlten. In Veleia wurden 300 Kinder unterstützt. In der ähnlich organisierten Stiftung in Ligures Baebiani verlieh der *princeps* 401.800 HS. In Veleia erhielten Jungen (*legitimi*) 16 HS im Monat, Mädchen (*legitimae*) 12 HS. Ein *spurius* und eine *spuria* erhielten 12 oder 10 HS. Bei den so unterstützten Kindern bestand zw. Jungen und Mädchen ein Verhältnis von 7:1, wahrscheinlich deswegen, weil Eltern normalerweise nur ein Kind zur Unterstützung vorschlagen konnten und sie somit nur dann eine Tochter vorschlugen, wenn sie keinen Sohn hatten. Die Raten waren meistens großzügig genug, um mehr als ein Kind zu unterstützen; wahrscheinlich waren sie im Wert den *frumentationes* in Rom vergleichbar. Eine derartige Unterstützung für etwa 300 Familien in einer kleinen Stadt wie Veleia weist auf einen wichtigen Beitrag zum Einkommen einfacher Familien hin.

Die *a.* waren wahrscheinlich keine agrarpolit. Maßnahme. Es wurde behauptet, daß es keine landwirtschaftlichen Probleme gab, daß die Darlehen der *principes* solche Probleme auch nicht hätten lösen können und daß die *principes* normalerweise ohnehin keine Wirtschaftspolitik betrieben. Die Unterstützung von Familien mit Kindern wurde deswegen bevölkerungspolit. erklärt. Es sei darum gegangen, mehr Soldaten aus It. zu haben. *Principes* betrieben jedoch normalerweise auch keine Bevölkerungspolitik. Tatsächlich hatte It. im späten 1. Jh. eine größere Bevölkerung als jemals zuvor. Die damals geringe Anzahl von Soldaten aus It. in den Legionen hatte keinen demographischen Hintergrund. Alternativ können die *a.* als eine Ausweitung der kaiserlichen Wohltaten wie der *frumentationes* auf die Städte It. gesehen werden. Der Wechsel zu den Kindern als Empfängern von Zuwendungen bedeutete keinen praktischen Unterschied, sondern präsentierte den *princeps* als *pater patriae* für die Kinder seiner Bürgerschaft.
→ Bevölkerungsgeschichte; Familie

1 E. CHAMPLIN, Owners and neighbours at Ligures Baebiani, in: Chiron 11, 1981, 239–64 2 DUNCAN-JONES, Economy, 288–319, 333–342, 382–385 3 P. GARNSEY, Trajan's Alimenta: Some Problems, in: Historia 17, 1968, 367–381 4 G. WOOLF, Food, Poverty, and Patronage. The

Significance of the Epigraphy of the Roman Alimentary Schemes in Early Imperial Italy, in: PBSR 68, 1990, 197–228.   W.J.

Alişar. Siedlungshügel im nördl. Kappadokien im Südosten von → Boghazki. Ausgrabungen 1930–32 unter H. H. VON DER OSTEN. Dabei erstmals für Zentralanatolien durchgehende Siedlungsschichten vom Chalkolithikum bis in byz. Zeit [2]. Chronologisch bedeutend ist die nachhethitisch-»phrygische« Schicht Alişar IV mit Keramik in silhouettenhaftem Tierstil [1. 1–10; 3].

1 E. AKURGAL, Phryg. Kunst, 1955 2 H. H. V. D. OSTEN, The Alishar Hüyük, OIP 29–30, 1937 3 G. K. SAMS, The Early Phrygian Pottery, Gordion IV, 1994.   F. PR.

Aliso. Nach der Varusschlacht 9 n. Chr. verteidigtes, in geordnetem Rückzug zum → Rhenus (h. Rhein) aufgegebenes Kastell (Vell. 2,120,4), wohl mit dem von → Drusus 11 v. Chr am Einfluß des Elison in die Lupia (h. Lippe) angelegten φρούριον (phrurion; Cass. Dio 54,33,4) identisch. Die Lokalisierung steht aus, da Oberaden und Holsterhausen ausscheiden, das erwogene Haltern 41 km zu weit vom Rhein entfernt ist und 9 n. Chr. aufgegeben wurde [1], während Aliso 15/6 n. Chr. noch oder wieder besetzt war (Tac. ann. 2,7,3). → P. Quinctilius Varus

1 H. SCHÖNBERGER, Die röm. Truppenlager der frühen und mittleren Kaiserzeit zw. Nordsee und Inn, in: BRGK 66, 1985, 427 f.

W. SCHLEIERMACHER, H. KUHN, S. V. A., RGA 1, ²1973, 170 f. · R. WIEGELS, W. WOESLER, (Hrsg.), Arminius und die Varusschlacht, 1995.   K. DI.

Alites s. Augures

Alkaios (Ἀλκαῖος). Der sprechende myth. Name (alké, »Stärke«) hängt mit Herakles zusammen. **[1]** Großvater des Herakles, Sohn des Perseus und der Andromeda, Mann der Pelopstochter Astydameia, Vater des Amphitryon und der Anaxo, Großvater des Herakles (Hes. scut. 26; Schol. Eur. Hec. 886). Auch die Namensform Alkeus scheint belegt zu sein, die für das Patronymikon Alkeides besser paßt. **[2]** Urspr. Name des Herakles, auf Befehl des delph. Orakels geändert (Diod. 1,24; 4,10). Der Mythos soll wohl den Argiver Herakles mit einem lokalen Heros Thebens, A., identifizieren [1]. **[3]** Sohn des Herakles von einer Sklavin und Vater des Belos, Stammvater der lyd. Könige (Hdt. 1,7).

1 U. VON WILAMOWITZ-MOELLENDORF, Euripides Herakles 1, ²1959, 293 f.   F. G.

[4] (Ἀλκαῖος, aiol. Ἄλκαος). Lyrischer Dichter aus Mytilene auf Lesbos; er entstammte einer aristokratischen Familie, welche in die Machtkämpfe verwickelt war, die sich nach dem Sturz der Penthiliden und ihres Nachfolgers Melanchros auf der Insel abspielten; letz-

terer wurde mit Beteiligung der Brüder des A. gestürzt (612–609). Selbst war A. alt genug, um vor 600 an den Kämpfen gegen die Athener um Sigeion teilzunehmen, wo er, wie vor ihm → Archilochos, seinen Schild fortwarf und floh (Hdt. 5,94–95). In seinen Gedichten bringt er seine Verachtung für den Tyrannen Myrsilos und für Pittakos zum Ausdruck, aber genauso für den démos, der Pittakos 590–580 als Schlichter (aisymnétēs) gewählt hatte. Obwohl Pittakos von A. und seinen polit. Gesinnungsgenossen des Verrats beschuldigt wurde, genoß er doch in der Antike hohes Ansehen als einer der Sieben Weisen und brachte der durch Unruhen erschütterten Stadt Frieden. Die Gegnerschaft des A. zeigt seine Neigung zu leidenschaftlicher Parteinahme: persönliche Beleidigungen wie die als dickbäuchig (φύσκων, 129V), plattfüßig (σάραπος, 429V), von schlechter Herkunft (κακοπατρίδας) und feige (ἄχολος, 348V vom démos) machen die polit. Gegner lächerlich und sind um so beeindruckender in einer Art von Dichtung, deren Ton im allgemeinen gehobener ist als der der Iambographen. Der zum Ausdruck kommende Haß des A. gilt eher den Gegnern seiner Partei als persönlichen Feinden. Er spricht in eindringlicher Weise von seinem Exil (30V), das er öfter als nur einmal erleiden mußte und das ihn anscheinend nach Ägypten geführt hat; sein Bruder Antimenidas, der vielleicht zur selben Zeit im Exil war, hat im babylonischen Heer unter Nebukadnezar Söldnerdienste geleistet (350V) [2. 223–226]. Im Einklang mit dem beleidigenden Tenor seiner polit. Gedichte steht der abschätzige Ton seiner mytholog. Beispiele auch dort, wo es sich nicht um polit. Themen handelt: Aias ist ein Frevler und hat dem Heer der Griechen Verderben gebracht (298V, wahrscheinlich mit Seitenblick auf Pittakos), Helena ist eine Plage und Geißel für die Griechen (42V, 283V), Sisyphos ein Beispiel für menschlichen Wahn (38aV). Seine Dichtung war wahrscheinlich zum Vortrag beim Symposion mit polit. gleichgesinnten hetaíroi bestimmt und wurde von der Lyra begleitet (βάρμος, 70V) [3]. Der Wein ist stets Thema und jeder Vorwand gut genug, zum Trinken einzuladen, sei es im Winter (338V), im Sommer (347V), in Stunden der Freude (332V, beim Tod des Myrsilos) oder der Trauer (346V). Die nicht erh. Skolia des A. waren beliebt und wurden häufig vorgetragen (466V). Darunter sind Hymnen auf verschiedene Gottheiten, unter denen viele passend sind als Schutzgötter für eine Gruppe von Männern, die gemeinsam trinken oder unter Waffen stehen, wie z. B. Dionysos (349V), die Dioskuren (34V), Apollon (307V), Hermes (308V), Athena (325V) und vielleicht auch Ares (inc. auct. 6V). Die Beschreibung von Waffen, die in einer Halle hängen (140V), endet mit einer Mahnung an die anstehenden Pflichten. Eros findet sich in den uns gebliebenen Fragmenten nicht so häufig, wie man erwarten könnte, obwohl es einen Hymnos des A. auf diesen Gott gab (327V). Theokrit 29,30 und Horaz carm. 1,32,9 ff. legen nahe, daß die Liebe einen wichtigeren Platz einnehmen würde, wenn mehr erhalten wäre. Das Bild eines im

Sturm hin und hergeworfenen Schiffes (6,208V) ist der bekannteste Beitrag des A. zur Tradition der europ. Dichtung, und man hat es verbreitet als eine Allegorie für das Staatsschiff aufgefaßt, das von polit. Stürmen geschüttelt wird. So wurde die Stelle von → Herakleitos verstanden, der auch Archilochos 105W [4] in diesem Sinne interpretierte. Man hat in dem Bild auch die metaphorische Beschreibung von regelwidrigem Verhalten beim Symposion gesehen oder ein Stück Zimmertheater – die unmetaphorische Darstellung eines Sturms, die den Gefährten bei Anlaß eines Festes vorgetragen wurde [5. 17]. Der Hymnos an Kastor und Polydeukes preist diese Gottheiten als Helfer in der Not für die Seeleute, und möglicherweise werden sie als Beschützer der *hetaíroi* in Zeiten der Stasis angerufen. Ein preisender Vers wird häufig als an → Sappho gerichtet bezeichnet (384V), aber es ist zweifelhaft, daß er tatsächlich den Vokativ ihres Namens enthielt, und ein von Aristoteles behaupteter dichterischer Austausch zwischen den beiden (Sappho 137V) ist unwahrscheinlich. Es bestand kein erwiesener Kontakt zwischen ihnen, auch wenn sie gemeinsam auf Vasen abgebildet wurden (z.B. München 2416 WAF). Die Dichtung des A. eröffnet uns den Blick auf eine *hetaireía* der Männer, während Sappho eine ähnliche Gruppe von Frauen in eben jenem Mytilene zeigt. Die Dichtung des A. ist, wie die der Sappho, in lesb.-aiol. Dialekt verfaßt, dessen deutlichste Kennzeichen der zurückweichende Akzent und das Fehlen der Aspiration am Wortanfang (Psilosis) sind. A. dichtete in einer Anzahl verschiedener Metren wie Daktyloepitriten, Iamben und bes. in Kola, die auf dem Choriambus beruhen (vor allem der Glykoneus). Die Strophen sind häufig vierzeilig, darunter die nach A. benannte und die sapphische Strophe. Viele zwei- und vierzeilige Strophen basieren auf dem Asklepiadeus maior und minor. Die Gedichte des A. sind von Aristophanes [4] von Byzanz und Aristarchos von Samothrake in mindestens 10 Büchern herausgegeben worden, und er wurde in den Kanon der 9 Lyriker aufgenommen. Unsere Überlieferung ist sehr spärlich und besteht aus kurzen Zitaten bei späteren Prosaschriftstellern, Grammatikern, Metrikern, Metro- und Lexikographen sowie aus sehr fragmentarischen Papyri, die meist aus Oxyrhynchos stammen und zuerst von Lobel und Page herausgegeben wurden [7]; hinzu kommt als wichtige Ergänzung noch der Kölner Papyrus, der 1967 entdeckt wurde und Teile desselben Gedichtes wie POxy. 2303 enthält; doch wie sich die beiden Papyri in den Einzelheiten zueinander verhalten, ist noch umstritten [8]. A. ist der griech. Dichter mit dem stärksten Einfluß auf die Oden des Horaz, und wenn dieser sich brüstet, er habe das aiol. Lied in Italien eingeführt, bezieht sich das in erster Linie auf A. (carm. 3,30,13–14). Wie Horaz betont A. den Wert festlichen Zusammenseins und der Kameradschaft, doch trotz mancher wehmütiger Augenblicke (z.B. 38A) ist A. drängender und moralistischer. Er ist gewandt, eingehend und wirkungsvoll: *in parte operis aureo plectro merito donatur*

(Quint. inst. 10,1,63). Wenn Goethe sagt, ›sowie ein Dichter polit. wirken will, muß er sich einer Partei hingeben; und sowie er dieses tut, ist er als Poet verloren‹ (Gespräche mit Eckermann, Anfang März 1832), so wird diese Behauptung durch die Papyrusfunde der Dichtung des A. in Frage gestellt.

1 E.-M. Voigt, Sappho et Alcaeus, 1971 2 D. L. Page, Sappho and Alcaeus, 1955 3 W. Rösler, Dichter und Gruppe, 1980 4 M. L. West, Iambi et elegi Graeci ante Alexandrum cantati I, ²1989 5 E. Bowie, Early Greek Elegy, Symposium and Public Festival, in: JHS 106, 1986, 13–35 6 E.-M. Hamm, Grammatik zu Sappho und Alkaios, 1957 7 E. Lobel, Ἀλκαίου μέλη, 1927; E. Lobel – D. L. Page, Poetarum Lesbiorum fragmenta, ²1963 8 J. M. Bremer, A. M. van Erp Taalman Kip, S. R. Slings, Some Recently Found Greek Poems, 1987, 95–127.   E. R. / A. Wi.

[5] Att. Dichter der ausgehenden Alten Komödie, Sohn des Mikkos, Verf. von insgesamt zehn Komödien [1. test.]. Mindestens vier, vielleicht auch sechs der acht zusammen mit ein paar unbedeutenden Fr. erh. Stücktitel zeigen, daß A. vor allem auf dem für das frühe 4.Jh. charakteristischen Gebiet der Mythenparodie tätig war [2. 202]. Im J. 388 v. Chr. (einziges bekanntes Aufführungsdatum) trat A. mit seiner Πασιφάη u. a. gegen den zweiten *Plútos* des Aristophanes an und errang den fünften Platz [1. 12].

1 PCG II, 1991, 3–15 2 H.-G. Nesselrath, Die att. Mittlere Komödie, 1990.   T. Hi.

[6, aus Messene] Bedeutender Epigrammdichter des »Kranzes« des Meleagros (Anth. Pal. 4,1,13), einer der letzten Vertreter der alexandrinischen Schule, erbitterter Feind von Philippos V. von Makedonien (221–179 v. Chr.). Seine 22 Dichtungen (einige sind durch eine Verwechslung mit dem Ethnikon des gleichnamigen Lyrikers mit Ἀλκαίου Μυτιληναίου betitelt) weisen die Züge einer Persönlichkeit von unverkennbarer Bedeutung auf. Neben anathematischen, Liebes-, epideiktischen und Grabepigrammen (fiktiver oder nicht fiktiver Art) darunter die Epitymbien auf Dichter der Vergangenheit und die Inschr. für die berühmte (bei Paus. 6,15,3 erwähnte) Statue des Athleten Kleitomachos von Theben (auch in PTebtunis I,3), erscheinen Dichtungen, die durch ein brennendes polit. Engagement (ohne Vergleich in der gesamten ant. Epigrammatik) charakterisiert und alle gegen Philippos gerichtet sind (Anth. Pal. 7,247; 9,518, 519; 11,12; 16,5). Die antimaked. Polemik, die in der spartanerfreundlichen Haltung so vieler zeitgenössischer Werke (Dioskurides, Damagetos, etc.) miteinbegriffen ist, wird bei A. offengelegt, der gegen den unersättlichen Monarchen die Töne der ant. Jambographie wiederauferstehen ließ. Philipps V. Niederlage bei Kynoskephalai (197) wird folglich in einem Gedicht (Anth. Pal. 7,247) mit begeistertem Sarkasmus begrüßt. Dieses hatte bei den Siegern am Tag nach der Schlacht so großen Erfolg (Plut. Titus Flamininus 9,2), daß es Philippos selbst für bes. opportun hielt, mit einem Epigramm zu antworten, in dem er dem Dichter die

Kreuzigung androhte (vgl. FGE 79 f.). Ein weiteres giftiges Distichon gegen A. (eine schwere Androhung von ῥαφανισμός) ist anonym in Anth. Pal. 9,520 erhalten.

GA II,1,3–10; II,2,6–27.　　　　　　E. D. / M.-A. S.

Alkamenes. [1, **von Abydos**] Griech. Arzt des 5. / 4. Jh. v. Chr., führte Aristoteles oder dessen Schüler Menon zufolge Krankheiten auf unverdaute Nahrungsrückstände zurück, die zum Kopfe emporsteigen, dort angereichert und vermutlich als schädliche Substanz im ganzen Körper verteilt werden (Anon. Londiniensis 7,42). A. bezieht gegen die Ansichten des Euryphon von Knidos Position, nach dessen Meinung der Kopf an der Entstehung von Krankheiten weniger beteiligt ist; ob er dessen Schüler war, ist nicht nachweisbar.
→ Anonymus Londiniensis　　　　　V. N. / L. v. R.-P.
[2] Bildhauer in Athen, vielleicht aus Lemnos gebürtig. Als Schüler des → Pheidias und Rivale des → Agorakritos ein Meister der Hochklassik, schuf er zahlreiche Kultbilder in Athen. Als frühestes Werk schreibt ihm Pausanias den Westgiebel von Olympia um 465 v. Chr. zu, wohl zu Unrecht und vielleicht aufgrund späterer Reparaturen, denn noch nach 403 v. Chr. fertigte A. für Thrasybulos ein Relief mit Herakles und Athena in Theben. Durch Inschriften ist in Kopien aus Ephesos und Pergamon sein *Hermes Propylaios*, eine Herme mit archaisierenden Details, gesichert. Die von A. geschaffene *Hekate Epipyrgidia* auf der Akropolis (nach 432 v. Chr.) wird allgemein in einem vielfach aufgegriffenen neuartigen Typus der erstmals dreigestaltigen Göttin erkannt. Zu kritisch sind Einsprüche gegen die Zuweisung der erhaltenen Gruppe von Prokne und Ithys auf der Akropolis, weil A. nur als Weihender genannt sei. Ausgehend von diesen Skulpturen wurden weitere Identifizierungen vorgeschlagen, so die der vielgerühmten »Aphrodite in den Gärten« mit dem Typus der »Angelehnten Aphrodite« oder mit der sitzenden »Olympias«, die Plinius in Rom sah und Phidias zuschreibt. 421–416 v. Chr. schuf A. in Bronze die Kultbildgruppe des Hephaistostempels. Der Typus des Hephaistos ist wahrscheinlich auf einer Lampe wiederholt und durch eine Kopie des Kopfes und des Torsos; die Identifizierung der daneben stehenden Athena bleibt umstritten. Ein kolossales chryselephantines Kultbild des Dionysos erkennt man auf Münzen wieder. Das Kultbild des Ares wird oft im sog. »Ares Borghese« gesehen. Weitere zahlreiche Zuschreibungen von klass. Meisterwerken und von Weihreliefs stützen sich auf subjektive Bewertungen wie die in der Antike an A.' Werken gerühmte Erhabenheit.

OVERBECK, Nr. 535, 606, 808–828, 834, 1192 (Quellen) · W. H. SCHUCHHARDT, Alkamenes, BWPr 126, 1977 · STEWART, 267–269 Abb.　　　　　　R. N.

Alkandros (Ἄλκανδρος). Sprechender Name (»starker Mann«), der mehreren histor. und mythischen Personen beigelegt wurde. Wichtig sind: a) Im Lykurgmythos schlägt er Lykurg im Zorn ein Auge aus (Aition für den Kult der Athena Opilletis, Plut. Lykurgos 11,2–8; Paus. 3,18,2). b) In Lebadeia wird er als Sohn des Trophonios und Heilheros verehrt, dem man vor der Katabasis opfert (Paus. 9,39,5).　　　　　　F. G.

Alkanor (Ἀλκάνωρ, *Alcanor*). [1] Troer vom Ida, dessen Söhne Pandarus und Bitias im Heer des Aeneas in It. kämpfen (Verg. Aen. 9,672).
[2] Rutuler, der von Aeneas getötet wird. Bruder des Maeon und des Numitor (Verg. Aen. 10,338). – Der Name ist aus guten ep. Elementen gebildet, griech. nur histor. belegt [1].

1 BECHTEL, HPN, 36.　　　　　　F. G.

Alkathoe, Alkithoe (Ἀλκαθόη, Ἀλκιθόη). [1] Eine der Minyaden, zusammen mit Leukippe und Arsinoe Tochter des Minyas von Orchomenos. Ihr Mythos gehört zu den Widerstandsmythen gegen Dionysos und ist Aition deren → Agrionia (Plut. qu.Gr. 299ef). Während alle ander Frauen auf den Bergen den Gott feierten, blieben die Minyaden am Webstuhl und ließen sich vom Gott durch keinerlei Wunderzeichen verführen. Schließlich machte Dionysos sie wahnsinnig; sie zerrissen den Sohn der Leukippe und rasten hinaus auf die Berge. Hermes verwandelte sie in Vögel (so Anton. Lib. 10 nach Nikandros' *Heteroiumena*; ähnlich Ael. var. 3,42 und Ov. met. 4,1–40, 390–415, ohne Raserei und Kindesopfer). [2] Ortsname s. → Alkathoos [1].

K. MEULI, Zum Aition der Agrionia, in: Gesammelte Schriften, 1975, 2, 1018–1021 · W. BURKERT, Homo Necans, 1971, 195 f. · H. CANCIK, H. CANCIK-LINDEMAYER, Ovids Bacchanal. Ein religionswiss. Versuch zu Ov. met. 4,1–415, in: AU 28/2, 1985, 42–62.　　　　　　F. G.

Alkathoos (Ἀλκάθοος). [1] Megarischer Heros, Sohn des Pelops und der Hippodameia von Elis. Wegen Totschlags eines Bruders flüchtig, gewinnt er durch die Tötung des kithaironischen Löwen Tochter und Nachfolge des megarischen Königs Megareus. Zahlreiche Aitien verbinden ihn mit der Stadt (Paus. 1,41,3–43,3), die als *Alcathoi urbs* oder *Alcathoe* angesprochen wird. Er erneuert mit Apollons Hilfe die wie eine Kithara tönende Stadtmauer (Ov. met. 6,16), stiftet Tempel (Apollon und Artemis) und ist eponymer Heros der westl. Akropolis mit seinem Heroon und den Gräbern seiner Angehörigen mit einer Vielzahl von Riten (Paus. 1,43,4). Die Heirat seiner Tochter Periboia mit Telamon manifestiert megarische Ansprüche auf Salamis. [2] Aitoler, Sohn des → Porthaon. Er war unter den unglücklichen Freiern der Hippodameia, die Oinomaos tötete (Hes. fr. 259); nach einer anderen Überlieferung erschlug ihn sein Verwandter → Tydeus (Apollod. 1,76). Einige identifizieren ihn mit dem olympischen → Taraxippos (Paus. 6,10,17). [3] Troer, Schwager und Erzieher des Aineias (Hom. Il. 12,93; 13,428; 465; 496).　　　　　　F. G.

Alkeides (Ἀλκείδης, *Alcides*). Patronymikon zu Alkeus = Alkaios [1], daher Beiname des Herakles als Enkel (Hes. scut. 112) des Amphitryon und als Sohn von Alkaios. A. gilt auch als eigentlicher Name des Herakles, den die Pythia änderte (Apollod. 2,73). F. G.

Alkenor. Nur inschr. [1] bezeugter att. Komödiendichter, der kurz vor → Timokles mit einem nicht mehr bekannten Stück einen Sieg am Komödienagon der Lenäen errang; er ist daher wohl erst nach der Mitte des 4. Jh. v. Chr. anzusetzen.

1 PCG II, 1991, 16. H.-G. NE.

Alkestis (Ἀλκηστις). Tochter des → Pelias und der Anaxibie (Hom. Il. 2,714). Ihre Beteiligung an der vermeintlichen Verjüngung des Pelias (Diod. 4,52,2; 53,2; Hyg. fab. 24) paßt nicht zur Werbung des → Admetos von Pherai um A. bei Pelias, die – mit Apollons Hilfe – erfolgreich ist. Admet kann dem Tod, den er nach späteren Quellen wegen eines unterlassenen Opfers erleiden soll (Apollod. 1,105), nur entrinnen, wenn jemand an seiner Stelle stirbt. Einzig A. erklärt sich bereit dazu. Der Zeitpunkt ihres Todes ist unklar; bei Euripides lebt sie nach der Hochzeit noch einige Jahre. → Herakles, der zur Zeit ihres Todes nach Pherai kommt, ringt sie Thanatos ab (Eur. Alk., vgl. Phryn. Alk. bei Serv. Aen. 4,694), oder Persephone schickt sie aus Rührung über ihre Gattenliebe auf die Erde zurück (Plat. Symp. 179b-d; Plut. am. 761e).

K. v. FRITZ, A. und ihre modernen Nachahmer und Kritiker, A&A 5, 1956, 55–67 · A. LESKY, A., der Mythos und das Drama, in: SBAW 203.2, 1925 · P. RIEMER, Die A. des Euripides, 1989 · M. SCHMIDT, s. v. A., LIMC I.1, 533–544 · H. STEINWERDER, A. vom Alt. bis zur Gegenwart (Diss.), 1952 · G. WENTZEL, s. v. Admetos, RE I, 377–380. R. HA.

Alketas. [1] König von Makedonien, Vater von → Amyntas I [1]. [2] A. I., König der → Molossi, mußte zu → Dionysios fliehen, der versuchte, ihn zurückzuführen. Wieder König, anscheinend mit ausgedehnter Herrschaft, wurde er 375 v. Chr. von → Timotheos in den Athenischen Seebund aufgenommen, doch 374 von Iason von Pherai unterworfen. Seine Münzen zeigen Athena Promachos (P. R. FRANKE, Die antiken Münzen von Epirus, 1961) [3] A. II., König der → Molossi und Oberherr der Epeiroten, wurde von → Kassandros unterworfen, später von den Molossi wegen Grausamkeit getötet (Diod. 19,88 f.). [4] Bruder → Perdikkas', befehligte nach dessen Beförderung seine Infanterietaxis. 323–320 v. Chr. kämpfte er unter seinem Bruder, bes. gegen → Antigonos [1], und tötete Kynane, Tochter → Philippos' und Witwe → Amyntas' [4]. Von Perdikkas dem → Eumenes unterstellt, weigerte er sich, dem Griechen zu gehorchen. Er hielt sich eine Zeitlang gegen Antigonos, doch beging er am Ende Selbstmord, um ihm nicht ausgeliefert zu werden [1].

1 HECKEL, 171 ff. E. B.

Alkibiades (Ἀλκιβιάδης). [1] Athener, der 510 v. Chr. → Kleisthenes unterstützte, als dieser die Vertreibung der Peisistratiden aus Athen initiierte (Isokr. or. 16,26). [1; vgl. 2].

1 TRAILL, PAA, 121620. 2 DAVIES, 600,III u. V. M. MEI.

[2, »Der Ältere«] Sohn des Vorigen (vgl. Plat. Euthyd. 275a/b); nach dem Sturz des → Kimon (462/1 v. Chr.) und dem Bruch zw. Athen und Sparta legte er demonstrativ die ererbte Würde eines lakedaimonischen Proxenos nieder (Thuk. 5,43,2; 6,89,2), ohne jedoch der Ostrakisierung (nach Lys. 14,39 und And. 4,34 sogar zweimal) entgehen zu können [1]. Enge Verbindungen bestanden auch zu → Aristeides, für dessen Sohn Lysimachos A. die Vergabe von att. Staatsland und einen Ehrensold beantragt hat (Demosth. or. 20,115 f.; Plut. Arist. 27).

1 E. VANDERPOOL, Ostracism at Athens, 1973, 236 f.

TRAILL, PAA, 161625 · DAVIES 600 V. G. A. L.

[3] Lebte ca. 450–404/3 v. Chr., Enkel von [2], Sohn des Kleinias und der Alkmaionidin Deinomache. Nach dem Tode des Vaters bei → Koroneia 447 wuchs A. bei seinem Onkel und Vormund → Perikles auf und gehörte zeitweilig zum engeren Kreis der adligen, von der sophistischen Aufklärung berührten Jugend um → Sokrates (u. a. Plat. symp. 212c; 219ef; 221cd). Reichtum, Charme, Kraft und Schönheit machten den hochbegabten und brennend ehrgeizigen A. schon zu Beginn des Peloponnesischen Krieges zum Exponenten der polit. aktiven Jugend, die den Prinzipien der egalitären Demokratie kritisch gegenüberstand. Zunächst schloß er sich der radikalen Mehrheit unter → Kleon an, die eine rücksichtslose Machtpolitik verfolgte, trat aber nach dem Erfolg der Athener bei → Pylos 425 für eine Verständigung mit Sparta ein, um dann doch aus Ehrgeiz zum Hauptgegner einer Festigung des Nikias-Friedens (421) zu werden (Thuk 5,43–45).

420 erstmals zum Strategen gewählt, konnte A. mit skrupelloser Demagogie die Athener von einem Bündnis mit Sparta, dessen Bund zu zerfallen drohte, abwenden und einen Pakt mit der antispartanischen Allianz von Argos mit Elis und Mantineia zustande bringen (Thuk. 5,47; StV 2, 193). Bes. nach Spartas Sieg über diesen argivischen »Sonderbund« bei Mantineia 418 lähmte die Rivalität zw. A. und → Nikias zunehmend die Außenpolitik. Der Versuch der Radikalen um → Hyperbolos, die Polarisierung durch einen Ostrakismos aufzuheben, scheiterte jedoch, da A. und Nikias gemeinsam Absprachen mit den Hetairien trafen und die Abstimmung 417 manipulierten ([1. 33 f.]; zum Datum [2. 221 ff.]; 416 dagegen [3. 144 f.]). Als Stratege 417/6 und 416/5 war A. wesentlich verantwortlich für die Vergewaltigung des neutralen Melos (Thuk. 5,84 f.) und für die erregte Agitation, einem Hilferuf Segestas

zu folgen und eine große Expedition gegen Selinus und Syrakus, wohl mit dem Ziel, ganz Sizilien zu unterwerfen, auszurüsten (Thuk. 6,1,1 f.; 8,4 f.; 90). Zusammen mit seinem Gegenspieler Nikias und → Lamachos zum »bevollmächtigten Strategen« (στρατηγὸς αὐτοκράτωρ) für dieses Unternehmen gewählt, stellte kurz vor der Ausfahrt (Hochsommer 415) der Skandal um die provokative, von Hetairien organisierte Verstümmelung der Hermen-Pfeiler (→ Hermokopiden-Affäre [4. 230 ff.; 5. 47 ff.]) A.' Kommando in Frage. Seine Feinde aber hintertrieben vorerst eine Klage gegen A., dem auch Profanierung der Eleusis-Mysterien vorgeworfen wurde, um die Abfahrt der Flottenmannschaft abzuwarten [6].

Während auf Sizilien sein Kriegsplan erste Erfolge zeitigte, führten in Athen akute Revolutionsfurcht und zahlreiche Denunziationen zur Abberufung A.', der als Angeklagter nach Athen zurückgebracht werden sollte. In Thurioi floh A. – in Athen *in absentia* zum Tode verurteilt – über Elis nach Sparta, wo er nun vor den Expansionsplänen Athens warnte und dafür eintrat, dem hart bedrängten Syrakus zu helfen (zur Konfiszierung von A.' Vermögen in Athen [7. 178 ff.]). Als Athen 414 erneut in offenen Krieg mit Sparta geriet, regte A. mit Erfolg die ständige Besetzung (seit 413) der Grenzfestung → Dekeleia an, um Athen dauernd zu blockieren. Nach der athenischen Katastrophe in Sizilien half A. polit.-diplomatisch, eine Seeoffensive gegen Athens Positionen in Ionien 412 zu eröffnen, die Sparta im Bunde mit den persischen Satrapen → Tissaphernes und → Pharnabazos durchführte und die »befreiten« Ionier unter persische Hoheit bringen sollte.

Der erfolgreiche Widerstand einer neuen athenischen Flotte in Samos machte A. jedoch Ende 412 in Sparta verdächtig und zwang ihn zu erneutem Seitenwechsel. Als Berater des Tissaphernes in Sardeis empfahl er eine vorsichtige Schaukelpolitik zw. Athen und Sparta und nahm mit den zur Aktion drängenden Oligarchen Athens Kontakt auf. Sein Versprechen eines Bündnisses mit Persien, falls Athen seine bisherige Verfassung aufgebe, bot den ersten Anstoß zum Sturz der Demokratie im Sommer 411 v. Chr. Als jedoch Tissaphernes den Subsidienvertrag mit Sparta erneuerte, wandten sich die Oligarchen von A. ab, der nun, nach der oligarchischen Machtergreifung des Rats der 400 in Stadt-Athen, mit der athenischen Flotte in Samos verhandelte, die an der Demokratie festhielt, ihn aber in der akuten Krisensituation zum Oberkommandierenden wählte (Thuk. 8,82,1 f.). In mehreren Seeschlachten festigte A. die Position Athens am Hellespont; sein Sieg bei → Kyzikos 410 (Xen. hell. 1,1,11 ff.) führte zur Wiederherstellung der Demokratie in Stadt-Athen und 408 zu seiner Rückkehr, die trotz reicher Beute riskant war, aber zu einem persönlichen Triumph wurde: In allen Punkten rehabilitiert, wurde er – als Garant eines Siegfriedens – in aller Form zum »bevollmächtigten Oberkommandierenden« (ἡγεμὼν αὐτοκράτωρ, Xen. hell. 1,4,20) proklamiert.

Eine Schlappe seines Unterführers → Antiochos [1] bei Notion 407 gegen die Flotte des spartanischen Nauarchen → Lysandros, der seit 408 vom Prinzen und Vize-König → Kyros unterstützt wurde, führte in Athen zu einem raschen Meinungsumschwung: Von seinem Kommando abgelöst bzw. als Stratege nicht wiedergewählt, zog A. sich auf seine Burgen an der thrakischen Chersones zurück, wirkte aber weiter polarisierend in Athen. Im Herbst 405 ließ die inkompetente athenische Flottenführung bei → Aigospotamoi seine Warnungen unbeachtet (Xen. hell. 2,1,25; unhistor. Varianten bei Diod.-Ephoros 13,105,2 f.), was zur völligen Niederlage führte. A. floh an den Hof des Pharnabazos, der ihn jedoch 404 auf Initiative des Lysandros und des in Athen etablierten Oligarchenregimes der Dreißig (→ Triakonta) in Melissa in Phrygien ermorden ließ.

Zu Lebzeiten und bes. nach seinem Tod wurde in Athen heftig über die Gestalt des A. debattiert; er erschien als ein alle Schranken des Polisstaates sprengender Machtmensch (vgl. bes. Aristoph. Ran. 1420 f.; Isokr. or. 16; Lys. 14 und 15; And. 4). Das Bild in der historiographen Tradition beruht bei Thukydides und Xenophon auf zeitgenössisch-authentischen Eindrücken und Informationen, während die Tradition bei Diod.-Ephoros (13. Buch; Hell. Oxyrh. als Primärquelle) dazu neigt, Gestalt und Leistungen des → Theramenes gegen A. in den Vordergrund zu rücken. Traill, PAA, 121630; PA; Davies, 600).

1 G. A. Lehmann, Überlegungen zur Krise der att. Demokratie im Peloponnesischen Krieg, in: ZPE 69, 1987, 33–73   2 S. Bianchetti, L'ostracismos di Iperbolo e la seconda redazione delle Nuvole di Aristofane, in: SIFC 51, 1979, 221–248   3 D. Kagan, The Peace of Nicias and the Sicilian Expedition, 1981   4 W. K. Pritchett, Attic Stelai I, in: Hesperia 22, 1953, 225–299   5 R. Osborne, The erection and mutilation of the Hermai, in: PCPhS 31, 1985, 47–73   6 O. Aurenche, Les groupes d'Alcibiade, de Léogoras et Teucros, 1974   7 W. K. Pritchett, Attic Stelai II, in: Hesperia 25, 1956, 178–317.

E. F. Bloedow, Alcibiades reexamined, 1973 · B. Bleckmann, Die letzten Jahre des Peloponnesischen Krieges, 1996 · W. M. Ellis, Alcibiades, 1989 · J. Hatzfeld, Alcibiade, ²1951.   G.A.L.

[4 von Phegus] Nach Andokides (1,65–67; vgl. 45) gehörte A. zu denen, die Diokleides anstifteten, ihn und andere in der Hermokopidenaffäre anzuzeigen (Harpokr. A 75, Keaney). Vielleicht identisch mit dem A. bei Xenophon (hell. 1,2,13). Traill, PAA 121652; Davies, 600 VII C.   K.KI.

[5] Wohlhabender Lakedaimonier, von → Nabis exiliert, vom Achaiischen Bund zurückgerufen, agierte er gleichwohl in Rom 184 v. Chr. gegen die Achaier, deren Bundesversammlung ihn daraufhin zum Tode verurteilte. Der röm. Gesandte Ap. Claudius Pulcher (*cos.* 185) veranlaßte die Aufhebung des Urteils (Pol. 22,1,9; 22,15 f.; 23,4,3; Liv. 39,35,6–37; Paus. 7,9,2–4).

Gruen, Rome Bd. 2, 486–490.   K.-W.W.

Alkidamas. Aus dem aiol. Elaia, Sohn eines Diokles, eines Verf.s gelehrter Schriften (*Mousiká*). Zeitgenosse des Isokrates (436–338), Schüler des Gorgias von Leontinoi (s. Quint. inst. 3,1,10). Plat. Phaidr. 261d apostrophiert A. als »eleatischen Palamedes«, der *téchnē*-gemäß spricht, so daß den Zuhörern dasselbe gleich und ungleich erscheint, als eines und vieles, als bleibend und fern. Aristot. rhet. 1373b 18 erwähnt A.' (verlorene) Rede zur Verteidigung der von Sparta abgefallenen Messener als Beispiel für ein allg. Naturrecht, wohl wegen der Stelle ›Der Gott hat alle frei geschaffen, und keinen hat die Natur zum Sklaven bestimmt‹, und für den deiktischen Topos aus dem Gegenteil: ›Wenn nämlich der Krieg die Ursache unserer gegenwärtigen Übel ist, dann muß mit Hilfe des Friedens eine Korrektur herbeigeführt werden‹ (1397a 7–12). Insgesamt kritisiert er A.' Stil als ›frostig‹ wegen der poetischen Natur zusammengesetzter Wörter, Provinzialismen, gehäufter, zu langer und deutlicher Epitheta, die seinen Stil poetisch machen, und unpassender Metaphern (1406ab).

Von A. in die allg. Tradition eingegangen sind: Festhalten am Überzeugen als Vermögen der Rhet. (Schol. in Hermog. W. 7,8); die Forderung, die *narratio* der Rede müsse klar, großartig, knapp, glaubwürdig sein (Tzetz. chil. 12,566; Quint. inst. 4,2,31; 36; 40; 52; 61); Beschäftigung mit den Sprechakten Bejahung (φάσις), Verneinung (ἀπόφασις), Frage (ἐρώτησις), Anrede (προσαγόρευσις) unter dem Einfluß des Protagoras (Suda s. v. Πρωταγόρας; Diog. Laert. 9,54); paradoxe Lobreden, z. B. auf die Hetäre Nais (Athen. 592e) und den Tod (Cic. Tusc. 1,116; Men. Epitr. 3,346,17 Sp.). Als Rhet.-Lehrer bemüht, seine Schüler zu Schlagfertigkeit und Improvisationsfähigkeit zu erziehen, polemisiert A. in seiner einzigen erh. Schrift, περὶ τῶν τοὺς γραπτοὺς λόγους γραφόντων ἢ περὶ σοφιστῶν, gegen Isokrates' Praxis, Reden schriftlich auszuarbeiten und genau auszufeilen.

Weite Verbreitung fand A.' *Museíon*, eine Sammlung vorwiegend biographisch-anekdotischen Materials. Es beginnt mit dem Streit zwischen Homer als Stegreifredner und Hesiod als »Isokratiker«, den Homer wegen der Unwissenheit und Ungerechtigkeit der Richter verliert.

Die unter A.' Namen tradierte Rede des Odysseus über den Verrat des Palamedes gilt als unecht.

ED.: L. RADERMACHER, Artium scriptores: Reste der voraristotelischen Rhet., 1951 · G. G. BAITER, H. SAUPPEL, Oratores Attici, 1850 · G. AVEZZÙ, A.: Orazioni e frammenti, 1982
LIT.: S. FRIEMANN, Überlegungen zu A.' Rede über die Sophisten, in: W. KULLMANN, M. REICHEL (Hrsg.), Der Übergang von Mündlichkeit zur Lit. bei den Griechen, 1990, 301–315 · K. HELDMANN, Die Niederlage Homers im Dichterwettstreit mit Hesiod, 1982 · N. O'SULLIVAN, A., Aristophanes and the Beginnings of Greek Stylistik Theory, 1992 · A. TORDESILLAS, Lieux et temps rhétoriques chez A., in: Philosophia 19/20, 1989/90, 209–224. O.B.

Alkidas (Ἀλκίδας). **[1]** Spartanischer Nauarch 428/27 v. Chr., sollte im Frühsommer 427 zeitgleich mit einem Einfall eines peloponnesischen Heeres nach Attika der von Athen abgefallenen und belagerten Polis Mytilene auf Lesbos Entsatz bringen (Thuk. 3,16,3; 26,1), erhielt aber unterwegs die Nachricht von der Kapitulation Mytilenes. Er landete beim kleinasiatischen Erythrai, stieß aber nicht mit der gebotenen Eile in sein Einsatzgebiet vor (Thuk. 3,29), vielleicht weil ihm spartanische Bundesgenossen nur zögernd Schiffe stellten. In richtiger Einschätzung der Lage ging er weder gegen die athenische Besatzung in Mytilene noch gegen ionische Poleis vor und zog sich vor einer athenischen Streitmacht nach Kyllene (Elis) zurück (Thuk. 3,30–33; Diod. 12,55,6). Dort erhielt er den Auftrag, in Kerkyra zugunsten der Oligarchen (→ Oligarchie) einzugreifen. A. behauptete sich gegen die durch 12 athenische Schiffe verstärkte Flotte der Kerkyraier, nutzte aber gegen den Vorschlag des ihm beigegebenen »Beraters« Brasidas seine vorteilhafte Lage nicht zu einem Angriff auf Kerkyra und zog sich über den Isthmos von Leukas zurück, als sich athenische Verstärkung näherte (Thuk. 3,69; 76–81,1). 426 zählte er zu den drei → Oikisten von Herakleia in Trachinien (Thuk. 3,92).

J. ROISMAN, A. in Thucydides, in: Historia 36, 1987, 385–421. K.-W. W.

[2] Spartanischer Flottenführer 374/73 v. Chr., wohl → Nauarch. Er sollte mit 22 Trieren eine Expedition nach Sizilien vortäuschen, aber Parteigänger Spartas in Kerkyra unterstützen. Die Aktion scheiterte, da die Kerkyraier seine Absicht früh genug erkannten (Diod. 15,46,1–37) [1. 177].
→ Brasidas

1 R. SEAGER, The King's Peace and the Second Athenian Confederacy, in: CAH 6, 1992, 156–186. K.-W. W.

Alkimede (Ἀλκιμέδη). Tochter des Phylakos und der (Eteo-) Klymenes, bei Pherekydes (FGrH F 104) Frau Aisons und Mutter Iasons (und Promachos'). Valerius Flaccus (1,730) zeichnet eine heldenhafte röm. Matrone, die die Initiative zum gemeinsamen Tod mit Aison durch Stierblut ergreift; nach anderen Versionen erhängt (Apollod. 1,143) bzw. ersticht (Diod. 4,50,2 = Dion. Skyt. fr. 35 RUSTEN) sie sich. Andere Namen: Amphinome (Diod.), Theognete (Andron FGrH F 5), Arne, Rhoio, Skarphe (Tzetz. chil. 6,979f. und Lyk. 872).
→ Aison; Argonautai; Iason; Medeia; Pelias; Promachos

P. DRÄGER, Stilistische Unt. zu Pherekydes von Athen, 1995, 73–84 (Anh. IV: Der Name von Jasons Mutter) · Ders., Jasons Mutter, in: Hermes 123, 1995, 470–89. P. D.

Alkimedon (Ἀλκιμέδων). **[1]** Arkad. Heros, nach eine Ebene bei Mantineia hieß, Vater der Phialo, die Herakles schwängerte. A. setzte sie mit ihrem Kinde

Aichmagoras aus; durch einen Häher (*kíssa*), der das Wimmern des Kindes nachahmte, wurde Herakles zu den beiden geführt, erkannte den Sohn an und nannte die nahe Quelle Kissa (»Häherquelle«; Paus. 8,12,2).

Als in den Hexameter passender Heroenname auch sonst verwendet: **[2]** Sohn des Laerkes, Myrmidonenführer, nach dem Tode des Patroklos Wagenlenker für Automedon (Hom. Il. 16,197; 17,467–83). **[3]** Einer der tyrrhenischen Seeräuber, die Dionysos in Delphine verwandelte (Hyg. fab. 134; Ov. met. 3,618).   F.G.

Alkimenes (Ἀλκιμένης). **[1]** Bruder des Bellerophontes, auch Peiren oder Deliades, wurde von seinem Bruder getötet, was Anlaß der Flucht nach Argos war (Apollod. 2,30; Tzetz. Lykophr. 17). **[2]** Sohn des Iason und der Medeia, Bruder des Teisandros, die beide in Korinth von Medeia getötet wurden; nur Thettalos, der Zwillingsbruder des A., entkam. Die beiden sind im Temenos der Hera begraben und wurden als Heroen verehrt (Diod. 4,54,1. 6,55,1f.).   F.G.

[3] Aus Korinth, gehörte zu einer Gruppe korinth. Aristokraten, die 392 v.Chr. einen Ausgleich mit Sparta suchten. Nach einem Massaker an prospartanischen Aristokraten und dem engen Zusammenschluß von Argos und Korinth unternahmen im Sommer 392 zurückgekehrte Exulanten einen Putschversuch, um Korinths Eigenstaatlichkeit zu wahren: Pasimelos und A. ließen eine spartanische Einheit in den Hafen Lechaion ein. Sie gewann die Kontrolle über Lechaion, Sidus und Krommyon (Xen. hell. 4,4,7; Diod. 14,86,1ff.; 92,1f.).
→ Korinth φ P.FUNKE, Homónoia und Arché, 1980, 81–87 • H.-J.GEHRKE, Stasis, 1985, 84–87 • J.B.SALMON, Wealthy Corinth, 1984, 354–364 • M.WHITBY, The Union of Corinth and Argos, in: Historia 33, 1984, 295–308.   W.S.

[4] Att. Komödiendichter [1. test. 1], der wohl noch vor die Mitte des 5.Jh. v.Chr. zu datieren wäre, wenn sein Name auf der inschr. Liste der Sieger im Komödienwettbewerb an den Großen Dionysien richtig ergänzt wird [1 test. 2]. Weder Stücktitel noch Fr. sind bekannt.

1 PCG II, 1991, 16.   H.-G.NE.

Alkimos (Ἄλκιμος). **[1]** Einer der vier Söhne des → Hippokoon, deren Heroa in Sparta beim Platanistas, dem Ort kult. Kämpfe, lagen (Paus. 3,15,1). Apollod. 3,124 nennt ihn Alkinoos. **[2]** Myrmidone, nach Patroklos' Tode neben Automedon Gefährte des Achilleus (Hom. Il. 19,392; 24,474). Die Schol. setzen ihn mit → Alkimedon [2] gleich.

A.SURACE, LIMC 1.1,544.   F.G.

[3] Historiker aus Sizilien (»der Sikeliote«), 4.Jh. v.Chr. Verfaßte eine sizilische Gesch. sowie 4 B. ›An Amyntas‹, in denen er Einfluß des → Epicharmos auf Platon nachzuweisen sucht: Empfänger nach JACOBY nicht mit dem gleichnamigen Platonschüler aus Herakleia identisch.

Alle Fragmente bei FGrH 560 (an Amyntas: DIELS / KRANZ, 1, 195ff.).

K.MEISTER, Die griech. Gesch.schreibung, 1990, 69f. • L.PEARSON, The Greek Historians of the West, 1987, 33.   K.MEI.

[4] Jüd. → Archiereus (162–160 v.Chr.), Gegner von → Judas Makkabäus, begünstigt von Demetrios I. (1 Makk 7,5–25; 9,1; 2 Makk 14,3–27; Ios. ant. Iud. 12,385ff.; 393–401; 20,235). Das Vertrauen der Hasidim enttäuschte er durch Mord an ihren Führern. A.' plötzlicher Tod nach dem Versuch, eine Trennwand im Tempel zu beseitigen, galt als Gottesurteil (1 Makk 9,54ff.; Ios. ant. Iud. 12,413). In der rabbinischen Lit. wird er als »Yakim« erwähnt (BerR 65,22).
→ Demetrios I. Soter

SCHÜRER I, 1979, 168–170. 175. 181 • B.BAR-KOCHVA, Judas Maccabaeus, 1989, 345f. u.ö.   A.M.S.

Alkinoos (Ἀλκίνοος). **[1]** Oberster König der Phaiaken auf der sagenhaften Insel Scheria, die er als 13. mit 12 anderen Königen beherrscht (Hom. Od. 8,390). Nach Homer Sohn des Nausithoos, damit Enkel des Poseidon (Od. 7,56ff.). Verheiratet mit seiner klugen Nichte Arete (Od. 7,65ff.), mit der er 5 Söhne und die Tochter Nausikaa hat (Od. 6,15ff., 62). Die Götter zeichnen A. durch ihr sichtbares Erscheinen (Od. 7,201ff.) aus, Hephaistos schuf die goldenen Wachhunde des Palastes (Od. 7,91f.), A.' wunderbares Schiff findet seinen Weg ohne Steuermann und gedankenschnell (Od. 8,557ff.; 7,36). Trotz eines Orakels über Poseidons Zorn, der einst ein Schiff der Phaiaken zerschmettern und ein hohes Gebirge um die Stadt ziehen werde (Od. 8,564ff.), nimmt A. den schiffbrüchigen → Odysseus auf und läßt ihn, reich beschenkt, nach Ithaka geleiten. Die Ant. identifizierte Scheria mit Korkyra (Thuk. 1,25), wo A. ein Heiligtum besaß (Thuk. 3,70) und das versteinerte Phaiakenschiff gezeigt wurde (Plin. nat. 4,12,53; Prok. BG. 4,22,23). Auch die Argonauten sollen auf der Flucht vor kolchischen Verfolgern zu A. gelangt sein, der dem → Iason das Recht an Medeia zuspricht, wenn diese bereits seine Frau sei, was sie durch Aretes Vermittlung schnellstens wird. Den Kolchern, die ohne Medeia nicht nach Aiaia zurückzukehren wagen, bietet A. Asyl auf Scheria (Apoll. Rhod. 4,982ff.; Apollod. 1,137f.; Hyg. fab. 23).
→ Nausikaa

J.R.TEBBEN, A. and Phaiakian Security, in: Symbolae Osloenses 66, 1991, 27–45 • O.TOUCHEFEU-MEYNIER, s.v. A., LIMC 1.1, 544–545.   T.S.

[2] Platonischer Philosoph des 2.Jh. n.Chr., nach Ausweis der Hss. Verf. des vordem Albinos von Smyrna zugeschriebenen *Didaskalikos*, einer zusammenfassenden Einführung (εἰσαγωγή) in die wesentlichen Lehren der platonischen Philos. [2. 105ff.]. Die Schrift gliedert sich in eine Einleitung, Abschnitte über die platonische Logik, Physik und Ethik und ein Schlußkapitel [1. 62, 238 f., 391 ff.]. Sie ist das wichtigste Dokument mittelplatonischen Philosophierens und bietet unschätzbare Einblicke in die Entwicklung der Philos. von der Alten Akademie bis hin zum → Neuplatonismus. Eine Identität des ansonsten unbekannten A. mit → Albinos aus Smyrna kann nicht ausgeschlossen werden.

Pvw → Mittelplatonismus

1 DÖRRIE / BALTES III, 1993 2 T. GÖRANSSON, Albinus, Alcinous, Arius Didymus, 1995.

ED.: J. WHITTAKER, P. LOUIS, Alcinoos, 1990 •
KOMM.: J. DILLON, Alcinous 1993 •
LIT.: GOULET I, 1989, 112–113.   M. BA.

Alkiphron (Ἀλκίφρων). Attizistischer Autor vermutlich des 2. oder frühen 3. Jh. n. Chr. [5], erwähnt nur bei Aristain. 1,5. 25 und Eust. 762,62. Erh. ist unter seinem Namen eine Sammlung von 122 fiktiven Briefen (z. T. nur Fr.), gegliedert in 1. Fischer-, 2. Bauern-, 3. Parasiten-, 4. Liebesbriefe. Szenarium sämtlicher Briefe ist das zum zeitlosen Ideal verklärte Attika des 4. Jh. Als Vorlage dürfte A. bes. die Neue Komödie benutzt haben [10], Lukian-Imitation ist nicht sicher nachzuweisen [8]. A.s Briefe stellen eine wichtige Quelle für die Kenntnis des attischen Privatlebens in klass. Zeit dar, von besonderem kulturhistor. Interesse ist der Briefwechsel zwischen Menandros und Glykera [6]. A. schreibt ein elegantes, am Vorbild des Menandros orientiertes Attisch [7].

→ Brief; Epistel

ED.: 1 M. A. SCHEPERS, 1903, Ndr. 1969 2 E. AVEZZÙ, O. LONGO, 1985 3 E. RUIZ GARCÍA, 1988.
ÜBERS.: 4 K. TREU, 1982.
LIT.: 5 B. BALDWIN, The date of A., in: Hermes 110, 1982, 253 f. 6 J. J. BUNGARTEN, Menanders und Glykeras Brief bei A., 1967 7 F. CONCA, Osservazioni intorno allo stile di A., in: RFIC 102, 1974, 418–431 8 M. PINTO, Echi lucianei nelle Epistole parassitiche di A., in: Vichiana N. S. 2, 1974, 418–431 9 B. P. REARDON, Courants littéraires grecs des IIe et IIIe siècles après J.-C., 1971, 180–185 10 K. TREU, Menander bei A., in: W. HOFMANN, H. KUCH, Die ges. Bedeutung des ant. Dramas, 1973, 207–217
7 J. R. VIEILLEFONDS, L'invention chez A., in: REG 92, 1979, 120–140.   M. W.

Alkippe (Ἀλκίππη). Häufiger myth.-ep. Frauenname. [1] Tochter des Ares und der Kekropstochter Agraulos, von → Halirrhotios vergewaltigt (Apollod. 3,180), [2] Großmutter des Daidalos, Mutter des Eupalamos von Metion (Apollod. 3,214). [3] Sklavin der Helena (Hom. Od. 4,124).   F. G.

Alkmaion (Ἀλκμαίων). [1] Sohn des Amphiaraos und der → Eriphyle (Apollod. 3,81; Hes. fr. 198 M-W, vgl. 197; Überlieferungen s. [1; 2]). Er rächte seinen Vater mit seinem jüngeren Bruder Amphilochos durch die Ermordung von Eriphyle. A. wurde wahnsinnig und irrte durch Peloponnes und Nordwestgriechenland (Eur. TGF 65, 87). In Psophis wurde er von Phegeus geheilt und heiratete dessen Tochter Arsinoë, der er Eriphyles unselige Halskette und Schleier gab. Das Land wurde unfruchtbar, er ging nach Psophis zu Acheloos, um von ihm gereinigt zu werden. Dort wurde er mit dessen Tochter Kallirrhoë vermählt, die Kette und Schleier verlangte. Durch eine List versuchte er, sie zurückzuhalten, wurde durchschaut und von Phegeus' Söhnen umgebracht (Apollod. 3,86–90; Paus. 8,24,7). In Korinth hatte er mit → Manto, der Tochter des Teiresias, zwei Kinder, Amphilochos und Tisiphone. Ihre Ziehmutter, Kreons Frau, verkaufte das Mädchen später ohne sein Wissen an ihren Vater. A. fand Amphilochos, den zukünftigen Gründer des amphilochischen Argos wieder (Apollod. 3,95). Dazu gehört die Erzählung, wie Diomedes und A. Kalydon für das Geschlecht des Oineus zurückeroberten (Apollod. 1,78 f., sicher aus Euripides' *Oineus*). Die Lokalisierung von A.'s Heroon (Pind. P. 8,57) ist unsicher [3]. [2] Sohn des Sillos, des Sohnes von Thrasymedes und Enkel des Nestor, wurde durch die Herakleidai aus Messenien vertrieben. Gründer von Attika Alkmeonidai (Paus. 2,18,8) und Zeitgenosse von Theseus (Hesych.; Suda, s. v. Alkmeonidai).

1 I. KRAUSKOPF, s. v. A., LIMC 1.1, 546–552 2 R. PARKER, Miasma, 1983, 377 3 J. RUSTEN, in: HSPh 87, 1983, 290, Anm. 4.

J. K. DAVIES, Athenian Propertied Families, 1971, 369.   A. S.

[3] Sohn des Alkmaioniden (→ Alkmaionidai) Megakles aus Athen, kommandierte das athenische Aufgebot im Ersten Heiligen Krieg zu Beginn des 6. Jh. v. Chr. (Plut. Solon 11). Nach Herodot (6,125) knüpfte er in Delphi Kontakte zu Gesandten des Lyderkönigs, konnte ihnen einen Gefallen erweisen, wurde nach Sardes eingeladen und dort reichlich belohnt. A. war der erste Athener, der einen olympischen Sieg im Wagenrennen errang. DAVIES 9688.   E. S.-H.

[4, aus Kroton] Naturphilosoph des frühen 5. Jh. v. Chr., möglicherweise mit Verbindungen zu den zeitgenössischen Pythagoreern. Sein Buch war Brotinos, Leon und Bathyllos gewidmet (24 B 1 DK), von denen Bro(n)tinos in familiärer Beziehung zu → Pythagoras gestanden zu haben scheint (vgl. [1. I.106 f.]). Obwohl A. von späteren Autoren wie Iamblichos (v. P. 143,23 DEUBNER) und Diogenes Laertios ohne Umschweife der pythagoreischen Schule zugerechnet wird (24 A 1 DK), sollte man dem die vorsichtige Formulierung des Aristoteles gegenüberstellen (24 A 3 DK), der auf einen grundlegenden Unterschied zwischen den beiden Lehren aufmerksam macht und die Frage nach dem Ursprung der Lehre von den Gegensätzen (bei A. oder den Pythagoreern) offenläßt.

A. beginnt seine Abhandlung mit einer Beschränkung der Gewißheit, die sich für menschliche Erkenntnis erreichen läßt: Während die Götter Klarheit (σαφήνεια) erreichen können, müssen die Menschen sich an Zeichen orientieren (τεκμαίρεσθαι; 24 B 1 DK).

Wie bei → Xenophanes (vgl. bes. 21 B 34 DK) bedeutet die Anerkennung der grundlegenden Begrenzungen menschlicher Erkenntnis für A. nicht, daß es sich nicht lohnt, nach Erkenntnis zu streben. Anstelle der zehn Paare von Gegensätzen, die die → pythagoreische Schule entwickelte, schlug A. eine unbegrenzte Zahl von Gegensätzen in menschlichen Angelegenheiten vor (24 A 3 DK). Das Gleichgewicht (ἰσονομία) der Kräfte im Körper bewirkt Gesundheit, während die μοναρχία eines der Gegensätze Krankheiten verursacht (24 B 4 DK). Dieses Gleichgewicht muß nicht statisch sein, es kann sich in dynamischen Prozessen zeigen, in denen die Zyklen ein nahtloses Ganzes bilden.

Die Menschen sterben, weil sie Anfang und Ende dieser Prozesse nicht verbinden können (24 B 2 DK). Die Seele eines sterblichen Wesens ist unsterblich, da sie durch ihre ewige Bewegung den übrigen unsterblichen Wesen, den Himmelskörpern und dem ganzen Himmel, ähnlich ist (24 A 12 DK). A.s Lehre von der ewigen Bewegung der Seele hat Platon vielleicht im *Phaidros* und im *Timaios* inspiriert.

Zu den ant. Behauptungen, daß A. ein praktizierender Arzt gewesen sei und angeblich ein Auge seziert haben soll (24 A 10 DK), vgl. [1] und [2]. Die Tatsache, daß A. die zentrale Bedeutung des Gehirns in der Wahrnehmung und Erkenntnis betont (24 A 5 DK), muß nicht notwendigerweise mehr bedeuten als das normale Interesse der Naturphilosophen an den Phänomenen der belebten und unbelebten Natur.

1 J. MANSFELD, Alcmaeon: Physikos or Physician, in: J. MANSFELD, L. M. DE RIJK (Hrsg.), Kephalaion, Studies ... offered to Professor C. J. DE VOGEL, 1975, 26–38
2 G. E. R. LLOYD, Alcmaeon and the early history of dissection, in: Ders., Methods and problems in Greek science, 1991, 164–193.

FR.: 3 DIELS / KRANZ I (24) 210–6.   I.B./T.H.

Alkmaionidai

Alkmaionidai (Ἀλκμαιονίδαι). Einflußreiche aristokratische Familie, die in archaischer Zeit über mehrere Generationen hinweg eine prominente Rolle in der Gesch. → Athens spielte. → Megakles [1], der erste sicher bezeugte A., schlug um 630 v. Chr. den Versuch des → Kylon, die Tyrannis zu erreichen, nieder. Die Tötung der Anhänger Kylons stellte einen sakralen Frevel dar (→ Alkmaionidenfrevel), für den die gesamte Familie einige Zeit später von einem Sondergericht verurteilt und in die Verbannung geschickt wurde (Hdt. 5,71; Thuk. 1,126; Plut. Solon 12). Megakles' Sohn → Alkmaion [3] führte das athenische Aufgebot im Ersten Heiligen Krieg um Delphi. Wohl im Zuge einer diplomatischen Mission knüpfte er Kontakte mit Gesandten des Lyderkönigs und konnte ihnen einen Gefallen erweisen. Er wurde nach Sardes eingeladen und vom König fürstlich belohnt. Reichtum und Ansehen der Familie wuchsen dadurch beträchtlich. Alkmaion

war der erste Athener, der in Olympia einen Sieg im Wagenrennen errang. Diesem Sieg folgten viele Erfolge späterer A. bei panhellenischen Spielen (Hdt. 6,125; Plut. Solon 11; Isokr. or. 16,25). Megakles, der Sohn des Alkmaion, konnte den spektakulären Wettbewerb für sich entscheiden, den der Tyrann Kleisthenes von Sikyon veranstaltete, um einen geeigneten Ehemann für seine Tochter → Agariste [1] zu finden (Hdt. 6,126f.). Im sog. »Streit der drei Parteien« um die Herrschaft in Attika war er als Führer der Paraloi (→ Paralia) zunächst einer der Gegner des → Peisistratos, verbündete sich dann mit ihm und gab ihm seine Tochter zur Frau, doch zerbrach das Bündnis bald. (Hdt. 1,59,1; 61,1f.; [Aristot.] Ath. pol. 14,4). Während der Herrschaft des Peisistratos und seiner Söhne lebten die A. teilweise im Exil in Delphi, teilweise blieben sie in Athen und kooperierten mit den Tyrannen. Megakles' Sohn → Kleisthenes [2] war jedenfalls 525/24 Archon Eponymos (ML Nr.6). In Delphi übernahmen die A. den Wiederaufbau des zerstörten Apollontempels, steuerten eigene Mittel dazu bei und nutzten ihren Einfluß bei der Priesterschaft, um den Spartanern durch das Orakel nahezulegen, die Tyrannen aus Athen zu vertreiben (Hdt. 5,62; [Aristot.] Ath. pol. 19). In den nach dem Sturz der Tyrannis neuerlich aufflammenden Kämpfen der Aristokraten um die Vorherrschaft unterlagen die A. jedoch zunächst. Kleisthenes mußte mit 700 Familien (Verwandten, Freunden und polit. Anhängern) Athen verlassen (Hdt. 5,72) und konnte sich erst durchsetzen, als er »den *démos* in seine Gefolgschaft (*hetairía*) aufnahm« (Hdt. 5,66). Die von ihm initiierte Phylenreform schaffte langfristig die Voraussetzungen für die Entwicklung der athenischen Demokratie. Die von Herodot 6,121 überlieferte, aber bezweifelte Nachricht, die A. hätten bei Marathon mit den Persern kollaboriert, wurde wahrscheinlich von innenpolit. Gegnern der A. lanciert. Im Jahre 487/6 wurde Megakles, Sohn des Hippokrates, ein Angehöriger der A., ostrakisiert. Sowohl → Perikles als auch → Alkibiades [3] stammten mütterlicherseits von den A. ab.

Nachdem in neueren Arbeiten (etwa von D. ROUSSEL und F. BOURRIOT) die frühere Ansicht widerlegt wurde, im archaischen Griechenland hätten größere, generationenübergreifende Verwandtschaftsverbände (*génē*) mit gemeinsamem Besitz und gemeinsamen Kulten das polit. Leben bestimmt, sind einzelne Adelsgeschlechter wie die A. wieder stärker in das Interesse der Forschung gerückt. Zu den A., die in den Quellen stets als *oikíē* und nicht als *génos* bezeichnet werden, können demnach nur die Familien gerechnet werden, die in direkter Linie von Alkmaion, dem Sohn des Megakles, abstammten. Die A. unterscheiden sich jedoch in mehreren Hinsichten von anderen aristokratischen Familien: Nur sie erscheinen in den Quellen durchgängig als eine als Kollektiv handelnde Familie. Im Gegensatz zu Familien wie den Eteoboutadai oder Bouzygai werden die A. mit keinem Kult oder Priestertum in Verbindung gebracht, verfügten also nicht über daraus resultierende Möglichkeiten, in Athen Einfluß zu gewinnen. Außerhalb Athens genossen die A. dagegen außerordentliches Ansehen. An ihnen zeigen sich exemplarisch die Effekte der Heiratsverbindungen und der Solidarität in der griech. Aristokratie. Diese besondere Art von Einflußbasis führte möglicherweise dazu, daß einzelne A. immer wieder außerhalb der etablierten Wege auf unkonventionelle Weise versuchten, auch in Athen Macht zu gewinnen; DAVIES 9688.

F. BOURRIOT, Recherches sur le nature du genos, 1976, I, 549 ff. · D. ROUSSEL, Tribu et cité, 1976, 62 ff.   E. S.-H.

Alkmaionidenfrevel. Die Tötung der im Heiligtum der Athena Polias Schutz suchenden Anhänger des Tyrannisaspiranten → Kylon um 630 v. Chr. galt als religiöser Frevel. Die Familie des verantwortlichen Archonten, des Alkmaioniden → Megakles, wurde dafür mit der Verbannung bestraft (Hdt. 5,71; Thuk. 1,126). Der Frevel wurde bis in die Zeit des → Perikles ins Feld geführt, um einflußreichen → Alkmaionidai zu schaden (Thuk. 1,127; 2,13); DAVIES 9688.

K.-W. WELWEI, Athen, 1992, 133 ff.   E. S.-H.

Alkmaionis (Ἀλκμαιωνίς, »Gedicht von Alkmaion«). Ein durch drei wörtliche Fragmente gesichertes frühgriech. Epos um → Alkmaion, den Sohn des argiv. Helden und Sehers → Amphiaraos, das den thebanischen Sagenkreis mit dem troischen verbunden hat (IMMISCH [1], BETHE [2. 134], KULLMANN [3. 143–151]). Der Verf. war schon in der Ant. unbekannt (er wird in unseren Testimonien achtmal anonym mit ὁ τὴν Ἀλκμαιωνίδα γεγραφώς, πεποιηκώς und dergleichen bezeichnet). Das Epos scheint nach 600 entstanden zu sein (WILAMOWITZ [4. 73, 214]) und korinth. Interessen zu spiegeln (BETHE [2. 133], KULLMANN [3. 381]); sein *Stoff* dürfte jedoch schon dem Iliasdichter bekannt gewesen sein, da dieser u. a. von den in der A. gen. (BETHE [5. 1563]) sieben → Epigonoi (Alkmaionis F ° 11 BERNABÉ) nur diejenigen drei nennt (Diomedes, Sthenelos, Euryalos), die in der A. nicht im Kampf fallen bzw. aus anderen in der A. ausgeführten Gründen an der Teilnahme am Troianischen Krieg verhindert sind (KULLMANN [3. 150 f.]). Zu diesem Stoff gehörten (1) Alkmaions Tötung seiner Mutter Eriphyle in Argos, ihm von seinem Vater Amphiaraos vor dem Auszug nach Theben (→ Amphiarau exelasis) aufgetragen, (2) Alkmaions Führung des Epigonen-Feldzugs gegen Theben und sein Sieg über den König von Theben, Laodamas, (3) Alkmaions Hilfe für Diomedes bei dessen Rückgewinnung seines Stammlandes Aitolien, (4) Alkmaions Eroberung (*ohne* Diomedes, den Agamemnon nach Troia abberuft) eines Gebietes, das er nach seinem Sohn Akarnan »Akarnanien« nennt, und seine Gründung der Landeshauptstadt, der er nach seinem Bruder Amphilochos den (Kolonie-)Namen »Argos Amphilochikon« gibt (so Ephoros bei Strabon, s. Alkmaionis F ° 9 BERNABÉ, nach BETHE

[5. 1563] und anderen aus der A. stammend, dann aber wohl Zutat ihres um 600 schreibenden Verf. zum urspr. Sagenstoff). – Die A. wird spätestens seit WELCKER [6] (der sie I 195, wohl zu Unrecht, mit den → *Epigonoi* gleichsetzte) zum → Epischen Zyklus gerechnet (vgl. WILAMOWITZ [4. 345]). Ob und, wenn ja, inwieweit sie Euripides Stoff für seine Stücke ›Alkmeon in Psophis‹ und ›Alkmeon in Korinth‹ lieferte, ist nicht bekannt.

1 O. IMMISCH, Klaros, in: Jbb für Class. Philol. Suppl. 17, 1890   2 E. BETHE, Thebanische Heldenlieder, 1891   3 W. KULLMANN, Die Quellen der Ilias (Troischer Sagenkreis), 1960   4 U. v. WILAMOWITZ-MOELLENDORFF, Homer. Unt.en (Der ep. Cyclus), 1884   5 E. BETHE, Art. Alkmaionis, in: RE I, 1562–1564   6 G. E. WELCKER, Der ep. Cyclus, ²I, 1865. ²II, 1882.   J. L.

Alkman. A. LEBEN   B. GESELLSCHAFTLICHER KONTEXT   C. WERKE   D. NACHWIRKUNG

A. LEBEN

Lakonischer Dichter, vielleicht lyd. Herkunft, wirkte gegen Ende des 7. Jh. v. Chr. in Sparta. In der biographischen Überlieferung der Spätant. (vgl. Suda s. v. Ἀλκμάν 117 ADLER = TA 12 D [3] = test. 4 C [2]) werden für A. zwei Herkunftsorte, nämlich Sardeis in Lydien bzw. Messoa in Lakonien, sowie zwei Datierungen, 658 bzw. 609, angegeben (nach Eus. Chron. Ol. 30,3 bzw. 40,2 = TA 13 D = test. 2 und 3 C). Darüber hinaus kennt diese Überlieferung noch einen zweiten Alkman, einen lyrischen Dichter aus Messenien [11]. Die ältere Datierung [10; 13] konnte eliminiert werden, weil mehrere jüngst veröffentlichte Oxyrhynchos-Papyri Kinder des spartanischen Königs Eurykrates bzw. Leotychidas I. erwähnen (TA 10a D = fr. 80 C). Aus dem fr. 16 D = 8 C, das man für die Entsprechung einer *sphragís* gehalten hat, konnte des weiteren erschlossen werden, daß der Streit um die Herkunft des Dichters bis auf Aristoteles zurückgeht (TA 1a D = fr. 8, test. IV C [2. XIV-XVII]).

B. GESELLSCHAFTLICHER KONTEXT

A.s dichterische Tätigkeit steht in Verbindung mit fast allen großen Festen im gesellschaftlichen Leben der spartanischen Bürgerschaft: mit den Hyakinthien zu Ehren des Apollon von Amyklai (TA 2 und fr. 10 (a) D = test. 5 C; anläßlich des Streits über den lyd. bzw. lakonischen Ursprung A.s), mit den Gymnopaidien (TB 7 D = test. 27 C), dem Leukippidenkult (fr. 8 D = 20 C), dem Kult der Chariten Phaenna und Kleta (fr. 62 D = 223 C) und, wegen der zahlreichen Anreden Apollons (fr. 45–52 D = 113–8, 213, 219 C), wahrscheinlich auch den Karneia. A. ist Verf. einer Anrufung der Dioskuren (fr. 2 + 12 D = 2 C; vgl. fr. 5,1 D = 79 C) und wahrscheinlich auch eines Gesanges, der in Verbindung mit dem Kult des vergöttlichten Paares Helena und Menelaos in Therapnai vorgetragen wurde (fr. 7 D = 19 C [1. I, 264–350]). Bei diesen Gedichten handelte es sich im wesentlichen um Chorgesänge. Sie wurden oft von Frauengruppen vorgetragen, deren Bezeichnungen sich auf die polit. Organisation des archa. Sparta beziehen:

die ›Pitanatiden‹ verweisen auf die geographische Einteilung der Stadt in vier *obaí*, die *Dýmainai* auf die Gliederung der Bürgerschaft in drei Phylen (fr. 11, 5. 2 und 10 (b) D = 24, 81 und 82 C). Das letztgenannte Gedicht wurde zweifellos von einem Chor von *Dýmainai* im Rahmen des Schwellenkultes der Artemis Karyatis [1. I,264–76] gesungen. Wenn in diesem Gedicht ein Chorführer mit dem Namen eines spartanischen Königs (Agesidamos) angesprochen wird sowie Tochter und Sohn des Eurykrates bzw. des Leotychidas I. gepriesen werden, zeigt das die Zugehörigkeit des mit der Chorleitung betrauten Mädchens bzw. jungen Mannes zur Aristokratie an; ebenso verhält es sich mit dem Namen einer Chorführerin in fr. 3 D = 26 C (Astymelousa: »die, um die sich die Stadt sorgt«). Die Einstudierung des Chores wurde jedoch vom Dichter selbst übernommen (TA 2 D = test. 5 C).

C. Werke

Alexandrinische Philologen haben die im wesentlichen kultischen Gedichte A.s in 6 Bücher eingeteilt; hinzu kam ein längeres Gedicht mit dem Titel ›Die Taucherinnen‹ (TB 1 und fr. 158 D = test. 4 und 36 C). Diese Dichtungen wurden von einem Chor oder unter Begleitung eines Chores gesungen. Sie sind in die traditionelle Sprache der dor. Dichtung umgeschrieben worden, weisen jedoch einige Merkmale des örtlichen Dialektes und einige Epizismen auf [7. 102–63; 2. XXIV-XXXIV]. Ihr metrischer Rhythmus setzt ebenfalls dor. Sangestradition fort. Das längste erh. Gedicht zeigt Ansätze einer triadischen Struktur [2. 219–29; 12. 46–49].

Von diesen melischen Gedichten nahmen die ›Partheneien‹ die ersten beiden Papyrusrollen der alexandrinischen Ausgabe ein [1. II,149–76]. Es handelt sich dabei um Kultgesänge, die von einem Mädchenchor zu Ehren von jungen Frauen vorgetragen wurden. Im Text des fälschlich ›Erstes Partheneion‹ benannten Gedichtes fehlt leider die Musenanrufung, die wohl den Anfang dieses wie anderer Gedichte A.s bildete (fr. 14 (a), 27 und 28 D = test. 4, 84 und 85 C). Die teilweise erh. 8 Strophen (Triaden) lassen jedoch den Gedankengang erkennen. Eine mythische Partie zeigt die Dioskuren im Kampf mit den Söhnen des Hippokoon, vielleicht als Rivalen in einer Liebesangelegenheit; der Chor schließt diese Partie mit einer zweifachen Schlußfolgerung ab: es sei nicht nur überheblich, wenn ein Mensch nach dem Himmel verlange und Aphrodite heiraten wolle, sondern es gebe auch eine Rache der Götter (sofern man in diesem Zusammenhang nicht den Einfluß einer hell. Interpretation annehmen muß, könnte die mythische Partie der ›Partheneien‹ die Gestalt einer Kosmogonie annehmen; fr. 5,2 D = test. 81 C [5]). Dann beginnen die Choreutinnen ihr eigenes Tun mit einem *makarismós* zu beschreiben, wie es in melischen Gedichten, die selbst Kulthandlungen sind, oft der Fall ist. Der archa. Poetik entsprechend, die auf der Dialektik von Lob und Tadel beruht, besingen die Choreutinnen zwei Mädchen: Agido (durch ihren Namen wird sie mit der königlichen Familie der Agiaden in Verbindung gebracht,

ihre Schönheit erinnert an einen Sonnenaufgang und damit an den Zeitpunkt des Gesangs) und Hagesichora (ihr Gesicht ist von unbeschreiblichem Glanz, ihr Name bezeichnet die Tätigkeit einer Chorführerin). Eine Reihe von Vergleichen und Metaphern vor allem aus dem Bereich der Reiterei zeigt, daß diese Mädchen an einem Rennen teilnehmen, während die Choreutinnen einer mysteriösen Göttin der Morgenröte, die sich nicht mit der lakonischen Artemis Orthia identifizieren läßt, ein Kleid darbringen. Hagesichora mit ihrer göttlichen Stimme ist nicht nur Gegenstand einer erotischen Lobrede der jungen Choreutinnen, sondern in einer rituellen Handlung, die gewiß einer Stammesinitiation entspricht, auch deren Stellvertreterin vor der Göttin (vielleicht Helena) [1. II,45–146; 7; 8; 9]. Ein zweites Fragment der ›Partheneien‹ (fr. 3 D = 26 C) hat die feine Metaphorik dieser Gedichte und den kultischen Charakter der Lobreden jener jungen Frauen bestätigt. Diese homophilen Bande zwischen den Choreutinnen und einer Chorführerin, die über alle Reize der Aphrodite verfügt (vgl. fr. 58–9 D = 147–9 C), lassen sich nur als Liebe mit Initiationsfunktion erklären, als rituelle Vorbereitung auf die Reife der erwachsenen Frau in ihrer sozialen Rolle als Mutter der künftigen Bürger.

Andere Fr. der Gedichte A.s führen uns in rituelle Symposien ein (fr. 17, 19, 56 und 95 D = 9, 11, 92, 125 und 131 C); in diesen jetzt gern als sympotisch interpretierten [6. 17–56] Gesängen fehlt Dionysos nicht (fr. 93 D = 160 C). A. hat zusammen mit Dichtern wie Polymnestos von Kolophon, Thaletas von Gortyn oder Sakadas von Argos sehr aktiv am musikalischen und kultischen Leben Spartas teilgenommen. Unter Bezug auf die Kunst der *mímēsis* [4. 67–82] stellt A. sich als Erneuerer in der Dichtung dar (fr. 39 D = 91 C, vgl. fr. 14 (a) D = 4 C).

D. Nachwirkung

A. besaß in Sparta, nicht weit von den Heiligtümern der Helena und des Herakles, ein *mnēma* zum Ruhme seiner Musikalität (TA 18 D = test. 19 C, vgl. Anth. Pal. 7,19 = TA 6 D = test. 9 C). A.s poetisches Talent wurde in alexandrinischer Zeit durch seine Aufnahme in den → Kanon der neun λυρικοὶ πραττόμενοι geehrt (Anth. Pal. 9,184 und 571 = TA 1 und 2 D). Wegen der Berühmtheit der ›Partheneien‹ wurde sein Name nicht nur mit den ›Nachtigallen mit weiblicher Stimme‹ (Anth. Pal. 9,184,9) verbunden, die biographisierende Interpretation der Sehnsüchte der Choreutinnen machte aus ihm auch den Erfinder erotischer Lieder (TB 1 D = test. 4 C, vgl. fr. 59 D = 148 + 149 C). Der Text der Gedichte A.s war darüber hinaus Gegenstand einer beachtlichen Gelehrsamkeit, und zwar schon von Philochoros an (FGrH 328 T 1 = TB 15 D = test. 41 C).

→ Karneia; Hyakinthia, Homosexualität; Lyrik; Melos; Partheneion

1 C. Calame, Les choeurs de jeunes filles en Grèce archaïques I/II, 1977 2 C. Calame, Alcman, 1983 3 PMGF I 4 B. Gentili, Poesia e pubblico nella Grecia antica, ²1984 5 G. W. Most, Alcman's Cosmogonic Fragment (Fr. 5

Page, 81 Calame), in: CQ 81 (N.S. 37), 1987, 1–19
6 S. NANNINI, Simboli e metafore nella poesia simposiale
greca, 1988 7 D.L. PAGE, Alcman. The Partheneion, 1951
8 C.O. PAVESE, Il grande Partenio di Alcmane, 1992
9 M. PUELMA, Die Selbstbeschreibung des Chores in A.s
grossem Partheneion-Fragment, in: MH 34, 1977, 1–55
10 J. SCHNEIDER, La chronologie d'Alcman, in: REG 98,
1985, 1–64 11 K. TSANTSANOGLU, Δυὸ Ἀλκμᾶνες? (P. Oxy.
2802), in: Hellenika 26, 1973, 107–112 12 M.L. WEST,
Greek Metre, 1982 13 M.L. WEST, Alcman and Spartan
Royalty, in: ZPE 91, 1992, 1–7.   C.CA./T.H.

Alkmene (Ἀλκμήνη). Tochter des Königs Elektryon
von Mykenai oder Tiryns und der Lysidike, Eurydike
oder Anaxo (Hes. scut. 3; Diod. 4,9,1; Apollod. 2,52).
Sie heiratet → Amphitryon, der den Elektryon tötet und
mit A. fliehen muß. Die Ehe soll erst vollzogen werden,
nachdem Amphitryon A.s im Krieg gefallene Brüder
gerächt hat (Apollod. 2,55). Er zieht aus, Zeus kommt in
seiner Gestalt zu A., berichtet vom Sieg und zeugt mit
ihr → Herakles (Pind. I. 7,5 ff.; Pherek. FGrH 3 F 69;
Plaut. Amph.; Diod. 4,9,3 ff.; Hyg. fab. 29). Bei seiner
Rückkehr wird Amphitryon von → Teiresias aufgeklärt
und will A. bestrafen, was Zeus verhindert (Hyg. fab.
29). Hera hält die Geburt des Herakles auf (Hom. Il.
19,95 ff.), damit → Eurystheus vor Herakles geboren
wird und ihm so die Herrschaft zufällt. In späteren Versionen bringt A. neben Herakles noch Iphikles (von
Amphitryon) zur Welt (Pind. P. 9,84 ff.). Nachdem
Herakles bei Eurystheus gedient hat, wird A. mit Kindern und Enkeln aus Tiryns verbannt und wendet sich
nach Herakles' Tod an → Demophon von Athen, der sie
vor Eurystheus schützt und ihn besiegt (Hekat. FGrH 1 F
30; Pherek. FGrH 3 F 84; Eur. Heraclid.). A. lebt danach
in Theben, wo sie stirbt. Ins Elysium versetzt, wird sie
mit → Rhadamanthys vermählt. Beliebter Tragödien-
stoff, bearbeitet u.a. von Sophokles, Euripides, Accius.
In Boiotien, Attika, Megara und später auch in Sparta
wurde sie als Heroine verehrt (Paus. 1,19,3; 41,1;
9,11,1 ff.; 16,7).

E. STÄRK, Die Gesch. des Amphitryonstoffes vor Plautus, in:
RhM 125, 1982, 275–303 · A.D. TRENDALL, s.v. A., LIMC
1.1,552–556 · K. WERNICKE, s.v. A., RE I,
1572–1577.   R.HA.

Alkon (Ἄλκων). **[1]** Sohn des Erechtheus, der nach
Chalkis floh. Vater der Chalkiope (Proxenos FGrH 425
F 2), oder Sohn des euböischen Heros Abas (Ephoros F
33). Seinen Sohn Phaleros, der in Phaleron als Heros
verehrt wird, schickt er zur Argofahrt mit (Apoll. Rhod.
1,95; Hyg. fab. 14); nach Orph. Arg. 144 kommt Phaleron vielmehr von Mysien und gründet die thessalische
Stadt Gyrton. **[2]** Sohn des Hippokoon von Amyklai
(Apollod. 3,124), von Herakles getötet, mit einem Heroon in Sparta (Paus. 3,14,7). **[3]** Kret. Bogenschütze,
Begleiter des Herakles, der z.B. Ringe von den Köpfen
mehrerer Menschen schoß und eine um seinen schlafenden Sohn sich ringelnde Schlange erlegte, ohne ihn

zu verletzen (Serv. ecl. 5,11; Val. Fl. Arg. 1,398 ff.).
[4] Nach MEINEKES Konjektur (vit. Soph. 11) att. Heilheros, → Halon.   F.G.
[5] Chirurg um 41–54 n. Chr., der von Kaiser Claudius
eine Strafe von 10 Mill. Sesterzen auferlegt bekam (Plin.
nat. 29,22) und nach Gallien verbannt wurde. Seine
Verluste konnte er binnen kurzem mit den Einnahmen
des in Gallien und nach seiner Rückkehr auch in Rom
erhaltenen Honorars ausgleichen. Er ist wahrscheinlich
identisch mit dem von Ios. ant. Iud. 19,20 erwähnten
Wundarzt Alkyon, der Zeitzeuge der Caligulas Tod be-
gleitenden Unruhen in Rom war. Er oder sein Namensvetter werden von Mart. 6,70 und 11,84 verhöhnt.
                                              V.N./L.v.R.-B.

Alkyone (Ἀλκυόνη). Mehrfach belegter Name von
Heroinen, etwa der Frau des Meleager (Hyg. fab.
174,7), der Mutter des Elephenor (Apollod. 3,11) oder
der Schwester des Eurystheus (Apollod. 2,53). Unklar ist
jeweils, inwiefern A. in diesen Fällen mit einer der beiden reichbezeugten Gestalten zusammenfällt. **[1]**
Tochter des Atlas, eine der Pleiaden (seit Hes. fr. 169).
Sie wird von Poseidon verführt, was bereits auf der
Kypseloslade dargestellt ist (Paus. 3,18,10). Der Verbindung entspringen Eponyme verschiedener Städte:
→ Hyrieus, Eponym des boiotischen Hyria und Vater
des → Orion (Apollod. 3,111; Hyg. fab. 152; astr. 2,21);
→ Anthes [1], König im boiotischen Anthedon (Paus.
9,22,5), oder Gründer von Antheia, das zusammen mit
dem von seinem Bruder Hyperes gegründeten Hypereia
zu Troizen verbunden wurde (Paus. 2,30,8). **[2]** Tochter des Aiolos und der Enarete, Frau des → Keyx, des
Königs von Trachis am Oite. Nach dem Tod des Keyx
im Seesturm klagt sie über seiner angeschwemmten Leiche; beide werden in Vögel verwandelt (seit Hes. fr.
16,6; wichtig Ov. met. 11,410–748).   F.G.

Alkyoneus (Ἀλκυονεύς). **[1]** Gigant. Er gilt als der
älteste (Lyr. adesp. 985 PGM), ist in Pallene (l.c.) beheimatet und stirbt nicht, solange er den Heimatboden berührt. In der Gigantomachie muß Herakles ihn auf Anraten Athenas deswegen fortschleifen, um ihn töten zu
können (Apollod. 1,35 f.). Auf dem pergamenischen
Altarfries schleift Athena selber den geflügelten A. an
den Haaren fort. Er soll unter dem Vesuv begraben sein
(Claud. rapt. Pros. 3,185); die Neapolitaner zeigten seine Gebeine (Philostr. heroicus 9,15).

In den frühen Zeugnissen ist er Räuber der Sonnen-
rinder (Apollod. 1,34) oder riesiger Rinderhirt auf der
Halbinsel Pallene, wo Herakles und Telamon ihn töten
(Pind. N. 25–30; I. 6,32–34, Phlegrai). Dabei verbindet
ihn andere Überlieferung mit dem Isthmos: Hier wird
noch der Felsblock gezeigt, den er auf Herakles schleu-
derte, den dieser aber auf ihn zurückwarf und so tötet
(schol. Pind. N. 4,25). Der Name erinnert an den des
alkyonischen Sees bei Lerna und des alkyonischen Meeres im nordöstl. Winkel des Golfs von Korinth [1]. Auf
Vasenbildern tötet Herakles ihn im Schlaf [2]. **[2]** Sohn

des Telamon, figuriert unter den mythischen ersten Poseidonpriestern in Halikarnaß, deren Namen in die Gegend von Troizen und Kalaureia weisen (SIG 1020 A 4).

1 PRELLER-ROBERT 1, 71f. 2 s.v. A., LIMC 1, 558.   F.G.

Alkyonides. [1] (Ἀλκυονίδες = ἀλκυόνες, auch ἀλκ-, daher »halkyonische Tage«), Eisvögel, *alcedines*, bunt gefärbte fischfressende Rakenvögel (vgl. Aristot. hist. an. 8(9),14,616a 14–18; Plin. nat. 10,89), nur Wintergäste in Griechenland, deren (damals tatsächlich unbekannte) Brut zur etwa 14tägigen Windstille (ἀλκυονί(τι)δες, ἀλκυόνειοι ἡμέραι, *alcyonii dies, Alcedonia*, Plur.) [1; 2] auf manchen Meeren während der Wintersonnenwende (als Ausnahme!) stattfinden sollte (vgl. u. a. Aristot. hist. an. 5,8,542b 4–17; die fabulöse Beschreibung des Nestes 616a 19–32, welches auch als Medikament diente [3. 49]). Farbige spätant. Darstellungen [4. Abb. 125,2 = Farbtaf. III und IX,4] zu Dionysios' *Ixeutika* [5] sind lebens/echt.

1 U. WILAMOWITZ, in: Hermes 18, 1883, 417ff.
2 M. WELLMANN, in: Hermes 26, 1891, 515 3 D'ARCY
W. THOMPSON, A glossary
of Greek birds, 1936, Ndr. 1966, 46–51 4 Z. KÁDÁR,
Survivals of Greek zoological illuminations in Byzantine
manuscripts, 1978 5 Dionysii Ixeuticon seu de Aucupio
libri III, ed. A. GARZYA, 1963.   C.HÜ.

[2] Verschiedene Mythen berichten von der Verwandlung in Eisvögel [2]. Am bekanntesten ist das Königspaar von Trachis, Keyx und → Alkyone. Daneben heißt es, daß die sieben Töchter des → Alkyoneus sich nach dem Tod des Vaters ins Meer stürzten und in Eisvögel verwandelt wurden (Eust. Il. 9,558), ebenso die fünfzig Töchter des → Kinyras, nachdem Apollon ihren Vater besiegt und getötet hatte (Eust. Il. 11,20); auch Alkyone, die Tochter des → Skiron, stürzte sich ins Meer und wurde zum Eisvogel (Prob. ad Verg. georg. 1,399).

P. M. C. FORBES IRVING, Metamorphosis in Greek myth,
1990, 240f.   F.G.

Allectus. IMP(erator) C(aius) Allectus P(ius) F(elix) INV(ictus) AUG(ustus) in Britannien. A.' frühe Karriere ist nicht bekannt. Rechte Hand (*satelles*) und Rechnungsführer (*rationalis summae rei*; Aur. Vict. Caes. 39,41; Eutr. 9,22,2) des → Carausius. 293 n.Chr. nach dessen Ermordung, unmittelbar nach Verlust des Flottenstützpunktes Gesoriacum / Boulogne, Erhebung zum Augustus (Paneg. 8 [5],12,2). Aurelius Victors Darstellung (l.c.) legt Unregelmäßigkeiten in der Finanzverwaltung nahe, die A. zur Usurpation trieben. Der Übergang verlief relativ problemlos. Konsulat im Jahr 294 unsicher. A.' Münzprägung knüpft bewußt an den Vorgänger an. 296 fiel A. in der Entscheidungsschlacht gegen die vom Prätorianerpräfekten Asclepiodotus befehligte Westabteilung der Landungstruppen des Caesar → Constantius Chlorus (Paneg. 8,15f.). Er fiel der → *damnatio memoriae* anheim.

Mz.: RIC V² 557–70
LIT.: A. BIRLEY, The Fasti of Roman Britain, 1981,
314–15 · P.J. CASEY, Carausius and A., 1994 · KIENAST
275 · N. SHIEL, The Episode of Carausius and A., BAR 40,
1977.   C.KU.

Allegorese. 1. BEGRIFFSBESTIMMUNG
2. ALLEGORIE ALS »SPRACHE« 3. ALLEGORESE ALS
HERMENEUTISCHE TECHNIK 4. ALLEGORESE ALS
METHODE DER ANEIGNUNG UND ANPASSUNG
5. PHILOSOPHISCH-LITERARISCHE ALLEGORESE
6. ALLEGORESE HEILIGER SCHRIFTEN

1. BEGRIFFSBESTIMMUNG
A. läßt sich, analog zu der Allegorie (→ Allegoria) als »uneigentlichem«, metaphorischem Sprechen, bestimmen als metaphorische Auslegung. In beiden Fällen werden zwei verschiedene Zeichensysteme mit Hilfe bestimmter Regeln aufeinander bezogen: (Grund-)Text und Referenztext, bzw. Wortlaut (Litteralsinn) und »tieferer« (»eigentlicher«) Sinn. Allegorie ist eine Technik der Produktion von Texten, A. (bzw. allegorische Auslegung) ist eine Technik der Rezeption; sie spielt eine wichtige Rolle bei der → Exegese heiliger Schriften.

Die ant. Definition der *allegoría* wird etymologisch aus *álla agoreúein* – »etwas Anderes sagen« als gemeint ist, abgeleitet (Herakleitos, 1.Jh. n.Chr.). *Allegoría* ist vor dem 1.Jh. v.Chr. nicht bezeugt (ältester Beleg des Substantivs bei Cic., orat. 27,94). Dies liegt nicht am Erhaltungszustand der Quellen. Nach Plutarch (de audiendis poetis c. 4) ist *allegoría* ein t.t., der in »neuerer« Zeit das bezeichne, was vorher (untechnisch) *hypónoia* – »Unter-Sinn«, »tieferer Sinn« – geheißen habe. »Andeuten«, »verhüllen«, »in Rätseln sprechen« – »deuten«, »enthüllen«, »offenbaren«: so läßt sich das Bedeutungsfeld von *allegoría* und *hypónoia* umschreiben, wobei beide Begriffe sowohl unter dem Aspekt der Produktion als auch der Rezeption gebraucht werden.

2. ALLEGORIE ALS »SPRACHE«
Viele Sprechhandlungen der Umgangssprache sind mehrsinnige Sprechakte, die von den Teilnehmern, sofern diese eine gesellschaftlich oder kulturell homogene Gruppe bilden, ohne weiteres verstanden werden. Die zwar willkürliche, aber konventionell gesicherte Primärrelation von Zeichen und Bezeichnetem in der sog. natürlichen Sprache kann durch weitere, weniger reglementierte Zeichenebenen überlagert werden. Die lit. Technik der Metapher und der Allegorie bedient sich dieser mehrfachen Codierung zu verschiedenen Zwecken, die von dekorativem Spiel bis zu bewußter Verrätselung, im Dienste von beispielsweise religiöser Geheimhaltung, reichen. Je nach ihrer Funktion ist sie mit expliziten Signalen für die Interpretation ausgestattet.

3. ALLEGORESE ALS HERMENEUTISCHE TECHNIK
(a) Die Beschreibungen und Definitionen der ant. Rhetorik sind zugleich Anweisungen zur Herstellung und zur Auslegung von Texten. Eine Aufgabe der

»Lit.wiss.« (*grammatikḗ*) ist nach Dionysius Thrax (ca. 2. Jh. v. Chr.) die ›Exegese gemäß den zugrundeliegenden poetischen Stilmitteln (*trópoi*)‹. Im Falle der Allegorie kann nun aufgrund der Verrätselung die Decodierung, ja sogar die Frage strittig werden, ob überhaupt Allegorie vorliege, ob also nach einem Hintersinn zu suchen sei oder nicht. In dieser Eigenart der Allegorie liegt eine Form der Auslegungspraxis begründet, die mit einem modernen Terminus »Allegorese« genannt wird (das Wort ist nicht antik). Dabei wird ein nichtallegorischer Text so behandelt, als ob er eine Allegorie wäre. Hinter Wortlaut und Wortsinn eines Textes werden andere, »eigentliche«, »wahre« Sinnebenen postuliert, die aufgedeckt werden sollen. Unter Wahrung des Wortlautes eines Textes wird sein Sinn verändert, ein anderer Sinn »unterlegt«. Auf den auszulegenden Text wird ein zweites, prinzipiell beliebiges System bezogen, etwa eine philosophische oder theologische Dogmatik. In Griechenland ist A. für das Ende des 6. Jh. v. Chr. bezeugt. Theagenes von Rhegion soll die A. Homers eingeführt haben. Daß die hermeneutische Technik der A. in der Ant. ebenfalls *allegoría* oder *hypónoia* heißt, ist systemimmanent zwar verständlich – der A. praktizierende Exeget behauptet ja, sein Text sei oder enthalte eine Allegorie; in der histor. Interpretation muß jedoch zw. Allegorie und A. unterschieden werden: A. liegt nur dann vor, wenn ein nichtallegorischer Text allegorisierend interpretiert wird. Ein zweites Modell für die Konzeption der A. in der Antike, neben der poetisch-rhetorischen Praxis, ist die → Divination. Orakel bedürfen der Exegese, von den Göttern gesandte »Zeichen« müssen gedeutet werden (vgl. Heraklit fr. 93 DK I¹⁰): griech. *semaínein*, »Zeichen geben«, »andeuten«, gehört zu den wichtigsten Begriffen im Vokabular der A.

Die ältesten A. betreffen Homers Aussagen über die Götter; sie behandeln Mythen als Offenbarungstexte analog zu den Orakeln. In diesem Rahmen können die Göttergestalten als Personifikationen von Elementen und Ideen »gedeutet« werden. Offenbarte sich den Stoikern in den homer. Göttermythen der Kosmos (physikalische Mythendeutung z. B. bei Zenon, Kleanthes, Chrysippos, vgl. Cic. nat. 1,41; 2,63), so wird den Neuplatonikern der Kosmos selbst zu einem Mythos des Göttlichen (Sallustios, 2. H. 4. Jh. n. Chr.). Verbunden mit biblischen Schöpfungslehren hat diese Vorstellung im Topos vom »Buch der Natur«, das der Finger Gottes geschrieben hat, eine breite und langdauernde Wirkung entfaltet [5. 323–329].

4. Allegorese als Methode der Aneignung und Anpassung

Schriftlich fixierte Texte können ihre geschichtliche (Entstehungs-)Situation und ihren sozialen Kontext überdauern. Aber sie werden u. U. immer schwerer verständlich, schließlich »anstößig« und »widersprüchlich«. Kanonisierte, »heilige« Texte können indes nicht ignoriert oder abgeschafft werden. Die A. erlaubt die Einführung eines neuen Sinnes bei strenger Wahrung des Wortlautes. Die Anstöße zur A. entstammen nicht dem Text, sie sind polit., gesellschaftlicher, allgemein histor. Natur. (a) Innerhalb einer Kultur hat die A. vor allem zwei Aufgaben: Sie paßt den alten, »kanonischen« Text der neuen Situation an; sie rechtfertigt die neue Situation (neue Ideen o. ä.) mit der Autorität des alten Textes. In der philosophischen Homer-A. sind beide Tendenzen zu beobachten. Daß Philosophenschulen Homer für ihr eigenes Prestige in Dienst nahmen, hat bereits Seneca kritisiert (epist. 88,5). (b) Treffen verschiedene Kulturen aufeinander, so kann A. eine Harmonisierung zw. den jeweiligen kanonischen Texten bewerkstelligen, sie kann Aneignungs- und Enteignungsprozesse in Gang setzen, bzw. rechtfertigen. Die hier unterschiedenen Funktionen sind oft gleichzeitig vorhanden, mit verschiedener Gewichtung je nach dem unmittelbaren Anlaß und den Adressaten der Auslegung. Der hellenisierte Jude Philon von Alexandria suchte im 1. Jh. n. Chr. die heiligen Schriften der Juden und die griech. Philosophie zu »versöhnen« (z. B. durch eine A. der Genesis). Gegenüber dem griech. Publikum hatte seine A. eine Apologetik der jüdischen Bibel zu leisten, gegenüber orthodoxen Juden die griech. Philosophie zu legitimieren.

(c) In den sog. Buchreligionen sind heilige Texte gegen Veränderung oder Vernachlässigung bes. gesichert. Sofern ein organisiertes Lehramt diese Sicherung garantiert, unterliegt auch die Anpassung an veränderte histor. und gesellschaftliche Situationen der Kontrolle. Zum Zwecke der Anpassung, Legitimation, Harmonisierung usw. wird der kanonisierte Text auf neue, vornehmlich philosophische und theologische Referenzsysteme bezogen; dabei werden aber nicht beliebig viele Konzepte zugelassen, sondern nur solche, die sich als orthodox durchsetzen können.

5. Philosophisch-literarische Allegorese

Platon verwarf Homers Mythen als untauglich für die Erziehung der Jugend; daher war er nicht auf A. angewiesen und hat sie – konsequent – ebenfalls abgelehnt: ein verborgener Sinn (*hypónoia*) mache die Mythen nicht brauchbarer; der (für Platon) »anstößige« Wortlaut wirke mit und ohne tieferen Sinn verderblich (Plat. rep. 2,378aff.). Dieses Urteil setzt eine verbreitete Mythen-A. voraus, die »Widersprüche« zw. einer philosophischen Gottesvorstellung und den frivol wirkenden Göttergeschichten Homers beseitigen sollte (vgl. auch → Mythos). So allegorisierte z. B. Metrodoros von Lampsakos (Ende 5. Jh. v. Chr.) »physikalisch« (Achilleus, Hektor, Helena, Paris, Agamemnon = Sonne, Mond, Erde, Luft, Äther) oder »anthropologisch« (Götterstaat als Abbild des menschlichen Leibes: Demeter, Dionysos, Apollon = Leber, Milz, Galle). Eine weitere Möglichkeit war die Übertragung ins Polit.; ein später Reflex davon ist die Fabel des Menenius bei Livius (2,32,8: Senat = Bauch usw.). → Anaxagoras und → Antisthenes faßten das homerische Werk ethisch als Spiegelbild von Tugend und Gerechtigkeit. Abgelehnt wurde die A. jedoch von den Epikureern (Cic. nat. 1,41 f.) und den alexandrinischen Gelehrten (Eratosthenes, → Aristarchos [4] von Samothrake). Noch im 1. Jh. n. Chr. begründet Herakleitos die Notwendigkeit der A. wie folgt: Homer hat ›ganz und gar gefrevelt, wenn er nicht allegorisch geredet hat‹ (Herakl. Allegoriae Homericae, c. 1; 6). Sein Zeitgenosse Cornutus [13] findet bei Homer und Hesiod die Reste alter Weisheit, einer Philosophie in ›Symbolen und Rätseln‹. Mythische Überlieferung sei auf die Prinzipien oder Elemente (*stoicheía*) zurückzuführen (*anágein*). In seiner Schrift *De Iside et Osiride*, einem Compendium der Mythenexegese, versucht Plutarch, in den Mythen und Riten der ägypt. Isisreligion griech. Philosophie und Theologie nachzuweisen. Er systematisiert, vergleicht und kritisiert verschiedene Referenzrahmen (z. B. → Euhemerismus, Dämonologie, Physik, Astronomie, die platonische Philosophie usw.), mit deren Hilfe »die eigentliche Bedeutung« aus den ›Rätseln‹ und ›verschleiernden Spiegel- und Traumbildern‹ der Mythen erhoben wird. Beispiele für A. von Mythen finden sich auch bei Cic. (Etymologien, nat. deor. 2,62–89), Lucrez (»existenzielle Deutung« der Unterweltsstrafen, 3,980 ff.), Horaz (ethische Odyssee-A., epist. 1,2), Phaedrus (kynisierende Deutung), Porphyrios (De antro nympharum, A. von Hom. Od. 5,102–112).

Die lat. christl. Schriftsteller gebrauchen die Begriffe *allegoria* und *allegorice* bes. häufig bei der Erklärung des Vergil und Horaz. Fulgentius (4./5. Jh.) parallelisiert die Aeneishandlung mit dem Menschenleben: B. 1 (Seesturm) = Geburt, B. 4 = leidenschaftliche Jugend, B. 6 = Weisheit usw. Nach Eusebios hat Kaiser Constantin die 4. Ekloge Vergils als Verkündigung der Geburt Jesu ausgelegt.

6. ALLEGORESE HEILIGER SCHRIFTEN

a) Diejenigen Christengemeinden, die bei ihrer Trennung von der jüdischen Religion das von ihnen so genannte »Alte« Testament als heilige Schrift beibehielten, lösten die durch die Trennung entstandenen »Widersprüche« u. a. durch A.: Der Gott Israels, der Offenbarer der Bibel, ist der Vater Jesu Christi und damit auch der Offenbarer des NT (anders Markion im 2. Jh. n. Chr., der das AT und die A. verwirft; Ablehnung der A. auch bei den Antiochenern, bes. bei Diodoros von Tarsos); zw. den beiden Testamenten besteht ein Verhältnis von Verheißung und Erfüllung; erst im Lichte der Erfüllung können die Verheißungen des alten Bundes »richtig«, in ihrem »tieferen« Sinn verstanden werden. Die A. stellt diesen eigentlichen Sinn her und dient damit als Instrument der Enteignung: Die Juden haben aus dieser Sicht keinen vollen Anspruch auf die Bibel, da sie diese ja nicht richtig verstehen können. Die für die christl. Mission so wichtige Lösung von den jüdischen Ritualgesetzen wurde ebenfalls durch A. bewerkstelligt.

b) Durch ein zweites theologisches A.-Konzept wird die Entfaltung theologischer Spekulation gewährleistet: Die Bedeutung und Wirkmächtigkeit des göttlichen Wortes erschöpft sich nicht in einem einzigen Sinn, vgl. Aug. enarrationes in psalmos (Ps 126): *ideo enim forte obscurius positum est ut multos intellectus generet et ditiores discedant homines* (CCL 40, 1865). Origines (gest. 253/54) hat in Analogie zu dem (platonischen) Aufbau des Menschen aus Körper, Seele und Geist die Lehre vom dreifachen Schriftsinn entwickelt. Eine buchstäbliche oder histor. Bedeutung ist der Körper, eine moralische die Seele, eine geistige oder mystische der Geist der Schrift. Diesen drei Arten des Verstehens sind zugleich drei Stufen auf dem Weg zur Vollkommenheit zugeordnet (Orig. de principiis 4,2,4 ff., GCS Origenes 5, 1913). Eine Weiterentwicklung ist das im Mittelalter besonders populär gewordene System eines vierfachen Schriftsinnes, das zu dem bekannten Merkvers geronnen ist: *littera gesta docet, quid credas allegoria / moralis quid agas, quo tendas anagogia* (zu Entstehung und Varianten des Merkverses [12. 23 ff.]). Beide Schemata existieren in der mittelalterlichen Exegese nebeneinander.

c) Typologie: Nach paulinischem Verständnis enthalten die Erzählungen des AT Präfigurationen, schattenhafte Vor-Bilder der Erlösung. Paulus nennt Adam einen ›Typos des Kommenden‹ (Röm 5,14; zu dem Wort, das »Prägestock« und das geprägte »Abbild« bedeutet, s. [1. 257]). Daß Abraham zwei Söhne hatte, einen von der Freien, einen von der Sklavin Hagar, nennt er ›allegorisch gesprochen‹ (Gal 4,21–31: *allegorúmena*, nur hier im NT – zu Gn 21, 1–21); gemeint seien die beiden »Testamente«. Von dieser Stelle ausgehend, beriefen sich bereits die frühen christl. Theologen bei der Verwendung von A. auf Paulus und suchten einen grundsätzlichen Unterschied zw. christl. und »heidnischer« A. zu beweisen. Unter der Bezeichnung »Typologie« pflegen Theologen diese nt. Hermeneutik von der A. abzusetzen. Die Unterscheidung ist freilich eine rein inhaltliche; als Exegeseverfahren ist die Typologie unter die A. zu subsumieren (zur apologetischen Natur dieser Unterscheidung s. [6. 19 f.]; bei [14] Nachweis, daß Typologie nicht auf die Bibel beschränkt ist). Eine gewisse Bevorzugung der Typologie bei den protestantischen, der A. bei den katholischen Exegeten geht auf die Reformatoren zurück. Diese setzten der überlieferten A. den strengeren Referenzrahmen der *loci* (der dogmatischen Hauptsätze) entgegen. Hinsichtlich ihres exegetischen Ansatzes dürfte auch BULTMANNS Entmythologisierung als (existentiale) A. zu klassifizieren sein. Ob LÉVI-STRAUSS' Mythendeutung ein Fortschritt über das von ihm bewunderte Verfahren des Plutarch hinaus ist, scheint fraglich [2]. Anders als im Christentum hat im rabbinischen Judentum die A., abgesehen von der Auslegung des Hohenliedes, keine Bedeutung erlangt (vgl. [16. 11, 15 ff.], Beschränkung des Begriffes der A. auf Philons Exegese, gegen [17]). A. des Koran wird von den Sunniten strikt verworfen; zu den »häretischen« Zügen der Schia zählt die Annahme eines »inneren Sinnes« (arab. *bāṭin*; [20]).

1 L. GOPPELT, s. v. τύπος, ThWB 8, 1969, 246–260
2 R. SCHLESIER, Ödipus, Parsifal und die Wilden. Zur Kritik an Lévi-Strauss' Mythologie des Mythos, in: R. FABER, dies. (Hrsg.), Die Restauration der Götter, 1986, 281–283

3 M. von Albrecht, s. v. Allegorie, in: LAW 1, 1995, Ndr.
1990, 121–126 4 H. Cancik-Lindemaier, s. v. A., in:
HRwG 1, 1988, 424–432 5 E. R. Curtius, Europäische Lit.
und lat. Mittelalter, ²1953 (¹1947) 6 R. R. Grimm, Paradisus
Coelestis Paradisus Terrestris. Zur Auslegungsgesch. des
Paradieses im Abendland bis um 1200, 1977 7 W. Haug
(Hrsg.), Formen und Funktionen der A., 1979
8 R. Herzog, Metapher – Exegese – Mythos, in: Poetik und
Hermeneutik 4, 1971, 157–185 9 J. C. Joosen,
J. H. Waszink, s. v. A., in: RAC 1, 1950, 283–293
10 G. Kurz, Metapher, A., Symbol, 1982 11 H. Lausberg,
Hdb. der lit. Rhetorik, 2 Bde. 1960, § 893–904 12 H. de
Lubac, Exégèse médiévale. Les quatre sens de l'écriture Bd.
1,1, 1959 (1,2, 1959; 2,1, 1961; 2,2, 1964) 13 G. W. Most,
Cornutus and Stoic Allegoresis. A Preliminary Report,
ANRW II 36,3, 1989, 2014–2065 · 14 Fr. Ohly,
Typologische Figuren aus Natur und Mythos, in: Haug,
Formen und Funktionen der A., 1979, 126–166 15 J. Pépin,
Mythe et allégorie. Les origines grecques et les contestations
judéo-chrétiennes, ²1976 (¹1958).
Jüdische A.:
16 A.: Goldberg, Das schriftauslegende Gleichnis im
Midrasch, in: Frankfurter Judaistische Beiträge 1981, 1–90
17 I. Heinemann, Altjüdische Allegoristik, 1936.
Islamische A.:
18 I. Goldziher, Streitschrift des Ġazālī gegen die
Bāṭinijja-Sekte, 1916 19 H. Halm, Die islamische Gnosis,
1982 20 M. G. S. Hodgson, s. v. Bāṭiniya, in: Encyclopaedia
of Islam, New Edition, Bd. 1 1960, 1098–1100. H. C.-L. u. D. Sl.

Allegorie, ἀλληγορία (zuerst als rhet. Fachbegriff belegt bei Cic. Att. 2,20,3), von ἀλληγορέω (›ich sage etwas
anderes [als ich meine]‹); lat. *translatio, inversio, immutatio, permutatio.* A. bezeichnet in der Rhet. nicht eine
hermeneutische Methode (→ Allegorische Dichtung, →
Allegorese), sondern ist mit der Produktionsseite der A.
und ihrer Wirkung als Argumentationsstrategie (→
Argumentatio) befaßt. Doch führt auch diese Reflexion
zu Kernfragen der Sprachphilos., zu der Differenzierung von »Sagen« und »Meinen«, zur Vieldeutigkeit
von Sprechakten überhaupt. Der Überlieferung nach
befaßte sich → Gorgias als erster mit A., Metapher und
→ Tropus (Diels/Kranz 82 a2 oder Suda s. v. Gorg. 388).
→ Demetrios von Phaleron ordnete die A. und Metapher dem erhabenen Stil zu und sprach im Zusammenhang mit Mysterien vom Ehrfurcht gebietenden
Charakter der A. (Cic. orat. 92 f.). → Aristoteles und
einige andere rhet. Schriften gehen auf die A. nicht ein.
→ Philodemos beanstandete die Unterteilung der A. in
Ironie, Sprichwort und Rätsel und fehlende Gebrauchs-
regeln (1,164 f. Sudhaus). Prägenden Einfluß auf die
Definition der A. übte das Tropensystem der stoischen
Grammatiker im Anschluß an → Diogenes von Babylon
aus. → Tryphon definierte die A. in seiner Aufstellung
von 14 Tropen als *lógos,* bei dem Gesagtes und Gemein-
tes konträr oder ähnlich seien. Er grenzt sie insbes. vom
Rätsel (αἴνιγμα) ab, bei dem nicht nur der Ausdruck,
sondern auch der Sinn dunkel sei (3,191,15; 193,9–14
Spengel). Die → *Rhetorik ad Herennium* betont durch
Zuordnung zu den *exornationes verborum* den Schmuck-

charakter der sog. *permutatio* und unterscheidet drei Formen der A.: *similitudo* (Ähnlichkeit); als positives oder
negatives *argumentum* in bezug auf Sache, Person, Ort;
contrarium zum Ziele der Ironisierung (4,46). Cic. de
orat. 3,38–41 ordnet die A. den Gedankentropen (*trans-
lationes*) zu und definiert sie als fortgesetzte Meta-
phernreihe, in der durch Übertragung von Einzelwor-
ten ein Gedanke Stück für Stück durch einen anderen,
diesem ähnlichen ersetzt werde; dieses Verbergen oder
Verdeutlichen des Redegegenstandes erhöhe die Aus-
sagekraft und diene der *brevitas,* insofern es Verdunklung (*obscuritas*) vermeide; eine gewagte *mutatio* könne
Glanz der Rede sein (vgl. Cic. orat. 92–94), da sie durch
den Gedankensprung vom Naheliegenden zum Her-
geholten die Aufmerksamkeit und Bewunderung der
Zuhörer erlange; die Verwendung der A. kann zum
Schutz des Sprechers nötig sein, wenn freies Sprechen
nicht möglich ist (vgl. Att. 2,20,3). → Quintilian bietet
die konziseste Darstellung in Synthese von Cicero und
Rhet. Her., denen er in Anwendung, Schmuckcharakter, Wirkung auf Zuhörer und Forderungen nach Klarheit folgt. In seinem System ist die A. ein → Tropus wie
Synekdoche, → Metaphora, Metonymie (inst. 8, 6,1);
Sprichwort (→ Gnomik) und → Fabel sind ihr untergeordnet: sie ersetzt einen Gedanken durch einen anderen, der zu diesem in einem Ähnlichkeits- (*similitudo*)
oder Umkehrverhältnis (*inversio, immutatio*) steht. In der
beabsichtigten semantischen Ambivalenz, auch im Sinne von Euphemismus oder Sarkasmus, besteht Verwandtschaft zu → Ironie und Exemplum. Quintilian
definiert A. als *continua metaphora* (8,2,46), wobei der
Unterschied zw. A. und Metapher in der Quantität des
Auftretens liege: Entweder verbinde ein Netz von detaillierten Bezügen Gesagtes und Gemeintes (8,6,44)
oder sie seien eher durch Sinnbereiche als durch Einzel-
elemente semantisch verknüpft (8,6,56). Ausgangspunkt einer A. kann eine mythologische oder symbolische Metonymie sein. Eine beliebte Variante ist die
prosōpopoeía oder *fictio personae* (»Personifizierung«), in
der konkrete Dinge (Tür, Fluß) oder abstrakte und kol-
lektive Begriffe (Staat) als redende oder handelnde Personen vorgeführt werden; vgl. die Tierfabel.

Im Verhältnis zw. offenem und verborgenem Sinn
gibt es Abstufungen (8,6,48): eine in sich geschlossene
A. (*tota allegoria*) enthält kein Element des gemeinten
Gedankens (eine Sonderform ist das nur schwer oder
mit Hintergrundwissen zu entziffernde *aínigma;* wird
die Parallelisierung hingegen ausführlich im Folgetext
verbalisiert, ergibt sich eine Nähe zu allegorischer Definition, Parabel, Exemplum). Die vermischte A. (*a. permixta apertis*) verwendet den gemeinten Sinn entlarven-
de Signale, die im Dienste der Klarheit (*perspicuitas*) die
Interpretation kanalisieren. A. ist prinzipiell in allen
Gattungen verwendbar, die *tota* a. tritt häufiger in der
Poesie auf, die *a. apertis permixta* in der Prosa. Eine aus
verschiedenen Bildfeldern zusammengesetzte A. (*mala
adfectatio, inconsequentia rerum*) sollte vermieden werden,
kann u. U. aber durch geschickt gewählte Inkohärenz

einen erwünschten Sinnüberschuß generieren. Die Zusammenstellung der Bilder ist nicht an ihr Vorkommen in der Realität gebunden. A. ist demnach ein direkter (*verbis*) und indirekter (*sensu*) Sprechakt. In der Überbetonung des indirekten Sprechaktes liegt eine Schwierigkeit der Rezeption der antiken A.-Theorie, denn die A. sagt auch genau das, was sie sagt.

Nach Quintilian ist die A. in der Antike nicht mehr oder nur unzureichend behandelt worden: Die lat. Grammatiker orientierten sich in der Tropenlehre eng an Quintilian, konnten aber dessen Stringenz nicht erreichen; die griech. Rhetoren rückten lediglich einzelne Aspekte ins Zentrum: Ein Anonymus faßt z.B. A. als reinen Personenaustausch auf (wie Gn 3,14: Schlange als Teufel), der dazu diene, Verdruß beim Leser zu vermeiden; auch er thematisiert den Unterschied zw. A., die eine erkennbare Differenz zw. Sagen und Meinen intendiere und dem *aínigma,* dessen Sinn gerade die Verdunklung sei (Quint. 3,207,18–23; 3,209, 20–23; 3,210,5–7; ähnlich Kokondrios, 3,234 f. SPENGEL); → Tiberios leitet sie von der Metapher her (3,70,3. 11 SPENGEL); für → Longinos im 3.Jh. steht der Nutzen und Schmuckcharakter im Vordergrund. Ein Sonderfall der Rezeption der rhet. A. ist die Traumdeutung → Artemidors.

Einige A. (Bildfelder) wie »Welt als Theater«, »Worte als Geld«, »Staatsführung (oder Leben) als Schiffsreise« sind als Wiedergebrauchsrede Topoi der rhet. mündlichen und schriftlichen Tradition geworden, deren A.-Charakter durch die häufige Verwendung verblaßt sein kann.

→ Rhetorik

W. BENJAMIN, Ursprung des dt. Trauerspiels, 1928 · W. FREYTAG, A., in: HWdR 1,330–393 · G. KURZ, Metapher, A., Symbol, 1982 · LAUSBERG § 895 · J. MARTIN, Ant. Rhet., 1974, 262 f. · P. STRUCK, Allegorie, Aenigma, und Anti-Mimesis, in: J. G. J. ABBENES, S. R. SLINGS, I. SLUITER (Hrsg.), Greek Literary Theory after Aristotle, 1995. C. W.

Allegorische Dichtung [I, griechisch]
s. Orphische Dichtung

[II, lateinisch] Die Grundbedingung allegorischer Darstellung (a. D.) ist, daß mit einer erfundenen, konstruierten Konnotationskette von Bildbereichen und Erzählfolgen eine geistige Bedeutung vermittelt wird. In der Dichtung findet sich z.B. die Schiffahrts-A. ab Alkaios fr. 326 LOBEL/PAGE (vgl. Hor. carm. 1,14). In der Komödie des Aristophanes verhüllt die A. obszöne Sinngehalte. In der christl. Lit. wird neben der Funktion des Ornatus die theologische Funktion der A. wirksam: als Verhüllung des Inhaltes gegen Uneingeweihte, als intellektuelle Herausforderung an Gläubige und als die einzig adäquate Ausdrucksform des prinzipiell unausschöpfbaren Wortes Gottes (Aug. doctr. christ. 2,6,8; 2,9,14).

Frühestes Beispiel einer insgesamt a. D. ist wohl → Lactantius' kryptochristl. *Carmen de ave Phoenice* (303/4), worin die sagenhafte Erneuerung des Phoenix durch den Feuertod die christl. Auferstehung versinnbildlicht [4]. Daß die a. D. das gesamte Gedicht beherrscht, findet sich dann wieder in → Prudentius' *Psychomachia* (um 400), worin der Kampf der personifizierten Tugenden und Laster um die menschliche Seele geschildert wird [1]. Dieses Werk wirkte weit in das MA hinein; bes. ab dem 12.Jh. wurde die a. D. sehr gepflegt [3].

Wesentlich häufiger findet sich in der spätlat. christl. Dichtung die mehr oder weniger wortgetreue Paraphrase biblischer Inhalte, die, meist der traditionellen Exegese folgend, auf den unterstellten tieferen Sinn hin ausgelegt werden. Während → Iuvencus 2,130–150 (4. Jh.) unter Ausschöpfung des paraphrastischen Spielraums z. B. das Weinwunder zu Kana (Jo 2) eucharistisch spiritualisiert, wird bei → Sedulius im *Carmen paschale* (5.Jh.) die rhet. überformte Narratio (z.B. 3,1–7) von der (bei ihm relativ seltenen) spirituellen Deutung (3,8–11) getrennt [2]. Für das gesamte Gedicht strukturbestimmend ist die typologische Deutung in Sedul. hymn. 1, in dessen elegischen Distichen jeweils der Hexameter auf eine AT-Episode anspielt und der Pentameter die NT-Auflösung präsentiert. In ihren Schlußversen machen das *Carmen de Sodoma* (165 f.) und das *Carmen de Iona* (104 f.) deutlich, daß ihr Inhalt zeichenhaft auf die gesamte Menschheit bzw. Jesus Christus zu beziehen ist; ähnlich verfahren Claudius → Marius Victor und → Alcimus [2] Avitus.

Auch nichtbiblische Themen können christozentrisch ausgelegt werden, wie der am Morgen krähende Hahn als der die Auferstehung ankündigende Christus in Prud. cath. 1 oder in Ven. Fort. carm. 3,9, wo der Frühling der Auferstehungsfreude entspricht.

→ Allegorie [rhet.]; Orphische Dichtung; Bibeldichtung; Dracontius; Allegorese

1 R. HERZOG, Die a. Dichtkunst des Prudentius, 1966
2 Ders., Exegese – Erbauung – Delectatio, in: W. HAUG (Hrsg.), Formen und Funktionen der A., 1979, 52–69
3 H. R. JAUSS, Form und Auffassung der A. in der Tradition der Psychomachia, in: FS W. Bulst, 1960, 179–206
4 A. WLOSOK, Die Anfänge christl. Poesie lat. Sprache, in: P. NEUKAM (Hrsg.), Information aus der Vergangenheit, 1982, 129–167. K. P.

Allelengyon (ἀλληλέγγυον).
Die gegenseitige Haftung, ἀλληλεγγύη sämtlicher Steuerzahler einer Dorfgemeinde (z.B. Übertragung von Brachland mit von den Nachbarn zu erfüllender Steuerverpflichtung) sicherte im 9. und 10.Jh. dem oström. Fiskus Einkünfte, wobei die Großgrundbesitzer sich weitgehend von der Gemeinschaft und somit von der Haftung lösen konnten. Nicht zuletzt unter dem Druck der Kirche hob im Jahr 1028 Kaiser Romanos III. das *a.* auf.

M. KAPLAN, Les hommes et la terre à Byzance du vi^e aux xie siècle, 1992, 439 · P. LEMERLE, The Agrarian History of Byzantium, 1979, 78–80 · G. OSTROGORSKY, Gesch. des byz. Staates, ^{3}1963, 157. 254–255. G. MA.

Allia. Fluß in → *Latium vetus*, entspringt bei den montes Crustumini, mündet ca. 16 km vor Rom in den → Tiberis (Liv. 5,37,6–8); die Römer wurden hier von den Galliern an den *XV Kalendis Sextilis* 390 v. Chr. geschlagen (Eutr. 1,20; Diod. 14,114,1–7; 115,1 f.; Plut. Camillus 18,4–7; 19,1), seither *dies nefas* (→ *fasti*) (dies Alliensis: Liv. 6,1,28; Verg. Aen. 7,717; Tac. hist. 2,91; Varro ling. 6,32; Lucan. 7,408; Cic. Att. 9,5), gefolgt vom Fest der → Lucaria (Paul. Fest. 119; Varro ling. 5,8; Macr. Sat. 1,4,15). 377 v. Chr. wurden hier die Praenestini (→ Praeneste) geschlagen (Liv. 6,28; Eutr. 2,2). Die Identifikation von → Crustumerium mit der alten Marcigliana bestätigt die Identität des A. mit dem Fosso della Bettina.

S. QUILICI GIGLI, Crustumerium, 1980, 38–40, 164–168, 291–294. S. Q. G. / S. W.

Allienus. 61 – 59 v. Chr. Legat des Q. Tullius Cicero in Asia (Cic. ad Q. fr. 1,1,10), 55 Volkstribun (MRR 2, 217), 49 *praetor* (Cic. fam. 10,15,3), 48–46 *procos.* in Sicilia (MRR 2, 275; 288; 296). In dieser Funktion unterstützte er → Caesar während des afrikanischen Feldzuges im Jan. 46 mit Truppen (Bell. Afr. 34,4). 44/43 war er zunächst Legat des Trebonius, dann Dolabellas (MRR 2, 352). W. W.

Allifae. Stadt im südl. → Samnium in einer Schleife des Volturnus am Fuße des *mons* → *Tifernus*), h. Alife. Münzprägung 1. H. des 4. Jh. v. Chr. Verwickelt in die samnitischen Kriege (Bau der Mauern am Fuß des Monte Cila). Gründung einer → *colonia* mit *triumviri* (CIL IX p. 264). Erh. ist der intakte, rechtwinklige Mauergürtel in *opus incertum* mit 4 Toren, quadratischen und runden Türmen sowie die rechwinklige Anlage; das Theater mit Erweiterung aus antoninischer Zeit; Amphitheater, Mausoleum, → *villae* in der Umgebung.

F. VON DUHN, Ital. Gräberkunde 1, 1924, 610 · D. MARROCCO, L'antica Alife, 1951 · M. I. MEROLLA, A., le mura e il criptoportico, in: ArchCl 16, 1964, 36–48 · BTCGI 3, 1984, 173–84. G. U. / S. W.

Alliteration. Erst von dem neapolitanischen Humanisten G. PONTANO (14. Jh.) geprägter Begriff für häufige Wiederholung des gleichen Kons. (auch vok. Anlaut) oder der gleichen Silbe in einer Wortgruppe, aber in der Praxis der ant. Rhet. schon bekanntes Phänomen (entspricht einem positiv gefaßten Homoioprophoron; verwandt mit der Paronomasie). Die A. bewirkt eine Verklammerung von Satzgliedern, hat mnemotechnische Wirkung (z. B. im german. Stabreim) und wird bevorzugt in Sentenzen verwendet (Suet. Iul. 37,2: *veni, vidi, vici*); in lautmalerischer Absicht auch an die Inhaltsebene gebunden (Verg. Aen. 5,866: *tum rauca ... sale saxa sonabant*).
→ Figuren

LAUSBERG, Elemente, ²1963, 151 f. · J.-C. MARGOLIN, A., in: HWdR 1, 406–413. C. W.

Allium s. Lauch

Allius. Röm. Gentilname.
[1] M., Freund Catulls (carm. 68 ihm gewidmet). **[2]** Bala, C., Münzmeister 92 v. Chr. (RRC 336). K. L. E.
[3] Fuscianus, C., praetorischer Statthalter von Arabia um 160 n. Chr. und *cos. suff.* (PIR² A 544) [1]. **[4]** Fuscus, C., Sohn von Nr. 3, konsularer Statthalter von Germania inferior, wohl unter Commodus (AE 1935, 100) [2], von dem er 192 (?) hingerichtet wurde (SHA Comm. 7,6; PIR² A 545). **[5]** Volusianus, L., Senator aus Ferentum gegen Ende des 2. Jhs. n. Chr. (AE 1972, 1799) [3].

1 THOMASSON, Bd. 1, 328, 334 2 ECK, 187 3 Ders., s. v. L. Allius Volusianus, RE Suppl. 14, 43. W. E.

Allobroges. Das Gebiet der A. (»Fremde«: Schol. Iuv. 8,234), in → Gallia Narbonensis, reichte im Norden bis zu den Cavares und den → Vocontii, zw. → Isara, → Rhodanus, *lacus Lemannus* und → Alpes. Die A. sind Kelten, die spät nach Gallien gekommen sind; sie erscheinen erst bei Pol. 3,49,13 und Liv. 21,31,5 im Zusammenhang mit Hannibals Alpenübergang. Bei der von Massalia erbetenen Intervention der Römer kamen die A., mit den → Arvernes verbündet, den Rhodanus herunter bis zum Vindelicis amnis (h. Sorgue), wo sie bei Vindalium im Kampf gegen Cn. Domitius Ahenobarbus eine Niederlage erleiden (121 v. Chr.); 120 v. Chr. wurden sie endgültig unterworfen durch den Konsul Q. Fabius Maximus (daher sein Beiname Allobrogicus). Die durch die Invasion der → Cimbri und der → Teutoni verursachten Unruhen veranlaßten die A., ihre → *oppida* wieder zu befestigen, deren Umfassungen sich noch auf mehreren Höhen des Vorlandes finden. Ausgebeutet beim Durchmarsch der Truppen des Pompeius, die in Spanien gegen Sertorius kämpften, wurden die A. von skrupellosen Prov.-Statthaltern ausgenommen. Nach dem Scheitern einer Erhebung unter → Catugnatus (62/61 v. Chr.) kapitulierten sie vor der röm. Armee. Die Romanisierung mußte, Strab. 4,1,11 zufolge, die A. von Kriegern in Bauern verwandeln. → Vienna wurde unter → Augustus zur *colonia Iulia Augusta Florentia Vienna* mit → *ius Latii*. Das riesige Gebiet der A. wurde von nun an von Vienna aus verwaltet (vgl. die verschiedentlich erh. Grenzsteine); es muß in der späten Kaiserzeit aufgeteilt worden sein zw. Cularo (Gratianopolis) und → Genava, als Vienna Hauptstadt einer Prov. wurde, die sich von der Mündung des Rhodanus bis zum *lacus Lemannus* erstreckte.

G. BARRUOL, Les peuples préromains du sud-est de la Gaule, 1969, 295–305 · B. BLIGNY (Hrsg.), Histoire du Dauphiné, 1973 · P. GUICHONNET (Hrsg.), Histoire de la Savoie, 1973. Y. L.

Allogenes (Ἀλλογενής, der »Andersartige«). Name des → Seth als Sohn von Adam und Eva im sethianischen → Gnostizismus (Epiphanius, Panarii libri 40,7,2). Seine sieben Söhne sind die Allogeneis (40,7,5). Ihm werden auch Bücher zugeschrieben, die ebenfalls Allogeneis heißen (39,5,1; 40,2,2).   F.G.

Alma. Fluß in → Etruria im Gebiet von → Vetulonia (Itin. Anton. 500,5 f.); fließt vom Monte d'Alma in den Golf von Follònica; h. Fosso Alma.   G.U./S.W.

Almandin s. Edelsteine

Almo. Kleiner Wasserlauf in der Campagna Romana, h. Acquataccio, entspringt auf dem → *mons Albanus*, mündet in den → Tiberis (Ov. met. 14,329); Grenze der augusteischen → *regio I*. Seit 204 v. Chr. wurde im A. am 27. März das Bildnis der → Mater Magna gereinigt (Ov. fast. 4,337–340; vgl. Cic. nat. deor. 3,52; Lucan. 1,600; Stat. silv. 5,1,223. 8,365; Mart. 3,47,2).

A. NIBBY, Analisi storico-topografica-antiquaria della Carta de Dintorni di Roma 1, 1848, 130–132 · M. SCARSI, s. v. A., EV 1, 116.   S.Q.G./R.P.L.

Almopia (Ἀλμωπία). Fruchtbare Landschaft in → Makedonia am oberen Ludias (h. Moglenitsa), früh von den Argeaden besetzt (Thuk. 2,99,5). Keine der bei Ptol. 2,13,24 gen. Städte Horma, Europos und Apsalos ist lokalisiert. Unter röm. Herrschaft gab es offenbar eine *civitas* A. (Hierokles, Synekdemos 638,10).

F. PAPAZOGLOU, Les villes de Macédoine, 1988, 169–173.   MA.ER.

Almosen. A. DEFINITION B. JUDENTUM UND CHRISTENTUM C. SPÄTANTIKE

A. DEFINITION

A. sind für Arme bestimmte Gaben. Ohne Anspruch auf Gegenseitigkeit oder Ersatz gespendet, drücken A. Erbarmen aus, ein auf Mitleid und Hilfsbereitschaft beruhendes Gefühl der herablassenden Solidarität des Besitzenden mit dem Notleidenden. A. setzen so sozialen Abstand und ein Ausgleich forderndes ökonomisches Gefälle voraus. Insofern bedeuten A. eine wichtige Form des Gütertransfers zwischen Reich und Arm jenseits staatlicher Regelung. Der Begriff A. (von gr. ἐλεημοσύνη, Mitleid, Erbarmen) ist nichtklass. und taucht in der Verengung auf »Barmherzigkeit gegen Arme« erst im griech. sprechenden Orient und hier lit. zuerst in der Septuaginta auf. Griechen wie Römern ist ein entsprechender Begriff (wie auch die positive Konnotation) fremd: Armengabe wurde zwar praktiziert, aber schon ihres zu geringen Umfanges wegen niemals als etwas Verdienstliches angesehen (Ael. Arist. 1361a 30; Sen. benef. 4,29,2). Ethisch relevant, aber gleichfalls ohne rel. Bed., waren allein umfassende (und

standesgemäße) Wohltaten (*beneficia*); erwartet wurde im Gegenzug öffentliche Anerkennung. Soziale Tugenden wie Freigebigkeit oder Hilfsbereitschaft galten nie Armen oder Notleidenden (Ausnahme: Schutzflehende), sondern immer Verwandten, Freunden, Mitbürgern u. a., erfolgten also auf der Basis persönlicher Beziehungen.

B. JUDENTUM UND CHRISTENTUM

Das Konzept wie auch die rel.-sittliche Hochschätzung der A. wird der ant. Welt durch das Christentum vermittelt und geht auf das Judentum zurück. Das AT fordert, den Bedrängten beizustehen, und gebietet konkret Wohltätigkeit gegen Fremde, Arme, Witwen und Waisen (Dt 14,28 f.; 15,7–11; Tob 4,7–9. 16–18; Spr 14,21; Sir 4,1–6 u. ö.). So gilt Mildtätigkeit durch Unterstützung von Armen mit Geld und Naturalien auch als herausragende Tugend des »Gerechten«. Institutionellen Charakter zeigt der den Armen gewidmete (dritte) Zehnte (Dt 14,28 f.; 26,12–15). Als öffentliche Aufgabe wird Wohltätigkeit später auch in der Gemeinde (Synagoge) organisiert; dabei wird Bedürftigkeit übrigens auch nach sozialem Status bemessen. Motive für A. sind meist rel. Art. In der Trias jüd. rel. Leistungen (A., Gebet, Fasten; Tob 12,8) ragen A. hervor (Jes 58,6 f.; Spr 21,13). Sie haben sündentilgende Kraft (Sir 3,30 f.; Tob 12,9; Dan 4,24) und werden von Gott belohnt (Spr 11,24 f. u. ö.). Das NT hält grundsätzlich am jüd. Konzept fest und versteht so A. als tugendhafte Tat und Ausdruck echter Frömmigkeit (Apg 9,36), setzt A. jedoch, in Erwartung des Gottesreiches, in einen stärker überzeitlichen Kontext. So warnt Jesus (Mt 6,2–4) vor der Entwertung des A. durch Selbstgefälligkeit, Anerkennungsstreben und Rechnen auf Gotteslohn und setzt dem die Forderung nach wahrer Barmherzigkeit, Heimlichkeit der A., Selbstlosigkeit und Hoffnung auf jenseitige Heilsteilhabe entgegen. Irdische Dinge verwandeln sich als A. in unvergängliche Schätze des Himmels (Mt 6,19 f. u. ö.). Es gilt als A. (vgl. Mt 25,31–46), wenn Hungrige gespeist, Durstige getränkt, Nackte bekleidet, Fremde beherbergt und Kranke sowie Gefangene besucht werden. Ungeachtet dieser Forderung zu A. als tätiger Nächsten- und hierin Gottesliebe zielen A. aber nicht auf Beseitigung der Armut; diese wird wie andere Mängel der diesseitigen Welt als gegeben hingenommen (Mt 26,11; Joh 12,8). Vor dem Hintergrund der Ausbreitung des Christentums, der praktischen Erfordernisse des Gemeindelebens (Eph 4,28; 2 Thess 3,10–13) und insbes. der Bekehrung auch wohlhabender Schichten gewinnt die A.-Frage zusätzliche Brisanz. Christl. Autoren messen A. höchsten Wert bei und widmen ihnen eigene Schriften (Cypr. *De opere eleemosyne*; Clem. Al. *Quis dives salvetur* etc.); die Diskussion ist dabei mit der Frage der Bewertung von Reichtum und Armut unauflöslich verknüpft. So versucht Clemens zu erweisen, daß der Reiche (trotz des Jesus-Wortes Mt 19,24 u. a.) gerettet werden kann – nämlich durch A. an (möglichst christl., vor allem kirchlich eingeschriebene) Bedürftige. Entscheidend sei die innere Haltung und

Distanz des Gebers zu seinem Reichtum. Clemens' A.-Theologie rechtfertigt Reichtum, propagiert A. aus Überschuß (und indirekt damit auch die Käuflichkeit des Seelenheils), nicht aber generellen Eigentumsverzicht. Spätere Autoren folgen meist dieser Linie, fordern den rechten, sozial verantworteten Gebrauch von Reichtum im A. und erkennen darin den göttl. Heilsplan (z.B. Basil. hom. in illud Lc: Destruam 7, PG 31,276f.; schärfer Ambr. Nab. 7,37.12,53, CSEL 32,2,487 bzw. 498f.; in Ps 118 serm. 22, CSEL 62,163f.; Ioh. Chrys. in Mt hom. 12,5, PG 57,207f. u.ö.). Hingegen begnügen sich radikale Positionen wie die des Häretikers Pelagios (div. 12,1. 19,1, PLS 1,1401.1414f.) nicht mit A., sondern verlangen völlige Eigentumsaufgabe.

C. SPÄTANTIKE

Die Wirksamkeit der A.-Theologie bezeugen auch christl. Inschriften (ILCV 1103: *pauperum amator, aelemosinae deditus omnis* u.a.). Doch bleibt zweifelhaft, ob die in der Spätant. zunehmend praktizierte christl. Wohltätigkeit generell einen durch die Christianisierung bedingten Mentalitätswandel spiegelt. Nicht nur herrscht, ungeachtet verbreiteter Armut, traditioneller Euergetismus in der Oberschicht (Veranstaltung von Spielen etc.) fort (August. serm. 32,20, CCL 41,407f.; epist. 138,14, CSEL 44,140f.), auch die Verteilung von Almosen wird nach denselben Regeln inszeniert (s. etwa die Kritik bei Hier. epist. 22,32) und dient oft weniger der Linderung von Not als dem ostentativen Nachweis der Normerfüllung und der Verdeutlichung der sozialen Distanz zw. eigenem Reichtum und fremder Armut (Ioh. Chrys. in Ps 48,4, PG 55,506 und 7, l.c. 510; in Mt hom. 35 (36), 5, PG 57,411f. u.ö.). Der Armenfürsorge wird oft auch der repräsentative Kirchen- oder Klosterbau vorgezogen, um so den eigenen Ruhm zu mehren (Hier. epist. 130,14 u.a.). A. erreichten Gruppen – Witwen, Waisen, Gebrechliche etc. –, die der Euergetismus praktisch ignorierte. Die enorme Attraktivität, ja revolutionäre Tragweite des altkirchlichen *caritas*-Gedankens trug erheblich zum Erfolg des Christentums bei (vgl. Iul. epist. 49 mit Eingeständnis der konkurrenzlosen Wirksamkeit christl. und jüd. *caritas* gegenüber heidnischen Institutionen).

→ Armut; Christentum; Gesellschaft; Judentum; Jesus; Pelagios; Reichtum; Status; Tugend; Wirtschaft; Witwen

1 H. BOLKESTEIN, Wohltätigkeit und Armenpflege im vorchristl. Alt., 1939, 101, 112–114, 213f., 428–432 2 H. BOLKESTEIN, W. SCHWER, s.v. A., RAC 1, 1950, 301–307 3 L. W. COUNTRYMAN, The Rich Christian in the Church of the Early Empire, 1980, 47–68, 103–130, 195–199 4 G. HAMEL, Poverty and Charity in Roman Palestine, 1990, 216–221 5 E. PATLAGEAN, Pauvreté économique et pauvreté sociale à Byzance, 4ᵉ–7ᵉ siécles, 1977, 27, 50, 55, 189–193, 273f. 6 G. E. M. DE STE. CROIX, Early Christian Attitudes to Property and Slavery, in: D. BAKER (Hrsg.), in: Studies in Church History 12, 1975, 1–38. J.H.

Alnus s. Erle

Aloaden (Aloiden, Ἀλωάδαι, Ἀλωεῖδαι). Otos und Ephialtes, riesenhafte Söhne von Iphimedeia und Aloeus (Hom. Il. 5,385ff. mit schol.) oder Poseidon (Hom. Od. 11,305f.; Hes. fr. 19; bei Eratosth. FGrH 241 F 35 »Erdgeborene«). Erst 9 Jahre alt, sind sie bereits 9 Klafter breit und 9 Ellen lang und halten den Ares 13 Monate in einem ehernen Faß gefangen, weil er schuld am Tod des → Adonis ist. Ihre Stiefmutter Eeriboia verrät jedoch Hermes das Gefängnis des erschöpften Kriegsgottes (Hom. Il. 5,385ff.). Die A. wollen die Berge Olympos, Ossa und Pelion aufeinandertürmen und den Himmel stürmen (Hom. Od. 11,313ff.). Ephialtes begehrt Hera, Otos Artemis zur Frau (Apollod. 1,55). Als Frevler werden sie entweder von Apollon getötet (Hom. Od. 11,317), oder töten sich versehentlich gegenseitig mit ihren Jagdspeeren (schol. Pind. P. 4,88; Apollod. l.c.). In der Unterwelt sollen sie mit Schlangen an eine Säule gebunden sein (Verg. Cul. 234ff.; Hyg. fab. 28). Otos und Ephialtes galten als Mitgründer von Aloion in Thessalien (Steph. Byz. s.v. Ἀλώιον) und von Askra am Helikon, wo sie die Verehrung dreier Musen einführten (Paus. 9,29,1). Ihre Heroengräber zeigte man auf Naxos (Pind. P. 4,88ff.; Diod. 5,51f.; Plut. mor. 602d; IG XII 5 Nr. 56) und im boiotischen Anthedon (Paus. 9,22,6); Grab des Otos auch auf Kreta (Plin. nat. 7,16,73).

→ Ares; Ephialtes

O. HÖFER, s.v. Otos, Myth. Lex. 3.1, 1231f. • N. F. RUBIN, H. M. DEAL, Many Meanings, one Formula, and the Myth of the A., in: Semiotica 29, 1–2, 1980, 39–52 • A. SCHULTZ, s.v. A., Myth. Lex. 1.1, 253–255 • E. SIMON, s.v. A., LIMC 1.1, 570–52 • K. TÜMPEL, s.v. Ephialtes, RE V, 2847. T.S.

Aloe. Der Name ἀλόη der von Dioskurides 3,22 [vgl. 1. 276ff.] und Plin. nat. 27,14–20 mit den Heilwirkungen (u.a. als Abführmittel) ihres Halzsaftes genau beschriebenen blattsukkulenten Liliaceengattung soll von syr. *alwa, elawa* (Bedeutung: *colastrum*) abgeleitet sein. Die Hauptart *A. vera* L. wurde aus Ägypten und Südasien (bes. Indien) eingeführt.

1 J. BERENDES, Des Pedanios Dioskurides Arzneimittellehre übers. und mit Erl. versehen, 1902, Ndr. 1970. C.HÜ.

Alon s. Halon

Alope (Ἀλόπη). Tochter des Königs → Kerkyon von Eleusis (Pherek. FGrH 3 F147), Geliebte des Poseidon, dem sie → Hippothoon gebiert. Sie setzt das Kind aus; es wird von einer Stute gesäugt, von Hirten gefunden, die den Streit um die kostbaren Erkennungszeichen vor den König bringen. Der erkennt die Zeichen, läßt A. einsperren und verhungern. Der Knabe wird ein zweites Mal ausgesetzt, wieder von der Stute gesäugt und von Hirten aufgezogen. Poseidon verwandelt A. in eine Quelle (Hyg. fab. 187; 238). Beliebter Stoff im att. Drama, u. a. von Euripides (mit Einfluß auf Men. Epitr.) bearbeitet.

U. Kron, s. v. A., LIMC 1.1, 572 f. · J. Toepffer, s. v. A. [6], RE I, 1596. R. HA.

Alopeke (Ἀλωπεκή). Att. → Asty-Demos der Phyle → Antiochis, 10–12 Buleutai [3]. 11–12 Stadien (ca. 2 km) vor der Stadt (Aischin. Tim. 99). Da nach Hdt. 5,63 das Grab des → Anchimolos in A. beim Herakleion des Kynosarges in → Diomeia lag, grenzte A. nördl. an Diomeia, im Westen an → Phaleron. Früher bei Katsipodi oder Ambelokipi [3. 53; 2; 1] lokalisiert (h. Daphni / Hagios Dimitrios). IG II² 3683 (Fundort »Angelokipi« [sic!]) bezeugt Kult der → Aphrodite, Alki. 3,37, des → Hermaphroditos, IG II² 1596(A) Z. 5 einen → Hieromnemon. Aus A. stammten → Aristeides [1] (Plut. Aristeides, 1) und Sokrates (Diog. Laert. 2,13), der mit 63 Jahren A. in der Bule vertrat (Plat. apol. 32A-B).

1 W. Dörpfeld, in: MDAI(A) 20, 1895, 507 2 A. Milchhoefer, s. v. A., RE I,2 (1894) 1537 3 Traill, Attica, 22 f., 53, 59, 67, 109 Nr. 8, Tab. 10.

Whitehead, s. Index s. v. A. H. LO.

Alopekia (Ἀλωπεκία). Insel mit Siedlung im Delta des Tanais, ca. 18 km von der Stadt Tanais entfernt mit griech.-barbarischer Bevölkerung (Strab. 11,2,3); für die Zeit zw. 475 und 280 v. Chr. bei Elizavetovka arch. nachgewiesen [1. 69–75].

1 D. B. Šelov, Tanais i Nižnij Don v III-I vv. do n. e., 1970.

I. B. Brašinsky, K. K. Marčenko, Elizavetovskoje, 1984 · K. K. Marčenko, Die Siedlung von Elizavetovka, in: Klio 68, 1986, 377–398. S. R. T.

Aloros (Ἄλωρος). Südl. des → Haliakmon bei Kypsela gelegene maked. Stadt, Heimat des → Ptolemaios und des Trierarchen Pantauchos (Alexandes Indosflotte) [1]. In der ant. geogr. Lit. (vgl. Mela 2,35) erwähnt; in der Kaiserzeit Straßenstation.

1 Berve 2, Nr. 604.

N. G. L. Hammond, A History of Macedonia 1, 1972, 131–135 · M. B. Hatzopoulos, L. D. Loukopoulou, Two Studies in Ancient Macedonian Topography, 1987, 37–40 · F. Papazoglou, Les villes de Macédoine à l'époque romaine, 1988, 156–158, 469. M. Z.

Alpenos (Ἀλπηνός, Ἀλπηνοί). → Kome (Hdt. 7,176) oder → polis (Hdt. 7,216) in der Küstenebene des östl. → Lokris, die von der Felsformation Melampygos überragt wird; beim Ostausgang von → Thermopylai, wo der Anopaiaweg abzweigt (Hdt. 7,215 f.; 229; vgl. Aischin. leg. 132 f.). Beim Erdbeben 426 v. Chr. stark beschädigt (FGrH 85 Demetrios von Kallatis fr. 6).

Müller, 292 f. · Pritchett 4, 1982, 159–162 · F. Stählin, Das hellenische Thessalien, 1924, 202. G. D. R. / S. W.

Alpes (Alpen) A. Kenntnis der Alpen B. Pässe C. Wirtschaft D. Bevölkerung

A. Kenntnis der Alpen

Vorindeur. Bezeichnung für »Berg«. Ant. Etym. Fest. 4,9 f. (von der weißen Farbe des Schnees); Serv. georg. 3,474; Aen. 4,442; 10,13; schol. Lucan. 1,183; Isid. orig. 14,8,18 (kelt. »hohe Berge«). A. werden auch andere Gebirge gen. (Pyrenäen, A. Bastarnicae, Numidicae). Erste Erwähnungen bei Hdt. 4,49,2 (Fluß Alpis) und Lykophr. 1361 (Salpia) sind unsicher. Genauere Informationen liegen seit Hannibals Marsch 218 v. Chr. vor. Die Ausdehnung reichte im Westen bis → Vada Sabatia (Cic. fam. 11,13,2; Strab. 4,5,3), im Osten bis zur Okra (Strab. 4,6,9. 5,1,3. 7,5,2). Die A. galten als Schutzwehr It. und als höchstes Gebirge Europas (Pol. 34,10,15 ff. = Strab. 4,6,10). Ihr Bogenzug wurde erst in der Kaiserzeit erkannt (Strab. 5,1,1; Mela 2,73). Berggipfel werden selten benannt. Als höchste Erhebung galt der → Vesulus; weitere Gipfel: Caenia (Plin. nat. 3,35), Solis columna (Avien. or. mar. 639), οὐρανοῦ ῥάχις (»Himmelsrücken«: Diod. 10 fr. incert. 4), → Mons Gaurus, → Matron, Adula. Eine exakte Höhenbestimmung fehlte (Plin. nat. 2,162: 50 Meilen). Eine Untergliederung erfolgte nach geogr., ethnographischen oder polit. Kriterien (→ A. Maritimae, Liguriae, Gallicae, Cottiae, Graiae, Ceutronicae, Atrectianae, Poeninae, Raeticae, Tridentinae, Lepontiorum, Venetae, Noricae, Carnicae, Iuliae).

B. Pässe

Das Interesse der Römer bezog sich vor allem auf die A.-Übergänge (auch A. benannt). Pol. 34,10,18 = Strab. 4,6,12 kannte 4 Übergänge. Als Hauptverkehrswege [2; 5] dienten die ligurische Küstenstraße über die See-A., die → A. Cottiae (Mont Genèvre), → A. Graiae (Kleiner St. Bernhard), A. Poeninae (Großer St. Bernhard), Splügen, Maloja, Julier, Septimer, Reschenscheideck (mit → via Claudia Augusta), Brenner, Plökkenpaß, Radstädter Tauern, Rottmanner Tauern und A. Iuliae (Birnbaumer Wald). Weitere Übergänge hatten lokale Bed. (z. B in den Hohen Tauern zur Ausbeutung der Edelmetalle) [4].

C. Wirtschaft

Durch Viehzucht, Milch- und Käseproduktion geprägt (Strab. 4,6,1; 9; Varro rust. 2,4; Plin. nat. 8,179; 11,207; 240; Gal. 3,17; SHA, Antoninus Pius 12,4). Getreideanbau war nur beschränkt möglich (Strab. 4,6,1; Plin. nat. 18,172). In den Süd-A. gedieh der rätische Wein (Strab. 4,6,1; Verg. georg. 2,96; Colum. 3,2,27; Suet. Aug. 77). Holz (Strab. 4,6,1), Pech (Strab. 4,6,9), Honig, Wachs (Strab. 4,6,1; 9) und Kräuter (Plin. nat. 25,67; Dioskurides 1,7) wurden ebenfalls exportiert. Im Bergbau wurden Edelmetalle (Gold: Strab. 4,6,7; 10 = Pol. 34,10,10 ff.) und Eisen [3] gewonnen. Bergkristalle (Plin. nat. 27,23; Claud. carm. 35), Steine und Marmor (Plin. nat. 36,1) waren begehrte Pretiosen. Die A.-Fauna war mit Elchen, Bären, Gemsen und Steinböcken sehr artenreich (Pol. 34,10,8; Plin. nat. 8,214; 217).

D. Bevölkerung

Seit der Bronzezeit war der A.-Raum intensiv besiedelt [7], im 1. Jt. v. Chr. bestanden rege Kontakte mit It. [1]. Eine große Anzahl von Stämmen mit eigenen Kulten [6] war polit. zersplittert, eine Staatsbildung gelang nur im Ost-A.raum (*regnum* → Noricum). Die Eingliederung ins röm. Reich unter Augustus (16–12 v. Chr.) führte zur schrittweisen Romanisierung [8]. A.-Bewohner waren durch Wildheit (Vell. 2,90,1; Flor. epit. 2,22), außergewöhnlichen Körperbau (Flor. epit. 1,20,2) und Kröpfe (Vitr. 8,3; Iuv. 13,162) gekennzeichnet.

Die harten Lebensbedingungen durch ein rauhes Klima (Pol. 2,15; 3,55; Liv. 21 ff.; 32,6; 40,9), gefährliche Wege (Flor. epit. 3,3,10; Amm. 15,10; Claud. de bello Gothico 340 ff.), Lawinengefahren (Strab. 4,6,5) und Überschwemmungen (Agennius Urbicus, de controversiis agrorum p. 43 TH.; Sen. nat. 4,2,19; Mart. Cap. 640; Strab. 4,1,12) trugen zur Ablehnung der A. durch Südländer bei.

1 H. CALLIES, s. v. A.-Pässe, Reallex. german. Alt.kunde 1, ²1973, 194–196 • E. OLSHAUSEN, Einführung in die Histor. Geogr. der Alten Welt, 1991, 163–168 2 A. LIPPERT (Hrsg.), Hochalpine Altstraßen im Raum Badgastein – Mallnitz, 1993 3 H. GRASSL, Zur Problematik des Ferrum Noricum, in: Ber. 17. Öst. Historikertag 1989, 54–57 4 R. v. USLAR, Vorgesch. Fundkarten der A., 1991 5 L. AIGNER-FORESTI (Hrsg.), Etrusker nördl. von Etrurien, 1992 6 L. PAULI, Einheimische Götter und Opferbräuche im A.-Raum, in: ANRW II 18.1, 816–871 7 G. WALSER, Der Gang der Romanisierung in einigen Tälern der Zentral-A., in: Historia 38, 1989, 66–88.

Actes du colloque international sur les cols des A., 1969 • Atti del convegno internazionale sulla comunità alpine nell' antichità, in: Atti Ce.S.D.I.R VII, 1975–1976 • M. BAGNARA, Le alpi orientali in epoca classica, 1969 • D. VAN BERCHEM, Les routes et l' histoire, 1982 • Die Römer in den A., 1989 • R. FREI-STOLBA, Die röm. Schweiz: Ausgewählte staats- und verwaltungsrechtliche Probleme im Frühprinzipat, in: ANRW II 5.1, 288–403 • P. GUICHONNET (Hrsg.), Histoire et civilisations des A., 1980 • La valle d' Aosta e l' arco alpino nella politica del mondo antico, 1988 • L. PAULI, Die A. in Frühzeit und MA, 1980 • J. PRIEUR, L' histoire des régions alpestres sous le haut-empire romain, in: ANRW II 5.2, 630–656 • J. ŠAŠEL, A.-Regionen, in: Handb. der europ. Wirtschafts- und Sozialgesch. 1, 1990, 556–569 • G. WALSER, Stud. zur A.-Gesch. ant. Zeit, 1994.   H. GR.

Alpes Cottiae. Nach Einzug des *regnum* ins röm. Reich Verwaltung durch → Cottius als *praefectus civitatium* (CIL V 7231), nach dem Tod Cottius' II. 63 n. Chr. Umwandlung der A. in eine prokuratorische Prov. (Suet. Nero 1), seit dem 3. Jh. n. Chr. unter einem *praeses*; Hauptort → Segusio; weitere Zentren → Eburodunum und Brigantio (h. Briançon). Unter Diocletianus kam der Westteil zu den → Alpes Maritimae, der Ostteil wurde unter einem *praeses* der *dioecesis Italia* zugeteilt (Amm. 15,10,6). Ab dem 6. Jh. n. Chr. wurde Ligurien als A. bezeichnet.

C. LETTA, La dinastia dei Cozii e la romanizzazione delle Alpi Occidentali, in: Athenaeum 64, 1976, 37 – 76 • J. PRIEUR, La province romaine des A., 1968.   H. GR.

Alpes Graiae. A. wurde mit dem sagenhaften Alpenzug des Herakles in Beziehung gesetzt. Procuratorische Prov. am Kleinen St. Bernhard (wohl seit Claudius), oft mit den A. Poeninae verwaltet; Hauptort Axima (h. Aime). Vom 2. bis Ende des 3. Jhs. n. Chr. (Diocletianus) ist A. durch den Namen A. Atrectianae ersetzt; seither unter dem *praeses* der *dioecesis Galliarum*.

G. WALSER, Via per A. Graias, 1986.   H. GR.

Alpes Maritimae. Nach röm. Unterwerfung ligurischer Stämme im Sommer 14 v. Chr. (Cass. Dio 54,24,3) standen die A. unter dem Kommando eines ritterlichen *praefectus civitatium* (Strab. 4,6,3). 63 n. Chr. Verleihung des → *ius Latii* (Plin. nat. 3,135; Tac. ann. 15,32), Verwaltung durch einen *procurator*, seit dem 3. Jh. n. Chr. mit dem Titel *praeses*. Vorort war →Cemenelum (h. Cimiez). Unter Diocletianus wurde die Prov. um Teile der Narbonensis und → Alpes Cottiae vergrößert und der *praefectura Galliarum* (*dioecesis Viennensis*) zugeteilt. Neuer Hauptort wurde → Eburodunum.

D. VAN BERCHEM, Conquête et organisation par Rome des districts alpins, in: Revue des Études Latines 40, 1962, 228–235 • G. MENNELLA, La Quadragesima Galliarum nelle A., in: MEFRA 104, 1992, 209–232.   H. GR.

Alphabet I. ALTORIENTALISCHE URSPRÜNGE II. DAS GRIECHISCHE ALPHABET A. ÜBERNAHME DES SEMITISCHEN ALPHABETS B. WEITERENTWICKLUNGEN C. HAUPTPUNKTE DER GRIECHISCHEN ALPHABET-GENEALOGIE

I. ALTORIENTALISCHE URSPRÜNGE

Das frühsemit. A. scheint sich parallel aus verschiedenen protokanaanäischen Vorstufen entwickelt zu haben: Altpalästin. (Gezer, Lachisch, Schechem, ʾIzbet Ṣarṭah in Palästina 17.–12. Jh. v. Chr.) und Proto-Sinai (Serabit el-Ḥadem ca. 15. Jh. v. Chr.). Als Gegenstück finden sich Keilschrift-A. aus Ugarit (14.–13. Jh. v. Chr.), Bet Schemesch/Palästina, Tell Nebi Mend/Syrien und Sarepta / Phönizien (13.–12. Jh. v. Chr.), alle mit zw. 27 bis 30 Zeichen.

Die Schreibrichtung ist horizontal, vertikal oder in Bustrophedon. Die ugarit. Keilschrift basiert zwar auf der sumer.-akkad., doch sind ihre Zeichen völlig verschieden aufgebaut. Eine Tontafel aus Ugarit bietet das erste Beispiel für die Anordnung eines 30 Buchstaben umfassenden A. (Abecedar), in westsemit. Folge (ʾa, b, g, ḫ, d, h, w, z, ḥ, ṭ, j, k, š, l, m, ḏ, n, ṭ, s, ʿ, p, ṣ, q, r, ġ, t, ʾi, ʾu, ś), die in etwa auch der Reihenfolge im späteren griech. / lat. A. entspricht. Das Bet Schemesch Abecedar dagegen hat die Reihenfolge des altsüdarab. Alphabets.

Das phöniz. A. entwickelte sich mit Zwischenstufen anscheinend aus den Piktogrammen der Proto-Sinai-schrift, denen nicht der ägypt. Hieroglyphenlautwert (Silben, Wortzeichen) zugrunde liegt. Sie repräsentieren jeweils einen Konsonanten, den Anfangsbuchstaben des entsprechen semit. Wortes (Akrophonie), z.B. steht das Bild eines Stierkopfes für ʾalef (= Stier), das eines Haus-grundrisses für bajt (= Haus) etc. Dasselbe Prinzip ist auch für die proto-arab. Schrift (später altsüdarab., äthiopisch) nachzuweisen, die sich im 14.–13.Jh. v.Chr. von der proto-kanaanäischen abspaltete. Mit der → Aḥiram-Inschr. aus Byblos (frühes 10.Jh. v.Chr.) ist die Entwicklung des 22 Buchstaben umfassenden phö-niz. A. abgeschlossen. Die Schriftrichtung verläuft jetzt von rechts nach links; die einzelnen Wörter werden durch Worttrenner (Striche) getrennt. Aus dem phöniz. A. entsteht das frühhebr. (Gezer Kalender, Inschr. des Meša von Moab 11./10.Jh. v.Chr.) und später das pun. A. (ab 3.Jh. v.Chr.). Auch die Aramäer übernehmen dieses A. im 11./10.Jh. v.Chr., das sich vor allem an aram. Monumentalinschr. aus Damaskus, Hamat und Zinçirli (9./8.Jh. v.Chr.) nachweisen läßt, die im phö-niz. Schrifttypus verfaßt sind. Parallel läßt sich eine an-dere Schriftentwicklung bei altaram. Inschr. konstatie-ren, mit dem sehr archa. Charakter der Schriftzeichen b, d, k, m, t einer Inschr. aus Tell Ḥalaf [1. 74, Abb.3] und d, l, m, t der Bilingue aus Tell Feḥerije [2]. Beide weisen bereits Gemeinsamkeiten mit der Frühform einiger griech. Buchstaben auf.

1 G. DANKWARTH, CH. MÜLLER, Zur altaram. »Altar«-Inschr. vom Tell Ḥalaf, AfO 35, 1988, 73–78 2 A. ABU-ASSAF, P. BORDREUIL, A.R. MILLARD, La Statue de Tell Fekherye, 1982.

M. DIETRICH, O. LORETZ, Die Keila., 1988 · G.R. DRIVER, Semitic Writing from Pictograph to Alphabet, ³1973 · E. LIPINSKI, s.v. A., DCPP, 20–23 · J. NAVEH, Early History of the A.: An Introduction to West Semitic Epigraphy and Palaeography, ²1987 · W. RÖLLIG, L'alphabet, in: HbdOr Bd. 20, 1995, 193–214.   C.K.

II. DAS GRIECHISCHE ALPHABET

Die Schaffung eines reinen Kons.-A. wohl kurz vor Mitte des 2.Jt. v.Chr. im Spannungsfeld zw. Ägypten und Mesopotamien, die erstmals zu einer befriedigen-den Wiedergabe einer menschlichen Sprache mit nur-mehr etwa 30 Zeichen (Z.) führte, sowie die Übernah-me (Ü.) und Adaptation eines solchen A. (nordsemit. Typs) durch die Griechen sind zwei Schlüsselereignisse der Schrift- und Kulturgeschichte. Diese Schrift konn-ten alle lernen: Man kopierte sich die Z.-Reihe des Musteralphabets in ihrer – im hebr. und den europ. A. bis heute prinzipiell unveränderten – Reihenfolge (er-ste nordsemit. Muster-A. aus Ugarit [1], vor 1200 v.Chr., und ʿIzbet Ṣarṭah in Palästina [2. 65–67], ca. 1100). Dazu lernte man einen Merkspruch, in dem je-dem Buchstaben (B.) ein »akrophonisch« mit dessen Lautwert beginnender Name entsprach. Urspr. wird zu-dem der Bildwert jedes Z. dem betr. Namen entspro-

chen haben, z.B. Stier[kopf] = ʾAlep = /ʾ/. Für die frühsemit. A.-Gesch. s. z.B. [3], ferner [1] (auch zum südsemit. A.), sowie → Schrift im Nahen Osten. Hier steht im Zentrum die Ü. (»wie«, »wann«, »wo«, »durch wen«, »wozu«) und Weiterentwicklung des A. durch die Griechen. Für Ableitungen aus dem griech.. A. s. → Italien: Alphabetschriften; Kleinasien: Alphabet-schriften; Hispania II: Schriftsysteme; Armenische, Georgische, Gotische und Avestaschrift.

A. ÜBERNAHME DES SEMITISCHEN ALPHABETS

Das »Wie?« der Ü. ist im Grundsatz klar [4. 9]: Die Ähnlichkeit der Z. des frühen griech. A. mit denen gleichzeitiger semit. A., die meist übereinstimmenden Lautwerte, bes. aber die identische Reihenfolge der Z. im Muster-A. und die B.-Namen (ἄλφα, βῆτα usw. < ʾAlep, Bet usw.) beweisen die Ü. eines schriftli-chen Muster-A. und die gleichzeitige Erlernung des Merkspruchs durch (mindestens) einen Griechen von (mindestens) einem semit.-sprachigen Gewährsmann. Als Hauptleistung haben die Griechen bei der Adapta-tion die Z. ʾAlep, He, Yod, ʿAyin, deren kons. Lautwerte sie nicht benötigten, zu Vokal-Z. für /a/, /e/, /i/, /o/ umdefiniert und ein zusätzliches Z. für /u/ am Schluß der Reihe angefügt: dies führte zur ersten echten Laut-schrift.

Die Frage »Wann?« ist die am meisten umstrittene. Neben der Spät- (um 800) wird heute auch wieder die Frühversion erwogen, vertreten bes. von J. NAVEH [5] (um 1100; s. auch [6] mit Bibliogr.), radikalisiert von [7] (15.Jh.). Die Diskussion hat m.E. bisher keine stringent für frühe Ü. sprechenden Argumente (Überblick bei [6]), wohl aber weitere gegen sie hervorgebracht (unab-hängig [8. 69–76; 9. 94–98]). Hier das Wichtigste (s. auch Tab.): (1) Zu Hdt. 5,58: Wir dürfen die Verknüp-fung der A.-Ü. mit Kadmos (Theben, Boiotien) fünf Generationen vor dem troianischen Krieg nicht für bare Münze nehmen (eher würden wir etwas über die da-malige Linear B-Schrift in Theben erwarten), wohl aber diejenige mit den Phöniziern, die in homerischer Zeit und kurz vorher eine erhebliche Rolle spielten (Od. 13,271ff., 14,287ff., 15,415ff.). Auch Versuche, gegen Herodot für φοινικήια »B.« (und andere Bildungen wie kret. ποινικάζεν »Schreiber sein« [10. 132f., 152f.]) ei-nen Zusammenhang mit den Phöniziern zu bestreiten, können z.Z. als gescheitert gelten [11]. Jedenfalls ergibt die Herodot-Stelle, wenn überhaupt ein Argument, so eines für späte A.-Ü. (2) Auf den zahllosen submyk. und att.-protogeometrischen Vasen und Scherben ist keine Spur eines griech. B. aus der Zeit zw. 1100 und Mitte 8. Jh. bezeugt (argumentum ex silentio), wogegen um 750 just Graffiti auf Gefäßen in rascher Folge und weit ver-breitet einsetzen. (3) Für die Frühtheorie beweiskräftig wären griech. B.-Formen, die auf semit. Frühformen zurückgehen müssen. Die meisten der von NAVEH [5] hierfür angeführten frühsemit. Formen sind aber auch später noch in Gebrauch und somit irrelevant, das im Griech. aufrechte statt liegende Sigma (dem im 2.Jt. ein-zelne aufgestellte Schin gleichen) gehört in die generelle

Buchstabennummer	Erwähnte frühsemitische Formen	Phönizien / Palästina	Griech. Uralphabet (rekonstruiert)	Griech. Buchstabennamen (+Lautwerte)	Dipylonkanne 'Athen' * (aus Fragmenten)	* Marsiliana 'Euböa' * Böotien	* 'Ostionien'	* 'Korinth'	* 'Achäa'	Diverse weitere lokale Buchstabenformen	Ostion. Einheitsalphabet (verdrängt alle Lokalalphabete ca. 400 v.Chr.)
1	Ɐ	Ɐ	Alpha	Ɐ	A	A	A	Ɐ	A	A	Ɐ Ɐ Ɑ	A
2	ꟼ	ꟼ	Beta		B	B	ꟼ	ꟼ	⌐	B	ꓷ ꓯ ꟼ Ν	B
3	⌐	⌐	Gamma		ᐱ	⌐	ᐱ	⌐	(	⌐		Γ
4	Δ	Δ	Delta	Δ	Δ	Δ	▽	Δ	Δ	D		Δ
5	⅃	⅃	E(psilon)	⅃	⅁	⅃	E	Ⴈ	⅁	Ⴈ		E
6	Ⴙ ⅄	Ⴙ	Wau (Digamma)		(Ⴙ)	⅃	⊏	⊣	Ⴙ	Ⴙ		–
7	I	I	Zeta	I	I	I	I	I	I	I		I
8	目	目	Heta / Eta	目	目	目	H	[目]	目	H	▢ (?)	H
9	⊗	⊗	Theta	⊕	⊗	⊙	[⊗]	⊕	⊙			⊙
10	(ᔋ)	ᔋ	ᔋ	Iota	ᔋ	I	I	I	I	ᔑ	ᔑ	Ƨ ᔑ	I
11	∨	Ⴔ Ⲓ	Ⴔ	Kappa	Ⴔ	k	Ⴔ	k	Ⴔ	k	k		K
12	(ꟼ)	L	⅃	Lambda	↑	L	⅃	L	↑	⌐	⌐	⌐	Λ
13	Ⴘ	ⴜ	ⴜ	My		ⴜ	ⴤ	ⴜ	ⴜ	ⴜ	ⴜ		M
14	Ⴄ	Ⴄ	Ⴄ	Ny	Ⴄ	N	Ⴄ	N	[Ⴄ]	Ⴄ	N		N
15	‡	‡	? (²Xi)	–	⊞	–	‡²	–	–	‡²	Ξ²
16	⊙	O	O	O(mikron)	O	O	O	O	O	O	O	⊙	O
17	Ⴌ	Ⴌ	Pi	Ⴌ	Ⴌ	Ⴌ	Ⴌ	Ⴌ	Ⴌ	)	Ⴌ
18	Ⴋ	Ⴋ	San	–	M	–	–	‡²	–		–
19	φ	φ	Qoppa	(φ)	φ		φ	φ	φ		–
20	Ⴘ	q	Rho	Ⴘ	P	q	R	Ⴘ	P	P	D Ⴘ	P
21	(Ⴣ)	w	Ⴣ	Sigma	Ⴣ	Ⴣ	Ⴤ	Ⴣ	[Ⴣ]	M	M	Ⴣ Ⴣ	Ⴣ
22	x	✝ x	✝	Tau	✝T	T	T	T	T	T	T		T
23		Ⴘ	Y(psilon)	Ⴘ	V	Ⴘ	V	Ⴘ	V	V		Y
24			⁰Phi	x¹	x¹	x²	✝²	φ¹	φ³	φ¹		φ
25			¹Khi / ²Xi	φ⁰	φ⁰	φ⁰	✝¹	∨³	∨¹		X
26			³Psi	Ⴘ¹	∨¹	Ⴘ³	x¹	✝²		Ⴘ
(27)			(Omega)(E?)	(Ω)			Ω	ꟼ /ẹ̄/		C	Ω

und bei *Alpha* noch direkt beobachtbare (s.u. und [8. 27²⁴]) Tendenz der frühen griech. Schreiber, die Z. höher als breit zu gestalten und gegebenenfalls aufzustellen, die *Lambda* mit Spitze oben (wie *Lamed* ganz selten – und noch spiralisch – im 2. Jt.) sind durch frühe Angleichung an die benachbarten *My* und *Ny* zu erklären (wie die Normalform des *Digamma* an *Epsilon* [12. 24 f.]), die frühen *Qoppa* mit in den Kreis hineinragendem Strich sind die Zwischenform zw. der phöniz. und der normalgriech., und in den übrigen Fällen (*My* / *Ny* ohne langen Aufstrich, *Omikron* mit Punkt)

sind die verglichenen griech. Formen späte Neuentwicklungen [13. 823⁸; 8. 70 mit ⁸⁹]. (4) Dagegen gibt es mehrere B., die erst gegen 800 v.Chr. eine Form entwickelten, von der die griech. abgeleitet sein kann, und die (bes. kombiniert) für die Spättheorie sprechen. Diese Argumentation stammt von R. CARPENTER [4] und gilt nach wie vor, wenn auch die von ihm vertretene Ü.-Zeit (Ende 8. Jh.) heute durch bessere Chronologie bes. im griech. Bereich um 50–100 Jahre hinaufzusetzen ist. Sein wichtigster Vergleichs-B. war *Kap* (die frühesten Beispiele der für die griech. relevanten Form sind

[6. 287] der Altar von Tell Ḥalaf in Mesopotamien [13. 805 ff. fig. 100 Nr. 18], ca. 900, und der Stein von Nora auf Sardinien [13. 805 ff. Nr. 13], 9. Jh.). Noch wichtiger als *Kap* ist heute *Taw* [8. 72], denn dessen Form mit deutlich nach unten verlängerter Senkrechthaste, die allein für griech. T das Vorbild abgegeben haben kann, kommt noch später auf (zuerst auf der 1969 gefundenen Schale von Kition auf Zypern [14; 13. fig. 100 Nr. 15], ca. 800; »Tell Ḥalaf« und »Nora« zeigen hier noch die alte Form); das neue *Taw* ist auf den phöniz.-aram. Bereich beschränkt [13. Nr. 15–21, 28], wogegen in Palästina auch in Kursive [13. Nr. 23–27] die alte Form bleibt (entsprechend zeigt *Kap* dort ab Mitte 9. Jh. nicht die moderne phöniz., sondern eine eigene Form). Diese beiden B.-Formen können nicht vor 900 und kaum vor 850 durch die Griechen übernommen worden sein; eine Ü. um oder sogar etwas nach 800, die die zeugnislose Zeit im griech. Raum auf wenige Jahrzehnte oder Jahre reduziert, ist dagegen ohne weiteres möglich. (5) Die Frühtheorie greift deshalb zur Annahme, diese B.-Formen seien bei *sekundären* Rückgriffen auf semit. Vorbilder ins griech. A. hereingekommen, und versucht dies wie folgt zu stützen: (a) Das griech. Zusatz-Z. Ψ für /kʰ/ (sekundär auch /ps/, s.u.) setze die frühsemit. Form für *Kap* fort. Ψ ist aber erstens im Griech. sekundär [13. 823⁸] (alt ist Υ, und wenn wir dieses überhaupt mit semit. Formen vergleichen wollen, dann mit dem kursiven *Kap* des 9./8. Jh. in Palästina), zweitens läßt auch der ähnliche Lautwert /kʰ/ nicht zwingend auf ein semit. Vorbild schließen (bei den anderen griech. Zusatz-Z., φ und X, kann solches jedenfalls nicht geltend gemacht werden), und drittens ist wegen des sekundären Charakters dieser Zusatz-Z. (s.u.) ein semit. Vorbild für Υ ohnehin nicht sehr wahrscheinlich. (b) Das 1–strichige griech. *Iota* neben altertümlicherem Ƨ sei auf ein *Yod* des 2. Jt. zurückzuführen (s. nun [6. 288], jedoch ohne bessere Argumente). Doch ist ein Zusammenhang des 1–strichigen *Iota* mit dem frühen *Yod* (auf der Scherbe von ʿIzbet Ṣarṭah, 2– oder 3–strichig, s. Tab.) abzulehnen. Zudem ist das 1–strichige griech. *Iota* eine zwar sehr frühe, jedoch (wie in Athen nachweisbar, s.u.) klar sekundäre Vereinfachung; daß es sich – wie etwa die um einen Strich verkürzten *My* und *Sigma* – rasch ausbreitete, ist begreiflich. (c) Neben der in Kreta (Ϝ/Χ) fortgesetzten griech. Urform des *Digamma* (Position 6 im A.), die bes. im 8. Jh. in Palästina bezeugten Kursivformen des kons. Z. *Waw* gleicht [12. 18, 24 f.], sei in der Form Υ des vok. Z. *Ypsilon* (Position 23) die semit. Frühform des *Waw* erhalten. Somit müsse bei der Ü. der Kursivform das Υ von Position 6 auf 23 transferiert worden sein, und weil ja die Vokal-Z. (und bes. Position 23) eine griech. Neuerung seien, müsse man auf eine vokallose Schreibphase im Griech. zw. 1100 und dem sekundären Kontakt um 800 schließen. Nun bleibt aber unverständlich, warum man das alte Z. mit neuem Lautwert an den Schluß transferiert und das neu übernommene statt des alten mit dessen Lautwert auf Position 6 eingefügt haben soll.

Zudem ist die für Υ vorbildliche semit. Form auch noch im 8. Jh. normal, kann also die Frühtheorie ohnehin nicht stützen (kann jedoch ohne weiteres mit der anderen Form zusammen übernommen worden sein). Sodann ist die Annahme einer vokallosen Schriftphase (sogar einer kurzen) für die griech. Sprache ganz unplausibel (so schon [15. 67]); daran ändert auch [6. 289 f.] nichts, denn eine im Griech. bestenfalls für Namen und Grußfloskeln brauchbare Schrift – sonst aber gleichsam ηνβλπντς βλπον κιμϜδον – genügt auch für einfachste Handelsgeschäfte nicht. Diese Nutzlosigkeit wird noch unterstrichen durch einen Fall wie die semit. Inschr. von Tekke auf Kreta ([16; 2. 88–91], ca. 900 v. Chr. oder etwas älter), die zwar darauf schließen läßt, daß die Griechen schon früh vom Kons.-A. ihrer Handelspartner Kenntnis hatten, dies jedoch offenbar folgenlos blieb: die Stücke von Zypern (Kition, ca. 800; s.o.), Samos und Euboia (1. H. 8. Jh.) [17] sind evtl. alle erst nach der A.-Ü. in griech. Hände geraten. Wenig einleuchtend ist auch die These [18. 44 ff.; 6. 284⁵], die Inspiration für die griech. Vokal-Z. sei in der – ganz andersartigen – Vokalschreibung im Aram. und Hebr. (nur für Langvok., meist nur am Wortende, und nur mit -*j*, -*w*, -*h*) zu sehen; einen *sekundären* Kontakt mit dem Nahen Osten ableiten – und damit auch die Frühtheorie stützen – kann man jedenfalls nicht. Und schließlich kann die Theorie sekundärer Kontakte folgende Sachlage nicht erklären ([8. 72], von [6] übersehen): Ein griech. A. nach der Frühtheorie müßte ein *Tau* der Form + oder X gehabt und sich, um zur Form T zu kommen, sekundär am jungen, T-förmigen *Taw* orientiert haben. Nun existiert aber in den meisten griech. Lokal-A. praktisch von Anfang an (s.u.) ein Z. der Form + oder X für /kʰ/ (sekundär auch /ks/). Hätte man aber + bzw. X zu diesem Lautwert in Gebrauch genommen, wenn ein schon existierendes griech. A. mit einem *Tau* dieser Form eine auch nur *minimale* Verbreitung gehabt hätte?

Auch das »Wo?« wird debattiert, z. B. sind Al Mina, Zypern, Rhodos, Kreta, Euboia als Orte der Ü. vorgeschlagen worden. Eine Entscheidung wird – außer wir finden einen (wohl eher phöniz. als griech.) Tatsachenbericht – nie möglich sein, denn die neue Errungenschaft konnte innert weniger Tage oder Wochen im ganzen Mittelmeer verbreitet werden. Verbunden mit dieser Frage ist diejenige, ob nicht verschiedene, fast gleichzeitige Ü. stattgefunden haben könnten; die Sache habe doch in der Luft gelegen [19. 95 f.]. Diese Hypothese wird meist auf der Basis von B.-Formen erörtert. So wird sie aber niemals bewiesen werden können, denn sogar wenn es einen griech. B. gäbe, von dem mehr als eine Formvariante zwingend auf semit. Vorbilder zurückgeführt werden müßte (und einen solchen gibt es z. Z. nicht), so würde das nur mehrere griech.-semit. Kontakte beweisen, was auf jeden Fall anzunehmen ist. Die Imitation einzelner zeitgenössischer B.-Formvarianten war – minimale überregionale Kontakte vorausgesetzt – jederzeit möglich und hat mit Schrift-Ü. nichts zu tun. Relevant ist einzig die Ebene des Schrift*systems*. Und hier sind bei der Kreation des griech. A. für mehrere Neuerungen willkürliche Entscheide getroffen worden, die (insbes. kombiniert) *einen* Schöpfungsakt viel wahrscheinlicher machen ([8. 36–39], z. T. nach Früheren; [19. 88–90]): (1) Es wurden Vokal-Z. geschaffen und damit die Kons.-Z. definitiv auf ihren Lautwert reduziert (daß der beteiligte Phönizier hier nahöstl. Erfahrungen mit Auslautvokalschreibungen einbrachte, ist schon möglich, das akute Bedürfnis nach Vokal-Z. aber kam von griech. Seite). (2) Dabei wurden ʾ*Alep* und ʿ*Ayin* willkürlich auf /a/ und /o/ verteilt. (3) Für /u/ wurde eine Alternativform des *Waw* gewählt (zweifellos ein Tip des Phöniziers, dem ja daran gelegen sein mußte, daß er und seine Landsleute alle Z. des neuen griech. A. kannten; die Verteilung der Normal- und der Kursivform auf /w/ und /u/ war dagegen belanglos). (4) Auch die Verteilung von *Ṭet* und *Taw* auf /tʰ/ und /t/ war nicht vorgegeben, denn griech. Aspiration und semit. Emphase sind phonetisch recht verschieden. (5) Höchst »individuell« – und deshalb bes. wichtig – ist der »Mißgriff«, für *Kap* und *Ḳop (Qop)* nicht die zu (4) analoge Verteilung /k/ und /kʰ/ zu wählen, sondern beide Z. für /k/ in Gebrauch zu nehmen. Wenn zu jener Zeit tatsächlich alternative griech. A.-Systeme geschaffen wurden, müssen sie, falls älter, (noch) mangelhafter gewesen und vom uns vertrauten sofort verdrängt worden sein, oder sie haben sich, falls jünger, gegen dieses nicht mehr durchsetzen können; z.Z. fehlt von ihnen jede Spur.

Auch die Frage »Ü. durch wen und wozu?« ist umstritten. Der Sphäre des Seehandels ist die der Poesie als Konkurrenz entgegengesetzt worden [20. 187ff.]. Erstere bleibt aber plausibler: erstens angesichts der Mängel des A., bes. daß es im urspr. Zustand (fortgesetzt in den »Prototyp-A.« im Randgebiet der dor. Inseln Kreta, Thera, Melos usw.) keine Z. für /kʰ/ und /pʰ/ hatte, zweitens angesichts des für griech. Schreibschüler unverständlichen und somit mühsam zu lernenden Merkspruchs, der für eine rein mechanische, zweckorientierte Ü. und erste Verbreitung spricht, wogegen wir von einem *poeta doctus* erwarten dürften, daß er in Muße einen griech. Merkspruch geschaffen und in Umlauf gesetzt hätte.

B. Weiterentwicklungen

Nach der Ü. wurde das A. verschiedentlich verändert, z.B. in der vorchristl. Ant. nach drei Mustern: (1) In *Reduktionsreformen* wurden überzählige, in der Praxis nicht gebrauchte (sog. »tote«) Z. eliminiert; weil dabei auch ihre Namen im Merkspruch wegfallen mußten, veränderte sich dessen Rhythmus nachhaltig, was man aber angesichts der Erleichterung in Kauf nahm. Daß das A. bei der Ü. nicht sogleich reduziert wurde, obschon zwei der drei Z. für stimmlose Sibilanten (Nr. 15, 18, 21, s. Tab.) überflüssig waren (s.u.), ist ein weiteres Argument für eine Ü. in der Alltagssphäre. (2) In *Additionsreformen* nahm man neue Z. für Lautwerte, für die noch kein Z. existierte, in Gebrauch, und zwar hängte man sie, um den Rhythmus des Merkspruchs nicht unnötig zu stören, ans Ende der Reihe an. Die erste griech. Additionsreform, zweifellos im Moment der Ü. vorgenommen (s.o.), war die Anfügung eines Z. für /u/ (Position 23). (3) In *Substitutionsreformen* wurden »tote« Z. mit neuem Lautwert wiederbelebt (selten dabei auch durch eine andere Z.-Form ersetzt). Dies stellte die geschickteste Form dar; der Merkspruch veränderte sich so im Innern weniger als bei einer Reduktionsreform, am Ende sogar überhaupt nicht. Von diesen echten, »Schulen« bildenden Reformen strikt zu unterscheiden sind, wie erwähnt, Modifikationen einzelner B.-Formen, die sich – gleichsam modebedingt – sekundär ausbreiteten: individuell, regional, global.

In den meisten griech. Lokal-A. sind beide Mängel des griech. Ur-A. (Z. für /tʰ/, aber keine für /kʰ/ und /pʰ/; überzählige Sibilanten-Z.) durch Additions- bzw. Reduktionsreform (selten begleitet von Substitutionsreform) behoben, jedoch je nach Ort verschieden. Wir können aufgrund der Zahl, Reihenfolge und Lautwerte der jeweils hinter dem *Ypsilon* angefügten Z. und der Art der Korrektur im Innern der Reihe die Genealogie der griech. Lokal-A. bis zu einem gewissen Grade rekonstruieren. Dabei sind wir ganz auf Muster-A. angewiesen. Die aussagekräftigen Exemplare [8. 30f.], in der Tab. mit * markiert, bilden eine repräsentative Auswahl wichtiger lokaler Schriftsysteme: »Athen« (6.Jh., [8. 30³²]), »Euboia« (FO in Marsiliana d'Albegna in Etrurien, ca. 700–650, [12. Taf. 48. 18; 13. Tafelbd. Nr. 377]) und »Boiotien« (ca. 420, [12. Taf. 10. 20]), »Ostionien« (FO auf Samos, ca. 660, [12. Taf. 79. 7]), »Korinth« (ca. 600–550, [12. Taf. 20. 16, 74. 2–3]), »Achaia« (FO Metapont, ca. 475–450, [12. Taf. 50. 19]). Die jüngeren Stücke zeigen erwartungsgemäß einen gegenüber dem ältesten Schriftgebrauch leicht modernisierten Status des betr. lokalen Systems: »Athen« und »Boiotien« sind um *Qoppa* reduziert, ersteres zudem um *Omega* erweitert. Die älteren weisen wichtige Archaismen auf: »Euboia« alle drei Sibilanten-Z., »Ostionien« das in jenem Dialekt überflüssige *Digamma* (bewahrt wohl dank seiner Funktion als elementares Zahl-Z.).

C. Hauptpunkte der griechischen Alphabet-Genealogie

Ausführlich [8. 19–69]: (1) Daß das griech. Ur-A. unreduziert war, zeigt das Muster-A. von Marsiliana (die schwach bezeugten Position 18 auch »Korinth«). (2) Daß das Ur-A. zwar um *Ypsilon*, nicht aber um die Positionen 24ff. erweitert war, zeigen die Prototyp-A. von Kreta etc. (kein Grieche hätte jemals Z. für /kʰ/ und /pʰ/ wieder aufgegeben; unklar [20. 56f.]). (3) Da die Erweiterungen durch die Positionen 24–26 jedenfalls in *Euboia* älter als selbst die ältesten Reduktionen sind, stammen sie aus einem sehr frühen Stadium. (4) Die Z. für /kʰ/ und /pʰ/ sind zuerst angefügt worden, und zwar, weil man mit ihnen *ein* Ziel verfolgte, miteinander (Ort der Erfindung ist wohl »Athen« [8. 43f.]). (5) Für /pʰ/ ist überall Φ in Gebrauch, für /kʰ/ aber erscheint teils Χ+, teils Υ. Weil nur Χ+ allein mit Φ zusammen vorkommt (»Athen«), muß es älter sein als Υ. Es leuchtet auch ein, daß als erste Zusatzform das noch freie Kreuz-Z. geschaffen wurde, und auch Φ lag als Form nahe. (6) Dennoch ist es unwahrscheinlich, daß X und Φ an verschiedenen Orten unabhängig erfunden wurden. d. h. außer am Erfindungsort beruhen sie überall, wo sie vorkommen, auf Import, entweder auf sekundärem (dann war am betr. Ort vorher ein Prototyp-A. in Gebrauch), oder auf primärem. Im ersten Fall konnten sie die Plätze tauschen (ein Muster-A. war hier für ihre Ü. nicht nötig), im zweiten nicht. (7) Ein drittes Zusatz-Z. hängt jeweils mit der Schaffung von Einzel-Z. für /ks/ und /ps/ zusammen. Das System »Athen« hat diesen Schritt *notabene* nicht mehr vollzogen. (8) Da Y neben /ps/ (»Ostionien«, »Korinth«) auch /k^h/ bedeuten kann, jedoch nur in asymmetrischen Systemen, die ein Z. für /ks/, aber keines für /ps/ haben (»Euboia«, »Achaia«), kann das Y nicht in Ostionien erfunden worden sein (sonst hätten die anderen Lokal-A. mit Y ebenfalls jenes günstige System). Das Z. ist also sekundär nach Ostionien gelangt, und seine Neudefinition zu /ps/ läßt vermuten, daß dort bereits ein Typ »Vor-Ostionien« mit X für /k^h/ und Φ für /p^h/ (wohlgemerkt in anderer Reihenfolge als in »Athen«) sowie »totem« Z. 15 (‡) existierte. Dort wurde zudem, weil der Kons. /h/ in den betr. Dial. nicht gesprochen wurde, schon früh das sonstige griech. *Heta* als *Eta*, d. h. für einen Vok. (wie kurz vorher semit. ’*Alep* und ‘*Ayin* für griech. /a/ und /o/), in Betrieb genommen und nach ΦX und Y – als Ausgleich zu *Eta* das *Omega* angefügt. Der so entstandene Typ »Ostionien« hat sich, durch die euklidische Reform in Athen von 403/2 stark propagiert, schließlich durchgesetzt und ist im Griech. noch heute in Gebrauch. (9) Die Schaffung von Y /k^h/ ist nicht zu verstehen in einem System, das schon die Z. X und Φ für /k^h/ und /p^h/ hatte, sondern nur bei sekundärer Erweiterung eines Prototyp-A. (wohl durch eine Fehlinterpretation eines X als /ks/ in einem Text [8. 44]). (10) Die Frage ist, ob dies im Typ »Achaia« oder »Euboia« geschah (der andere muß die drei B. dann fertig übernommen haben); am einleuchtendsten erscheint »Euboia«, da dort im Typ »Athen« eine nahe Quelle für die ersten beiden Z. (in gleicher Reihenfolge) existiert und das »Verlegenheits-Z.« Y die erwartete dritte Position einnimmt. Diese »Entgleisung« muß, da sie sich ja durchsetzen konnte, in einem sehr frühen Stadium geschehen sein (das früheste Y, auf einer Scherbe von Lefkandi [13. Tafelbd. Nr. 379a], ca. 740, ergibt dafür nur einen *terminus ante quem*), und da sie nicht mehr durch Schaffung eines Z. für /ps/ korrigiert wurde (was *via* Rom bis zu uns nachwirkt: dt. *Fix : Fips*), dürfte das A. am betr. Ort damals noch ganz in der Alltagssphäre verhaftet gewesen sein. Das euboiische X für /ks/ war im übrigen zweifellos die Inspiration für die kluge Reform des Typs »Vor-Ostionien«. (11) *Korinth* zeigt dieselbe Verwendung der Zusatz-Z. wie *Ostionien*, was nicht zweimal unabhängig entstanden sein kann. Doch kann *Korinth* kaum primär sein. Denn da Y hier zw. Φ und X steht, müßte es gleichzeitig mit diesen an das vorgängige

Prototyp-A. angetreten sein, wir können aber weder annehmen, daß Y in Korinth erfunden und sogleich mit dem Lautwert /ps/ ausgestattet wurde (ebensowenig wie in Ostionien; s.o.), noch daß zwei Z. Y und X, beide mit Lautwert /k^h/, gleichzeitig (aber aus verschiedenen Quellen) in Korinth eingetroffen sind und das erste (mit neuer Funktion) zw. die beiden Aspiraten-Z. hineingesetzt wurde. Der Typ »Korinth« ist somit viel eher – was auch geogr. einleuchtet – ein nach »ostion.« Vorbild reformierter Typ »Achaia« (bzw. dieser der nicht-reformierte Typ »Vor-Korinth«). *Terminus ante quem* für die Reform sind die ersten korinth. Inschr. (1. H. 7. Jh.). Für frühe Kontakte zw. Korinth und Ostgriechenland vgl. z.B. den Dichter Eumelos und den Schiffebauer Ameinokles (Thuk. 1,13,3). (12) Nach Hdt. 1,139 nannten die Dorer ihr Z. für /s/ σάν, die Ionier das ihre σίγμα. Mit dieser Abgrenzung deckt sich ungefähr die (in die früheste Phase des griech. A. zurückgehende) unterschiedliche Schreibung von /s/ durch M bzw. ∫ξ in den Inschr. Das A. von Marsiliana zeigt, daß es sich beim ersten B. um Nr. 18, beim zweiten um Nr. 21 handelt. Dazu stimmt der Vokalismus der B.-Namen (semit. *Sade* bzw. *Schin*). Daß nun aber in den erhaltenen Muster-A. der San-Benutzer (»Achäa«/»Korinth«) das M (namens σάν) auf Position 21 erscheint, läßt sich wohl sinnvoll nur wie folgt erklären [8. 53–55]: Man hatte in früher Zeit Position 15 eliminiert, nicht aber Position 21 (aus Rücksicht auf die *Sigma*-Benutzer?), wurde dann aber der Form des *Sigma*, die dem *Iota* glich, überdrüssig und verdoppelte das *San* dorthin (evtl. gleich mitsamt seinem B.-Namen; dies erst wäre eine echte Reform). In Korinth konnte dann das neu eingeführte ostion. *Xi* die erste *San*-Stelle übernehmen, in Achaia wurde diese schließlich aufgegeben.

Alle diese Vorgänge (außer den für die Orthographie irrelevanten Reduktionsreformen) dürften sich angesichts der Abneigung großer Schreibergruppen, lieb gewordene Schreibgewohnheiten zu ändern, in einem kleinen Kreis von Menschen und in kürzester Zeit (m.E. eher einem halben als einem ganzen Jahr) abgespielt haben.

Die B.-Formen des griech. Ur-A. (s. Tab.) sind aus den ältesten griech. Formen und dem phöniz. A. des frühen 8. Jhs. rekonstruiert. Wichtig ist hier bes. die Dipyloninschr. aus Athen ([12. Taf. 1. 1]; ca. 730), die mit liegendem *Alpha* und noch nicht gegrädetem *Iota* ein sehr frühes, mit dem (später dort wieder unüblichen) *Lambda* mit Spitze oben, dem um einen Strich verkürzten *Sigma* und bes. dem durch die erste Additions-Reform dazugetretenen *Khi* aber doch schon ein etwas vom Ur-A. weg entwickeltes Stadium reflektiert. Der Schreiber könnte z.B. in jungen Jahren dem Kreis der Schöpfer des griech. und Entwickler des att. A. angehört und sich später einigen Modetrends widersetzt (A, I), andere dafür in seiner Stadt mit weniger (ʔ) oder mehr (ξ) Erfolg propagiert haben; jedenfalls besteht kein Grund, die Inschr. und ihre B.-Formen (z.B. mit [12. 68]) für nicht-att. zu halten.

Für die Vielfalt der B.-Formen in den griech. Lokal-A. s. [12] und [13. 819ff.], wo bes. die allmähliche, modebedingte Ausbreitung z. B. der vereinfachten Formen H und ⊙, ferner von I (sogar nach Korinth) und Ρ (später außer in Rom wieder aufgegeben) gut zu beobachten ist, desgleichen lokale Sonderentwicklungen bes. in den Randregionen (dort kombiniert mit Archaismen), speziell etwa die von *Beta* (die z. T. eine frühe Sonderform mit durch S-Bewegung aus- statt eingeschwenktem Fuß fortsetzen), ferner die Schreibpraxis etwa in bezug auf Schriftrichtung (im Ganzen zuerst links-, dann rechtsläufig), »kultivierte« zeilenweise Anordnung (im 8. Jh. der Nestorbecher [12. Taf. 47. 1; 13. Tafelbd. Nr. 378] und neu eine Scherbe aus Eretria [12. 416, 434. Bii, Taf. 73. 4]; zweifellos nach phöniz. Vorbild) bzw. »weniger kultiviert« *bustrophedon* oder sog. Schlangenschrift, Interpunktion bzw. *scriptio continua* (später auch *stoichedon*).

→ Armenische Schrift; Aussprache; Byblosschrift; Georgische Schrift; Gotische Schrift; Griechenland: Schriftsysteme; Hispania II: Schriftsysteme; Italien: Alphabetschriften; Keilschrift; Kleinasien: Alphabetschriften; Phönizien; Schrift; Ugarit

1 M. DIETRICH, O. LORETZ, Die Keilalphabete, 1988
2 B. SASS, The Genesis of the Alphabet and its Development in the Second Millennium B. C., 1988 (Ägypten und AT, Bd. 13) 3 W. RÖLLIG, Das Altertum 31, 1989, 83–91
4 R. CARPENTER, in: AJA 37, 1933, 8–29 (ab S. 21 Mitte überholt) 5 J. NAVEH, in: AJA 77, 1973, 1–8 (seither mehrfach) 6 B. S. J. ISSERLIN, in: CL. BAURAIN u. a. (Hrsg.), Phoinikeia Grammata, 1991, 283–291 7 M. BERNAL, Cadmean Letters, 1990 8 R. WACHTER, in: Kadmos 28, 1989, 19–78 9 B. SASS, Studia Alphabetica, 1991 (OBO 102) 10 L. H. JEFFERY, A. MORPURGO DAVIES, in: Kadmos 9, 1970, 118–154 11 G. P. EDWARDS, R. B. EDWARDS, in: Kadmos 13, 1974, 48–57; Dies., in: Kadmos 16, 1977, 131–140 12 L. H. JEFFERY, The Local Scripts of Archaic Greece, 1961, Ndr. 1990 mit Suppl. 1961–1987 von A. W. JOHNSTON (S. 416–481, Taf. 73–80) 13 CAH, Bd. 3, ²1982 (mit Tafelbd. 1984), bes. B. S. J. ISSERLIN 794–818 und L. H. JEFFERY 819–833 14 M. G. GUZZO AMADASI, V. KARAGEORGHIS, Fouilles de Kition, 3, 1977, 149–160, Taf. 17 15 R. CARPENTER, in: AJA 42, 1938, 58–69 16 M. SZNYCER, in: Kadmos 18, 1979, 89–93 17 W. RÖLLIG, in: MDAI (A) 103, 1988, 62–75; A. CHARBONNET, in: Desmos (Amitiés gréco-suisses), Bull. 17, Déc. 1989, 4–8 (mit Bibliogr.) 18 S. SEGERT, in: Klio 41, 1963, 38–57 19 A. HEUBECK, Schrift, 1979 (Archaeologica Homerica III. X) 20 B. B. POWELL, Homer and the Origin of the Greek Alphabet, Cambridge 1991.

G. PFOHL (Hrsg. und Einl.), Das A., 1968 (WdF, Bd. 88).

R. WA.

Alpheios (Ἀλφειός). [1]
Mit 110 km längster und wasserreichster Fluß der → Peloponnesos, der mit seinen Zuflüssen (bes. → Ladon, → Erymanthos, → Lusios) große Teile von → Arkadia und → Elis entwässert. Der östl., A. gen. Quellfluß entspringt an der Talwasserscheide gegen den Eurotas (483 m über dem Meeresspiegel bei Ambela-

kion, möglicherweise Flußanzapfung). Mit zw. Sommer und Winter stark wechselnder Wasserführung, bei Niedrigwasser breitem Schotterbett, bei Hochwasser reißender Strömung hat der A. bis h. weitgehend den Charakter eines Wildwassers bewahrt. Er bildet, einer tektonischen Senke folgend, vom Austritt aus dem Becken von Megalopolis bis zur Mündung des Erymanthos (wegen des Zusammenfließens von 3 Flüssen heißt dieses Gebiet h. Tripotamia) die Grenze zw. Elis und Arkadia. Von dort Grenze zw. der → Triphylia und der Pisatis fließt er – im Volksmund auch unter dem Namen Rufias, den man für den Hauptfluß hielt – nahe Olympia durch Elis, um 6 km süswestl. von Pyrgos in den Golf von Kyparissia zu münden. Der Unterlauf des A. war auch für größere Fahrzeuge 8,9 km von der Mündung flußaufwärts schiffbar (Plin. nat. 4,14). Stauwerk zur Ableitung von Bewässerungswasser südlich von Pyrgos, ant. Brücke bei → Heraia bezeugt (Pol. 4,77,5), ma. Brücke bei Karytaina, neuzeitliche Straßenbrücken bei Pyrgos und Olympia, Eisenbahnbrücke bei Pyrgos.

PHILIPPSON / KIRSTEN 3, 1, 1959, 36 f. C. L. / E. O.

[2, religiös] Wie alle → Flußgötter erhält A. lokalen Kult (Altar in Olympia, Paus. 5,14,6; dargestellt im Giebel des Zeustempels [1]; Münzen in Heraia). Epheben weihen ihm ihr Haar (Paus. 8,20,3). Von daher kommt die Verbindung mit Artemis (Altar in Olympia Paus. 5,14,6), die in Letrinoi als Artemis Alpheiaia verehrt wird. Der Mythos berichtet von einem erfolglosen erotischen Anschlag des A. auf die Göttin und ihre Nymphen und verweist auf Mädchentänze und Maskengebrauch (6,22,9 f.) [2]. Am bekanntesten ist der von Kultbindung gelöste Mythos von der Liebe des Jägers A. zur Jägerin und Nymphe → Arethusa, die sich seinem Zugriff durch die untermeerische Flucht nach Syrakus zu entziehen versuchte (Strabo 6,2,4; Paus. 5,7,2 f.).

1 C. WEISS, Griech. Flußgottheiten in vorhell. Zeit, 1984, 138 f. 2 C. CALAME, Les chœurs des jeunes filles en Grèce archaïque Bd. 1, 1977, 177.

J. A. OSTROWSKI, Personifications of rivers in Greek and Roman art, 1974 • O. PALAGIA, s. v. A., LIMC 1.1, 576–578. F. G.

[3, aus Mytilene] Autor von 12 eher farblosen und konventionellen Epigrammen (einige Zweifel lasten auf Anth. Pal. 6,187 und 9,101), die wahrscheinlich aus dem »Kranz« des Philippos stammen und fast alle der epideiktischen Gattung angehören. Bemerkenswert sind Anth. Pal. 9,100 (Lob auf Delos mit einem polemischen Zitat aus Antipatros von Thessalonike, Anth. Pal. 9,408,3) und 9,101 (auf die Ruinen von Mykene, mit ungewöhnlichen persönlichen Bemerkungen) sowie auch 12,18 (auf die Liebe als »Schleifstein der Seele«). Originell, wenn auch plump behandelt, ist das Thema von 9,95 (ein Huhn opfert sein Leben, um seine Küken vor einem Schneesturm zu schützen).

GA II,1,392–399; II,2,425–431. E. D. / M.-A. S.

Alphesiboia. Tochter des Phegeus von Psophis, besitzt die Halskette der Eriphyle (Paus. 2,24,8–10); heißt auch → Arsinoë [3].   F.G.

Alsium. Zusammen mit → Fregenae Hafen von → Caere (Plin. nat. 3,44. 51; Strab. 5,2,8. 5,2; Ptol. 3,1,4; Itin. Anton. 301,1; Tab. Peut. 5,4; Geogr. Rav. 4,32. 5,2), h. Palo bei Ladispoli. Mit irrtümlicher Etym. wurde Gründung durch → Halesus vermutet (Sil. 8,475); Besiedlung durch → Pelasger (Dion. Hal. Ant. 1,20). Zw. Fosso Vaccina (*amnis Caretanus*) und Monteroni sind 2 Gruppen von Hügelgräbern (7./6. Jh. v.Chr.) auf A. in etr. Zeit (evtl. in Muracci di Palo) zu beziehen. Reste eines Heiligtums aus dem 3./2. Jh. v.Chr.(evtl. außerhalb der Stadt) zw. der Mündung des Fosso Sanguinaro und dem Pinienwald von Palo sind A. in röm. Zeit zuzuordnen. Seit 247 v.Chr. → *colonia Latina* (Liv. 22,38,4; Vell. 1,14,7). Streifzüge der Goten (Rut. Nam. 1,221), 547 n.Chr. von → Totila angegriffen (Prok. BG 3,22). Arch. Spuren von → *villae* am Meer (vgl. Cic. Mil. 54; fam. 9,6,1; Att. 13,50,3–5; Plin. epist. 6,10,1).

D. GALLO, s.v. A., BTCGI 1984, 185–188 • M. TORELLI, Etruria, 1980, 94–96.   S.B./S.W.

Alta Ripa. Heute Altrip bei Speyer. »Glockenförmiges«, längsseits zum Rhein gewandtes Kastell valentinianischer Zeit (Cod. Theod. 11,31,4, 369 n.Chr.) im Befestigungssystem der Neckarmündung (Not. dign. occ. 39; vgl. »Schiffslände Mannheim-Neckarau«, Symm. or. 2,20 [1]). In der Neujahrsnacht 406/7 n.Chr. von → Alani, → Suebi und → Vandali zerstört.
→ *castellum*

1 A. PABST, 1989, 147f., 332ff.

S.V. SCHNURBEIN, H.-J. KÖHLER, Der neue Plan des valentinianischen Kastells A. (Altrip), in: BRGK 70, 1989, 507–526 • S. VON SCHNURBEIN, H. BERNHARD, Altrip, in: H. CÜPPERS (Hrsg.), Die Römer in Rheinland-Pfalz, 1990, 299–302.   K.DI.

Altamura-Maler. Att. rf. Vasenmaler (470/465–455 v.Chr.); laut BEAZLEY der ältere Bruder des → Niobiden-Malers aufgrund des noch spürbaren subarchaischen Stils. Die über 100 zugewiesenen Gefäße sind überwiegend Kratere, gefolgt von Oinochoen, Stamnoi und Hydrien. Einige kleinere Gefäße mit Bildern ruhig stehender Gruppen von zwei oder drei Figuren haben durchaus Charme, größere Kompositionen sind aber bisweilen steif, fast plump. Im Gegensatz zu anderen Malern aus dem Umkreis des Niobiden-Malers war der A. weniger von der Tafelmalerei beeinflußt, denn Experimente mit variierenden Grundlinien oder komplizierteren räumlichen Figurenverschränkungen fehlen; die friesartig das Gefäß umlaufende Gigantomachie auf dem namengebenden Volutenkrater aus Altamura (London, BM) zeigt aber dennoch einige Nähe zu dieser

Gattung. Gigantomachien und Amazonomachien reflektieren als Metaphern für den Sieg über die Perser Stolz und Selbstbewußtsein der Athener. Häufig sind auch Darstellungen von Triptolemos und anderen eleusinischen Göttern, Dionysos, Apollon mit Leto und Artemis, »Kriegers Ausfahrt« und von Nike bekränzte Kitharoden.

BEAZLEY, ARV², 589–95, 1660–61, 1706 • M. PRANGE, Der Niobidenmaler und seine Werkstatt, 1989, 18–22, 157–177 • M. ROBERTSON, The Art of Vase-Painting, 1992, 183f.   M.P./R.S.-H.

Altar A. DEFINITION UND FUNKTION B. FORMEN B.1. GRIECHISCHE ANTIKE B.2. ETRUSKISCHE UND RÖMISCHE ANTIKE B.3. FRÜHCHRISTLICHE ZEIT

A. DEFINITION UND FUNKTION

Der gr.-röm. A. (ἐσχάρα, βωμός; lat. *ara*, »Brandstätte«) ist funktional und nicht als typisierter Gegenstand definiert; ein A. kann eine ephemere natürliche oder künstliche Erhebung, Herdstelle oder Bauwerk für Brand-, Trank- oder sonstige Opfer sein (im Gegensatz zur in den Boden eingetieften Opfergrube, dem βόθρος, Hom. Od. 10, 517; Lukian. Char. 22) und markiert das Zentrum einer Opferhandlung; es gibt Heiligtümer ohne → Tempel, jedoch nie ohne A. ([23. 150]; eine kritische Prüfung des im Anschluß an Vitr. 4,9,1 zum wiss. Topos geronnenen vermeintlichen Zusammenhangs von Tempel, Kultbild und A. bleibt ein Desiderat arch. Forschung). In jedem Fall bedeutet die Einrichtung eines A. eine räuml. Fixierung und damit meist auch eine reglementierte Institutionalisierung von Kult [6. 279–280; 26. 78–79]. Zu allen mit dem A. in Zusammenhang stehenden Riten und Handlungen s. → Opfer; zu sakralrechtlichen Aspekten → Asylia; → Asylon.

Ein A. kann auch mehreren Gottheiten geweiht sein (so der A. im Amphiareion von Oropos, Paus. 1, 34,3); er setzt nicht ein Heiligtum voraus, sondern kann auch

Olympia, **Aschenaltar** des Zeus, Rekonstruktion

an Gräbern, in oder an öffentlichen Bauten, Plätzen, Wegkreuzungen (Zwölfgötter-A. auf der Athener → Agora, Hdt. 2,7; IG II² 2640) oder in privaten Häusern ([39. 175–176], → *lararium*) errichtet werden. Zahlreiche größere A.-Anlagen von der archa. bis in röm. Zeit sind über ihre Kultfunktionen hinaus als reich mit Skulptur oder Architekturfassaden verzierte Repräsentationsbauten konzipiert, die einerseits den Darstellungsbedürfnissen der Auftraggeber (Priesterschaften, Herrscher, städtische Gremien) entsprachen, andererseits Ausdruck der Aufwertung und Umgewichtung von Kulten im Rahmen des Gesamtgefüges eines lokalen Götterkosmos sein konnten [21. 131–132]. Der eigentliche A. ist in solche Anlagen als tisch- oder bankförmiges Element integriert (→ Ara Pacis Augustae). Der Übergang von Prunk-A. zu profanen oder sepulkralen, in ihrer Form aber von A.-Anlagen abgeleiteten Repräsentationsbauten ist fließend (so das nach 31 v. Chr. entstandene Siegesmonument bei Nikopolis [24. 125–130; 32. 109] oder das Parthermonument von Ephesos [16 passim]; zu den »Altar-Gräbern« → Grabbauten; vgl. auch → Heroenkult, → Herrscherkult). In versch. Formen kommen A. auch als Weihgeschenke vor, z. B. der Chier-A. vor dem delphischen Apollontempel [22. 124–126], monolithe, kleine Rundaltäre hell. Zeit [2. 26–28] oder die meisten der 65 A., die Pausanias (5,14,5ff.) neben dem großen Zeus-A. für Olympia bezeugt.

B. FORMEN B.I. GRIECHISCHE ANTIKE

Die A.-Formen des Vorderen Orients [9 passim] und Ägyptens [10. 329–333; 33. 145–149] stehen nicht in Beziehung zum gr. A.; Opferrinnen und Spendegefäße, aber auch amboßförmige Tisch-A. und »Schreine« prägen das insges. heterogene und funktional unklare Erscheinungsbild des A. in der min. Kultur. Im myk. Griechenland scheinen Herd- und einfachere Brand-A. bekannt gewesen zu sein; ob sich der spätere gr. Brand-A. aber hieraus herleitet oder Resultat der Einwanderun-

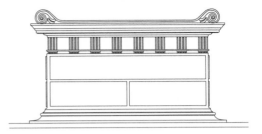

Pompeji, **Volutenaltar** des Zeus Meilichios, 3. Jh. v. Chr.

gen des späten 2. Jt. ist, wird diskutiert [39. 1–53 m. Abb. 7–21; 31. 6–15]. Als Auslagerung der Herdstelle aus dem geometr. → Megaron ins Freie erklärt sich vermutlich der Asche-A., der ab dem 8. Jh. v. Chr. im gesamten gr. Kulturraum nachweisbar wird [26. 78,86–88; 31. 16–35; 30. 101–107]; der Grund für diese Auslagerung liegt wohl in der Erweiterung des am Opfer teilhabenden Personenkreises im Zuge der gr. Stadtentwicklung ([5. 88–90]; → Stadt); in diesem Zusammenhang entstehen möglicherweise erste funktional und topographisch aus dem profanen Lebensbereich ausgegliederte → Heiligtümer. Solche Asche-A. wuchsen mit der Zeit zu stattlicher Größe an; zugleich bezeugen ihre Fundamentierungen und Einfassungen durch Mauern beginnende Architektonisierung [30. 103 Abb. 3.4]. Für das 7. Jh. v. Chr. sind neben Herd- und Asche-A., Tisch-A. aus z. T. groben Steinkonglomeraten und Laub- oder Erdhaufen [26. 78; 31. 36–40; 30. 106 Abb. 19] erste aufwendigere A.-Bauten sicher belegt (Sparta, Samos [30. 104–107]); im 6. Jh. beginnt dann die Reihe der monumentalen Hof- und Treppen-A. mit umwandeter, erhöhter Plattform und Opferplatz darauf (u. a. Kap Monodendri, Samos, Kyrene; [31. 41–58]), ein architektonisches Grundkonzept, das bis zu den spätklass.-hell., reich verzierten Prunk-A. (Kos, Priene, Ephesos, Magnesia, Pergamon u. a. m. [21. 132–140; 19. 205–207;

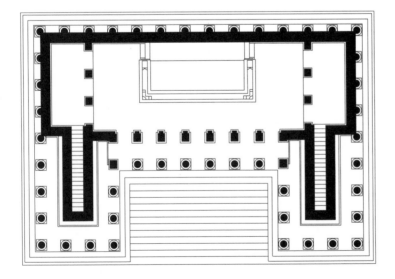

Magnesia am Mäander, **Monumentalaltar** der Artemis Leukophryene

14. 601–634]) im Kern unverändert bleibt, jedoch Unterschiede im Architekturdekor aufweisen kann (z.B. Triglyphen-A. [39. 138–139]; Säulen-A. [18. 199–216; 23. 150–151]; atypisch der monumentale Rund-A. des 6.Jh. v.Chr. aus Akragas). Die Anlagen mit quadrat. bis langrechteckigem Grundriß können von beträchtl. Größe sein (z.B. der A. des Hieron II. in Syrakus, 3.Jh. v.Chr., mit 20,85 × 195 m) und waren oft als Schlachtplatz eingerichtet (Ringe zum Festzurren der Tiere; Blutrinnen). Parallel sind seit dem 6.Jh. kleine, reliefverzierte monolithe A. versch. Formen zahlreich [2. 12–33; 39. 127–137,141–169], seltener transportable A. aus Terrakotta [39. 170–171] und vereinzelt weiterhin Herd-A. in Tempeln (z.B. Didyma, Delphi, Kalapodi [7. 29–51; 8. 89–99]).

B.2. ETRUSKISCHE UND RÖMISCHE ANTIKE

Etr. A. treten zuerst im sepulkralen Bereich auf: So sind die Grabbauten seit dem 7.Jh. v.Chr. als begehbare Opferstätten konzipiert, zunächst die Tumuli mit Rampen und seit dem 6.Jh. auch plane Grabformen mit Treppen; im Innern der Gräber finden sich vereinzelt kubische A. mit Opferkuhlen für Libationen (Bolsena, Cerveteri [29. 81–85]). Singulär ist der theaterartig von Stufen umgebene und mit Tierfriesen verzierte Rund-A. der Grotta-Porcina-Nekropole (frühes 6.Jh., Dm 5 m) [34.103 f.]. Ab dem späten 6.Jh. treten rechteckige Monumental-A. mit Zugangsrampen oder -treppen auf, sowohl in Nekropolen (Vignanello) und Wohnsiedlungen (Marzabotto) als auch in Heiligtümern (Pieve Socana) [34. 104–109]. Vorrichtungen für Libationen (Veji, Portonaccio, Santa Martinella, Punta della Vipera) verweisen im Verein mit Weihinschriften und Votivgaben auf vorwiegend chthon. Kulte [34. 114 f.;28. 75; 35. 245 f.]. Der etr. A. tritt wie der gr. einzeln oder im Verbund mit einem Tempel auf und ist grundsätzlich nach Osten orientiert. Die stark ausladenden Profile umfassen meist Deckplatte (Abakus), Blattstab, Echinus und Plinthe. A. mit vergleichbarer Profilierung (sog. Sanduhrform) sind auch in Latium verbreitet, z.B. in 13facher Reihung in Lavinium, 6.–3.Jh. [4. 89–93], sowie im republikan. Rom (z.B. die A. des Vermius, Veiovis und Calvinus [12. 28 f.; 3. 10–14 Nr. 1–3]).

Daneben existierten in Rom schon früh große A.-Anlagen, wie die Ara Maxima Herculis im Forum Boarium und die Ara Saturni (vor 494 v.Chr.). Die Funktion der sog. Domitius-Ara mit Relieffries (u.a. Census) ist unklar. Mit der → Ara Pacis Augustae wird ein neuer A.-Typ mit Umfassungsmauer eingeführt, der sowohl in Rom (Ara Pietatis u.a.) als auch im Reich (z.B. Lyon, Milet) nachwirkte und in erster Linie dem Herrscherkult diente [36. 27–88].

Terminolog. existieren neben *ara* bzw. *altaria* als selbständige Opferstätte noch *focus* (mit seitlichen Wangen und Stufenunterbau, beschränkt auf Feueropfer) und *mensa* als Opfertisch; eine ersichtliche Typologie besteht nicht. Der A. war in der Republik und der Kaiserzeit allgegenwärtig, nicht nur in Heiligtümern, sondern auch an öffentl. Stätten, an Straßenkreuzungen (*lares compitales*) und im häuslichen Bereich (Laren-A.) [25. 284]. Vor allem aber konnte auch das röm. Grab als A. gestaltet sein, so unter hell. Einfluß im 2.Jh. v.Chr. der Sarkophag des Scipio Barbatus mit altarartiger (Pulvini) Ausgestaltung der Deckplatte [37. 113 m. Taf. 8]. Wenig später entwickelt sich der Typus des A.-Grabes (→ Grabbauten) mit z.T. reichem architekton. und plast. Schmuck, meist aber ohne Funktion im Totenkult und primär Ehrenmonument [17. 26; 13. 171–181; 11. 123–126]. Im 1. und 2.Jh. n.Chr. begegnen daneben in Italien kleinformatige Götter- und Grab-A. [12; 3; 1], in den Provinzen z.T. erst später [Spanien: 11. 141]. Verbindende Elemente sind Polster (Pulvini) und Giebel als Bekrönung, sowie Girlanden an Bukranien als Schmuck, außerdem Kanne und Schale [27. 91–95]. Schalenförmige Eintiefungen verweisen auf Libationen, die mittels Blei- oder Tonröhren direkt mit der Urne verbunden sein konnten [37. 51 f.;17. 40f m. Anm. 373; 11. 139 f.].

B.3. FRÜHCHRISTLICHE ZEIT

Der christl. A. (*altaria*) hat keine formale oder rituelle Beziehung zum gr.-röm. A.; er ist vom Tisch (*mensa*) der Eucharistiefeier abgeleitet. Zunächst nur ein mobiler Holztisch im Presbyterium [38. 112–113], entstehen im Märtyrerkult des 3.Jh. aus dem heidnischen Totenopfer über Märtyrergräbern erste Steintische (Auriol, Teurnia [15. 335–337]), die den Mittelpunkt der Kirchen bildeten, die später über diesen Grabstätten errichtet wurden. Auf diesen A. wurden auch die Reli-

Rundaltar mit Bukranion (hellenistisch-römisch)

Auriol, **Tischaltar**, 5.Jh.v.Chr.

quien zur Schau gestellt. Ab konstantinischer Zeit gehört der feste A. zur Grundausstattung der Kirchen und ist dort meist am Choreingang, unter oder vor dem → Apsis-Bogen positioniert. Die Funktion als Auslageplatz für Brot und Wein der Eucharistie, aber auch als Verwahrort von Reliquien bestimmt die vielfältigen Formen als Tisch-, Kasten- oder Block-A. [38. 113–120; 15.337–349], die ab dem 4.Jh. zunehmend mit Ornat versehen und zu prunkvollen Ausstattungselementen des frühchristl. Kirchenbaus werden konnten [15. 349–354].

1 W.ALTMANN, Die röm. Grab-A. der Kaiserzeit, 1905
2 D.BERGES, Hell. Rund-A. Kleinasiens, 1986
3 H.C.BOWERMANN, Roman Sacrificial A., 1913
4 L.COZZA, Le tredici are, in: Lavinium II, 1975, 89–174
5 H.DRERUP, Bürgergemeinschaft und Stadtentwicklung in Griechenland, in: DiskAB 3, 1978, 87–101 6 W.FAUTH, s.v.A., KlP 1, 279–281 7 B.FEHR, Zur Gesch. des Apollonheiligtums von Didyma, in: MarbWPr 1971/72, 14–59 8 R.FELSCH u.a., Kalapodi-Bericht 1973–1977, in: AA 1980, 38–123 9 K.GALLING, Der A. in den Kulturen des Alten Orients, 1925 10 K.GALLING, s.v.A. 2, RAC 1, 329f. 11 G.GAMER, Formen röm. A. auf der hispan. Halbinsel (Madrider Beitr. 12), 1989 12 W.HERMANN, Röm. Götter-A., 1961 13 H. VON HESBERG, Röm. Grabbauten, 1992 14 W.HOEPFNER, Zu den großen A. von Magnesia und Pergamon, in: AA 1989, 601–634 15 J.P.KIRSCH, T.KLAUSER, s.v.A. 3, RAC 1, 334–354 (Lit.) 16 D.KNIBBE, I.BENDA, Das Parthermonument von Ephesos. Parthersieg-A. uund Kenotaph, 1991 17 V.KOCKEL, die Grabbauten vor dem Herkulaner Tor in Pompeji, 1983 18 G.KUHN, Der A. der Artemis in Ephesos, in: MDAI(A) 99, 1984, 199–216 19 H.LAUTER, Ein monumentaler Säulen-A. des 5.Jh. v. Chr., in: MDAI(R) 83, 1976, 233–259 20 H.LAUTER, Architektur des Hellenismus, 1986 21 A.LINFERT, Prunk-A., in: Vestigia 47, 1994, 131–146 (Lit.) 22 M.MAASS, Das ant. Delphi, 1993 23 W.MÜLLER-WIENER, Gr. Bauwesen in der Ant., 1988 24 W.M.MURRAY, PH.P.PETSAS, Octavian's Campsite Memorial for the Actian War, 1989 25 D.MUSTILLI, s.v. Altara, EAA 1, 284–286 26 NILSSON, GGR 1 27 H.U.NUBER, Kanne und Griffschale, in: BRGK 53, 1972, 83–182 28 A.J.PFIFFIG, Religio etrusca, 1975 29 F.PRAYON, Frühetr. Grab- und Hausarchitektur (MDAI(R) Ergh. 22), 1975 30 D.W.RUPP, Reflections on the development of A. in the 8th century B.C., in: R.HÄGG (Hrsg.), The Greek Renaissance of the 8th Century, Kongr. Athen, 1983, 101–107 31 M.C.SAHIN, Die Entwicklung der gr. Monumental-A., 1972 32 TH.SCHÄFER, Rez. zu 24), in: AAHG 45, 1992, 105–112 33 R.STADELMANN, s.v.A., LÄ 1, 145–149 34 S.STEINGRÄBER, Überlegungen zu etr. A., in: Miscellania archaeologica, T. Dohrn dedicata, 1982, 103–116 35 J.P.THUILLIER, Autels d'Etrurie, in: L'espace sacrificiel dans les civilisations méditerranées, Koll. Lyon, 1991 36 M.TORELLI, Typology and Structure of Roman Historical Reliefs, 1982 37 J.M.C.TOYNBEE, Death and Burrial in the Roman World, 1971 38 K.WESSEL, s.v.A., RBK 1, 111–120 (Lit.) 39 C.G.YAVIS, Greek Altars, 1949.

C.HÖ./F.PR.

Altargrab s. Grabbauten

Altava. Stadt in der → Mauretania Caesariensis, 33 km östl. von Tlemcen beim h. Ouled Mimoun (Lamoricière), in strategisch wichtiger Lage (CIL VIII 9834f.). Urspr. wohl eine berberische Siedlung [1. 545f.], geriet A. unter pun. Einfluß. Anf. 3.Jh. n.Chr. wurde A. in das Verteidigungssystem des mauretanischen → Limes einbezogen. Die → *civitas* A. wurde von einem (*prior*) *princeps civitatis* (libysch: *gld* bzw. *gldt*?) und → *decemprimi* verwaltet [2. 208]. Außerdem fungierte ein → *rex sacrorum* (pun. ʾ*dr* ʿ*zrm*?). Im 4.Jh. n.Chr. ersetzte der *dispunctor* den *princeps*. Etwa Anf. des 6. Jhs. n.Chr. kündigte ein altavischer *rex* namens Masuna dem vandalischen König → Thrasamund den Gehorsam auf.

1 P.COURTOT, s.v.A., EB 4, 543–552 2 P.POUTHIER, Évolution municipale d'A. aux IIIᵉ et IVᵉ siècles ap. J.-C., in: MEFRA 68, 1956, 205–245.

AE 1985, 275 Nr. 976 · C.LEPELLEY, Les cités de l'Afrique romaine au Bas-Empire 2, 1981, 522–534 · E.LIPISKI, s.v.A., DCPP, 23f. · J.MARCILLET-JAUBERT, Les inscriptions d'A., 1968.

W.HU.

Alte Komödie s. Komödie

Alter. A. EINLEITUNG B. MEDIZIN C. LITERATUR D. KUNST E. POLITIK UND GESELLSCHAFT

A. EINLEITUNG

Das A. als eine Phase menschlichen Lebens hat in der Ant. großes Interesse gefunden; die Ansichten darüber sind jedoch vielfältig. Schon bei der Einteilung der Lebensstufen und bes. bei der Festlegung der Jahre für den Beginn des Alters differieren die Angaben: Solon, der in seiner Lebensalterelegie wie nach ihm Hippokrates und Aristoteles mit Hebdomaden rechnet, läßt mit der neunten Hebdomade Sprache und Weisheit des Menschen schwächer werden, bis ihn am Ende der zehnten der Tod ereilt (19 DIEHL). Den Jahreszeiten entsprechend teilt Pythagoras das menschliche Leben in vier Phasen ein, die jeweils zwanzig Jahre umfassen, und schließlich teilt Varro das menschliche Leben in fünf Etappen zu je 15 Jahren ein, so daß das Alter zw. dem 60. und 75. Lebensjahr liegt. Allg. fällt auf, daß das Lat., in dem *senex* unspezifisch gebraucht wird – in Einzelfällen werden sogar Männer unter 50 Jahren als *senex* bezeichnet – sehr viel ärmer an Begriffen für den alten Menschen ist als das Griech. und daß in beiden Sprachen eine Bezeichnung für den betagten Greis fehlt.

B. MEDIZIN

In der ant. Medizin wird seit Hippokrates in Zusammenhang mit der Humorallehre als Kennzeichen des Alters ein zunehmend trockener und kühler Organismus angenommen (ähnlich Aristot. Parva Naturalia 464b 19 – 467b 29). Obwohl Alterserscheinungen und -krankheiten wohlbekannt sind, setzt erst im Hellenismus eine ausdrückliche Beschäftigung damit ein, die z.B. ergrauendes und ausfallendes Haar, Steifheit der Gelenke, Zittern, undeutliches Sprechen, Schlaflosigkeit und anderes mehr auf die zunehmende Trockenheit des alten Organismus zurückführt (Athenaios 15,692b; Macrobius 7,6,19–20; 10,8), bis schließlich bei Galen eine ausdrückliche Altenpflege (Gerokomie) vorliegt, die mit Massagen, Diät und Bewegung die fortschreitende Trockenheit (μαρασμός) und Kälte des Organismus aufhalten will (CMG 5,4,2,154). Celsus hingegen bezweifelt, daß die Medizin den Alterungsprozeß aufhalten kann. Die unterschiedliche Bed. des Alters für Männer und Frauen hat Plinius hervorgehoben: Der Mann behält im Alter weiterhin seine Zeugungsfähigkeit, Frauen können dagegen nach dem 50. Jahr nicht mehr gebären (Plin. nat. 7,61–62). Ebenso wie sich die ant. Ethnographie für die Langlebigkeit einiger Völker interessierte, fragte man in Rom bei hervorragenden Persönlichkeiten der eigenen Gesch. nach den Gründen, die ihnen ein bes. langes Leben verschafft hatten.

C. Literatur

Die Beurteilung des Alters bei den ant. Autoren steht in engem Zusammenhang mit den sozialen und polit. Strukturen ihrer Zeit: Obwohl bei Homer in der Person des Priamos die Schwäche des Alters dargestellt wird, genießt Nestor wegen des klugen Rates, der im Alter die Tatkraft der Jugend ergänzt, hohe Achtung. Die homer. Hochschätzung des Alters auf Grund seiner Erfahrung und Weisheit findet sich später nicht nur in der Philos. bei Platon, der für hohe Ämter ein Alter von 50 Jahren empfiehlt, – seine Einschätzung des Alters (Plat. rep. 328b) wird zum Ausgangspunkt für die hell. Lit. »περὶ γήραος« –, sie hinterläßt auch ihre Spuren in der athenischen Demokratie, die für einige wenige Ämter ein Alter von 60 Jahren vorschreibt, und bes. in Sparta, wo der Eintritt in die γερουσία erst mit 60 Jahren erfolgen kann. In einen anderen sozialen Kontext ist die Meinung Hesiods einzuordnen, das Alter, das es im goldenen Zeitalter nicht gegeben habe, sei eine Last, da die Jugend den alten Menschen verachte und vernachlässige. Bei ihm kommt die bes. in der griech. Welt herrschende Angst davor zum Ausdruck, im Alter unversorgt und in Armut dahinzuvegetieren. Auch in der griech. Komödie und Lyrik erscheint das Alter als eine elende Phase des menschlichen Lebens, das sogar Frauen und Kindern zum Spott dient (Mimnermos F 1,5. 7. 9). Der Greis ist häßlich, lächerlich und verdient nur Verachtung; in der Komödie werden in gleicher Weise alte Frauen verspottet. Diese betonte, negative Aussonderung der Alten (vgl. auch Aristot. rhet. 2,12 1389b; 2,13 1390a) erklärt vielleicht auch das Interesse der Ethnographie am Umgang mit Alten bei anderen Völkern (Altentötung).

D. Kunst

In der griech. Kunst wird neben der Würde des Alters die Häßlichkeit des alten Menschen von Anfang an betont; so erscheint auf att. Vasen Geras, den Herakles erschlägt, klein, abgemagert, hinkend, mit großem herabhängendem Penis (A. H. Shapiro, s. v. Geras, LIMC IV (1988), 181–183), die Plastik zeigt alte Ammen runzelig und mit Hängebauch. Das spezifisch griech. Kriterium der Schönheit wird bei Aristoteles auch auf das Alter übertragen (Aristot. rhet. 1,5 1361b 11). Die röm. Portraitkunst stellt, ebenso wie die hell. Kunst, das Alter realistisch dar, betont aber stets die Würde des alten Menschen, auch die der alten Frauen.

D. Politik und Gesellschaft

Während im klass. und hell. Griechenland die gesellschaftliche Einschätzung des Alters von scharfen Gegensätzen geprägt ist, besitzt das Alter in der röm. Gesellschaft hohe Wertschätzung, die auf der starken gesellschaftlichen und polit. Stellung des Vaters beruht; er ist nicht nur Oberhaupt der Familie, sondern repräsentiert in republikanischer Zeit, sofern er Mitglied der Oberschicht ist, als Mitglied des Senates auch die polit. Herrschaft. Schon im Namen des Senats und durch die urspr. Bezeichnung seiner Mitglieder als *patres* wird auf das Alter der Senatoren hingewiesen. Die Eigenschaften, die einen reifen Mann der Oberschicht auszeichnen, *dignitas*, *gravitas*, *auctoritas*, kommen ihm auch noch im Alter zu, so daß ihm von seiner Umwelt mit *verecundia*, *obsequium* und *pietas* begegnet wird. So schreibt Cicero (Cato maior 38) über den alten Ap. Claudius Caecus: *Ita enim senectus honesta est, si se ipsa defendit, si ius suum retinet, si nemini emancupata est, si usque ad ultimum spiritum dominatur in suos.* Mit der Senilität gemeinhin verbundene Eigenschaften gehen nach Cicero auf Disziplinlosigkeit zurück und sind daher keine an das Alter gebundene Eigenschaften. Denn Herrschaft über sich selbst befähigt in allen Lebensphasen zur Herrschaft über andere. *Senex* als der Inbegriff der Eigenschaften eines gereiften Mannes kann daher in kaiserzeitlichen Lobschriften beim »puer senex« für die Qualitäten stehen, die trotz jugendlichen Alters schon entwickelt sind. Weisheit und Erfahrung des Alters werden als die die Stabilität und die Traditionen der *res publica* wahrender Faktor angesehen, Aufstände (*seditiones, res novae*) und Verschwörungen gehen bei den röm. Historikern meist auf junge Leute zurück (Generationenkonflikt). Dies erklärt die von Cicero im Cato maior, aber auch von Plutarch (mor. 783b – 797f) vertretene These, im Alter könne und solle man sich entsprechend den Fähigkeiten, die diese Lebensphase auszeichnen, der Politik widmen.

Mit Ciceros *Cato maior* beginnt ein der *consolatio* vergleichbares lit. Genus, das – stoisch beeinflußt – das Greisenalter thematisiert (Seneca, Musonius Rufus). Von der polit. Tätigkeit abgesehen, die in der Kaiserzeit an Bed. verliert, geht es hier darum, daß man das Alter, seinen Grundsätzen folgend und froh über das Nachlassen der Begierden (Sen. epist. 12,5) in Würde verbringt und angesichts des nahen Todes um Gelassenheit bemüht ist. Dadurch, daß in diesen Schriften abweichende Auffassungen über das Alter widerlegt werden, können wir allerdings noch einen anderen gesellschaftlichen Diskurs über das Alter fassen, der unter anderem die Schwäche, die Angst, den Geiz und die Launenhaftigkeit des Greises betont, so etwa auch in der Charakteristik des Alten in den Regeln für die Darstellung der einzelnen Lebensphasen bei Horaz (Hor. ars 169–178). In den griech. beeinflußten röm. Komödien, bes. aber in den kaiserzeitlichen Satiren, wo alte Männer und Frauen karikiert werden, spielt zusätzlich die zügellose sexuelle Begierde der Alten eine Rolle. Cicero (Cato maior 65) und Musonius Rufus (17) weisen dies alles als nicht spezifisch altersbedingte Laster zurück. Wie als Beweis für die Leistungen, die auch im Alter noch möglich sind, werden Listen von berühmten, sehr alt gewordenen Männern, und in diesem Fall auch von Frauen, deren letzte Lebensphase sonst weitgehend ohne Beachtung bleibt, aufgestellt (Cicero, Cato maior, passim, Val. Max. 8,13). Der auffallend intensiven Beschäftigung mit dem Alter steht in der Ant. das geringe Interesse an Kindheit und Jugend gegenüber, was zweifellos auch durch die anders als heute gewichtete Lebenserwartung in den einzelnen Altersphasen bedingt ist.

→ Familie

1 TH.M. FALKNER, J. DE LUCE (Hrsg.), Old Age in Greek and Latin Literature, 1989 2 CHR. GNILKA, s. v. Greisenalter, in: RAC 12, 1983, 995–1094 3 CHR. GNILKA, s. v. Altersversorgung, in: RAC Suppl. 1/2, 267–278 4 G. MINOIS, Histoire de la vieillesse en occident de l'antiquité à la renaissance, 1987.   M.D.M.

Altercatio ist ein Streit- und Wechselgespräch, das im Senat wie im richterlichen (Straf- oder Zivil-)Prozeß stattfinden kann. Letzterenfalls steht *a.* im Gegensatz zu dem regelmäßig zu Beginn eines Termins vorgetragenen geschlossenen Vortrag, *oratio continua*, der beiden Parteibeistände. Die weitere Verhandlung gab durch Beweisaufnahmen oder sonstige Erkenntnisse immer wieder Anlaß zur Erörterung des Streitstandes und der Rechtslage; sie erfolgte in Gestalt einer in Dig. 28,4,3 beispielhaft wiedergegebenen *a.* Oratio wie *a.* war das Aktionsfeld für die Rhetorik. Bisweilen überließen die Beistände die *a.* weniger erfahrenen Assistenten und behielten sich die *oratio* vor (Quint. inst. 6,4,5; ebenda gibt Quintilian *praecepta altercationis*). In nachklass. Quellen steht *a.* auch für den Rechtsstreit insgesamt (z. B. Cod. Theod. 2,6,2) oder einen streitigen Meinungsstand (Cod. Iust. 6,2,20,1).

J. A. CROOK, Legal Advocacy in the Roman World, 1995, 128, 134 · KASER, RZ, 276.   C. PA.

Altersklassen. Das athletische Programm griech. Agone (→ Sportfeste) war meist für die A. παῖδες (Knaben, ca. 14–17 Jahre), ἀγένειοι (Jugendliche, eigentlich »Bartlose«, ca. 17–20 Jahre) und ἄνδρες (Männer) ausgeschrieben. Bei den Olympien, wo als erster Wettkampf der Jugendlichen (hier παῖδες genannt, Altersgrenze wohl 18 Jahre) angeblich im J. 632 v. Chr. der Stadionlauf hinzukam, und den Pythien, den angesehensten Agonen überhaupt, gab es nur zwei A. Eine weitere, jüngere Knabenklasse (ca. 12–14 Jahre) war gelegentlich

bei lokalen Agonen ausgeschrieben, während man bei Gymnasialagonen sogar fünf A. kennt (z. B. IG 12,9,952, Herakleia in Chalkis) [1.43–51]. Die Einteilung der Athleten in A. wurde von den Hellanodiken vorgenommen, die in Olympia ihre Unbestechlichkeit in dieser Hinsicht eidlich bekräftigten (Paus. 5,24,10). Sie urteilten nach der körperlichen Entwicklung (Xen. hell. 4,1,40; Plut. Agesilaos 13; Paus. 6,14,1). Wurden jüngere Athleten in eine höhere A. versetzt (t. t. προσβαίνειν) [2.104], kann das lobend in den agonistischen Inschr. erwähnt sein [2. Nr. 78, 84c]. Ein Stimmtäfelchen des Semakos, der bei den Isthmien als Hellanodikes die Einteilung in A. zu vollziehen hatte, hat sich erhalten [3]. Die den Mädchen vorbehaltenen Wettläufe bei den Heraien in Olympia wurden in drei A. gestartet (Paus. 5,16,2). Bei den hippischen Agonen in Olympia entspricht die Einteilung in Fohlen und ausgewachsene Pferde (Paus. 5,24,10) der Praxis der Athleten.

1 T. KLEE, Zur Gesch. der gymnischen Agone an griech. Festen, 1918, Ndr. 1990 2 L. MORETTI, Iscrizioni agonistiche greche, 1953 3 D. R. JORDAN, A. J. S. SPAWFORTH, A New Document from the Isthmian Games, in: Hesperia 51, 1982, 65–68.

J. EBERT, παῖδες πυθικοί, in: Philologus 109, 1965, 152–156 · P. FRISCH, Die Klassifikation der παῖδες bei den griech. Agonen, in: ZPE 75, 1988, 179–185 · N. B. CROWTHER, The Age-Category of Boys at Olympia, in: Phoenix 42, 1988, 304–308.   W. D.

Altersstufen s. Lebensalter

Alteuropäisch. A. DEFINITION – B. KRITIK

A. DEFINITION

Von dem Indogermanisten H. KRAHE (1898–1965) etablierter t. t., mit dem er ein auf das Uridg. folgendes, relativ einheitliches Stadium als Vorstufe der im europ. Raum in histor. Zeit bezeugten Sprachen Kelt., German., Baltisch, Latinofaliskisch, Oskoumbrisch, Venetisch und Illyr. postuliert. Diese Sprachstufe und ihr urspr. Verbreitungsgebiet erschließt er aus Gewässernamen (»a. Hydronymie«), die ungefähr im 2. Jt. v. Chr. entstanden sein sollen. Als Folge des Vordringens a. Gruppen hat Italien noch Anteil an der a. Hydronymie. Griechenland wurde nicht mehr erfaßt: nur im nördlichen Teil der Balkanhalbinsel sind a. Namen nachweisbar. Die sprachwiss. Analyse von in histor. Zeit belegten Gewässernamen ermittelt die Elemente dieser Namengebung: uridg. Wurzel (in semasiologischer Hinsicht »Wasserwörter«, die Wasser nach Bewegung, Farbe u. ä. charakterisieren), die durch Suffigierung evtl. mehrfach erweitert werden können. Gewässernamen gelten als a., wenn sie etym. anschließbar sind, mehrmals vorkommen bzw. von einschlägigen Wurzeln und Wörtern mit typischen Suffixen weitergebildet sind: So stellt *Rhenus* »Rhein« (*rei-nos, altind. *rináti* »läßt fließen«, Wurzel *rei̯h-) – auch *R(h)enus* in Oberit. – eine Bildungsparallele dar zu *Arnus* in Italien, Frankreich und Spanien, ebenfalls mit *-no*-Suffix, vergleichbar mit altindisch *árna-* »wogend; Woge, Flut«.

B. KRITIK

Die Theorie KRAHES findet nur bedingt Zustimmung oder wird ignoriert. Einwände richten sich dagegen, daß die Gramm. der postulierten a. Sprachstufe in Gestalt der aus Namen abstrahierten Wurzeln und Suffixe rudimentär und nicht signifikant genug ist, um sie eindeutig der Vorstufe der obengen. Sprachen zuzuweisen, deren vorhistor. Beziehungen auch meist anders beurteilt werden. Der Entstehungszeitpunkt von Namensbildung oder evtl. Namensübertragung kann durch das Erfassen der vorhistor. Verbreitung nicht bestimmt werden. Die »a. Hydronymie« behält jedoch Geltung als Diskussionsgrundlage für weitere Forsch. (Hydronymia Germaniae, Hydronymia Europaea).

→ Indogermanische Sprachen

T. ANDERSSON, Zur Gesch. der Theorie einer a. Hydronymie, in: T. ANDERSSON (Hrsg.), Probleme der Namenbildung, 1988, 59–90 • H. KRAHE, Sprache und Vorzeit. Europäische Vorgesch. nach dem Zeugnis der Sprache, 1954 • H. KRAHE, Unsere ältesten Flußnamen, 1968 • W. P. SCHMID, A. und Idg., 1968.   D. ST.

Althaia (Ἀλθαία). **[1]** Tochter des → Thestios und der Eurythemis, Frau des → Oineus von Kalydon; unter ihren Kindern sind → Ankaios, → Deianeira und → Meleagros, den man auch als Sohn des Ares ansah (Hyg. fab. 14,16; Apollod. 1,63). Kurz nach seiner Geburt sagte ihr ein Orakel voraus, Meleagros werde solange leben, wie das Scheit im Herd brenne; sie holte es heraus und verwahrte es, verbrannte es aber, als Meleagros im Streit um den kalydonischen Eber ihre Brüder tötete. A. starb entweder durch die Hand des Oineus oder durch die eigene. Ausführlich erzählt von Bakchyl. 5,93–154 (aus Sicht des Meleagros), Ov. met. 8,445–525 (Oineus als Rächer), Apollod. 1,62–73 (Selbstmord). Stark abweichend Hom. Il. 9,529–599.

J. MARCH, The Creative Poet. Studies in the treatment of Myths in Greek Poetry, 1987, 27–46 • J. N. BREMMER, La plasticité du mythe. Méléagre dans la poésie homérique, in: C. CALAME (Hrsg.), Métamorphoses du mythe en Gréce antique, 1988, 37–56.   F. G.

[2] Bei Theophrast, Dioskurides, Columella, Plinius u. a. bezeichnen die Namen ἀλθαία, ἀλκαία und ἀλκέα oder μαλάχη, μολόχη und *malva* medizinisch verwendete Malvaceen, darunter *Abutilon Avicennae L.* und den heute noch offizinellen Eibisch (*Althaea officinalis L.*), aber nicht die erst im 16. Jh. von den Türken eingeführte A. rosea Cav. (Stockrose) oder *Malva alcea L.* Die μαλάχη ἀποδενδρουμένη des Theophrast (h. plant. 1,3,2) [1. 114f.] (vgl. Plin. nat. 19,62f.: *arbor malvae*) u.ö., deren Sproß in Kultur zur baumähnlichen, als Stock genutzten Pflanze heranwächst, deutete man als die mittelmeerische *Lavatera arborea*.

1 G. WÖHRLE, Theophrasts Methode in seinen botanischen Schriften, 1985.   C. HÜ.

[3] s. Althia

Althaimenes (Ἀλθαιμένης). Rhodischer Heros, Sohn des kret. Königs Katreus. Er verließ die Heimat, als ein Orakel voraussagte, er würde den Vater töten, und gründete bei Kameiros den Bergkult des Zeus Atabyrios. Der Vater reiste ihm nach, wurde bei seiner nächtlichen Landung für einen Seeräuber gehalten und von A. unerkannt erschlagen. A. irrt umher und grämt sich zu Tode (Diod. 5,59) oder wird von der Erde verschlungen (so Apollod. 3,12–16, in dessen Überlieferung er auch seine Schwester Apemosyne ermordet).   F. G.

Althia. Laut Pol. 3,13,5 die mächtigste Stadt der → Olkades im oberen Guadianatal, von → Hannibal 220 v. Chr. erobert. Liv. 21,5,4 nennt sie Cartala. Ihre Lage bleibt unbekannt. Die von [1. 216] vorgeschlagene Identifizierung mit dem h. Altea (Prov. Alicante) ist wenig wahrscheinlich.

1 G. V. SUMNER, Roman Policy in Spain before the Hannibalic War, in: HSPh 72,1968,205–246.

TOVAR 3, 1989,185.   P. B.

Althiburus (pun. *'ltbrš*). Einheimische Stadt der *Africa proconsularis* (weitere Namensformen [5. 1697]), 37 km süd-südöstl. von El-Kef, h. Henchir Medeina. A. hatte starken pun. Einschlag [4. 295–297; 2. 19–24; 3; 6. 60; 1. 17f., Taf. IV 2]. Dies mag z. T. durch die Lage von A. an der Straße → Karthago/→ Theveste zu erklären sein. Kult des → Baal Hamon (ohne den der → Tinnit), das Opfer des *molk* und ein *Tofet*. 3 → Sufeten leiteten die Verwaltung. Unter Hadrian wurde A. *municipium* (CIL VIII Suppl. 4, 27769, 27775, 27781), unter → Severus Alexander oder etwas später *colonia*. Zahlreiche arch. Denkmäler sind erh., viele lat. Inschr. (CIL VIII 1, 1822–1836; Suppl. 1, 16468–16485; Suppl. 4, 27768–27815).

1 M. ENNAIFER, La cité d'A., 1976 2 J.-G. FÉVRIER, Une corporation de l'encens à A., in: Semitica 4, 1951/52 3 KAI, 159f. 4 C. G. PICARD, Cat. du Mus. Alaoui. Nouvelle sér. I 1, o.J. 5 J. SCHMIDT, s. v. A., RE I, 1697 6 M. SZNYCER, Une inscr. punique d'A. (Henshir Médéina), in: Semitica 32, 1982.

A. ENNABLI, S. V. A., in PE 44f. • S. LANCEL, E. LIPISKI, s. v. A., DCPP, 23 • C. LEPELLEY, Les cités de l'Afrique romaine au Bas-Empire 2, 1981, 63 f. • A. MERLIN, Forum et maisons d'A. (Notes et documents 6), 1913.   W. HU.

Altinum. Hauptort der → Veneti (Ptol. 3,1,30) am Silis (Plin. nat. 3,126) in den Sümpfen (*septem maria*: Plin. nat. 3,119; Strab. 5,1,7; 11; Herodian. 8,7; Mela 2,62), h. Altino. Später → *municipium* der *regio* X (Vitr. 1,4,11; CIL V 2149), *tribus Scaptia* [1. 106], an der Straße Patavium-Aquileia (It. Ant. 128,4; 281,4), am Anf. der → *via Claudia Augusta* (CIL V 8002 f.). → *Villae* (Mart. 4,25) und Manufakturen; Schafzucht (Colum. 7,2,3). Von Attila 452 n. Chr. zerstört (Paulus Diaconus, historia Romana 2,14).

1 KUBITSCHEK, Imperium Romanum tributim discriptum, 1889, 106.

M. DENTI, I Romani a nord del Po, 1991, 115–127 · NISSEN 2, 222 · B. M. SCARFÌ, Gli scavi e il Museo di Altino, in: Aquileia e l'alto Adriatico 36, 1990, 311–327 · Ders., M. TOMBOLANI, Altino preromana e romana, in: Quarto d'Altino, 1985, 13–158. G. BR. / S. W.

Altpersische Keilschrift. Die a. K. ist um 520 v. Chr. unter Großkönig → Dareios [1] zur Wiedergabe des Altpers. (→ Iran. Sprachen) erfunden worden und war bis zum Ende des Achämenidenreiches in Gebrauch. Erh. sind nur offizielle Inschr., von denen die des Felsmonuments von → Bisutun die wichtigste darstellt. Die a. K. steht mit der babylon. → Keilschrift in keinem direkten Zusammenhang. Im Vergleich zu jener ist sie in Zeichenformen und Schriftsystem weitaus einfacher. Sie besitzt im wesentlichen die Vokalzeichen *a, i, u* und Kons.-Vok.-Zeichen wie z. B. *da, di, du*. Zu den meisten Kons. existiert aber lediglich das *Ka*-Zeichen, so daß z. B. neben *ba* die Zeichen *bi* und *bu* fehlen. Daher wird die a. K. von manchen als Alphabetschrift betrachtet, von anderen aber (wohl zu recht) als wenig entfaltete Silbenschrift.

K. HOFFMANN, Aufsätze zur Indoiranistik Bd. 2, 1976, 620–645 · A. SCHMITT, Entstehung und Entwicklung von Schriften, 1980, 259–266. N. O.

Altsüdarabisch. Früher nach dem Stamm der Ḥimjar (→ Homeritae) als Ḥimjaritisch bezeichnet, gehört neben dem Äthiopischen zum südl. Zweig der semit. Sprachen, ist aber mit dem (nord-) arab. nicht identisch. Vier Hauptdialekte sind nachweisbar: Ca. vom 9. Jh. v. Chr. – 6. Jh. n. Chr.: Ḥadramautisch, Minäisch, Qatabanisch und Sabäisch, benannt nach den gleichnamigen a. Machtzentren. Die Dialekte zerfallen in Bezug auf ihr Kausativ-Präfix und das Pronomen (3. Pers. Sg. Mask.) in eine *h-* (nur Sabäisch) und in eine *s-* Gruppe. Weitere Unterschiede sind lexikalischer und morphologischer Art. Das A. ist durch sorgfältig geschnittene Stein- und Bronzeinschr. sowie Grafitti überliefert; singulär ist eine griech.-a. Bilingue von Delos (2. Jh. v. Chr.) [1]. Die Schriftrichtung ist von rechts nach links oder bustrophedon. Die a. Schrift besteht aus 29, aus dem protokanaanäischen Alphabet entwickelten, symmetrischen Buchstaben.

Jüngst wurden Inschr. auf Holz in einer Kursive (Minuskeln) bekannt [2]. Die a. Schrift wurde in abgewandelter Form auch für die (nord-) arab. Dialekte Liḥyanisch, Ṣafaitisch und Thamudisch gebraucht.

→ Alphabet; Äthiopisch; Homeritae; Arabisch; Semitisch; Thamudisch

1 M. CLERMONT-GANNEAU, Inscription bilingue minéo-grecque découverte à Délos, in: CRAI 1908, 546–560 2 J. RYCKMANS, W. W. MÜLLER, YUSUF M. ABDALLAH, Textes du Yémen antique. Inscrits sur bois, 1994.

M. HÖFNER, HbdOr Bd. 3, 1953, 314–341 · J. PIRENNE, A. F. L. BEESTON, Corpus des inscriptions et antiquités sud-arabes, 1977–86 · C. RABIN, Ancient West-Arabian, 1951 · C. ROBIN, Inventaire des inscriptions sudarabiques, 1992 ff. C. K.

Aluaka. Nach Ptol. 6,2,10 Ort Mediens. Wenn der türkische Bezirk Albâq den alten Namen enthält, lag A. am oberen Großen Zab (Lykos). Dann könnte A. mit dem von Strab. 11,13,2 erwähnten Symbake identisch sein (Albake – Albâq – Aluaka), das nach Strabon an der Grenze zwischen Armenia Maior und Media → Atropatene lag. A. KU. u. H. S.-W.

Alveus. [1] Muldenförmiger Behälter; eigentlich Höhlung, Wölbung oder Trog. Der A. diente als Keltertrog, Wanne für neugeborene Kinder und als Warmwasserwanne für eine oder mehrere Personen im Bad. Ferner kann A. auch einen Sarkophag meinen. In der arch. Forschung bezeichnet A. eine gemauerte, große Sitzwanne im Caldarium der röm. → Thermen (die kleinere Variante wurde *alveolus* genannt), die vom *praefurnium* aus über die *testudo alvei*, einem halbkreisförmigen Kessel, beheizt wurde. In der Funktion mit A. verwandt sind *solium* und → *labrum*.

W. HEINZ, Röm. Thermen. Badewesen und Badeluxus, 1983, s. Index s. v. A. · J. STROSZECK, Wannen als Sarkophage, in: MDAI(R) 101, 1994, 217–240 · I. NIELSEN, Thermae et Balnea, ²1994, 67 f., 156–158. R. H.

Alveus [2] s. Brettspiel

Alxenor. Bildhauer aus Naxos. Er signierte eine 500–490 v. Chr. zu datierende Grabstele aus Orchomenos, die den Verstorbenen stehend mit seinem Hund zeigt.

LSAG, 292 Taf. 55 · LIPPOLD, 114 · G. RICHTER, Archaic Greek Art, 1949, Abb. 255. R. N.

Alyattes (Ἀλυάττης). Lyd. König (ca. 600–561 v. Chr.), Sohn des → Sadyattes, Vater des → Kroisos. Neugründer des Reiches, das er zur Großmacht führte (Völkerliste Hdt. 1,28): Er eroberte → Smyrna (Hdt. 1,16) und unternahm jährliche Feldzüge gegen → Milet (Hdt. 1,18). Diese zielten auf die Eintreibung des Tributs. Milet bekam eine Sonderstellung als Außenhandelshafen (vgl. Hdt. 1,141). Im Osten dehnte A. das Reich bis an den oberen → Halys aus (Mazaka). Dort kam es zu Kämpfen mit den Medern, die jedoch wegen einer Sonnenfinsternis beendet wurden. Das traditionelle Datum »585« ist nicht gesichert; die Annahme, Thales habe die Sonnenfinsternis vorhergesagt, ist wissenschaftstheoretisch nicht zu halten. P. HÖ.

Alypios. [1] Stammte evtl. aus Kilikien, absolvierte ein Studium in Antiochia (Lib. epist. 324). Unter dem Caesar → Iulianus verwaltete er als *vicarius* Britannien (Lib.

l.c.; Amm. 23,1,2). 363 n. Chr. übertrug Iulian dem gebildeten Heiden (vgl. Iul. epist. 29 und 30) den schließlich gescheiterten Wiederaufbau des Tempels von Jerusalem (Philostorgios hist. eccl. 7,9; Rufin. hist. 10,38; Amm. 23,1,2). 371 wurde A. in einen Giftmordprozeß verwickelt und verbannt (Amm. 29,1,44).   W.P.

[2] Faltonius Probus A. stammte aus Rom, war Sohn des Clodius Celsinus Adelphius (*praefectus urbis Romae* 351 n. Chr.) und der Dichterin Proba. Er bekannte sich zum Christentum. 370/71 war er für kurze Zeit in Zusammenhang mit den vom *vicarius* Maximinus geführten Prozessen verbannt (Amm. 28,1,16). Er wurde 378 *vicarius Africae* (Symm. epist. 7,66; Cod. Theod. 1,15,19) und 391 (als Nachfolger von zwei Heiden) *praefectus urbis Romae* (CIL VI 1185; Cod. Theod. 14,2,2). Er ist Empfänger mehrerer Briefe des Symmachus (epist. 7,66–71).

A. CHASTAGNOL, Les fastes de la préfecture de Rome au Bas-Empire, 1962, 236f. • PLRE 1, 49, s.v. A. 13.   W.P.

[3] von Cassiodorus (Inst. 2, 5, 10) erwähnt, ist Verf. einer ins 3. oder 4.Jh. datierten Εἰσαγωγὴ μουσική, der theoretischen Hauptquelle der griech. Notenschrift. In 39 (von urspr. 45) Tab. verzeichnet und beschrieben sind die Zeichenpaare der Vokal- und Instrumentalnotation zu den 18 Tonstufen (Mese, Trite usw.) der jeweils nach Tongeschlechtern (diatonisch, chromatisch, enharmonisch) unterschiedenen 15 Tonskalen (wie Lydisch, Hypolydisch); Blattausfall bei Tab. 34/35, der Schluß ist verloren.
→ Musik, II

MSG 367–406 • L. ZANONCELLI, La manualistica musicale greca, 1990, 382–463 (mit ital. Übers.)   F.Z.

Alypos. Bronzebildner aus Sikyon, Schüler des → Naukydes. Durch Mitarbeit am delphischen Denkmal der Spartaner nach Aigospotamoi (»Lysander-Anathem«, 405 v. Chr., → Delphi) ist er der sog. Polykletnachfolge zugewiesen. Signatur und Basis mit Standspuren sind erhalten. Identifizierungen der in Olympia von Pausanias gesehenen 4 Siegerstatuen des A. sind hypothetisch.

D. ARNOLD, Die Polykletnachfolge, JDAI Ergh. 25, 1969, 84–85, 187–188 • J. MARCADÉ, Recueil des signatures de sculpteurs grecs 1, 1953, Nr. 3 • OVERBECK, Nr. 1002, 1003 (Quellen) • C. VATIN, Monuments votifs de Delphes, 1991, 103–138.   R.N.

Alyzeia (Ἀλύζεια, Ἀλυζία). Stadt (korinth. Gründung?) an der akarnanischen Westküste, nahe beim h. Kandila. Im → Peloponnesischen Krieg mit Athen verbündet (Thuk. 7,31,2). 375 v. Chr. bei A. Seesieg der Athener im Kampf gegen die spartanische Hegemonie (Xen. hell. 5,4,65 f.); in der röm. Kaiserzeit von → Nikopolis abhängig (Strab. 10,2,2); Straßenstation des → *cursus publicus* (Geogr. Rav. 5,13: (H)Alissa). Hafen, Heraklesheiligtum (Skyl. 34; Strab. l.c.). Stadtanlage wenig erforscht; bei Mytikas ant. Hafenanlagen, röm. Heroon; dreischiffige Basilika des 4. Jhs. n. Chr.

T. BOYD, in: MDAI(A) 100, 1985, 327–331 • W. KOVACSOVICS, in: MDAI(A) 97, 1982, 195–210 • LAUFFER, GRIECHENLAND, 98f., 234 • W. M. MURRAY, The coastal sites of West-Akarnania, 1982, 82–133 • P. SOUSTAL, Nikopolis und Kephallenia (TIB 3), 1981, 170f.   D.S.

Amadokos (Ἀμάδοκος, auf Münzen ΑΜΑΤΟΚΟΣ). **[1]** Der von Isokrates (or. 5,6) genannte ältere A. ist bekannt als → Medokos (s. dort), Metokos, Amedokos, Amadokos. **[2]** Odrysischer Dynast, einer der Nachfolger → Kotys' I., der 358 v. Chr. den mittleren Reichsteil erhielt (IG II/III² 126; Demosth. or. 23,8; 170; 173 [1. 303]). Seine Schwäger, Simon und Bianor, Ehrenbürger Athens, halfen A. nach 354 im Konflikt mit → Kersebleptes als Söldnerführer (Demosth. or. 23,10; 189). 353 verbot Philippos II. den Durchzug (Demosth. or. 23,183), konnte sich aber 352/1 nur noch mit Hilfe des Kersebleptes erwehren (Aischin. Schol. in or. 2,81). Sein Sohn A. kämpfte bei Philippos' Zug durch Thrakien auf maked. Seite (Harpokr. s.v. Ἀμάδοκος). A. prägte mehrere Emissionen von Bronzemünzen. Name auf einer Phiale aus Branicevo [2. 137–8]

1 StV Bd. 2   2 V. I. GEORGIEV, Trakite i tehnijat ezik, 1977.   U.P.

Amafinius, C. Erwähnt nur bei Cicero (ac. 1,5f.; Tusc. 4,6f.; fam. 15,19,2: Cassius an Cic.). Verf. populärer epikureischer Lehrschriften in lat. Sprache, sicher eines Werkes über Physik (1. Hälfte des 1.Jh. v. Chr., vielleicht um 60). Cicero tadelt die Werke des A. wegen ihrer Anspruchslosigkeit.

H. JONES, The Epicurean Tradition, 1989 • C. J. CASTNER, Prosopography of Roman Epicureans, ²1990, 7–11.   J.LE.

Amalaberga. Tochter der → Amalafrida und Nichte Theoderichs d. Gr., ca. 510 n. Chr. zur Festigung eines Bündnisses gegen die Franken mit dem König der Thüringer Herminafrid verheiratet (Iord. Get. 299; Prok. 5,12,22; 8,25,11; Cassiod. var. 4,1). Nach der Eroberung des thüringischen Reiches und dem Tod ihres Mannes 534 floh sie zu ihrem Bruder Theodahad nach Ravenna. Ihre Sohn Amalafridus und eine Tochter kamen nach der Einnahme Ravennas durch → Belisar nach Konstantinopel, wo Iustinianus die Tochter dem Langobarden Audoin zur Frau gab (PLRE 2, 63).   W.ED.

Amalafrida. Ältere Schwester Theoderichs d. Gr., Mutter der → Amalaberga und des → Theodahad, heiratete in zweiter Ehe um 500 n. Chr. den Vandalenkönig Thrasamund in Karthago, um die Bündnispolitik ihres Bruders zu unterstützen, was bis zum Tod Thrasamunds 523 auch gelang. Sein Nachfolger Hilderich wandte sich jedoch von Theoderich ab und beseitigte spätestens 525 A. und ihr got. Gefolge.

H. WOLFRAM, Die Goten, ³1990, 307f.   W.ED.

Amalaricus. Sohn des → Alaricus [3] II. und einer Tochter Theoderichs d. Gr. Nach Alaricus' Tod (507) herrschte anstelle des etwa 5jährigen A. dessen Halbbruder Gesalech (Gesalicus; Prok. BG 5,12,43; anders Greg. Tur. Franc. 2,37), nach 511 übernahm Theoderich die Herrschaft für den nominell zum König ernannten A. (Prok. BG 5,12,46; Iord. Get. 302 nennt Theudis als Regenten) bis er nach dessen Tod 526 in die volle Königsherrschaft eintrat (Prok. BG 5,13,4 ff.). Er heiratete eine Tochter des Franken Chlodwig, geriet aber über Glaubensfragen mit ihr und ihrem Bruder Childebert in Streit, wurde von ihm 531 bei Narbonne geschlagen und auf der Flucht bei Barcelona von den eigenen Truppen ermordet. Mit ihm erlischt die amalisch-balthische Dynastie der Westgoten, der Ostgote Theudis tritt als König an seine Stelle (PLRE 2, 64 f.).

1 W. ENSSLIN, Theoderich d. Gr., ²1960, 335 f.
2 H. WOLFRAM, Die Goten, ³1990, 245 ff., 309 ff. W. ED.

Amalasuntha, Amalaswintha, Tochter → Theoderichs d. Gr.; der Vater ließ A. eine hohe Bildung zukommen (vgl. Cassiod. var. 11,1,6 f.) und verheiratete sie 515 mit dem Westgoten Eutharich (gest. vor 526) (Chron. min. 2,160; Iord. Get. 174; 251; 298). A.s Sohn Athalaricus (* 518 oder 516) wurde von Theoderich 526 zum König bestimmt, A. übernahm die Regentschaft (Iord. Get. 251; Prok. BG 5,2,1–3). Ansätze einer Politik, die im Innern unter »vorläufiger« Wahrung der Grundsätze des Theoderich (Cassiod. var. 8,1–8) konsequent ein friedliches Leben der Bevölkerung auf der Basis der *civilitas* zu garantieren versuchte, nach außen hin aber die Konzeption des im Zerfall begriffenen german. Bündnissystems aufgab und – wie auch andere Germanenreiche – die polit. Freundschaft mit Byzanz ausbauen wollte (Cassiod. var. 8,1 und 9,1; Iord. Get. 304; Boeth. cons. 1), scheiterten vornehmlich an innenpolit. Konflikten. Diese lassen sich jedoch nicht, wie man der Hauptquelle Prokop entnehmen könnte (5,2,4 ff.), auf die Opposition got. Nationalisten gegen das romfreundliche Verhalten A.s und die röm. Erziehung des Athalaricus reduzieren [1. 160 ff.]. Zwar konnte A. die Krise, in deren Verlauf sie den in ihrer Politik durchaus angelegten Gedanken der Dedierung des Ostgotenreichs an Justinian gefaßt haben soll (Prok. BG 5,2,22–29), kurzfristig aufhalten; aber nach dem frühen Tod ihres Sohnes (2.10.534) vermochte sie auch durch die Berufung ihres Vetters → Theodahat zum Mitregenten (Cassiod. var. 10,1–4; Prok. BG 5,4,4–12) ihre Stellung als Regentin des Ostgotenreichs nicht mehr zu halten. Theodahad setzte A. auf einer Insel im Bolsenasee gefangen (30.4.535), und A. wurde wohl mit seinem Einverständis dort noch 535 umgebracht (Prok. BG 5,4,4 ff.; Cassiod. var. 10,4; 8 f.; 19 f.). Die Rolle Konstantinopels bei der Absetzung und Beseitigung A.s ist schwer durchschaubar (Prok. BG 5,2,13 ff.; Prok. anek. 16; Cassiod. var. 10,19–24); jedenfalls hatte Justinian zum Zwecke einer raschen Rückgewinnung Italiens A. unter Druck

gesetzt (Prok. BG 5,3,14 ff) und nutzte den gewaltsamen Tod der Herrscherin, die an seine Hilfe appelliert hatte, als geeigneten Vorwand zur polit.-mil. Intervention in Italien. PLRE 2, 65.

1 S. KRAUTSCHICK, Cassiodor und die Politik seiner Zeit, 1983.

W. ENSSLIN, Theoderich d.Gr., ²1960 • B. MEYER-FLÜGEL, Das Bild der ostgot.-röm. Gesellschaft bei Cassiodor, 1992 • B. RUBIN, Das Zeitalter Justinians, 2, 1995 (hrsg. v. C. CAPIZZI), 73–89. H. S. u. A. LI.

Amali, Amaler. Die A. bilden das königliche Geschlecht der Ostgoten und stehen an Ansehen über dem Königsgeschlecht der Westgoten, den → Balthen. Der von Iordanes (Get. 79) 551 n. Chr. entwickelte und mit Gaut beginnende Stammbaum der A. weist auf göttl. Herkunft, der Eponym des Geschlechts, Amal, steht erst an vierter Stelle. Iordanes stützt sich auf Cassiodor, der kurz nach dem Tod des Amalers Theoderichs d. Gr. (526) in seiner (verlorenen) Gotengeschichte eine *origo Gothica* entwarf, die wiederum eine bereits von der Familie Theoderichs bes. gepflegte gentile Tradition aufgenommen haben dürfte (vgl. die Namengebung: → Amalaberga, → Amalafrida, → Amalasuntha; [1. 248]). Die Historizität der Genealogie, in der Götter, Heroen und übermenschliche Helden zusammenfließen, ist selbst noch für die Völkerwanderungszeit umstritten. Der erste histor. faßbare Fürst der A. ist wohl der gegen 375 n. Chr. gestorbene Ermanarich, als letzter A. gilt Athalarich, der Sohn der Amalasuntha. Den italischen A. war es gelungen, die ›gesamte gotische Überlieferung zu monopolisieren‹ [2. 26] mit der Folge, daß zwar der Familie Theoderichs der Aufstieg in den höchsten röm. Reichsadel gelang, aber mit dem Untergang der Amaler (und Balthen) späteren Gotenfürsten die Möglichkeit einer weit zurückreichenden Genealogie genommen war. Stammbaum der A. bei [2. 370 f.].

1 R. WENSKUS, s. v. Amaler, RGA 1, 246–248
2 H. WOLFRAM, Die Goten, ³1990 (s. auch Register, s. v. A.). W. ED.

Amaltheia (Ἀμάλθεια). **[1]** Kret. Nymphe, Tochter des Haemonius, von deren Ziege Zeus nach seiner Geburt gesäugt wurde (Kall. h. 1,49). Rationalisierende Versionen machten aus der Nymphe eine Ziege (Aix). Zeus gebrauchte die Haut der Ziege, die *aigis*, um die Titanen zu besiegen (Hom. Il. 15,229 schol. D = POxy. 3003). Ovid (fast. 5,111–28) verband den Mythos mit einer anderen, vermutlich unabhängigen Überlieferung eines (Stier-) Füllhorns der Nymphe A. (Pherekyd. FGrH 3 F 42), das oft in der Komödie erwähnt wurde (Aristoph. fr. 707; Kratinos fr. 261; Antiphanes fr. 108 PCG). Schon der ältere Miltiades weihte ein beschriebenes, elfenbeinernes »Horn der A.« im Schatzhaus von Sikyon (Paus. 6,19,6); das Horn war sogar Bildmotiv (Philemon fr. 68 PCG). Es wurde oft mit dem Horn des

→ Acheloos gleichgesetzt, das Herakles abbrach, als er um Deianeira warb. Acheloos erhielt es zurück, indem er das Horn der A. dafür gab (Apollod. 2,148; Hom. Il. 21,194 schol. D.; POxy. 4096). Zeus verwandelte die Ziege ins Sternbild der »himmlischen Ziege«, gab aber eins der Hörner den Nymphen Adrasteia und Ida, die seine Ammen waren. Gleichzeitig versah er es mit seiner wunderbaren Macht (Zenob. 2,48; vgl. 1,26). [2] Geliebte des lyd. Ammon und Mutter von Dionysos (Diod. 3,68,2f. = Dion. Skyth. FGrH 32 F 8). [3] Tochter von Phokos, die Zeus in Bärengestalt begleitete (Clemens Rom. Hom. 5,13). [4] Cumaeische Sibylle, die die sibyllinischen Orakel dem röm. König Tarquinius Priscus verkaufte (Tib. 2,5,67; Lact. inst. 1,6,10f., vermutlich von Varro). [5] In der Septuaginta dritte der späteren Töchter von Hiob (Hiob 42,14; Test. Hiob 1,3).
→ Zeus; Sibyllen

M. HENIG, s. v. A., LIMC 1.1, 582–84.   J.B.

Amaltheion (Ἀμαλθεῖον). Nicht lokalisiertes Landgut des T. → Pomponius Atticus in der röm. Prov. → Epirus, an der Küste nahe Buthroton (Cic. leg. 2,3,7; Att. 1,13; 16,15).

P. CABANES (Hrsg.), L'Illyrie méridionale et l'Epire dans l'antiquité 1, 1987, 245–254.   D.S.

Amanos (Ἀμανός, h. *Nur Dağları*), in NNO-SSW-Richtung streichender Gebirgszug an der kilikisch-syr. Grenze zw. dem Becken vom Germanikeia (h. Maraş) und Kap Skopelos (h. Hınzır Burnu). Übergänge: Paß von Bahçe, Beylan / Belen-Paß. Sitz der von Cicero besiegten Eleutherokiliker (Cic. fam. 15,4; Att. 5,20). In der schmalen Küstenebene vor A. mit dem zeitweise als Grenze fungierenden Strandpaß der → Kilikischen Tore fanden u. a. die Schlachten Alexanders gegen → Dareios III. (333 v. Chr.) und von → Septimius Severus gegen → Pescennius Niger (194 n. Chr.) statt [1]. Auf dem Kamm stand ein Triumphbogen zum Gedächtnis an → Germanicus (Tac. ann. 2,83,2; Tabula Siarensis 1,22). In der Spätant. und im MA zahlreiche Klostergründungen auf dem A. (nun Μαῦρον ὄρος), vor allem in der Umgebung von → Antiocheia.
→ Pindenissos; Kilikia; Syria

1 H. TAEUBER, Die syr.-kilikische Grenze während der Prinzipatszeit, in: Tyche 6, 1991, 201–210.

H. HELLENKEMPER, F. HILD, Kilikien und Isaurien (TIB 5), 1990, s. v. A. • C. MUTAFIAN, La Cilicie au carrefour des empires, 1988, 317–335.   H.TÄ.

Amarantos (Ἀμάραντος) von Alexandreia. Griech. Grammatiker des 2. Jh. n. Chr. (älterer Zeitgenosse des → Galenos, der ihn zit.). Sein Komm. zu → Theokritos wurde in spätant. und byz. Zeit viel benutzt und wird im *Etym. m.* zitiert. Athenaios gibt einige Fragmente eines

Werkes Περὶ σκηνῆς im Zusammenhang mit biographischen Anekdoten über Theaterschauspieler wieder.
→ Biographie; Theokritos

M. HAUPT, De A. grammatici commentario in Theocriti idyllia, Opuscula III 2, 1876, 645 • H. MAEHLER, in: Entretiens XL, 98–99 • G. WENTZEL, s. v. A. (3), RE I.2, 1728–1729 • E. WÜST, in: Munatius (3a), RE Suppl. VIII, 361.   F.M. / M.-A.S.

Amardoi (Ἄμαρδοι). Iran. Ort in → Media am Südufer der → Kaspia Thalatta, westl. von den Hyrkanoi (→ Hyrkania), östl. von den → Kadusioi (Strab. 11,6,1; 8,1; 8; Plin. nat. 6,36; Mela 3,39; 42 − gemeinsame Quelle ist → Eratosthenes). Wohl kaum identisch mit den A. im persischen Heer unter Xerxes (Aischyl. Pers. 994), ebensowenig mit den Nachbarn der Persai (Arr. Ind. 40,6).

F. C. ANDREAS, s. v. A., RE I, 1729–1733 • F. H. WEISSBACH, s. v. Mardoi, in: RE 14, 1648–1651.   I. v.B.

Amardos. Bei Ptol. 6,2,2 erwähnter Fluß in Medien, der h. Sefi Rud, im Gebiet des Stammes Καδούσιοι, soll urspr. zum Gebiet der Ἄμαρδοι gehört haben (Strab. 11,8,8). Aus Ariana zugewandert siedelten die Amardoi in der Zeit der pers. Großreiche am Kaspischen Meer und im südl. anschließenden Bergland.

Atlas of the World, pl. 32, 1959 • Großer Histor. Weltatlas I, 15 c.   B.B.

Amarna. Moderner Name von Achet-Aton. Von Amenophis IV. um 1345 v. Chr., ca. 400 km südl. von Kairo, als Kultplatz für den Sonnengott Aton sowie als Residenz gegründet. Es wurde nach einer ca. 15 Jahre dauernden Besiedlung aufgegeben. Die Stadtteile erstrecken sich in Nilnähe von Norden nach Süden über 9 km, bei ca. 1 km Breite. Im zentralen Stadtteil liegen u. a.: Großer Palast, Königspalast, Großer und Kleiner Atontempel, Kanzlei (→ Amarnabriefe). Das Haus des Bildhauers Thutmose in der südl. Vorstadt ist der Fundort der Berliner Nofretete-Büste und zahlreicher anderer Bildwerke. Östl. vom Stadtrand liegen über 30 dekorierte Felsengräber der Oberschicht und das Königsgrab. A. ist nicht nur für die Gesch. der A.-Zeit wichtig, sondern allg. für die Siedlungsarch., als einziges Beispiel einer großen pharaonischen Stadt.

B. J. KEMP, S. GARFI, A Survey of the Ancient City of El-A., 1993 • E. HORNUNG, Echnaton, 1995.   R.K.

Amarna-Briefe. Corpus von mehr als 350 in Keilschrift auf Tontafeln geschriebenen Briefen aus der Mitte des 14. Jh. v. Chr., 1887 in → Amarna entdeckt. Sie sind fast ausschließlich in akkad. Sprache verfaßt, die damals für die überregionale Kommunikation verwendet wurde. Absender sind Könige von Babylonien, Assyrien, Mitanni in Obermesopotamien, des Hethiter-

reiches und → Arzawas in Kleinasien sowie Zyperns (→ Kypros), überwiegend aber Vasallenfürsten und Stadtherren Syriens und Palästinas. Sie behandeln polit. Ereignisse und dienten dem Kontakt zum ägypt. Hof. Die A. gehören damit zu den wichtigsten histor. Quellen für eine Periode, in der mehrere Reiche um den Besitz Syriens bzw. um eine Vorrangstellung im gesamten vorderen Orient rivalisierten. Da die A. nicht datiert sind, kann ihre chronologische Abfolge nur nach inhaltlichen Indizien rekonstruiert werden, was zu unterschiedlichen Lösungsvorschlägen geführt hat.
→ Amenophis IV.

L. W. MORAN, The Amarna Letters, 1992. H. KL.

Amarynkeus (Ἀμαρυγκεύς). **[1]** König der Epeier, dem seine Söhne nach seinem Tod glänzende Leichenspiele ausrichten. In sämtlichen Wettkämpfen, außer im Wagenrennen, siegt Nestor (Hom. Il. 23,629ff.). Sein Sohn Diores fällt vor Troia (Hom. Il. 2,622. 4,517) [1]. **[2]** Thessal. Bundesgenosse des Königs Augeias im Kampf gegen Herakles (Paus. 5,1,10).

1 R. HAMPE, LIMC 1.1, 584 f. F. G.

Amarynthos (Ἀμάρυνθος). Der Ort A. auf der Insel → Euboia gehörte als Demos zu → Eretria. A. lag ca. 10 km östl. vom h. Eretria auf dem Hügel Palaiochoria oder Palaiokastro (früher Kato Vatheia) an der Küste. Der Platz war schon in neolithischer Zeit bed. und blieb bis in die byz. Zeit kontinuierlich bewohnt. Der Name ist vorgriech. Ursprungs. In A. lag das Heiligtum der → Artemis Amarysia, deren Fest jährlich aufwendig begangen wurde (Strab. 10,1,10; Liv. 35,38,3) und bis nach → Attika zum Demos → Athmonon (h. Marusi) hinüberreichte.

E. B. FRENCH, Archaeology in Greece 1993/1994, 35 · S. LAUFFER, s. v. A., in: LAUFFER, Griechenland, 99 · E. SAPOUNA-SAKELLARAKE, Un depot du temple et le sanctuaire d'Artemis Amarysia en Eubee, in: Kernos 5, 1992, 235–263. H. KAL.

Amarysia s. Artemis

Amaseia (Ἀμάσεια). Stadt mit Burg am W.ufer des → Iris (Yeşil İrmak) in → Pontos (h. Amasya), bis 183 v. Chr. Residenz der Mithradatiden (→ Mithradates). Die Burg liegt im Durchbruchsbereich des Flusses durch einen Riegel des N.anatolischen Randgebirges ca. 250 m über der Stadt; Stadt und Burg waren von einer (noch h. gut erh.) hellenistischen Maueranlage umschlossen. Abgesehen von den 5 monumentalen, von dem in A. gebürtigen → Strabon (12,3,39) als μνήματα βασιλέων (mnemata basileon) bezeichneten Felskammergräbern finden sich am Bergmassiv unter der Burg und in der Umgebung noch ca. 12 weitere Felsgräber; eines davon ist inschr. [1. 95] als Grab eines Oberpriesters kenntlich. Im Bereich der ant. Stadt ist der Fluß von den Bogen

einer röm. Brücke (h. Alcakköprü) überspannt. Die auch in spätant. (Metropolis von Diospontos bzw. Hellenopontos) und byz. Zeit (Thema Armeniakon) bedeutende Stadt wurde zu Ende des 11. Jh. von den turkmenischen Danischmendiden übernommen.

1 ANDERSON / GRÉGOIRE / CUMONT, 109–148 2 F. U. E. CUMONT, Pont., 1906, 147–172 3 E. OLSHAUSEN, J. BILLER, Unt. zur histor. Geogr. von Pontos unter den Mithradatiden (TAVO Reihe B Nr. 29,1) 1984, 89ff. (mit Faltkarte B 3) 4 W. H. WADDINGTON, E. BABELON, TH. REINACH, Recueil général des monnaies grecques d'Asie Mineure 1,1, 1925², 31–51 5 D. S. WILSON, The Historical Geography of Bithynia, Paphlagonia, and Pontus in the Greek and Roman Periods, D. B. Thesis, Oxford 1960 (maschr.), 203–211. E. O.

Amasenus. Fluß im südl. Latium, h. Amaseno (Verg. Aen. 7,685; Vibius Sequester 20), der ca. 6 km westl. von → Tarracina ins → mare Tyrrhenum mündet. In der Ant. im Oberlauf wasserreich (Verg. Aen. 11,547f.), in der pontinischen Ebene langsam fließend, was zur Versumpfung beitrug (Strab. 5,3,6); in röm. Zeit Mündung in Holz eingefaßt.

M. CANCELLIERI, Le vie d'acqua dell'area pontina, in: Quaderni del centro di studio per l'archeologia etrusco-italica 12, 1986, 149–156. S. Q. G. / S. W.

Amasis. Griech. Namensform zweier ägypt. Könige. **[1]** Meist Amosis oder Ahmose, ca. 1540/30–1515/05 v. Chr., Begründer der 18. Dynastie und des NR. Er vollendet die Vertreibung der → Hyksos, erobert ihre Hauptstadt Auaris und unterwirft Südpalästina sowie Unternubien [1. 45–47; 3]. **[2]** Ägypt. Jʿḥ-msw, 5. Herrscher der 26. Dynastie (570–26 v. Chr.), stürzt seinen Vorgänger → Apries, als der ihn zur Beilegung einer Meuterei aussendet. Zu Beginn seiner Regierung wehrt A. einen babylon. Invasionsversuch ab. Er erobert Zypern und unterhält Bündnisse mit Kyrene, → Lydien und → Samos. Die antipersische Koalitionspolitik gegen Ende seiner Regierung scheitert aber; kurz nach seinem Tod wird Ägypten erobert. Sein Sohn → Psametich III. regiert nur wenige Monate. Wirtschaftlich erlebt Ägypten unter A. eine Blütezeit. Die Tätigkeit griech. Kaufleute wird auf → Naukratis beschränkt, das durch A. eine Monopolstellung erhält. In der späteren ägypt. und griech. Überlieferung (Hdt. 2,172–4) ranken sich um A. zahlreiche Anekdoten, die ihn als weisen und unkonventionellen, aus einfachen Verhältnissen stammenden Herrscher charakterisieren und in der ant. Lit. weite Verbreitung fanden [1. 51 f.; 2. 209–236].

1 TH. SCHNEIDER, Lexikon der Pharaonen, 1994 2 C. W. MÜLLER, »Der Schelm als König und Weiser«, AAWM 1989 3 C. VANDERSLEYEN, Les guerres d'Amosis, 1971.

A. LLOYD, Herodotus, Book II, Commentary 99–182, 1988, 174–241. K. J.-W.

Amasis-Maler. Att. sf. Vasenmaler um 560/550–520/510 v. Chr., benannt nach dem Töpfer Amasis, dessen Signatur auf 9 seiner Werke erh. ist (eine Abhängigkeit des Namens von dem ägypt. König → Amasis stößt auf chronologische Schwierigkeiten). Wahrscheinlich waren Töpfer und Maler dieselbe Person, da der bes. Charakter der Gefäßformen in der Bemalung seine Entsprechung findet. Die präzise getöpferten Gefäße sind fast alle auffallend klein und zeichnen sich durch elastisch gespannte Formen aus. Bevorzugt werden einfache Bauchamphoren (Typ B) und Lekythen; für die anderen Gefäßformen hat der Töpfer mehrfach eigenwillige Varianten erfunden, die in der Regel auch unkonventionell dekoriert sind (z. B. mit Miniaturfriesen anstelle von Ornamenten). Aufgrund des leicht erkennbaren, zierlich kompakten Figurenstils konnten dem A. bisher etwa 130 Vasen zugewiesen werden, die eine ungewöhnlich lange Schaffenszeit bezeugen: von faltenlosen Gewändern im Stil des Heidelberg-Malers (→ Siana-Schalen) bis zu gewellten dreidimensionalen Faltenrändern wie bei den frühen rf. Malern. Charakteristisch sind die eleganten symmetr. oder gereihten Kompositionen, bei denen der erzählende Inhalt eine untergeordnete Rolle spielt; darunter Meisterwerke an graphischer Spannung und Balance, wie die Kavalkade auf einer Amphora in München [1. Nr. 4]. Gleichzeitig gibt es aber auch drastische und einfallsreiche Handlungsbilder, wie die Kelterszene auf der Amphora in Würzburg [1. Nr. 19]. Durch das vorherrschende Interesse an der formalen Harmonie und Originalität seiner Werke entzieht sich der A. der allgemeinen Entwicklung der Zeichenkunst, bei der sein Zeitgenosse → Exekias tonangebend war. Der Töpfer Kleophrades hat am Anfang des 5. Jh. als »Sohn des Amasis« signiert.

1 D. VON BOTHMER, The A., 1985.

BEAZLEY, Addenda², 42–46 • H. P. ISLER, Der Töpfer Amasis und der A., in: JDAI 109, 1994, 93–114 • S. KAROUZOU, The A., 1956 • Papers on the A. and his world, Kongr. Malibu 1986, The J. Paul Getty Mus., 1987.   H. M.

Amastris (Amestris). **[1]** Tochter eines der sieben Verschwörer unter → Dareios. Mutter → Artaxerxes' [1]. **[2]** Tochter → Artaxerxes' [2], der sie → Tiribazos versprochen hatte, doch sie dann selbst heiratete. Das bewog Tiribazos, → Dareios zu einer Verschwörung gegen den König anzustacheln. (Plut. Art. 27 ff.). **[3]** Tochter des → Oxathres, Nichte → Dareios' [3], kam mit seinen Kindern nach der Schlacht bei → Issos in die Gewalt → Alexandros' [4]. Bei den Hochzeiten von Susa (→ Alexandros [4]) heiratete sie → Krateros, der sie nach Alexandros' Tod an → Dionysios von → Herakleia weitergab. Diesem gebar sie drei Kinder und regierte nach seinem Tod (305 v. Chr.) als Königin und Vormund des ältesten (→ Klearchos [1]) unter → Antigonos' [1]) Oberherrschaft. 302 konnte sie sich von ihm lossagen und heiratete → Lysimachos. Nach der Schlacht bei → Ipsos schied er sich aber von ihr, um → Arsinoe [II 2] zu heiraten. A. kehrte nach Herakleia zurück, ließ aber in einer von ihr gegründeten Stadt, A., nieder. Klearchos, jetzt volljährig, und etwas später der zweite Sohn regierten unter ihrer Oberherrschaft. Nach langer Spannung zw. Mutter und Söhnen starb sie 284. Die Söhne wurden verdächtigt, sie ermordet zu haben und unter diesem Vorwand von Lysimachos hingerichtet.

BERVE 2 Nr. 50 • S. M. BURSTEIN, Outpost of Hellenism, 1976, 75 ff.   E. B.

[4] (Ἄμαστρις). Küstenstadt von → Paphlagonia (h. Amasra); urspr. Sesamos, eine milesische → Apoikia, nach dem durch von der Fürstin A. [4] veranlaßten Synoikismos mit → Tios, → Kromna und → Kytoros um 300 v. Chr. in A. umbenannt. Seit 279 v. Chr. stand A. unter den pontischen Königen, ehe sie 70 v. Chr. von Lucullus eingenommen wurde; an diese »Befreiung« knüpfte A. den Anfang ihrer → Ära. Durch Pompeius kam A. zum pontischen Teil der Doppelprov. → Pontus-Bithynia, vermutlich Sitz eines → Koinon. Bis in Strabons Zeit auf die schmale Halbinsel begrenzt (Strab. 12,3,10), wuchs das urbane Zentrum in claudischer Zeit (Mitte 1. Jh. n. Chr.) südl. in die Ebene und erreichte den Höhepunkt baulicher Entwicklung mit dem von Plinius gelobten Erscheinungsbild unter Traianus (Plin. epist. 10,98), wovon auch Inschr. und Reste der röm. Architektur zeugen. Wirtschaftliche Grundlage für A. bildeten außer der günstigen Hafenlage (vermutlich Stützpunkt eines Teils der röm. Schwarzmeerflotte) Fisch- und Holzreichtum. A. blühte noch in byz. Zeit und wurde E. des 14. Jhs. von den Genuesen neu befestigt (h. Zustand der Enceinte).

E. BABELON, TH. REINACH, Recueil général des monnaies grecques d'Asie Mineure 1,1, ²1925, 171–185 • CH. MAREK, Stadt, Ära und Territorium in Pontus-Bithynia und Nordgalatia, 1993, 88–100, 157–187 • L. ROBERT, A travers l'Asie Mineure, 1980, 151–163.   C. MA.

Amata. Frau des Latinerkönigs Latinus, Mutter der Lavinia. Sie widersetzt sich der Heirat ihrer Tochter mit Aeneias, weil sie ihren Neffen Turnus favorisiert, und ist so mitverantwortlich für den Krieg gegen Aeneias (Dion. Hal. ant. 1,64,2; Verg. Aen. 7,56 ff.; Origo gent. Rom. 13,5). Da sie Turnus vorzeitig für tot hält, verübt sie Selbstmord durch Erhängen (Verg. Aen. 12,595 ff.) oder Nahrungsentzug (Fabius Pictor ap. Serv. Aen. 12,603; HRR fr. 1, S. 112 Nr. 1). Ihre beiden Söhne hat sie geblendet oder getötet, weil sie Aeneias unterstützten (Serv. Aen. 8,51).

Die Überlieferung zu A. hat mithin Vergil bereits vorgelegen, doch mit wichtigen Unterschieden, deren Tragweite nicht überall klar ist (vgl. die Diskussion um ihren Freitod bei Serv. Aen. 12,603) – deutlich ist jedenfalls, daß Vergil sie als ein Gegenstück zu Dido gestaltet [1]. Auch die Namensform scheint erst Vergil geprägt zu haben [2]. Dion. Hal. ant. 1,69,2 nennt sie Amita.

1 Z. W. Zarker, A. Vergil's other tragic queen, in: Vergilius 15, 1969, 2–24 2 R. O. A.M.Lyne, Further Voices in Vergil's Aeneid, 1987, 13–27.

A. la Penna, s. v. A., EV, 125–129. F. G.

Amaxa s. Sternbilder

Amazones (Ἀμαζόνες).
A. Begriff B. Mythen C. Rezeption

A. Begriff

Mythisches Volk von Kriegerinnen, Schöpfung des griech. Epos und definiert durch das Epitheton *antiáneirai*, »Männern gleichwertig« (Hom. Il. 3,189; 6,186).

B. Mythen

Durch die ganze Ant. hindurch berühmt für ihre Tapferkeit, wurden die A. in diverse Erzählungen eingeführt. Als maskuline Frauen forderten sie die Männlichkeit der griech. Heroen, (u. a.) Achill, Bellerophon, Herakles, Theseus, die Athener, Alexander den Großen, hauptsächlich auf dem Schlachtfeld, aber auch in sexueller Hinsicht heraus. Als ungriech. Protagonisten in der griech. ep. Welt wurden die A. als eponyme Heroinen griech. Städte in Kleinasien, z. B. Kyme, Sinope, Smyrna und Ephesos, beansprucht. Das Wesen der A. wurde durch ihre kulturell-geogr. Herkunft (im Epos: jenseits von Troia und in Thrakien; im 6.Jh. in Skythien, im 5.Jh. in Themiskyra beim Thermodon; in der hell. Zeit im ferneren Osten oder Westen), durch die Etym. ihres Namens, durch ethnographische Analogien mit einem bes. Interesse an den Rollen der Geschlechter und durch Assoziation mit griech. Gottheiten (Ares, Artemis) erklärt.

C. Rezeption

Ant. A.-Königinnen fanden Eingang in die ritterliche Bilderwelt des MA, während die A. als Volk angeblich die Randgebiete der Welt, wie sie den Reisenden aus dem Westen damals bekannt war, bewohnten. Die Altertumswissenschaftler übernahmen die ant. Methoden der Identifikation, um dort A.-Gesellschaften anzusetzen, wo eine histor. Realität den A.-Mythen zugrunde zu liegen schien.

→ Penthesileia; Hippolyte

J. Blok, The Early Amazons, 1995 · P. DuBois, Centaurs and Amazons, 1982 · W. Tyrrell, Amazons, 1984. J.Bl.

D. Ikonographie.

A. werden als Kämpfende und Besiegte dargestellt, in Gruppen oder allein, oftmals beritten, mit Pfeil und Bogen, Schwert und Pelta: auf Votivschilden (früheste Überlieferung auf einem Tonschild aus Tiryns um 700 v. Chr.), auf Schildbändern ab E. 7. / Mitte 6.Jh. v. Chr. und insbesondere auf Vasen seit etwa 570 v. Chr. Thema sind die A.-kämpfe vor Troia (→ Achilleus und Penthesilea: Münchener Schale des → Penthesilea-Malers, um 460 v.Chr.), häufiger aber die Amazonomachien des Herakles und – seit dem letzten Viertel des 6.Jh. v. Chr. – des Theseus. A.-kämpfe gehören zum Bild-

repertoire klass. und nachklass. → Bauplastik, wie etwa in Eretria (W-Giebel des Apollon-Tempels, Ende 6.Jh. v. Chr.), in Delphi (Metopen des Athener Schatzhauses, um 490 v. Chr.), in Athen (O-Metope des Hephaisteion, um 450 v. Chr.), in Olympia (W-Metope des Zeustempels, um 460 v. Chr.; am Zeusthron: s. Paus. 5,11,4), in Bassai (Fries des Apollon-Tempels, um 410 v. Chr.), auch in Selinunt (O -Metope von Tempel E, um 470/460 v. Chr.), in Gjölbaschi-Trysa (Fries des Heroon, Anf. 4.Jh. v. Chr.), in Halikarnassos (Fries am Mausoleum, um 350 v. Chr.), in Magnesia am Mäander (Fries am Artemis-Tempel, 2. H. des 2.Jh. v. Chr.). Besondere Bedeutung erhielt die att. Amazonomachie nach den Perserkriegen als myth. Paradigma der erfolgreichen Abwehr der Persergefahr durch die Athener: W-Metopen am → Parthenon (447/440 v. Chr.), Schild der Athena Parthenos (447/438 v. Chr.), Wandgemälde des Mikon im Theseion und in der Stoa Poikile in Athen (um 460 v. Chr.); mit ähnlichem Anspruch im 2.Jh. v. Chr. das kleine attalische Weihgeschenk in Athen (»Sterbende Amazone«, Neapel). Von drei der »ephesischen A.«, die Pheidias, Polyklet, Kresilas und Phradmon zwischen 440 und 430 v. Chr. für das Artemision in Ephesos anfertigten, sind zahlreiche röm. Kopien und Nachbildungen erh.: Mit einiger Sicherheit kann der »Typus Mattei« Pheidias zugeschrieben werden; die Zuschreibungen der A. Sciarra / Lansdowne an Kresilas und des kapitolinischen »Typus Sosikles« an Polyklet bleiben umstritten. Aus röm. Zeit sind A. außerdem auf zahlreichen Mosaiken, Münzen, Friesen, Votivreliefs u. ä. dargestellt; allein mehr als 60 Sarkophagreliefs überliefern die Kämpfe zwischen A. und Griechen.

P. Devambez, A. Kauffmann-Samaras, s. v. Amazones, LIMC I,1, 1981, 586–653 (mit älterer Lit.) · J. Floren, Die Amazone des Phidias, in: ΜΟΥΣΙΚΟΣ ΑΝΗΡ, FS M. Wegner, 1992, 119–141 · W. Gauer, Parthenonische Amazonomachie und Perserkrieg, in: Kanon. FS E. Berger, 1988, 28–41 · W. Gauer, Die ephesischen A., das Bildnis des Artemon und der samische Krieg des Perikles, in: Kotinos, FS E. Simon, 1992, 188–198 · Chr. Höcker, L. Schneider, Phidias, 1993, 104–110 · B. Schmaltz, Zu den ephesischen A., in: AA 1995, 335–343. A.L.

Ambacti s. Sklaverei

Ambara. Befestigte sasanidische Stadt am Euphrat. Der Name bedeutet »Magazin« und weist auf den Charakter als Versorgungsplatz am Rande des fruchtbaren mesopotamischen Schwemmlandes in strategisch günstiger Lage hin. Bei den Römern wird A. – damals die nach Ktesiphon bedeutendste Stadt Süd-Mesopotamiens – erstmals während der Kämpfe zwischen Iulian und Schapur II. (363) erwähnt als Pirisabora (Amm. 24,2,9; 5,3 Zos. 3,17,3), d. h. Peroz-Schapur, »Siegreich ist Schapur«. Diese Benennung erfolgte anläßlich des Sieges Schapurs I. über die Römer im Jahre 244 n. Chr. A. war Residenz eines nestorianischen Bischofs und kurzzeitig Sitz des ersten abbasidischen Kalifen (750–754), büßte dann aber im MA seine Bed. ein und verfiel. Die Überreste liegen unter den Ruinenhügeln al-Anbar und Tell 'Aqar bei Rapiqu (unweit Falludscha).

F. C. ANDREAS, s. v. A., RE I, 1790–1795.　　　J. OE.

Ambarri. Volk in → Gallia Celtica, später Lugdunensis, zu beiden Seiten des → Arar (daher der Name), den → Haedui verwandt (Caes. Gall. 1,11,4; 14,3). Sie nahmen im 6. Jh. v. Chr. an der keltischen It.-Invasion teil (Liv. 5,34). CIL XIII 2446–2580; 11215–11222.

P. WUILLEUMIER, Inscriptions latines des trois Gaules, Gallia Suppl. 17, 1963, 303–310bis.　　　Y. L.

Ambarvalia. *A.*, wörtlich »Umgang um das Ackerland«, ein agrarisches Lustrationsritual, dem die Amburbia als Lustration des Stadtgebiets entsprechen (SHA Aurelian. 20,3 vgl. Fest. s. v. *Amburbiales hostiae*). Der röm. Kult kennt eine Reihe von solchen reinigenden Umgängen um das Ackerland, die zumeist in die Zuständigkeit des einzelnen Gutsherrn fallen (*lustratio agri*, Cato agr. 141; *sacrificum ambarvale*, Serv. ecl. 3,77; vgl. auch Tib. 2,1 [1]). Das dabei mitgeführte und am Ende getötete Tier (bei Cato agr. 141 die → Suovetaurilia) heißt *ambarvalis hostia* (Fest. s. v.; Macr. Sat. 3,5,7). Gewöhnlich sind solche Lustrationen in den Mai [2] oder den frühen Juni gesetzt, jedenfalls vor der Reife des Getreides. Von einem staatlichen Ritual unter Beteiligung der Pontifices spricht allein Strab. 5,3,2 (vielleicht über → Polybios aus → Fabius Pictor): danach opfern die Pontifices an mehreren Punkten einer alten sakralen Grenze des *ager Romanus*. Strabon nennt das Ritual Ambarvia (Ἀμβαρουία).

Das Fest wurde lange mit dem Opferfest für Dea Dia, das die → *Arvales fratres* jeweils jährlich wechselnd entweder am 17., 19. und 20. Mai oder aber am 27., 29. und 30 Mai abhielten, identifiziert [3]; die Verbindung, die sich vor allem auf eine problematische Konjektur bei Fest. s. v. *ambarvalis hostia* abstützt, ist nicht haltbar [4].

1 C. B. PASCAL, Tibullus and the A., in: AJPh 109, 1988, 523–536 **2** CIL I² 280; InscrLt XII 2,288, 295 **3** W. HENZEN, Acta fratrum Arvalium, 1874, 46–48 **4** J. SCHEID, Romulus et ses frères, 1990, 442–451.　　　F. G.

Ambiani. Küstenvolk in → Gallia Belgica in der h. Picardie, Hauptort → Samarobriva; beteiligte sich an den gallischen Koalitionen gegen → Caesar von 57 und 52 v. Chr., wurde 51 v. Chr. endgültig unterworfen (Caes. Gall. 2,4,9; 7,75,1–3; 8,7,3–4). Ihre Siedlungsgebiete zw. → Bellovaci im Süden und → Morini im Norden (Ptol. 2,9,4) umfaßten das Somme-Becken, begrenzt im Norden von der Canche, im Nordosten und Südosten durch die Wasserscheide der Somme; die an der Südgrenze, dem Bresletal, bezeugten Catuslougi [1] galten als → *pagus* der A.

1 AE, 1982, 716.

D. BAYARD, J.-L. MASSY, Amiens romain. Samarobriva Ambianorum, 1983.　　　F. SCH.

Ambigatus (Ambicatos). Kelt. Namenskompositum mit *ambi-* »herum« [5. 122–123, 215; 1. 134–135; 4. 708]. Nach Livius war der → Bituriger A. zur Zeit der Regierung des → Tarquinius Priscus in Rom König aller Kelten (Liv. 5,34,2). Wegen einer Überbevölkerung habe er, unter Führung seines Neffen → Segovesus, die erste kelt. Einwanderung ins Gebiet der Poebene veranlaßt (Liv. 5,34,3–9).

1 EVANS **2** HOLDER, Bd. 1, 120 **3** E. KLEBS, s. v. A. RE I, 1798 **4** R. M. OGILVIE, Comm. on Livy, 1965 **5** SCHMIDT.　　　W. SP.

Ambiorix. Keltisches Namenskompositum (»reich an Land«?) [1. 48–49; 2. 124]. Fürst der → Eburones, durch Caesar von der Oberherrschaft der → Aduatuci befreit und zunächst Verbündeter der Römer. 54 v. Chr. vernichtete er gemeinsam mit Catuvolcus 15 neu ausgehobene röm. Kohorten unter den Legaten Q. Titurius Sabinus und L. Aurunculeius Cotta auf dem Marsch zum Lager des Q. Tullius → Cicero, indem er den Sabinus überredete, das sichere Winterlager im Eburonengebiet zu verlassen (Caes. Gall. 5,27,2–11). A. hat Caesar damit wohl eine der empfindlichsten Niederlagen beigebracht. Hierauf griff A. zusammen mit den → Nervii und Aduatuci das Lager des Cicero im Gebiet der Nervii, dann den herbeigeeilten Caesar an, wurde aber vollständig geschlagen. Caesar beendete das »*bellum Albiorigis*« 53 und 51 v. Chr. mit der Plünderung des Eburonengebietes und der Vernichtung des Stammes, konnte aber des A. nicht habhaft werden (Caes. Gall. 5, 24–52; 6,5–9; 8,24,25; Frontin. strat. 3,17,6; Cass. Dio 40,5–11). Modernes Denkmal in Tongern.

1 EVANS **2** SCHMIDT.

O. SEEL, A., in: D. RASSMUSSEN (Hrsg.), Caesar, 1976, 279–338 · M. RAMBAUD, Le »Portrait« d'A., in: Hommages à J. COUSIN, 1983, 113–122.　　　W. SP.

Ambitus bezeichnet das (kreisende) Herumgehen, die Krüm- mung, Ausdehnung, den Umriß, übertragen auch eine weitschweifige Rede oder eitles Verhalten, seit dem XII-Tafel-Gesetz (tab. VII, 1) auch den Bauabstand (Varro ling. 5,22; Dig. 47,12,15; Cod. Iust. 8,10,12,2).

1. Im Bereich des Polit. ist *a.* das »Herumgehen und Bittstellen« (Fest. 12: *circumeundo supplicandoque*) zum Zwecke der Wahlwerbung, meist in negativer Bed., wie die spätestens seit dem 4. Jh. v. Chr. bezeugte Gesetzgebung gegen unerlaubte Methoden des *a.* zeigt: Sie entsteht zunächst im Zusammenhang mit den Ständekämpfen zw. Patriziern und Plebejern (*lex Poetelia de a.*, 358 v. Chr.: Liv. 8,15,12), richtet sich dann im Rahmen

der Sittengesetzgebung gegen hell. Kultureinflüsse (*lex Cornelia Baebia de a.* 181 v. Chr.: Liv. 40,19,11) und wird Ende des 2. Jhs. v. Chr. zum Mittel des Parteienkampfes, was schon vor 114 zur Einführung eines dauernden Spezialgerichtshofs (*quaestio perpetua de a.*) nach dem Vorbild der *lex Calpurnia des repetundis* von 149 und zu zahlreichen Gesetzen gegen *a.* führt: *lex Cornelia* (81 v. Chr.) und weitere 10 *leges* in den J. 70, 67–63, 61, 55, 52 und 18 v. Chr. (*lex Iulia*). Diese Gesetze verändern oder bestätigen Verbote und Einschränkungen bei der Amtsbewerbung: Anfänglich (438) das Tragen »weißer« (*candidus*) Kleidung durch die »Kandidaten«, das Herumziehen zur Popularitätssteigerung (*lex Poetelia* von 358: Liv. 7,15); öffentliche Spiele und Gastmähler für Wahlzwecke (*lex Tullia* von 63; Cic. Sest. 6,4,133); Stimmenkauf und Spenden (*rogatio Aufidia* von 61; Cic. Att. 1,18,5); systematische Propaganda mit Hilfe der Klienten und Freunde (*lex Fabia de numero sectatorum* zw. 67 und 63: Cic. Mur. 3,4,70; → *adsectator*), die bes. verwerfliche Vereinigung von Politikern zur gemeinsamen Stimmenbeschaffung (→ *coitio, crimen sodaliciorum; lex Licinia de sodaliciis* von 55; Cic. fam. 8,2,1). Als Strafen erscheinen Geldzahlung (*multa*), 5–10 j. Verbannung, 10 j. Bewerbungsverbot für ein öffentliches Amt, Ausschluß aus dem Senat. Die letzte von den Comitien beschlossene *lex de a.* (*lex Iulia* von 18 v. Chr.) bleibt Grundlage aller späteren rechtlichen Regelungen über den *a.*, doch werden die Strafnormen in der frühen Kaiserzeit in der Stadt Rom obsolet, da mit dem Wegfall der Volkswahl auch die Wahlbeeinflussung des Volkes unnötig wird. Sie bleiben jedoch in den Munizipien und im Zusammenhang mit der unredlichen Erlangung der vom Kaiser vergebenen Beamtenstellen bis in die Spätant. von Bedeutung (Dig. 48,14; Cod. Iust. 9,26).

→ quaestio, honor, Amt

G. CHAIGNE, A. et les moeurs électorales des Romains, 1911 • MOMMSEN, Strafrecht, 865 ff. • ROTONDI, 105 f.   C. G.

Ambivareti. Volk in → Gallia Celtica, → *clientes* der → Haedui (Caes. Gall. 7,75,2) A. Korrektur einiger Hrsg. für »Ambluareti« (so alle Mss.).   Y. L.

Ambivius Turpio. Impresario, Regisseur und Schauspieler, Direktor einer Schauspielertruppe in Rom im 2. Jh. v. Chr. Im Sinne der die Spiele ausrichtenden Aediles sorgte er für erfolgreiche Aufführungen, förderte aber zugleich die Autoren seines Vertrauens: → Caecilius und bes. → Terentius. Dessen *Phormio* spielte er zur vollen Zufriedenheit des Dichters (Donat zu Ter. Phorm. 315). Zweimal übernahm er auch die Rolle eines werbenden und kämpferischen Prologus: zum *Heautontimorumenos* und zur 3. Aufführung der *Hecyra* (160 v. Chr.). Sein Eintreten für geistvolle Komik und reine Diktion (*pura oratio*, Ter. Haut. 46) sowie sein Appell an die Mitverantwortung (Ter. Hec. 13) der Zuschauer sicherten Terentius das Überleben.

W. BEARE, The Roman Stage, ³1964, 164–166 • CH. GARTON, Personal Aspects of the Roman Theatre, 1972, 60–65, 236–237 • H. LEPPIN, Histrionen, 1992.   H. BL.

Amblosis (ἄμβλωσις). Die → Abtreibung, von Plat. pol. 461c und Aristot. pol. 1335 b 25 unter bestimmten Voraussetzungen neben Aussetzung des Neugeborenen empfohlen, wurde in Griechenland von der allg. Meinung als verwerflich empfunden (Hippokr. 54,630,3). Eine Strafbarkeit der *a.* ist jedoch weder für das griech. (s. jedoch Cic. Cluent. 32) noch für das griech.-ägypt. Rechtsgebiet bezeugt.

→ Abortio

E. CANTARELLA, L'ambigno malanno, ²1985, 66 f.   G. T.

Ambrakia (Ἀμβρακία). Südepeirotische Stadt in der Thesprotia, urspr. 80 Stadien oberhalb der Mündung des (bis A. schiffbaren) Arachthos in den Golf von A. (Skyl. 33) an der Stelle des h. Arta. Die ältere Namensform war bis zum 4. Jh. v. Chr. Ἀμπρακία (Hdt.; Thuk.; Münzen), abgeleitet vom Kastell Ambrakos in den Lagunen südl. der Stadt (Pol. 4,61,4 ff.; Steph. Byz. s. v. A., h. Phidokastro). A. galt als äußerste Stadt Griechenlands (Hdt. 8,47; Dionysios Kalliphontos 28–32).

Die korinth. Kolonie der → Kypseliden (6. Jh. v. Chr.) war von diesen zunächst beherrscht, danach demokratisch (Aristot. pol. 5,4). Im 6. Jh. Kämpfe gegen → Korkyra am Arachthos (IG IX 1, 868), in den → Perserkriegen auf Seiten der Griechen und im → Peloponnesischen Krieg auf Seiten Spartas; 426 v. Chr. unterlag A. gegen Athen und die Amphilochoi bei Olpai (Thuk. 2,68). 395 v. Chr. im 1. → Korinth. Bund, später im Korinth. Bund → Philippos' II. Im 3. Jh. v. Chr. geriet A. in maked. Besitz und wurde von Kassandros' Sohn Alexandros an → Pyrrhos (Plut. Pyrrhos 6) abgetreten, der A. prachtvoll zur Residenzstadt ausbaute. Zum Aitolischen → Koinon gehörte A. von 230/229 bis zur Eroberung und Plünderung durch M. Fulvius Nobilior 189 v. Chr. (Pol. 21,27; Liv. 38,4 f.), danach → *civitas libera* (Liv. 38,44,2; [4]). Im 3. Maked. Krieg (170/169) erhielt A. eine röm. Besatzung (Liv. 42,67,9; [5]). Am → Synoikismos von Nikopolis war A. beteiligt (Strab. 7,7,6; Anth. Pal. 9,533; Paus. 5,23,3). In ihrem Territorium wurde eine Zenturiation (→ Feldmesser) vorgenommen [3. 375–382]. A. bestand im 2. Jh. n. Chr. als Stadt (CIG II 1801; SEG 39,1868). Die Stadtanlage wird von Liv. 38,4 f., Pol. 22,10; 13 und Strab. 7,7,6 beschrieben. Eine »Ambrakika« schrieb Athanadas (FGrH 303 VI, Komm. III B 10 f. – Zeitgenosse des Pyrrhos?). Intensive Grabungen erwiesen u. a. archa. Tempel und Grabanlage, orthogonales Straßensystem, Theater, Stadtmauern (BCH 117, 1993, 814–817 [1. 91–101; 2. 289–299].

Inschr. [4; 5]; CIG II 1797–1809; IG ²II/III 951; SEG 3,451; 17,303–308; 24,437; 26,694; 29,347; 31,535; 41,540.

→ Epeiros

1 P. Cabanes (Hrsg.), L'Illyrie méridionale et l'Epire dans l'antiquité, 2, 1993 2 FS für S.I.Dakaris, 1995 3 P.N.Doukellis, É.Fouache, in: BCH 116, 1992 4 Chr.Habicht, in: V.Milojcic (Hrsg.), Demetrias 1, 1976, 175–180 5 SEG 35, 1985, 665.

N.G.L.Hammond, Epirus, 1967 · Lauffer, Griechenland, 99–102 · E.Oberhummer, Akarnanien, 1887, 25f.   D.S.

Byzantinische Zeit

Umfang und Bed. der spätant. und frühbyz. Siedlungskontinuität unklar; damals nicht als Bistum nachweisbar. Aufschwung seit dem 11.Jh., bedingt durch die günstige Lage für den venezianischen Handel; Blüte im 13.Jh. als Hauptstadt des Despotats von Epeiros. Bedeutende arch. Reste (9.–14.Jh.) im Stadtgebiet und in der Umgebung.

→ Epeiros

DHGE IV, 1930, 766 · Lauffer, Griechenland, 99–101 · LThK³ I, 1993, 1043 · ODB I, 1991, 191f. · TIB III, 1981, 113–115   E.W.

Ambrones. Kelt. Volk aus Helvetien bzw. → Noricum (Fest. 17) oder german., evtl. mit der Insel Amrum zu verbindender Stamm: Etym. der *Ambr*-Namen Namen unergiebig (vgl. [1. 606] zur möglichen ligurischen Komponente). Die A. bedrohten gemeinsam mit Helvetii und Teutoni von Südgallien her It. und wurden 102 v.Chr. bei Aquae Sextiae von C. Marius geschlagen (Liv. epit. 68; Plut. Marius 15,5f.; 19,3f.; 19,7; 20,1f.; vgl. Strab. 4,1,8; Cass. Dio 44,42,4; 50,24,2; Eutr. 5,1,1; Oros. 5,16,1; 9; 13; Veg. mil. 3,10). Ob Teile der A. im Norden blieben (der angelsächsische Widsith v. 32 a: *Ymbre; Fehmarn in ma. dänischen Urkunden Ymbria, Imbria) ist strittig.

J.Herrmann, Griech. und lat. Quellen zur Frühgesch. Mitteleuropas 1, 1988, 606.

H.Kuhn, R.Wenskus, s.v. Ambronen, RGA 1, ²1973, 252.   K.Di.

Ambrosia (ἀμβροσία, »unsterblich«). **[1]** Eine der Hyaden. Sie sind Töchter des Atlas und der Pleione, pflegten das Dionysoskind (Pherekydes FGrH 3 F 90) entweder in Nysa (Hyg. fab. 182) oder in Thrakien, von wo sie vor Lykurg zu Thetis fliehen, außer A. (Asklepiades FGrH 12 F 18); Ge habe sie in einen Rebstock verwandelt (Nonn. Dion. 21,17).

[2] Nahrung der Unsterblichkeit, vergleichbar dem *amrta* der indischen Mythologie. Götter benutzen es als Nahrung und zur Kosmetik (Hom. Il. 14,170), Götterkinder erhalten es statt der Muttermilch (Hom. h. Apollouis 123). Menschen erhalten es als Tischgenossen der Götter wie Tantalos (Pind. O. 1,95), zur Stärkung in einer Notsituation wie Achilleus (Hom. Il. 19,353) oder, um sie unsterblich zu machen (Hom. h. Ceris. 326f.; Hes. fr. 23 a 21); es bewahrt auch tote Körper vor Verwesung (Hom. Il. 19,38). Urspr. sind → Nektar und A. dasselbe (z.B. Hom. Od. 9,359). Bei der Differen-

zierung in Speise und Trank ist A. meist Speise, Nektar der Trank. Umgekehrt etwa Alkman (fr. 42 PGM, Nektar) oder Sappho (fr. 141 A); bei Hom. Il. 19,347 ist A. flüssig. Rationalisten verstanden beides als Honig (Porph. de antro nympharum 19).

W.H.Roscher, Nektar und Ambrosia, 1883 · N.J.Richardson, The Homeric Hymn to Demeter, 1974, 238f.   F.G.

Ambrosiaster. Zu Unrecht dem Erasmus zugeschriebene [3. 172–174] Bezeichnung für den Autor eines zw. 366 und 384 verfaßten Komm. zu 13 Paulusbriefen, der als Werk des → Ambrosius überliefert worden ist. A.Souter hat gezeigt, daß die als Werk des → Augustinus überlieferte Schrift *Quaestiones veteris et novi testamenti* von demselben Autor herrührt. In diese Kollektion von *Erotapokriseis* wurden auch einige allg. Aufsätze wie *Adversus paganos* (114) und *De fato* (115) aufgenommen. Versuche zur Identifikation des Anonymus haben noch keinen Konsens zustande gebracht. A. gehörte wohl selbst den von ihm genannten *nobiles mundi* (quaest. 114,31) an und war juristisch gut geschult. Seine auffallende Kenntnis des Judentums setzt er im Komm. zum Römerbrief ein. Im Latein des A. finden sich manche unklass. Elemente [4].

Ed.: 1 A.Souter, Ps.-Augustini Quaestiones veteris et novi testamenti, CSEL 50, 1908 2 H.J.Vogels, Commentarius in epistulas Paulinas, CSEL 81,1–3, 1966–69.
Lit.: 3 A.Hoven, Notes sur Érasme et les auteurs anciens, in: AC 38, 1969, 169–174 4 M.Zelzer, Zur Sprache des A., in: WS 83, 1970, 196–213.   J.D.B.

Ambrosius. Um 340 in Trier als Sohn des amtierenden *praefectus praetorio Galliarum* geboren (PLRE I, Ambrosius 1). Nach dessen Tod siedelte seine Mutter mit ihren drei Kindern nach Rom über, wo A. eine aristokratische Ausbildung bekam (Paulinus, vita Ambr. 5), die ihm ermöglichte, eine Karriere im Verwaltungsapparat zu machen. 374 bekleidete er das Amt des *consularis Aemiliae et Liguriae* mit Mailand als Standort, als ein Streit um die Nachfolge des verstorbenen örtlichen Bischofs Auxentius ausbrach. Der Wahlkampf wurde durch den spontanen Konsens, A. zum Bischof auszurufen, entschieden. Trotz anfänglicher Ablehnung hat A. bis zu seinem Tod 397 sein Amt mit Einsatz, Ehrgeiz und einer großartigen Begabung als Manager ausgeübt. Schattenseite dieser Begabung ist A.' gezielte Manipulation des Bildes seiner Person und seiner (kirchlichen) Politik, das über die Biographie, die → Paulinus von Mailand 422 auf Bitten des → Augustinus schrieb, bis h. gewirkt hat [11; 14].

Während seines Episkopats hat sich A. ständig bemüht, Ansehen und Einfluß seines Amtes gegenüber Antinicaenern und staatlicher Macht zu befestigen. Vor allem nachdem Gratian 379 seine in *De fide* 1–2 erh. theologische Position anerkannt hatte, fing A. an, die westlichen Homoier energisch zu bekämpfen. Diese hatten infolge des Todes von → Constantius II. (361)

schon an Boden verloren; A. hat beim Konzil von Aquileia im J. 381 ihre Verurteilung erreicht. In Mailand gab
es, geführt von der Kaiserin → Iustina, noch ein kurzes
homoiisches Nachspiel, aber A. meisterte die Situation
u. a. durch die Auffindung und Beisetzung von zwei
»rechtgläubigen« Märtyrern, Protasius und Gervasius.
384 widersetzte A. sich vor → Valentinian II. jeder
Nachgiebigkeit gegenüber der Bitte des röm. Senats um
einige Privilegien für die traditionelle Religion. In
kirchlichen Angelegenheiten galt für ihn das Prinzip *imperator intra ecclesiam non supra ecclesiam est* (epist.
75a,36 Z.). Deshalb mußte → Theodosius für seine
Schuld an dem Blutbad von Thessalonike (390) öffentliche Buße tun.

A.' lit. Tätigkeit ergab sich aus dem Amt. Die zahlreichen »exegetischen Schriften« hatten ihren Ursprung
in Predigten. Ein erheblicher Teil ist dem Pentateuch
gewidmet; von den nt. Schriften hat er nur Lukas kommentiert. A.' Exegese ist stark von → Philon von Alexandreia und → Origenes beeinflußt. Für das *Hexa-
emeron*, das Gn 1,1–26 behandelt, benutzte er das gleichnamige Werk des → Basilius. Außerdem enthält seine
Hermeneutik neuplatonische Reminiszenzen – Reflex
der zeitgenössischen Mailander Intelligenz (s. Aug.
conf. 7–8; [8. 106 ff.]). Christl. *Ethik* betrafen 4 kleinere
Abh. über die von ihm hochgeschätzte Jungfräulichkeit
(*De virginibus* 1,11). Eine wichtige Arbeit war *De officiis*,
eine offensichtliche Nachahmung der gleichnamigen
Abhandlung → Ciceros, die A. mit seiner überlegenen
christl. Tugendlehre zu überbieten beabsichtigte. In der
Dogmatik erörtert *De fide* 3–5 das Verhältnis zw. Gott-
Vater und Sohn; in *De Spiritu Sancto* behandelt er dann
die Position des Hl. Geistes innerhalb der Trinität. Diese
Schrift ist eine Bearbeitung des gleichnamigen Werkes
von → Didymus dem Blinden, was → Hieronymus, der
A. nicht sehr schätzte, Anlaß zu der gehässigen Bemerkung gab, *de Graecis bonis Latina vidi non bona* (PG
39,1032a, Anspielung auf Ter. Eun. prol. 8). Aus der
Sammlung 6 eigener katechetischer Predigten über
Taufe und Eucharistie (nach den ersten Worten der 1.
Predigt *De sacramentis* genannt) stellte A. den Traktat *De
mysteriis* zusammen. Drei *Trauerreden* gehören zum Gesamtwerk des A., zu Ehren seines Bruders Satyrus (378),
Valentinians II. (392) und des Theodosius (395). Nach
dem Beispiel des → Plinius hat A. seine *Briefe* in 10 B.
geordnet. Die Mehrzahl betrifft kirchliche Angelegenheiten oder exegetische Probleme. B. 10 enthält eine
Auswahl von »offiziellen« Dokumenten. Seine wichtigste kulturelle Leistung besteht in seinen *Hymnen*, die so
oft imitiert wurden, daß der Authentizitätsnachweis
schwierig ist. Es gibt h. einen Konsens über 14 Stücke,
darunter einen der schönsten lat. lyrischen Texte, das
Morgenlied *Aeterne rerum conditor*. Man kann A. für das
Abendland als den Erfinder eines liturgischen Gesanges
betrachten, dessen Text nicht unmittelbar aus Bibelstel-
len abgeleitet ist. – Die absolute wie relative Datierung
der einzelnen Werke ist kompliziert, da viele langsam
gewachsen sind oder Material aus verschiedenen Perio-

den enthalten. Dazu ist A. in seinen Auffassungen ziemlich konsistent: Erstes Ziel war immer, Recht und Interessen der Kirche wahrzunehmen.

A.' Schriften haben Augustinus stark beeindruckt. Er
beruft sich oft auf den *doctor catholicus*; auffälligerweise
nimmt dies im Laufe von Augustins Entwicklung zu.
Die präzisen theologischen Beziehungen zwischen den
beiden Vätern sind jedoch noch ungenügend erforscht.
Beide waren überzeugte Nicaener, deren Denken von
einem gewissen Christozentrismus geprägt war. Schon
im frühen MA galt A. als eine wichtige theologische
Autorität; später gehörte er mit Augustin, Hieronymus
und Gregor dem Gr. zum Kanon der vier abendländischen *doctores Ecclesiae*. Luther schätzte seine Schriftauslegung, Erasmus war begeistert von seiner Standhaftigkeit als Bischof.

ED.: **1** M. TESTARD, 1984–92, (off. 1–3) **2** B. BOTTE, SC
25bis, 1961 (De sacramentis, De mysteriis) **3** G. TISSOT, SC
45bis, 52bis., 1971–76 (Expositio Evangelii secundum
Lucam) **4** R. GRYSON, SC 179, 1971 (De paenitentia)
5 P. HADOT, SC 239, 1977 (Apologia David) **6** J. FONTAINE,
1992 (Hymnen).
LIT.: **7** H. VON CAMPENHAUSEN, Lat. Kirchenväter, 1960,
77–108 **8** P. COURCELLE, Recherches sur les Confessions de
saint Augustin, ²1968, 93–138 **9** E. DASSMANN, A., in:
Augustinus-Lex. 1, 270–285 **10** G. MADEC, Saint Ambroise
et la philosophie, 1974 **11** N. MCLYNN, Ambrose of Milan,
1994 **12** A. PAREDI, Ambrose, 1964 **13** L. F. PIZZOLATO, La
dottrina esegetica di Sant' Ambrogio, 1978
14 D. H. WILLIAMS, Ambrose of Milan and the End of the
Arian-Nicene Conflicts, 1995.   J.D.B.

Ambubaiae. Syrische Tibiaspielerinnen und Tänzer-
innen zweifelhaften Rufs (Hor. sat. 1, 2; Suet. Nero 27,
1). Das Wort geht auf das syrische Wort für Flöte (*abûb*,
gebohrt) zurück.

A. MAU s. v. A., RE II, 1894 · G. WILLE, Musica Romana,
1967.   L. Z.

Amburvalia s. Ambarvalia

Ameinias. Dichter der att. Neuen Komödie, der 311
v. Chr. beim Komödienagon der Großen Dionysien mit
einer Ἀπολείπουσα dritter wurde [1 test. 2] und 280
v. Chr. an Komödienaufführungen auf Delos teilnahm
[1 test. 3]. Auch ein Sieg am Komödienwettbewerb der
Lenäen ist für ihn bezeugt [1 test. 1].

1 PCG II, 1991, 196.   H.-G. NE.

Ameipsias. Att. Dichter der Alten Komödie, aus dessen Produktion noch sieben Stücktitel und einige wenige kurze Bruchstücke erh. sind. A. errang im J. 423
v. Chr. an den Dionysien den zweiten Platz hinter Kratinos und vor Aristophanes (erste ›Wolken‹) [1. test. 5a],
siegte im J. 414 ebenfalls an den Dionysien vor Aristophanes (›Vögel‹) und Phrynichos [1. 203] und war ein
weiteres Mal an Dionysien sowie einmal an Lenäen

siegreich [1. test. 3,4]. Im Urteil seines Rivalen Aristophanes war A. ein derber Komiker [1. test. 6].

1 PCG II, 1991, 197–211.   T. HI.

Ameise (μύρμηξ; *formica*, zur Etym. s. WALDE/HOF-MANN). Als soziale Insekten fast nur beim Nahrungstransport auf ihren Straßen beobachtet (Aristot. hist. an. 8(9),38,622b 24–27; Plin. nat. 11,108–110) und sonst nur selten erwähnt (Ail. nat. 6,43 [vgl. 1.2.417f.] u. ö.), aber wegen ihrer angeblichen Fähigkeiten und ihres Verhaltens beachtet, vor allem Plut. de sollertia animal. 11 (*terrestriane an aquatilia animalia* 967d–968b [vgl. 1.2.417f.]) und im gr. Physiol. cap. 12 ([2.44–50], vgl. byz. Redaktor cap. 27 [2.255f.] und ps.-basilianischen Redaktor cap. 13 [2.279–281]). Besondere positive und im Hinblick auf die Bibel (z. B. Spr 6,6) seit den Kirchenvätern dem Menschen als Vorbild empfohlene Eigenschaften: Stärke im Verhältnis zur Körpergröße, selbst nachts beim Mondschein nicht ruhender Fleiß (Aristot. hist. an. 8(9),38,622b 27–28; Ambr. exameron 6,4,16) zur instinktiven Nahrungsvorsorge (z. B. Verg. georg. 1,185f.; Hor. sat. 1,1,33–38; als Vorzeichen einer Hungersnot bei Ail. var. 1,12), Ordnungsliebe und Schlauheit (Anth. Pal. 9,438). Ihr Geruchssinn wurde von den Bauern zur Vertreibung aus ihren Erdbauen mit Origanum, Schwefel und Räucherung mit Hirschhorn ausgenutzt (Aristot. hist. an. 4,8,534b 22–24, vgl. Pall. agric. 1,35,8). Mittel gegen A. an Rebstöcken Colum. arb. 14. Walzen des Bodens verhindert Plünderung der Getreidekörner durch sie (Colum. rust. 10,322). Weitere Mittel gegen diese Vorratsschädlinge bei Plinius und Geop. 13,10. Als schlechtes Omen bei Plut. Kimon 18,4 (im Opfertier erscheinend); Suet. Tib. 72,2 (wegen Tötung einer geliebten Schlange) und Nero 46,1 (wegen Traum einer Bedeckung mit vielen geflügelten A.), als gutes bei Cic. div. 1,78 (dem schlafenden Midas sollen sie Weizenkörner als Vorzeichen großen Reichtums in den Mund geschafft haben). Als Wetterprophetin für Regen Arat. 956; Plin. nat. 18,364 und deshalb bei Hes. erg. 778 ἴδρις gen. (vgl. Fronto epist. 137,3 N.) und für Sonnenschein (Ambr. exameron 6,4,20). A.-Märchen von goldgrabenden indischen A.en bei Hdt. 3,102 (durch Plin. nat. 11,111; Solin. 30,23 = Isid. orig. 12,3,9 im MA bekannt) und von Getreide und Hülsenfrüchte sortierenden A. bei Apul. met. 6,10. In Fabeln beliebt: Aisop. 114 und 175f. und Phaedr. 4,24. Volks- und tiermedizinische Verwendung ist bei Plinius und in den Kyraniden 2,25 [3.156 und lat. 4.120] nicht selten.

1 KELLER 2 F. SBORDONE (Hrsg.), Physiologi Graeci … recensiones, 1936 Ndr. 1976 3 D. KAIMAKIS, Die Kyraniden (Beitr. zur klass. Philol. 76), 1976 4 L. DELATTE (Hrsg.), Textes latins et vieux français relatifs aux Cyranides (Bibliothèque de la Faculté de Philos. et Lettres de L'Université de Liège, 93), 1942.   C. HÜ.

Amelios Gentilianos stammte aus Etrurien, daher sein *cognomen* Gentilianos. »Amelios« ist ein Spitzname (*su-pernomen*), den er als Rufnamen annahm. Plotin wollte ihn seinerseits Amerios nennen (Porph. Vita Plotini 7,1–5).

A. ist zwischen 216 und 226 n. Chr. geb. und begann seine philos. Studien bei dem Stoiker Lysimachos (Vita Plotini 3,42–43); seine Bewunderung für Numenios brachte ihn einem untrennbar mit dem → Neupythagoreismus verbundenen Platonismus nahe. A. hielt sich von 246 an im Kreis des Plotin in Rom auf und verließ diesen im J. 269 (*vita Plotini* 3,38–42). Im Jahre 270 ist er in Apameia, Syrien, anzutreffen (l.c. 2,32–33). Er muß zwischen 290 und 300 gestorben sein.

In Plotins »Schule« hatte A. einen Lehrauftrag (Prokl. in Tim. II 300.23–301.5 DIEHL; vgl. *vita Plotini* 20,32–33). Zwischen 263 und 268 band Plotin ihn in verschiedene polemische Auseinandersetzungen (besonders mit Longinos und Porphyrios) über das Problem der Beziehungen zwischen Intellekt und Intelligiblem ein (*vita Plotini* 18,8–19). Auf seinem Wege nach Apameia brachte A. Longinos, der sich damals in Tyros aufhielt, Hss. des Plotin mit (*vita Plotini* 19). Vielleicht war Iamblichos in Apameia Schüler des A.; Theodoros von Asine dagegen scheint ihm, obwohl er unter dessen Einfluß stand, nicht persönlich begegnet zu sein.

Der Umfang von A.' Werk war beträchtlich: Kopien vom größten Teil der Werke des Numenios (*vita Plotini* 3,44–45); Scholien im Anschluß an Plotins Vorlesungen (l.c. 3,46–48; 4,5–6); ›Gegen das Buch des Zostrian‹ (*vita Plotini* 16,12–14), wozu der Komm. zum Prolog des Johannesevangeliums gehörte, den Euseb. Pr. Ev. 11,18,26–29,1 überliefert hat; ›Über den Unterschied in der Lehre zwischen Plotin und Numenios‹ (*vita Plotini* 17,4–6); ›Gegen die Aporien des Porphyrios‹ (l.c. 18,14–16); eine Widerlegung der *Antigraphē* des Porphyrios (l.c. 18,16–17); ›Über das Problem der Gerechtigkeit bei Platon‹ (*vita Plotini* 20,78–88). Es ist nicht bekannt, ob seine Exegesen von Passagen des *Timaios*, der *Politeia*, des *Parmenides* und des *Philebos* jeweils zu einem Komm. des betreffenden Dialoges gehörten, oder ob sie auf eine Lehrveranstaltung zurückgehen von der Porphyrios Notizen gemacht habe. Schließlich könnte auch das Apollonorakel, von dem Porphyrios 51 Verse zitiert (*vita Plotini* 22), A. zugewiesen werden.

A. ist vor allem aufgrund seiner Lehre von den drei Intellekten bekannt, die sich aus seiner Exegese von Platons *Timaios*, 39e 7–9, ergibt: Der erste Intellekt *ist* das Intelligible, der zweite *hat* es, und der dritte *sieht* es. Die Frage, wo er das Eine in seinem System ansiedelte (Prokl. in Tim. I,309,14–16 DIEHL), ist jedoch nur schwer zu beantworten. Die Ideen sind der Zahl nach unbegrenzt (Syrianos, in Arist. Metaph. 147,2–6 KROLL), und es gibt *logoi* und daher Ideen von schlechten Dingen (Asklepios in Nic. Arithm. I 44 TARÁN). In seinem Komm. zum Prolog des Johannesevangeliums gleicht A. den *lógos*, d. h. aus christl. Perspektive den Christus, der Weltseele an. Was die Einzelseelen betrifft, scheint A. sich eng an Plotins Lehre anzulehnen; er unterscheidet sich jedoch in zwei Punkten von ihm: In der

Bedeutung, die er astrologischen Erwägungen beimißt (Prokl. in Remp. II, 31.22–32.25 KROLL); und in der Reinkarnationslehre, wonach die Seele eines Menschen in den Körper eines Tieres einziehen (Aineias von Gaza, Theophrast 16,5–11 COLONNA) oder definitiv aus dem Reinkarnationszyklus ausscheiden kann. Die unterhalb der Seele angesiedelten Wirklichkeiten sind mit dieser durch die *lógoi* verbunden. Die Natur empfängt nämlich die *lógoi* der Seele, und die Materie hat an den *lógoi* der Natur teil (Syrianos in Aristot. Metaph. 119,12–15 KROLL). Auf dem Gebiet der Ethik scheint A. sich unter stoischem Einfluß bemüht zu haben, die Begriffe der Notwendigkeit und der Willensfreiheit miteinander zu vereinbaren (Prokl. in Remp. II 31.22–32 KROLL), und den Epikureern in der Frage nach dem Vergnügen heftigen Widerstand geleistet zu haben (Damaskios in Phil. 152 WESTERINK).

Porphyrios nahm A. gegenüber fast immer eine etwas verärgerte Haltung ein. Damit läßt sich erklären, warum A. so gut wie keine Chance hatte, in der Tradition des Neuplatonismus gelesen, zitiert und somit überliefert zu werden. Dieser Tradition hatte sein Rivale seinen Stempel aufgedrückt.

L. BRISSON, Amélius: Sa vie, son oeuvre, sa doctrine, son style, in: ANRW II 36.2, 793–860.   L. BR. / T. H.

Amenanos (Ἀμενανός). Das h. Giudicello, Fluß, der noch h. unter dem Domplatz von Catania hindurchfließt, der in der Ant. → Katane mit Wasser versorgte (auf den ersten Tetradrachmen als Stiermensch dargestellt: BMC, griech., Sicilia, 48 ff.; auf den Bronzemünzen des 1. Jhs. v. Chr. im Nil-Typus liegend; vgl. Pind. P. 1,132; Strab. 5,3,13; Ov. met. 15,279; Steph. Byz. s. v. Κατάνη).

CH. HÜLSEN, s. v. Amenanus, RE I, 1823 ·
G. MANGANARO, Per una storia della »chora Katanaia«, in: E. OLSHAUSEN, H. SONNABEND (Hrsg.), Stuttgarter Kolloquium zur Histor. Geogr. 4 (Geographica Historica 7), 1990, 127–174.   GI. MA. / M. B.

Amenophis (Jmn-ḥtp »Amun ist zufrieden«). Name von vier Königen der 18. Dynastie. **[1]** 1525–1504 v. Chr. Die Politik seines Vaters Ahmose fortsetzend betrieb A. die Rückeroberung Nubiens und bereitete den endgültigen Schlag gegen das Reich von Kusch vor. In Ägypten vielerorts als Bauherr belegt. In ramessidischer Zeit wurde er mit seiner Mutter Ahmes-Nefertari als Schutzgott der thebanischen Nekropole verehrt. **[2]** 1428–1402 v. Chr. In mehreren Feldzügen in das syropalästin. Gebiet wurden die Interessensphären zwischen Ägypten und dem Reich von Mittani abgegrenzt und die ägypt. Herrschaft im Okkupationsgebiet gefestigt. In Ägypten engagierte sich A. als Bauherr; auf seinen Denkmälern wird in ungewöhnlicher Weise die körperliche Leistung des Königs als Krieger hervorgehoben. **[3]** 1392–1355 v. Chr. Profitierte in seiner langen Regierungszeit von der in den Kriegen seiner Vorgän-

ger konsolidierten außenpolit. Situation, zu deren Stabilisierung seine Heirat mit zwei Mittani-Prinzessinnen beitrug. Zur großen königlichen Gemahlin erhob er Teje, eine Frau nichtköniglicher Abkunft. Prunkvolle Bauten, bes. im Tempel von Karnak und bei seinem gigantischen Totentempel, zu dem die Memnonskolosse gehören, reflektieren den Reichtum Ägyptens wie die Blüte verfeinerter Lebenskultur in seiner Zeit.
→ Ägypten; Memnon

E. Hornung, s. v. A., LÄ 1, 201–210 · TH. SCHNEIDER, Lex. der Pharaonen, 1994.   S. S.

[4] 1353–1336 v. Chr. Sohn von A. III. und der Teje; für die oft angenommene Koregenz mit seinem Vater gibt es keine Belege. Abgesehen von der Hauptgemahlin Nofretete, mit der er sechs Töchter hatte, sind mehrere Nebengemahlinnen bekannt, u. a. Kija. In seinen ersten Jahren baute A. in der Residenz Theben einen dem Sonnengott Aton geweihten Tempelkomplex, dessen dekorierte Blöcke (sog. *talatāt*) als Spolien zu Zehntausenden gefunden wurden. Ab seinem fünften Regierungsjahr ließ A. in → Amarna eine Residenz und Kultstätte für → Aton errichten und nahm den »Aton« enthaltenden Namen Echnaton an. Zu einem nicht geklärten Zeitpunkt kam es zur Verfolgung des thebanischen Amun, des bisherigen Hauptgottes der 18. Dynastie. Diese Kultpolitik wird häufig im Sinne eines solaren Monotheismus interpretiert. A. führte die gesprochene Sprache als Lit.-Sprache ein (sog. Neuägypt.); der unter ihm kreierte Kunststil ist in vielfacher Hinsicht revolutionär. Das Grab von A., mit Resten der Ausstattung, wurde bei Amarna gefunden; seine Mumie ist nicht erhalten. Zu einer postumen Verfemung von A. kam es, nachdem seine Nachfolger die gegen Amun gerichtete Kultpolitik aufgegeben hatten. Nach seiner Wiederentdeckung im 19. Jh. wurde A. als erster »Monotheist« Gegenstand idealisierender Interpretationen.

E. HORNUNG, Echnaton, 1995.   R. K.

Amenothes. Sohn des Horos, ca. 170–116 v. Chr., παρασχίστης und ›capo ritualista‹ in der Nekropole von Djem.

P. W. PESTMAN, L'archivio di Amenothes, 1981.   W. A.

Amentia ist ein besinnungs- oder verstandesloser Zustand, z. B. Geistesabwesenheit, Wahnsinn. *A.* findet sich in nachklassischen Quellen (Cod. Theod. 11, 39, 12; 15, 5, 5; 16, 10, 24; Interpretatio zu den Paul. sent. 2, 20, 7). Juristischer Fachausdruck für Geisteskrankheit ist jedoch *furor*.   P. A.

Ameria [1] Stadt in → Umbria zw. → Tiberis und Nera, an der *via Amerina* (Abzweigung der → *via Cassia*, die nach → Tuder führte) 56 Meilen von Rom entfernt (CIL IX 5833), h. Amelia (Terni). Nach Cato sehr alt (HRR Cato fr. 49; Plin. nat. 3,114). 406 m hohe Kalkwände, die bes. an der Nordseite Schutz bieten, wurden durch gewaltiges Polygonalmauerwerk verstärkt. → → Municipium der → tribus Clustumina. Bezeugt sind Kulte des Juppiter, des Mars, der Fortuna und seviri augustales. Sockel eines Tempels (S. Maria in Canale), Gebäude mit Mosaik (palazzo Farrattini), Zisterne und eine Br.statue des Germanicus. Obstanbaugebiet (Plin. 15,55; 58) mit röm. → villae.

E. und L. Santori, Guida di A., 1972 • D. Monacchi, I mosaici romani di A., in: Annali Fac. Perugia 23, 1985/6, 192–224. G. U. / S. W.

[2] (Ἀμερία). Tempelstaat mit Kult des → Men Pharnaku und der → Selene, Komopolis (d. h. Dorfstadt) mit vielen → Hieroduloi und großem fruchtbarem Territorium (Strab. 12,3,31). Enge Bindung des Men-Kults von Ameria an das Königshaus der Mithradatiden (→ Mithradates): Bei der Tyche des Königs und dem Men Pharnaku leisteten die Untertanen den sog. Königseid. Bisher in oder bei Niksar (ant. → Kabeira) gesucht, hat die Höhe bei Hüseyingazı (ehem. Tişköyı) mit Felsgrab (→ Grabbauten im SO von Niksar, 70 m über dem → Lykos (h. Kelkit Çayı) an dessen Nordufer, mehr Wahrscheinlichkeit.

1 F. u. E. Cumont, Pont., 1906, 272 f. 2 G. Hirschfeld, s. v. A., Nr. 1, RE 1 1826 3 Magie, 182 mit Anm. 14 4 E. Olshausen, Der König und die Priester, in Geographica Historica 4, 1987, 187–212 5 D. R. Wilson, The Historical Geography of Bithynia, Paphlagonia, and Pontus in the Greek and Roman Periods, D. B. Thesis, 1960 (maschr.), 242 f. E. O.

Amerias (Ἀμερίας) aus Makedonien. Griech. Grammatiker und Lexikograph aus alexandrinischer Zeit, wahrscheinlich früher als Aristarchos. Unsicher ist, ob alle Zitate – vor allem bei Athenaios und Hesychios und in verschiedenen Scholiensammlungen – aus dem Hauptwerk, den Γλῶσσαι, stammen, eine nach Themen angeordnete lexikalische Sammlung von dialektalen Ausdrücken. Vielleicht kann man ihn mit einem der glōssográphoi identifizieren, die oft mit diesem Kollektivbegriff zit. werden.
→ Aristarchos; Grammatiker; Lexikographie; Glossographie

L. Cohn, s. v. A., RE 1.1, 1827 • Fragmenta A. libri, qui inscribebatur Γλῶσσαι Ὁμηρικαί, ed. O. Hoffmann, in: Die Makedonen, ihre Sprache und ihr Volkstum, 1906, 2–15. F. M. / M.-A. S.

Ameriola. Stadt in → Latium vetus (Tac. ann. 4,5,3), von Tarquinius Priscus erobert (Liv. 1,38,3–5); bei Plin. nat. 3,68 unter den verschollenen Städten aufgeführt. Wohl in der Gegend von → Nomentum und → Tibur zu vermuten; eine arch. Bestätigung steht noch aus.

Ch. Hülsen, s. v. A., RE 1, 1827 • L. Quilici, S. Quilici Gigli, Ficulea, 1993, 30. S. Q. G. / S. W.

Ameselon (Ἀμήσελον). Ortschaft zw. → Kentoripa und → Agyrion (Diod. 22,13,1) auf dem Monte San Giorgio (Regalbuto) am Salso; von Söldnern (evtl. → Mamertini) kontrolliert, bevor A. 270 v. Chr. von → Hieron II. erobert wurde, der das Territorium von A. zw. den angrenzenden Städten Kentoripa und Agyrion aufteilte.

R. Calciati (Hrsg.), Corpus Nummorum Siculorum 3, 1987, 333–336 • G. Manganaro, Per la storia dei culti nella Sicilia greca, in: Il Tempio Greco in Sicilia, 1980, 148–165 • Ders., Per una storia della »chora Katanaia«, in: E. Olshausen, H. Sonnabend (Hrsg.), Stuttgarter Kolloquium zur Histor. Geogr. 4 (Geographica Historica 7), 1990, 127–174 • E. Manni, Geografia fisica e politica della Sicilia antica (Kokalos Suppl. 4), 1981, 142. Gl. Ma. / M. B.

Amestratos (Ἀμήστρατος, Amestratus, Amastra, Mestraton). Ort beim h. Kalakté (Cic. Verr. 2,3,101; Steph. Byz. s. v. A.), die Einwohner Ἀμηστατῖνοι (Weihinschr. von → Alaisa [3. 6]); evtl. in Z. 113 der Liste der delph. → Theorodokoi einzufügen. Von Imhoof-Blumer mit Mistretta gleichgesetzt [1; 2. 143; 3. 10].

Inschr.: CIL X 2, 7641 [4].

1 F. W. Imhoof-Blumer, Monnaies grecques, 1883 2 E. Manni, Geografia fisica e politica della Sicilia antica (Kokalos Suppl. 4), 1981 3 G. Scibona, Epigraphica Halaesina, in: Kokalos 17, 1971, 3–20 4 Ders., Inventario della Collezione Ortolani, 1977, Nr. 36.

R. Calciati (Hrsg.), Corpus Nummorum Siculorum 1, 1983, 133. C. Giu. / M. B.

Amethystos s. Edelsteine

Amiantos s. Asbest

Amicitia. A. und amicus umfassen auch im Lat. persönliche, philos. und sozial-polit. Aspekte der Freundschaft. Die Nutzung von a. als Ausdruck sozialer und polit. Beziehungen zw. Individuen oder Staaten und ihre unter griech. Einfluß (Philia, → Freundschaft) erfolgte Einführung in die Philos. durch Cicero lassen dann familiaris zur ungezwungenen Bezeichnung für den »Freund« werden. Amicus und a. drücken innerhalb Roms sowohl die Beziehung zw. gleichrangigen hochstehenden Personen als auch die Bindung zw. diesen und abhängigen Personen aus: Aristokraten, deren gegenseitige a. oft erblich, aber im polit. Klima der späten Republik labil wurde, unterstützten sich als Freunde bei Prozessen, bei Wahlen und in der Amtsführung. Als Patrone trafen sie bei der Morgenvisite auf Freunde anderer Art, die abhängigen Klienten (→ clientes), die ihren Schutzherrn ebenfalls amicus nannten. Zwei »populare« Tribunen, C. → Sempronius Gracchus und M. → Livius Drusus, führten die Teilung ihrer amici nach sozialen Klassen ein; das wurde später üblich (Sen. benef. 6,34). Die Versöhnung nach einem Bruch der a. war bei hohen Herren ein feierlicher, aber formaler Akt. So

nannte Cicero den Q. → Fufius Calenus, der sich mit
ihm versöhnt hatte (Cic. Att. 15,4,1), seinen *amicus*
(Phil. 8,11), haßte ihn aber weiter.

Unter Augustus wurden vielleicht alle hohen Funktionsträger zu *amici-(Augusti)* und trugen stolz diesen
»Titel«. Ein innerer Kreis beriet, quasi als Kabinett, den
Kaiser, bestimmte den Ton seiner Politik (s. SHA Alex.
65,5) und sorgte beim Regierungswechsel für Kontinuität (Suet. Tit. 7). Die Kündigung der kaiserlichen *a.*
konnte tödlich sein (Suet. Aug. 66, Vesp. 4), doch waren
Mächtige schwer zu Fall zu bringen (s. Tac. dial. 8).

Außerhalb Roms begründete ein Bündnis (→ foedus) oder auch das Gesandtschaftswesen die *a.* zw. Rom
und Staaten bzw. Königen, die häufig ihren Thron
durch den Titel *amicus (populi Romani)* sichern wollen.
Zuerst oft als eine Verbindung zw. »Ebenbürtigen«
angesehen, näherte sich auch diese *a.* mit zunehmender
Macht Roms einem Klientelverhältnis, wobei der
»Klient« unbegrenzt zu Leistungen, Rom als »Patron«
aber zu nichts verpflichtet war.

→ Freundschaft

> E. BADIAN, Foreign clientelae, 57–62 · P. A. BRUNT, The
> Fall of the Roman Republic, 1988, 351–382 · J. CROOK,
> Consilium Principis, 1955, bes. 21–30 · W. DAHLHEIM,
> Struktur und Entwicklung des röm. Völkerrechts, 1968, bes.
> 136–162 · W. KIERDORF, Freundschaft und Freundschafts-
> kündigung, in: G. BINDER (Hrsg.), Saeculum Augustum, 1,
> 1987, 223–245.   E. B.

Amida (Arab. Āmid, h. Diyarbakır). Von hell. Zeit bis
zur Befestigung durch Constantius II. [1. 323; 2. 136f.]
kaum belegt, erlangte A. in der Folge mil. und wirtschaftliche Bed. als Grenzstadt [3. 220f., 240]. Im 5.Jh.
ein Zentrum syr. Mönchtums, litt A. nach kurzzeitiger
sasanidischer Besetzung (503–506) unter Grenzkriegen
und der anti-monophysitischen Politik Justinians [4. 57–
65]. Um 640 wurde A. von den Arabern eingenommen
und zur Hauptstadt der Prov. Diyār Bakr erhoben
[4. 344f.].

→ Ammianus Marcellinus

> 1 V. CHAPOT, La frontière de l'Euphrate, 1907 2 M. RESTLE,
> s. v. A., RBK 1 3 L. DILLEMANN, Haute Mésopotamie
> orientale, 1962 4 S. A. HARVEY, Ascetism and Society in
> Crisis, 1990 5 M. CANARD, C. CAHEN, s. v. Diyār Bakr,
> EI 2.   J. P.

Aminias (Ἀμινίας) aus Theben. Satyrspieldichter, Sohn
des Demokles, siegte bei den Charitesia in Orchomenos
im 1.Jh. v. Chr. (DID A 10 a); mit einem ep. Enkomion
gewann er kurz nach 86 v. Chr. bei den Amphiareia in
Oropos (IG VII 419, 14 u. 16).

> METTE, 55 · TrGF 164.   F. P.

Amisia (Ἀμισία). **[1]** Die Ems, oft gen. Fluß (vgl.
Strab. 7,1,3; Mela 3,30; Plin. nat. 4,100; Tac. ann. 1,60,2;
Ptol. 2, 11, 1; 7; Marcianus von Herakleia, Periplus ma-
ris exteri 2,32 GGM 1,555); in ma. Urkunden Emisa und

Emesa [1]. **[2]** Die Lokalisierung des Ortes A. (Ptol.
2,11,13; 8,6,3; Steph. Byz. s. v. A.) ist unsicher, ebenso,
ob Amisiae bei Tac. ann. 2,8 den linken Flußarm der
Ems meint [2] oder der Lok. einer Ortsbezeichnung ist
(etwa für Emden [3]).

> 1 A. HOLDER, Altkelt. Sprachschatz, 1896–1919, s. v. Emisa,
> Emesa 2 K. MEISTER, Der Bericht des Tacitus über die
> Landung des Germanicus in der Emsmündung, in: Hermes
> 83, 1955, 92–106 3 CH. MURGIA, Tacitus Annals 2,8,2, in:
> CPh 80, 1985, 244–253.
>
> R. WENSKUS, s. v. A., RGA 1, ²1973, 253.   K. DI.

Amisos (Ἀμισός). Hafenstadt an der pontischen
Schwarzmeerküste auf der Landzunge von Kara Samsun
(norwestl. Stadtteil des h. Samsun), wo systematische
Grabungen noch ausstehen (mil. Sperrzone). Wie
→ Trapezus lag A. am Nordende einer alten Handels-
straße, die auf einer Höhe von nur 900 m über das nord-
anatolische Randgebirge nach → Amaseia und weiter
nach → Kappadokia führte. Mitte des 8. Jhs. v. Chr. von
Milesiern und Phokaiern gegr. (FGrH 115 Theopompos
fr. 389; Ps. Skymn. 917 MÜLLER), wurde A. nach Zerstörung durch → Kimmerier nach 714 v. Chr. wieder-
erbaut. Athen hat dort im 5.Jh. v. Chr. eine Kleruchie
gegründet und A. in Peiraieus umbenannt; seit ca. 333
v. Chr. führte A. den alten Namen wieder. Nach einer
Zeit der Autonomie erst im 4.Jh. v. Chr. Teil des Per-
serreichs (App. Mithr. 83); hier herrschten seit Mitte des
3. Jhs. v. Chr. die Mithradatiden. → Mithradates VI.
gründete im Vorstadtbereich die Residenz Eupatoria
(Plin. nat. 6,7; FGrH 434 Memnon F 1,30,3; App. Mithr.
78). Von → Pompeius wurde A. in die röm. Prov.
→ Pontus et Bithynia einbezogen [4]. In byz. Zeit gehörte die nach wie vor bes. handelspolit. bedeutsame
Stadt zum Thema Armeniakon, war seit 1194 in tür-
kischer Hand, 1204 – 1214 Teil des Kaiserreichs von
Trapezus, um schließlich dem Osmanenreich zugeschlagen zu werden.

> 1 J. G. C. ANDERSON, H. GRÉGOIRE, F. CUMONT, 1–25
> 2 A. BRYER, D. WINFIELD, The Byzantine Monuments and
> Topography of the Pontos 1, 1985, 92ff. 3 A. G. MALLOY,
> The Coinage of Amisus, 1970 4 C. MAREK, Stadt, Ära und
> Territorium in Pontus-Bithynia und Nord-Galatia, in:
> IstForsch 39, 1993, 32–45 5 W. H. WADDINGTON,
> E. BABELON, TH. REINACH, Recueil général des monnaies
> grecques d'Asie Mineure 1,1, ²1925,31–51 6 D. R. WILSON,
> The Historical Geography of Bithynia, Paphlagonia, and
> Pontus in the Greek and Roman Periods, D. B. Thesis,
> Oxford 1960 (maschr.), 193ff.   E. O.

Amiternum. Stadt der → Sabini (Strab. 5,3,1; Liv.
38,45,19) in fruchtbarer Umgebung auf einer Terrasse,
wo der A. den Namen gebende (Varro ling. 5,28) Ater-
nus entspringt; h. Vittorino bei L'Aquila an der *via Caecilia* zw. Rom und Hadria. Seit 293 v. Chr. röm.,
→ *praefectura*, dann → *municipium* der *tribus Quirina* mit
→ *octoviri*. Geburtsort des → Sallustius (86 v. Chr.). Au-

gusteisches Theater (*opus reticulatum*), das sich an den Berg lehnt; Amphitheater (90 x 68 m) in der Ebene mit angrenzender großer kaiserzeitlicher → *domus*. Wasserleitung von Torroncino her (CIL IX 4209). Unter der Kirche San Michele Arcangelo die Katakomben mit röm. Baumaterial; Märtyrergrab.

M. Buonocore, Iscrizioni latine pagane, in: ZPE 58, 1985, 219–30. • S. Segenni, Nuove iscrizioni, in: Epigraphica 42, 1980, 65–84 • Dies., A. e il suo territorio, 1985 • Dies., Supplementa Italica 9, 1992, 101 f.   G. U./S. W.

Amma (Ἄμμα). Nach Heron von Alexandria ist A. die gr. Bezeichnung eines wohl ägypt. Längenmaßes, das sich von der Schnur oder dem Seil (Ἄμμα) herleitet. Sie entspricht 40 ägypt. Ellen, also ca. 21 m (1 Elle = etwa 52,5 cm).

→ Heron; Längenmaße; Pechys

F. Hultsch, Griech. und röm. Metrologie, ²1882 • ders., s. v. A., RE I 2, 1841 • W. Helck, s. v. Maße und Gewichte, LÄ 3, 1199–1214 • O. A. W. Dilke, Mathematik, Maße und Gewichte in der Ant., 1991 • E. Roik, Das Längenmaßsystem im Alten Ägypten, 1993, 6–25.   A. M.

Ammaedara (Ἀμμαίδαρα). Stadt in der *Africa proconsularis* [5. 147 Anm. 756] zw. → Althiburus und → Theveste (Ptol. 4,3,30), h. Haïdra; weitere Namensformen [4. 1841]. A. war urspr. wohl Siedlung der → Musulamii [2. 117–121]. Wegen der strategisch bedeutenden Lage, die es erlaubte, wichtige Verbindungswege zu kontrollieren und die Südflanke der *Africa proconsularis* zu decken, wurde in den letzten J. des → Augustus die → *legio III Augusta* in die Nähe von A. verlegt [1. 273–284]. Nach der Niederschlagung der → Tacfarinas-Revolte bezog die Legion gegen 75 n. Chr. Standquartier bei Theveste, später bei → Lambaese. A. wurde *colonia* mit vielen Veteranen (CIL VIII 1, 302. 308). A. prosperierte (arch. Reste). Das Christentum prägte A. seit dem 3. Jh. n. Chr. immer mehr, was die Familie der (christl.) Astii nicht hinderte, sich der Priesterämter des *flamen perpetuus* und des *sacerdos provinciae Africae* zu rühmen [5. 147 Anm. 755].

Inschr.: [3. 664 Nr. 49, 669 Nr. 100–103]; AE 1989, 285 Nr. 879; 287 Nr. 884; 288 Nr. 887; 1991, 458 Nr. 1628.

1 De Pachtere, Les camps de la troisième légion, in: CRAI 1916 2 J. Desanges, Cat. des tribus africaines, 1962 3 N. Duval, Top. et urbanisme d'A., in: ANRW II 10.2, 633–671 4 J. Schmidt, s. v. A., RE I, 1841 f. 5 K. Vössing, Unt. zur röm. Schule – Bildung – Schulbildung im Nordafrika der Kaiserzeit, 1991.

N. Duval, s. v. A., EB 4, 593–596 • C. Lepelley, Les cités de l'Afrique romaine au Bas-Empire 2, 1981, 64–68.   W. Hu.

Amman s. Rabbath Ammon

Am(m)athus (Ἀμ(μ)αθοῦς). **[1]** Festung östl. des Jordan, *tell 'ammatā*, der das Nord-Ufer des *wādī raġib*

überragt und drei Straßen, darunter die dicht westl. vorbei nach Pella (*ṭabaqāt faḥil*) führende, beherrscht (Eus. Onom. 22,24) [1; 2]. Der keramische Befund verrät bisher weder vorhell. Besiedlung noch zyprischen Import [3. 44; 4. 301]. Nach 98 v. Chr. von → Alexandros Iannaios dem Tyrannen Theodoros von Philadelphia abgenommen und geschleift (Ios. bell. Iud. 1,4,2 f.; ant. Iud. 13,13,3; 5), 57 v. Chr. vom Proprator Aulus Gabinius zum Hauptort Peraeas, eines der fünf von ihm geschaffenen Steuerbezirke, gemacht (Ios. bell. Iud. 1,8,5; ant. Iud. 14,5,4), ist A. von 449 bis 536 n. Chr. als Bischofsstadt bezeugt [4. 983]; zuletzt um 1300 von ad-Dimašqī erwähnt [6].

[2] Ortslage am See Genezareth [1. 342; 7] mit warmen Heilquellen (Ios. bell. Iud. 4,1,3; aram. *ḥamm'ṭā* »Therme«, belegt in beiden Talmuden, der Tosefta und dem Midrasch [8]). Nachdem Herodes Antipas um 26 n. Chr. nördl. davon Tiberias als galiläische Hauptstadt gegr. hatte (Ios. ant. Iud. 18,2,3), wuchs A. mit diesem zusammen (Plin. nat. 5,15,71); später arab. Vorstadt *al-ḥammām* [6].

1 Abel 2,242 f. 2 A. Alt, Kleine Schriften Bd. 2, 1953, 426 3 W. F. Albright, AASO 6, 1926, 13–74 4 N. Glueck, AASOR 25–28, 1951, 300 f. 5 Dict. d'Histoire et de Géogr. Ecclésiastiques 2, 1914, 982 ff. 6 A.-S. Marmardii, Textes géographiques Arabes sur la Palestine, 1951, Reg. s. v. ʿAmtā und al-Ḥammah 7 O. Procksch, in: Palästina-Jb. 14, 1918, 13 8 H. L. Strack, P. Billerbeck, Komm. zum NT aus Talmud und Midrasch, Reg. s. v. Chammetha. 9 E. Power, Biblica 11, 1930, 325–349 10 Ders., Dict. de la Bible Suppl. 2, 1934, 1–23 11 P. Dhorme, Rev. Biblique 39, 1930, 305–507   J. Re. u. C. C.

[3] Stadt an der Südküste von → Kypros, 3 km östl. von Limassol, der Überlieferung bei Steph. Byz. zufolge von → Kinyras nach dessen Mutter A. benannt. Laut Tac. ann. 3,62 wurde der Kult der → Venus von A. von einem A., Sohn des → Aerias, begründet. Nach Plut. Theseus 20,4 starb hier → Ariadne und wurde als »Aphrodite – Ariadne« verehrt. Residenz eines lokalen Fürstentums mit eigener Münzprägung im 5. und 4. Jh. v. Chr. bis zur Inkorporation in das ptolemaiische Reich. Im → Ion. Aufstand stand A. auf persischer Seite (Hdt. 5,108; 114). Hauptstadt eines der vier röm. Verwaltungsdistrikte der Insel. In frühbyz. Zeit Bischofssitz, 1190 von Richard Löwenherz zerstört. Kypro-syllabische und eteokyprische Inschr. bis zum E. des 4. Jh. v. Chr. bezeugt. Seit Mitte des 19. Jh. Ausgrabungen, intensive Erforsch. seit 1975 durch die École française d'Athènes und den zypriotischen Antikendienst. Besiedlung bisher seit 11. Jh. v. Chr. arch. nachgewiesen. Auf der Akropolis Siedlungsreste seit dem 8. Jh. v. Chr.; hier Kult inschr. für Aphrodite gesichert. Reste des archa. Heiligtums mit Gebäuden seit späthell. Zeit. Fundamente eines kaiserzeitlichen Kalksteintempels, gegen 700 n. Chr. von einem christl. Basilikakomplex überbaut. Bedeutendes Gebäude, möglicherweise Palast des einheimischen Dynasten, am Hang der Akropolis. Frühhell. Hafenanlagen. Stadtmauerreste aus dem 4. Jh.

v. Chr. – 6. Jh. n. Chr. In der Unterstadt große kaiserzeitliche Platzanlage. Ausgedehnte Nekropolen im Westen und Osten der Stadt, seit frühharcha. Zeit belegt.

A. HERMARY, Les fouilles françaises d' Amathonte, in:
M. YON (Hrsg.), Kinyras, L'Archéologie française à Chypre,
Travaux de la Maison de l'Orient 22, 1993, 167–193 ·
O. MASSON, Inscr. chypriotes syllabiques, ²1983, 201–212 ·
K. NICOLAOU, s. v. A., PE, 47–48.   R. SE.

[4] s. Epiphaneia (Hamath)

Ammen. Während die Frauen im archa. Griechenland
ihre Kinder in der Regel selbst nährten, wurden in der
klass. Zeit Kinder häufig von A. gestillt. Die τιθήνη oder
τίτθη (die nicht nährende Wärterin wird als τροφός bezeichnet) war meist eine Sklavin (etwa GVI 1729), doch
gab es in Athen auch freigeborene oder freigelassene
Frauen – meist ξέναι – in diesem Dienst. Hat die A. in
der Kunst bis ins 4. Jh. hinein vornehmlich Attribut-
funktion, so beginnt man sich danach verstärkt für ihre
Rolle, weniger für ihre Person zu interessieren.

In Rom wurde das Stillgeschäft A. (*nutrices; assa nutrix*
bezeichnet die »Kinderfrau«) wohl erst nach 200 v. Chr.
anvertraut, als griech. Sklavinnen, die begehrtesten
Nähr-A., in größerer Zahl nach It. kamen. In der Kaiserzeit sind *servae, libertae* oder *ingenuae* als A. gut bezeugt; ihre Tätigkeit wird von traditionsbewußten Literaten heftig kritisiert (Tac. dial. 2,39; Plut. mor. 3;
Gell. 12,1). Viele Zeugnisse stellen A. als lebenslange
Vertrauenspersonen der von ihnen großgezogenen Kinder vor (Plin. epist. 6,3), wobei es sich vielfach um ein
Topos zu handeln scheint. Wie philos. und medizinische
Texte oder auf Papyrus überlieferte A.dienstverträge
(etwa BGU 1106; 1107) zeigen, hatten Nähr-A. bestimmten physischen, psychischen und moralischen Ansprüchen zu genügen. Aufschlußreich sind die Bemerkungen von Soranus (2,19ff.). Die Eltern des Kindes
oder sonstige Auftraggeber (bei zum Sklavendienst auf-
gezogenen Findelkindern) konnten den Kontrakt mit
einer A. aufkündigen oder Schadensersatz verlangen,
wenn z. B. die Milch verdorben war oder das Kind am
Ende der (meist zweijährigen) Stillzeit nicht entwöhnt
und wohlgepflegt zurückgegeben wurde. A. waren vor
allem in vermögenden Stadthaushalten, selten in ärme-
ren Familien anzutreffen. War dort eine Mutter im
Kindbett gestorben oder nicht in der Lage, das Neugeborene zu stillen, ließ man den Säugling von Verwandten oder Nachbarinnen aufziehen. Das Fremdstillen von
Kindern vermögender Eltern hatte seinen Grund weniger in elterlicher Indifferenz gegenüber Neugeborenen oder in emotionalem Selbstschutz angesichts hoher
Säuglingssterblichkeit, als vielmehr in medizinischen
Erfordernissen und aristokratischen Konventionen, die
es nicht zuließen, daß Frauen der Oberschicht sich der
körperlichen Anstrengung des Stillens unterzogen.

1 K. R. BRADLEY, Wetnursing at Rome: A Study in Social
Relations, in: B. RAWSON, The Family in Ancient Rome,
1986, 201–229 2 J. HENGSTL, Private Arbeitsverhältnisse

freier Personen in den hell. Papyri bis Diokletian, 1972,
61–69 3 M. A. MANCA MASCIADRI, O. MONTEVECCHI,
I contratti di baliatico, 1984 4 S. PFISTERER-HAAS,
Darstellungen alter Frauen in der griech. Kunst, 1989.   J. W.

Ammentum s. hasta

Ammianos. Epigrammdichter aus hadrianischer Zeit,
Autor von 24 satirischen Dichtungen (bei weiteren 4 ist
die Zuweisung umstritten), in denen er sich als (manchmal nicht allzu getreuer) Lukillios-Imitator erweist. In-
teressant sind die Spitzen gegen die eingebildeten und
bärtigen Philosophen (vor allem gegen die Kyniker), die
nicht wissen, daß der Bart ›Flöhe und keine Ideen nährt‹
(Anth. Pal. 11,156), und gegen die Rhetoren (11,180–
181 haben vor allem Antonios Polemon im Visier), welche Analphabeten (11,152) und – was den Sprachgebrauch betrifft – Solözisten sind (11,146). Aufschlußreich ist 11,157, das die attizistische Pedanterie und den
affektierten übermäßigen Gebrauch von Diminutiva
brandmarkt.   E. D. / M.-A. S.

Ammianus Marcellinus A. LEBEN   B. WERK
C. ÜBERLIEFERUNG

A. LEBEN
Das Leben des Historikers A. (ca. 330–400 n. Chr.)
kennen wir fast nur aus seinem Werk. Dessen zeitgesch.
zweite Hälfte gab ihm Gelegenheit, eigene Erlebnisse in
die Reichsgesch. einzuflechten. Gebürtiger Grieche,
wie er im biographischen Schlußsatz sagt (31,16,9),
diente er als *protector domesticus* unter dem Heermeister
→ Ursicinus, der 355 den Auftrag erhielt, den Usurpator
Silvanus in Köln zu beseitigen. A. war damals etwa 25
Jahre alt. Er blieb anschließend mit dem Heermeister in
Gallien und dürfte dort dem Caesar → Iulianus begegnet sein, den er später in seinem Werk verherrlichte. 359
folgte er Ursicinus nach Mesopotamien zum Abwehr-
kampf gegen den Perserkönig → Sapor II. Er nahm an
einem Treffen bei Amida teil und konnte sich gerade
noch in die befestigte Stadt retten. Als sich Amida nach
einer Belagerung von 73 Tagen Sapor ergeben mußte,
war A. einer der wenigen, die dem Gemetzel der Er-
oberer entkamen. Nach Ursinicus' Entlassung quittierte
wohl auch A. den Dienst. Man hat vermutet, daß er 363
an Iulianus' Perserfeldzug teilnahm, obwohl die Wir-
Erzählung in seinem ausführlichen und auf einen Augenzeugen deutenden Bericht keinen sicheren Schluß
zulassen. Später machte er Reisen zu Schauplätzen seines Geschichtswerkes (31,7,16).

A. war zweifellos der Empfänger des Briefes. den der
antiochenische Rhetor → Libanios an einen Landsmann
namens Marcellinus nach Rom sandte (epist. 1063 FÖR-
STER) und in dem er ihm zum Erfolg gratulierte, den er
mit Vorlesungen aus seinem Geschichtswerk beim röm.
Publikum errungen habe. Den Wunsch der Römer, der
Historiker möge sein Werk fortsetzen, unterstützt Libanios nachdrücklich. Die Nähe A.' zu Antiochia, sei-

nem Geburtsort, und zu Rom, wo er im Alter lebte und schrieb, ist oft spürbar, wenn er die beiden Städte erwähnt, obwohl er von seiner Anwesenheit nicht ausdrücklich spricht. Hinweise in den letzten Büchern seines Werkes deuten darauf hin, daß er noch um 395 an den *Res gestae* gearbeitet hat. Um 400 dürfte er gestorben sein.

B. WERK

Der Titel *Res gestae* findet sich bei dem Grammatiker Priscianus, dem einzigen Autor, der den Historiker in der Ant. zitiert. Im Schlußwort (31,16,9) teilt A. den Umfang seines Werkes mit: vom Principat des Kaisers Nerva bis zum Untergang des Kaisers Valens (96–378 n. Chr.). Bis zu Nerva hat Tacitus seine Historien geführt. Ihn, der insgesamt 30 Bücher Annalen und Historien geschrieben hat, will A. fortsetzen und mit 31 Büchern um ein Buch übertreffen. Auch in der Verbindung von Reichsgeschichte und Kaiserbiographie folgt A. dem Vorgänger. Der Zufall der Überlieferung sorgte für eine weitere Übereinstimmung: 13 Bücher gingen bei A. verloren, womit der Verlust etwa so groß ist wie bei Tacitus.

Buch 14 der *Res gestae* setzt im J. 353 mit dem Caesariat des Gallus und mit der Herrschaft des Constantius ein. Vom 16. Buch (356) bis zum 25. Buch (363) steht Iulianus im Mittelpunkt, unterbrochen vom Perserkrieg 359 (18,4–19,9). Iulianus' Perserkrieg und der Rückzug unter dessen Nachfolger Iovian 363 ist die größte zusammenhängende Erzähleinheit (23,2–25,10). Nach einem urspr. Plan sollte sie wahrscheinlich einmal den Schluß bilden. In den Büchern 26–30, der gemeinsamen Herrschaft der Brüder Valentinian und Valens, hat der Westen das Übergewicht, während das 31. Buch die Reichsgeschichte zum düsteren Finale im Osten führt, der Niederlage gegen die Goten bei Adrianopel (Edirne). In der Gesamtdarstellung sind einzelne Kapitel den innerstädtischen Verhältnissen in Rom gewidmet.

Für die Zeitgeschichte in den erh. Büchern konnte A. in langjähriger Forsch. zahlreiche Zeugen befragen. Dazu kamen wenig ältere Werke wie das des → Eunapius von Sardes und Monographien wie das Büchlein, das Iulianus über seinen Sieg bei Straßburg 357 verfaßt hat. In die histor. Darstellung flossen die gründlichen Kenntnisse der griech. und lat. Lit. ein, die sich A. wohl schon in seiner Jugend erworben hat. Sie schlagen sich in einer Fülle von offenen und versteckten Zitaten nieder. Allerdings gibt es kein bestimmtes stilistisches Vorbild, dem der Grieche folgt. Zu den sprachlichen Anspielungen kommt ein enzyklopädisches Sachwissen aus den verschiedensten Gebieten. Es zeigt sich vor allem in den großen Exkursen zur Geogr. und Ethnographie innerhalb und außerhalb des Reiches sowie in zahlreichen Bemerkungen, die A. in den Gang der Erzählung einstreut. Der Verf. interessiert sich auch für Philos. und vor allem für Religion in ihren verschiedenen Äußerungen. Er ist offensichtlich Heide, übergeht aber nicht, wie andere Historiker des 4. Jh., das Christentum, sondern erwähnt dessen gute und schlechte Seiten. Das Lob, das er der Toleranz Valentinians spendet (30,9,5), verrät, wie er sich das Verhältnis der Religionen in einem christl. gewordenen Reich wünscht.

Obwohl der Historiker immer wieder seine Wahrheitsliebe betont und damit nicht lediglich einen Topos wiederholt, beeinträchtigten Vorlieben und Abneigungen, unzureichende Nachrichten und lit. Absichten die Glaubwürdigkeit seines Werkes im einzelnen. Doch A.' Gesamtleistung reiht ihn unter die großen Historiker Roms ein: Was wir ihm für ein Vierteljahrhundert röm. Gesch. verdanken, sehen wir, wenn wir die Zeit vor 353 und nach 378 vergleichen.

C. ÜBERLIEFERUNG

Die Überlieferung ruht allein auf dem stark verdorbenen Codex Fuldensis bzw. Vaticanus Latinus 1873 (V), von dem die jüngeren Hss. abhängen. V ist Abschrift eines Hersfeldensis M, den Gelenius für seine Ausgabe von 1533 benutzte und der dann verloren ging. 1875 tauchten 6 Blätter wieder auf. A.' eigentümliche Sprache führte auch in den jüngeren Hss. zu zahlreichen Korruptelen, die die Textherstellung erschweren.

ED.: C. U. CLARK, 1–2,1, 1910/15 (ND 1963) · W. SEYFARTH, 1–2, 1978.
ZWEISPR. / KOMM.: E. GALLETIER, J. FONTAINE, G. SABBAH, 1968 ff. · W. SEYFARTH, 1–4, 1968–1970/71 u. ö.
LEX.: M. CHIABÒ, Index verborum Ammiani Marcellini 1–2, 1983 · I. VIANSINO, Ammiani Marcellini rerum gestarum Lexicon 1–2, 1985.
KOMM.: P. DE JONGE, 1935–1980 (B. 14–18) · J. DEN BOEFT, D. DEN HENGST, H. C. TEITLER, 1987 ff. (Bücher 20 ff.) · J. SZIDAT, 1977–1981 (B. 20–21).
ÜBERS.: O. VEH, G. WIRTH, 1974.
LIT.: K. ROSEN, A. M., EdF 1982 · J. DEN BOEFT, D. DEN HENGST, H. C. TEITLER (Hrsg.), Cognitio gestorum, 1992 · A. DEMANDT, Zeitkritik und Geschichtsbild im Werk A.', 1965 · J. MATTHEWS, The Roman Empire of A., 1989 · K. ROSEN, Studien zur Darstellungskunst und Glaubwürdigkeit des A. M., ²1970 · G. SABBAH, La méthode d'Ammien Marcellin, 1978 · E. A. THOMPSON, The Historical Work of A. M., 1947 (Ndr. 1969). K. R.

Ammon [1, Gott] s. Amun

[2, Volk]. Hebr. Bnē ʿAmmōn, koll. ʿAmmōn; assyr. bīt Ammān; Bed. unsicher. Name eines Volkes und Kleinstaates mit Hauptstadt Rabbat Bnē ʿAmmōn, hell. → Philadelphia, h. ʿAmmān. Gen 19,38 erklärt die autochthone Bevölkerung aitiologisch als Nachkommen Lots; Dtn 2,20 führt die Samsummiter fiktional als Vorbewohner ein. Nach 2 Sam 11,1 und 12,26–31 wurde A. von David in Personalunion gezwungen, spätestens nach Salomos Tod aber wieder autonom. Von einem »Staat« kann aber erst ab Mitte des 9. Jh. die Rede sein. Eine Bauinschr. der Zitadelle von ʿAmmān vom späten 9. oder frühen 8. Jh. nennt den Staatsgott Milkom (1 Kg 11,5; 2 Kg 23,13 u. ö.). Spätere Nachrichten über Angriffe auf (2 Chr 20,1–30) und Tribute an Juda (2 Chr 26,8; 27,5) sind theologisch tendenziös und histor. wertlos. Seit Tiglatpileser III. dem neuassyr., danach dem neubabylon. Reich tributpflichtig (vgl. Ios. ant. Iud. 10,181), seit 539 v. Chr. Teil des achäm. Reiches. Hellenisierung unter Ptolemaios II. Philadelphos. Lokalfürstentum der Tobiaden in ʿIrāq al-Amīr (Ios. ant. Iud. 12,229–234). 166–161 Konflikte mit Judas Makkabaios (1 Makk 5,6). Seit 64 v. Chr. zur → Dekapolis, seit 106 n. Chr. zu → Arabia gehörig.

→ Ammonitisch; Arabia; Dekapolis; Philadelphia

U. HÜBNER, Die Ammoniter, 1992. K. B.

Ammoneion. Name der Orakelstätte des widderköpfigen → Amun Re im unter Amasis erbauten Tempel von Aghurmi in der Oase Siwa. Das Heiligtum ist libyschen Ursprungs. Der dort verehrte kyrenäische Ammon bzw. der semit. Baal Chammon [1] wurde dem → Zeus und dem ägypt. Amun angeglichen, als ›Amun in Siwa, Herr der Ratschläge‹ [2]. Die Orakelerteilung erfolgte durch Bewegungen des auf einer Barke getragenen Kultbildes oder in mündlicher Form. Befragt haben das Orakel u. a. Bokchoris (Tac. hist. 5,3), → Kroisos (Hdt. 1,46), Kimon (Plut. Kimon 18), → Hannibal (Paus. 8,11,11) und → Alexander, der als Sohn Gottes begrüßt wurde. In der Römerzeit büßte das Orakel seine überragende Bedeutung ein (Strab. 17,813; Lucan. 9,550).

→ Divination; Orakel

1 O. EISSFELDT, in: Forsch. und Fortschritte 12, 1936, 407
2 G. STEINDORFF, in: ZÄS 69, 1933, 18.

A FAKHRY, Siwa Oasis, 1973,143–164. R. GR.

Ammoniacum (ἀμμωνιακόν). Nach Dioskurides 3,84 [1.2.100 ff.] = 3,88 [2.322 f.] Bezeichnung für ein pflanzliches Gummiharz (vgl. Plin. nat. 12,107) von dem Doldengewächs *Ferula tingitana* L. aus Libyen, das erwärmende, krampflösende und sogar abtreibende Kraft haben soll. Bei anderen Autoren ist es auch ein Steinsalz aus gleicher Gegend mit adstringierender und reinigender Wirkung.

1 M. WELLMANN (Hrsg.), Pedanii Dioscuridis de materia medica Bd. 2, 1906 Ndr. 1958 2 J. BERENDES (Hrsg.), Des Pedanios Dioskurides Arzneimittellehre übers. und mit Erl. versehen, 1902, Ndr. 1970. C. HÜ.

Ammonios. [1] Günstling von → Alexandros [II 13] I. (Balas); herrschte an dessen Stelle in Syrien, ließ Verwandte und Anhänger des (toten) Demetrios I. umbringen und unterdrückte die Antiochener. Als er einen Anschlag auf Alexandros' wohl wichtigsten Förderer, Ptolemaios VI., versucht hatte und dieser seine Auslieferung forderte, Alexandros sie jedoch verweigerte, brach Ptolemaios mit Alexandros: Trotz seiner Verkleidung als Frau wurde A. erkannt und von den Antiochenern umgebracht (147 v. Chr.); auch Alexandros fand bald sein Ende (146/5; Liv. per. 50; Ios. ant. Iud. 13,106–108; vgl. 1 Makk 11,10 und Diod. 33,5,1 ?).

E. BEVAN, The House of Seleucus, Bd. 2, 1902, 213 ff. A. ME.

[2] Legatus Ptolemaios' XII., der 56 v. Chr. in Rom die Rückkehr des Königs betreibt und gegen P. → Cornelius Lentulus Spinther agitiert. Evtl. identisch mit einem im Jahr 44 erwähnten Höfling Kleopatras VII. PP 6, 14741, 14742. W. A.

[3, aus Alexandreia] Ἀμμώνιος, Sohn des Ammonios, griech. Grammatiker, aktiv in der 2. H. des 2. Jh. v. Chr., Schüler und Nachfolger des Aristarchos. Er berichtete von der philol. Aktivität seines Lehrers über Homer, weshalb ihn → Didymos als Quelle für Informationen über die Homeredition des Aristarchos benutzte. Auch die Schrift gegen den Grammatiker Athenokles handelte von homer. Themen. Außerdem widmete er sich der Pindar- und Aristophanesinterpretation; ein Werk über die Homerimitationen Platons wird zitiert.

→ Aristarchos [4]; Athenokles; Didymos

A. BLAU, De Aristarchi discipulis, 1883, 5–13 • R. BLUM, Kallimachos und die Lit.verzeichnung bei den Griechen, 1977, 19 n. 14, 22 n. 26, 266 • L. COHN, s. v. Ammonios, RE I.2, 1865–1866 • PFEIFFER, KPI, 265– 266, 295, 309, 330 • F. SUSEMIHL, Gesch. der griech. Literatur in der Alexandrinerzeit, 1891–1892, II 153–155. F. M. / M.-A. S.

[4] Unechter, erst in Hss. des 15. Jh. auftretender Autorenname für das bekannteste Synonymenlex. aus byz. Zeit. Es enthält 525 Bedeutungsdistinktionen bei gleich oder ähnlich klingenden Wortpaaren (z. B. ἀγροῖκος und ἄγροικος). Die grammatikalische Materie geht auf Herennios Philon (2. Jh.) zurück.

ED.: K. NICKAU, De adfinium vocabulorum differentia, 1966
LIT.: W. BÜHLER, Zur Überlieferung des Lex. des A., in: Hermes 100, 1972, 531–555 • H. HUNGER, Die hochsprachliche profane Lit. der Byzantiner II, 1978, 48–49. G. MA.

[5] Platonischer Philosoph des 1. Jh. n. Chr., aus Ägypten, lebte in Athen, wo er dreimal das Amt des Strategen bekleidete und einen privaten gelehrten Kreis um sich sammelte. Sein berühmtester Schüler Plutarch von Chaironeia stellt ihn in seinen Werken als einen feinfühligen, kompetenten Gesprächspartner und Diskussionsleiter dar, mit bes. Interesse an pythagoreischer Philos. [1], Mathematik, Astronomie und Theologie.

1 J. WHITTAKER, in: CQ 19, 1969, 185–192.

GOULET I, 1989, 164–165 • C. P. JONES, The Teacher of Plutarch, in: HSPh 71, 1967, 205–213. M. BA. u. M.-L. L.

[6, von Lamptrai] Verfasser einer verlorenen Schrift ›Über Altäre und Opfer‹ (*perí bōmôn kaí thysiôn*). Sicher nicht identisch mit A. [5].

A. TRESP, Fr. der griech. Kultschriftsteller 1 (RGVV 15), 1914. F. G.

[7] Sohn eines Phidias. Schuf zusammen mit seinem Bruder Phidias die ägyptisierende Statue eines Pavian, die 159 n. Chr. im Iseum am Marsfeld in Rom aufgestellt wurde.

K. Lembke, Das Iseum Campense in Rom, 1994, 238 · Overbeck, Nr. 2304 (Quellen).   R. N.

[8, aus Alexandreia] Christlicher Schriftsteller der 1. H. des 3. Jh. n. Chr., wird zuweilen mit Ammonios [9] Sakkas verwechselt, dem Lehrer Plotins, von dem er jedoch unterschieden werden muß. Eusebios (HE 6,19,9–10) weist auf weitere Werke von ihm hin, aber zitiert nur den Titel Περὶ τῆς Μωϋσέως καὶ Ἰησοῦ συμφωνίας.

A. Jülicher, in: RE 1, 1867.   F. M. / T. H.

[9, Sakkas] Platonischer Philosoph, hauptsächlich berühmt, weil → Plotinos 232–242 n. Chr. in Alexandreia sein Schüler war. Der von Porphyrios erwähnte, von den engeren Ammonios-Schülern Plotinos, Erennius und Origenes dem Heiden abgeschlossene Pakt, nichts von den Lehren des Ammonios zu verbreiten (Porph. vita Plotini 3,24 ff.), und sein schließlicher Bruch hat zu verschiedenen Interpretationen Anlaß gegeben [1; 2; 3], ebenso die Frage, ob A., der Lehrer des Plotinos, identisch sei mit dem A., bei dem auch der Kirchenvater Origenes studierte (Euseb. HE 6,19,5–7; s. [1]). Über die Lehre des A. ist nichts bekannt, und es ist sinnlos, sie etwa aus Hierokles und Nemesius rekonstruieren zu wollen [1].

1 F. M. Schroeder, A. Sakkas, in: ANRW II 36.1, 1987, 493–526   2 H.-R. Schwyzer, A. Sakkas, der Lehrer Plotins, Rheinisch-Westfälische Akad. der Wiss., Vorträge G 260, 1983   3 L. Brisson et al., Porphyre, La vie de Plotin I, 1982, 257–261.   P. HA.

[10] Verfasser eines unvollständigen epideiktischen Epigramms (Anth. Pal. 9,827), das aus einem Distichon, gefolgt von einem Hexameter besteht. Es handelt sich um die manierierte Beschreibung einer Marmorgruppe, die einen Satyrn darstellt, der den Schlaf des Eros hütet (dasselbe Thema im anon. Gedicht 9,826, das Planudes »Platon« zuweist). F. J. Schneiders Gleichsetzung mit dem gleichnamigen Epiker aus der Zeit von Theodosius II. (408–450), der in einem Gedicht die Taten des Goten Gainas feierte (vgl. GDRK 2,57 [2]), ist nicht unwahrscheinlich.

1 FGE 180   2 Die griech. Dichterfrg. der röm. Kaiserzeit, hrsg. E. Heitsch, 1964.   E. D. / T. H.

[11] Sonst unbekannter Homerkom- mentator. Im *hypómnēma* zu Il. 21 von POxy. 221 (2. Jh. n. Chr.), im Raum zwischen den Spalten X und XI sind die Worte Ἀμμώνιος Ἀμμωνίου γραμματικὸς ἐσημειωσάμην zu lesen; ihre Bedeutung ist umstritten. Festzuhalten ist jedoch, daß es sich um die *subscriptio* des Kompilators dieses Komm. (der wahrscheinlich nur bis zum 21. Buch reichte) handelt, doch scheint es (vor allem aufgrund chronologischer Elemente) ausgeschlossen, daß dieser A. mit irgendeinem sonstwie bekannten gleichnamigen Grammatiker gleichgesetzt werden kann.

→ Kommentar; Scholia

Ed.: ScholIal V, 78–121 · POxy. II, 1899, 52–85.
Lit.: A. Ludwich, Über die Papyrus-Commentare zu den homer. Gedichten, 1902, 8–20 · O. Müller, Über den Papyruskomm. zum Φ der Ilias, Diss. 1913.   F. M. / T. H.

[12, Sohn des Hermeias] Der in Alexandreia unterrichtende Neuplatoniker A. (1. Viertel 6. Jh. n. Chr.) hatte in Athen bei Proklos studiert. Erh. sind von ihm, z. T. durch Schülernachschriften, nur seine Komm. zu einigen Schriften des Aristoteles (CAG 4,3–6; unter dem Namen des Philoponos als Herausgeber CAG 13,1–2; 14,2; CAG 15; unter dem Namen des Asklepios CAG 6,2), nicht aber seine Komm. zu den Dialogen Platons, obwohl er auch Vorlesungen zu diesen gehalten hat (Damaskios, *Vita Isidori*, bei Phot. Bibl., cod. 181, 127a; Olympiodoros In Gorg., S. 183,11 Westerink; Zacharias, Ammonius, 52, S. 87 Boissonnade). Seinen Komm. liegt die seit Porphyrios im Neuplatonismus herrschende Tendenz zugrunde, eine grundsätzliche Übereinstimmung Platons mit Aristoteles anzunehmen, wobei jedoch die Philos. Platons als die höhere angesehen wurde [1]. Seine Ontologie läßt keine Abweichungen von den Grundzügen der allg. neuplatonischen Ontologie erkennen [2]. Der Vergleich seines Kategorienkomm. mit den anderen einschlägigen neuplatonischen Komm. läßt auf eine im ganzen homogene neuplatonische Komm.-Tradition schließen [3]. Georgische und armenische Übersetzungen sind erhalten [4].

→ Alexandrinische Schule; Iohannes Philoponos; Neuplatonismus

1 I. Hadot, The Role of the Commentaries on Aristotle in the Teaching of Philosophy…, in: Oxford Studies in Ancient Philosophy, Suppl., 1991, 175–189   2 K. Verrycken, The Metaphysics of A. Son of Hermeias, in: R. Sorabji (Hrsg.), Aristotle Transformed, 1990, 199–232   3 Simplicius, Commentaire sur les Catégories, traduction commentée sous la direction d'I. Hadot, 1990/1996   4 J. P. Mahé, s. v. A. d'Alexandrie, Traditions géorgienne et arménienne, in: Goulet I, 1989, 168 f.

Engl. Übers.:
S. M. Cohen, G. B. Matthews, A., On Aristotle's Categories, 1991.   P. HA.

Ammonitisch. Kanaanäischer Dial., dem → Phöniz. sehr nahe stehend und von den Ammonitern im Gebiet um Rabbath Ammon gebraucht. Es existieren nur wenige Schriftzeugnisse (ca. 9.–7. Jh. v. Chr.): Zitadellen-Inschr. von Amman, Gefäßaufschrift (Tell Siran-Flasche) und ca. 150 Stempelsiegel.

W. R. Garr, Dialect Geography of Syria-Palestina, 1000–586 B. C. E., 1985 · L. Herr, The Scripts of Ancient Northwest Semitic Seals, 1978 · K. P. Jackson, The Ammonite Language of the Iron Age, 1983.   C. K.

Amnestia (ἀμνηστία). Gesetzmäßig festgesetzter Verzicht auf Anklage, Wiederaufnahme von Verfahren, Urteilsvollstreckung und Strafvollzug als Mittel, die streitenden Parteien nach internen oder externen Kriegen zu versöhnen.

Plutarch (mor. 814b) nennt den athenischen Amnestiebeschluß von 403 v.Chr. τὸ ψήφισμα τὸ τῆς ἀμνηστίας ἐπὶ τοῖς τριάκοντα, während Aristoteles (Ath. pol. 39,6) und die Redner Andokides (1,90), Isokrates (18,3) und Aischines (2,176; 3,208) die originale Wendung ›nicht schlecht denken‹, μὴ μνησικακεῖν, gebrauchen, um die Generalamnestie im Rahmen der von beiden Parteien beschworenen Versöhnung zu bezeichnen (vgl. auch Cass. Dio 44,26,3). Im Friedensvertrag zwischen Milet und Magnesia (SIG³ 588,60; 196 v.Chr.) werden ἄδεια (*ádeia*) und ἀμνηστία (*amnēstía*) für Vorkommnisse im Kriege gewährt und es wird verboten, ›Klagen öffentlich oder privat‹ zu erheben, ἔγκλημα μήτε δημοσίᾳ μήτε ἰδίᾳ περὶ μηθενὸς τῶν προγεγονότων; ebenso heißt es im Vertrag der Milesier mit den Herakleoten (SIG³ 633,36; um 180 v.Chr.), es solle *a.* zwischen beiden Teilen sein für die im Krieg entstandenen Klagen, privat wie auch öffentlich: εἶναι δὲ καὶ ἀμνηστίαν ὡς ἑκατέροις τῶν προγεγενημένων ἐγκλημάτων κατὰ πόλεμον καὶ ἰδίᾳ καὶ δημοσίᾳ, es folgen Einschränkungen, die die generelle Amnestie modifizieren, so wie in der athenischen Amnestie von 403 v.Chr. gegen die oligarchischen Machthaber Sonderbestimmungen bestanden (Aristot. Ath. pol. 39,6). Zum röm. Recht vgl. → indulgentia.

W. WALDSTEIN, Unt. zum röm. Begnadigungsrecht, 1964, 25 ff. • TH. C. LOENING, The Reconciliation Agreement of 403/402 B.C. in Athens, 1987.   G.T.

Amnias (Ἀμνίας). Fluß in → Paphlagonia (h. Gök Irmak), entspringt westl. von Kastamonu, mündet von Boyabat in den → Halys. Durch sein Tal (die Domanitis, Strab. 12,3,40), Zentrum des Territoriums von → Pompeiopolis, führte die Straße von der Propontis an den Halys (Severische Meilensteine). Hier kam es 89 v.Chr. zur 1. Schlacht in den Mithradatischen Kriegen (App. Mithr. 18).

CH. MAREK, Stadt, Ära und Territorium in Pontus-Bithynia und Nordgalatia, 1993, 9, 65, 72, 142 Nr.22.   C.MA.

Amnisos (Ἀμνισός). In min. Zeit zu → Knosos gehörige Hafensiedlung (Epineion: Strab. 10,4,7) an der Nordküste von → Kreta, 8 km östl. von → Herakleion am Fluß A. (h. Karteros) mit Resten min. Anlagen (u. a. »Villa der Lilien«), in der Ortsnamenliste Amenophis' III. [1. 67ff.] und in Tontafelarchiven von Knosos gen., berühmt wegen der → Eileithyia-Höhle (bis in christl. Zeit Kultstätte; Hom. Od. 19,188: Landeplatz des → Odysseus). Hafenfunktion auch in nachmin. Zeit, jedoch ohne Spuren urbaner Siedlung. Seit archa. Zeit im Westen des Palaiochora-Hügels Heiligtum des → Zeus Thenatas.

1 E. EDEL, Die Ortsnamenliste aus dem Totentempel Amenophis' III., 1966 2 J. SCHÄFER (Hrsg.), A. nach den arch., histor. und epigraphischen Zeugnissen des Alt. und der Neuzeit, 2 Bde., 1992.   H.SO.

Amoibaion. Allg. Wechselgesang (Theokr. 8,31), auch Dialog in der Tragödie (Plat. rep. 394b), h. terminologische Festlegung auf Wechselgesang im Drama. In der Aufzählung der Bauteile der Trag. in der ›Poetik‹ (12,1452b 22) unterscheidet Aristoteles als bes. Fälle Bühnenlieder (τὰ ἀπὸ τῆς σκηνῆς) und *kommoí*. Während im ersten Fall nur die Schaupieler beteiligt sind (Monodien, Duette), ist bei den *kommoí* die Mitwirkung von Schauspielern und Chor entscheidend. Da jedoch bei weitem nicht alle Wechselgesänge zwischen Chor und Schauspieler(n) als Klagelieder definiert werden können, ist es angebracht, den Terminus → Kommos, abgeleitet von dem ekstatischen, die Klage unterstreichenden Schlagen der Brust (κόπτειν, vgl. Aischyl. Pers. 908 ff., bes. 1051–1065) auf Klagelieder (→ Threnos) in der Trag. zu beschränken und als Oberbegriff für alle Wechselgesänge zwischen Chor und Schauspieler(n) im Drama A. zu verwenden. Nach formalen Gesichtspunkten kann man unterscheiden zwischen rein lyrischen (d. h. alle Beteiligten singen) und halb-lyrischen (d. h. ein Beteiligter spricht oder rezitiert unlyrische Verse; → epirrhematische Komposition) A. Unter dem Aspekt der Beteiligung kann man von Chor-Schauspieler-A. und Chor-Chor-A. (bei Chorteilung wie z.B. in Aristoph. Lys. 614ff.; 781ff.) sprechen. Wechselgesänge zw. Schauspielern dagegen (Monodien, Duette) gehören nach dem aristotelischen Verständnis zu den Bühnenliedern und sollten nicht mit dem Begriff A. bezeichnet werden.

A. werden von den Dramatikern in erster Linie dazu eingesetzt, um den Chor eng in die Handlung zu integrieren. Bevorzugte dramatische Funktionen sind Totenklage (Aischyl. Pers. 908ff.; Sept. 966ff.; Choeph. 306ff.) sowie Klage des tragischen Helden (Soph. Ai. 348ff.; Ant. 806ff.; Oid. T. 1297ff.; Eur. Med. 96ff.; Hec. 681ff.), Streit und Auseinandersetzung (Aischyl. Ag. 1448ff., Sept. 203ff.; Aristoph. Ach. 284ff., Vesp. 334ff.), Paränese (Soph. El. 121ff.; Aristoph. Vesp. 526ff.), Information (Soph. Phil. 135ff., Oid. K. 117ff.; Aristoph. Av. 406ff.) und in der Komödie vor allem der Lobpreis des Protagonisten (Aristoph. Ach. 1008ff., Equ. 1111ff.).

Entsprechend der engen Einbindung des Chors in die Handlung sind A. in der Aischyleischen Trag. vor allem in der epirrhematischen Kompositionsform zahlreich vertreten. Sophokles und Euripides setzen A. häufig in Pathos geladenen Szenen ein, um die Reaktion des trag. Helden auf eine Unglücksbotschaft lyrisch auszudrücken (Klage-A.) und um den trag. Helden mit dem Normalmaß (Chor) zu kontrastieren. In diesen Fällen liegt formal zwar ein dialogischer Charakter vor, inhaltlich jedoch ist das Ganze eine Monodie des trag. Helden, der dadurch in seiner Isoliertheit bzw. Monomanie gezeigt wird (z. B. Soph. Ai. 348ff.). Im Spätwerk des Euripides überwiegen rein lyrische A., in denen, wie die metr. Vielfalt zeigt, der musikalische und mimetische Aspekt dominierte (Bacch. 576ff.).

→ Monodie; Komödie; Tragödie

R. KANNICHT, Unt.en zur Form und Funktion des Amoibaion in der att. Trag., Diss. 1957 • H. POPP, Das A., in:
W. JENS (Hrsg.), Die Bauformen der griech. Trag., 1971,
221–275 • B. ZIMMERMANN, Unt.en zur Form und dramatischen Technik der Aristophanischen Komödien I: Parodos
und A., ²1985, 150–261.   B. Z.

Amomon, ἄμωμον und καρδάμωμον (bei Theophr. h.
plant. 9,7,2 = *amomum* und *cardamomum* bei Plin. nat.
12,48–50), ἄμωμον (bei Dioskurides 1,15 [1. 1,20 f.] =
1,14 [2. 39–41]) hießen die aromatischen Kapseln und
Samen einiger Zingiberaceen aus Indien (*Amomum
cardamomum* u. a., *Elettaria cardamomum*) und dem tropischen Afrika (*Aframomum melagueta = semen Paradisi*),
welche durch die Alexanderzüge nach Europa kamen.
Ihr Reichtum an ätherischem und fettem Öl machte sie
bis ins 16. Jh. als Heilmittel (z. B. als Theriakbestandteil),
in Parfümerie und Konditorei, in Ost- und Nordeuropa
z. T. noch bis heute begehrt. Das echte A. der Ant. ist
jedoch verschwunden.

1 M. WELLMANN (Hrsg.), Pedanii Dioscoridis de materia
medica, Bd. 1, 1908, Ndr. 1958 2 J. BERENDES, Des Pedanios
Dioskurides Arzneimittellehre übers. und mit Erl. versehen,
1902, Ndr. 1970.   C. HÜ.

Amor s. Eros

Amoräer. Der Terminus A. (von hebr. ʾamar »sagen,
kommentieren«) bezeichnet nach der traditionellen Pe-
riodisierung diejenigen rabbinischen Lehrer, die in der
Epoche vom Abschluß der Mischna (ca. 200 n. Chr.) bis
zu der Zeit, als der Babylonische Talmud – abgesehen
von der Schlußredaktion – im wesentlichen abgeschlossen war (ca. 500 n. Chr.), sowohl in Palästina als
auch in Babylonien wirkten. Ihre Ausführungen kommentieren die Auslegungen der früheren → Tannaiten,
denen nach der Tradition mehr Autorität zukommt.

G. STEMBERGER, Einleitung in Talmud und Midrasch,
⁸1992.   B. E.

Amorgos (Ἀμοργός). Östlichste Insel der → Kykladen
(121 km²), gebirgig (Krikelon 821 m). An der Nordwestküste lagen die drei ant. Hauptorte der Insel:
→ Aigiale, Minoa (beim h. Haupthafen Katapola und h.
Chora, amtlich A.) und Arkesine. In prähistor. Zeit war
die Insel dicht besiedelt und dürfte seit dem 3. Jt. als
Handelsstützpunkt gedient haben. Reiche Grabfunde
aus dem Frühkykladikum zeigen eine enge Verbindung
nach Keros und den anderen Eremonisia. Um 1000
v. Chr. wanderten ion. Siedler ein, später kamen Kolonisten aus → Naxos, → Samos und → Miletos. Im 5.
Jh. v. Chr. wurde A. von Samos unabhängig und seine
drei Poleis unter dem gemeinsamen Namen Ἀμόργιοι
Mitglied im → att.-delischen Seebund, ebenso seit 373
v. Chr. auch im 2. → att.-delischen Seebund, mit einer
athenischen Garnison in Arkesine. Später war A. Mit-

glied im Nesiotenbund (→ Nesiotai), in hell. Zeit bedeutender Handelsposten, was die vielen Wach- und
Wehrtürme aus dieser Zeit verdeutlichen. In der röm.
Kaiserzeit war A. mondäner Verbannungsort (Tac. ann.
4,13; 30). In frühbyz. Zeit wurde schließlich Chora
Hauptort von A., wo ebenso wie bei Katapola und Ko-
lophana frühbyz. Kirchenbauten nachgewiesen sind. Im
11. Jh. wurde das Kloster der Panagia Chozovitissa erbaut, in dem noch h. wertvolle Hss. verwahrt sind. In
der Folge wechselten sich Naxier, Byzantiner und Ve-
nezianer in der Herrschaft ab. (Mz.: HN, 481; Inschr.: IG
XII 7).

→ Miletos; Samos; Naxos; polis; Nesiotenbund

M. F. BOUSSAC, G. ROUGEMONT, Observations sur le
territoire des cités d'A., Les Cyclades. Materiaux pour une
étude de géogr. historique, Table ronde, Dijon 1982 (1983),
113–119 • E. B. FRENCH, Archaeology in Greece 1993–94,
69 • H. KALETSCH, s. v. A., in: LAUFFER, Griechenland,
104–105 • C. LIENAU, Griechenland. Geogr. eines Staates
der europ. Südperipherie, 1989 • L. MARANGOU,
Ἀνασκαφή Μινώας Ἀμοργοῦ, in: Praktika 1982, 272–30;
1983, 316–334; 1984 (1991), 349–391; 1988, 160–177; 1989,
267–286 • M. NOWICKA, Les maisons à tour dans le monde
grec, 1975, 47, 54.   H. KAL.

Amorische Dynastie. Herrscherfamilie, regierte in
drei Generationen (820–867 n. Chr.) das Byz. Reich. Ihr
Begründer Michael II. (820–829) aus Amorion in Phrygien behauptete sich 823 gegen den Usurpator Thomas
den Slaven. Sein Sohn Theophilos (829–842) war der
letzte der Ikonoklastenkaiser (Gegner des rel. Kultbildes). Während seiner Herrschaft errangen die Araber
838 durch Einnahme der Festung Amorion einen bedeutenden Erfolg. Unter seiner Witwe Theodora, die
zunächst für den Sohn Michael III. (842–867, geb. 840)
regierte, wurde 843 der Bilderkult endgültig sanktioniert. Nach Absetzung Theodoras 856 stand Michael
unter dem Einfluß ihres Bruders Bardas, Förderer der
Wiss. und seit 862 »Kaisar« (höchster byz. Hoftitel). Beide unterstützten 858 die Erhebung des gelehrten Beamten → Photios zum Patriarchen. Unter ihm begann die
Missionstätigkeit der Brüder Kyrillos (Konstantin) und
Methodios bei den Slaven, in deren Folge Bulgarien das
Christentum annahm; es brach aber auch ein bis 880
dauerndes Schisma mit der Kirche des Westens aus.
Michael III. war nicht so unfähig und extravagant, wie
ihn die parteiischen Quellen der folgenden Dynastie
schildern; u. a. kämpfte er erfolgreich gegen die Araber
in Kleinasien. Sein Günstling Basileios, der 866 Bardas,
867 ihn selbst ermordete, begründete nachfolgend die
»Maked. Dynastie«. Die nach ihr benannte kulturelle
Blütezeit, die »Maked. Renaissance«, wurde bereits vor
und insbes. z. Z. der A. D. entscheidend vorbereitet.

ODB 1, 79.   F. T.

Amoritisch (Amurritisch). Sprache der semit., nicht-
akkad. Personennamen und Lehnwörter in sumer. und

akkad. Texten des 3. und 2. Jt. v. Chr. Texte in a. Sprache gibt es nicht. Die frühesten Belege datieren in die Ur III-Zeit (ca. 2100–2000 v. Chr.). Aus altbabylon. Zeit (ca. 2000–1500 v. Chr.) stammt der weitaus bedeutendste Teil der Dokumentation. Sie erstreckt sich von ihrem zentralen Verbreitungsgebiet in Syrien und Nord-Mesopotamien bis Süd-Babylonien. Die Quellen der mittelbabylon. Zeit (ca. 1500–1200 v. Chr.) beschränken sich auf Syrien. A. läßt sich als Bündel archa. (nord)-westsemit. Dial. klassifizieren, die der Abgrenzung vom Ugarit., Kanaanäischen und Aram. bedürfen.
→ Amurru

G. BUCCELLATI, The Amorites of the Ur III Period, 1966 · I. J. GELB, La Lingua degli Amoriti, Acad. Nazionale dei Lincei, Estratto dai Rendiconti della Classe di Scienze morali, storiche e filologiche, Ser. VIII, Bd. 13/3–4, 1958, 143–164 · Ders., Computer-Aided Analysis of Amorite, 1980 · H. B. HUFFMON, Amorite Personal Names in the Mari Texts: A Structural and Lexical Study, 1965 · E. KNUDSEN, An Analysis of Amorite, in: JCS 34, 1983, 1–18 · Ders., Amorite Grammar: A Comparative Statement, in: A. S. KAYE (Hrsg.), Semitic Studies in Honor of W. LESLAU, Bd. 1, 1991, 866–885.   M. S.

Ampe. Nach Hdt. 6,20 Siedlung (*pólis*) am unteren Tigris, in der Dareios I. 494 v. Chr. gefangene Milesier angesiedelt haben soll. Seit dem 19. Jh. als Verschreibung aus Agine/Aginis angesehen (mit dem baylon. Dūr-Jakīn gleichgesetzt, das nach assyr. Inschr. unweit des Unterlaufs des Euphrat zu lokalisieren ist [1]). Aginis wird mit Aple identifiziert (Plin. nat. 6,134), während das *oppidum* Ampelone, *colonia Milesiorum* (Plin. nat. 6,159) wegen der Lagebeschreibung davon getrennt wird.

1 A. FUCHS, Inschr. Sargons II, 1994, 430.   J. OE.

Ampelius, L., ist Verf. einer → Enzyklopädie in Stichworten unter dem Titel *Liber memorialis*. Sowohl der Autor als auch der in der Einleitung des Werkes genannte Adressat Macrinus sind sonst nicht bekannt. Die Schrift ist thematisch geordnet und bietet Kurzinformationen zu Kosmologie, Geographie (mit einer umfänglicheren Weltwunderliste), Theologie sowie eine universalhistor. angelegte Königsliste. Im Anschluß daran behandelt A. die röm. Gesch. Auf Könige und Helden folgen die äußeren und inneren Feinde sowie ein Abriß der röm. Kriege bis in traianische Zeit. Den Abschluß bilden einige wenige Eintragungen zur Staatsverfassung. Als Quellen dürften in erster Linie Hygins *Viri illustres*, die Gesch.werke des → Pompeius Trogus und des → Florus sowie → Suetons *Pratum* in Frage kommen. Sprache und Charakter des Werkes weisen auf eine Abfassung im 4. Jh., in dem eine Reihe vergleichbarer histor. Kurzüberblicke entstanden (z. B. → Chronograph von 354; Sex. → Aurelius Victors *Historiae abbreviatae;* → Eutropius' *Breviarium ab urbe condita*).
→ Buntschriftstellerei

ED.: E. ASSMANN, 1935 · N. TERZAGHI, 1947 · V. COLONNA, 1975.
LIT.: HLL, § 530.   H. KR.

Ampelos (Ἄμπελος). **[1]** Kap an der Südostküste von → Kreta (Ptol. 3,17,4), nach Plin. nat. 4,59 auch eine der *oppida insignia*. Die Stadt ist nahe beim h. Xerokampos zu lokalisieren. Gräber und Keramik (u. a. rhodischer Provenienz) aus hell.-röm. Zeit.

C. BURSIAN, Geogr. von Griechenland 2, 1972, 577 f. · I. F. SANDERS, Roman Crete, 1982, 137.   H. SO.

[2] Kap an der Südwestspitze der Insel → Samos (Strab. 14,1,15; Ptol. 5,2,30; Steph. Byz. s. v. A.), heute Domeniko, ebenso das zentral auf Samos gelegene Gebirge (1140 m).   H. SO.

[3] Kap am Südende der Halbinsel Sithonia (vgl. Hdt. 7,122 f.; Ptol. 3,12,10), bisweilen fälschlich als Stadt (vgl. Plin. nat. 4,37) bezeichnet.
→ Chalkidike

M. ZAHRNT, Olynth und die Chalkidier, 1971, 152.   M. Z.

[4] Satyr, geliebt von Dionysos. Er starb beim Sturz von einer Ulme, worauf er verstirnt wurde (→ Vindemitor; Ov. fast. 3,409 ff.). Nach einer anderen Version stürzte er von einem wütenden Stier und wurde in einen Weinstock verwandelt (Nonn. Dion. 10–12). Darstellungen zeigen, daß die Gestalt mit ihrem sprechenden dionysischen Namen vorhell. ist.

A. GARCÍA Y BELLIDO, in: Archivo Español de Arqueología 24, 1951, 117–154, Abb. 36 · M. A. ZAGDOUN, LIMC 1.1, 689 f.   F. G.

Ampelusia (Ἀμπελουσία). Griech. Name des Kap Spartel (Nordwestafrika) – »Kap der Weinberge« (Mela 1,25; 2,96; 3,107; Plin. nat. 5,2). Lautete der einheimische (berberische?) Name αἱ Κώτεις (Strab. 17,3,2) bzw. Κώτης ἄκρον (Ptol. 4,1,2,) (mit derselben Bed.)? Nach Skyl. 112 ist Κώτης der Golf zw. den »Säulen des Herakles« und dem »Vorgebirge des Hermes«, nach Plin. nat. 5,2; 32,15 liegt Cottae jenseits der »Säulen des Herakles«.

E. BERNUS, s. v. A., EB 4, 605 f.   W. HU.

Amphanai (Ἀμφαναί). Stadt am schmalen Küstenstreifen der Pelasgiotis (→ Pelasgoi) bei Kap Pyrrha, h. Angistri.
Nach dem Gründermythos schon in vorthessal. Zeit vorhanden, wurde A. von der thessal. Stadt → Pagasai überflügelt. Jüngste Erwähnung Mitte des 4. Jhs. v. Chr. (FGrH 115 Theopompos fr. 54), ihre Kulte wurden in → Demetrias weitergepflegt. Lokalisierung gegen die ältere Forsch. nicht auf dem Soros, sondern südl. davon in der Stadtruine Palioalikes beim Dorf Kantiraga, wo sich Scherben von der neolithischen Zeit bis zum 4. Jh. v. Chr. finden.

F. STÄHLIN, Das hellenische Thessalien, 1924, 68 ·
V. MILOJČIĆ, Archaiologika Analekta ex Athenon, in:
Athens Annals of Archaeology 7, 1974, 43.   HE.KR.

Amphiaraos (Ἀμφιάραος). Argiv. Seher. Obwohl er
wußte, daß die Expedition der Sieben gegen Theben
zum Scheitern verurteilt war, mußte er sich dem Urteil
seiner Frau Eriphyle beugen, die durch Polyneikes mit
der Halskette der Harmonia bestochen worden war.
Nach Homer (Od. 15,243–255) starb A. in Theben.
(Genealogie: Pind. P. 8,39; Diod. 4,68,4 f.) Einer zweiten Version zufolge (evtl. Thebaïs EpGF fr. 9) wurde A.
mit seinem Wagen von einer von Zeus geschaffenen
Erdspalte verschlungen (Darstellung [2]).

A. nahm an den Totenspielen für Pelias (Stesich. fr.
179 PMG), der Werbung um Helena (Apollod. 3,129–
132), der Argonautika (Apollod. 1,111) und der Jagd auf
den kalydonischen Eber (→ Meleagros) teil (Apollod.
1,68). Er ist Gründer der nemeischen Spiele (Apollod.
3,66).

A.' Haupttheiligtum befand sich in der Nähe von
Oropos, ein früheres in der Nähe von Theben (Strab.
9,2,10) [3]. Das Orakel wurde von Kroisos und Mys
konsultiert (Hdt. 1,46,2; 1,52; 8,134). Im Peloponnesischen Krieg wurde A. als Heiler beliebt. Unter Athen –
später Rom – wurde zu A.' Ehren ein Agon abgehalten
(*Amphiaráïa megála* bzw. *Amphiaráïa rōmaía*). A. wurde
auch in Rhamnous im Zusammenhang mit dem Heiligtum der Nemesis verehrt, war aber ein Nachzügler, der
erst im späten 4. Jh. dem lokalen Kult des Aristomachos
angegliedert wurde [4].

1 SCHACHTER[3], 70 f. 2 I. KRAUSKOPF, LIMC 1.1, 698–699,
Nr. 37–39 3 T. K. HUBBARD, HSPh 94, 1992, 103–107
4 J. POLLIOUX, La forteresse de Rhamnonte, 1954, 93–102.

C. W. J. ELIOT, PE 1976, s. v. Oropos, Rhamnous.   A.S.

Amphiaraos-Krater. Spätkorinth. rotgr. Kolonnetten-
krater (→ korinthische Vasenmalerei; um 560 v. Chr.,
heute verschollen), Hauptwerk des Amphiaraos-Malers.
Vs.: über Reiterfries die Ausfahrt des → Amphiaraos;
Rs.: über Kampffries seine Teilnahme an den Leichenspielen für Pelias (Wagenrennen); unter einem Henkel
Ringkampf. In dem farbenprächtigen, sehr ausführlichen Bild der Vs. besteigt Amphiaraos den Wagen, dro-
hend zu → Eriphyle blickend, die als einzige der Familie
nicht um glückliche Heimkehr bittet. Ein sorgenvoller
Seher weist auf den Tod des Heros. Die Hauptthemen
fanden sich nebeneinander auch auf der korinth.
Kypseloslade in Olympia (Paus. 5,17,5 ff.).

AMYX, CVP, 263 A–1. 571 f. Nr. 66 · AMYX, Addenda,
78 · K. SCHEFOLD, Götter- und Heldensagen der Griechen
in der früh- und hocharcha. Kunst, 1993, 282 f.   M.ST.

Amphiarau exelasis (Ἀμφιαράου ἐξέλασις, Suda; Ἀμ-
φιάρεω ἐξελασία ἡ ἐς Θήβας, Vita Homeri Herodotea
ed. WILAMOWITZ 1929, 9,9 f.): ›Auszug des Amphiaraos

(gegen Theben)‹. Eine mindestens seit dem Hellenismus
(s.o. Vita Hom. Herod.) dem Homer zugeschriebene
Dichtung, aus der uns kein Fragment erh. und deren
selbständige Existenz zweifelhaft ist. Drei Möglichkeiten stehen zur Wahl: (1) A. e. war nur ein anderer Titel
für die (kyklische) → *Thebais* (so [1. 187 f.]), (2) A. e.
war ein größeres Epos innerhalb des thebanischen Teils
des → Epischen Zyklus (hypothetisch rekonstruiert von
[2. 41–75]), (3) A. e. war die Bezeichnung eines »Teil-
stückes« der (kyklischen) Thebais, so wie die Teilstück-
bezeichnungen in der *Ilias* (z. B. Διομήδους ἀριστεία für
den 5. Gesang) und *Odyssee* (so zuletzt u. a. wieder
DAVIES [3. 26 zu *Thebais* F 9; S. 22 BERNABÉ). Die dritte
Möglichkeit hat am meisten für sich.

1 G. F. WELCKER, Der ep. Cyclus, I, [2]1865 2 E. BETHE,
Thebanische Heldenlieder, 1891 3 EpGF, 1988.   J.L.

Amphiareion s. Amphiaraos, s. Oropos, s. Rhamnus

Amphidamas (Ἀμφιδάμας). **[1]** Heros von Tegea in
Arkadien, Sohn des Aleos, Bruder des Lykurgos, des
Kepheus und der Auge (Paus. 8,4,8), einer der Argonauten (Apoll. Rhod. 1,161; 2,1046). Bei Apollod.
3,105 ist er nicht Bruder, sondern Sohn des Lykurgos,
und seine Kinder sind Melanion (→ Atalante) und An-
timache, Frau des Eurystheus. Abweichende Genealogien in den Homerscholien → Apheidas. **[2]** Opuntischer Lokrer. Patroklos tötete seinen Sohn beim Astra-
galosspiel und suchte Schutz bei Peleus (Hom. Il.
23,87). Spätere Mythographen gaben dem Sohn des A.
verschiedene Namen. **[3]** Aus Kythera, Vorbesitzer des
Helms, den Meriones dem Odysseus für seinen Späher-
gang leiht (Hom. Il. 10,266 f.) **[4]** Ägypter, Sohn des
→ Busiris, von Herakles getötet (Apollod. 2,117).   F.G.
[5] Aristokrat aus Chalkis, fiel wohl im → Le- lantini-
schen Krieg. Zu den von seinem Sohn Ganyktor veranstalteten Leichenspielen reiste auch → Hesiod aus Boiotien an (Plut. mor. 153 f–154a). Er errang mit einem
Hymnos den Siegespreis, einen Dreifuß, den er den
Musen auf dem Helikon weihte (Hes. erg. 653 ff.). Eine
spätere Tradition sah in → Homer den Rivalen Hesiods
in diesem Wettstreit und erdichtete das *Certamen Homeri
et Hesiodi*.

M. L. WEST, Hesiod. Works and Days, 1978, zur Stelle ·
E. STEIN-HÖLKESKAMP, Adelskultur und Polisgesellschaft,
1989, 20, 117 Anm. 61.   E.S.-H.

Amphidamos. Feldherr der Eleer. A. geriet 218
v. Chr. in Gefangenschaft Philipps V., wurde aber ohne
Lösegeldzahlung wieder entlassen, nachdem er versprochen hatte, die Eleer zu einer Symmachia mit Philipp zu bewegen. Seine Anstrengungen schlugen jedoch
fehl; des Verrates verdächtigt, mußte A. aus Elis fliehen
und kehrte zu Philipp zurück (Pol. 4,75,6; 84–86).
→ Philipp

F. W. Walbank, Philip V of Macedon, 1967, 48 f.   M. Mei.

Amphikaia, Amphikleia (Ἀμφίκαια, Ἀμφίκλεια). Im

östl. → Phokis am → Parnassos, am Südrand des mittleren Kephisostals; arch. Spuren (spätmyk. und 8. Jh.
v. Chr.), Reste von Mauerring und Türmen (ca. 5.–
4. Jh. v. Chr.). Bei der Perserinvasion 480 v. Chr. (Hdt.
8,33) und zu E. des 3. Hl. Krieges 346 v. Chr. (Paus.
10,3,2) zerstört; als Amphikleia wiederaufgebaut
(Dadi(on) seit dem MA, h. wieder Amphikleia). Orakelheiligtum des → Dionysos (Paus. 10,33,9–11), in byz.
Zeit Wachposten am → Kephisos (Spuren des Befesti-
gungssystems).

> Müller, 452 • Ph. Ntasios, Symbole sten Topographia tes
> archaias Phokidos, 1992, 15–17, 21 • N. D. Papachatzis,
> Pausaniu Hellados Periegesis 5, 1981, 430 f. • Philippson /
> Kirsten 1,2, 423 • F. Schober, Phokis, 1924, 23 • J. Koder,
> F. Hild, Hellas und Thessalia (TIB 1), 1976, 122.   G. D. R.

Amphikrates. Rhetor aus Athen, floh von dort 86

v. Chr. vor den siegreichen Römern zunächst nach Seleukeia, später an den Hof des Tigranes zu dessen Frau
Kleopatra, der Tochter des Mithridates. Dort fiel er bald
in Ungnade und wählte den freiwilligen Hungertod,
erhielt aber ein ehrenvolles Begräbnis (Plut. Luc. 22). A.
war Asianer, Ps.-Longinos (de subl. 3,2) stellt ihn in eine
Reihe mit → Hegesias und Matris und nennt ihn stell-
vertretend für die den guten Vorbildern (Xenophon)
zuwiderlaufende Richtung. A. hinterließ eine Schrift
mit dem Titel Περὶ ἐνδόξων ἀνδρῶν (Athen. 576c; Diog.
Laert. 2,101; vgl. FHG 4,300).   M. W.

Amphiktyon (Ἀμφικτύων). [1] Der dritte König von

Athen, Nachfolger des Kranaos, Vorgänger des Erichthonios, Autochthone oder Sohn Deukalions (Apollod. 3,187; Paus. 1,2,6). Er bewirtete Dionysos in Attika,
was beim athenischen Bezirk des Dionysos Melpome-
nos durch Terrakotten dargestellt war (Paus. 1,2,5); so
erlernte er die Sitte, den Wein mit Wasser zu mischen,
und stiftete den Altar des Dionysos Orthos, des »auf-
rechten Dionysos« (Philochoros, FGrH 328 F 5 = Athen.
2,7,38 cd) [1]. [2] Sohn (oder Enkel) des Deukalion und
der Pyrrha, Stifter der delph.-pylaischen Amphiktyonie;
er wird bei Anthela in der Nähe der Thermopylen verehrt, neben dem Bezirk der Demeter Amphiktyonis
(Hdt. 7,200).

> 1 D. Flückiger-Guggenheim, Göttl. Gäste. Die Einkehr
> von Göttern und Heroen in der griech. Myth., 1984, 108,
> 193.   F. G.

Amphiktyonia (ἀμφικτυονία). Vermutlich entstanden

aus amphi-ktiones = »die in der Umgebung leben« (An-
drot. FGrH 324 F 58), obwohl die Griechen es gewöhnlich von einem eponymen Heros Amphiktyon ableite-
ten (z. B. Hdt. 7,200; Theop. FGrH 115 F 63). A. bezeichnet einen Bund, der sich um ein Heiligtum gruppiert und dessen Kult pflegt. In der Regel lebten die

Kultgenossen in der Nähe des Heiligtums, die bedeutendste jedoch, die A. von Anthela und → Delphi, umfaßte schließlich Mitglieder aus vielen Teilen Griechenlands. Sie verstärkte ihren Anspruch, die A. par excellence zu sein, indem sie Amphiktyon zum Sohn des
→ Deukalion und König von → Thermopylai erklärte.

Als Folge des von der Überlieferung so bezeichneten
Ersten Hl. Krieges am Beginn des 6. Jh. v. Chr. [2] gewann die A., die anfangs über das Heiligtum der Demeter in Anthela bei den Thermopylai gebot (Hdt. 7,200),
auch die Kontrolle über das Heiligtum des Apollon von
Delphi und hatte letzlich Mitglieder aus zwölf »Stämmen« (éthnē): Thessaler, Boioter, Dorer, Ioner, Perrhai-
ber und Doloper, Magnesier, Lokrer, Ainianer, phthio-
tische Achaier, Malier, Phoker und die Delpher selbst.
Jedes Mitglied sandte zwei → hieromnēmones (die Dorer
je einen aus Doris und der Peloponnes, die Ioner einen
von Euboia und einen aus Athen) im Frühling und im
Herbst zum Rat der A. Daneben konnten sie eine un-
bestimmte Zahl von agoratroí oder Pylagóroi schicken.
Ebenso war eine Versammlung aller Bürger der Mit-
gliedsstaaten der A., die sich in Delphi aufhielten, möglich; der Rat konnte diese Staaten förmlich zu Rate ziehen.

In den 50er Jahren des 5. Jh. übertrug Athen den
Phokern die Kontrolle Delphis, im Zweiten Hl. Krieg
(zu Anfang der 40er Jahre) unterstützte Sparta die Delpher, Athen die Phoker. Der 30jährige Friede zwischen
Athen und Sparta von 446/5 beendete die Kontrolle der
Phoker. Die Konsequenzen dieser Veränderungen für
die A. sind unklar. Als Theben versuchte, Delphi für
seine polit. Zwecke zu nutzen, brachten die Phoker 356
Delphi unter ihre Kontrolle; 355 erklärte die A. den
Dritten Hl. Krieg gegen sie; er endete 346 mit dem Ausschluß der Phoker von der A. und der Übertragung ihrer Stimmen an → Philippos II. v. Makedonien. Der
Vierte Hl. Krieg 340–338 hatte den Sieg Philippos' über
Theben und Athen zur Folge. 280/279 verteidigten die
Aitoler Delphi gegen die in Nord-Griechenland eingefallenen Kelten und gliederten in den Aitolischen Bund
zunehmend mittelgriech. Staaten ein, deren Stimmen in
der A. sie übernahmen. 191–189 befreiten die Römer
Delphi von der Kontrolle durch die Aitoler; Heiligtum
und Stadt wurden für frei erklärt und die A. neu gegründet.

Weitere A. sind bezeugt für Onchestos in Boiotien
(Strab. 412,9,2,33) und Kalaureia im Saronischen Golf
(Strab. 376,8,6,14). Ähnlichen Verbandscharakter werden die Vereinigung der Ioner zur Betreuung des Pan-
ionion auf der Halbinsel Mykale (Hdt. 1,142–3) und die
der Dorer zur Pflege des Triopion bei Knidos (Hdt.
1,144) gehabt haben. In der archa. Zeit betreute eine A.
von Ionern das Heiligtum des Apollon auf Delos (Thuk.
3,104: »Ioner und Bewohner der umliegenden Inseln«,
periktíones): Spätestens seit 410/409 wurde der Titel am-
phiktíones den Beamten verliehen, die im 5. u. 4. Jh. von
Athen mit der Verantwortung für das Heiligtum betraut
wurden (Tod, GHI, 85).

1 Busolt / Swoboda, 1280–1310 2 J. K. Davies, in:
S. Hornblower (Hrsg.), Greek Historiography, 1994,
193–212 3 V. Ehrenberg, Der Staat der Griechen, ²1965,
108–111 4 R. Flacelière, Les Aitoliens à Delphes, 1937
5 G. Roux, L'Amphictionie, Delphes e le temple
d'Apollon, 1979 6 K. Tausend, Amphiktyonie und
Symmachie, 1992.   P. J. R.

Amphilochios von Ikonion.

A. (* 340/345 in
→ Kappadokia, † nach 394) war Schüler des → Libanios
und Rhetor in Konstantinopel. 370 kehrte er nach Kappadokien zurück und wurde 373 auf Betreiben
→ Basilius' des Großen Bischof von → Ikonion in der
neuerrichteten Prov. → Lykaonia. Er schuf kirchliche
Strukturen in seinem Episkopat und verteidigte es gegen
die → Messalianer und andere Häretiker. Über seinen
Vetter → Gregor von Nazianz, der ihn bekehrte, entwickelte sich eine enge Freundschaft zu den Kappado-
kiern und später zu Kreisen in der Reichshauptstadt.
→ Gregor von Nyssa

K. Holl, A. v. I. in seinem Verhältnis zu den großen
Kappadoziern, 1904 (Ndr. 1969) • H. Gstrein, A. v. I. Der
vierte »Große Kappadokier«, Jahrb. d. Österr. Byz. Gesell.
15, 1966, 133–145.   K. SA.

Amphilochoi, Amphilochia (Ἀμφίλοχοι, Ἀμφιλοχία).

Landschaft und Stamm östl. des Golfs von → Ambrakia,
zumeist gebirgig, nur schmale Küstenebene, im Osten
an die → Agraioi, im Süden an die → Akarnaneis angrenzend. Von Strab. 7,7,1; 7,8 zu den Epeiroten gerechnet, galt jedoch meist als eigener »barbarischer«
Stamm (Dionysios Kalliphontos 46f.; Strab. 9,5,1;
Thuk. 2,68; [2. 351f.]). Der Hauptort Argos Amphilochikon, nach älterer Tradition durch → Amphilochos (FGrH 1 Hekat. F 102 C), nach jüngerer durch
→ Alkmaion [1] (FGrH 70 Ephoros von Kyme F 123)
gegr., durch Aufnahme von Ambrakioten hellenisiert,
im 5. Jh. v. Chr. mit Hilfe Athens von Akarnaneis und
A. gemeinsam neu besiedelt (Thuk. 2,68; 3,105ff.) und
deshalb oft zu → Akarnania gerechnet. In klass. Zeit mit
den Akarnanen verbündet, von Pyrrhos dem epeirotischen Koinon eingegliedert (Plut. Pyrrhos 6), zum aitolischen Koinon gehörig von ca. 229 v. Chr. bis 167
v. Chr.: Erklärung zur *civitas libera* durch Rom (Diod.
31,8,6). In der Kaiserzeit → Nikopolis untergeordnet
(Strab. 10,2,2; Anth. Pal. 9,553). Die Stadtanlage von
Argos Amphilochikon wird zw. Lutro und Ambelaki
lokalisiert ([1. 246–248] irrig [4. 13–20]). Im Gebiet der
A. lagen die Orte → Olpai, Idomene, Krenai, Metropolis [1. 238–48; 4. 20–78; 3. 26–28].

Inschr.: O. Kern, Die Inschr. von Magnesia, 1900, 28 Z.
16; IG ²IV 95 Z. 33; SEG 18,182; 32,560–63; 37,430;
W. P. Walbank, in: ZPE 86, 1991, 199–202; W. Peek,
Griech. Versinschr., 1, 1955, 2017.

Mz.: BMC, Thess. 172.
→ Epeiros

1 N. G. L. Hammond, Epirus, 1967 2 S. Hornblower,
Commentary on Thucydides 1, 1991 3 E. Oberhummer,
Akarnanien, 1887 4 Pritchett, 8.

Lauffer, Griechenland, 132 • G. Hirschfeld, s. v. A., RE
1, 1936f. • F. Hiller v. Gaertringen, s. v. Argos (4), RE 2,
789.   D. S.

Amphilochos (Ἀμφίλοχος).

[1] Mythischer Seher,
Sohn des Amphiaraos und der Eriphyle aus Argos. Mit
dem Bruder Alkmaion rächt er seinen Vater an der Mutter (Hom. Od. 15,248; Apollod. 3,86). Oder A. ist rein
vom Muttermord und erhält kult. Ehren in Sparta (Paus.
3,15,8), Athen (IG II/III²7175) und im Amphiareion von
Oropos (Paus. 1,34,3). Er nimmt am Epigonenzug
(Pind. P. 8,40) teil und freit um Helena (Apollod.
3,129). Er stößt später zum Heer von Troia (Apollod. ep.
6,19; nicht bei Homer), zieht nach dem Fall der Stadt
mit → Kalchas die kleinasiatische Küste entlang bis nach
Syrien, und wird zum Gründerheros (Hdt. 3,91; 7,91).
Im kilikischen Mallos besitzt er ein berühmtes Orakel
(Plut. mor.434dff.); dort opfert ihm sein »Verwandter
aus Argos«, Alexander d. Gr. (Strab. 14,5,17; Arr. an.
2,5,9). A.' Heimfahrt nach Argos und Rückkehr nach
Kilikien haben den tödlichen Zweikampf mit seinem
Gründergefährten → Mopsos um die Herrschaft zur
Folge (Lykophr. 439ff.). Nach Hesiod (fr. 279 MW)
wird A. von Apollon bei Soloi getötet. Sein Grabhügel
lag beim kilikischen Magarsos.

Daneben sind Wanderungen nach Spanien (Strab.
3,4,3) und Akarnanien bezeugt, wo er als Gründer von
Argos Amphilochikon (Thuk. 2,68; Strab. 6,2,4 u.ö.)
und als Stammvater von Seherfamilien galt (Hdt. 7,221;
Paus. 9,31,5).
[2] Als »jüngerer A.«, oft mit dem »älteren« verwechselt
(Apollod. 3,94f., Tzetz. Lykophr. 980), wird er zum
Sohn des Alkmaion und der Teiresias-Tochter Manto
(Paus. 8,24,9; Apollod. 3,94).
→ Alexandros [4], der Gr.; Amphiaraos

E. Bethe, s. v. A., RE I, 1938–1940 • I. Krauskopf, s. v. A.,
LIMC 1.1, 713–717 • T. S. Scheer, Mythische Vorväter.
Zur Bed. griech. Heroenmythen in kleinasiatischen Städten,
1993, 168ff. u.ö.   T. S.

Amphimachos (Ἀμφίμαχος).

[1] Sohn des Elektryon,
Königs von Mykenai, Bruder der → Alkmene (Apollod.
2,52). [2] Sohn des Molionen Kteatos, Enkel des Aktor
bzw. des Poseidon. Als Freier der Helena (Apollod.
3,129) führte er zusammen mit Thalpios einen Teil der
Epeier vor Troia (Hom. Il. 2,620). Er wurde von Hektor
getötet (Hom. Il. 13,185–205). [3] Sohn des Nomion,
Bruder des Nastes, mit dem zusammen er als Bundesgenosse der Troer das karische Kontingent führt. Achilleus stürzt ihn in den Skamandros (Hom. Il. 2,870–5).
[4] König der Lykier, dem Kalchas Sieg, Mopsos Niederlage und Tod voraussagt; letzteres trifft ein und entscheidet die Rivalität der beiden Seher (Konon FGrH 26
F 1 Fab. 6.   F. G.

Amphinomos und Anapias (Ἀμφίνομος und Ἀναπίας, Ἄναπις). Frommes Brüderpaar aus Katane, das bei einem Ausbruch des Ätna seine Eltern aus den Flammen trug und vor denen sich der Lavastrom auf wunderbare Weise teilte. Sie wurden noch in der Kaiserzeit kult. geehrt (Paus. 10,28,4); am Ort ihrer Rettung, dem »Ort der Frommen«, *eusebōn chóros*, standen ihre Statuen. Die Gesch. wird zuerst von Lykurg. or. in Leocratem 95 erwähnt, der nur von einem Jüngling spricht, der seinen Vater rettet. Die Vulgatversion ist ausführlich erzählt etwa bei Konon FGrH 26 F 1, narr. 43 und Solin. 5,15 (Anapius); viel öfter wird auf die Gesch. als Beispiel der *pietas* und ohne Namensnenung angespielt, etwa bei Diod. 20,101,3 oder Sen. benef. 3,37,2; bereits für Strab. 6,2,3 ist sie »weit verbreitet«. Auf kaiserzeitlichen Münzen von Katane ist die Gesch. oft dargestellt.

LIMC 1.1, 717f.   F.G.

Amphion (Ἀμφίων). **[1]** Sohn des Zeus und der Antiope, der Tochter von Asopos, Zwillingsbruder von Zethos (Hom. Od. 11,260–265). Er ummauerte Theben, indem er die Steine durch Leierspiel verzauberte (Hes. fr. 182 M-W). A. heiratete Niobe, Tochter des Tantalos (Hes. fr. 183). Nach dem Tod ihrer Kinder griff A. den Tempel von Apoll an und wurde von Apolls Pfeilen getötet (Hyg. fab. 9). Ovid (met. 6,271 f.) läßt ihn Selbstmord begehen, bei Lukian (salt. 41) wird er wahnsinnig (Epos Minyas EpGF). Epopeus von Sikyon ist gemeinsam mit Zeus Vater der Zwillinge [1]; Antiope ist Tochter von Nykteus (Asios fr. 1 EpGF; Apollod. 3,42). Die Gesch. der Zeugung, Geburt und schließlichen Rehabilitation der beiden Knaben, vom Unrecht an ihrer Mutter, wie sie darauf gerettet und die böse Tante der Knaben, Dirke, bestraft wurde, wird von Euripides in seiner Antiope [2] entwickelt, wenn nicht sogar teilweise' erfunden. A. und Zethos haben Verbindungen mit Theben (s.o. und Amphieion [3]), Eutresis (Strab. 9,2,28) und Kithairon, wo sie geboren wurden. Sie könnten also den Teil der Bevölkerung des frühhellenischen Theben verkörpern, der aus dem Süden des Stadtgebiets kam [4]. A.s Ehe mit Niobe könnte die Verbindung zweier Elemente der Gründungsbevölkerung darstellen, denn Niobes Urspr. können in Lydien festgemacht werden [5]. **[2]** Sohn von Iasos, lebte im minyischen Orchomenos und wurde Schwiegervater von Neleus (Hom. Od. 11,281–284; Hes. fr.33a,6).

1 M. L. WEST, The Hesiodic catalogue of women, 1985, 180
2 J. KAMBITSIS (Hrsg.), Euripides' Antiope, 1972
3 SCHACHTER, 1,28f. 4 A. SCHACHTER, in: La Béotie antique, 1985, 150f. 5 W. S. BARRETT, in: R. CARDEN (Hrsg.), The papyrus fragments of Sophokles, 1974, 226.   A.S.

[3]. Bildhauer aus Knossos, Sohn des Bildhau- ers Akestor, Enkelschüler des → Kritios, somit um die Mitte des 5.Jh. v.Chr. tätig. In Delphi schuf er in Bronze eine Quadriga mit König → Battos von Kyrene, die Pausa-

nias (10,15,6) beschreibt. Ohne allg. Zustimmung blieben Vorschläge zu Identifizierungen des Battos und des Wagenlenkers.

M. T. AMORELLI, s. v. A., EAA 1, 325 • OVERBECK, Nr. 463,464 (Quellen).   R. N.

Amphios (Ἄμφιος). **[1]** A. und Adrestos, Söhne des Sehers Merops von Perkote, zogen gegen dessen Willen vor Troia und fielen von Diomedes' Hand (Hom. Il. 2,828–834; 11,328–334). **[2]** Sohn des Selagos von Paisos, von Aias dem Telamonier getötet (Hom. Il. 5,612; Tzetz. Allegoriae Iliadis Proleg. 812) [1].

1 O. TAUCHEFEN, LIMC 1.1, 318, Nr. 24.   F.G.

Amphipolis (Ἀμφίπολις). Stadt im fruchtbaren Land der → Edones, 4,5 km oberhalb der Mündung des → Strymon an einem auf drei Seiten umflossenen Hügel, 437/6 v.Chr. vom Athener Hagnon an strategisch beherrschender Stelle (Ἐννέα Ὁδοί, Ennea Hodoi, »9 Wege«) unter Beteiligung anderer Städte gegründet (Thuk. 4,102; Diod. 12,32,3). A. kontrollierte die westöstl. Landroute über die Strymonbrücke (nachmals die → via Egnatia) und verfügte über den Zugang zum Bergwerksgebiet am → Pangaion sowie zu den Holz- und Teervorkommen der Umgebung. Im Winter 424/23 v. Chr. verloren die Athener A. an Sparta (Thuk. 5,7–10). Im Frieden von 421 v.Chr. wurde A. Athen zugesprochen, doch behauptete sich A. selbständig, bis Philippos A. 357 v.Chr. eroberte und von einem königlichen → epistates wohl mit einer Besatzung verwalten ließ. Bes. Bevölkerungszuwachs ermöglichte es A., Alexandros [4] eine Kavallerieeinheit (→ ilai) zu stellen (Arr. an. 1,2,5). Unter den Königen genoß A. wie andere maked. Städte begrenzte Autonomie. A. verfügte über gut ausgebaute städtische Einrichtungen (Stadtmauer und Gymnasion ergraben). Nach der Schlacht bei Pydna (168 v.Chr.) von den Römern erobert und als Verwaltungszentrum der Macedonia I (Liv. 45,29,9) mit Münzrecht organisiert. Von Taxiles (87/6 v.Chr.) im 1. Mithradatischen Krieg erobert (FGrH 434 Memnon fr. 1,22,12). Von Augustus dürfte A. den Status einer → civitas libera erhalten haben. Laufende Ausgrabungen fördern immer neue Zeugnisse (einschließlich Inschr.) einer wirtschaftlichen Blüte unter den Königen und den röm. Kaisern zutage. Christl. Zeugnisse sind spät: Eine Kirche von ca. 500 n.Chr., ein Bischof von A. bei der Synode von Konstantinopel 553 n. Chr., doch dürften christl. Urspr. in A. älter sein.

J. PAPASTAVRU, A., 1936 • D. LAZARIDIS, A. kai Argilos, 1972 • F. PAPAZOGLOU, Les villes de Macédoine, 1988, 392–7.   MA. ER.

Amphiprostylos. Grundrißform des griechischen → Tempels. Ein A. ist ein Antentempel (→ Ante) ohne seitliche Ringhalle, der sowohl vor dem Pronaos als auch an seiner Rückseite je eine gerade Zahl von Säulen aufweist, deren Reihe die gesamte Breite des Bauwerks einnimmt (vgl. Vitr. 3,2,4). Der A. ist im Vergleich zum → Prostylos, bei dem die Säulenstellung nur die Eingangs- und nicht zugleich auch die Rückseite ziert, die seltenere Form. Prominentestes Beispiel ist der Niketempel auf der Athener Akropolis.

H. KNELL, Grundzüge der griech. Architektur, 1980, 131–134.   C. HÖ.

Amphis. Möglicherweise von der Insel Andros stammender att. Komödiendichter [1. test.], dessen Schaffen sich nur ungefähr um 350 v. Chr. und danach ansetzen läßt [2. 197]. Von den 28 erh. Stücktiteln führt noch etwa ein Viertel auf mythische Sujets, darunter eine Bearbeitung der Kallisto-Gesch., bei der A. recht eigenwillig geändert zu haben scheint [2. 234]. Im übrigen hat A. die att. Realität in seinen Stücken nicht vergessen: Spöttisch setzt er sich mit den Philosophen (vgl. fr. 33), vor allem mit Platon (fr. 6, 13) auseinander, wirft einen sarkastischen Blick auf derzeit begehrte Hetären (fr. 23) und gibt eine ebenso spitze Schilderung des Treibens der Fischhändler auf dem Markt (fr. 30). Ein großer Teil der insgesamt 38 Versfr. ist gnomisch; oft meldet sich eine dezidiert hedonistische Sehweise zu Wort. Ein Handlungsgang ist außer bei dem erwähnten Kallisto-Stoff nirgendwo mehr zu erkennen.

1 PCG II, 1991, 213–235   2 H.-G. NESSELRATH, Die att. Mittlere Komödie, 1990.   H.-G. NE.

Amphissa (Ἄμφισσα). Größte Stadt der westl. → Lokris (Paus. 10,38,4; Strab. 9,3,4. 4,7 f.; seit dem MA Salona, h. wieder A.), im Norden der fruchtbaren Ebene von → Krisa (Strab. l.c.) ca. 15 km nordwestl. von → Delphoi, wo die Straße von Westlokris auf die aus Doris bzw. aus Delphoi trifft. Die Tatsache, daß die wohlhabende Agrarstadt, sich stets in die krisaischen Ebene ausdehnen wollte, und ihre strategisch zentrale Lage in Mittelgriechenland sind evtl. Gründe für die alte Feindschaft mit Delphoi und → Phokis (Thuk. 3,101,2). Tatsächlich verursachten das Ausgreifen von A. auf die *hiera chora* des Apollon in der Ebene von Krisa und die Wiedererrichtung des »verwünschten« Hafens den 4. → Hl. Krieg, der mit der Zerstörung von A. endete (Aischin. Ktes. 118; vgl. Demosth. or. 18,149 ff.) Fortgesetzte Gebietsstreitigkeiten mit Delphoi im 2. Jh. v. Chr. (SIG 614; FdD 3,2,383. 4,276–283). Seit 196 v. Chr. im Aitolischen Bund. Nach der Schlacht von → Aktion (31 v. Chr.) nahm A. die Aitoler und die Arkanen auf, die sich der Umsiedlung nach → Nikopolis (Paus. l.c.) widersetzten. Polis noch im 6. Jh. n. Chr. (Hierokles, Synekdemos 644,1; Constantinus, de thematibus 89).

Arch. Funde belegen die Besiedlung von A. seit geom. Zeit, Reste der Stadtmauer (nach 338 v. Chr.) und der Befestigung der Akropolis unter der ma. Burg.

Baptisterium (4. Jh. n. Chr.) und Basilica (Mosaiken, 5.–6. Jh. n. Chr.).

G. DAVERIO ROCCHI, Frontiera e confini nella Grecia antica, 1988, 132–142 · L. LÉRAT, Les Locriens de l'ouest 1, 1952, 15–18 · MÜLLER, 453–455 · N. D. PAPACHATZIS, Pausaniu Hellados Periegesis 5, 1981, 452–455 · PHILIPPSON / KIRSTEN 1,2, 1950, 381–384 · J. KODER, F. HILD, Hellas und Thessalia (TIB 1), 1976, 254 f.
                                                         G. D. R. / S. W.

BYZANTINISCHE ZEIT
Ant. Name belegt noch im 6. Jh. bei Hierokles 644,1 und Steph. Byz. 1,90, (von dort?) auch noch bei Konst. Porph. De them. 89 PERTUSI. Seit dem 13. Jh. unter dem Namen Σάλονα wichtige fränkische, auf den ant. Stadtmauern errichtete Festung. Gemäß einer bes. Überlieferung der *Notitia episcopatuum* Bistum, (vgl. [1. 533]), aber keine Bischöfe auf Konzilien bezeugt. Kirchliche Bauten des 4.–6. Jhs.; Umfang der Siedlungskontintiuität vom 7. bis 13. Jh. unklar.

1 DE BOOR, ZKG 12, 1891

A. BON, Forteresses médiévales de la Grèce centrale, BCH 61, 1937, 136–208, hier: 164–186, und 62, 1938, 441 f., hier: 441 · LAUFFER, Griechenland, 110 f. · RE Suppl. 3, 92–94 · TIB I, 1976, 254   E. W.

Amphissos (Ἄμφισσος). Sohn Apollons und der → Dryope, der Tochter des am Berge Oite herrschenden Dryops, bärenstark. A. wie auch die Aiolosenkelin Amphissa (Paus. 10,38,4) müßten Eponyme der Stadt Amphissa im ozolischen Lokris sein; doch ist A. Gründer der Stadt Oite, während als Gründer von Amphissa A.' Stiefvater → Andraimon gilt. In Amphissa stiftet A. Tempel für Apollon und die Dryaden und richtet einen Agon im Schnellauf ein (Ant. Lib. 32) [1].

1 A. BRELICH, Gli eroi Greci, 1958, 94–106.   F. G.

Amphithalamos s. Thalamos

Amphithaleis paides (ἀμφιθαλεῖς παῖδες). »Ringsumblühte Kinder«, *pueri patrimi et matrimi* bzw. *puellae patrimae et matrimae*. Bezeichnung für Jungen und Mädchen, deren Eltern beide noch am Leben waren. Wenn Kindern eine kult. Funktion zugedacht war, wählte man sie in der Regel unter diesen aus. Beispiele sind das Zweigtragen an den → Pyanopsia (Suda s. v. εἰρεσιώνη, → Eiresione) oder → Oschophorien (Schol. Nik. Alex. 109), das Singen von Kultliedern bei der Saecularfeier (→ saeculum; Act. lud. saec. Aug. CIL VI 4.2 32323 Z. 20 f.; 147 f.; Zos. 2,5,5) oder bei → Supplicationen (Liv. 37,3,5 f.; Macr. Sat. 1,6,14), das Assistieren bei Priesterämtern, z. B. bei den → Vestalinnen (→ Vesta; Tac. hist. 4,53), → Flamen Dialis und Flaminica (Paul. Fest. p. 82 L.) oder den → Arvales fratres (CIL VI 4.2 32362) sowie Funktionen im → Hochzeitsritual (Suda, s. v. ἔφυγιν κακόν; Fest. p. 282 L.). Zur Entsprechung der griech. und röm. Institution s. Dion. Hal. ant. 2,22. Die beiden wichtigsten Gründe für diese Praxis dürften folgende sein: Erstens fügt sich diese Norm in die allg.ere ein, bei Kulthandlungen stets auf Makellosigkeit zu achten. Ein Kind, das verwaist ist (vgl. Hom. Il. 22,496ff.), würde zwangsläufig den Ritus mit einem Problem belasten, das ihn daran hinderte, als vollkommene Präfiguration für künftige Handlungen, als glückbringendes Modell zu gelten. Zweitens unterstreicht die Existenz von Vater und Mutter den kindlichen Status des jungen Ritualteilnehmers. Dies ist von besonderer Bedeutung, sofern es sich um Initiations- bzw. Übergangsrituale von der Jugend ins Erwachsenenalter handelt (Dion. Hal. ant. 2,22 nennt u. a. Arrhephorie (→ Arrhephoroi) und → Kanephorie (→ Kanephoroi)). Gerade der junge Mensch, der den Kindstatus rein und ohne Beeinträchtigung verkörpert, ist dazu geeignet, zeremoniell als Repräsentant seiner Altersklasse aus ihm herauszutreten. → Kultus; Priester; Waisen; Witwe

A. BRELICH, Paides e parthenoi I, 1969 • A. OEPKE, Ἀμφιθαλεῖς im griech. und hell. Kult, ARW 31, 1934, 42–56 • I. PALADINO, Fratres Arvales, 1988 • U. PESTALOZZA, Sacerdoti e sacerdotesse impuberi nei culti di Athena e di Artemide, in: Studi e Materiali di Storia delle Religioni 9, 1933, 173–202 • I. B. PIGHI, De ludis saecularibus, 1941.   D. B.

Amphithea (Ἀμφιθέα). **[1]** Frau des → Autolykos, Mutter der Antikleia, Großmutter des Odysseus (Hom. Od. 11,85; 19,416). **[2]** Frau des »tyrrhenischen« Königs → Aiolos [3]. Ihre Kinder Makareus und Kanake leben in inzestuöser Verbindung (Eur. Aiolos 14–41 TGF) [1]. **[3]** Frau des Lykurgos, des Sohnes von Pheres, Mutter des Opheltes-Archemoros von Nemea (Apollod. 1,404), die sonst Eurydike heißt.

1 G. BERGER-DOER, LIMC 1.1, 724.   F. G.

Amphitheatrum A. TERMINOLOGISCHE UND TYPOLOGISCHE DEFINITION B. URSPRUNG UND FRÜHE ENTWICKLUNG C. ROM D. ITALIEN UND DIE PROVINZEN

A. TERMINOLOGISCHE UND TYPOLOGISCHE DEFINITION

A. ist ein latinisiertes, gr. Wort (ἀμφιθέατρον) und bedeutet soviel wie »doppeltes → Theater« oder »Theater mit zwei Hälften«; es wird erstmalig in augusteischer Zeit erwähnt (Vitr. 1,7,1; Strab. 14,1,43; R. Gest. div. Aug. 22). In republikan. Zeit wurde der Begriff *spectacula*, der sich eher auf die Funktion als auf den Bautypus bezieht, sowohl für das früheste erh. A. (Pompeji; CIL X 852), als auch für die hölzernen Sitzreihen auf dem Forum Romanum (Fest. 120,1–3 L.) benutzt. Nach Vitr. 5,1,1 resultierte die längliche Form der *fora* (→ Forum) in Italien aus ihrer Verwendung für *spectacula*, d. h. für Gladiatorenspiele und Tierhetzen (→ *munera, venationes*). Ein A. war ein ellipt. Bau, der von jedem Sitz aus einen ungehinderten Blick auf die Arena bot. Oberhalb des Podiums, das die Arena umgab, befanden sich die Sitze für die Oberschicht und die Logen der Würdenträger; sie waren über Korridore an den kurzen Achsen erreichbar. Die Akteure betraten die Arena durch Gänge an den Langseiten. Die oberen Sitzreihen wurden von außen betreten. Oft gab es innerhalb der A. kleine Heiligtümer, bes. für → Nemesis. A. wurden aus Holz, Stein und Erde oder aus einer Kombination dieser Materialien erbaut. Sie besaßen oftmals unterird. Räume, z. T. auch Becken für Wasserspiele (→ Naumachie). Alle A. verfügten über Vorrichtungen für ein Sonnensegel (*velum*) als → Überdachung. Es lassen sich zwei Grundtypen unterscheiden: **1.** Das massive A., das in die Erde oder Felsen gebaut wurde und dessen tragende Konstruktion vom Gelände bedingt war. Solche A. waren in der Regel relativ klein und niedrig. **2.** Der von Gängen durchzogene Monumentalbau, mit einer tragenden Konstruktion aus Mauerwerk für die → *cavea*. Die Art der Konstruktion war aus dem Theaterbau übernommen; es gibt darüber hinaus verschiedene Beispiele von Mischtypen. Insgesamt sind über 200 A. als Denkmäler überliefert; die Arena ist dabei im Durchschnitt ca. 2 000 m² groß. Die meisten größeren Städte besaßen oder errichteten während des 1. und 2. Jh. n. Chr. ein A., nur wenige sind später entstanden. Oft lagen sie am Stadtrand, wo Ausschreitungen besser kontrollierbar waren und wo es mehr Platz gab als im Zentrum. In den Provinzen kann das Vorhandensein von A. in zivilen Städten als ein Zeichen der erfolgreichen Romanisierung gelten; häufig dienten die A. der Legionslager als Vorbild.

B. URSPRUNG UND FRÜHE ENTWICKLUNG

Die Herkunft der A. sowie die Ursprünge der Aufführungen sind vieldiskutiert. Es gab keine gr. Vorläufer; *munera* und *venationes* waren dort bis zur röm. Zeit unbekannt und blieben im Osten auch später lange Zeit unpopulär. Es besteht Konsens, daß sowohl die Spiele als auch der Bautyp eine ital. Erfindung, obwohl einige Elemente wie die *cavea* unzweifelhaft vom Theaterbau übernommen wurden; die ovale Arena und das sie umgebende Podium sind aber rein ital. Herkunft. Zwei Theorien über den Entstehungsort werden diskutiert. Die erste nimmt Kampanien als Ursprung an, da es hier berühmte Gladiatorenschulen gab, hier in den letzten Jh. v. Chr. mit Architekturformen experimentiert wurde und weil schließlich das erste sicher datierte A. um 70 v. Chr. in Pompeji entstand. Die zweite Theorie geht von Etrurien als Entstehungsort des A. aus. Sie beruht in erster Linie auf der Annahme, daß die Gladiatorenspiele als solche etr. Herkunft sind, aber auch auf der wohl irrigen Frühdatierung des steinernen A. in Sutri (kaum vor 50 v. Chr. erbaut). Bemerkenswerterweise erscheint der Bautyp von Anfang an in voll entwickelter Form. Da bekannt ist, daß Holzgerüste für die Sitzreihen zu diesem Zweck seit frühester Zeit, in Rom mindestens seit dem 3. Jh. v. Chr., auf dem Forum temporär erstellt wurden, besteht die Möglichkeit, daß hier der Ursprung des A. liegt. Auf dem Forum Romanum

wäre genügend Platz für ein größeres A. aus Holz gewesen, sowohl vor als auch nach Caesars großen Um-
gestaltungen, die auch die Basiliken an beiden Seiten des
Forums einbezogen. Von dort aus wären Spiele gut
sichtbar gewesen, ebenfalls vom ersten Stock (*maeniana*)
der *tabernae* vor den früheren Basiliken. Es war auch
Caesar, der die unterirdischen Gänge unter dem Forum
bauen ließ; sie waren mit vertikalen Schächten versehen, so daß während der Aufführung durch Falltüren
Tiere und Kulissen erscheinen konnten. Tatsächlich ist
dies das erste Beispiel von unterirdischen Räumen unter
einer Arena, ein Merkmal, das später kanonisch werden
sollte.

C. Rom

Zusätzlich zu den Zeugnissen vom Forum Romanum sind in Rom andere Bauten für Gladiatorenspiele
aus spätrepublikanischer Zeit bekannt. Plin. nat. 36,117
berichtet, daß der Senator C. Scribonius Curio im Jahr
52 v. Chr. ein A. erschuf, indem er zwei Theaterhälften
einander gegenüberstellte. Bis Statilius Taurus 29 v. Chr.
auf dem Campus Martius ein festes A. baute, gab es in
Rom, meist auf dem Forum Romanum errichtet, nur
provisorische Bauten für Spiele. Allerdings konnten
auch andere Gebäude für *spectacula* benutzt werden, wie
z. B. der Circus Maximus (→ Circus) und die Saepta Iulia. Obwohl schon Augustus laut Suet. Vesp. 9 ein großes feststehendes A. in Rom plante, wurde dieses Vor-
haben erst mit der Einweihung des flav. Amphitheaters
(→ Kolosseum) 80 n. Chr. durch → Vespasianus und
→ Titus verwirklicht. Zuvor hatte → Nero 57 n. Chr.
(Tac. ann. 13,31) ein luxuriöses hölzernes A. erbauen
lassen, das aber 64 n. Chr. zusammen mit dem des
Taurus und dem Circus Maximus verbrannte, so daß es
in Rom für einige Jahre keinen Ort für *munera* gab. Das
Kolosseum, von Gängen durchzogen und vollständig
aus Mauerwerk auf ebenem Gelände erstellt, war das

größte jemals gebaute A. (188 × 156 m, ca. 50000 Plätze)
und wurde Vorbild aller späteren monumentalen A. in
den Provinzen. In Rom bestand danach kein weiterer
Bedarf für A. Das viel kleinere A. Castrense (ca. 88 × 76
m) wurde im frühen 3. Jh. n. Chr. von den severischen
Kaisern Elagabal und Alexander Severus als Teil ihres
neuen Palastes, des sog. Sessorianum, errichtet. Es wurde nur vom Hof und von der Prätorianergarde benutzt,
die durch einen Korridor einen direkten Zugang besaß.
Später wurde es in die Aurelianische Mauer einbezogen.

D. Italien und die Provinzen

A. wurden zuerst und vor allem im westl. Teil des
röm. Imperiums erbaut. Wenn *munera* und *venationes* im
Osten gezeigt wurden, benutzte man bereits vorhandene Gebäude (Theater, Stadien und Zirkusse). Allerdings verfügten auch hier einige Großstädte (z. B. Pergamon und Scythopolis [Beth Shean]) über A. (beide
teilweise erh.). Die spätrepublikan. A. in Italien, von
denen mindestens 15 bekannt sind, lagen hauptsächlich
in Kampanien und Etrurien. Sie sind alle massiv gebaut.
Das älteste (Pompeji, 150 × 105 m, ca. 20000 Plätze) war
zum Teil in den Erdboden eingetieft, wobei die Erde zu
Wällen für die *cavea* aufgeworfen wurde, und zum Teil
in eine Ecke der Stadtmauer integriert. Mauerwerk fand
nur für die äußere Stützmauer, Korridore und das Podium Verwendung. Beide oberen Ränge konnten
durch Treppen von außen erreicht werden, die besten
Plätze direkt an der Arena waren von einem Korridor
aus zugänglich. Die Vorrichtungen für das *velum* sind auf
dem berühmten Wandgemälde aus Pompeji (Neapel,
NM Inv. 112222) dargestellt. Insgesamt erweckt das Gebäude den Eindruck eines reinen Funktionsbaues. Das
A. von Sutri war vollständig in den weichen Tuff ge-
hauen und besaß keine Fassade (andere direkt in den Fels
gearbeitete A. in Cagliari und Syrakus). Solche massiven
Bauten sind auch aus den Provinzen bekannt (z. B. Me-

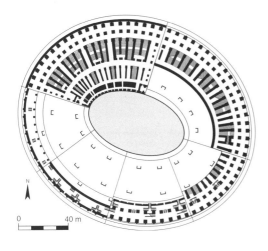

Rom, **Kolosseum**. Grundriß. Flavisch
(2. H. 1. Jh. n. Chr.).

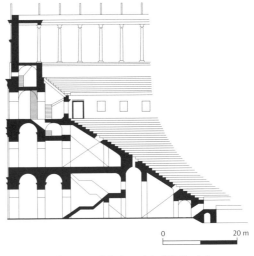

Rom, **Kolosseum**. Schnitt und Aufriß. Flavisch
(2. H. 1. Jh. n. Chr.).

rida in Spanien aus dem Jahr 8 v. Chr. und Saintes in Frankreich). Sie waren vor allem in den nördlichen Provinzen beliebt (z.B. Trier, Xanten, Carnuntum, Chester), wo auch die ersten Militär-A. in augusteischer und julisch-claudischer Zeit entstanden sind. Um die Struktur zu festigen, wurden keilförmige Mauern in die Erdwälle eingezogen, die das *cavea*-Oval formen; die Sitze waren aus Holz oder Stein. Manchmal waren Teile der *cavea* als steinerne Porticus geformt. Die massiven A. waren nicht auf die Zeit vom 1.Jh. v. bis zum 1.Jh. n.Chr. begrenzt, sondern wurden während der Kaiserzeit in den Provinzen, in kleineren Städten und Militärlagern gebaut.

Der Ruhm des A. basiert allerdings auf dem mit Gängen durchzogenen Bautyp, der durch das Kolosseum in Rom repräsentiert ist. Gut erh. Beispiele dieses Typs finden sich in Verona und Pula (beide möglicherweise etwas früher zu datieren als das Kolosseum), Pozzuoli (flav.) und Capua (hadrian.); in Frankreich in Arles und Nîmes (spätflav.-hadrian.); in Tunesien in El Djem (3. Jh. n.Chr.). Von den genannten A. ist das von Capua mit ca. 40000 Plätzen das größte, die anderen boten 20000 bis 30000 Zuschauern Platz. Die *caveae* wichen in konstruktiver Hinsicht nicht vom Bauprinzip der Theater ab und waren unzweifelhaft davon abgeleitet. Ihre Struktur bestand aus einem Netzwerk von radial angeordneten Kammern und überwölbten Gängen, in das ein System von Treppen und Rampen (*vomitoria*) eingebettet war, über die man den Zuschauerraum erreichte. Eine Vielzahl numierter, bogenförmiger Eingänge in der Fassade erleichterte den Zugang ins Innere. Die *cavea* war durch horizontale Umgänge in konzentrisch angeordnete Ränge (*maeniana*) unterteilt; das Podium direkt an der Arena trug die Sitze und Logen der Oberschicht. Die Fassadenhöhe variierte zwischen zwei und drei Arkadenordnungen, die Bögen waren von Säulen oder Pilastern gerahmt. Gekrönt wurde die Fassade durch eine Attika, die wiederum mit einer Gallerie an der Innenseite versehen sein konnte. Die A. späterer Zeit waren zudem mit einem ausgeklügelten unterirdischen Netz von Gängen und Kammern ausgestattet, um den Transport der Kulissenteile sowie der Käfige für die Tiere zu gewährleisten. Aufzüge mit einem System von Gegengewichten dienten zum Heben der Lasten durch Falltüren im Boden der Arena. Einige Arenen waren mit Becken und Wasserleitungen versehen, damit sie für Naumachien geflutet werden konnten.

Durch den Bauboom vom späten 1. bis zur Mitte des 2.Jh. n.Chr. war der Bedarf an A. weitgehend gedeckt. Notfalls konnte ein A. vergrößert werden oder es wurde wie in El Djem ein weiteres A. an ein bereits bestehendes angefügt. Im 2. und 3.Jh. n.Chr wuchs die Beliebtheit der *munera*, was sich im Umbau von vielen Theatern in A. dokumentiert. Bei der Umgestaltung wurden die Bühne und die ersten Sitzreihen entfernt und eine Podium-Mauer eingezogen; die Orchestra wurde so zu einer ovalen Arena. Solche *théatres à arènes* sind aus dem Osten des Reiches (→ Dodona, → Korinth) und insbes.

aus den nördl. und westl. Provinzen bekannt (z.B. aus Drevant). Obwohl die Christen in nachkonstantin. Zeit vielfach versuchten, Gladiatorenspiele zu verhindern, wurden die meisten A. bis zum endgültigen Verbot der Spiele und *venationes* Anf. des 5.Jh. weiter benutzt.

A.BOËTHIUS, J.B.WARD-PERKINS, Etr. and Roman Architecture, 1970 · D.L.BOMGARDNER, A new era for a. studies, in: Journal of Roman Archaeology 6, 1993, 375–390 · J.-C.GOLVIN, L'Amphithéâtre Romain, 1988 · J.-C.GOLVIN, C.LANDES, Amphithéâtres et Gladiateurs, 1990 · R.GRAEFE, Vela erunt, 1979 · A.HÖNLE, A.HENZE, Röm. A. und Stadien, 1981 · M.HÜLSEMANN, Theater, Kult und bürgerl. Widerstand im ant. Rom, 1987 · A.W.JONES, Designing A., in: MDAI(R) 100, 1993, 391–442 · F.-J.VERSPOHL, Stadionbauten von der Ant. bis zur Gegenwart, 1976 · K.WELCH, The Roman Arena in late-Republican Italy, in: Journal of Roman Archaeology 7, 1994, 59–80. I.N./R.S.-H.

Amphitheatrum Flavium s. Kolosseum

Amphitrite (Ἀμφιτρίτη). Meergöttin und Herrin der Meertiere (Hom. Od. 3,91 u.ö.), Tochter des Nereus und der Okeanide Doris (Hes. Theog. 243). Durch Poseidon Mutter des Triton (Hes. Theog. 930–933; Tochter Rhode: Apollod. 1,28; Tochter Benthesikyme: Apollod. 3,201); später gilt sie, ihrer Bed. angemessener, als Mutter der Nereiden (Ps.-Arion 21 = PMG 939,11). Der lokale Mythos erzählt, Poseidon habe sie geraubt, als er sie auf Naxos mit den andern Nereiden tanzen sah (Eust. und Schol. Hom. Od. 1,52); Eratosthenes berichtet von ihrer Flucht vor Poseidon, von der sie der Delphin abgebracht habe, den Poseidon zum Dank verstirnte (Hyg. astr. 2,17). Sie schenkte Theseus ihren goldenen Hochzeitskranz, als er in ihr Reich tauchte, um Poseidons Vaterschaft zu bezeugen (Bakchyl. 17,109–116), und er gab ihn Ariadne zur Hochzeit (Hyg. astr. 2,5; [1. 96f].); die att. Vasenmalerei hat diese Episode oft dargestellt [2]. Kult hat sie mit Poseidon zusammen auf zahlreichen Kykladeninseln (zu Delos Verg. Aen. 3,73). Berühmt war das außerstädtische, in einem Hain gelegene Heiligtum von Tenos, dem die Insel ihr Asylrecht verdankte (Tac. ann. 3,63); die Kultstatuen der beiden Götter waren überlebensgroß (Philochoros FGrH 328 F 176) [3].

1 C.CALAME, Thésée et l'imaginaire athénien, 1990
2 P.JACOBSTHAL, Theseus auf dem Meeresgrunde, 1911
3 R.ÉTIENNE, J.P.BRAUN, Ténos I. Le sanctuaire de Poséidon et d' Amphitrite, 1986 4 s.v. A., LIMC 1.1, 724f. F.G.

Amphitrope (Ἀμφιτροπή). Att. → Paralia-Demos der Phyle → Antiochis (IG II² 1750). 2 Buleutai. Seit [3] bei Metropisi lokalisiert, jetzt im Legrenatal mit Demenzentrum bei Sinterina-Pussipelia [1. 88ff.]. Die Grenzen zu → Atene im Westen auf dem Megalo Baphi bzw. zu → Sunion im Osten auf dem Spitharopussi sind durch → Horos-Felsinschr. markiert [1. 54; 2 (Neufund von 1994)]. A. gehörte mit 8–9 bezeugten Gruben zu den kleineren → Bergbau-Revieren des → Laureion.

1 H. LOHMANN, Atene, 1993, 79 ff., 108 ff., Abb. 12
2 M. K. LANGDON (unpubliziert) 3 G. WHELER, A Journey into Greece, 1682, 449.

C. W. J. ELIOT, Coastal Demes, 1962, 110 ff. · TRAILL, Attica, 23, 54, 59, 68 f., 109 Nr. 9, Tab. 10.   H. LO.

Amphitryon (Ἀμφιτρύων, Amphitruo). Sohn des Königs Alkaios von Tiryns und der Pelopstochter Astydameia (Apollod. 2,50; 55–67) oder der Perseusenkelin Laonome (Eur. Herc. 2 f.; Paus. 8,14,2). Um → Alkmene zu gewinnen, muß er ihren Vater Elektryon von Mykene oder ihre Brüder rächen, die im Kampf mit den räuberischen Teleboiern aus Taphos gefallen sind. Oder aber A. tötet versehentlich (im Streit) den Elektryon und flieht mit Alkmene nach Theben, wo ihn Kreon entsühnt (Hes. fr. 195 MW). Nachdem A. Theben vom teumessischen Fuchs befreit hat, unterstützt Kreon auch A.s erfolgreichen Zug gegen die Teleboier, die von → Komaitho verraten werden. In Gestalt des A. zeugt Zeus mit Alkmene in einer »langen Nacht« den → Herakles (Hom. Od. 11,266 f.; Hes. fr. 195,35 MW). Bei der Rückkehr des A. wird die Täuschung offenbar, in Euripides' *Alkmene* bringt A. seine Frau wegen Ehebruchs auf den Scheiterhaufen. Der Regen des Zeus löscht jedoch die Flammen und der Seher Teiresias klärt die Situation. Von Alkmene ist A. Vater des Iphikles. Er fällt im Kampf gegen die Minyer von Orchomenos (Apollod. 2,67), im euripideischen *Herakles* ist er zuvor nur knapp der Raserei seines Stiefsohns entgangen (Eur. Herc. 908). In Theben zeigte man nicht nur Haus (Paus. 9,11,1) und Grab des A. (Pind. P. 9,81 f.), sondern auch zwei Bronzedreifüße, die er ins Apollon-Ismenios-Heiligtum gestiftet haben soll (Hdt. 5,59; Paus. 9,10,4).
→ Elektryon; Iphikles; Kreon

E. STAERK, Die Gesch. des A.stoffes vor Plautus, in: RhM 125, 1982, 275–303 · H. TRAENKLE, Amphitryo und kein Ende, in: MH 40, 1983, 217–238 · A. DALE TRENDALL, s. v. A., LIMC I.1, 735 f.   T. S.

Amphora [1] (ἀμφορεύς). Zweihenkliges, bauchiges Vorrats- und Transportgefäß mit engem Hals. Führende ant. Gefäßform, vorwiegend in Ton erhalten, selten in Bronze, Edelmetall, Glas, Onyx. Im → Hausrat zur unverzierten Gebrauchskeramik zählend (→ Tongefäße II). Bemalte A. dienten rituellen Zwecken als Grabaufsätze, Aschenurnen, Vorratsgefäße der Toten, Wein- u. Ölgefäße für Feste der Lebenden (→ Panathenäische A.). Att. Töpfereien stellten im 6. u. 5. Jh. v. Chr. Hals- und Bauch- A. sowie andere A.-Formen für den Export her (→ Tyrrhenische A., → Nikosthenes; → Gefäßformen). Der sf. Standardtypus der Hals-A. wurde als Exportgut von der rf. »nolanischen« A. abgelöst; später überwog die Pelikenform. In der hell.-röm. Keramik tritt die A. als Kunstform zurück. Die wirtschaftshist.

wichtigen → Transport-A. sind von der Frühzeit bis in die Spätant. nachweisbar.

R.-M. BECKER, Formen att. Peliken, 1977 · I. SCHEIBLER, Bild und Gefäß, in: JDAI 102, 1987, 57–118 · J. EUWE, Nolan A. in Dutch Collections, in: BABesch 64, 1989, 114–133.   I. S.

[2, Hohlmaß], bedeutendstes Hohlmaß für Flüssigkeiten in der antiken Welt, löst im 1. Jh. v. Chr. das maßidentische → Quadrantal (Kubikfuß) ab. Mit Wein geeicht gehen 80 → *librae* (zu 327,45 g) auf 1 A. Moderne Messungen mit Wasser, das eine höhere Dichte aufweist, ergeben 26,2 l. In Griechenland heißt die A. κεράμιον oder κ. Ἰταλικόν. Zu Unterteilungen s. → *cochlear*.
→ Hohlmaße; cochlear

F. HULTSCH, s. v. A., RE I 2, 1976 · H. CHANTRAINE, s. v. Quadrantal, RE XXIV, 667–672.   A. M.

Amphorenstempel. A. VERWENDUNGSZWECKE B. GESCHICHTLICHE ENTWICKLUNG

A. VERWENDUNGSZWECKE

Manche Amphoren wurden zur Unterscheidung vor dem Brand gestempelt. Dabei dienten die A. zur Beglaubigung der Herkunft oder des Herstellers des Inhaltes der Amphoren. Bes. Weinamphoren sind mit Stadtemblemen und den Namen der amtierenden Magistrate versehen. Dies läßt sich sowohl auf die Tatsache, daß gerade der Wein je nach Region und Jahr stark in Qualität wechselt und also ein Warenzeichen braucht, als auch auf die Vorrangstellung des Weines unter den ant. Nahrungsmitteln zurückführen. Erst in röm. Zeit sind A. häufiger in Kombination mit anderen Produkten, bes. Olivenöl, bezeugt. A. können, getrennt nach Herkunft und Zeitalter, wichtige Hinweise für die Rekonstruktion der ant. Wirtschaft liefern. Allein von griech. Fundplätzen sind über 200 000 A. bekannt. Die Auswertung solcher Daten mit quantifizierenden Methoden wird aber dadurch erheblich erschwert, daß die Amphoren oft ein unterschiedliches Fassungsvermögen hatten und außerdem nicht alle Töpfereien gleichermaßen stempelten. In unterschiedlichen Werkstätten auf Thasos z. B. blieben in der zweiten Hälfte des 4. und zu Anfang des 3. Jhs. v. Chr. 55–20% der Amphoren ungestempelt. Die Utensilien, mit denen gestempelt wurde, waren meist aus Holz geschnitten und lieferten einen positiven Abdruck mit den Buchstaben in Relief. Bes. bei baetischen A. des 3. Jhs. n. Chr. sind auch Metallstempel zu vermuten, die innerhalb eines Rahmens feine Buchstaben in einem negativen Abdruck liefern.

B. GESCHICHTLICHE ENTWICKLUNG

Die ältesten A. auf Henkeln finden sich auf den kanaanitischen Amphoren der ersten Hälfte des 2. Jt. v. Chr. und in Ägypten von der Mitte dieses Jts. an; sie haben die Form von Kartuschen. Bereits früher, seit dem späten 4. Jt., wurden Henkel von Vorratsgefäßen an der Levanteküste gestempelt. Im Königreich Iuda wurden vom späten 8. bis in das 6.Jh. v.Chr. Amphorenhenkel mit ovalen, sog. *la-melekh*-Stempeln versehen. Über dem Symbol des geflügelten Skarabäus war in Hebräisch *la-melekh*, »des Königs«, und darunter der Name der Stadt, Hebron, Ziph oder Sokoh geschrieben.

Amphoren der griech. Städte wurden ab dem 5.Jh. v.Chr., meist auf den Henkeln, gestempelt. Die Verbindungen zw. den A. und Münzprägungen der Poleis sind von frühester Zeit an evident. Oft werden dieselben Embleme auf beiden als eine Art Stadtwappen abgebildet (Thasos – Herakles als Bogenschütze; Knidos – Ochsenkopf; Kos – Krebs und Keule; Mende – Dionysos auf dem Esel). Diese Verbindung wird am Beispiel eines Wechsels der chiotischen A. in der Zeit um 430 v.Chr. bes. deutlich. Die neuen chiotischen Amphoren weisen eine andere Form und eine Zunahme des Volumens in Angleichung an das att. *chous*-Maß auf. Sie wurden gestempelt mit dem Sphinx vor der alten Amphore, vielleicht zur Bestätigung der chiotischen Herkunft. Gleichzeitig zeigen die neuen chiotischen Münzen, Tetradrachmon und Drachme, den Sphinx vor der neuen Amphore. Embleme auf griech. Amphoren werden manchmal von Herkunftsangaben, wie KNIΔION ergänzt. Rhodische Amphoren sind oben auf den Henkeln mit zwei runden oder rechteckigen A. versehen; einer trägt den Namen des eponymen Heliospriesters, die Angabe des Monats entsprechend dem Kalender von Rhodos, oft zusammen mit dem Emblem der Rose oder des Helioskopfes; der andere trägt einen Namen, der meist als Fabrikantenname interpretiert wird, zusammen mit wechselnden Emblemen wie Traube, Anker oder Kerykeion.

Im pun. Karthago wurden Amphoren, bes. im späten 3. und 2.Jh. v.Chr., im Henkelbereich sowohl mit Emblemen als auch mit Namen gestempelt. Unter den Namen deuten das. MAΓΩN und MAΓO sowie einer in pun. Schriftzeichen auf eine marktorientierte Produktion für eine griech.-, lat.- bzw. pun.-sprachige Kundschaft hin (CIL VIII 22639 nrs. 103–104).

Röm. A. wurden meist auf den Henkeln, bei manchen Amphoren aus der Provinz Baetica des 1. und 2. Jhs. n.Chr. auch unterhalb des Henkels auf der Wandung gefunden; auf dem Hals sind sie eher für die nordafrikanischen Amphoren typisch. Die A. der Baetis sind am besten untersucht. Im Material des Monte Testaccio in Rom sind 90% dieser A. einzeilig, 10% sind zweizeilig und stammen aus dem 3.Jh. n.Chr. Ligaturen von 2 bis 4 Buchstaben sind häufig. Die eingestempelten Namen beziehen sich entweder auf die Besitzer der *figulinae*, die Sklaven oder freigelassenen *officinatores*, die für sie arbeiteten, oder die Besitzer der *fundi olearii*. Wahrscheinlich aber gehörten sowohl Gut als auch Töpferei dem gleichen Besitzer. Manchmal ist die Herkunft aus dem A. zu erschließen: ARVA SALS weist auf einen Ursprung in Arva (Peña de la Sal) hin. Dekorative Elemente sind eher selten. Die aus den Stempeln abzuleitenden In-

formationen wurden, bes. bei den baetischen Amphoren, manchmal noch mit *tituli picti* und Graffiti erweitert. Außer Amphoren wurden in röm. Zeit auch Ziegel und Dolia gestempelt.

→ Amphora [1]; Handel; Öl; Wein

1 D. DIRINGER, Jar handle stamps, in: O. TUFNELL, Lachish III, 340–347 2 Y. GARLAN, Greek Amphorae and Trade, in: GARNSEY, HOPKINS, WHITTAKER, 27–35 3 V.R. GRACE, Standard Pottery Containers of the Ancient Greek World, in: Hesperia Suppl. 8, 1949, 175–189 4 H.B. MATTINGLY, Coins and Amphoras – Chios, Samos and Thasos in the Fifth Century B.C., in: JHS 101, 1981, 78–86 5 J. REMESAL RODRÍGUEZ, La economía oleícola bética: nuevas formas de análisis, in: AEA 50/51, 1977/1978, 87–142 6 E. RODRÍGUEZ ALMEIDA, Il Monte Testaccio. Ambiente. Storia. Materiali, 1984. R.D.

Ampius. Röm. Gentilname.

[1] C., *praef. socium* 201 v.Chr. (Liv. 31,2,5–9). K.L.E.
[2] Balbus, T., Volkstribun 63 v.Chr. (Vell. 2,40,4), *praetor* 59, anschließend *procos.* in Asia (MRR 2, 197). Nach der Rückkehr kandidierte er 55 erfolglos für das Konsulat (schol. Bob. 156St.), im Bürgerkrieg kämpfte er auf Seiten des → Pompeius, für den er schon als Volkstribun bes. Auszeichnungen beantragt und der ihn dafür bei der Konsulatsbewerbung unterstützt hatte. 49 ordnete er Aushebungen in Capua an (Cic. Att. 8,11B,2), im Sommer war er als *legatus pro praetore* in Asia tätig (Ios. ant. Iud. 14,229; 238). Dabei versuchte er nach der Niederlage von Pharsalos die Gelder des Artemisions von Ephesos für die pompeianische Kriegskasse zu beschlagnahmen, wurde aber durch Caesars schnelle Ankunft in Asia daran gehindert und mußte fliehen (Caes. civ. 3,105,1). Cicero trat für ihn bei → Caesar ein, so daß der zur Verbannung Verurteilte schon Ende 46 zurückkehren durfte (Cic. fam. 6,12). Die Begnadigung stieß bei den Caesarianern, bei denen A. als ›Trompete des Bürgerkriegs‹ (*tuba belli civilis*) galt (Cic. fam. 6,12,3), auf großen Unmut. A. trat auch als Historiker hervor (Cic. fam. 6,12, 5) und verfaßte nach dem Tode Caesars ein Werk, in dem er diesen scharf angriff (Suet. Iul. 77). W.W.

Ampliatio. Zur *a.* (Fortsetzung der Verhandlung an einem neuen Termin) kam es im röm. Strafverfahren, wenn ein Teil der Geschworenen (z.B. nach der *l. Acilia* schon ein Drittel) durch bes. Erklärung oder Stimmenthaltung bei der Schuldfrage zum Ausdruck brachte, daß er die Sache noch nicht für entscheidungsreif (*non liquet*) halte. Die *a.* ist zu unterscheiden von der in bestimmten Fällen gesetzlich vorgeschriebenen → *comperendinatio*. Schon die republikanische Gesetzgebung versuchte wohl, dem ausufernden Gebrauch der *a.* durch Androhung von Geldbußen gegen die Richter bei einer zweiten oder dritten *a.* entgegenzutreten. Das Corpus Iuris Justinians enthält die *a.* nicht mehr.

W. KUNKEL, KS, 1974, 85f. (= s.v. quaestio (1), RE 24, 720–786, hier: 764f.). G.S.

Amplificatio. Die Steigerung (*a.*, αὔξησις) und ihr Gegenteil, die Minderung (*minutio, extenuatio, ταπείνωσις*) waren als Mittel des Überzeugens schon Teisias und Gorgias bekannt (Plat. Phaidr. 267a). Es handelte sich um die rhet. Fähigkeit, kleine Dinge größer und große kleiner erscheinen zu lassen (Anonymus Seguerianus 1,393,10 f. SPENGEL).

Als → Argumentationsmittel konnte die A. in allen drei *genera causarum* verwendet werden (Arist. rhet. 1391b 30 f.), aber sie war vor allem im *génos epideiktikón* am Platz (1392a 4 f.; vgl. Rhet. Alex. 1428a 2 ff.), weil dort der Redner schon positiv bewertete Taten vergrößern sollte (Arist. rhet. 1368a 27 f.). Cicero betrachtete die A. nicht nur als bes. wirksames Argumentationsmittel (part. 27), sondern schätzte sie auch als Redeschmuck (de orat. 3,104). Wegen dieser beiden Funktionen war die Benutzung der A. in allen → *partes orationis* verlangt. Trotzdem findet sie sich bes. in Digressionen (Cic. inv. 1,27; 1,97) und vor allem bei den *loci communes* (Cic. inv. 2,48; orat. 126). Gerade deshalb konnten die Rhetoren mit A. auf das ganze εἶδος παθητικόν des Epilogs hinweisen (part. 52; top. 98), wo die *loci communes* am meisten benutzt wurden, oder mindestens auf ihren bes. Aspekt der *indignatio* (Rhet. Her. 2,47; vgl. Sulpicius Victor p. 324,22 ff. HALM). In diesem Fall fiel ihre Bedeutung mit der der Übertreibung (δείνωσις) zusammen. Im *Perí hýpsous* war die A. unter die stilistischen Qualitäten gerechnet worden; als Sinnfigur unterscheidet Quintilian (inst. 8,4,1–28) mehrere Arten der A.: *incremento, comparatione, ratiocinatione, congerie* (vgl. Schemata dianoeas 162,261 ff. SCHINDEL = 77,21 HALM).

R. VOLKMANN, Die Rhet. der Griechen und Römer in systematischer Übersicht, ²1885, Ndr. 1963 · W. PLÖBST, Die Auxesis (Amplificatio), 1911 · L. VOIT, ΔΕΙΝΟΤΗΣ, 1934 · LAUSBERG § 400–409 · K. BARWICK, Das rednerische Bildungsideal Ciceros, Abh. Sächs. Akad. Wiss., Phil.-hist. Kl. 54,3, 1963 · J. MARTIN, Antike Rhet., 1974 · L. PERNOT, La rhétorique de l'éloge dans le monde gréco-romain, 1993. L.C.M.

Ampsanctus. Kratersee im Gebiet der → Hirpini (danach Valle d'Ansanto) mit schwefelhaltigen Dämpfen, in der Umgangssprache »Mufite« genannt. Zugang zur Unterwelt (Verg. Aen. 7,563 ff.). In der Nähe (bei Valli) Heiligtum der Göttin → Mefitis (bezeugt für das 6. Jh. v. bis 1. Jh. n. Chr.: Cic. div. 1,79; Verg. Aen. 7,563–571; Plin. nat. 2,208; für das 4. Jh. n. Chr.: Claud. rapt. Pros. 2,350). Votivfunde: Münzen, Bronze- und Terrakottaobjekte, Holzstatuetten; eine osk. Widmung an Mefitis Aravina. Inschr.: CIL IX 1023–34.

A. BOTTINI et al., Valle d'Ansanto, in: NSA 30, 1976, 359–524 · I. RAININI, Una applique antropomorfa dal santuario di Mefite d'Ansanto, in: AION 2, 1980, 113–22 · Ders., Il Santuario di Mefite in Valle d'Ansanto, 1985 · R. ANTONINI, Dedica osca a Mefite Aravina dalla Valle d'Ansanto, in: AION 3, 1981, 55–60 · BTCGI 3, 1984, 242–49. G.U./S.W.

Am(p)sivarii. German. Volk, »Anwohner der (unteren) Ems«, das unter Boiocalus 9 n. Chr. Rom gegenüber loyal blieb, z.Z. Neros (Mitte 1. Jh. n. Chr.) aber, von den Chauci verdrängt, vergeblich versuchte, im mil. Territorium am rechten Ufer des Niederrheins zu siedeln [1]. Trotz 50-jähriger Gefolgschaft von den Römern vertrieben, fand es bei → Usipetes, → Tubantes, → Chatti und → Cherusci keine Aufnahme, wurde in der Fremde arg dezimiert (Tac. ann. 13,55 f.). Überlebende Reste zählten E. des 4. Jhs. zu den → Franci (Greg. Tur. Franc. 2,9; vgl. Laterculus Veronensis 13,12).

1 W. ECK, Die Statthalter der german. Prov. vom 1. bis 3. Jh., in: Epigraphische Stud. 14, 1985, 123 f.

D. POTTER, Empty Areas and Roman Frontier Policy, in: AJPh 113, 1992, 269–274 · R. WENSKUS, s. v. Amsivarier, RGA 1, ²1973, 257 · R. WOLTERS, Röm. Eroberung und Herrschaftsorganisation in Gallien und Germanien, 1990, 216, 225, 255, 263. K.DI.

Ampyx, Ampykos (Ἄμπυξ, Ἄμπυκος). Sohn des Tita(i)ron, des Eponymen einer thessal. Stadt (schol. Apoll. Rhod. 1,65). Seher, mit Chloris, der Tochter des Orchomenos, Vater des Sehers Mopsos (Hygin. fab. 14,5; Paus. 5,17,10) verheiratet. Von daher sind Titaresios (Hes. scut. 181) und Titaironeios (Tzetz. in Lycophrontem 881) Beinamen des Mopsos. F.G.

Amsel, κότυφος (κόψιχος Aristophanes u. a., vgl. Athen. 2,65d), merula (*-us* Anth. Lat. 762,13), h. *Turdus merula*, relativ gut bekannt: Aristot. hist. an. 5,13,544a 27–29, vgl. Plin. nat. 10,147 (zweimalige Brut); Aristot. hist. an. 7(8),16,600a 20 (Winterschlaf! Anders Plin. nat. 10,72); Aristot. hist. an. 8(9),1,609b 9–11 (Feindschaft mit χλωρίων), 610a 13 (Freundschaft mit Turteltaube); 8(9),9,614b 8 f. (Größenvergleich mit Spechten); 8(9),13,616a 3 (Nestbau); 8(9),19,617a 11–18 = Plin. nat. 10,87 und Paus. 8,17,3 (weiße A. in Arkadien). Solche Albinos wurden in Rom nach Varro rust. 3,9,17 öffentlich ausgestellt [1.266]); Aristot. hist. an. 8(9),51,632b 15–19 = Plin. nat. 10,80 (Farb- und Stimmwechsel nach Jahreszeit). Hüpfende Fortbewegung Plin. nat. 10,111. Man fing sie mit Leimruten und Schlingen [2.2,75] zum Verzehr (Anth. Pal. 9,76 und 343; 12,142; Hor. sat. 2,8,91; Hor. ars 458 u. ö.) und brachte sie auf den Markt (Aristoph. Av. 806 und 1070), lobte aber auch den Gesang (Aristoph. Av. 306 f.).

Beide Geschlechter sind gut erkennbar auf byz. Illustrationen des 15. Jh. zur Paraphrase von Dionysios, Ixeutika 1,27 und 3,13 [3].

1 TOYNBEE, Tierwelt 2 KELLER 3 Z. KÁDÁR, Survivals of Greek zoological illuminations in Byzantine manuscripts, 1978, 77–90, Plate 133 und Farbtaf. IX,3. C.HÜ.

Amt, Ämter s. Archai, s. Magistratus

Amtstracht s. Dienst- und Ehrentracht

Amulett.

A. ALTER ORIENT

Im Alten Orient finden sich seit prähistor. Zeit zahlreiche als Anhänger geformte und zum Anlegen, Umbinden oder Aufhängen geeignete Objekte (figürlich oder symbolhaft-abstrakt), Ketten oder sonstige Gebinde, die allg. als A. gedeutet werden [1]. Vor allem akkad. und hethit. Texte aus dem Bereich der Experten für magische Rituale beschreiben Material, Gestalt und den Prozeß des Anfertigens von Amuletten und den Zweck, für den sie gebraucht werden. Steinen und Pflanzen wird eine bes. Kraft zur Abwehr aller Arten von Gefahren (Angstzustände, Krankheiten, von Dämonen ausgehende Gefahren wie Säuglingssterben, Gefährdungen im Krieg etc.) zugeschrieben, die dem Menschen drohen können. Ein babylon. Ritualtext (4./3. Jh. v. Chr.) tradiert u. a. das Wissen um die Zusammensetzung von A.-Ketten, deren sich bereits weit mehr als 1000 Jahre zuvor Herrscher wie → Hammurapi oder → Naramsin bedient haben sollen [2]. In Mesopotamien hat man im 1. Jt. magische Rituale, die dazu bestimmt waren, den Wirkungen negativer Omen- oder Orakelvorhersagen zu begegnen ebenso wie Mythen ganz oder teilweise auf a.-artig geformte Tontafeln geschrieben und diese zur Abwehr spezifischer Gefahren umgehängt, umgebunden oder appliziert.
→ Lamaschtu

1 V. HAAS, Gesch. der hethit. Religion, 1994, Index s. v. A.
2 E. VON WEIHER, Uruk. Spätbabylon. Texte, Bd. 4, 1993, Nr. 129.

A. KLASENS, s. v. A., LÄ 1, 232–36 · S. MAUL, Zukunfts-bewältigung, 1995, 175 ff.   J. RE.

B. ÄGYPTEN

In Ägypten dienten A.-Figürchen wesentlich dem Schutz des Toten. Sie hingen an Ketten um den Hals der → Mumie, wurden in Kettenhemden einbezogen oder in die Mumienbinden direkt eingewickelt. Sie bestanden aus Gold, Bronze, Stein, Glas oder – am häufigsten – aus Fayence. Die Skarabäen waren am beliebtesten, ebenso der Djed-Pfeiler, ein dem Totengott Osiris zuzuordnendes Symbol, der Isis-Knoten und das Udjat-Auge, das Falkenauge des Himmelsgottes Horus, in dem weite Sicht, körperliche Unversehrtheit und Fruchtbarkeit vereinigt waren. Beliebt waren auch Figuren von Dämonen und Göttern, ebenso von Tieren als Bildern göttl. Wesen. Menschliche Körperteile, bes. das Herz, zählten mit Kronen und Herrschaftszeichen ebenfalls zu den immer wieder verwendeten A. In der Spätzeit kamen weitere Ausstattungsstücke wie Opfertafel, Obelisk, Sonnenschiff und Kultgeräte dazu. Die Zahl der A. nahm im Laufe der Zeit ständig zu. Auch Lebende trugen auf der Brust A. Hier wurden neben Skarabäen Königskartuschen, Gesichter von Gottheiten, Kaurischnecken und Muscheln bevorzugt, bei Frauen Fi-

gürchen des Bes und der Toeris, die Fruchtbarkeit fördern sollten. In allen Bildern war für den Ägypter die Kraft des Originals wirksam.   R. GR.

C. GRIECHENLAND UND ROM
→ Phylakterion.

Amulius. Sohn des Albanerkönigs Procas, jüngerer Bruder des Numitor. Er zwang seinen Bruder zur Abdankung, ließ dessen Sohn umbringen, machte dessen Tochter Rhea Silvia zur Vestalin und bestrafte sie wegen ihrer Schwangerschaft. Später wurde Numitor von Romulus und Remus wieder in seine Rechte eingesetzt, A. aber getötet (Liv. 1,4,10–11; Dion. Hal. ant. 1,79–83; origo gen. Rom. 19–21)

G. BRUGNOLI, Reges Albanorum, in: Atti del Convegno Virgiliano di Brindisi nel bimillenario della morte, 1983, 157–190.   F. G.

Amun. Der »Unsichtbare, Verborgene« von den Griechen Ammon genannt und dem → Zeus gleichgesetzt (Hdt. 2,42; Plut. Is. 9), in menschlicher Gestalt dargestellt. Als Min von Koptos erscheint er mit ungegliedertem Körper und erigiertem Phallus. Sekundäre, wohl auf Lokalkulte zurückgehende tierische Erscheinungsformen sind Widder, Nilgans und Schlange. Seine Herkunft ist ungeklärt. Seit dem MR gilt er als Königsgott mit Hauptkultort → Theben. Zahlreiche Kultorte in Ober- und Unterägypten, den westl. Oasen und Nubien. In Theben bildet er mit der Geiergöttin Mut und dem Mondgott Chons eine Götterfamilie. In der Gottesform A.-Re übernimmt er die Potenz des heliopolitanischen Sonnengottes. Die Einbeziehung der Lehre von den acht präexistenten Göttern von Hermopolis und des Ptah von Memphis in die A.-Theologie verleiht dem gegenwärtigen Reichsgott auch die Mächtigkeit eines Ur- und Schöpfergottes. Nach dem Ende des NR zeigen sich Macht und Ansehen des A. noch einmal in der thebanischen Theokratie (Gottesstaat des A.) und im Reich der ägyptisierten Herrscher von Kusch.
→ Phallos

J. ASSMANN, Re und Amun, 1983.   R. GR.

Amurru. [1] In Keilschrifttexten ab dem 3. Jt. bezeugte Bezeichnung für halbnomadische Gruppen (sumer. Mardu, akkad. Amurru; auch Amurriter, Amoriter) im Randgebiet der syr. Wüstensteppe. Trotz großer Anstrengungen mesopotamischer Herrscher, die A. vom mesopotamischen Kulturland fernzuhalten, konnten sie sich nicht nur in Mesopotamien, sondern auch in Syrien ausbreiten und, bes. zu Beginn des 2. Jt. v. Chr., an vielen Orten die polit. Macht erlangen.

[2] Mittelsyr. Fürstentum zwischen der Küste und der Ebene von Homs. Erster Herrscher ist Aziru (Mitte 14. Jh. v. Chr.), der durch Ausnutzung der hethit.-ägypt. Rivalität ein Fürstentum gründen konnte; in einem Vertrag unterwarf er sich dem hethit. König Šuppiluliuma I. (ca. 1380–1346 v. Chr.), hielt aber engen Kontakt auch zu Ägypten. Später untersagte Mursili II. in einem neuen Vertrag u. a. weiteren Tribut auch an Ägypten. Die Präsenz ägypt. Truppen an der syr. Küste verleitete dann Bentešina von A. zum Abfall von den Hethitern, in der Schlacht von Qadeš am Orontes (1275) kämpfte er nicht auf hethit. Seite gegen Ramses II. und wird wegen dieses Vertragsbruchs von den Hethitern abgesetzt und nach Anatolien deportiert, später aber wieder als Herrscher über A. eingesetzt. Als Gruppen der sog. → Seevölker aus dem zentralen Mittelmeergebiet nach Syrien und bis Palästina vordrangen, hielten sie sich dabei – einer Inschrift Ramses III. zufolge – auch in A. auf. Tiglatpileser I. von Assyrien (1114–1076 v. Chr.), der bis zur Küste des Mittelmeeres vordrang, erwähnt A. als mittelsyr. Landschaft, jedoch nicht mehr als ein Fürstentum.

→ Amoritisch; Nomaden

H. Klengel, Syria 3000 to 300 B. C., 1992, 160–174.   H. KL.

Amygdale (ἀμύγδαλος, -η, -ον) ist der Mandelbaum, ἀμυγδαλέα usw. die Frucht (Mandel, it. mandorla) von *Amygdalus communis* L. aus der ca. 40 asiatischen Arten umfassenden, früher nur als Untergattung von *Prunus* angesehenen Steinobstgattung *Amygdalus* L. Neben der seit der Ant. in Südeuropa kultivierten *A. communis* aus Vorderasien, deren Früchte Cato (agr. 8,2 nach Plin. nat. 15,90) *nuces graecas* nennt, wurde auch die Wildform (*Prunus webbii*) verwendet [1.135 und Abb. 279]. Über den Anbau unterrichtet bes. Pall. agric. 2,15,6–13. Anders als bei den meisten Prunaceen wird von der Mandel nicht das Fruchtfleisch, sondern nur der bei Wildformen und angebauten »bitteren Mandeln« blausäurereiche Samen verzehrt. Er dient wie die Wurzel und das Gummi zur Herstellung verschiedener Heilmittel (vgl. Dioskurides 1,123 [2.112 f.] = 1,176 [3.142 f.]) wie des schon von Dioskurides 1,33 [2.37 f.] = 1,39 [3.60 f.] und Plin. nat. 23,85 (vgl. 15,26) u. a. zur Hautreinigung und Abführung empfohlenen ἀμυγδάλινον ἔλαιον (*oleum amygdalinum*) oder μετώπιον und der ähnlich verwendeten Mandelmilch (*succus amygdalinae nucis*, [4.126]).

Schon im AT (Nm 17,8 und öfter vgl. [5.35–38]) werden Mandeln erwähnt. Die Kräuterbücher des 16. und 17. Jh. unterscheiden neben den aus bitteren Mandeln (durch Abzapfen des schleimigen Saftes aus dem unteren Stamm nach Theophr. h. plant. 2,7,7 sowie Plin. nat. 17,252) erzielten süßen (*amygdalus dulcis*) noch weitere, nur z. T. zur Gattung gehörende »Mandelbäume«.

1 H. BAUMANN, Die griech. Pflanzenwelt in Mythus, Kunst und Lit., 1982 2 M. WELLMANN (Hrsg.), Pedanii Dioscuridis de materia medica Bd. I, 1908, Ndr. 1958 3 J. BERENDES, Des Pedanios Dioskurides Arzneimittellehre übers. und mit Erl. versehen, 1902, Ndr. 1970 4 J. BILLERBECK, Flora classica, 1824, Ndr. 1972 5 H. N. und A. L. MOLDENKE, Plants of the Bible, 1952.   C. HÜ.

Amyklai (Ἀμύκλαι). **[1]** Vorgriech. Siedlung auf und an den Hügeln mit der Kapelle der Hg. Kyriaki seit frühhelladischer bis in die Kaiserzeit (Paus. 3,18,6–19,6; IG V 1, 515), ca. 5 km südl. von → Sparta beim h. Tsausi. In histor. Zeit ὠβή (*obe*) von Sparta mit eigenen Ephoren und sonstigen Beamten (vgl. SIG 932). Das Gebiet scheint seine größte Blüte im 7. / 6. Jh. v. Chr. gehabt zu haben.

Seit spätmyk. Zeit Heiligtum des → Hyakinthos. Mit der spartanischen Eroberung trat an seine Stelle als Hauptgott → Apollon. Das große, mehrere Tage dauernde Fest behielt aber den Namen → Hyakinthia. Das im 8. Jh. errichtete Heiligtum war stets nur ein offener Bezirk ohne Tempel und mit bescheidener Ausstattung (δάσκιον ἄλσος IG V 1, 455). Berühmt war der »Thron« des Apollon; Fundament und viele Einzelstücke sind erhalten. Trotzdem und trotz der ausführlichen Beschreibung durch Pausanias (3,18,9–19,5) bleiben Form und Aufbau unklar. Mittelpunkt war das altarartige, reliefgeschmückte »Grab« des Hyakinthos mit seitlicher Opfernische, auf dem die ca. 13 m hohe Kultstatue des Apollon stand, ein Bronzepfeiler, an dem nur Füße, Arme mit Lanze und Bogen und Kopf mit Helm ausgebildet waren. Um etwa 530 v. Chr. baute → Bathykles von Magnesia den marmornen »Thron« um das Kultbild herum, ein etwa 4 m hohes, reich mit Säulen, Gesimsen und Reliefs geschmücktes Bauwerk (Pol. 5,19,1; Strab. 8,5,1; 4; Paus. 3,18,6–19,6).

P. CARTLEDGE, s. v. A., PE, 52–53 · R. MARTIN, Bathyclès de Magnésie et le 'trône' d'Apollon à Amyklae, in: RA, 1976, 205–218 · D. MUSTI, M. TORELLI, Pausania. Guida della Grecia 3. La Laconia, 1991, 234–247 · M. PETTERSON, Cults of Apollo at Sparta, 1992 · F. PRONTERA, Il trono di Apollo in Amicle: appunti per la topografia e la storia religiosa di Sparta arcaica, Annali della Facoltà di Lettere e Filologia di Perugia 18, 1980/1981, 215 ff.   Y. L.

[2] Hafen an der Südküste von → Kreta (Steph. Byz. s. v. A.), evtl. vordor. Gründung, wohl abhängig von → Gortyn (Inscr. Creticae 4, 172 = StV 3, 586).

H. V. EFFENTERRE, La Crète et le monde grec de Platon à Polybe, 1948, 92; 155 Anm. 1.   H. SO.

Amykos (Ἄμυκος). **[1]** Sohn Poseidons und der bithynischen Nymphe Melie; König der Bebryker, der alle Fremden Poseidon opfert (Val. Fl. 4,99) bzw. zum Boxen mit Lederhandschuhen, als deren Erfinder er gilt (schol. Plat. leg. 7,796a), herausfordert und tötet. Während der Argonautenfahrt vom Zeussohn Polydeukes besiegt und nach Apollod. 1,119 und Apoll. Rhod. 2,1 getötet (nach Eid am Leben gelassen bei Theokr. 22,17 ff.; 131 ff.). **[2]** Name eines Kentauren (Ov. met. 12,245). **[3]** Troer, Gatte Theanos, Vater des Mimas (Verg. Aen. 10,703). **[4]** Troer, von Turnus getötet (Verg. Aen. 9,772). **[5]** Troer, Priamide, von Turnus getötet (Verg. Aen. 5,297; 12,509; vgl. 1,221).

→ Argonautai; Bebrykes; Bithynia; Dioskuroi; Kentauroi; Meliai; Poseidon; Turnus   P. D.

Amymon (Ἀμύμων) aus Sikyon, Tragiker (CAT A 6, 5; Zeit: vor dem Ende des 3. Jh. v. Chr.), vielleicht 2 Siege an den Dionysien (vgl. DID A 3a, 47).

TrGF 123. F.P.

Amymone (Ἀμυμώνη). Tochter des Danaos und der Europe. Von Poseidon ist sie Mutter des Nauplios (Nostoi fr. 1; Hes. fr. 297; Paus. 2,38,2); ein Fluß in Lerna heißt nach ihr, und die Quelle von Lerna wird ihr zugeschrieben (Strab. 8,6,8; Paus. 2,37,1. 4). Ihren Mythos erzählen Hyg. fab. 169 und Apollod. 2,14 in der Form, die auf ein Satyrspiel, wohl Aischylos' A., zurückgeht. Von Danaos ausgeschickt, um im wasserarmen Argos eine Quelle zu suchen, scheucht sie versehentlich einen schlafenden Satyrn auf; Poseidon rettet sie vor seiner Begehrlichkeit, schläft mit ihr und macht ihr die Quellen von Lerna zum Geschenk. In einigen Versionen schlägt er die Quelle mit dem Dreizack, weswegen sie dreifach sprudelt (Eur. Phoen. 187 f.).

E. SIMON, s. v. A. LIMC 1.1, 742 ff. F.G.

Amynandros (Ἀμύνανδρος, auch Ἀμυνᾶς). König von → Athamania seit 220(?) bzw. ca. 205 v. Chr. (Pol. 4,16,9; SIG 565; WELLES 35; MORETTI II 94), meist mit den Aitolern verbündet, erhielt er von Philipp V. für seine Neutralität 207/6 → Zakynthos (Liv. 36,31,11–12) [1. 405]; im 2. maked. Krieg auf röm. Seite (Pol. 16,27,4; 18,1,3; 36,3; 47,13;) [1. 420–425; 2. 1–8]; 198/8 schickte ihn → Flamininus als Gesandten nach Rom (18,10,7) [3. 253 f.]. 192/1 mit → Antiochos verbündet, da er für seinen Schwager Philipp von Megalogalopolis auf den maked. Thron hoffte (Liv. 35,47,5–8; App. Syr. 13), bat A. 190/80 die Römer erneut um → amicitia (Pol. 21,25,1) und gewann ihnen → Ambrakia (21,29,2–8); Liv. 38,9,4–7) [2. 8–12].

1 HAMMOND, HM, Bd. 3 2 S. I. OOST, Amynander, Athamania and Rome, in: CPh 52, 1957, 1–15 3 K. W. WELWEI, Amynanders ὄνομα τῆς βασιλείας und sein Besuch in Rom, in: Historia 14, 1965, 252–256. L.-M.G.

Amynos (Ἄμυνος). Athenischer Heilgott. Sein Bezirk (Amyneion) mit einem Brunnen lag am Südhang des Areopags; die frühesten Funde gehören ins 6. Jh. Nach Ausweis der Inschr. wurden auch Asklepios und Hygieia im Bezirk verehrt. Ein Kultverein (orgeṓnes) von A., Asklepios und Dexíōn ist ebenfalls belegt; der Bezirk dieses Heros (unter dessen Namen Sophokles wegen seines Empfangs des Asklepios verehrt wurde) lag daneben.

KEARNS, 14–21. F.G.

Amyntas [1] Erster histor. faßbarer König von Makedonien, Gastfreund der → Peisistratidai. Bei Dareios' Erscheinen in Europa wurde er sein Vasall-Satrap und mit Gebietserweiterung und der Vermählung seiner Tochter mit einem Mitglied der → Achaimenidai belohnt. Sein Sohn → Alexandros [2] erfand eine romanhafte Gesch. (Hdt. 5,17 ff.), um das den Griechen annehmbar zu machen.

BORZA, 98 ff. • E. BADIAN, Herodotus on Alexander I of Macedon, in: S. HORNBLOWER (Hrsg.), Greek Historiography, 1994, 107–130. E.B.

[2] II. von Makedonien. Bei den Chronographen steht ein A. zw. → Aeropos [2] und → Pausanias, er fehlt aber in Diodoros' Königslisten. Wahrscheinlich regierte er um 394 v. Chr. einige Monate als Gegenkönig unter Pausanias. Er kann mit einem A. (»der Kleine«) identisch sein, der nach Aristot. pol. 1311b 3 f. von Derdas (aus dem elimiotischen Königshaus) ermordet wurde. **[3] III.**, König von Makedonien. Ermordete Pausanias um 394 v. Chr. (Cass. Dio 14,89,2), wurde bald von den Illyrern, die einen Gegenkönig Argaios einsetzen, aus Makedonien angeblich ganz verdrängt, rettete aber einen Teil im Osten, den er dem Chalkidischen Bund übergab. Etwa zwei Jahre später kehrte er mit Hilfe von »Thessalern« zurück (Diod. 14,92,3 ff.); vielleicht verpflichtete er sich schon damals, den Illyrern Tribut zu zahlen (Diod. 16,2,2). Jetzt begann er, sich durch polit. Verbindungen abzusichern. Um 390 heiratete er die lynkestische Königstochter → Eurydike; mit dem Elimioten Derdas stand er auf gutem Fuß, und zwei Verträge mit dem Chalkidischen Bund (StV II 231) garantierten für einige Zeit polit. und ökonom. Zusammenarbeit, sehr zu seinem Vorteil: Beide scheinen ihn als seiner Macht schon völlig sicher auszuweisen. Im Jahre 383, wohl als er hörte, Sparta sei bereit, den Bund anzugreifen, verlangte er das diesem anvertraute Land zurück. Als dies verweigert wurde, schloß er sich Sparta an und dehnte sein Gebiet auf Kosten von → Olynthos aus. Nach der Gründung des zweiten athenischen Seebundes schloß er ein Bündnis mit Athen (StV II 264), dessen Anspruch auf → Amphipolis er bei einem hellenischen Kongreß in Athen (Xen. hell. 6,5) unterstützte (Aischin. leg. 32). Bald darauf unterwarf er sich aber → Iason von Pherai, der anscheinend aufsteigenden Macht. Iason wurde 370 ermordet und A. starb um dieselbe Zeit.

ERRINGTON, 34–39. E.B.

[4] Sohn des → Perdikkas. Nach dessen Tod (360 v. Chr.) übernahm für den minderjährigen A. sein Oheim → Philippos unter dem Königstitel die Vormundschaft, gab den Thron aber nicht auf und erzog → Alexandros [4] (d. Gr.) als den Thronerben. Nach seiner Entzweiung mit diesem (337) scheint Philippos sich A. zugewandt zu haben: Er verheiratete ihn mit seiner halbillyr. Tochter Kyn(n)ane, die eine Tochter Adea (später → Eurydike) gebar. Nach Philippos' Tod ließ Alexandros ihn sofort hinrichten.

BERVE, II Nr. 61. E.B.

[5] Sohn des Antiochos, wahrscheinlich Freund von A. [4], ging kurz nach dessen Hinrichtung zu → Dareios über. Nach der Schlacht am → Granikos begab er sich an den Hof, nahm an Dareios' Marsch nach Westen teil und befehligte Söldner bei → Issos. Er entkam mit anderen Söldnerführern und 8000 Mann, versuchte Ägypten, das nun ohne persische Garnison war, im Namen Dareios' an sich zu reißen, wurde aber von den Ägyptern getötet.

BERVE 2, Nr. 58.   E.B.

[6] **Sohn des Andromenes**, gehörte zum Kreis des → Parmenion. Führer einer → Taxis, vielleicht schon unter → Philippos, dann unter → Alexandros [4] d. Gr., dem er im Herbst 331 v. Chr. nach übereifrigen Aushebungen in Makedonien Nachschub zuführte. Wieder Taxisführer, wurde er mit seinen drei Brüdern in den Prozeß des → Philotas verwickelt. Alexandros ließ sie freisprechen, aber A. fiel kurz danach.

BERVE 2, Nr. 57.   E.B.

[7] → Bematistes von → Alexandros [II 4], schrieb ein fast nur bei → Athenaios [3] zit. Werk *Stathmoi* (Etappen) von Asien (oder Persien), das u. a. ethnographische und naturwiss. Angaben enthielt. FGrH 122.   E.B.

[8] Indogriech. König, etwa am Beginn des 1. Jh. v. Chr., nur durch seine Münzen belegt; mittelindisch *Amita*.

BOPEARACHCHI, 102, 299–304.   K.K.

[9] Sekretär und Offizier des Galaterkönigs → Deiotaros, kämpfte für diesen auf Seiten der Republikaner, wechselte nach der 1. Schlacht bei Philippoi 42 v. Chr. zu → Antonius [I 9] (Cass. Dio 47,48,2). In derselben Stellung unter dem Thronfolger Kastor (Enkel des Deiotaros, 40–36 v. Chr.), wurde A. nach dessen Tod von Antonius zum König erhoben; sein Reich umfaßte → Galatia, Teile von Lykaonia und Pamphylia (Strab. 12,5,1 f.; Plut. Ant. 61,2; Cass. Dio 49,32,3). Im Streit zw. den Triumvirn zuerst bei Antonius, wechselte er, bevor es bei → Aktion zu Kämpfen kam, die Seite (Plut. Ant. 63,3). Octavian (Augustus) bestätigte A. als König, fügte seinem Reich Teile von Pisidia, Isauria und Kilikia Tracheia hinzu (Strab. 14,5,6). 25 v. Chr. fiel A. im Kampf gegen die isaurischen Homonadenses (Strab. 12,6,3; vgl. Cass. Dio 53,26,3).

B. M. LEVICK, Roman Colonies in Southern Asia Minor, 1967 · HN, 747.   E.O.

Amyntor. Sprechender Heroenname: »Abwehrer«. Als solcher ist er drei schwer voneinander zu trennenden Gestalten beigegeben.

[1] Sohn des Ormenos, in Eleon in Boiotien wohnhaft, dem Autolykos eine berühmte Lederkappe raubte (Hom. Il. 10,266; vgl. 2,500; Pherek. frg. 38a FHG 4, 638). [2] Ebenfalls Sohn des Ormenos, Vater des Phoinix. Der Sohn verführte die Nebenfrau des Vaters, der über ihn den Fluch der Kinderlosigkeit verhängte; Phoinix floh aus Hellas zu Peleus nach Phthia, wo er

Herrscher der Doloper wurde (Hom. Il. 9,447–484). In anderer Tradition blendete A. seinen Sohn, Peleus ließ ihn durch Cheiron heilen (Apollod. 3,175). Die Frage der Identität von [1] und [2] beschäftigte schon die ant. Homerforscher. [3] König von Ormenion in Thessalien, Sohn des Pheres und Enkel des Ormenos (Schol. Pind. O. 7,42). Er verweigert Herakles den Durchzug, worauf der ihn tötet (Apollod. 2,157), oder will Herakles seine Tochter Astydameia nicht geben. Herakles tötet ihn und entführt sie; ihr Sohn ist Ktesippos (Diod. 4,37,5; vgl. Pind. O. 7,24; Apollod. 2,166).   F.G.

Amyris (Ἄμυρις). Aus Siris, genannt der Weise, Vater des Damasos, eines der Freier um → Agariste, die Mutter des Kleisthenes (Hdt. 6,127). Der Beiname verweist ihn in den offenen Kreis der vorphilos., archa. Weisen-Novelle [1].

1 F. WEHRLI, Hauptrichtungen des griech. Denkens, 1964, 39–43.   F.G.

Amyrtaios (Ἀμυρταῖος). [1] von Sais, schloß sich zw. 463 und 461 v. Chr. dem vom Libyer → Inaros begonnenen und von Athen unterstützten (Thuk. 1,109) ägäischen Aufstand gegen den Perserkönig → Artaxerxes I. an und konnte sich nach dem Sieg der Perser (erneut unterstützt von Athen; Thuk. 1,110,4; Plut. Kimon 18) noch mehrere Jahre im Nildelta halten. Sein Sohn Pausiris wurde von den Persern wieder in die Herrschaft eingesetzt (Hdt. 3,15). [2] wohl der Enkel von Nr. 1, bei Manetho als einziger König der 28. Dynastie geführt, nutzte den Herrscherwechsel im Perserreich, um sich in Ägypten zu etablieren. Er konnte sich von 404–398 halten, obgleich seine Herrschaft instabil blieb. So war etwa die jüd. Gemeinde in Elephantine noch bis 400 dem Perserkönig treu. In den Wirren, die zur 29. Dynastie führten, wurde er 398 von Nepherites gestürzt, ohne Monumente seiner Herrschaft zu hinterlassen.

H. DE MEULENAERE, s. v. A., LÄ 1, 252f.   W.ED.

Amythaon (Ἀμυθάων). Sohn des Kretheus und der Tyro in Iolkos, Bruder von Phereus und Aison, Halbbruder der Poseidonsöhne Neleus und Pelias (Hom. Od. 11,235–259; Hes. fr. 38). Er siedelt in Pylos, das Neleus gegründet hat, und hat hier die Söhne Melampus und Bias (Diod. 4,68,3; Apollod. 1,93; 96). Mit seinen Verwandten erscheint er in Iolkos, um von Pelias für Iason dessen Erbe zu fordern; er ist unter den Argonauten (Pind. P. 4,126). Ein Teil von Elis heißt nach ihm Amythaonia; mit Pelias und Neleus erneuert er die olympischen Spiele (Paus. 5,8,2).

E. SIMON, s. v. A., LIMC 1.1, 752f.   F.G.

Anabole (ἀναβολή). Dem Singen vorausgehende musikalische Einleitung, wie bei Pind. P. 1,6f. an die Lyra gerichtet, ὅταν προοιμίων ἀμβολὰς τεύχῃς: Tänzer und

Sänger erhalten ihren Einsatz aus den ersten Noten. Aus z. B. Hom. Od. 1,155 (= 8,266) φορμίζων ἀνεβάλλετο καλὸν ἀείδειν wird klar, daß der Sänger, der seine Singstimme mit Musik unterstrich, vorher einen Instrumentalteil spielte. Zweifellos benutzte er sein Instrument auch während der Singpausen. Auch Flötenbläser spielten ἀναβολαί (Eupolis, PCG V 81). Aristot. rhet. 3,9,1409b 25 erwähnt den Protest des Musikers Demokritos von Chios gegen die langen a. von Melanippides (ca. 430 v. Chr.?) [2. 231–3], der ἀντὶ τῶν ἀντιστρόφων ἀναβολάς komponierte. Das bedeutet offensichtlich nicht, daß er kunstvolle Vorspiele schrieb, sondern daß er den → Dithyrambos veränderte, indem er ihn astrophisch und mit instrumentalen Zwischenspielen gestaltete. Die personifizierte Musik bei Pherekrates erwähnt Melanippides als den ersten, der sie verunstaltet habe (PCG VII 55, 3–5). Die a. bei Aristoph. Pax 830 und Av. 1383–5 beziehen sich wahrscheinlich auf Lieder mit Text oder auf die Musik für solche Lieder. Aristophanes spricht satirisch von Dithyrambendichtern, bes. Kinesias, und bezeichnet deren a. als ›hoch in den Wolken‹: es sei eher hochgestochene Sprache als Musik [1. 669]. Strittig scheinen sowohl die Ausschmückung der Singstimme durch den Instrumentalisten (vgl. Plat. leg. 7,812d-e) als auch die Liebe des Dichters zu kunstvoll ausgearbeiteter Sprache (vgl. Plat. Krat. 409c). Spätere Autoren benutzen ἀναβάλλεσθαι vom Beginn eines Liedes ohne Bezug auf musikalische Begleitung (Theokr. 6,20; 8,71; 10,22).

1 N. DUNBAR, Aristophanes Birds, 1995 2 J. EDMONDS, Lyra Graeca 3, 1927 3 M. L. WEST, Greek Music, 1992 4 M. L. WEST, The Singing of Homer and the Modes of Early Greek Music, in: JHS 101, 1981, 113–129. E. R./L. S.

Anacharsis (Ἀνάχαρσις). Skythe aus fürstlichem Geschlecht, der im 6. Jh. v. Chr. gelebt haben soll. Herodot (4,46; 76–77) nannte ihn Bruder des Skythenkönigs Saulinos und hob sein Wesen lobend ab von der für sein Volk sonst typischen Rohheit. Sein Bildungsstreben führte ihn auf ausgedehnten Reisen insbes. nach Griechenland. Bei dem Versuch, den Skythen griech. Kulte und Sitten nahezubringen, wurde er von seinem Bruder ermordet. Herodot fand bei den Skythen selbst allerdings keine Kenntnis über A. vor.

Anstelle von Myson wurde er des öfteren unter die 7 Weisen gezählt (Diog. Laert. 1,41; 106; Diod. 9,6) und im Zuge der Idealisierung der Völker im Norden insbes. von den Kynikern als unverdorbener Naturmensch gepriesen. 9 der 10 unter seinem Namen erh. Briefe datieren wohl in die 1. H. des 3. Jhs. v. Chr. und zeigen deutliche Nähe zur kynischen Philosophie [2]. Die mit A. in Zusammenhang gebrachten 50 Apophtegmata lassen allerdings Quellen erkennen, die bis in archa. Zeit hinaufreichen [1].

1 J. F. KINDSTRAND, A., 1981 2 F. H. REUTERS, De Anacharsidis epistulis, 1957 3 Ders., Die Briefe des A., 1963. C.-F. C.

Anacreontea (Ἀνακρεόντεια). Eine Sammlung von Gedichten, überliefert in jener Handschrift des 10. Jh. n. Chr., die die → Anthologia Palatina enthält. Die Gedichte wurden erstmalig 1554 von Stephanus (Henri Estienne) herausgegeben, der die Hs. drei Jahre zuvor in Louvain gesehen und die Texte daraus abgeschrieben hatte [1. 178]. Die Abschrift des Stephanus, heute in Leiden aufbewahrt, hält sich genau an den Text der Gedichte in der Hs., doch seine Ausgabe unterdrückt solche Einzelheiten, die klar erkennen lassen, daß die Gedichte nicht von Anakreon selbst, sondern von Nachahmern stammen: das erste Gedicht z. B., das in symbolischer Weise auf den Einfluß des Anakreon hinweist, indem der Autor einen Kranz vom Haupt des Anakreon erhält, wird ausgelassen. Die Sammlung hat ihren Namen einerseits der verwendeten Metren halber erhalten, denn die meisten Gedichte sind in Hemiamben (katalektischen iambischen Dimetern) oder anakreontischen Versen (anaklastischen ion. Dimetern) verfaßt, andererseits aber auch aufgrund der Thematik der Lieder, die meist in Zusammenhang mit Erotik und Symposion stehen. Die 60 Gedichte der Hs. stammen aus verschiedenen Epochen der Antike [2. xvi-xviii]: die ältesten, im ion. Dialekt des Anakreon verfaßt (1–20 außer 2, 3 und 5), sind alt genug, um Aulus Gellius (2. Jh. n. Chr.) vertraut zu sein; eine andere frühe Schicht (21–34, 3?), ebenfalls in ion. Dialekt, ist von geringerer Qualität; die Gruppe der Gedichte 2, 5 und 35–60, im 5. oder 6. Jh. n. Chr. verfaßt, unter denen 54–60 von besserer Qualität sind als 35–53, zeigen eher gelehrten und trivialen Charakter. Es herrscht keine Übereinstimmung darüber, wann die endgültige Zusammenstellung der Sammlung erfolgte oder welchem Zweck sie diente. Sie kann entweder zum Vortrag bestimmt gewesen sein oder für die Unterweisung in Rhetorik. Zusätzlich zu den 60 Gedichten des Kanon gab es einen Anhang [3], der Klagelieder, Enkomia, Gebete, Hymnen, Ekphraseis, Exegesen, Satiren und Epithalamia enthielt. Die Dichtung der A. unterscheidet sich vom echten Werk des Anakreon dadurch, daß sie milder im Ton und einförmiger in der Behandlung der Themen ist. Der originelle Dichter ist in die Grenzen eines Musters eingezwängt worden, in dessen engem, aber konsequent durchgehaltenem Rahmen die milden Freuden des Lebens hervorgehoben werden, wo das Alter keinen Schrecken verbreitet [4. 50–73]. Der Zeitbegriff bleibt verschwommen und von Sexualität, Trunkenheit und Tod wird nicht ausdrücklich gesprochen. Die Themen, die die Verf. der A. interessieren, sind die der Anthologie: Wein, schöne Jünglinge, Aphrodite, die Eroten, die Grazien, Dionysos, der Frühling – all das ist in Gedicht 5 aufgezählt. Es finden sich Gedichte über Kunstwerke (3, 4, 5, 16, 17, 54, 57), Gedichte, die sich an eine Taube (15), die Zikade (34) oder die Rose (55) richten; die Lyra des Dichters ist ein häufiges Thema (z. B. 2, 23). Der Mythos ist nicht oft Gegenstand: Gedicht 54, eines der Reihe von Gedichten über Kunstwerke, beschreibt ein Bild von Europa und dem Stier, während Gedicht

60 die Liebe des Apollon zu Daphne zum Gegenstand hat; eine lange Liste von Figuren des Epos und der Tragödie werden als Gegenbeispiele gegeben, um das richtige Verhalten im Sinne der A. zu verdeutlichen, aber sie entbehren aller Originalität. Der Stephanus-Ausgabe folgten Übers. in die meisten europ. Sprachen, und der Einfluß der Sammlung war erheblich: zu den Dichtern, die unter ihrem Eindruck standen, zählen Ronsard, Herrick, von Hagedorn, Goethe, Byron und Hugo [5].

1 A. CAMERON, The Greek Anthology, 1993 2 M. L. WEST, Carmina Anacreontica, 1984, Addenda 1993 3 TH. BERGK, Poetae Lyrici Graeci III, ⁴1882, 339–375 4 P. A. ROSENMEYER, The Poetics of Imitation: Anacreon and the Anacreontic Tradition, 1992 5 J. LABARBE, Un curieux phénomène littéraire, l'anacréontisme, in: BAB, 68,4–5, 1982, 146–181.   E. R. / A. WI.

Anadikia (ἀναδικία). Der Grundsatz, daß eine vom Gericht entschiedene Sache nicht nochmals Gegenstand eines Prozesses sein durfte (für Athen Demosth. 24,54), wird in den griech. Rechten in Einzelfällen durchbrochen: im Säumnisverfahren und in einigen Fällen nach einer erfolgreichen Klage wegen falschen Zeugnisses, δίκη ψευδομαρτυρίων (→ Pseudomartyrias dike), ist erneutes Prozessieren, a., möglich. Das betrifft nach einem Scholion zu Plat. leg. 937d Prozesse um das Bürgerrecht, die Zeugnisklage selbst und Erbschaftsprozesse. Platon sieht im Gegensatz zum Recht Athens die a. generell vor, wenn mehr als die Hälfte der Zeugen wegen falscher Aussage verurteilt sind, ähnlich das alexandrinische Recht (PHalensis 1,24 ff.).

D. BEHREND, Die ἀνάδικος δίκη und das Scholion zu Plato Nomoi 937d, in: Symposion 1971, H. J. WOLFF (Hrsg.), 1975, 131 ff.   G. T.

Anadiplosis. Geminatio s. Figuren

Anadumenos s. Siegerstatuen

Anagnia. Stadt der → Hernici auf einem Tuffsteinausläufer, der das Tal des Sacco beherrscht; Heiligtum bei der Akropolis (h. S. Cecilia; 7. Jh. v. Chr.), ein weiteres im Tal (Osteria della Fontana, etr. Graffiti). Seit 306 v. Chr. röm., → *praefectura*, dann → *municipium*. Mauern aus Travertin in *opus quadratum*; Thermen unter der Kirche S. Chiara (*piscina* erh.); → *villae* in der Umgebung, eine davon wird Cicero zugeschrieben; kaiserzeitliche *villa magna*; Katakomben. Seit 487 n. Chr. Bischofssitz. In einer Absenkung der Ebene müßte sich der *circus maritimus Anagninus* befunden haben (Liv. 9,42,12). Archa. Heiligtümer in S. Cecilia und Osteria della Fontana; dort lokalisiert man das *Compitum Anagninum* (Liv. 27,4,12), wo sich die *via Latina* und die *via Labicana* vereinigen.

M. MAZZOLANI, A., 1969 • I. BIDDITTU, Rinvenimenti di facies orientalizzante, in: Bollettino dell'Istituto di Storia e di Arte del Lazio Meridionale 10, 1978 • S. GATTI, Graffiti arcaici dai santuari degli Ernici, in: Archeologia Laziale 10, 1990, 241–247 • M. CRISTOFANI (Hrsg.), La grande Roma dei Tarquini, 1990, 223–29 • S. GATTI, A. ASCENZI (Hrsg.), Dives A., 1993.   G. U. / S. W.

Anagnorisis (auch Anagnorismos, ἡ ἀναγνώρισις, ὁ ἀναγνωρισμός). Nach Aristot. poet. 11,1452a-b ist die A. der t. t. für die »Wiedererkennung« im Drama. Aristoteles definiert A. als Umschlag von Nichtwissen in Wissen mit der Wirkung, daß Freundschaft in Feindschaft umschlägt und umgekehrt. Dramatisch am wirkungsvollsten ist die A., die zugleich mit der → Peripeteia eintritt.

Aristoteles unterscheidet drei Spielarten der A. im Hinblick auf das Objekt: die Wiederkennung von Personen, von leblosen Gegenständen und davon, ob man etwas getan hat oder nicht (z. B. Soph. Oid. T. 1167 ff., Trach. 663 ff.; Eur. Herc. 1088 ff.; parodisch in Aristoph. Vesp. 741 ff.). Die beste A. ist die von Personen, da sie im Zusammenhang mit der Peripetie Mitleid (ἔλεος) und Furcht (φόβος) im Zuschauer hervorruft. Bei der A. von Personen unterscheidet Aristoteles zwei Fälle: Die A. bezieht sich entweder nur auf eine Person (z. B. Aischyl. Choeph., Soph. und Eur. El.: Orestes kennt Elektra), oder beide Personen müssen sich wiedererkennen (z. B. Soph. Oid. T.; Eur. Iph. T., Ion [doppelte – falsche und richtige – A.], Hel.). In poet. 16,1454b 22–55a 21 unterscheidet Aristoteles vier Arten der A. im Hinblick auf die Art und Weise, wie sie zustande kommt: die kunstloseste ist die A. durch bestimmte Wiedererkennungszeichen (γνωρίσματα) wie Narben (*locus classicus*: Hom. Od. 19,386 ff.; 21,188 ff.) oder durch Gegenstände, vor allem Schmuck (Eur. Ion). Es folgt die A., die nicht vom Mythos vorgegeben, sondern vom Dichter erdacht ist (Briefübergabe in Eur. Iph. T. 727 ff.). Die dritte Art von A. ergibt sich aus der Erinnerung (z. B. Hom. Od. 8,485 ff.: Lied des Demodokos weckt in Odysseus die Erinnerung), die vierte ergibt sich aus der Schlußfolgerung (z. B. Aischyl. Choeph. 166 ff.) Nach Aristot. poet. 16,1455a 19–21 ist die beste A. die, die ohne Wiedererkennungszeichen auskommt und sich aus dem Handlungsablauf (σύνθεσις τῶν πραγμάτων) ergibt, gefolgt von der A. aufgrund einer Schlußfolgerung.

Locus classicus der A. in der Trag. ist die Wiedererkennung von Orestes und Elektra in Aischyl. Choeph. 16 ff: Orestes erkennt Elektra, 164 ff. Elektra schließt auf Orestes' Rückkehr aufgrund der Locke und Fußspuren an Agamemnons Grab, 212 ff. Euripides setzt sich mit dieser A. aufgrund einer Schlußfolgerung kritisch in seiner El. 487 ff. auseinander, Sophokles verschiebt die A. an das Ende des Stücks (1354 ff., so daß Elektra in der Meinung, Orestes sei tot, allein sich zur Tat durchringt (947 ff.). Euripides verbindet die A. häufig mit einer Intrige (μηχάνημα), so in Iph. T. 1017 ff. und Hel. 1034 ff. (Fluchtplan). Die Handlungskonstellation des Ion (Aussetzung eines Kindes mit Wiedererkennungszeichen – A. nach einem Leben in einer sozial unangemessenen Stelle) wirkt prägend auf die Neue Komödie, vgl. Men. Epitr. 240ff.; Plaut. Capt., Poen., Epid., Cist.; bei Terenz finden sich A. in allen Komödien mit Ausnahme der *Adelphoe*. Im griech. Liebesroman wird die A., durch die Vermittlung der Neuen Komödie, zu einem wichtigen Handlungselement (bes. bei → Longos).

→ Komödie; Tragödie

J. BLÄNSDORF, Plautus, in: E. LEFÈVRE (Hrsg.), Das röm. Drama, 1978, 169f. • A. P. BURNETT, Catastrophe Survived. Euripides' Plays of Mixed Reversal, 1971 • W. H. FRIEDRICH, Euripides und Diphilos, 1953 • D. W. LUCAS, Aristotle. Poetics, 1968, 291–298.   B. Z.

Anagnosterion s. Schreiber

Anagnostes [1] s. Lector

[2]. Der A. (Lektor), in byz. Zeit Angehöriger des niederen Klerus, hatte die Aufgabe, während der Liturgie vom Ambon aus biblische Texte vorzulesen. u. a. bekleideten Julian vor seiner Abwendung vom Christentum sowie die Patriarchen Johannes VII. Grammatikos und Photios (beide 9. Jh.) in jungen Jahren den Rang eines A.

J. DARROUZÈS, Recherches sur les ΟΦΦΙΚΙΑ de l'église byzantine, 1970, 87–91. 151.   G. MA.

Anagnostikoi (Ἀναγνωστικοί). Aristoteles erwähnt (rhet. 3,1413b 12–14) die Dichter → Chairemon und → Likymnios als ἀναγνωστικοί, »zum Vorlesen geeignet«. Er weist rhet. 3,1413b 2–1414a 28 der vom Streit bestimmten Ausdrucksweise, deren unausgefeilter Stil am stärksten der schauspielerischen Darstellung bedarf (ἀγωνιστικὴ δὲ ἡ ὑποκριτικωτάτη, 3,1413b 9), die Gerichts- und die Volksrede, bes. letztere mit ihrem großen Publikum, zu (3,1414a8–17). Dagegen ordnet er der von der Schriftlichkeit bestimmten Ausdrucksweise mit ihrer größten Ausgefeiltheit (λέξις γραφικὴ ἡ ἀκριβεστάτη, 3,1413b 8–14) – hier erwähnt er nebenbei die beiden Dichter – später vor allem die epideiktische Rede zu, deren angemessene Ausführung das Vorlesen ist (ἐπιδεικτικὴ λέξις γραφικωτάτη· τὸ γὰρ ἔργον αὐτῆς ἀνάγνωσις, 3,1414a18–19). Man kann nun angesichts der polaren Argumentationsweise (keine Hilfe bietet CAG 21,220 [1]) nicht schließen, daß diese Dichter nur reine Lesetexte geschrieben hätten [4. 530–531; 5. 222], denn wir wissen, daß Chairemon aufgeführt worden ist [2]. – Allg. gehören die beiden Dichter nach moderner Theorie im Hinblick auf die Zielsituation des mündlichen Vortrags in den Bereich der »elaborierten Mündlichkeit« [3].

1 M. V. ALBRECHT, s. v. A., KlP 1, 326–327 2 O. CRUSIUS, Die A., in: FS für Th. Gomperz, 1902, 381–387 3 P. KOCH, W. OESTERREICHER , Sprache der Nähe – Sprache der Distanz, in: Roman. Jb. 36, 1985, 15–43 4 A. LESKY, Die trag. Dichtung der Hellenen, ³1972 5 TGrF 1, ²1986.   H. A. G.

Anagyris (ἀνάγυρις, -ρος, ἄκοπον bei Dioskurides 3,150 [1. 158f.] = 3,157 [2. 360], Plin. nat. 27,30 u. a., neugr. ἀνδράβανα) ist die am Mittelmeer weitverbreitete Leguminose Stinkstrauch *A. foetida L.* mit herbem Geruch und kohlähnlicher Blüte, im Altertum als Heilpflanze benutzt, z. B. die Blätter zum Abführen und der Samen als Brechmittel. Das Sprichwort ἀνάγυριν κινεῖς [3.109] bedeutet etwas Unangenehmes anrühren (vgl. Zenob. 2,55 und 3,31).

1 M. WELLMANN (Hrsg.), Pedanii Dioscuridis de materia medica, Bd. 2, 1908, Ndr. 1958 2 J. BERENDES, Des Pedanios Dioskurides Arzneimittellehre übers. und mit Erl. versehen, 1902, Ndr. 1970 3 J. BILLERBECK, Flora classica, 1824, Ndr. 1972.   C. HÜ.

Anagyrus (Ἀναγυροῦς). Att. → Paralia-Demos der Phyle → Erechtheis. 6 (8) Buleutai. Etym. leitet sich A. vom Stinkstrauch (Anagyris foetida L.) ab, der Sand und Wüstungen bevorzugt. Von Strab. 9,1,21 zw. Halai Aixonides und Thorai an der Südwestküste Attikas lokalisiert. Fische aus A. bei Athen. 7,329c; 8,344e. Die Weihinschr. des Archeneos (IG II² 2825) aus A. (IG II² 4906) ist neben der Erwähnung einer Grotte des Pan im → Hymettos (= Nymphenhöhle von Vari? [7. 447]) bei Synes. epist. 136 (dazu [2. 57 Anm. 66; 5. 153]) einziger Hinweis auf die Identität von Vari mit A., die seit [1. 166] als gesichert gilt. Anders jetzt [4. 308ff.; 5. 151ff.], der A. westl. des Hymettos-Defilées im Raum Vula vermutet. Myk. Nekropole bei Varkiza, die »geom.« Siedlung auf Lathureza [6; 3. 446] ist wohl frühneuzeitlich, bedeutende arch. Nekropole und Reste eines klass. Demos im Bereich von Vari [5. 71ff.]. Horos-Felsinschr. auf der Kaminia [3; 4].

1 R. CHANDLER, Travels in Asia Minor and Greece, 2, 1817 2 G. FOWDEN, City and Mountain in Late Roman Attica, in: JHS 108, 1988, 48–94 3 H. R. GOETTE, Neue att. Felsinschr., in: Klio 76, 1994, 120–134 4 H. LAUTER, 2 Horos-Inschr. bei Vari. Zu Grenzziehung und Demenlokalisierung in Südostattika, in: AA 1982, 299–315 5 Ders., Att. Landgemeinden in klass. Zeit, in: MarbWPr 1991, 1–161 6 Ders., Lathuresa, 1985 7 TRAVLOS, Attika.

C. W. J. ELIOT, Coastal Demes, 1962, 35ff. • TRAILL, Attica, 15, 38, 59, 63, 109 Nr. 10 (Tab. 1) • Whitehead, Index s. v. A.   H. LO.

Anahita. Iran. Gottheit des Wassers und der Fruchtbarkeit, Wortbed. »unbefleckt«, »makellos«. Sie wird in Yt. 5,126–129 sehr konkret geschildert, vermutlich nach einer Statue. Ihr hl. Tier war der Biber.

Erstmals in iran. Inschr. bei Artaxerxes II. bezeugt. Nach Clemens Alexandrinus (protrept. 5,65,3) hat Berossos (III.) berichtet, Artaxerxes habe Statuen der A. in Baktrien, Ekbatana, Susa, Babylon, Damaskus und Sardes aufstellen lassen. Beliebte Gottheit seit parth. Zeit, Tempel u. a. in → Artaxata, Armavir, Istachr und Balch (Pol. 10,27; Inschr. des Antiochos von Kommagene; Plin. nat. 33,82; Strab. 11,19 und Moses von Chorene 2,12).

H. W. Haussig (Hrsg.), Wörterbuch der Mythen, 1986.   B. B.

Anaideia (Ἀναιδεία). »Schamlosigkeit«, göttl. Potenz (Xen. symp. 8,35; Men. fr. 223 K., unsicher Soph. fr. 269 = TGF 4,291). Nach Theophrast hatte sie zusammen mit Hybris Altäre in Athen (Zenob. 43,6, vgl. Cic. leg. 2,28 *Contumeliae et Impudentiae fanum*): Gemeint sind der »Stein der Schamlosigkeit« (λίθος Ἀναιδείας, *líthos anaideías*) und der »Stein der Vermessenheit« (*líthos Hýbreos*) am athenischen Areopag, auf die sich Ankläger und Angeklagter stellten (Paus. 1,28,5).

C. E. von Erfa, AIΔΩΣ und verwandte Begriffe in ihrer Entwicklung von Homer bis Demokrit, in: Philologus Suppl. 30/2, 1937, 116–118 • Wilamowitz, Euripides' Herakles, ²1952, Bd. 3, 129 Anm. 1.   F. G.

Anaitis (Ἀναῖτις). Iranische Göttin. Der avest. Name, Aredvī-Sūrā-Ārahitā, Göttin der Gewässer, besteht aus drei Epitheta (z. B. *ānahitā* = unbefleckt). Der ind.-iran. Name war wohl Sarasvatī, »die die Gewässer besitzt«. Yašt 5 beschreibt sie als schöne, mit Biberpelzen bekleidete Frau, die ein Viergespann lenkt. Sie reinigt den männlichen Samen und die Gebärmutter bei Tier und Mensch, führt die Muttermilch herbei, spendet aber auch Wohlstand und Sieg.

In achäm. Zeit gefördert (Berossos, FGrH 680 F11); zu einer unbestimmten Phase zuvor war sie mit einer babylon. Göttin (Hdt. 1,131), wahrscheinlich Ištar-Nanaia [1. 29f.; 203f.], identifiziert worden. Nach dem Untergang des achäm. Reiches erscheint A. in Kleinasien meist als (persische) Artemis. Viele Züge des zoroastrischen Kultes, wie der Tempel-Feuerkult und Rezitation des Avesta (Strab. 15,3,13–15; Paus. 5,27,5f.), wurden beibehalten. Die wichtigsten Kultstätten in Ost-Kleinasien waren: Nitalis (h. Ortaköy) in Kappadokien (A. als *barzoxara*, »vom mythischen Berg Hara, Quelle des Weltflusses«) [2], Zela in Pontus (mit Vohu Manah, Hauptfest: Sakaia) (Strab. 11,8,4; 12,3,37) und Acilisene/Armenien (Strab. 11,14,16). In W-Kleinasien war der Kult im Einzugsgebiet des Hermos/Lydien weit verbreitet [3.266], bes. in Hypaipa, Hiera Kome/Hierocaesareia (Hauptfeste: Artemeseia) und Philadelphia (Fest Anaiteia).

1 M. Boyce, A History of Zoroastrianism 2, 1982
2 R. Schmitt, in: ZVS 84, 1970, 207–10 3 P. Debord, Aspects sociaux et économiques de la vie religieuse dans l'Anatolie gréco-romaine, 1982.

M. Boyce, F. Grenet, A History of Zoroastrianism 3, 1991 • L. Robert, in: RN 18, 1976, 26–48 = OMS 6, 137–60.   R. G.

Anakaia (Ἀνακαία). Att. Demos der Phyle → Hippothontis (IG II² 2377), deren geogr. Schwerpunkt um → Eleusis und in der Thriasia. 3 Buleutai. Trittys und Lage ungewiß, evtl. bei Mygdaleza [2. 137] oder im Kundura-Tal mit Demenzentrum bei Hagios Giorgios [1. 61 ff.].

1 H. Lohmann, Das Kastro von H. Giorgios (»Ereneia«), in: MarbWPr 1988, 34–66 2 J. S. Traill, Demos and Trittys, 1986 3 Ders., Attica, 52, 68, 109 (Nr. 11), Tab. 8.   H. Lo.

Anakalypteria s. Persephone

Anakes (Ἀνακες). Kulttitel der → Dioskuren Kastor und Polydeukes. Der Name, eine Nebenform von ἄνακτες (*ánaktes*), »Könige« oder »Herren«, ist ein Titel, der in Attika häufig benutzt wird, wo das Paar in vielen Demen und im Anakeion auf der Agora kult. verehrt wurde. Weil die A. auch außerhalb von Attika bezeugt sind, wird angenommen, daß ihr Ursprung von dem der Dioskuren unabhängig war [1]; im klass. Athen dominiert jedenfallls ihre myth. Identifikation: Gemälde der Dioskuren schmückten das Agora-Heiligtum (Paus. 1,18,1), ein Kult der A. zusammen mit Helena, der Schwester von Kastor und Polydeukes, ist bezeugt (Opferkalender von Thorikos [2], vgl. Eur. Hel. 1666–9). Die Überlieferung, die Dioskuren seien in Attika eingefallen, um ihre Schwester von Theseus zurückzugewinnen, ist Grundlage dieser Verbindung. Außerhalb von Attika wird der Titel auch in Elateia in Phoikos (IG IX 1, 129), in Epidauros (IG IV² 480) und in Argos und Lerna (Paus. 2,22,5; 36,6) gebraucht. Die letzten beiden Beispiele identifiziert Pausanias wahrscheinlich aufgrund der örtlichen Überlieferung mit den Dioskuren. Die Stelle 10,38,7 (Amphissa) weicht ab; dort berichtet er, die ἄνακτες παῖδες (*ánaktes paídes*) würden verschiedentlich als Dioskuren, → Kureten und → Kabeiroi identifiziert. Im Gegensatz dazu setzt Cicero (nat. deor. 3,53) die A. mit den → Tritopatores gleich; da aber auch die Dioskuren mit anderen Kultgruppen vermischt werden, schließt dies eine urspr. Identifikation der A. mit den Dioskuren nicht aus.

1 B. Hemberg, Ἄναξ, ἄνασσα und ἄνακες, 1955
2 SEG 33, 1983, 147, 37f.   E. K.

Anakreon [1, der Ältere] (Ἀνακρέων, oder aus metr. Gründen auch Ἀνακρείων). A. Leben B. Dichtung C. Wirkung

A. Leben

Verf. monodischer Lyrik und einer der neun Autoren, die zum alexandrinischen Kanon der 9 lyrischen Dichter gehören. A. ist in der Stadt Teos in Ionien geboren, die Angaben über den Namen seines Vaters sind unterschiedlich (Suda). Auch die Lebensdaten sind unsicher und beruhen auf der Annahme, er sei ein Zeitgenosse des Polykrates von Samos; für die *akmḗ* des A. ist das von Eusebios gegebene Datum Ol. 62/2 (531 v. Chr.) wesentlich glaubhafter als das Datum Ol. 52 (572–569 v. Chr.) in der Suda. Sein Geburtsdatum lag daher wahrscheinlich um das Jahr 575 v. Chr. Als Teos ungefähr 540 v. Chr. von Harpagos angegriffen wurde, floh A. vermutlich mit den übrigen Einwohnern nach Abdera in Thrakien (Strab. 14,644,30). Polykrates zog A. an seinen Hof, wo er, wie Himerios uns berichtet, als Lehrer des Sohnes des Tyrannen wirkte [1. 228]; die Benennung dieses Sohnes als Polykrates von Rhodos indes ist vermutlich eine später hinzugefügte Glosse und Verfälschung [2]. Polykrates förderte A. (Ail. var. 9,4), und in einem der Berichte unserer Überlieferung wird im Zusammenhang mit der Ermordung des Polykrates erzählt, wie A. mit ihm zu Tisch gesessen habe (Hdt. 3,121). Hipparch sandte ein Kriegsschiff nach Samos, um A. dort abzuholen (Plat. Hipparch. 228b-c). Kritias, der Großvater des Politikers, wurde von A. seiner Schönheit wegen gepriesen (Plat. Charm. 157e), und der Dichter war ein Bewunderer des Xanthippos, des Vaters des Perikles [3.301–302]. Vielleicht ging A. nach der Ermordung des Hipparch im Jahre 514 v. Chr. an den Hof der Aleuaden in Thessalien, aber die literarische Überlieferung eines solchen Aufenthalts ist zweifelhaft [4. 198 f.]. Es heißt, er habe ein Lebensalter von fünfundachtzig Jahren erreicht (Lukian. Macrobioi 26) und habe das Werk des jungen Aischylos gekannt (Sch. in Aischyl. Prom. 128). Der Bericht über seinen Tod durch Ersticken an einem Traubenkern (Val. Max. 9,12, ext. 8) geht sehr wahrscheinlich auf eine Überlieferung zurück, die ihn als einen sogar im Alter noch dem Wein zugetanen Mann darstellt, und ist ein gutes Beispiel dafür, wie eine Biographie klischeehaft aus der Dichtung abgeleitet wird [5. 14–15]. Zwei Epigramme, die dem Simonides zugeschrieben werden, aber ohne Frage später sind (Anth. Pal. 7,24; 25), bezeichnen Teos als die Grabstätte des A. [6. 518].

B. DICHTUNG

Die überlieferten Fragmente sind nicht sehr ausgiebig und geben wahrscheinlich kein wirklich repräsentatives Bild seines Werkes. Schon der frühe Ruhm des A. gründet sich darauf, der Dichter des Weines und der Liebe zu sein, und diese Themen sind in der Überlieferung gut vertreten; sie bilden auch den Hauptteil einer späteren Sammlung, der → *Anacreontea*, die die Themen des A. in dem ihm eigenen Versmaß fortzusetzen sucht. In der Suda steht indes, daß er Elegien und Iamben geschrieben habe, Menander Rhet. sagt, er habe Hymnen gedichtet (502 PMG), und Kritias erwähnt seine *Partheneia* (500 PMG). Über die Liebesgedichte sagt Maximus von Tyros, A. habe von ›den Haaren des Smerdies, des Kleobulos, den Flöten des Bathyllos‹ gesungen, um die Tyrannis des Polykrates erträglicher zu machen, und eine berühmte Anekdote berichtet, er habe auf die Frage, warum er Hymnen auf junge Männer schreibe und nicht auf Götter, geantwortet, daß ›sie unsere Götter sind‹ (Schol. Pind. I. 2,1b). Kleobulos kennen wir aus dem Gedicht 357 PMG, das eigentlich ein Gebet an Dionysos ist, sowie aus 359 PMG; in beiden Fällen wird mit seinem Namen gespielt. Smerdies ist uns aus 366 PMG bekannt und höchstwahrscheinlich Gegenstand von 347 PMG (handelt es sich da um zwei Ge-

dichte? [4. 206–218]). Bathyllos hingegen, der als der bekannteste der von ihm geliebten Jünglinge genannt wird, ist nirgends erwähnt außer *passim* in den *Anacreontea*, wo er einen bestimmten Typus darstellt. Die Päderastie ist mit heterosexuellen Neigungen durchaus insofern vereinbar, als der junge Mann begehrenswert erscheint, wenn er einer Frau gleicht: das an einen namenlosen παῖ παρθένιον βλέπων gerichtete Gedicht führt die Figur des Wagenlenkers der Seele ein. Unter den Gedichten an Frauen ist 417 PMG an ein thrakisches Füllen gerichtet, das der Begierde des Dichters, es zu reiten, widersteht, und 358 PMG richtet sich an eine Frau mit schönen Sandalen, die den Dichter zurückweist, angeblich seiner weißen Haare wegen. Die Interpretation dieses Gedichtes bleibt umstritten: einige meinen, die Frau aus Lesbos weise den Dichter allein seines fortgeschrittenen Alters wegen zurück, andere, daß sie ihn ihrer sexuellen Neigungen halber verschmähe (homosexuelle Neigungen oder ein stärkeres Interesse an *fellatio* als an *copulatio*) [7]. Am auffälligsten ist an der erh. Liebesdichtung des A., daß er sich ständig, wenn auch ohne Selbstmitleid, als ein Liebhaber darstellt, der nie an das Ziel seiner Begierde gelangt. Desweiteren zeigen viele der erotischen Passagen Gewalt und Leidenschaft: Eros ist ein leidenschaftlicher Gegner im Würfelspiel, an das er sich in besessenem Wahn und unter Kampfgeschrei macht, oder er schwingt eine Axt (396, 398, 413 PMG), und der liebeskranke Dichter springt in den Abgrund (376 PMG). Unschickliches Benehmen gefährdet den geregelten Verlauf des Symposions (356 a/b PMG, 56 GENTILI). Tiefer Schrecken wird vor Alter und Tod bezeugt (395 PMG). All diese Züge stehen in deutlichem Gegensatz zum Eindruck von beschaulicher Sinnlichkeit und mildem Anstand, den uns die Überlieferung und die *Anacreontea* vermitteln. In ähnlicher Weise ist das längste Fragment, 388 PMG, das einen gewissen Artemon seiner Verweichlichung halber in beißender Schärfe angreift, nicht etwa scherzhafte Herausforderung, sondern gehässige Beleidigung, und steht damit in der besten Tradition eines → Archilochos und des ion. Iambos [8] (vgl. 424 PMG).

C. WIRKUNG

In den Papyrusfunden taucht die Dichtung des A. nicht sehr häufig auf, aber er wurde verbreitet von Spezialisten der Metrik und Grammatikern zitiert, so daß wir ihnen den Hauptteil unserer Überlieferung verdanken. Sein metr. Rahmen ist weitgesteckt [4. 112–115], aber er wurde bes. jenes Versmaßes wegen zitiert, das man »anakreontisch« nennt, d. h. ein anaklastischer ion. Dimeter; seine Strophen sind häufig einfache Kombinationen von Glykonei und Pherekratei oder ion. und anakreontischen Versen. Seine Gedichte sind von Aristarchos von Samothrake herausgegeben worden, vermutlich in 5 Büchern [9. 217–218], und Chamaileon hat ein Werk Περὶ Ἀνακρέοντος geschrieben. Horaz spricht von der Liebe des A. zu Bathyllos (Epod. 14,9–10), aber hier wie an anderer Stelle geht das vermutlich mehr auf den Einfluß der *Anacreontea* und die Griech. Anthologie zurück als auf A. selbst. Ein Standbild des A. befand sich auf der Akropolis (Paus. 1,25,1), und er war auf Vasen und in der Skulptur seit frühester Zeit sehr häufig zu sehen. Meistens ist er auf den Gefäßen als ein betrunkener Teilnehmer des Komos dargestellt, doch die Porträtmalerei und die Bildhauer zeigen A. auch in ernster und nüchterner Stimmung [5.23–36].

1 PMG 2 J. LABARBE, Un décalage de 40 ans dans la chronologie de Polycrate, in: AC, 31, 1962, 153–188 3 C. M. BOWRA, Greek Lyric Poetry, ²1961 4 B. GENTILI, Anacreon, 1958 5 P. A. ROSENMEYER, The Poetics of Imitation: Anacreon and the Anacreontic Tradition, 1992 6 GA I, 2 7 L. E. WOODBURY, Gold Hair and Grey, or the Game of Love, in: TAPhA 109, 1979, 277–287 8 C. G. BROWN, From Rags to Riches: Anacreon's Artemon, in: Phoenix 37, 1983, 1–15 9 GA II, 2.
E. R. / A. WI.

[2, der Jüngere]. Verfasser von Φαινόμενα (vita Aratea II, S. 13,2 MARTIN), aus alexandrinischer Zeit, schrieb in elegischen Distichen. Von ihm zitiert Hyginus, (astr. 2,6,2) einen Pentameter über die Konstellation der Lyra (= CollAlex. 130). M. D. MA. / T. H.

Anakrisis (ἀνάκρισις). Nach Einbringen einer Klage treffen die Prozeßparteien einander in der *a.*, einem Vorverfahren vor dem Gerichtsmagistrat. Ebenso wie die amtliche → Diaita dient dieser Termin in Athen zu Vergleichsverhandlungen oder der Vorbereitung des Hauptverfahrens vor dem → Dikasterion. In der *a.* haben die Parteien die Pflicht, einander Fragen zu beantworten. Man kann diesen Verfahrensabschnitt als den »dialektischen« bezeichnen, gegenüber dem »rhet.«, der Hauptverhandlung. Alles vor dem Dikasterion zu verwendende Beweismaterial wird in zwei Tonbehältern gesammelt.

A. R. W. HARRISON, The Law of Athens II, 1971, 94 ff. · G. THÜR, Beweisführung vor den Schwurgerichtshöfen Athens, 1977, 154 ff. · G. SORITZ-HADLER, Ein Echinos aus einer A., in: FS Kränzlein, 1986, 103 ff. G. T.

Anaktorion (Ἀνακτόριον). Korinth. Gründung des 7. Jhs. v. Chr. (Strab. 10,2,8; FGrH 90 Nikolaos F 57,7) mit Beteiligung von → Korkyra (Thuk. 1,55,1) [anders 1. 6–48, 132–148] an der Südküste des Ambrakischen Golfes. Häfen im Golf und Ionischen Meer beim Polis-Heiligtum von → Aktion (Skyl. 34). 479 v. Chr. bei → Plataiai auf Seiten der Griechen (Hdt. 9,28,5; Paus. 5,23,2 f.), 433 v. Chr. von Korinthern erobert, 425 v. Chr. mit Hilfe Athens von den → Akarnanen neu besiedelt (Thuk. 1,55,1; 4,49), seitdem akarnanisch. Trotz erzwungener Teilnahme am → Synoikismos von → Nikopolis (Anth. Pal. 9,553) hatte A. als → Emporion von Nikopolis weiter Bestand (Strab. 10,2,2). Stadtanlage von A. 4 km westl. von Vonitsa (seit 9. Jh. n. Chr. Bistum [3. 128 f.; 2. 708 f.]) bei Nea Kamarina nachgewiesen.

1 D. DOMINGO-FORASTÉ, A history of North-coastal Akarnania, 1988 2 LAUFFER, Griechenland 3 P. SOUSTAL, Nikopolis und Kephallenia (TIB 3), 1981.

W. M. MURRAY, The coastal sites of West-Akarnania 1982, 464–493 · G. FAISST, L. KOLONAS, in: AA, 1992, 561–572 · E. OBERHUMMER, Akarnanien, 1887 · PRITCHETT, 8, 1992, 96–101.
D. S.

Analemma. »Aufnahme«, »Abriß«, allgemein: geometrisches oder arithmetisches Verfahren zur Bestimmung der Höhe eines Gegenstandes durch Winkelmessung; speziell: Projektion der Sonnenhöhen mit Hilfe eines Liniennetzes auf die horizontale Ebene von Sonnenuhren mit ungleicher Stundenlänge, abhängig von der geographischer Breite. Grundlage bilden das Längenverhältnis eines → Gnomons zu seiner Mittagsschattenlänge zur Tagundnachtgleiche sowie paarweise drei senkrechte Bezugsebenen: Meridian, Horizont und erster Vertikal (Zenitbogen). Behandelt von Diodoros aus Alexandreia (Prokl. hypotyposis 4,54; Komm. von Pappos: 4,40), Vitr. 9,7,7 (Komm. von [5]), Heron und Ptolemaios, περὶ ἀναλήμματος, dieser erwähnt p. 195,1 παλαιοί und meint damit vielleicht Hipparch oder Apollonios.

→ Gnomon

1 A. G. DRACHMANN, Heron and Ptolemaios, Centaurus 1,1950, 117–131 2 TH. L. HEATH, A History of Greek Mathematics II, 1921, 286–292 3 F. HULTSCH, s. v. Diodoros [53], RE 5, 710–712 4 G. KAUFFMANN, s. v. A., RE 1,2052–2055 5 J. SOUBIRAN, 1969 6 B. L. VAN DER WAERDEN, s. v. Ptolemaios [66], RE 23, 1827–1829. W. H.

Analogeion s. Schreiber

Analogie. [1, philosophisch] Ἀναλογία, ἀνὰ λόγον bezeichnen urspr. die mathematische Proportion, d. h. die Gleichheit von Zahlen- oder Größenverhältnissen (Definition: Eukl. elem. 5, Def. 5 und 6; 7, Def. 20; Aristot. eth. Nic. 5,6; 1131a 6–b9 poet. 21,11–14; 1457b 16–30). Die Lehre von den Proportionen wurde zunächst als Problemlösungsinstrument benutzt, entwickelte sich jedoch sehr bald zu einer allg. theoretischen Konstruktion, die Euklid im fünften Buch der ›Elemente‹ darstellt. Platon und Aristoteles kennen einen bedeutenden Teil dieser Lehre; ihr Interesse ist darin begründet, daß die A. ein Mittel darstellt, die Identität einer Form in verschiedenen Gegenständen zu konzeptualisieren. Durch ihre Anwendungen erfährt der Begriff A. eine Erweiterung über den strikt quantitativen Bereich hinaus, in dem er entstanden ist, und wird zu einer Figur philos. Denkens.

Bei Platon erscheint die Analogie zunächst als eine Verfeinerung der induktiven Methode des Sokrates. Dann wird sie auch als Darstellungsverfahren herangezogen: Die großen ontologischen Passagen der *Politeia* (das Sonnen-, das Linien- und das Höhlengleichnis) sind Analogien. Die Teilung der Linie wird ihrerseits analogen Verhältnissen entsprechend durchgeführt, die eine Ordnung zwischen den verschiedenen Arten der Erkenntnis und den entsprechenden Klassen von Gegenständen definieren. Schließlich erscheint die Proportion

(z. B. im *Timaios*) als eine wichtige Ordnungsform; dabei wird die fortlaufende Proportion bevorzugt, die ein Modell der Vermittlung zw. weit voneinander entfernten Begriffen (proportionaler Durchschnitt) oder der Entwicklung aus einem Ursprung bietet.

Bei Aristoteles wird die A. zu einem leistungsfähigen, polyvalenten Analyseinstrument. Damit kann im besonderen [a] das Konzept für einen allg. Aufbauplan des tierischen Körpers (vgl. part. an. 1,5; 645b 6–10), [b] die Funktionsweise der Metapher und des Witzes analysiert (poet. 21; 1457b 7–9, 16–20 rhet. 3,10; 1411a 1–b3) oder [c] ein Modell der polit. Gerechtigkeit vorgeschlagen werden (eth. Nic. 5,6–7; 1131a 9ff.). Der aristotelische Gebrauch der A. ist mit dem Begriff des Heterogenen verbunden: Begriffe, die zu verschiedenen Gattungen gehören, können nicht auf eine gemeinsame Natur zurückgeführt werden; aber dadurch ist der Erkenntnis keine unüberschreitbare Grenze gesetzt, denn es gibt eine weitere Art von Identität: Die Einheit durch Analogie, d. h. die Identität der formalen Struktur (vgl. metaph. 4,28, 4,6). Die Möglichkeit einer Wiss. von analogen Begriffen wird durch die Existenz der Mathematik und insbes. der »universellen Mathematik«, d. h. der Form der mathematischen Erkenntnis überhaupt bezeugt (metaph. 11,2–3; 1076a 38–1078b 6; 5,1; 1026a 25–27; vgl. an. post. 1,5). Die Ontologie besitzt denselben Status: Mehrere grundlegende Begriffe der Ontologie kennt man aufgrund von A. (z. B. die Materie oder die *enérgeia*, vgl. metaph. 8,6, 1048a 35–b6), und es gibt Strukturen (z. B. die Triade Form–Privation–Substrat), die allen Gattungen der Realität gemeinsam sind. Es ist jedoch angebracht, zwischen Analogie und Prädikation πρὸς ἕν zu unterscheiden: Letztere betrifft nämlich Begriffe, die verschiedene Verhältnisse zu einem selben Begriff haben, während die A. Paare von verschiedenen Begriffen, die dasselbe Verhältnis zueinander haben, verbindet. Schließlich deckt die A. Verhältnisse auf, in denen die Finalität zum Ausdruck kommt, und zeigt so das Wirken eines einzigen Prinzips – des Ersten Bewegers – in einer jeden Gattung des Seins an; die Behauptung, daß das Gute ein analoger Begriff ist (eth. Nic. 1,4; eth. Eud. 1,8), ist in diesem Kontext zu verstehen.

In den philos. Lehren der hellenistischen Zeit bezeichnet *analogía* ein Schlußverfahren, meistens ein spontanes, das zur Bildung unserer Begriffe führt (vgl. in bezug auf die Epikureer Diog. Laert. 10,32, in bezug auf die Stoiker Diog. Laert. 7,52). Bei den Neuplatonikern findet man zahlreiche Beispiele analoger Strukturen (wie die Serien des Proklos), doch wird der Begriff nicht explizit thematisiert.

B. Vitrac, La Définition V. 8 des Eléments d'Euclide, Centaurus, 1996 · P. Aubenque, Zur Entstehung der pseudoaristotelischen Lehre von der A. des Seins, in: J. Wiesner (Hrsg.), Aristoteles. Werk und Wirkung, 1987, II, 233–248.   M.CR./T.H.

[2, sprachwissenschaftlich]. In der histor. Sprachwiss. als Gegenpol zu dem meist gesetzmäßig ablaufenden Lautwandel anerkannte zweite Triebkraft, die Veränderungen innerhalb sprachlicher Systeme steuert. Analogische Veränderungen zeigen sich zumeist auf morphologischer Ebene; sie zielen auf eine formale Angleichung lautlich, funktional oder bedeutungsmäßig »verwandter« Elemente ab und dienen damit zur Beseitigung von → Anomalien. A.en können innerhalb eines gegebenen Flexionsparadigmas begründet sein (»paradigmatischer Ausgleich«: z. B. lat. Akk. Sg. *patrem* statt †*paterem* [≈ gr. πατέρα, altind. *pitáram* ← uridg. *pₐₜtér-m̥*] nach den ebenfalls zweisilbigen Formen Gen. Sg. *patris* ← *pₐₜtr-és*, Dat. Sg. *patrī* ← *pₐₜtr-éi̯*), oder außerhalb eines solchen; hierbei sind häufig sog. »Proportionen« aufstellbar, z. B. in der gr. Nominalflexion (Nom. Pl. mask. -οι – Nom. Pl. fem. -αι ≈ Dat. Pl. mask. -οις – Dat. Pl. fem. X, X → -αις); häufig treffen beide Faktoren zusammen (z. B. gr. Akk. Sg. homer. βῶν → klass. βοῦν nach Nom. Sg. βοῦς, Proportion Nom. -ος, -ις, -υς – Akk. -ον, -ιν, -υν ≈ Nom. βοῦς – Akk. X, X → βοῦν).
→ Sprachwandel; Flexion; Anomalie

H. Paul, Prinzipien der Sprachgesch., ⁹1975, Kap. V · E. Hermann, Lautgesetz und A., 1931 · H. Rix, Histor. Gramm. des Griech., ²1992, 112–114.   J.G.

Analogiezauber s. Magie

Anamnesis, Anamnesislehre. ›Lernen ist Wiedererinnerung‹ (ἡ μάθησις ἀνάμνησις) lautet Platons Kurzformel (Men. 81e 5, Phaid. 72e 5, 76a 8) seiner auf pythagoreischem Seelenglauben aufruhenden A. Im *Menon* dient die A. der Zurückweisung des eristischen Satzes, daß man nichts suchen könne (80d – 86c). Im *Phaidon* wird aus der Ideenerkenntnis, die nicht empirisch gewonnen sein kann, auf die Unsterblichkeit der Seele, die die Ideen vor dem Eintritt in den Leib schaute, geschlossen (72e – 77a). Im *Phaidros* wird die A. zur Erklärung des begrifflichen Denkens und des Eros (als Wiedererinnerung an ›das Schöne selbst‹) herangezogen (249 c ff.). Sieht man von den ontologischen Implikationen ab, so kann man die A. als die Entdeckung des Apriori der Erkenntnis betrachten [1]. Aristoteles kritisiert die platonische A. (an. pr. 21, 67a 22, an. post. 18, 99b 25–31). Im Neuplatonismus wird die A. wieder stark betont (Plot. 1,6,2,10, 4,8,4,30 u.ö.; Prokl. in Eucl. el. 45,5 ff. Frg.; Philop. in Arist. de an. 518,21 ff., 533,21 ff.).

1 P. Natorp, Platos Ideenlehre, ²1922.

C. E. Huber, A., 1964 · L. Robin, La pensée hellénique, 1967, 337–348.   T.A.S.

Ananias. Sohn Onias' IV., Bruder des Chelkias. 105–101 v. Chr. Befehlshaber der Armee Kleopatras III.; soll Kleopatra davon abgehalten haben, Iudaea als Provinz zu annektieren. PP 2, 2149; 6, 15173.

I. Michaelidou-Nicolaou, Prosopography of Ptolemaic Cyprus, 1976, 33 Nr. 34.

W. A.

Ananios. Ion. Jambograph (? ca. 6. Jh. v. Chr.). Athenaios zitiert vier choliambische Fragmente: drei in Trimetern und eines in neun Tetrametern (9 W, das längste), auf die zu den jeweiligen Jahreszeiten am besten passenden Speisen. 2 W schreibt er entweder A. oder Hipponax zu; Stobaios gibt 3 W an Hipponax, und der Scholiast von Arist. Ran. 659 ff. schreibt A. zu, was Dionysos an Hipponax gibt, wobei er eine Verwechslung bei der Zuschreibung um 406/5 v. Chr. zugrundelegt.

IEG 2,34–36.   E. BO. / L. S.

Ananke (Ἀνάγκη). Das bei Homer als Abstraktum (»Zwang«) belegte Wort bekommt seit den Vorsokratikern als philos. Begriff Bedeutung [1. 5 ff.; 2. 147 ff.; 3. 103 ff.]: Bei Thales (A 1, DK 71, 12 f.) liegt die älteste griech. Spekulation vor, ›die Kraft, die hinter allen Erscheinungen mechanisch wirkt und das göttliche Urprinzip zu seiner vielfachen Ausgestaltung zwingt, mit A., d. h. der Naturnotwendigkeit...zum Ausdruck zu bringen‹ [1. 6]; häufig wird A. mit εἱμαρμένη (heimarménē) gleichgesetzt (z. B. Herakl. A 5). Die Personifizierung der A. als göttl. Gestalt bzw. kosmische Macht ist zum ersten Mal bei Parmenides greifbar (A 37; vgl. Plat. symp. 195 c), dann auch bei Empedokles (B 115, 1 ff.). Bei Leukipp B 2 und Demokrit A 66 ist A. die Macht, die die Atome bewegt; auch die »orph.« (1 B 13) Adrasteia-A. (zu Unrecht geleugnet [3. 131 ff.]) ist die (den Göttern überlegene: Aisch. Prom. 515 ff.; Plat. leg. 818 e) Naturnotwendigkeit, nicht Göttin (vgl. Eur. Alc. 965 ff.; Eur. Hel. 513 f. [4. 191; 5. 122 f., 24]). An volkstümliche Vorstellungen der spinnenden Schicksalsgöttinnen (vgl. fr. adesp. 1018 PMG [6]) knüpft die Erzählung des Er von der Spindel der A. (Mutter der Moiren) bei Plat. (rep. 616 c 4 ff. [2. 147 ff.; 4. 195 ff.]); doch kennt Platon (Tim. 47 e) auch eine negative A. als im Gegensatz zu Nus blind wirkendes Gesetz der Materie [3. 119 ff.].

Im Fatalismus der Stoa ist A. ›nur ein anderes Wort für Heimarmene‹ [1. 63; 3. 122 ff.]; daran und an Platon schließt die Hermetik [3. 128 ff.] mit ihrer Differenzierung u. a. zwischen A. und Heimarmene sowie der Übertragung der A. auf den Gestirnsfatalismus (Petosiris). Epikureer, Kyniker, Skeptiker und Christen leugnen auch determinierendes Wirken der A. Im Neuplatonismus ist A. Bezeichnung sowohl der Naturnotwendigkeit als auch des unabänderlichen Verhängnisses. In → Gnosis, Erlösungsreligionen, → Mysterien und → Magie (Zauberlit.) wird A. Todes- und Schicksalsmacht.

A. ist etym. ungeklärt; falsch die semantisch-linguistische Herleitung als »Fessel«, »Joch« aus oriental. Vorstellungen mit semit. Etymon [3]. Lat. entspricht necessitas, mit Stahlnägeln in Händen (Hor. carm. 1,35,17 ff.; 3,24,5 ff.; Pind. P. 4,71 [6]).

→ Adrasteia, Er, Heimarmene, Petosiris

1 W. Gundel, Beiträge zur Entwicklungsgesch. der Begriffe A. und Heimarmene, 1914 2 J. Kerschensteiner, Platon und der Orient, 1945 3 H. Schreckenberg, A., 1964 4 U. v. Wilamowitz, Glaube der Hellenen, 1931 5 U. v. Wilamowitz, Hom. Unt., 1884 6 P. Dräger, Pindars Stahlnägel der A. und Kyrene, in: RhM (im Druck).   P. D.

Anaphe (Ἀνάφη). Kykladeninsel (35 km²) östl. von → Thera (Steph. Byz. s. v. A.), gebirgig (Vigla 582 m). Der griech. Name wurde aus ἀνάπτειν (anaptein, »aufflammen« oder ἀναφαίνεσθαι, anaphainesthai, »erscheinen«) erklärt, weil die Insel, vom ant. Ort → Thera aus gesehen, bei tiefstehender Sonne aufzuleuchten scheint, woraus sich die Sage entwickelte, → Apollon habe A. den aus → Kolchis heimkehrenden → Argonautai in Seenot erscheinen lassen (Apoll. Rhod. 4,1709). A. war wohl schon im 2. Jt. v. Chr. bewohnt. Um 1000 v. Chr. dürften dann die → Dorieis eingewandert sein. Im 5. Jh. v. Chr. war A. Mitglied im → att.-delischer Seebund. Bei Kastelli südöstl. des Hauptortes sind bedeutende Reste der ant. Stadt mit Teilen der Stadtmauer vorhanden. Eine Hl. Straße verband sie mit dem Heiligtum des → Apollon Asgelatas (Aigletas) beim Kloster der Panagia Kalamiotissa am Ostende von A. Von hier führte eine Straße zum ant. Hafenplatz bei Katalimatia, wo sich Hausruinen und Molenbauten (wohl hell. Zeit) befinden. Bis ins MA wurde auf der Insel Kupfer geschürft (Inschr.: IG XII 3, 247–319 a; Mz.: HN, 482).

O. Davies, Roman mines in Europe, 1935, 264 · H. Kaletsch, s. v. A., in: Lauffer, Griechenland, 112 f.   H. Kal.

Anapher s. Figuren

Anaphlystos (Ἀνάφλυστος). Att. → Paralia-Demos der Phyle → Antiochis (10 Buleutai) im Küstenhof von Anavysso in Südwestattika zw. → Aigilia im Westen, → Atene im Südosten, → Amphitrope im Osten; die *astiké hodós*, die Staatsstraße von Athen nach → Sunion bzw. das Rhevma Maresas / Ari bildeten die Grenze zu → Phrearrioi im Nordwesten. Siedlungsspuren seit neolithischer Zeit; auf der Halbinsel Hagios Nikolaos (Astypalaia: Strab. 9,1,21) bedeutende mittelhelladischer Siedlungsplatz. Ein reiches mittelgeom. Grab [2. 78 ff.] in der Nekropole bei Hagios Panteleimon bezeugt einen Adelssitz des 9. Jhs. v. Chr., offenbar Keimzelle der Besiedlung von A. im Zuge der Binnenkolonisation Attikas im 8. Jh. v. Chr. In klass. Zeit sind bei einem so großen Demos neben Einzelgehöften auch mehrere Weiler und Dörfer zu erwarten. Bergbau (IG II² 1582 bezeugt 6 Gruben [1. 244 ff., Nr. 16]) konzentrierte sich bei Ari. Das von Xen. Poroi 4,43 und Skyl. 57 erwähnte »Teichos« bleibt noch zu finden, »ant.« Hafenmolen bei Palaea Fokea sind natürliche Beachrockformationen. In frühbyz. Zeit und im MA Besiedlungsrückzug auf Fluchtsiedlungen (Kataphygi, Mesochori),

Wiederbesiedlung erst 1922/23 durch Griechen aus Westkleinasien.

→ Bergbau

1 M. CROSBY, The Leases of the Laureion Mines, in: Hesperia 19, 1950, 189–312 **2** N. COLDSTREAM, Geometric Greece, 1977.

C. W. J. ELIOT, Coastal Demes, 1962, 75 ff. • TRAILL, Attica, 23, 54, 59, 67, 109 Nr. 12, Tab. 10 • H. LOHMANN, Atene, 1993, 60 ff. H. LO.

Anapis. s. Amphinomos

Anapos Fluß in → Sicilia, der am Monte Lauro bei → Akrai entspringt und in den Hafen von → Syrakusai mündet. Das Mündungsgebiet ist sumpfig und hat Seuchen unter belagernden Heeren verursacht. Der Mythos machte den Flußgott zum Liebhaber der Nymphe des in den A. mündenden Baches Kyane (Ov. met. 5,409 ff.). Er wurde in Gestalt einer Epheben-Statue (→ Ephebia) verehrt (Ail. var. 2,33). → Dionysios I. errichtete entlang des A. Gymnasien (Diod. 15,13,5).

E. MANNI, Geografia fisica e politica della Sicilia antica (Kokalos Suppl. 4, 1981), 98 • R. J. A. WILSON, Sicily under Roman Empire, 1990, 282. GI. MA. / M. B.

Anas. Der h. Guadiana, neben dem Guadalquivir (Baetis) der bedeutendste Fluß in Südspanien. Er entspringt in Ruidera (Prov. Ciudad Real), mündete aber in der Ant. mit zwei Mündungsarmen (Avien. or. m. 208; Strab. 3,1,9) bei Ayamonte nahe der spanisch-portugiesischen Grenze in den Atlantik.

TOVAR 3, 1989, 179. P. B.

Anastasia. [1] Halbschwester Constantins des Gr. und Gemahlin des → Bassianus. Sie muß noch während der Gründung Constantinopels gelebt haben; die Thermae Anastasianae sind nach ihr benannt (Amm. 26,6,14). Ihr auf den Auferstehungsglauben verweisender Name gilt bisweilen als Indiz für die christl. Grundüberzeugung ihres Vaters → Constantius (PLRE 1, 58, A. 1). B. BL.
[2] Tochter des Kaisers Valens. Sie und ihre Schwester Carosa sollen Schülerinnen des Novatianers Marcianus gewesen sein (Sokr. 4,9,4; Soz. 6,9,3). Auf A. führen Sokrates und Sozomenos fälschlich die Namengebung für die *thermae Anastasianae* zurück (vgl. Anastasia [1]). Ihre Existenz bezweifelt [1].

1 O. SEECK, s. v. A. [2], RE 1, 2065. W. P.

Anastasios. [1] A. I., 491–518 n. Chr. oström. Kaiser, geb. um 431 in Dyrrachion, Dekurion der Silentiarier unter Kaiser Zenon dem Isaurier, nach dessen Tod die Kaiserinwitwe Ariadne seine Wahl durchsetzte und ihn zum Gatten nahm, während Longinos, der als Nachfolger vorgesehene Bruder Zenons, verbannt wurde. Eine daraufhin ausbrechende Revolte der Isaurier konnte A. erst 498 endgültig niederwerfen.

Gegen die Vorliebe des Kaisers für die monophysitische Christologie richtete sich eine Revolte des Volkes von Konstantinopel 512 und angeblich auch ein Aufstand des Söldnerführers Vitalis an 513/515. Doch erweist das unter A. andauernde »Akakianische Schisma« mit der Kirche des Westens für diese Zeitphase eine eher generell bestehende Neigung des Ostens zum → Monophysitismus.

Gegen die Einfälle der Protobulgaren, eines aus dem Kaukasusgebiet kommenden Turkvolkes, das ab ca. 480 begonnen hatte, sich an der unteren Donau anzusiedeln, ließ A. 503 in Thrakien eine Mauer errichten; eine kriegerische Auseinandersetzung ab 502 mit den sasanidischen Persien konnte er 506 vorerst durch einen Waffenstillstand beenden.

Innenpolit. zeichnete er sich vor allem als fähiger Finanzpolitiker aus: 498 führte er den großen Follis ein, eine Kupfermünze vom 40fachen Gewicht der unscheinbaren Vorgängerin, bezeichnet mit *M* (griech. »40«), sowie zwei Unterteilungen. Als gängige Handelsmünze förderte der neue Follis ebenso wie die zugleich verfügte Abschaffung der Gewerbesteuer (χρυσάργυρον) die Geldzirkulation, die ihrerseits dem Fiskus Gewinne einbrachte. Durch weitere Maßnahmen, wie die Einrichtung einer neuen Behörde, welche die dem Staat zufallenden Privatvermögen zu verwalten hatte (*comitiva sacri patrimonii*), und die Übertragung der Zuständigkeit für die Steuereinnahmen von den Senatoren der Städte (*curiales*) auf staatlich beauftragte Steuereinnehmer (*vindices*) erzielte A. eine Straffung der Finanzverwaltung; bei seinem Tode hinterließ er eine gefüllte Staatskasse.

Selbst kinderlos, zeichnete er mehrere nähere Verwandte mit Senatsrängen aus, vor allem den Mann und die Söhne seiner Schwester Kaisaria, von denen Hypatios, der älteste, im Nikaaufstand (532) gegen Iustinian I. zum Kaiser erhoben wurde.

C. CAPIZZI, L'imperatore A. I, 1969 • ODB 1, 86 f. F. T.

[2] A. II., 713–15 n. Chr. byz. Kaiser, Usurpator gegen Kaiser → Philippikos, beendete die monotheletische Politik seines Vorgängers, beauftragte u. a. den fähigen Syrer Leon (später Kaiser → Leon III.) mit der Abwehr der Araber in Kleinasien. Nach seiner Absetzung durch den Usurpator → Theodosios III. versuchte er unter Leon III. 719 vergeblich die Kaisermacht zurückzugewinnen und wurde enthauptet.

ODB 1, 87. F. T.

[3, Apokrisiarios] (Ἀναστάσιος ἀποκρισιάριος) A. war neben → A. [4] *monachos* ein weiterer Schüler des → Maximos Homologetes (zum Amt vgl. [1]). Er begleitete seinen Lehrer auf dessen Reisen und ins Exil, wurde zuletzt an den Kaukasus verbannt, wo er 666 starb. 655 erstellte er das Protokoll über das Verhör des Maximos vor dem Tribunal im Kaiserpalast in Konstantinopel (Relatio motionis, PG). Weitere Schriften: Disput des Maximos mit seinen Gegnern in → Bizye;

Brief an den Presbyter Theodosios von Gangrai über Väterzeugnisse gegen den Monotheletismus; Brief an die Mönche in Askalon mit Erklärungen schwieriger philos. Termini, die in die Christologie eingegangen waren.

→ Monophysitismus

1 H. M. Biedermann, Apokrisiar, in: LMA 1, 1980 758 f.

R. Riedinger (Hrsg.), ACO Ser. II, Bd. I: Concilium Lateranense a. 649 celebratum, 1984 · R. Riedinger (Hrsg.), ACO Ser. II, Bd. II: Konzilsakten des 6. ökumenischen Konzils zu Konstantinopel, 1992 · P. Conte, Il Sinodo Lateranense dell'ottobre 649. La nuova edizione degli atti a cura di R. Riedinger, rassegna critica di fonti dei secoli VII-XII, 1989, Collezione Teologica 3, 105–165.   K. SA.

[4, monachos] (Ἀναστάσιος μοναχός) Schüler und Begleiter des → Maximos Homologetes. A. wurde zusammen mit seinem Lehrer und → A. Apokrisiarios vom Patriarchen Petros durch Synodaldekret verurteilt, weil sie sich der offiziellen monenergetisch-monotheletischen Lehre nicht fügten. Er verfaßte einen nur in lat. Übers. des A. Bibliothecarius erh. Brief an die Mönche in Cagliari über die Zwei-Willen-Lehre, ferner einen nicht erh. Traktat gegen den monotheletischen τύπος von 648. Wegen seines Widerstandes gegen die offizielle Lehre folgte er 662 seinem Lehrer in die Verbannung an das Schwarze Meer, wo er am 24. Juli 662 starb.

→ Monophysitismus

R. Riedinger (Hrsg.), ACO Ser. II, Bd. I: Concilium Lateranense a. 649 celebratum, 1984 · R. Riedinger (Hrsg.), ACO Ser. II, Bd. II: Konzilsakten des 6. ökumenischen Konzils zu Konstantinopel, 1992 · P. Conte, Il Sinodo Lateranense dell'ottobre 649. La nuova edizione degli atti a cura di R. Riedinger, rassegna critica di fonti dei secoli VII-XII, 1989, Collezione Teologica 3, 105–165.   K. SA.

[5, Sinaites] (Ἀναστάσιος Σιναΐτης) Abt des Katharinenklosters A. († um 700), Verfechter der kirchlichen Lehre gegen Nestorianer, Monophysiten, Monotheleten und Juden. Vor 640 und zwischen 678 und 689 war er in Alexandreia. Sein Hauptwerk richtet sich gegen den Monophysitismus severianischer (φθαρτολάτραι) und julianischer (ἀφθαρτοδοκῆται) Provenienz. Ebenso wandte er sich gegen griech. Philos. und Bildung und propagierte eine *ratio theologica*. Die Menäen nennen ihn den »Neuen Moses«.

→ Severos von Antiocheia

K.-H. Uthemann (Hrsg.), Anastasius sinaita, Viae dux, Corpus christianorum graecorum 8, 1981 · H.-G. Beck, Kirche und theologische Lit. im byz. Reich, ⁴1971.   K. SA.

[6, Traulos] Byzantinischer Dichter (ὁ Τραυλός = »der Stotterer«), Zeitgenosse des Arethas; nach dem Amt, das er (sicher im Jahre 906) in Konstantinopel bekleidete, auch »der Quästor« (ὁ Κοιαίστωρ) genannt. Er ist Verf. einiger Hymnen und eines schwachen Epigramms über die Kreuzigung (Anth. Pal. 15,28), in dem er seine an-

tijüdäische Gesinnung (V. 8, vgl. *Evangelium Petri* 16) nicht verhehlt; es besteht aus 14 daktylischen Hexametern, die nicht frei von metrischen Lizenzen sind (V. 11). Über ein anderes seiner Epigramme, das auf einem Denkmal des Hippodroms eingemeißelt war, hat sich der erwähnte Arethas lustig gemacht (vgl. schol. marg. Areth. scripta minora 1, 322, 15 Westerink. Vielleicht wird A. auch von Leon Philosophus verspottet (epigr. 11 W.).

A. Cameron, The Greek Anthology from Meleager to Planudes, 1933, 311–313.   E. D. / T. H.

Anastasios-Stil. Griechische Minuskelschrift, die in ihrer charakteristischsten Ausprägung durch geometrisierende Gestaltung der Grundformen, durch seitlich zusammengepreßte Buchstaben und durch eine leichte Verlängerung der Hasten bei Ober- und Unterlängen gekennzeichnet ist.

Die Bezeichnung erfolgt nach dem Kopisten, Anastasios, der im Jahre 890 die hagiographische Sammlung Paris. gr. 1470 und 1476 subskribierte, die diesen Schrifttyp belegt. Die Tatsache, daß ein anderer charakteristischer Zeuge, der Patm. 33, im Jahre 941 in Reggio Calabria hergestellt wurde, sichert die – im übrigen auch durch spezifische Einzelheiten der Illumination gestützte – Hypothese nachhaltig ab, daß der Anastasios-Stil eine Schrift darstellt, die für die griech. Kultur Süditaliens zwischen dem Ende des 9. Jh. und der Mitte des 10. Jh. charakteristisch ist. Eine konstantinopolitanische Herkunft des Anastasios-Stils, wie sie ebenfalls in der Forschung vertreten wurde, findet in Codices, die nach objektiven Kriterien dem griech. Osten zuzuweisen sind, keine Bestätigung.

G. Prato, Attività scrittoria in Calabria tra IX e X secolo. Qualche riflessione, in: Jb. der Österreichischen Byzantinistik 36, 1986, 219–228 (Ndr. in: G. Prato, Studi di paleografia greca, 1994, 1–11) · L. Perria, La minuscola »tipo Anastasio«, in: Scritture, libri e testi nelle aree provinciali di Bisanzio, a cura di G. Cavallo, G. De Gregorio, M. Maniaci, 1991, 271–318 · L. Perria, Una minuscola libraria del secolo IX, in: Rivista di Studi Bizantini e Neoellenici 26, 1989, 117–137.   G. P.

Anastasiupolis (Ἀναστασιούπολις). Stadt in → Galatia, Ruinenfeld bei Dikmen Hüyük. Urspr. Lagania, Station der Pilgerstraße; als Suffraganbistum seit 451 n. Chr. verzeichnet. Nach → Anastasios I. (491–518) umbenannt.

K. Belke, M. Restle, Galatien und Kappadokien (TIB 4), 1984, 125 f. · S. Mitchell, Anatolia. Land, Men and Gods in Asia Minor, Bd. 2, 1993, 126 f., 129 f. · W. Ruge, s. v. A., RE 12, 454.   K. ST.

Anastatica. Die echte Jerichorose, *Rosa hierochontea, Rosa de Hiericho, Rosa Sanctae Mariae,* der einjährige Kreuzblütler *Anastatica hierochuntica L.* der Wüsten Vorderasiens und Nordafrikas, und die kleine oder falsche Jerichorose, die bis Südeuropa vorkommende Composite *Odontospermum pygmaeum* (= *Asteriscus aquaticus*) galten wegen der sich bei Befeuchtung entrollenden Fruchtstände seit den Kreuzzügen als Auferstehungssymbol [1. 38f.]. Die Pflanzen verbreiten durch Rollen im Wind ihre Samen.

> 1 H.N. und A.L.MOLDENKE, Plants of the Bible, 1952. C.HÜ.

Anat. Aus Ugarit bekannte Göttin, begegnet im 7. Jh. v.Chr. als Anatbethel im Vertrag → Asarhaddons mit Baal von Tyros [4. Nr. 5 IV 6], im Nachfolgevertrag Asarhaddons [4. Nr. 6 § 54 A 467], sowie im 5. Jh. v.Chr. unter dem Namen Anatjahu als Paredra → Jahwes in Elephantine [5]. Möglicherweise war sie im 8.Jh. v.Chr. bereits Jahwes Paredra in Samaria. Im AT existiert A. nur als Element in Ortsnamen (Jos 15,59; 19,38; Jer 1,1 u.ö.) und Personennamen (Ri 5,6; Jos 17,7). Eine bilingue Altarinschr. aus Zypern nennt im 4. Jh. v.Chr. A. im phöniz. Text mit dem Epitheton »Zuflucht der Lebenden« und Athena Soteria Nike als ihr griech. Pendant (KAI 42). Verehrt wurde A. auch in Idalion (RES 453; 1209; 1210). Zusammen mit anderen Göttinnen lebt A. weiter in der → Dea Syria [2].
→ Baal; Ugarit

> 1 P.DAY, s.v.A., Dictionary of Deities and Demons, 62–77 2 M.HÖRIG, Dea Syria, 1979, 119–121, 251–254 3 E.LIPINSKI, s.v.A., DCPP, 28f. 4 S.PARPOLA, K.WATANABE, Neo-Assyrian Treaties, 1988 5 K. VAN DER TOORN, Anat-Yahu, some other Deities, and the Jews of Elephantine, in: Numen 39, 1992, 80–101. H.NI.

Anathema (ἀνάθημα), »was man (der Gottheit) hinsetzt« als schmückender Gegenstand, im profanen Sinne Hom. Od. 1,152 (ἀναθήματα δαιτός, *anathēmata daitós*); dann spezifisch rel. »Weihgeschenk«, das in den Besitz der Gottheit übergeht und damit selbst zum ἱερόν (*hierón*) wird (Hdt. 1,14; 92; 183; Soph. Ant. 286; Plut. Pelopidas 291b [1]). Diese Bed. hat der Terminus (in hell. Zeit ἀνάθεμα geschrieben) auch in der Septuaginta (2 Makk 2,13; 9,16; Jdt 16,19) sowie bei Lk 21,5. Sonst wird A. von der Septuaginta fast immer als Übersetzung von hebr. *Horma* gebraucht (Nm 21,3; Ri 1,17; Jos 6,17; 7,12), wie lat. *sacer* (in: *sacer esto*): Das der Gottheit Überantwortete, d.h. das Geweihte, allerdings überwiegend im negativen Sinne »Verfluchte«.

Obwohl vereinzelt auch sonst belegt, z.B. in einer *defixio* des 1.– 2.Jh. n.Chr. [2], gehört A. hauptsächlich dem biblischen Sprachgebrauch an und ist daher von der christl. Sprache übernommen und mit *excommunicatio* identifiziert worden [3].

> 1 W.H.D.ROUSE, Greek Votive Offerings, 1902, 323–324; 337–341 2 A.AUDOLLENT, Defixionum Tabellae, 1904, Nr. 41 (sicherlich jüd. Herkunft) 3 W.DOSKOCIL, s.v. Exkommunikation, RAC 7, 1–22.

> CHR.AUFFARTH, s.v. A., HrwG I, 453 · J.BEHM, s.v.A., ThWB I, 355–57 · K.HOFMANN, s.v. A., RAC I, 427–30 · CH.MICHEL, s.v. A., F.CABROL, H.LECLERCQ (Hrsg.), Dictionnaire d'Archéologie chrétienne et de Liturgie, Bd. 1,2, 1926–40. H.V.

Anathyrose. Ant. t.t. aus der → Bautechnik (IG VII 3073, 121; 142). Im gr. Quaderbau bezeichnet A. das teilweise Abarbeiten der Kontaktflächen zwischen zwei Quadern oder Säulentrommeln (meist durch Pickung). Durch diese von außen unsichtbare Minimierung der Kontaktzone zweier Bauglieder konnte deren Paßgenauigkeit erhöht werden; die Fugen bildeten, von außen betrachtet, ein Netz von haarfeinen Linien. Nachteil der A. ist ein erhöhter Druck auf die reduzierten krafttragenden Flächen, was beim Versatz leicht zu Beschädigungen der Bauglieder führen konnte.

> W.MÜLLER-WIENER, Gr. Bauwesen in der Ant., 1988, 75–77, 90–93. C.HÖ.

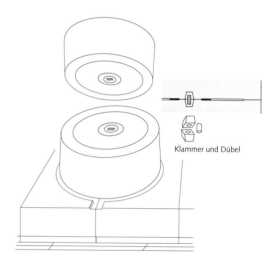

Klammer und Dübel

Anathyrose: Anschlußfläche zweier Säulentrommeln

Anatocismus. Zinseszins (von τόκος, Zins). Der *a.* galt den röm. Juristen (sie sprechen von *usurarum usurae*) als überharte Belastung des Schuldners (vgl. Marcianus Dig. 22,1,29). Schon Cicero (Att. 5,21,11), der als Statthalter von Kilikien Ansprüche auf *a.* zuließ, fühlte sich offenbar gedrängt, dies mit dem Herkommen zu begründen. Justinian verbot 529 den *a.* (Cod. Iust. 4,32,28).
→ Zins R.WI.

Anatolien s. Kleinasien

Anatolios. [1] Jurist aus Berytos. Empfänger zahlreicher Briefe des → Libanios. Von 356/7 n.Chr. bis zu seinem Tode (360) war er *praefectus praetorio* für Illyrien. Zuvor war er *consularis Syriae* (evtl. 349), *vicarius Asiae* (352) und *procos. urbis Constantinopolitanae* (354). 355

lehnte er es ab, *praefectus urbi Romae* zu werden (Lib. epist. 391). Er ist vielleicht identisch mit dem Agrarschriftsteller Vindaonius Anatolius. W.P.

[2] 433 bis etwa 446 n. Chr. *mag. utriusque militiae Orientis*, wohl seit Ende 447 bis nach 451 als *mag. utriusque mil. praesentalis* [1. 170] in Konstantinopel sehr einflußreich. 441 gelang es ihm, den Frieden mit den Persern zu erneuern. A. trat auch in den Verhandlungen mit → Attila hervor und ereichte mehrfach Verträge. Er wurde *cos.* (440) und 447 *patricius*. 451 Teilnehmer am Konzil von → Chalkedon (PLRE 2, 84–86).

1 C. ZUCKERMAN, L'empire d'Orient et les Huns, in: Travaux et mémoires, byz. 12, 1994, 159–182. H.L.

[3] Rechtsprofessor in Berytos, Mitglied der justinianischen Kommission für die Kompilation der Digesten (*Tanta* § 9), dem ein Elementarwerk in Form des Dialogs mit einem Studenten zugeschrieben wird [1]. Wohl ein anderer A., Professor in Konstantinopel, verfaßte eine Paraphrase des *Codex Iustinianus* [2; 3].

1 F. SCHULZ, 414 2 N. VAN DER WAL, Les commentaires grecs du Code de Justinien, 1953, 111 ff. 3 A. SCHMINCK, in: The Oxford Dictionary of Byzantium I, 1991, 90. T.G.

Anatolische Sprachen. Der am frühesten bezeugte, in Kleinasien vorkommende idg. Sprachzweig; im 2. Jt. von der ägäischen Küste bis zum Euphrat verbreitet, im 1. Jt. nach und nach zunächst durch das → Phryg., später vor allem durch das → Griech. bis auf schwer zugängliche Gebiete des Taurusgebirges (Ostpisidien, Lykaonien, Isaurien) verdrängt, wo anatol. (luw.) Sprachträger sich wohl bis in frühbyz. Zeit halten konnten. Zu den a. S. gehören → Hethit. (18. – 13. Jh.) sowie → Palaisch (16. – 15. Jh.), das in mehreren Dial. (Keilschrift-Luw., Hieroglyphen-Luw., Lyk., Milyisch, Pisidisch) überlieferte → Luw. (18.–3. Jh. n. Chr.), → Lyd. (8./7. – 3. Jh.), → Karisch (9.–4. Jh.) und → Sidetisch (3.–2. Jh.), die sich gegenüber dem Hethit. aufgrund gemeinsamer Neuerungen (z.B. *e, ē → ă, ī*; Ausbreitung des Motionssuffixes *-i-* zur bes. Kennzeichnung des Genus commune, Vereinheitlichung der Endungen von *mi-* und *ḫi*-Konjugation bis auf Präs. Sg. 3 *-ti* [= hethit. *-zzi*; *-i*]) als westanatolische Gruppe zusammenfassen lassen. Innerhalb dieser Gruppe zeigen wiederum Palaisch und Luw. engere Verwandtschaft miteinander gegenüber dem Lyd., während die genetische Stellung des Karischen und Sidetischen zum Lyd. bzw. zum Palaischen und/oder Luw. noch offen ist [1].

Die a. S. waren nach Ausweis hethit. sowie luw. PN und Appellativa in der Nebenüberlieferung altassyr. Texte (vor allem aus Kaneš-Kültepe, bei Kayseri) bereits vor dem 18. Jh. voneinander geschieden, so daß die zu rekonstruierende einheitliche Sprachstufe Uranatolisch kaum später als um die Mitte des 3. Jt. angesetzt werden kann. Eine Reihe von Spezifika der a. S., etwa die Fortsetzung des → Laryngals *h_2* als Kons., die Unterschei-

dung von Personen- und Sachklasse in Verbindung mit einem zweigliedrigen Genussystem (Genus commune: Genus ntr.), die quantitativ andersartige Verteilung von Wortbildungssuffixen (z. B. produktive *r/n*-Suffixe), die Ausbildung der *ḫi*-Konjugation auf der Grundlage des uridg. Perf., das Fehlen bestimmter uridg. Inhalts-/Formkategorien (z. B. Fem., Opt.) und dichtersprachlicher Ausdrücke, sowie ihre im Einzelfall oft schwierige Beurteilung als Archaismen bzw. als Neuerungen bedingen die nach wie vor anhaltende Diskussion um die verwandtschaftliche Stellung des Uranatol. in der Indogermania: ob es nämlich sich in das herkömmliche (BRUGMANNsche) Verwandtschaftsmodell einfügt oder eine »Schwester« des Uridg. darstellt (sog. »Indo-Hittite«-Hypothese) oder aber – was h. als die wahrscheinlichste Möglichkeit gelten darf – sich vor allen übrigen → idg. Sprachen in einer früh-uridg. Sprachstufe ausgegliedert hat [2].

→ Kleinasien, Sprachen

1 N. OETTINGER, Die Gliederung des anatolischen Sprachgebietes, in: ZVS 92, 1978, 74–92 2 P. MERIGGI, Schizzo grammaticale dell'Anatolico, 1980 3 E. NEU, W. MEID (Hrsg.), Hethit. und Idg., 1979 4 E. NEU, Zum Alter der personifizierenden *-ant*-Bildung des Hethit., in: HS 102, 1989, 1–15 5 N. OETTINGER, Bemerkungen zur anatolischen *i*-Motion und Genusfrage, in: ZVS 100, 1987, 35–43 6 N. OETTINGER, »Indo-Hittite«-Hypothese und Wortbildung, 1986. F.S.

Anatomie A. ÄGYPTEN UND ALTER ORIENT B.1 ARCHAISCHES GRIECHENLAND B.2 CORPUS HIPPOCRATICUM B.3 PLATON UND ARISTOTELES C.1 ALEXANDREIA C.2 HEROPHILOS UND ERASISTRATOS C.3 SPÄTHELLENISTISCHE ANATATOMIE D. KAISERZEIT D.1 VOR GALEN D.2 GALEN D.3 SPÄTANTIKE

A. ÄGYPTEN UND ALTER ORIENT

A. im Sinne eines durch Sektionen gewonnenen, systematischen Wissens über den menschlichen Körper scheint eine griech. Erfindung zu sein. Wir wissen zwar, daß babylon. (und später auch etr.) Hepatoskopie die Entnahme einer Tierleber umfaßte, doch abgesehen von einer relativ differenzierten Terminologie für dieses Organ und von der Zuordnung bestimmter Emotionen zu den Kardinalorganen schweigen babylonische Texte zum Thema A. [17]. Anfänge anatomischer Forsch. lassen sich eher in Ägypten ausmachen, das eine lange und komplexe Tradition in der Chirurgie und insbes. im Mumifizieren aufweisen kann. Einbalsamieren von Toten und Organentnahmen zu Bestattungszwecken sind jedoch nicht mit Sektionen gleichzusetzen, zumal rel. und moralische Hemmungen ausgeprägt waren. Wenn auch Manetho zufolge der Pharao Athothis (Hotep?) Bücher über die A. geschrieben haben soll (ca. 1920 v. Chr.), wurden Sektionen an Menschen allem Anschein nach bis in griech.-röm. Zeit weder zu medizinischen noch zu forensischen Forschungszwecken vorgenommen. Der Kenntnisstand der Oberflächen-A. und der größeren inneren Organe war dennoch fortgeschritten, da in Babylonien und Ägypt. allg. anatomische Kenntnisse durch Tierinspektionen erworben werden konnten [1].

B.1 ARCHAISCHES GRIECHENLAND

In den homer. Epen findet sich, bes. bei der Schilderung von Verletzungen, ein komplexes anatomisches Vokabular. Archaische griech. Bildhauer und Künstler bilden die Oberflächenmuskulatur genauestens ab. Kenntnisse über den inneren Aufbau des menschlichen Organismus fehlen weitgehend. Daß Alkmaion als erster Sektionen vorgenommen haben soll, ist nur teilweise richtig: Wenn er auch zweifellos den *Canalis opticus* gesehen hat, so mag dies das Ergebnis einer Zufallsbeobachtung an einem Schlachttier gewesen sein [9].

B.2 CORPUS HIPPOCRATICUM

Eine ähnliche Beobachtung an einem Schädel eines toten Tieres mag den Autor der hippokratischen Schrift *De morbo sacro* zu der Vermutung veranlaßt haben, eine Form der Geisteskrankheit entstehe durch ein Übermaß an Phlegma. Der Autor der Schrift *Nat. pueri* empfahl, zur Erforschung der Embryonalentwicklung Eier zu öffnen. *Loc. in hom.* und *Carn.* demonstrieren bessere Kenntnisse innerer A. Chirurgische Texte des Corpus Hippocraticum dokumentieren ein beachtliches osteologisches Wissen, dennoch ist mit Ausnahme der Schrift *Cord.*, die gewöhnlich in das 3. Jh. v. Chr. datiert wird und Kenntnisse über die Herzklappen verrät, sowie des Traktats *Anat.*, der aus einer noch späteren Zeit stammen mag, keiner der Autoren hippokratischer Schriften mit anatom. Methoden und Techniken vertraut [21].

B.3 PLATON UND ARISTOTELES

Die A., die Platon bes. im *Timaios* vorträgt, ist äußerst spekulativ, wird jedoch andere zu weiteren Unters. ermutigt haben. Die frühe griech. A. ist eine Mischung aus gelegentlichen Beobachtungen an Tieren und oftmals kluger Spekulation.

Aristoteles' biologische Schriften zeigen dagegen, daß er und seine Schüler regelmäßig anatomische Unters. an Tieren, Vögeln und Fischen vornahmen. Seinem Zeitgenossen → Diokles aus Karystos wird das erste A.-Buch mit Zeichnungen zugeschrieben. → Praxagoras, ein weiterer Zeitgenosse, soll als erster Venen und Arterien unterschieden haben. Auch wenn die Ergebnisse der Genannten nicht immer leicht zu deuten sind, wie etwa Aristoteles' Beschreibung eines dreikammerigen Herzens, war doch das neue, aus der systematischen Zootomie resultierende Wissen beträchtlich [18].

C.1 ALEXANDREIA

Der nächste und zugleich umstrittenste Schritt in der Gesch. der A., die systematische Humansektion, wurde in der 1. Hälfte des 3. Jh. v. Chr. von → Herophilos, dem Begründer der Humansektion, sowie von → Erasistratos in Alexandreia betrieben. Celsus, *De med. proem.* zufolge wurde von den Ptolemaiern nicht nur die Leichensektion, sondern auch die Vivisektion verurteilter Verbrecher gestattet, eine Prozedur, die viele noch für unmenschlich hielten. Der Untertanenstatus der einheimischen Ägypter und deren Mumifikationspraktiken mögen die Tabus gegenüber dem Aufschneiden menschlicher Wesen weiter geschwächt haben. Andere Gelehrte führten auch die zunehmende Leib-Seele-Trennung in der Philos. als Grund an: Der tote Körper war lediglich die leere Hülle, deren Sektion keine Auswirkung auf die unsterbliche Seele hatte [8; 14. 138–153].

C.2 HEROPHILOS UND ERASISTRATOS

Herophilos legte zum ersten Mal das innere Gefüge des menschlichen Organismus offen und benannte zahlreiche seiner Strukturen, z.B. das sog. *Torcular Herophili*. Bes. gründlich untersuchte er die Nerven, deren Ursprung er ins Gehirn zurückverfolgte, die Leber, die Fortpflanzungsorgane, das Herz und den Aufbau des Auges. Einige seiner Humansektionen wurden durch Ergebnisse aus Zootomien ergänzt; so stammt die von ihm beschriebene Gebärmutter nicht von einer Frau, sondern von einer Hündin [14. 143–241]. Der in seinen physiologischen und mechanistischen Erklärungen radikalere Erasistratos soll sich erst in fortgeschrittenem Alter der A. zugewandt haben [4. 195–233; 19. 22–46]. Er setzte die Forschungen des Herophilos zum Nervensystem fort und unterschied motorische von sensorischen Nerven, wobei er den Ursprung von Nervenpaaren bis in die Höhlungen des Gehirns zurückverfolgte. Er entdeckte die Herzklappen, erläuterte ihre Funktionsweise und erkannte den Größen- und Strukturunterschied zwischen Lungenvene und Lungenarterie. Auch wenn er nicht glaubte, daß Arterien Blut enthielten, sind seine Beschreibungen ihres Verlaufes und ihrer Wandbeschaffenheit erstaunlich zutreffend. Seine z. T. *post mortem* ausgeführten Unters. wurden gestützt durch physiologische Experimente zum Gefäß- und Nervensystem. Er zeigte durchweg ein ausgeprägtes Methodenbewußtsein und war sich darüber im klaren, daß Experimente systematisiert und reproduziert werden müßten.

C.3 SPÄTHELLENISTISCHE ANATOMIE

Nach Erasistratos wird die Humansektion offenbar nicht weitergeführt. Obwohl die Alexandriner ein differenziertes Operationswesen entwickelten, endete die Humansektion anscheinend ebenso plötzlich und mysteriös, wie sie begonnen hatte. Ihr standen religiöse, moralische und sogar praktische Einwände entgegen: eine Leiche verriet wenig über die Funktionsweise eines lebenden Organismus und war deshalb irrelevant für die Heilbehandlung. Außerdem wurde argumentiert, daß wiederholte Sektionen wenig zu dem vorhandenen Wissen beizutragen vermögen und das innere Zusammenspiel des Organismus, nachdem es einmal erforscht worden sei, ebenso gut aus Büchern gelernt werden könne [3. 268–273, 285–301].

D. KAISERZEIT   D.1 VOR GALEN

Um das Jahr 100 verließ sich Rufus von Ephesos bei der Abfassung seines Buches über anatomische Terminologie auf Oberflächen-A. und Affensektionen und spricht von der Humansektion als von etwas längst Vergangenem. Celsus und Plinius waren gut informiert, gewannen jedoch ihre Kenntnisse über den menschlichen Körper ausschließlich aus Büchern [10. 149–167]. Zumindest der A.-Unterricht scheint – nur in Alexandreia – eine gewisse Tradition behauptet zu haben. Zu Demonstrationszwecken wurden u. a. Skelette verwendet. Galen datiert ein Wiederaufleben anatomischer Forschung in das 1. Viertel des 2. Jh. und schreibt es den Verdiensten des Marinos und seiner Schüler zu.

D. 2. GALEN

In den Jahren nach 150 studierte Galen selbst bei alexandrinischen Lehrern, die mit Hilfe von Tieren, Skeletten und – was die Muskulatur betrifft – Sklaven Demonstrationen durchführten und in deren Lehrprogramm die A. offenbar einen hohen Stellenwert besaß.

Galens A. war zum größten Teil Tier-A., auch wenn er, anläßlich von Operationen, Zufallsbefunden an angespülten Wasserleichen oder freigelegten Leichen nach Grabschändungen, gelegentlich das Innere des menschlichen Körpers gesehen hatte. Doch war er sich darüber im klaren, daß solche Zufallsbeobachtungen keinen Ersatz für profunde anatom. Forschung bieten konnten.

Galen selbst war ein leidenschaftlicher Zootom, der von sich behauptete, beinahe täglich über weite Strecken seines langen Lebens seziert zu haben. Er untersuchte Schweine, Schafe, Ziegen, einmal sogar einen gerade verendeten Elephanten, doch sein Lieblingsobjekt war wegen seiner größten Ähnlichkeit mit dem Menschen der Berberaffe. Galens Sektionen, etwa die in aller Öffentlichkeit in den Jahren 162–163 in Rom veranstalteten, waren Spektakel und dienten ebenso der Eigenwerbung wie wiss. Forschung. Ab 163 führte Galen solche Sektionen zusätzlich im privaten Freundeskreis durch, an der Konsuln, Verwandte aus dem Herrscherhause und Intellektuelle teilhatten. Für Galen bildete die anatomische Forschung das Fundament der Medizin. Ohne Kenntnisse des menschlichen Körpers sei ein Arzt zum Scheitern verurteilt; seine Unkenntnis führe unweigerlich zu Fehldiagnosen, unangemessenen chirurgischen Eingriffen und zum Tode des Patienten. Praxis tue Not: man dürfe sich nicht auf bloße anatomische Buchweisheit verlassen. Der Arzt müsse daher seine chirurgischen Fähigkeiten durch Tiersektionen trainieren [15].

Galens umfangreiches anatomisches Werk reicht von detaillierten Methodendiskussionen, bes. in *De anat. mortuorum, De motibus liquidis* [Hrsg. 20] und *De anatomia vivorum*, das in arab. Sprache erh. ist, zu kurzen, einführenden Abhandlungen über Nerven, Muskeln, Knochen, Venen und die Gebärmutter, bis hin zu seinem wichtigsten Handbuch, *Admin. anat.*, und zu seinen für Philos. relevanten Interpretationen der darin vorgestellten Befunde in *De usu part.* und *De placitis Hipp. et Plat.* Grundsätzliche wiss. Tatsachen, wie z. B. Platons Dreiteilung der menschlichen Seele und des Körpers werden oft unter Berufung auf die A. untermauert.

Die Anzahl eigener Entdeckungen ist relativ gering, wobei die Entdeckung des *Nervus laryngeus recurrens* die bedeutendste ist. Galen führte jedoch interessante Experimente zum Blutfluß, Gehirn, zur Verdauung und Atmung durch. Im Verlauf einer Experimentenserie zerschnitt er die Wirbelsäule eines Schweines zwischen zwei Wirbeln oder band sie ab. Seine Osteologie und Myologie sind im allg. zutreffend; die Bandbreite und Detailtreue seiner Beobachtungen, bes. in Bezug auf das Gehirn, die ohne technische Hilfsmittel auskommen mußten, sind bemerkenswert [4. 267–396; 12]. Galen versieht bewußt seinen den Körper betreffenden teleologischen Ansatz mit einer experimentellen Grundlage und betrachtet die Unters. an den Lebewesen als religiöse, moralische und medizinische Pflicht.

D. 3 SPÄTANTIKE

Nach Galen werden keine anatomischen Unters. mehr vorgenommen. Spätere Bezüge auf durchgeführte Sektionen sind nahezu ausnahmslos aus seinen Schriften abgeschrieben. Die A.-Kapitel späterer Handbücher gerieten zu wenig mehr als zu Listen von Namen und Zahlen. Sektionen wurden wieder als abstoßend und grausam verurteilt sowie für unnötig befunden, seit frühere Generationen bzw. Galen die grundlegenden Kenntnisse der A. erforscht hatten. Der christl. Glaube an die Wiederauferstehung des Fleisches mag den Widerstand gegen die A. verstärkt haben. Auch verzagten spätere Generationen angesichts der Leistung Galens. Weder in Byzanz noch in der muslimischen Welt folgte man Galens Vorschriften, selbst dort nicht, wo seine Schriften gelesen wurden. Man sah in ihnen bestenfalls den Idealfall dargestellt. Das westliche MA hatte kaum Kenntnis von Galens anatomischen Schriften (oder von Rufus' Handbuch): Diese hatten auf die spätere Entwicklung der A. keine direkte Auswirkung. Erst die ed. princeps von 1525 bewirkte eine Wiederbelebung der A., in deren Gefolge Ende des 16. Jh. Galen als Autorität abgesetzt wurde.

→ Medizin; Alkmaion; Aristoteles; Diokles aus Karystos; Erasistratos; Galenos; Herophilos; Marinos; Rufus aus Ephesos

1 J. F. NUNN, Egyptian medicine, 1995 2 L. EDELSTEIN, The development of Greek anatomy, in: BHM 1935, 235–248 3 Edelstein, AM, 1967, 247–301 4 C. R. S. HARRIS, The Heart and the Vascular System, 1973 5 F. KUDLIEN, s. v. A., RE Suppl. XI, 38–48 6 F. KUDLIEN, Funktionelle und deskriptive A. in der Ant., 1963 7 F. KUDLIEN, Ant. A. und menschlicher Leichnam, in: Hermes 1969, 78–94 8 F. KUDLIEN, R. HERRLINGER, Frühe A., 1967 9 G. E. R. LLOYD, Alcmaeon and the early history of dissection, in: AGM 1975, 113–147 10 G. E. R. LLOYD, Science, folklore and ideology, 1983 11 J. N. LONGRIGG, Greek rational medicine, 1993 12 M. T. MAY, Galen On the Usefulness of the Parts of the Body, 1968, 9–43 13 P. MANULI, M. VEGETTI, Cuore, sangue e cervello, 1977 14 STADEN, 9–13, 138–241 15 H. VON STADEN, Anatomy as rhetoric: Galen on dissection and persuasion, in: JHM 1995, 47–66 16 M. VEGETTI, Il coltello e lo stilo, 1986 17 J. H. SCHARF, Anfänge von systematischer A. im alten

Babylon, 1988 **18** G. E. R. Longrigg, Greek rational medicine, 1993 **19** I. Garofalo, Erasistrati fragmenta, 1988 **20** C. J. Larrain, in: Traditio 1994, 173–233 **21** G. E. R. Lloyd, Magic, Reason, and experience, 1979. V. N./L. v. R.-P.

Anauni. Ital. Volk im Tal des Non (h. Noce, Nebenfluß der Adige), nördl. von Trento. → Tridentum z.Z. des Augustus zugewiesen [5. 83–91; 4. 29–36], besaßen die A. seit 46 n. Chr. die → *civitas Romana* (CIL V 5050 [2. 174–183; 4. 181–191]). Bezeugt sind Kulte des → Hercules, → Juppiter, → Mars, → Mithras, → Saturnus, der *di deaque omnes* in den Heiligtümern von Cles, Sanzeno und Vervò [1]. Viele epigraphische Belege [3; 6].

1 A. D'Ambrosio, Gesch. und Region 1, 1992, 31–65
2 P. Chisté, Epigrafi trentine dell'età romana, 1971
3 A. Donati, Una dedica ad Ercole e problemi dell'epigrafia latina della Val di Non, in: Rivista Storica dell'Antichità 6/7, 1976/77, 215–220 4 U. Laffi, Adtributio e contributio, 1966 5 G. A. Oberziner, La guerre d'Augusto contro i popoli alpini, 1900 6 G. Susini, Bulino anauno, in: Epigraphica 49, 1987, 257–261.

V. Inama, Storia delle valli di Non e di Sole, 1905 · Nissen 2, 200f. G. SU./S. W.

Anax s. Wanax

[1] Bronzebildner aus Aigina, schuf eine 4,5 m hohe Zeusstatue in Olympia nach dem Sieg von Plataiai (479 v. Chr.). Von einem weiteren, im Auftrag des Praxagoras gefertigten Weihgeschenk ist die Inschrift (Anth. Gr. VI 139) überliefert.

F. Adler, Topographie und Gesch. von Olympia, 1897, 86 · F. Eckstein, Ἀναθήματα, 1969, 23–26 · Overbeck, Nr. 433–436 (Quellen). R. N.

[2] * 500 v. Chr. in Klazomenai; seit etwa 461 in Athen, wo er als Lehrer u.a. des Perikles das geistige Leben mitbestimmte. Ein Asebieprozeß um 431 ließ ihn nach Lampsakos übersiedeln; gest. 428. Wie Parmenides lehrte er in Περὶ φύσεως, Seiendes könne nicht aus Nicht-Seiendem entstehen, ohne jedoch die Veränderung zu leugnen (59 B 17 DK). Mit Empedokles sah er Werden und Vergehen als Mischung und Trennung endlos teilbarer Grundstoffe an (B 17), lehnte aber die Beschränkung auf Feuer, Wasser, Luft, Erde ab. Die Identität des Seienden trotz Veränderung wahrte er mittels der völligen, spezifischen Identität von Ausgangs- und Endprodukt und postulierte daher eine Fülle verschiedener, quantitativ unendlicher Grundstoffe, oder »Samen«, in der doxograph. Tradition nach Aristoteles »H(omoiomerien)« genannt. (B 1; 4; 12). Sie entsprechen der Zahl aller unterscheidbaren, in sich gleichförmigen Dinge. Dies ist eine erste, noch rudimentäre Konzeption der Formursache. H. sind die Materiearten (z. B. Haar, Adern, Knochen) (B 10; A 46), die Grundqualitäten warm – kalt, feucht – trocken, schwer – leicht u. ä. sowie Farben und Geschmacks- bzw. Geruchseigenschaften (B 4; 8; 10; 12; 15). Diese Stoffe sind jedoch nicht

rein, ihre scheinbare Einheitlichkeit ist in Wahrheit das Überwiegen *eines* Stoffes über die anderen (B 1; 8; 12). Immer ist alles in allem, wie bei der Ernährung die Umwandlung von Brot in Knochen, Fleisch etc. beweist (B 6; 10; A 45; 52). Aus ihrer urspr. völligen Vermischung (B 1; 4) wurden die H. durch Rotation ausgeschieden: zunächst die Grundqualitäten bzw. deren komplexe Derivate Äther und Dunst (ἀήρ) (B 2; 9; 12–13), aus diesen wiederum teils weitere komplexe Stoffe (aus Dunst entstehen Wasser, Erde, Steine: B 2; 15; 16; A 43) teils die materialen Grundstoffe wie Haar, Knochen etc. (B 4; A 43). Die Rotation initiierte der unvermischte, unkörperliche, omnipräsente, allmächtige, allwissende Nus. Er erkennt die in der Urmasse enthaltenen Unterschiede und führt das All zu einer gegliederten Ordnung. So ist er Bewegungs- und Zielursache (B 12–14; A 55).

Diese Konzeption führt zu Platon und Aristoteles, die jedoch die inkonsequente Durchführung kritisieren (Plat. Phaid. 97 b; Aristot. met. 985 a 18). So erklärt A. im konkreten Fall nur mechanistisch-materialistisch: die Gestirne sind aus der Erde losgerissene, glühende Steine. Die flache Erde wird von der unter ihr befindlichen Luft getragen. Die zuerst senkrechte Erdachse neigte sich später, so daß die Gestirnbahnen teilweise unter ihr verlaufen. Verdunstung von Wasser schuf Festland. Wärme ließ die ersten Lebewesen aus Erde/Wasser entstehen (A 1; 42; 67; 88). Sie haben unterschiedlich am Nus als Lebensprinzip teil (B 11; A 100). Den umfassenden Erklärungsanspruch des A. belegt eine Fülle weiterer Aussagen zu Kosmologie, Astronomie, Meteorologie, Geologie, Biologie, Psychologie, Wahrnehmungs- und Erkenntnistheorie.
→ Anaximenes; Parmenides; Atomismus; Empedokles; Perikles; Platon; Aristoteles

Diels / Kranz II (59), ⁶1952, 5–44 (Fragm.) · D. Furley, A. in Response to Parmenides (1976), in: Cosmic Problems, 1989, 47–65 · D. Sider, The Fragments of A., 1981 · M. Schofield, An Essay on A., 1980. C. Pl.

Anaxagoreer. Die sog. Ἀναξαγόρειοι bzw. οἱ ἀπ'/περὶ Ἀναξαγόρου (Plat. Krat. 409b; DK 61 A 6; Aristot. part. an. 677a 6) sind meist weder als Personen noch in ihrer Lehre präzise faßbar. Eine Schulgründung (DK 59 A 7) ist fraglich. Doch wirkte → Anaxagoras [2] auf Zeitgenossen wie Perikles und Euripides (DK 59 A 1; 20a-c). A. im engeren Sinne (Nus, Homoiomerien) war → Archelaos [8] (DK 60). Unklar ist dies für den wegen seiner physikalischen Homerallegorese bekannten Metrodoros von Lampsakos (DK 61). In abweichender Bezugnahme auf die Nus-Lehre des Archelaos steht → Diogenes von Apollonia (DK 64; Nus ist Vermögen der Luft). Von diesem, aber auch von A. beeinflußt, zeigt sich der Autor des Derveni-Papyrus (330 v. Chr.).
→ Anaxagoras [2]; Archelaos [8]; Euripides; Metrodoros von Lampsakos (maior); Perikles; Sokrates

DIELS / KRANZ II (60–62), [6]1952, 44–50 (Fragm.) ·
E. ZELLER, GGPh I 2[5], 1019, 4. 1031–1038 · W. NESTLE,
Unt. über die philos. Quellen des Euripides, 1902,
576–588 · W. NESTLE, Metrodors Mythendeutung, in:
Philologus 66, 1906, 503–510.   C. PI.

Anaxandridas. [1] Nach Hdt. 8,131 Sohn des spartanischen Königs Theopomp, Eurypontide; seine Historizität ist zweifelhaft. **[2]** Spartanischer König um die
Mitte des 6. Jhs. v. Chr., Agiade. Unter der Basileia des
A. und des Ariston schloß Tegea ein Bündnis mit Sparta.
Eine Nachricht, nach der Aischines, Tyrann von Sikyon, von A. und → Chilon in dessen Ephorat (556/5)
vertrieben wurde, läßt sich nicht verifizieren. Nach
Hdt. 5,39 f. wurde A. von den Ephoren und Geronten
gezwungen, neben seiner bis dahin kinderlosen Gattin
eine weitere Frau zu heiraten, die später → Kleomenes I.
gebar.   M. MEI.

Anaxandrides. Aus Rhodos oder [1. test. 1] Kolophon
stammender att. Komödiendichter (offenbar produzierte er auch Dithyramben [1. test. 2]), von dem dank
IGUR 218 [1. test. 5] mehr exakte Daten bekannt sind als
von irgendeinem seiner Rivalen: Aus dieser Inschr. geht
hervor, daß A. wenigstens zwischen 376 und 349 v. Chr.
aktiver Bühnendichter war und auch in den Jahren dazwischen häufig aufführte; noch früher war der *Protesilaos*, der die große Hochzeit des athenischen Generals
Iphikrates mit einer thrak. Fürstentochter (ein Ereignis
der frühen 380er J.) widerspiegelte, auf der anderen Seite führt das aus dem *Tereus* erh. fr. 46 in demosthenische
Zeit [2. 194].

Insgesamt soll A. 65 Stücke geschrieben und zehn
Siege errungen haben [1. test. 1], davon dreimal an den
Lenäen [1. test. 5 und 6]; 376 und 375 siegte er an den
Großen Dionysien [1. test. 3, 4]. Erh. sind noch 40 Titel,
von denen ein gutes Drittel auf mythische Sujets hindeutet. Dieser recht hohe Anteil an Mythenstücken
ordnet A. den früheren Dichtern der Mittleren Komödie zu, worauf auch sein Platz auf der inschr. Liste
der komischen Lenäensieger hinweist [1 test. 6]. Formal
auf die Alte Komödie zurückzuweisen scheint fr. 10, der
wohl letzte Beleg von aufeinanderfolgenden katalektischen anapästischen Tetrametern; typischer für die eigene Zeit ist das Glanzstück unter A.' Fr. (fr. 42 aus dem
schon erwähnten *Protesilaos*), ein über 70 Verse langes
Bravur-Rezitativ in anapästischen »Dimetern«. Der *Tereus* war ein Beispiel für Mythenrationalisierung [2. 216–
218]; daß A. vielleicht auch schon für die Hand-
lungsgestaltung der Neuen Komödie bahnbrechende
Vorarbeit leistete, könnte die Notiz zeigen, daß er ›als
erster Liebschaften und Verführungen von jungen
Frauen auf die Bühne brachte‹ [1. test. 1; vgl. 3]. Aristoteles erwähnte A. als einzigen zeitgenössischen Komödiendichter in seiner ›Rhetorik‹ [1 test. 8], und aus
dem 6. Buch der Schrift ›Über die Komödie‹ des Chamaileon von Herakleia ist noch eine Skizze seines ei-
genwilligen Charakters erhalten [1. test. 2].

1 PCG II, 1991, 236 – 278 2 H.-G. NESSELRATH, Die att.
Mittlere Komödie, 1990 3 H.-G. NESSELRATH, Parody and
Later Greek Comedy, in: HSPh 95, 1993, 181–195.   H.-G. NE.

Anaxandros. [1] Nach Paus. 3,3,4 und 4,15,3 spartanischer König z.Z. des 2. Messenischen Krieges, Agiade,
Sohn des Eurykrates (Hdt. 7,204). **[2]** Nach Aristophanes von Boiotien (FGrH 379 F 6) Führer der Thebaner bei den → Thermopylai (480). Vgl. aber Hdt.
7,233, der in dieser Position Leontiades nennt. **[3]** Thebaner, 411 v. Chr. Söldnerführer im → Peloponnesischen Krieg (Thuk. 8,100). **[4]** Lakedaimonischer Befehlshaber, der 351 v. Chr. von den Thebanern und ihren Verbündeten geschlagen wurde und in Gefangenschaft geriet (Diod. 16,39).   M. MEI.

Anaxarchos (Ἀνάξαρχος), aus Abdera. Demokriti-
scher Philosoph (→ Demokriteer, ca. 380–320 v. Chr.).
Begleitete Alexander den Großen auf seinem Zug in
den Orient. Nikokreon, der Tyrann von Salamis auf
Zypern, mit dem sich A. verfeindet hatte, ließ ihn nach
dem Tod Alexanders verhaften und in einem Mörser
zerstampfen. Die Haltung des A. zu Alexander d. Gr.
schwankt in der ant. Überlieferung zwischen Anbetung
und Ironie. A. war Autor eines Traktats Περὶ βασιλείας,
von dem nur zwei Fr. erh. sind (fr. 65–66). Widersprüchlich sind die Urteile über seine philos. Position:
Einige Autoren stellen ihn zu den Vertretern der eudai-
monischen Philos.; andere bringen ihn mit Demokritos
in Verbindung, weil Diogenes von Smyrna und Metrodoros von Chios ihn unterrichteten; außerdem nehmen
sie an, daß er der Lehrer Pyrrhons war; kynischer Einfluß kann nicht ausgeschlossen werden.

ED.: T. DORANDI, Atti e Memorie Accademia Toscana »La
Colombaria« 59, 1994, 9–59 ·
LIT.: P. BERNARD, JS, 1984, 3–48 · J. BRUNSCHWIG, Proc.
of the British Academy 82, 1993, 59–88.   T. D. / E. KR.

Anaxibios. Spartanischer Nauarch in Byzantion, als
400 v. Chr. die Reste des Heeres des jüngeren Kyros in
Bithynien eintrafen. Dort 400/399 abberufen, wurde A.
389 zur Sicherung der spartanischen Position in der
nördl. Ägäis gegen Athen als Harmost nach Abydos gesandt, fiel aber 388 in einer Schlacht gegen die Athener
unter Iphikrates (Xen. an. 5,1,4; 6,1,16; 7,1.2; Diod.
14,30,4; Xen. hell. 4,8,32 ff.).   M. MEI.

Anaxidamos (Ἀναξίδαμος). **[1]** Nach Paus. 3,7,6 und
4,15,3 spartanischer König, Eurypontide, dessen Basileia
zusammen mit dem Agiaden Anaxandros in die Zeit des
2. Messenischen Krieges fiel.   M. MEI.
[2] Achaier, Unterfeldherr des → Philopoimen 207
v. Chr. bei Mantineia gegen → Machanidas (Pol.
11,18,1). **[3]** A. aus Megalopolis, achaiischer Gesandter
nach Rom 164 und 155/4 (Pol. 30,30,1; 30,32; 33,3)
wegen der Rückkehr der Deportierten [1. 212–213;
2. 109,114].

1 J. DEININGER, Der polit. Widerstand gegen Rom in
Griechenland, 1971 2 H. NOTTMEYER, Polybios und das
Ende des Achaierbundes, 1995. L.-M.G.

Anaxilaos (Ἀναξίλαος). **[1, aus Rhegion]** Gehörte
einer Familie an, die nach dem 2. Messenischen Krieg
Ende des 7. Jhs. v. Chr. von Messene nach → Rhegion
ausgewandert war. 494 v. Chr. stürzte A. in Rhegion die
Oligarchie der 1000 reichsten Bürger (Aristot. fr.
611,55; Pol. 6,1316a 38) und errichtete dort eine persönliche Herrschaft. Kurze Zeit später überredete er Samier und Milesier, die auf ihrer Flucht vor den Persern
von den Zanklaiern zur Besiedlung von Kale Akte an
der Nordküste Siziliens eingeladen worden waren, sich
Zankles zu bemächtigen. Da die Zanklaier → Hippokrates von Syrakus zu Hilfe riefen, eroberte A. kurz-
erhand selbst Zankle, benannte es nach seiner ehemaligen Heimat in → Messene um und siedelte dort »vermischte Menschen« an, hauptsächlich Messenier, die
nach einem erfolglosen Aufstand gegen Sparta ausgewandert waren (Hdt. 6,23; Thuk. 6,4,6; Diod. 15,66,5).
A. beherrschte hinfort die beiden Meerengenstädte in
Personalunion. Gegen die übermächtigen Tyrannen
→ Gelon von Syrakus und → Theron von Akragas, der
A.' Schwiegervater → Terillos 483 aus Himera vertrieben hatte, suchte er ebenso wie Terillos Hilfe bei den
Karthagern (Hdt. 7,165). Nach deren Niederlage bei
Himera 480 mußte er sich Gelon, später → Hieron I.
von Syrakus unterordnen. Als er 476 starb, übernahm
sein Vertrauter Mikythos die Regierung für die beiden
unmündigen Söhne (Diod. 11,48). Mikythos übergab
diesen 467 die Herrschaft, doch wurden sie bereits 461
gestürzt.

D. ASHERI, CAH 4, ²1989, 766ff. bzw. 5, ²1992, 154ff. ·
A. SCHENK GRAF VON STAUFFENBERG, Trinakria, 1963,
176ff. · G. VALLET, Rhégion et Zancle, 1958, 335ff.
K. MEI.

[2, aus Larisa] Pythagoreer. Wurde von Augustus
im J. 28 v. Chr. als *magus* aus Rom verbannt (Hieron.
chron. ad annum. p. 163, 25 HELM).

F. GRAF, Schadenzauber und Gottesnähe, 1984. F.G.

Anaxilas. Att. Komödiendichter, der sich nur aufgrund einiger weniger Indizien in seinen Fragmenten
ungefähr in die Mitte des 4. Jh. v. Chr. und danach datieren läßt [2. 199f.]. 22 Stücktitel (wovon etwa ein
Viertel auf mythische Themen führt) und noch 30 Vers-
fragmente sind von A. erh., darunter eines in Daktyloepitriten (fr. 12), eines in Glykoneen (fr. 13) und eines in
anapästischen »Dimetern«. In wenigstens drei Stücken
gab es spöttische Ausfälle gegen Platon (fr. 5, 14, 26), in
der *Euandria* machte sich A. über Demosthenes' Halon-
nesos-Politik lustig (fr. 8), und in drei weiteren Stücken
über einen offenbar stadtbekannten Vielfraß namens
Ktesias (fr. 25, 29, 30). Ein noch von ihm erh. sprach-
liches Glanzstück ist eine lange Tirade in 31 trochäi-

schen Tetrametern, in denen zeitgenössische Hetären
mit menschenverschlingenden Ungeheuern verglichen
werden (fr. 22); daß im zugehörigen Stück offenbar eine
Hetäre namens Neottis im Mittelpunkt der Handlung
stand, zeigen der gleichnamige Stücktitel und fr. 21.

1 PCG II, 1991, 279–298 2 H.-G. NESSELRATH, Die att.
Mittlere Komödie, 1990. H.-G. NE.

Anaximandros. Naturphilosoph des frühen 6. Jh., gehört zur → milesischen Schule. A. schrieb das erste philos. Buch, das später gewöhnlich Περὶ φύσεως genannt
wurde. Darüber hinaus hat A. vielleicht eine Karte gezeichnet und eine σφαῖρα, eine visuelle Darstellung des
Himmels, gebaut. Er soll auch den γνώμων (den Zeiger
der Sonnenuhr, wahrscheinlich von den Babyloniern
übernommen, Hdt. 2,109 in 12 A 4 DK) erfunden und
die wichtigsten astronomischen Bezugspunkte entdeckt
haben. Der Bau einer Sonnenuhr in Sparta wird ihm
zugeschrieben (nach einer anderen Quelle Anaximenes,
12 A 1 DK; vgl. 13 A 14a DK). A.' *arché* (ἀρχή) ist das
apeiron (ἄπειρον), ein unbegrenzter und nicht weiter bestimmter Stoff, der die Welt umfaßt und steuert, aber
nicht Teil der Welt ist. Die Welt beginnt mit der Entstehung von dem, was heiß und kalt erzeugt (γόνιμον),
und von da an ist ihre Gesch. ein kontinuierlicher Austausch von Gegensätzen. Nachdem die Erde, die Luft
und darum herum das Feuer (›wie die Rinde um einen
Baum‹) erschienen sind, trocknet das Feuer allmählich
die Erde aus. Als Folge davon wird die zusammenhängende Feuerschicht in Feuerräder (κύκλοι) zerrissen, die
ein jedes von einer nebligen Lufthülle umgeben sind (12
A 10 DK). Diese Röhren haben Löcher, durch die das
Feuer scheint, und so entsteht der Eindruck von frei
wandernden Himmelskörpern (12 A 21 und 22 DK).
Dieser Entwurf stellt ein ausgewogenes und symmetri-
sches System dar, in dem in der Mitte der Ringe eine
trommelförmige Erde aufgrund ihrer »Ähnlichkeit«,
d. h. ihrer nach jeder Richtung ähnlichen Beziehung zu
den Ringen ruht (12 A 26 DK). Trotz Gleichgewicht und
Symmetrie geht der Prozeß des Austrocknens der
Erde weiter (12 A 27 DK). Wenn er abgeschlossen ist,
wird die Erde wahrscheinlich in das ἄπειρον zurückkehren.

In seinem einzigen Fragment spricht A. – ziemlich
poetisch, wie Simplikios anmerkt – über die Dinge, ›die
nach der Ordnung der Zeit für ihre Ungerechtigkeit
einander Strafe und Vergeltung zahlen‹ (12 B 1 DK). Die
Ordnung der Zeit macht es möglich, daß Überschrei-
tung und Vergeltung nicht zeitgleich stattfinden, daß die
Welt kein statisches, sondern ein flüchtiges dynamisches
Gleichgewicht darstellt.

Abgesehen von kosmischen Themen befaßte sich A.'
Buch mit meteorologischen Phänomenen, wobei das
πνεῦμα eine zentrale Rolle spielte (12 A 23 u. 24 DK),
und mit Zoogonie. Die Ursprünge der Arten wie die
Entstehung der Welt setzen eine Interaktion zwischen
feucht und heiß voraus, und der zarte »foetus« wird in

eine dornige Schutzrinde eingewickelt. Da menschliche Säuglinge einer ausgedehnten Pflege bedürfen, werden die ersten Menschen bis zur Adoleszenz im Bauch von Fischen geschützt und ernährt (12 A 10 und 30 DK).

A.' Buch enthielt eine umfassende Beschreibung der Welt, die deutlich von der zeitgenössischen, personalisierten Myth. abweicht. Den Ursprung vieler Fragen der nachfolgenden Naturphilosophen und eines großen Teils ihrer sich wiederholenden Lehren muß man wohl bei A. suchen. Der Gedanke von einer ausgewogenen und gegliederten Ordnung in der Entwicklung und der Struktur der Welt ist eine wesentliche Innovation des A.

Diels / Kranz, I (12) 81–90 • C. H. Kahn, Anaximander, 1960 • U. Hölscher, Anaximander und der Anfang der Philos., in: Ders., Anfängliches Fragen, 1968, 9–89 • C. J. Classen, s. v. A., RE Suppl. 12, 30–69.   I.B. / T.H.

Anaximenes [1]. Naturphilosoph des 6. Jh. v. Chr., letzter Vertreter der → milesischen Schule.

Obwohl die *arché* (ἀρχή) bei A. wie bei → Anaximandros unbegrenzt ist, wird sie als Luft spezifiziert. Luft umgibt die Welt, und ein Teil davon ist Bestandteil der Welt. A. entwickelte die erste, noch rudimentäre Theorie des Wandels: In Verdichtungs- (πύκνωσις) und Verdünnungsprozessen (μάνωσις oder ἀραίωσις) verwandeln sich Luft und die verschiedenen Stoffe ineinander, in der Abfolge: Feuer – [Luft] – Wind – Wolke – Wasser – Erde – Steine (13 A 5 und A 7 DK).

In A.' Kosmologie entsteht als erstes die Erde. Anschließend gehen Sonne, Mond und Gestirne aus der Erde hervor. Erde, Mond und Sonne sind flach und werden von der Luft getragen (13 A 6 DK); Sonne und Mond werden bei ihrer Erdumkreisung von einem besonderen Wirbel angetrieben. Wenn man sie nicht sieht, verschwinden sie nicht unter der Erde, sondern bewegen sich um sie herum, wie eine Mütze sich um den Kopf dreht (13 A 7 DK).

A. erklärte die Winde, verschiedene Arten von Niederschlag, Donner, Blitz und Regenbögen. In der Mehrzahl seiner Erklärungen spielt Luft eine entscheidende Rolle (13 A 17–19 DK). Eine bemerkenswerte Ausnahme sind Erdbeben, die durch Austrocknen und übermäßiges Feuchtwerden des Innern der Erde verursacht werden (13 A 21 DK).

Thales hatte schon ein Prinzip herangezogen, ohne welches kein Leben entstehen kann. A. konnte nun behaupten – wahrscheinlich hatte er die Atmung im Sinn –, daß sein Prinzip das Leben nicht nur möglich mache, sondern mit der Seele *identisch* sei (13 B 2 DK). Am stärksten wurden → Diogenes von Apollonia und später die Stoiker in ihrer Lehre vom πνεῦμα von A. beeinflußt.

Diels / Kranz I (13) 90–96 • C. J. Classen, s. v. A. (1), RE Suppl. 12, 69–71 • K. Alt, Zum Satz des A. über die Seele, in: Hermes 101, 1973, 129–73 • G. Wöhrle, A. aus Milet, 1993.   I.B. / T.H.

[2, aus Lampsakos] Rhetor und Historiker aus Lampsakos, 2. H. des 4. Jh. v. Chr., Schüler des Homerkritikers Zoilos sowie des Diogenes von Sinope. Von seinen histor. Schriften (FGrH 2A, 112ff., Nr. 72) sind wenig mehr als die Titel erhalten: eine Universalgesch. in 12 B. von der Theogonie bis 362; *Philippika* in mind. 8 Büchern (daraus wohl Demosth. 11, vgl. Didymos, de Demosth. col. 11, 10ff.; vielleicht auch Demosth. 12 [7]); ein Werk über Alexander d. Gr., mit dem A. durch mehrere Anekdoten in Verbindung gebracht wird (z. B. Diog. Laert. 5,11; Paus. 6,18,2 ff.) und den er auf seinen Feldzügen begleitet haben soll. Außerdem wird A. als Verf. einer Schrift ›Über Todesarten von Königen‹ sowie von Homerstudien genannt. Im *Trikaranos* äußerte er sich kritisch über Athen, Sparta, Theben. Seit dem Humanisten P. Victorius gilt A. als Autor der unter dem Namen des → Aristoteles überlieferten, sog. → *Rhetorica ad Alexandrum* (Zuweisung aufgrund von Quint. inst. 3,4,9).

Ed.: 1 M. Fuhrmann, 1966 (dazu: R. Kassel, Philologus 11, 1967, 122–126 • O. Zwierlein, RhM 112, 1969, 72–84 • M. D. Reave, CQ 20, 1970, 237–41).
Lit.: 2 K. Barwick, Die »Rhetorik ad Alexandrum« und A. …, in: Philologus 110, 1966, 212–245 3 V. Buchheit, Unt. zur Theorie des Genos epideiktikon von Gorgias bis Aristoteles, 1960 4 M. Fuhrmann, Das systematische Lehrbuch, 1960 5 L. Pearson, The lost histories of Alexander the Great, 1960 6 P. A. Stapleton, A Latin translation of the Rhetorica ad Alexandrum from the thirteenth century, 1977 (DA 38, 1977, 240A) 7 P. Wendland, Die Schriftstellerei des A. von Lampsakos, in: Hermes 39, 1904, 419–443.   M.W.

Anaxion (Ἀναξίων) aus Mytilene, Sohn des Thrasykleides, gewann mit dem Satyrspiel Πέρσαι (*Persai*) in Teos; Zeit unbekannt (Inschr. Teos, hrsg. v. P. Le Bas III, Nr. 91, p. 37).

Mette, 48 • TrGF 202.   F.P.

Anaxippos. Dichter der Neuen Komödie, von der Suda in die Zeit der beiden Diadochen Antigonos I. und Demetrios I. (ca. 320–283 v. Chr.) datiert – offenbar aufgrund einer Erwähnung der beiden in einem Stück des A. [1. 299]. Erh. haben sich fünf Stücktitel (Ἐγκαλυπτόμενος, Κεραυνός, Ἐπιδικαζόμενος, Κιθαρῳδός, Φρέαρ) wovon die letzten drei auch bei anderen Vertretern der Neuen Komödie begegnen [1. 302ff.], sowie einige kürzere und ein längeres Fragment (fr.1) von 49 Versen mit der Rede eines Kochs.

1 PCG II, 1991, 299–306.   T.Hi.

Anaxyrides. Iranische Hosen, von Skythen, Persern und benachbarten Völkern (Hdt. 7,61 ff.) sowie mythischen Gestalten des Orients (Amazonen, Troianer, Orpheus u. a.) getragen, zu deren Kennzeichnung sie dienten. Die A. waren den Griechen bereits im 6. Jh.

v. Chr. bekannt (verschiedene Vasenbilder; »Persischer« Reiter, Athen AM Inv. 606). In der ant. Kunst werden die A. eng an den Beinen anliegend dargestellt, oft in Verbindung mit einem trikotartigen Oberteil, das die Arme bedeckt. Die oriental. Tracht wird vervollständigt durch die Kandys (iranische Ärmeljacke), die auch gr. Kinder oder Dienerinnen bis in hell. Zeit trugen, und die Tiara.

→ Kleidung; Zeira

V. v. GRAEVE, Der Alexandersarkophag und seine Werkstatt, 1970, 95 • R. M. SCHNEIDER, Bunte Barbaren, 1986, 95; 98. R. H.

Anazarbos (Ἀνάζαρβος). Stadt am mittleren → Pyramos in der → Kilikia Pedias (Ruinen beim h. Dilekkaya). Evtl. nach dem Burgberg (Ptol. 5,8,7) benannt, an dem das eigentliche Stadtgebiet liegt; laut Amm. 14,8,3 und Steph. Byz. s. v. A. nach einem Gründer A. genannt. Im 1. Jh. v. Chr. war A. zeitweise unter dem röm. Klientelkönig Tarkondimotos [3. 162], nach dessen Tod in der Schlacht bei → Aktion (31 v. Chr.) auf Seiten des → Antonius [I 9] von Octavianus unterworfen. A. gehörte wahrscheinlich zu dem Gebiet, das Tarkondimotos II. 20 v. Chr. vom früheren Reich seines Vaters zurückerhielt und wurde wohl von ihm zu Ehren des Augustus 19 v. Chr. neugegr., in Καισάρεια πϱὸς τῷ Ἀνάρζαβῳ umbenannte (Plin. nat. 5,93). Damit begann die neue → Ära der Stadt. Mit dem Tod des Königs 17 n. Chr. wurde sein Territorium der Prov. → Syria angegliedert. Nachdem → Caligula die östl. Teile von Kilikia → Antiochos [15] IV. übertragen hatte, wurde A. mit der Wiederherstellung der wohl unter → Antonius [9] aufgelösten Prov. Cilicia durch → Vespasianus 72 n. Chr. endgültig der röm. Prov.verwaltung eingegliedert. → Hadrianus stiftete der Stadt Agone (→ Sportfeste). Wegen der ab dem späten 2. Jh. n. Chr. zunehmenden innen- (Thronstreitigkeiten) wie außenpolit. (→ Parther, → Sasaniden) Probleme wurde A. immer wichtiger als Etappenstation und Winterquartier für röm. Truppen an der von → Mopsuhestia nach → Melitene am Euphrat führenden Straße. Im Laufe des 3. Jhs. n. Chr. erhielt A. verschiedene kaiserliche Privilegien, um die Bevölkerung für die von den Truppen verursachten Belastungen zu entschädigen [5. 67 ff.]; so lief A. ihrer Rivalin → Tarsos den Rang ab [4. 32 ff.]. A. bekam von → Septimius 198/9 und 204/5 n. Chr. 2 → Neokorien und den Metropolis-Titel, von → Elagabal und von → Maximinus Thrax die Erlaubnis, neue Provinzialspiele zu veranstalten. → Decius gab A. den Titel der 3. Neokorie und einen 5. Agon; den 6. Agon bekam A. von → Trebonianus Gallus und Volusianus (→ Ceionius). 260 n. Chr. wurde A. von → Sapor I. erobert [2. 112], gegen E. des 4. Jhs. n. Chr. von dem Isaurier Balbinos überfallen (Ioh. Mal. 13,345). Nach der Prov.reform von 408 n. Chr. wurde A. Hauptstadt der Cilicia II (Ioh. Mal. 14,365). In den J. 525 n. Chr. (Ioh. Mal. 17,418; Michael Syrus 2,171; Georgios Kedrenos

1,639; Euagrios 4,8; Theophanes 1,263,14 f.; Zon. 3,149,3) und 561 n. Chr. (Prok. anecdota 18,41; Georgios Kedrenos 1,679; Theophanes 1,364) wurde A. von Erdbeben zerstört. Die von → Iustinus I. wieder aufgebaute Stadt erhielt den Beinamen Iustinupolis (Theophanes 171,17) [1. 179]. Im 7. / 8. Jh. wurde A. von den Arabern erobert, 796 neu ausgebaut, befestigt und mit Siedlern aus Horosan bevölkert. Die h. noch gut erh. Stadtmauer ließ der arab. Emir Saifaddaula 955/56 erbauen. 962 eroberte Nikephoros II. Phokas die Stadt (Iohannes Skylitzes 141; 268; 271; 311; Zon. 3,149; 502; 537).

1 F. HILD, H. HELLENKEMPER, Kilikien und Isaurien (TIB 5), 1990 2 E. KETTENHOFEN, Die röm.-persischen Kriege des 3. Jh. n. Chr., 1982 3 R. SYME, Tarcondimotus, in: A. BIRLEY (Hrsg.), Anatolica, 1995 4 R. ZIEGLER, Städtisches Prestige und kaiserliche Politik, 1985 5 Ders., Kaiser, Heer und städtisches Geld, 1993.

M. GOUGH, Anazarbus, in: AS 2, 1952, 84–150 6 Ders., s. v. A., PE, 1976, 53 f. M. H. S.

Ancharia. Frau des C. Octavius, des Vaters des → Augustus, Mutter der älteren → Octavia (Suet. Aug. 4,1; Plut. Ant. 31,2). K. L. E.

Ancharius [1] Q., 73 v. Chr. Legat in Griechenland (SIG³ 748), 65 (?) Proquaestor in Macedonia (IvOl 328). Als Volkstribun von 59 behinderte er die Politik des Konsuls → Caesar mit dessen Amtskollegen Bibulus (Cic. Sest. 113; Vatin. 16; Cass. Dio 38,6,1: schol. Bob. 135, 146St.). Der Praetur von 56 folgte das Prokonsulat in Maedonia (Cic. fam. 13,40) W. W.
[2] C., Rufus aus Fulginae, Ankläger (?) des L. Varenus um 80 v. Chr. [1]. **[3]** Priscus, Ankläger des → Caesius Bassus 21–22 n. Chr. (Tac. ann. 3,38,1; 70,1; PIR I², 578).

1 ALEXANDER, 175. K. L. E.

Anchiale (Ἀγχιάλη). **[1]** Kret. Nymphe, Mutter der idäischen → Daktylen Tities und Kyllenos (Geburtsmythos bei Apoll. Rhod. 1,1129–31) und, als Geliebte Apollons, des Oaxes, des Gründers der kret. Stadt Oaxos (Serv. ecl. 1,65). F. G.
[2] (Anchialos; Ἀγχίαλος) Stadt an der westl. Pontosküste, h. Pomorije, gegr. und abhängig von → Apollonia [2], bedeutend wegen der Salinen, Streitobjekt zw. Apollonia und → Mesambria, zur röm. Kaiserzeit wohlhabend.

D. PIPPIDI, EM. POPESCU, Istros et Apollonie du Pont à l'époque hellénistique, in: Studii clasice 2, 1960, 203–224 • CHR. DANOFF, Zapadnijat brag na Černo more w drewnosta (bulgarisch) = Die westl. Schwarzmeerküste im Altertum, 1947, 122 ff., 132 ff. J. BU.

BYZANTINISCHE ZEIT

Nach Amm. 27,4,12, Hierokles 635,11 und Konst. Porph. de them. 86 PERTUSI zur Ἐπαρχία Αἱμιμόντος gehörig. Bistum seit vorkonstantinischer Zeit, seit dem 7. Jh. autokephales Erzbistum; Bischöfe bezeugt bei den Konzilien 343, 381, 459, 553 und 879. 513/515 leidet A. unter der Usurpation des → Vitalianus gegen Anastasios I. Befestigung der Stadt unter Justinian I. (Prok. aed. 3,7). Lage im Grenzgebiet des byz. Reiches hat Plünderungen (583/84 durch Awaro-Slawen, später durch Bulgaren), aber auch Kaiserbesuche (u. a. 592, 708, 763, 784) mit Bautätigkeiten zur Folge.

V. GJUZELEV, Anchialos zwischen der Spätant. und dem frühen MA, in: Die Schwarzmeerküste in der Spätant. und im frühen MA, hrsg. von R. PILLINGER, A. PÜLZ, H. VETTERS, 1992, 23–33 • ODB I, 1991, 90 • P. SOUSTAL, Die südl. bulgarische Schwarzmeerküste in Spätant. und MA, in: s. o., hrsg. von R. PILLINGER, A. PÜLZ, H. VETTERS, 59–67, bes. 60 f. • TIB VI, 1991, 175–177.   E. W.

[3] Stadt zw. Tarsos und Soloi in → Kilikia, angeblich Gründung des mythischen Assyrerkönigs → Sardanapal, deren Mauern z. Z. Alexandros' [4] III. noch standen (Arr. an. 2,5,2–5). Oberhalb von A. lag die Festung Kyinda, Schatzhaus der Generäle Alexandros' III. (Strab. 14,5,9).

H. HELLENKEMPER, F. HILD, s. v. A., Kilikien und Isaurien (TIB 5), 1990.   F. H.

Anchimolos (Ἀγχίμολος). Bei Aristot. Ath. Pol. 19,5 und schol. Aristoph. Lys. 1153 (Anchimolios bei Hdt. 5,63,2) ranghoher Spartiat, der 511 v. Chr. die → Peisistratidai aus Athen vertreiben sollte und mit Hopliten bei Phaleron landete. In Erwartung der Invasion hatte → Hippias jedoch 1000 thessal. Reiter zu Hilfe geholt und für deren Attacke das Gelände bei der Landestelle vorbereitet. A. fiel, der Rest seiner Hopliten flüchtete.   K.-W. W.

Anchipylos aus Elis, zusammen mit → Moschos Schüler des → Phaidon aus Elis und Lehrer des → Asklepiades aus Phleius und des → Menedemos aus Eretria. Einer ant. Klatschgesch. zufolge sollen sich A. und Moschos ihr Leben lang nur von Wasser und Feigen ernährt haben (Diog. Laert. 2,126; Athen. 2,44c).

SSR III D.   K. D.

Anchises (Ἀγχίσης). Sohn des Kapys (Hom. Il. 20,239) und einer Themis (Apollod. 3,141) oder einer Naiade (Dion. Hal. 1,62,2); neben Priamos einer der angesehensten Helden Troias, schon in der Ilias Vater von → Aineias [1] durch Aphrodite. Der homer. Aphroditehymnus (h. 5) beschreibt, wie der Hirte A. von Aphrodite auf dem Ida verführt und so zum Vater des Aineias wird; dafür wird sein Geschlecht in der Troas herrschen [1]. Spätere berichten, daß Aphrodite ihm auch die Gabe der Divination gegeben habe (Naev. bell. Poen. 9 STRZLECKI; Enn. ann. 15 f.). Wenn Aphrodite ihm gebietet, ihre Mutterschaft zu verschweigen, und ihm andernfalls Zeus' Blitz androht (Hom. h. Veneris

288), ist die später verschieden berichtete Bestrafung bereits vorgegeben: Als Folge seiner Indiskretion starb er (Hyg. fab. 94), wurde blind (Theokr. ap. Serv. Verg. Aen. 1,617) oder lahm (Soph. fr. 373 RADT); die Lahmheit ist auch schon auf den ältesten Bildern der Flucht aus Troia aus der 2. Hälfte des 6. Jh. vorgegeben [2]. Der Mythos von der Liebe der Göttin zu einem sterblichen Hirten und den daraus sich ergebenden schlimmen Folgen für den Mann schreibt sich in ein oriental. Mythologem um Inanna, Ishtar und »Große Mutter« ein, das bereits sumer. faßbar ist [3; 4].

Das weitere Schicksal des A. ist eng mit demjenigen seines Sohnes verbunden. Eine Tochter Hippodameia ist bloß Hom. Il. 13,429 genannt, weitere Söhne – Lyros (Apollod. 3,142), Elymos, der Eponyme der → Elymer (Tzetz. ad Lycophr. 965; Serv. Verg. Aen. 5,73) – sind Randgestalten. A. folgt also der Westwanderung der Aineiassage. Seine Rolle in der Iliupersis ist unklar; seit den att. Vasen des späteren 6. Jh. und Soph. fr. 373 trägt Aineias ihn jedenfalls bei seiner Flucht aus Troia mit. Entsprechend hat er ein Grab in Aineia auf der Chalkidike (Steph. Byz. s. v.), wo die Aineias-Sage zuerst übernommen wurde (Hellanikos 4 F 10; Mz. des frühen 5. Jh. [5], oder auf dem Eryx (Verg. Aen. 5,760 f.; Hyg. fab. 260); nach Cato starb er in Latium (Serv. Verg. Aen. 1,570), und die Westwanderung des Aineias begleitet er Steauch auf den Tabulae Iliacae, also vielleicht si-choros [6]. Unabhängig und spät sind Nachrichten über ein Grab am arkadischen Berg Anchisia (Paus. 8,12,8), in Anchisos im Epirus (Prok. BG 4,22) oder aber in der Troas (Eust. Il. 12,98).

Schon vor Vergil ist er in lokale Aitiologien in Latium eingebunden worden (Dion. Hal. ant. 1,73,3). Die Riten des Aineias am Grab des A. gelten als Aition für die röm. Totenriten des *sacrificium novemdiale* und der *ludi novemdiales* (Ov. fast. 2,543 [7]).

1 P. SMITH, Aineiadai as patrons of Iliad XX and of the Homeric hymn to Aphrodite, in: HSPh 85, 1981, 17–59 2 LIMC I.1, 386 Nr. 59 3 H. J. ROSE, A. and Aphrodite, in: CQ 18, 1924, 11–16 4 G. PICCALUGA, La ventura di amare une divinità, in: Dies., Minutal, 1974, 9–35 5 J. SCHEID, Die Parentalien für die verstorbenen Caesaren als Modell für den röm. Totenkult, in: Klio 75, 1993, 188–201 6 N. HORSFALL, in: J. N. BREMMER, N. M. HORSFALL, Roman Myth and Mythography, 1987, 14 f. 7 LIMC I.1, 388 Nr. 92.

F. CANCIANI, s. v. A., LIMC I.1, 761–764 • A. RUIZ DE ELVIRA, Ab Anchisa usque ad Iliam, in: Cuad. Filol. Clás. 19, 1985, 13–34.   F. G.

Anchisteia (ἀγχιστεία). In Athen waren die engsten Seitenverwandten als *a.* zusammengefaßt. Sie hatten die Pflicht, bei → Mord an einem Sippenmitglied die Klage gegen den Täter zu erheben, und das Recht, einem unvorsätzlichen Täter Verzeihung (→ Aidesis) zu gewähren (IG I³ 104,13–25). Die *a.* bezeichnete auch den Kreis der Erbberechtigten für den Fall, daß keine direkten Nachkommen (leibliche oder adoptierte, → Eispoiesis) vorhanden waren. Die *a.* umfaßte 1) die vom selben Vater stammenden Brüder des Verstorbenen und deren Nachkommen, 2) entsprechend die Schwestern und deren Nachkommen, 3) die väterlichen Onkel, deren Kinder und Enkel, 4) entsprechend die väterlichen Tanten (4a, b: Großonkel und -tanten), 5–8) die entsprechenden Verwandten über die Mutterseite. Grundsätzlich kamen die Verwandten väterlicherseits vor den mütterlichen zum Zuge.

A. R. W. HARRISON, The Law of Athens I, 1968, 143 ff.

G. T.

Anchusa (ἄγχουσα). Bei Aristophanes, Theophr. h. plant. 7,9,3 (mit rotem Rhizom), Dioskurides 4,23 [1.2.187 f. = 2.378] (vgl. 4,24–26), Plin., nat. u. a.; wird als die zum Rotfärben (wegen Alizaringehalt der Wurzel) und als adstringierende Heilpflanze benutzte mediterrane Boraginacee *Alkanna tinctoria (L.) Tausch* identifiziert [3.158]. Zur heutigen Gattung *Anchusa L.* gehören dagegen u. a. die Ochsenzungen (βούγλωσσον). Die ölbaumähnlichen Blätter der strauchigen offizinellen (vgl. Dioskurides 1,95 [1.1.86] = 1,124 [2.110 f.]) Lythracee *Lawsonia inermis* (κύπρος), urspr. aus Indien nach Ägypt. eingeführt, lieferten das noch heute (z. B. zum Haarfärben) beliebte orangegelbe Henna und die Blüten das Hennasalböl (vgl. Plin. nat. 12,109; Herstellung bei Dioskurides 1,55 [1.1.50 f.] = 1,65 [2.73 f.]).

1 M. WELLMANN (Hrsg.), Pedanii Dioscuridis de materia medica Bd. 1.2, 1906/07, Ndr. 1958 2 J. BERENDES (Hrsg.), Des Pedanios Dioskurides Arzneimittellehre übers. und mit Erl. versehen, 1902, Ndr. 1970 3 H. BAUMANN, Die gr. Pflanzenwelt in Mythos, Kunst und Lit., 1982. C. HÜ.

Anchwennefer. Griech. Chaonnophris, Name mit myth. Bezug. Nachfolger des Harwennefer als Gegenkönig in Südägypten (201/0 – 27.8.186 v. Chr.). Nach dem Tod Harwennefers hatte Ptolemaios V. kurze Zeit wieder die Hoheit in der Thebais und in Elephantine, wurde aber von A. wieder zurückgedrängt; ab 190 Kämpfe mit wechselndem Erfolg, bis A. von Komannos endgültig besiegt wurde. Aus Anlaß des Sieges wurde das 2. Philae-Dekret und der Philanthropa-Erlaß C. Ord. Ptol. 34 verabschiedet.

W. CLARYSSE, Hurgonaphor et Chaonnophris, les derniers pharaons indigènes, in: CE 53, 1978, 243–253 · W. HUSS, Die in ptolemäischer Zeit verfaßten synodalen Dekrete der ägypt. Priester, in: ZPE 88, 1991, 189–208 · P. W. PESTMAN, Harmachis et Anchmachis, deux rois indigènes du temps des Ptolémées, in: CE 40, 1965, 157–170, 159 · K. VANDORPE, The chronology of the reign of Hurgonaphor and Chaonnophris, in: CE 61, 1986, 294–302. W. A.

Ancile (Plur. Ancilia). Rituelle bronzene Schilde der → Salii in Form einer 8; ihre Form ist myk. geläufig, später obsolet. Zwölf an der Zahl, gehören sie zu den »Unterpfändern der Herrschaft«, *pignora imperii* (Varro, ap. Serv. Verg. Aen. 7,188), den rel. Garanten für die

Dauer von Roms Macht. Gewöhnlich in der Regia aufbewahrt, werden die Ancilia zweimal im Jahr, im März und im Oktober feierlich hervorgeholt und von den Salii in ihrem bes. rituellen Aufzug (neben den A. Trabea, Spitzhelm, bronzener Leibgurt, Brustpanzer, Kurzschwert und Lanze[1; 2]) zum Waffentanz getragen, wobei sie mit ihrem Schwert auf das A. schlagen (Plut. Numa 13,7); sie werden auch in der Prozession von Dienern an einem Gerüst mitgetragen (Dion. Hal. ant. 2,71,1). Dieser rituelle Gebrauch läßt sich in den initiatorischen Ursprung der Salii einbinden [3; 4]. Außerdem werden sie, wie die hl. Lanze des Mars, vom ausrückenden Feldherrn bewegt; bewegen sie sich von selbst, ist das ein übles Vorzeichen.

Der aitiologische Mythos schreibt die Einrichtung der Salii dem Numa zu (Liv. 1,20,2). Während Ennius nur zu wissen scheint, daß Numa die A. von → Egeria erhielt (ann. 114), Livius ihren Ursprung vom Himmel nennt (1,20,2), berichten Ovid (fast. 3,365–392) und Plutarch (Numa 13,2 f.), daß bei einer Pest ein A. vom Himmel gefallen sei, Numa elf weitere identische durch den Schmied Mamurius Veturius [5] habe herstellen lassen, um das kostbare Original vor Diebstahl zu beschützen. Diese ausführliche Mythenform ist möglicherweise erst augusteisch [6].

1 R. L. CIRILLI, Les prêtres danseurs de Rome. Études sur la corporation sacerdotale du Saliens, 1913 2 TH. SCHÄFER, Zur Ikonographie der Salier, in: JDAI 95, 1980, 342–373 3 M. TORELLI, Riti di passaggio maschili di Roma arcaica, in: MEFRA, 102, 1990, 93–106 4 F. GRAF, Initiationsriten in der ant. Mittelmeerwelt, in: AU 36/2, 1993, 29–40 5 A. ILLUMINATI, Mamurius Veturius, in: SMSR 32, 1961, 41–80 6 J. N. BREMMER, Three Roman aetiological myths, in: F. GRAF, Mythos in mythenloser Ges., 1993, 160–165. F. G.

Ancona. Hafenstadt im Picenum; benannt nach der Lage in einer ellenbogenförmigen Bucht (Mela 2,64). Seit myk. Zeit besiedelt, im 4. Jh. v. Chr. Koloniegründung durch → Syrakusai (Mauerreste und Aphroditetempel auf der Akropolis; vgl. Plin. nat. 3,111). Seit dem 2. Jh. v. Chr. röm. Flottenstützpunkt. 42 v. Chr. röm. *colonia* mit → *duoviri.* Von der röm. Stadt sind Amphitheater, öffentliche Thermen, verschiedene → *domus* mit Mosaiken und eine Gewerbeanlage erhalten. Der → Triumphbogen des Traianus erinnert an den Bau eines neuen Hafens (115 n. Chr.; CIL IX 5894). Arch. Zeugnisse aus frühchristl. Zeit.

P. DALL'AGLIO, N. PRAPICCINI, G. PACI, Contributi alla conoscenza di A. romana, in: Picus 12/13, 1992/93, 7–77 · L. MASSEI, G. TRAINA, s. v. A., in: BTCGI 3, 1984, 232–242. G. PA. / S. W.

BYZANTINISCHE ZEIT

Als Stadt des oström. Reiches konnte A. im 6. Jh. Angriffe der Ostgoten und der Langobarden abwehren. Stets nach Autonomie gegenüber dem Papst und den jeweiligen weltlichen Herrschern strebend und in Konkurrenz zu Venedig, wurde Ancona unter Manuel I. für kurze Zeit (1149–1156) wieder byz.; die Anconitaner erhielten Handelsprivilegien im Reich und nahmen 1453 an der Verteidigung Konstantinopels teil.

J. F. LEONHARD, Die Seestadt A. im Spätma., 1983.　G. MA.

Ancora s. Anker, s. Korrekturzeichen

Andania (Ἀνδανία). A. ORT B. MYSTERIEN

A. ORT

Stadt in Nordost- → Messenia am Oberlauf des Pamisos nahe der Grenze zu → Arkadia (Pol. 5,92,6; Strab. 8,4,5; Paus. 4,1; Steph. Byz. s. v. A.), berühmt durch ihr → Mysterien-Heiligtum, das Pausanias (4,33,5) an die 2. Stelle nach → Eleusis setzt und das von dort seinen Kult herleitete, der während der spartanischen Herrschaft ruhte und mit der Freiheit Messeniens wiederhergestellt worden sein soll (Paus. 4,1,5–9; 2,6; 3,10; 26,6–8). In hell. Zeit verfiel A. (vgl. Liv. 36,31,7), doch wurden die Mysterien 92 v. Chr. von dem Hierophanten Mnasistratos reformiert (SIG³ 736) und dabei wohl – evtl. durch Hinzufügung der Großen Götter (→ Dioskuroi?) – verändert, jedenfalls zu neuer Blüte gebracht. Zur Zeit des Pausanias stand A. in Ruinen. Bedeutende ant. Reste bei den Dörfern Buga und Hg. Taxiarchi.

E. MEYER, s. v. Messenien, RE Suppl. 15, 186–187.　Y. L.

B. MYSTERIEN

Der alte messenische Mysterienkult ist bekannt durch ein Kultgesetz [1. 120–134, Nr. 65], ein in Argos gefundenes Orakel (SIG³ 735) und Pausanias (4,26,6–27,6). Nach den messenischen Kriegen in Verfall gekommen, wurde der Kult erst ca. 369 v. Chr. erneuert; die von den Gründungslegenden angedeutete Beziehung zu Eleusis, Phlya und dem Kabeirion von Theben spiegelt wohl diese späte Entwicklung wider.

Als der Hierophant Mnasistratos 92/91 dem Staat die hl. Bücher übergab, kam es zu einer Neugestaltung des Kultes. Die im Zypressenhain Karneiasion gefeierten Mysterien galten verschiedenen Kultschichten angehörenden Göttern: Megaloi theoi Karneioi, Apollon Karneios, Hermes Kriophoros, Demeter, und Hagne (die »Reine«). Urspr. Kultinhaberin war wohl die Quellgöttin Hagne; Apollon Karneios ist den dor. Einwanderern zuzuschreiben [2. 29–60; 3. 536–544]. Alles weitere ist umstritten: Priorität und Verhältnis der »Großen Götter« und der »Großen Göttinnen«, Identifizierung der »Großen Götter« mit den thebanischen Kabiren oder den spartanischen Dioskuren, Fruchbarkeit spendender Ritus oder Kult einer geheimen Kriegergesellschaft [2. 29–60; 3. 536–544; 4. 377–342; 6. 279]. Die Weihe umfaßte mehrere Grade und war Menschen beiderlei Geschlechts und Sklaven offen [1. 120–134, Nr. 65]. Das Fest umfaßte Reinigungen, Errichtung eines Zeltlagers, Opfer, Prozession (u. a. der als Götter verkleideten Hieroi), Bankett, Agone, Tänze und Theateraufführungen [6. 279]. Indem das Kultgesetz

sich mit Fragen der Verwaltung, Finanzierung, Kleider- und Prozessionsordnung und Tätigkeit eines vielköpfigen Kultpersonals befaßt, bildet es eine ausgezeichnete Quelle für das Feiern von Festen im Hellenismus.

→ Mysterien

1 LSCG 2 L. ZIEHEN, Der Mysterien-Kult von A., in: ARW 24, 1926 3 WILAMOWITZ, II 4 NILSSON, Feste 5 O. KERN, Die Religion der Griechen, III, 1938, 188–190 6 BURKERT.

B. HEMBERG, Die Kabiren, 1950, 33–36 · G. SFAMENI GASPARO, Misteri e culti mistici di Demetra, 1986, 331–333 · R. STIGLITZ, Die Großen Göttinnen Arkadiens, 1967, 25–28, 146–147.　A. C.

Andautonia. Ant. Siedlung (prähistor. Funde fehlen, Ortsname evtl. vorkeltisch oder venetisch) im Gebiet der → Varciani, h. Ščitarjevo bei Velika Gorica, 12 km südöstl. von Zagreb. Hafen, Belade- und Floßstation am → Savus (an ant. Handelsroute, vgl. die Sage der → Argonautai) an der Straße Siscia-Poetovio, → municipium Flavium in der Prov. → Pannonia. → Patronus von A. war der Statthalter L. → Funisulanus Vettonianus (ILS 1005). Reste der spätröm. Stadtmauer und Bäder wurden ausgegraben und konserviert.

J. ŠAŠEL, s. v. A., RE Suppl. 12, 71–75.　M. S. K.

Andecavi. Volksstamm in → Gallia Lugdunensis (an der unteren Loire) mit dem Hauptort Iuliomagus (h. Angers sur la Maine; Caes. Gall. 2,35,3; 3,7,2; 7,4,6: Andes; Plin. nat. 4,107 und Oros. 6,8,7: Andicavi). Bei dem Aufstand der Gallier unter → Iulius Sacrovir 21 n. Chr. begannen sie zusammen mit den → Turoni den Kampf, wurden aber rasch überwältigt (Tac. ann. 3,41).

M. BLANCHARD-LEMÉE et al., Recueil général des mosaïques de Gaule 2,4, 1991 · M. PROVOST, Le Val de Loire dans l'Antiquité, 1993.　Y. L.

Andecombogius (Andocumborius, Andebrogius, Andecombo). Kelt. Kompositum aus *ande-* und *combogio:* »Der, von dem Würde ausgeht« [1. 143–144; 5. 49–51]. Einer der beiden Legaten der Remi, die Caesar 57 v. Chr. die Unterwerfung ihres Stammes anbieten (Caes. Gall. 2,3,1). Der Name Andecom(bo) erscheint auf Silbermünzen der Carnutes, die wohl dem Führer der Remi gewidmet waren [3. 421 A. 1; 2. 78, 83, 330 fig. 264].

1 HOLDER, Bd. 1 2 A. BLANCHET, Traité monn. gaul., 1905 3 J. B. COLBERT DE BEAULIEU, Monnaies Gauloises au nom des chefs ment. dans les Comm. de César, in: Homm. A. GRENIER, 1962, 419–4462 4 WHATMOUGH, 214 5 EVANS 6 E. KLEBS, s. v. A. RE I, 2121.　W. SP.

Andematu(n)num. Auf einem nach allen Seiten durch Steilhänge gesäumten Plateau gelegen, war A., h. Langres (Haute-Marne; Siedlungsspuren aus dem Neolithikum und der Bronzezeit), als Hauptort der

→ Lingones (Ptol. 2,9,9) und als Knotenpunkt der Straßen vom Atlantik nach Oberit. und vom Mittelmeer zum → Rhenus bald zu einer blühenden Stadt geworden. 298 n. Chr. von den → Alamanni bedrängt, wurde A. – in der Spätant. unter dem Namen → *civitas Lingonum* – 407 n. Chr. von den → Vandali, 451 n. Chr. von den Hunni unter → Attila zerstört. Viele Funde deuten auf Wohlstand und Größe von A. hin, wobei die Lokalisierung von Resten öffentlicher Gebäude nicht gesichert ist.

E. Frézouls, PE, s.v. A.   Y. L.

Andes. Geburtsort des Dichters → Vergilius (Don. vita 2), von den ant. Autoren allg. in der Nähe von Mantua lokalisiert und daher nicht 30 (Ps.-Probus 2–3), sondern nur 3 Meilen (ca. 4,5 km) davon entfernt. Vgl. die Emendation in der *Vita probiana* von 1507, die A. mit »Pietole«, ca. 4 km südöstl. von Mantua, im MA für den Geburtsort Vergils gehalten (vgl. Dante, purg. 18,83), in Übereinstimmung bringen sollte.

P. Tozzi, A., in: EV 1, 164–166.   E. BU. / S. W.

Andetrium. Festung in der Prov. → Dalmatia, im Hinterland von → Salona, h. Brečeva bei Gornji Muć. → Bato, Führer der → Daesitiates, zog sich mit Teilen seiner Armee im pannonischen Aufstand 6–9 n. Chr. nach A. zurück (Cass. Dio 56,12–14). → *Mansio* an der Straße Salona-Servitium, wo in strategisch günstiger Lage zw. Burnum und Tilurium Hilfstruppen stationiert waren: → *Cohors* VIII *voluntariorum* (1. Jh. n. Chr.), III *Alpinorum* (2. Jh. n. Chr.), I *Belgarum* (3. Jh. n. Chr.; vgl. Plin. nat. 3,142; Strab. 7,5,5; Ptol. 2,16,11; Tab. Peut. 5,2; Geogr. Rav. 4,16).

I. Bojanovski, Bosna i Hercegovina u antičko doba = Bosnien und Herzegowina in der Ant. (Djela ANUBiH 66, Cent. balk. ispit. 6 = Monographies, Academie des sciences et des arts de Bosnie-Hercegovine 66, Centre d'études balkaniques 6), 1988, 52, 373.   M. S. K.

Andokides [1] (Ἀνδοκίδης Λεωγόρου Κυδαθηναιεύς).
A. Person B. Werk. C. Nachwirkung

A. Person

Der att. Redner A. wurde 440 v. Chr. als Mitglied einer alten Adelsfamilie [1. 27–32] geboren, die sich brüstete, von Hermes abzustammen (Hellanikos bei Plut. Alkibiades 21,201–202b, vita 1). Schon vor 415 v. Chr. gehörte A. einer Hetairie von Gleichgesinnten an, die er nach Plut. Themistokles 32,128e in einer Schrift Πρὸς τοὺς Ἑταίρους gegen die Demokraten aufzuwiegeln suchte. Sollte die 4. Rede ›Gegen Alkibiades‹ echt sein [2], bezeugt sie polit. Tätigkeit für 417/6. Fatalen Ruhm erwarb A. jedoch erst in 415, als er von Diokleides angezeigt wurde, am Hermokopidenfrevel vom Frühjahr führend beteiligt gewesen zu sein. A. und mehrere seiner Verwandten wurden verhaftet. Nach

Thuk. 6,60,2 hat ein Häftling (= A.), ›der bes. schuldig erschien (sc. an der Freveltat)‹, Straffreiheit (ἄδεια) erlangt, indem er seine Schuld gestand und die Mitschuldigen nannte. A. ging nach Einschränkung der Bürgerrechte (ἀτιμία) durch das Dekret des Isotimides ins Exil und schlug sich als Handelsmann durch. In 411 v. Chr. belieferte A. die athenische Flotte in Samos preisgünstig mit Ruderstangen, worauf er in Athen – vergeblich – um Aufhebung der *atimía* bat (2,10–16). 409–406 v. Chr folgte ein zweiter, mißlungener Antrag (= or. 2: Περὶ τῆς ἑαυτοῦ καθόδου). Erst 403 nach der allg. Amnestie kehrte A. nach Athen zurück, worauf ihn in 400 v. Chr. → Kallias wegen verbotener Teilnahme am öffentlichen Kultus verklagte. Vom Prozeß, den A. gewann, sind seine Verteidigungsrede (or. 1: Περὶ τῶν Μυστηρίων) und eine Rede der Anklage (= [Lys.] 6 Κατ' Ἀνδοκίδου) erhalten. Im korinthischen Krieg war A. 392/91 Gesandter nach Sparta, wobei ihm die Friedensbedingungen, die er Athen empfahl (or. 3: Περὶ τῆς πρὸς Λακεδαιμονίους εἰρήνης) eine Anklage wegen παραπρεσβεία (Amtsmißbrauch) einbrachten. Danach starb A. irgendwann im Exil.

B. Werk

A. wurde als zweiter im Kanon der zehn att. Redner aufgenommen, obwohl die erh. Werke für einen berufsmässigen Redner nicht typisch sind. In or. 1 und or. 2 verteidigt A. sich selbst; nur or. 3 ist eine »normale« symbouleutische Rede [3. 40–42]. Trotz nur geringem Einfluß der gorgianischen Tropen zeugt das Werk des A. von einer zunehmenden Beherrschung der rhet. Gestaltung der Rede nach Vorrede, Erzählung, Beweise und Schluß [3]. Die steife, auf Bestechung hinauslaufende Argumentation der (gescheiterten) 2. Rede weicht in der Mysterienrede einer klaren Gliederung nach Themen, wobei jedes Thema nach dem Schema »Erzählung – Beweis« behandelt wird. Der Wahrscheinlichkeitsbeweis kommt – ohne εἰκός als t. t. zu benützen – vor, Zeugen und Dokumente werden treffend zitiert. Kunstgriffe (z. B. 1, 100: ›Was wäre, wenn ich unter den Dreißig angeklagt wäre…‹) und dramatische Erzählung beleben die Argumentation. Missious Versuch, die 3. Rede als konsequent antidemokratisch zu deuten [4], ist – trotz A.'s früherer oligarchischer Gesinnung – überspitzt.

C. Nachwirkung

Lit.kritiker der Ant. warfen A. mangelnde Klarheit (ἀσαφής) und Überzeugungskraft (φλύαρος: Hermogenes, Περὶ ἰδεῶν 11) vor. Quintilian erwähnt ihn scheinbar abfällig (inst. 12,10,21), der Scherz des Herodes Atticus – ›Immerhin bin ich besser als Andokides‹ – wird häufig zitiert. Das Spottgedicht des Joh. Tzetzes auf A. (chiliades 6,367–375) zeigt, daß A. von der Nachwelt hauptsächlich wegen seines skandalösen Verhaltens von 415 in Erinnerung behalten wurde.

1 J. K. Davies, Athenian Propertied Families, 600–300 B. C., 1971 2 W. D. Furley, A. IV, Against Alkibiades – Fact or Fiction? in: Hermes 117, 1989, 138–156
3 G. A. Kennedy, The Oratory of A., in: AJPh 79, 1958,

32–43 **4** A. Missiou, The subversive oratory of A. Politics, Ideology and Decision-making in democratic Athens, 1992.

F. Blass, C. Fuhr (Hrsg.), A. Orationes, 1966 · D. M. MacDowell, A., On the Mysteries, 1962 · G. Dalmeyda, Andocide: Discours, 1930 · U. Albini, Andocide, De reditu, 1961 · U. Albini, De pace, 1964 · K. J. Maidment, Minor Attic Orators I: Antiphon, A., 1968 · M. Edwards, Greek Orators IV, A., 1994 · Blass I, 280–339, 1887 · W. D. Furley, A. and the Herms. Religion, Politics and the Individual in late fifth-century Athens, 1995.   W. D. F.

[2] Anonymer att. Vasenmaler der Spätarchaik (530–515 v. Chr.), nach dem Töpfer Andokides benannt, mit dem er zusammenarbeitete (5 der 17 ihm zugeschriebenen Gefäße – bis auf drei Augenschalen alles Bauchamphoren des sog. Typus A – sind von Andokides signiert). Gilt als Schüler des → Exekias und als Erfinder der → rf. Vasenmalerei, zu deren frühesten Zeugnissen seine Bilder gehören; daneben Experimente mit wgr. Bemalung (Amphoren in New York und Paris). Sieben Gefäße sind sog. → Bilinguen, mit einer rf. und einer sf. bemalten Seite, wobei in einigen Fällen die gleiche Szene in beiden Techniken dargestellt ist.

Die sf. Bilder dieser Bilinguen wurden von Beazley dem sog. → Lysippides-Maler zugeschrieben, zusammen mit den Bildern einiger rein sf. bemalter Gefäße. Ob A. und Lysippidesmaler identisch sind, ist umstritten. Gegner der Identität beider Maler verweisen auf die beträchtlichen stilistischen Unterschiede in der Detailzeichnung von rf. und sf. gemalten Bildern. Befürworter erklären dies als gewollte Gegenüberstellung der unterschiedlichen technischen und stilistischen Möglichkeiten beider Malweisen und verweisen zudem auf den dekorativen Darstellungsstil des A., der in der Tradition der sf. Vasenmalerei wurzelt, so die Verwendung von Ritzungen, z. B. für Haarkonturen, den ausgiebigen Gebrauch von roter Deckfarbe und die stets in sf. Technik gemalten Ornamente.

Die Bildthemen des A. entstammen überwiegend dem Mythos, wobei Herakles dominiert. Die Figuren wirken in ihren Bewegungen etwas steif und eckig, strahlen aber einen naiven, heiteren Charme aus. Auffällig ist die äußerst sparsame Binnenzeichnung der Körper, ganz im Kontrast zu den überreich mit Mustern verzierten Gewändern. Die Möglichkeiten der rf. Malweise zur räumlichen Erfassung von Körpern und zur differenzierten Darstellung von Stoffen und Formen hat A. noch kaum genutzt. Die formale Nähe zum Figurenfries vom Schatzhaus der Siphnier in Delphi (Stilisierung der Gewandfalten, Proportionen der Körper, Wiedergabe einzelner anatomischer Details) datiert die Frühwerke des A. um 530 v. Chr. und liefert einen stilistischen Fixpunkt für die Einführung der rf. Malweise in Athen.

Beazley, ARV², 2–6 · Beazley, Addenda², 149–150 · B. Cohen, Attic Bilingual Vases and their Painters, 1978, 105–193 · M. Robertson, The Art of Vase-Painting in Classical Athens, 1992, 10–15.   I. W.

Andrachle (ἀνδράχλη, -νη). Damit meinte Dioskurides 2,124 [1.196f.] = 2,150 [2.219f.] einerseits den Portulak (*Portulaca oleracea*), andererseits 2,186–187 [1.1.254f.] = 2,217 [2.259] die Wachsblume *Cerinthe aspera* L. (τηλεφώνιον) und dann 4,168 ([1.2.316f.] = 4,166 [2.462] = Plin. nat. 20,210) die Meerstrandwolfsmilch *Euphorbia Peplis* L.; Plin. nat. 13,120 (nach Theophr. h. plant. 3,16,5) beschreibt die A. als dem Erdbeerbaum *Arbutus unedo* L. ähnliche gegen Beschädigung der Rinde ziemlich widerstandsfähige (vgl. Theophr. h. plant. 4,15,1 = Plin. nat. 17,234), immergrüne (vgl. Theophr. h. plant. 1,9,3 = Plin. nat. 16,80) Art des östlichen Erdbeerbaumes mit ungenießbaren Früchten [3. Abb. 46]. Die wilde A. hat nach Plin. nat. 25,162f. medizinische Bedeutung.

→ Erdbeerbaum

1 M. Wellmann (Hrsg.), Pedanii Dioscuridis de materia medica Bd. 1.2, 1906/07, Ndr. 1958 2 J. Berendes (Hrsg.), Des Pedanios Dioskurides Arzneimittellehre übers. und mit Erkl. versehen, 1902, Ndr. 1970 3 H. Baumann, Die gr. Pflanzenwelt in Mythos, Kunst und Lit., 1982.   C. Hü.

Andragathius. Von 383–388 n. Chr. war A. *mag. equitum* des Usurpators Maximus. Er ermordete 383 Kaiser Gratian (Ambr. commentarius in psalmis 61,23–25; Zos. 4,35,6). 388 bereitete er die Verteidigung des Maximus gegen Theodosius I. vor und stellte sich selbst an die Spitze der Flotte in der Adria. Nach Theodosius' Sieg stürzte er sich ins Meer (Oros. 7,35; Zos. 4,46f.).   W. P.

Andraimon (Ἀνδραίμων). **[1]** Mythischer Gründer von Amphissa im ozolischen Lokris (Paus. 10,38,5), Mann der Gorge und Nachfolger ihres Vaters → Oineus in Kalydon (Apollod. 1,64; 78). Sein Sohn Thoas führt die Aitoler vor Troia (Hom. Il. 2,638; 7,168; Ov. met. 13,357). **[2]** Sohn des Oxylos, Mann der → Dryope, durch Apollon Stiefvater des → Amphissos (Ant. Lib. 32,3; Ov. met. 9,333). **[3]** Pylier, Gründerheros von Kolophon (Mimn. fr. 10 West; vgl. fr. 9,1).   F. G.

Andrapodistes (ἀνδραποδιστής). Derjenige, der einen anderen zum Sklaven (ἀνδράποδον, *andrápodon*) machte, war *a.* (Aristoph. equ. 1030; Lys. 10,10). Die Straftat ἀνδραποδισμός (*andrapodismós*) umfaßte zwei verschiedene strafbare Handlungen. Die eine bestand darin, daß der Täter sich eines Freien durch Gewalt oder List (vgl. für diese Plat. leg. 879a) bemächtigte, um ihn in die Sklaverei zu verkaufen (Freiheitsdelikt), die andere richtete sich gegen den Eigentümer eines Sklaven und bestand im Raub dieses Sklaven zwecks Verkaufs oder eigenen Gebrauchs (Vermögensdelikt). Der Tatbestand ist weiter bei Plat. leg. 955a (Freiheitsberaubung prozeßbeteiligter Personen). Das Verfahren war die ἀπαγωγή (→ *Apagogé*), die Strafe der Tod.

M. H. Hansen, Apagoge, Endeixis and Ephegesis, 1976, 47.   G. T.

Andraste (Andate). Bei Cassius Dio (62,6,2; 62,7,3) erwähnte Göttin des britannischen Stammes der Iceni, die
er als Nike interpretierte. Als sich unter Nero dieser
Stamm erhebt, ruft deren Königin → Boudicca A. um
Sieg, Freiheit und Rettung an. Im Zusammenhang wird
von einem Hasenorakel sowie von einer Siegesfeier mit
Opfern und Zechgelagen im Hain der Göttin berichtet.
Die gleichzeitige Schändung gefangener röm. Frauen ist
nicht als Opferritus, sondern als Rache der zuvor von
den Römern geschändeten Königin aufzufassen (Tac.
ann. 14,31 ff.).

P. M. Duval, Les dieux de la Gaule, 1957, 57 ·
J. De Vries, Kelt. Religion, 1961, 224.   M. E.

Andreas. [1] urspr. aus Karystos. Leibarzt des Ptolemaios Philopator, wurde vor der Schlacht von Raphia
im Jahre 215 v. Chr. ermordet (Pol. 5,81). Der Sohn des
Chrysareus war ein Herophileer (→ Herophilos), der
über Arzneimittel (dies vor allem in seiner Schrift *Nar-
thex*), Geburtshilfe, Gifte, Doxographie und Medi-
zingesch. schrieb. Er kommentierte Hippokrates, auch
wenn er keinen eigentlichen Komm. geschrieben haben
mag. Eratosthenes (Etym. m. s. v. Bibliaigisthos) bezichtigte ihn des Plagiats, vermutlich seiner eigenen
Schriften. Seine pharmakologischen Bücher wurden
von Anhängern aller medizinischen Schulen der damaligen Zeit, einschließlich den Empirikern, genutzt.
Dioskurides (praef. 1) schilderte ihn als einen der ge-
nauesten Beschreiber von Heilwurzeln und -pflanzen.
Von Celsus wurde er sehr geschätzt (praef. 1.) Plin. führt
ihn als wahrscheinlich über Sextius Niger vermittelte
Quelle für 14 Bücher der *Naturalis historia* an. Einige von
A.' Rezepten wurden noch zur Zeit des Galen und
Athenaios zitiert. Er entwickelte ein berühmtes, ausführlich von Oreibasios (Coll. med. 49,4–6) beschriebenes Instrument zur Reposition ausgerenkter Glied-
maßen, das die Beziehungen alexandrinischer Medizin
zur Technologie zeigt.
→ Pharmakologie; Herophilos

1 M. Wellmann, s. v. A. [11], RE I, 2136f. 2 P. M. Fraser,
Ptolemaic Alexandria, 1972, 369–371 3 Staden,
472–477.   V. N. / L. v. R.-B.

[2, von Kreta] (Ἀνδρέας Κρήτης/Ἱεροσολυμίτης) wurde 660 in → Damaskus geboren und starb am 4. Juli 740.
Zunächst Mönch im Kloster des Hl. Grabes in Jerusalem, nahm er 680 an der Synode in → Konstantinopel teil. Um 685 wurde er dort zum Diakon geweiht
und mit der Leitung des Waisenhauses betraut. Später
wurde er Metropolit von Kreta (Sitz: Gortyn). A. ergriff
zunächst Partei für den durch Kaiser → Philippikos wieder aufblebenden → Monotheletismus, bekannte sich jedoch später in einem iambischen Gedicht zur orthodoxen Lehre. Er gilt als der bedeutendste byz. Homilet
und Kirchendichter seiner Zeit. Auf ihn geht die litur-
gische Dichtung des → Kanon zurück, der in der Folgezeit das → Kontakion ablöste und in der Dichtung

vorherrschend wurde. Neben seinem berühmten »Großen Kanon« (ὁ μέγας κανών – einem Bußlied mit 250
Strophen) sind weitere kleinere Kanones erh. sowie ca.
50 Homilien und Panegyriken (z. T. unediert), vorwiegend auf Herren- und Marienfeste.
→ Bibeldichtung

Ed.: CPG 8170–8225.
Lit.: O. Clément, Le chant des larmes …, trad. du Poème
sur le repentir par saint A. de Crète, 1982 · Th. Detorakis,
Le vocabulaire d'A. de Crète, Jahrb. d. Österr. Byz. 36,
1986, 45–60 · J. N. Birdsall, Homilies ascribed to A.
Cretensis in MS Halensis A 119, 1987.   K. SA.

Andreus (Ἀνδρεύς). Eponymer König der Insel Andros,
von Rhadamanthys eingesetzt (Diod. 5,79). Sohn des
Apollonsohnes und delischen Priesterkönigs Anios (Ov.
met. 13,647–50). Die Andrier stifteten seine Statue nach
Delphi (Paus. 10,13,4).   F. G.

Andriaka. Κώμη Mediens (Ptol. 6,2,18), unweit eines
Ortes Ῥάψα der an der Straße von Ekbatana nach Persepolis lag [1]. A. dürfte an der gleichen Strecke gelegen
haben, mit Gulpaigan oder Kaidu identisch und wird
über die Bedeutung eines Rastortes kaum hinausgekommen sein.

1 Miller, 783 mit Skizze Nr. 253.   J. RE. / H. T.

Andrias s. Plastik

Andriskos. [1] (Pseudophilippos) aus Adramyttion, erregte 153 v. Chr. in Syrien Aufruhr als vorgeblicher
Sohn des → Perseus und wurde von → Demetrios I. an
die Römer ausgeliefert, floh aber und kam 151 nach
Pergamon, wo er auf ominöse Weise in den Besitz eines
Diadems kam, bevor er von Thrakien aus mithilfe seines
»Verwandten« Teres den Antigonidenthron zu restau-
rieren suchte; 149 in Pella zum König ernannt (Philipp
VI.) besiegte er 148 in Thessalien Iuventus Thalna, suchte ein Bündnis mit Karthago und wurde von Q. Caecilius Metellus besiegt (Liv. per. 49–50; Diod. 31,40a;
32,15; Zon.9,28) [1. 431–433; 2. 93–94].

1 Gruen, Rome 2 J. Hopp, Unt. zur Gesch. der letzten
Attaliden, 1977.   L.-M. G.

[2] Von Naxos (?), war wohl im 3. Jh. v. Chr., Verf. einer
Lokalgesch. von Naxos (*Naxiaká*), aus der 2 Zitate bei
Parthen. narr. am. 9 bzw. 19 erh. sind (FGrH
500).   K. MEI.

Androgeos (Ἀνδρόγεως). Sohn des Minos und der
Pasiphae. Sein Tod in Attika führte zum Rachefeldzug
des Minos und dem Tribut der sieben Mädchen und
sieben Burschen an den Minotauros. Er starb nach seinem Sieg in den ersten Panathenaia durch einen Anschlag der von ihm Besiegten (Apollod. 3,209). Oft wird
auch Aigeus für seinen Tod verantwortlich gemacht: Er
ließ A. wegen seiner Beziehungen zu den Söhnen des

Pallas beseitigen (Diod. 4,60 f.), oder er schickte ihn gegen den marathonischen Stier, der ihn tötete (Paus. 1,27,10).

Als Kultempfänger in Attika wird er mit zwei Heroen identifiziert – mit dem *hḗrōs katá prýmnan* in Phaleron (Clem. protrept. 2,20,2, vgl. Paus. 1,1,4) und dem Heros Eurygyes im Kerameikos (Hes. fr. 146; Amelesagoras FGrH 330 F 2). Asklepios erweckte den toten A. zum Leben (Prop. 2,1,64). Daidalos stellte den Tod des A. an den Türen des Apollontempels in Cumae dar (Verg. Aen. 6,20).

KEARNS, 149.   F. G.

Androkleidas (Ἀνδροκλείδας). Prominenter Politiker Thebens. Gehörte zur Gruppe um → Ismenias, die 395 v. Chr. mit persischem Geld Sparta in einen Krieg verwickeln sollte, um → Agesilaos [2] zum Abzug aus Kleinasien zu zwingen und in Theben die Spartafreunde um → Leontiades zu schwächen. Auf Anraten des A. half Theben den Lokrern im Krieg gegen die Phoker, was Sparta zum Eingreifen veranlaßte (Hell. Oxyrh. 20,1–2; 21 CHAMBERS; Xen. hell. 3,5,1–5; Plut. Lysander 27). Als die Spartaner 382 die Kadmeia besetzten und Leontiades den Ismenias gefangennehmen ließ, flohen ca. 300 seiner Anhänger nach Athen, darunter auch A. Er gehörte neben → Pelopidas zu den Führern der Exilthebaner. In Athen fiel er einem Attentat zum Opfer (Plut. Pelopidas 6).
→ Thebai

J. BUCKLER, The Theban Hegemony, 371–362 B. C., 1980, 39 f. • H.-J. GEHRKE, Stasis, 1985, 173–177 • M. JEHNE, Koine eirene, 1994, 51–55.   W. S.

Androkles (Ἀνδροκλῆς). [1] Sohn des Phintas, nach ant. Tradition zusammen mit seinem Bruder Antiochos messenischer König kurz vor Ausbruch des 1. Messenischen Krieges (Paus. 4,4,4). A. soll, nachdem sich die Differenzen zw. Sparta und Messenien durch die Ermordung des spartanischen Königs → Teleklos bereits zugespitzt hatten, in einem neuerlichen Konflikt mit Sparta eine gemäßigte, auf friedlichen Ausgleich hin angelegte Politik vertreten haben. Dies brachte ihn in scharfen Gegensatz zu seinem Bruder, der A. mitsamt seinen Anhängern ermordete (Paus. 4,5,6 f.). Tochter und Enkel des A. flohen daraufhin zu den Spartanern, die ihnen nach Kriegsende größeren Landbesitz zuwiesen (Paus. 4,14,3). Wenn auch der Bericht über das Schicksal des A. kaum histor. ist – insbes. das Doppelkönigtum des A. und des Antiochos erscheint als spätere Konstruktion –, so könnten sich dennoch hierin die Differenzen zw. Kriegsbefürwortern und Kriegsgegnern in Messenien spiegeln, die vermutlich zu einer teilweisen Auswanderung letzterer führten. [2] Nachkomme von A. [1], messenischer Held, der im 2. Messenischen Krieg kämpfte und fiel (Paus. 4,16,2; 17,9).
M. MEI.

[3] Von Pithos (Aristot. rhet. 2,23,1400a), Theoros 422 v. Chr. (Aristoph. Vesp. 1187). Der bekannte Demagoge (Komödienspott: Aristoph. l.c.; Ekphantides F5 PCG; Kratinos F223 PCG) betrieb als Ratsherr (And. 1,27) die Anklage gegen → Alkibiades [2] wegen Mysterien- und Hermenfrevel (Thuk. 8,65,2; Plut. Alk. 19,1). 411 v. Chr. ermordet (weil er Alkibiades' Rückkehr verhindern wollte).

TRAILL, PAA 128255.   K. KI.

Androklos (Ἄνδροκλος). Sohn des Königs Kodros von Athen. Nach Pherekydes (FGrH 3 F 155) der Führer des von dort nach Ionien gehenden Kolonistenzuges; diese Rolle spielt freilich schon bei Hellanikos (FGrH 4 F 125) der Kodrossohn Neleus. A. vertreibt Leleger und Lyder und gründet Ephesos; vielleicht hieß das Königsgeschlecht in Ephesos »Androkliden«. Er soll gegen die Samier und Karer gekämpft haben und bei der Sicherung Prienes als ionische Kolonie gefallen sein (Paus. 7,2,9). Ephesische Münzen der Kaiserzeit tragen sein Bild.

C. ROEBUCK, The early Ionian League, in: ClPh 50, 1955, 26 ff. • M. B. SAKELLARIOU, La migration grecque en Ionie, 1958, 123 f. • M.-L. BERNHARD, s. v. A., LIMC I.1, 765.   F. G.

Androlepsia (ἀνδροληψία) war im athenischen Recht eine vom Gesetz (nur belegt in Demosth. 23,82) den Verwandten eines auf athenischem Staatsgebiet ermordeten Atheners eingeräumte Selbsthilfebefugnis: Sie konnten, solange sich der Blutschuldige dem Zugriff der Angehörigen des Getöteten entzog, aus dessen Angehörigen drei Geiseln greifen (Die Deutung ist umstritten). Über deren Schicksal ist nichts bekannt. Ungerechtfertigte Ausübung der A. wurde bestraft.

B. BRAVO, Symposion 1977, hrsg. v. J. MODRZEJEWSKI, 1982, 131 ff.   G. T.

Andromache (Ἀνδρομάχη). Tochter des Königs Eetion im hypoplakischen Theben, Gemahlin → Hektors, Mutter des → Astyanax-Skamandrios (Hom. Il. 6,395 ff.). Bei ihrer Hochzeit (Sappho fr. 44 VOIGT) beschenkt Aphrodite sie (Hom. Il. 22,470). A. ist Hektor zärtlich zugetan, vor allem nach dem Tod ihrer Familie (Hom. Il. 6,370 ff.). Ihre Klage um den gefallenen Gatten ist eindrücklich (Hom. Il. 22,477 ff.; 24,723 ff.). Ihr Sohn wird nach der Eroberung Trojas ermordet (Iliupersis arg. fr. 5 PEG; Eur. Tro. 709 ff.; Sen. Tro. 409 ff.; 705 ff.). Bei der Beuteverteilung fällt A. → Neoptolemos zu (Eur. Tro. 271 ff.; Sen. Tro. 871 ff.), dem sie zuerst nach Thrakien, dann nach Phthia folgt und den → Molossos gebiert (Nostoi. arg. PEG). Sie gerät mit → Hermione, der Gattin des Neoptolemos, in Streit und wird von → Peleus beschützt (Eur. Andr.). Nach dem Tod des Neoptolemos folgt sie ihrem Schwager

→ Helenos nach Epirus, wo Molossos König werden soll. Dort trifft sie auch → Aeneas (Verg. Aen. 3,294 ff.). Nach dem Tod des Helenos wandert sie mit einem ihrer Söhne nach Kleinasien zurück. Sie stirbt in Pergamon, wo sie noch später ein Heroon hatte (Paus. 1,11,2).

D. LOHMANN, Die A.-Szenen der Ilias, 1988 · O. TOUCHEFEU-MEYNIER, s. v. A., LIMC 1.1, 767–774 · R. WAGNER, s. v. A., RE I, 2151 f.   R. HA.

Andromachos (Ἀνδρόμαχος). **[1]** Zwischen 253 und 249 v. Chr. in Ägypten als Inhaber einer δωρεά von 10000 Arurai bezeugt. »Vater« des → Ptolemaios Andromachu (?) [1]. **[2]** Aspendier, befehligte 217 v. Chr. bei Raphia die Phalanx, anschließend Stratege Syriens und Phoinikiens. PP 2, 2150. **[3]** Sohn der → Eirene, Enkel des → Ptolemaios Agesarchu; ca. 197/80 v. Chr. als ptolemäischer Beamter auf Zypern, 154 Gesandter Ptolemaios' VI. in Rom; vor 150 Erzieher des jungen Ptolemaios Eupator (?) [2; 3].

1 E. VAN'T DACK, Une lettre d'Onnophris à Zénon, in: CE 36, 1961, 179–186, 184 ff. 2 W. HUSS, XXth Congr. Papyrol., 1994, 560 3 E. OLSHAUSEN, Prosopographie, 1, 1974, 69 Nr. 44.   W. A.

[4, d. Ä., aus Kreta] Vater von → Andromachos [5], Neros Leibarzt (ἀρχιατρός, Gal. 14,2). Bekannt durch ein Gedicht mit 87 Verspaaren, in denen er sein später Theriak (Ps.-Gal. 14,308) genanntes Gegengift Galḗnē (Gal. 14,32,270) beschrieb, das das berühmte Mithridatium des Mithridates V. an allg. Wertschätzung übertraf und von Ärzten und Quacksalbern verkauft wurde. Marc Aurel, der täglich eine kleine Dosis davon nahm (Gal. 14,3, 24), schätzte es ganz besonders. Sein Beispiel ermutigte die Wohlhabenden, es ihm gleichzutun, doch nach seinem Tode kam es bis zur Zeit der Severer aus der Mode. Gegenüber den 41 Ingredienzien des Mithridatium enthielt es 64 Zutaten aus aller Welt. A. verwendete vor allem einen höheren Anteil an Opiaten und Mineralien, fügte Meerzwiebeln hinzu und ersetzte Eidechsen- durch Vipernfleisch, wodurch es Galen zufolge das geeignetere Mittel gegen Vergiftungen wurde (Gal. 14,1). Im Hinblick auf die meisten anderen Verwendungszwecke war das eine Mittel ebenso wirksam wie das andere. → Andromachos [5] d. J., der die Verse in Prosa brachte, empfiehlt Galḗnē gegen alle inneren Beschwerden, einschließlich Magenschmerzen, wie auch gegen tödliche Gifte und Anfälle jeglicher Art. Marc Aurel scheint es dagegen als eine Art Tonikum eingenommen zu haben. Galen zit. zweimal das vollständige Gedicht, in De antidot. 14,32–42, und in De theriaca ad Pisonem 14,233. In allen neueren Galen-Ausgaben ist es jedoch vollständig nur in der erstgenannten Schrift abgedruckt. In der arab. Version der zweiten Schrift, Hrsg. L. RICHTER-BERNBURG 1969, findet sich das Gedicht im Anhang, wodurch die Legende, Galen habe zu Neros Zeit gelebt (Michael Glykas, annales p. 430 BEKKER), genährt worden sein mag.

→ Pharmakologie; Mithridates V.

ED.: **1** Ed. princeps, Venedig, 1525 **2** E. HEITSCH (Hrsg.), in: AAWG 1964, 7–15 (ohne Berücksichtigung der arab. Lesarten) **3** E. HEITSCH, in: NAGW 1963, 2 (Überlieferung). LIT.: **4** M. WELLMANN, s. v. Andromachos [17], RE I, 2153 f. **5** G. WATSON, Theriac and Mithridatium, 1966 **6** E. HEITSCH, Die griech. Dichterfragmente der röm. Kaiserzeit. II, 1964, 8–15 **7** O. SCHNEIDER, in: Philologus 13, 1858, 25–58.   V. N. / L. v. R.-B.

[5, d. J.] Der Sohn des älteren Andromachos [4], wirkte in Rom (Gal. 12,936; 13,428) und diente wohl wie sein Vater dem kaiserlichen Hof. Er schrieb in den 70er oder 80er Jahren des 1. Jh. n. Chr. Bücher über Arzneimittel. Diese im Ganzen drei Monographien, die sich mit äußerlichen, innerlichen und ophthalmologischen Mitteln befassen (Gal. 13,463), stellen im wesentlichen eine aus früheren Autoren kompilierte Rezeptsammlung dar. Galen kritisiert sie wegen der unpräzisen Angaben zur Zubereitung und genauen Verwendung der Mittel (13,441), fügte jedoch ganze Passagen, oft sogar wortwörtlich, in seine Schriften De comp. sec. loc. und De comp. sec. gen. (aufgeführt von [1]) ein. In De antidot. finden sich weniger Zit. aus A.' Schriften, einschließlich des von A.' Vater geschriebenen und von ihm in Prosa gesetzten Gedichts Galḗnē, als [2] glaubte. Ob es sich bei dem Hofarzt, dem Erotian sein hippokratisches Lexikon widmete, um ihn oder seinen Vater handelte, muß unentschieden bleiben.

1 E. FABRICIUS, Galens Exzerpte aus älteren Pharmakologen, 1972, 185–189 **2** M. WELLMANN, s. v. A., RE I, 2154.   V. N. / L. v. R.-B.

Andromeda (Ἀνδρομέδα). Tochter des → Kepheus, des Königs der Kephenen oder Aithiopen, und der → Kassiepeia (Apollod. 2,43), die sich rühmte, so schön wie die Nereiden zu sein. Darauf schickt der erzürnte Poseidon dem Land Hochwasser und ein Seeungeheuer. Ein Orakel verheißt Befreiung von der Plage, wenn A. dem Ungeheuer preisgegben werde. Kepheus läßt A. am Strand an einen Felsen binden, wo → Perseus sie auf dem Rückflug vom Gorgonenabenteuer erblickt. Nach ihrem Versprechen, mit ihm zu ziehen, tötet Perseus das Ungeheuer, Kepheus hält A. jedoch vorerst zurück, weil A.s Oheim → Phineus alte Ansprüche auf sie hat. Perseus besiegt ihn (Ov. met. 4,663 ff.; Apollod. 2,43 f.). Der erste Sohn des Paares ist → Perses (Hdt. 7,61); sie ziehen nach Tiryns, wo weitere Kinder geboren werden (Apollod. 2,49). Nach ihrem Tod wird A. mit Perseus und ihren Eltern verstirnt (Soph. Androm. und Eur. Androm. bei Hyg. astr. 2,10 f.).

R. KLIMEK-WINTER, A.-Tragödien, 1993 · K. SCHAUENBURG, s. v. A. I, LIMC 1.1, 774–790 · K. WERNICKE, s. v. A., RE I, 2154–2159.   R. HA.

Andron (Ἄνδρων). **[1]** Aus Gargettos, Sohn eines Androtion und Vater des Atthidographen → Androtion (FGrH 324), mit sophistischen Interessen (Plat. Gorg. 487C; Prot. 315C). Über eine Schuldenaffäre Demosth. or. 22,33 u.ö. Wohl identisch mit A., einem der 400 (500: [1]), Autor eines → Psephisma gegen Antiphon [4] 411 v.Chr. (Krateros FGrH 342 F5).

1 G. PESELY, in: Illinois Class. Stud. 20, 1995, 66–76.

DAVIES, 913 · TRAILL, PAA 129265, 129130 · P. HARDING, Androtion and the Atthis, 1994, 14f.   K.KI.

[2] Von Halikarnassos, 4.Jh. v.Chr., Verf. von *Syn-geniká*, in denen die genealogischen und verwandtschaftlichen Beziehungen zw. den griech. Stämmen und Städten behandelt waren (FGrH 10).   K.MEI.

[3] Sohn des Kabeleus aus Teos, Trierarch der Indus-Flotte Alexanders des Gr. [2. 40, Nr. 81], schrieb einen (weitgehend verlorenen) → Periplus des Pontos (FGrH 802).

1 H. BERGER, s.v. A. 14, RE I, 2160 2 BERVE.   K.BRO.

[4] Teil des griech. Peristylhauses (→ Haus); diente in reicher ausgestatteten Häusern (dort seit dem 7. Jh. v.Chr. belegt) als Empfangs-, Speise- und Repräsentationsraum. Größe und Ausstattung, auch Anzahl der A. waren in Spätklassik und Hellenismus gängige Mittel zur Dokumentation des sozialen Status des Hausherrn (Häuser mit mehreren A. z.B. in Olynth; ganze Serien von A. in hellenistischen Palästen, z.B. Vergina). Der A. bildete so einen öffentlich-offiziellen Bereich innerhalb der Privathäuser, der, nahe dem Eingang bzw. dem Hof gelegen, zusammen mit einem Vorraum eine eigenständige Baueinheit bildete. Der A. war gegenüber dem Wohntrakt der Frau (→ Gynaikonitis) abgeschottet.

W. HOEPFNER, E.-L. SCHWANDNER, Haus und Stadt im Klass. Griechenland, ²1994, 327f. · I. NIELSEN, Hellenistic Palaces, 1994, 116–120; 187–189.   C.HÖ.

Andronikos [1, aus Olynthos] machte alle Feldzüge → Alexandros' [II 4] mit. 315 v.Chr. Offizier des → Antigonos [1] bei Tyros, dann Berater von → Demetrios [2], dem er 312 riet, die Schlacht bei Gaza abzulehnen. In der Schlacht befehligte er die Kavallerie am rechten Flügel und entkam nach der Niederlage nach Tyros, wo er das Kommando übernahm und die Stadt eine Zeitlang halten konnte. Am Ende von der Garnison an → Ptolemaios [1] ausgeliefert, wurde er von ihm als Freund in Ehren gehalten. Diod. 19.

BERVE, 79 (vielleicht mit 78 identisch) · R. A. BILLOWS, Antigonos the One-Eyed, 1990, 367f. (für Identität).   E.B.

[2] ermordete für Antiochos IV. 170 v.Chr. dessen Neffen und Mitregenten. Während eines vom König gegen aufständische Kiliker geführten Feldzugs amtierte er als dessen Stellvertreter in Antiocheia (171/0) und war dann als Kommandeur in Samaria tätig. Durch Bestechung ließ er sich in Auseinandersetzungen um das jüd. Hohepriesteramt hineinziehen: Der exilierte vorletzte Hohepriester Onias wurde auf Betreiben des aktuellen Amtsinhabers Menelaos ermordet, A. selbst dafür von Antiochos mit dem Tod bestraft (2 Makk 4,30–38; Diod. 30,7,2–3).

O. MØRKHOLM, Antiochos IV of Syria, 1966.   A.ME.

[3] Makedone, Vertrauter, des → Perseus, reagierte 169 v.Chr. abwartend auf den Befehl des Königs nach der röm. Eroberung von → Herakleion, in Thessalonike die Werften in Asche zu legen. Er wurde getötet, als sich Perseus seiner unrühmlichen Panik bewußt wurde (Liv. 44,10,1–4; Diod. 30,11; App. Mac. 16) [1. 112–113].

1 S. LE BOHEC, Les philoi des rois antigonides, in: REG 98, 1985, 93–124.   L.-M.G.

[4, aus Rhodos] Peripatetisches Schulhaupt ca. 70–50 v.Chr., schuf die seither maßgebende Redaktion der hauptsächlichen aristotelischen und theophrastischen Lehrschriften und gründete die aristotelische Scholastik. Rechenschaft über seine Ausgabe legte er in einem Werk von mindestens 5 Büchern ab, welches einen Gesamtkatalog der Schriften des Aristoteles und Theophrast, Abhandlungen über ihre Echtheit und Reihenfolge und vielleicht eine Biographie des Aristoteles enthielt. Sein Katalog bildete die Grundlage des auf arab. erh. Kataloges des Ptolemaios *el-Garib*. Außerdem verfaßte er einen Komm. zu den ›Kategorien‹ und vielleicht auch zu anderen Lehrschriften, sowie ein Buch *de divisione*; letzteres wurde durch Zwischenquellen von Boethius in seinem gleichnamigen Werk benutzt. Seine Lehren von immanenten natürlichen Kräften und von der Seele standen denen, welche später von Alexandros von Aphrodisias entwickelt wurden, nahe und waren vielleicht von der Stoa beeinflußt; auch seine Pathosdefinition klingt an Stoisches an. Durch die zentrale Stellung, die er der Textauslegung in der Lehre gab, hat er den Lehrbetrieb der philos. Schulen nachhaltig bestimmt.

Unechtes: 1. Περὶ Παθῶν, vermutlich aus dem 1. oder 2.Jh. n.Chr.; kritische Ausgabe von A. GLIBERT-THIRRY, 1977. 2. Eine byz. Paraphrase der ›Nikomachischen Ethik‹, von HEYLBUT CAG 19.2 unter Heliodoros' Namen ediert, wird in einem Ms. von einer späteren Hand dem A. zugewiesen.
→ Aristotelismus; Aristoteles-Kommentatoren

F. LITTIG, A. von Rhodos I–III, Progr. München 1890, Erlangen 1894, 1895 · MORAUX I, 1973, 45–141 · H. B. GOTTSCHALK, ANRW II 36.2, 1987, 1083–1107, 1112–16, 1129–31.   H.G.

[5] Sonst unbekannter Verf. eines wertvollen Grabepigrammes (Anth. Pal. 7,181). Wird im allg. mit jenem Andronicus gleichgesetzt, der wahrscheinlich ein Freund des Libanios und nach Amm. 19,12,11 *claritudine carminum notus* war. Doch legt das Epigramm 7,181 wegen seiner offenkundigen Anklänge an hell. Texte (von

Mnasalkes 7,488 bis »Sapph.« 7,489; vgl. außerdem GVI 932 aus dem 2. Jh. v. Chr.) und seiner Stellung in einem Kontext ausschließlich »meleagreischer« oder »philippeischer« Epigramme (7,159–203) eine weit frühere Datierung nahe. E.D./T.H.

[6] Griech. Arzt und Autor eines Rezeptes gegen Orthopnoe, das von Gal. 13,114 aus → Andromachos [5] zit. wird (vgl. Theodorus Priscianus, rer. med. 1,18; 2,1 zu möglichen anderen Rezepten). Eine Gleichsetzung mit dem Arzt Andronikos (aus Rom?), der in einem griech. Epigramm seiner Frau Paulina gedenkt (GVI 596 = IG 14,1973), überzeugt nicht. V.N./L.v.R.-B.

[7] aus Konstantinopel, Schüler und Freund des Libanios, Nichtchrist. Er empfahl sich durch seine rhet. Leistungen dem Hofe Constantius'. 360–361 n. Chr. war er *consularis Phoenices*. Libanius lobt mehrfach seine Unbestechlichkeit (vgl. or. 62,56f.). Der Usurpator Prokopios ernannte ihn 365 zum *consularis Bithyniae*, dann zum *vicarius Thraciarum* (Lib. or. 62,59). Nach dem Sieg des Valens wurde er hingerichtet (Lib. or. 62,58–60). W.P.

Andronitis s. Andron [4]

Androphagoi (Ἀνδροφάγοι). Volk im Norden von → Skythia (Hdt. 4,100,2), noch weiter nördl. lag angeblich Einöde, östl. davon lebten die → Neuroi (Hdt. 4,102,2; 119,1; 125,3; 5) und die → Melanchlainoi (Hdt. 4,100,2; 125,5). Da die A. den → Skythai Hilfe gegen → Dareios I. verweigerten, fielen diese in ihr Land ein (Hdt. 4,125,3). Genauere Lokalisierung und ethnische Zuordnung nicht möglich – ›ein eigenständiges, keinesfalls skythisches Volk‹ (Hdt. 4,18,3). Die A. waren Nomaden, ihre Kleidung ähnelte der skythischen, nicht aber ihre Sprache. Nach Hdt. 4,106 waren die A. das einzige Volk dort, das Menschenfleisch aß. Ephoros (FGrH 70 fr. 158 – nach Hekataios?) dagegen hielt sie für ein skythisches Volk.

A.I. DOVATUR et al., Narody našej strany v »Istorii« Gerodota, 1982, 237f. S.R.T.

Andros (Ἄνδρος). Mit etwa 384 km² die zweitgrößte Kykladeninsel, 7 Seemeilen vom Kap Kaphireas an der Südspitze von → Euboia entfernt, gebirgig (994 m) und wasserreich. An der Westküste bei Zagora wurde die bislang älteste Siedlung von A. festgestellt (Blüte in geom. Zeit). Im Alt. lag der Hauptort an der Süd-Küste bei Palaiopolis, wo Stadtmauern, Wohngebäude und ein Tempel aus dem 6./5. Jh. v. Chr. festgestellt wurden. Um 1000 v. Chr. etwa von → Iones besiedelt, löste sich A. aus der Abhängigkeit von → Eretria auf Euboia. Um 655 v. Chr. gründeten die Bewohner von A. mehrere Kolonien an der Ostküste der → Chalkidike (Thuk. 4,84,1; 88,2; 103,3). Nach der Schlacht bei → Salamis auf persischer Seite, wurde A. von → Themistokles belagert (Hdt. 8,66,2; 111,2), im → att.-delischer Seebund wurden athenische Kleruchen angesiedelt; A. zahlte einen hohen Jahresbeitrag (Plut. Perikles 11,5; Themi-

stokles 21,1; Thuk. 4,42,1; 7,57,4). 408 v. Chr. fiel A. zu → Sparta ab und war auch in der Folge nicht athenfreundlich gesinnt (Xen. hell. 1,4,21; Diod. 13,69,4). A. gehörte dem Nesiotenbund an, wurde um 200 v. Chr. von → Attalos I. erobert (Liv. 31,15,8; 45,3) und geriet schließlich 133 v. Chr. mit dem pergamenischen Erbe an Rom. In frühbyz. Zeit verlagerte sich die Besiedlung in den Nordosten der Insel, wo der h. Hauptort Chora (amtlich A.) entstand.

A. CAMBITOGLOU u. a., Zagora, 2. excavation of a geometric town on the island of Andros. Excavation season 1969. Study season 1969–1970, 1988 · O. DAVIES, Roman mines in Europe, 1935, 263–264 · J.R. GREEN, Zagora. Population increase and society in the later eight century BC. FS A. Combitoglou, 1990, 41–46 · H. KALETSCH, s. v. A., in: LAUFFER, Griechenland, 154–156 · A. KOUTSOUKOU, C. KANELLOPOULOS, Towers from North-West A., in: ABSA 85, 1990, 155–174 · M. NOWICKA, Les maisons à tour dans le monde grec, 1975, 31–33, 43, 89. H. KAL.

Androsthenes [1] s. Olympionikai

[2] Feldherr → Philipps V. im 2. maked. Krieg, hielt Korinth trotz der Niederlage an der Nemea gegen die Achaier unter → Nikostratos (Liv. 33,14,1; 15). L.-M.G.

[3] Strategos des thessal. Bundes (*praetor Thessaliae*); schloß sich nach Caesars Niederlage bei Dyrrhachion → Pompeius an und versuchte, die Stadt Gomphoi gegen den nach Thessalien vorrückenden → Caesar zu verteidigen. Gomphoi fiel am 26.7.48, wenige Tage vor der Schlacht von Pharsalos (Caes. civ. 3,80). W.W.

Androtion (Ἀνδροτίων). Aus Athen, Verf. einer athenischen Lokalgesch., Schüler des → Isokrates. Als einziger unter den → Atthidographen auch polit. tätig: Er begann seine Laufbahn 387 v. Chr. (T 3), hatte im Bundesgenossenkrieg ein mil. Kommando inne (T 7) und war 355/4 Mitglied einer Gesandtschaft an → Maussollos, die den Perserkrieg vorbereiten sollte (T 8). Als gemäßigter Demokrat bereits 355/4 und 353/2 von → Demosthenes bekämpft (or. 22 bzw. 24), wurde er schließlich 343/2 nach Megara verbannt (T 14).

Dort entstand seine *Atthis*, die in 8 B. von den mythischen Anfängen bis mindestens 344/3 reichte und schwerpunktmäßig die Zeitgeschichte behandelte. Sie wurde sogleich zum Standardwerk und diente u. a. dem Schreiber der *Athenaion Politeia* im histor. Teil als Hauptquelle. Erst Philochoros, der A. ebenfalls benützte, verdrängte dessen Atthis (FGrH 324; A. von Athen).

F. JACOBY, Atthis, 1949 · F. JACOBY, FGrH 3b (Suppl.), Bd. 1 (Text), Bd. 2 (Notes), 1954 · O. LENDLE, Einführung in die griech. Geschichtsschreibung, 1992, 146f. · K. MEISTER, Die griech. Geschichtsschreibung, 1990, 76f. · L. PEARSON, The Local Historians of Attica, 1942 · P.J. RHODES, The Atthidographers, in: Studia Hellenistica 30, 1990, 73–81 · P.E. HARDING, A.'s Political Career, in: Historia 25, 1976, 186–200 · L. MOSCATI CASTELNUOVO, La carriera politica dell' attidografo Androzione, in: Akme 33, 1980, 251–278. K. MEI.

Anecdoton Holderi. Von einem Anonymus ange-
fertigtes Exzerpt einer als *libellus de genere Cassiodororum*
betitelten, vielleicht in den letzten Regierungsjahren
Theoderichs in Italien entstandenen Schrift des → Cassiodor. Beider Datierung ist umstritten. Benannt wurde
die 1877 publ. Schrift nach A. HOLDER, der das Exzerpt
in einer Reichenau-Hs. (Hs. Aug. 106 fol. 53v) in Karls-
ruhe entdeckt hatte ([4]; weitere Textzeugen: [5]). Das
→ Biographie, → Autobiographie und Stammtafel verbindende Werk enthält für das frühe 6. Jh. n. Chr. wichtige Nachrichten über Mitglieder der hochadligen Familie der Anicii, die als Politiker wie als Literaten her-
vortraten. Behandelt werden → Boethius, → Symmachus und Cassiodor selbst.
→ Chronik

1 A. GALLONIER, A. H. ou Ordo generis Cassiodororum,
Antiquité Tardive 3, 1995 2 S. KRAUTSCHICK, Cassiodor
und die Politik seiner Zeit, 1983, 78–84 3 J. J. O'DONNELL,
Cassiodorus, 1979, 259–266 4 H. USENER, FS zur
Begrüßung der XXXII. Versammlung dt. Philologen und
Schulmänner zu Wiesbaden, 1877, Ndr. 1969 5 L. VISCIDIO,
Ordo generis Cassiodororum–Excerpta, 1992, 31–36.   U. E.

Anecdoton Parisinum s. kritische Zeichen

Anecdoton Romanum s. kritische Zeichen

Anekdote A. DEFINITION B. ALTERTUM
C. REZEPTION

A. DEFINITION
Heute versteht man unter A. eine kurze, oft in einer
Pointe – auch mit witzigen Worten – mündende Er-
zählung, die mit Anspruch auf Faktizität repräsentative
Detailaspekte von Persönlichkeiten oder auch polit.-
gesellschaftlichen Zuständen bietet [3. 641].

B. ALTERTUM
Zunächst war ἀνέκδοτος die technische Bezeichnung
für nicht veröffentlichte Texte (Diod. 1,4,6; Cic. Att.
14,17,6; Clem. Al. strom. 1,1,14; Synesios, epist. 154a
GARZYA). Allerdings nannte Cicero (Att. 2,6,2) auch
seinen moralisch streng urteilenden Bericht über seine
Politik, den er nicht herausgab, ἀνέκδοτα [1. 1267]. Die
weitere inhaltliche Füllung des Begriffs A. nahm von
Prokop von Caesarea ihren Ausgang: Er verfaßte eine
Geheimgesch., die bei heftiger Kritik an Iustinians Person sowie Politik und Personen seiner Umgebung viele
– im Kap. 9 auch skandalöse, erotische – charakterisie-
rende Details enthält, allerdings in fortlaufender Darstellung [7. 527–572]. Diese *Historia Arcana*, die sicher zu
Lebzeiten Iustinians nicht erschienen ist, wird später in
der Suda als ›die sog. *anekdota*‹ aufgeführt.

C. REZEPTION
Prokops ›Geheimgeschichte‹ wurde 1623 durch ALE-
MANNUS herausgegeben und stand als Muster für Per-
sonencharakterisierung durch eine A. zur Verfügung
[6. 572]. Die A. entwickelte sich in den folgenden Jh. in
der europ. Lit. zu der heutigen präziser bestimmten

Form (s.o.). Ihr entsprachen im Alt. Züge der Apo-
mnemoneumata, des → Apophthegma, des *facete dictum*,
der → Gnome, → Chrie sowie des → Aphorismos und
Exemplum [2]. In der dt. Lit. sind als Vertreter der lit. A.
vor allem zu nennen H. von Kleist, J. P. Hebel, W.
Schäfer, F. C. Weiskopf und B. Brecht. Die A. dient in
der Predigt, im Unterricht, auch in polit. Rede und
Dichtung zur Verdeutlichung [6. 568–578]. Auch bei
der Interpretation ant. Texte, z. B. der Biographien, findet dieser moderne Begriff von A. Anwendung [9].

1 K. BÜCHNER, s. v. Tullius (29), RE 7 A1 827–1274
2 O. GIGON, s. v. A., LAW 160–161 3 H. GROTHE, A., 1971
4 J. HEIN, Die lit. A., in: Universitas 37, 1982, 637–642
5 H. LORENZEN, Typen dt. Anekdotenerzählung (Kleist –
Hebel – Schäfer), 1935 6 E. ROHMER, s. v. A., HWdR 1,
566–579 7 B. RUBIN, s. v. Prokopios (21), RE 23, 273–599
8 V. WEBER, A. Die andere Gesch., 1993 9 F. WEHRLI,
Gnome, A. und Biographie, in: MH 30, 1973,
193–208.   H. A. G.

Anemher. [1] → Nesysti. [2] 289–217 v. Chr.; unter
Ptolemaios III. Hohepriester des Ptah zu Memphis;
Sohn des Hohepriesters Nesysti, Bruder des Hohepriesters Petoubastis, Vater der Hohepriester Teos und Harmachis. Neben anderen Priesterämtern war er Priester
der *Theoí Euergétai* und *Philopátores*, hatte zahlreiche Positionen in der königlichen Verwaltung, vor allem zur
finanziellen Kontrolle anderer Tempel. PP 3/9, 5352;
5442.

D. DEVAUCHELLE, in: CE 58, 1983, 141 ff. · J. QUAEGEBEUR,
The genealogy of the Memphite high priest family in the
Hellenistic period, in: D. CRAWFORD ET AL. (Hrsg.), Studies
on Ptolemaic Memphis, 1980, 43–81, 65 f.   W. A.

Anemoi s. Winde

Anemone (ἀνεμώνη). Bei Theophr. h. plant. 6,8,1 u.
ö., Dioskurides 2,176 [1. 1.244 f.] = 2,207 [2.252 f.] mit
medizinischer Bed. z. B. zur Reinigung von Geschwüren. Plin. nat. 21,164–166 bezeichnet die in vielen
Gartenformen kultivierten frühblühenden Ranuncula-
ceen *Anemone coronaria* L. [3.76 und Abb. 121] und
hortensis L. mit ihren Wildformen. Der Name leitet sich
wie dt. Windröschen nach Plin. nat. 21,165 davon ab,
daß sich die Blüten im Frühlingswind öffnen. Verwandt
sind die Gattungen Kuhschellen (*Pulsatilla*) und Leber-
blümchen (*Hepatica*).

1 M. WELLMANN (Hrsg.), Pedanii Dioscuridis de materia
medica Bd. 1, 1907, Ndr. 1958 2 J. BERENDES (Hrsg.),
Des Pedanios Dioskurides Arzneimittellehre übers. und
mit Erl. versehen, 1902, Ndr. 1970 3 H. BAUMANN, Die
griech. Pflanzenwelt in Mythos, Kunst und Lit.,
1982.   C. HÜ.

Anemurion. Auf dem gleichnamigen Kap in → Kilikia
Tracheia (Skyl. 102), dem südlichsten Punkt Kleinasiens, gelegene Stadt, h. Anamur, mit der kürzesten

Verbindung nach Kypros (Strab. 14,5,3; 6,3; Stadiamus maris maqui l. 97; Plin. nat. 5,130). 197 v. Chr. von Antiochos III. (Liv. 33,20) und 52 n. Chr. von den isaurischen Kietai (Tac. ann. 12,55) erobert. Seit dem 1. Jh. v. Chr. anstelle von Nagidos Zentrum des östl. anschließenden Küstenabschnittes.

Wie kanadische Ausgrabungen seit 1965 zeigen, wurde A. großzügig ausgebaut (Theater, Thermen, Wasserleitungen) und prägte Münzen von Antiochos IV. von Kommagene bis Valerianus [3. 58]; Nekropole mit über 350 Grabhäusern [1]. Einem mit der Eroberung durch die → Sasaniden 260 n. Chr. (Res gest. div. Saporis 30) verbundenen Niedergang folgte um 382 n. Chr. eine inschr. bezeugte Renovierung der Seemauer durch den → comes Matronianus; A. erhielt auch eine Garnison gegen die → Isauroi und wurde Bistum (Suffragan von Seleukeia). Im 5. Jh. n. Chr. neue Blüte mit zahlreichen Kirchenbauten, aus denen einige der Mosaikinschr. stammen [4]. Nach einem Erdbeben (?) beginnt um 580 n. Chr. der Niedergang der Stadt, die 692 n. Chr. noch einen Bischof hatte und als wichtiger Hafen, vor allem für die Überfahrt nach Kypros, auch im MA unter dem Namen Stallimure häufig Erwähnung findet [2].

1 E. ALFÖLDI-ROSENBAUM, Anamur Nekropolü – The Necropolis of Anemurium, 1971 2 H. HELLENKEMPER, F. HILD, s. v. A., Kilikien und Isaurien (TIB 5), 1990 3 J. RUSSELL, s. v. Anemurium, PE 58 4 Ders., The Mosaic Inscriptions of Anemurium, 1987.

G. HIRSCHFELD, s. v. A., RE 1, 2182 · E. ROSENBAUM et al., A Survey of Coastal Cities in Western Cilicia, l967.   F. H.

Aneristos (Ἀνήριστος). **[1]** Spartiat. Sein Sohn → Sperthias zog nach der Ermordung der persischen Gesandten in Sparta freiwillig zur Sühnung dieser Schuld zum Großkönig, wurde dort aber freigelassen (Hdt. 7,134ff.). **[2]** Spartiat, Sohn des Sperthias. Nach Hdt. 7,137 eroberte A. Halieis. Im Jahre 430 v. Chr. fiel er als Mitglied einer peloponnesischen Gesandtschaft auf dem Weg zum Großkönig den Athenern in die Hände und wurde getötet (Hdt. 7,137; Thuk. 2,67).   M. MEI.

Aneroëstes (Ἀνηρόεστος). Kelt. Name, vielleicht Variante zu Anarevisios (»sehr weise«). König der → Gaesates, beging nach der Niederlage des Keltenheeres bei Telamon (225 v. Chr.) Selbstmord (Pol. 2,22,2; 2,26,5; 2,31,2; Flor. 1,20: *Ariovisto duce*).

SCHMIDT, 126, 131.   W. SP.

Anführungszeichen s. Lesezeichen

Angaria. Im Griech. beschreibt ἀγγαρεία, ein Wort pers. Ursprungs, seit dem 3. Jh. v. Chr. eine Leistungsverpflichtung bes. im Zusammenhang mit dem Transport von Personen und Gütern im Auftrag des Staates

[1.11]; sowohl bei Herodot (3,126,2; 8,98,2) als auch bei Xenophon (Kyr. 8,6,17) werden Kurierdienste (ἀγγαρήιον) der Perser erwähnt. Die Quellen der Principatszeit [5.6 A. 25] bezeichnen mit ἀγγαρεία, bzw. *a.* (nur in SEG 19,476) die Bereitstellung von Transportmitteln z. T. gegen eine vom Staat festgelegte Entschädigungszahlung (SB 1,39241; vgl. *angariare* = requirieren: Dig. 49,18,4,1). Solche requirierten Fahrzeuge und Tiere dienten dem öffentlichen Nachrichten- und Transportsystem (→ *cursus publicus*) und weiteren Beförderungsmaßnahmen der Regierung wie Kaiserreisen, Truppenverschiebungen oder dem Transport von Gütern. Bei den Juristen des 3. Jh. benennt *a.* bzw. *angarium* neben der Verpflichtung auch konkret die Transportmittel (Dig. 50,4,18,4; 21; 29; 50,5,10,2; 11); mit *a.* wird in den spätant. Rechtstexten auch der größte Wagen des öffentlichen Transportsystems mit einer Maximallast von 1500 Pfund (*cursus clabularius*) bezeichnet. → cursus publicus

1 N. LEWIS, Compulsory Service, 1982 2 F. OERTEL, Die Liturgie, 1917, 24, 88–94 3 M. ROSTOWZEW, Angariae, in: Klio 6, 1906, 249–258 4 O. SEECK, s. v. A., RE 1, 2184–2185 5 P. STOFFEL, Über die Staatspost, die Ochsengespanne und die requirierten Ochsengespanne, 1994.   A. K.

Angeiai (Ἀγγεῖαι). Stadt im südöstl. → Pindos im Siedlungsgebiet der → Dolopes, wohl beim h. Rentina. A. überflügelte ab dem 2. Jh. v. Chr. den Hauptort → Ktimenai; es wurde 198 v. Chr. im 2. Maked. Krieg von den → Aitoloi erobert (Liv. 32,13,10), bestand aber fort (vgl. SIG³ 692,10 von 130 v. Chr.).

Y. BÉQUIGNON, La retraite de Philippe V. en 198 et l'incursion étolienne en Thessalie, in: BCH 52, 1928, 445f. · F. STÄHLIN, Das hellenische Thessalien, 1924, 147–149.   HE. KR.

Angele (Ἀγγελή). Att. → Paralia-Demos der Phyle Pandionis mit 2 (3), später 4 Buleutai; Lage nordöstl. vom h. Markopulo sichern der h. Ortsname Angelisi, der Fundort von IG II/III 5230 und ein → Horos vom Hain des eponymen Heros von A., Angelos [1. 9, Nr. 7].

1 J. KIRCHNER, S. DOW, Inschr. vom att. Lande, in: MDAI(A) 62, 1937, 1–12 2 TRAILL, Attica, 17f., 42, 59, 62, 68, 109 Nr. 13, Tab. 3.   H. LO.

Angelion. Archaischer Bildhauer, zusammen mit → Tektaios als Schüler von → Dipoinos und Skyllis bezeichnet. Plutarch beschreibt die zusammen mit Tektaios geschaffene hölzerne Kultstatue des Apollon auf Delos, mit einem Diskos in der Hand, auf dem drei Chariten standen. Diese wurden später von Königin Stratonike mit Goldkränzen versehen. Die Statue ist auf späteren athenischen Münzen wiedergegeben.

FUCHS/FLOREN, 179–180 · OVERBECK, Nr. 334–337 (Quellen).   R. N.

Angelsächsische Schrift s. Nationalschrift

Angerona. Röm. Göttin des ältesten Kreises. Die Angeronalia oder Divalia wurden am 21. Dezember gefeiert. An ihr Bild – *ore obligato obsignatoque* (Plin. nat. 3,65; vgl. Macr. Sat. 1,10,7f.) – schließen sich ant. Deutungen an: Das Bild befehle, ein Geheimnis zu hüten, oder der Name wird mit der Krankheit *angina* verbunden. Moderne Erklärungen sind oft nicht weniger spekulativ: Aus der kalendarischen Lage des Festes hat man A. als eine mit → Anna Perenna vergleichbare Göttin des neuen Jahres (*angerere* = »die Sonne wieder heraufführen«) erklärt, oder man bringt sie mit Dea Tacita zusammen. Am wahrscheinlichsten ist sie die Schützerin der *angera* oder *angitiae*, Engen, die Welt und Unterwelt verbinden [1], worauf auch die benachbarten Feste Consualia, Saturnalia, Opalia hinweisen [2].

1 H. WAGENVOORT, Pietas. Selected Studies in Roman Religion, 1980, 21–24 2 H. S. VERSNEL, Transition and Reversal in Myth and Ritual, 1993, 164–176.

DUMÉZIL, 328–332 · G. DUMÉZIL, Déesses latines et mythes védiques, 1956, 44–70 · LATTE, 134 · RADKE, 63f.   H.V.

Angiportum (Angiportus). Durchgang; synonym zu *vicus*. Nach Vitr. 1,6,1 im Gegensatz zu *platea* und *via* eine enge Gasse oder Nebenstraße, z. T. Sackgasse in der röm. Stadtanlage. Größere Häuser hatten einen vom A. erreichbaren rückwärtigen Zugang. Vgl. → Städtebau; → Straßen. Straßenbau.

W. H. GROSS, s. v. Angiportus, KlP 1, 352.   C. HÖ.

Angitia. Göttin der Marser, nach der der Lucus Angitiae (Verg. Aen. 7,759) am Ufer des Fuciner Sees benannt ist. Servius' Deutung ist ebenso wenig wert wie seine Etym. (Aen. 7,750). A. galt als Göttin bes. gegen Giftschlangen, wie aus Verg. Aen. 7,750 und Gellius bei Solin. 2,27ff. hervorgeht. Der Name lautet paelignisch *Anaceta, Anceta, Anacta*; oskisch *Anagtia*.

RADKE, 65f. · G. WISSOWA, Religion und Kultus der Römer, ²1912, 49.   H.V.

Angli(i). Nach Tac. Germ. 40,2 mit den Aviones, Reudigni, Varini, Eudoses, Suardones und Nuithones die → Nerthus verehrendes german. Volk; wohnte (gegen Ptol. 2,11,8: an der mittleren Elbe) zw. Sachsen und Jüten in Angulus (h. Angeln) in Schleswig-Holstein (Beda, hist. eccl. 1,15). Zeitweilig zu den → Suebi gehörig, lösten sich die A. unter König Offa von diesen und setzten größtenteils direkt auf die 410 n. Chr. von röm. Truppen entblößte Insel → Britannia über (Rückwanderer: Prok. BG 4,20,8), die sie weitgehend eroberten (England).

H. KUHN, et al., s. v. A., in RGA, 284–303, 303–329 · TIR M 33, 21.   K. DI.

Angrivarii. German. Volk an der mittleren Weser, von den südwestl. anrainenden Cherusci teilweise durch einen breiten *ager* geschieden (Tac. ann. 2,19); schloß sich 16 n. Chr. Rom an, fiel ab und trat besiegt in die → *fides* ein (Tac. ann. 2,24,3); den Chauci ausweichend, besetzten die A. um 97 n. Chr. mit den Chamavi Gebiete der Bructeri an der oberen Amisia (h. Ems; Tac. Germ. 33; vgl. Ptol. 2,11,9; Laterculus Veronensis 13,13).

R. WENSKUS, s. v. Angriwarier, RGA, 333 · R. WOLTERS, Röm. Eroberung und Herrschaftsorganisation in Gallien und Germanien, 1990, 225, 236f., 243, 255.   K. DI.

Angusticlavius. »Mit schmalem Streifen versehen«, ist in der Republik und frühen Kaiserzeit der Angehörige des röm. Ritterstandes und speziell der Militärtribun, dessen Amtstoga sich von der eines senatorischen Militärtribunen (*laticlavius* = »mit breitem Streifen«) unterscheidet (Vell. 2,88,2; Suet. Otho 10; Veg. mil. 2,12). Im allg. gibt es in der Legion (Pol. 6,34,3ff.) fünf *tribuni a.* und einen *laticlavius*. Die Bezeichnung *a.* gerät wohl seit dem 3. Jh. n. Chr. als Folge der veränderten Funktion eines *tribunus* (Cod. Iust. 12,35,12) und des Fortfalls ständischer Unterschiede beim Militär außer Übung und verschwindet in der Spätant., während *laticlavius* auch in der Spätant. noch generell einen Angehörigen des senatorischen Standes bezeichnet (Cod. Iust. 6,21,4).

→ Tribunus; Equites Romani

DOMASZEWSKI/DOBSON, 122ff., 172 · KROMEYER / VEITH, 275f., 316f., 511ff.   C. G.

Anicetus. [1 (Domitius?) A.] Freigelassener Neros (oder Agrippinas?) und sein Erzieher, der mit Agrippina in schlechtem Verhältnis stand (Tac. ann. 14,3,3; Cass. Dio 62,13,2). Als Praefekt der Flotte von Misenum versuchte er 59 auf Neros Befehl, Agrippina durch einen inszenierten Schiffsuntergang zu ermorden; nach Fehlschlag ließ er sie von Soldaten seiner Flotte umbringen (Tac. ann. 14,7,5; 8,2–5; Cass. Dio 62,13,2–5). Auf Anstiften Neros bekannte er sich zu einem Ehebruch mit Octavia; deshalb wurde er formal nach Sardinien verbannt, wo er eines natürlichen Todes starb (Tac. ann. 14,62; Suet. Nero 35,2; PIR² A 589). [2] A., Freigelassener des ehemaligen Königs von Pontus, → Polemo; 69 versetzte er den östl. Teil des Schwarzen Meeres mit einer Flotte in Unruhe, angeblich als Verbündeter des Vitellius. Später vom König der Sedochezi dem vespasianischen Befehlshaber Virdius Geminus ausgeliefert (Tac. hist. 3,47f.; PIR² A 590').   W. E.

Anicius. Name eines aus Praeneste stammenden Geschlechtes, das dort bereits in republikanischer Zeit bezeugt ist. Ein Anicier gelangt 160 v. Chr. zum Konsulat (s. Nr. 3), sonst trat das Geschlecht in der Republik nicht weiter hervor. In der Kaiserzeit jedoch blühte die Gens, in nachdiokletianischer Zeit bis ins 4. Jh. n. Chr. als stadtröm. Familie, um dann, von den Angehörigen der weiblichen Linie fortgeführt, als christl. Adel zu höchster Bed. im 5.Jh. zu gelangen [1].

[1 A., C.] Senator und Freund Ciceros, um 44 v. Chr., Cic. fam. 12,21 u.ö. (MRR 2,487).

> 1 A. MOMIGLIANO, Gli Anicii e la storiografia latina, Secondo contributo alla storia degli studi classici, 1960, 231–254. K.L.E.

[I 2] A., M., *praetor Praenestinorum*, verteidigte 216 v. Chr. Casilinum gegen Hannibal (Liv. 23,19,17–18.).

[I 3] A., Q., aus Praeneste, curulischer Aedil 304 v. Chr. (Plin. nat. 33,17), doch unsicher. MRR 1, 168.

[I 4] A. Gallus, L., *praetor peregrinus* im Jahr 168 v. Chr., kämpfte in Illyrien gegen den mit Perseus von Makedonien verbündeten König Gentius, schloß ihn in Scodra ein und beendete den Krieg in 30 Tagen (Liv. 44,21,4–10; 30–32,5; 45, 3,1–2 u. a.). 167 befriedete er als *propraetor* zunächst Epirus, ordnete dann zusammen mit einer Senatsgesandtschaft die Verhältnisse im Illyricum und triumphierte in Rom (Liv. 45,16,2; 26; 43; Pol. 30,14 u. a.). 160 Konsul mit M. Cornelius Cethegus; sein Amtsjahr wußte man noch ein Jh. später als gutes Weinjahr zu rühmen: *Aniciana nota* (Cic. Brut. 287–288). 154 befand er sich in einer Zehnmännerkommission, die nach Asien ging, um den Krieg zw. Prusias und Attalos VII. von Pergamon zu beenden (Pol. 33,7,1–4; 12–13.4). K.L.E.

II. KAISERZEIT

[II 1] A. Cerialis, C., unter Caligula mit seinem (Stief-) Sohn Sex. Papinius der Verschwörung beschuldigt; A. verriet nach Cass. Dio 59,25,5^b nichts (anders Tac. ann. 16,17,6); nach Cass. Dio im J. 40 n. Chr. hingerichtet; nach Tac. ann. 16,17,1; 6 tötete er sich, unter Nero angezeigt, im J. 66 selbst. Dann identisch mit dem *cos. suff.* von 65 (CIL IV 2551); PIR² A 594. **[II 2] A. Faustus, Q.**, praetorischer Legat in Numidien von 197 bis 201 [1]; *cos. suff.* 198 oder 199 [2]; konsularer Statthalter von Moesia superior, Prokonsul von Asia 217–219 (Cass. Dio 79,22,2; 4); vielleicht aus Uzappa (EOS 2, 740). **[II 3] A. Faustus Paulinianus, Sex.**, *clarissimus puer*, Sohn von A. [II 2] [3]. **[II 4] A. Faustus Paulinus, Sex.**, Sohn von A. [II 2], konsularer Legat von Moesia inferior im J. 230 (CIL III 7473). **[II 5] Cocceius A. Faustus Flavianus, M.**, Patrizier, *consularis* vor 251/2 (EOS 2, 741 [4]). **[II 6] Cocceius A. Faustus Paulinus, Sex.**, *procos. Africae* 260/268 (CIL VIII 1437 [4. 150]). **[II 7] A. Maximus**, Prokonsul von Pontus-Bithynien unter Traian vor 109 (Plin. epist. 10,112,2; PIR² A 603) [5].

> 1 THOMASSON, 1, 402f.; 3, 45 2 LEUNISSEN 134 3 P. I. WILKINS, The African Anicii – a Neglected Text and a New Genealogy, in: Chiron 18, 1988, 377–382 4 M. CHRISTOL, À propos des Anicii: Le IIIe siècle, in: MEFRA 98, 1986, 141–164 5 W. ECK, Jahres- und Provinzialfasten, in: Chiron 13, 1983, 201. W.E.

Im 4./5.Jh. n.Chr. sind die Anicier eines der einflußreichsten Geschlechter Roms (Stemma PLRE 1, 1133).

Zur Gesch. der Anicii im 3. und im beginnenden 4.Jh. siehe [1] (Stemma [1. 163]). Ein Anicier war der erste Angehörige einer vornehmen röm. Senatorenfamilie, der den christl. Glauben annahm (Prud. c. Symm. 1,552f.). Die Familie führte oft die christl. Minderheit im Senat. Zur Frage, welche Rolle die Frauen bei der Bekehrung des Hauses spielten [2].

[II 8] M. Iunius Caesonius Nicomachus A. Faustus Paulinus. *Cos.* II 298; *praef. urbi* 299/300; wohl altgläubig: CIL VI 315 (ILS 3409) [anders: 3. 51f.]. PIR² A 601; [5. 31–33]. PLRE 1, 329. **[II 9] Amnius A. Iulianus.** Vielleicht Sohn von Nr. 8, Vater von Nr. 11, 320/1 *procos. Africae* [6. 171]; *cos.* 322; *praef. urbis Romae* 326–329; auf ihn Symm. epist. 1,2,5; unklar ist, ob er noch Heide war [5. 78–80] (PLRE 1, 473f.) **[II 10] Sex. A. Paulinus**; wohl jüngerer Sohn von Nr. 8, *proc. Africae* vielleicht 322–324 [6. 171], *cos.* II 325; *praef. urbis Romae* 331–333. Nach CHASTAGNOL der erste christl. Anicier [5. 84–86; vgl. 7. 366; zum Namen 6. 237] (PLRE 1, 679f.). **[II 11] Amnius Manius Caesonius Nicomachus A. Paulinus iunior signo Honorius**, Sohn von Nr. 9; Legat seines Vaters in Africa; *proc. Asiae* 330 [6. 158], *cos.* II 334 und *praef. urbis Romae* 334/5; seine rel. Orientierung ist unklar. [5. 90–92] (PLRE 1, 679). **[II 12] A. Auchenius Bassus.** *Quaestor* und *praetor tutelaris* in einem Jahr; *proc. Campaniae* 379–380 [4. 71, 216]; *praef. urbis Romae* 382/3. Er wurde wegen Unterschlagung verurteilt. Ob seine Bezeichnung als *restitutor generis Aniciorum* auf CIL XIV 2917 (vgl. X 5651; IX 1568) ihn als adoptiertes oder als einziges überlebendes männliches Glied des Hauses kennzeichnen soll, ist unklar. Er war Christ [5. 211–216] (PLRE 1, 152–154). **[II 13] A. Hermogenianus Olybrius.** *Cos.* 395 in einem bes. jungen Alter zusammen mit seinem Bruder Nr. 14; gestorben vor 410 (PLRE 1, 639f.). **[II 14] Probinus.** 395 sehr jung *cos.* mit seinem Bruder. Beide zusammen durch einen Panegyricus → Claudians geehrt; *procos. Africae* 397 (PLRE 1, 734f.). **[II 15] Fl. A. Olybrius**, *patricius*, hochangesehener Senator, Gatte der Placidia, der Tochter Valentinians III. Wohl 455 nach Konstantinopel ausgewichen, dort 464 *cos.* Wird von Leo I. in diplomatischer Mission in den Westen entsandt. → Ricimer erhebt ihn dort im April 472 zum Kaiser, † 2.11.472 (PLRE 2, 796–8).

> 1 M. CHRISTOL, A propos des A., in: MEFRA 98, 1986, 141–164 2 H. SIVAN, Anician Women, the Cento of Proba, and Aristocratic Conversion in the Fourth Century, in: VChr 47, 1993, 140–157 3 T. D. BARNES, R. W. WESTALL, The Conversion of the Roman Aristocracy in Prudentius' Contra Symmachum, in: Phoenix 45, 1991, 50–61 4 G. A. CECCONI, Governo imperiale e élites dirigenti nell'Italia tardoantica, 1994 5 A. CHASTAGNOL, Les fastes de la préfecture de Rome au Bas-Empire, 1962 6 T. D. BARNES, Empire, 1982 7 R. v. HAEHLING, Religionszugehörigkeit, 1978. H.L.

Anio. Linker Nebenfluß des → Tiberis, Grenze zw. Sabinum und Latium; entspringt am Südhang der *Sim-*

bru(v)ini colles (→ Simbru(v)inus) im Gebiet der → Aequi, tritt bei den Wasserfällen von Trevi (Treba) mit engen und tiefen Schluchten in die Ebene aus. An den 3 *Simbru(v)ini colles* staut er sich – bei Sublaqueum, Varia (h. Vicovaro) und Tibur, wo er 100 m tief in die Ebene hinabstürzt. Von hier an schiffbar (Strab. 5,3,11; Plin. nat. 3,54 – Ausfuhr von Travertin = *lapis Tiburtinus*, Tuff, Rotsandstein). Vor Villa Adriana wird der A. vom *pons Lucanus* der *via Tiburtina* überquert, verläuft dann südl. von Collatia und wird bei Rom von den Brücken der via Tiburtina, der *via Nomentana* und der → *via Salaria* überquert. Unterhalb von Antemnae mündet er in den Tiberis. Er gibt 2 Wasserleitungen den Namen: *A. vetus* (272 v. Chr.) und *A. novus* (38 n. Chr. begonnen); der A. speist auch die *aqua Claudia* und die *aqua Marcia*. Am Oberlauf wird er von der *via Sublacensis* begleitet, am Unterlauf von der *via Valeria*.

Il Tevere e le altre vie d'acqua del Lazio antico, 1986 · A. M. LIBERATI SILVERIO, Il trionfo dell'acqua, in: Atti del Convegno »Gli Antichi Acquedotti di Roma«, 1992, 83 ff.   G. U. / S. W.

Anios (Ἄνιος). Erstmals in den → Kypria (PEG fr. 29 = EpGF fr. 19) erwähnter mythischer König der Insel → Delos. Sohn des → Apollon und der Rhoio. Als Seher und Priester des Gottes (Schol. Lykophr. 570; Diod. 5,62,1–2; Serv. Aen. 3,80) weissagte A. den nach Troia ziehenden Griechen die Eroberung der Stadt im 10. Kriegsjahr und bot ihnen an, sie solange mit Hilfe seiner Töchter (der sog. → Oinotropoi) Oino, Spermo und Elais zu verpflegen. Diesen hatte → Dionysos die Gabe verliehen, Wein, Getreide und Öl herbeizuzaubern (Pherekydes, FGrH 3 F 140).

PH. BRUNEAU, Recherches sur les cultes de Délos à l'époque hellénistique et à l'époque impériale, 1970, 413–30.   G. B.

Anis (ἄνισον), *Pimpinella anisum* L., wurde wie andere Gewürze aus der Familie der Umbelliferen (z. B. ἄνηθον, *Anethum*, Dill, und ἄμμι, *Ammi*) über Ägypt. nach Griechenland eingeführt. Für Dioskurides 3,56 (ἄνησσον) [1.2.69 f.] = 3,58 [2.301 f.] war das kret. A. am besten. Nach Plin. nat. 20,185–195 lobte das *anesum* v. a. Pythagoras wie auch mehrere gr. Ärzte als Gewürz und Heilmittel, z. B. gegen Epilepsie. Es war später auch Bestandteil des Theriak.

1 M. WELLMANN (Hrsg.), Pedanii Dioscuridis de materia medica Bd. 2, 1906, Ndr. 1958   2 J. BERENDES (Hrsg.), Des Pedanios Dioskurides Arzneimittellehre übers. und mit Erl. versehen, 1902, Ndr. 1970.   C. HÜ.

Ankaios (Ἀγκαῖος). **[1]** Sohn des Lykurgos aus Tegea, Bruder des Epochos (Paus. 8,4,10), Vater des Agapenor (Hom. Il. 2,609). Arkader, der stärkste Heros nach Herakles; seine Waffe ist die Doppelaxt (Apoll. Rhod. 2,118; *bipennifer* Ov. met. 8,391). Er nimmt am Argo-

nautenzug (Apollod. 1,163 f.) und an der kalydonischen Jagd teil, wo er vom Eber zerrissen wird (Apollod. 1,68; Paus. 8,4,10; Ov. met. 8,315; 391–402). Von Skopas wurde sein Tod im Giebel des Tempels der Athena Alea dargestellt (Paus. 8,45,7). **[2]** Sohn des Poseidon (Zeus) und der Astypalaia, lelegischer König auf Samos (Paus. 7,4,1), Gründer der Stadt und des Heratempels (Apoll. Rhod. 1,188). Auch er ist Argonaute, nach Tiphys' Tod Steuermann (Apoll. Rhod. 2,894).

Auf sein Ende wurde der Vers Πολλὰ μεταξὺ πέλει κύλικος καὶ χείλεος ἐντός (›Viel liegt zwischen dem Becher und seinem Rand‹) bezogen: Er starb durch ein Wildschwein, als er eben den Becher mit dem ersten Wein an die Lippen hob (Schol. Lykophr. 488, seit Aristot. fr. 530).   F. G.

Anker. Der A., als Gerät zum Festhalten eines Schiffes über Grund, ist wesentliche Voraussetzung für die Entwicklung der höheren Seefahrt. Die Bronzezeit kennt einfach zurechtgehauene zinnenförmige Stein-A. mit ein bis drei Durchbohrungen der Fläche zum Befestigen des A.-Taus (*ancorale*) und eines A.-Stocks (?). Vielleicht von den Phöniziern erfunden, wird im frühen 1. Jt. v. Chr. ein hölzerner A. in der Form der sog. Admiralitäts-A. mit Flügeln / Schaufeln und, am anderen Ende, quergeführtem A.-Stock üblich. Dieser und die verbindenden Beschläge sind zumeist aus Blei, wovon zahlreiche Exemplare aus verschiedenen Epochen erh. sind. Der A. mit der neuen Technologie und Form garantierte ein sicheres Verkrallen im Meeresboden (A.-Grund) und hat so über 3000 Jahre hin der Seefahrt gedient.

Der außerordentlich praktische Wert des A., u. a. als letzte Rettung in Seenot oder als Hilfe bei schwierigen Manövern, erklärt seine besondere Rolle in der ant. und christl.-abendländischen Symbolik und Metaphorik, u. a. als Zeichen der Seefahrt sowie als Symbol des Kreuzes und der Hoffnung.

P. STUMPF, s. v. A., RAC 1, 1950, 440–443 · J. W. SHAW, Stone weight Anchors, in: Int. Journal of Nautical Archaeology 12, 1983, 91–100 · H. J. SCHALLES, Röm. A., in: Arch. im Rheinland 1988, 1989, 88–89 · Ders., Neue Ankerfunde vom unteren Niederrhein, in: G. PRECKT, H.-J. SCHALLES (Hrsg.), Spurenlese. Beitr. zur Gesch. des Xantener Raumes, 1989, 91–88 · H. FROST, Anchors sacred and profane, in: Ras Schamra-Ougarit 6, 1991, 355–410 · Dies., s. v. Ancre, in: DCPP, 29–30.   H.-G. N.

Ankyle (Ἀγκυλή). Att. → Asty-Demos (Ober- und Unter-A.) der Phyle → Aigeis, später der → Antigonis mit 2 (1/1) Buleutai, im Osten oder Südosten Athens (Alki. 3,43: »Proasteion«). A. grenzte im Norden [1. 170] oder Süden an → Agryle (IG II² 2776 Z. 57–59 [2. 70]).

1 W. JUDEICH, Top. von Athen, ²1931   2 S. G. MILLER, A Roman Monument in the Athenian Agora, in: Hesperia 41, 1972, 50–95.

TRAILL, Attica, 7, 29, 39, 68, 69, 109f. (Nr. 14, 15), 126f. Tab. 3, 11 · Ders., Demos and Trittys, 1986, 127.   H. LO.

Ankyra (Ἄνκυρα). Stadt und Festung in → Galatia, h. Ankara. Ankerlegenden zur Namenserklärung (Paus. 1,4,5; Steph. Byz. s. v. A.; Anker als Stadtsymbol). Ursprünge in prähistor. / hethit. Zeit; phryg. Zentrum (8.–6. Jh. v. Chr.; Gründungssage: Paus. 1,4,5). Etappe der persischen → Königsstraße. Nach 275 v. Chr. im Gebiet der Tektosages, schließlich Zentralort des Stammes (Strab. 4,1,13; 12,52; als galatische Gründung bei Memnon, FGrH 434 F 11,7; Steph. Byz. s. v. A.). Seit 25 v. Chr. → Metropolis der Prov. Galatia. Sitz des Galatischen → Koinon und des Kaiserkults (19/20 n. Chr. Weihung des Augustus et Roma-Tempels; dort Kopie der *Res Gestae div. Aug.*). Die Tektosages waren in der Polis A. als Sebasteni Tectosages Ancyrani organisiert. Nach 396/99 n. Chr. Hauptstadt der Galatia I, in byz. Zeit Strategensitz des Thema Opsikion, dann Bukellarion.

Frühe Christianisierung (starke häretische Tendenzen). 622 n. Chr. Eroberung und Zerstörung durch die Perser, 654 n. Chr. 1. arab. Eroberung; Mitte des 7. Jhs. n. Chr. Neubau der Zitadelle.

K. BELKE, M. RESTLE, Galatien und Lykaonien (TIB 4), 1984, 126–130 · E. BOSCH, Quellen zur Gesch. der Stadt A. im Alt., 1967 · C. FOSS, Late Antique and Byzantine A., in: Dumbarton Oaks Papers 31, 1977, 27–87 · G. HIRSCHFELD, s. v. A. 1, RE 1, 2221 f. · S. MITCHELL, Anatolia. Land, Men, and Gods in Asia Minor 1, 1993, 81 ff., 86 ff., 100 ff. · B. RADT, Anatolien 1, 1993, 22 ff. · K. STROBEL, Die Galater, 1996. K. ST.

BYZANTINISCHE ZEIT
Das Ende der röm.-frühbyz. Phase A.s bezeichnet eine durch die sasanidische Eroberung (622 n. Chr.) verursachte Brandschicht [1; 2]. In Folge der 641 n. Chr. einsetzenden muslimischen Angriffe auf Anatolien zog sich die Bevölkerung auf die von einem doppelten Mauerring geschützte Akropolis zurück [3. 72 ff.]. Ausbau zur Festung seit 859 unter Michael III. [4].

1 J. B. CHABOT (Hrsg.), Michael Syrus, Chronik, 1904, II, 408, CSCO, Scriptores Syri III, 14 2 R. ARIK, Les résultats des fouilles faites à Ankara par la société d'histoire turque, in: La Turquie kemaliste, 21/22, 48 f. 3 C. FOSS, Late Antique and Byzantine Ankara, in: Dumbarton Oaks Papers 31 4 H. GRÉGOIRE, Inscriptions historiques byzantines. Ancyre et les Arabes sous Michel l'Ivrogne, in: Byzantion 4, 437–49. T. L.

Anleihen s. Staatsanleihen

Anna. Schwester der → Dido; sie spielt insbes. in Verg. Aen. 4 eine erzählerisch wichtige Rolle [1]. Ihre Vorgesch. ist nicht klar: Nach Varro soll sich nicht Dido, sondern A. aus Liebe zu Aeneas verbrannt haben (Serv. auct. Verg. Aen. 4,682; Serv. Verg. Aen. 5,2). Spätestens Ovid identifiziert sie mit der Göttin → Anna Perenna; dabei wird der vielleicht semit. Name von Didos Schwester volksetym. auf *annus* »Jahr« bezogen.

1 R. HEINZE, Vergils ep. Technik, 1915, 126–130. F. G.

Anna Perenna. Erhält an den Iden des März in ihrem Hain (Martial. 4,64; 16) am 1. Meilenstein der Via Flaminia in Tibernähe eine Feier, die durch ein Opfer für ein gutes Jahr *ut commode liceat annare perennareque* (Macrob. Sat. 1,12,6) und durch beiden Geschlechtern gemeinsames Trinken in Zelten und Laubhütten gekennzeichnet ist (Ov. fast. 3,523–540); Datum, Ritus und ominaler Charakter weisen auf ein Auflösungsfest im Umkreis des Jahresanfangs. Herkunft und Charakter der Göttin sind der Ant. ebenso unklar wie der modernen Forsch.; fest steht, daß sie als alte Frau erscheinen kann. Röm. Myth. macht sie zur alten Anna von Bovilla, welche die ausgehungerte Plebs bei ihrer Sezession ernährt habe (Ov. fast. 3,657–674) und erzählt von ihrer erotischen Täuschung des Mars, letzteres als Aition der Aischrologie an ihrem Fest (Ov. fast. 3,675–696), oder sie verbindet sie mit Anna, der Schwester Didos, und erzählt von Selbstmord und Entrückung im Numicus (Ov. fast. 3,545–656: etym. Herleitung von *amnis perennis*).

R. LAMACCHIA, Annae festum geniale Perennae, in: PdP 13, 1958, 381–404 · D. PORTE, A. P.: *Bonne et heureuse année?*, in: Rph 45, 1971, 282–291 · G. BRUGNOLI, A. P., in: G. BRUGNOLI, F. STOK, Ovidius παρωιδήσας, 1992, 21–45. F. G.

Annaeus. Name eines Geschlechtes wohl sabinischer Herkunft [1]. Im öffentlichen Leben der republikanischen Zeit traten Namensträger erst im 1. Jh. v. Chr. in Erscheinung. Der Name wird vor allem im 1. Jh. n. Chr. durch den Epiker M. A. → Lucanus und durch den Rhetor L. A. → Seneca und seinen gleichnamigen Sohn, den Philosophen und Politiker, bekannt; s. a. Cornutus
[I 1] Brocchus, C., Senator 73 v. Chr. (wohl Ädilizier), unter Verres in Sizilien ([2] Cic. Verr. 2,3,93 u.ö.; MRR 2, 115).

1 SYME, RP 2, 587–588 2 SHERK, 23. K. L. E.

II. KAISERZEIT
[II 1] A. Cornutus, M. s. → Cornutus. **[II 2] A. Lucanus, M.** s. → Lucanus. **[II 3] A. Mela, L. (?)**, jüngster Sohn von Seneca rhetor, Vater des Dichters Lucanus. Er zog nach Tac. ann. 16,17,3 eine procuratorische Laufbahn einer senatorischen vor [1]; angeblich Mitwisser an der pisonischen Verschwörung im J. 66, tötete er sich selbst (Tac. ann. 16,17,1–5). **[II 4] A. Novatus** s. → L. Iunius Gallio A. N. **[II 5] A. Seneca, L., rhetor**, → Seneca rhetor. **[II 6]** A. Seneca, L., philosophus → Seneca philosophus. **[II 7] A. Serenus**, jüngerer Verwandter und Freund (*familiaris*, Tac. ann. 13,13,1; Mart. 7,45,1 f.) des Philosophen Seneca. Im J. 55 gab sich als Liebhaber von → Claudia Acte aus, um Nero zu decken (Tac. ann. 13,13,1). Vielleicht zur selben Zeit *praef. vigilum*; noch als Praefekt starb er bei einem Gastmahl an einem Pilzgericht (Plin. nat. 22,96; Sen. epist. 63,14 f.). Seneca widmete ihm dial. 2; 8 und 9; PIR² [1. 353 ff., 447 f.].

1 M. GRIFFIN, Seneca, ²1992, 84. W. E.

Annales. Annalisten s. Annalistik

Annales maximi. Gleichbedeutend mit *annales pontificum maximorum* (Cic. leg. 1,6). *a. m.* nannten die Römer ein chronikartiges Geschichtswerk, das auf Aufzeichnungen des *pontifex maximus* beruhte (Paul. Fest. p. 113 L; Macr. Sat. 3,2,17; Serv. Aen. 1,373; implizit schon Cic. de orat. 2,52). Der Inhalt war anscheinend identisch mit der *tabula apud pontificem maximum* (Cato orig. fr. 77 HRR), die neben Angaben über Teuerungen und Finsternisse sicher auch solche über Prodigien (trotz [3]), Tempel-Weihungen, Ergänzung der Priester-Kollegien, wahrscheinlich auch Koloniegründungen, Beamtenwahlen und mil. Ereignisse enthielt. Sie boten also eine wichtige Materialbasis für die beginnende röm. Geschichtsschreibung. Zeitnahe Aufzeichnungen der Priester gab es wohl seit dem 4. Jh. v. Chr., sie müssen aber vor Cicero durch eine Darstellung der Frühgeschichte ergänzt worden sein. Seit dem *pontifex maximus* P. Mucius Scaevola (ca. 130 – 115) wurde die Tabula nicht mehr aufgestellt (Cic. de orat. 2,52); die verbreitete Annahme, daß er gleichzeitig den gesamten Nachrichtenbestand publizierte (z. B. [1; 2; 6]) hat keine Stütze in den Quellen. Die erst in der Kaiserzeit erwähnte Edition in 80 Büchern (Serv. l.c.; Buchzitate Gell. 4,5,6; Origo 17f.) kann späteren Ursprungs sein (augusteisch: [4. 198f.]; Edition bezweifelt [5]).

1 SCHANZ/HOSIUS I⁴, 28–32 2 J. E. A. CRAKE, in: CPh 35, 1940, 375–386 [dt.in: Röm. Geschichtsschreibung, 1969, 256–271] 3 E. RAWSON, in: CQ N.S. 21, 1971, 158–169 4 B. W. FRIER, Libri Annales Pontificum Maximorum, 1979 (bes. 297ff.) 5 R. DREWS, in: CPh 83, 1988, 289–299 6 MOMMSEN, RG ²II 54. W. K.

Annalistik. Als Annalisten bezeichnet man vor allem die Verf. älterer röm. Geschichtswerke, die in der Regel ihre Darstellung mit der Frühzeit begannen (Ausnahme:→ Claudius Quadrigarius) und bis zur Gegenwart fortführten. Sie ordneten zumindest die jüngeren Ereignisse streng nach der Abfolge der Amtsjahre und hielten innerhalb der Jahre eine schematische Ordnung ein [1].

Gellius (5,18,1 ff.) kennt zwei ant. Vorschläge zur Abgrenzung von *annales* und *historia(e)*: 1. *historiae* behandeln zeitgenössische, *annales* aber ältere Gesch. Diese Abgrenzung ist jedoch für die ältere röm. Historiographie unpassend, weil ihre vorherrschende Darstellungsform die der Gesamtgesch. von den sagenhaften Anfängen bis in die selbsterlebte Zeit war. 2. *historia* sei der Oberbegriff für »Geschichtsschreibung«, *annales* hätten dagegen eine Sonderform gebildet, die ihren Stoff streng nach Jahren ordnet. Diese Unterteilung wurde von der modernen Latinistik übernommen, die folgende Gruppen unterscheidet: 1. Die frühen Geschichtswerke in griech. Sprache von → Fabius Pictor (Cic. div. 1,43 *Graecis annalibus*), → Cincius Alimentus, → Postumius Albinus, C. → Acilius (Liv. 25,39,12 *annales Acilianos*); gegen GELZERS Einwände ist eine annalistische Gliederung der Zeitgesch. heute sogar für Fabius fast allg. anerkannt. 2. Vertreter der »älteren« A. bes. → Cassius Hemina, → Calpurnius Piso Frugi und Cn. → Gellius in der 2. H. des 2. Jhs. v. Chr. Sie dehnten die jahrweise Gliederung auf die ältere Republik und sogar die Königszeit (Gellius) aus. 3. Die »jüngeren Annalisten« des 1. Jhs., Claudius Quadrigarius, → Valerius Antias, → Licinius Macer und → Aelius Tubero. Sie alle sind wichtige Quellen des T. → Livius, die aber in Methode und schriftstellerischer Absicht sehr verschieden waren ([2] erfaßt nur die ersten beiden).

Die frühen Werke behandelten nur Frühzeit (*Ktisis*) und Zeitgesch. ausführlich, boten aber für weite Strecken der älteren Zeit nur ein dürftiges Gerüst (Dion. Hal. 1,6,2). Seit der »älteren« A. wird die Vergangenheit zunehmend mit Anekdoten, Motivationen und bes. rhet. Einlagen ausgefüllt. Dies führt seit Cn. Gellius zu einer außerordentlichen Erweiterung des Werkumfangs – zweifellos ohne nennenswerten Zuwachs an verläßlichem Material. Gerade die »jüngere« A. greift bedenkenlos zu Erfindungen (einziger Maßstab: Plausibilität), selbst von »Aktenstücken« (magistratischen Briefen, Senatsbeschlüssen u. ä.), und gestaltete, wie sich in Einzelfällen nachweisen läßt, den Stoff gegen Chronologie und Sachzusammenhang zu pathetischen Erzählkomplexen (z. B. Valerius Antias fr. 45 P. über → Scipionenprozesse). Zeitgenössische polit. Reizthemen (z. B. Lage der Plebs) führen zur Verfälschung früher Ereignisse aus aktueller Perspektive. Diese Form der A. findet in Livius' Werk ihren Abschluß.

Im weiteren Sinne »annalistisch« waren auch die zeitgesch. Werke des → Cornelius Sisenna, → Sallust (Titel: *Historiae*) und anderer, da auch sie ihre Darstellung in Jahreseinheiten gliederten; so noch → Tacitus in seinen Hauptwerken.

1 A. H. MCDONALD, in: JRS 47, 1957, 155f. 2 D. TIMPE, in: A&A 25, 1979, 97–119.

E. BADIAN, Latin Historians, 1966, 1–38 · E. MEYER ANRW I 2.1, 1972, 970–986 · E. RAWSON, in: Latomus 35, 1976, 689–717 (= Roman Culture and Society, 1991, 245–271) · B. W. FRIER, Libri Annales Pontificum Maximorum, 1979 · T. P. WISEMAN, Clio's Cosmetics, 1979 · G. P. VERBRUGGHE, in: Philologus 133, 1989, 192–230 (korrekturbedürftig) · U. W. SCHOLZ, in: Hermes 122, 1994, 64–79. W. K.

Anneius röm. Gentilname

M., Legat Ciceros in Cilicien 51–50 v. Chr. (Cic. fam. 13,55 u. ö.; MRR 2,244). K. L. E.

Annia [1] Frau des L. Cornelius Cinna (✝ 84), dann des M. Pupius Piso Frugi, cos. 61 v. Chr. (Vell. 2,41,2). Vielleicht Schwester von C. und Tochter von C. → Annius Rufus. K. L. E.
[2, A. Aurelia Galeria Lucilla] Gattin des L. Verus → Lucilla Aug. **[3, A. Galeria Faustina]** Gattin des Antoninus Pius, s. → Faustina I. **[4, A. Galeria Faustina]** Gattin des Marcus Aurelius, s. → Faustina II. W. E.

Annianus. Lat. Lyriker des 2.Jh. n. Chr., Bekannter des Aulus → Gellius mit Grundbesitz *in agro Falisco* (Gell. 6,7; 9,10; 20,8), Verf. von Fescenninen und *carmina Falisca* (evtl. 5 fr. = 12 V. über Weinbau im *metrum Faliscum/Calabrion, Paroemiacus*). Wie bei verlorenen zeitgenössischen Dichtern (s. Ter. Maur. 1992 f.) scheint eine Vorliebe für metrische Neuerungen und Freiheiten charakteristisch, Zugehörigkeit zu einer Schule sog. → *poetae novelli* besteht jedoch nicht.

ED.: FPL 170 f.
KOMM.: S. MATTIACCI, I frammenti dei *poetae novelli*, 1982, 81–104 · COURTNEY, 387–390.
LIT.: → *poetae novelli* · J.-W. BECK, A., Septimius Serenus und ein vergessenes Fr., AAWM 1994, 4.   J.-W.B.

Annikeris aus Kyrene, → Kyrenaïker, lebte in den Jahrzehnten vor und nach 300 v. Chr. Wegen der Modifikationen, die er (vermutlich in Auseinandersetzung mit Epikur) an der urspr. kyrenäischen Lustlehre vornahm, ließen manche ant. Philos.historiker mit ihm eine neue Phase in der Gesch. der Kyrenaïker beginnen (Strab. 17,3,22; Diog. Laert. 2,85). Seine Modifikationen bestanden vor allem darin, daß er neben der sinnlichen eine vom Körper unabhängige rein seelische Lust anerkannte bzw., falls dies andere Kyrenaïker vor ihm auch schon getan haben sollten (was umstritten ist), der rein seelischen Lust einen bes. Wert zusprach. Von daher erklärt es sich, daß er (anders als die urspr. Kyrenaïker und → Hegesias) Dingen wie der Freundschaft, der Dankbarkeit, der Achtung gegenüber den Eltern und der aktiven Beteiligung am polit. Leben einen eigenständigen Wert zusprach. Zur Begründung führte er an, daß diese Dinge auch dann, wenn man ihretwegen Unannehmlichkeiten und Einbußen an sinnlicher Lust hinnehmen müsse, das persönliche Glück nicht minderten, da die seelischen Lustempfindungen, die sie vermitteln könnten, die Nachteile nicht nur ausglichen, sondern aufs Ganze gesehen sogar einen Gewinn darstellten (Diog. Laert. 2,96–97; Clem. Al. Stromata 2,21; 130,7–8).

1 SSR IV G 2 K. DÖRING, Der Sokratesschüler Aristipp und die Kyrenaiker, 1988, 42–57 3 K. DÖRING, A., in: GGPh. 2.1, 1996, § 19 C 4 A. LAKS, Annicéris et les plaisirs psychiques. Quelques préalables doxographiques, in: J. BRUNSCHWIG, M. C. NUSSBAUM (Hrsg.), Passions and Perceptions, 1993, 18–49.   K.D.

Annius. Latinischer, in Rom plebeischer Gentilname, der auch in etr. und osk. Inschr. vorkommt [1]. Der Etruskerkönig Anius, nach dem der → Anio benannt sein soll (Plut. mor. 315E-F), ist gelehrte Erfindung. In Rom traten Annii seit dem 3.Jh. v. Chr. im öffentlichen Leben auf, stellten im 2.Jh. aus der Familie der Lusci zwei Konsuln und wurden im 1.Jh. durch T. → A. [14] Milo berüchtigt. In der Kaiserzeit ist der Name sehr verbreitet, verschiedene Familien sind faßbar (z.B. Cognomina: Bassus, Gallus, Libo, Pollio, Rufus, Verus) und zwei Kaiser zu nennen: M. Annius Verus, als Kaiser

M. Aurelius Anoninus (161–180 n. Chr.) und M. A. Florianus (276 n. Chr.) Unter den Frauen traten die gleichnamigen Kaiserinnen Annia Galeria → Faustina (*maior* und *minor*) und Appia Annia Regilla, die Gemahlin des Herodes Atticus, hervor. Auf lit. Gebiet sind zu nennen der Schriftsteller A. Fetialis und der Dichter P. A. Florus. Zur via Annia s. [I 15]

[1] A., C., wohl *praetor* Ende des 3. Jhs. v. Chr. (ILLRP 184). Bekannt sind zwei gleichnamige Senatoren 135 (SHERK, 10) und 129 (SHERK, 12).

1 SCHULZE, 122, 423, 519.   K. L. E.

[I 2] C., wohl Sohn von [I 15], vielleicht Praefekt 108 v. Chr. unter Caecilius Metellus, kommandierte die nach Leptis Magna gelegten Kohorten (Sall. Iug. 77,4), wurde später Praetor und kämpfte 81 als Prokonsul in Spanien gegen Sertorius (Plut. Sert. 7); spanische Denare mit seinem Namen sind erhalten (RRC 366).

C. F. KONRAD, Plutarch's Sertorius, 1994, 99–100.   K. L. E.

[I 3] L., aus Setia, 340 v. Chr. Führer (*praetor*) des latinischen Bundes (Liv. 8,3,9–6,7; bei Val. Max. 6,4,1 ist mit ihm der Campaner A. aus dem Jahr 216 verwechselt). **[I 4] L.,** Volkstribun 110 v. Chr., versuchte seine Wiederwahl durchzusetzen (Sall. Iug. 37, 2). Es gab einen gleichnamigen Senatoren 135 (SHERK, 10) und einen spätrepublikanischen Quaestor auf Sizilien (MRR 2, 478). **[I 5] M.,** Praetor vor 218 v. Chr., 218 Mitglied der Dreimännerkommission zur Gründung der Kolonien Placentia und Cremona (Liv. 21,25,3). Ein gleichnamiger Quaestor ist für 119 in Macedonia bezeugt (MRR 1,526). **[I 6] P.,** tötete 87 v. Chr. den Redner M. Antonius (MRR 2,49). **[I 7] Q.,** nahm an der Verschwörung Catilinas teil (Sall. Catil. 17,3; 50,4). Ein gleichnamiger Quaestor aus spätrepublikanischer Zeit (sein Sohn?) auf Sizilien (MRR 2, 479). **[I 8] T.,** Rechtsgelehrter und Gerichtsredner z.Z. Sullas (Cic. Brut. 178 [1]).

[I 9] Asellus, P., Senator, † 75 v. Chr. (Cic. Verr. 2, 1,104; 107 u.ö.). **[I 10] Bellienus, L.,** Legat unter M. Fonteius in der Gallia Transalpina 74–72 v. Chr. (Cic. Font. 24). **[I 11] Cimber, T.,** Sohn eines Lysidicus (wohl griech. Freigelassener bzw. Neubürger), Anhänger des M. → Antonius, Praetor 44 v. Chr., 43 als *praetorius* im Lager vor Mutina. Gerüchte warfen ihm Brudermord vor (Cic. Phil. 3,26; 11,14; 13,26; Verg. Cat. 2 mit Quint. inst. 8,3,28 f.). Vom jungen Octavian wurde ihm als Redner der Gebrauch gesuchter Archaismen (im Gefolge des → Sallustius) vorgeworfen (Suet. Aug. 86,3 [2]). **[I 12] Luscus, T.,** 172 v. Chr. Mitglied einer Dreimännergesandtschaft an König Perseus von Makedonien (Liv. 42,25,1), 169 *III vir* zur Vergrößerung der Kolonie Aquileia (Liv. 43,17,1). **[I 13] Luscus, T.,** Sohn von [I 12], *praetor* spätestens 156 v. Chr., *cos.* 153 mit Q. Fulvius Flaccus Nobilior, trat als *consularis* gegen Ti. Gracchus auf (Plut. Ti. Gracch. 14,5 u.a.).   K. L. E.
[I 14] Milo, T., Volkstribun 57 v. Chr., Praetor 55. Milos kurze polit. Karriere währte vom 10. Dez. 58 bis zum

8. April 52, als er in einem Schauprozeß zu Vermögens-
verlust und Exil verurteilt wurde. In ihr spiegeln sich
dennoch beispielhaft die inneren Kämpfe, die Rom
während Caesars Abwesenheit in Gallien erschütterten.
Die Auseinandersetzung wurde mit wechselnden Fronten und Koalitionen zw. Optimaten, Popularen, Senat,
den nur nach außen einigen Triumvirn (→ Pompeius,
→ Caesar, Crassus) und einer kurzfristig politisierten
plebs urbana geführt. Milo vertrat die Interessen des
Pompeius, von dem er sich Protektion erhoffte. 57
spielte er zusammen mit seinem Kollegen P. → Sestius
eine wichtige Rolle im Streit um Ciceros Rückkehr aus
dem Exil (MRR 2, 201). Er sollte dabei Ciceros wichtigsten Gegner, P. → Clodius Pulcher, durch Prozesse
und Straßenaktionen lähmen. Da wir die Vorgänge dieser Zeit ausschließlich aus Reden Ciceros kennen (Cic.
har. resp., p. red. ad Quir., p. red. in sen., Vatin., Sest.
Mil.), die sicher stark zugunsten Milos gefärbt sind, läßt
sich ein vorurteilsfreies Bild über die »Straßenkämpfe«
nicht gewinnen. Dennoch wurde die Glaubwürdigkeit
des Redners kaum in Frage gestellt [1]. Nach seiner Prätur bewarb sich Milo, seit 55 mit → Fausta, der Tochter
des Dictators Sulla verheiratet, 53 erfolglos um das Konsulat. Am 18. Jan. 52 ermordete er auf der *via Appia*
seinen langjährigen Gegner Clodius und löste damit
eine Welle innerer Unruhen aus. Zur Verbannung verurteilt ging Milo nach Massilia, doch im Gegensatz zu
anderen verweigerte Caesar ihm die vorzeitige Rückkehr. 48 ging er dennoch nach It. zurück, stellte sich auf
die Seite der Pompeianer, fiel aber noch im gleichen
Jahr bei der Belagerung von Cosa [2].

→ Caesar; Pompeius

1 M. FUHRMANN, Cicero und die röm. Republik, 1989,
136 ff. 2 DRUMANN/GROEBE, 1, 36 f.

C. HABICHT, Cicero der Politiker, 1990 · W. NIPPEL,
Aufruhr und »Polizei« in der röm. Republik, 1988 ·
W. WILL, Der röm. Mob, 1991 (Quellen).   W. W.

[I 15] Rufus, T., Sohn von [I 13], *praetor* spätestens
131, *cos.* 128. Er oder P. Popilius Laenas (*cos.* 132) hat
wahrscheinlich nach den Angaben des akephalen Elo-
giums von Polla in Lukanien wohl als *cos.* eine Straße
von Rhegium nach Capua angelegt, als *praetor* flüchtige
Sklaven auf Sizilien gefangengenommen und ›als erster‹
Ackerbauern anstelle von Hirten auf dem *ager publicus*
angesiedelt (ILLRP 454; 454 a). Das Verhältnis dieser
Maßnahmen zu den Reformen des Ti. Gracchus ist umstritten. Eine weitere *via Annia* existierte in Oberitalien.

1 J.-M. DAVID, Le patronate judiciaire au dernier siècle de la
repulique romaine, 1992, 721 2 W. D. LEBEK, Verba prisca,
1970, 160–170.

MRR 3, 16–17 · L. A. BURCKHARDT, Gab es ein
optimatisches Siedlungsprogramm?, in: Labor omnibus
unus, FS G. Walser, 1989, 3–7.   K. L. E.

II. KAISERZEIT

[II 1] Afrinus, M., praetorischer Statthalter von Galatien zw. 49 und 54 (CIL III 6799 [1]); *cos. suff.* um 67

(CIL IV 1544), unter Vespasian Legat von Pannonien
(CIL III 4109) [2]. **[II 2] Atilius Bradua, Appius**.
Patrizischen Ranges, *cos. ord.* 160. Schwager des Herodes Atticus, den er im Senat wegen Tötung seiner Frau
Regilla anklagte (Philostr. soph. 2,1,8) [2; 3. Bd. 1,
103 f.]. **[II 3] Bassus, L.**, Prokonsul Kyperns 65/66?
[3]. Möglicherweise Legionslegat unter Vespasian im
jüd. Krieg (Ios. bell. Iud. 4,488); 69 Kommandeur der
legio XI Claudia im Kampf gegen Vitellius (Tac. hist.
3,50,2); *cos. suff.* 71? (DEGRASSI, FCIR, 20; PIR² A 637).
[II 4] Florianus, M. Nach SHA Tac. 9,6; 14,4 und Aur.
Vict. Caes. 36,2 Bruder des Kaisers Tacitus (die Verwandtschaft nach [4] fiktiv), Praetorianerpraefekt des
Tacitus, nach dessen Tod im Juli (?) 276 selbst in Asia
zum Kaiser ausgerufen. Nach knapp drei Monaten wurde er von seinen Truppen während der Kriegsvorberei-
tungen gegen Probus in Tarsus getötet (Zos. 1,64, 1–4;
PIR² A 649; PLRE 1,367 Florianus 6; RIC 5, 349 ff.).
[II 5] Gallus, Appius, wohl aus Iguvium oder Perusia
stammender Senator; *cos. suff.* im J. 66?, Heerführer
Othos im Kampf gegen die Vitellianer [5]; 70 – ca. 72
Legat des obergerman. Heeres (Tac. hist. 5,19,1; PIR² A
653 [6]). **[II 6] Gallus, Appius**, Patrizier, *cos. suff.* 139
oder 140 [7]; Vater von [II 2] und von A. Regilla, der
Frau des Herodes Atticus [3. Bd. 2, 16 ff.]; PIR² A 654.
[II 7] Italicus Honoratus, L.; nach längerer senatorischer Laufbahn *cos. suff.* um 220, Legat von Moesia inferior 224 [2. 142; 3. 177 f.] LEUNISSEN, 177 f.). **[II 8] A.
Largus, L.**, *cos. suff.* 109 (FOst. 47,104), aus Iguvium
oder Perusia stammend (TORELLI EOS 2, 291). Sein
gleichnamiger Sohn war *cos. ord.* 147 (FOst. 51).
[II 9] A. Libo, M., Onkel des Marcus Aurelius, Sohn
von [II 15], *cos. ord.* 128 (PIR² A 667; CABALLOS, 1, 59 f.;
[8. 243]). **[II 10] A. Libo, M.**, Sohn von [II 9], *cos. suff.*
161 (AE 1972, 657); nach SHA Verus 9,2 als *legatus* um
162 nach Syria gesandt, eher *comes* des Verus als Statthalter (SYME, RP 5, 693); von Verus angeblich vergiftet
(PIR² A 668). Zu seiner Frau s. → Agaclytus [1]; [8. 243].
[II 11] A. Pollio, im J. 32 zusammen mit seinem Sohn
Vinicianus im Senat des Majestätsverbrechens angeklagt
(Tac. ann. 6,9,3). Ob mit dem *cos. suff.* in CIL VI 14221
identisch, bleibt unsicher (PIR² A 677); SYME, RP 4, 179.
[II 12] A. Pollio, Sohn von [II 20], verheiratet mit
Servilia, einer Tochter des Barea Soranus, 65 der Teil-
nahme an der pisonischen Verschwörung angeklagt und
verbannt (Tac. ann. 15,56,4; 71,3; 16,30,3); PIR² A 678.
[II 13] A. Trebonius Gallus, Appius, Nachkomme
von [II 5], Vater von [II 6], *cos. ord.* 108; PIR² A 692.
[II 14] A. Verus, aus Ucubi in der Baetica, unter Vespasian Senator, starb als Praetorier, Vater von [II 15]
(SHA Marcus 1,4); CABALLOS, 1, 64 f. **[II 15] A. Verus,
M.**, Sohn von [II 14], von Vespasian unter die Patrizier
aufgenommen; *cos. suff.* im J. 97 (FOst. 45), *cos. ord.* II
121, *cos. ord.* III 126, Stadtpraefekt. Was zu seinem außergewöhnlichen sozio-polit. Aufstieg beitrug, ist nicht
zu erkennen. Vater von [II 9] und [II 16]; CABALLOS, 1,
65 ff., 573 ff. (zu seinen Heiraten [8. 243 f.] zu CIL VI
9797 = ILS 5173 [9]; PIR² A 695). **[II 16] A. Verus,**

(M.), Sohn von [II 15], Vater des Marcus Aurelius, starb während seiner Praetur [8. 244] (PIR² A 696). **[II 17] A. Verus, M.** = Imp. Caes. M. Aurelius Antoninus Aug. → Marcus Aurelius. **[II 18] A. Verus, M.**, Sohn von Marcus Aurelius und Faustina II., geb. 162, erhielt den Titel Caesar am 12. Oktober 166 gemeinsam mit Commodus (SHA Comm. 1,10; 11,13); gest. 169 (SHA Marcus 21,3; PIR² A 698). **[II 19] A. Vinicianus**, Schwiegersohn des Domitius Corbulo, im J. 63 erhielt er, noch nicht Mitglied des Senats, *pro legato* das Kommando über die *legio V Macedonica* in Armenien (Tac. ann. 15,28,3); von Corbulo 65 nach Rom zurückgeschickt (Cass. Dio 62,23; 6). 66 war er vermutlich der Urheber einer Verschwörung gegen Nero in Benevent (Suet. Nero 36,1 f.); Sohn von [II 20] (PIR A 700). **[II 20] A. Vinicianus, L.**, war mit seinem Vater (Nr. 11) im J. 32 wegen *maiestas* angeklagt (Tac. ann. 6,9,3). Seit 38 *frater arvalis*; möglicherweise Konsul unter Caligula (DEGRASSI, FCIR, 12). Hauptbeteiligter an der Verschwörung gegen Caligula 41, wollte aber die Herrschaft nur vom Senat übernehmen (Ios. ant. Iud. 19,18 ff.; 49 f.; 96 ff.; 251 f.; Cass. Dio 60,15,1). Im J. 42 an der Verschwörung des Furius Camillus beteiligt. Nach deren Scheitern tötete er sich selbst (Cass. Dio 60,15,1; 2; 5). Seine Söhne sind [II 12] und [II 19] ([10; 11]).

1 G. STUMPF, Numismatische Studien zur Chronologie der röm. Statthalter in Kleinasien, 1991, 166 ff. 2 CABALLOS, I, 57 2 O. SALOMIES, Adoptive and polyonymous nomenclature in the Roman Empire, 1992, 64 f. 3 W. AMELING, Herodes Atticus 1982 THOMASSON, I, 297 4 R. SYME, Emperors and Biography, 1971, 245 f. 5 Ders., Tacitus Bd. I, 159 ff. 6 ECK, 33 f. 7 ALFÖLDY, Konsulat, 139 8 A. R. BIRLEY, Marcus Aurelius, ²1987 9 E. CHAMPLIN, The glass ball game, in: ZPE 60, 1985, 159–163 10 A. BERGENER, Führende Senatorenschichten im fühen Prinzipat, 1965, 123 ff. 11 SCHEID, Recrutement, 199 ff.   W. E.

Annius Fetialis. Röm. Historiker wohl des 1. Jhs. n. Chr., bei Plin. nat. mehrfach als Quelle benannt (HRR I² 317).

SCHANZ/HOSIUS 2, 649.   K. L. E.

Annona s. Cura annonae

Anomalie. Überbegriff für Unregelmäßigkeiten innerhalb eines sprachlichen Systems. A.en innerhalb der Morphologie (Flexionssystem) entstehen oft durch Lautwandel; sie tendieren dazu, durch → Analogie [2] beseitigt zu werden. So konnte z. B. die gr.-homer. Form Ζῆν, die als Akk. Sg. von Ζεύς ← *d*i̯ēus auf die in der uridg. Grundsprache durch Wirkung des sog. »STANGSchen« Gesetzes entstandene Form *di̯ēm zurückgeht, in verschiedener Weise »regularisiert« werden: durch »paradigmatischen Ausgleich« nach dem Gen. / Dat. Sg., Διός / Διί, entstand die Form Δία, durch

Metanalyse im Verskontext und Angleichung an »regelmäßige« Akkusativbildungen ergab sich Ζῆνα. Das Lat. zeigt ähnliche Prozesse: die entsprechende Akk.-Form *diem* wurde einmal nach den obliquen Kasus (Gen. *Iovis*, Dat. *Iovī*, beide selbst nach Abl. *Iove* ← Lok. *di̯eu̯-i*) zu *Iovem* umgestaltet, zum anderen zog sie nach der Proportion Akk. Sg. *rem* – Nom. Sg. *rēs* ein neues Paradigma mit Nom. Sg. *diēs* nach sich (mit sekundärer Bed.-verlagerung »Himmel« → »Tag«). → Sprachwandel; Analogie; Flexion

H. PAUL, Prinzipien der Sprachgesch., ⁹1975 · H. RIX, Histor. Gramm. des Griech., ²1992, 110–112.   J. G.

Anonymi Bellermann. Drei griech. Musiktraktate, Anon. 2 und 3 wohl später als → Nikomachos. Anon. 1 (1–11): zur Notation von Rhythmus und Artikulation, von Anon. 3 übernommen (83–93). Anon. 2 (12–28): Abriß der Musiklehre, bes. der Harmonik, in aristoxenischer Tradition. Anon. 3 (29–104): im 1. Teil (bis 66) vor allem Aristoxenos-Exzerpte zur Harmonik (Ton, Intervall, System, Tongeschlecht, Tonlage (τόνος), Metabole, Melopoiia); die Transpositionsskalen bleiben unerklärt, διάστημα und σύστημα sind vermengt, Tonnamen und Melopoiia im Blick auf Späteres (67, 83–93) ausgespart. In § 66 Übergang zu neuen Quellen (Alypios u. a.), die Teil 1 ergänzen: das 2-oktavige System mit Noten (67–70), die Intervall-Proportionen (71–77,79,96,103), Instrumentalübungen über 2 Oktaven (78–82), »Melopoiia« (83–93) und rhythmische Beispiele (97–104, instrumental notiert, nur 104 ein »Stück«).

D. NAJOCK, Drei anon. griech. Traktate über die Musik (Göttinger Musikwiss. Arbeiten 2), 1972 (Ed. mit Übers. und Komm.) · Ders., Anonyma de musica scripta Bellermanniana (Krit. Ed.), 1975 · E. PÖHLMANN, s. v. A. B, MGG² 1, 599 f.   D. N.

Anonymität s. Verfasser

Anonymus De herbis. Verschiedene Dioskurides-Mss. enthalten ein anonymes, 215 hexametrische Verse umfassendes Gedicht über die Eigenschaften von Kräutern, das wahrscheinlich im 3. Jh. in hoch stilisiertem Griech. geschrieben wurde. Es geht auf Nikandros, Dioskurides und Andromachos [4, d. Ä.] zurück. Die Dichtersprache hat nach [1] Verbindungen zu den Orphika (neueste Ausgabe: [1; vgl. 2]).

1 E. HEITSCH, in: AAWG 1964, 23–38 2 NGAW 1963, 2, 44–49.   V. N. / L. v. R.-P.

Anonymus de rebus bellicis. Die spätantike, in lat. Sprache verfaßte Denkschrift, die zusammen mit der → Notitia Dignitatum überliefert ist, besteht aus einer *praefatio* und 21 Kapiteln. In den Kap. 6–19 präsentiert der A. eine Reihe neuartiger Kriegsgeräte, die nicht nur in den erhaltenen Hss., sondern bereits im Urtext bildlich dargestellt waren (6,5). Von histor. Interesse sind bes. die Kap. 1–5 und 20–21, in denen der A., der vielleicht als hochrangiger Zivilbeamter tätig war [1.8 ff.], finanz-, verwaltungs-, steuer-, mil.- sowie rechtspolit. Reformen vorschlägt. Er wendet sich gegen überhöhte Staatsausgaben, und er empfiehlt, die *opifices monetae* auf einer Insel zu isolieren, um Münzfälschungen zu verhindern; die Staatskasse müsse durch die Senkung der Militärausgaben entlastet werden. Schließlich empfiehlt der A. eine privat finanzierte Verbesserung der Grenzbefestigungen und eine Kodifikation des geltenden Rechtes. Die moderne Einschätzung des Textes und seine Datierung sind gleichermaßen umstritten. Durch die Erwähnung des Constantin ist als *terminus post quem* das Jahr 337 n. Chr. gesichert (2,1). Meist identifiziert man die praef. 8 genannten »*principes*« mit Valentinianus I. und Valens und interpretiert dabei [2. XXXVII-LII] Kap. 6,1 als *terminus ante quem*; dieses Kap. sei nur vor der Niederlage bei Adrianopel (378) denkbar. Zwingend ist diese Interpretation nicht [1.136 f.], und es gibt Anhaltspunkte (z. B. die Ignorierung der Silberprägung durch den A.), die für eine spätere Abfassungszeit (frühes 5. Jh.?) sprechen [1.135–162]. Problematisch ist auch eine übertrieben positive Einschätzung des A., die diesen als scharfsinnigen Analytiker der spätant. Finanz- und Steuerpolitik begreift [4.106–122; 169–216]: Weder bezeugt der A. eine starke Inflation im 4. Jh. noch belegt er vermeintlich ruinöse Konsequenzen der *adaeratio* [1.25–94]. Er beschränkt sich vielmehr auf die übliche Form von Moral- und Zeitkritik, die er freilich in origineller Form vermittelt [3.137]. Gerade die Kriegsgeräte weckten in der Zeit der Renaissance das Interesse an dem A., man hoffte sogar auf einen praktischen mil. Nutzen der Geräte [5.17 ff.]. 1552 erschien die erste publizierte Fassung von Siegmund Ghelen, und Leonardo da Vinci hat sich erkennbar vom A. inspirieren lassen [2. XVI].

→ adaeratio; Notitia Dignitatum

1 H. Brandt, Zeitkritik in der Spätant., 1988
2 A. Giardina, Anonimo. Le Cose della Guerra, 1989
3 J. H. W. G. Liebeschütz, Realism and Phantasy: The Anonymous de rebus bellicis and its Afterlife, in: E. Dabrova (Hrsg.), The Roman and Byzantine Army in the East, 1994, 119–139 4 S. Mazzarino, Aspetti sociali del quarto secolo, 1951 5 E. A. Thompson, A Roman Reformer and Inventor, 1952. H. B.

Anonymus Iamblichi. → Iamblichos' *Protreptikos* enthält zahlreiche Auszüge aus Werken früherer Autoren. Einen dieser Auszüge, der etwa 10 Seiten umfaßt und der vor allem das Gesetz, das Recht und die Einhaltung der Gesetze (εὐνομία) preist, die allein in der Lage seien, Macht oder eine Gemeinschaft zu erhalten, hat F. Blass isoliert und Antiphon [4] zugeschrieben (= 89 DK; [1]). Diese Zuschreibung ist jedoch, ebensowenig wie die später vorgeschlagenen (Antisthenes, Protagoras, Theramenes, Hippias), nicht völlig befriedigend. Bisweilen bringt man den Text mit drei Abschnitten der ›Rede

gegen Aristogeiton‹ aus Demosthenes' Hss. (or. 25,15–35; 85–91; 93–96) in Verbindung ([2], vgl. aber [3]). M. Untersteiner verweist darüber hinaus auf Ps.-Thuk. 3,84 [4].

1 F. Blass, Commentatio de Antiphonte sophista Iamblichi auctore, 1889 2 M. Pohlenz, Anonymus περὶ νόμων, in: Nachrichten der Ges. der Wiss. Göttingen, 1924, 19–37 3 M. Gigante, Νόμος βασιλεύς, 1956, 268–292 4 M. Untersteiner, Sofisti, 1954, 6, 3, 111–147.

A. T. Cole, The A. I. and his Place in Greek Political Theory, in: HSPh, 65, 1961, 127–163 • C. J. Classen, Elenchos 6, 1985. B. C.

Anonymus in Theaetetum. Auf Papyrus erh. Fragment eines in der Erläuterung eher selektiven Komm. zum platonischen Dialog *Theaitetos* (i. d. Hauptsache umfaßt es die Partie 142d bis 153de). Maßgebliche Ausgabe mit ausführlicher Einleitung und Komm. jetzt [1]. Die genauere Datierung ist umstritten: Gegenüber der gängigen Annahme einer Entstehung im 2. Jh. n. Chr. wurde zuletzt auch forciert eine Datierung noch in vorchristl. Zeit vertreten; dazu [1. 256]. Der A., der selbst mehrfach auf die Kommentierung anderer Dialoge verweist, konnte trotz zahlreicher Versuche noch nicht mit einem bekannten Platoniker – zuletzt wurde Eudoros genannt – identifiziert werden; dazu [1. 252–254]. Die Grundposition des A. ist wohl mittelplatonisch (einerseits Bekenntnis zur Einheit der Akademie col. 55,3, Rekurs auf die ὁμοίωσις θεῷ und Ablehnung der stoischen οἰκείωσις-Lehre col. 7,14 ff., andererseits ist eine Tendenz zum Eklektizismus nicht zu verkennen).

1 G. Bastianini, D. N. Sedley, Commentarium in Platonis »Theaetetum«, in: Corpus dei papiri filosofici greci e latini III: commentari, 1995, 227–562. K.-H. S.

Anonymus Londiniensis. Der Papyrus inv. 137 der British Library in London ist der wichtigste überlieferte medizinische Papyrus. Er wurde Ende des 1., Anf. des 2. Jh. n. Chr. geschrieben und gliedert sich in drei Teile: Sp. 1–4,17 enthalten eine Reihe von Definitionen, die sich auf die *páthē* von Körper und Seele beziehen (vgl. die Diskussion bei Gal. meth. med. 1); in Sp. 4,21–20,50 finden sich unterschiedliche Ansichten über Krankheitsursachen; die Spalten 21,1–39,32 behandeln die Physiologie. Die Schrift sowie viele interne Charakteristika deuten darauf hin, daß diese Abschnitte, wenn auch nicht als fortlaufendes zusammenhängendes Buch, von einem einzigen Autor verfaßt wurden.

Der 2. Teil stellt die Ansichten von zwanzig Ärzten, u. a. Platon, vor, und bezieht sich auf einen doxographischen Überblick von Aristoteles, der bei Plut. symp. 8,9,3 den Titel *Menoneia* trägt und aus diesem Grunde häufig dem Aristoteles-Schüler Menon zugeschrieben wird. Die Ärzte werden in zwei Gruppen eingeordnet, von denen die eine Nahrungsrückstände, die andere Veränderungen in den Körperelementen für die Ursache von Krankheiten halten. Im Gegensatz zum → Anonymus Parisinus geht der A. der hell. Doxographie voraus und hängt nicht von der hippokratischen Tradition ab, auch wenn der Autor in Sp. 6–7 Aristoteles' Meinung über Hippokrates korrigiert.

Der 3. Teil, der die Funktionsweise des Körpers und die Entstehung von Krankheiten diskutiert, beschränkt sich auf die Lehren des Aristoteles sowie späterer Autoren, wie Herophilos, Erasistratos, Asklepiades von Bithynien und Alexandros Philalethes, dessen eigene Doxographie möglicherweise die Quelle des anon. Autors für die Ansichten der drei übrigen Autoren gewesen ist. Es handelt sich keineswegs um eine Geschichte der Physiologie, sondern um einen Ber. mit den thematischen Schwerpunkten Ernährung, Atmung und Ausscheidung, der die Meinungen der wichtigsten Autoren aus hell. Zeit als Ausgangspunkt für seine im Urteil unabhängigen Ausführungen wählt. Der Autor erwähnt weder die Pneumatiker noch die Methodiker in der Nachfolge des Thessalos, akzeptiert jedoch die Lehre der ›mittels der Vernunft erkennbaren Poren‹ (Sp. 38,21–22) und der *apophoraí*. Auch ist er kein Hippokratiker. Seine Argumentation beruht in der Regel auf logischen Schlüssen, doch erkennt er auch die experimentelle Methode des Erasistratos an.

→ Anonymus Parisinus; Alexandros Philalethes

ED.: 1 H. DIELS, F. KENYON, 1893 2 W. H. S. JONES, 1947 3 D. MANETTI, J. PIGEAUD (angekündigt).
LIT.: 4 H. RAEDER, s. v. Menon [17], RE XV, 927 4 M. WELLMANN, Der Verf. des A., in: Hermes 1922, 396–429 5 W. D. SMITH, The Hippocratic Tradition, 1979, 50–50 6 MARGANNE, 182–184 7 A. THIVEL, Cnide et Cos?, 1981, 357–369 8 D. MANETTI, Note di lettura dell' Anonimo Londinese – prolegomena ad una nuova edizione, in: ZPE 1986, 57–84 9 D. MANETTI, in: CPF 1, 307–311 10 D. GOUREVITCH, L'Anonyme de Londres et la médecine d'Italie du Sud, in: History and philosophy of the life sciences, 1989, 237–251 11 D. MANETTI, Doxographical deformation of medical tradition, in: ZPE 1990, 219–233 12 D. MANETTI, Autografi e incompiuti: il caso dell' anonimo Londinese, in: ZPE 1994, 47–58. V. N. / L. v. R.-P.

Anonymus Parisinus. Paris, BN, suppl. gr. 636, enthält Auszüge eines doxographischen Werkes über akute und chronische Krankheiten. Seine Bedeutung als medizinhistor. Quelle wurde zuerst von C. DAREMBERG in seiner Oreibasios-Ausgabe von 1851, S. XL erkannt, der später mindestens zwei weitere Mss. kollationierte, ohne daß es zu einer Edition gekommen wäre. Einem Hinweis von G. Costomiris folgend, übernahm R. FUCHS 1894 die *editio princeps* auf der Grundlage zweier Pariser Mss. [1], stiftete jedoch dabei Verwirrung, als er den doxographischen vom therapeutischen Teil trennte. Den Abschnitt über akute Krankheiten edierte Fuchs erst 1903, worauf ihn WELLMANN [5] heftig kritisierte. Der Papyrus liefert wichtige Informationen über drei hell. Autoren, Diokles aus Karystos, Praxagoras und Erasistratos, sowie über Hippokrates und Demokrit. Jeder Abschnitt behandelt eine Krankheit

und ist wiederum in aitiologische, klinische und therapeutische Absätze unterteilt, wobei Doxographisches sich nur im aitiologischen Teil findet. [8] zufolge (FUCHS' Text ist an dieser Stelle verderbt) war der Autor ein Kreter, der Lungengewächse für die Ursache des Asthmas hielt und in röm. Zeit, jedoch vor Galen lebte. Er war weder Hippokratiker nach Art eines Aretaios oder Rufus aus Ephesos, noch ist eine Abhängigkeit zu Soranos, wie [5] glaubte, wahrscheinlich. Wenn auch Verbindungen zu den Anhängern des Themison erkennbar sind, kann doch eine Identifikation des Verf. mit Themison oder Herodotos ausgeschlossen werden. Der Autor muß daher vorerst anonym bleiben.

→ Diokles aus Karystos; Erasistratos; Praxagoras

ED.: 1 R. FUCHS, Der cod. Paris. suppl. graec. 636. Anecdota medica graeca, in: RhM 1894, 532–558 2 R. FUCHS, Anecdota medica Graeca. Nachtrag zum cod. Paris. suppl. Graec. 636 s. XVII. Der cod. Paris. Graec. 2324 s. XVI, in: RhM 1895, 576–599 3 R. FUCHS, Aus Themisons Werk Ueber die acuten und chronischen Krankheiten, in: RhM 1903, 66–114 4 I. GAROFALO, 1995. LIT.: 5 M. WELLMANN, Herodots Werk Περὶ τῶν ὀξέων καὶ χρονίων νοσημάτων, in: Hermes 1905, 508–604 6 H. GOSSEN, s. v. Herodotos [12], RE I, 990–991 7 F. E. KIND, s. v. Soranos, RE III A, 1113–1130 8 I. GAROFALO, in: A. GARZYA, Tradizione e ecdotica, 1992, 91–106. V. N. / L. v. R.-P.

Anonymus Seguerianus. Bezeichnung für den Verf. eines 1840 durch SÉGUIER DE ST.-BRISSON bekanntgemachten rhet. Traktats aus dem 5. Jh. n. Chr., der zeitweise fälschlich dem L. Annaeus Cornutus zugeschrieben wurde. Dabei handelt es sich um die Epitome eines Schulbuches etwa aus dem 2. Jh. n. Chr. (jedenfalls vor Hermogenes), das sich seinerseits hauptsächlich auf → Alexandros [II 25], → Neokles und (→ Valerius) Harpokration stützt. Behandelt werden die 4 → *partes orationis* sowie die 4 → *officia oratoris*. Wichtig ist das Werk auch als Quelle für die Kontroverse zwischen Theodoreern (→ Theodoros) und Apollodoreern (→ Apollodoros [8]).

ED.: J. GRAEVEN, 1891
LIT.: D. MATTHES, Hermagoras von Temnos 1904–1955, in: Lustrum 3, 1958, 76 f. • D. VOTTERO, Le citazioni nell' A. S., in: A. PENNACINI, La retorica della comunicazione, 1990, 131–164. M. W.

Anonymus Valesianus s. Excerpta Valesiana

Anquisitio ist ein Teil des röm. Strafverfahrens der republikanischen Zeit bei Staatsverbrechen. Über sie fällten die Komitien in einem *iudicium publicum* das Urteil. Dem ging die *a.* voran: Zunächst vertraten die Volkstribunen als hierfür zuständige Magistrate die beabsichtigte Anklage dreimal vor dem versammelten Volk (→ *contio*). Entgegen der Ansicht MOMMSENS [1] waren die Komitien nicht erst Gnadeninstanz, die nach einer → *provocatio* gegen das zuvor vom Magistrat gefällte Urteil entschied. Wie Brecht [2] und Kunkel [3] herausgearbeitet haben, war die a. aber keine Strafverhandlung vor dem Magistrat, sondern gleichsam ein »Test« für die von ihm zu erhebende → *accusatio* vor den Komitien.

1 Mommsen, Strafrecht III, 354ff. 2 C. H. Brecht, Zum röm. Komitialverfahren, ZRG 59, 1939, 261ff. 3 W. Kunkel, Unt. zur Entwicklung des röm. Kriminalverfahrens in vorsullanischer Zeit, 1962, 21ff. G. S.

Anschan (Anzan). Name einer Region Elams und ihres Hauptortes (Tall-i Malyān, 36 km nordwestl. von Schiraz), im Westen der Fars (Persis) gelegen; seit dem späten 3. Jt. in akkad. und sumer., später in elam. Texten genannt. Die Könige Elams nannten sich Herrscher von A. und Susa. Im Kyros-Zylinder (539 v. Chr.) nennt → Kyros II. seine Vorfahren Könige von A.

E. Carter, Bridging the Gap Between the Elamites and the Persians in South Eastern Khuzistan, in: Achaemenid History 8, 1994, 65–95 • E. Carter, M. W. Stolper, Elam, 1984 • J. Hansman, s. v. Anshan, EncIr 2, 103–106. A. Ku. u. H. S.-W.

Anser [1] s. Gans
[2] In einer Aufzählung von Liebesdichtern nennt Ovid (trist. 2,435) einen gewissen A. ausgelassener *(procacior)* als → Helvius Cinna. Servius behauptet, Vergil weise verächtlich auf einen Dichter dieses Namens hin (... *inter strepere anser olores*), der ihn verspottet habe, Panegyriken auf den Triumvirn Antonius geschrieben habe und von Cicero angegriffen worden sei: *de Falerno Anseres depellantur* (Cic. Phil. 13,11; Serv. ecl. 9,36; 7,21; wohl keine Anspielung: Prop. 2,34,83f.). Keine Fragmente.

Bardon, 2,11. J. A. R.

Antagoras von Rhodos. Verf. einer Thebais; er wurde wie sein Zeitgenosse → Aratos [4] von Antigonos Gonatas an den makedonischen Hof gerufen. Diog. Laert. (4,26 und 2,133) verbindet ihn mit den Philosophen Krantor und erwähnt seine Freundschaft mit Menedemos. Das Epitaph für Krates und den um 270 oder 266 / 265 v. Chr. gestorbenen Polemon (Anth. Pal. 7,103) deutet auf ein Interesse des A. an der Akademie hin. Die 2 Distichen einer Inschr., die für eine 321/320 gebaute Brücke auf der Straße zwischen Athen und Eleusis verfaßt wurde (Anth. Pal. 9,147; SIG³ 1048), muß nicht zum Zeitpunkt der Konstruktion geschrieben worden sein. Diog. Laert. 4,26 überliefert 7 Verse eines Eroshymnos, die in gelehrter Weise verschiedene Varianten der Genealogie des Eros behandeln. Auf einen dieser Verse bezieht sich Kallimachos in seinem h. 1, 5.

GA 2, 29–31 • P. von der Mühll, Zu den Gedichten des A. von Rhodos, in: MH 19, 1962, 28–32 • CollAlex 120–121. C. S.

Antai (Ἄνται). Die zahlreichen Stämme der A. (Prok. BG 4,4,9) lebten nordwestl. des → Istros bis zum → Borysthenes (Iord. Get. 35; Prok. BG 1,27,2). Die frühesten Nachrichten über die A. (4. Jh. n. Chr.) zeigen sie als Untertanen des Hermenericus, etwa 20 Jahre später vom Gotenkönig Winitharius unterworfen (Iord. Get. 119; 247). Seither bildeten sie keine polit. Einheit, sondern vereinigten sich nur im Kriegsfall (Menandrus Protector fr. 6; Maurikios Strategikon 11,4,30). Zw. 518 und 577 n. Chr. fielen A. in → Thrake ein (Prok. BG 3,40,5); spätestens seither wiederholten sie diese Überfälle fast jährlich; diese Serie unterbrachen sie in der Zeit zwischen 545 n. Chr. (als Bundesgenossen von → Konstantinopolis im Kampf gegen die Hunni, Prok. BG 3,14,32ff.) und 560 n. Chr. (geschlagen von den Avares, Menandrus Protector fr. 6). Inzwischen dienten A. im byz. Heer in It. (537 und 547: Prok. BG 1,27,2; 7,22) und in Lazike (→ Lazoi; 555/6 n. Chr.: Agathias 3,21,6). Um 585 n. Chr. überfielen sie, bestochen von Konstantinopolis, die Slawen (Iohannes aus Epiphaneia 6,48). Zum Jahr 602 n. Chr. letztmalig erwähnt (Theophylaktos 8,5,13). – Nach Iord. Get. 34; 119 und Prok. BG 4,14,26ff. waren A. und Slawen (Sclaveni, Σκλαβηνοί) gemeinsamen Ursprungs, hatten sogar eine gemeinsame Sprache; doch treten sie in allen Berichten als getrennte Stammeseinheiten auf. Nach arch. Befunden stellten die A. im 6. Jh. n. Chr. eine Mischbevölkerung aus slawischen, alanischen, turkischen und gotischen Komponenten (Pen'kovskaja-Kultur) dar. Die ant. Personennamen wie auch das Ethnonym selbst sind etym. ungeklärt.

W. Pohl, Die Awaren, 1990 • Corpus testimoniorum vetustissimorum ad historiam Slavicam pertinentium 1, 1991 • S. R. Tokhtas'ev, Drevnejšie pamjatniki slavjanskogo jazyka na Balkanakh, Osnovy balkanskogo jazykoznanija, 1996. S. R. T.

Antaios (Ἀνταῖος). Libyscher Riese, Sohn Poseidons, der die Fremden zum Ringkampf zwang und mit ihren Schädeln den Tempel seines Vaters schmückte; er blieb unbesiegt, solange er die Erde berührte, als deren Sohn er auch galt, doch Herakles besiegte ihn schließlich, indem er ihn hochhob und erwürgte (Pind. I. 3,70; Apollod. 2,115; Aug. civ. 18,12). Die att. Vasenmalerei stellte den Kampf mehrfach dar [1], und bei Platon ist er neben → Kerkyon ein heroischer Ringer (leg. 7,796a).
Von ihm zu trennen ist der nur in Pindar (P. 9,105–125) genannte A., der Vater der Barke in der libyschen Stadt Irasa, der die Freier seiner Tochter nach → Danaos' Vorbild im Wettlauf gegeneinander antreten ließ; Sieger war ein gewisser Alexidamas, Ahnherr des Rezipienten von Pindars Epinikion (2, 616f.).
In hell. Zeit wurde A. zum einen mit einer Form des ägypt. Gottes Seth identifiziert, sein Kultort (Tjebu im 10. oberägypt. Gau, h. Ḳâw el-Kebîr) als Antaeopolis (oder *Antaíou kṓmē*) bezeichnet und eine Episode aus Isis' Kampf gegen Seth dort lokalisiert (Diod. 1,21,4) [3]. Zum andern wurde sein Grab im mauretanischen

Tingis in einem riesigen Erdhügel gesehen, in dem Sertorius ein Skelett von 60 Ellen Länge fand (Tanusius Geminus fr. 1, HRR 2,49 PETER; Plin. nat. 5,2).

1 R. OLMOS, L. BLAMSEDA, s. v. A., LIMC 1.1, 800–811.
2 B. GENTILI u. a., Pindaro. Le Pitiche, 1995 3 J. GWYN GRIFFITHS, Plutarch's De Iside et Osiride, 1970, 305. F.G.

Antalkidas (Ἀντιαλκίδας in IG V 1,93 Z. 15 und 212). A. sollte etwa im Frühjahr 392 v. Chr. (oder Winter 393/92?) durch Vermittlung des Satrapen → Tiribazos auch unter Preisgabe der Griechen Kleinasiens einen Frieden mit dem Perserkönig erwirken [3; 7], da der Sieg des → Konon bei Knidos Sparta in eine prekäre Situation gebracht hatte. Da Sparta aber die kleinasiatischen Poleis nicht mehr kontrollierte, mißlang der Versuch, doch erhielt A. insgeheim von Tiribazos Subsidien zum Ausbau der spartanischen Flotte (Xen. hell. 4,8,12 ff.; Plut. Ages. 23,2). Im Sommer 388 sondierte er als → Nauarch erneut in Persien (Xen. hell. 5,1,6; 25; Diod. 14,110,2), was letztlich zu dem auch als Antalkidasfrieden bezeichneten Königsfrieden führte: Sparta war nach dem Sieg des Iphikrates über den spartanischen Harmosten → Anaxibios bei Abydos zu größten Konzessionen bereit, während → Artaxerxes [2] II. wegen drohender Aufstände in Ägypten und auf Kypros an einem Frieden mit Sparta interessiert war. Nach den von Artaxerxes diktierten Bedingungen sollten die kleinasiatischen Griechenstädte sowie Klazomenai und Kypros dem Großkönig »gehören«, die übrigen griech. Poleis aber autonom sein mit Ausnahme von Lemnos, Imbros und Skyros, die wie früher Athen unterstehen sollten (Xen. hell. 5,1,25). Den Widerstand Athens und der Feinde Spartas gegen diese Bedingungen brach A., unterstützt von persischen Satrapen und → Dionysios I. von Syrakus [4. 20], im Sommer 387 durch Sperrung der Meerengen, so daß in Athen eine Hungersnot drohte. Im Herbst 387 verkündete Tiribazos in Sardeis den griech. Gesandten den Friedensschluß (Xen. hell. 5,1,31. 35; Diod. 14,110,3), von Isokrates (4,176) »Befehl« (Prostagma) des Großkönigs genannt, den die kriegführenden Hellenen auf einem Kongreß in Sparta beschwören mußten [6. 109–125; 2. 38–47]. Eine dritte Persienreise brachte keine Ergebnisse und ist schwer zu datieren; sie wird meist um 367/66 angesetzt, doch kommt auch 361 in Betracht [1]. Nach Plutarch (Art. 22,6 f.) gewährte ihm der Großkönig nach → Leuktra keine Audienz mehr, was A. in den Selbstmord trieb. A. war zur Zeit der Hegemonie Spartas eine zentrale Figur als »Diplomat« seiner Polis, doch überforderte seine Politik wie die des → Agesilaos [2] II. die Kräfte Spartas. Ob beide gleiche oder unterschiedliche Ziele verfolgten [5. 165] läßt sich wegen ihrer persönlichen Gegnerschaft (so Plut. Ages. 23,3) nicht entscheiden. → Iphikrates

1 J. BUCKLER, Plutarch and the Fate of A., in: GRBS 18, 1977, 139–145 2 M. JEHNE, Koine Eirene, 1994
3 A. G. KEEN, A »Confused« Passage of Philochoros (F 149

A) and the Peace of 392/1 B. C., in: Historia 44, 1995, 1–10 4 D. RICE, Why Sparta Failed, 1971 5 D. RICE, Agesilaus, Agesipolis and Spartan Politics, 386–379 B. C., in: Historia 23, 1974, 164–182 6 R. URBAN, Der Königsfrieden von 387/86, 1991 7 J. G. DE VOTO, Agesilaus, Antalcidas and the Failed Peace of 392/91 B. C., in: CPh 81, 1986, 191–202. K.-W. W.

Antandros (Ἄντανδρος). **[1, aus Syrakus]** Bruder des Agathokles [2]. Zu Beginn des Afrikafeldzuges 310 v. Chr. von diesem zum ›Aufseher über Syrakus‹ bestellt (Diod. 20,4,1), schrieb er später dessen Geschichte (Diod. 21,16,5). Nach JACOBY handelte es sich bloß um einen Nachruf. A. wird verschiedentlich, z. B. von MANNI, als Autor des P Oxy. 2399 betrachtet (FGrH 565 mit Komm.).

E. MANNI, Note siceliote, I: un frammento di Antandro?, in: Kokalos 12, 1966, 163–171 • K. MEISTER, Die griech. Geschichtsschreibung, 1990, 136. K. MEI.

[2] Für die Stadt A. an der Südostküste der → Troas beim h. Altinoluk [1. 268 f.] werden verschiedene Gründungsvölker genannt (Strab. 13,1,51; Hdt. 7,42; Thuk. 8,108). Nach Eroberung durch die Perser und Teilnahme am ion. Aufstand war A. als eine der aktaiischen (→ Aioleis [2]) Städte Mitglied im → att.- delischen Seebund. Um 411 v. Chr. unterstand A. wieder den Persern, die zwei mal mit Hilfe aus → Abydos kurzfristig vertrieben wurden (Thuk. 8,108; Xen. hell. 4,8,35). Nach dem Königsfrieden 387/86 v. Chr. verlor A. an Bed., behielt aber die Autonomie und besaß in röm. Zeit eine Zollstation. In der Spätant. war A. Bischofssitz. Die Einnahmen der Stadt resultierten aus den Wäldern am → Ida-Gebirge, der günstigen Lage am Tor zur Troas und dem sicheren Hafen. Für das 4. Jh. v. Chr. und aus der Zeit des → Titus bis → Elagabal sind Münzprägungen nachweisbar.

1 J. M. COOK, The Troad, 1973.

W. LEAF, Strabo on the Troad, 1923. E. SCH.

Antas. Heiligtum eines in pun. Inschriften Sid Addir, in röm. Sardus Pater genannten Lokalgottes (Babay bzw. Babai?) in SW-Sardinien. Kultbild ist ein Fels-Mal, in zunächst offenem Hof, in einem temenos. Im 3. Jh. v. Chr. und nochmals unter Caracalla wird ein Tempel errichtet. Viele Weihungen.

E. ACQUARA et al., Ricerche puniche ad Antas, 1996 • G. TORE, s. v. A., in: DCPP, 33–34. H. G. N.

Ante. Architekturteil, zungenförmige Stirnseite einer Wand. In der ant. Baukunst weit verbreitet (Altäre, Tempel, Hausarchitektur etc.). Die A. ist im Steinbau durch Profilierung von der Wandfläche abgesetzt, erhebt sich meist über einem A.nfuß (A.nbasis) und wird durch ein spezielles A.nkapitell (→ Säule) bekrönt. Ab spätklass. Zeit wird die A. bisweilen von der Wand durch monolithe Ausführung getrennt und so überdeutlich als Schmuckglied betont (z. B. Tegea, Athenatempel). Zum Antentempel (Tempel ohne umlaufende Ringhalle mit A. an den Fronten, die oft zwei dazwischenstehende Säulen rahmen) s. → Tempel.

H. RIEMANN, Studien zum dor. A.-Tempel, in: BJ 161, 1961, 183–200 • A. D. BROCKMANN, Die griech. A., 1968 • W. HOEPFNER, Ein A.-Kapitell auf Amorgos, in: MDAI(A) 87, 1972, 229–239 • K. HERRMANN, Zu den A.-Kapitellen des Zeustempels, in: 10. Ber. über die Ausgrabungen in Olympia, 1981, 302–317 • E. OLDENBURG, A.-Templer i Aegypten, in: Mellem Nilen og Tigris. Festskr. for C. Niebuhr instituttet, 1984, 101–108.   C. HÖ.

Anteambulones s. clientes

Anteia (Ἄντεια). **[1]** Tochter des Königs von Lykien (Iobates oder Amphianax, Apollod. 2,25), Frau des → Proitos, des Herrschers von Tiryns, bei dem sie Bellerophon verleumdete, weil er ihre Liebe nicht erwidern wollte (Hom. Il. 6,160ff.). Seit den Tragikern heißt sie → Stheneboia (Apollod. 2,25).   F. G.
[2] Frau des jüngeren Helvidius Priscus (Plin. epist. 9,13,4f.); möglicherweise Mutter der bei Plinius epist. 4,21 erwähnten Kinder des Helvidius (RAEPSAET-CHARLIER, Nr. 68).   W. E.

Anteius. **[1]** Senator praetorischen Ranges, im J. 16 von Germanicus mit dem Bau einer Flotte beauftragt (Tac. ann. 2,6,1); die Überlieferung des Namens wurde angezweifelt [1] (PIR² A 727). **[2]** Senator, von Caligula verbannt und getötet (Ios. ant. Iud. 19,125; PIR² A 728). **[3]** Sohn von [2], Senator, 41 nach der Ermordung Caligulas von dessen german. Leibwächtern getötet (Ios. ant. Iud. 19,125f.); PIR² A 729. **[4, Orestes, P.]** procos. von Macedonia im J. 164/165, möglicherweise verwandt mit dem Sophisten P. A. Antiochus (AE 1967, 444 = [2]).
[5, Rufus, P.] konsularer Statthalter von Dalmatia im J. 51 [3]; 55 sollte er Syria als Prov. erhalten, doch wegen seiner Verbindung mit Agrippina wurde er in Rom zurückgehalten (Tac. ann. 13,22,1). Nero verhaßt, wurde er von Antistius Sosianus 66 angeklagt, die Zukunft Neros bei Pammenes, einem Wahrsager, erforscht zu haben; er beging Selbstmord (Tac. ann. 16,14; PIR² A 731 [4]).

1 R. SYME, Ten Studies in Tacitus, 1970, 64 2 W. V. HARRIS, An inscription recording a proconsul's visit to Samothrace in 165 A. D., in: AJPh 113, 1992, 71–79 3 THOMASSON, 90 4 SYME, RP 4, 365.   W. E.

Anteiustinianisches Recht. Zeugnisse des röm. Rechts aus allen Epochen seiner Gesch. einschließlich der Spätant. und des vorjustinianischen Klassizismus, im Gegensatz zum Corpus Iuris Justinians und dem byz. Recht. Aus editionstechnischen und wiss.geschichtlichen Gründen sollte man am Begriff a. R. festhalten

[entgegen 1]. Die »eleganten« Juristen des Humanismus haben mit der Herausgabe von Quellen des a. R. und ihrer Heranziehung zu textkritischer Sichtung der justinianischen Überlieferung (*Observationes*) begonnen. Die Quellen des a. R. ermöglichten zudem ein vertieftes Verständnis nichtklass. Rechtszustände, wozu die Entdeckung von Hss. der außerjuristischen Rechtsüberlieferung (unter Einschluß griech. Texte und bes. der Basiliken) wesentlich beitrug.

Von den Humanisten ediert wurden folgende Quellen des a. R.: die *Lex Romana Visigothorum* (P. Aegidius, 1517; J. Sichard, 1528; J. Cuias, 1566, 1586) mit den Gai. epitome (die Genannten und A. Bouchard, 1525), den *Tituli ex corpore Ulpiani* (mit Noten: J. Cuias, 1554, 1585) den *Pauli sententiae* (A. Bouchard, 1525; mit Noten: J. Cuias, 1558, 1559) und dem Papinianfragment, die *Consultatio veteris cuiusdam iurisconsulti* (J. Cuias, 1563, 1577), der Codex Theodosianus (ders. 1566, 1585), die *Collatio legum Mosaicarum et Romanarum* (P. Pithou, 1573), das *Fragmentum Dositheanum* (J. Cuias, 1586) und die *Notitiae dignitatum* (W. Maranus, 1608). Hinzu kam der 1665 postum edierte sechsbändige Theodosianus-Komm. des J. Gothofredus. Dieser Fundus wurde im 19. Jh. ergänzt durch die Gaius-Institutionen, die Fragmenta *de iure fisci* (beide 1820 von J. F. L. Goeschen), die Institutionen Ulpians (Endlicher, 1835; Th. Mommsen, 1850), die Vat. (A. Mai mit Unterstützung durch F. Bluhme, 1823; Th. Mommsen, 1860) und die Sinai-Scholien (R. Dareste, 1880; Zachariae v. Lingenthal, 1881). Rekonstruiert wurden bereits im Humanismus die Zwölftafeln aus Cicero, Antiquaren, Historikern und Digestenfragmenten, im 18./19. Jh. das *Edictum praetoris urbani* [2. 274ff.] und nach Vorarbeiten durch Autorenregister die Bruchstücke der klass. Juristenschriften (A. Wieling, 1727; C. F. Hommel, 1767; [3]).

Der Bestand an Quellen des a. R. vergrößerte sich seit Ende des 18. Jh. weiter durch eine Vielzahl von Inschr., öffentlich- und privatrechtlichen Urkunden auf Wachs- und Holztäfelchen, auf Pergament und bes. zahlreich auf Papyri aus Pompeji, Herculaneum, aus den Provinzen und bes. aus Ägypten. Seit Ende des 19. Jh. sind Papyrusfunde mit kleineren Juristenfragmenten von Gaius, Papinian, Paulus und Ulpian sowie aus noch unbekannten Schriften hinzugekommen.

1 TH. MAYER-MALY, s. v. A. R., in: KlP I, 368 2 HAUBOLD, in: Hugo's Civilistisches Magazin 2, 1827 3 O. LENEL, Palingenesia iuris civilis, 1889 4 H. E. TROJE, Die Lit. des gemeinen Rechts unter dem Einfluß des Humanismus, in: H. Coing, Hdb. der Quellen und Lit. der neueren europ. Privatrechtsgesch., 2. Bd. (1500–1800), 1977, 615ff., 656ff. 5 WIEACKER, RRG, 17f., 39ff.

QUELLENSAMMLUNGEN: A. SCHULTING, Jurisprudenzia vetus anteiustinianea, Leiden 1717 • P. F. GIRARD, F. SENN, Textes de Droit Romain, I/II, ⁷1967 • FIRA I: Leges, II: Auctores, III: Negotia.   W. E. V.

Antemnae. Sehr alte Stadt in → *Latium vetus* (Tac. ann. 4,5,3), ca. 5,5 km nördl. von Rom (Strab. 5,3,2) an der

Mündung des → Anio in den → Tiberis (*ante amnem,* daher der Name: Varro ling. 5,28; Paul. Fest. 16,6; Serv. Aen. 7,631). Von → Siculi angelegt (Dion. Hal. ant. 1,16,5; Sil. 8,365f.; Verg. Aen. 7,629–631), von Romulus erobert (Dion. Hal. ant. 2,32,2ff.; Liv. 1,9–11; Plut. Romulus 17), hat sich A. mit → Porsenna gegen Rom gestellt (Dion. Hal. ant. 5,21,3). In augusteischer Zeit nur noch eine → *villa* (Dion. Hal. ant. 1,16; Strab. 5,3,2); von Plin. nat. 3,68–70 unter den verschollenen Städten aufgeführt. Arch. Belege seit dem 8.Jh. v.Chr.: Mauern, Tempel und Zisterne aus spätarcha. Zeit, aus republikanischer Tempel und Häuser, eine *villa* aus der späten Republik bzw. Kaiserzeit.

L.QUILICI, S.QUILICI GIGLI, Antemnae, 1978.   S.Q.G. / S.W.

Anten (Ἄνται, Antae, Anti). Vor allem für das 6.Jh. bezeugte barbarische Nomaden nördl. des Schwarzen Meeres. Die A. werden meist zusammen mit den Sklavenen genannt (z.B. Procop. Goth. 3,14; Mauric. 11,4); man rechnet sie teils zu den Slaven, teils zu den Iranern oder sogar zu den Gothen, aber es handelte sich eher um eine nicht ethnisch-sprachlich gemeinte Bezeichnung für eine Kriegertruppe. Die A. waren 545–602 Verbündete der Byzantiner gegen die Avaren.

R.WERNER, Zur Herkunft der A., in: Studien zur ant. Sozialgesch., Festschrift Friedrich Vittinghoff, 1980, 573–595 • O.PRITSAK, The Slavs and the Avars, in: Settimane di studio del Centro italiano di studi sull'Alto Medioevo 30/1, 1983, 353–432, bes. 386–388 und 394–399.   J.KR.

Antenna s. Takelage

Antenor (Ἀντήνωρ). **[1]** Sohn des Hiketaon oder Aisyetes, troianischer Adeliger. Seine Söhne sind mit → Aineias Anführer der Troer (Hom. Il. 2,822). Verheiratet ist A. mit der Athenapriesterin Theano (Hom. Il. 6,299). Er wird wegen seiner Gerechtigkeit und Weisheit im Rat mit Nestor verglichen; er rät zur Rückgabe der Helena (Hom. Il. 7,347ff.) und achtet die Gesetze der Gastfreundschaft auch gegenüber den gr. Gesandten Odysseus und Menelaos (Hom. Il. 3,207). Seit Lykophron (340ff.) erscheint er jedoch als Verräter an der troianischen Sache, als bestechlicher Gegner des Priamos, der am Diebstahl des → Palladions beteiligt ist (Dictys 5,8), der die Signalfackel für die Griechen schwenkt, das hölzerne Pferd und die Tore der Stadt öffnet (Dion. Hal. ant. 1,46; Serv. Aen. 2,15). Von den Griechen verschont, darf er entweder in der Troas bleiben und herrscht dort (Dictys 5,17; Dares 43), oder er kommt mit Helena nach Kyrene, wo seine Nachfahren Kult erhielten (Pind. P. 5,82f. mit schol.). Nach einer weiteren Version soll er mit den Enetern nach Thrakien und Venetien ausgewandert sein und dort Patavium gegründet haben (Strab. 12,3,8; Liv. 1,1; Verg. Aen. 1,242ff.). Anlaß für diese Version lieferte wohl eine Namensähnlichkeit von troischen Enetern und it. Ve-

netern. In Iberien berief sich die Stadt Okella auf den Zug des A. (Strab. 3,4,3).

→ Odysseus; Paris; Priamos; Theano

L.BRACCESI, La leggenda di Antenore da Troia a Padova, 1984 • L.CAPUIS, Antenore e l'archeologia. Le varie chiavi di lettura del mito, in: Padova per Antenore, 1990, 151–164 • M.I.DAVIES, s.v. A., LIMC 1.1, 811–814 • I.EPPERMANN, A., Theano, Antenoriden. Ihre Person und Bed. in der Ilias, 1980 • A.WLOSOK, Die Göttin Venus in Vergils Aeneis, 1967, 33–52.   T.S.

[2] Bildhauer aus Athen. Umstritten ist, ob er Sohn des Malers → Eumares war. Eine um 530–520 v.Chr. datierte und signierte Basis (Weihung des Töpfers Nearchos) wird meist mit der Kore Akropolis-Mus. 681 verbunden. Nach 510 v.Chr. schuf A. in Bronze das Staatsdenkmal der Tyrannenmörder Harmodios und Aristogeiton, das 480 v.Chr. von den Persern erbeutet und später zurückgebracht wurde. Unter den Kopien der von → Kritias und Nesiotes geschaffenen Ersatzgruppe läßt sich eine altertümlichere Variante des Kopfes des Harmodios isolieren, die der Ursprungsgruppe des A. zuzuweisen wäre, falls diese – wie vermutet – erst nach 490 v.Chr. entstand. Nur mit stilistischer Begründung wird A. der Giebel des Apollontempels der Alkmeoniden in Delphi (513–506 v.Chr.) zugewiesen.

FUCHS/FLOREN, 295–297 • OVERBECK, Nr. 443–447 (Quellen) • A.E.RAUBITSCHEK, Dedications from the Athenian Agora, 1949, Nr.197 • B.S.RIDGWAY, The archaic style in Greek sculpture, 1977, 206–210 • STEWART, 86–89, 249f. Abb.   R.N.

Anteros (Ἀντέρως). »Gegenliebe«, als die personifizierte erwiderte Liebe ebenso wie als Rächer einer unerwiderten Liebe (Serv. Aen. 4,520). In einer Palaistra von Elis war eine plastische Gruppe der beiden zu sehen, in der A. dem Eros die Siegespalme zu entreißen sucht (Paus. 6,23,5; Altäre: 6,23,3); auf Tenos dedizierte C. Pandusinus Niken, Eroten und A.en (IG XII 5,917). Nahe der Akropolis in Athen hatte A. einen Altar als → Alastor (Rächer) einer unerwiderten Liebe (Paus. 1,30,1), und in einer erotischen Defixion der Kaiserzeit werden die Anterotes angerufen [1]. In der theologischen Spekulation gilt A. als »dritter« Eros und Sohn der »dritten« Venus von Mars (Cic. nat. deor. 3,59f.). Bildliche Darstellungen des A. auf Marmorreliefs in Rom und Neapel [2].

1 A.AUDOLLENT, Defixionum Tabellae 270,2 2 LIMC 3.1, 882f.   F.G.

Antesignani s. Legio

Antestatio ist der formalisierte, mit einem Zupfen am Ohr verbundene (Plin. nat. 11,103) Zeugenaufruf vor der erlaubten Gewaltanwendung des Klägers gegen den Beklagten, der der *in ius vocatio* nicht Folge leistet und keinen *vindex* stellt. Bezeugt ist die *a.* für die 12 Tafeln (1, 1); sie wurde überflüssig, gleichwohl aber offenbar beibehalten, mit Einführung des formularprozessualen → *litis denuntiatio*. – *Antestatus* ist ein Mancipationszeuge, CIL 6,10239.

→ Vocatio in ius; Denuntiatio

WIEACKER, RRG, 448.   C. PA.

Anthas s. Anthes

Antheas. Aus dem rhodischen Lindos stammender Lebemann und Dichter, der als erster zusammengesetzte dichterische (dithyrambische?) Ausdrücke verwendet und neben vielem anderen auch »Komödien« geschrieben haben soll; Jacoby (zu FGrH 527 F 2) zweifelte an seiner realen Existenz. Antheas' Zeit ist nicht näher bestimmbar; er soll ein »Verwandter« des Kleobulos von Lindos, eines der Sieben Weisen, gewesen sein.

1 SH, 1983, Nr. 46 2 PCG II, 1991, 307.   H.-G. NE.

Anthedon (Ἀνθηδών). Hafenstadt im Norden von → Boiotia (Hom. Il. 2,508 ἐσχατόωσα, »die äußerste«) auf einem Ausläufer des → Messapion am Golf von → Euboia, ca. 14 km westl. von → Chalkis, 2 km nördl. des h. Loukisia. Von myk. Zeit bis mindestens ins 6. Jh. n. Chr. besiedelt; Haupterwerbszweige Fischfang und Seefahrt. Unter Epameinondas (Mitte 4. Jh. v. Chr.) mit Larymna als Flottenstützpunkt ausgebaut, 85 v. Chr. von den Römern unter Sulla zerstört. Akropolis, Befestigung des 4. Jhs. v. Chr., Hafen (die sichtbaren Molen erst 4. Jh. n. Chr.) u. a. erhalten. Der Hauptkult galt dem Meerdämon → Glaukos (Herakl. Pont. 1,23f.; Strab. 9,2,13; Paus. 9,22,5ff.).

FOSSEY, 251–257 • D. KNOEPFLER, Inscriptions de la Béotie orientale. II A., in: H. KALCYK et al. (Hrsg.), Stud. zur Alten Gesch. 2, 1986, 595–630 • SCHACHTER, 1, 228.   M. FE.

Antheia (Ἄνθεια). Eine der 7 zum Reich von → Pylos gehörenden Städte am Messenischen Golf, die bei Hom. Il. 9,151; 293 → Agamemnon dem → Achilleus anbot. Die Identifikation mit → Thuria (Strab. 8,4,5 ; Paus. 4,31,1) wird von vielen Funden aus myk. Zeit dort belegt.

R. HOPE SIMPSON, Identifying a Mycenean State, in: ABSA 52, 1957, 231–259 • Ders., The Seven Cities Offered by Agamemnon to Achilles, in: ABSA 61, 1966, 121–124.   Y. L.

Anthemion s. Ornament

Anthemios/-us. [1] Wohl 383 n. Chr. Gesandter in Persien, *comes sacrarum larg.* (Osten) 400; *magister officiorum* (Osten) spätestens 404, *cos.* 405; spätestens seit 406 *patricius*. Maßgeblichen Einfluß auf die Politik erlangte A. als *praefectus praetorio Orientis* von 405–414, zunächst unter Arcadius, dann unter dem minderjährigen Theodosius II. Er war Christ, stand aber der heidnischen Kultur aufgeschlossen gegenüber [1. 82f.]. A. kümmerte

sich durch den Bau von Mauern um die Verteidigung Konstantinopels. Unsicher ist, ob er sein Amt auf Druck von Pulcheria bzw. des → Aurelianus [4] niederlegte oder im Amt verstarb [2. 162f.]. PLRE 2, 93–95.

1 AL. CAMERON, J. LONG, Barbarians and Politics at the Court of Arcadius, 1993 2 DELMAIRE, L'histoire polyptyque de l'abbaye de Marchiennes, 1985.

CLAUSS, 147 • R. v. HAEHLING, Religionszugehörigkeit, 1978, 79–82 • J. H. W. G. LIEBESCHUETZ, Barbarians and Bishops, 1990.   H. L.

[2] Vom 12.4.467–11.7.472 n. Chr. weström. Kaiser. Der als Enkel des gleichnamigen Praetorianerpraefekten und Sohn des Heermeisters Procopius in Konstantinopel geborene A. wurde Schwiegersohn des Kaisers → Marcianus und war 454–467 *magister utrisque militiae*, 455 auch *cos.* und seitdem *patricius* (Sidon. carm. 2,67–95; 193–209). Nach Erfolgen gegen Ostgoten und Hunnen schickte Kaiser Leo I. ihn auf Bitten des → Ricimer und des Senats 467 als Kaiser nach Rom (Sidon. 210–19; Iord. Get. 236; Rom. 336). Seine lit. Bildung machte ihn der Sympathie für das Heidentum verdächtig. Im Bündnis mit Ostrom versuchte er 468 erfolglos, die Seeherrschaft der Vandalen im Mittelmeer zu brechen. In Gallien verlor er vor allem gegen die Westgoten. Die Spannungen mit Ricimer, der seine Tochter geheiratet hatte, verschärften sich 470 und führten 472 zum Bürgerkrieg. A. wurde in Rom belagert, besiegt und von Ricimers Neffen Gundobad ermordet (Ioh. Ant. fr. 207; 209. Chron. min. 1, 305f.; 2, 34f.; 89f.; 158 MOMMSEN). PLRE 2, 96–98.

A. DEMANDT, Die Spätant., 1989, 173f.   K. P. J.

[3, aus Tralleis] Mathematiker und Architekt; Sohn des Arztes Stephanos, Bruder des Grammatikers Metrodoros und der Ärzte Dioskoros und Alexandros. Er war mit Isidoros von Milet am Wiederaufbau der 532 durch Brand zerstörten Hagia Sophia in Konstantinopel maßgeblich beteiligt (Agathias 5,9). Er starb um 534.

A. verfaßte eine fragmentarisch erh. Schrift über bemerkenswerte mechanische Vorrichtungen (Περὶ παραδόξων μηχανημάτων), zu der vielleicht auch ein mathematisches Bruchstück in einer aus Bobbio stammenden Hs. gehörte (Ed. [2], frz. Übers. [4]). In diesen Texten, die sich u. a. mit Brennspiegeln beschäftigen, zeigt A. Kenntnisse der Kegelschnitte, die über Apollonios aus Perge hinausgehen (z. B. Fadenkonstruktion der Ellipse; Tangenteneigenschaften von Ellipse und Parabel; Leitlinie der Parabel). Eutokios widmete ihm seinen Komm. zu Apollonios' Κωνικά.

→ Apollonios [13, aus Perge]

1 T. L. HEATH, The fragment of Anthemius on burning mirrors and the »Fragmentum mathematicum Bobiense«, in: Bibliotheca Mathematica (3) 7, 1906/07, 225–233 2 J. L. HEIBERG, Mathematici Graeci minores, 1927, 77–92 3 G. L. HUXLEY, Anthemius of Tralles. A study in later Greek geometry, 1959 4 P. VER EECKE, Les opuscules mathématiques de Didyme, Diophane, et Anthémius, suivis

du fragment mathématique de Bobbio, traduits du grec en français, avec une introduction et des notes, 1940.   M. F.

Anthemis. Die Korbblütler (*Compositae*) der etwa 150 Arten umfassenden heutigen Gattung *Anthemis L.* (ἀνθεμίς) wurden von den Autoren wie Dioskurides 3,137 [1.2.145 ff.] = 3,144 [2. 352 f.] nicht deutlich von den verwandten Gattungen *Chrysanthemum* und *Chamomilla* unterschieden. *A. nobilis L.* (röm. Kamille) wurde mit ihrer Entzündung hemmenden Wirkung von Dioskurides ebenso wie von Asklepiades nach Plin. nat. 22,53 f. geschätzt. Wichtige Lieferantin von Gelb war *A. tinctoria L.* (Färberkamille).

1 M. Wellmann (Hrsg.), Pedanii Dioscuridis de materia medica Bd. 2, 1906, Ndr. 1958 2 J. Berendes (Hrsg.), Des Pedanios Dioskurides Arzneimittellehre übers. und mit Erkl. versehen, 1902, Ndr. 1970.   C. HÜ.

Anthemus (Ἀνθεμοῦς). Landschaft mit Fluß (h. Vasilikiotikos) und Stadt (beim h. Galatista) gleichen Namens im Norden der → Chalkidike. Im 5. Jh. v. Chr. makedonisch (Thuk. 2,99,6); im 4. Jh. zeitweilig dem Chalkidischen überlassen (Xen. hell. 5,2,13), stellte A. eine Reiterabteilung zu Alexanders Heer (Arr. an. 2,9,3). Inschr. zufolge existierte die Stadt bis in die Kaiserzeit.

M. B. Hatzopoulos, L. D. Loukopoulou, Recherches sur les marches orientales des Téménides I, 1992, 35–67 · F. Papazoglou, Les villes de Macédoine à l'époque romaine, 1988, 202 f. · M. Zahrnt, Olynth und die Chalkidier, 1971, 152–154.   M. Z.

Anthes, Anthas (Ἄνθης oder Ἄνθας). **[1]** Sohn Poseidons und der → Alkyone [1], der Tochter des Atlas. Als Kind ging er verloren, wurde aber von seiner Schwester Hypera als Mundschenk bei Akastos in Pherai gefunden und gerettet (Plut. qu. Gr. 19,295f.) Er gründet Antheia, sein Bruder Hyperes (*sic*) Hypereia; A.' Sohn Aetios regierte beide Orte, die dann unter den Pelopiden zu Troizen vereinigt wurden (Paus. 2,30,8 f.). In anderer Überlieferung sind Anthedonia und Hypereia die alten Namen Troizens (Aristot. fr. 597). Er gilt auch als epoynmer König des boiotischen Anthedon (Paus. 9,22,5). Er oder seine Nachkommen besiedelten Halikarnassos (Strab. 8,6,14; Paus. 2,30,9): In der Liste der Poseidonpriester von Halikarnassos wird A. nach u. a. Hyperes, → Alkyoneus und → Hyrieus aufgeführt (SIG 1020 A 7).
[2] Im Katalog der frühen Musiker gilt A. aus Anthedon, Zeitgenosse von Thamyris und Linos, als Sänger von Hymnen (Plut. mor. 3,1132a, nach Herakleides Pontikos fr. 157 Wehrli). Plutarchs Formulierung weist darauf, daß er ihn mit A. [1] identifiziert. Stadtkönigtum und Musik gehen auch bei → Amphion zusammen.
F. G.

Anthesphoria s. Demeter

Anthesteria (Ἀνθεστήρια). Frühlingsfest, das überall gefeiert wird, wo Ionier siedeln (Thuk 2,15,4: »die ältesten Dionysien«; vor der Ionischen Wanderung). Es ist teils gleichzusetzen mit dem Ritual der Katagogia »Einholung (des Gottes vom Meer)« [1].

Mit dem ersten Tag des dreitägigen Festes (11.–13. Anthesterion), der Pithoigia (πιθ-οιγία »Faßöffnung«), werden die Wein-fässer/Pithoi des Herbstes zu Genuß und Verkauf freigegeben. Das ländliche Dionysos-Heiligtum von Ikaria feiert die Ankunft des Gottes (Aiora [2]) und verbindet Land und Stadt. Bei den Nymphenquellen mischt man zivilisiert Wein mit Wasser. Am zweiten Tag, den Choen (Χοαί »Weinkrüge«), zieht der Gott (auf einem Schiffswagen? [3. 213 f.]) in die Stadt ein und nimmt die Basilinna, Frau des Archon Basileus, in einem *Hierós Gámos* im Boukoleion [6] zur Frau (Aristot. Ath. pol. 3,5; Demosth. or. 59,73–78 [4]). Dann wird er zum König in der Stadt eingesetzt. Darauf folgte das Wetttrinken aus den Choen (Krug mit ca. 3 Litern Wein (Aristoph. Ach. 1000; 1087 [5; 10]). Der Rest wurde von der gröhlenden Meute in das Heiligtum des Dionysos Limnaios gebracht [3. 230 f. Anm. 3]. Nur an diesem Tag war der Tempel geöffnet, alle olympischen Tempel dagegen geschlossen: Das bedeutete eine Unterbrechung des Kultes und Umkehrung der olympischen Ordnung. Man spielt das Ende der Sintflut, indem man Wasser in eine Spalte schüttet (Hydrophorie: Photios s. v. [7; 8]). Die karnevaleske Umkehrung manifestiert sich am dritten Tag, den Chytroi (χύτροι, »Töpfe«), in einem Totenbesuchsfest, an dem die »Karer« als vor-zivilisiertes und längst ausgestorbenes Volk auf die Erde drängen; möglicherweise war dies ein Maskenfest. Der Gemüseeintopf in den »Töpfen« (statt des Tieropfers [1]) ist die Vorstufe zur Wiederherstellung der Normalordnung. Mit dem Ruf θύραζε, Κᾶρες, οὐκέτ Ἀνθεστήρια endet der Spuk [9]. Die Komponente des Toten- (nicht Ahnen-) festes wurde im frühen 20. Jh. animistisch übersteigert ([11; 12] Kritik bei [13]), ein Synkretismus von indeur. Frühlings- und Totenfest mit einem mediterranen Weinfest rekonstruiert.

K. Meuli verwies auf die umfassende Struktur eines Jahresfestes, so daß die anderen Bedeutungsebenen des Wein-, Kinder-, Mädchen-, Sklavenfestes offenbleiben [3].

1 W. Burkert, Homo necans, 1972, 223 Anm. 24
2 A. Henrichs, Between City and Country, in: Cabinet of the Muses, FS Rosenmeyer, 1990, 257–277 3 C. Auffarth, Der drohende Untergang, 1991 4 A. Pickard-Cambridge, Dramatic Festivals of Athens, ²1966, 1–25 5 R. Hamilton, Choes and A., 1992 6 A. Avagianou, Sacred Marriage in the Rituals of Greek Religion, 1991, 177–198
7 G. A. Caduff, Ant. Sintflutsagen, 1986, 241 f.; 249–55
8 E. Diehl, Die Hydria, 1964 9 N. Richardson, Athen's Festival of the New Wine, in: HSCPh 95, 1993, 197–250
10 G. van Hoorn, Choes and A., 1951 11 J. E. Harrison, in: JHS 20, 1900, 99–113 12 R. Wünsch, Frühlingsfest auf Malta, 1902, 43 13 J. Bremmer, The Early Greek Concept of the Soul, 1983, 108–123.

M. P. NILSSON, Studia de Dionysiis Atticis. (Diss.), 1900 ·
NILSSON, Feste · DEUBNER, 93–123 · E. SIMON, Festivals of
Attica, 1983, 92–99 · J. BREMMER, Greek Religion, 1994,
46–50.   C. A.

Antheus (Ἀνθεύς). Beiname des Dionysos in Patrai.
Hier wurde er zugleich als A., Mesateus und Aroeus
verehrt, nach den drei Dörfern, deren Synoikismos
Patrai bildete und deren alte Dionysosbilder an seinem
Fest jeweils ins Heiligtum des Dionysos Aisymnetes gebracht wurden (Paus. 7,21,6). Das Fest spielt die Auflösung der polit. Einheit beim Einzug des Gottes durch;
die hier lokale Epiklese ist von verwandten wie Euan-
thes und Anthios in Attika (Paus. 1,31,4) zu trennen.

   GRAF, 84 f.   F. G.

Anthimos [1] Griech. Arzt, der bald nach 511 n. Chr.
eine kurze lat. Abhandlung in Briefform über Diätetik
schrieb, *De observatione ciborum ad Theodoricum regem
Francorum epistula*. Als medizinische Abhandlung und
Rezeptbuch zugleich bietet das Werk die Beschreibung
der Ernährungsgewohnheiten eines german. Volkes.
Verfaßt ist es in einer an die Umgangssprache der Menschen seiner Zeit und seiner Region angelehnten Sprache (vlat.).

   ED.: E. LIECHTENHAN, 1963 (CML VIII 1). P. S.-P.

[2] Bischof von Trapezunt, gab sein Bischofsamt auf,
um ein Leben als Einsiedler zu führen. 535 wurde er
durch den Einfluß der Kaiserin → Theodora zum
Patriarchen von Konstantinopel ernannt. Zunächst erkannte er die Entscheidungen der Synode zu Chalkedon
(451) an; 536 wurde er wegen seiner Nähe zu Severus
von Antiocheia abgesetzt.
 Erhalten sind Fragmente einer Epistel an Justinian
mit monophysitischen Aussagen, ein Synodalbrief an
→ Severus (syr.), in dem er sich für das Henotikon ausspricht, sowie ein weiteres Schreiben ähnlichen Inhalts
(syr.).
→ Monophysitismus

   A. JÜLICHER, s. v. A. (2), RE 2, 2377 · BARDENHEWER, GAL
   V 22 · GRUMEL, Regest 228–231 · E. SCHWARTZ, Zur
   Kirchenpolitik Justinians, SBAW 1940/2 40 ff. · Ders.,
   Kyrillos von Skythopolis, 1939, 392. 397 f. · H. G. BECK,
   Register s. v. A., Patriarch von Konstantinopel, in: Kirche
   und theologische Lit. im byz. Reich, 1959. K. SA.

Antho (Ἀνθώ). Tochter des Usurpators → Amulius, von
dem sie erreichte, daß Rea Silvia nicht getötet wurde
(Plut. Romulus 3,4, nach Fabius Pictor und Diokles von
Peparethos).
 Der griech. Name (»Blume«) hat aitiologische Grün-
de.

   C. AMPOLO, in: C. AMPOLO, M. MANFREDINI (Hrsg.),
   Plutarco. Le vite di Teseo e Romolo, 1988, 280 f. ·
   T. P. WISEMAN, Remus, 1995, 142.   F. G.

Anthologie. [1] A. DEFINITION B. ANTHOLOGIA
PALATINA C. HELLENISMUS D. KAISERZEIT
E. SPÄTANTIKE UND MITTELALTER
F. ÜBERLIEFERUNG G. ANTHOLOGIA PLANUDEA
H. NACHLEBEN

A. DEFINITION

Mit dieser Antonomasie wird gemeinhin die große,
aus der Ant. überlieferte Sammlung griech. Epigramme
bezeichnet, d. h. die Anthologia Palatina (so benannt
nach der Bibliotheca Palatina zu Heidelberg, wo Ende
des 16. Jh. die einzige Hs., der *Palatinus* 23, entdeckt
wurde) und die sie ergänzende Anthologia Planudea,
die 1301 von dem Mönch Maximus Planudes kompiliert wurde (codex *Marcianus graecus* 481).

B. ANTHOLOGIA PALATINA

Eine Sammlung von ca. 3700 Epigrammen mit fast
23 000 Versen: in ihr kommen Hunderte von Dichtern
aus wenigstens 16 Jh.en zu Worte. Die sich nach dem
Stoff richtende Gliederung der aus 15 Büchern bestehenden Sammlung ist vom ersten Herausgeber, IACOBS
(1813/1817), genau beachtet worden. Buch I enthält
christl. Inschr., Buch II die hexametrische Beschreibung
der Statuen des Gymnasiums des Zeuxippos in Konstantinopel durch Christodoros von Koptos (5.–6. Jh.
n. Chr.), Buch III die Inschriften der Basreliefs des Apollontempels in Kyzikos; in Buch IV finden sich die Pro-
ömien des Meleagros, Philippos und Agathias; es folgen
erotische (Buch V), Weihe- (Buch VI) und Grabepigramme (Buch VII), die Epigramme des Gregor von
Nazianz (Buch VIII), epideiktische (Buch IX), protreptische (Buch X), sympotische und Spottepigramme
(Buch XI) sowie päderastische Epigramme (Buch XII);
darauf folgen Gedichte in verschiedenen Metren (Buch
XIII), mathematische Probleme und Rätsel (Buch XIV),
schließlich ein buntes Allerlei von Epigrammen unterschiedlichen Inhalts aus verschiedenen Epochen (Buch
XV). Buch XVI, die sog. *Appendix Planudea*, ist erst in der
Neuzeit hinzugefügt worden: Sie enthält 388 neue Epigramme verschiedener Gattungen aus der Anthologia
Planudea. Die Anordnung ist nicht immer orthodox:
Epigramme einer bestimmten Gattung erscheinen irrtümlich zwischen solchen einer anderen. Das Werk
nimmt verlorengegangene frühere Sammlungen, deren
Kerne jedoch im wesentlichen noch erkennbar sind, auf
und erweitert sie. Das Wort ἀνθολογία (eigentlich
»Sammlung von Blumen«) tritt in metaphorischer Bedeutung (»Sammlung lit. Werke«, »Florilegium«) zum
ersten Mal im 2. Jh. n. Chr. in Erscheinung (vgl. Lucia-
nus Piscator 6), als der Astronom Vettius Valens zwei
Bücher Ἀνθολογίαι schrieb und Diogenianos von Herakleia ein Ἐπιγραμμάτων Ἀνθολόγιον (so der Titel nach
Suda δ 1140) kompilierte; doch ist die Vorstellung des
ἄνθη λέγειν schon bei Meleagros impliziert (s. u.).

C. HELLENISMUS

Die ersten Sammlungen von ἐπιγράμματα entstanden in hell. Zeit: Philochoros von Athen und Polemon
von Ilion sammelten in der 1. H. des 3. Jh. Inschriften,

der erste att. Inschriften in seiner Ἀτθίς (FGrH 328 T 1), der zweite Inschr. verschiedener Orte in seinem Buch Περὶ τῶν κατὰ πόλεις ἐπιγραμμάτων (fr. 79 f. PRELLER); Neoptolemos von Parion verfaßte, immer noch im 3. Jh., ein Buch Περὶ ἐπιγραμμάτων (fr. 7 METTE). In dieser Zeit wurden auch lit. Sammlungen aus Gesamtausgaben ant. oder zeitgenössischer Autoren zusammengestellt. Unter den ant. Autoren ragen Anakreon (FGE 133–146), Simonides (FGE 186–302: fast 90 Epigramme) und Platon (FGE 161–181) hervor: unter diesen Namen sind nicht wenige, manchmal wertvolle Gedichte überliefert, die sich jedoch fast immer – auch im Fall des Simonides – als Werke von späterer Hand erweisen. Was die zeitgenössischen Dichter angeht, so haben einige – Kallimachos, Hedylos, Mnasalkes, Nikainetos, Nikander, Philetas und Poseidippos – ihre Epigramme selbst veröffentlicht. Von Poseidippos sind überdies etwa 100 Epigramme von insgesamt über 600 Versen auf einer Papyrosrolle aus dem späten 3. Jh. v. Chr. wieder ans Licht gekommen (P. Milan. Vogl. inv. 1295, Publikation in Vorbereitung; vgl. [1]). Viele Indizien legen außerdem nahe, daß die Epigramme des Asklepiades, Poseidippos und Hedylos in einer Sammelausgabe vereinigt waren, die wahrscheinlich den Titel Σωρός (»Haufen«) trug [vgl. 9. 369–376]. Neuere Papyrusfunde aus dem Zeitraum von der Mitte des 3. Jh. v. Chr. bis zum 1. Jh. n. Chr. haben des weiteren bestätigt, daß es Anthologien einzelner Epigrammatiker, von Epigrammatikern und anderen Dichtern sowie von σύμμεικτα ἐπιγράμματα gab [vgl. 2]. Bes. instruktiv ist POxy. 662 mit einigen Epigrammen des Leonidas von Tarent, des Antipatros von Sidon und eines gewissen Amyntas zu ein und demselben Thema, vgl. FGE 5–10, SH 42–44. Dieses bemerkenswerte Material kann jedoch die Bedeutung und Originalität des »Kranzes« (Στέφανος) des Meleagros nicht in Frage stellen. Er bleibt auch weiterhin die erste A. mit ausschließlich ästhetischen Absichten, die die ganze Gesch. des Epigramms berücksichtigt [vgl. 9. 5 ff.]. Der Στέφανος wurde zu Beginn des 1. Jh. v. Chr., vielleicht auf Kos, kompiliert, war nach Themen gegliedert und versammelte zu jedem Gliederungspunkt Gedichte verschiedener Autoren, zuerst die Originale, dann die Nachahmungen. Im Prooem verzeichnet Meleagros 47 Blumen (oder Pflanzen), denen ebensoviele Dichter zugeordnet werden (vier davon, Euphemos, Melanippides, Parthenides und Polyklet, erscheinen nicht mehr in der Anthologia Palatina; ihre Epigramme sind offensichtlich im Laufe der verschiedenen Bearbeitungen des »Kranzes« verlorengegangen). Doch umfaßte die Anthologie auch noch ›viele andere Sprossen, die jüngst erst geschrieben‹ (Anth. Pal. 4,1,55).

D. KAISERZEIT

Später wurde ein zweiter Στέφανος, nach mehrheitlicher Meinung um 40 n. Chr. (vgl. GA II,1, XLV-XLIX), nach anderen in neronischer Zeit [9. 56–65], veröffentlicht. Der Herausgeber Philippos von Thessalonike ordnet im Prooem seinerseits 13 Epigrammatiker, allesamt jünger als Meleagros, verschiedenen Blumen zu und lädt den Leser dazu ein, für die übrigen Dichter die entsprechende Zuordnung zu einer Blume (Anth. Pal. 4,2,14) selbst zu formulieren. Die Gedichte werden nach den Anfangsbuchstaben des ersten Verses in alphabetischer Anordnung präsentiert. Abgesehen vom erwähnten Ἀνθολόγιον des Grammatikers Diogenianos, das sich nach manchen auf Spott- und sympotische Epigramme beschränkte, entstanden in der Folgezeit weitere persönliche Sammlungen: diejenigen des Leonidas von Alexandreia und des Nikodemos von Herakleia, die erotische Sammlung des Rufinus und die paiderotische des Straton. Aus dem 3. Jh. stammt die berühmten Persönlichkeiten gewidmete Πάμμετρος des Diogenes Laertios.

E. SPÄTANTIKE UND MITTELALTER

Im 4. Jh. legen Gregor von Nazianz und Palladas Sammlungen an. Um 568 entsteht der bedeutende Κύκλος des Agathias. Er ist nach dem Vorbild des meleagrischen Στέφανος gestaltet, obwohl er sich auf zeitgenössische und unmittelbar vorhergehende Epigrammatiker beschränkt; deren Gedichte sind nach Gattungen (κατὰ εἴδη) auf sieben Abteilungen verteilt: Weihe-, epideiktische, Grab-, protreptische, Spott-, Liebes- und sympotische Epigramme (Anth. Pal. 4,4,67–87). An dieses Vorbild hält sich Konstantinos Kephalas (πρωτοπαπᾶς des Kaiserpalastes im Jahre 917), als er um 900 eine neue monumentale Sammlung zusammenstellt, die nach Meleagros noch einmal die gesamte Gesch. des Epigramms berücksichtigt. Auf dieses Werk hat sich der unbekannte Kompilator der Anthologia Palatina gestützt, einer überarbeiteten und erweiterten Ausgabe der Anthologie des Kephalas (sichere Anleihen sind die Bücher V-VII und IX-XII).

F. ÜBERLIEFERUNG

Die Gesch. des *codex Palatinus* ist wechselvoll. Um 930/940 entstanden, wurde er erst 1607 von Salmasius einem kleinen Kreis von Freunden zugänglich gemacht, obwohl er Sylburg und wenigen anderen schon seit 1590 bekannt war. 1623 ging er in den Besitz der Vaticana über und kam von dort 1797 in den Besitz der Bibliothèque Nationale in Paris. Nach dem Fall Napoleons kehrte er 1815 endgültig nach Heidelberg zurück, jedoch nur zu einem Teil, da der zweite Band des Werkes mit den Büchern XIV-XV nie zurückgegeben wurde (es handelt sich um den heutigen *Parisinus graecus suppl.* 384).

G. ANTHOLOGIA PLANUDEA

Bei der Ἀνθολογία διαφόρων ἐπιγραμμάτων des Planudes handelt es sich um eine nicht ganz so reiche Sammlung, die jedoch gegenüber der Anthologia Palatina auch Neues zu bieten hat. Sie ist dem Inhalt nach in 7 κεφάλαια eingeteilt (protreptische, sympotisch-satirische, Grab-, epideiktische Epigramme, die ἔκφρασις des Christodoros, Weihe- und schließlich erotische Epigramme – letztere allerdings *verecundiae causa* stark reduziert). Wir besitzen das Autographon dieser Sammlung, das Kardinal Bessarion 1468 der künftigen Biblioteca di S. Marco überlassen hat. Veröffentlicht wurde die Anthologia Planudea 1494 in Florenz von Laskaris, 1503 in Venedig bei A. Manutius (*Florilegium diversorum epigrammatum Graecorum*) und blieb das ganze 16.Jh. hindurch die einzige bekannte Sammlung griech. Epigramme.

H. NACHLEBEN

Der Anthologie war eine reiche Nachwirkung beschieden. Abgesehen davon, daß Humanismus und Renaissance das griech. Epigramm jeder anderen Gattung vorzogen, entstehen – nach der Veröffentlichung der Planudea – unzählige Übers.en (in der Mitte des 17.Jh. sind es schon 331), an denen sich wiederholt auch berühmte Namen versucht haben. Doch von diesen und den auch weiterhin nicht versiegenden Nachahmungen abgesehen, scheinen die vielfältigen direkten und indirekten Anleihen in den modernen Literaturen bedeutsam: Anklänge und Einflüsse lassen sich nicht nur in der neugriech. Dichtung (besonders bei Kavafis) festmachen, sondern auch in der it. (Foscolo, Pascoli, Gozzano, D'Annunzio), frz. (Ronsard, Chénier, De Vigny, De Musset, Verlaine), engl. (Pope, Gray, Wordsworth), dt. (Goethe, Novalis, Hölderlin, Lenau, Heyne) und holländischen (Huygens). Auf der anderen Seite des Ozeans ließ sich Lee Masters von Mackail's *Select epigrams from the Greek Anthology* (1906) anregen und verfaßte *The Spoon River Anthology* (1914), in der er Texte aus Buch VII der A. auf die Toten eines kleinen Dorfes im Mittleren Westen anwandte.

1 G.Bastianini, C.Gallazzi, in: Revista Ca' de Sass 121, 1993, 28–39 2 F.Pordomingo, Proc. of the 20th International Congress of Papyrologists, Copenhagen 1994, 326–331.

Ed.: 3 C.F.W.Jacobs, Anthologia Graeca, 1–13, 1794–1814 4 F.Döbner, Epigrammatum Anthologia Palatina cum Planudeis, 1–2, 1864–1872 5 H.Beckby, Anthologia Graeca, 1–4, 1957–1958 ([2]1965–1967). Teiled.: 6 H.Stadtmüller, Anthologia Graeca epigrammatum Palatina cum Planudea, 1–3 (libri 1–6; 7; 9,1–563), 1894–1906 7 GA, 1965 8 FGE, 1981. Lit.: 9 A.Cameron, The Greek Anthology from Meleager to Planudes, 1993 10 M.Rubensohn, Griech. Epigramm und andere kleine Dichtungen in dt. Übers.en des 16. und 17.Jh., 1897 (Über das Glück) 11 E.Beutler, Vom griech. Epigramm im 18.Jh., 1909 12 J.Hutton, The Greek Anthology in Italy to the Year 1800, 1935 13 Ders., The Greek Anthology in France and Netherlands to the Year 1800, 1946. E.D./T.H.

[2] LATEINISCHE LITERATUR

Die Anfänge der röm. »Blütenlese(n)« liegen im Dunkeln. Wie für Griechenland ist auch für Rom schon früh mit dem Gebrauch von A. (Chrestomathien) für die Schule zu rechnen. Aber auch private Exzerptensammlungen (vgl. Cic. inv. 2,4; Sen. epist. 84,2; Plin. epist. 3,5,10; Fronto p. 105,17), akademisch-lit.histor. und (vielleicht) buchhändlerische Interessen können zur Verfertigung von A. geführt haben. Hinter den pragmatischen Gesichtspunkten der Bewahrung, Verbrei-

tung und schulischen Behandlung von Texten treten genuin lit. Interessen zurück. Gleichwohl konnten den Redaktoren die von den Autoren selbst verfaßten Sammlungen zum Vorbild dienen, man denke bes. an die anthologisch konzipierte frühe (vorlucilische) *satura* (vgl. Varros Definition bei Diom. gramm. 1,485,32–34). Gegenstand der A., die auch Werke nur eines einzelnen Autors sammeln kann, waren bes. die am wenigsten gegen die Unbilden des Überlieferungsprozesses geschützten Formen der Kleinkunst: also das → Epigramm (unbewiesen [2. 2391]; erh. haben sich aus nachmartialischer Zeit die → Priapea) und das → Apophthegma (vgl. die → *dicta Catonis* und die unveröffentlichten *dicta collectanea* → Caesars, Suet. Iul. 56,7). Älteste Anspielung auf eine poetische A. ist wohl Catull. 14,5, 12. A.-Charakter haben auch die → *Appendix Vergiliana* (und darin das → *Catalepton*), das 3. B. des *Corpus Tibullianum* (→ Tibullus, → Sulpicia, → Elegiae in Maecenatem) sowie die *exempla*-Sammlung des → Valerius Maximus. Aus der dramatischen Lit. zog man einen reichen Sentenzenschatz, so aus dem Mimus die sog. *sententiae Publilii Syri* (irrig [2. 2391]). Eine Satirensammlung in Augusteischer Zeit bezeugt Porph. Hor. epist. 1,3,1.

A. sind in ihrer Art auch die *prata* (vgl. das *pratum* des Sueton, nach dem Vorbild des griech. λειμών, Titel einer verlorenen Frühschrift Ciceros), *silvae* (erh. die 4 B. des → Statius, verloren das Lucanische Frühwerk) oder *florida* (→ Apuleius III) genannten Sammlungen. Ant. ist urspr. wohl auch die prosaische A. aus Reden und Briefen des *Corpus Sallustianum* (→ Sallustius) im Vat. Lat. 3864 (9./10.Jh.).

Hochzeit der ant.-röm. anthologischen Produktion ist die mit dem 3.Jh. einsetzende (noch ungenügend erforschte) Blütezeit der Kompilatoren und Epitomatoren (lit. Niederschlag: die → Buntschriftstellerei). Bedeutend ist die wohl bald nach dem Ende der vandalischen Herrschaft im nördl. Afrika (534) erstellte Gedichtsammlung, die sich am vollständigsten im *codex Salmasianus* (Paris. lat. 10318, wohl Ende des 8.Jh., seit 1615 vorübergehend im Besitz C. de Saumaises) erh. hat (von P. Burman mit anderen Sammlungen 1759 in seiner *A. veterum lat. epigrammatum et poematum* vereinigt) und neben Werken annähernd zeitgenössischer Dichter (z.B. Luxorius, Felix, Florentinus) auch solche klass. und nachklass. Autoren beinhaltet.

Ed.: Cod. Salm.: 1 D.R.Shackleton Bailey, Anth. Lat. 1,1, 1982. Lit.:2 F.Marx, A., in: RE 1, 2391f. 3 L.D.Reynolds (Hrsg.), Texts and transmission, 1983 4 Ders., N.G.Wilson, Scribes and scholars, [3]1991, 31–33 5 V.Tandoi, A. Lat., in: EV 1, 198–204 (mit Bibl.). J.P.S.

Anthos (Ἄνθος). Sohn von Autonoos und Hippodameia, der von den Pferden des Vaters zerrissen und in den Vogel A. verwandelt wurde; seither flieht er vor Pferden und ahmt ihr Wiehern nach (Aristot. hist. an. 9,1 609b 14; Plin. nat. 10,116; vgl. Ant. Lib. 7). → Akanthis. F.G.

Anthropogeographie. Den Begriff prägte 1842 L. F. KÄMTZ, wonach A. jenen Teil der Geogr. bildet, ›welcher namentlich den Einfluß zu betrachten hat, welchen die äußeren Naturverhältnisse auf die körperliche und geistige Beschaffenheit des Menschen ausüben.‹ [1. 273]. F. RATZEL hat den Terminus in der Geogr. etabliert [2]. Vielfach wird A. h. mit Kultur- bzw. Sozialgeogr. gleichgesetzt, wenn auch nicht unwidersprochen [3. 180f.]. Bei ant. Autoren wird oftmals auf die Wechselbeziehungen zw. geogr. Umwelt und Mensch Bezug genommen: So z. B. Plin. nat. 33,1–3 als Beispiel für die Wahrnehmung von Eingriffen des Menschen in die Natur bzw. die Schrift *De aëriis*, aus dem hippokratischen Corpus für Vorstellungen von den Wirkungen der Natur auf den Menschen.

1 L. F. KÄMTZ, s. v. Erde, in: J. S. ERSCH, J. G. GRUBER, Allg. Encyclopädie der Wiss. und Künste 1, 1842 2 F. RATZEL, A., 2 Bde., 1882/91 3 Westermann Lexikon der Geographie 1, 1968, s. v. A.   C. HEU.

Anthropogonie A. ALLGEMEINES B. ÄGYPTEN C. MESOPOTAMIEN D. ALTES TESTAMENT E. GRIECHENLAND

A. ALLGEMEINES

Als aitiologische Erzählungen beantworten die griech. A.-Mythen die Frage nach dem Ursprung des Menschen in der Regel nur technisch und nicht auch teleologisch wie die entsprechenden oriental. Mythen, die den Menschen als Götterknecht definieren (so Plat. symp. 190c-e, vgl. [1. 261 f.]). Die Art der A. umfaßt eine dreigliedrige Typologie [2. 16; 29]: *emersio* (Hervorsprießen aus der Erde), *formatio* (Formung durch einen Schöpfergott), *sacrificatio* (A. aus dem Blut geopferter Gottheiten, immer verbunden mit einem der beiden vorhergehenden Typen).

B. ÄGYPTEN

[2. 83–97] Die A. ist der Kosmogonie untergeordnet. Hauptmythen sind: 1. A. aus den Tränen des Schöpfergottes. 2. Formung auf der Töpferscheibe durch den Gott Chnum.

C. MESOPOTAMIEN

Während für Sumer hauptsächlich Mythen vom Typ *emersio* belegt sind [2. 29f.], steht in den beiden akkad. Epen Atrahasis und → Enūma eliš die Kombination von *formatio* (aus Lehm) mit *sacrificatio* im Vordergrund [2. 30f.]. Nach dieser dualistischem A. besteht der Mensch aus Lehm und etwas, das seine Lebendigkeit ausmacht [3. 16]. Die mesopotamischen Mythen sind evtl. aus bei der Geburt gesprochenen Ritualtexten entstanden, aber auch Erfahrungen mit Frondienst haben sie geprägt [2. 34f.].

D. ALTES TESTAMENT

Eine Sonderstellung im Hinblick auf die Wirkungsgesch. nehmen die at. Traditionen der Priesterschrift (Gn 1,26ff.: Abstraktion ersetzt Anschaulichkeit) und die des Jahwisten in der Paradieserzählung (Gn 2,7ff.:

formatio) ein. Weitere Vorstellungen sind noch faßbar [2. 52–54].

E. GRIECHENLAND

Typologisch steht dem Atrahasis-Epos (A. aus einer Mischung von Lehm und Fleisch sowie Blut eines getöteten Gottes) der orphische A.-Mythos am nächsten: Die Menschen entstehen aus dem Ruß der durch Zeus' Blitz verbrannten Titanen, die den sog. chthonischen Dionysos zerstückelten: *sacrificatio*. Die späte Bezeugung im 6. Jh. n. Chr. [4] folgt aus der apokryphen Geltung innerhalb der griech. Traditionen [2. 234–239; 3. 16f.]. Auf einen Ursprung im Umfeld der Titanen / Giganten führen jedoch bereits Hes. erg. 108, Hom. h. Apoll. 335 f. und Ov. met. 1,151 ff. Die älteste Entsprechung zum Typ *formatio* ist die Erschaffung der Urfrau → Pandora bei Hes. theog. 570ff. und erg. 59ff. Der Mythos vom Töpfern der Menschen durch → Prometheus ist erst relativ spät bezeugt: Herakl. Pont. fr. 66 W; Philem. fr. 93 PG; Kall. fr. 192,3; 493; Aisop. 102; 228 H. Eine A. aus Eiche und Stein belegt hingegen schon Hom. Od. 19,162f.; dieses Motiv auch in der Neuschaffung der Menschheit nach der Sintflut: Akusilaos FGrH 2 F 35. Es dominieren die Mythen vom Typ *emersio*, die nicht eine universale, sondern eine partielle, auf eine bestimmte Polis bezogene A., d. h. die Entstehung eines lokalen autochthonen Urmenschen, kennen [2. 100–143]. Ihnen fehlt die im Nebeneinander von Universalitätsanspruch und ethnozentrischer Fixierung enthaltene Paradoxie [2. 50]. A. aus der Erde ist auch ein zentrales Motiv in philos. Theorien [2. 245–252].

1 G. S. KIRK, Griech. Mythen, 1980 2 M. LUGINBÜHL, Menschenschöpfungsmythen, 1992 3 W. BURKERT, in: Ursprung, hrsg. von M. MÜNZEL, 1987 4 O. KERN, Orphicorum Fragmenta F 220 .   G. A. C.

Anthropologie A. DEFINITION B. ANTIKE GRUNDLAGEN C. WIRKUNGS- UND WISSENSCHAFTSGESCHICHTE

A. DEFINITION

A. als Bezeichnung für eine Wiss. vom Menschen ist kein ant. Begriff, sondern eine gelehrte Prägung, die seit dem 16. Jh., zunächst im medizinischen Schrifttum, belegt ist und seit dem späten 18. Jh. für eine Vielzahl von Disziplinen verwendet wird, die das Spezifikum des Menschen bestimmen wollen. Die Ausdifferenzierung wiss. Disziplinen, der divergierende Sprachgebrauch in den verschiedenen nationalen Wissenschaftskulturen und der Wandel der Terminologie im Laufe der Zeit haben zu einer verwirrenden Bedeutungsvielfalt geführt. Im wesentlichen lassen sich drei Fächerkomplexe unterscheiden: Eine medizinisch-biologische A., die von der Rassentypologie und der Psychologie des späten 18. Jh. bis zur heutigen biologischen Evolutions- und Verhaltensforschung reicht; eine von KANT ausgehende, im 20. Jh. u. a. von SCHELER, PLESSNER und GEHLEN vertretene philos. A., die die Eigenart des Menschen theoretisch bestimmt, dabei jedoch Ergebnisse der Natur- wie der Kulturwiss. einbezieht; schließlich eine (zuerst im angelsächsischen Sprachgebrauch sog.) Kultur- und Sozialanthropologie, die die Entwicklung bzw. die Vielfalt menschlicher Kulturformen vornehmlich aufgrund der Beobachtung rezenter schriftloser Kulturen zu erfassen sucht.

Da es eine als A. zu bestimmende Disziplin bzw. entsprechende lit. Genres in der Ant. nicht gibt, kann der Gegenstand nur von der Wirkungs- bzw. Wissenschaftsgesch. her bestimmt werden. Aber auch dies ist angesichts der Vieldeutigkeiten des modernen Verständnisses nur mit einer gewissen Willkür möglich.

B. Antike Grundlagen

Für die *medizinisch-biologische* A. sind Rückgriffe auf das ant. medizinische Schrifttum nicht konstitutiv gewesen, es fehlt vor allem an Äquivalenten zu einer biologisch verstandenen Rassen- bzw. Abstammungslehre. Die *philos.* A. konnte an ant. Differenzbestimmungen von Mensch und Tier anknüpfen, so hinsichtlich der Sprache und der Ethik als Voraussetzung der Vergemeinschaftung (Aristot. pol. 1253a 1ff.; eth. Nic. 1145a 18ff.) oder der im Vergleich zu den Tieren unzureichenden physischen Ausstattung des Menschen (Mythos des Protagoras), aus der die Theorie vom »Mängelwesen« (GEHLEN im Anschluß an HERDER) abgeleitet wurde, das zu seinem Überleben der kulturellen Institutionen bedarf.

Am nachhaltigsten haben diejenigen Feststellungen der ant. Lit. Wirkungen gezeigt, die *ethnographische* Beobachtungen mit generalisierten *sozialtheoretischen* Aussagen verknüpften. Dazu zählten die Beschreibungen der ethnographisch-geogr. Lit., die die Ausdehnung des Erfahrungsraumes der Griechen durch die Kolonisierung, aber auch durch den Aufbau des Perserreiches reflektierte. Nach Vorläufern in der → Periplus- Literatur sind hierfür die ethnographischen »Exkurse« Herodots einschlägig. Die Gesamtheit der dort beschriebenen Phänomene zeigt eine höchst differenzierte Typologie von Kulturformen; so hinsichtlich der rel. Rituale und Begräbnissitten, der gesellschaftlichen Stellung der Frauen und der kulturellen Variationen der Sexualmoral. Differenziert wird ferner zw. diversen primitiven Ernährungs- und Lebensweisen: ob man von Gras, Wurzeln oder wilden Früchten lebt, rohen Fisch oder rohes Fleisch ißt, ob man unter Bäumen oder in Höhlen lebt. Auf höheren Zivilisationsstufen werden Viehzüchternomaden von seßhaften Ackerbauern abgegrenzt.

Die Topoi der Ethnographie, die → Hellanikos von Lesbos Ende des 5. Jhs. v. Chr. zusammenstellte (Eusebius, Praeparatio Evangelica 10,3,16), tauchen in diversen Diskussionszusammenhängen auf. Sophistische Diskussionen (→ *Dissoi Logoi*) über die Relativität des Rechts beziehen sich auf Beispiele bei Herodot. Während später Aristoteles in seiner Schule die *nómima barbariká* systematisch sammeln ließ (Varro ling. 7,70; Cic. fin. 5,11) und den Wert ethnographisch-geogr. Lit. für

eine angemessene Gesetzgebung betonte (Aristot. rhet. 1360a 33f.), zogen die Kyniker und frühen Stoiker aus der Sammlung absurd scheinender Gesetze (Cic. Tusc. 1,108) und aus den vermeintlichen ethnographischen Belegen für Inzest, allg. Promiskuität oder Kannibalismus den Schluß, daß es keine naturgegebenen Regeln, sondern nur gesellschaftlich konstituierte Konventionen gebe. Für die Kulturentstehungslehren des 4. Jhs. belegen das Essen von rohem Fleisch und der Kannibalismus einen tierähnlichen Zustand des Urmenschen, über den die am Rande der zivilisierten Welt lebenden Barbaren kaum hinausgekommen sind. Die Subsistenzformen werden bei Aristoteles (pol. 1256a 30ff.) systematisiert und bei → Dikaiarchos (fr. 48 WEHRLI) in ein Stufenschema – Sammler und Jäger, Hirten, Ackerbauern – gebracht. Theorien über den Ursprung von Götterglaube, Sprache, Familie und Eigentum prägen die Kulturlehre des → Epikur.

Ein anderer Traditionsstrang führt einerseits von der Hippokratischen Schrift über die Umwelt, in der der Charakter von Europäern und Asiaten mit den klimatischen Bedingungen erklärt wird (→ Hippokrates aus Kos), und andererseits von der im Laufe des 5. Jhs. als Folge der Perserkriege eingetretenen feindseligen Zuspitzung des Barbaren-Bildes hin zur Aristotelischen Theorie von den Barbaren als ›Sklaven von Natur‹ (pol. 1254b 19–1255b 15). Die Ausdehnung des Erfahrungsraumes durch das Alexanderreich und später das röm. Imperium hat die Verwendung ethnographischer Klischees weiter gefördert. Einige → Alexanderhistoriker versuchten, Indien im Sinne der ökologisch-klimatischen Theorien nach dem Beispiel des vom Nil abhängigen Ägyptens zu verstehen. Indien wurde zudem als der große Tummelplatz für Monster und Phantasiewesen aller Art dargestellt. Eine fiktive Ethnographie zeigte sich immer dann, wenn man höchst primitive Stämme an den jeweils neuen Rändern der Zivilisation entdeckte: Amazonen werden gesichtet, die Inversion der Geschlechterrollen beobachtet, Kannibalismus und tierhafte Promiskuität konstatiert. Polit. Instrumentalisierungen dieser ethnographischen Stereotypen kommen hinzu, indem den Eroberungen Alexanders und später denen der Römer eine zivilisatorische Mission insofern zugeschrieben wird, als dadurch Stämme zur Aufgabe abstoßender Praktiken (wie der Tötung von Alten und Kranken bzw. der Menschenopfer; Strab. 11,11,3; Plin. nat. 30,13) gebracht oder aus dem Nomadentum in die Seßhaftigkeit überführt werden (Arr. Ind. 40,8; Strab. 4,1,5).

C. Wirkungs- und Wissenschaftsgeschichte

Die Topoi der ant. Ethnographie sind durch Plinius d. Ä., Solinus und Isidor von Sevilla dem europ. Mittelalter vermittelt worden. Spätere Berichte über fremdartige Kulturen wurden im Lichte der Wandermotive aus der ant. Tradition interpretiert. Das gilt schon für die Sicht des Fernen Ostens, der seit dem 13. Jh. (Marco Polo) den Europäern als faszinierend fremde Welt erschien. Neuzeitliche Ethnographie und Anthropologie sind zudem wesentlich von den Erfahrungen der europ. Expansion geprägt worden. In der spanischen Diskussion des 16. Jhs. über die Legitimität der Kolonialherrschaft in Amerika ist erörtert worden, ob die Indianer als »Sklaven von Natur« im aristotelischen Sinne anzusehen seien, oder ob nicht ihre Menschenopfer oder ihr (vermeintlicher) Kannibalismus ein humanitäres Interventionsrecht begründen könnten. Der europ. Diskurs über Asien ist von der Annahme einer asiat. Despotie geprägt, deren Invarianz über die Zeiten mit den klimatischen Verhältnissen erklärt wurde (MONTESQUIEU); abweichende Stimmen konnten sich nicht gegen Klischees durchsetzen, die auch der Legitimation europ. Vorherrschaft dienten. Der Rückgriff auf die ant. Traditionen einerseits, die neuen (von Missionaren, Forschungs- und Handelsreisenden sowie Kolonialbeamten vermittelten) Beschreibungen rezenter »Wilder« andererseits bestimmten die Modelle der gesellschaftlichen Entwicklung, die (nach Vorläufern wie ACOSTA, 1590, und LAFITAU, 1724) von den schottischen und frz. Theoretikern des 18. Jhs. entwickelt wurden. Dazu zählten die Theorie der Subsistenzstufen (TURGOT; ADAM SMITH) und die Rekonstruktion der Entwicklungslogik von Ehe- und Familienstrukturen (JOHN MILLAR). Hatte man dies in der Aufklärung noch als *conjectural history* verstanden, so setzte sich im 19. Jh. ein Evolutionismus durch, der unter dem Eindruck der Fortschritte in den Sprach- wie den Naturwiss. (sowie schließlich auch der prähistor. Funde) eine gesetzmäßige Abfolge der Entwicklungsstufen von den primitivsten Formen bis zur Zivilisation der Gegenwart unterstellte und eine Vielzahl von Konstruktionen über den Verlauf der Gattungsgesch. bzw. die Entwicklung von Eigentum, Recht, Familie und Religion entwarf, bei denen sich ant. Überlieferung und zeitgenössische ethnographische (und gegebenenfalls auch arch.) Befunde wechselseitig stützen sollten (so u. a. die Rezeption von BACHOFEN und MORGAN); ähnliches gilt für die diversen Versuche von FONTENELLE (ca. 1690) bis FRAZER (1890), aus den auf ihren vermeintlichen Ursprung zurückgeführten Mythen die Frühzeit der Menschheit rekonstruieren zu können.

Diese methodischen Prämissen sind seit dem späten 19. Jh. zunehmend problematisch geworden; zum einen durch die Entwicklung innerhalb der Ethnologie, die Abstand vom Evolutionismus nahm, sich strukturfunktionalistischen Erklärungsmodellen zuwandte und sich methodisch auf Feldforschung und »teilnehmende Beobachtung« stützte; zum anderen durch die in der Altertumswiss. sich langsam durchsetzende Erkenntnis von Genregesetzen der ant. Ethnographie mit ihrer jeweils wechselnden Mischung von Empirie und Theorie, Autopsie und Tradierung lit. Topoi, Bemühen um das Verständnis fremder Kulturen und krudem Ethnozentrismus. Auch wenn in vielen Einzelfragen in den Altertumswiss. die Sichtweisen des 19. Jh. noch nachwirken, so hat sich doch im 20. Jh. die Anwendung von Ergebnissen der Ethnologie grundsätzlich geändert. Es geht nicht mehr um die Rekonstruktion einer Gattungsgesch. der Menschheit bzw. um das Schließen von Lücken in der ant. Überlieferung, sondern darum, für alle Erscheinungsformen ant. Gesellschaften Möglichkeiten eines Kulturvergleichs heuristisch zu nutzen, mit Hilfe verfremdender Perspektiven und Kategorien der ant. Tradition neue Erkenntnisse abzugewinnen und somit Abstand von den Befangenheiten zu erreichen, die aus der Prägung des eigenen Weltbildes durch die Nachwirkungen bzw. Rezeptionen der griech.-röm. Ant. resultieren.

→ Entwicklung

A. DIHLE, Die Griechen und die Fremden, 1994 · S. C. HUMPHREYS, Anthropology and the Greeks, 1978 · O. MARQUARD, s. v. A., Histor. Wörterbuch der Philos. 1, 1971, 362–374 · W. E. MÜHLMANN, Gesch. der A., ³1978 · K. E. MÜLLER, Gesch. der ant. Ethnographie und ethnologischen Theoriebildung, 2 Bde., 1972/80 · W. NIPPEL, Griechen, Barbaren und »Wilde«, 1990 · M. RICHTER, s. v. Despotism, Dictionary of the History of Ideas 2, 1973, 1–19 · J. W. ROGERSON, Anthropology and the Old Testament, 1978 · J. S. ROMM, The Edges of the Earth in Ancient Thought, 1992.   W. N.

Anthropomorphismus (»Menschengestaltigkeit«, *anthrōpophyḗs* Hdt. 1,131). Kennzeichen griech.-röm. Göttervorstellung, sowohl in der Außenansicht wie in der Selbstdefinition, welche dem griech.-röm. Kult Bilderlosigkeit (Hdt. 1,131; Tac. Germ. 9) oder Tierkult (Xen. mem. 1,1,14 [1]) gegenübergestellt.

Während in der min.-myk. Kunst Tierkopfdämonen belegt sind, Vogelgestalt umstritten ist [2], setzen Hesiod und Homer mit radikalem A. ein [3]. Das gilt zum einen für die äußere Form, wo die Möglichkeit, daß man Götter an äußeren Eigenheiten erkennen kann (Athena an ihren leuchtenden Augen, Hom. Il. 1,200; Aphrodite am schönen Hals, Il. 3,396f.), in den Grenzen der menschlichen Form bleibt, auch bei den Epiphanieszenen, wo Größe und Licht das Göttl. markieren (Hom. h. Cerib. 188–190); der menschlichen vergleichbare Körperlichkeit äußert sich auch in Sexualität und Schmerzempfindung (Il. 16,788–792), auch wenn der Körper unsterblich ist, Götterblut (*ichṓr*, Il. 5,340) und Götternahrung (Nektar, Ambrosia) anders aussehen. Vor allem aber entsprechen göttl. Denken und Fühlen bei aller göttl. Überlegenheit an Wissen und Macht doch dem menschlichen. Dies folgt erzählerischen Grundbedingungen (was bereits für die altoriental. Mythen gilt), trifft aber auch für den rituellen Umgang des Menschen mit seinen Göttern zu: Menschliche Not kann Folge von Götterzorn wegen Ungerechtigkeit oder Vernachlässigung sein, menschliche Wünsche werden durch Versprechen und Geschenke den Göttern nahegebracht. Zur typischen Gebetsstruktur gehört der Verweis auf menschliches Verdienst, welches göttl. Hilfe rechtfertigt. »Gottgeliebt« (*theophilḗs*) zu sein, ist ein hohes Ziel menschlicher Existenz [4].

Theologisches Philosophieren setzt mit der Kritik sowohl an der menschlichen Gestalt wie dem menschlichen Verhalten der Götter in der späteren Vorsokratik ein. → Xenophanes beanstandet die menschliche Gestalt und stellt dem eine ideale Form gegenüber. Vor allem aber verwerfen er und → Heraklit die ethisch anstößigen anthropomorphen Verhaltensweisen als Erfindungen der Dichter; von Platon aufgenommen, bestimmt diese Kritik die ganze philos. Theologie der späteren Ant., wobei als Lösungsmodelle gegenüber der radikalen Ablehnung der Tradition sich deren allegorische Deutung durchsetzt [5; 6]. In der bildenden Kunst hält sich demgegenüber die menschliche Form, doch um den Preis der Ästhetisierung; Ausnahmen betreffen alte, durch Tradition und kult. Besonderheiten geschützte Bildformen, die aber zumeist anthropomorph sind [7; 8]. Auch abstrakte Begriffe werden in anthropomorpher Gestalt divinisiert (→ Personifikation [9; 10]), was freilich bereits an frühgriech. rel. und myth. Tradition (→ Eros, → Themis) anschließen kann. Erst die neuplatonische und christl. Theologie verwirft das Bild überhaupt.

Dieser festen Tradition gegenüber erscheinen bloß an den Rändern unscharfe Formen. Götter, deren Anderssein essentiell ist, können tierhafte Formen behalten, wie Pan oder Dionysos (Athen. 11,51; Plut. qu.Gr. 36). Vor allem aber können vergöttlichte Naturerscheinungen (Flüsse, Berge, Iris) zw. ihrer natürlichen und anthropomorphen Erscheinung wechseln, seit Hom. Skamandros (Hom. Il. 21,213; 234ff.); distanzierte Dichtung kann damit spielen (Verg. Aen. 4,246–251; Ov. met. 11,157–159).

Umgekehrt (und anders als seine oriental. Parallelen) erzählt Hesiod bereits die Gesch. von Uranos und Gaia radikal anthropomorph (Th. 174–182).

1 TH. HOPFNER, Tierkulte (Abh. Wien, Philol.-Histor. Kl. 57/2), 1913 2 W. BURKERT, Homer's anthropomorphism. Narrative and ritual, in: D. BUITRON-OLIVER (Hrsg.), New Perspectives in Early Greek Art, 1991, 81–91 3 F. GRAF, in: J. LATACZ (Hrsg.), Zweihundert Jahre Homer-Forsch., 1991, 351 f. 4 F. DIRLMEIER, θεοφιλία, φιλόθεια, in: Ausgew. Schriften zur Dichtung und Philos. der Griechen, 1970, 85–109 5 D. C. FEENEY, The Gods in Epic. Poets and Critics of the Classical Tradition, 1991 6 D. DAWSON, Allegorical Readers and Cultural Revision in Ancient Alexandria, 1992 7 B. GLADIGOW, Epiphanie, Statuette, Kultbild. Griech. Gottesvorstellungen im Wechsel von Kontext und Medium, in: Visible Religion 7, 1990, 98–121 8 B. ALROTH, Greek Gods and Figurines. Aspects of the Anthropomorphic Dedications, 1989 9 H. A. SHAPIRO, Personifications in Greek Art. The Representation of Abstract Concepts 600–400 B.C., 1993 10 C. AELLEN, À la recherche de l'ordre cosmique, 1994.

M. W. DE VISSER, De Graecorum diis non referentibus speciem humanam, 1900 • C. KOCH, Vom Wirkungsgeheimnis des menschengestaltenden Gottes, in: Aus dem Bildungsgut der Ant., 1956, 61–109 • BURKERT, 282–292.   F. G.

Anthyllis (ἀνθυλλίς, ἀνθύλλιον, ἄνθυλλος) bezeichnete nach Dioskurides 3,136 [1.2.144f.] = 3,143 [2.351f.] und Plin. nat. 21,175 zwei schwer bestimmbare Heilkräuter u. a. der Frauenheilkunde, nämlich die kret. Kresse (*Cressa cretica* L., Convolvulaceae) und vielleicht die Labiate *Ajuga Iva* Schreb. Seit dem 16.Jh. heißt A. der Wundklee.

1 M. WELLMANN (Hrsg.), Pedanii Dioscuridis de materia medica Bd. 2, 1906, Ndr. 1958 2 J. BERENDES (Hrsg.), Des Pedanios Dioskurides Arzneimittellehre übers. und mit Erl. versehen, 1902, Ndr. 1970.   C. HÜ.

Anthypatos (ἀνθύπατος). Übers. des lat. *proconsul* bzw. *consularis*, zunächst Amtstitel von Provinzgouverneuren, später von Leitern der Zivilverwaltung der mil. organisierten Themen, ab dem 9.Jh. hoher, nicht käuflicher Hoftitel ohne Amt.

R. GUILLAND, Recherches sur les institutions byzantines II, 1967, 68–79 • R. J. LILIE, s. v. A., LMA 1, 702.   G. MA.

Antiades (Ἀντιάδης). Sohn von Herakles und Aglaia, der Tochter des Thespios (Apollod. 2,162).   F. G.

Antialkidas. Indogriech. König etwa um 100 v.Chr. Nicht lit. belegt, aber in einer indischen Brāhmī-Inschr. (Besnagar-Inschr.; von seinem Gesandten, Heliodoros von Taxila) erwähnt, sowie auf griech.-baktrischen und indo-griech. Münzen, mit der Legende ΒΑΣΙΛΕΥΣ ΝΙΚΗΦΟΡΟΥ ΑΝΤΙΑΛΚΙΔΟΥ / *maharajasa jayadharasa amtialkidasa* genannt.

O. BOPEARACHCHI, Monnaies Greco-Bactriennes et Indo-Grecques, 1991, 95–97, 271–288.   K. K.

Antiatticista. Bezeichnung eines alphabetisch geordneten, nur auszugsweise erhaltenen Lexikons. Es stammt aus der Zeit des → Phrynichos Arabios (2.Jh. n.Chr.), der als Gegenentwurf dazu ein streng attizistisches Lexikon *Praeparatio Sophistica* (σοφιστικὴ προπαρασκευή) verfaßte. In der Auseinandersetzung mit den strengen Attizisten war u. a. strittig, welche Schriftsteller als mustergültig für rechten Sprachstil gelten sollten; hier rechnet der unbekannte Verf. des A. eine größere Zahl att. Klassiker unter die in sprachlicher Hinsicht vorbildlichen Autoren. Er stützt sich auf die inhaltlich vergleichbare Lit. alexandrinischer Gelehrter. Sein Werk ist mit einer Vorlage des → Helladios von Antinoeia am Nil (1. H. 4.Jh. n.Chr.) verwandt, dessen Chrestomathie auch grammatische und sprachliche Besonderheiten behandelt.

ED.: I. BEKKER, Anecdota Graeca I, 1814, 75–116. LIT.: K. LATTE, Zur Zeitbestimmung des A., in: Hermes 50, 1951, 373–394 • F. JACOBY, ΓΕΝΕΣΙΑ. A Forgotten Festival of the Dead, in: CQ 38, 1944, 65–75 • W. G. ARNOTT, A note on the Antiatticist (98.17 BEKKER), in: Hermes 117, 1989, 374–376.   D. SI.

Antidoros aus Kyme (Ἀντίδωρος ὁ Κυμαῖος). Grammatiker und vielleicht auch Lexikograph, lebte wahrscheinlich im 3. Jh. v. Chr.; er soll sich zunächst γραμματικός genannt haben (schol. Dion. Thrax 3,24; 7,24; 448,6); in den Quellen erscheint er irrtümlicherweise manchmal als Autodoros. Von seinen Werken kennen wir zwei Titel, Περὶ Ὁμήρου καὶ Ἡσιόδου und Λέξις; das erste ist zweifellos ein *sýngramma*, bei dem zweiten ist es nicht ganz sicher, daß es sich um eine lexikographische Sammlung handelt und nicht um eine Abhandlung zur Stillehre. Er wird auch von Clem. Al. stromata 1,16,79,3 und ScholiaII. 23,638–42 zitiert.
→ Grammatiker; Lexikographie

O. IMMISCH, De grammaticorum principe, Neue Jbb. für Philol. u. Paedagogik 141, 1890, 695–696 • B. A. MÜLLER, in: RE Suppl. 3, 121–123 • PFEIFFER, KP I, 197–198 • R. TOSI, in: Entretiens XL, 146 Anm. 3.   F.M./T.H.

Antidosis (ἀντίδοσις, Vermögenstausch). In Athen konnte ein zur Leistung einer *leitourgía* (→ Leiturgia) Bestimmter versuchen, dies zu vermeiden, indem er jemand benannte, der reicher und nicht von dieser Leistung befreit, aber nicht dazu verpflichtet worden war. Er konnte ihn auffordern, entweder die *leitourgía* von sich aus zu leisten oder, falls dieser abstritt, mehr zu besitzen, mit ihm das Vermögen zu tauschen. Ein Vermögenstausch war in der Realität wohl durchaus möglich [1; 3], obwohl dies auch bestritten wird [2]. War der Aufgeforderte weder zur *leitourgía* noch zum Vermögenstausch bereit, gab der Herausforderer auf und leistete die *leitourgía* oder verlangte, in einer → *diadikasía* zu entscheiden, wer der Reichere und somit Verpflichtete war. Demosthenes or. 42 beschäftigt sich mit einem A.-verfahren.

1 V. GABRIELSEN, Renumeration of state officials in the fourth century B.C., C&M 38, 1987, 7–38 2 L. GERNET, Démosthène: Plaidoyers civils II, 1957, 71–77 3 A.R.W. HARRISON, The Law of Athens, 2, 1971, 236–38.   P.J.R.

Antidotarium bezeichnet urspr. Abhandlungen über Gegengifte, z. B. Gal. de antidotis, 14,1–209 (übers. u. komm. von [1, vgl. 6]) und Philumenos (hrsg. von [2]), im ma. Lat. dagegen alle Schriften, die zusammengesetzte Arzneimittel zum Gegenstand hatten. Der genaue Zeitpunkt dieses Bedeutungswandels ist unklar, da in den meisten spätant. Arzneimittelsammlungen weder Titel noch Autoren aufgeführt sind. Der früheste Beleg des Titels findet sich erst in einem Ms. aus dem 11. Jh., der sich jedoch auf Inhalte weit früherer Entstehungszeit bezieht. Ein Antidotarium enthält statt einfacher Substanzen vorwiegend ausgeschriebene Mischrezepturen, wobei einige Rezepte mit dem Namen des urspr. Verf. versehen oder in der Form *Dia-*... (z. B. *Diarrhodon, Diasatyrion*) aufgeführt sind. Die Mehrzahl der Rezepte geht auf röm., gelegentlich sogar auf hell. Zeit zurück und ist auch in anderen pharmakologischen und medizinischen Schriften in lat. oder griech. Sprache zu finden. Die durchaus sinnvolle Unterscheidung von Antidotarien und Rezeptarien entpricht moderner Konvention, denn die spätant. Traktate, die als Antidotarien ediert wurden, sind allesamt in anon. oder pseudonymen Mss. ohne Buchtitel überliefert. Antidotarien werden durch den Namen der Bibliothek, in der das wichtigste Ms. der Sammlung aufbewahrt wird, unterschieden.

1 L. WINKLER, 1980 (Übers. und Komm.) 2 CMG X,1,1 3 V. ROSE, Theodori Prisciani Euporiston, 1894 (A. Bruxellense primum et secundum) 4 H. E. SIGERIST, Studien und Texte der frühma. Rezeptlit., 1923 (A. Augiense, Bambergense, Berolinense, Cantabrigense, Glasgouiense, Londinense, Sangallense) 5 H. Stoll, Das Lorscher Arzneibuch, 1992. LIT.: 6 ZPE 1992, 24–25 7 J. JÖRIMANN, Frühma. Rezeptarien, 1925 8 D. GOLTZ, Ma. Pharmazie und Medizin, 1976 9 G. KEIL, P. SCHNITZER, Das Lorscher Arzneibuch, 1991.   V. N./L. v. R.-P.

Antidotos. Komödiendichter, wahrscheinlich Zeitgenosse des Alexis (2. Hälfte 4./Anf. 3. Jh.). Wie jener hat A. einen Πρωτόχορος geschrieben (2 kurze Fr. erh.), und er der Alexis galten als Verf. der von Athen. 14 642cd zitierten Ὁμοία. Ob daraus zu folgern ist, beide Dichter hätten je eine Ὁμοία verfaßt [1. 308; 2], bleibt unsicher. Gut bezeugt ist hingegen noch der Titel Μεμψίμοιρος [1. 308].

1 PCG II, 1991, 308–310 2 PCG V, 1986, 144.   T. HI.

Antigeneidas (Ἀντιγενείδας). Berühmter Aulet aus Theben, wirkte bei Philoxenos mit (Suda) und 382 v. Chr. auf der Hochzeit des Iphikrates (Athen. 4, 131 b). Das Mundstück seines Aulos sei neuartig (Theophr. h. plant. 4,11,3), sein Spiel stilbildend gewesen (Ps.-Plut. mus. 1138).   F. Z.

Antigenes (Ἀντιγένης). **[1]** Att. Dithyrambendichter, vermutlich der Autor einer Inschr. auf einem Dreifuß für den Sieg der Phyle → Akamantis beim Dithyrambenwettstreit an den Dionysien (FGE 11–15). Die Quelle (Anth. Pal. 13,28) schreibt das Epigramm ›Simonides oder Bacchylides‹ zu, aber HECKER erkannte A. zwingend als Autor, der sich selbst den χοροδιδάσκαλος nennt [1. 149–152]; der χορηγός und der αὐλητής werden auch genannt. Um die Eigennamen in das Versmaß zu bringen, wird ein ungewöhnliches Metrum verwendet. Das Datum ist vielleicht ca. 485 v. Chr. [2].

1 A. HECKER, Commentationes criticae de Anthologia Graeca pars prior, 1852 2 Pickard-Cambridge/ Webster, 16.   E. R./L. S.

[2] Diente unter → Alexandros [4], 331 v. Chr. Offizier der Hypaspisten, in der Schlacht am → Hyphasis vielleicht schon ihr Kommandeur. Ihm wurde das Regiment der → Argyraspidai anvertraut; mit ihnen und anderen ausgedienten Soldaten wurde er 324 unter → Krateros heimgeschickt. Sie hielten in → Kilikien und nahmen 320 an Perdikkas' Angriff auf Ägypten teil. A. war an der Verschwörung gegen Perdikkas beteiligt. Dafür wurde er von → Antipatros [1] bei → Triparadeisos mit der Satrapie Susiana belohnt, doch blieb er aus unbekannten Gründen bei den Argyraspidai. Nach Antipatros' Tod schlossen sie sich auf → Polyperchons Befehl → Eumenes an, zogen mit ihm nach Osten und kämpften gegen → Antigonos [1] in der → Paraitakene und der Gabiene. In der letzteren Schlacht gelang es Antigonos, sich ihrer gesamten Habe, die sie mit sich führen mußten, zu bemächtigen. Dies bewog sie, Eumenes dem Antigonos auszuliefern, was A. nach Plutarchos (Eumenes 6) bereits geplant hatte. Antigonos, der ihm nach dem Verrat an zwei Befehlshaber nicht traute, ließ ihn lebend verbrennen.

HECKEL, 308–316 (apologetisch). E.B.

Antignotos. Bronzebildner in Athen. Erh. sind von ihm Signaturen der Ehrenstatuen für die Thrakerkönige Raskuporis (um 13 v. Chr.) und Kotys. Ein bei Plinius genannter A., Verfertiger von Philosophen- und Athletenstatuen, ist aufgrund einer datierten Basis eher ein Bildhauer des 4. Jh. v. Chr.

LOEWY, Nr. 314–316 • s. v. A., EAA Suppl. 61. R.N.

Antigone (Ἀντιγόνη). **[1]** Tochter des Thessalers → Pheres und Mutter des Argonauten Asterion (Hyg. fab. 14,1). **[2]** Tochter des Königs Eurytion von Phthia, Gattin des → Peleus, mit dem sie eine Tochter Polydora hat (Pherek. FGrH 3 F 61a). Peleus tötet aus Versehen Eurytion und flieht deshalb nach Iolkos zu Akastos, der ihn entsühnt. Dessen Frau Astydameia versucht ihn vergeblich für sich zu gewinnen und schickt aus Rache der A. die falsche Nachricht, daß Peleus ihre Stieftochter Sterope heirate, worauf A. sich erhängt (Apollod. 3,163 ff.; Pind. N. 4,57; 5,26 nennt sie Hippolyte). **[3]** Tochter des → Oidipus und seiner Mutter → Iokaste oder, nach einer älteren Version, der → Euryganeia (Pherek. FGrH 3 F 95; Peisand. FGrH 16 F 10; Apollod. 3,55; Paus. 9,5,10 f.), Schwester der → Ismene, des → Eteokles und des → Polyneikes. Im Epos findet sich kein konkreter Hinweis auf A.; der Geschlechterfluch geht jedoch evtl. auf diese Tradition zurück [1. 59–66]. Er wird von Aischyl. Sept. 725 und Pind. P. 2,38 ff. vorausgesetzt (vgl. auch Soph. Ant. 856 ff.; Oid. T. 711 ff.; Eur. Phoen. 18 ff.). Ion von Chios (fr. 740 PMG) schöpft vielleicht ebenfalls aus dem Epos: A. und Ismene werden hier vom Sohn des Eteokles in einem Heraheiligtum verbrannt, evtl. als Strafe für die Übertretung des Bestattungsverbotes [1. 92–96]. A. wird erst durch Sophokle' Tragödie zu einer zentralen Mythenfigur: In Theben erlebt sie den Kampf zwischen Eteokles und dem angreifenden Polyneikes mit und bestattet gegen das Verbot des Ältestenrates

bzw. des neuen Herrschers → Kreon den Polyneikes. A. setzt dabei das ungeschriebene göttl. Recht gegen die von Kreon vertretenen Ansprüche des Staates und distanziert sich auch von der angepaßten Ismene (Soph. Ant. 41 ff.; 440 ff.). Nach Apollod. 3,78, Stat. Theb. 12,349 ff., Hyg. fab. 72, Paus. 9,25,2 und Philostr. iunior im. 2,29 schleppt A. den Leichnam des Polyneikes sogar weg, um ihn zu begraben. A. wird überführt, von Kreon zum Tode verurteilt und lebendig in einem Grab eingemauert, wo sie sich erhängt. Nach einer Auseinandersetzung mit seinem Vater Kreon tötet sich ihr Verlobter Haimon bei ihrer Leiche. Kreon bereut sein Urteil zu spät und findet das Paar tot. Seine Gattin Eurydike erhängt sich aus Verzweiflung.

Unter dem Eindruck der Gestaltung des Sophokles wurde wohl nachträglich die Schlußpartie 1050–1078 an Aischyl. Sept. angefügt [1. 96–115]. Euripides' *Phoenissae* sind von Soph. beeinflußt; Euripides übernimmt das Bestattungsverbot (Phoen. 774 ff.), fügt jedoch neue Motive ein: Oidipus und Iokaste sind zum Zeitpunkt des Bruderkrieges noch am Leben, Iokaste versucht mit A. vergeblich, den Kampf zu verhindern (Phoen. 1264 ff. 1435 f.; vgl. Stat. Theb. 7,474 ff.; 11,354 ff.). A. kündigt am Schluß an, daß sie den Vater ins Exil begleiten will (Phoen. 1679 ff.; Hyg. fab. 67), läßt dabei vom Bestattungsplan ab und wehrt sich gleichzeitig gegen die von Eteokles verfügte Ehe mit Haimon (Phoen. 1625 ff.). Die Begleitung des Vaters ins Exil bis zu seinem Tod im Kolonos wurde von Sophokles im *Oidipus K.* ausgestaltet (vgl. auch Apollod. 3,56), die Exilierung liegt hier vor dem Bruderkampf und das Ehemotiv fehlt (zum Verhältnis von Eur. Phoen. und Soph. Oid. K. [1. 138–160, 189–200]) In der *A.* des Euripides (Hypoth. Soph. Ant., Schol. Soph. Ant. 1351) wird A. ebenfalls bei der Bestattung überrascht, zu sie als Mainade von Dionysos getrieben wird. Durch göttl. Intervention entgeht A. der Todesstrafe, wird mit Haimon verheiratet und hat mit ihm den Sohn Maion [1. 161–188]. Anders Hyg. fab. 72 (wohl auf eine Trag. des 4. Jh. zurückgehend): A. wird verurteilt und Haimon zur Tötung übergeben, der sie jedoch verschont, versteckt und mit ihr den Sohn Maion hat. Dieser wird bei einem Wettkampf von seinem Großvater erkannt, worauf A. und Haimon sterben müssen [1. 217–222]. Der Stoff wurde auch von Accius (Ant., Phoen.) und Seneca (Phoen.) behandelt. Zur Entwicklung und Nachwirkung der Figur der A. siehe [1. 287–327; 2]. **[4]** Tochter des troischen Königs → Laomedon, Schwester des → Priamos, die sich wegen ihrer schönen Haare mit Hera gleichstellt, worauf diese A. in einen Storch verwandelt (Ov. met. 6,93 ff.).

1 CH. ZIMMERMANN, Der A.-Mythos in der ant. Lit. und Kunst, 1993 2 G. STEINER, Antigones, 1984.

E. BETHE, s. v. A. [1]–[3], RE I, 2401–2404 • S. FRAISSE, Le mythe d'A., 1974 • I. KRAUSKOPF, s. v. A., LIMC I.1, 818–828 • TH. C. W. OUDEMANS, A. P. M. H. LARDIOIS, Tragic Ambiguity. Anthropology, Philosophy and Sophocles' A., 1987 • G. WISSOWA, s. v. A. [4], RE I, 2404. R.HA.

[5] Tochter → Berenikes I., Gattin des Pyrrhos (ca. 298); ein Sohn des Paares, Ptolemaios, wurde ca. 296 v. Chr. geboren. A. stirbt spätestens 295. PP 6, 14483.

F. SANDBERGER, Prosopographie zur Gesch. des Pyrrhos, 1970, 31 ff.   W. A.

Antigoneia. [1] in Syrien (Strab. 16,750; Diod. 20,47) am Orontes. Gründung des Antigonos im J. 207 v. Chr. (Liv. 44,10 ora *Antigonea*).   W. SO.
[2] An der Westküste der Chalkidischen Halbinsel (bei Hagios Pavlos?), wohl von Antigonos [2] als Gegengewicht zu Kassandreia (Poteidaia) gegründet. In histor. Kontext nur um 200 v. Chr. in einer delph. Theorodokenliste [1. 18, col. III, 76] und im 3. Maked. Krieg (171–169 v. Chr.; Liv. 44,10,8–11) erwähnt.

1 A. PLASSART, Inscriptions de Delphes. La liste des Théorodoques, in: BCH 45, 1921.

D. FEISSEL, M. SÈVE, La Chalchidique vue par Charles Avezou (avril – mai 1914), in: BCH 103, 1979, 248 f., 292–294 · B. HATZOPOULOS, Une donation du roi Lysimaque, 1988, 47 · F. PAPAZOGLOU, Les villes de Macédoine à l'époque romaine, 1988, 419 f. · M. ZAHRNT, Olynth und die Chalkidier (Vestigia 14), 1971, 120, 155, 197 f.   M. Z.

Antigoneia [3] s. Stoboi
[4] Stadt in → Epeiros, von → Pyrrhos in der → Chaonia gegr. und nach seiner ersten Frau (Plut. Pyrrhos 5) benannt, beherrschte das Drinotal, die Verbindung zw. Nord- und Zentral-Epeiros und spielte deshalb vielfach in Kriegen eine Rolle (vgl. 230, 198 und 167 v. Chr.: Pol. 2,5,6; Liv. 32,5,10; 43,23,4). Die Stadtanlage 7 km östl. des Drino beim h. Gjirokaster in Albanien, 45 ha groß, orthogonales Straßensystem, Agora. Steph. Byz. s. v. A. ; Ptol. 3,13,5; Plin. nat. 4,1,2.

P. CABANES (Hrsg.), L'Illyrie méridionale et l'Epire dans l'antiquité 1, 1987, 159–166 · Ders. L'Illyrie méridionale et l'Epire dans l'antiquité 2, 1993, 111–122 · A. EGGEBRECHT (Hrsg.), Albanien, 1988, 59–62, 277 · N. G. L. HAMMOND, in: JRS 61, 1971, 112–115.   D. S.

BYZANTINISCHE ZEIT
Umfang und Dauer der spätant. und frühma. Besiedlung noch unklar, aber gesichert durch Ausgrabung einer Dreikonchenkirche (5.–6. Jh.) mit Fußbodenmosaiken und einer weiteren kleinen Kirche (9./10. Jh.).

D. BUDINA, La mosaique de la triconque paléochrétienne d'Antigonée, in: Iliria 7/8, 1977/78, 225–235 · H. FREIS, Spätant. Kirchen in Albanien, in: P. R. FRANKE, Albanien im Alt., 1983 (= Ant. Welt, Sondernummer 1983), 65–73, hier: 71 f. · G. KOCH, in: A. EGGEBRECHT (Hrsg.), Albanien, 1988, 124 · G. KOCH, Albanien, 1989, 258 · TIB III, 1991, 256.   E. W.

Antigonis (Ἀντιγονίς). Eine der 5 nachkleisthenischen → Phylen Attikas, 307/6 v. Chr. mit der → Demetrias zu Ehren des → Antigonos [1] geschaffen (Plut. De-

metrios 10; Diod. 20,45; Poll. 8,110; Steph. Byz. s. v. A.); mit dieser als 1. und 2. Phyle den 10 kleisthenischen vorangestellt; 201/200 v. Chr. wieder abgeschafft. Aus 7 kleisthenischen Phylen übernimmt die A. insgesamt 15 → Demoi [1. 26 Tab. 11]. Weder entstehen neue Demoi, noch hat die Ausmarkung von Demengrenzen durch → Horos-Felsinschr. hiermit zu tun (anders [2. 117 ff.], aber mit der Vergrößerung der → Bule auf 600 werden die Buleutenquoten der att. Demoi neu fixiert. Die → Trittyes spielen bei der Formierung der nachkleisthenischen Phylen (vgl. Attalis, Hadrianis, Ptolemais) offenbar keine Rolle.

1 TRAILL, Attika, 25 ff., 31 ff. 2 Ders., Demos and Trittys, 1986.   H. LO.

Antigonos. [1, Monophthalmos] (»der Einäugige«), 382 – 301 v. Chr. → Hetairos von → Philippos und → Alexandros [4], mit → Stratonike verheiratet, Vater von → Demetrios. Bei Alexandros' Invasion von Asien Kommandeur der griech. Hopliten, von 333 bis zu Alexandros' Tod [323] Satrap von Großphrygien. Er besiegte Aufständische und Reste von persischen Truppen, gewann Lykaoria und erhielt 331 zudem die Verwaltung von Lykia-Pamphylia. In Priene wurde er für uns unbekannte Verdienste geehrt (IPriene 2).

Nach Alexandros' Tod behielt er seine Satrapie, weigerte sich aber, → Eumenes in Kappadokia zu unterstützen, floh zu → Antipatros [1] und hetzte ihn und → Krateros gegen → Perdikkas auf. Nach kurzen Feldzügen in Kleinasien und auf Kypros fand er sich bei → Triparadeisos ein, wo ihm Antipatros Asien mit Perdikkas' Armee übertrug. A. besiegte Eumenes und seine Verbündeten und entließ Eumenes aus der Belagerung. Eumenes unterstellte sich → Polyperchon und entkam nach Osten, wo er die meisten der Satrapen für sich gewann. A. konnte in zwei Schlachten keine Entscheidung erzwingen, bemächtigte sich aber der gesamten Habe der → Argyraspidai, die ihm daraufhin Eumenes auslieferten. A. ließ ihn hinrichten, brachte 315 den Osten des Reiches bis auf wenige fest etablierte Satrapen unter seine Kontrolle und unterstellte ihn → Nikanor. → Seleukos entkam und floh zu → Ptolemaios. A. war jetzt für Ptolemaios, → Kassandros und → Lysimachos zu gefährlich. Es folgten ständig wechselnde Kämpfe zw. ihnen und A., bis alle kriegsmüde einen unsicheren Frieden schlossen (311). Die »Freiheit« der → Poleis wurde garantiert (ein Hauptmotiv von A.' Propaganda: s. OGIS 5) und → Alexandros [7] sollte, wenn volljährig, die Herrschaft übernehmen. Natürlich ließ Kassandros ihn bald ermorden.

Seleukos erbat sich von Ptolemaios 1000 Soldaten, die er nach Babylon führte. Er wurde jubelnd aufgenommen, besiegte und tötete Nikanor und breitete seine Macht rasch aus. Demetrios wandte sich gegen ihn und besetzte Babylon, mußte aber 309 zurückkehren, da Ptolemaios in Kleinasien eingefallen war. So blieb Seleukos Herr der östl. Satrapien. Demetrios vertrieb Ptolemaios; Mitte 307 schickte ihn A. mit der Flotte nach Europa, wo er Athen befreite (→ Demetrios v. Phaleron). Dann besiegte er Ptolemaios in einer großen Seeschlacht bei Kypros, das er besetzte. Daraufhin legten sich A. und Demetrios den Königstitel bei, was Anspruch auf die Gesamtherrschaft bedeutete. (S. P Köln 6, Nr. 247.) Dies zwang seine Rivalen, den Titel, der zum bloßen Rangabzeichen wurde, ebenfalls anzunehmen. Die Teilung des Reiches war damit besiegelt.

Für A. war das ein Signal zum Angriff auf die Rivalen. Nach Mißlingen einer Belagerung von Rhodos gewann Demetrios fast ganz Griechenland, wo er 302 den Hellenenbund von Philippos und Alexandros neu gründete (s. StV III 446). Friedensangebote von Ptolemaios und Kassandros lehnte A. zuversichtlich ab. Doch Lysimachos fiel jetzt in Kleinasien ein, Seleukos, der mit → Sandrakottos Frieden geschlossen hatte, eilte ihm zur Hilfe. Demetrios mußte Griechenland aufgeben, um A. beizustehen. Bei → Ipsos kam es 301 zur Entscheidungsschlacht. Durch einen taktischen Fehler von Demetrios verlor A. Schlacht und Leben. Sein Reich wurde unter die Sieger aufgeteilt (Arr. succ.; Diod. 17–20; Iust. 13–15; Plut. Demetr.; Polyain. 4,6).

BERVE 2, Nr. 87 · HECKEL, 50–56 · R.A. BILLOWS, Antigonos the One-eyed, 1990 · L. SCHOBER, Unt. zur Gesch. Babyloniens, 1981 · WILL, Bd. 1, 19–110.   E.B.

[2, Gonatas] (»der X-Beinige«), König von Makedonien, Sohn von → Demetrios und → Phila; blieb bei Demetrios' Aufbruch nach Asien (287 v. Chr.) als → Strategos in Europa und nahm nach Demetrios' Tod den Königstitel an. Er konnte nur einige Festungen halten, doch 277 schlug er bei → Lysimacheia eine Keltenschar und wurde in Makedonien als Herrscher anerkannt; andere Prätendenten verschwinden. Von → Pyrrhos vertrieben, folgte er ihm in die Peloponnes, wo Pyrrhos auf dem Rückzug von Sparta bei Argos fiel. So war A. 272 Herr von Makedonien und bald von Thessalien. In der Peloponnes, auch in Chalkis und Athen, setzte er ihm gewogene Regierungen ein; Korinth und Chalkis, mit starken Garnisonen, unterstellte er seinem Bruder → Krateros. Um 267 fiel Athen im Bunde mit → Areus [1] und unterstützt von → Ptolemaios ab (→ Chremonides; StV III 476). A. sperrte den Isthmos gegen Areus, besiegte die Flotte Ptolemaios' bei Kos (Datum ungewiß), Athen ergab sich (263/2). Attika wurde besetzt, Athen erhielt aber bald interne Autonomie.

A.' Beziehungen zum Koinon der → Aitoloi beruhten auf für beide Mächte vorteilhafter Neutralität. Mit → Antiochos [1] und [2] stand er auf gutem Fuß. Ob er an den Syr. Kriegen teilnahm, ist ungewiß, ebenso das Datum eines Sieges über eine ptolemäische Flotte bei Andros. Nach Krateros' Tod machte sich sein Sohn Alexandros selbständig und A. verlor Korinth und Chalkis. Nach Alexandros' Tod gewann er durch eine List Korinth zurück (245/4?), verlor es aber 243 endgültig durch einen Handstreich von → Aratos [2] an das Koinon der → Achaioi. In der Peloponnes bröckelte seine Macht ab, an der Nordgrenze mußte er wohl Kriege führen. Trotz seiner klugen und vorsichtigen Politik hinterließ er 239 seinem Sohn und vielleicht Mitregenten → Demetrios ein geschwächtes Reich.

Er war Patron von Historikern und Philosophen, bes. von → Zenon, war aber selbst kein »Philosoph auf dem Thron«.

WALBANK, CAH 7² 1, 221–256 · ERRINGTON, 149–157 · WILL, Bd. 1, bes. 208–233, 316–343.   E.B.

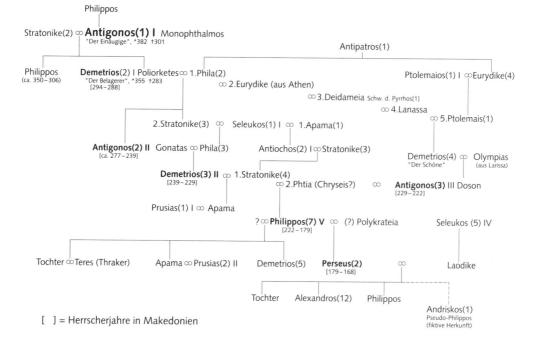

[ ] = Herrscherjahre in Makedonien

[3, Doson] König von Makedonien (zuerst Regent für → Philippos, dessen Mutter er heiratete) 229–221 v. Chr., Neffe von A. [2]. Besiegte die Dardanoi, gewann Thessalien von den → Aitoloi zurück, verlor aber Boiotien, die Stützpunkte auf der Peloponnes und (229/8) Athen. Den Rückgang des Seleukidenreiches benutzte er zu einer Invasion von Karia und Teilen von Ionia (IPriene 37; vgl. Trog. prol. 28 [1]), wo der Dynast → Olympichos sein Vertreter wurde. Durch Verträge mit den Nachbarstaaten sicherte er sich gegen die Aitoloi. Als → Aratos [2] um Hilfe bat, um der Unterwerfung der → Achaioi durch → Kleomenes zu entgehen, erhielt er Korinth als Preis zurück und besetzte es 224. Nach weiteren Erfolgen gründete er einen neuen Hellenenbund als Bund von Koina einschließlich der Makedonen (StV III 507). 222 besiegte er Kleomenes bei → Sellasia und besetzte Sparta, mußte aber an seine Nordgrenzen eilen, wo er im Kampf gegen Illyrer starb.

1 J. CRAMPA, Labraunda 3,1, 1969.

WALBANK, CAH 7² 1, 446–481 • ERRINGTON, 159–167 • WILL, Bd. 1, 359–371, 378–396.   E.B.

[4] Sohn des Iohannes → Hyrkanos, bewährte sich vor 107 v. Chr. zusammen mit seinem älteren Bruder → Aristobulos [1] I. bei der Einnahme von Samaria. Obwohl er bei seinem Bruder in hohem Ansehen stand, fiel er nach dessen Regierungsantritt 104 einer Intrige zum Opfer und wurde umgebracht (Ios. ant. Iud. 13, 276–81; bell. Iud. 1,64f.; 71–80).

[5. Mattathias A.] Sohn des → Aristobulos [2] II., teilte das Schicksal seines Vaters bis zur zweiten Gefangenschaft in Rom (56 v. Chr.), wurde aber bald freigelassen. 42 versuchte er vergeblich, sich der Herrschaft über Iudäa zu bemächtigen. 40 gewann er mit Hilfe der nach Syrien eingefallenen Parther Königs- und Hohenpriesterwürde, doch konnte er sich gegen den von Rom zum König ernannten und mil. unterstützten → Herodes der Gr., nicht halten. 37 wurde er bei der Einnahme Jerusalems durch C. → Sosius gefangengenommen und in Antiocheia auf Befehl des M. Antonius hingerichtet. Mit ihm endete die hasmonäische Dynastie (Ios. ant. Iud. 13,37–491; bell. Iud. 1,274–375).

SCHÜRER 1, 281–286.   K. BR.

[6] Bronzebildner, der in Pergamon an den Galliermonumenten der Attaliden (241–159 v. Chr.) mitwirkte und über Toreutik und Malerei schrieb. Er entdeckte die Signatur des → Agorakritos an dessen Nemesis; vereinzelt wurde er mit A. von Karystos, Verfasser von Biographien und Paradoxa, gleichgesetzt. Die geläufige Zuschreibung der »Pasquino-Gruppe« an A. entbehrt ausreichender Indizien.

OVERBECK, Nr. 1994, 2004, 2005 (Quellen) • B. S. RIDGWAY, Hellenistic sculpture 1, 1990, 275–281 • R. WENNING, Die Galateranatheme Attalos' I., 1978.   R. N.

[7, aus Karystos] 3. Jh. v. Chr., Verfasser von βίοι φιλοσόφων (Reste bei Athenaios und Diogenes Laertios)

und einer ἱστοριῶν παραδόξων συναγωγή, möglicherweise identisch mit dem Autor kunsthistor. Schriften und dem pergamenischen Erzgießer (Plin. nat. 34,84; 35,68 ; Diog. Laert. 7,188).

→ Paradoxographie

AUSG.: Rerum mirabilium collectio, hrsg. von O. RUSSO, 1986.
LIT.: C. Jacob, De l'art de compiler à la fabrication du merveilleux, in: Lalies 2, 1983, 121–140 • C. ROBERT, s. v. A., RE I, 2421–2422 • U. VON WILAMOWITZ-MOELLENDORFF, A. von Karystos, 1881.   H. A. G.

[8, aus Alexandreia] (ὁ Ἀλεξανδρεύς). Griech. Grammatiker der 1. H. des 1. Jh. v. Chr. Erotianos (praef. 5, 19; 73, 16 s. v. πηρῖνα) zitiert ihn als Hippokrateskommentator, und er erscheint mehrmals in den Scholien zu Nikandros (schol. Nik., Ther. 94c; 215a; 377–378; 574b; 585a; 748; 849); vielleicht denselben A. erwähnen Herodian Scholia Il 23,319 (ERBSE z. St.) und schol. Aristoph. Av. 299. Unwahrscheinlich ist dagegen die Gleichsetzung mit dem Astrologen und Arzt A. ὁ Νικαεύς (E. RIESS, RE I, 2422).

→ Erotianos; Hippokrates; Nikandros

L. COHN, RE I, 2422 • M. SCHMIDT, Didymi Chalc. Fragmenta, 1854, 27, 364 • H. VON STADEN, Herophilus, 493 Anm. 41 • M. WELLMANN, Hippokratesglossare, 1931, 68–71 • U. v. WILAMOWITZ-MOELLENDORFF, Antigonos von Karystos, 1881, 177 • Ders., Euripides, Herakles, ²1895, I 190.   F. M. / T. H.

[9, aus Karystos] Epigrammdichter des »Kranzes« des Philippos (Anth. Pal. 4,2,12) und Verf. eines interessanten allegorischen Epigramms: ein auf einem Krater abgebildeter Frosch bemitleidet darin die Wassertrinker, d. h. die »Kallimacheer« (Anth. Pal. 9,406).

Ein gewisser Zweifel an der Echtheit läßt sich jedoch nicht ganz ausräumen: Ἀντιγόνου Καρυστίου ist die Lesart in rasura von PAGE; von erster Hand stand dort Ἀντιπάτρου, auf das vielleicht ein unpassendes Σιδωνίου folgte; Planudes bietet Ἐπιγόνου Θεσσαλονικέως. Die Gleichsetzung mit dem Verf. von SH 47–50 ist wahrscheinlich.

GA II 1,12 f., 2,16 f.   E. D. / T. H.

Antigraphe, -eus (ἀντιγραφή, -εύς) 1. GEGENSCHRIFT 2. WIDERKLAGE 3. UNTECHNISCH 4. ALLGEMEIN 5. IM RÖMISCHEN ÄGYPTEN
Der Ausdruck ist wie alle nicht von Juristen formulierten Prozeßbegriffe des griech. Rechts unscharf [1]. Er kann bedeuten:

1. GEGENSCHRIFT
a) im Sinne einer schriftlichen Klagebeantwortung, die der Beklagte bei der für die Voruntersuchung zuständigen Behörde einreichte. Die Richtigkeit der in ihr enthaltenen Behauptungen mußte er gleich zu Beginn der ἀνάκρισις (→ Anakrisis) beschwören (Poll. 8,58; Demosth. 45,46; 45,87, daher begegnet in dieser Bedeutung auch der Ausdruck ἀντωμοσία (→ Antomosia) [2], b) im Sinne einer prozeßhindernden Einrede der Un-

zulässigkeit der Klage (Lys. 23,5), später παραγραφή (*paragraphé*) genannt [3].

2. Widerklage

Dies war ein mit der Klage in rechtlichem Zusammenhang stehender Angriff des Beklagten gegen den Kläger mit eigener Klageschrift und Ladung außerhalb des anhängigen Verfahrens [4].

3. Untechnisch

Eine selbständige Klage auf Entzug der bürgerlichen Ehrenrechte [5], soweit sie von dem Beklagten eines schwebenden Strafverfahrens gegen den Kläger erhoben wurde, damit dieser das erste Verfahren nach Verlust der Bürgerrechte nicht mehr fortsetzen konnte (Aischin. 1,154).

4. Allgemein

Prozeßschrift einer Partei ohne Rücksicht auf die Rolle, die sie im Prozeß spielte (Harpokration).

5. Im römischen Ägypten

Kaiserliches Reskript [6].

Antigrapheus

(ἀντιγραφεύς), Gegenschreiber: Ein auch außerhalb Athens bezeugter, bei der Buchführung einem anderen Beamten als Kontrollbeamter gegenüberstehender Funktionär der Finanzverwaltung [6; 7].

1 H.J. Wolff, Juristische Gräzistik – Aufgaben, Probleme, Möglichkeiten, in: Symposion 1971, Ders. (Hrsg) 1975, 3 f. 2 A.R.W. Harrison, The Law of Athens II, 1971, 99 3 H.J. Wolff, Die att. Paragraphe, 1966, 108 f. 4 G. Thür, Beweisführung vor den Schwurgerichtshöfen Athens, 1977, 252 f. 5 Lipsius, 1905–15, 865 6 F. Preisigke, Wörterbuch der griech. Papyrusurkunden I, 1925, s. v. 7 Busolt, Swoboda, ³1926, 1042 f. G.T.

Antikleia (Ἀντίκλεια). Tochter des → Autolykos, Frau des → Laertes, Mutter des → Odysseus und der Ktimene. Bei Homer starb sie aus Gram um den so lange abwesenden Sohn, Odysseus spricht mit ihrem Schatten in der Unterwelt (Hom. Od. 11).

Nachhomer. gilt Odysseus auch als Sohn der A. und des → Sisyphos. Sie beging Selbstmord auf die falsche Nachricht von Odysseus' Tod hin (Hyg. fab. 243).

A. Touchefeu-Meynier, LIMC 1.1, 828–830. F.G.

Antikleides (Ἀντικλείδης). [aus Athen] ›Mehr Antiquar als eigentlicher Historiker‹ (Jacoby). Lebte zu Beginn der Diadochenzeit um 300 v. Chr. und war wohl peripatetisch beeinflußt (fr. 15–16).

Werk *Perí Alexándru, Deliaká, Nóstoi* (FGrH 140 mit Komm.) K.Mei.

Antiklos (Ἄντικλος). Einer der Griechen im hölzernen Pferd. Er wollte Helena antworten, als sie beim auf der Burg stehenden Pferd die Stimmen der griech. Frauen nachahmte, doch Odysseus verschloß ihm den Mund, bis Athena die Helena wegführte (Hom. Od. 4,271–89; Q. Smyrn. 12,317; Apollod. ep. 5,19; Ov. Ib. 567). F.G.

Antikyra (Ἀντίκυρα). [1] Ort am Südufer des 480 v. Chr. dort noch ins Meer mündenden (Hdt. 7,198) → Spercheios, beim h. Dorf Komma. A. gehörte urspr. zur → Achaia Phthiotis, kam im Peloponesischen Krieg (431–404 v. Chr.) an die → Maleis und war ab ca. 280 v. Chr. Mitglied im Bund der → Oitaioi. In A. kam → Ephialtes, der 480 v. Chr. den Persern die Umgehung der Thermopylen verraten hatte, gewaltsam ums Leben (Hdt. 7,213). Der Ort war bekannt für den Handel mit Nieswurz (→ Helleborus vom Oite-Gebirge. Lokalisierung ist wegen der hohen Schwemmlandaufschüttung nicht möglich.

Y. Béquignon, La vallée du Spercheios, 1937, 305 f. · G. Kip, Thessal. Studien, 1910, 43 · F. Stählin, Das hellenische Thessalien, 1924, 153, 197, 209. HE.KR.

[2] Phokische Stadt an gleichnamiger Bucht im Golf von Korinth (Strab. 9,3,1; 3,13; Ps.-Skyl. 37) auf der Höhe des Kastron tou Stenou, ca. 1,5 km süswestl. vom h. A. Große *chora*, angrenzend an → Delphoi, die *hierá chorá* des Apollon und an Ambryssos (Grenzstreitigkeiten vom 4. Jh. v. Chr. bis in die röm. Kaiserzeit: FdD 3,4, 276–283, 290–296). Von Philippos II. zerstört (346 v. Chr., Paus. 10,3,1), in hell. und röm. Zeit wichtiger Hafen. Zentrum der Pflanzenheilkunde (Ernte von → *helleborus*, Paus. 10,36,5; Ps.-Skyl. 37). Polis noch im 6. Jh. n. Chr. (Hierokles, Synekdemos 643,6–644,8). – Häuser im Megaron-Stil aus MH, Gräber (geom. und archa. Zeit), Keramik. Öffentliche und Grabinschr. aus hell. und röm. Zeit. Spätröm. und frühchristl. Überbauung früherer Anlagen; Basilica 5.–6. Jh. n. Chr.

J.M. Fossey, The Ancient Topography of Eastern Phokis, 1986, 23–25, 100–102 · AE 1956, 22–27 · Ph. Ntasios, Symbole sten Topographia tes archaias Phokidos, 1992, 59 f. · N.D. Papachatzis, Pausaniu Hellados Periegesis 5, 1981, 443–446 · F. Schober, Phokis, 1924, 24 · J. Koder, F. Hild, Hellas und Thessalia (TIB 1), 1976, 123 f. G.D.R./S.W.

Antilibanos. Griech. Name des h. Ǧabal Lubnān aš-Šarqiya (Ostlibanon) bezeichneten Gebirgszuges nordwestl. von Damaskus. Zwischen ihm und dem Hauptkamm des → Libanon erstreckt sich die fruchtbare und bereits früh besiedelte Ebene von Orontes und Litani, die Beqaʿ, eine wichtige Verbindung zw. dem mittleren Syrien und Palästina. H.KL.

Antilochos (Ἀντίλοχος). Ältester Sohn von → Nestor. Er ist der eigentliche Führer der Pylier vor Ilion. Poseidon, der Gott des myk. Pylos, schützt ihn (Hom. Il. 13,554 f.); Achill liebt ihn als Gefährten (Hom. Il. 23,556). Als er durch die Hand Memnons fällt (Hom. Od. 4,187), indem er sich für Nestor opfert (Pind. P. 6,28), rächt ihn Achill. Gemeinsam sind A., Achill und Patroklos in einem Tumulus in Sigeion beigesetzt (Od. 24,71–84); im Hades sind sie und Aias zusammen (Od. 11,46 f., vgl. 3,109–112). Nach Troia kam er als Freier Helenas (Apollod. 3,129), nach anderer Überlieferung spät, gegen den Willen Nestors und auf Fürsprache Achills (Philostr. her. 3,2). F.G.

Antilope s. Gazelle

Antimachos ('Αντίμαχος). **[1]** Troer, Gegner des → Antenor. Als vor dem Kriege Menelaos und Odysseus in Troia Helenas Rückgabe verlangten, riet er gegen Sitte und Brauch, die Gesandten zu töten (Hom. Il. 3,205; 11,138). Später verhinderte er, von Paris bestochen, die von den Troern erwogene Auslieferung Helenas (Hom. Il. 11,123 ff.). Seine drei Söhne wurden von den Griechen getötet (Hom. Il. 12,188). F.G.
[2] Zwei indogriech. Könige im 2. Jh. v. Chr., nur durch ihre Münzen belegt, mittelind. Aṃtimakha.

BOPEARACHCHI, 59–62, 64 f., 183–187, 196–198. K. K.

[3, aus Kolophon] Epiker und Elegiker Ende 5./Anf. 4. Jh. v. Chr., einer der wenigen, die im 4. Jh. die Tradition des zyklischen Epos fortsetzten: A. schrieb ein Epos über den Zug der ›Sieben gegen Theben‹ (Θηβαίς) in mindestens 5 Büchern. Die ant. Anekdotensammlung stellt einhellig seine öffentlichen Mißerfolge gegen die Wertschätzung seiner Epen durch Platon; dieser habe seinen Schüler Herakleides Pontikos nach Kolophon geschickt, um nach dem Tode des A. seine Werke zu sammeln. A. antizipierte die für die hell. Dichtung typischen Tendenzen: so die Vorliebe für gelehrte Katalog-Aufzählungen, die seinem anderen, berühmteren Werk, der Λύδη zugrundeliegt. Mit dieser Sammlung von Exempla unglücklicher Liebesgeschichten von mythischen Gestalten habe sich A. über den Verlust der geliebten Lyde hinweggetröstet (vgl. Hermesianax, fr. 7,41–46; Plut. mor. 106b). So in der Vorliebe für Glossen und Aitien, die auch in der ›Thebais‹ belegt ist (vgl. fr. 3 und 53 W.), oder in der Synthese von Dichtung und Philol. (er besorgte eine Homer-Ausgabe). Weitere bekannte Titel sind: Δέλτοι (Schreib-?)»Täfelchen«, Ἄρτεμις und Ἰαχίνη.

Gerade diese Ambiguität des A., in der Schwebe zwischen zyklischem Epos und Eigenschaften, die dann für die hell. Dichtung typisch wurden, machte ihn zu einem Autor, der den Dichtern des 3.–1. Jh. v. Chr. relativ präsent war und den vor allem die Dichter von elegischen Distichen schätzten, die sich ausdrücklich oder wahrscheinlich auf die *Lyde* bezogen (Asklepiades v. Samos, Anth. Pal. 9,63; Poseidippos, Anth. Pal. 12,168; Hermesianax, fr. 7,41–46; Hedylos, epist. 6 Gow-Page; Krates, Anth. Pal. 11,218; Antipatros v. Sidon (Thess. cod.), Anth. Pal. 7,409; Prop. 2,34,45); nach Schol. Nik. Ther. 3 soll auch Nikandros ein Imitator von A. gewesen sein. Eindeutige Ablehnung kam von Kallimachos: Fr. 398 die *Lyde* als παχὺ γράμμα – Catull. 95, 9 f. bezeichnet als *tumidus A.* (vgl. auch Kall. fr. 589). Allg. angenommen wird, daß auch Kall. fr. 1,12 auf die *Lyde* anspielt, s. dagegen [1] und [3]. Die *Lyde* wurde dennoch bis zum Ende des 2. Jh. v. Chr. vom Peripatetiker Agatarchides aus Samos epitomiert; der geringen Anzahl

von Zitaten nach scheint sie immer weniger gelesen worden zu sein. Keines der Papyrusfragmente des A. kann mit Sicherheit der *Lyde* zugeschrieben werden, einige dagegen der *Thebais*, die dem A. eine mehr oder weniger gute Plazierung in den Epikerkanons sicherte: In dem bei Quint. inst. 10,1,52 wiedergebenen Kanon steht A. hinter Homer an zweiter Stelle. Für Kaiser Hadrian stand A. sogar vor Homer (Cass. Dio 69,4,6). Dion. Hal. bezeichnete A. und Empedokles als Meister des ep. αὐστηρός-Stiles (comp. 22; vgl. de imitatione 2,3), wobei er offensichtlich nur oder vor allem an den Epiker A. dachte.

ED., TESTIMONIEN, FR.: B. WYSS 1936 (dazu SH, 1984, für neuere Papyrusfr.) · GENTILI/PRATO, PE II, 1985 (Λύδη) · IEG II² 1992.
LIT.: **1** A. CAMERON, Callimachus in his World, 1995 (cap. »Fat Ladies«) **2** D. DEL CORNO, Ricerche intorno alla Lyde di A., in: Acme 15, 1962, 57–95 **3** R. PRETAGOSTINI, Ricerche sulla poesia alessandrina, 1984 (cap. »Filita, Mimnermo e il 'fantasma' di A. nel prologo degli Aitia di Callimaco«) **4** N. KREVANS, Fighting against A.: the Lyde and the Aetia Reconsidered, in: M. A. HARDER, R. F. REGTUIT, G. C. WAKKER (ed.), Callimachus (Hellenistica Groningana I), 1993, 149–160 **5** M. LOMBARDI, A. di Colofone: la poesia epica, 1993. M. FA. / M.-A. S.

[4, aus Teos] Epiker. Plut. Romulus 24a berichtet, A. habe die Mondfinsternis von 754 v. Chr. gesehen. Clem. Al. stromata 2,432,1 f. zit. einen Hexameter. Der in Schol. Aristoph. Pax 1270 genannte A., Verf. der Ἐπίγονοι (*Epígonoi*) ist vielleicht identisch mit dem Erstgenannten.

EpGF 79 · CollAlex 247–248. C. S.

Antimenes-Maler. Att. sf. Vasenmaler um 530–510 v. Chr., benannt nach der Kalos-Inschrift auf seiner Hydria in Leiden [1. Nr. 11]. Das umfangreiche Werk (ca. 150 Vasen) findet sich vor allem auf Standard-Halsamphoren und Hydrien, die fast alle nach Etrurien exportiert worden sind. Eine Sonderform der Halsamphora, die nur am Gefäßhals dekoriert ist [1. Nr. 21–23], bringt den A. in Zusammenhang mit der Werkstatt des Töpfers Andokides. Die Figurenbilder des A. sind vorwiegend den Lieblingsthemen der Zeit gewidmet: z. B. Heraklesabenteuern, Dionysos und seinem Gefolge, Gespannszenen. Seine übersichtlichen Kompositionen variieren meist die gewohnten Darstellungsschemata, aber er hat auch ganz eigene idyllische Bilder gestaltet, in denen kleine Figuren der Szenerie untergeordnet sind: z. B. die Brunnenszene auf der Leidener Hydria oder die Olivenernte auf einer Amphora in London [1. Nr. 55]. Obwohl seine Zeichenweise, die der des → Psiax verwandt ist, auch den Einfluß der frühen rf. Vasenmaler verrät, scheint der A. beharrlich an der sf. Technik festgehalten zu haben. Sein unbefangener und sicherer Figurenstil hat viele Nachahmer gefunden, die vom Meister oft kaum zu unterscheiden sind. Einige späte Werke des A. zeichnen sich durch erstaunlich feine und ausdrucksvolle Zeichnung aus.

1 J. BUROW, Der A., 1989.

J. D. BEAZLEY, The A., in: JHS 47, 1927, 63–92 · Ders., Addenda², 69–73 · E. KUNZE-GÖTTE. Rez. zu [1], in: Gnomon 65, 1993, 329–334.   H.M.

Antimonium. Seit dem 11. Jh. bei Constantinus Africanus, de gradibus simplicium 4,4 [1. 381 f., vgl. 2.138], als warm und trocken im 4. Grad belegte Bezeichnung für dieses metallische Element, das dem als angebliche Bleiart in Silbergruben gewonnenen ant. στίβι oder στίμμι (stibium, von urspr. äg. ṣtim [2.138]) entsprach. Verwendung des schwarzen Antimontrisulfits als Augenschminke, aber auch als adstringierendes und kühlendes, in seiner Gewinnung genau beschriebenes Heilmittel (Dioskurides 5,85 [3.55f.] = 5,99 [4.516] und Plin. nat. 33,101–104), das seit Paracelsus als »brecherregende, schweiß- und harntreibende Substanz« bis in die Gegenwart vielfach verwendet wurde [5].

1 CONSTANTINI AFRICANI … opera … tomus 1, 1536, 342–387 2 D. GOLTZ, Studien zur Gesch. der Mineralnamen in Pharmazie, Chemie und Medizin von den Anfängen bis Paracelsus, 1972 3 M. WELLMANN (Hrsg.), Pedanii Dioscuridis de materia medica Bd. 3, 1914, Ndr. 1958 4 J. BERENDES (Hrsg.), Des Pedanios Dioskurides Arzneimittellehre übers. und Erl. versehen, 1902, Ndr. 1970 5 H. FISCHER, Metaphysische, experimentelle und utilitaristische Traditionen in der Antimonlit. zur Zeit der »wiss. Revolution« [1520–1820]. Eine komm. Auswahl-Bibliographie (Braunschweiger Veröffentlichungen zur Gesch. der Pharmazie und der Naturwiss. 30), 1988.   C.HÜ.

Antinoeis (Ἀντινοεῖς). Att. Demos der 126/27 n. Chr. gegr. Phyle → Hadrianis (IG II² 1793), wohl nach dem Tod des → Antinoos [2] 130 n. Chr. in dem von → Hadrianus gegr. Teil Athens gelegen.

TRAILL, Attica, 31 Anm. 18, 109 (Nr. 16), Tab. 15.   H.LO.

Antinoos (Ἀντίνοος). **[1]** Ithaker, Sohn des Eupeithes, der zügelloseste der Freier. Er verübte mehrere vergebliche Anschläge auf Telemachos (Hom. Od. 4,660–73; 16,364–92), warf den Schemel auf den in einen Bettler verwandelten Odysseus (17,462–5) und veranlaßte den Wettkampf mit Iros (18,434–39). Ihn traf der erste Pfeil des Odysseus (22,8) [1].

1 O. TOUCHEFEU-MEYNIER, LIMC 6.1, 632, Nr. 3.   F.G.

[2] geb. in Bithynion-Claudiupolis in der Prov. Bithynien, Liebling Hadrians, der im Herbst 130, vor dem 30. Okt., während der Ägyptenreise Hadrians im Nil ertrank; die Ursache ist umstritten (Chron. min. 1, 223 MOMMSEN; SHA Hadr. 14,5 f.). An der Stelle des Todes des A. ließ Hadrian die Stadt Antinoopolis gründen (Paus. 8,9,7; [1. 669 ff.]). A. wurde als Gott verehrt, er erhielt Tempel und Priester, Agone wurden geschaffen,

u. a. in Mantineia, Bithynion, Lanuvium und Antinoopolis (Paus. 8,9,7; SEG 31, 1060 bis; ILS 7212; [1. 696; 2. 53 ff.]; Statuen wurden an zahlreichen Plätzen errichtet, Münzen mit seinem Porträt geprägt [3. 157]. Ein Obelisk, heute in Rom, urspr. wohl in Antinoopolis aufgestellt, berichtet in Hieroglyphenschrift von seinem Grab; wahrscheinlich war A. in Antinoopolis begraben (vgl. GRIMM und KESSLER [2. 25 ff., 146 ff.]), zu früheren Positionen s. [4; 5]. Gedichte auf ihn haben Numenius, Mesomedes und Pancrates geschrieben; zum Gedicht eines Unbekannten s. [6]; PIR² A 737.

1 M. ZAHRNT, Antinoopolis in Ägypten: Die hadrianische Gründung und ihre Privilegien in der neueren Forschung, in: ANRW II 10.1, 669 ff. 2 H. MEYER (Hrsg.), Der Obelisk des Antinous, 1994 3 W. WEISER, Zur Münzprägung in Bithynien, in: F. BECKER-BERTAU, Die Inschr. von Klaudiu Polis, 1986 4 N. HANNESTAD, Über das Grabmal des Antinoos, in: ARID 11, 1982, 69–108 5 F. COARELLI, La tombe d'Antinoüs à Rome, in: MEFRA 98, 1986, 217–253 6 W. D. LEBEK, Ein Hymnus auf Antinoos, in: ZPE 12, 1973, 101–137.

A. BIRLEY, Hadrian's Farewell to Life, in: Laverna 5, 1994, 175–205, 193 ff. · R. LAMBERT, Beloved and God. The Story of Hadrian and Antinoos, 1984 · H. MEYER, Antinous, 1991.   W.E.

Antinoupolis. Stadt in Mittelägypten gegenüber Hermopolis magna auf dem östl. Nilufer. Von → Hadrian 130 n. Chr. an der Stelle gegründet, an der sein Liebling → Antinoos ertrunken war. Rechtwinkliges Straßennetz, Theater, Triumphbogen, Kolonaden, Zirkus, Hippodrom, Tempel des → Serapis, Tempel des Antinoos, Münzprägung. Unter Diokletian Hauptstadt der Thebais. Seit dem 3. Jh. Bischofssitz. Ruinen im 19. Jh. für den Bau der Zuckerraffinerie in Roda benutzt.

E. KÜHN, A., 1914 · PM IV, 175–177.   R.GR.

Antinum. Stadt der → Marsi (CIL IX 3839; 3845) am Oberlauf des → Liris, h. Cività d'Antino. In der röm. Kaiserzeit municipium der tribus Sergia. Reste der Stadtmauer in Polygonalmauerwerk.   E.O.

Antiocheia. [1, am Orontes] Als Antigoneia am Orontes 307 v. Chr. gegr., nach der Niederlage von Antigonos I. gegen Seleukos I. Nikator bei → Ipsos (301 v. Chr.) von diesem zu Ehren seines Vaters Antiochos 300 v. Chr. an die Stelle des heutigen Antakya (Türkei) verlegt und in A. umbenannt. Hauptstadt des Seleukidenreiches; entwickelte sich unter den Seleukiden durch Zusammenschluß mehrerer Siedlungen zur Tetrapolis mit je eigener Umfassungsmauer. Dank der Lage als Verkehrsknotenpunkt im uralten Kulturgebiet der Amuq-Ebene an einer der wichtigsten Handelsrouten und dem ca. 25 km entfernten Hafen → Seleukeia Pieria konnte sich A. auch als Hauptstadt der Provinz Syria nach der Eroberung des Seleukidenreiches 64 v. Chr. durch die Römer mit Alexandreia, Rom und

Konstantinopel als »Weltstadt« bezeichnen lassen. Bedeutende Münzstätte. 256 und 260 n. Chr. Eroberung durch die persischen Sasaniden, seit Aurelian wieder römisch. Immer wieder durch Erdbeben zerstört, so z. B. zur Zeit des Tiberius, Caligula, Hadrian, Diokletian. 526 n. Chr. völlige Zerstörung, mühsamer Wiederaufbau unter Iustinian als Theupolis, nachdem es 540 erneut von den Sasaniden eingenommen worden war. Schon früh bedeutendes christl. Zentrum (hier entstand der Name »Christen« vgl. Apg. 11, 26; Aufenthalte von *Paulus und* Petrus bezeugt), seit dem 1. Jh. Bischofssitz mit gleichen Rechten wie Rom und Alexandreia, wichtiger Konzilort, Sitz eines Patriarchen. Wichtigste Quellen: Strabon, Ptolemaios, Plinius, Ammian. Archäologische Grabungen durch die Universität Princeton 1932 – 1939; Funde im Archäologischen Museum in Antakya.

F. CIMOK, Antioch on the Orontes, ²1994 · G. DOWNEY,
A History of Antioch in Syria, 1961 · G. W. DOWNEY,
Ancient Antioch, 1963 · G. W. ELDERKIN u. a., Antioch on
the Orontes 1. The Excavations 1932 (1934); 2. The
Excavations 1933 – 1936 (1938); 3. The Excavations 1937 –
1939 (1941) · J. H. W. G. Liebeschuetz, Antioch. City and
Imperial Administration in the Later Roman Empire,
1972. A. W.

BYZANTINISCH-ISLAMISCHE ZEIT
Noch in frühbyz. Zeit liegt das Zentrum A.s mit Palast und Hippodrom [1. 643–7] auf der Orontesinsel im Nordwesten der Stadt. Konstantin gründet hier die → *Domus aurea,* die von Constantius beendete oktagonale Kathedralkirche [1. 342–7]. Mit der Aufgabe A.s als zeitweiliger Hauptstadt Ostroms verlagert sich das Sied-

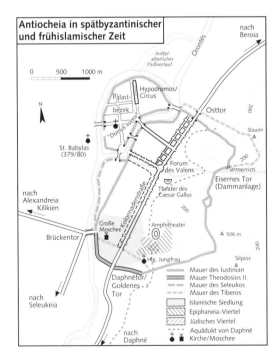

Antiocheia in spätbyzantinischer und frühislamischer Zeit

0 500 1000 m

nach Beroia

Orontés

mittel-alterlicher Flußverlauf

Palast-bezirk

Hypodromos/ Circus

Osttor

»Domus aurea«

Staurin

St. Babylas (379/80)

Forum des Valens

Parmenios

Eisernes Tor (Dammanlage)

nach Alexandreia Kilikien

Theater des Caesar Gallus

Große Moschee

Amphitheater

△ 506 m

Brückentor

Hlg. Jungfrau

Silpios △

nach Seleukeia

Daphnetor/ Goldenes Tor

Kolonnadenstraße

Mauer des Iustinian
Mauer Theodosios II.
Mauer des Seleukos
Mauer des Tiberos
Islamische Siedlung
Epiphaneia-Viertel
Jüdisches Viertel
Aquädukt von Daphnē
Kirche/Moschee

nach Daphnē

lungsschwergewicht in den Süden und bildete hier den Kern der späteren mittelalterlichen Stadt. Neubau der Basilika des Cassianus und der Rotunde zur Hl. Jungfrau im Viertel Epiphaneia (527) [1. 525, 552] als neue rel. Zentren der Stadt. Nach reger Bautätigkeit unter Valens und Zeno beginnt im 6. Jh. der Niedergang A.s durch Brand (525) und ein verheerendes Erdbeben (526) sowie die erste sasanidische Eroberung (540) (Prok. BP 2,8 f.). Teile der Bevölkerung werden nach Mesopotamien deportiert (Prok. BP 2,14). Justinian baut die Stadtmauer in kleinerem Umfang wieder auf; die Orontesinsel wird dabei nicht mehr einbezogen. Die große Kolonnade zwischen Daphne- und Osttor wird auf erhöhtem Fundament wiedererrichtet (Prok. aed. 2,10). Teilweise im 6. und 7. Jh. von Läden überbaut, bleibt sie bis in das 8. Jh. die Hauptarterie der Stadt und für das Erscheinungsbild A.s bis in die Umaiyadenzeit bestimmend [2. 14 ff., 26, 101–6]. Die Wasserversorgung A.s wird durch die Aquaedukte von Daphne bis in das Mittelalter aufrecht erhalten [2. 66 f.]. Nach weiteren Erdbebenkatastrophen (551, 557, 587, 588) folgt eine weitere Phase sasanidischer Okkupation (611–628). Der muslimischen Eroberung 638–641 widersetzt sich A. nur schwach [3. 226 f.]. Seine Stellung als administratives Zentrum verliert es an Qinnasrin (Chalkis). Viele Griechen verlassen die Stadt, an deren Stelle Muslime aus Hims (Emesa) und Baalbek nachziehen. A. dient als Militärbasis für muslimische Expeditionen gegen Byzanz bis zur Wiedereinnahme durch Nikephoros II. Phokas (969). A. bleibt nach dem Konzil von Chalkedon dyophysitisch, was unter Valens zu Kämpfen der Antiochener Zirkusfraktionen (Grüne = Monophysiten und syr. Bevölkerung, Blaue = Dyophysiten/Griechen) führt. Nach der muslimischen Eroberung entsteht in A. das Zentrum der Melkitischen Kirche (arab. Kirchensprache), die seit 742 eigene Patriarchen ernennt [4].

1 G. DOWNEY, A History of Antioch in Syria, 1961
2 J. LASSUS, Les portiques d'Antioche, 1977 3 PH. HITTI,
The Origins of the Islamic State, 1916 4 H. KENNEDY, The
Melkite Church from the Islamic Conquest to the Crusades,
in: 17th Int. Byzantine Congress, 1986, 325–44.

H. KENNEDY, Antioch: from Byzantium to Islam and
Back Again, in: J. RICH (Hrsg.), The City in Late Antiquity,
1992, 181–198. T. L.

[2] Am → Tauros (Ptol. 5,14,8) in → Kommagene wird nordöstl. von Germanikeia beim byz. Adata angesetzt. A. sicherte einen wichtigen Taurospaß.

D. FRENCH, New Research on the Euphrates Frontier, in:
S. MITCHELL (Hrsg.), Armies and Frontiers in Roman and
Byzantine Anatolia, 1983, 89 ff. J. WA.

[3] Küstenstadt in → Kilikia Tracheia (Ἀντιόχεια ἐπὶ Κράγῳ: Ptol. 5,7,2; Stad. m. m. 200; Hierokles, Synekdemos 709,3; Steph. Byz. s. v. A.), heute Endişegüney, 20 km südöstl. von → Selinus. Wohl Mitte des 1. Jhs. n. Chr. von → Antiochos IV. von Kommagene gegr.,

seit 72 n. Chr. in der neuen Prov. Kilikien, 260 n. Chr. von den Persern erobert (Res gestae divi Saporis 31), seit Anf. des 4. Jh. n. Chr. zur Prov. → Isauria gehörig; Bistum [2]. Zentrum der Stadt mit Agora, Säulenstraße (Toranlage), Thermen, Tempeln, Kirchen am Hang des → Kragos hoch über dem Meer, eingefaßt von → Nekropolen im Osten, Norden und Westen [3. 18 ff. (mit Planskizze)]; ant. Ankerplatz ca. 1 km westl. von A. unterhalb der ma. Burg. [4] s. Magarsa.

1 G. BEAN, T. B. MITFORD, Journeys in Rough Cilicia 1962 and 1963, 1965, 34 ff. 2 H. HELLENKEMPER, F. HILD, Kilikien und Isaurien (TIB 5), 1990, s. v. A. am Kragos 3 E. ROSENBAUM, G. HUBER, S. ONURKAN, A Survey of Coastal Cities in Western Cilicia, 1967. K. T.

[5] πρὸς Πισιδίᾳ bzw. A. Pisidiae, bedeutende Stadt im nördl. phryg. Vorland von → Pisidia am Anthios beim h. Yalvaç. Seleukidische Gründung Mitte 3. Jh. v. Chr., seit → Augustus colonia Caesarea A. der Prov. → Galatia, die bedeutendste der Kolonien in der westl. → Tauros-Region. Die Stadt mit fruchtbarem Umland verdankte ihre Existenz und zunehmende Bed. der Lage an einem Verkehrsweg im Norden Pisidias, von der sie auch im 3. Jh. n. Chr. (→ statio) und in der Spätant. profitierte. Heimat mehrerer senatorischer und ritterlicher Familien, außergewöhnlich umfangreiche, überregional bed. Münzprägung im 3. Jh. n. Chr. mit Stadttitulatur (?) socia Romanorum (analog zu σύμμαχος Ῥωμαίων, abgekürzt SR [2]), größtes, schon hell. extraurbanes Heiligtum des → Men (Men Askainos) in Kleinasien, aus dessen Landbesitz die Veteranendeduktion z. T. bestritten wurde (Strab. 12,8,14). Seit dem 3. Jh. n. Chr. zunehmende Hellenisierung. In der Spätant. → Metropolis der Prov. Pisidia und Metropolitanbistum. Niedergang seit den Arabereinfällen (Eroberung 713 n. Chr.), ab 12. Jh. türkisch, letzte Erwähnung 14. Jh. In A. wurden Fragmente einer Kopie der Res Gest. div. Aug. gefunden (»Monumentum Antiochenum«) [1. 52–54].
→ Seleukidenreich; Socii

1 B. LEVICK, s. v. A. Nr. 15, RE Suppl. 11, 49–61 2 J. NOLLÉ, Colonia und socia der Römer, in: CH. SCHUBERT u. a., Rom und der griech. Osten, FS H. H. Schmitt, 1995, 350–370.

K. BELKE, N. MERSICH, s. v. A., in: Phrygien und Pisidien (TIB 7), 1990, 185–188 • B. LEVICK, Roman Colonies in Southern Asia Minor, 1967. P. W.

[6] am Maiandros, in → Karia (Strab. 13,4,15; 14,1,38; 14,2,29; Ptol. 5,2,19), 15 km südl. von Kuyucak bei Nazilli am Mittellauf des Flusses, im linken Seitental (des Morsylos, h. Dandalaz çayi) bei Yenice bzw. Çiftlikköy, h. Ruinenstätte Antioky.
An der Stelle früherer Siedlungen (Plin. nat. 5,108) von → Antiochos I. gegr., zeitweiliger Nebenname Pythopolis (Steph. Byz. s. v. A.). Im Besitz von Territorium beiderseits der Flüsse und einer Brücke über den Maiandros war A. Wegestation an der Fernstraße → Ephesos- → Euphrates, u. a. 189 v. Chr. Quartier des Cn. Manlius Vulso auf dessen Galaterfeldzug (Liv. 38,13,4; 8–11). Landwirtschaftliches Produkt die »an-

tiochischen« Feigen. Aus A. stammte der Philosoph Diotrephes, Lehrer des Rhetors Hybreas (Strab. l. c.).

Reisekarte Türkiye-Türkei, Türk. Verteidigungsministerium, 1994, Bl. 2 • G. HIRSCHFELD, s. v. A. Nr. 16, RE I, 2446 f. H. KA.

[7] Ursprünglich → Alexandreia [5]. Nach Zerstörung durch Antiochos I. Soter wiederaufgebaut; h. Giaur Kala in → Merv; apers. Moûru (Strab. 11,10,2; Ptol. 6,10,4). J. RE. u. H. T.

Antiochenische Schule.

Mit diesem modernen Namen bezeichnet man eine Gruppe von Theologen, die als Exegeten hervorgetreten sind. Ein wirklicher Schulzusammenhang ist erst unter Theologen nachweisbar, die sich von ca. 350 bis ca. 430 zeitweilig in Antiochia aufhielten, so → Diodor von Tarsus, seine Schüler → Theodor von Mopsuestia, → Johannes Chrysostomos und deren (?) Schüler → Theodoret von Kyrrhos. Die Spezifika der Schule werden deutlich in ihren exegetischen Arbeiten, so in den methodischen Prologen eines Diodor zugeschriebenen Psalmenkommentars (CPG 2,3818): Die Auslegung ist keineswegs auf den reinen Wortsinn beschränkt, obwohl Kritik an der Allegorese der Alexandriner geübt wird. Aber der Aufstieg zum höheren Schriftsinn (ἀναγωγή oder θεωρία) darf nicht so durchgeführt werden, daß sich der buchstäbliche Sinn in sein Gegenteil verkehrt. Bei diesem Bemühen hat man offenbar Anregungen von Grammatikern wie → Aristarch aufgenommen. Die früheren, abwertenden Urteile über die A. S. werden dem Befund nicht gerecht. Ihre Exegese setzt sich in den Schulen von → Edessa und → Nisibis fort.

R. BULTMANN, Die Exegese des Theodor von Mopsuestia, 1984 • R. MACINA, L'homme à l'école de Dieu, Proche-Orient Chrétien 32, 1982, 86–124; 263–301. 33, 1983, 39–103 • CH. SCHÄUBLIN, Unt. zu Methode und Herkunft der antiochenischen Exegese, in: Theophaneia 23, 1974 • U. WICKERT, Studien zu den Pauluskommentaren Theodors von Mopsuestia, in: BZNW 27, 1962. C. M.

Antiochis

(Ἀντιοχίς). [1] Zehnte att. Phyle seit der Phylenreform des → Kleisthenes (IG II² 1700 ff.); eponymer Heros der Heraklessohn → Antiochos. A. umfaßte im 4. Jh. v. Chr. 1 Asty-, 6 Mesogeia- und 6 Paralia-Demen, die mit 28 Buleutai stärker vertreten waren als jede der beiden anderen Trittyen. 3 Demen wechselten 308/7 v. Chr. in die maked. Phylen Antigonis bzw. Demetrias (→ Atene, → Kolonai, → Thorai) und kehrten nach deren Auflösung 201/200 v. Chr. in die A. zurück; Atene fiel an die → Attalis. 224/23 v. Chr. wurde → Aigilia [1] der → Ptolemais zugeschlagen, → Besa der → Hadrianis. Dafür erhielten anscheinend andere Siedlungsplätze in der Kaiserzeit Demenstatus wie Ergadeis, Leukopyra, Melainai, Pentele und Pyrrhenesioi.

TRAILL, Attica, 13 f., 22 ff., 53 f., 57, 71, 79, 102, 106 f., 134, Tab. 10. H. LO.

[2, von Tlos] Ärztin, Mitte des 1. Jh. v. Chr., der Herakleides von Tarent sein umfangreiches Buch über Pharmakologie widmete [2]; war selbst Verfasserin eines Rezeptes gegen Milz-, Ischias- und Arthritisschmerzen sowie gegen Wassersucht (Gal. 13,250 = 13,341, aus Asklepiades *Pharmakion*). Wahrscheinlich ist sie identisch mit Antiochis, der Tochter des Diodotos von Tlos, ›der ärztliche Erfahrung vom Rat und von den Bewohnern der Stadt Tlos (in Lykien) attestiert wurde‹: diese hatte die öffentliche Aufstellung einer Statue ihrer Person – eine höchst selten an Ärztinnen verliehene Ehre (TAM 2,2,595) – durch ihren finanziellen Beitrag ermöglicht.

1 J. BENEDUM s. v. Antiochis, RE Suppl. XIV, 48
2 DEICHGRÄBER, 202–207 3 F. KUDLIEN, Der griech. Arzt im Zeitalter des Hellenismus, in: AAWM 1979, 89.   V. N. / L. v. R.-B.

Antiochos (Ἀντίοχος). **[1]** Steuermann auf der Flotte des → Alkibiades [3]. Seine fehlende Disziplin führte zu einer Niederlage der Athener bei Notion 407 v. Chr., worauf Alkibiades als Strategos abgesetzt wurde (Hell. Oxyrh. 8 CHAMBERS; Xen. hell. 1,5,11 ff.; Diod. 13,71; Plut. Alcibiades 10; 35 f.; Lysander 5).

W. M. ELLIS, Alcibiades, 1989, 31, 91–93.   W. S.

[2] I. Soter (für Sieg über Galater: Beginn des seleukidischen Herrscherkultes?), Sohn des Seleukos I. und der Baktrerin Apama [1], wurde um 293 v. Chr. von seinem Vater mit dessen Ehefrau Stratonike, Tochter des Demetrios Poliorketes, verheiratet und als Mitkönig in die Oberen Satrapien entsandt. Dort festigte er die Herrschaft bes. durch (Wieder-) Gründung von Städten. Nach Seleukos' Ermordung im September 281 übernahm A. das Reich im Zustand seiner größten Ausdehnung, aber auch der Gefährdung von mehreren Seiten her: Die Kämpfe gleich ab 281 in (Nord- und Nordwest-) Kleinasien erweiterten die Herrschaft nicht. Im syr. Erbfolgekrieg (ab 280) überließ A. Makedonien seinem Schwager und Schwiegersohn Antigonos [2] Gonatas. Trotz der Hilfe seines anderen Schwiegersohnes Magas von Kyrene erlangte A. im 1. Syr. Krieg (274–271) Südsyrien nicht, verlor sogar Gebiete in Kleinasien. Die Galater besiegte er in der sog. Elefantenschlacht, ließ sie weiter in den ihnen von Nikomedes I. und Mithradates I. überlassenen Gegenden Großphrygiens siedeln und nutzte sie als Söldner. 262 von Eumenes, der Pergamon selbständig machte, geschlagen, starb Antiochos am 1./2. 6. 261 (SIG 322; 426; 577; OGIS 213; 219–223; Iust. prol. 17; 24–26; Diod. 21,20; Strab. 11,516 und 13,624; Plin. nat. 6,47; Plut. Demetr. 38 f.; App. Syr. 65; Paus. 1,7,3; Iust. 17,2; 24,1; 25,1; 39,4; FGrH 434 F 9 und 10; FHG 4,558,55). **[3] II. Theos** (Titel für die Befreiung Milets 259/8 von der Tyrannis), jüngerer Sohn von A. I. Wurde nach Hinrichtung seines aufständischen (?) älteren Bruders Seleukos (nach 268/7) Mitregent A.' I. und nach dessen Tod König. Er nahm A.' I.

Kämpfe um (Nord-) Kleinasien und um Südsyrien wieder auf (Byzantion, Herakleia bzw. 2. Syr. Krieg 260–253) und gewann von Ptolemaios II. Plätze in Westkleinasien, verzichtete aber auf Koilesyrien. Er trennte sich von seiner Gattin Laodike, heiratete Berenike, Tochter Ptolemaios' II., und bekam mit ihr einen Sohn. Kurz vor seinem Tod Juli/August 246 in Ephesos bestimmte er jedoch seinen ältesten Sohn von Laodike, Seleukos II., zum Nachfolger und löste so den 3. Syr. Krieg aus (OGIS 222–226; Pol. fr. 73; Iust. prol. 26; Diod. 31,19; Ios. ant. Iud. 7,43; App. Syr. 65; Polyain. 8,50; FGrH 434 F 15).   A. ME.

[4] Sohn Antiochos' II. und der → Berenike [2]; geb. frühestens 251 v. Chr.; führt den Titel *basileús* entweder als von Antiochos designierter Nachfolger oder nach dessen Tod als von Berenike protegierter Thronprätendent. A. wurde im Herbst 246 von Anhängern Seleukos' II. umgebracht.

W. BLÜMEL, Brief des ptolemäischen Ministers Tlepolemos an die Stadt Kildara in Karien, in: EA 20, 1992, 127–133.   W. A.

[5], III. Megas (Titel für seine ›Anabasis‹), Sohn Seleukos' II., wurde nach seinem älteren Bruder Seleukos III. 222 König. Teile Kleinasiens wurden für A. durch Achaios [5] zurückerobert, der sich aber 221/0 zum König ausrufen ließ. A. selbst warf 222–220 in Medien den aufständischen → Molon nieder und führte dann gegen Ptolemaios IV. den 4. Syr. Krieg; nach Anfangserfolgen unterlag er 217 bei Raphia, verlor Südsyrien wieder, behielt jedoch Seleukeia Pierias. Seit 216 kämpfte A. gegen Achaios, tötete ihn 213 und nahm Sardes ein. In seiner ›Anabasis‹ durchzog A. 212–205 den (ehemals) seleukidischen Osten, errang aber nur Oberhoheit über Armenien, die Parther, Baktrien und Gandhara. Ab 204 versuchte er erneut, vor allem gegen den jungen Ptolemaios V. (geheimer Teilungsvertrag mit Philipp V.?) Gebiete Kleinasiens und Südsyriens zurückzugewinnen. 200 erlangte er im 5. Syr. Krieg durch Sieg bei Paneion Koilesyrien, Phoinikien und Judäa. Ab 196 zog er nach Westkleinasien und Thrakien, unterwarf bzw. gewann zahlreiche Griechenstädte, knüpfte diplomatische Verbindungen mit Mächten Griechenlands, die mit den Römern unzufrieden waren, und zog als Oberfeldherr der Aitoler, begleitet von Hannibal, 192 in Griechenland ein. Der daraus entstandene Krieg mit Rom und dessen Verbündeten (bes. Pergamon und Rhodos) brachte A. Niederlagen 191 bei den Thermopylen und 190 bei Magnesia am Berg Sipylos. Im Frieden von Apameia verlor A. 188 alle Gebiete westl. und nördl. des Taurus, durfte im griech. Raum nicht mehr Söldner werben, mußte Flotte und Elefantentruppe abrüsten, eine große Kontribution zahlen und bis zur Vertragserfüllung Geiseln aus seiner eigenen Familie stellen. Bei einem Versuch, den durch die Zahlungen an Rom verursachten Geldmangel durch Plünderung eines Baal-Tempels bei Susa zu lindern, wurde A. am 3./4. 6./7. 187 erschlagen. A.' Heiratspolitik (u. a. mit

Ptolemaios V.) brachte ihm keinen Gewinn. Wichtig war sein Bemühen, sein Reich durch Umorganisation von → Satrapien zu → Strategien unter Abtrennung der Fiskalverwaltung und durch Einführung eines reichsweiten Herrscherkultes zu festigen (SIG 601; 605a; 606; OGIS 245f.; Pol. 5,40ff.; 10,28ff.; 11,34; 15,20; 16,18ff.; 21,6ff.; Iust. prol. 30–32; Diod. 28 und 29ff.; 31,19,7; Liv. 33–38ff.; Ios. ant. Iud. 12,129ff.; 414; App. Syr. 1–44; Just. 30,2; 4; 31; 32,2; 41,5; Dio 19 = Zon. 9,18ff. **[6], IV.**, mit Kultnamen Epiphanes (daraus karikierend Epimanes), jüngster Sohn A. III., 189–175 als Geisel in Rom, noch vor dem Tod seines Bruders Seleukos' IV. gegen dessen Sohn Demetrios I. ausgelöst, danach mit Eumenes' II. Hilfe König (175) zusammen mit seinem von ihm adoptierten jüngeren Neffen Antiochos, den er 170 durch Andronikos [2] umbringen ließ. Im 6. Syr. Krieg (170–168), der von der Vormundschaftsregierung für Ptolemaios VI. begonnen wurde, eroberte er Zypern und weite Teile Ägyptens, führte sich als Ptolemaios' Beschützer gegenüber Ptolemaios VIII. und Kleopatra II. auf, krönte sich möglicherweise zum König Ägyptens, mußte aber das Eroberte auf röm. Druck hin räumen. Sein Eingreifen in jüd. Streitigkeiten um das Hohepriesteramt und um die Hellenisierung Jerusalems lösten heftige Unruhen und diese Zwangsmaßnahmen seinerseits aus, die 166 zum Makkabäeraufstand führten, der mit seinen Folgen über Jahrzehnte hin immer wieder starke Kräfte der Seleukiden band und ihnen schließlich den Verlust Südsyriens brachte. Während eines Feldzugs nach Armenien und Iran starb A. spät in 164. Wieweit er die Juden und darüber hinaus sein Reich hellenisieren wollte, wird nunmehr eher zurückhaltend beurteilt (SIG 644; OGIS 248–253; Pol. 3,3; 26,10; 27,19; 28,1; 18ff.; 29,2; 25ff.; 30,25ff. (= 31,3ff.); 1 Makk. 1–4; 2,4–10; Iust. prol. 32; 34f.; Diod. 29,32; 30,2; 14–18; 31,1f.; 16–18; 34/35,1; Liv. 41,24f.; 42,6; 45,11–13; Ios. bell. Iud. 1,31–40; ant. Iud. 12,234ff.; 15,41; c. Ap. 2,80ff.; App. Syr. 39; 45; 66; Iust. 34,2–3; Cass. Dio 20 = Zon. 9,25; FGrH 260 F 49; 56). **[7] V. Eupator**, wurde als Kind von seinem Vater A. IV. vor dessen Ostfeldzug zum Mitregenten ernannt und übernahm nach dessen Tod, von Rom gegen seinen dort als Geisel lebenden Vetter Demetrios I. anerkannt, mit dem »Kanzler« Lysias als Vormund und Philipp als Berater die Alleinherrschaft (164). Trotz Sieges über die aufständischen Juden (Iudas Makkabäus) wurde 162 ein für diese günstiger Frieden geschlossen (u.a. Aufhebung des Opferedikts A.' IV.), da Philipp in Antiochia einen Aufstand begann, der niedergeschlagen werden mußte. Sodann verfügte eine röm. Senatsgesandtschaft unter Octavius die Zerstörung der von A. IV. entgegen dem Frieden von Apameia (188) unterhaltenen Kriegsschiffe und Verstümmelung der Elefanten. Der dadurch ausgelöste Volkszorn entlud sich in Octavius' Ermordung; dafür entschuldigte sich A. beim Senat. Noch 162 entkam Demetrios I. mit Hilfe einiger Senatoren aus seiner Geiselhaft, fand Anhang in Syrien und ließ sowohl A. als auch Lysias töten (OGIS 252; Pol. 31,2; 11; 1 Makk 6f.;

2,13,22–14,2; Liv. per. 46; Ios. bell. Iud. 1,40–47; ant. Iud. 12,296; 360ff.; 20,234f.; App. Syr. 46; Cass. Dio 20 = Zon.9,25. **[8] VI. Epiphanes Dionysos**, Sohn des Alexander [II 13] Balas und der Kleopatra Thea (Tochter Ptolemaios' VI.), wurde als Kleinkind von dem Strategen Diodotos Tryphon zum Erwerb eigener Macht 145 gegen Demetrios II. zum König ausgerufen und später (142/1? 139/8?) ermordet (BMC Sel. Kings 63ff.; 1 Makk 11,54ff.; 13,31f.; Diod. 32, 9d–10; 33,4a; 28; 28a; Liv. per. 55; epit. Oxy. 213; Ios. bell. Iud. 1,48f.; ant. Iud. 13,131; 144ff.; 187; 218f.; App. Syr. 68). **[9] VII. Euergetes**, in Side erzogen (»Sidetes«), übernahm 138, nachdem die Parther seinen Bruder Demetrios II. gefangen hatten, die Herrschaft in Syrien, besiegte 136/5 (?) den Usurpator Tryphon, zwang durch Belagerung Jerusalem 134 zur Kapitulation und die Juden (→ Iohannes Hyrkanos) zur Anerkennung seiner Oberhoheit, tastete ihre Religionsausübung jedoch nicht an (daher »Eusebes«). Die Parther vertrieb er 130 aus Babylonien und Medien (»Großkönig«), erlitt 129 im Winter, nachdem der Widerstand der Parther auf seine Forderung nach vollständiger territorialer Restitution hin erstarkte, jedoch eine Niederlage, die ihn das Leben kostete, sein Heer, das letzte große Aufgebot der Seleukiden, vernichtete, seine Dynastie endgültig auf Nordsyrien und Kilikien beschränkte und das Partherreich bis zum Euphrat vorrücken ließ (OGIS 255f.; 1 Makk 15; Iust. prol. 36; 39; Diod. 34/35,1; 15–18; Strab. 14,668; Ios. bell. Iud. 1,50f.; 61f.; ant. Iud. 7,393; 13,219ff.; 236ff.; 261ff.; 271ff.; c. Ap. 2,82; App. Syr. 68; Iust. 36,1; 38,9–10; 39,1; 42,1; FGrH 260 F 32,17). **[10] VIII. Epiphanes Philometor Kallinikos** (wegen seiner Habichtsnase »Grypos«), Sohn des Demetrios II. und der Kleopatra Thea (Tochter Ptolemaios' VI.), Mitregent der Mutter 125–121, ∞ 124/3 Tryphaina (Tochter Ptolemaios' VIII.), ∞ 103 Kleopatra V. Selene, besiegte 123 mit äypt. Hilfe Alexander Zabinas und zwang 121 seine Mutter zum Selbstmord. Seit ca. 115 von seinem Halbbruder A. IX. mit wechselndem Erfolg bekriegt und dabei von Ptolemaios X unterstützt, während A. IX. Hilfe von dessen Bruder Ptolemaios IX. erhielt, konnte sich A. VIII. in Kilikien und Teilen Nordsyriens mit Antiocheia [1] und Seleukeia halten, verlor aber Teile Kilikiens an Rom (103) und gab den Anspruch auf Kommagene als Mitgift seiner Tochter Laodike auf, die durch ihre Ehe mit Mithradates Kallinikos Stammutter des dortigen Königshauses wurde. 96 starb A. und hinterließ fünf Söhne (Inscr. de Délos 1549ff.; Diod. 34/35,28, 40,1a; Ios. bell. Iud. 1,65; ant. Iud. 13,269ff.; 325; 365; Iust. 39,1,9ff.; App. Syr. 68f.; Iust. prol. 39). **[11] IX. Philopator** (da in Kyzikos erzogen, »Kyzikenos«), Sohn Antiochos' VII. und der Kleopatra Thea, ∞ 113 Kleopatra IV. (Tochter Ptolemaios' VIII.), ∞ 96 Kleopatra V. Selene, bekämpfte seit ca. 115 seinen Halbbruder A. [10] VIII., erwarb Koilesyrien, half, unterstützt von Ptolemaios IX., den Samaritanern gegen die Juden (Iohannes Hyrkanos), wurde jedoch von Rom zum Rückzug veranlaßt. Im Kampf gegen Seleu-

kos VI. kam A. 95 um (Inscr. de Délos 1547; Iust. prol.
39; Diod. 34/35,34,1; Ios. ant. Iud. 13,270ff.; 277ff.;
325; 366ff.; App. Syr. 68f.; Iust. 39,2f.).
[12] X. Eusebes Philopator, ∞ Kleopatra Selene, trat
95 in Arados das Erbe seines gefallenen Vaters A. IX. an
und verteidigte es gegen Söhne A.' VIII.: Mit Erfolg
gegen Seleukos VI. und A. XI., erfolglos gegen Philippos
I. und Demetrios III., der von Ptolemaios IX. unterstützt
wurde. A. endete 92 durch die Parther oder 83 durch
den armen. König Tigranes (Iust. prol. 40; Diod.
40,1a-b; Ios. ant. Iud. 13,367ff.; App. Syr. 48f.; 69f.;
Mithr. 105f.; civ. 5,10.; Iust. 40,2; Cass. Dio 37,7a). **[13]**
XII. Dionysos Epiphanes Philopator Kallinikos,
jüngster Sohn A.' VIII., erhob sich gegen seinen Bruder
Philippos I. und krönte sich 87 in Damaskos. Auf seinem
ersten Feldzug gegen die Nabatäer verlor er vorübergehend Damaskos an Phillipos, auf dem zweiten kam er
ca. 84 um (Ios. bell. Iud. 1,99ff.; ant. Iud. 13,387ff.).
[14] XIII. Philadelphos, »Asiaticus«, Sohn A.' X., letzter regierender seleukidischer König; er wurde von
Pompeius 64 v. Chr. abgesetzt.

E. BEVAN, The House of Seleucus, 1902 · A.R.BELLINGER,
The End of the Seleucids, in: Transactions of the
Connecticut Academy 38, 1949, 51–102 · K.BRINGMANN,
Hell. Reform und Religionsverfolgung in Judäa, 1983 ·
A. BOUCHÉ-LECLERCQ, Histoire des Séleucides (323–64
avant J.-C.), 1913/14 · TH. FISCHER, Unt. zum
Partherkrieg Antiochos' VII. im Rahmen der Seleu-
kidengesch., 1970 · GRUEN, Rome · E. GRZYBEK, Zu einer
babylon. Königsliste aus der hell. Zeit (Keilschrifttafel BM
35603), in: Historia 41, 1992, 190–204 · G. HÖLBL, Gesch.
des Ptolemäerreiches, 1994 · O. MØRKHOLM, Antiochus IV
of Syria, 1966 · W. ORTH, Die frühen Seleukiden in der
Forsch. der letzten Jahrzehnte, Gedenkschrift H. BENGTSON,
1991, 61–74 · A.J. SACHS, D. J. WISEMAN, A Babylonian
King List of the Hellenistic Period, in: Iraq 16, 1954,
202–211 · H. H. SCHMITT, Unt. zur Gesch. Antiochos' des
Großen und seiner Zeit, 1964 · S. SHERWIN-WHITE,
A. KUHRT, From Samarkand to Sardis, 1993 · WILL,
Histoire politique du monde hellénistique, 1979/82.   A. ME.

[15] Sohn des Kratidas, aus Aptera. 264 v. Chr. *próxenos*
von Olous, zw. 262 und 243/2 als eponymer, ptolemäischer Offizier belegt, 248/7 Alexanderpriester, 246
Stratege Kilikiens (FGrH 260 F 43), *phílos* Ptolemaios' III.
PP 2/8, 1841; 3/9, 4999; 6, 14584; 14885; 15137?

L. MOOREN, The aulic titulature in Ptolemaic Egypt, 1975,
61f. Nr. 014.   W. A.

[16] I., Theos Dikaios Epiphanes Philorhomaios Philhellen, Sohn des Mithradates Kallinikos und der Laodike (Tochter Antiochos' VIII.), seit ca. 70 v. Chr. König
von Kommagene. Bewahrte Reich und Herrschaft in
den Auseinandersetzungen der Großmächte Parthien
und Rom, der Mittelmächte Armenien und Pontos und
im Zerfall und Ende des Seleukidenreiches: Lucullus
beließ ihm das Reich, Pompeius vergrößerte es bis Seleukeia / Euphrat. 51 meldete A. den Römern den drohenden Angriff der Parther, im röm. Bürgerkrieg sandte
er dem Pompeius Truppen. Als sich Caesar durchsetzte,

wandte sich A. den Parthern zu, wurde deswegen 38 in
Samosata von Ventidius und dann von Antonius [I 9]
belagert, schloß jedoch ein für ihn günstiges Abkommen. Er starb vor 31 (schon 36?). A. ließ für seinen Vater
bei Arsameia am Nymphaios und für sich selbst auf dem
→ Nemrud-Dagh prächtige Grabanlagen errichten. Mit
ihren bildlichen Darstellungen und Inschr. (Kultsatzun-
gen) sind sie späte und dennoch hervorragende Belege
für hell. Herrscherkult in persisch-griech. Religions-
synkretismus und für Herrschaftslegitimation durch einen – teils realen, teils fiktiven – weit in die Vergangenheit reichenden sowohl achäm. als auch maked. Stammbaum (OGIS 383–404; Cic. fam. 15,1,2; 3,1f.; 4,3; Caes.
civ. 3,4,5; Strab. 16,749; Ios. bell. Iud. 1,322; ant. Iud.
14,439–447; Plut. Ant. 34; App. Mithr. 106; 114; 117;
civ. 2,49; Dio 36,2; 48,41; 49,19–23). **[17] II.,** Sohn des
A. I. von Kommagene, ließ den ihm (von seinem Bruder) mit nach Rom geschickten Gesandten ermorden,
wurde dafür 29 von Octavian nach Rom befohlen,
verurteilt und hingerichtet (Cass. Dio 52,43). **[18] IV;**
C. Iulius A., Epiphanes Philokaisar, Sohn A. III. (Enkel
des A. I. von Kommagene ?), wuchs in Rom auf, erhielt
38 von Gaius das 17 n. Chr. eingezogene Königreich
Kommagene zurück, verlor es alsbald und erhielt es 41
von Claudius erneut. Ob A. auch über Teile Kilikiens
regelrecht geherrscht hat, ist unklar. Seinen Sohn Epiphanes verheiratete er mit Drusilla, Tochter des mit
Claudius befreundeten und von diesem geförderten
Königs von Judäa (Herodes) Agrippa. 47 gab A. zu Ehren des Claudius Spiele. Er half den Römern mehrfach,
insbes. 54 und 58 gegen die Parther und erhielt dafür 60
einen Teil Armeniens. In den röm. Thronstreitigkeiten
nach Neros Tod hielt er 69 zu Vespasian; dennoch wurde er 72 auf Betreiben des Statthalters von Syria, L. Cae-
sennius Paetus, von V. abgesetzt und in Sparta und Rom
interniert; dort starb er. Sein Enkel, der letzte bekannte
Angehörige seiner Familie, der im frühen 2.Jh. n.Chr.
in Athen nachgewiesene Titularkönig C. Iulius Antiochos, Epiphanes Philopappos, nannte ihn auf seinem
Grabmonument auf dem athenischen Musenhügel (IG
II/III² 3451; IGRR 940,2,7ff.; OGIS 409–413; Ios. bell.
Iud. 2,500; 3,68; 5,460f.; 7,219–243 ant. Iud. 18,140;
19,276; 338. 355; 20,139; Tac. hist. 2,81; 5,1; ann. 2,42;
56; 12,55; 13; 37; 14,26; Cass. Dio 59,8; 24,1; 60,8).

F. K. DÖRNER, Kommagene, 1981 · R. D. SULLIVAN, The
Dynasty of Commagene, ANRW II.8, 1977, 732–798 ·
H. WALDMANN, Die kommagenischen Kultreformen unter
König Mithradates I. Kallinikos und seinem Sohne
Antiochos I. · U. WILCKEN, Grundzüge und
Chrestomathie der Papyruskunde, 1963, 2, 156, 21
1973.   A. ME.

[19] aus Syrakus. Wohl ältester westgriech. Historiker,
5. Jh. v. Chr., schrieb nach Herodot, aber vor Thukydides.

WERKE: 1. *Sikeliká* in 9 B. vom König Kokalos bis zum
Kongreß von Gela 424 v. Chr. (T 3). Thukydides' ›Archäologie von Sizilien‹ (6,2–5) mit den Gründungsdaten
der griech. Kolonien beruht wahrscheinlich auf A., wie

zuerst [1] erkannt hat. 2. ›Über Italien‹, 1 Buch (fr. 2–13). Erh. bei Strabon der Bericht über die Gründung mehrerer unterit. Griechenstädte (Elea, Rhegion, Kroton, Herakleia, Metapont, Tarent; fr. 8–13).

HISTORISCHE METHODE: Sammlung und Sichtung der mündlichen Überlieferung und deren schriftliche Fixierung nach dem Kriterium der Glaubwürdigkeit (fr. 2; FGrH 555 mit Komm.)

1 A. WÖLFFLIN, Coelius Antipater und Antiochus von Syrakus, 1874.

O. LENDLE, Einführung in die griech. Geschichtsschreibung, 1992, 32 ff. · K. MEISTER, Die griech. Geschichtsschreibung, 1990, 42 f. · L. PEARSON, The Greek Historians of the West, 1987, 11 ff. · F. W. WALBANK, The Historians of Greek Sicily, in: Kokalos 14/15, 1968/69, 476–498.   K. MEI.

[20] aus Askalon 130/120–68/67 v. Chr. Die Fragmente sind zusammengestellt und komm. bei [1]. Akademiker, Schüler des Stoikers Mnesarchos (vielleicht durch Vermittlung des Sosos) und vor allem Philons, mit dem er sich später entzweite: Auslöser der sog. Sosos-Affäre waren die »Röm. Bücher« Philons (vgl. Cic. ac. 2, 11 = F 5,24 ff. M.). Vermutlich nicht Nachfolger Philons im Scholarchat, sondern Austritt aus der skeptischen Akademie und Gründung einer eigenen, programmatisch »Alte Akademie« gen. Schule (Cic. ac. 2,70), in deren Leitung ihm sein Bruder Aristos nachfolgte [2. 181 f.; 3. 98–106; anders 4. 58 unter Hinweis auf die Ergänzung διεδέξατο bei Philod. Acad. col. 34,34 (T 3,13 M.)]. Freund des Lucullus; Cicero hörte ihn 79 in Athen, wo er im Ptolemaion lehrte. Nur wenige Werktitel sind bezeugt: *Kanonika* (ein Frg. daraus bei S. Emp. math. 7,201 (F 2 M.)), *Sosos*, eine Schrift Περὶ θεῶν, schließlich ein *liber ad Balbum missus* (Cic. nat. deor. 1,16 = F 11,9 M.), über dessen Titel und Inhalt keine Aussagen möglich sind. Antiocheisches findet sich wohl auch in Cic. fin. 5, ferner im Munde Varros in Cic. ac. 1.

Faßbar ist nur A.' Position nach der Abkehr von Philon und der Wende zum Dogmatismus. Rückkehr zu Positionen der Alten Akademie (Cic. ac. 2,70 = F 5 M.) und Betonung der Einheit mit dem Peripatos; um Ausgleich vor allem mit der Stoa bemüht (daher Cic. ac. 2,132: *erat quidem si perpauca mutavisset germanissimus Stoicus*), deren Lehren schon bei Platon zu finden seien (S. Emp. P.H. 1,235), auch zwischen Stoa und Peripatos sieht A. nur terminologische Differenzen (Cic. nat. deor. 1,16 = F 11,10 f. M.). A. übernimmt die seit → Xenokrates übliche Dreiteilung der Philos. in Physik, Dialektik und Ethik; letzterer gilt sein bes. Interesse. In der Erkenntnistheorie hält er in Auseinandersetzung mit der skeptischen Position Philons an der stoischen Definition der erkenntnisvermittelnden Vorstellung fest; in der Bewertung der Sinne grenzt er sich deutlich von Platon ab. Umstritten ist, welche Bed. er den platonischen Ideen beimißt. In der Ethik adaptiert A. die stoische Oikeiosis-Lehre (Cic. fin. 5,24). Die Telosformel (Cic. fin. 5,26, vgl. 4,27), deren sich vor allem die Stoa bemächtigt hat, berührt sich aufs engste mit Polemon. Die Betonung der Einheit von Seele und Körper zeigt sich auch in der altperipatetische Gedanken aufnehmenden Unterscheidung (Cic. fin. 5,71 = F 9,140 M.) einer *vita beata* (für die einzig die Tugenden Voraussetzung sind) und einer *vita beatissima* (zu deren Erreichung es auch äußerer und körperlicher Güter bedarf).

→ Akademeia

1 H.-J. METTE, A. von Askalon, in: Lustrum 28–29, 1986–87, 25–63 2 J. P. LYNCH, Aristotle's School, 1972 3 J. GLUCKER, Antiochus and the Late Academy, 1978 4 J. BARNES, Antiochus of Ascalon, in: M. GRIFFIN, J. BARNES, Philosophia Togata, 1989, 51–96 5 W. GÖRLER, A. aus Askalon und seine Schule, in: GGPh 4.2, 1995.   K.-H.S.

[21] aus Athen. Sohn des Antiochos, Tragödiendichter, wurde als att. Teilnehmer an der III. Pythaïs der Techniten des Dionysos in Delphi im Jahr 106/5 (oder 97, s. TrGF app. crit. 145–151) geehrt (Inschr. an der Südwand des Schatzhauses der Athener: FdD III 2, 48 38, SIG³ 711 L).

METTE, 72 · TrGF 150.   F.P.

[22] Unbekannter Verfasser zweier Spottepigramme (Anth. Pal. 11,412; 422), eines auf eine körperlich wie seelisch mißbildete Person, das andere auf einen Rhetor namens Βήσας (wenn es sich dabei nicht um einen Spitznamen handelt, vgl. Suda β 266 ADLER), der so dumm war, daß er es nicht merkte. Für die Gleichsetzung mit dem Sophisten Publius Anteius Antiochus (2.–3. Jh.) lassen sich keine schlagenden Argumente anführen.   E.D./T.H.

[23] Astrologe aus Athen (Hephaistion v. Theben 2,1,15), schrieb gegen Ende des 2. Jh. n. Chr. zwei Prosawerke: a) Εἰσαγωγικά (von Porphyrios ausgeschrieben), b) Θησαυροί (συγκεφαλαίωσις erh.), deren Epitomai in die Rhetoriosüberlieferung eingegangen sind. Die 7 (5 und 2) Bücher eines Ἀντικοῦς (CCAG I 82,19) gehören ihm wohl nicht. A. schöpft aus Nechepso – Petosiris, Hermes und Timaios, er wird außer von Porphyrios und Rhetorios auch von Firmicus, dem Anon. anni 379, Hephaistion von Theben, Theophilos von Edessa sowie im *Liber Hermetis* gelesen. Die noch ausstehende Edition [7] hat auch 2 arab. Benutzer zu berücksichtigen.

FRAGMENTE: 1 F. BOLL, CCAG I, 140–164; VII, 107–128 2 F. CUMONT, CCAG VIII 3, 104–119 (vgl. VIII 4, 115–174) 3 F. BOLL, Griech. Kalender I, 1910, 11–16. LIT.: 4 F. BOLL, s. o. 5 F. CUMONT, Antiochus d'Athènes et Porphyre, in: Annuaire de l'Institut de Philol. et d'Histoire Orientales de l'Université Libre de Bruxelles 2, 1934, 135–156 (Teiled.) 6 GUNDEL 115–117 7 D. PINGREE, Antiochus and Rhetorius, CPh 72, 1977, 203–223   W.H.

[24] Bildhauer aus Athen, so die überzeugend ergänzte Signatur an einer Kopie der Athena Parthenos vom späten 1. Jh. v. Chr. in Rom. Statuen von Zeus und Okeanos in den Horti Serviliani in Rom waren vermutlich ebenfalls von A., falls der bei Plinius verderbte Bildhauername Eniochus zu Recht so zu emendieren ist und nicht ein zur selben Zeit in Eleusis tätiger A. aus Antiocheia gemeint war.

OVERBECK, Nr. 2221–2222 (Quellen) · B. PALMA, in: Museo nazionale romano. Le sculture 1, 5, 1983, 172–175 · C. ROBERT, s. v. A. Nr. 69–70, RE I, 2494 f.   R. N.

Antiope (Ἀντιόπη). **[1]** Im Epos Tochter des Flußgottes Asopos (Hom. Od. 11,260 ff.; Apoll. Rhod. 1,735), nach Euripides' *Antiope* (bei Hyg. fab. 8) Tochter des thebanischen Königs Nykteus und der Polyxo (Apollod. 3,111; Paus. 2,6,1).

Zeus verliebt sich in sie und vereinigt sich mit ihr in Gestalt eines Satyrn [1. 857]. Aus Angst vor ihrem Vater flieht A. und heiratet den König Epopeus von Sikyon, nach Paus. 2,6,2 ff. wurde sie von ihm geraubt. Ihr Vater Nykteus zieht darauf gegen Epopeus in den Krieg. Beide werden verwundet und sterben. Nykteus beauftragt vor seinem Tod seinen Bruder Lykos mit der Rache, Epopeus' Nachfolger Lamedon liefert A. aus. Auf dem Weg nach Theben gebiert sie die Zwillinge → Amphion und → Zethos (Hom. Od. 11,262 ff.), die nach ihrer Aussetzung von Hirten aufgezogen werden. In Theben wird A. von Lykos und seiner Gattin → Dirke (Apollod. 3,42 f.) mißhandelt. Sie kann – evtl. mit Hilfe des Zeus – fliehen und kommt zum Gehöft ihrer Söhne, die sie jedoch nicht erkennen. Als Mainade schwärmend entdeckt Dirke A. und übergibt sie Amphion und Zethos zur Bestrafung, die sie an einen wilden Stier binden sollen. Mutter und Söhne erkennen sich jedoch rechtzeitig. So erleidet Dirke die für A. vorgesehene Strafe (Eur. Antiope, nach Hyg. fab. 8; Abweichungen bei Prop. 3,15,11 ff.; Hyg. fab. 7). Nach Paus. 10,32,10 f. schlägt Dionysos A. wegen des Todes seiner Verehrerin Dirke mit Wahnsinn und läßt sie umherirren. Schließlich findet → Phokos A., heilt und heiratet sie. Ihr gemeinsames Grab wird in Tithorea am Parnassos gezeigt (Paus. 10,32,10 f.). Es ist mit einem Fruchtbarkeitskult verbunden, der auf ein Orakel des Bakis zurückgeführt wird und auf eine gewisse Rivalität zu Theben schließen läßt (Paus. 9,17,4 ff.).

1 E. SIMON, s. v. A. I, LIMC 1.1, 854–857.

S. EITREM, s. v. Phokos [1], RE XX, 497 f. · F. HEGER, s. v. Amphion, LIMC 1.1, 718–723 · K. WERNICKE, s. v. A. [1], RE I, 2495–2497.   R. HA.

[2] Amazonenkönigin, Tochter des Ares und der Otrere oder Hippolyte (Hyg. fab. 30; Serv. Aen. 11,661). Gattin des → Theseus, der sie allein oder mit Hilfe des Herakles gewinnt oder raubt (Pind. fr. 175 M.). Nach Hegias von Troizen (Paus. 1,2,1) folgt sie ihm aus Liebe. A. gebiert dem Theseus → Hippolytos oder → Demophon (Plut. Theseus 28,2,13d). Sie stirbt in Athen, wo ihr Grab gezeigt wurde. Sie wurde entweder im Kampf gegen die → Amazonen an Theseus' Seite getötet (Diod. 4,28,3 f.; Plut. Theseus 27,6,13a; Paus. 1,2,1) oder – aufgrund eines Orakels – durch Theseus (Hyg. fab. 241). Nach Plut. Theseus 28,1,13d hetzt sie die Amazonen wegen der Heirat des Theseus mit → Phaidra auf und fällt im Kampf.

A. KAUFFMANN-SAMARAS, s. v. A. II, LIMC 1.1, 857–859 · K. WERNICKE, s. v. A. [4], RE I, 2497–2500.   R. HA.

Antipatros. [1] Sohn des Iolaos, * 399/8 v. Chr., unter → Philippos und wohl schon unter dessen Vater → Amyntas und Brüdern mil. und diplomatisch aktiv. Er war → Alexandros [4] bes. verbunden und sicherte ihm nach Philippos' Ermordung den Thron. Bei Alexandros' Invasion in Asien blieb er mit der Hälfte des maked. Heeres als Statthalter von Europa zurück. Er überwachte Griechenland und sandte während des ersten Jahres des Feldzugs dem König Söldner und maked. Aufgebote. Einen Abfallversuch Memnons in Thrakien (331) legte er ohne Blutvergießen bei, mußte sich aber dann dem großen, von → Agis [3] entfachten Krieg zuwenden. Mit Hilfe riesiger Geldsummen, die er vom König erhielt, konnte er im Frühjahr 330 Agis mit gewaltiger Übermacht bei → Megalopolis vernichten. Von → Olympias ständig angefeindet und beim König verklagt, wurde er nach Alexandros' Rückkehr aus Indien an den Hof gerufen und → Krataros zu seinem Nachfolger bestimmt. Er sandte aber nur seine Söhne → Iolaos und → Kassandros als Geiseln, die später verdächtigt wurden, Alexandros vergiftet zu haben. Bei dem großen griech. Aufstand nach Alexandros' Tod (→ Lamischer Krieg) wurde er in → Lamia belagert und nur durch den Tod des alliierten Befehlshabers → Leosthenes gerettet. Mit Krateros' Hilfe konnte er die Griechen bei → Krannon besiegen und die Makedonenfeinde ausschalten. Von → Antigonos [1] gegen → Perdikkas aufgehetzt, setzte er mit Krateros nach Asien über. Nach dessen Tod und der Ermordung Perdikkas' übernahm er im Sommer 320 bei Triparadeisos das Kommando über die versammelten Truppen und das Reichsverweseramt. Antigonos erhielt von ihm den Oberbefehl in Asien, mußte aber Kassandros als → Chiliarchos annehmen. Sein Sohn → Demetrios heiratete A.' Tochter → Phila. Die Könige → Alexandros [4] und Philippos → Arridaios [5] nahm A. nach einigem Zögern bei seiner Rückkehr nach Makedonien mit, wo sie unter seiner Aufsicht blieben. Vor seinem Tod (319) designierte er → Polyperchon zu seinem Nachfolger.

HECKEL, 38–49.   E. B.

[2] Sohn von → Kassandros und → Thessalonike, teilte nach dem Tod des Vaters und eines Bruders (297 v. Chr.) mit seinem Bruder Alexandros die Herrschaft in Makedonien. 294 ermordete er seine Mutter und vertrieb den Bruder, der sowohl → Pyrrhos als auch → Demetrios zu Hilfe rief. Pyrrhos verhalf ihm gegen Gebietsabtretungen zu einem Vergleich mit A. Demetrios kam etwas später, traf sich mit Alexandros in Dion und ließ ihn ermorden. A. floh zu seinem Schwiegervater

→ Lysimachos, der ihn bald tötete, um selbst Anspruch auf Makedonien zu erheben.

HAMMOND, Hist. 2, 210–18 (WALBANK).   E.B.

[3] Wahrscheinlich aus prominenter idumäischer Familie stammend wurde A. von → Alexandros Iannaios zum Strategen von Idumäa ernannt. In dieser Funktion gewann er Reichtum und Einfluß bei Arabern wie den Nabatäern, in Gaza und Askalon und legte so die Grundlage der späteren Machtstellung der herodianischen Dynastie (Ios. ant. Iud. 14,9f.; bell. Iud. 1,123). [1. 234,3].

[4] Sohn des Vorigen, verheiratet mit der arab. Fürstentochter Kypros. Als Freund und Parteigänger → Hyrkanos' II. veranlaßte er 67 v. Chr. diesen, mit Hilfe des Nabatäerkönigs → Aretas' [3] III. den Kampf mit → Aristobulos II. [2] um die Königs- und Hohenpriesterwürde aufzunehmen. Seit 63 gewann er, nachdem Pompeius Hyrkanos II. als Hohenpriester und Ethnarchen eingesetzt hatte, in enger Anlehnung an die röm. Prokonsuln in Syrien entscheidenden Einfluß. 48 beteiligte er sich mit einem Hilfskorps am Entsatz des in Alexandreia eingeschlossenen Caesar und wurde 47 mit dem röm. Bürgerrecht und mit der Funktion eines Kanzlers unter dem Titel eines ἐπίτροπος τῶν πραγμάτων in der wiederhergestellten weltlichen Herrschaft des Hyrkanos ausgezeichnet. Als der Caesarmörder C. Cassius 43 Syrien gewann, zog A. die geforderten Beiträge zu Cassius' Rüstungsmaßnahmen rücksichtslos ein. Im selben Jahr wurde er ermordet (Ios. ant. Iud. 13–14; bell. Iud. 1 passim). [1. 234ff., 267ff.]

1 SCHÜRER, Bd. 1.   K.BR.

[5] Ältester Sohn → Herodes' des Gr. und der Doris, wurde mit Rücksicht auf Mariamne und ihre Söhne zusammen mit seiner Mutter verbannt. 13 v. Chr. zu-rückberufen, erreichte er durch Intrigen gegen seine Stiefbrüder, trotz mehrfacher Ausgleichsbemühungen des Augustus, die Hinrichtung der beiden Söhne der Mariamne (7 v. Chr.). Um sich die Nachfolge zu sichern, plante er, seinen Vater zu ermorden. Nach Aufdeckung seiner Machenschaften ließ ihn Herodes 4 v. Chr. hinrichten (Ios. ant. Iud. 26–17; bell. Iud. 1 passim).

A. SCHALIT, König Herodes, 1969, 592–642.   K.BR.

[6, aus Kyrene] Schüler des → Aristippos [3] d. Ä., blind. Cicero teilt einen anzüglichen Ausspruch des A. mit, der zeigt, mit welchem Gleichmut dieser seine Blindheit ertrug (Diog. Laert. 2,86; Cic. Tusc. 5,112).

SSR IV C.   K.D.

[7] Neffe Antiochos' [5] III., führte 217 v. Chr. dessen Reiterei bei Raphia und 200 bei Panion. Nach der Niederlage 217 vermittelte A. den Waffenstillstand mit Ägypten. Bei Panion 200 führte er wieder Reiter. Nach Antiochos' Niederlage bei Magnesia führte er die Friedensverhandlungen in Rom (Pol. 5,79; 82; 87; 16,18; 21,16f.; 24; Liv. 37,45–55).

E. OLSHAUSEN, Prosopographie der hell. Königsgesandten I, 1974.   A.ME.

[8, von Sidon] Epigrammdichter des »Kranzes« des Meleagros (Anth. Pal. 4,1,42), wird als bedeutender Vertreter der phoinikischen Schule bezeichnet und lebte vom 2. bis 1. Jh. v. Chr. in Rom. Ihm können, abgesehen von nicht wenigen strittigen Fällen (siehe A. [9] von Thessalonike), 68 Weihe- und Grabgedichte zugewiesen werden. Diese sind zwar immer elegant und sorgfältig gearbeitet, aber oft nur typische Versifikationsübungen: Variationen ein und desselben Themas sind z. B. Anth. Pal. 7,23; 26f.; 29f. (das Grab des Anakreon)

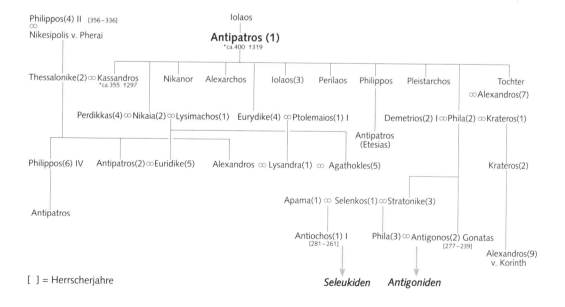

[ ] = Herrscherjahre

und 9,720–724 (die Kuh des Myron). A. war ein geschickter Nachahmer vor allem des Leonidas und teilt die Vorliebe seines Vorbildes für das überraschende Detail und die abenteuerliche Erzählung, vgl. 6,219, ein kleines Gedicht von 24 Versen, in dem mit exotischen Details ausgeführt wird, wie ein Kybelepriester einen Löwen in die Flucht schlägt; neue Akzente zeigt auch das Epigramm 9,151 über die Zerstörung Korinths im Jahre 146. Die Suche nach Effekten kommt bald in gesuchtem Stil zum Ausdruck (wie die häufigen, wenn auch nicht mehr zeitgemäßen Nachklänge des »Dorismus« zeigen, vgl. 7,161; 426 usw.), bald in enigmatischen Allegorien (vgl. 7,423–427). Die Sprache ist reich an Dorismen und apokopierten Formen; der dramatische, bildreiche Stil scheint von der zeitgenössischen Rhetorik beeinflußt. A. war ein brillanter Improvisator, *ingeniosus et memor* (Cic. de orat. 3,194), und hatte eine große Wirkung auf spätere Epigrammdichter, bes. auf Archias. Zu bemerken ist, daß das Epigramm 7,6 sich auf eine röm. Herme bezieht (EpGr 1084a), während Gedicht 7,164 als Vorlage für eine phrygische Inschr. aus dem 1.Jh. v.Chr. diente (GVI 1870). Andere Gedichte sind nur inschriftlich (GA I,42 = IDélos 2549) oder auf Papyrus (GA I,48 = POxy. 662) überliefert.

GA I 1,11–35; 2,31–89.   E.D./T.H.

[9, von Thessalonike] Epigrammdichter des »Kranzes« des Philippos (Anth. Pal. 4,2,7), *cliens* des L. Calpurnius Piso, dessen Triumph über die Bessoi er in einem verlorenen Gedicht feierte (11 v.Chr.). Daß er in augusteischer Zeit lebte, bestätigen die Gedichte Anth. Pal. 6,335 und vielleicht 6,552 (vor dem pisonischen Sieg); 9,59; 297 (kurz vor 1 v.Chr. verfaßte er Elogen auf C. Iulius Caesar); 16, 75 (eine übertriebene, sarkastische Lobrede auf Kotys, dem König von Thrakien 12–19). Abgesehen von Makedonien ist A. in Asien (im Gefolge des Piso, vgl. 9,238; 408; 550; 790), in Athen (9,792) und, wahrscheinlich als Rhetor (vgl. Anth. Pal. 5,3,4), in Rom gewesen. Mit seinen 115 Epigrammen ist A. einer der Dichter, die in der Anthologie am besten repräsentiert sind, auch wenn ein großer Teil der Gedichte sich ihm nur unter erheblichen Schwierigkeiten zuweisen läßt, wie das auch für → Antipatros [8] von Sidon der Fall ist: die Anthologie überliefert, abgesehen von 18 umstrittenen Fällen, 177 Gedichte unter dem Lemma Ἀντιπάτρου, doch wird in etwa 96 Fällen kein Ethnikon angegeben, und nicht selten sind die Angaben offenkundig falsch. Viele dieser hauptsächlich sepulchralen, ekphrastischen und vor allem epideiktischen Gedichte begleiten Geschenke an den mächtigen Beschützer (6,249; 9,93; 541 usw.), die übrigen behandeln konventionelle Themen verschiedenster Art; in ihnen gibt sich der geschickte, ungezwungene Nachahmer zu erkennen, der sich oft durch subtile Ironie und eine Tendenz zur Schlußpointe auszeichnet und damit Martial antizipiert. Bemerkenswert ist der geistreiche Witz über Homers »goldene Aphrodite« und über das »Goldene Zeitalter« (5,30f.), der auch in der lat. Elegie

wieder auftaucht (Prop. 4,5,47–50, Tib. 2,4,27f., Ov. am. 3,8,29; ars 2,277f.).

GA II 1,13–85; 2,18–110 • G. SETTI, Gli epigrammi degli Antipatri, 1890.   E.D./T.H.

[10, aus Tarsos] Stoischer Philosoph, Schüler des → Diogenes von Babylon und spätestens ab 150 v.Chr. dessen Nachfolger in der Leitung der Stoa, hatte viele Schüler, darunter → Panaitios, beendete hochbetagt sein Leben durch Gift – etwa 130 v.Chr., kurz vor dem Tod des → Karneades (gest. 129 v.Chr.), nach einigen schon etwa 136 v.Chr. A. galt als hervorragender Dialektiker. In vielen Büchern verteidigte er, der »Federschreiber« (καλαμοβόας), die Stoa gegen die scharfe Kritik des Karneades, dem er allerdings in der mündlichen Disputation nicht gewachsen gewesen zu sein scheint. Die Auseinandersetzung mit Karneades führte auch zu Neuerungen in der stoischen Lehre, bes. in der Ethik. Die stoische Telosformel vom ›naturgemäßen Leben‹ interpretierte A. ausdrücklich so, daß sie auch *Gegenstände* unseres Strebens einschloß, nämlich ›naturgemäße Dinge‹, und diesen trotzdem gegenüber der Entfaltung unserer geistigen Natur nur einen untergeordneten Wert beimaß [1. 1.187; 1. 2.95f.]. In der Physik verteidigte A. die Mantik. In der Dialektik [2. Index III, 1840f.] führte er das Adverb als sechste Wortart ein; er erörterte die Definition, diskutierte das Meisterargument des → Diodoros Kronos, analysierte Kettenschlüsse und anerkannte als einziger Aussagenlogiker der Ant. Argumente mit nur einer Prämisse, die sog. μονολήμματα (z.B. ›Du atmest; also lebst du‹). Die akademisch-skeptische Ansicht, es gebe keine κατάληψις (Erkenntnis im Sinne der Stoiker), hielt er für widersprüchlich.

1 M. POHLENZ, Die Stoa Bd. 1, ⁵1978, Bd. 2, ⁵1980
2 K. HÜLSER, Die Fragmente zur Dialektik der Stoiker Bd. 1–4, 1987/1988.   K.-H.H.

[11] Rhetor, Konkurrent des → Potamon von Mytilene und des → Theodoros von Gadara; gegen letzteren sowie Plution soll er (spätestens 33 v.Chr.) einen Redewettstreit in Rom ausgetragen haben (Sud. s.v. Θεοδωρ. Γαδ.). Seine Lebenszeit reicht wohl noch bis in den Anfang des 1.Jh. n.Chr. (Dion Chrys. 18 [68], 12).   M.W.

[12, P. Aelius A.] Sophist aus Hieropolis, Sohn des *advocatus fisci* P. Aelius Zeuxidemos Aristos Zeno (PIR² A 281), Großvater des Asiarchen und *logistés* (MAMA IX 26) P. Aelius Zeuxidemos Cassianos. Schüler von → Hadrianos und → Polydeukes, von seinem Schüler Philostratos (Philostr. soph. 2,24) weniger für seine Reden oder sein Geschichtswerk über Septimius Severus als vielmehr für seine Briefe gerühmt, die er als Severus' Sekretär *ab epistulis Graecis* schrieb (vgl. Gal. 14,218). *Inter consulares* gewählt und von 200–205 Lehrer von Caracalla und Geta (soph.; vgl. IK 16,2026,17–18) wurde er schließlich *legatus Augusti Bithyniae*. Er schrieb an Caracalla und beklagte sich über die Hinrichtung Getas

(211). Er starb im Alter von 68 Jahren; vielleicht früh und durch Selbstmord.

→ Philostratos; Zweite Sophistik

G. W. BOWERSOCK, Greek sophists in the Roman empire, 1969, 55–56 • E. L. BOWIE, The importance of sophists, in: YClS 27, 1982, 46–47 • PIR² A 137 mit xiv.   E. BO./L. S.

Antiphanes. [1] Att. Komödiendichter, zu dessen Familie und Herkunft recht widersprüchliche Angaben vorliegen [1. test. 1, 2]. Sowohl sein Vater wie sein Sohn (der seinerseits als Komödiendichter noch Stücke seines Vaters aufführte [1. test 1]) hießen Stephanos. A. wurde in der 93. Olympiade (zwischen 408 und 404 v. Chr.) geboren [1. test. 1] und soll bereits zwanzig Jahre später (›nach der 98. Olympiade‹ [1. test. 2]) mit seiner Bühnentätigkeit begonnen haben. Im Alter von 74 J. soll er gestorben sein, also zwischen 334 und 330, wogegen aber die Erwähnung des ›Königs Seleukos‹ in fr. 185 spricht, die frühestens 306 v. Chr. möglich war (vgl. auch fr. 81). In jedem Fall weisen die für A. überlieferten hohen Zahlen seiner dramatischen Produktion (365 oder 280 [1. test. 1] oder 260 [1. test. 2] Stücke) auf eine lange Schaffenszeit hin; noch insgesamt 140 Stücktitel sind erhalten. Die Höhe dieser Zahlen zeigt, daß A. nicht nur für den athenischen Markt produzierte und eine Reihe von Stücken sicher auch in nur wenig veränderter »Neuauflage« herausbrachte. Dreizehnmal errang er in athenischen Komödienwettbewerben den Sieg [1. test. 1], davon achtmal an den Lenäen [1. test. 4]. Ganz wenige Stücke sind genauer datierbar (die *Anteia* gehört in die 370er J., die *Neottis* in die Zeit um 341 [2. 193 f.]), und auch von der Handlung läßt sich nur selten noch etwas erkennen: Der *Aiolos* war eine Parodie auf die gleichnamige euripideische Trag., deren Handlungsgang A. wohl stark änderte [2. 205–209], im *Ganymedes* traten Zeus und sein Adlatus Hermes als Jünglingsräuber auf [2. 209–212]; aus der *Neottis* von etwa 341 (s. o.) und der *Hydria* sind noch Teile des Prologs erh., die zeigen, daß die Handlung dieser Stücke den aus der Neuen Komödie bekannten Mustern recht nahekam [2. 282 Anm. 1]. Wie sehr sich A. gerade in seinen späteren Jahrzehnten als Wegbereiter der Nea erwies, zeigt auch die bereits in der Komödienschrift des Alexandriners → Lykophron von Chalkis überlieferte Anekdote [1. test. 8], in der A. selbst als für seine Komödie typische Motive hervorhebt, ›oft Gastmähler auf gemeinsame Kosten zu veranstalten und noch öfter wegen einer Hetäre Prügel zu beziehen und auszuteilen‹. Viele der längeren Fr. zeigen A.' Begabung zu Sprach- und Rätselwitz; in fr. 189 (*poíēsis*) karikiert er souverän die Charakteristika der Mythentragödie. Er galt neben → Alexis als bedeutendster Dichter der Mittleren Komödie, und er war der einzige, dem eigene Monographien gewidmet wurden: bereits im frühen 3. Jh. v. Chr. von → Demetrios von Phaleron [1. test. 5], dann in der frühen Kaiserzeit von → Dorotheos von Askalon [1. test. 7].

1 PCG II, 1991, 312 – 481 2 H.-G. NESSELRATH, Die att. Mittlere Komödie, 1990.   H.-G. NE.

[2] Att. Komödiendichter [1. test. 1], der möglicherweise identisch ist mit einem inschr. für das J. 285 und vielleicht auch 284 v. Chr. bezeugten Komödienschauspieler [1. test. 3, 4], vielleicht auch mit einem A., der als Schauspieler oder Dichter zwei Theatersiege an den Dionysien oder Lenäen errang [1. test. 2]. Diesem jüngeren A. wurden gelegentlich die *Dídymoi* und die *Parekdidoménē* des älteren zugewiesen, deren Fr. (81,185) in die Diadochenzeit zu gehören scheinen [1].

1 PCG II, 1991, 482.   H.-G. NE.

[3] Epigrammdichter des »Kranzes« des Philippos (Anth. Pal. 4,2,10), verfaßte 10 zum größten Teil epideiktische bzw. satirische Gedichte von guter Qualität, die im allg. ebenso originell in der Behandlung der Themen wie sorgfältig in der formalen Ausgestaltung sind (hinzuweisen ist auf 11,322, gegen die kallimacheischen γραμματικοί, ›Maulwürfe, die die Muse anderer von den Wurzeln her angraben‹). Das Lemma von 6,88 (Μακεδόνος) steht im Widerspruch zu dem von 9,258 (Μεγαλοπολίτου), doch scheint eine Unterscheidung zwischen einem A. aus Makedonien und einem A. aus Megalopolis höchst problematisch.

GA II 1,84–91; 2,110–115.   E. D./T. H.

[4] Sohn des Thrasonides, Bildhauer aus Paros im 1. Jh. v. Chr. Er signierte eine kopflose Marmorreplik des häufig für Porträtstatuen verwendeten Typus »Hermes Richelieu« aus Melos in Berlin.

C. BLÜMEL, Röm. Kopien gr. Skulpturen des 4. Jhs. v. Chr., 1938, K 237.   R. N.

Antiphates (Ἀντιφάτης). König der Laistrygonen (Od. 10,100–132). Odysseus' drei Späher werden von A.' Tochter an der Quelle Artakie zum Palast gewiesen. Dort ruft die riesenhafte Königin ihren Mann vom Markt, der gleich einen der Späher verschlingt; die beiden andern entkommen. Hinter der Gesch. vom Menschenfresser und seiner Frau steht wohl feste Erzähltradition [1]. Später wird A. zum Bild des grimmigen Haustyrannen (Ov. Pont. 2,2,114; Iuv. 14,20).

1 U. HÖLSCHER, Die Odyssee. Epos zw. Märchen und Roman, 1988, 144–147.   F. G.

Antiphellos (Ἀντίφελλος). Lyk. Hafenstadt, h. Kaş; urspr. Name evtl. *Habesos* (Plin. nat. 5,100). A. gehörte im 5./4. Jh. v. Chr. zu → Phellos, von Ps.-Skyl. 100 als πόλις καὶ λιμήν (*polis kai limen*, Stadt und Hafen) geführt, prägte im 2. Jh. v. Chr. als selbständige Polis im Lyk. Bund Münzen [1; 2]. Ämter und Institutionen zeigen rhodischen Einfluß, der auf die rhodische Militärstation → Megiste vor der Küste zurückgeht [3]. Durch moderne Überbauung weitgehend zerstörte Bauten

(Stadtmauer, Hafenanlage, Tempel, Theater) bezeugen Prosperität; bis ins hohe MA Bischofssitz.

1 E. KIRSTEN, Phellos und A., in: E. PLOECKINGER, M. BIETAK et al. (Hrsg.), Lebendige Alt.wiss., FS H. Vetters, 1985, 24–29 2 M. ZIMMERMANN, Unt. zur histor. Landeskunde Zentrallykiens, 1992, 186–198 3 Ders., Bemerkungen zur rhodischen Vorherrschaft in Lykien (189/88–167 v. Chr.), in: Klio 75, 1993, 119–125. MA. ZI.

Antiphemos (Ἀντίφημος). Rhodier aus Lindos, gründete um 688 v. Chr. auf Anraten des Orakels in Delphi die Stadt → Gela in Sizilien. Nach Herodot (7,153) nahm ein Ahnherr des späteren Tyrannen → Gelon am Zug teil, Thukydides nennt dagegen Entimos aus Kreta als weiteren Führer der Kolonisten. Ein befestigter Platz sei erst Lindioi, dann aber nach dem Fluß, an dessen Mündung er lag, Gela genannt worden; dort hätten dor. Sitten geherrscht (Thuk. 6,4,3). Auch wenn mehrere Städte Siedler gestellt haben mögen, kamen die Kolonisten zweifellos hauptsächlich aus Rhodos und Kreta. Jedenfalls ist ein Kult für den Oikisten A. aus Rhodos noch um 500 arch. nachgewiesen.

→ Kolonisation

A. J. GRAHAM, in: CAH 3,3, ²1982, 165–166 · W. LESCHHORN, Gründer der Stadt, 1984, 43–48. E. S.-H.

Antiphilos (Ἀντίφιλος). **[1]** Der Athener A. wurde nach dem Tod des Leosthenes 323/22 v. Chr. zu dessen Nachfolger als athenischer Hoplitenstratege (→ Hoplites) gewählt. Er übernahm das Kommando über die Landstreitkräfte des Hellenenbundes im Lamischen oder Hellenischen Krieg und zeichnete sich durch mil. Können und Tapferkeit aus (Plut. Phok. 24,1–2; Diod. 18,13,6). Er hob die Belagerung des → Antipatros bei → Lamia auf, schlug 322 ein maked. Heer unter Leonnatos und Antipatros in Thessalien (Diod. 18,15,7; Plut. Phok. 25,5), wurde jedoch bald darauf bei Krannon von Antipatros und Krateros mit überlegenen Kräften besiegt (Diod. 18,17,1–5; Plut. Phok. 26,1). Dies und die zuvor zur See bei Amorgos erlittene Niederlage beendete den Krieg schnell.

PA 1264 · DEVELIN Nr. 240. J. E.

[2] Evtl. erfolgreicher Tragödiendichter in Athen am Anfang des 3. Jh. v. Chr. (DID B 10).

TrGF 95. F. P.

[3, von Byzantion]. Epigrammdichter des »Kranzes« des Philippos (Anth. Pal. 4,2,8), lebte in nachaugusteischer Zeit (vgl. 9,178: ein Enkomion auf Nero, der Rhodos die Freiheit zurückgab, das nicht vor 53/54 verfaßt wurde, vgl. Tac. ann. 12,58). Bei den 51 erh. Gedichten (5,308; 7,635; 9,5 lassen sich nicht ganz sicher zuweisen) handelt es sich fast ausschließlich um epideiktische (einige originelle Ideen finden sich in 9,71; 277; 546), Grab- und Weihepigramme (6,250 und 252 begleiten Geschenke an Damen von hoher Herkunft). A.

ist ein sehr geschickter Versifikator und pflegt einen pretiösen, manierierten Stil. Sein exotisches Vokabular ist reich an Neologismen leonideischer Prägung.

GA II 1,90–125; 2,115–144. E. D./T. H.

[4] Griech. Maler des Hellenismus, aus Ägypten. Zeitgenosse Philipps von Makedonien und Alexanders, Rivale von → Apelles [4]. Zeitweilig am Ptolemäerhof in Alexandria tätig. Ant. Quellen rühmen die Leichtigkeit seiner Bilder (Quint. inst. 12,10,6). Umstritten ist, ob damit → compendiariae gemeint sind, oder eine durch stete Praxis erworbene neue Maltechnik zur raschen Herstellung von Bildern. Zahlreiche Sujets verschiedener Sparten, wie repräsentative, großformatige Historienbilder mit polit. Anspruch, myth. Gemälde, Alltägliches aus der Arbeitswelt, aber auch kleine → Karikaturen und komische Genreszenen sind lit. überliefert (Plin. nat. 35,114; 138). Nachklänge vielleicht in einem Jagdmosaik in Algerien (Setif, Mus.) sowie auf spätapulischen Vasenbildern mit dem Tod des Hippolytos.

M. DONDERER, Dionysos und Ptolemaios Soter als Meleager, in: Zu Alexander dem Großen, FS G. Wirth 2, 1988, 781–799 · W. MÜLLER, s. v. A. Nr. 2, AKL 4, 276–277 · OVERBECK, Nr. 1942–1944 (Quellen) · A. ROUVERET, Histoire et Imaginaire de la Peinture Ancienne, 1989, passim · I. SCHEIBLER, Griech. Malerei der Ant., 1994, passim. N. H.

Antiphon (Ἀντιφῶν). **[1]** Athener, der gegen Ende des Peloponnesischen Krieges zwei Trieren ausrüstete. Er wurde 404/3 v. Chr. von den 30 Tyrannen (→ Triakonta) hingerichtet (Xen. hell. 2,3,40; TRAILL PAA, 138325). Wahrscheinlich ist er identisch mit einem A., für dessen Tochter → Lysias eine Rede hielt (TRAILL PAA, 138320; vgl. Theop. FGrH 115 F 120 = Plut. mor. 833A-B). M. MEI.

[2] Athener, wurde von der Bürgerliste gestrichen. Er versprach danach angeblich → Philippos II., die athenischen Schiffshäuser in Brand zu setzen. Wegen Hochverrat angeklagt, wurde er zuerst freigesprochen, dann nach Eingreifen des Areopags (→ Areios pagos) ca. 344 v. Chr. hingerichtet (Demosth. or. 18,132–133; Deinarch. 1,63; Plut. Demosth. 14,5; PA 1281).

SCHÄFER Bd. 2, 369–370. J. E.

[3] Tragiker, soll von Dionysios I. von Syrakus (wohl nach 386 v. Chr.) hingerichtet worden sein (vgl. Testimonia in TrGF), weil er dessen Trag. verspottet habe (s. TrGF 76 und Lukian. adversus indoctum 15). Die Hinrichtung wird bei Plut. vit. X. orat. 833b als dritte Todesvariante für Antiphon [4] von Rhamnus angeführt, auch andere Angaben (s. ibid. 833c) sind mit dessen Vita vermischt [1. 51]; ferner besteht auch keine Identität mit dem Sophisten A. [2. 401 ff.].

Als Tragödientitel sind überliefert: *Andromache, Meleagros, Philoktetes* (Zuweisung unklar, vielleicht → Antiphanes, PCG II,218) und *Iason* (eventuell → Antiphanes, FCG I 316 MEINEKE).

1 H. HOFFMANN. Chronologie der att. Trag., 1951
2 LESKY ³1971.

B. GAULY et al. (Hrsg.), Musa Tragica, 1991, 55 ·
TrGF 55.

F. P.

[4, von Rhamnus] A. DER REDNER 1. LEBEN
2. RHETORISCHE SCHRIFTEN B. DER SOPHIST

A. DER REDNER 1. LEBEN

Sohn des Sophilos, um 480 bis 411 v. Chr. Als Verf. von Gerichtsreden für andere (→ Logograph) gelangte er zu Wohlstand [1. 173–174]. Platon bezeichnet ihn als Lehrer der Rhetorik (Mx. 236a). Bisher dauert die Kontroverse an, ob der Redner mit dem Sophisten Antiphon identisch ist [1. 170–171]. A. beteiligte sich an dem Versuch, die radikale Demokratie zu stürzen [2]. Als Anhänger der extremen Oligarchen wandte er sich gegen die gemäßigten Vorschläge des → Theramenes. Zusammen mit → Phrynichos und zehn anderen verhandelte er über den Frieden mit den Spartanern in der Hoffnung, Unterstützung für die Oligarchen zu erhalten (Thuk. 8,90). Seiner Mission war kein Erfolg beschieden, und der Ermordung des Phrynichos folgte bald der Sturz der Vierhundert und die Flucht der Anführer nach Dekelea. A. blieb und wurde angeklagt [1. 197–201]. Er hielt eine beeindruckende Rede zu seiner Verteidigung, die nach Thukydides' Einschätzung die beste seiner Zeit war (Thuk. 8,68); dennoch wurde er verurteilt und hingerichtet. Der Überlieferung nach soll der Historiker Thukydides Schüler des A. gewesen sein (Marcellinus Vit. Thuc. 22, [Plut.] mor. 832e). Zu den oligarchischen Sympathien des A. paßt es, daß Aristoteles ihn als ἀνὴρ μεγαλόψυχος (anér megalópsychos) charakterisiert, da er, von Agathon für die Verteidigungsrede gelobt, antwortete, daß er das Urteil eines einzigen Trefflichen der Meinung gewöhnlicher Menschen vorziehe (Aristot. eth. Eud. 3,7,1232b).

2. RHETORISCHE SCHRIFTEN

Die rhet. Lehrschriften eines A. (L. RADERMACHER, Artium scriptores, 1951, 76–79) sowie ein Lehrbuch der gerichtlichen Argumentation, τέχναι (téchnai), wird man ihm zuschreiben können (Pollux 6, 143); er gilt als Verf. einer Sammlung von Gemeinplätzen für Einleitung und Schluß, Prooimien und Epiloge. Den Alexandrinern waren sechzig Reden des A. bekannt, von denen → Caecilius von Kaleakte fünfundzwanzig als unecht ausschied. Überliefert sind drei gehaltene Reden in Mordprozessen (φονικοὶ λόγοι, phoinikoí lógoi): Die Reden betreffen die Anklage eines Stiefsohns gegen seine Stiefmutter wegen Giftmordes, die Verteidigung eines jungen Mytilenäer gegen die Anklage, den att. Kleruchen auf Lesbos, Herodes, auf einer Reise nach Ainos ermordet zu haben, und die Verteidigung eines athen. Politikers gegen die Anklage, als Chorege den Tod eines ihm anvertrauten Chorknaben durch einen Gifttrunk verschuldet zu haben. Die Reden des A. werfen Licht auf die Entwicklung des Prozeßverfahrens, in dem die alten äußeren Beweismittel (βάσανοι, básanoi) gegen-

über Wahrscheinlichkeitsargumenten (τὰ εἰκότα, tá eikóta) zurücktreten [3].

Die Echtheit von zwölf Musterreden für die Rhetorenschule, die in eine Gruppe von drei Tetralogien (je zwei Plädoyers des Anklägers und des Verteidigers) gegliedert sind und fiktive Mordfälle behandeln, ist verschiedentlich aus sachlichen und stilistischen Gründen in Zweifel gezogen worden [1. 171]. Diese Übungsreden gewähren nicht nur Einblicke in die gerichtliche Behandlung von Morddelikten, sondern sind auch wichtige Zeugnisse für religiös orientiertes Argumentieren und für ant. Vorstellungen von Befleckung und Unreinheit (μίασμα, míasma) in ungesühnten Mordprozessen [4]. Die zweite Tetralogie mit der Unterscheidung zw. vorsätzlichem Mord und unvorsätzlichem Totschlag (φόνος ἐκ προνοίας, φόνος ἀκούσιος, → phónos ek pronoías, phónos akúsios) reflektiert das in der Sophistik wachsende Interesse an einer Differenzierung des Schuldbegriffes (vgl. Plut. Pericles 171e–172c). Zu diesen vollständig erhaltenen Reden kommen noch Reste einer Verteidigungsrede im eigenen Hochverratsprozeß [1. 198–201]. Die antidemokratische Einstellung des A. zeigt sich auch in zwei – nur fragmentarisch erhaltenen – Reden [5], in denen er die Bürger von Lindos (vor 419/18 v. Chr.) und Samothrake (zw. 418/17 und 414/13 v. Chr.) gegen die exzessiven Tributforderungen der Athener in Schutz nahm [6. 54–55]. Die Sprache des A. verrät eine Vorliebe für Antithesen und Klangspiele, die an → Gorgias erinnern. Gegenüber der kunstvollen Argumentationstechnik läßt die schlichte Diktion, die auch Parenthese und Anakoluth nicht scheut, eine sorgfältige sprachliche Ausarbeitung nicht erkennen.

1 A. W. GOMME, A. ANDREWES, K. J. DOVER (Hrsg.), A Historical Commentary on Thucydides 5, 1981 2 M. OSTWALD, From Popular Sovereignty to the Sovereignty of Law, 1986, 358–366 3 F. SOLMSEN, Intellectual Experiments of the Greek Enlightenment, 1975, 10–24 4 R. PARKER, Miasma, 1983, 104–110, 119, 126–130, 254 5 R. MEIGGS, The Athenian Empire, 1972, 240f. 6 K. J. DOVER, The Chronology of Antiphon's Speeches, in: CQ 44, 1950, 44–60.

F. BLASS, Die att. Beredsamkeit 1, 1887, 91–203 · SCHMID / STÄHLIN, 1,3, 1940, 97–126 · W. DITTENBERGER, A.s Tetralogien und das att. Criminalrecht 1, in: Hermes 31, 1896, 271–277 · W. DITTENBERGER, Zu A.s Tetralogien, in: Hermes 40, 1905, 450–470 · H. ERBSE, A.s Rede über den Choreuten, in: Hermes 91, 1963, 17–35 · W. D. FURLEY, A. der Athener: ein Sophist als Psychotherapeut?, in: RhM 135, 1992, 198–216 · M. GAGARIN, The murder of Herodes. A study of A. 5, 1989 · M. GAGARIN, The nature of proofs in A., in: CPh, 85, 1990, 22–32 · L. GERNET (Hrsg.), A., 1923 · E. HEITSCH, Recht und Argumentation in A.s 6. Rede, 1980 · E. HEITSCH, A. aus Rhamnus, 1984 · P. VON DER MÜHLL, Zur Unechtheit der antiphonischen Tetralogien, in: MH 5, 1948, 1–5 · F. SOLMSEN, A.studien, 1931 · M. UNTERSTEINER, Les Sophistes 2, 1993, 39–47 · J. WIESNER, A., der Sophist und A., der Redner – ein oder zwei Autoren?, in: WS 107/108, 1994/95, 225–243 ·

G. Zuntz, Once again the Antiphontean Tetralogies, in: MH 6, 1949, 100–103. C.S.

B. Der Sophist

Umstritten ist, ob der Redner mit demjenigen identisch ist, den Hermogenes nach Didymos von Alexandreia aus stilistischen Gründen als den ›anderen A.‹ von ihm unterscheidet (de ideis 2,7, p. 399,18 Raabe). In letzterem hat die spätere Tradition einen »Sophisten A.« erkannt, dem die Schriften Περὶ ἀληθείας und Περὶ ὁμονοίας zugeschrieben wurden [1]. Dieser A. wurde seinerseits bisweilen mit einem Dichter, Trag. und Traumdeuter identifiziert, von dem eine ›Kunst, ohne Kummer zu leben‹ (Τέχνη ἀλυπίας) bekannt ist. Das Interesse für das Denken des Sophisten hat seit Beginn des 20. Jh. zugenommen, als in den *Papyri Oxyrhynchi* immer umfangreichere Fr. des Περὶ ἀληθείας entdeckt wurden [2], die mit erstaunlicher Radikalität für die Natur gegen das Gesetz, sowie für eine natürliche Gleichheit aller Menschen gegen die Unterscheidung »Griechen« versus »Barbaren« Stellung beziehen.

Zwei Argumente sprechen deutlich für die Annahme der Identität von Redner und Sophist: 1. Die Inkonsistenz der von Hermogenes getroffenen Unterscheidung: Zum einen sagt er von beiden A., sie trieben Sophistik; zum anderen hat der Stil des Sophisten keinerlei besondere Kennzeichen. 2. Der künstliche Charakter der Unterscheidung zwischen dem Redner, Oligarchen und Anhänger des Gesetzes auf der einen Seite und dem Sophisten, Demokraten oder Anarchisten und Anhänger der Natur auf der anderen. Denn selbst innerhalb der Werke sowohl des Redners als auch des Sophisten müssen die Verfechter der Unterscheidung erneut differenzieren: So sind z. B. für L. Gernet die ›Tetralogien‹ nicht das Werk des A. von Rhamnus, sondern eines »sophistischeren« Redners [3]. Ebenso hat die Diskrepanz zwischen dem gnomischen Maßhalten des Περὶ ὁμονοίας und dem Περὶ ἀληθείας, das zum Gehorsam gegen die Gesetze in der Öffentlichkeit, zur Bevorzugung der Natur hingegen im Privatleben rät, zu einer Unterscheidung zwischen einem »guten« und einem »schlechten« Sophisten geführt [4].

Der sich heute abzeichnende neue Konsens zugunsten der Identität von Redner und Sophist macht es erforderlich, im Licht der sophistischen Diskussion das Verhältnis von »wahr« und »wahrscheinlich« ebenso zu überdenken wie das von Natur und Gesetz [5; 6; 7].

1 E. Bignone, Antifonte oratore e Antifonte sofista, ²1974 2 F. Decleva-Caizzi, G. Bastianini, CPF I.1, 1989, 176–236 3 L. Gernet, A., Discours, ¹1923, 1–16, 171–175 4 Schmid / Stählin I, 3/1, 165 5 J. S. Morrison, A., in: PCPhS 187, N. S. 7, 1961, 49–58 6 F. Decleva-Caizzi, Antiphontis Tetralogiae, 1969, 71–83 7 B. Cassin, L'Effet sophistique, 1995, 151–191.

C. J. Classen, Elenchos 6, 1985. B.C.

Antiphon-Maler. Att. rf. Vasenmaler, um 500–475 v. Chr. tätig, benannt nach einer doppelten Kalos-Inschrift für Antiphon auf einem (Dinos-)Ständer in Berlin (SM, Inv. Nr. F 2325). In die größte Schalenwerkstatt des 5. Jh. v. Chr. eingebettet, arbeitet der A. eng mit seinem Lehrer → Onesimos, dem etwas älteren Kolmarer Maler und anderen zusammen. An die 100 zugewiesene Trinkgefässe preisen fast ausschliesslich die Welt der aristokratischen Jugend Athens: als Athleten, beim Symposion, als Komasten, beim Waffenlauf oder mit ihren Pferden. Nur selten verirrt sich eine Hetäre in diese Männergesellschaft, auch mytholog. Bilder sind Ausnahmen und zeigen, wenn vorhanden, meist Herakles- oder Theseus-Taten. Ein außergewöhnliches Schalenbild nimmt möglicherweise Bezug auf die Schlacht von Marathon (Orvieto, Slg. Faina).

Eine Spezialität des A. waren rf. Augenschalen, die letzten ihrer Art. Eine Kylix trägt die Inschrift des Töpfers → Euphronios, dessen Schalen er oft bemalt hat.

Daten: Beazley-Archiv • Beazley, ARV², 335–341; 1646 • Beazley, Paralipomena, 361 f. • Beazley, Addenda², 217–219 • D. Williams, in: CVA London 9, 1993, 28 (mit älterer Lit.). A.L.-H.

Antiphos (Ἄντιφος). Name einer Reihe homer. Helden auf troischer (Il. 2,864; 12,191) wie auf griech. Seite (Il. 2,678; 17,68).

Etwas Farbe haben allein [1] der Sohn von Priamos und Hekabe. Achilleus nimmt ihn auf dem Ida gefangen, Priamos löst ihn wieder aus, von Agamemnon wird A. schließlich im Kampf getötet (Il. 11,101, vgl. 4,489). [2] Sohn des Ithakesiers Aigyptos, Bruder des Freiers Eurynomos, den Polyphem tötete (Od. 2,15–22). F.G.

Antipodes. Von Platon (ἀντίπους Tim. 63 A) geschaffenes Wort, das die Bewohner der entgegengesetzten Erdhalbkugel bezeichnet; vgl. Aristot. *cael.* Δ 1, 308 a 20. Von da ging das Wort in den Sprachschatz der Philosophen und der Geographen ein; es schien die wichtigste Konsequenz aus der Kugelgestalt der Erde zu bezeichnen: unser »Oben« ist für A. »Unten«. H.D.

Antipolis (Ἀντίπολις). Hafenstadt in Gallia Narbonensis, h. Antibes, seit dem 10. Jh. v. Chr. besiedelt, Kolonie von → Massalia im Gebiet der Deciates, gegenüber Nikaia (daher der Name: Strab. 4,1,5; 9. Plin. nat. 3,5,34). 154 v. Chr. wurde A. von den → Ligures bedrängt und rief die Römer zu Hilfe: Pol. 33,7,2.

Griech. und lat. Inschr.: IG XIV, 2424–30; CIL XII 165–246 [1].

1 A. Chastagnol, Inscr. lat. de Narbonnaise 2, 1992.

J. Clergues, Antibes: la ville grecque du VIᵉ siècle av. J.-C. et l'habitat protohistorique, 1969 • Grenier 4, 1960, 60–63. Y.L.

Antiqua s. Humanistische Schrift

Antiquare. Die neuzeitliche Literaturgesch. faßt die vom 2. Jh. v. Chr. bis ins 3. Jh. n. Chr. betriebene nationale Erforsch. der vorlit. Vergangenheit mit dem Begriff *a. Schrifttum* zusammen und unterscheidet Sakral-, Rechts-, Lokal-Altertümer (Gründungs- und Stiftungssagen) sowie genealogische, chronographische (röm. Sondergebiet: → *fasti*) und vor allem von der Gramm. betriebene sprachaitiologische (etym.) Konstrukte.

Real- und Sprachanalyse werden von M. Terentius → Varro genial verknüpft und nach Sparten geordnet *(Antiquitates rerum humanarum et divinarum: de homine, locis, temporibus, rebus*; dazu Einzelstudien). Er stützt sich sprachlich auf L. → Aelius Stilo, sachlich auf mehrere A. (wie Procilius, M. Iunius Gracchanus) seit den *Origines* des M. Porcius → Cato. Ziel ist die Schaffung einer histor. Beheimatung des geistig mündig gewordenen Römers in Land, Sprache und Gesch. (ähnlich Cic. ac. 1,9).

Aus Zitaten sind noch die republikanischen Sakral-A. A. Clodius Pulcher, Sex. Clodius (der griechisch schrieb), L. Iulius → Caesar, Octavius Hersennius, → Granius Flaccus und C. → Claudius Marcellus bekannt; über die *Etrusca disciplina* (→ Etrusker, Religion) schrieben A. → Caecina, Caesius, → Gavius Bassus und (zeitlich unsicher) → Fonteius (schon kaiserzeitlich Iulius Aquila und → Umbricius Melior). Parallel zu Varro verfaßte P. → Nigidius Figulus, a. *Commentarii grammatici* (daneben über Sakralaltertümer und *Etrusca disciplina*); augusteisch → Sinnius Capito, tiberianisch die kultur.a.-histor. *Annales* des → Fenestella (vgl. Lact. ira 22,5). M. → Verrius Flaccus leitete mit den alphabetisch geordneten Wort- und Sacherklärungen *De verborum significatu* die a.-etym. Realphilol. in die Gramm. über (→ Plinius der Ä., *Dubius sermo* bis zu → Nonius Marcellus); mit den *Res memoriae dignae* (Vorgänger vielleicht C. → Epidius und → Iulius Modestus) löste er unter dem Einfluß der griech. Collectaneenliteratur und → Paradoxographie (→ Antigonos aus Karystos) eine meistenteils lit.-antiquarische → Buntschriftstellerei aus, die im 2. Jh. n. Chr. → Gellius pädagogisch nutzte, aber auch noch → Serenus Sammonicus und → Solinus (→ Suetonius' *Pratum* orientierte sich eher direkt an Varros *Antiquitates*). Mit den Sakralaltertümern des (neu) platonisierenden → Cornelius Labeo endet die a. Lit., wenn man von Großkompilatoren wie → Macrobius *(Saturnalia)* und → Isidorus *(Origines)* absieht; die Rechtsaltertümer waren längst in die Rechtslit. übergegangen.

Griechenland hat zwar ebenfalls auf allen genannten antiquarischen Gebieten Bedeutendes geleistet, es aber wegen des fehlenden nationalen Interesses an histor. Konstruktionen nicht lit. verdichtet. Seit Hekataios aus Milet, Herodot und Hellanikos wurde derartiges Material in die → Geschichtsschreibung *suo loco*, als Einleitung (προκατασκευή, z. B. → Diodoros) oder Exkurs eingebracht, ebenfalls in geogr. Periegesen (→ Polemon aus Ilion, → Strabon) und Periplen (→ Hanno). Seit dem Hellenismus gibt es auch thematische Darstellungen (Mythologie: → Apollodoros [7]; röm. »Archäolo-

gie«: → Dionysios aus Halikarnassos; histor. Periegese: → Pausanias; Sonderfall: Kallimachos' *Aitia* als Lehrgedicht). Stärker als im lat. Bereich tritt die Collectaneenlit. des 2. Jh. n. Chr. in Erscheinung: P. → Aelius Phlegons Ὀλυμπιάδες, Θαυμάσια und → Claudius Aelianus' Ποικίλη ἱστορία. Spätant. Auffangbecken sind die großen Sachlexika (→ Stephanos Byzantinus) und das Schrifttum der Art des → Lydos.
→ Mythographie; Etymologie; Aitiologie

HLL § 407 · N. LEWIS, M. REINHOLD, Roman civilization 2, ²1966, 316ff. (Texte) · J. CHRISTES, Bildung und Ges., 1975 · P. STEINMETZ, Unt. zur röm. Lit. des 2. Jh. n. Chr., 1982, 275–290.   KL. SA.

Antiquo. Das Adverb a. bezeichnet entweder Vergangenes im Sinne von »vormals« oder längst Bestehendes im Sinne von »schon immer« (Hor. epist. 2,1,60; Tac. Germ. 5; ann. 14,20; Plin. paneg. 42,8). In der Rechtssprache kennzeichnet es demnach sowohl durch neuere Regelungen obsolet gewordenes Gesetzes- oder Juristenrecht, als auch bewährte, dabei auch interpretierend weitergebildete, rechtliche Traditionen.

In den spätant. Codices weist a. vor allem auf noch gültige schriftliche Rechtstradition (Comitialgesetzgebung, *senatus consulta, constitutiones* der frühen Kaiserzeit, z. B. Cod. Iust. 6,51,1,1b – *lex Papia*; Dig. 38,17,2,20 – SC Tertullianum; Dig. 39,6,42, 1 – *constitutio* Hadrians) hin, in den justinianischen Digesten auch auf die bisher gültigen *opiniones* von Juristen, die nun ihre unmittelbare Autorität verloren (Inst. Iust. prooem. 4).

Im Bereich des öffentlichen Rechts meint a. das ablehnende Votum des Abstimmenden bei einer → *rogatio* (im Gegensatz zu *uti rogas*) oder generell das negative Votum der Comitien (Cic. leg. 3,28; Liv. 6,39,2). Noch allgemeiner meint es die Aufhebung von Rechtssätzen und -akten, z. B. von Strafen (Cod. Iust. 6,56,4; 7,31,1).
→ Abrogatio; Lex; Leges

E. V. HERZOG, Röm. Staatsverfassung, 1, 1884 (Ndr. 1965), 1105ff. · MOMMSEN, Staatsrecht, 3, 397ff. · H. SIBER, Röm. Verfassungsrecht, 1952, 120ff.   C.G.

Antisemitismus. Der Begriff A., 1879 von WILHELM MARR geprägt, setzt fälschlich die Existenz einer die semit. Sprachen sprechenden einheitlichen Rasse voraus. Er integriert ferner der mit ihm ausgesprochenen Selbstcharakteristik der zugrunde liegenden, diesen Irrtum einschließenden Tendenz auch die bisherigen (christl.-) rel., polit., sozialen und kulturellen Motive »semiten«-feindlichen Verhaltens im 19. Jh. Er überdeckt zudem die Tatsache, daß sich solche Verhaltensweisen nicht gegen Semiten, sondern ausschließlich gegen Juden richteten. Es ist daher adäquater, vom Antijudaismus auszugehen, wie dies im folgenden geschieht.

Der A. des Altertums konnte nur da entstehen, wo es Juden in der Diaspora gab; ihr Zusammenleben mit östl. Fremdvölkern seit 721 bzw. 587 v. Chr., später mit

Griechen und Römern hatte aber auch in Palästina diasporaartige Züge, mit Ausnahme der 150 Jahre, wo dort relativ unabhängige jüd. Staaten bestanden (140–63 v. Chr. und 37 v.–44 n. Chr.). Wenn, wie wahrscheinlich, die Traditionen des Estherbuches auf wirkliche Ereignisse zurückgehen, dann gab es A. schon gegenüber der Diaspora in großen, seit 539 von den Persern überlagerten Teilen Assyriens, Babyloniens und Mediens; doch ist darüber nichts Genaueres bekannt. Die nicht auf Kriegsdeportierte, sondern auf Söldner zurückgehende Diaspora auf der Nilinsel Elephantine erlebte 410 v. Chr. die Zerstörung ihres Jahweheiligtums. Die Forcierung der Hellenisierung → Palästinas durch → Antiochos [6, IV. Epiphanes] ist nicht nur wie die assimilierenden Maßnahmen zu verstehen, welche alle den Seleukiden untertanen Völker betrafen, sondern hatte auch in einer prinzipiellen Gegnerschaft des Antiochos gegen die jüd. Religion ihren Grund (1. Makk 1,44–50). Erstmalig in der Gesch. gab es nun Märtyrer im strengen Sinn des Wortes (2. Makk 6f.; 4. Makk 5–18). Die in den Makkabäerkriegen zu den bis dahin toleranteren Ptolemäern abgedrängten Juden verstärkten die Diaspora namentlich in Alexandreia zu solcher Größe, daß in den griech. Bürgern dieser Stadt ein latenter A. angelegt wurde; in den Verfolgungen des Präfekten Flaccus, gegen den Philon schreibt, sowie in den Streitereien, die Kaiser Claudius in seinem berühmten Erlaß (PLond 1912, 98ff.) veranlaßten, den Juden das Streben nach Vermehrung ihrer Privilegien zu verbieten, kam dieser A. zum offenen Ausbruch und bestand noch unter Traian (POxy 1242) und Hadrian [2. 808]. Die röm. Juden, die *cives Romani, cives Rom. aut Lat. libertini generis, dedicitii* oder Sklaven waren, wurden durch Claudius ausgewiesen (Suet. Claud. 25. Act. 18,2). Der jüd. Aufstand 66–70 n. Chr. rief Judenprogrome in → Caesarea, → Skythopolis, → Askalon, → Ptolemais und anderswo hervor (Ios. bell. Iud. 2,18,1.3.5). Gesellschaftlichen und lit. A. gab es im ganzen späteren Imperium, wo Juden durch Sklaverei, Handel oder Emigration in nahezu jede Stadt kamen und durch Verzicht auf Geburtenkontrolle und namentlich Proselytenwerbung (vgl. Iuv. 14,96–104) auf schließlich 6–7% der Gesamtbevölkerung anwuchsen. Angeblich stammen sie von Ägyptern oder Aussätzigen ab (viele Belege) und verehren Esel und Schwein (Plut. symp. 4,4.5.6); sie halten sich, selbst wenn sie Sklaven oder Soldaten sind, jeden siebenten Tag zum Faulenzen frei (Sen. bei Aug. civ. 6,11), sie nehmen an Mahlzeiten, Verträgen, Gebeten und Opfern mit anderen nicht teil (Philostr. Ap. 5,33), sondern trachten danach, sie zum Beitritt zu ihrer *turba* zu zwingen (Hor. sat. 1,4,143) usw. Einen ausführlichen Katalog landläufiger a. Ansichten gibt Tac. hist. 5,2–5, Spezielleres mit Angabe wichtiger Gewährsleute gibt Iosephos, *contra Apionem*. Die Entstehung eines solchen Judenbildes läßt sich mit denselben Methoden analysieren, die sonst auf Legendenbildung, Motivübertragung, Tendenzerfindung oder Traditionskombination anwendbar sind. Als gerechtfertigt dürfen nur solche Ansichten gelten, die im at. oder rabbinischen Schrifttum eine Stütze haben; doch auch, wo dies der Fall ist, zeigt sich, daß der Erwählungsanspruch des Judentums nicht verstanden wurde, weil der Blick auf die äußeren Haltung im kult., polit., alltäglichen und wirtschaftlichen Leben hängen bleibt, aber nicht erkennt, warum sie aus dem Glauben notwendig folgen muß. Im christl. Alt. nahm der A. eine grundsätzlich andere und kompliziertere Form an, einmal, weil er sich zunächst auch gegen die Christen richtete, zum andern, weil nun auch die Auseinandersetzung der Christen mit den Juden um das AT und die Kreuzigung Jesu zum A. werden konnte; er bestimmte seit Konstantin sogar die staatliche Gesetzgebung [9. 475f.].

Die Juden waren sich der Verachtung der heidnischen wie christl. Welt gegen sie deutlich bewußt [9. 473.476; 5. 209–212]; namentlich ihre Rabbinen setzten sich damit eindringlich auseinander.

1 TH. REINACH, Textes d'auteurs grecs et romains relatifs au judaisme, 1895 2 U. WILCKEN, Zum alexandrinischen A., Abh. der sächs. Ges. der Wiss. 27, 1909, 783–839 3 J. JUSTER, Les juifs dans l'empire romain, 2 Bde., 1914 4 H. I. BELL, Juden und Griechen im röm. Alexandreia, 1926 5 K. G. KUHN, Ursprung und Wesen der talmudischen Einstellung zum Nichtjuden, in: Forsch. zur Judenfrage 3, 1938, 199–234 6 J. STARR, The Jews in the Byzantine Empire 641–1204, Athen 1939 7 J. VOGT, Kaiser Julian und das Judentum, 1939 8 F. LOVSKY, L'Antisemitisme rationaliste, in: Rev. Hist. Phil. Rel. 1950, 176–199 9 J. LEIPOLDT, RAC I, 1950, 469ff. 10 J. E. SEARER, Persecution of the Jews in the Roman Empire (300–438), 1952 11 R. RÉMONDON, Les Antisemites de Memphis (P. IFAO inv. 104 = CPJ 141), in: Chronique d'Egypte 35, 1960, 244–261 12 M. STERN, Greek and Latin authors on Jews and Judaism, 3 Bde., 1974–1984 13 R. RUETHER, Faith and Fratricide: The Theological Roots of Antisemitism, 1974 14 C. KLEIN, Anti-Judaism in Christian Theology, 1978 15 W. A. MEEKS, R. L. WILKEN, Jews and Christians in Antioch in the first four centuries of the common era, 1978 16 J. NEUSNER, E. S. FRERICHS, To See Ourselves as Others See Us: Christians, Jews, »Others«, Late Antiquity, 1985 17 M. SIMON, Verus Israel: A Study of Relations between Christians and Jews in the Roman Empire, 1986 (frz. Erstausgabe 1948) 18 Antisemitism: an annotated bibliography, ed. Vidal Sassoon, International Center of the Study of Antisemitism, 1987ff. 19 H. A. STRAUSS, W. BERGMANN (Hrsg.), Current Research on Antisemitism, 1987ff.   C. C.

Antisigma s. kritische Zeichen

Antissa (Ἄντισσα). Hafenstadt im Nordwesten von → Lesbos, ca. 9 km nordöstl. vom h. A., seit dem 14. Jh. v. Chr. besiedelt. Mitglied des → att.-del. Seebundes, beteiligt an der von → Mytilene initiierten Abfallbewegung lesbischer Städte (Thuk. 3,18. 28). Mitglied des 2. Att. Seebundes. 167 v. Chr. von den Römern zerstört, Umsiedlung der Bevölkerung nach → Methymna (Liv. 45,31,14; Plin. nat. 5,139).

R. Koldewey, Die ant. Baureste der Insel Lesbos, 1890 · Lauffer, Griechenland, 122.   H. SO.

Antistes. Im paganen Rom ist A. der Leiter von Riten und Vorsteher eines Tempels, der Priester oder Oberpriester, freilich nicht als Fachterminus der Sakralsprache, trotz seltener inschr. Verwendung (CIL III 1115,7. X 5654). Da altröm. Tempel keine festen Priester kannten, wurde der Ausdruck für feste Sakralkollegien wie die Vestalinnen (Liv. 1,20,2) oder die Decemviri als A. des Apollo (Liv. 10,8,2), für fremde (peregrine) Götter wie Ceres mit fester Priesterschaft oder für außeröm. Kulte verwendet (Cic. Verr. 2,3,111).

J. Marquardt, Th. Mommsen, Röm. Staatsverwaltung Bd. 3, ²1876/86, 214.   F. G.

Antisthenes. [1] A. Leben und Werk B. Philosophie 1. Erkenntnistheorie 2. Ethik

A. Leben und Werk

Sohn eines Atheners gleichen Namens und einer Thrakerin, Schüler des Sokrates, * ca. 445 v. Chr., gest. ca. 365. Einigen Zeugnissen zufolge soll A. zunächst Schüler des Gorgias gewesen sein und auch selbst Rhet. gelehrt haben. Wie [8] gezeigt hat, ist auf diese Zeugnisse jedoch nicht unbedingt Verlaß. Spätestens zu Beginn der 20er Jahre schloß sich A. Sokrates an. Platon nennt ihn unter denen, die beim Tod des Sokrates zugegen waren (Phaid. 59b). In den ersten 10 bis 15 Jahren nach dem Tod des Sokrates galt A. in Athen als der prominenteste Schüler des Sokrates [1]. Seine Lehrtätigkeit übte er im Gymnasion Kynosarges aus. Einziger namentlich genannter Schüler des A. ist → Diogenes aus Sinope. Der bei Diog. Laert. 6,15–18 überlieferte Katalog der Schriften des A. verzeichnet rund 60 Titel von Werken offenkundig sehr unterschiedlichen Umfangs. A. behandelte in ihnen Themen aus den Bereichen der Erkenntnistheorie und der Logik, der Ethik, der Homerinterpretation und der Rhetorik. Erhalten sind allein die Deklamationen *Aias* und *Odysseus*, in denen A. die beiden Antipoden ihren Anspruch auf die Waffen des toten Achill begründen läßt.

B. 1. Erkenntnistheorie

A. war auf diesem Gebiet ein entschiedener Gegner Platons. Anders als dieser war er überzeugt, daß es unmöglich sei, zu Definitionen zu gelangen. Was er für allein möglich hielt, war, die Beschaffenheit der Dinge durch eine Art vergleichendes Verfahren zu beschreiben und so zu versuchen, ihr Wesen zumindest annäherungsweise zu erfassen (Aristot. metaph. 7,3, 1043 b 23–28). Wenn es bei Diog. Laert. 6,3 heißt, A. sei der erste gewesen, der bestimmt habe, was eine Definition ist, nämlich ›dasjenige, was anzeigt, was etwas war oder ist‹, dann widerspricht dies dem gerade Gesagten. Das Zeugnis sagt nur, was nach der Auffassung des A. von einer Definition zu fordern ist; es besagt nicht, daß er der Meinung gewesen wäre, es gebe solche Definitio-

nen tatsächlich. In den Kontext der Auseinandersetzung mit Platon ordnet die ant. Tradition gewiß zu Recht auch die paradoxe These des A. von der Unmöglichkeit des Widerspruchs (οὐκ ἔστιν ἀντιλέγειν) ein (Aristot. metaph. 4,29, 1024 b 32–34; Diog. Laert. 3,35). Welche Rolle sie in diesem Kontext spielte, ist allerdings umstritten.

2. Ethik

Den Kern der Anschauungen des A. auf dem Gebiet der Ethik faßt Diog. Laert. 6,11 in folgende Kurzformel: ›Die Tugend ist ausreichend für das Lebensglück und bedarf zusätzlich allein der Kraft eines Sokrates‹. A. stimmte mit Sokrates überein, daß das sittlich gute Handeln zum Lebensglück führe. Seine Auffassung, daß, wer das Gute wisse, es mit Notwendigkeit auch tun werde, teilte er indessen nicht. Er war vielmehr überzeugt, daß es zusätzlich zum Wissen davon, was das Gute sei, noch der ›Kraft eines Sokrates‹ bedürfe, wenn man in der Lage sein wolle, das als gut Erkannte auch konsequent in die Tat umzusetzen. Mit dieser Kraft meinte A. offenkundig jenes von den Zeitgenossen bestaunte Vermögen, das Sokrates dazu befähigte, allen körperlichen Bedürfnissen gegenüber die größte Anspruchslosigkeit an den Tag zu legen und von äußerer Anerkennung völlig unabhängig zu sein. Um sich diese Kraft anzueignen, empfahl A., sich gezielt Strapazen und Mühen auszusetzen; so werde es einem gelingen, sich gegen die Vielzahl urspr. unbekannter, künstlich erzeugter Bedürfnisse zu immunisieren und zu lernen, die verbleibenden naturgegebenen Elementarbedürfnisse auf die einfachste Weise zu befriedigen, sich also mit der einfachsten Nahrung, Kleidung, Behausung usw. zufrieden zu geben, ohne dies als Mangel zu empfinden, sondern ganz im Gegenteil als Vorteil, weil man sich so nämlich voll und ganz darauf konzentrieren kann, der Tugend gemäß zu leben, um über sie zum Lebensglück zu gelangen. Wie und mit welchem Erfolg A. diese Prinzipien in seiner eigenen Lebenspraxis verwirklichte, läßt ihn Xenophon in seinem *Symposion* eindringlich beschreiben (4,34–44). Den ant. Philos.historikern galt A. als Begründer des Kynismus (Diog. Laert. 1,19).

1 Chr. Eucken, Isokrates, 1983, 25–27, 45–47, 101–105 · 2 Antisthenis fragmenta, coll. F. Decleva Caizzi, 1966 3 SSR V A. 4 A. Brancacci, OIKEIOS LOGOS. La filosofia del linguaggio di Antistene, 1990 5 K. Döring, A., in: GGPh 2.1, 1996, § 20 A (mit Lit.) 6 Guthrie Bd. 3, 1969, 209–216, 247–249, 304–312 7 K. Oehler, Die Lehre vom noetischen und dianoetischen Denken bei Platon und Aristoteles, 1962, ²1985, 31–51 8 Patzer, A. der Sokratiker, 1970, 246–255.   K. D.

[2, von Rhodos] Ein älterer Zeitgenosse des Polybios, der seine rhodische Gesch. wegen mangelnder Unparteilichkeit kritisiert (Pol. 16,14–15). Diogenes Laertios, der die Φιλοσοφῶν διαδοχαί eines Antisthenes an 13 Stellen als Quelle für die Biographien verschiedener Philosophen zitiert, erwähnt diesen Historiker neben zwei weiteren Personen gleichen Namens (6,19).

Die meisten Gelehrten sprechen sich für die Identifikation mit dem Rhodier aus. Da der jüngste Philosoph, der erwähnt wird, Kleanthes († 230/29 v. Chr.) ist, konvergiert die Chronologie der beiden Werke und legt eine Datierung des Autors auf das Ende des 3. und den Anfang des 2. Jh. v. Chr. nahe (anderer Ansicht ist [1], der den Autor auf das späte 1. Jh. v. Chr. datiert). Eine weitere Identifikation mit A., dem Peripatetiker, der von Phlegon, *De mirabilibus* 3, erwähnt wird, ist möglich, bes. angesichts des biographischen Interesses jener Schule.

→ Diogenes Laertios; Doxographie

1 J. JANDA, D'Antisthène, auteur des Successions des philosophes, in: Listy Philologické 89, 1966, 341–364.

FRAGMENTSAMMLUNGEN: FGrH 508 • R. Giannattasio Andria, I frammenti delle Successioni dei filosofi, 1989.   D. T. R. / T. H.

Antistia **[1]** Gemahlin des Ap. Claudius Pulcher (*cos.* 143 v. Chr.) und Schwiegermutter des Ti. Sempronius Gracchus (Plut. Ti. Gracch. 4,3).
[2] Erste Gemahlin des Pompeius, der sich von ihr auf Weisung Sullas 82 v. Chr. trennte (Plut. Pomp. 4,9).   K. L. E.
[3, Politta] Tochter des L. → Antistius [II 12] Vetus, Frau des Rubellius Plautus, der mit Agrippina d. J. verbündet war; nach dem Tod ihres nach Asien verbannten Mannes Rückkehr nach Rom, wo sie sich zusammen mit ihrem Vater tötete (Tac. ann. 14,22; 58; 59; 16,10f.)

VOGEL-WEIDEMANN, 449 • RAEPSAET-CHARLIER, Nr. 72.   W. E.

Antistios. Epigrammdichter; obwohl sich keine Sicherheit erreichen läßt, da der Name eher gewöhnlich ist, wird A. meistens mit dem Makedonen C. Antistius Vetus, der 11 n. Chr. wegen Verrats in die Verbannung geschickt wurde (Tac. ann. 3,38), gleichgesetzt oder mit dem *praetor* A. Sosianus, der 62 n. Chr. (Grund: *factitatis in Neronem carminibus probrosiis.* . . Tac. ann. 14,48; 16,14; 21; vgl. hist. 4,44) dasselbe Schicksal erlitt. Seine vier aus dem »Kranz« des Philippos stammenden Epigramme sind ausgewogene, elegante Variationen traditioneller Motive (ein bei den »meleagreischen« Epigrammatikern beliebtes Thema findet sich in Anth. Pal. 6,237: ein Gallus schlägt mit den Klängen seines Tympanons einen Löwen in die Flucht).

GA II 1,124–127; 2,145–147.   E. D. / T. H.

Antistius. Plebeischer Gentilname, ältere Nebenform Antestius, griech. Ἀνθέστιος. Die Familie ist in Rom seit dem 2. Jh. nachweisbar, aber im polit. Leben zunächst nicht sonderlich hervorgetreten, im 1. Jh. v. Chr. hochberühmt durch den Juristen M. A. Labeo. Unter Augustus wurden die Antistii Veteres ins Patriziat aufgenommen.

[I 1] A., Ankläger, bes. in Mordprozessen, Opfer der Sullanischen Proskriptionen (Cic. S. Rosc. 90 [1]). **[I 2] A.**, Arzt, der die Leiche Caesars nach dessen Ermordung untersuchte (Suet. Iul. 82,3). **[I 3] A.**, Volkstribun 420 v. Chr. (Liv. 4, 44, 2–10; MRR 1,70). **[I 4] Antesti(us), C.**, Münzmeister 146 v. Chr. (RRC 219). **[I 5] A., L.**, Konsulartribun 379 v. Chr. (MRR 1,106; zwei gleichnamige Senatoren im *consilium* des SC *de agro Pergameno* 129 v. Chr. (SHERK, 12).

1 F. HINARD, Les Proscriptions de la Rome républicaine, 1985, 300f.   K. L. E.

[I 6] Versuchte erfolglos, als Volkstribun von 58, → Caesar vor Gericht zu ziehen (Suet. Iul. 23,1).   W. W.
[I 7] A., M., wurde 218 v. Chr. zu C. Flaminius geschickt (Liv. 21,63,11f); Einzelheiten zweifelhaft. **[I 8] A., M.**, Volkstribun 319 v. Chr. (Liv. 26,33,10).   K. L. E.
[I 9] A., P., Volkstribun 88 v. Chr., Anhänger Sullas und prominenter Anwalt (*patronus*) bis zu seiner Ermordung durch die Marianer 82. 86 Ädil, 86 od. 85 Vorsitzender in einem Prozeß gegen Cn. Pompeius Magnus (Cic. Brut. 182; 226–227; 308 u. a.).

ALEXANDER, 120 • J.-M. DAVID, Le patronate judiciaire au dernier siècle de la République romaine, 1992, 741–742.   K. L. E.

[I 10] A., Ti. (?), Volkstribun 422 v. Chr. (Liv. 4,42,1); ältester Namensträger im öffentlichen Leben.
[I 11] A., T., Quaestor in Makedonien 50 v. Chr., Anfang 49 zum Dienste für Pompeius gezwungen, starb auf der Rückreise auf Corcyra (Cic. fam. 13,29).
[I 12] Antes(tius) Gragu(lus), T., Münzmeister 136 v. Chr. (RRC 238). Münzen mit Krähe (*graculus*).   K. L. E.
[I 13] A. Labeo, Pacuvius, wurde von → Brutus für die Verschwörung gegen Caesar gewonnen. 42 v. Chr. war er Legat (Plut. Brut. 12;25;51), nach dem Sieg des Antonius bei Philippi im Herbst des Jahres wählte er den Freitod (App. civ. 4,572f.; MRR 2, 364).
[I 14] A. Reginus, C., 53 und 52 Legat Caesars. A. kämpfte vor Alesia und führte anschließend eine Legion zur Überwinterung ins Gebiet der Ambibareten. (Caes. Gall. 6,1,1; 7,83,3; 7,90,6). **[I 15] A. Vetus, C.**, 70 Praetor, 69 (68?) Propraetor in Hispania ulterior (Vell. 2,43,4; Plut. Caes. 5,3). → Caesar stand unter ihm als Quaestor im Feld. Zur Datierung (69 v. Chr.) MRR 2, 136 Anm. 7. **[I 16] A. Vetus, C.**, 61 wohl auf Empfehlung seines Vaters → A. [I 15] Quaestor unter Caesar (Plut. Caes. 5,6). Als Volkstribun von 56 nahm er in der Auseinandersetzung zw. → Clodius und → Cicero für letzteren Partei (Cic. ad Q. fr. 2,1,3; irreführend hier MRR 2, 209; 214 Anm. 2 und 530). 45–43 war er, von Caesar bestellt, als *quaestor pro praetore* in Syrien, anschließend in Diensten des Brutus (MRR 2, 308; 327; 342). 35/34 kämpfte er als Legat des Octavian gegen die Salasser im nordwestl. Italien (App. Ill. 49f. dort Veter), 30 war er *cos. suff.* (CIL IX 4191), 25 Legat des → Augustus in einem Feldzug gegen die Cantabrer an der spanischen Nordküste (Cass. Dio 53,25).   W. W.

II. KAISERZEIT

[II 1] A. Adventus Postumius Aquilinus, Q., wohl *homo novus* aus Thibilis in Numidien (LE GLAY, EOS 2, 769). Seine Laufbahn ist aus ILS 8977 = ILAlg 2, 4681 bekannt: Am Partherkrieg 162–164 beteiligt und ausgezeichnet, Statthalter von Arabia, *cos. suff.* wohl 167 n.Chr., konsularer Legat von Germania inferior um 171/2 [1] und von Britannia [2]. Seine Frau war Novia Crispina (PIR² N 195).

[II 2] A. Burrus, L., Sohn von [II 1]; wahrscheinlich Patrizier (vgl. CIL VI 1979); verheiratet mit Vibia Aurelia Sabina, der Schwester des Commodus, mit dem zusammen er 181 *cos. ord.* war; von ihm schließlich auf Anstiften Cleanders getötet (SHA Comm. 6,11; PIR² A 757 [3]).

1 ECK, 180f. 2 BIRLEY, 129ff. 3 RE 2, s.v. Aurelius Nr. 85.   W.E.

[II 3] Labeo, M., Jurist, Sohn des ebenfalls als Jurist bezeugten (Dig. 1,2,2,44) Nr. I 13, Schüler des → Trebatius Testa und anderer *Servii auditores*, bekleidete die Prätur, lehnte jedoch das ihm von Augustus angebotene Suffektkonsulat ab (Dig. 1,2,2,47), starb vor 22 n.Chr. Er war Anhänger der senatorischen Opposition gegen das Prinzipat (Gell. 13, 12). Im öffentlichen Recht war A.L. (*De iure pontificio*, mindestens 15 Bücher) konservativ, im Privatrecht – aufgrund seiner vielseitigen, besonders grammatischen (Gell. 13, 10) Bildung – Urheber zahlreicher Innovationen (Dig. 1, 2, 2, 47), die sich jedoch in punktuellen Reformvorschlägen erschöpften [4]. Er pflegte 6 Monate auf dem Lande Bücher zu schreiben, 6 Monate in Rom mit seinen Schülern zu verbringen. Aus dieser Lehrtätigkeit ging die Prokulianische → Rechtsschule hervor [3], deren erstes Haupt → Proculus vermutlich sein Schüler war. A.L. schrieb insgesamt 400 Buchrollen, vor allem den Komm. *Ad edictum* (mindestens 30 B.; dazu [2] 18) und den seit → Acilius [4] Glabrio ersten Komm. *Ad legem duodecim tabularum* (mindestens 2 B.), *Responsa* (mindestens 15 B.) und *Epistulae* (Dig. 41,3,30,1) sowie die nur in einem von → Paulus angefertigten Auszug (8 B.) erhaltenen *Pithana* [1]. Sein Nachlaß umfaßte mind. 40 Buchrollen; daraus veröffentlichte → Iavolenus *Posteriora* (10 B.; dazu [2]). Werke des L. wurden von der hochklass. Jurisprudenz noch häufig benutzt (Dig. 1,2,2,47), dann wurde sein Ediktskomm. jedoch durch den des → Pomponius vom Markt verdrängt. Das spätere Schrifttum überliefert etwa 500 seiner Entscheidungen [5].

1 M. TALAMANCA, I »Pithana« di Labeone, in: Iura 26, 1975, 1–40 2 CH. KOHLHAAS, Die Überlieferung der libri posteriora des A. Labeo, 1986 3 R.A. BAUMAN, Lawyers and Politics in the Early Roman Empire, 1989, 37ff. 4 D. NÖRR, »Innovare«, in: Index 22, 1994, 75ff. 5 O. LENEL, Palingenesia iuris civilis, 1889, Ndr. 1960, Bd. 1, 501ff. 6 PIR I² 760.   T.G.

[II 4] A. Rusticus, L. Freund Martials (4,75; 9,30), wohl aus der Baetica stammend [1]. Unter Nero Auf-

nahme in den Senat, durch Vespasian *adlectio inter praetorios, procos. Baeticae* 83/4 (AE 1986, 334), *cos. suff. 90*, konsularer Legat von Cappadocia-Galatia, wo er 93/4 starb (Mart. 9,30; AE 1925, 126: Laufbahn und Edikt aus Anlaß einer Hungersnot). Verheiratet mit Mummia Nigrina (Mart. 4,75; 9,30; CIL VI 27881) [1; 2].

[II 5] A. Sosianus. *Tribunus plebis* 56 (Tac. ann. 13,28,1), 62 als Praetor wegen Schmähschriften auf Nero relegiert (Tac. ann. 14,48f.; 16,14,1); 66 nach Rom gebracht, um P. Anteius und Ostorius Scapula anzuklagen (Tac. ann. 16,14). Durch Mucian im J. 70 erneut verbannt (Tac. hist. 4,44).

[II 6] Vetus, C. Als Quaestor im J. 45 v.Chr. in Syrien tätig, bis die Parther ihn vertrieben (MRR 2, 308). Schloß sich 44 Brutus an, später aber Octavian (→ Augustus). Wohl als dessen Legat kämpfte er zwei Jahre lang gegen die Salasser (App. Ill. 17). Im J. 30 *cos. suff.*, 25 kämpfte er als konsularer Legat der Hispania citerior gegen die Cantabrer [3]; vielleicht im J. 29 unter die Patrizier aufgenommen [4]. **[II 7] Vetus, C.**, Sohn von [II 6]. III*vir monetalis* 16/15 v.Chr., *cos. ord.* 6 v.Chr., *pontifex* (Vell. 2,43,4), *procos. Asiae* (IGRR 4, 943; PIR² A 771). Seine Söhne (Vell. 2,43,4) waren A. [II 8] und [II 11]. **[II 8] Vetus, C.** Sohn von [II 7]. *Praetor urbanus* im J. 20, *cos. ord.* 23, *curator riparum et alvei Tiberis* (CIL XIV 4704). **[II 9] Vetus, C.** Sohn von [II 8]. *Cos. suff.* 46, *cos. ord.* II 50 (PIR² A 773) [5]. **[II 10] Vetus, C.** *cos. ord.* im J. 96, vielleicht Sohn von A. [II 9] (PIR² A 774). **[II 11] Vetus, L.**, Sohn von [II 7]. *Cos. suff.* im J. 28 [6]. **[II 12] Vetus, L.** Wohl Sohn von [II 8], Bruder von [II 9], Vater von → Antistia Politta. *Cos.* zusammen mit Nero im J. 55 (Tac. ann. 13,11,1). Noch im selben Jahr Legat des obergerman. Heeres, doch schon im nächsten Jahr abgelöst [7]. Prokonsul von Asia 64/65 [8]. Angeklagt kam er einer Verurteilung durch Selbstmord zuvor (Tac. ann. 16,10f; PIR² A 776).

1 CABALLOS 1, 69ff. 2 SYME, RP 4, 278ff. 3 ALFÖLDY, FH, 3ff. 4 H.-H. PISTOR, Prinzeps und Patriziat, 1965, 17 5 DEGRASSI, FCIR, 13f. 6 P. ARNAUD, Fragment de Fastes de magistrates, in: MEFRA 98, 1986, 403–406 = AE 1987, 163 7 ECK, 23f. 8 VOGEL-WEIDEMANN, 446ff.   W.E.

Antistrophe s. Metrik [II, griechische]

Antithese, ἀντίθετον, ἀντίθεσις, *contrapositum, contentio*, zugeordnet zu Gedankenfiguren und/oder Wortfiguren, aber auch Bestandteil der rhetorischen Argumentation als solcher, insofern für die Theorie sowohl des Ausdrucks (Rhetorik) als auch des Erkennens und Denkens (Dialektik; z.B. bei Heraklit: Gegensatz von Krieg und Frieden) relevant. A. bewirkt semantische Weitung durch kritisch-trennende oder vermittelnde Gegenüberstellung zweier (oder mehrerer) Wörter, Wortgruppen, Sätze oder sogar Abschnitte. Häufig unterstützt durch andere Stilmittel (Chiasmus, →Parallelismus, Oxymoron).

J. VILLWOCK, A., in: HdWR 1, 722–750.   C.W.

Antitimesis (ἀντιτίμησις). Wenn das Gesetz in Athen die Strafe bei öffentlichen Prozessen nicht von vornherein festgelegt hatte (ἀγῶνες ἀτίμητοί, → Atimetos agon), sondern Art und Höhe dem richterlichen Ermessen anheimgegeben waren (ἀγῶνες τιμητοί, → Timetos agon), hatte der Kläger schon bei Einreichung der Klageschrift die Klage zu schätzen. Der Beklagte konnte dann nach seinem Schuldspruch in einer zweiten Verhandlung über das Strafmaß einen Gegenantrag über die Strafhöhe (*a.*) stellen. Die Richter hatten zwischen diesen beiden Strafanträgen zu wählen.

A. R. W. HARRISON, The Law of Athens II, 1971, 81 f.   G. T.

Antium. Hafenstadt im südl. Latium, h. Anzio. Nach dem von Polybios auf 508/507 v. Chr. datierten 1. röm.-karthagischen Vertrag [1] stand die traditionsreiche (Dion. Hal. ant. 1,32) Stadt zu dieser Zeit unter röm. Kontrolle (Pol. 3,22,11). Kurz darauf geriet A. in den Einflußbereich der → Volsci und war deshalb in die zahlreichen Auseinandersetzungen zw. Römern und Volsci im 5./4. Jh. v. Chr. involviert; vgl. die legendär ausgestaltete Erzählung vom abtrünnigen Römer → Coriolanus (Plut. Coriolan 22 ff.). 338 v. Chr. Unterwerfung durch die Römer mit Konfiszierung der Flotte und dem Verbot, Seefahrt zu betreiben (Liv. 8,14,8). Mit den Schiffsschnäbeln (*rostra*) wurde die Rednertribüne auf dem → Forum Romanum dekoriert (Liv. 8,14,12; Plin. nat. 34,20). Umwandlung in eine → *colonia civium Romanorum* (Liv. 8,14,8) und 317 v. Chr. koloniale Verfassung (Liv. 9,20,10). In der späten Republik (Cic. Att. 2,6,1) und der Kaiserzeit (Geburtsort von Caligula und Nero, Suet. Cal. 8,1; Ner. 6,1) mondäner Villenort reicher Römer. Spuren solcher → *villae* mit *opus reticulatum* und Stuckverkleidung am Meer h. noch sichtbar. Fundort des berühmten »Mädchens von Antium«.

1 R. WERNER, in: StV 2 Nr. 121.

NISSEN 2, 627–630 · R. PAOLI, Anzio ieri e oggi, 1966.   H. SO.

Antius. Plebeischer Gentilname.
[1] (Ateius ?), C., Senator 54 v. Chr. (Cic. Att. 4,17,4).
[2] Sp., röm. Gesandter, 438 v. Chr. von den Fidenaten getötet (Statue auf der Rostra, Cic. Phil. 9,4 f.; Liv. 4,17,2). **[3] Briso, M.,** Volkstribun 137 v. Chr., leistete Widerstand gegen die *lex tabellaria* des L. Cassius Longinus Ravilla (Cic. Brut. 67). **[4] Restio (?), C.,** Volkstribun wohl 68 v. Chr., Urheber einer *lex sumptuaria* (Gell. 2,24,13; Macr. sat. 3,17,13). Wohl identisch mit dem bei Cat. 66,11 erwähnten Antius *petitor.*

SYME, RP 2, 557–565.   K. L. E.

[5] Restio, C., Münzmeister 47 v. Chr. (RRC 455).   K. L. E.
[6] A. Aulus Iulius Quadratus, C. → Iulius. **[7] Pollio,** *cos. suff.* 155 n. Chr. mit Minicius Opimianus (CIL VI 2120 = ILS 8380) [1]. **[8] Rufinus,** Sonderbeauftragter, der im J. 136 die Grenze *inter Moesos et Thraces* festzulegen hatte [2; 3].

1 W. ECK s. v. (Minicius?) Opimianus, RE Suppl. 14, 284
2 A. AICHINGER, Grenzziehung durch kaiserliche Sonderbeauftragte in den röm. Provinzen, in: ZPE 48, 1982, 193–204 3 THOMASSON, 1, 163.   W. E.

Antomosia (ἀντωμοσία) war in Griechenland, insbes. in Athen, ein Eid, den beide Parteien in der Voruntersuchung oder bei der Hauptverhandlung zu leisten hatten, wohl ein Relikt aus dem archa. Prozeß. Durch die *a.* wurde die Wahrheit der Klage wie der Klagebeantwortung im voraus bekräftigt. Daher ging der Name auch auf die Prozeßschriften (→ Antigraphe) über. Von Platon (leg. 948d) wurde die *a.* nicht übernommen.

A. R. W. HARRISON, The Law of Athens I, 1971, 99 f. ·
G. THÜR, Greek Law, hrsg. v. L. FOXHALL, 1996, 63 f.   G. T.

Antonia [1] Tochter des C. Antonius Hybrida, Cousine und Gattin des M. → Antonius [I 9], der sich um 47 v. Chr. unter dem Vorwand des Ehebruchs mit P. Cornelius Dolabella von ihr scheiden ließ (Cic. Phil. 2,99; Plut. Ant. 9,1–2).   H. S.
[2] Tochter der A. [1] und des M. → Antonius [I 9], * zw. 54 und 49 v. Chr. Bereits 44 mit dem Sohn des Triumvirn Aemilius Lepidus verlobt, verheiratete sie ihr Vater nach Auflösung dieser polit. Verbindung i. J. 37 mit → Pythodoros von Tralleis. Aus der Ehe ging → Pythodoris, die spätere Königin von Pontos, hervor.

DRUMANN / GROEBE, 1, 380,12.   H. S.

[3] *maior,* ältere der beiden Töchter des M. → Antonius [I 9] und der Octavia (* 39 v. Chr.). Schon 37 wurde sie mit L. → Domitius Ahenobarbus verlobt, nach 30 von Augustus in seine Heiratspolitik einbezogen und mit Ahenobarbus vermählt. Aus der Ehe gingen zwei Töchter und Cn. Domitius Ahenobarbus hervor, durch den sie Großmutter des späteren Princeps Nero wurde.

DRUMANN / GROEBE, 1, 382,16.   H. S.

[4] *minor,* jüngere Schwester von A. [3] (* 36 v. Chr.). Im Zuge seiner dynastischen Politik verheiratete sie Augustus um 16 v. Chr. mit ihrem Stiefsohn Drusus, mit dem sie drei Kinder hatte: Germanicus, Livilla und den späteren Kaiser Claudius. Da sie nach Drusus' Tod 9 v. Chr. ehelos blieb, lobt sie die ant. Überlieferung als vorbildliche, dem Ideal der *univira* entsprechende Matrone (Val. Max. 4,3,3; Ios. ant. Iud. 18,180). Nach dem Tod Livias 29 n. Chr. betreute sie Germanicus' Kinder Caius (→ Caligula) und Drusilla (Suet. Cal. 10,1; 24,1). Von Tiberius hochgeschätzt und einflußreich am Hof, scheint sich A. auch an den dynastischen Machtkämpfen (→ Aelius [II 19] Seianus) beteiligt zu haben (Ios. ant. Iud. 180–183), was allerdings auch bezweifelt wird [1]. Sie starb am 1.5.37, angeblich von ihrem Enkel Caius in den Tod getrieben (Suet. Cal. 23,2). Offiziell erwiesen ihr Caligula und auch Claudius als *principes* im Rahmen ihrer Familienpropaganda hohe Ehren und zeichneten sie mit dem Beinamen *Augusta* aus (Suet. Cal. 15,2; Claud. 11,2).

    1 J. Nicols, A. and Sejanus, in: Historia 24, 1975, 48–58.

    N. Kokkinos, A. Augusta, 1992.   H. S.

[5] älteste Tochter des Claudius aus der Ehe mit Aelia Paetina, im J. 41 n. Chr. mit Cn. → Pompeius Magnus verheiratet (CIL VI 31722 = ILS 955) [1]. Nach dessen Tod mit Faustus Cornelius → Sulla verheiratet, dem sie 47 einen Sohn gebar (Suet. Claud. 27,2). Nach Faustus' Ermordung und Poppaeas Tod wollte Nero sie heiraten, was sie ablehnte. Deshalb als angebliche Mitwisserin an der Pisonischen Verschwörung ermordet (Suet. Nero 35,4; Tac. ann. 15,53,3 f.) [2].

[6] A. Caenis, Freigelassene der jüngeren → Antonia [4], ihre Vertraute (Cass. Dio 65,14,1 f.). Geliebte Vespasians, der sie auch als Kaiser fast wie seine Gemahlin behandelte und auf den sie großen Einfluß hatte (Suet. Vesp. 3; Cass. Dio 65,14,1 ff.). Sie starb noch vor Vespasian; ihre Sepulkralinschr. auf einer Grabara (CIL VI 12037; PIR² A 888).

    1 Eck, s. v. Cn. Pompeius Magnus, RE Suppl. 15, 328–330
    2 Raepsaet-Charlier, Nr. 217.   W. E.

[7] Tryphaena, Tochter Polemo I., des Königs des Bosporanischen Reiches, und der Pythodoris; A. lebte in der 1. H. des 1. Jhs. n. Chr. Sie wurde Ehefrau des Thrakerkönigs Cotys (Strab. 12,556). Dessen Mörder klagte sie im J. 19 vor dem Senat in Rom an (Tac. 2,66 f.). Caligula war zusammen mit A.s Kindern erzogen worden (Cass. Dio 59,12,2); mit ihrem Sohn Polemo II. herrschte sie in Pontus und dem Bosporanischen Reich (Mz.: Br. Mus. Pontus 47, 11 f.).   RU. HA.

[8] Burg, anstelle der hasmonäischen nordwestl. des Jerusalemer Tempels von Herodes I. vor 31 v. Chr. errichtet und nach → Antonius benannt (Ios. ant. Iud. 15,403 ff.; bell. Iud. 1,401; 5,238–47; Tac. hist. 5,11); von den Zeloten 66 n. Chr. geschleift (Ios. bell. Iud. 2,240), von Titus 70 n. Chr. zerstört (Ios. bell. Iud. 6,93.149).

→ Herodes I., Titus, Zeloten, Pilatus

    K. Bieberstein, H. Bloedhorn, Jerusalem, B TAVO B Nr. 100/1–3, 1994, Index s. v. »Burg A.«   A. M. S.

Antonine. Der Begriff wird in der wiss. Diskussion verwendet, um die Träger des röm. Kaisertums im 2. Jh. zu bezeichnen. Die zeitliche Abgrenzung ist allerdings nicht genau definiert. Häufig wird der Begriff nur auf die Zeit von → Antoninus [1] Pius bis → Commodus (180–192) angewandt, da alle diese Kaiser den Beinamen Antoninus tragen (so [1]). Unter diesem Aspekt müßten allerdings auch → Caracalla und → Elagabal eingeschlossen werden, da auch diese beiden den Namen Antoninus führten; freilich geht ihr Name Antoninus nur auf eine nachträgliche, fiktive Adoption zurück. Andere benennen so die Zeit von → Nerva bis Commodus (so [2]), von → Hadrianus bis Commodus (so [3]) oder sogar von → Vespasianus bis → Severus Alexander (so [4]). Da der rechtlich zutreffende verwandtschaftliche Zusammenhang entscheidend ist, erstreckt sich die kaiserliche Familie der Antoninen, wenn der Begriff nicht eine gewisse Willkürlichkeit zeigen soll, von Antoninus Pius bis Commodus unter Einschluß von Traian und Hadrian, auf die die Antoninen rechtlich und polit. zurückgehen und mit denen sie auch verwandtschaftlich verbunden sind.

→ Stemma Adoptivkaiser

    1 Grant, The Antonines, 1994   2 A. R. Birley, Marcus Aurelius, ²1987, 232   3 A. A. Garzetti, From Tiberius to the Antonines, 1974, 375   4 M. Hammond, The Antonine Monarchy, 1959, X.   W. E.

Antoninianus. Der moderne t. t. A. bezeichnet eine 215 n. Chr. von Caracalla neben dem Denar eingeführte zweite Silbermünze, benannt nach dessen Cognomen Antoninus [1]. Der etwa 5g schwere A. besitzt gegenüber dem Denar ein 1 ½-faches Gewicht, wird aber als Doppeldenar gehandelt [3.62 f.]. Äußeres Kennzeichen ist die Strahlenkrone des Kaisers und die Büste der Kaiserin auf dem Halbmond.

Die Prägung des A. setzt unter Macrinus 217 n. Chr. aus, um nach einer kurzen Wiederaufnahme unter Elagabal 218/219 n. Chr. erst unter Balbinus und Pupienus ab 238 n. Chr. als Hauptsilbermünze geprägt zu werden [3.64 ff.]. Der ursprüngliche Silbergehalt von etwa 50% verringert sich im Laufe des 3. Jh. n. Chr. unter Gallienus auf etwa 2% [3.68 f.; 2.257]. Die immer kleiner werdenden Münzen – bald mit einem Gewicht von etwa 2,5g – bestehen nur noch aus einem Kupferkern mit einer dünnen Oberfläche aus Silbersud. Durch die Münzreform des Aurelian 274 n. Chr. wird der A., gelegentlich auch als Aurelianus bezeichnet [5.246 Anm. 72], auf 3,75–4,21g gesetzt und besitzt ebenfalls eine dünne Silberschicht auf einem Kupferkern. Die neuen Münzzeichen, das lat. XXI und das gr. KA, werden verschieden interpretiert. Entweder ist der A. zwei Denare wert (XX-I bzw. K-A; das X steht als altes republikanisches Zeichen für den Denar) oder entspricht 20 Sesterzen und somit 5 Denaren [4.421 ff.]. Der A. wird im Rahmen der Münzreform des Diocletian 301 n. Chr. durch den → Follis ersetzt.

→ Billon; Caracalla; Denar; Diocletianus; Follis; Münzreformen; Münzverschlechterung

    1 Schrötter, 3, s. v. Argenteus (3), 36   2 Ph. Tyler, Analysis of mid-third-century Roman Antoniniani as Historical Evidence, in: E. T. Hall, D. M. Metcalf, Methods of chemical and metallurgical investigation of ancient coinage (Symp. 1972), 1972, 249–260   3 D. R. Walker, The Metrology of the Roman Silver Coinage, in: British Archaeological Reports, Suppl. Ser. 40, 1978   4 Martino,

WG **5** R. Göbl, Die Münzprägung des Kaisers Aurelianus, in: MIR 47, 1993.

P. Le Gentilhomme, Le jeu des mutations de l'argent au IIIᵉ siècle: Étude de l'altération de la monnaie romaine de 215 à 275, in: Métaux et civilisations 1, 1946, 113–127 • S. Bolin, State and currency in the Roman Empire to 300 A.D., 1958 • P. Le Gentilhomme, Variations du titre de l'antoninianus au IIIᵉ siècle, in: RN 6.4, 1962, 141–166 • J.-P. Callu, La politique monétaire des empereurs romains de 238 à 311, 1969 • M.H. Crawford, Finance, Coinage and Money from the Severans to Constantine, in: ANRW 2.2, 1975, 560–593.   A.M.

Antoninus. [1, Pius] Röm. Kaiser. Urspr. Name T. Aurelius Fulvus Boionius Arrius Antoninus = Imp. Caesar T. Aelius Hadrianus Antoninus Pius. * 19. Sept. 86 auf einem Landgut bei Lanuvium (SHA Pius 1,8); Sohn von T. → Aurelius [II 15] Fulvus, *cos. ord.* 89, und → Arria Fadilla; die Familie stammte väterlicher- und vielleicht auch mütterlicherseits aus Nemausus; schon in der 3. Generation im Senat. Erzogen in Lorium, nach dem frühen Tod des Vaters beim Großvater väterlicher-, dann mütterlicherseits. Von seiner Laufbahn sind Quaestur, Praetur und Konsulat (*cos. ord.* 120) bekannt; daraus wird patrizischer Rang erschlossen. Von → Hadrianus zu einem der vier Amtsträger gemacht, die in It. wie Statthalter handeln sollten (vgl. SHA Pius 2,11; 3,1); der Amtstitel lautete *legatus Augusti pro praetore,* der Amtsbezirk ist unbekannt [1]; Prokonsul von Asia ca. 135/136 [2]. Von Hadrian oft zu offiziellen Beratungen hinzugezogen (SHA Pius 3,8.) Andere Ämter sind nicht bekannt, aber keineswegs ausgeschlossen. Nach dem Tod von Aelius Caesar adoptierte Hadrian ihn am 25. Febr. 138, wobei A. gleichzeitig den jungen M. Annius Verus, den späteren Marcus Aurelius, und den Sohn des verstorbenen Aelius Caesar, den späteren L. Verus, adoptierte (SHA Pius 4,6 f.) A. erhielt die *tribunicia potestas* und das *imperium proconsulare;* das aus Anlaß der Adoption fällige *aurum coronarium* erließ A. It. ganz, den Prov. zur Hälfte (SHA Pius 4,10). Sein eigenes Vermögen übertrug er seiner Tochter Faustina (SHA Pius 7,9). Nach dem Tod Hadrians am 10. Juli 138 übernahm A. die alleinige Herrschaft. Gegen den Widerstand des Senats setzte er die Konsekration Hadrians durch und vollendete das Mausoleum, wo er den Adoptivvater beisetzen ließ (Cass. Dio 70,1,2 f.); für sein Verhalten gegenüber Hadrian erhielt er den Beinamen Pius. Den Titel *pater patriae* nahm er 139 an, als *imp.* II wurde er 142 akklamiert (vor dem 1. Aug. [3]); das Konsulat übernahm er in den J. 139, 140 und 145. Schon 138 veranlaßte er Marcus Aurelius, seine Verlobung mit Ceionia Fabia zu lösen und sich mit der Tochter von A., Annia Galeria → Faustina II (Raepsaet-Charlier, Nr. 63), zu verloben; die Heirat erfolgte 145 [1. 53 f., 90 f.]; am 1. Dez. 147 erhielt M. Aurelius die *tribunicia potestas,* Faustina den Beinamen Augusta (FOst, 51), womit die Nachfolge klar ausgesprochen wurde; L. Verus wurde von A. stets deutlich auf die zweite Stelle verwiesen.

→ Faustina I. d. Ä., A.' Frau, starb 141 (CIL VI 987). Pius ließ sie divinisieren und ihr einen Tempel auf dem Forum Romanum errichten (CIL VI 1005 = ILS 348).

Nach der Herrschaftsübernahme verließ A. Rom und It. nicht mehr. Den alten Rang It., das auf zahlreichen Münzen erscheint (BMC Emp. 4, p. 32; 38; 190; 264 f.; 277), stellte er wieder her, indem er die italischen *legati* abschaffte [1. 319]; die Alimentarinstitution wurde erweitert (SHA Pius 8,1; BMC Emp. 4, p. 48); insgesamt neun Geldverteilungen an die stadtröm. *plebs* und das Heer veranlaßte er (*liberalitates* I–IX [4. 216 ff.]). Für viele Städte stellte er finanzielle Mittel für Bauten bereit (SHA Pius 8,3 f.), so z.B. für Ephesus nach einem Erdbeben (Paus. 8,43,4); die Intensität dieser paternalistischen Sorge um die Untertanen zeigt sich in zahlreichen Briefen an Einzelpersonen und Gemeinden [5] sowie den vielen in Iuristenschriften erhaltenen Entscheidungen. Ein sehr konservativer Grundzug äußerte sich darin, daß Kinder von Auxiliaren nur noch das röm. Bürgerrecht erhielten, wenn sie vor dem Eintritt der Väter ins Heer geboren waren (unpublizierte Militärdiplome). Zu den wenigen Neuerungen gehörte die Schaffung der *ratio privata* [6]. Ein ideales und dem Gefühl weiter Kreise entsprechendes Bild entwarf Ailios Aristeides in seiner 143 vor A. gehaltenen Rede Εἰς Ῥώμην. Das Verhältnis zum Senat gestaltete sich spannungsfrei, was auch der Briefwechsel mit Cornelius → Fronto zeigt. Die senatorische Laufbahn erreichte unter ihm ein Höchstmaß an Regelmäßigkeit; doch hat er (gegen SHA Pius 5,3; 8,6) Statthalter keineswegs bes. lange amtieren lassen [7]. Trotz des friedlichen Gesamtzustandes des Reiches waren zahlreiche Unruhen zu bekämpfen: In Britannien unter Lollius Urbicus, der die Briganten besiegte (A. deshalb *imp.* II im J. 142) und den Antoninuswall errichten ließ [13. 112 f.]; in Mauretanien zumindest unter den Statthaltern Porcius Vetustinus (CIL XVI 99) und Uttedius Honoratus (AE 1931, 38); in Dacia im J. 158 unter Statius Priscus (FPD, 66 ff.). In Obergermanien wurde der Limes nach Osten vorverlegt [8; 9]. Mit Völkern am Rand des Imperiums hat es öfter Spannungen gegeben, die aber zumeist friedlich gelöst wurden. Die Quaden an der Donau erhielten durch A. einen König (*rex Quadis datus*), ebenso die Armenier (BMC Emp. 4, p. 204 f., 367), trotz der drohenden Haltung des Partherkönigs. Der Ibererkönig Pharasmanes wurde im J. 142 wieder in seine Herrschaft eingesetzt, nachdem er zuvor in Rom mit einer Gesandtschaft erschienen war (FOst 50 [10]). Die Herrschaft des A. wurde weithin im Reich akzeptiert; nur der Senator Atilius Titianus soll gegen ihn rebelliert haben (SHA Pius 7,3). Was Cornelius Priscianus in Hispania unternahm (FOst 50), ist unbekannt. A. selbst lebte äußerst bescheiden; der Hof hatte nach den Briefen Frontos einen sehr familiären Zuschnitt. Charakterisierung bei Marcus Aurelius Εἰς ἑαυτόν 6,30. Gest. am 7. März 161 auf seinem Landgut bei Lanuvium; im Mausoleum Hadriani bestattet (CIL VI 986). Der Tempel Faustinas wurde auch ihm geweiht; eine Ehrensäule wurde für ihn errichtet (CIL VI 1004 =

ILS 347 [11]). Schließlich wurden für seinen Kult die *sodales Antoniniani* eingesetzt (SHA Pius 13,4; PIR² A 1513 [12]).

1 W. ECK, Die Verwaltung des röm. Reiches in der Hohen Kaiserzeit, Bd. 1, 1995, 315 ff. 2 Ders., Röm. Inschr., in: Chiron 13, 1983, 178 3 W. ECK, M. M. ROXAN, Röm. Inschr., FS H. Lieb, 1995, 86–99 4 A. STYLOW, Libertas und liberalitas, 1972 5 OLIVER, 262–308 6 H. NESSELHAUF, Patrimonium und Res Privata des röm. Kaisers, SHA-Colloq. 1963, 1964, 73–93 7 ALFÖLDY, Konsulat 8 Ders., RH, 406 ff. 9 M. P. SPEIDEL, Die Brittones Elantienses und die Vorverlegung des obergerman. Limes, Fundber. Baden-Württemberg 11, 1986, 310 10 K. F. STROHEKER, Die Außenpolitik des A. Pius nach der Historia Augusta, SHA-Colloq. 1964/1965, 1966, 241–256 11 MAFFEI, Lex. urbis Romae 1, 298 ff. 12 G. PFLAUM, Les sodales Antoniniani, 1966.

A. R. BIRLEY, Marcus Aurelius, ²1987, passim • A. GARZETTI, From Tiberius to the Antonines, 1974, 441–471 • W. HÜTTL, A. Pius, Bd. 1, 1936; Bd. 2, 1933 • V. MAROTTA, Multa de iure sanxit, 1988 • P. L. STRACK, Unt. zur röm. Reichsprägung des 2. Jh., Bd. 3, 1937 PORTRÄTS: M. WEGNER, Die Herrscherbildnisse in Antoninischer Zeit, 1939, 15 ff.   W. E.

[2, Liberalis] Mythograph, Autor einer Sammlung kleinerer Verwandlungsgeschichten: bekannt ist nur sein Name, der in die Zeit der Antonini oder der Severi (zwischen dem 2. und 3. Jh. n. Chr.) weist. Die Μεταμορφωσέων συναγωγή ist nur in der Hs. Palatinus Heidelb. gr. 398 überliefert, wo die kurzen mythographischen Erzählungen auch die Quellen nennen: 22mal wird Nikandros zit., 10mal Boios sowie 12 weitere Autoren. Die Zuverlässigkeit der Angaben ist jedoch umstritten.

→ Mythographie; Nikandros

ED.: I. CAZZANIGA, 1962 • F. CELORIA, 1992 • MYTHGR 2,1, 1896.
LIT.: M. PAPATHOMOPOULOS, 1968 • W. KROLL, s. v. Nikandros (11), RE 17,1, 254–255 • G. PASQUALI, I due Nicandri, in: SIFC 20, 1913, 101 ff. • G. WENTZEL, s. v. Antoninus (17), RE 1.2, 2572–2573.   F. M. / M.-A. S.

Antonios. **[1, Thallos]** Epigrammdichter aus Milet (nach [2] hat er durch das Patronat der Antonia Minor die röm. Bürgerschaft erh.), lebte in der 2. H. des 1. Jh. v. Chr. (in Anth. Pal. 6,235 wird die Geburt eines Καῖσαρ begrüßt, der entweder mit C. Iulius Caesar, dem Enkel des Augustus, oder mit Germanicus gleichzusetzen ist). Seine fünf aus dem »Kranz« des Philippos stammenden Epigramme sind in ihren Themen zwar konventionell (das Grabepigramm Anth. Pal. 7,188 = GVI 1800 war vielleicht tatsächlich eine Inschr.), aber ziemlich gut gelungen.

1 GA II 1,376–381; 2,410–413 2 C. CICHORIUS, Röm. Studien, 1922, 356.   E. D. / T. H.

[2] Unbekannter Epigrammdichter aus Argos, dem ein elegantes Gedicht über die Ruinen von Mykene (Anth. Pal. 9,102; vgl. Alpheios, Anth. Pal. 9,101) zugewiesen

wird. Stil und Thema scheinen wohl zum »Kranz« des Philippos zu passen. Von der Gleichsetzung mit → Antonios [1] Thallos, der in Wirklichkeit aus Milet stammte, rät das Lemma Ἀργείου ab; auch der Versuch, dieses in Ἀλφειοῦ zu berichtigen, überzeugt nicht.

GA II 1,398 f.; 2,431 f.   E. D. / T. H.

[3, Diogenes] Vom Roman des A., Τὰ ὑπὲρ Θούλην ἄπιστα, der 24 Bücher umfaßte, sind nur die Zusammenfassung in der ›Bibliothek‹ des Photios (cod. 166) und 3 Papyrusfragmente (PSI 1177; POxy 3012; P. gen. inv. 187 [1. 173–175]) auf uns gekommen. Photios gibt an, daß er über den Verf. nichts weiß, und schlägt eine Datierung um das 3. Jh. v. Chr. vor, die offenkundig aus der fiktiven Rahmenerzählung abgeleitet ist, in der Alexander der Große erscheint. Der röm. Name reicht hin, um eine Datierung vor das 1. Jh. n. Chr. auszuschließen; viel wahrscheinlicher ist jedoch eine Datierung ins 2. Jh. n. Chr., eine reifere Periode der ant. Erzählkunst. Aufgrund seiner Frühdatierung kam Photios dazu, A. als Hauptvorlage der ›Wahren Gesch.‹ des → Lukianos und des Eselsromans und darüber hinaus als Inspirationsquelle aller erotischen Romane hervorzuheben. ROHDE folgte ihm darin und sah in den *ápista* den Prototyp des griech. Romans, auch wenn dessen beide Komponenten, die erotische Elegie und die ethnographisch-utopistische Erzählkunst, hier noch nicht sehr geschickt miteinander verbunden seien [2. 254–258]. In Wirklichkeit handelt es sich bei den *ápista* jedoch um einen ganz und gar originellen phantastischen Roman; auch sein Verhältnis zur ›Wahren Gesch.‹, die man seinerzeit für eine Parodie des A. gehalten hatte [3], ist vor kurzem völlig neu bewertet worden [4].

Wie es in phantastischer Lit. häufig vorkommt, war der Roman in eine Reihe von Rahmenerzählungen eingefaßt, die die Funktion hatten, die Authentizität des Erzählten zu belegen: Zunächst ein Widmungsbrief an die Schwester Isidora, dann ein Brief des Balager, eines Satrapen Alexanders des Großen, der seiner Frau Phila erzählt, daß er den Text während der Belagerung von Tyros gefunden habe; beim dritten Rahmen handelte es sich um eine »ep. Situation« mit Deinias als Protagonisten, der im Alter von seinem Leben erzählt: wie er aus reiner Neugier eine Reise nach Thule unternommen hatte, und wie er sich in Derkyllides verliebte, die Opfer einer Verzauberung geworden war, so daß sie nur noch nachts leben konnte. So kam der Übergang zu den nächtlichen Erzählungen der Protagonistin zustande: wie sie vom bösen Zauberer Paapis verfolgt wurde, sich mit dem Bruder Mantinias auf Wanderschaft begab und dem göttlichen Menschen Astraios begegnete, der die Lebensgeschichte seines kleinen Adoptivbruders Pythagoras erzählte (Exzerpte daraus liegen im ›Leben des Pythagoras‹ des Porphyrios, 10–14 und 32–36 vor) und sie in den Orient, zum Propheten Zalmoxis brachte. Nur das letzte Buch spielte »jenseits von Thule«, es erzählte von der Ankunft auf dem Mond, der Begegnung mit der Sibylle und der Rückkehr im Traum. Ein polyphones Werk also, das auf dem Prinzip der Erzählung in der Erzähung aufbaut wie ›Tausendundeine Nacht‹, in dem sich erotische, magische, aretalogische und philos. Motive und Themen überschneiden (A. zitierte seine Quellen am Buchanfang) und dessen irrationaler Charakter einen pythagoreischen Hintergrund hat.

A. hat einen gewissen Einfluß auf die Romane des → Iamblichos und des → Heliodoros ausgeübt; nach Photios verlieren sich die Spuren, doch kann man in CERVANTES' Roman *Los trabajos de Persiles y Sigismunda. Historia septentrional*, dessen Protagonist aus Thule kommt, noch einen Widerhall finden (Cervantes kannte die lat. Übersetzung des Photios durch ANDREAS SCHOTTUS). Über die direkten Bezüge hinaus enthielt das experimentelle Werk des A. Motive, die in der modernen Erzählkunst weite Verbreitung finden sollten, wie die Reise auf den Mond und die Anekdote von den »gefrorenen« Worten, die auf Antiphanes von Bergai, dem ant. Münchhausen, zurückgeht [4].

→ Roman; Heliodoros; Iamblichos; Lukianos; Pythagoras; Porphyrios; Antiphanes von Bergai

1 R. KUSSL, Papyrusfragmente griech. Romane, 1991
2 E. ROHDE, Der griech. Roman, 1876 3 K. REYHL, Antonio Diogenes, 1969 4 J. R. MORGAN, Lucian's »True Histories« and the »Wonder beyond Thule« of Antonius Diogenes, in: CQ 35, 1985, 475–95 5 O. WEINREICH, Antiphanes und Münchhausen, 1942.

A. BORGOGNO, Sulla struttura degli »Apista« di A. D., in: Prometheus 1, 1975, 49–64 • W. FAUTH, Astraios und Zalmoxis, in: Hermes 106, 1978, 220–241 • J. ROMM, Novels beyond Thule: A. D., Rabelais, Cervantes, in: J. TATUM (Hrsg.), The Search for the Ancient Novel, 1994, 101–116.   M. FU. / T. H.

[4, Chozibites] s. Georgios Kyprios

[5, der Große] 251 n. Chr. in Mittelägypten als Sohn wohlhabender christl. Eltern geboren, ist der älteste bekannte Eremit und gilt als Begründer des eremitischen Mönchtums. Er ging im Alter von 20 Jahren, durch Mt 19 motiviert, in die Wüste, zunächst zu den Eremiten in der Nähe seines Heimatdorfes. Nach einem vorübergehenden Aufenthalt in einer Grabstätte schloß er sich 20 Jahre lang in einer verlassenen Verteidigungsanlage in der Wüste auf dem Berg Kolzim (Dêr Mar Antonios) nahe dem Roten Meer ein, an dessen Fuß sich viele Eremiten angesiedelt hatten. Nach der *Vita Antonii* des → Athanasios von Alexandreia verläßt A. während der Verfolgung durch → Maximus Daja (311) die Wüste, um in Alexandreia den Gefangenen und Verurteilten beizustehen. A. unterbricht 337 erneut seinen Aufenthalt in der Wüste und kommt auf Bitten der Geistlichkeit nach Alexandreia, um den Kampf gegen → Areios zu unterstützen. Wieder zurückgekehrt, suchen viele Menschen seinen Rat und bitten ihn um Heilung. In einer Vision soll er seinen Todestag vorhergesehen und seinen Jüngern befohlen haben, ihn heimlich zu begraben. Er starb nach Hieronymus' Chronik 356 im Alter von 105 Jahren. Er wird in den

→ Apophthegmata Patrum vorwiegend als Büßer beschrieben, der die Versuchungen der Welt meidet und ein Leben des Gehorsams im Sinn der biblischen Weisung führt, unter Aufnahme und Umbildung einer schon vorgefundenen Lebensform; dagegen beschreibt ihn Athanasios als den bildungsfremden, aber geistbegabten Kopten, der zum Typos des vollkommenen Christen wird, der zu den Dämonen hinausgeht, um sich ihnen vor Ort zu stellen. Er sieht in ihm den erfolgreichen Kämpfer gegen Heidentum und Häresie und den Initiator der asketischen Bewegung, die er in kirchliche Strukturen zu integrieren vermag. A. schrieb oder diktierte seine Briefe kopt., die dann ins Griech. übersetzt wurden.

→ Askese

ED.: G. J. M. BARTELIN, Athanase d'Alexandrie, Vie d'Antoine. Introduction, texte critique, traduction, notes et index (= Sources Crétiennes 400), 1994.
LIT.: M. TETZ, Athanasius und die Vita Antonii, Zschr. für Nt. Wiss. 73, 1983, 1–30 • S. RUBENSON, The Letters of St. Antony, 1990.   K. SA.

[6] beschrieb bald nach dem Tod des Symeon Stylita (459) in Syrien dessen Leben in griech. Sprache. Die frühe Entstehung der lat. Übers. ist durch Gregor v. Tours († 594) belegt (*Liber in gloria confessorum* c. 26). Biographiegesch. [4. 161–166] ist das Leben des (histor. gut bezeugten) Symeon als ein Extremfall der Anachorese bedeutsam; mit ihr verbindet sich ein außerhalb der kirchlichen Hierarchie stehendes Hirtenamt, dessen wachsende Bedeutung die immer höher geführte Säule manifestiert, auf der Symeon büßt und betet. Im östl. Bereich hat die Biographie über das Literarische hinaus gewirkt [5]. Im lat. Westen ist die Vita mehr bewundert als nachgeahmt worden (vgl. aber Greg. Tur. Franc. 8,15).

ED.: 1 H. LIETZMANN, Das Leben des hl. Symeon Stylites, 1908, 20–78 (griech.) 2 H. ROSWEYDE, Vitae Patrum, ²1628, 170–175 (PL 73,325–334) 3 Acta SS Ian. 1, 1643, 269–274 (lat.).
LIT.: 4 W. BERSCHIN, Biographie und Epochenstil im lat. MA 1, 1986 5 H. DELEHAYE, Les saints stylites, 1923.   W. B.

Antonius. Plebeischer Gentilname, nachweisbar vom 5. Jh. v. Chr. bis zum Ende der Ant. ([II 13] und [II 14] sind wohl gegen die Quellen keine Patrizier). Prominenz erlangte die Familie im 2. Jh. v. Chr. mit dem Redner M. Antonius [I 7] und seinen Nachkommen.

REPUBLIK

Pseudogenealogie sah in Ἄντων, einem Heraklessohn, den Ahnherren (Plut. Ant. 4,2; 36,7; 60,5).

[I 1] A., A., Gesandter an Perseus nach der Schlacht von Pydna 168 v. Chr. wegen seiner Auslieferung (Liv. 45,4,7). **[I 2] A., C.,** mit dem Spitznamen Hybrida (»der Bastard«, Plin. nat. 8,213), Sohn des Redners M. A. [I 7]. Unter Sulla war er Praefekt in Asien spätestens 84 v. Chr. und wurde 76 wegen seines Verhaltens auf die Anklage des jungen C. → Iulius Caesar verurteilt. Quaestor vor 70, im selben Jahr aus dem Senat ausgestoßen (Ascon. 84C); wohl 68 Volkstribun (*lex Antonia* über den Status von Termessos in Pisidien [CIL I² 589]; zur Datierung [1; 2]). 66 wurde er Praetor, 63 mit Cicero Konsul, wobei er den Catilinariern gegenüber eine zweideutige Haltung einnahm, aber nach dem unter seinen Auspizien erfochtenen Sieg durch seinen Legaten M. Petreius über Catilina Anfang 62 (Sall. Catil. 57–61 u. a.) zum *imperator* ausgerufen wurde. 62–60 Prokonsul in Makedonien, 59 wegen Beteiligung an der catilinarischen Verschwörung oder Versagen als Statthalter trotz der Verteidigung Ciceros verurteilt [3], worauf er ins Exil nach Kephallonia ging. 44 wieder Mitglied des Senats (Cic. Phil. 2,98–99), daher zuvor von Caesar begnadigt, 42 durch Unterstützung seines Neffen Censor.

1 MRR 2, 130; 141 **2** SYME, RP 2, 561 **3** ALEXANDER, 199–120.   K. L. E.

[I 3] C., Bruder des Triumvirn → A. [I 9], 54 v. Chr. Mitankläger in einem Repetundenprozeß gegen den von Cicero verteidigten A. → Gabinius [1]. 49 wurde A. als Legat des → Caesar von den Pompeianern in Illyricum zur Kapitulation gezwungen, 44 war er Praetor. Ende 44 wurde er zum Prokonsul von Macedonia ernannt, jedoch schon vor Erreichen seiner Prov. von → Brutus festgenommen und Anfang 42 ermordet (MRR 2,266; 319; 342).

1 DRUMANN/GROEBE 3, 54 f.   W. W.

[I 4] A. L., Bruder des → Triumvirn M. A. [I 9], begann seine offizielle Karriere im J. 50 v. Chr. als Quaestor (49 *proquaestor pro praetore*) in Asia (MRR 2, 249; 260). 44 folgte das Volkstribunat. Als die Konsuln M. A. und → Cornelius Dolabella im Juni ein Ackergesetz durchbrachten, das die Verteilung des gesamten *ager publicus* Italiens an Veteranen und bedürftige Bürger vorsah, übernahm A. den Vorsitz in der siebenköpfigen Kommission, die die Durchführung überwachen sollte (MRR 2, 332 f.). 43 kämpfte er mit seinem Bruder bei Forum Gallorum und Mutina, wurde mit ihm geächtet und zog ihm in die Gallia Narbonensis voraus [1. 101 ff.]. Als Konsul von 41 feierte er am 1.1. einen Triumph über nicht näher erwähnte Alpenvölker. Im selben Jahr geriet er mit Octavian, der nach Philippi rund 170 000 Veteranen versorgen sollte, in einen Konflikt, der sich schnell zu einem blutigen Vorspiel des späteren Bürgerkrieges der Triumvirn ausweitete, dem *bellum Perusinum*. A. und vor allem seine Schwägerin Fulvia argwöhnten eine Benachteiligung der Legionen des M. Antonius und widersetzten sich Octavians Anordnungen. Im offenen Krieg gewann dieser schnell die Oberhand und vermochte A. in Perusia einzuschließen, wo er im Febr. 40 kapitulierte (App. civ. 5,135 ff.; Cass. Dio 48,5–14). Er erhielt freien Abzug und ging später als Statthalter nach Spanien. Weiteres ist über ihn nicht bekannt. Ciceros *Philippicae* sind als Quelle über A.s Leben unbrauchbar.

→ Augustus; Bürgerkrieg

1 H. BENGTSON, Marcus A., 1977.   W. W.

[I 5] M., *magister equitum* 334 v. Chr. (Liv. 8,17,3). **[I 6] M.**, Volkstribun 167 v. Chr., Gegner der Kriegserklärung an Rhodos (Liv. 45,21; Pol. 30,4,5–6).   K. L. E.

[I 7] M. Antonius, Großvater des Triumvirn A. Geb. 143 v. Chr., 113 Quaestor in Kleinasien (erfolglos in Rom wegen Unzucht mit einer Vestalin angeklagt), kämpfte 102 als *praetor pro consule* gegen die kilikischen Piraten und triumphierte 100. Zunächst mit Zustimmung des C. → Marius 99 Konsul und 97 Censor mit L. → Valerius Flaccus, wurde er 87 von den Marianern ermordet. Mit L. → Licinius Crassus der herausragende Prozeßredner seiner Zeit (112 Anklage des Cn. → Papirius Carbo, 97 (?) Verteidigung des M.' → Aquillius, 96 (?) seines Quaestors C. → Norbanus). Da seine bes. Stärke im Vortrag lag (Cic. de orat. 3, 32; Brut. 138–144), publizierte er wohl seine Reden nicht. Cicero stilisiert ihn als Dialogpartner des Crassus in *de oratore* unhistor. zum überzeugten Optimaten. Verf. eines unvollendeten Werkes *de ratione dicendi* (Brut. 163; Fr.: ORF I⁴, 221–237).

ALEXANDER · E. BADIAN, Studies in Greek and Roman History, 1964, 46–56 · R. D. MEYER, Lit. Fiktion u. histor. Gehalt in Ciceros De oratore, 1970, 97–135 · U. W. SCHOLZ, Der Redner M. Antonius, 1963.   K. L. E.

[I 8] (Creticus), M., Sohn des Redners [I 7], erhielt 74 v. Chr. als Praetor ein außerordentliches Kommando gegen die Seeräuber im gesamten Mittelmeer (*imperium infinitum*, Cic. Verr. 2,2,8; 3,213; Vell. 2,31,3), das er als Prokonsul bis zu seinem Tod 71 innehatte. Er operierte zunächst im westl. Mittelmeer, kämpfte dann 72/71 gegen die Kreter, wurde von ihnen in einer Seeschlacht geschlagen und starb auf der Insel. Seine Amtsführung galt als für die Provinzialen verheerend, er selbst als indolent und habgierig (Sall. hist. 3,3). Ob der erst kaiserzeitlich belegte Beiname (Plut. Ant. 1; App. Sic. 6,1–2) bereits urspr. abwertend gemeint war, ist umstritten. Verheiratet in 2. Ehe mit Iulia, der Schwester Caesars, seine Söhne waren der Triumvir [I 9], [I 3] und [I 4].

J. LINDERSKI, The Surname of M. A. Creticus and the Cognomina ex victis gentibus, in: ZPE 80, 1990, 157–164 · E. MARÓTI, On the Problems of M. A.' Imperium infinitum, in: AAntHung 19, 1971, 259–272.   K. L. E.

[I 9] M., der Triumvir, wurde 82 v. Chr. als Sohn des M. → A. [I 8] geboren [3. 11 f., 83], sein späterer Gegner Cicero berichtet von einer ausschweifenden Jugend (Cic. Phil. 2,44 ff.). 58 ging A. nach Athen und lernte in den folgenden Jahren (57–55) als *praefectus equitum* (Plut. Ant. 3) unter dem Prokonsul A. Gabinius in Syrien die röm. Provinzialpolitik in rüdester Form [1. 109 f.] kennen. Die 54 vielleicht auf Vermittlung des befreundeten P. → Clodius (Cic. Phil. 2,48) erfolgte Hinwendung zu Caesar darf auch als Neubeginn gedeutet werden. (Die Freundschaft blieb – eine Ausnahme in dieser Zeit – trotz einiger Störungen bis zum Tode des Dictators stabil.) 52 wurde A. mit der Unterstützung Caesars Quaestor (MRR 2, 236) und diente diesem bis 50 als Legat in Gallien (Caes. Gall. 7,81,6), 50 wählte man ihn zum Auguren, im Dez. des J. trat er sein Amt als Volkstribun von 49 an (MRR 2, 254; 258).

Seine eigentliche polit. Karriere steht wie die keines anderen Politikers des 1. Jhs. im Zeichen der Bürgerkriege, mit denen sie beginnt und endet (Jan. 49 – Aug. 31). In den entscheidenden Senatssitzungen vor Ausbruch der Kämpfe vertrat A. zusammen mit → Scribonius Curio entschieden die Partei Caesars, mußte aber schließlich Rom verlassen [4. 173 ff.]. Nach der Flucht der Pompeianer übernahm er als Propraetor während Caesars Abwesenheit in Spanien den Oberbefehl in It., schickte Caesar 48 Truppen nach Dyrrhachion und kämpfte bei Pharsalos [3. 47 ff.]. Seit Okt. 48 *magister equitum* des Dictators Caesar, versuchte er der sozialen Unruhen in Rom (→ Cornelius Dolabella) durch mil. Maßnahmen Herr zu werden, konnte die Probleme bis zur Ankunft Caesars im Okt. 47 aber nicht lösen. Die Kritik, schon bei seiner Einsetzung durch den Dictator laut geworden, wurde nun durch Klatsch über seinen aufwendigen Lebensstil in Rom stark genährt (→ Cytheris). Caesar setzte ihn daher zunächst zurück, konnte aber doch auf den nach dem Tod des Curio wohl zuverlässigsten Mann seiner Umgebung nicht verzichten: A. wurde 44 Mitkonsul, beim Lupercalienfest 44 (15.2.) bot er Caesar das Königsdiadem an, das dieser angesichts mangelnder Resonanz im Volk zurückwies (Cic. Phil. 2,84–87).

Nach dem Mord an Caesar, zu dem er bis zuletzt loyal gestanden hatte, verstand es A. als erster zu handeln. Noch in der Nacht brachte er den Staatsschatz an sich, erhielt von Calpurnia die Papiere Caesars, der Senat bestätigte auf seinen Antrag dessen → *acta*. A. lavierte zunächst geschickt zw. Verschwörern und Senat, das Volk brachte er mit der berühmten Leichenrede (20. 3.) auf seine Seite (App. civ. 2,596–614 [3. 81 ff.]). Als Prov. erhielt er im Tausch für das bereits zugesprochene Macedonia die Gallia Cis- und Transalpina. Dennoch verschlechterte sich seine Lage, da sich der von Caesar testamentarisch adoptierte Octavian als unverhoffter Konkurrent erwies und der Senat sich gegen ihn stellte. Die Tyrannenfurcht schürte bes. Cicero (Att. 15,4,2), der am 2.9.44 mit seiner ersten von 14 (15) Philippischen Reden (in Anlehnung an die Reden des → Demosthenes gegen Philippos v. Makedonien) den kurzen Kampf gegen A. eröffnete [8. 81 ff.]. Nach 2 Niederlagen bei Forum Gallorum und Mutina gegen Senatsheere im April 43 wich A. über die Alpen zurück, der Senat ächtete ihn [7. 55 ff.].

Eine neuerliche Wende kam bereits Ende Mai, als in Forum Iulii (Fréjus) der Prokonsul → Aemilius [I 12] Lepidus mit seinen Heeren zu A. überging. Octavian einigte sich nun bei Bononia (Bologna) am 27.11.43 mit A. und Lepidus auf ein Bündnis, das »Zweite Triumvirat« (*tresviri rei publicae constituendae*) [4. 11 ff.]. Rund 2.300 polit. Gegner (mit Vermögen), darunter Cicero, wurden geächtet [2. 5 ff.] und ermordet (→ *proscriptio*).

Der Kampf gegen die Caesarmörder entschied sich im Herbst 42 bei Philippi; der Sieg war allein A. zu danken, Octavian ließ sich entschuldigen. A. erhielt nun die Gallia Narbonensis bzw. Transalpina und übernahm die Aufgabe, im Osten Kontributionen einzutreiben (Quellen zu den J. 43 und 42: MRR 2, 337f.; 342f.; 357f.). Er bereitete einen Partherkrieg vor, ein mil. Konflikt eines Bruders L. A. [I 4] und seiner Gattin Fulvia mit Octavian, das *bellum Perusinum*, führte ihn aber zunächst (Frühj. 40) nach It. zurück. Kurzfristig drohte ein Krieg zw. den beiden Triumvirn, doch im Herbst einigten sie sich im Vertrag von Brundisium auf eine Aufteilung der Interessensphären: A. bekam den Osten [6. 9 ff.], Octavian den Westen, Lepidus behielt Africa.

Nach dem Tod Fulvias heiratete A. Octavia, Octavians Schwester, mit der er im Herbst 39 nach Athen ging. 37 verlängerten Octavian und A. ihre Abmachungen um weitere 5 Jahre, 36 enthob man Lepidus seiner Ämter und machte (ohne formale Änderung) das Triumvirat auch nach außen zu dem, was es de facto immer gewesen war, zu einem Duumvirat. Da im selben Jahr Sex. → Pompeius, der im Besitz einer überlegenen Flotte trotz der Einigung von Misenum im J. 39 eine Gefahr für Octavians Herrschaft in It. darstellte, bei Naulochos besiegt worden war, waren die Weichen für die große Auseinandersetzung zw. A. und Octavian gestellt. Ebenfalls 36 begann A. seinen Partherkrieg, der mit schweren Verlusten endete. Spätestens seit 37 wurde seine Politik auch immer stärker von der ägypt. Königin Kleopatra VII. mitgeprägt, die er 41 in Tarsos kennen- (und wohl auch lieben) gelernt hatte. Octavia war 37 bei ihrem Bruder im Westen geblieben, die Trennung vollzog sich jedoch langsam und wurde erst 34 offiziell. 34 eroberte A. Armenien, nahm den König Artavasdes [2] gefangen, dem er als damaligem Verbündeten Schuld an der Partherniederlage gab, und veranstaltete – statt in Rom – in Alexandria einen Triumphzug. Kleopatra und ihren Kindern von A. wurden bes. Ehren erwiesen, Kaisarion, der illegitime Sohn Caesars, erhielt den Titel »König der Könige«.

Rom und der »nur« adoptierte Caesarensohn zeigten sich empört. Die Propagandaschlacht hatte begonnen, die militärische wurde vorbereitet. Octavian gewann die erstere, indem er sich durch einen Überläufer A.' Testament, das sich als Verrat an Rom interpretieren ließ, aneignete und veröffentlichte. Der Senat erklärte Kleopatra (nicht Antonius) den Krieg. Im Herbst 32 hatte A. Heer und Flotte an die griech. Westküste geführt und plante nach It. überzusetzen. Octavian kam ihm zuvor und setzte sich im Frühjahr 31 in Epirus fest, wo er A. kleinere Niederlagen beibringen konnte. Am 2.9.31 siegte schließlich unter dem Kommando des → Agrippa seine numerisch überlegene Flotte über die des A., der mit Kleopatra nach Ägypten floh. Zwar hatte er einen Teil der Schiffe retten können und verfügte noch über erhebliche Finanzmittel, doch konnte er keinen nennenswerten Widerstand mehr organisieren. Am 1. Aug. 30 eroberte Octavian Alexandria; A. wählte den

Freitod, sein Name verfiel (für kurze Zeit) der → *damnatio memoriae*.

Die Gesch. des A. wurde von einer offiziösen Historiographie nach den Sprachregelungen des Siegers geschrieben. Sein Bild in der Nachwelt ist zudem geprägt von den Beschimpfungen und Denunziationen des späten Cicero. Ohne Zweifel gehörte A. (nach Caesar) zu den größten Schuldnern der Republik und bereicherte sich in den Prov. und (wie Octavian) durch die Proskriptionen in großem Maß. Der polit. Opportunismus der weitaus meisten seiner Standesgenossen war ihm jedoch ebenso fremd wie die Bigotterie eines Octavian; wenn er seinem Gegenspieler unterlag, dann vielleicht auch, weil ihm – anders als diesem – Macht nicht alles bedeutete.

1 E. BADIAN, Publicans and sinners, 1972 2 H. BENGTSON, Zu den Proskriptionen der Triumvirn, SBAW Phil.-Hist. Kl., 1972, 3 3 H. BENGTSON, Marcus A., 1977 4 J. BLEICKEN, Zw. Republik und Prinzipat. Abh. d. Akad. d. Wiss. Göttingen 185, 1990 5 H. BOTERMANN, Die Soldaten und die röm. Politik in der Zeit von Caesars Tod bis zur Begründung des zweiten Trimvirats, 1968 6 H. BUCHHEIM, Die Orientpolitik des Triumvirn M. A., SHAW 1960 7 M. CLAUSS, Cleopatra, 1994 8 M. FUHRMANN, Cicero, Sämtliche Reden VII, 1982. W. W.

[I 10] A., M., Antyllos genannt (Plut. Ant. 71,81), älterer der zwei Söhne des Triumvirn A. [I 9] aus der Ehe mit → Fulvia. 36 v. Chr. wurde er als Kind mit Octavians Tochter Iulia verlobt (Suet. Aug. 63,2), um das Bündnis der Triumvirn zu festigen. 6 Jahre später ließ ihn der Sieger von Aktium ermorden (Suet. Aug. 17,5). W. W.

[I 11] A. Balbus, Q., prägte als Praetor 83 v. Chr. Münzen (RRC 364); wohl Propraetor in Sardinien 82, wo er von Sullas Truppen geschlagen und getötet wurde (Liv. per. 86). K. L. E.

[I 12] Gnipho, M. Das freigeborene Findelkind aus Gallien (114?–64?) bekam eine gute Erziehung. Freigelassen, wurde er Grammatik- und Rhet.-Lehrer (Suet. gramm. 7). Nachdem er den jungen C. Iulius → Caesar unterrichtet hatte, gründete er in seinem eigenen Haus eine Schule, wo ihn Cicero 66 v. Chr. über Rhet. lesen hörte. Er wurde nicht älter als 50 J. Sueton erwähnt »zahlreiche« Schriften. Ein Komm. zu Ennius' *Annales* ist unabhängig bezeugt, doch behauptet sein Schüler → Ateius [I 5] Philologus, daß nur 2 B. *De Latino sermone* authentisch seien, während der Rest ihm nur zugeschriebene Werke seiner Schüler seien. Vermutlich wandte er eine auf Analogieschlüssen beruhende Methode zur lat. Morphologie an (Quint. inst. 1,6,23).

ED.: GRF 98–100.
LIT.: HLL § 279 · R. A. KASTER, Suetonius, De Grammaticis et Rhetoribus, 1995, 116–122. R. A. K.

[I 13] A. Merenda, T., einer der Decemvirn zur Aufzeichnung der Zwölf Tafeln 450–449 v. Chr. Er kämpfte mit anderen Decemvirn gegen die Aequer und erlitt am Algidus eine Niederlage (Liv. 3,35,11; 3,41 ff.; Dion.

Hal. ant. 10,58; 11,58 u. a.). **[I 14] A. Merula, Q.**, Konsulartribun 422 v. Chr. (Liv. 4,42,2), wohl Sohn von A. [I 13]. K. L. E.

II. KAISERZEIT

[II 1] A. Iullus, Sohn von Marcus → A. [I 9] und Fulvia, in Rom von Octavia, der Schwester Octavians, erzogen (Plut. Ant. 54). Im J. 21 erhielt er Claudia Marcella, → Augustus' Nichte, zur Frau (Plut. Ant. 87; Vell. 2,100,4). *Praetor* 13 v. Chr., *cos. ord.* 10 v. Chr.; mehrere Statthalterschaften, darunter das Prokonsulat von Asia (Vell. 2,100,4; Ios. ant. Iud. 16,172). 2 v. Chr. einer ehebrecherischen Beziehung zu → Iulia angeklagt (mit möglichem polit. Hintergrund) und hingerichtet (Sen. brev. vit. 4,6; Tac. ann. 4,44,3; PIR² A 800). **[II 2] L.**, Sohn von A. [II 1], von Augustus nach dem Tod des Vaters unter dem Vorwand von Studien nach Massilia verbannt; er starb im J. 25 (Tac. ann. 4,44,3; PIR² A 802). **[II 3] A. Albus, L.** *cos. suff.* im J. 102; A. [II 4] ist sein Sohn [1]. **[II 4] A. Albus, L.**, Sohn von A. [II 3]. *Cos. suff.* um 132, *procos. Asiae* um 147/149 (AE 1972, 567; Aristeid. or. 49,38).

[II 5] A. Balbus, ritterlicher Herkunft, Aufnahme in den Senat, schließlich *procos. Africae* [2]. Wohl identisch mit einem der PIR² A 816; 817 genannten gleichnamigen Senatoren. Er gehört also in die ersten Jahrzehnte des 3. Jhs. **[II 6] A. Felix, M.** Bruder von M. A. [II 10] Pallas. Das *nomen gentile* nach Ios. ant. Iud. 20,137 Claudius, ebenso Aur. Vict. epit. Caes. 4,7, nach Tac. hist. 5,9,3 Antonius. Wenn [3] zu Recht in AE 1967, 525 (vgl. DEVIJVER, 4, 1, M 68) Felix identifiziert, dann lautete das *nomen* Claudius (vgl. aber CIL V 34). Bereits vor 52 Procurator von Samaria; nach einem Streit mit Ventidius Cumanus, dem Procurator von Iudaea, wurde ihm auch dieses Gebiet übertragen. Dort unterdrückte er messianische Aufstandsbewegungen, den Hohepriester Ionathan ließ er töten (Ios. ant. Iud. 20,162 ff.). Vor ihm wurde auch Paulus in Caesarea angeklagt und für zwei Jahre in Haft gehalten (Act. apost. 23 f.). Nach Tac. hist. 5,9 herrschte er despotisch über Iudaea. Deshalb nach dem Tod des Claudius nach Rom zurückgerufen und angeklagt, aber durch den Einfluß des Pallas freigesprochen (Ios. ant. Iud. 20,182). Mit drei Königinnen verheiratet (Suet. Claud. 28), darunter mit → Iulia Drusilla, einer Enkelin des → Antonius [I 9]und Kleopatra, und Drusilla, Tochter von → Herodes Agrippa I. (PIR² A 828) [3. 126–141; 4]. **[II 7] A. Flamma.** Im J. 70 auf Anklage der Cyrenenser wegen Repetunden im Senat verurteilt (Tac. hist. 4,45,2); vielleicht *procos.* von Creta-Cyrenae (zur Herkunft EOS 2, 677 f.; 683).

[II 8] A. Gordianus, M. s. → Gordianus (I. II. III.). **[II 9] A. Naso, L.** Praetorianertribun, der von → Galba entlassen wurde (Tac. hist. 1,20,3); später wieder ins Heer aufgenommen; seine Laufbahn bis zur Patrimonialprocuratur in Pontus-Bithynien in ILS 9199 = IGLSyr 6, 2781 (DEVIJVER, A 139). **[II 10] A. Pallas, M.** Sklave von → Antonia [4] d. J., die ihn im J. 31 wegen L. → Aelius [II 19] Seianus zu Tiberius sandte (Ios. ant. Iud. 18,182); er wurde später von ihr freigelassen. Bruder von M. A. [II 6] Felix. Unter Claudius für die kaiserlichen Finanzen zuständig (*a rationibus*, Suet. Claud. 28; Plin. epist. 8,6,7); nicht wegen seiner Funktion, sondern wegen seiner Nähe zu Claudius sehr mächtig [5]. Er förderte Agrippinas Hochzeit mit Claudius, auch die Adoption von → Nero (Tac. ann. 12,1 f.; 25). Vom Senat mit *ornamenta praetoria* geehrt; der Beschluß wurde auf einer Bronzetafel an der Statue des *divus Iulius* veröffentlicht (Plin. epist. 7,29,2; 8,6,11; Tac. ann. 12,53). Durch Nero im J. 55 entmachtet (Tac. ann. 13,2; 14); im J. 62 wegen seines Reichtums getötet (Tac. ann. 14,65,1). Sein Grab an der *via Tiburtina* stand noch in traianischer Zeit; dort wurde auch das *senatus consultum* des J. 52 der Öffentlichkeit präsentiert (Plin. epist. 7,29; 8,6; PIR² A 858). **[II 11] A. Polemo, M.** s. → Polemon [1] **[II 12] Polemo, M.** s. → Polemon [2].

[II 13] A. Primus, M., aus Tolosa in der Narbonensis (Suet. Vit. 18); Senator, 61 n.Chr. wegen Testamentsfälschung aus dem Senat entfernt (Tac. ann. 14,40). Von Galba wieder in den Senat aufgenommen, Legat der *legio* VII *Galbiana* (Tac. hist. 2,86). 69 Anschluß an Vespasian, Führer der pannonischen und mösischen Legionen beim Marsch auf It. gegen Vitellius, Verbindung mit Iulius Civilis. Sieger in der Schlacht von Bedriacum, Vernichtung von Cremona (Tac. hist. 3,9–34). Unter seiner Führung wurde Rom erobert (Tac. hist. 3,78 ff.; Ios. bell. Iud. 4,633 ff.), und so lag für kurze Zeit die entscheidende Macht in seiner Hand (Tac. hist. 4,2,1). Er wurde mit den *insignia consularia* ausgezeichnet (Tac. hist. 4,4), dann von Mucianus entmachtet (Tac. hist. 4,11; 39); auch Vespasian förderte ihn nicht mehr (hist. 4,80,2 f.). Rückzug nach Tolosa, wo er in den 90er Jahren noch lebte (Mart. 9,99; 10,23; 32; 73). **[II 14] A. Rufus, A.**, *cos. suff.* im J. 45 (Ios. ant. Iud. 20,14; AE 1974, 274; vgl. auch [6]).

[II 15] A. Saturninus, L. *homo novus*, vielleicht von der iberischen Halbinsel [7]. Evtl. praetorischer Legat von Iudaea (AE 1979, 565) [8]. *Cos. suff.* wohl 82, konsularer Legat von Germania superior 88/89; Rebellion gegen Domitian, Akklamation als Kaiser, verbündet mit den Chatten, von Lappius Maximus besiegt, (Suet. Dom. 6,2; Mart. 4,11) [9]. **[II 16] A. Taurus**, Praetorianertribun, von Galba entlassen (Tac. hist. 1,20,3; PIR² A 879). **[II 17] Zeno, M.** Nachkomme des pontischthrak. Königshauses [10], praetorischer Statthalter von Thracia 142/144 [11], *cos. suff.* 148. **[II 18] A. Zeno, M.**, Sohn von A. [II 17]. *Cos. suff.* um 168, Prokonsul von Africa 184 (AE 1966, 511).

1 HALFMANN, 118 f. 2 M. G. LAURO, Castelporziano, in: Castelporziano 2, 1988, 57 ff. 3 KOKKINOS, A fresh look at the gentilicium of Felix, procurator of Judaea, in: Latomus 49, 1990, 126–141 4 J.-P. LÉMONON, Pilate et le gouvernement de la Judée, 1981, passim 5 W. ECK, Die Bed. der claudischen Regierungszeit für die administrative Entwicklung des röm. Reiches, in: V. M. STROCKA (Hrsg.), Die Regierungszeit des Kaisers Claudius, 1994, 23–34 6 G. CAMODECA, L'archivio Puteolano, 1, 1992, 189, 223, 225 A. 49 7 CABALLOS 1, 72 ff. 8 SYME, RP 3, 1070 ff.

9 ECK, 40 f. 10 A. CEYLAN, T. RITTI, L. Antonius Zenon, in: Epigraphica 49, 1987, 77–98 11 Thomasson 1, 164. W.E.

[II 19] Musa, Arzt, Anhänger des → Asklepiades [6, von Bithynien], Freigelassener des Augustus und Bruder des als Leibarzt des Königs Iuba tätigen Euphorbus (Plin. nat. 29,6). Im Jahre 23 v. Chr. heilte er Augustus von einer schweren Krankheit, indem er ihm kaltes Wasser und Salatblätter verordnete, und wurde mit einer Bildsäule, viel Geld, dem Recht, einen goldenen Ring zu tragen, und anderen Privilegien belohnt (Suet. Aug. 81; Cass. Dio 53,30). Dios Behauptung, A. habe für seine Kollegen Steuerimmunität erwirkt, ist übertrieben. Seine Behandlung mit Wasser blieb in Mode, fiel jedoch nach der mißlungenen Heilung des Marcellus in Mißkredit [1]. Ob er persönlich in Ungnade fiel, ist ungewiß. Die Bewohner der Insel Samos ehrten ihn als Euergetes, vielleicht im Jahre 21/19 v.Chr. [2]. Plin. nat. 30,117 berichtet, daß ein Arzt namens Antonius, möglicherweise Musa, seinen an Geschwüren erkrankten Patienten Vipernfleisch verabreichte; Scribonius Largus, comp. 120 schreibt ihm ein Rezept gegen Magenschmerzen und Entzündungen zu. Galen führt ihn unter den wichtigen Verf. pharmakologischer Schriften auf und nennt einige von einem gewissen Musa verf. Rezepte, von denen keines aus erster Hand stammt (Gal. 13,812). Auch bei Gal. 12,989 fällt der Name Antonius, doch ist eine genaue Identifizierung strittig: der griech. Text basiert auf unsicherer Grundlage, an anderer Stelle spricht Galen ausschließlich von Petronius Musa, einem wesentlich bekannteren Verf. pharmakologischer Schriften zu etwa derselben Zeit. Der Name des A. wird mit der spätlat. Schrift *De herba vettonica* verbunden, die vermutlich im 4. Jh. geschrieben wurde und mit Ps.-Apuleius in Umlauf kam. Grundlos ist die Annahme, er sei der Verf. der im Ps.-Apuleischen Corpus enthaltenen *Precationes* und der ps.-hippokratischen *Epistula ad Maecenatem*. Ein Großteil von *De herba vettonica* wurde ins Angelsächsische übersetzt und wurde so der früheste medizinische Text, der in einer Volkssprache verfügbar war.

1 G. DELLA CORTE, Pompeiana, 1950, 91 2 MDAI(A), 1960, 141.

ED.: 3 De herba vettonica, ed. princeps, 1481 4 E. HOWALD, H. E. SIGERIST, CML IV, 1927 5 H. ZOTTER (Hrsg. und Übers.), Ant. Medizin, 1980 6 H. J. DE VRIEND, The Old English Herbarium, 1984, 31–37 7 F. CALDANI (Hrsg.), Fragmenta, 1800.

LIT.: 8 M. WELLMANN, s. v. Antonius, RE I, 2633 f. 9 PIR I² 236 f. 10 F. KUDLIEN, s. v. Antonius, KlP 1,415 11 C. FABRICIUS, Galens Exzerpte, 1972, 44, 201, 243 12 P. P. CORSETTI, in: MPalerne 1987, 36–38 13 M. MICHLER, Principis medicus – Antonius Musa, in: ANRW II 37.1, 1993, 757–785. V.N. / L. v. R.-B.

Antonomasie s. Figuren

Antron (Ἄντρων). Stadt in → Achaia Phthiotis am Malischen Golf gegenüber → Euboia beim h. Fano auf einem Felsen ca. 25 m über dem Meer. Erh. sind Reste der sehr alten Stadtmauer und Nekropolen von myk. bis in röm. Zeit. Homer (Il. 2,697; h. Demeter 491 [1. 181–183]) erwähnt A. und ihren → Demeter-Kult. → Philippos II. brachte A. 342 v. Chr. durch Bestechung in maked. Besitz. 302 v. Chr. wurde A. von → Demetrios eingenommen. Offenbar war A. bis zum 3. Maked. Krieg noch maked., denn 171 v. Chr. ergab sich die Stadt den Römern. Der sprichwörtliche Ausdruck »Antronischer Esel« (ὄνος Ἀντρώνιος) für eine gewaltige oder riskante Sache bezieht sich auf eine so geformte Küstenklippe.

1 F. STÄHLIN, Das hellenische Thessalien, 1924.

M.PH. PAPAKONSTANTINOU, Το νοτιό και το δυτικό τμήμα της Αχαΐας φθιώτιδος από τους κλασικούς μέχρι τους ρωμαϊκούς χρόνους in: La Thessalie, quinze années de recherches archéologiques, 1975–1990, Actes du colloque international, Lyon 1990, 1994, 229f.   HE. KR.

Antunnacum. Heute Andernach, Kreuzungspunkt wichtiger Fernwege (CIL XVII 2,675; Amm. 18,2,4) mit der Rheintalstraße → Mogontiacum – → Colonia Agrippinensis; neben dem schon im 1. Jh. n. Chr. benannten röm. Kohortenkastell auf dem »Hügelchen« ein → vicus mit Verladehafen für Güter aus dem Binnenland (z. B. Mühl- und Werksteine aus den Steinbrüchen um Mayen). In der Spätant. wurde das überschwemmungsgefährdete Vicus-Areal auf etwa 5,6 ha mit einer noch immer bis zu 5 m hohen Mauer und runden vorspringenden Türmen umwehrt. → Iulianus hat diese Befestigung erneuert (361–363 n. Chr.), ehe sie – 406 n. Chr. vom Germanen-Einfall verschont – vom röm. Militär geräumt wurde. Dennoch dauerte die beim → Geogr. Rav. 4,24 schon *Antemacha* gen. Siedlung – ein Paradebeispiel für Siedlungskontinuität – ins MA fort.

H.-J. HEYEN, s. v. Andernach, LMA 1, 595f. · H.-H. WEGNER, Andernach, in: H. CÜPPERS (Hrsg.), Die Römer in Rheinland-Pfalz, 1990, 304–307 · Ders., Andernach im FrühMA, 1988.   K. DI.

Antyllos (Ἄντυλλος). **[1]** Grammatiker und Rhetor unbekannter Zeit (Suda). Er verfaßte eine Biographie des Thukydides, die in der Thukydides-Vita des Markellinos (22, 36, 55), und einen Komm. zu Thukydides, der in einigen Scholien benutzt und zitiert wird (zu 1,2,3; 3,95,1; 4,19,1 und 28,2).

F. GOSLINGS, Observationes ad Sch. in Thuc., 1874, 54ff. · R. TOSI, Scolifantasma tucididei, 1983.   M. W.

[2] Griech. Arzt und Chirurg, der zwischen Antigenes (spätes 1. Jh. n. Chr.) und Oreibasios (Mitte des 4. Jh.) lebte und dem die Lehren der Pneumatiker sowie die Humoralpathologie vertraut waren [7]. Er schrieb über Behandlungsmethoden, bes. über Bäder, und gab nützliche Hinweise zur Ausstattung eines Krankenzimmers,

zur Errichtung eines sanitären Ansprüchen genügenden Armeelagers sowie zur Herstellung und Verwendung von Salben, Augenwasser, Pessaren und Balsam. Er schrieb ausführlich über sportliche Betätigungen, einschließlich der verschiedenen Sportarten wie z. B. Schwimmen, Seilspringen und Gewichtheben. Er war ein begnadeter Chirurg, und in den Fragmenten seiner Schriften finden sich Empfehlungen zur Behandlung von Aneurysmen, Katarakt, Wassersucht, Hernien, Hydatidenzysten, Hypospadie, Tonsillen, Phimose, Steatome sowie unterschiedlichen Mißbildungen der Brüste und Genitalien. Er resezierte Knochen und Gelenke und empfahl bei Erstickungsgefahr eine Tracheotomie. Seine Beschreibung der Kataraktbehandlung ist ebenfalls detailliert [6; 8]. Seine chirurgische Technik bei tief im Schädel sitzenden Abszessen und im Umgang mit Fisteln allg. war durchaus erfolgversprechend. Bei vielen Krankheiten befürwortete er mit aller Vorsicht den Aderlaß. Seine Beschreibungen von Eingriffen an Arterien zeigen, daß er sich des gegenüber einer Venenoperation höheren Risikos bewußt war. Ob Galen seine Schriften kannte, ist umstritten: Zit. aus einem Galen zugeschriebenen Renaissancekomm. zu *De humoribus* stammen von Oreibasios, für den A. eine wichtige Quelle war. A. wird in einem späten Papyrus zit. (P Ant. 128 = MARGANNE S. 99) sowie von arab. Autoren. Sein ausführlicher Ber. über sportliche Übungen bildet die Grundlage für das berühmte *De arte gymnastica* von H. MERCURIALIS 1569.

→ Chirurgie; Ophthalmologie; Pneumatische Schule

ED.: 1 P. NICOLAIDES, 1799 (Fragmente) 2 SEZGIN, 63 (arab. Überlieferung) 3 ULLMANN, 78.
LIT.: 4 M. WELLMANN, s. v. A. [3], RE I, 2644 5 F. KUDLIEN, s. v. A. [2], KlP 1, 415f. 6 J. HIRSCHBERG, Die Staroperation nach A., in: Centralblatt für praktische Augenheilkunde 1904, 97–100 7 R. L. GRANT, Antyllus and his medical works, in: BHM 1960, 154–174 8 U. WEISSER, Die Starnadeln von Montbellet, in: JRGZ 1985, 486–488.   V. N. / L. v. R.-B.

Antyx. Erhöhter Metallrand des gr. Schildes (Hom. Il. 6,118; 15,645; 18,479 u. ö.), zugleich auch reifenartiges Geländer oder Brüstung des gr. Renn- und Streitwagens (archaische Vasenbilder [1.524 Abb. 44]), an dem man sich während des Auf- und Absteigens festhalten konnte (Hom. Il. 5,728f.; 16,406). Offensichtlich aus Holz gefertigt (Hom. Il. 21,38). Wenn der Wagen stand, konnte man die Zügel um die A. schlingen (Hom. Il. 5,262).

1 C. WEISS, M. BOSS, Original und Restaurierung, in: AA 1992, 522–528.

J. WIESNER, Fahren und Reiten, ArchHom F, 1968, 15f., 104.   R. H.

Anubion. Verfasser eines astrologischen Lehrgedichtes in elegischer Form, von dem nur eine Paraphrase in Prosa und einige Verse in den dem → Manetho zugeschriebenen Ἀποτελεσματικά (apotelesmatiká) überliefert sind. → Firmicus Maternus hat das Gedicht nachweislich benutzt.

→ Lehrgedicht

CCAG II, 202–212 · CCAG VIII 2, 57 und 62.   C.S.

Anubis. Ägypt. Gott, dargestellt als auf einem Kasten liegender Canide oder als Mensch mit Hundekopf (vgl. auch Upuaut von Assiut, Chontamenti von → Abydos). Sein Name, *jnpw*, bedeutet »Kind«, ein Hinweis entweder auf ein Jungtier oder ein Kind aus königlichem Hause, womit Horus, der Thronerbe des Osiris, gemeint sein kann. Bei Plut. Is. 14 gilt A. als Sohn des Osiris aus einer Verbindung mit Nephthys. Sonst wird die kuhköpfige Hesat aus Atfih als seine Mutter bezeichnet. Hauptkultgebiet ist der 17. oberägypt. Gau (Kynopolites), dessen Gauzeichen ein liegender Schakal mit einer Feder auf dem Rücken ist. Epitheta weisen A. als Totenwächter und Bewohner des Wüstengebirges aus: »Herr des abgesonderten Landes«, »der auf seinem Berge ist«. Er versorgt den Toten bei der Mumifizierung und der rituellen Reinigung, fungiert als Totenrichter bzw. nimmt die Wägung des Herzens wahr. In griech. Zeit wird A. zu → Hermes Psychopompos [1].

1 S. MORENZ, in: Wiss. Zschr. der Karl-Marx-Univ. Leipzig, 1953/4, 79–84.

B. ALTENMÜLLER, LÄ 1, 327–333.   R. GR.

Anullinus. Senator, dessen Freigelassener Diokletian gewesen sein soll (Eutr. 9,19,2; Aur. Vict. Caes. 39,1; Zon. 12,31).   A. B.

Anulus s. Ornament

Anxur s. Tarracina

Anysis. Nach Hdt. 2,137–40 ein blinder König aus einer gleichnamigen Stadt, in dessen Regierungszeit die Äthiopen unter S(ch)abako Ägypten eroberten. Histor. nicht zu identifizieren, handelt es sich wohl um eine Erinnerung an das Weiterbestehen selbständiger Deltadynasten während der Herrschaft der nubischen Könige (25. Dynastie).

A. B. LLOYD, Herodotus, Book II, Commentary 99–182, 1988, 90–92.   K. J.-W.

Anyte. Epigrammdichterin des »Kranzes« des Meleagros (Anth. Pal. 4,1,5), angesehene Vertreterin der peloponnesischen Schule. In Tegea, Arkadien, geboren (nicht in Mytilene, wie das Lemma von Anth. Pal. 7,492 irrtümlich angibt, vgl. Poll. 5,48; Steph. Byz. 610,16), lebte sie aller Wahrscheinlichkeit nach um die Wende vom 4. zum 3.Jh. v.Chr. und war auch Verf.in verlorener ep. und lyr. Dichtungen (SH 80f.). Von ihr stammen wenigstens 19 Epigramme (unsicher oder umstrit-

ten sind darüber hinaus Anth. Pal. 7,190; 232; 236; 492; 538), die fast alle kurz sind (A. zeigt eine Vorliebe für das Doppeldistichon) und sich durch elegante Einfachheit und Klarheit auszeichnen. Es handelt sich dabei um anathematische, epideiktische und vor allem Grabepigramme; viele dieser Grabepigramme sehen ganz nach tatsächlichen Inschr.en aus (Anth. Pal. 7,208; 486; 490; 646; 649 = GVI 220; 919; 1189; 1204; 1416), auch wenn sie nicht selten Tieren gewidmet sind (Anth. Pal. 7,202; 208; 215 usw.). Bemerkenswert sind die in der Frische ihrer Bilder kaum wieder erreichten Landschaftsbeschreibungen, die wie im bukolischen Eidyllion auch Ziegen, Nymphen und Pan persönlich in den Mittelpunkt stellen (9,313f.; 16,228; 231; 291). Charakteristisch ist darüber hinaus das noch nicht ausgetretene und konventionell gewordene Motiv des *ante nuptias* verstorbenen Mädchens (7,486; 490; 649): Die Feinheit der Nuancen bemerkt man auch, wenn gelegentlich patriotische und kriegerische Themen aufscheinen (7,208; 724; offenkundig ist die kriegsfeindliche Einstellung in 6,123).

Statuen zu Ehren der A., die Antipatros von Thessalonike den ›weiblichen Homer‹ nennen sollte (9,26,3, wenn der Ausdruck sich nicht auf die in V. 4 zit. Sappho bezieht), wurden nach Tatian (*Oratio ad Graecos* 33) von Euthykrates und Kephiodoros angefertigt.

GA I 1,35–41; 2,89–104 · Anyte. The Epigrams. A Critical Edition with Commentary by D. GEOGHEGAN, 1979.   E. D./T. H.

Anytos (Ἄνυτος). Sohn des Anthemion, wohlhabender Athener. 409 v.Chr. wurde A. als Strategos mit einer Flotte nach Pylos gesandt, unterwegs aber durch Stürme zur Umkehr gezwungen; von der darauffolgenden Anklage wurde er jedoch freigesprochen – angeblich durch Bestechung (Diod. 13,64,6). 404 von den 30 Tyrannen (→ Triakonta) verbannt, an deren Sturz 404/3 er dann mit → Thrasybulos maßgeblichen Anteil hatte (Xen. hell. 2,3,42;44), mit dem er seit 403 einer der einflußreichsten athenischen Politiker war (Isokr. or. 18,23). Er gehörte zu den Liebhabern des → Alkibiades [3] (Plut. Alkibiades 4) und verkehrte offenbar mit → Sokrates – jedenfalls tritt er im platonischen *Menon* auf –, als dessen Ankläger er aber 399 erscheint (Plat. apol. 18b; 29c; 30b; 31a). 396 nahm er mit Thrasybulos noch an einer Volksversammlung teil (Hell. Oxyrh. 6,2), wenig später wurde er verbannt und soll in Herakleia am Pontos wegen seiner Beteiligung am Sokratesprozeß gesteinigt worden sein (Diog. Laërt. 2,43; Them. or. 20,239c). PA und DAVIES, 1324; TRAILL PAA, 139460.   M. MEI.

Aoiden (ἀοιδοί »Sänger«, zu ἀείδω, später ᾄδω »singen«, vgl. ἀοιδή, später ᾠδή »Ode«, »Gesang«). Als t.t. der Sprache des frühgriech. Epos ist A. Bezeichnung und Selbstbezeichnung eines eigenen Berufsstandes, der in vorhomer. und homer. Zeit die Funktion des Dichters (und zugleich, im besseren Falle, des künstlerisch kreativen Intellektuellen) ausübte. Gesellschaftliche Stellung, Selbstauffassung, Wirkungsweise usw. der A. lassen sich aus den A.-Bildern rekonstruieren, die Homer in *Ilias* (z. B. 24,720; 2,595–600) und *Odyssee* (in den A. → Demodokos und → Phemios sowie den namenlosen A. 3,267f. und 4,17) als indirekte Selbstdarstellungen einspiegelt: Der Berufsstand ist qualitativ und sozial (wie aus der Frühgesch. auch anderer Völker geläufig [1. 45]) stark differenziert; die Besten des Standes wirken in fester Stellung an Königshöfen (bei Agamemnon: Od. 3,267f.; bei Menelaos: Od. 4,17; beim Phaiakenkönig Alkinoos: Demodokos; am Hofe des Königs von Ithaka Odysseus: Phemios), weniger herausragende Vertreter sind Wandersänger und gelten als »Gemeindewerker« (*dēmiurgoí*: Od. 17,383). Als Bewahrer des kollektiven Gedächtnisses Bestärker der Selbstachtung des Publikums durch Imaginierung gewaltiger Taten (κλέα ἀνδρῶν) von dessen Vorfahren, Vermittler von Wissen und Lebensklugheit sowie als Erzeuger alltagsenthobenen ästhetischen Genusses (τέρπειν) sind die A. hochgeachtete, von der Aura der Gottbegnadetheit (Zeus, Apollon, die Musen) umgebene »besondere« Mitglieder der Gesellschaft (s. bes. die Selbstdarstellung bei Hes. theog. 94–103). Sie tragen insbesondere am Königs- oder Adelshof nach dem gemeinsamen Mahl entweder nach eigener Wahl oder auf Anforderung frei improvisierend zur viersaitigen Phorminx zusammenhängende Stücke (οἴμας) aus der (dem Publikum im Umriß bekannten) Sangestradition vor, deren Stoff der Götter- und Helden-Mythos ist (bisher unübertroffen materialreiche und stringente Rekonstruktion der A.-Existenz bei WELCKER [2], vgl. auch LATACZ [1. 40–42, 110f., 88]; Rekonstruktion der Vortragstechnik bei PARRY [3] und LORD [4]).

Die A. als *mündlich* improvisierende Wortkünstler verlieren durch die Einführung der Schrift (um 800) allmählich ihre Produktionsvoraussetzung; an ihre Stelle treten die überwiegend auswendig repetierenden → Rhapsoden (Versuch einer Rekonstruktion dieses Prozesses: LATACZ [5. 10–13]).

1 J. LATACZ, Homer, ²1989 (mit weiterer Lit.) 2 F. G. WELCKER, Über den Vortrag der Homer. Gedichte. Äöden, Rhapsoden, Rhapsodenagone, in: Ders., Der ep. Cyclus, ²I, 1865 (¹1835), 316–380 3 M. PARRY, Studies in the Epic Technique of Oral Verse-Making: I. Homer and Homeric Style (1930), in: The Making of Homeric Verse, ed. by A. PARRY, 1971; M. PARRY, Studies in the Epic Technique of Oral Verse-Making: II. The Homeric Language as the Language of an Oral Poetry (1932), ebd. (I leicht gekürzt in dt. Übers. auch in: J. LATACZ [Hrsg.], Homer. Tradition und Neuerung, 1979, 179–266) 4 A. LORD, Der Sänger erzählt. Wie ein Epos entsteht, 1965 5 J. LATACZ, Hauptfunktionen des ant. Epos in Ant. und Moderne, in: Der Altsprachliche Unterricht 34(3), 1991, 8–17.   J. L.

Aonia (Ἀονίη). Landschaft Boiotiens, in der sich der Helikon befindet, genannt nach dem alten Volk der Aones und ihrem Eponym Aon, dem Sohn Poseidons

(Schol. Stat. Theb. 134). In der griech.-hell. und bes. der röm. Dichtung werden Ableitungen davon als gelehrte Bezeichnungen Boiotiens (Kall. fr. 2a 30 mit Schol.; Verg. ecl. 6,65), Thebens (Kall. h. 4,75 mit Schol.), des Helikon (Verg. georg. 3,11) und der mit ihm verbundenen Quelle Aganippe (Verg. ecl. 10,12) und der Musen (Ov. met. 5,333) verwendet.   F. G.

Aoos (Ἀῶος, Ἄωος). Fluß im nördl. → Epeiros (h. Viosa, albanisch Vijose), auch Aias genannt (FGrH 1 Hekat. F 102b; Plin. nat. 3,26). Quellen am Lakmon im Pindos, am Oberlauf bei den Molossi eine Brücke (Pol. 27,16; [2. 280, 628]); am Mittellauf die Parauaia (Arr. an. 1,7,5); hier die Schlucht beim Eintritt in die Ebene (Liv. 32,5,11; 10,2) westl. von Tepelena (als Grenzfluß [1. 115f.]). Der A. war von Apollonia [1] bis zur Mündung schiffbar (Plut. Caesar 38); hier eine Asphaltquelle mit → Nymphaeum und Orakel [1. 494].

1 P. CABANES, L'Épire de la mort de Pyrrhos à la conquête Romaine, 1976 2 N. G. L. HAMMOND, Epirus, 1967 · PHILIPPSON / KIRSTEN 2, 18; 38; 46–51.   D. S.

Aorist (ἀόριστος), »unbestimmt(es Tempus)«. Stammt als t.t. wohl aus der Tempuslehre der Stoa; das legen ein Scholion des Stephanos zu Dion. Thrax 250,26–251,25 HILGARD und Prisc. gramm. 2,415,23–27 nahe. A. ist eine verbale Flexionskategorie mit mehreren Klassen von Stammbildungen. Im Griech. bezeichnete er den »konfektiven« Aspekt. Daraus leiten sich seine meisten, d.h. die kategorialen Gebrauchsweisen her. Aus gemeinsamer Vorgesch. haben etliche idg. Sprachen einander entsprechende A. bewahrt oder in Ersatzkategorien fortgeführt, z. B. das Griech. einen s-A. ἔδειξ-α, das Lat. ein zugehöriges s-Perf. *dīx-ī*. → Aspekt; Flexion

H. RIX, Histor. Gramm. des Griech., ²1992, 214–220 · SCHWYZER/DEBRUNNER, 280–286.   K. S.

Aornos. [1] Nur von Arr. an. 3,29,1 genannte Stadt Baktriens, nächst Baktra (h. Balch) der größte Platz dieses Landes und wohl identisch mit dem h. Taschkurgan [1]. Auf der Burg von A. ließ Alexander 329 v. Chr. eine Besatzung zurück.

1 Atlas of the World II, Pakistan, Kashmir, Afghanistan, 1959, Taf. 31.   B. B.

[2] Bergfestung nahe dem Indus, angeblich von Herakles und dann von Alexander 328 v. Chr. erobert (Arr. an. 4,28,1; Ind. 5,10; Aornis: Curt. 8,11,2ff.). Trotz griech. Erklärung (ἄορνος = ohne Vögel) durch verschiedene Sanskrit-Etymologieen erklärt. Wahrscheinlich heute Ūṇa, ein Gipfel am Pīr-Sar westl. vom Indus.

O. VON HINÜBER, in: G. WIRTH, O. v. HINÜBER (Hrsg. und Übers.), Arrian, Der Alexanderzug – Indische Gesch., 1985, 1102f. (mit älterer Lit.).   K. K.

Aorsoi (Ἄορσοι). Sarmatischer Stammesverband im Steppengebiet von der West- und Nordküste der → Kaspia Thalatta bis zum maiotischen (→ Maiotis) Fluß Achardeos und zum Unterlauf des Tanais (Ptol. 3,5,10; Plin. nat. 4,80). Strabon erwähnt noch οἱ δ ἄνω Ἄορσοι (11,5,8). Sie waren bekannt durch regen Handel mit → Media und → Armenia; ihr König Spadines stellte Pharnakes 20000 Reiter zur Verfügung (Strab. 11,5,8). 50 v. Chr. unterstützte ihr Fürst Eunones Rom gegen die Sirakoi (Tac. ann. 13,15). Aus den A. sind die → Alani hervorgegangen.

W. Tomaschek, s. v. A., RE 1, 2659 f. • F. Altheim, Gesch. der Hunnen 1, 1959, 69–75.   I. v. B.

Apadnas (Ἀπάδνας). Ort mit Kloster in → Isauria, das nach Prok. aed. 5,9,33 von Kaiser Iustinianus I. renoviert wurde. Wohl das Bauensemble oberhalb einer → *mansio* an der röm. Straße durch den → Tauros nach Lykaonia, h. Alahan Manastır. Ein frühchristl. Anachoretenplatz wurde im 5. Jh. n. Chr. zu einer Wallfahrtsstätte mit inschr. bezeugten ἀπαντητήρια (Herberge) ausgebaut, bei der zwei monumentale Kirchen durch eine ca. 130 m lange → *porticus* verbunden wurden. Nutzung auch als Kloster, in mittelbyz. Zeit aufgegeben.

M. Gough, Alahan, 1985 • H. Hellenkemper, F. Hild, s. v. A., Isaurien und Kilikien (TIB 5), 1990 • C. Mango, Was Alahan Manastır a monastery?, in: JÖB 41, 1991, 298–300 • P. Verzone, Alahan Manastir, 1956.   F. H.

Apagoge (ἀπαγωγή). Die »Abführung« war ein scharfes Schnellverfahren in Strafsachen in Athen. In ihrer ursprünglichen Gestalt gestattete sie, zwei Kategorien von Verbrechern (κακοῦργοι und ἄτιμοι, *kakúrgoi* und *átimoi*), wenn sie auf frischer Tat ertappt waren, später auch bei offenkundigen Tatbeständen, ins Gefängnis abzuführen und bei einem Geständnis sofort zu bestrafen, sonst in Haft zu behalten und dem Gericht zu überstellen. Zuständig waren teils die Elfmänner, teils die Thesmotheten. Die Strafe war der Tod. Später konnte an Stelle der *a.* eine schriftliche Anzeige gleichen Namens treten. Die mit der *a.* zu verfolgenden Straftaten wurden im Laufe der Zeit, insbes. in bezug auf ihre Anwendung gegenüber Fremden, erheblich erweitert.

M. H. Hansen, A., Endeixis and Ephegesis, 1976.   G. T.

Apama. [1] Tochter des Baktrers Spitamenes, auf der »Massenhochzeit« in Susa 324 v. Chr. auf Alexandros' [4] des Gr. Betreiben mit Seleukos I. verheiratet, Mutter Antiochos' [2] I. Ihr späteres Schicksal, als Seleukos Stratonike, die Tochter des Demetrios Poliorketes, ehelichte, ist unbekannt (Inschr. Didyma 113; 479 f.; Strab. 12,578; 16,479; Plut. Demetr. 31,5; Arr. an. 7,4; App. Syr. 57). [2] A., persisch Artakama, Tochter des Iraners Artabazos, verheiratet mit Ptolemaios I., von diesem je-

doch bald verstoßen (Plut. Eum. 1,7; Arr. an. 7,4). [3] Tochter Antiochos' [2] I., 275 mit Magas, Stiefbruder Ptolemaios' II. und König von Kyrene, verheiratet. Als sie nach Magas' Tod (253) ihre mit Ptolemaios III. verlobte Tochter Berenike mit dem Antigoniden Demetrios »dem Schönen« zu verheiraten versuchte und mit ihm intim wurde, hätte sie infolge eines Volks- und Soldatenaufstandes das Leben verloren, wäre nicht Berenike für sie eingetreten (OGIS 745; Paus. 1,7,3; Iust. 26,3).

Lit: vgl. Achaios [4] und Antiochos [2–12] • G. Macurdy, Hellenistic Queens. . ., 1932 • J. Seibert, Unt. zu den dynastischen Verbindungen in hell. Zeit, 1967.   A. ME.

Apameia (Ἀπάμεια). **[1]** Stadt in → Bithynia, 1 km südöstl. vom h. Mudanya am Marmarameer, gegr. von Kolophon, urspr. Brylleion, kurz nach 330 v. Chr. nur mehr Myrleia. Seit 433/32 v. Chr. im → att.-delischen Seebund bezeugt; E. des 4. Jhs. v. Chr. unter Herrschaft Mithradates II. von Kios; im 3. Jh. v. Chr. zeitweise Mitglied des Koinon der Athena Ilias. 202 v. Chr. von Philippos V. erobert und an Prusias I. ausgeliefert; von Nikomedes II. zu Ehren seiner Mutter Apame als A. neu gegr. ([1]; Steph. Byz. s. v. Myrleia gegen Strab. 12,4,3, Hermippos von Berytos fr. 72, FGH 3,51). 72 v. Chr. von Triarius erobert und bestraft; als *Colonia Iulia Concordia (Augusta) A.* noch caesarische Gründung mit → *ius Italicum* (Dig. 50,15,1,10). Goteneinfall 257/8 n. Chr. Ende der städtischen Prägungen 260 n. Chr. [2].

1 Ch. Habicht, s. v. Prusias 1, RE 23, 1095 f.
2 W. H. Waddington, E. Babelon, Th. Reinach, Recueil général des monnaies grecques d'Asie Mineure 1.2, 1908, 245–264.

T. Corsten, Inschr. von A. (Bithynien) und Pylai, IK 32, 1987, 1–98 • G. Hirschfeld, s. v. A. 5, RE 1, 2664 • W. Ruge, s. v. Myrleia, RE 16, 1104 f.   K. ST.

[2] Kibotos. Von → Antiochos I. bei → Kelainai an den Quellen des → Maiandros gegr. Stadt, h. Dinar. In der Kaiserzeit größter Marktort in → Kleinasien nach → Ephesos (Strab. 12,8,15); Hauptort eines → *conventus* (Plin. nat. 5,105); Bischofssitz. Münzen der Stadt zeigten die Arche Noah. Wenige Überreste (Paus. 1,8,1; Diod. 20,107,2–4; Dion Chrys. 35).

C. H. E. Haspels, The Highlands of Phrygia 1, 1971, 147 f. • W. M. Ramsay, Cities and Bishoprics of Phrygia 1,2, 1897, 396–483 • E. Schürer, The History of the Jewish People in the Age of Jesus Christ 3,1², 1986, 28–30.   T. D.-B. / S. F.

[3] Bedeutende hell. Stadt in Syrien am Orontes (Ruinen h. bei Qalʿat al-Mudik [1]), Zentrum der seleukidischen Macht (Münzstätte). Hauptstadt der Landschaft Apamene, später Syria secunda. Der urspr. Name Pharnake wurde von den Makedoniern zunächst in Pella, dann in A. geändert. Geburtsort des Stoikers Poseidonios. **[4]** Gründung Seleukos I. am Euphrat gegenüber → Zeugma, mit dem es durch eine Brücke verbunden gewesen sein soll (Plin. nat. 5,86; 6,119). **[5]** A. Rhagiane: Gründung Seleukos I. in der parth. Landschaft Choarene, in der Nähe der Kaspischen Tore, an der Straße von Teheran nach Schah-rud zu lokalisieren [2]. **[6]** Stadt in der Landschaft Mesene (Süd-Mesopotamien), am Zusammenfluß von Euphrat und Tigris (beim heutigen Kurna?) bzw. an der Stelle, wo sich der Tigris teilt, lokalisiert (Plin. nat.; – nach älterer Interpretation zwei Orte des Namens [3].

1 J. C. BALTY, Apamé der Syrie I, ANRW I 2.8, 1977, 104–134   **2** TAVO B, V 2 und 3   **3** TAVO B, V 3.   J. OE.

Aparktias

Aparktias (lat. *Septentrio*). Jüngerer Name des Nordwindes auf der Windrose, u. a. bei Vitr. 1,6, nach dem Nordgestirn, dem Großen Bären (ἀπὸ τῶν τῆς ἄρκτου τόπων), gebildet. Er wurde als kalt, stark, wolkenvertreibend und damit aufklärend, trocken, gesund, aber auch Gewitter und Hagel mit sich bringend charakterisiert. Bei Aristot. meteor. 2,6,364a 13–15 gehört er mit dem Thraskias und Meses zu den Nordwinden (Βόρεια).

K. NIELSEN, Les noms grecs et latins des vents, in: CeM 7, 1945, 1–113.   C. HÜ.

Apasiaken

Apasiaken. Von Ȃpaçaka = »Wassersaken« (?), bei Strab. 11,6–7,513 und Pol. 10,48. Evtl. im Šany-darja-Delta, Residenz → Cirik-Rabat-Kala (?). Babiš-Mulla 1 ist ein befestigter Palast, die Grabmale Babiš-Mulla 2 und Balandy 2 sind Kuppelbauten und stellen eine Vorstufe der islam. Mausoleen dar. Die Region wurde um 150 v. Chr. aufgegeben.   B. B.

Apatheia s. Affekte

Apaturia

Apaturia (Ἀπατούρια). Att.-ion. Fest des »gemeinsamen (Stamm-) Vaters« (*sm-pator-*, erklärt als *homopatória* (Schol. Aristoph. Ach. 146). Es galt als Kennzeichen aller Ionier (Hdt. 1,147) und ist auch nach Ausweis des Personennamens Apaturias in allen ihren Gründungen verbreitet [1]. Es war das Fest der Geschlechterverbände, der → Phratrien; entsprechend sind Zeus Phratrios und Athena Phratria (Plat. Euthyd. 302d; Schol. Ar. Ach. 146) mit ihm verbunden, daneben Hephaistos (Istros FGrH 334 F 2) und vielleicht auch Apollon Patroios (Plat. Euthyd. 302d); daneben steht in Troizen Athena A. (Paus. 2,33,1), in den nördl. Schwarzmeerkolonien Aphrodite Apature (SEG 30,879, [2]; Apaturias CIRB 1045; vgl. Strab. 11,2,10), die inschr. oft *hé toú Apatoúrou medéousa*, »Herrin des (Ortes) Apaturon« heißt. Dionysos hingegen erscheint bloß im Aition (trotz Et. Mag. 118,55).

In Athen fanden die A. an drei Tagen des Monats Pyanopsion (Okt./Nov.) statt. Der erste Tag hieß nach der gemeinsamen Mahlzeit der (nur männl.) Phratriemitglieder *Dorpía*, »Abendessen«, der zweite *Anárrhysis*, »Zurückbeugen«, vom charakteristischen Akt des Tieropfers, dem Zurückbiegen des Halses vor der Tötung: An ihm erhielten die Phratriegottheiten ihre Opfer. Der dritte Tag hieß *Koureótis*, »Schurtag«, nach dem Haaropfer der Epheben, durch das sie erwachsene Mitglieder der Phratrie wurden. Am selben Tag wurden die im vergangenen Jahr geborenen Kinder aufgenommen. Diesen Aufnahmen entsprachen einzelne Opfer: *meíon*, »das Kleinere«, für die Neugeborenen, *koureíon* bei der Haarschur; daneben erhielt die Phratrie das *gamélion*, das Opfer bei der Verheiratung eines Mitglieds, wohl ebenfalls anläßlich der A. (Pollux 8,107; Harpokr. s. v. *gamelía*).

Aitiologische Mythen leiten den Festnamen sprachwidrig von *apátē*, »Betrug« ab. In Athen wird vom Zweikampf zw. dem Boioter Xanthos (der »Blonde«) und dem Athener Melanthios (der »Schwarze«) erzählt, in dem der Athener mit Hilfe eines Tricks des Dionysos Melanaigis (»mit der schwarzen Aigis«) siegte; das wichtige Thema der schwarzen Farbe spielt auf die schwarzen Mäntel der Epheben an [3]. In Pantikapaion wird die Epiklese der Aphrodite Apatouros mit einer erotischen List der Aphrodite in einer Auseinandersetzung mit den Giganten erklärt (Strab. 11,2,10).

1 E. SITTIG, De Graecorum nominibus theophoris, 1911, 29–31   **2** I. I. TOLSTOJ, Grečeskie graffiti, 1953, 55 Nr. 78   **3** P. VIDAL-NAQUET, Le chasseur noir et l'origine de l'éphébie athénienne, in: Le chasseur noir, 1991, 151–176 (Ndr. von 1968).

NILSSON, Feste, 463 f. • DEUBNER 232–234. • H. W. PARKE, Festivals of the Athenians, 1977, 88–92.   F. G.

Apaturon

Apaturon (Ἀπάτουρον). Heiligtum der → Aphrodite Urania (Ἀπατούρου μεδέουσα: CIRB 1111, 4. Jh. v. Chr.; Ἀπάτουρος: Strab. 11,2,10), evtl. an der Küste der gleichnamigen Bucht (Ἀπάτουρος κόλπος: FGrH 1 Hekataios fr. 211) auf der asiatischen Seite des kimmerischen Bosporos bei → Hermonassa. Eine Siedlung bei diesem Heiligtum ist noch 576 n. Chr. bezeugt (Menandros Protector fr. 43). Arch. nicht erforscht.

S. R. TOKHTAS'EV, Apatur. Istorija bosporskogo svjatilišča Afrodity Uranii, in: VDI 1986, 2, 138–145.   S. R. T.

Apeiron s. Unendlichkeit

Apeliotes

Apeliotes (Ἀπηλιώτης sc. ἄνεμος). A. bezeichnet den vom »Sonnenaufgang her wehenden Wind« (Osten; warm und dunstig: Aristot. meteor. 364 a 21; b 28), den für diesen verantwortlichen Windgott (Allegorie des A. mit Herbstfrüchten im Gewandbausch auf dem erh. Horologion des Andronikos in Athen, dazu Varro rust. 3,5,17) und überhaupt die Himmelsrichtung Osten. Die ion. Namensform (vgl. Hdt. 4,22; 7,188) wurde im Att. beibehalten (vgl. Thuk. 3,23,5; Eur. Cycl. 19; vgl. die Beschriftung des Horologions in Athen mit Vitr. 1,6,4 [2]); die att. Form Ἀφηλιώτης findet sich später (Ios. c. Ap. 2,2; Catull. 26,3; lat. *subsolanus*: Sen. nat. 5,16,4;

Gell. 2,22,8 oder *solanus*: Vitr. 1,6,5).
→ Windrose

1 R. Böker, s. v. Winde, RE 8A, 2211–2387, hier bes.
2335–2339 2 R. Travlos, Athen, 281–288.   E. O.

Apella, Apellai. Das nur im Plural ἀπέλλαι belegte Wort wird von Hesychios räumlich als σηκοί (umfriedete Sammelplätze) und funktional als ἐκκλησίαι (Volksversammlungen) oder ἐφαιρησίαι (Wahlversammlungen) erklärt.

In der Inschr. der Labyaden in Delphi bezeichnet A. das Hauptfest (und wohl die Versammlung) dieser Phratrie in dem mit → Apollon verbundenen Monat Apellaios (Michel, RIG 995 = Schwyzer, DGE 323). Inschr. aus Gytheion (Lakonien, 1. Jh.) verwenden den Zusatz μεγάλαι (»große A.«; IG V 1, 1144, Z. 20 f. = SGDI 4567 = Michel, RIG 185; IG V 1, 1146, Z. 40 f. = SIG³ 748). Da ἀπελλάζειν in der Großen Rhetra Spartas (Plut. Lyk. 6) ἐκκλησιάζειν (eine Volksversammlung durchführen) bedeutet, wird meist angenommen, A. bezeichne zumindest in älterer Zeit die Versammlung der Spartaner. Bei Thukydides (5,77,1) heißt sie schon »Ekklesia«.

Wenn die in der Großen Rhetra (um 700 v. Chr. oder kurz danach?) erwähnte Volksversammlung als A. bezeichnet wurde, so fand sie regelmäßig statt. Vorsitzende waren zunächst die beiden Archagetai (Könige) und die Geronten, deren gemeinsamen Anträgen der Damos akklamatorisch zustimmen konnte. Nach Plut. Lykurgos 6) erlaubte es zwar ein späterer (tatsächlich wohl aber gleichzeitiger) Zusatz den → Gerontes und Königen, eine »schiefe« (d. h. ablehnende) Entscheidung des Damos zu annullieren, doch bestätigt auch Tyrtaios (fr. 3 D = 14 G-P) eine frühe institutionalisierte Kompetenz der Volksversammlung in Sparta. Im Laufe des 6. Jhs. übernahmen die Ephoren als Repräsentanten des Damos den Vorsitz, doch konnten die Spartiaten keine Anträge stellen, sondern weiterhin nur durch Zuruf Anträge ablehnen oder annehmen. Bei unklarem Meinungsbild konnte der Vorsitzende die Versammlung auseinandertreten lassen, um die Mehrheit zu ermitteln. Im klass. Sparta beschloß der Damos Gesetze, entschied über Krieg und Frieden, schloß Verträge, ernannte den Befehlshaber bei einem Aufgebot und »wählte« in archa. Weise nach der Lautstärke der Zurufe Geronten und Ephoren. Der Damos entschied über Thronstreitigkeiten ebenso wie über die Freilassung von → Heloten. Das Gewicht der Volksversammlung im institutionellen Gefüge Spartas wird oft unterschätzt. Letztlich gab sie bei Meinungsverschiedenheiten in der Polisleitung den Ausschlag und brauchte deren Pläne nicht zu akzeptieren (Thuk. 6,88,10).

W. Burkert, A. und Apollon, in: RhM 118, 1975, 1–21 · D. H. Kelly, Policy-making in the Spartan Assembly, in: Antichthon 15, 1981, 47–61 · S. Link, Der Kosmos Sparta, 1994, 71–75 · G. E. M. de Ste. Croix, The Origins of the Peloponnesian War, 1972.   K.-W. W.

Apellas [1] (Apelleas). Bronzebildner, Sohn des Bildhauers Kallikles aus Megara. Er schuf das von Pausanias beschriebene Siegermonument für Kyniska, Schwester des Agesilaos v. Sparta, die 396 und 392 v. Chr. am olympischen Wagenrennen teilnahm. Teile der Basis mit dem überlieferten Epigramm wurden aufgefunden, außerdem die Basis einer reduzierten Replik des Denkmals.

W. Dittenberger, Die Inschr. von Olympia, 1896, Nr. 160, 634 · F. Eckstein, Ἀναθήματα, 1969, 67 f. · G. Hafner, Viergespanne in Vorderansicht, 1938, 92–94 · Loewy, Nr. 99, 100 · Overbeck, Nr. 1020–1021 (Quellen).   R. N.

Apellas [2, aus Pergamon] s. Iulius Apellas

Apelles (Ἀπελλῆς). **[1]** Makedone, einflußreicher Vertrauter des → Antigonos [3] Doson, seit 222 v. Chr. Vormund für → Philipp V., kritisierte 219/8 als »Traditionalist« die Adriapolitik des Königs und seine proachaiische Orientierung unter dem Einfluß des → Aratos, gegen den er mit → Leontios und → Megaleas intrigierte (Pol. 4,76; 82–87); 218 wurde ihr Komplott gegen Philipp V. entdeckt und A. in Korinth hingerichtet (Pol. 5,2,8; 16; 26–28; Plut. Aratus 48) [1. 167–170]. **[2]** Makedone, hochrangiger Königsfreund (πρῶτος φίλος) Philipps V. 194/3 Gesandter mit → Demetrios nach Rom zur Widerlegung jüngster Vorwürfe gegen den König (Pol. 22,14,7; 14, 9–11; 23,1,5; Liv. 39,46–48,1); spionierte 181 mit → Philokles in Rom die hochverräterischen (?) Kontakte des Demetrios aus, brachte den für dessen Hinrichtung durch Philipp entscheidenden Brief des → Flamininus bei (Liv. 40,20; 23; 54,9) und floh 180/79 vor der Verfolgung des Mordkomplotts (40,55,6); → Perseus soll ihn 178 zurückgelockt und umgebracht haben (42,5,4) [2. 105–106].

1 Errington 2 S. Le Bohec, Le philoi des rois antigonides, in: REG 98, 1985, 93–124.   L.-M. G.

[3] Eigenständigster Schüler des Gnostikers → Markion, lebte in Alexandria; seine eigene Gruppierung breitete sich parallel zur markionitischen von Rom bis in den Orient aus. Gegen Ende des 2. Jh. disputierte er im hohen Alter gegen den Theologen → Rhodon (Eus. HE 5,13). Seine Schriften – ›Syllogismen‹ (gegen die Mosesbücher) und ›Offenbarungen‹ (*Phanerōseis*) einer Prophetin Philumene – sind nur in der Brechung der christl. Polemik (Hippol. philos. 7,38; Tert. de praescr. 6 f., 30, 33 ff.) faßbar. Seine Lehre schrieb sich stärker in den zeitgenössischen Gnostizismus ein und brach dem radikalen Dualismus des Markion dadurch die Spitze, daß A. die Monarchie Gottes betonte und den Demiurgen als einen vom selben Gott geschaffenen Engel verstand; Ursache des Bösen war ein feuriger Engel, der zugleich der Judengott war.

1 A. von Harnack, Marcion. Das Evangelium vom Fremden Gott, ²1924, 177–196 2 K. Rudolph, Die Gnosis, ³1990, 341 f.   F. G.

[4] Griech. Maler, geboren wohl um 380/370 v. Chr. im ion. Kolophon, seine Blütezeit gibt Plin. (nat. 35,79) mit 332–329 v. Chr. an. Galt als berühmtester Maler des Altertums. Kein originales Werk ist erh., Inhalte und Stil sind nur durch lit. und materielle Sekundärquellen erschließbar.

A. lernte zunächst in Ephesos, war dann Schüler des → Pamphilos in der führenden sikyonischen Malschule. Wirkte am maked. Königshof für Philipp und Alexander, der sich, wohl wegen der besonderen Begabung A.' für Porträtmalerei, allein von ihm offiziell darstellen ließ. Ein »Alexander mit dem Blitzbündel« war vielleicht Vorbild für ein ähnliches Bild im Vettierhaus in Pompeji. Auch aus Ephesos, wohin A. zeitweise zurückkehrte und wo er Bürgerrecht besaß, sind Werke lit. überliefert; in den letzten Lebensjahren war er auf Kos tätig, dort entstand sein berühmtestes Bild, die »Aphrodite Anadyomene«. Seine Bilder waren in der gesamten griech. Welt geschätzt und verbreitet, in der Kaiserzeit kamen manche als Beute nach Rom. Schon zu Lebzeiten teuer gehandelt und bezahlt, brachten sie ihm materielle Unabhängigkeit; sein Sozialstatus wurde durch die Gunst verschiedener Herrscher erhöht. Vom kurzen Aufenthalt des A. am Hof der Ptolemäer in Alexandreia zeugt der legendäre Bericht über die Verleumdung durch den dort tätigen Konkurrenten → Antiphilos [4], die den Künstler angeblich zu einem als »Verleumdung« betitelten Gemälde inspiriert haben soll. Die moralisierende Allegorie personifizierte menschliche Charaktereigenschaften, Emotionen und daraus resultierende Handlungen in einem mehrfigurigen Gemälde, dessen hoher Abstraktionsgrad typisch für die Kunst des frühen Hellenismus ist. Es bezeugt A.' großen und neuartigen Einfallsreichtum bei Auswahl und Durchführung der Themen. Die ausführliche Nacherzählung der »Verleumdung« bei Lukian. Calumniae 2–5 regte seit dem späten 15. Jh. Maler der italienischen Renaissance wie z. B. Botticelli und Mantegna, aber auch viele spätere zu Rekonstruktionen an. A. verfaßte Traktate über seine besonderen Maltechniken, z. B. auch eine spezielle Lasur, mit der er die Bilder versah. Gerühmt wurde seine große zeichnerische Begabung, die er stets trainierte. Daß die lineare Anlage der Motive Grundlage für die farbige Gestaltung war, zeigen zeitgenössische erh. Gemälde aus dem Persephone- Grab in Vergina oder auf Stelen aus Demetrias.

A. gehörte zu den Vierfarbmalern (→ Farbe); als »der« ant. Maler war er in der Renaissance berühmt und Gegenstand kunsttheoretischer Debatten zur ant. Malerei.

M. ANDRONIKOS, Vergina II, 1994 • G. BRÖKER, s. v. A. Nr. 1, AKL 4, 502 f. • J. M. MASSING, Du texte à l'image. »La Calomnie« d'Apelle et son iconographie, 1990 • OVERBECK, Nr. 1827–1906 (Quellen) • A. ROUVERET, Histoire et imaginaire de la peinture ancienne, 1989, passim • I. SCHEIBLER, Griech. Malerei der Ant., 1994, passim • B. SCHMALTZ, Ein triumphierender Alexander?, in: MDAI(R) 101, 1994, 121–129.   N. H.

Apellikon aus Teos, athenischer Münzmeister wahrscheinlich 89/8 v. Chr. Später schloß er sich dem Tyrannen Athenion an. Berühmt wurde er als Besitzer einer Büchersammlung, welche u. a. aristotelische Mss. enthielt; aber die Gesch., daß er den Nachlaß des Aristoteles den Nachkommen von → Neleus in Skepsis abgekauft habe, ist sicher fiktiv. A.' Aristotelesausgabe erwies sich als fehlerhaft. Nach seinem Tod und nach der Eroberung Athens durch Sulla (86 v. Chr.) wurde seine Bibliothek von Sulla eingezogen und nach Rom gebracht. Dort bearbeitete der Grammatiker Tyrannion aus Amisos die Aristoteles-Mss. und sandte Abschriften an → Andronikos, der sie für seine Ausgabe benutzte. → Aristotelismus; Tyrannion aus Amisos

I. DÜRING, Aristotle in the Biographical Tradition, 1957, 375, 382 • H. B. GOTTSCHALK, in: Hermes 100, 1972, 335 ff. • H. B. GOTTSCHALK, in: ANRW II 36.1, 1987, 1083–87 • MORAUX I, 1973, 18 ff.   H. G.

Apene s. Wagen

Apeniautismos (ἀπενιαυτισμός). Abwesenheit auf ein Jahr, Strafe eines meist einjährigen Exils bei bestimmten Verbrechen oder Vergehen, insbesondere fahrlässiger Tötung (BEKKER anecdota 421,20; Suda), die, gerichtlich ausgesprochen, als φυγή (phygé) auf Zeit gelten kann, wenn man diese nicht im strengen Rechtssinne faßt, sondern als Pseudophyge (Ruhen bürgerlicher Rechte und Pflichten und automatisches Wiederaufleben nach Fristablauf).

D. M. MACDOWELL, Athenian Homicide Law, 1963, 122 f.   G. T.

Aper [1], M., lebte von etwa 23 n. Chr. bis ins letzte Viertel des 1. Jh. Röm. Redner aus Gallien (Tac. dial. 10,2; vermutl. Tres Galliae [4. 799 f.]), möglicherweise Vater des Flavius A. (PIR² F 206). Erhielt wohl während des Britannienfeldzugs 43 (Tac. dial. 17,4) den *latus clavus*, was dem *homo novus* eine Karriere als Quästor, Volkstribun und Prätor eröffnete (7,1). In Tacitus' *Dialogus* tritt er als Gesprächspartner auf, die einzige Quelle für den berühmten Rhetor (14,3).

1 PIR² A 910 2 P. VON ROHDEN, A. [1], RE 1, 2696 3 B. GERTH, A. [7], RE Suppl. 3, 130–132 4 SYME, Tacitus.   C. R.

[2] *Praefectus praetorio* und Schwiegervater des → Numerianus, den er 284 n. Chr. angeblich ermordete; er wurde von → Diocletianus getötet (PLRE 1, 81 A. 2).   A. B.

Aperantoi (Ἀπεραντοί). Stamm im nördl. → Aitolia, östl. der Agraioi, westl. des Panaitolikon [2. 97 f.], Hauptort wohl bei Hagios Vasileios [1] (Pol. 20,11).

1 S. BOMMELJÉ et al. (Hrsg.), Aetolia and the Aetolians?, 1987, 105, s. v. Sidira 2 P. CABANES (Hrsg.), L'Illyrie méridionale et l'Epire dans l'antiquité, 1, 1987, 95–113.   D. S.

Apex s. Lesezeichen

Apfel. Wildäpfel (*Malus silvestris, pumila, tomentosa* u. a., ἀγριομηλέα z. B. bei Dioskurides 1,115,4 [1.1.108] = 1,163 [2.136]) wurden schon in der asiatischen und europ. Steinzeit gesammelt. Kulturformen mit größeren Früchten gelangten im Neolithikum in das Alpen- und Ostseegebiet [3.94–104]. Im kaiserzeitlichen Rom kannte man etwa 30 Apfelsorten (vgl. Plin. nat. 15,51 f. u. ö.), die man u. a. durch verschiedene Pfropfverfahren (vgl. Colum. de arboribus 26; Plin. nat. 17,99) erzielte. Nicht alle z. T. eingehenden Berichte über den Baum (μηλέα, *malus*) und die Frucht (μῆλον, *malum*) bezeichnen nur diese Gattung, sondern auch andere Obstbäume (Dioskurides 1,115 [1.1.107–109]; Isid. orig. 17,7,4–8 und 10–11), wie das über Kreta aus dem Kaukasusgebiet eingeführte Kernobst der → Quitte (*Cydonia*, als μῆλον κυδώνιον zuerst um 650 v. Chr. bei Alkman und Stesichoros, als *cydonia, cotonea* bei Colum. 5,10,19 u. ö.), das Steinobst (κοκκυμηλέα für die → Pflaumen, *Prunus*, μῆλον περσικόν für den → Pfirsich, μ. ἀρμενιακόν → Aprikose), ferner die Gattungen aus anderen Familien wie die aus dem Kaukasus und Iran importierten → Granatäpfel (→ Granate, *Punica granatum*, ῥοά, σίδη, κύτινος) und Zitronen (*medica malus* → Citrus). Auch die im 16. Jh. aus Amerika eingeführten Nachtschattengewächse Tomate und Kartoffel nannte man Paradiesapfel bzw. Sodom- oder Erdapfel.

1 M. WELLMANN (Hrsg.), Pedanii Dioscuridis de materia medica Bd. 1, 1907, Ndr. 1958 **2** J. BERENDES (Hrsg.), Des Pedanios Dioskurides Arzneimittellehre übers. und mit Erl. versehen, 1902, Ndr. 1970 **3** K. BERTSCH, F. BERTSCH, Gesch. unserer Kulturpflanzen, ²1949.   C. HÜ.

Aphärese s. Sandhi

Aphaia s. Diktynna

Aphareus (Ἀφαρεύς). **[1]** Sohn des → Perieres und der Gorgophone, Tochter des Perseus. Als König der Messenier gründet er Arene bei Pylos, das er nach seiner Frau, der Tochter des Oibalos und seiner Halbschwester, nennt. Er nahm Neleus auf und gab ihm Pylos, wurde von Lykos, dem Sohn des Pandion, in den Kult der »Großen Götter« von Andania eingeweiht (Paus. 4,2,4–6); hier spiegelt sich athen. Propaganda. Er nahm auch Tyndareos bei sich auf (Paus. 3,1,4). Seine Söhne Idas und Lynkeus (Paus. 4,2,7; Apollod. 3,117), die Aphariden, nahmen am Argonautenzug und der Kalydonischen Jagd teil (Hyg. fab. 14,12. 173,1; Apollod. 1,67; 111). Sie kamen im Kampf mit den Dioskuren um, bei dem Idas Kastor tötet, entweder wegen der Beuteteilung eines Rinderraubs (Apollod. 1,135–137) oder im Kampf um die Leukippiden (Hyg. fab. 80). Nach der Eroberung Messenes wurden sie nach Sparta gezogen: A. wird zum Bruder des Tyndareos (Apollod. 1,87), sein Grab findet sich in Sparta (Paus. 3,11,11) ebenso wie dasjenige der beiden Aphariden (Paus. 3,13,1).   F. G.

[2] Aus Athen, Tragiker, Enkel des Rhetors Hippias (Plut. vit. X. orat. 4,838a; 839b u. Zos. vit. Isocr. 252 WESTERMANN) oder Sohn des Sophisten Hippias (Suda α 4556 und Harpokration s. v. Ἀφαρεύς). Isokrates, der durch die Heirat mit A.' Mutter Plathane sein Stiefvater wurde, adoptierte ihn (Plut. l.c. 838a-b; 839b, Zos. l.c., Dion. Hal. Isocrates 18). Die Suda l.c. legt seine *akmḗ* auf die Jahre 396/3 v. Chr. Nach Plut. (l.c. 838b, 839c-d) hat A. Reden und ca. 37 Tragödien (zwei umstritten) geschrieben (erster Auftritt: 368, letzter: 341); je zwei Siege durch die Inszenierung des Dionysios [1.84f.] bei den Dionysien (s. DID A 3a,46, zuerst 365/60) und durch die Inszenierung anderer bei den Lenäen (s. DID A 3b, 43ff., zuerst 370/55); dritter Rang bei den Dionysien des Jahres 341 mit *Peliades, Orestes* u. *Auge* (DID A 2a, 11ff.).

1 PICKARD-CAMBRIDGE/GOULD/WEBSTER.

METTE, 91, 162, 182 • TrGF 73.   F. P.

Apheidas (Ἀφείδας). Sprechender Heroenname, »nicht knausrig«. **[1]** Sohn des Polypemon aus Alybas, als dessen Sohn Eperitos sich Odysseus ausgibt (Hom. Od. 24,304). **[2]** König Athens, Sohn des Oxyntes; sein Bastardbruder tötet ihn (Demon FGrH 327 F 1; Nikolaos FGrH 90 F 48). Er ist Ahnherr der Adelsfamilie der Apheidantidai [1]. **[3]** Sohn des Arkas, jüngerer Bruder des Elatos, König von Tegea (Apollod. 3,102; Paus. 8,4,2). Er fügte der Stadt den 9. Demos hinzu, die Apheidantes (Paus. 8,45,1). Seine Kinder sind Aleos, Stheneboia (Apollod. 3,102) und Leukone (Paus. 8,44,8). Sein Bild stifteten die Tegeaten mit den anderen Bildern ihrer frühen Könige nach Delphi (Paus. 10,9,5).

1 J. TOPEFFER, Att. Genealogie, 1889, 103, 169.   F. G.

Apheliotes (ion. ἀπηλιώτης, z. B. Thuk. 3,23 und Aristoteles, später ἀφηλιώτης) nannte man den von Osten wehenden Wind, den die Römer mit *subsolanus* (Sen. nat. 5,16,4; Plin. nat. 2,119; Gell. 2,22,8) oder *solanus* (Vitr. 1,6,4 f.) übersetzten. Auf der Weltkarte des Ephoros kommt er vom Land der »Indoi«, auf der Windrose des Hebdomadikers (Ende 5. Jh.) hat er die Position zwischen dem Βορέης (NO-Punkt) and dem Εὖρος (SO-Punkt) [1]. Nach Aristot. met. 2,6,363b 13 und der Windrose der Seeleute (5. Jh.) bläst er genau von Osten. Der Wind wurde von Aristot. met. 2,6,364 a 21 f.) und wasserdampfhaltig (364b 28 f.) charakterisiert.

1 R. BÖKER, s. v. Winde, in: RE 8A, 2332 (Fig. 7: Ephoros) und 2341 (Fig. 8: Hebdomadiker) **2** REHM, s. v. Euros, in: RE 6, 1311ff. **3** REHM, Griech. Windrosen, in: SBAW phil.-hist. Kl. 1916, 3.   C. HÜ.

Aphidna (Ἄφιδνα, Ἀφίδναι). Großer att. Demos, einziger der Mesogeia-Trittys der Phyle → Aiantis [1], dann der → Ptolemais, ab 126/27 n. Chr. der Hadrianis. 16 → Buleutai.

Der schon in mittelhelladischer Zeit bedeutende Siedlungsplatz auf dem Großen Kotroni (von Strab. 9,1,20 zur att. Dodekapolis gerechnet [2. 330ff., bes. 338 Nr. 6]) mit eigener Mythentradition (→ Aphidnos) ist nahezu unerforscht. Das Demengebiet von A. umfaßte eine Anzahl namentlich bekannter Siedlungen (→ Eunostidai, → Hyporeia, Klopidai, → Perrhidai, → Petalidai, → Thyrgonidai, Titakidai), die später Demenstatus erlangten, 3 schon 307/6 v.Chr. [6. 87–91]. Keine öffentliche Inschr. ist erh., nur ein → Demarchos bezeugt [3. 85 Z. 4]. Das umstrittene Kallisthenes-Dekret (Demosth. or. 18, 37–39 [4. 46f.]) erwähnt eine Befestigung, die gegen Zweifel [5. 81ff.] durch IG II² 2776 Z. 96 und eine neue Ehreninschr. [1. 3f.; 3. 11 Anm. 14] bestätigt wird. Am Fuß der befestigten Akropolis von A. erstreckt sich über mehrere 100 m² ein verdichtetes Habitat, das an einer Geländeschwelle (äußere Befestigung?) endet [3].

1 (Fundnotiz) in: Ergon, 37, 1990, 3–9, hier 3f.
2 H. HOMMEL, s.v. Trittyes, RE 7A, 330–370 3 H. LAUTER, Att. Landgemeinden in klass. Zeit, in: MarbWPr, 1991, 1–161, hier 11 Anm. 14 4 H. LOHMANN, Das Kastro von H. Giorgios (»Ereneia«), in: MarbWPr 1988, 34–66 5 J.R. MCCREDIE, Fortified Military Camps, 1966 6 TRAILL, Attica 7 M.B. WALBANK, The Confiscation and Sale by the Poletai in 402/1 B.C. of the Property of the 30 Tyrants, in: Hesperia 51, 1982, 41–56.

TRAILL, Attica, 12, 22, 53 mit Anm. 26, 62, 67, 109 Nr. 17 (Tab. 9, 13, 15) · WHITEHEAD, Index s.v.A.   H.LO.

Aphidnos (Ἄφιδνος). Autochthon, eponymer König der att. Ortschaft Aphidna (Steph. Byz. s.v. Aphidna). Er hütete in Theseus' Auftrag Aithra, Theseus' Mutter, und die geraubte Helena (Plut. Theseus 31; 33). Beim Angriff der Dioskuren auf Aphidna verwundete er Kastor am rechten Schenkel (Polemon fr. 10). A. adoptierte die Dioskuren und weihte sie in die eleusinischen Mysterien ein (Plut. Theseus 33,2).

KEARNS, 151.   F.G.

Aphlaston s. Schiffahrt

Aphobetos (Ἀφόβητος). Sohn des Atrometos aus dem att. Demos Kothokidai, jüngerer Bruder des Redners → Aischines [2], geb. ca. 395, bis nach 343 v.Chr., zw. 377/76 und 353/2 Hypogrammateis und → Grammateis (Demosth. or. 19,237; 249) und (von 350/49 bis 347/46?) gewählter höchster Beamter Athens für die Finanzverwaltung der Polis, Freund und Helfer des → Eubulos bei der Verwaltung der Theorika (→ Theorikon) mit polit. Einfluß vor 343 (Aischin. leg. 149). Gesandter Athens 346 zu Philipp II. (Aischin. leg. 94–95; Demosth. or. 19,124) und 343 zum persischen Königshof (Aischin. leg. 149).

DEVELIN 271 · DAVIES 2775, 14625 II · SCHÄFER I, 197–19.   J.E.

Aphobos (Ἄφοβος). Sohn des Mnesibulos aus dem att. Demos Sphettos (?), * vor 400 v.Chr., † nach 361. Vetter des Redners → Demosthenes, Trierarch (Demosth. or. 27,14); von 376/75 bis 366 einer der Vormünder des Demosthenes. Von diesem 366 wegen Veruntreuung als Vormund angeklagt, wurde A. 364/63 zur Erstattung von 10 Talenten verurteilt (vgl. Demosth. or. 27–29 gegen A. und 30–31 gegen → Onetor; insbes. Demosth. or. 27,4; 29,60; 30,6–8; Plut. mor. 844C-D; PA und DAVIES 2776, vgl. auch DAVIES 3597, V-VI).

D.M. MACDOWELL, The Authenticity of Demosthenes 29 (Against A. III), in: AGR 6, 1989, 253–262 · W. SCHWAHN, Demosthenes gegen A., 1929.   J.E.

Aphorismos (Ἀφορισμός).   A. DEFINITION
B. BEDEUTUNG IM ALTERTUM
C. WIRKUNGSGESCHICHTE

A. DEFINITION
Heute ist der A. eine eigenständige lit. Gattung (zur Unterscheidung von → Apophthegma [3. 29–33]); seine formalen Kennzeichen sind: die Abgrenzung gegenüber dem Zusammenhang, die Beliebigkeit der Reihenfolge mehrerer A., die straffe, auch pointierte Formulierung, die scharfsinnigen, kritischen, auch eigenwillig-provozierenden Deutungen menschlicher Verhältnisse [4. 773 und (Beispiele) 774–781; 6].

B. BEDEUTUNG IM ALTERTUM
Griech. ἀφορισμός bedeutet die »Abgrenzung«, dann übertragen: »grundlegende Definition« (Aristot. cat. 3b, 22, Theophr. h. plant. 1,3,5), »kurze und bedeutungsreiche Behauptung« (Kritias bei Galen D.-K. 2, 394, 39 B,19) [2]. Überliefert sind in sieben Teilen Ἀφορισμοί des Hippokrates [5. 1844–1846]; weiten Themenkreisen in loser Schüttung zugeordnet finden sich einzelne, in knapper Prosa abgefaßte, jeweils nur einen oder wenige Sätze füllende Krankheitsbilder und Prognosen; ihre Gültigkeit wird nicht durch Argumentation nachgewiesen [1], sondern beruht auf der Erfahrung und Kenntnis des Fachmanns. Nach Galen (in Hipp. Aph. 17,2,351–352 KÜHN) kennzeichnete der A. in einigen wenigen Worten alle speziellen Eigentümlichkeiten der in Rede stehenden Sache.

C. WIRKUNGSGESCHICHTE
Die Aphorismen des Hippokrates wurden bereits in der Spätant. ins Lat. übersetzt [8]. Da im MA Galen als der maßgebliche Arzt galt, waren auch die Hss. seines Hippokrates-Komm. in lat. Übersetzungen früh verbreitet [7. 578–590]. In dieser Tradition verfaßten Ph. Th. Paracelsus (1493–1541) und u.a. später der Arzt H. Boerhaave (1668–1738) Aphorismen als Sammlungen medizinischer Thesen. Die Erweiterung der Inhalte des A. zur polit.-moralischen Aussage geschieht vor allem in Spanien und Frankreich (die Tacitisten, La Rochefoucauld) im 16. u. 17.Jh. [10]. Erasmus und später vor allem F. Bacon erweitern den Themenbereich noch stärker und bringen die Vorteile theoretisch zum Aus-

druck, die der A. durch seine Freiheit vom Zwang zu Systematik und Vollständigkeit bietet [9. 81–89]. Von Bacon beeinflußt zeigen sich die aufklärerisch-rationalistischen Aphorismen G. Ch. Lichtenbergs. Die moderne lit. Gattung des A. sieht man bei den Romantikern F. von Schlegel und Novalis weiterentwickelt [3. 84–97], deren A. den weiten Bereich der Poesie im Verhältnis zu Philos., Religion mit kritischer Einstellung zum Inhalt haben. Unter die Klassiker des lit. A. sind des weiteren Goethe und Nietzsche zu zählen [3. 105–113; 119–125].

→ Gnome

1 J. Barnes, Aphorism and Argument, in: Language and Thought in Early Greek Philosophy, hrg. von K. Robb, 1983, 91–109 2 Diccionario griego-español, hrsg. Rodriguez-Adrados, I, 645, s. v. ά. 3 H. Fricke, A., 1984 4 H. Fricke, s. v. A., HWdR 1, 773–790 5 H. Gossen, s. v. Hippokrates (16), RE 16, 1801–1852 6 H. Krüger, Über den A. als philos. Form, 1988 7 J. Mewaldt, s. v. Galenos (2), RE 13, 578–591 8 I. Müller-Rohlfsen, Die lat. Ravennatische Übers. der Hippokrat. A. aus dem 5./6. Jh. n. Chr., 1980 9 F. Schalk, Das Wesen des frz. A., in: Der A., hg. von G. Neumann, 1976, 75–111 10 J. von Stackelberg, Zur Bedeutungsgesch. des Wortes 'A.', in: Der A. [s. 8], 209–225. H. A. G.

Aphrahat (griech. Aphraates). Syr. Autor, Mitte 4. Jh. n. Chr., zur Zeit des Sassanidenreiches. In den frühesten Zeugnissen ist er als »persischer Weiser« und/oder Jakob bekannt (und wurde darauf mit Jakob, dem Bischof von Nisibis (gest. 338 n. Chr.) verwechselt; z. B. von Gennadius, de viris illustr. I). Die späte Überlieferung, er sei Bischof des Mar-Matthäus-Klosters gewesen, ist wertlos, obwohl er, wie es scheint, in der persischen Kirche einigen Einfluß besaß. Seine 23 epideiktischen Reden (*Demonstrationes*, auch ›Briefe‹ genannt) bilden die frühesten christl. Schriften des Sassanidenreiches. Demonstrationes 1–22 haben ein alphabetisches Akrostichon. Dem. 1–10 lassen sich auf das Jahr 337, Dem. 11–22 auf 344 und 23 auf Aug. 345 datieren. Neben einer frühen armen. Übers. von Dem. 1–19 gibt es arab., äthiopische und georgische Übers. einzelner *Demonstrationes*. Dem. 1–10 haben asketische Themen zum Inhalt, wobei 6–7 eine wichtige Rolle für die frühe syr. protomonastische, von der ägypt. noch unabhängige Tradition spielen. Viele der *Demonstrationes* des zweiten Teils befassen sich mit den Beziehungen zum Judentum; dabei geht es eher darum, Einwände gegen jüdische Praktiken unter Christen als gegen das Judentum selbst zu erheben. Dem. 5, ›Kriege‹, ersucht den röm. Kaiser um Unterstützung der christl. Gemeinschaft. Dies erklärt die Illoyalitätsvorwürfe Sapors II. gegen die Christen, die er gegen Simeon, den Bischof von Seleukeia-Ktesiphon, erhob und die zu seinem Märtyrertum (möglicherweise 341) und zu dem von vielen anderen führte; Dem. 21 handelt speziell ›Von der Verfolgung‹.

Ed. mit lat. Übers.: J. Parisot, Patrologia Syriaca 1–2, 1894, 1907 · Dt. Übers.: P. Bruns 1991–2 · Frz.

Übers.: M-J. Pierre, Sources chrétiennes 349, 359 (1988–1989).
Lit.: J. Neusner, A. and Judaism, 1971 · T. Baarda, The Gospel Quotations of A., 1975 · P. Bruns, Das Christusbild A.s, 1990 · I. Ortiz de Urbina, Patrologia Syriaca 1965, 46–51 · TRE 1, 1977, 625–35 · RAC Suppl. 4, 1986, 4497–506. S. BR. / S. Z.

Aphraktoi nees s. Kriegsschiffe

Aphrodisia (Ἀφροδισία). Stadt in der Ebene zw. → Kotyrta und → Boiai, südöstl. → Lakonike (Ἀφροδιτία bei Thuk. 4,56,1; Ἀφροδισιάς bei Steph. Byz. s. v.; Paus. 3,22,11; 8,12,8), die sich als Gründung des → Aineas bezeichnete. Lage unbekannt.

J. Christien, Promenades en Laconie, in: DHA 15,1, 1989, 89–93 · A. J. B. Wace, F. W. Hasluck, South-Eastern Laconia, in: ABSA 14, 1907/1908, 166. Y. L.

Aphrodisias (Ἀφροδισίας). **[1]** Stadt in → Karia, 38 km südl. des Maiandros, im linken Seitental des Morsylos (h. Dandalaz çayı); h. Geyre. Neolithische und frühbrz. Siedlungsspuren auf der Akropolis, alter Name Νινόη (Steph. Byz. s. v. Ninoe) im örtlichen Kult (→ Zeus Nineudios) erhalten. A. stand lange im Schatten der Nachbargemeinde Plarasa (h. Bingeç, 15 km südwestl.), bis diese zum Demos von A. absank; Ortsname A. erst im 3. Jh. v. Chr. belegt, Stadtcharakter seit dem 2./1. Jh. v. Chr.; Hauptblüte 1.–2. Jh. der Kaiserzeit (→ *civitas libera*).

Die Stadt und ihr → Aphrodite-Kult wurde durch Caesar, M. Antonius und die Kaiser von Augustus bis Gordianus III. gefördert (bes. mit Asylie-Recht (→ Asylon), inschr. erh. Kaiserbriefe aus dem Theater); der Aphroditetempel (1. Jh. v. / 2. Jh. n. Chr., Vorgängerbauten aus 7. und 3. Jh. v. Chr.) war im Alt. ein vielbesuchter Pilgerort; im 4. Jh. n. Chr. wurde er in eine christl. Basilika umgewandelt und A. als Bischofssitz von Karia in *Stauropolis* umbenannt.

Arch. nachgewiesen: Propylon und Aphroditetempel, südl. hiervon der sog. Bischofspalast (4./5. Jh.), ein Odeion (2. Jh. v. Chr.), Agora mit Hallen und einem Kanopus im Süden aus der Zeit des Tiberius, Thermen des Hadrianus an der Südwest-Ecke, daran südl. anschließend eine Basilika (3. Jh. n. Chr.), im Südosten ein Torbau mit reicher Fassade, nördl. hiervon das Sebasteion, eine Ruhmeshalle für das iulisch-claudische Kaiserhaus; im Süden der Stadt die Akropolis mit Theater und 2 kleine byz. Kirchen (6./10. Jh. n. Chr.); im Norden an der Stadtmauer (3,5 km Länge) ein Stadion für ca. 30000 Zuschauer. A. war Sitz einer berühmten Bildhauerschule (daher die Vielzahl qualitätvoller Statuen, Reliefs, skulptierter Sarkophage).

Reisekarte Türkiye-Türkei, Türk. Verteidigungsministerium, 1994, Bl. 2 · Les Guides Bleus, Turkey, 1970, 485ff. · G. E. Bean, Kleinasien 3, 1974, 231–242 · K. T. Erim, A. City of Venus Aphrodite, 1986 · Ders., A.

Ein Führer durch die ant. Stadt und das Museum, 1990 ·
E. AKURGAL, Griech. und röm. Kunst in der Türkei, 1987,
413 f. · W. KOENIGS, Westtürkei, 1991, 162–172 ·
N. HIMMELMANN, Das Bildnis Pindars, in: Ant. Welt 24,
1993, 1, 56–58.   H. KA.

BYZANTINISCHE ZEIT
Die im Gegensatz zur röm. Epoche geringe Zahl öffentlicher Inschr. deutet auf einen Niedergang A.' in
byz. Zeit hin, der durch ein Erdbeben im 7. Jh. beschleunigt worden sein dürfte. Umbenennung in Stauropolis (7. Jh.) und Karia (9. Jh. [1. 94]). Der Akropolis-
hügel wird zur Festung umgebaut, das Theater bei der
Einbeziehung der Anlage nach dem 6. Jh. zerstört. Der
Aphroditetempel wird zur Kirche der Erzengel umge-
widmet. Eine an das ehemalige Odeion angelehnte
Hofanlage ist in byz. Zeit Bischofsresidenz. Eine Kirche
mit dreifacher Apsis südl. des Zentrums wird als Martyrium oder Klosterkirche gedeutet.

1 W. BRANDES, Die Städte Kleinasiens im 7. und 8. Jh., 1989.

K. T. ERIM, A., 1986 · CH. ROUECHÉ, A. in Late Antiquity,
1989 · R. CORMACK, The Classical Tradition in the
Byzantine Provincial City: The Evidence of Thessalonike
and A., in: M. MULLET, R. SCOTT (Hrsg.), Byzantium and
the Classical Tradition, 1981, 103–118.   T. L.

[Bildhauerschule]. Die Benennung einer »Bild- hau-
erschule von Aphrodisias« wurde von SQUARCIAPINO
für ca. 25 durch Signaturen bekannte Bildhauer aus A.
geprägt. In der frühen Kaiserzeit firmierten mit Ethnikon u. a. die röm. Freigelassenen M. → Cossutius Cerdo
und M. → Cossutius Menelaos aus dem »Pasiteles-
Kreis« in Rom, Olympia und Kreta. Durch einen Inschriftenfund ist für Koblanos dieselbe Herkunft erwiesen. Für Hadrian arbeiteten in Rom → Aristeas und
Papias sowie Antonianos, zur gleichen Zeit → Zenon
Attina und → Zenas Alexandrou. Eine Gruppe von
mindestens 5 Götterstatuen aus Rom in Kopenhagen,
signiert von Flavius Chryseros, Flavius Andronikos und
Flavius Zenon, ist durch Inschriftenfunde aus Aphrodisias in das 4. Jh. n. Chr. zu datieren. Seit den Grabungen in Aphrodisias sind dort 24 weitere Signaturen bekannt geworden, die z. T. Familienverbindungen mit
der röm. Werkstatt beweisen. In A. war, ausgehend von
Marmorbrüchen, ein wirtschaftlich bis in das 5. Jh.
n. Chr. bedeutendes Zentrum der Bildhauerei entstanden, in dem selbst Bildhauer-Agone betrieben wurden. Gearbeitet wurde in allen Gattungen jeweils im
Zeitstil. Die Verwendung des Begriffs »B v. A.« auf stilistischer Ebene zur Kennzeichnung einer expressiv ba-
rocken Stilrichtung und einer »Dekorationsschule« ist
aber nicht mehr angebracht.

M. SQUARCIAPINO, La Scuola di Afrodisia, 1943 ·
B. KIILERICH, H. TORP, Mythological sculpture in the fourth
century A. D., in: MDAI(Ist) 44, 1994, 307–316.   R. N.

[2] Griech. Kolonie [1. 105–113] auf der Südspitze des
Kap → Zephyrion (Stadiasmus maris magni 184–187)
(h. Ovacık Burnu)) an der Küste der → Kilikia Tracheia,

durch einen schmalen Isthmus mit West- und Osthafen
(daher λιμὴν Ἀφροδίσιος καὶ λιμὴν ἕτερος bei Skyl. 102)
vom schwer zugänglichen Festland getrennt. 197 v. Chr.
von Antiochos III. erobert (Liv. 33,20), verlor A. in röm.
Zeit (oppidum Veneris, Plin. nat. 5,92) an Bed., wurde
nicht Bistum, konnte aber in der Spätant. eine → basilica
mit Mosaikschmuck errichten [2]. Im MA dank seiner
Häfen noch bedeutende Schiffsanlegestelle, unter dem
Namen Porto Cavaliere im Besitz der Johanniter.

1 E. BLUMENTHAL, Die altgriech. Siedlungskolonisation im
Mittelmeerraum unter bes. Berücksichtigung der Südküste
Kleinasiens, 1963 2 L. BUDDE, St. Pantaleon von A. in
Kilikien, 1987.

H. HELLENKEMPER, F. HILD, s. v. A., Isaurien und Kilikien
(TIB 5), 1990.   F. H.

[3] Das an der Südspitze von → Karia gelegene Vorgebirge A. bzw. Aphrodisium muß nach der Reihenfolge
der Plin. nat. 5,104 [1. 221] und Mela 1,84 aufgezählten
Örtlichkeiten auf der Halbinsel liegen, die die Thym-
nias-Bucht (h. Sömbeki körfezi) im Süden (gegenüber
der griech. Insel Syme, türk. Sömbeki) vom Ostteil der
Schoinos-Bucht im Norden (h. Hisarönü körfezi)
trennt; evtl. ein h. namenloses Kap westl. der Ortschaft
Bozburun, bzw. unweit an der Nordseite der Landspit-
ze.

1 G. WINKLER, R. KÖNIG, C. Plinius Secundus d. Ä.,
Naturkunde (lat.-dt.), Buch 5, 1993.

Reisekarte Türkiye-Türkei, Türk. Verteidigungsministerium, 1994, Bl. 2.   H. KA.

Aphrodisios. Sohn des Lybios, Bildhauer aus Athen, in
augusteischer Zeit in der Kopistenwerkstatt von Baiae
tätig. Mit Signatur erhalten ist eine Kopie des für Porträtstatuen verwendeten Typus »Hera Borghese«. Ein
namensgleicher Bildhauer, dessen Statuen den Kaiserpalast am Palatin füllten, stammt indessen aus Tralles.

C. LANDWEHR, Die ant. Gipsabgüsse aus Baiae, 1985,
88–94 · OVERBECK, Nr. 2300 (Quellen) · P. ZANCANI
MONTUORO, Repliche romane di una statua fidiaca, in:
Bullettino della Commissione archeologica comunale
di Roma, 61, 1933, 25–58.   R. N.

Aphrodite (Ἀφροδίτη). A. GENEALOGIE
B. KULTFORMEN
B.1 FRAUEN B.2 MÄNNER C. KULTGENOSSEN
D. OPFER UND RITUALE E. PRIESTERTÜMER
F. FESTE G. ATTRIBUTE H. MYTHEN

A. GENEALOGIE
Etym. unbekannt [1. 115–123]. Geboren aus den abgeschnittenen Genitalien des Uranos bei Hesiod (theog.
188–206) oder Tochter des Zeus und der Dione bei Homer (Il. 5,370–417). A. stellt im griech. Pantheon die
gesamte Ambiguität der Weiblichkeit dar, den verfüh-
rerischen Charme ebenso wie die Notwendigkeit der

Fortpflanzung und ein Potential an Täuschung, wobei alle genannten Elemente in der ersten Frau, Pandora, vereint zu finden sind (Hes. erg. 60–68). A.s Name erscheint nicht in Linear B, und die Frage nach ihrem Urspr. bleibt problematisch, obwohl Zypern wohl eine Schlüsselrolle in der Zusammensetzung ihres Wesens gespielt hat. Für die Griechen kam die Göttin aus dem Orient (Hdt. 1,105; Paus. 1,14,7), und sie gaben ihr in der Lit. gerne den Namen *Kýpris*, die »Zypriotin«. Die doppelte Genealogie zeigt, daß sie A. zugleich als Griechin und Fremde empfunden haben, auf einer mythischen Ebene aber auch als eine mächtige Göttin, die man unter die Autorität des Zeus stellen mußte (Hom. h. Veneris).

B. KULTFORMEN

Die Kulte der A. sind sehr verbreitet in der griech. Welt, auch wenn ihre Tempel und Feste nicht mit denjenigen anderer Mitglieder des Pantheons konkurrieren können. Auf Zypern findet man die prächtigsten Kulte (z. B. Paphos, Amathus); der Name der A. ist dort wohl in archa. Zeit mit einer einheimischen Göttin verbunden worden, die ebenfalls viele oriental. Einflüsse gekannt hat. In Griechenland selbst besaß jede Gegend einen oder mehrere Kulte der Göttin. Sie wird vor allem als Gottheit der Sexualität und der Zeugung, die die Kontinuität der menschlichen Gemeinschaften gewährleistet, verehrt. In Kassope, in Epirus und Metropolis in Thessalien (IG IX 2,1231) war A. wahrscheinlich Polisgöttin (SEG 15,383 [2. 55–60]).

B.1 FRAUEN

In zahlreichen Städten ehrten junge Mädchen am Abend vor ihrer Hochzeit die Göttin mit einem Opfer, um ihre erste sexuelle Beziehung günstig ausfallen zu lassen (Paus. 2,32,7; 2,34,12; 3,13,9). Dies ist die spezifische Rolle, die A. von den anderen Göttinnen, die mit der Heirat in Beziehung stehen (Hera, Demeter), absetzt. Diese Funktion ist wegen der mythischen Verknüpfungen zw. den Kulten der A. und dem Abenteuer der Danaïden bes. in der Argolis zuhause (Paus. 2,29,6; 2,37,2). Die Verbundenheit, die die Griechen zw. der menschlichen Fortpflanzung und der Fruchtbarkeit der Erde spürten, erklärt die Beziehung, die die Göttin zur Vegetation und allg. zur Erde hatte: als *Melainís* in Korinth (Paus. 2,2,4), in Thespiai (Paus. 9,27,5) und in Mantinea in Arkadien (Paus. 8,6,5) manifestiert A. »die Schwarze« ihre Macht über die »Schwarze Erde« genauso wie ihre Beziehungen zu den nächtlichen Mächten, mit denen sie schon die hesiodeischen Theogonie in Verbindung brachte. Im gleichen Kontext hilft A. ἐν κήποις, »in den Gärten«, im Hang der athenischen Akropolis Athene, indem sie die Ehrungen durch die Arrhephoren empfängt; das Ritual betraf Fruchtbarkeit und Sexualität dieser zukünftigen Bürgerfrauen (Paus. 1,27,3; am Rande des Ilissos lag der Bezirk von A. Urania, auch ἐν κήποις, Paus. 1,19,2). Zeugung ebenso wie Geburt als offensichtlichste Zeichen dafür, daß die Frau zu einer voll übernommenen Sexualität Zugang hat, stehen unter A.s Schutz: Am Kap Kolias wird A. mit den Genetyllides verehrt (Paus. 1,1,5), auf dem Hymettos rufen unfruchtbare Frauen die Göttin um Hilfe an (Suda s. v. Κυλλοῦ Πήραν). Die enge Bindung zw. Fruchtbarkeit und Fortpflanzung im Geltungsbereich der A. kommt in den Werken der drei großen Tragiker deutlich zum Ausdruck (Aischyl. fr. 4 TGF; Soph. fr. 941 TrGF; Eur. Hipp. 443–450). Als Göttin der Sexualität und der Schönheit wird A. auch von den Kurtisanen geehrt. Epitheta wie *Hetaíra*, »Kurtisane«, *Pórnē*, »Prostituierte« (Athen. 13,571c; 572ef), zeigen den Schutz, den sie diesen »Körperschaften« gewährte, denen die Verführung das wichtigste Anliegen war (vgl. Anth. Pal. 6,210,290; 9,332). Korinth war bes. berühmt für die Schönheit und das prunkvolle Leben seiner Prostituierten, und ihre Verehrung für die lokale A. ist unbestreitbar. Dennoch hat das Heiligtum von Akrokorinth wahrscheinlich niemals das, was man »sakrale Prostitution« nennt, als Institution gekannt. Strabon (8,6,21), der als einziger diese für die griech. Welt erstaunliche Praxis nennt, situiert sie in einer unbestimmten Vergangenheit und ist sicher durch oriental. Bräuche beeinflußt worden, die er gut kannte. Auch Herodot weist auf eine solche Praxis in einigen Gegenden des östl. Mittelmeers hin, und sein Schweigen in Bezug auf Korinth mahnt zur Vorsicht. Sowohl das Schol. zu Pind. (fr. 122 SN-M) als auch der Text von Athenaios (13,573cd) können unter keinen Umständen für den Beweis einer sakralen Prostitution in Korinth herangezogen werden.

B.2 MÄNNER

Auch wenn vorwiegend Frauen die treue Gefolgschaft der A. ausmachen, verehren sie auch Männer, vor allem als Schützerin der Schiffahrt (*A. Eúploia, Pontía, Limenía*; (IG II² 2872; Paus. 2,34,11). A. beschützt aber auch die Magistrate im Rahmen ihrer offiziellen Pflichten als Gottheit der staatsbürgerlichen Eintracht und Harmonie (die älteste Inschr. geht ins 5. Jh. v. zurück (IG XII 5,552, Karthaia in Keos). Den Beinamen *Pándēmos*, den sie vor allem in Athen trägt (Paus. 1,22,3; IG II² 659), macht sie zur Beschützerin der gesamten Bürgerschaft (vgl. auch die Weihung der Boule Ἀφροδίτει ἡγεμόνει τοῦ δήμου καὶ Χάρισιν (IG II² 2798), sie kann aber auch mit nur einer bestimmten Magistratur assoziiert werden (*Stratagís* in Arkanien IG IX² 1,2,256), *Epistasie* in Thasos [11. n° 24], *Nomophylakís* in Kyrene (SEG 9,133). In diesem Kontext wird sie oft mit Hermes, Peitho und den Chariten assoziiert. Das zeigt, wie unbegründet die platonische Interpretation der Epiklesen *Uranía* und *Pándēmos* als Bezeichnung für die höhere und die gemeine Liebe ist (Plat. symp. 180d–181; ähnliche Kulte in Theben (Paus. 9,16,3–4), in Megalopolis (Paus. 8,32,2) und in Elis (Paus. 6,25,1). Die Epiklese Urania, »Himmlische«, trifft man in zahlreichen Kulten an; sie drückt die Macht der Göttin aus, welche menschlichen Verbindungen in all ihren Formen vorsteht. Dies bedeutet, daß der Name der A. im Griech. dazu dient, fremde Gottheiten zu bezeichnen, ein Verfahren, das man schon bei Herodot findet (1,131–132) und das sich mit den hell. Synkretismen noch verstärken wird. Die Epiklese *Urania* vereinigt in sich auch eine der Ambiguitäten der Göttin, da sie A. zugleich als »Tochter des Uranos« und als fremde Gottheit faßt. Nach Pausanias waren einige Statuen der A. bewaffnet, vor allem in Sparta (3,15,10; 3,23,1). In Anbetracht der bes. Erziehung, die die spartanischen Mädchen genossen, ist es kaum verwunderlich, daß die Göttin der Weiblichkeit mit männlichen Attributen ausgestattet ist. Aber diese ikonographischen Belege erlauben es kaum, aus A. eine Kriegsgöttin zu machen, außer wenn es um die Äußerung des Schutzes geht, den sie, wie z.B. in Korinth, einer Bevölkerung gewährt. Die lit. Beziehungen, die sie zu Ares unterhält, sind eher aus der Bemühung, Gegensätze zu vereinen, als aus einer Ähnlichkeit der Funktion entstanden. Auf Kythera (Paus. 3,23,1) war das *xóanon* der A. *Uranía* ebenfalls bewaffnet, Folge entweder eines spartanischen oder aber eines oriental. ikonographischen Einflusses.

C. Kultgenossen

Manchmal wurde A. zusammen mit anderen Göttern verehrt: Mit Eros im Hang der Akropolis in Athen (SEG 10,27), in Megara (Paus. 1,43,6: Tempel der *A. Praxis* mit Himeros, Pothos, Peitho, Paregoros), in Thespiai (Alki. 4,1), mit Peitho in Athen (Paus. 1,22,3), in Megara, mit Hermes in Argos (Paus. 2,21,1) und in Megapolis (Paus. 8,31,5–6), mit Zeus in Sparta (Paus. 3,12,11) und in Aigion (Paus. 7,24,2), mit Dionysos in Boura (Paus. 7,25,9), mit Ares in Argos (Paus. 2,25,1). Auf Zypern beherbergte ein *álsos* der Ariadne-A. das Grab der Ariadne (Plut. Theseus 20). Auf Kreta, in Symi-Viannou, in einem Heiligtum, das auf ca. 1700 v. Chr. zurückgeht, werden die beiden Gottheiten durch Inschr. aus hell. Zeit mit Hermes und A. identifiziert [2. 1–24].

D. Opfer und Rituale

Nach Empedokles (31 B 128 D-K) empfingen damals, als Kypris Königin war, die Altäre keine blutigen Opfer. Auch wenn der *A. Uranía* in Athen weinlose Opfer dargebracht wurden (Polemon fr. 42 Preller), wurden ihr in einem Ritual auch Tiere geopfert, das wie in Sikyon olympische und chthonische Elemente vermischen konnte (Paus. 2,10,5–6; in Delphi bekam *A. Epitymbía* eine Libation für die Toten (Plut. mor. 269b). Das Schwein war in diesen Kulten oft verboten (Schol. Aristoph. Ach. 793), aber man kennt in Argos ein Fest mit Schweineopfer, die Ὑστήρια (Athen. 3,95f–96a), dazu Opfer von Schweinen in Aspendos und Metropolis (Strab. 9,5,17). Ziegenböcke waren ihr Lieblingsopfer (LSCG Nr. 169 A, Z. 12–13; Nr. 172, Z. 2,9–10,12; IK 26 Nr. 1, Z. 6; Tac. hist. 2,3,1–2) und erscheinen in der Ikonographie oft an ihrer Seite. Vor seiner Reise nach Kreta opfert Theseus der A. eine Ziege, welche deswegen *Epitragía* hieß (Plut. Theseus 18). Zudem sollen die Spartaner die einzigen gewesen sein, die der Hera Ziegen geopfert haben (Paus. 3,15,9), was sich vielleicht aus ihrem Kult der A.-Hera erklärt (Paus. 3,13,19).

E. Priestertümer

Nach unserer Dokumentation bestand die Priesterschaft der A. in Griechenland vorwiegend aus Frauen (IG II² 659; Paus. 2,10,4–6 mit Forderung von Keuschheit in Sikyon [5]; IG V 2,461 Männer: IG II² 4586; 3683 Z. 4–7), während in griech. Kleinasien, wenigstens in der hell. und röm. Epoche, vor allem männliche Priester gab (SEG 14,696; 18,445; 18,478; 33,644).

F. Feste

In Griechenland sind wenig große Feste der A. bekannt (IG II² 659; 1172, Z.5; Men. fr. 292 Kock; Plut. mor. 301ef; Tzetz. Schol. Aristoph. Plut. 179; Anth. Pal. 6,162); die *Aphrodísia* im 13. Buch des Athen. beziehen sich vorwiegend auf Symposia in Gesellschaft von Kurtisanen (579e), von denen man weiß, daß sie vor kriegerischen Unternehmen zu Land und zu See oder am Ende von öffentlichen Amtsperioden organisiert wurden. Auf Zypern kannten Paphos und Amathus große Feiern (Strab. 14,6,3; Clem. Al. Protr. 2,14,2; [4.957]), während das *Pervigilium Veneris* eine gute Vorstellung von den Feiern zur Ehre der Göttin in Hybla gibt.

G. Attribute

Tierattribute der Göttin sind, außer den Ziegenböcken, vor allem die Taube (Ail. nat. 4,2; 10,33; LSAM Nr. 86; Apollod. FGrH 244 F 114) und manchmal die Schildkröte (Paus. 6,25,1; Plut. mor. 142d). Zu den Lieblingspflanzen gehören die »Äpfel« (μῆλον, »runde Frucht«: Ov. met. 10,644–8; Plut. mor. 138d; Artem. 1,73) als erotische Symbole, die oft ihre Statuen schmücken (Paus. 2,10,5), aber auch Blumen und Myrte (Plut. Marcellus 22,6; Athen. 15,681f.; Paus. 5,13,7; 6,24,6–7).

H. Mythen

Von Sappho bis Lukrez hat die Lit. die beseligenden, aber oft auch zerstörerischen Kräfte der A. gepriesen. In der Odyssee (8,266–305) ist Hephaistos ihr Gatte und Ares ihr Liebhaber, mit dem sie nach einer thebanischen Überlieferung Harmonia zeugte (Plut. Pelopidas 19); Hes. kannte sie, machte aber Phobos und Deimos zu ihren Kindern (Hes. theog. 933–937; 975–978). Von Hermes wird A. Hermaphrodite erhalten (Diod. 4,6,5), von Dionysos Priapus (Diod. 6,1) oder manchmal Hymenaeus (Serv. Aen. 4,127). Adonis ist ihr berühmtester Geliebter, der mit einem verfrühten Tod seine Liebe zur schönsten Göttin bezahlen wird. Seit der Ilias und vor allem im Hom. h. Ven. ist sie die Mutter des Aineias aus ihrer Verbindung mit dem Sterblichen Anchises. Die mythischen Zornausbrüche der A. sind Reaktionen auf sexuell abweichendes Verhalten und verweisen dadurch auf die verschiedensten Arten von (positiv oder negativ gewerteter) Sexualität, die sie hervorrufen kann: So stirbt Hippolytos, weil er Artemis zu sehr verehrt hat, die Töchter des → Proitos verneinen die Göttlichkeit der A. und müssen sich prostituieren, → Myrrha verliebt sich in ihren Vater und begeht einen Inzest. Die Macht der A., der man sich unbedingt zu beugen hat, beruht auf dem durch ihren Namen symbolisierten Dynamismus der Verbindung.

1 K. T. Witczak, Greek A. and her Indo-European Origin, in: Miscellanea Linguistica Graeco-Latina, 1993
2 P. R. Franke, Ant. Münzen von Epirus I, 1961   3 ArchE, 1981   4 Marshall, Coll. of Ancient Greek Inscr. in the British Museum   5 BCH 96, 1972, 137–154; 116, 1992, 866;   6 J. Pouilloux, Thasos I.

Farnell, Cults II, 618–669 • W. F. Otto, Die Götter Griechenlands, 1947, 92–104 • Nilsson, GGR I, 519–526 • D. Boedeker Dickmann, A.'s Entry into Greek Epic, 1947 • Burkert, 152–156 • A. Deliovorrias, s. v. A., LIMC 2, 2–151 • J. Flemberg, Venus armata, 1991 • V. Pirenne-Delforge, L'A. grecque, 1994.   V. P.-D.

[Ikonographie] Innerhalb myth. Darstellungen erscheint A. auf Vasen (insbesondere Motive aus dem troianischen Sagenkreis; das Parisurteil erstmals auf der »Chigikanne«, um 640/630 v. Chr.), in Reliefdarstellungen (Parthenon-O-Fries; Athena-Nike-Tempel, O-Fries: Götterversammlung; Zeusaltar in Pergamon, N-Fries: Gigantomachie; »Ludovisischer Thron«: Geburt), auf Gemmen und Kameen, bronzenen Klappspiegeln u. ä. Die orientalischen Wurzeln der A. dokumentieren sich in Darstellungen der reitenden Göttin (seit dem 6. Jh. v. Chr.). Die großplastischen Werke ab dem letzten Drittel des 5. Jh. v. Chr. und insbesondere des Hellenismus sind in einer Vielzahl röm. Kopien, Varianten und Umbildungen überliefert; umstritten bleiben oftmals Rekonstruktion und Zuschreibung. In der Tradition klassischer Gewandstatuen der 30er Jahre des 5. Jh. v. Chr.: A. Urania des Pheidias (das Gold-Elfenbein-Kultbild der A. in Elis; charakteristisch der auf eine Schildkröte gesetzte Fuß; vgl. die »A. Urania« im Pergamonmus., Berlin). Die »A. in den Gärten« des Alkamenes (Plin. nat. 36,16; Paus. 1,19,2) ist möglicherweise im Typus der angelehnten »A. Daphni« erhalten. In das späte 5. Jh. v. Chr. datiert das Vorbild der A. Louvre-Neapel (Typus Fréjus; Zuschreibung an → Kallimachos oder an die Polykletschule; nicht identisch mit der Venus Genetrix des → Arkesilaos); mit ihr wird erstmals der teilentblößte Körper einer weiblichen Figur in großplastischer Ausbildung und ruhigem Standmotiv gezeigt, mit unbedeckter linker Brust und eng an den Körper gepreßtem, dessen Formen durchzeichnendem Gewand (wie vorher nur bei bewegten Figuren, z. B. die Nike des → Paionios, 430/420 v. Chr.). Eine Weiterbildung dieses Typus ist die bewaffnete A. aus Epidauros (nach einem Original um 360 v. Chr.). Halbbekleidete A. überliefert der Typus Arles (mit Schwert und Gurt; 4. Jh. v. Chr.?; strittig die Zuschreibung an → Praxiteles) und der an die Urania anknüpfende Typus Capua (wohl Ende 4. Jh. v. Chr.), auf den die A. von Melos (spätes 2. Jh. v. Chr.) zurückgeführt wird. In vollkommener Nacktheit erscheint um 345/340 v. Chr. die Knidische A. des Praxiteles; ihr folgen die Kapitolinische A. (in über 100 Repliken überliefert; wohl nicht identisch mit der »Venus nuda« des → Skopas: Plin. nat. 36,26; vgl. den Typus A. Medici in Florenz, wohl 1. H. 2. Jh. v. Chr.) und die »Kauernde A«. (2. H. 3. Jh. v. Chr.?; strittige Zuschreibung an

→ Doidalses). Der Typus Anadyomene ist wohl frühhell.; diesem verwandt die nackte, sich mit einem Schwert bewaffnende A. An die Wende 3./2. Jh. v. Chr. gehört vermutlich die »Sandalenlösende A.« (in mehr als 180 Repliken überliefert). Die 100 v. Chr. datierte A. von Delos der sog. »Pantoffelgruppe« wird mit Pan dargestellt. Nicht unumstritten ist die Identifizierung der »Kallipygos« mit A. (Neapel, Kopie nach späthell. Original).

M. Brinke, Kopienkritik und typologische Unt. zur statuarischen Überlieferung der A. Typus Louvre-Neapel, 1991 • A. Deliovorrias u. a., s. v. A., LIMC II, 1, 1984, 2–151 (mit älterer Lit.) • J. Flemberg, Venus armata, 1991 • Chr. Höcker, L. Schneider, Phidias, 1993, 110–113 • P. Karanastassis, Unt. zur kaiserzeitlichen Plastik in Griechenland 1, in: MDAI(A) 101, 1986, 207–291 • W. Neumer-Pfau, Studien zur Ikonographie und gesellschaftlichen Funktion hell. A.-Statuen, 1982.   A. L.

Aphthonios (Ἀφθόνιος). Rhetor des 4. und 5. Jh. n. Chr., aus Antiochia, Schüler des → Libanios und Freund des → Eutropios. Von seinen Schriften sind die bei Phot. bibl. 133 erwähnten Übungsreden verloren, erhalten sind dagegen 40 Fabeln, die er teilweise von → Babrios übernommen, teilweise neu erfunden hat; außerdem die sog. → Progymnasmata, 14 Definitionen rhet. Grundbegriffe, deren Bearbeitung der Einführung in das Studium der Rhet. diente (z. B. Fabel μῦθος, Erzählung διήγημα, pro- bzw. contra-Argumentation κατασκευή, ἀνασκευή). Für den Schulgebrauch waren diese Progymnasmata wegen ihrer Einfachheit geeigneter als die des → Theon oder → Hermogenes und blieben deshalb während des ganzen MA und bis in die Neuzeit grundlegend für die rhet. Ausbildung. Sie wurden in byz. Zeit vielfach exzerpiert (z. B. von Matthaios Kamariotes), kommentiert (z. B. Geometres, 10. Jh.) oder stillschweigend ausgeschrieben (z. B. Nikolaos); im 15. Jh. fertigte Julius Agricola eine lat. Übers. an.

Ed.: A. Hausrath, H. Hunger, Corp. Fab. Aesop. 1–2, ²1959, 133–151 • Walz 1, 55–120 • M. D. Reche Martínez, Téon, Hermógenes, Aftonio, Ejercicios de rétorica, 1991.
Lit.: G. Kennedy, Greek Rhet. under Christian Emperors, 1983, 59–66. 275 f. • G. L. Kustas, Hermogenes, A. and the neoplatonists, in: Ders., Studies in Byzantine Rhetoric, 1973, 5–26   3 J. C. Margolin, La rhétorique d'A. et son influence au XVIᵉ siècle, in: La rhétorique à Rome, 1979.   M. W.

Aphytis. An der Ostküste der Pallene südl. von Poteidaia. Im 5. Jh. v. Chr. Mitglied des → att.-delischen Seebundes, blieb A. den Athenern auch nach 432 v. Chr. treu; dafür erhielt A. Zugeständnisse (ATL 2,75, D 21), wurde deswegen aber von Lysandros belagert (Plut. Lysandros 20,7; Paus. 3,18,3). In der 1. H. des 4. Jhs. gehörte A. zeitweilig zum Chalkidischen Bund (SIG 135) und wurde zusammen mit diesem makedonisch. Im 2. Jh. v. Chr. hat A. noch einmal kurzzeitig Kupfermünzen geprägt; es dürfte schließlich im Territorium von Kassandreia (Poteidaia) aufgegangen sein.

F. Papazoglou, Les villes de Macédonie à l'époque romaine, 1988, 427f. • M. Zahrnt, Olynth und die Chalkidier, 1971, 167–169.   M. Z.

Apicata. Gattin des → Aelius [II 19] Seianus, mit der er 3 Kinder hatte; er verstieß sie im J. 23 n.Chr. (Tac. ann. 4,3,5). Nach seinem Tod soll sie dem Tiberius angezeigt haben, ihr Gatte habe auch den Untergang des Drusus d.J. bewerkstelligt; eine wenig glaubwürdige Nachricht bei Tac. ann. 4,11,2 (Cass. Dio 58,11,6 [1]). Sie tötete sich am 26. Okt. 31 (FOst 42).

1 D. Hennig, L. Aelius Seianus, 1975, 37 Anm. 16.   D. K.

Apicius s. Caelius Apicius

Apidanos (Ἀπιδανός). Einer der Hauptflüsse der westthessal. Ebene, h. Pharsalitis. Aus Quellbächen bei → Pharsalos entstehend (der urspr. wasserreiche Quelltopf vor der ant. Stadtmauer ist seit einem Erdbeben 1954 versiegt), fließt er in nördl. Richtung durch → Phthiotis und Thessaliotis (→ Thessaloi), nimmt von Westen den Kuarios, h. Sophatidikos, den Onochonos, h. Karabalis / Kallentsis, sowie den Pamisos, h. Bliuris, auf. Der Flußabschnitt, der wenige km vor der Mündung in den → Peneios aus der Vereinigung des A. mit dem von Südosten kommenden → Enipeus entsteht, wird in den Quellen teils nach diesem, teils nach jenem benannt. Durch das Tal des A. zog 480 v.Chr. ein Teil des persischen Heeres nach Süden, wobei das Wasser des Onochonos nicht, das des A. kaum zur Versorgung ausreichte (Hdt. 7,169). 424 v.Chr. lagerte das spartanische Heer unter → Brasidas auf dem Zug nach → Thrake für eine Nacht bei Pharsalos am A. (Thuk. 4,78).

J.-C. Decourt, La vallée de l'Enipeus en Thessalie, 1990, 39f.; 82–87; 154 • Philippson / Kirsten 1, 58f.; 64 • F. Stählin, Das hellenische Thessalien, 1924, 82.   HE. KR.

Apiolae. Stadt in → Latium westl. des → *mons Albanus*, genaue Lokalisierung nicht möglich (bei → Bovillae?). A. wurde von → Tarquinius Priscus zerstört (HRR Valerius Antias F 11; Strab. 5,3,4: Ἀπίολα; Dion. Hal. ant. 3,49,2; Liv. 1,35,7), der mithilfe der Beute aus A. den Bau des Capitolinischen Tempels in Angriff nahm und prächtige Spiele veranstaltete.

Nissen 2, 2, 1902, 563.   E. O.

Apion (Ἀπίων). Grammatiker und Lexikograph, lebte Ende des 1.Jh. v.Chr. bis 1. H. des 1.Jh. n.Chr. Er wurde in einer ägypt. Oase geboren, war Sohn eines gewissen Poseidonios, wurde im Hause des Didymos in Alexandreia aufgezogen und war Theons Nachfolger als Oberhaupt der alexandrinischen Grammatikerschule.

Während der Regierungszeit des Tiberius und des Claudius lehrte er in Rom, wo Plinius der Ältere ihn hörte. Dann unternahm er auch Reisen in Griechenland und hielt an verschiedenen Orten Vorträge über Homerprobleme, was ihm den Beinamen Ὁμηρικός einbrachte. Er besaß das Bürgerrecht von Alexandreia und wurde 40 n.Chr. als Haupt einer Gesandtschaft zu Caligula nach Rom geschickt, um gegen den Juden Philon die Klagen zu bestreiten, die Juden aus Alexandreia wegen Mißhandlungen im Jahre 38 vorgebracht hatten. Im Konflikt zwischen Griechen und Juden in Alexandreia hatte er entschieden gegen die Juden Position bezogen. Über seine Ansichten informiert uns das polemische, die Juden verteidigende Werk des Flavius Josephus *Contra Apionem*. Die antijüd. Argumente waren in fünf Büchern Αἰγυπτιακά (von denen nur noch wenige Fragmente erh. sind) vorgebracht worden, ein Werk, das ein Bild von der noch wenig bekannten ägypt. Kultur geben sollte. Bedeutenden Einfluß hatten die Γλῶσσαι Ὁμηρικαί, eine Sammlung von Erklärungen homer. Wörter, meistens etym. Charakters. Die Hauptquelle der 158 erhaltenen Fragmente ist Apollonios Sophistes, der das Werk für sein Homerlexikon benutzte. A. stützte sich auf die vorausgehende exegetische Tradition bis zu Aristarchos, von dem er jedoch manchmal in der Worterklärung abweicht. Unsicher ist die Zuweisung eines Fragmentes aus einem Homerlexikon in PRyl. 26 (1.Jh. n.Chr.) zu diesem Werk. Problematisch ist weiterhin auch die Beziehung zwischen dem urspr. Werk des A. und einem Homerlexikon, das unter dem Titel Ἀπίωνος Γλῶσσαι Ὁμηρικαί oder ἐκ τοῦ Ἀπίωνος überliefert ist. Wenn man die Gesamtheit der Übereinstimmungen und der Divergenzen abwägt, bleibt die Möglichkeit offen, daß dieses Lexikon letzten Endes auch auf Material des A. zurückgeht, das in der Überlieferung jedoch tiefgreifende Umarbeitungen erfahren hat. Es ist sehr wahrscheinlich, daß A. sich auch mit anderen Autoren beschäftigt hat. Zum Beispiel zeigt POxy. 2295, daß er auch an Alkaios arbeitete, was ein Passus bei Apollonios Dyskolos (Syntaxis p. 124 Schneider-Uhlig) bestätigt. Schließlich kennen wir noch die Titel einiger anderer Werke: Περὶ Ῥωμαίων διαλέκτου; Περὶ μάγου; Περὶ τῆς Ἀπικίου τρυφῆς; Περὶ στοιχείων; Plin. nat. ind. 35, zitiert ein Werk *De metallica disciplina*.

→ Alkaios; Apollonios Sophistes

FHG 3, 506–516 • FGrH 616 (Αἰγυπτιακά) • H. Baumert, A.is quae ad Homerum pertinent fragmenta, Diss. 1886 • A. Ludwich, Über die homer. Glossen Apions, Philologus 74, 1917, 205–247 und 75, 1919, 95–127 (= Lexica Graeca Minora, 283–358) • S. Neitzel, Apions Γλῶσσαι Ὁμηρικαί, in: SGLG 3, 1977, 185–300 • K. Alpers, Theognostos, Περὶ ὀρθογραφίας, Diss. 1964, 54–57 • M. Dubuisson, Le latin est-il une langue barbare?, in: Ktèma 9, 1984, 55–68 • L. Cohn, in: RE 1, 2803–2806 • H. Erbse, Beiträge zur Überlieferung der Iliasscholien, 1960, 52–53 • A. v. Gutschmid, KS IV, 1893, 356–360 • A. S. Hunt, Papyri in the John Rylands Library 1, 1911, Nr. 26 (=PRyl.) • A. Kopp, Apios Homerlexicon, in:

Hermes 20, 1885, 106–125 · M. W. HASLAM, The Homer Lexicon of Apollonius Sophista. I. Composition and Constituents, in: CPh 89, 1994, 1–45 · K. LEHRS, Quaestiones epicae, 1837, 1–34 · I. LÉVY, Tacite et l'origine du peuple juif, in: Latomus 5, 1946, 331–340 · F. MONTANARI, L'erudizione, la filologia, la grammatica, in: Lo spazio letterario della Grecia antica, I 2, Rom 1993, 280 · PFEIFFER, KP I, 332 · A. PORRO, Vetera Alcaica, 1994, 15–16, 34, 219, 238 · SCHMID / STÄHLIN II, 437–438 · A. SPERLING, A. der Grammatiker und sein Verhältnis zum Judentum, Progr. Dresden 1886 · H. SCHENK, Die Quellen des Homerlexikons des Apollonios Sophistes, Diss. 1961 · C. THEODORIDIS, Drei neue Fragmente des Grammatikers A., in: RhM 132, 1989, 345–350 · M. VAN DER VALK, Researches on the Text and Scholia of the Iliad, 1963–64, I, 294–302 und passim.   F. M. / T. H.

Apis. [1] Die Verehrung von Zeugungskraft und physischer Stärke hat in Ägypten zahlreiche Stierkulte gefördert. Der des A. gehörte sehr früh zu den bekanntesten. In Memphis verehrte man einen lebendigen Stier, dessen bes. Verhältnis zum Ortsgott Ptah sich in den Bezeichnungen »Seele« (*Ba*) und »Herold« (*whm*) des Gottes manifestierte. Der nach bestimmten äußeren Merkmalen ausgesuchte Stier wurde als A. inthronisiert und im Apieion neben dem Ptahtempel (Hdt. 2,153; Strab. 17,801) verehrt. Nach seinem Tod wurde er, begleitet von einem umfangreichen Bestattungsritual, als Osiris-A. (Serapis) in einer eigenen Nekropole beigesetzt, die sich seit Amenophis III. in Saqqara befand und später aufwendig ausgebaut wurde (Serapeum). Bedeutsam war der die Natur segnende Lauf des A., der ihn auch mit dem Königsritual verband. Die Griechen setzten A. dem Epaphos gleich, dem Sohn des Zeus und der → Io.

[2] Stadt, die Hdt. 2,18 neben Marea als von Ägyptern bewohnt und im Grenzgebiet zu Libyen liegend aufführt. Dieselbe Stadt ist wohl auch bei Strab. 17,799 und Plin. 5,39 gemeint.

J. VERCOUTTER, LÄ I, 338–350.   R. GR.

Apisa Maius. Stadt der *Africa proconsularis*, h. Henchir Tarf ech-Chena. 28 n. Chr. leiteten A. 2 → Sufeten mit pun. Namen und Vatersnamen; seit dem 3. Jh. n. Chr. → *municipium*.

INSCHR.: CIL V 1, 4921; 8,1, 774–791; Suppl. 1, 12233–12240; Suppl. 4, 23843–23846.

AATun 50, Bl. 34, Nr. 111 · C. LEPELLEY, Les cités de l'Afrique romaine au Bas-Empire 2, 1981, 68–70.   W. HU.

Apisa Minus. Stadt in der *Africa proconsularis*, h. Bou Arada. Noch z. Z. des → Antoninus [1] Pius wurde A. von 2 → Sufeten (Macer – libyscher Personenname, Baliato[n] – pun. Personenname) verwaltet.

A. BESCHAOUCH, Une cité de constitution punique, in: Africa 7/8, 1982, 169–177.   W. HU.

Apium s. Eppich

Apo koinu (σχῆμα ἀπὸ κοινοῦ »durch Gemeinsames bewirkte Figur«, vgl. Apoll. Dysk. synt. 122,14). Abweichend von der ant. [1; 3.5–9] und bis h. [2] üblichen unscharfen Auffassung als generell einmaliger Setzung eines zwei (Teil-) Sätzen gemeinsamen Elementes (→ Ellipse, → Zeugma) versteht man jetzt unter A. ›die sinngemäß wie grammatikalisch-syntaktische Beziehung eines Satzgliedes auf zwei andere‹ [3.12]. Das mehrfach bezogene Glied steht gewöhnlich zw. den betr. Einheiten. Beispiele: εὕδει δ' ἀνὰ σκάπτῳ Διὸς αἰετός (Pind. P. 1,6); γνώσῃ τέχνης σημεῖα τῆς ἐμῆς κλύων (Soph. Ant. 998); *celeriter aggressus Pompeianos ex vallo deturbavit* (Caes. civ. 3,67,4); *si taedio viarum ac maris finem cupiant* (Tac. ann. 2,14,4).

→ Stil, Stilfiguren; Syntax

1 LAUSBERG, 349/350 2 J. B. HOFMANN, A. SZANTYR, Lat. Syntax und Stilistik, 1965, 834–836 3 G. KIEFNER, Die Versparung, 1964 4 KNOBLOCH, I 147.   R. P.

Apobates (ἀποβάτης). Als Relikt einer frühen, noch bei Homer geschilderten Art des Kampfes [1.31] hat sich der A., bei dem ein Bewaffneter vom fahrenden Wagen absprang, eine Strecke zu laufen hatte und wieder aufsprang (?), während der Lenker das Gefährt weiterführte, in agonistischer Form später offenbar nur noch in Athen größerer Beliebtheit erfreut [2.188–189; 3.138–141]. Die komplexe Disziplin, bei der es neben hippischen Qualitäten auf große Geschicklichkeit des bewaffneten Läufers und auf exakte Abstimmung zw. ihm und dem Wagenlenker ankam, stand bei den Panathenäen auf dem Programm und war ein elitäres Ereignis [4.133; 5], an dem nur die Bürger teilnehmen durften (Demosth. or. 61,23–26) [6]. Bildliche Darstellungen auf Vasen [2.188 Anm. 83] und in Form von Reliefs haben sich erhalten [7; 8].

1 S. LASER, ArchHom T 2 D. G. KYLE, Athletics in Ancient Athens, 1987 3 S. V. TRACY, The Panathenaic Festival and Games: An Epigraphical Inquiry, in: Nikephoros 4, 1991, 133–153 4 S. MÜLLER, Das Volk der Athleten, 1995 5 N. B. REED, A Chariot Race for Athen's Finest: The A. Contest Re-Examined, in: Journal of Sport History 17, 1990, 306–317 6 N. B. CROWTHER, The A. Reconsidered (Demosth. or. 61,23–29), in: JHS 111, 1991, 174–176 7 T. L. SHEAR, The Sculpture Found in 1933, Relief of an A., in: Hesperia 4, 1935, 379–381 8 C. BLÜMEL, Sport und Spiel bei Griechen und Römern, 1934, Nr. 3, 37.

E. REISCH, s. v. Ἀποβάτης, RE I, 2814–2817 · R. PATRUCCO, Lo sport nella Grecia antica, 1972, 382–384 · H. SZEMETHY, Der Apobatenagon, Diss. 1991.   W. D.

Apocolocyntosis s. Seneca minor

Apodektai (ἀποδέκται, »Einnehmer«). Ein zehnköpfiges Beamtenkollegium in Athen, dessen Mitglieder jeweils durch Los aus den zehn Phylen bestimmt wurden.

Sie nahmen unter Aufsicht der *boulé* die Staatseinkünfte entgegen, die sie im 5. Jh. v. Chr. in den zentralen Staatsschatz abführten, im 4. Jh. nach gesetzlichen Vorgaben auf verschiedene Ausgabebehörden verteilten (*merízein*). Gegenüber den Steuerpächtern verfügten sie (in Fällen bis zu 10 Drachmen) über eine eigene Rechtsprechungsbefugnis (Aristot. Ath. pol. 47,5–48,2; 52,3).

P.J.R.

Apodyterion s. Bäder, s. Thermen

Apogei (sc. *venti*), griech. ἀπόγειοι ἄνεμοι, z. B. Aristot. mund. 4,394 b13–15, sind die nach Sonnenuntergang ablandig, d. h. zum Meer hin, wehenden Winde, welche bis nach Sonnenaufgang den Fischern das Verlassen des Hafens erleichtern. Ihre mit ihnen oft gleichzeitig erwähnten Gegenspieler sind die vom Meer her wehenden τροπαῖαι, mit denen man tagsüber leicht zurückkommt. Unangenehm sind die Windstillen zwischen ihnen [1].

1 R. Böker, s. v. Winde, RE VIII A, 2245,43 ff.   C. HÜ.

Apographe (ἀπογραφή) war in Athen jede schriftliche Erklärung gegenüber einer Behörde, insbes. die Abgabe eines Verzeichnisses vom Staat einzuziehender Güter. Danach wurde auch der Antrag auf Einziehung des verzeichneten Bestandes sowie das ganze Einziehungsverfahren *a.* genannt [1]. Für das Verfahren war das Geschworenengericht, in der Regel unter dem Vorsitz der Elfmänner, zuständig. In Ägypten bedeutete *a.* die schriftliche Anzeige an eine öffentliche Behörde über den Besitz- oder Personenstand sowie die Anmeldung zum Grundbuchamt [2].

1 A. R. W. Harrison, The Law of Athens II, 1971, 211 ff.
2 Wolff II, 1978, 239 ff., 249 ff.   G. T.

Apoikia (Ἀποικία). Siedlung einer Kolonistengruppe oder ihrer Nachfahren außerhalb des Gebietes einer bestimmten Mutterstadt (→ Metropolis), die einen Teil ihrer Bürger als »Aussiedler« (ἄποικοι, *apoikoi*) zur Gründung einer »Pflanzstadt« ausgesandt oder auch Bürger anderer Poleis zur Teilnahme an einer Neugründung aufgefordert hatte.

Leiter des Unternehmens war in der Regel ein von der Mutterstadt benannter Oikistes. Vor allem während der »großen griech. Kolonisation« ca. 750–550/500 v. Chr. entstanden zahlreiche neue Gemeinwesen, die oft eigenständige Poleis waren und durch Entsendung von »Zuzüglern« (ἔποικοι, *epoikoi*) verstärkt sein konnten. Die A. übernahm Kulte sowie gesellschaftliche und polit. Organisationsformen der Mutterstadt, so daß deren innere Ordnung gleichsam als Modell für die Neugründung diente. Allerdings gab es zu Anfang der großen Kolonisation noch kein festes institutionelles Gefüge in hellenischen Gemeinwesen. Diese »vorstaatlichen« Verhältnisse bedingten, daß Kolonistenzüge von

einzelnen einflußreichen Personen initiiert und organisiert wurden [6. 154 f.; 7. 137]. Dies hat wohl dazu beigetragen, daß Oikisten nach ihrem Tod heroische Ehren erhielten. Oikisten standen immer wieder vor der Aufgabe, einen organisatorischen Rahmen für die im Entstehen begriffenen Gemeinschaften zu schaffen. Zweifellos hat so auch der Prozeß der Herausbildung staatlicher Institutionen im Mutterland Impulse erhalten. Es wurden so die frühen Gesetzgeber → Zaleukos und → Charondas mit Kodifikationen in »Kolonien« in Verbindung gebracht. Auch nach der Konsolidierung der → Polis-Strukturen waren kolonisatorische Aktivitäten einzelner Oikisten ohne offiziellen Auftrag möglich. Der vom älteren Miltiades etwa Mitte 6. Jh. v. Chr. organisierte athenische Kolonistenzug zur thrak. → Chersonesos ist hier einzuordnen.

Die polit. Beziehungen zw. Metropolis und A. konnten unterschiedlich sein. Es gab einerseits den Typ der eigenständigen A., die aber trotz ihrer polit. Unabhängigkeit der Mutterstadt durch »Bande der Pietät« verbunden blieb [5. 234]. Im Interessenbereich von Metropoleis, die bestrebt waren, weiträumig Einfluß zu gewinnen, konnte sich aber auch eine mehr oder weniger starke Abhängigkeit ihrer A. entwickeln. Entscheidend war, wieweit die Metropolis ihren Führungsanspruch durchsetzen konnte. So war z. B. Korinth hierzu in → Syrakusai nicht in der Lage, während in korinth. Kolonien am Golf von Korinth und im epeirotisch-illyr. Küstengebiet mit Ausnahme von → Korkyra eine starke Bindung an die Mutterstadt bestand. Wiederum anders war die Situation in der A. → Poteidaia, die jährlich ihre Oberbeamten (Epidamiurgen) aus der Mutterstadt Korinth erhielt, im Gegensatz zu dieser sich aber dem → Att.-Delischen Seebund angeschlossen hatte (Thuk. 1,56,1 ff.). Ein Verhältnis bes. Art, das in der Frühphase einer Art »staatlicher Grundordnung« [2. 28] gleichkam und später modifiziert fortbestand, verband → Teos mit seiner um 545 v. Chr. gegr. Kolonie → Abdera. Athenische Außensiedlungen im Gebiet des Att. Seebundes dienten generell als Stützpunkte athenischer Machtausübung. Die in der älteren Forsch. oft übliche Differenzierung zw. selbstständigen A. Athens und staatlich unselbständigen, durch gemeinsames Bürgerrecht mit der Metropolis verbundenen, athenischen → Kleruchien ist für das 5. Jh. v. Chr. problematisch [3. 128]. Zwar ist in einem Fall eine gleichsam offizielle Unterscheidung bezeugt (IG ³I 237). Aus der Urkunde geht aber nicht hervor, worin die Unterschiede bestanden [4. 15], die erst im 4. Jh. v. Chr. klar erkennbar sind [1. 73]. Der z. T. erh. Volksbeschluß über die Konstituierung einer athenischen Außensiedlung in Brea bezeichnet die zu gründende Kolonie als ἀποικία, die Kolonisten als ἄποικοι (IG ³I 46; ML 49). Spätere Anträge auf Änderung des Status dieser A. waren untersagt. Auch die Siedler in Brea, die symbolische Leistungen für Kultfeiern in Athen (Große Panathenäen und Dionysien) zu erbringen hatten, durften nicht von sich aus ihre Rechtsstellung ändern. Sie waren demnach ebenso wie die im späten 6. Jh. v. Chr. auf → Salamis wohl als Kleruchen angesiedelten Athener (IG ³I 1) an die Beschlüsse der athenischen → Ekklesia gebunden. An sich konnte jeder, der sich in der Fremde ansiedelte, als ἄποικος bezeichnet werden, wie auch ein ἄποικος, der Land erhalten hatte, als κληροῦχος (*kleruchos*, Inhaber eines »Landloses«) gelten konnte. Auch ἔποικος war kein klar umrissener Begriff. Ἔποικοι konnten Kolonisten im üblichen Sinne (ἄποικοι) oder auch »Zuzügler« sein, wie dies etwa für Ostlokrer in → Naupaktos belegt ist, die dort um 500 v. Chr. »Naupaktier« wurden (ML 20). Athen hat freilich zumindest in 2 Fällen (→ Thurioi, → Amphipolis) Kolonien gegr., die eindeutig eigene Gemeinwesen darstellten. Während Thurioi als »Nachfolgesiedlung« von → Sybaris gegr. wurde, entstand Amphipolis in exponierter Lage in Thrakien. Diese A. sind aber auch deshalb Sonderfälle, weil dort nicht nur Athener angesiedelt wurden. Insgesamt waren die A. trotz erheblicher Unterschiede in Rechtsstellung und Struktur Ausstrahlungspunkte griech. Kultur und Gesittung in der Fremde.

1 P. A. BRUNT, Athenian Settlements Abroad in the Fifth Century B. C., in: Ancient Society and Institutions. Studies Presented to V. EHRENBERG on his 75th Birthday, 1966, 71–92 2 P. HERRMANN, Teos und Abdera im 5. Jh. v. Chr., in: Chiron 11, 1981, 1–30 3 D. M. LEWIS, The Thirty Years' Peace, in: CAH 5, 1992, 121–146 4 W. SCHULLER, Die Herrschaft der Athener im Ersten Att. Seebund, 1974 5 J. SEIBERT, Metropolis und A., 1963 6 M. STAHL, Aristokraten und Tyrannen im archa. Athen, 1987 7 U. WALTER, An der Polis teilhabender Bürgerstaat und Zugehörigkeit im archa. Griechenland, 1993 8 H. BEISTER, Κληροῦχος, in: E. CH. WELSKOPF (Hrsg.), Soziale Typenbegriffe im alten Griechenland und ihr Fortleben in den Sprachen der Welt 3, 1981, 404–419 9 N. ERHARDT, Milet und seine Kolonien, 1983 10 A. J. GRAHAM, Colony and Mother City in Ancient Greece, 1964 11 Ders., The Colonial Expansion of Greece, in: CAH 3, ²1982, 83–162 12 R. WERNER, Probleme der Rechtsbeziehungen zw. Metropolis und A., in: Chiron 1, 1971, 19–73 13 J. DE WEVER, R. VAN COMPERNOLLE, La valeur des terms de »colonisation« chez Thucydide, in: AC 36, 1967, 461–523. K.-W. W.

Apokalypsen. Ausgehend von der Selbstbezeichnung der Johannesoffenbarung als ἀποκάλυψις (Offb 1,1) wurde der Ausdruck A. zur Gattungsbezeichnung für dieses und verwandte Werke. Einem auserwählten Offenbarungsempfänger werden durch Visionen, ekstatische Erlebnisse, Träume von ehrwürdigen Gründergestalten (Henoch, Moses, Prophet, Apostel), Himmelsreisen und Engelbelehrungen Geheimnisse über die Schöpfung, den Lauf der Geschichte (Vergangenheit, Zukunft und bes. das Weltende) oder das Jenseits mit seiner ganzen Geographie (himmlisches Jerusalem, Paradies, usw.) mitgeteilt. Die Verbindung mit den Prophezeiungen und der Weisheits-Lit. ist sehr eng, die Offenbarungen bedienen sich einer Symbolsprache. Diese Lit., die oft in Krisenzeiten entstand, will trösten und retten in dem Sinne, daß sie mit dramatischen und dualistischen Untertönen die Macht Gottes über die Geschichte und seinen Sieg über die widrigen Kräfte, die momentan anscheinend triumphieren oder drohen, verkündet.

Stellen einige Werke ganz oder teilweise A. dar (z. B. Johannes-A.), so besitzen Texte anderer lit. Gattungen apokalyptische Teile (so in den synoptischen Evangelien, Mk 13 und Parallelstellen). Als früheste A. gelten die Nachtgesichte des Sacharja (Sach 1,7–6,8) mit ihren detaillierten Visionsschilderungen vom Geschehen am Ende der Tage und der Figur des Deuteengels. Thema der A. des Danielbuches (Dan 2; 7,1–12,13), die als Antwort auf die Bedrängnis während der Regierungszeit von → Antiochos IV. zu verstehen sind, ist die Durchsetzung der Gottesherrschaft gegenüber den histor. Mächten. Der äthiopische Henoch ist eine Sammlung mehrerer Schriften aus den beiden ersten Jh. v. Chr., die sowohl Offenbarungen über den Geschichtsverlauf wie auch über die Ordnung der himmlischen Welt enthalten. 4 Esra und die syr. Baruchapokalypse (beide ca. Ende 1. Jh. n. Chr.) versuchen, die Zerstörung des Tempels zu bewältigen. Neben diesen großen jüd. A. zählt man noch kleinere Werke zu dieser Gattung: die Himmelfahrt des Mose, das 3. Buch der Sibyllinen (→ Sibyllen), die A. Abrahams, die A. Elias, die A. Zefanjas oder das Leben Adams und Evas. Die berühmteste christl. A. ist die Offenbarung des Johannes. Die Wiederkunftsrede in Mt 24 zeigt, daß die Gattung auch in die Evangelien Eingang gefunden hat. Zu den nichtkanonischen christl. A. rechnet man u. a. die Paulusapokalypse, in der von der Himmelsreise des Paulus (vgl. 2 Kor 12,2) erzählt wird, die Adams-A., eine Geschichtsschau, und die (gnostische) Petrus-A. mit einer ausführlichen Schilderung von Paradies und Hölle.

→ Apokryphe Literatur

A. Y. COLLINS, Heilsverlangen und Heilsverwirklichung, 1990. • J. J. COLLINS (Hrsg.), Apocalypse: The Morphology of a Genre, in: Semeia 14, 1979 • D. HELLHOLM (Hrsg.), Apocalypticism in the Mediterranean World and the Near East, 1987 • K. KOCH, Ratlos vor der Apokalyptik, 1970 • Ders., s. v. Apokalyptik / A., TRE 3, 1978, 189–289 • L. ROST, Einleitung in die at. Apokryphen und Pseudepigraphen einschließlich der großen Qumran-Hss., 1971 • H. H. ROWLEY, The Relevance of Apocalyptic. A study of Jewish and Christian Apocalypses from Daniel to the Revelation, 1963 • W. SCHNEEMELCHER, Nt. Apokryphen in dt. Übers. II, ⁵1989. B. E.

Apokeryxis (ἀποκήρυξις). In Athen galt das gesetzliche Erbrecht der ehelichen Söhne zwingend, Enterbung war nicht möglich. Wohl aber konnte der Vater sich zu Lebzeiten öffentlich von einem Sohn durch *a.* lossagen und diesen so von der Erbschaft ausschließen (Demosth. 39,39; Aristot. eth. Nic. 1163b; vgl. auch Plat. leg. 928d-929d). Eine ähnliche Bestimmung ist im großen Gesetz von Gortyn IC IV 72 col. XI 10–17 getroffen, Parallelerscheinungen in altorientalischen Rechtsquellen (Cod. Hammurabi 168 f.; 191) gelten nicht als Vorbild.

Diokletian verbietet die *a.* (Cod. Iust. 8,46,6; 288 n. Chr.). Mit griech. Vorstellungen der *a.*, doch röm. im Sinne der *emancipatio* gelöst, setzt sich das Syr.-Röm. Rechtsbuch auseinander (R I 63). Der Stoff bietet Lukian und Libanios Themen für Deklamationen.

M. WURM, A., abdicatio und exheredatio, 1972 · W. SELB, Zur Bedeutung des Syr.-Röm. Rechtsbuches, 1964, 89.   G.T.

Apokope s. Sandhi

Apokryphe Literatur. [I] A. JÜDISCH
    B. CHRISTLICH

A. JÜDISCH

Die a. L. des Frühjudentums läßt sich in zwei Gruppen einteilen: die A. L. im engeren Sinne und die Pseudepigraphen. Zur at. a. L. zählt man nach der Terminologie der Reformationskirchen diejenigen Schriften bzw. Stücke von Septuaginta und → Vulgata, die im hebr. Kanon nicht enthalten sind: 3 Esra, Judit, Tob 1, 2 und 3, Makk, Weish, Sir, Bar (einschließlich »Brief des Jeremia«) und das Gebet des Manasse; dazu kommen Zusätze zu Est und zu Dan. Abgesehen von 2 und 3 Makk., dem Gebet des Manasse, Weish, Bar (außer 1,15–2,25), und den Stücken zu Est nimmt man an, daß diese Bücher auf ein hebr. (bzw. aram.) Original zurückgehen. Es handelt sich hauptsächlich um Legenden, Weisheitssprüche und Gebete, die – vorwiegend zwischen 200 v. Chr. und 100 n. Chr. entstanden – in ihrer Gedankenwelt dem pharisäischen Judentum nahestehen. Die Gründe für die Nichtaufnahme dieser Bücher in den jüd. Kanon sind für jede Schrift gesondert zu untersuchen und nicht immer genau zu benennen: Neben der Herkunft aus der Diaspora mag – so z.B. für Sir oder 1 Makk – die rabbinische Inspirationstheorie eine Rolle gespielt haben, die nur diejenigen Bücher als inspiriert ansieht, deren Entstehung in die Epoche zwischen Mose und Esra fällt (vgl. u.a. Jos. c. Ap. 1,38–41; bBB 14b/15a). Da es keine eindeutigen vorchristl. Belege für den Kanon der Septuaginta gibt, ist es fraglich, ob die a. L. Teil eines jüd. Diaspora-Kanons (sog. »alexandrinischer Kanon«) waren oder erst von der Alten Kirche als Hl. Schriften anerkannt wurden.

»Pseudephigraphen« sind jene frühjüd. Schriften, die angeblich von biblischen Personen oder zu biblischen Zeiten geschrieben wurden und nicht zu den kanonischen bzw. apokryphen Schriften gezählt werden. Dazu gehören vor allem a) urspr. hebr. bzw. aram. Schriften: Testament der Zwölf Patriarchen, Jubiläenbuch, Äthiopischer Henoch, Himmelfahrt Mose, Martyrium des Jesaja, Psalmen Salomos, 4 Esra, Syr. Baruch-Apokalypse; b) Werke aus dem hell. Judentum Ägyptens: Aristeas-Brief, Slavischer Henoch, Sibyllinische Orakel, Griech. Baruch, 4 Makk. Diese Schriften hatten wohl nur innerhalb einzelner Gruppen des Judentums Geltung.
→ Bibel

L. ROST, Einleitung in die at. Apokryphen und Pseudigraphen einschließlich der großen Qumran-Hss.,

³1985 · H.P. RÜGER, Art. Apokryphen I, in: TRE 3, 1978, 289–316 · J.D. KAESTLI, O. WERMELINGER, Le Canon de l'Ancien Testament. Sa formation et son histoire, 1984 (Sammelband mit zahlreichen weiterführenden Aufsätzen und Quellen).   B.E.

[2] B. CHRISTLICH

Obwohl der Ausdruck »christl. A« manchmal noch gebraucht wird, um die deuterokanonischen Bücher der Bibel zu bezeichnen, wird er h. eher für eine Reihe von anonymen Werken verwendet, die in Beziehung zu NT und AT (z.B. Aufstieg Jesajas) stehen, weil sie Ereignisse behandeln, die in jenen Büchern (Christus Hinabstieg in die Hölle) erzählt oder erwähnt werden, oder weil sie Tatsachen gewidmet sind, die sich in der Fortsetzung der erzählten oder erwähnten Ereignisse dieser Bücher situieren (Geburt Marias). Ferner, weil sie sich auf Personen stützen, die in diesen vorkommen (Apg), oder weil ihre lit. Gattung den biblischen Schriften ähnlich ist (Evangelien, Briefe, Apokalypsen) [1. 26–27]. Die ältesten dieser Texte gehen auf das Urchristentum zurück und stellen eine wichtige Quelle für die Kenntnis des frühen Christentums dar. Die Produktion der A. ist jedoch nicht nur auf die ersten Jh. beschränkt. Obwohl die Bed. vieler dieser Texte für die christl. Theologie und Vorstellungswelt unbestreitbar ist, sind sie, wenn nicht überhaupt verloren, oft schlecht erh. und müssen großenteils anhand späterer polemischer Quellen rekonstruiert werden.

1 E. JUNOD, Apocryphes du Nouveau Testament…, in: Apocrypha 5, 1992, 17–46.

W. SCHNEEMELCHER, Nt. A., ⁶1990 · M. GEERARD, Clauis Apocryphorum Noui Testamenti, 1992 · J.H. CHARLESWORTH, J.R. MUELLER, The New Testament Apocrypha and Pseudepigrapha: A Guide to Publications, with Excursuses on Apocalypses, 1987.
ED.: Corpus Christianorum, Series Apocryphorum.   E.J.

[3] Die A. bildet gleichsam den Schatten der jüd. und christl. → kanonischen Schriften [5. 120 f.; 6. 317 f.]. Da A. meist → pseudepigraphisch verbreitet wurden und somit ihre Herkunft unbekannt waren, hieß sie geheime oder auch geheimzuhaltende Lit. Die → Gnostiker verwenden den innerkirchlich polemischen (Ächtung durch Hieronymus, Augustinus, Beda, Konzilien und Päpste [5. 120 f., 144, 152]) Begriff positiv. Die nt. A. kommt aus Großkirche, Häresie (→ Priscillianus), Gnosis, → Manichäismus und verfolgt verschiedene Ziele [3. 171–303] (Werbung für unterschiedliche Glaubensdeutungen, Befriedigung der Neugier über die Personen des NT und die Mission der Apostel sowie deren Schüler(innen) [Thekla]). Christl. A. gibt es von den Anfängen der Kirche bis in die Gegenwart (Buch Mormon); ihre Blüte lag im 2. Jh. Die lat. A. besteht überwiegend aus Übers. und Bearb. griech. Originale: Evangelien, Apostelgesch., Apostelbriefe, Apokalypsen [2. 105–250: Nr. 127–283]. Oft benutzt die A. die Echtheitsbeglaubigungen der Fälscher [3. 44–84]. Großkirchliche A. hat im MA und darüber hinaus weiterge-

wirkt: Vincentius Bellovacensis' *Speculum historiale*, Jacobus de Voragines *Legenda aurea*, zahlreiche Dichtungen, in Malerei und Plastik [4. Abb.].

→ Fälschung, literarische

1 A. SIEGMUND, Die Überlieferung der griech. christl. Lit. in der lat. Kirche, 1949, 33–48 2 F. STEGMÜLLER, Repertorium biblicum medii aevi 1, 1950 3 W. SPEYER, Die lit. Fälschung im heidnischen und christl. Altertum, 1971 4 A. DE SANTOS OTERO, Los Evangelios apócrifos, ³1975 5 W. SPEYER, Büchervernichtung und Zensur des Geistes bei Heiden, Juden und Christen, 1981 6 R. MCLACHLAN WILSON, A. II, in: TRE 3, 316–362. WO.SP.

Apolinarios (Ἀπολινάριος) aus Laodikeia; Schreibung: Suda u. Sozomenos, sonst Apollinarios (z.B. RE) oder Apollinaris [z. B. 2]; s. auch → Apollinarios [3]. Einer der einflußreichsten Kirchenschriftsteller des 4.Jh. Nach Soz. 5, 18 (vgl. Suda α 3397) schuf er eine Lit. christl. Inhalts: eine an Homer angelehnte hebr. Gesch. bis auf Saul, Komödien im Stile Menanders, Trag. im Stile des Euripides und pindarische Lyrik.

1 TrGF 197 2 J.H. WASZINK, JbAC 7, 1964, 145. F.P.

Apollinare. Möglicherweise ein dem Apollonkult dienendes Gebiet in den prata Flaminia, Rom (Liv. 3, 63, 7), in dem 431 v.Chr. der Tempel des Apollo *in circo* errichtet wurde.

RICHARDSON, 12 · F. COARELLI, in: LTUR 1, 48. R.F.

Apollinarios. [1] Belegt sind: Apollinaris bzw. Ἀπολινάριος oder Ἀπολεινάριος, nicht aber Ἀπολλινάριος.

TH. ZAHN, Apollinaris, Apollinarius, Apolinarius, in: Ders., Paralipomena, Forsch. zur Gesch. des nt. Kanons 5/1, 1893, 99–109. C.M.

[2, von Laodikeia] Priester und Grammatiklehrer. Nach Soz. (2,46; 3,15–16; 5,18; 6,25) der Vater von → A. [3].

J. DRÄSEKE, A. von Laodicea, Texte und Unt. 7, 1892. K.SA.

[3, von Laodikeia] A. (* um 315, † vor 392) war der Sohn von [2]. Seine Nähe zu → Epiphanios [4] zog die Maßregelung durch Bischof Theodotos von Laodikeia nach sich. Er war ein enger Freund von → Athanasios und Serapion von Thmuis und eine der Säulen der nikänischen Orthodoxie in der Trinitätstheologie, die er gegen den Dyophysitismus verteidigte. Diesen Gedanken nahmen → Kyrillos von Alexandreia und die Monophysiten (→ Monophysitismus) auf. Einzelne Werke sind nur fragmentarisch oder unter anderen Verf.namen erhalten.

→ Athanasios von Alexandreia; Basileios der Große; Markellos von Ankyra; Nikaia; Photinos

H. LIETZMANN, A. und seine Schule, Texte und Unt. I, 1904 (Ndr. 1970) · R.M. HÜBNER, Die Schrift des A. gegen Photin (Pseudo-Athanasius, Contra Sabellianos) und

Basilius von Caesarea, (PTS 30), 1989 · E. MÜHLENBERG, A., Forsch. zur Kirchen- und Dogmengesch. 23, 1969. K.SA.

[4] (Claudius A. von Hierapolis) Soll nach Eus. (HE 4,27; 4,26,1) um 172 n.Chr. eine an Marc Aurel gerichtete Schutzschrift für den christl. Glauben verfaßt haben. Es sind weitere 5 Werke gegen die Griechen, 2 über die Wahrheit, 2 gegen die Juden sowie eine zusammen mit anderen Bischöfen verfaßte Streitschrift gegen die Montanisten und eine Schrift über den Ostertermin bekannt. Von seinen Werken sind nur Zitate erhalten.

R. M. GRANT, Greek Apologists, 1988, 83–90. K.SA.

[5] Verf. von zwei faden Spottepigrammen (Anth. Pal. 11,399; 421), das eine auf einen Grammatiker, der ›vom Esel gefallen‹ (d. h. »verblödet ist«, gemäß dem sprichwörtlichen Wortwitz, vgl. Aristoph. Nub. 1273), das andere auf scheinheilige Freunde. Für die Hypothese, daß diese Verse von dem berühmten Bischof A. von Laodikeia stammen sollen, gibt es keinen Beweis.

E.D./T.H.

Apollinaris Sidonius s. Sidonius Apollinaris

Apollodoros (Ἀπολλόδωρος).

1–3 POLITISCH TÄTIGE PERSONEN, 4–8 LITERATEN, PHILOLOGEN, 9–13 PHILOSOPHEN, 14–17 TECHNIKER / KUNSTHANDWERKER

POLITISCH TÄTIGE PERSONEN
[1] Sohn des → Pasion aus Acharnai, athenischer Rhetor und Anhänger des Demosthenes (*394/93, † nach 343 v.Chr.). A. gehörte nach 370 zu den reichsten Bürgern Athens, leistete aufwendige Trierarchie-Leiturgien (vgl. IG II² 1609,83 und 89; IG II² 1612, b110; Demosth. or. 50,4–10; 40 und 58) und errang 352/51 einen Sieg als → Choregos (IG II² 3039,2). Dennoch gelang es ihm nur begrenzt, eine seinem Vermögen entsprechende polit. Stellung zu erringen. Zw. 370 und 350 v.Chr. führte A. gegen → Phormion, den Nachfolger in der Bank seines Vaters, langwierige Gerichtsverfahren um komplizierte Vermögensfragen. Die demosthenischen Reden 46; 47(?); 49; 50; 52; 53; 59 werden A. zugeschrieben und sind erstrangige Quellen zur athenischen Rechts-, Wirtschafts- und Sozialgeschichte.

361/60 klagte A. die Strategen Timomachos, Kallippos, Menon, Autokles und Timotheos (Demosth. or. 36,53) mit Eisangeliai wegen angeblichen Verrates des Miltokythes an. 349/8 formulierte er als Ratsmitglied ein Probuleuma, alle staatlichen Überschüsse nicht mehr an die Kasse der *Theorika*, sondern der *Stratiotika* zu leisten und gegen Philipp II. einzusetzen. Trotz der Zustimmung der Volksversammlung klagte ihn → Stephanos an: Der Beschluß wurde aufgehoben und A. zu einer Strafe von einem Talent verurteilt (Demosth. or. 59,2–8). Ca. 343 ging A. deshalb gegen → Neaira und Stephanos gerichtlich vor (vgl. Demosth. or. 59; PA und DAVIES 1411).

→ Athenai

R. Bogaert, Banques et banquiers dans les cités grecques, 1968 · Ch. Carey, A. Against Neaira (Demosthenes 59), 1992 · E. E. Cohen, Athenian Economy and Society, 1992 · Schäfer, Beilagen 1858, 130–199 · J. Trevett, A. the Son of Pasion, 1992.   J. E.

[2] Sohn des Apollonios, aus Kyzikos. Proxenos von Delos und ptolemäischer Nesiarch des Nesiotenbundes vor 286 v. Chr.; antigonidische Verbindungen ganz unsicher.

R. Bagnall, The administration of the Ptolemaic posessions outside Egypt, 1976, 137 · G. Reger, Apollodoros of Cyzicus and his Delian Garden, in: GRBS 32, 1991, 229–237.   W. A.

[3] Vermutlich um 131/24 v. Chr. συγγενής, τροφεύς, τιθηνός Ptolemaios' X.; später Epistratege der ganzen Chora, nicht nur der Thebais. Vater des → Helenos?

E. van't Dack, Apollodóros et Hellenos, in: SEJG 31, 1989/90, 429–441.   W. A.

Literaten, Philologen

[4, aus Tarsos] Tragiker; ab ca. 380 v. Chr. errang er fünf Siege an den Lenäen (DID A 3b, 38); zum sechstenmal siegte er vielleicht bei den Dionysien (DID A 3a,41, dazu s. app. crit. unter 3b, 56).

Mette, 182 · TrGF 64.   F. P.

[5, von Karystos] Att. Komödiendichter des 3. Jh. v. Chr.; die Datierung ergibt sich aus A.' Plazierung auf der inschr. Liste der an den Großen Dionysien siegreichen Dichter [1. test. 6], auf der A. mit zwei Siegen verzeichnet ist. Sehr wahrscheinlich ist der in der Suda behandelte ›Athener‹ Komödiendichter A. mit dem Karystier identisch [1. test. *7]; hier sind für ihn insgesamt 47 Stücke und 5 Siege verzeichnet. Noch 11 Stücktitel sind erh., darunter auch die *Hekyra* und der *Epidikazomenos*, die → Terentius als Vorlage für seine *Hecyra* und seinen *Phormio* dienten. A. galt als einer der bedeutenderen Dichter der Neuen Komödie [1. test. 2, 3].

1 PCG II, 1991, 485–501. 506–516.   H.-G. Ne.

[6, von Gela] Dichter der Neuen Komödie und Zeitgenosse von Menandros, Philemon und Diphilos [1. test. 1. 2]. A. siegte wenigstens einmal im Komödienagon der Lenäen [1. test. 2]; noch acht Stücktitel von ihm und wenige kurze Fr. sind erhalten. Darüber hinaus existieren neun weitere Stücktitel und 24 Fr. (in der Mehrzahl gnomischen Inhalts), bei denen (mangels Angabe der Herkunft des Dichters) unklar bleibt, ob sie diesem A. oder dem jüngeren Karystier zuzuweisen sind.

1 PCG II, 1991, 502–505. 506–516.   H.-G. Ne.

[7, aus Athen] geb. um 180 v. Chr. in Athen, ebendort Schüler des Stoikers Diogenes von Babylon. Später zog er nach Alexandreia, trat dort in die Schule des Aristarchos [4] von Samothrake ein und wurde einer seiner bedeutendsten direkten Schüler. Als Ptolemaios VIII.

144 v. Chr. den Thron bestieg, mußten Aristarchos und seine Schule aus Alexandreia fliehen; A. scheint nach Pergamon geflüchtet zu sein, weil er seine Chronik 144/143 v. Chr. König Attalos II. widmete. Möglicherweise kehrte er schließlich nach Athen zurück. Er starb vielleicht um 110 v. Chr.

Das chronographische Werk Χρονικά, in 4 Büchern, enthielt histor. Ereignisse in chronologischer Anordnung; die Abfassung in iambischen Trimetern war als mnemotechnische Hilfe gedacht; die ersten drei Bücher reichten bis 144/3, daran schloß sich das vierte Buch an. Grundlage waren die Χρονογραφίαι des → Eratosthenes, die es in der Wertschätzung des Publikums und in der Verbreitung verdrängte. Eratosthenes hatte mit dem Tod von Alexander dem Großen 323 v. Chr. aufgehört, A. setzte die Chronik bis kurz vor sein eigenes Lebensende (um 110 v. Chr.) fort; wie Eratosthenes datierte er den Fall Troias auf 1184/3, setzte aber die *akmḗ* Homers, Ephoros folgend, viel später an, auf 944/3. Die Epochen wurden auf der Grundlage der γενεά, der Generation, berechnet, deren Dauer jedoch nicht genau festgelegt war (30 bzw. 33 Jahre oder mehr); bei der chronologischen Einordnung der Personen folgte er dem Kriterium der *akmḗ*, die traditionell einem Lebensalter von 40 Jahren entsprach. Die Festsetzung der Daten war ein sehr schwieriges Problem, und A. versuchte, durch Benutzung der Archontenlisten eine größere Genauigkeit zu erreichen.

Für die Homerexegese war die Abhandlung Περὶ τοῦ τῶν νεῶν καταλόγου in 12 Büchern wichtig. Sie hatte einen Vorläufer in der Monographie des Aristarchos über das Lager und die Anordnung der Schiffe der Achaier in der Ilias, doch kannte A. auch das Werk des Demetrios von Skepsis über den Katalog der Troianer. Von der Annahme ausgehend, daß Homers Katalog eine Beschreibung Griechenlands in heroischer Zeit liefern müsse, zog der Homerphilologe die geographischen Lehren des Eratosthenes heran, um Städte-, Orts-, Völker- und Personennamen zu erklären und ein Gesamtbild zu bieten. Ziel war, Homers Sicht des heroischen Griechenlands herauszuarbeiten, also Realienphilologie in aristarchischer Tradition und nicht die Vorstellung von einem »Lehrer« Homer, der Geographie unterrichtet. Zeugnisse und Fragmente sind vor allem durch Strabon und Scholiasten erhalten.

Hauptsächlich mit Homer, aber in gewissem Sinne auch mit der griech. Religion im allg. beschäftigten sich die 24 Bücher Περὶ θεῶν. Über eine von der Etym. ausgehende Analyse der Namen und Appellativa der Götter gelangte A. zu einer Gesamtsicht des Pantheons und der Religiosität. Wenn die Ortsnamen das Wesen der Orte zum Ausdruck brachten, so enthüllten die Namen der Götter dementsprechend das göttliche Wesen. Die Methode läßt an stoische Einflüsse denken, doch ist umstritten, ob A. wirklich von stoischen Vorstellungen beeinflußt war. Auch in diesem umfangreichen Werk vor allem zur homer. Religion führte A. seine enormen Kenntnisse vor. Weitere Informationen verdanken wir einigen Papyri wie P Köln 126, und es läßt sich beobachten, daß er oft nachhomer. Quellen heranzog. Er beschäftigte sich auch mit der Komödie, der att. (eine Monographie über die athenischen Hetären) wie der dor., hier mit den Mimen des Sophron (Περὶ Σώφρονος, wenigstens 4 Bücher) und des Epicharmos (Περὶ Ἐπιχάρμου in 10 Büchern und vielleicht eine Edition). Einer etablierten alexandrinischen Tradition schließen sich lexikographische Werke wie Ἐτυμολογίαι oder Ἐτυμολογούμενα und Γλῶσσαι (wenn es sich nicht um ein und dasselbe Werk handelt) an. Es ist möglich, daß nicht wenige Zitate in gelehrten Quellen aus diesen Sammlungen stammen, doch bleiben sie meistens *incertae sedis*. Wahrscheinlich unecht ist eine Schrift Περὶ γῆς. Unter dem Titel Βιβλιοθήκη ist ein mythographisches Handbuch erhalten, das A. zugewiesen wird, aber gewiß aus späterer Zeit stammt. Umstritten ist, ob es indirekt auch auf ihn zurückgehendes Material enthält.

→ Aristarchos [4] von Samothrake; Bibliothek; Diogenes von Babylon; Eratosthenes; Demetrios von Skepsis; Sophron; Epicharmos; Mythographie; Philologie

ED.: FGrH 244 · F. JACOBY, Apollodors Chronik, in: PhU 16, 1902 · M. CARSTEN, Apollodorus. Περὶ θεῶν, Diss. 1929 · H. J. METTE, in: Lustrum 21, 1978, 20–22.
LIT.: A. BLAU, De Aristarchi discipulis, 1883, 13–16 · H. FUNK, De Apollodoro Atheniensi, Diss. 1869 · L. KOENEN, R. MERKELBACH, A. (Περὶ θεῶν), Epicharm und die Meropis, in: Collectanea Papyrologica in Honor of H. C. Youtie, 1976, I, 3–26 (P. Köln 126) · M. M. MACTOUX, Panthéon et discours mythologique. Le cas d'Apollodore, in: RHR 206, 1989, 245–270 · M. MILLER, Archaic literary chronography, in: JHS 75, 1955, 54–58 · F. MONTANARI, L'erudizione, la filologia, la grammatica, in: Lo spazio letterario della Grecia antica, I 2, 1993, 276–77 · A. MOSSHAMMER, Geometrical proportion and the chronological method of Apollodorus, in: TAPhA 106, 1976, 291–306 · R. MÜNZEL, De Apollodori Περὶ θεῶν libris, Diss. 1883 · R. MÜNZEL, E. SCHWARTZ, RE 1, 2855–2886 · B. NIESE, Apollodors Commentar zum Schiffskataloge als Quelle Strabos, in: RhM 32, 1877, 267–307 · G. NEUMANN, Fragmente von Apollodors Kommentar zum homer. Schiffskatalog im Lexicon des Stephanos von Byzanz, Diss. 1953 · PFEIFFER, KP I, 306–322 · K. REINHARDT, De Graecorum theologia capita duo, 1910, 83–90 · J. S. RUSTEN, Dionysius Scytobrachion, 1982, 30–53, 113–116 · Schmid / Stählin II, 394–98 · E. SCHWARTZ, H. DIELS, Chronologische Unt.en über Apollodors Chronika, in: RhM 31, 1876, 1–54 · A. SÖDER, Apollodors κατάλογος νεῶν bei Strabon, in: Philologus 49, 1942, 54–78 · F. SUSEMIHL, Gesch. der griech. Litt. in der Alexandrinerzeit, 1891–1892, II 33–44 · C. THEODORIDIS, Drei übersehene Bruchstücke des A. von Athen, in: Glotta 50, 1972, 29–34 · C. THEODORIDIS, Vier neue Bruchstücke des A. von Athen, in: RhM 122, 1979, 9–17 · M. VAN DER VALK, Researches on the Text and Scholia of the Iliad, 1963–64, I, passim · F. ZUCKER, Spuren von Apollodor Περὶ θεῶν bei christl. Schriftstellern der ersten 5 Jh., Diss. 1904.
Περὶ γῆς: F. ATENSTÄDT, [A.] Περὶ γῆς, in: RhM 82, 1933, 115–144 · F. ATENSTÄDT, RE Suppl. 6, 8–10.
BIBLIOTHECA, ED.: J. C. CARRIÈRE, B. MASSONIE, 1991. J. G. FRAZER, 1921 · MythGr I, ²1926.

LIT.: SCHMID / STÄHLIN II, 418–420 · A. DILLER, The text history of the Bibliotheca of Pseudo-Apollodorus, in: TAPhA 66, 1935, 296–313 · E. PELLIZER, La mitografia, in: Lo spazio letterario della Grecia antica I 2, 295, 302 · SCHWARTZ, RE 1, 2875 ff. · A. SÖDER, Quellen-Unt.en zum I. Buch der Bibliothek Apollodors, Diss. 1939 · M. VAN DER VALK, On Apollodori Bibliotheca, in: REG 71, 1958, 100–168.   F. M. / T. H.

[8, aus Pergamon] Bedeutender Rhetor aus Pergamon, lebte etwa 105–23 v. Chr. Wann er nach Rom übersiedelte, ist unsicher; dort versammelte er eine große Schar angesehener Schüler um sich, Griechen (wahrscheinlich auch → Caecilius von Kale Akte) wie Römer (z. B. der spätere → Augustus, vgl. Suet. Aug. 89) und erfreute sich höchsten Ruhmes (Strab. 13,4,3; Quint. inst. 3,1,8 f.). Er verfaßte ein dem C. Matius gewidmetes rhet. Lehrbuch, das von C. → Valgius Rufus ins Lat. übersetzt wurde. A. war wohl kein Deklamator und kein asianischer Redner, vielmehr Vertreter eines strikten attizistischen Klassizismus, vielleicht sogar der Begründer dieser Richtung. Er wurde zum Stifter einer einflußreichen Rednerschule, der sog. Apollodoreer, deren Widerpart die auf → Theodoros von Gadara zurückgehende Schule der »Theodoreer« darstellte. Über den Inhalt der Kontroverse zw. den beiden Observanzen sind wir einigermaßen unterrichtet durch den → Anonymus Seguerianus: Im wesentlichen ging es um verschiedene Auffassungen vom Wesen der Rhet. (A.: ἐπιστήμη, Th.: τέχνη) sowie den Gegensatz zw. Analogie (A.) und Anomalie (Th.).

ED.: R. GRANATELLI, 1991.
LIT.: G. BALLAIRA, La dottrina delle figure retoriche in A. di P., in: Quaderni Urbinati di Cultura classica 5, 1968, 37–91 · R. GRANATELLI, Per un ripensamento sulle radici culturali di A. di P. e Teodoro di Gadara, in: Annali dell'Istituto universitario orientale di Napoli (filol) 2/3, 1980–81, 75–109 · Dies., θέσις, ὑπόθεσις, περίστασις in A. di P., in: Eos 70, 1982, 223–231 · G. M. A. GRUBE, Theodoros of Gadara, in: AJP 80, 1959, 337–365 · G. FORTE, Apollodorei e Teodorei, in: Rendiconti dell'Accademia di Archeologia, Lettere e Belle Arti di Napoli 48, 1973, 77–93.   M. W.

PHILOSOPHEN

[9] Aus dem att. Demos Phaleron; von Platon und Xenophon als bes. anhänglicher, aber etwas naiver Schüler des Sokrates beschrieben. Berichterstatter in Platons *Symposion*.

ED.: SSR VI B, 1–7.   K. D.

[10, Kepotyrannos] Epikureer (ca. 190–110 v. Chr.), Oberhaupt der → Epikureischen Schule. Diog. Laert. 10,25 weist ihm mehr als 400 Bücher zu. Bezeugt sind: Περὶ Ἐπικούρου (Philod. Stoicorum hist., col. 1,10–12 und Diog. Laert. 10,2; 10,13), Συναγωγή (Diog. Laert. 7,181). Umstritten ist die Verf.schaft an Περὶ τῶν φιλοσοφῶν αἱρέσεων (Diog. Laert. 1,60) und Περὶ νομοθετῶν (Diog. Laert. 1,58). Von seinem Gedankengut ist nichts bekannt.

T. Dorandi, in: Goulet 1, 1989, 271 · M. Erler, in: GGPh 4.1, 208 f.   T. D./E. Kr.

[11, Stoiker] Nach Ind. Stoic. Herc. col. 53,7 aus Athen und Schüler des → Antipatros von Tarsos, wohl der bei Cic. nat. deor. 1,93 genannte Zeitgenosse und Gegner des Epikureers Zenon von Sidon.   K.-H. H.

[12, aus Seleukeia] am Tigris, mit dem obskuren Beinamen Ἔφιλλος, Stoiker, Schüler des → Diogenes von Babylon (Ind. Stoic. Herc. col. 51,7). Seine ›Einführung in die Lehrsätze‹ (Diog. Laert. 7,39) diente bei Areios Didymos als Handbuch für die Physik (bei Diels, DG 460 f.) und bei Diogenes Laertios für alle Zweige der stoischen Philos. Die Aussage analysierte A. histor. erstmals so, daß das Prädikat eine Funktion mit beliebig vielen Argumentstellen und die Stelle des Subjekts darin eingereiht ist (Diog. Laert. 7,64).   K.-H. H.

[13, aus Kyrene] Griechischer → Grammatiker, nicht sicher zu datieren, jedoch vor dem 1. Jh. n. Chr. Nach Athen. 9,482b war er dem Pamphilos (1. Jh. n. Chr.) bekannt, der daher für die Erhaltung seiner lexikographischen Fragmente verantwortlich gewesen sein kann (Suda s. v. ἄντικρυς α 2674; s. v. βδελύττεσθαι β 206; s. v. βωμολόχος β 489 = schol. Plat. rep. 606c = Etym. gen. β 489 B. = Etym. m. 218,10). Das schol. Eur. Or. 1384 bezieht sich vielleicht auf einen Euripideskommentar.
→ Euripides; Lexikographie; Pamphilos

A. R. Dyck, On A. of Cyrene, in: HSCP 85, 1981, 101–106 · F. Montanari, Alessandria e Cirene, in: Lo spazio letterario della Grecia antica, I 2, 1993, 638 · C. Wentzel, RE 1, 2886.   F. M./T. H.

Techniker / Kunsthandwerker

[14, aus Damaskos] (Lebensdaten unbekannt), einer der berühmtesten Ingenieure und Militärarchitekten der röm. Kaiserzeit. Prominenz erlangte A. unter dem Kaiser Traian (Plin. epist. 10,39;40); die Anekdoten über seine Hinrichtung unter Hadrian und die angeführten Gründe, wonach er den als Architekt dilettierenden Nachfolger Traians kritisiert und damit erbost haben soll (Cass. Dio 69,4), sind fabulös. A. war offenbar in erster Linie Militäringenieur (eine Schrift mit Poliorketika ist möglicherweise in Auszügen erhalten: cod. Mynas, vgl. E. Lacoste, REG 3, 1890, 230 ff.); seine ersten Architekturleistungen entstanden in diesem Kontext in den Dakerfeldzügen Traians, darunter die Donaubrücke bei Dobretae (heute Debrecen; Prok. aed. 4,6,11 ff.), die sich auf den Reliefs der Traianssäule als wesentliche Leistung im Rahmen der Dakerkriege abgebildet findet und die sich absichtsvoll in die Nachfolge bedeutender Vorbilder wie der Brückenschläge der pers. Großkönige Dareios und Xerxes sowie Cäsars Rheinbrücke stellt.

Berühmt geworden ist A. vor allem als Architekt des Traiansforums in Rom (zwischen 107 und 112 n. Chr, → Roma). Im Grundriß einem Militärlager ähnelnd, finden sich im Traiansforum an zahlreichen Details der Architekturkonzeption wie auch an der Ausstattung der Bauwerke Anklänge an das Militär als dem wichtigsten gesellschaftlichen Leitbild der traian. Epoche. Die zur Errichtung der Anlage notwendige Ingenieurkompetenz wird in der Sockelinschrift der Säule (CIL VI 960) explizit thematisiert, indem die Höhe der Säule die einstige Geländehöhe zu markieren vorgibt, die zur Planierung des Terrains abgetragen worden sein soll. Die bei Cass. Dio 69,4 weiter angeführten, unter Traian in Rom entstandenen Bauten des A. (ein Odeion und ein Gymnasium) sind nicht lokalisiert; das als Gymnasium bezeichnete Bauwerk könnte die Traiansthermen meinen. Verschiedentliche Versuche, A. als Architekt für weitere Bauten (insbes. in Ostia und für das → Pantheon in Rom) wie auch als Bildhauer für Skulpturen in Anspruch zu nehmen, überzeugen nicht.

R. Bianchi Bandinelli, s. v. A., in: EAA I, 477 ff. · C. Leon, Die Bauornamentik des Trajansforums, 1971, 24–29 · W. D. Heilmeyer, A. von Damaskus, in: JDAI 90, 1975, 316–347 · R. Blatter, Apollodoros, in: Antike Welt 9, 1978, 59 f. · B. Fehr, Das Militär als Leitbild, in: Hephaistos 7/8, 1985/86, 39–60.   C. Hö.

[15, aus Athen] Griech. Maler mit Bürger- recht in Athen, im letzten Viertel des 5. Jh. tätig, unter dem Beinamen σκιάγραφος berühmt geworden (→ Schattenmalerei). In der ant. Lit. gilt A. als Wegbereiter der farbigen Modellierung von Bildgegenständen durch tonige Abstufungen von Licht und Schatten zur Erzeugung von Plastizität und Räumlichkeit. Wenige Werke sind lit. überliefert (Plin. nat. 35,60), für ihre Qualität spricht, daß sich eines davon später im Besitz der pergamenischen Herrscher befand. Von einer möglicherweise von den ›Herakliden‹ des → Euripides angeregten Darstellung finden sich Nachklänge auf frühunterital. Vasenbildern.

W. Müller, s. v. A. Nr. 2, AKL 4, 519 · Overbeck, Nr. 1641–1646 (Quellen) · J. J. Pollitt, The Ancient View of Greek Art, 1974, passim · I. Scheibler, Griech. Malerei der Ant., 1994, passim · M. Schmidt, Makaria, in: AK 13, 1970, 71–73.   N. H.

[16] Bronzebildner in Athen, tätig in der 1. H. des 4. Jh. v. Chr. Er begegnet im Kreis des Sokrates mit dem Beinamen Manikos (der Wahnsinnige), da er in äußerster Selbstkritik die meisten seiner Werke, Philosophenporträts, zerstörte. Die Zuschreibung eines Sokratesporträts an A. ist nicht möglich. Sein von → Silanion geschaffenes Bildnis bleibt unidentifiziert.

Overbeck, Nr. 1359, 1364 (Quellen) · A. E. Raubitschek, Dedications from the Athenian Agora, 1949, Nr. 146.   R. N.

[17, aus Athen] Architekt; erbaute nach einer Inschrift (Inscr. de Délos 2042) 140 v. Chr. den Tempel von Sarapis, Isis und Anubis auf Delos.

A. Rumpf, s. v. A., KlP I, 441.   C. Hö.

Apollodotos. Name zweier indogriech. Könige. Der erste, auch lit. belegt (peripl. m. r. 47, Iust. Prolog B. 41), herrschte etwa 180–160 v. Chr. in Paropamisadai, der zweite, nur von Münzen bekannt, etwa hundert Jahre später im Punjab. Die Münzlegenden von beiden lauten meistens ΒΑΣΙΛΕΥΣ ΑΠΟΛΛΟΔΟΤΟΥ ΣΩΤΗΡΟΣ / *maharajasa apaladatasa tratarasa*.

O. BOPEARACHCHI, 62–64, 188–194 (App. I), 135 f., 346–355 (App. II).   K. K.

Apollon (Ἀπόλλων, Apollo).   A. ETYMOLOGIE
B. GRIECHENLAND   B. I BRONZEZEIT
B. 2 FRÜHGRIECHISCHES EPOS   B. 3 MANTIK
B. 4 KATHARTIK UND POLITIK   C. ITALIEN
C. I ETRURIEN   C. 2 ROM

Apollon, immer jugendlicher griech. Gott von Heilung, Divination, Musik und Ephebie, als Apollo in Rom seit dem frühen 5. Jh. v. Chr. verehrt, als *Aplu* in etr. Schriftzeugnissen belegt. Seit den ersten lit. Zeugnissen Sohn von Zeus und Leto, zweitgeborener Zwillingsbruder der Artemis. Die zu allen Zeiten sehr verbreiteten theophoren Eigennamen bezeugen seine große Verbreitung und Beliebtheit [1].

A. ETYMOLOGIE

Die Etym. des Namens, mit der immer auch Herkunft und Primärfunktion gesucht wurde, war in der Forsch. sehr diskutiert. Die lange geläufige Ableitung aus Kleinasien, wo zahlreiche A.Kulte bezeugt sind, insbes. aus Lykien, dessen wichtigstes Heiligtum in Xanthos der Leto gilt, ist durch die genauere Kenntnis der entsprechenden Sprachen unhaltbar geworden [2]; neuere Versuche mit oriental. Etym. konnten ebensowenig überzeugen [3]. Größere Zustimmung hat nur die von W. BURKERT nach Früheren seit Plutarch ausgeführte und seither erweiterte Zusammenstellung der dor. Namensform *Apellon*, kypr. *a-pe-lo-ni* (Dat. *Apeiloni* < *apelioni*) mit dor. ἀπέλλα < *apelia*, »Volksversammlung« und dem dor. Monatsnamen *Apellaíos* gefunden [4; 5; 6; 7]. Sie erweist den Gott als zentral mit der dor. Versammlung der waffenfähigen Männer verbunden. Da zugleich der *Apellaíos* in Delphi der 1. Monat ist, lassen sich Volksversammlung, Einführung der neu initiierten Jungbürger und möglicherweise jährliche Reinigungsriten in diesen Komplex einbinden. Allerdings lassen sich die weitverzweigten Funktionen des Gottes nicht alle aus einer Grundfunktion herleiten; es ist mit Überlagerungen zu rechnen.

B. GRIECHENLAND   B. I BRONZEZEIT

In den brz. Lin. B-Texten ist der Name A.s als einziger Name einer großen panhellenischen Gottheit nicht belegt. Das fügt sich zu der Herleitung aus der dor., im Myk. noch nicht präsenten Welt. Wohl aber findet sich als selbstständige Gottheit *Pajawone* (Knossos, KN V 52), *Paiawon*, die gemeingriech. *Paián*, homer. *Paiēōn* zugrundeliegende Namensform. *Paiēōn/Paián* ist göttl. Eigenname ebenso wie Epiklese des Heilers A., zu dem auch der *Paián* als Kultlied gehört.

B. 2 FRÜHGRIECHISCHES EPOS

Im frühgriech. Ep. sind die panhellenischen Myth. A.s und seine kult. Funktionen bereits völlig etabliert. Er ist Sohn von Zeus und Leto (Hom. Il. 1,9; Hes. theog. 918–20), Bruder der Artemis (Il. 20,71); zusammen mit Mutter und Schwester unterstützt er in der Ilias die Troer (5,445–8; 20,39f.). Die Geburt auf der Insel Delos erzählt der homer. Hymnos A.s [8] in seinem delischen Teil: Leto, verfolgt vom Zorn der Hera, verspricht der Insel die Gründung eines prächtigen Tempels, und gebiert ihren Sohn an der Palme, die fortan Delos' Kultmal sein wird. Palmenhaine sind auch anderswo mit A.s Heiligtum verbunden (Phanai auf Chios, Didyma). Palme und Altar als Zeichen des delischen Heiligtums kennt auch die Odyssee (6,162f.). Spätere wissen, daß Delos einst eine schwimmende Insel war, bis Leto sie als Gegenleistung für die Geburt verankerte (Kall. h. 4,36–40). Der delische Altar aus Ziegenhörnern ist berühmt, auch wenn andere Heiligtümer (Ephesos, Dreros) ebensolche Altäre besaßen. Hesiod gibt als Geburtsdatum einen siebten Monatstag (erg. 771), was später zum 7. Thargelion präzisiert wird: Von daher ist jeder Siebte A. heilig, zusammen mit dem Ersten und dem Vierten. Das Heiligtum in Delphi – ›im steinigen Pytho‹ – als Ort reicher Schätze ›im Innern seiner steinernen Schwelle‹ kennt die Ilias (9,404f.). Der homer. Hymnos erzählt auch die Gründung Delphis durch den jungen Gott: In der Bergeinsamkeit trifft er auf die Schlange Pytho und erschießt sie [9], dann holt er sich kret. Kaufleute als eigene Priesterkaste ins neugegründete Orakelheiligtum und setzt die spezifische Form des delph. Opfers ein. Orakel wird er geben ›aus dem Lorbeer unter den Klippen des Parnassos‹ (Hom. h. Apol. 396): Das begründet die bes. Beziehung des Gottes zum Lorbeer, der sich in Epiklesen und Festen (*daphnēphóros*, *Daphnēphoría*), im hell. Mythos von → Daphne [1] und in der Existenz von Lorbeerhainen um A.-Heiligtümer (→ Daphne [2]) äußert. Der Eingang des Hymnos stellt A. als Bogen-

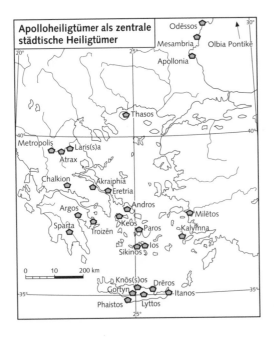

Apolloheiligtümer als zentrale städtische Heiligtümer

schützen heraus; als solcher trägt er das ep. Beiwort ἑκηβόλος (hekēbólos) (Il. 1,14 u.ö., mit den Variationen hekatēbólos und hékatos), was seit der Ant., allerdings nicht unwidersprochen, als »Ferntreffer« (eigentlich *hekabolos) verstanden wird (CHANTRAINE s. v.). Mit seinem Bogen sendet er den Männern vorzeitigen Tod (Od. 7,64), wie das Artemis den Frauen tut, oder, um seinen Priester zu rächen, die Pest (Il. 1,44–52), die er auch heilt. Überhaupt kann er als Heiler wirken, in Konkurrenz zu Paiḗōn, dem göttl. Arzt (Il. 5,401) und Ahnherr menschlicher Ärzte (Od. 4,232), den das Ep. wohl noch nicht mit A. identifiziert, wie dies später häufig sein wird (getrennt Hes. fr. 307, vgl. Sch. Hom. Od. 4,231), und zu Asklepios (Il. 4.193), seinem Sohn (Hes. fr. 50). Den Paián singen die Griechen entsprechend zu seiner Versöhnung (Il. 1,473). Der kaum viel spätere homer. Hermeshymnos erzählt, wie er vom kleinen Hermes die aus einem Schildkrötenpanzer gefertigte Leier bekam (Hom. h. Merc. 387–573) und weist zugleich die Mantik als ihm allein von Zeus verliehenes Wissen um ›Zeus' Sinn‹ aus (471 f.; 533 f.). Daß er mit den Musen engstens verbunden und zusammen mit ihnen für Sänger und Kitharisten zuständig ist, weiß Hesiod (theog. 94 f.); später wird er die Epiklese Mousagétēs, »Musenführer« tragen. Weniger deutlich faßbar ist eine Verbindung A.s mit den jungen Männern an der Schwelle zum vollen Mannsein; immerhin kennt Hesiod die Haaropfer der jungen Männer (koúroi), die A. zusammen mit Nymphen und Flußgöttern erhält (Hes. theog. 346–8). Bei Homer wird der Paián von den koúroi Achaiōn gesungen (Il. 4,41).

B.3 MANTIK

A.s überregionale und panhellenische Heiligtümer gelten fast alle seiner divinatorischen Funktion, mit Ausnahme von Delos, wo Divination nur in archa. Zeit und rudimentär belegt ist (Hom. h. Apol. 81). In archa. Zeit ist Delphi zentral bes. durch seine enge Verbindung zur Kolonisation, später werden auch die kleinasiatischen Orakel von Didyma, Klaros und, in geringerem Maß, Gryneion wichtig [10]. Die Formen der Divination variieren, gemeinsam ist die Suche nach Ekstase, sei es in der delph. Pythia, sei es durch Trinken von Wasser in Klaros. So zieht A. auch die nicht institutionalisierte ekstatische Divination in seinen Bereich: Sibyllen gelten als Priesterinnen A.s, in Marpessos (Troas: Paus. 10,12,5), Erythrai oder Cumae (Verg. Aen. 6,35), und vor allem als seine Geliebten, wie auch die ekstatische Seherin Kassandra A.s Geliebte war [11; 12].

B.4 KATHARTIK UND POLITIK

In den Kulten und Festen der einzelnen Poleis treten andere Züge hervor – inbes. die Verbindung mit Epheben und Bürgern einerseits, mit Heilung, Kathartik und Übelabwehr andererseits. Der Gott, der in der Ilias Krankheit sendet, kann sie auch heilen. Seine Funktion als Heiler ist durch die zumindest in vorhell. Zeit in den ostgriech. Poleis und den ion. Schwarzmeerkolonien sehr verbreitete Epiklese Iētrós, »Arzt«, und, räumlich begrenzter, diejenige von Oúlios »Heiler« (Strab.

14,635) gut belegt [13]; von beiden leiten sich zahlreiche theophore Namen her. Als Heiler wird er auch spätestens im 5.Jh. als A. Medicus nach Rom eingeführt werden (s.u.). Manche Asklepieia haben sich um einen älteren A.-Kult angelagert, etwa diejenigen von Mantineia (Paus. 8,9,1), Aigeira (Paus. 7,26,6f.) oder Sikyon (Paus. 2,10,2) oder dasjenige des A. Maleatas (→ Asklepios). Durch den Aufstieg des Asklepios seit dem späteren 5.Jh. wird A. zwar in den Heil-Heiligtümern rasch in den Hintergrund gedrängt, doch nicht völlig ausgeblendet. Heilung ist in archa. Zeit zum einen mit der Divination verbunden, zum anderen nur eine Sonderform der Kathartik. A. selber mußte nach der Tötung der Pytho vom Mord gereinigt werden; das begründet seine Rolle als Gott der Kathartik. In den Asklepieia (wie im Heil-Heiligtum des Sehers Amphiaraos) findet Traummantik statt, und A., selber als iatrómantis, teraskópos und kathársios ›Seherarzt, Zeichendeuter, Reiniger‹, Aischyl. Eum. 62f.) bezeichnet, ist auch mit dem iatrómantis Melampus (vgl. Hes. frg. 37) verbunden. Andererseits wendet A. als apotrópaios (in sehr verbreiteter Epiklese) Übel jeder Art ab. Wie mit den Sibyllen, ist er auch mit den nichtinstitutionalisierten Katharten verbunden, mit den (halb) mythischen Gestalten von Bakis und Abaris und den histor. Epimenides und Empedokles. Im Kontext des städtischen Lebens gilt er wie Artemis als Torgottheit (propýlaios), die Übel draußen hält: Einige klarische Orakel aus dem Kontext des großen Pestzugs von 165/6 n. Chr. verbinden Heilung, Übelabwehr und Schutz der Tore dadurch, daß sie das Aufstellen einer bogenbewehrten A.-Statue im Tor befehlen [12; 14]. Die privaten Hauseingänge werden ganz entsprechend durch einen pfeilerartigen Agyeús bewacht [15]. Im Festkalender der ion. Städte gelten die Thargelia als Reinigungsfest: Sie liegen in Athen im zweitletzten Monat des Jahres, am 6. und 7. Thargelion. Für den 6. sind allg. kathartische Riten, insbes. das rituelle Herumführen und Vertreiben der pharmakoí, belegt, der Träger aller rituellen Verunreinigung des vergangenen Jahres; dasselbe Ritual ist mit Varianten in einigen Städten Ioniens überliefert [16]. In Athen wird am 7. ein urtümliches Gericht, die Thargēlia, hergestellt, das mit dem Thema der Urzeit verbunden werden kann. Wichtiger aber sind in den Poliskulten die Beziehungen, die in der Ableitung von apélla angedeutet sind, und dies nicht nur für die dor. Staaten: Sie prägen das Erscheinungsbild A.s so grundlegend, daß er immer als der Ur-Ephebe erscheint. Im spartanischen Festkalender gehören insbes. die Gymnopaidia als agonistische und musische Präsentation der paídes in diesen Kontext, während die Karneia als Fest, das die jungen Männer besorgen, in mehreren dor. Orten (Sparta, Argos, Kos, Kyrene) belegt sind [17]. In der mythischen Spiegelung weisen auch die Hyakinthia von Amyklai in denselben Zusammenhang, obwohl hier auch oriental. und vorgriech. Elemente vermutet werden [18]. In Kreta, wo sich die alte Institution des Männerhauses bis in hell. Zeit gehalten hat, läßt sich etwa die Anlage des drerischen Tempels von A. Delphinios als »Herdhaus« damit verbinden [19]. Gerade eine Epiklese wie Delphinios führt aber diese Phänomenologie aus dem dor. Raum heraus: In Milet ist A. Delphinios der Gott der Molpoi, die nicht bloß mit der apollinischen *molpḗ* (vgl. Il. 1,472), sondern auch mit der Stadtherrschaft eng verbunden sind, und in Athen ist derselbe A. mit Fragen des Bürgerrechts beschäftigt [20]. Ähnlich ist A. Lykeios (schon von den Griechen selber als »Wolfsgott« verstanden) in Athen mit der kriegerischen Agonistik, in Argos, wo sein Tempel an der Agora steht, direkt mit der polit. Macht verbunden [21]. Überhaupt ist A. in verschiedenen Epiklesen an zahlreichen Orten der griech. Welt neben Athena der wichtigste Besitzer zentraler polit. Kulte, ist, was letztlich auf denselben Bereich verweist, als *Archēgétēs* in vielen Städten, insbes. (aber nicht ausschließlich) in Kolonien, als Gründer und Hauptgott angesehen worden. Schließlich steht er als *Patrṓios*, einer an mehreren Orten (Delos, Ephesos u. a.), vor allem aber in Athen sicher mit den Phratrien als Organisation der Bürger, in die Funktionen früherer Initiationskulte eingegangen sind, in Verbindung.

Seit dem 5. Jh. wird A. mit Helios gleichgesetzt, zuerst wohl bei Aischyl. suppl. 212–14, sicher in Eur. Phaeton (DIGGLE). Verbindungen mit himmlischen Lichteffekten bezeugen wenige Epiklesen wie *Aiglḗtēs* »Strahler« in Anaphe (Ap. Rhod. 4,1713–7; Apollod. 1,139) oder *Eōiósmios* »der zur Morgenröte gehört« in Bithynien (Ap. Rhod. 2,688–69), doch ist dies wohl weniger wichtig als die Bildhaftigkeit der Dunkel bannenden Sonne. Diesen Aspekt des Glanzes, verbunden mit dem der Reinheit, haben schon ant. Theologen im seit Homer geläufigen Namen Phoibos sehen wollen (Plut. de E 393c; Macrob. Sat. 1,17,33); er wird zum Ausgangspunkt der bes. neuplatonischen Spiritualisierung des Gottes (Macrob. Sat. 1,17).

C. ITALIEN C.1 ETRURIEN

In Etrurien erscheint A. in bildlichen Darstellungen seit dem 6. Jh.; als *Ap(u)lu* erscheint sein Name gelegentlich seit dem 5. Jh., aber immer in myth. Zusammenhang. Sein Name fehlt etwa auf der Bronzeleber von Piacenza. Entsprechend ist er kein Kultgott, sind keine etr. Tempelbezirke für ihn faßbar [22].

C.2 ROM

Demgegenüber ist sein Kult in Rom bereits spätestens im 5. Jh. eingeführt worden. Seine Hauptfunktion war die des Heilers: als *Apollo medice Apollo Paean* riefen ihn die Vestalinnen an (Macr. Sat. 1,17,15), und der bis zu Augustus einzige Tempel neben dem späteren Marcellus-Theater wurde 431 v. Chr. anläßlich einer Seuche für *A. Medicus* gestiftet (Liv. 4,25,3) und in augusteischer Zeit durch C. Sosius erneuert [23]; griech. Formen erhielten sich in der Trias der Kultempfänger A.-Latona-Diana (CIL VI 32) wie im *ritus Graecus*, der ganz bes. mit A. verbunden war (Liv. 10,8,2). Der Kult war in republikanischer Zeit populär und wurde in den Jahren 212 und 208 um die *ludi Apollinares* vom 13. Juli (später

6.–13. Juli) erweitert, an denen vor allem szenische Aufführungen stattfanden. In dieser Form blieb der Gott lebendig, obwohl er als Heiler durch den 208 v. Chr. aus Epidauros eingeführten Aesculapius, später auch durch Isis verdrängt wurde. Neuen Aufschwung nahm A. durch das Interesse, das Augustus ihm entgegenbrachte: Er hatte ihn schon vor 31 zu seinem persönlichen Gott gemacht und sich damit der Dionysos-Verehrung des Marcus Antonius gegenübergestellt; das Eingreifen des A. bei Actium (Verg. Aen. 8,704 f.) begründete den Bau eines A.-Tempels auf dem Palatin neben der *domus Augusta*, in den auch die *libri Sibyllini* überführt wurden [24].

A. wurde mit einer Vielzahl fremder Gottheiten identifiziert. Die Hintergründe der zahlreichen kleinasiatischen Belegungen A.s sind nicht immer zu fassen; man mag an Gottheiten denken, die mit dem hethit. *Telepinu*, dem Sohn des (Zeus verwandten) Wettergottes, zusammengehen. Im lat. Westen, bes. im kelt. Bereich, sind es lokale Heilgötter, welche die röm. Reduktion A.s auf den Heiler übernehmen.

1 E. SITTIG, De Graecorum nominibus theophoris, 1911, 31–58 2 H. METZGER, E. LAROCHE, A. DUPONT-SOMMER, M. MAYRHOFER, La stèle trilingue du Létôn (Fouilles de Xanthos 6), 1979 3 K. DOWDEN, A. et l'esprit dans la machine. Origines, in: REG 92, 1979, 293–318; REG 93, 1980, 486–492 4 W. BURKERT, Apellai und A., in: RhM 118, 1975, 1–21 5 FARNELL, Cults 4, 98 f. 6 A. HEUBECK, in: Glotta 65, 1987, 179–82 7 G. NAGY, in: J. SOLOMON, A., 1994, 3–8 8 M. L. WEST, Cynaethus' hymn to A., in: CQ 25, 1975, 161–170 9 J. FONTENROSE, Python. A Study of Delphic Mythology, 1959 10 G. RAGONE, Il tempio di A. Gryneios in Eolide. Testimonianze antiquarie, fonti antiche, elementi per la ricerca topografica, in: B. VIRGILIO (Hrsg.), Studi Ellenistici 3, 1990 11 H. W. PARKE, Sibyls and Sibylline Prophecy in Classical Antiquity, 1983 12 GRAF, 335–350 13 N. EHRHARDT, A. Ietros. Ein verschollener Gott Ioniens?, in: MDAI(Ist) 39, 1989, 115–122 14 R. LANE FOX, Pagans and Christians, 1987, 231–235 15 V. FEHRENTZ, Der ant. Agyieus, in: JDAI 108, 1993, 123–196 16 J. BREMMER, Scapegoat Rituals in Ancient Greece, in: HSPh 87, 1983, 299–320 17 M. PETTERSSON, Cults of A. at Sparta. The Hyakinthia, the Gymnopaidia and the Karneia, 1992 18 W. BURKERT, Reešep-Figuren, A. und Amyklai und die »Erfindung« des Opfers auf Cypern, in: Grazer Beitr. 4, 1975, 51–79 19 M. P. NILSSON, Archaic Greek Temples with Fire-places in their Interior, in: Opuscula Selecta 2, 1952, 704–710 20 F. GRAF, A. Delphinios, in: MH 36, 1979, 2–22 21 M. JAMESON, A. Lykeios in Athens, in: Archaiognosia 1, 1980, 213–235 22 PFIFFIG, 251–55 23 A. VISCOGLIOSI, A. Aedes in circo, in: LTUR, 1993, 49–54 24 J. F. MILLER, Virgil, A., and Augustus, in: J. SOLOMON, A. 1994, 99–112.

J. GAGÉ, A. romain. Essai sur le culte d'Apollon et le dévelopement du »ritus Graecus« à Rome des origines à Auguste, 1955 · J. J. HATT, A. guérisseur en Gaule. Ses origines, son caractère, les divinités qui lui sont associés, in: Rev. Arch. Centre 22, 1983, 185–219 · L. KÄPPEL, Paian. Studien zur Gesch. einer Gattung, 1992 · H. W. PARKE, The Oracles of A. in Asia Minor, 1985 · J. SOLOMON (Hrsg.), A. Origins and Influences, 1994.   F. G.

[Ikonographie] Darstellungen des A. bereits im 7. Jh. v. Chr. (möglicherweise Sphyrelata von Dreros, Kreta); auf Vasen insbesondere ab Mitte des 6. Jh. v. Chr., häufig zusammen mit Leto und Artemis, Dionysos, Hermes und Athena, seltener mit Poseidon. Im Streit um den Dreifuß ist A. mit Herakles dargestellt, als Musagetes mit den Musen. Bedeutendes Motiv auch in der röm. Kunst ist A. als Rächer mit Marsyas und den Niobiden (→ Sarkophage; → Relief). A. tritt seit frühester Zeit als Kitharoide mit Kithara oder Lyra in Erscheinung, meist in langem Gewand und langer Haartracht; dieser Typus auch auf der Musenbasis von Mantineia (Werkstatt des → Praxiteles, um 325 v. Chr.) und in großplastischen Darstellung des 4. Jh. v. Chr.: A. Patroos des → Euphranor 340/330 v. Chr.; vgl. den »A. Barberini« des 2. Jh. n. Chr.; problematisch die Gleichsetzung des »A. Rhamnusios« des → Skopas mit dem A. Palatinus, dem Kultbild des 28 v. Chr. von Octavian geweihten Tempels des A. Palatinus in Rom: dieser Typus auf der frühkaiserzeitlichen Marmorbasis in Sorrent. Im Hellenismus und in der röm. Kaiserzeit häufig auch nackte oder teilentblößte Kitharoiden: Typus A. von Kyrene (spätes 2. Jh. v. Chr.); »A. Citarista« (spätes 1. Jh. v. Chr.); im gleichen Gestus, allerdings mit Lorbeerbaum, der A. von Mantua. Lorbeerzweig oder -stamm als typisches Attribut des A. Daphnephoros, Gott der Reinigung und Weissagung, insbesondere seit dem frühen 5. Jh. v. Chr. A. häufiger auch mit Tieren dargestellt: mit einem Hirsch in seiner Rechten der Kanachos-A. in Didyma (spätes 6. Jh. v. Chr.; Plin. nat. 34,75; Paus. 1,16,3; keine gesicherte Kopie überliefert), Typus Smintheus mit einer Maus (nur von Münzbildern bekannt), der »Sauroktonos« des Praxiteles (um 365/350 v. Chr.). Charakterisierung des A. als Bogenschütze seit frühester Zeit: Votivstatuette des Mantiklos, frühes 7. Jh. v. Chr.; A. aus dem Piräus (vermutlich 530/520 v. Chr.); der Typus des »Omphalos-A.« (um 470/460 v. Chr., Replik Choiseuil); um 460 v. Chr. die zentrale Figur im W-Giebel des Zeustempels in Olympia und der Typus Kassel (oft → Pheidias zugeschrieben); um 450 v. Chr. datiert der Typus A. Tiber-Cherchel (mit → Kalamis oder Pheidias verbunden); der zur Niobidengruppe gehörige (?) sog. A. Sosianus vermutlich um 440 v. Chr.; strittig die Datier. des »A. von Belvedere« um 330 v. Chr. (mit Zuschreibung an → Leochares); archaisierend die Darstellung des A. von Piombino (1. Jh. v. Chr.?). Mit der Neuorganisation der Ephebie nach 336/5 v. Chr. wird der Typus des A. Lykeios von → Praxiteles zu verbinden sein: der trainierte jugendliche Gott als Vorbild für die waffenfähige athenische Jugend.

W. Lambrinudakis u. a., s. v. A., LIMC II,1, 1984, 183–327 (mit älterer Lit.) • M. Flashar, A. Kitharodos, 1992 • L. J. Roccos, A. Palatinus: The Augustan Apollo on the Sorrento Base, in: AJA 93, 1989, 571–588 • S. F. Schröder, Der A. Lykeios und die att. Ephebie des 4. Jh., in: MDAI(A) 101, 1986, 167–184 • E. Simon, G. Bauchhenss, s. v. A., LIMC II,1, 1984, 363–464 • H. S. Versnel, Apollo and Mars one Hundred Years after Roscher, in: Visible Religion 4–5, 1985–86, 134–167.　　　　　　　　　　　A. L.

Apollonia (Ἀπολλωνία). **[1]** Stadt im südl. → Illyricum, in der Ant. am Nordufer des Aoos ca. 6 km vom Meer entfernt, beim h. Pojani (Albanien). Von Korinthern Anf. des 6. Jhs. v. Chr. unter Beteiligung von Korkyra gegr. (mythischer Oikistes Gylax). Hdt. 9,93–95, Paus. 5,22,3 f. und Inschr. bezeugen den Reichtum von A. im 5. Jh. v. Chr.; zur inneren Organisation Aristot. pol. 4,4, 1290b [10]. Im 4. Jh. v. Chr. unter dem Einfluß der illyr. Könige, im 3. Jh. v. Chr. von → Pyrrhos abhängig. Nach dem 1. Illyr. Krieg (232–229 v. Chr.) geriet A. unter röm. Protektorat, nach App. Ill. 8 zu schließen als → civitas libera, wurde dann wichtiger Anlaufhafen für die röm. Flotte. Die Häfen A. und → Dyrrhachion erscheinen als gleichberechtigte Ausgangspunkte der später sog. → via Egnatia seit dem 2. Jh. v. Chr. [6], vgl. Pol. 34,12,7; Strab. 7,7,4 (dagegen Aulon als Hafen: Itin. Anton. 329,5; Itin. Burdig. 608,8; vgl. Tab. Peut. 6,3 – evtl. schon in Reaktion auf die zunehmende Verlandung des Hafens?). 48 v. Chr. öffnete A. → Caesar die Tore und wurde seine Basis im Bürgerkrieg; der nachmalige → Augustus hielt sich 45 v. Chr. zum Studium in A. auf (Vell. 2,59,4; App. civ. 3,9 f.; Suet. Aug. 8,2,1; Cass. Dio 45,3,1; Plut. Brutus 22,2); Cicero (Phil. 11,26) hielt A. für eine *magna urbs et gravis*. Sein Urteil bestätigen noch h. die arch. Reste hell. und röm. Zeit: Stadtmauer, Buleuterion, Stoa, Theater, Odeion, Nymphaion [1. 291; 4; 9], Wohnhäuser, Nekropolen sowie Münzen und Inschr.; arch. Erforsch. seit Anf. des 20. Jhs., jetzt fortgeführt von einem frz.-albanischen Team unter P. Cabanes.

Nach der diokletianischen Verwaltungsreform (→ Diocletian) zur Νέα Ἤπειρος gehörig; Bischöfe bezeugt bei den Konzilien 431 und 451 n. Chr. sowie in der Briefserie von 457/458 [8. II,5, 95 f.]. Danach wegen endgültiger Verlandung des Hafens zugunsten von Aulon(a) als Siedlungsplatz aufgegeben, noch gen. bei Hierokles (Synekdemos 653,3) und Konst. Porph. (de them. 86 Pertusi). Kloster mit kunstgesch. bedeutender Marienkirche [2. Index S. 7; 3. 24], unter Verwendung ant. Spolien erbaut vor 1250 (zur Datierung [7. 55–61; 5. 143 f., Abb. 100]).

1 P. Bartl, Albanien, 1995 2 A. Ducellier, L'Albanie entre Byzance et Venise, X^e-XVe siècles, 1987 3 Ders., La Façade maritime de l'Albanie au moyen âge, 1981 4 G. Koch, Albanien, 1989 5 Ders., Das MA, in: A. Eggebrecht (Hrsg.), Albanien, 1988, 138–148 6 G. Radke, s. v. A., RE Suppl. 13, 252 f. 7 G. Prinzing, A. und das Marienkloster, in: C. v. Lienau, G. Prinzing (Hrsg.), Beitr. zur Geogr. und Gesch. Albaniens, 1984 8 E. Schwartz (Hrsg.), ACO 1914 ff. 9 P. C. Sestieri, s. v. A., PE, 70 f. 10 Aristot. Werke, hrsg. von H. Flashar 9, III, kommentiert von E. Schutrumpf.

P. Cabanes, Grecs et Illyriens dans les inscriptions en langue grecque d'Épidamne-Dyrrhachion et d'A. d'Illyrie, 1993 • Ders., L'Illyrie méridionale et l'Épire dans l'Antiquité 1,

1987; 2, 1993 · Ders., F. Drini (Hrsg.), Corpus des inscriptions grecques d' Illyrie méridionale et d' Épire 1,1, 1995, 28–57 · DHGE 3, 1924, 1006 f.; 15, 1963, 637 f.   E. W.

[2, Pontike] (Ἀπολλωνία Ποντική). Stadt auf einer Felsenhalbinsel am südl. Ausgang der Bucht von Burgas mit zwei Häfen, h. Sozopol. Siedlungsspuren seit dem 3. Jt. v. Chr. Von Milesiern 610 v. Chr. gegr. (Ps.-Skymn. 728–730), wohl kaum von Anaximandros in der 1. H. des 6. Jh. v. Chr. (Aristeid. 3,17). Früheste griech. Keramik E. des 7. Jh. v. Chr., im 6. Jh. v. Chr. aus Ionien, Rhodos und Samos. Im 5. Jh. v. Chr. enge Beziehungen zu Athen; fast ausschließlich att. Ware, inschr. Belege (IG II 2; 130). 425 v. Chr. im 1. → Att.-Delischen Seebund. Ab Mitte des 5. Jh. v. Chr. eigene Münzprägung. Stadtgötter: → Apollon Letros (Kultstatue des → Kalamis; 71 v. Chr. von den Römern geraubt) und → Artemis Pythie. Aus dieser Zeit stammt ein Teil der Nekropole in Kalfata. Mitte des 5. Jh. wurde zur Kontrolle der Seerouten nach A. → Anchiale [2] gegr. Trotz vieler thrak. Festungen in der Nähe waren Konflikte selten. Grundlage der Wirtschaft waren Kupfererz, Wein, Getreide und Fischfang. Im 4. Jh. v. Chr. bedrängten nach Aristot. pol. 35–36, 1303a polit. Wirren die Stadt, deren Bed. langsam zugunsten Mesambrias zurückging. Mit → Philippos II. schloß A. einen Vertrag und vermittelte einen solchen für den Skythenkönig Atheas (Iust. 9,2); nur unter → Lysimachos verlor sie kurz ihre Unabhängigkeit. Der Krieg mit Mesambria um Anchiale [2] im 2. Jh. v. Chr. schwächte A. zusätzlich. Trotz mil. Hilfe von → Mithradates VI. (IGBulg 392) wurde A. 72 v. Chr. von Lucullus eingenommen und zerstört. Mitte des 1. Jhs. v. Chr. stand sie unter Fürsten der → Astai und Sapaioi (IGBulg 324; 399; 402). In röm. Zeit war A. Mitglied des westpontischen Koinon und prägte unter den Antoninen und Severern Münzen. Im 4. Jh. n. Chr. von → Goti zerstört. Der h. Name Sozopol im anon. Peripl. m. Eux. 84–87. → Vitalianus benutzte Sozopol 513 n. Chr. als Stützpunkt.

→ Milet

G. Mihailov, IGBulg, 343–347 · N. Ehrhardt, Milet und seine Kolonien, 1953.   I. v. B.

Byzantinische Zeit

Noch bei Amm. 22,8,43 und in der Tab. Peut. VII 5 als A. bezeichnet, doch im Zuge der Christianisierung umbenannt in Σωζόπολις. Bistum, bis ins 13. Jh. als Suffragan zu Hadrianoupolis (Ἐπαρχία Αἱμιμόντος) gehörig. Bischöfe bezeugt bei den Konzilien 431, 451 (Überlieferungsfehler?), 649, 680/681 [1], 787. 514 Eroberung durch den Usurpator → Vitalianus, 812 bulgarisch. Bedeutende arch. Reste aus frühbyz. Zeit.

1 ACO ser. II 2,2, 1992, 938.

ODB I, 1991, 1933 · PECS 1976, 72 f. · P. Soustal, Die südl. bulgarische Schwarzmeerküste in Spätant. und MA, in: Die Schwarzmeerküste in der Spätant. und im frühen MA, hrsg. von R. Pillinger, A. Pülz, H. Vetters, 1992, 59–67, bes. 62 f. · TIB VI, 1991, 454–456.   E. W.

[3] Maked. Stadt beim h. Nea Apollonia südl. der Bolbe, gegr. nach 432 oder 348 v. Chr. von Siedlern aus der Chalkidike; A. oder eine andere nach 360 v. Chr. von Philippos II. zerstörte (Demosth. or. 9,26) chalkidische Stadt A. konkurrierte im 4. Jh. mit Olynthos (Xen. hell. 5,2,11). A. war Rekrutierungsgebiet einer Kavallerieeinheit (→ ilai im Heer des Alexandros [4]) (Arr. anab. 1,12,7); hier verhandelten Aemilius [22] Paullus und Perseus 167 v. Chr. miteinander (Liv. 45,28, 8 f.); die → mansio an der via Egnatia (vgl. Tab. Peut. 8,2) wurde u. a. besucht vom Apostel Paulus (Apg 17,1). Noch im 6. Jh. n. Chr. → Polis (Hierokles, Synekdemos 640,3); Bischofssitz bis ins 8. Jh. n. Chr.

M. Zahrnt, Olynth und die Chalkidier, 1971, 155–158 · Ders., in: Lauffer, Griechenland 125 · F. Papazoglou, Les villes de Macédoine, 1988, 218–222.   MA. ER.

[4] mit San Fratello zu identifizieren, denn A. Salinas entdeckte dort viele der seltenen Bronzeemissionen von A. (E. Manni hat dafür Pollina vorgeschlagen [1]). Der Tyrann → Leptines kontrollierte A. gleichzeitig mit Engyon, das mit A. zuvor durch einfache Straßen verbunden worden war (Diod. 16,72,3; 20,56,4; Steph. Byz. s. v. A.).

1 E. Manni, Geografia fisica e politica della Sicilia antica (Kokalos Suppl. 4), 1981, 145.

L. Bernabò Brea, Atti IV Convegno Numismatica Napoli, 1973, 15 · G. Manganaro, Per la storia dei culti nella Sicilia greca, in: Il Tempio Greco in Sicilia. Architettura e culti, 1980, 148–165.   GI. MA.

[5] Tochter des Ptolemaios, aus Kyrene, Gattin des Dryton, auch genannt Senmonthis; geb. ca. 170/60 v. Chr. Beispiel für Zweisprachigkeit in einer Familie und die Vermischung griech. und ägypt. Rechtsformen in der geschäftlichen Tätigkeit einer Frau.

S. Pomeroy, Women in Hellenistic Egypt, 1984, 103 ff.   W. A.

[6] Stadt am → Rhyndakos, h. Gölyazı am Uluabat Gölü (lacus Apolloniatis, Strab. 12,8,11). Trotz der Mitte des 2. Jh. v. Chr. erfolgten Anerkennung als milesische → Apoikia dürfte A. eine pergamenische Gründung sein, benannt nach Apollonis, der Mutter → Attalos' II. In röm. Zeit → civitas stipendiaria der Prov. → Asia. Im 1. Jh. v. Chr. geriet A. zeitweise in Abhängigkeit von → Kyzikos. Erwähnungen bei Hierokles 693,2 und in den notitiae episcopatum zeugen vom Fortbestand der Siedlung bis in byz. Zeit.

A. Abmeier, Zur Gesch. von A. am Rhyndakos, in: Asia Minor Studien 1, 1990, 1–16 · N. Ehrhardt, Milet und seine Kolonien, 1988, 44–47.   E. SCH.

Apollonides (Ἀπολλωνίδης). **[1]** Griech. Geograph z. Z. Mithradates' VI. (frühes 1. Jh. v. Chr.), Verf. eines → Periplus von Europa; die wenigen erh. Fragmente behandeln den Osten der Mittelmeerwelt.

FHG 4, 309–310 · H. Berger, s. v. A. 28, RE 2, 120.   K. Bro.

[2, von Nikaia] (Ἀπολλονίδης ὁ Νικαεύς). Griech. → Grammatiker des 1. Jh. n. Chr. Er widmete Kaiser Tiberius einen Komm. zu den *Silloi* des → Timon von Phleius (Diog. Laert. 9,109). Bekannte Titel weiterer Werke: Περὶ παροιμιῶν; Περὶ κατεψευσμένων ἱστοριῶν; Hypomnema zu Περὶ τῆς παραπρεσβείας Δημοσθένους; Zitate ohne Titel bei → Harpokration, s. v. Ἴων, und Priscianus, GL III 407,2. Die Zuweisung des Epigramms Anth. Pal. 7,693 ist unsicher.
→ Demosthenes; Grammatiker

Timone di Fliunte. Silli, a cura di M. Di Marco, 1989, 54–55, T 1, F 1 (mit Komm.) · A. Hillscher, in: Jbb für Philol. und Pädagogik Suppl. 18, 1892, 387 · G. Wentzel, RE 2.1, 120–121 · FHG IV 310.   F.M./M.-A.S.

[3, aus Smyrna?] Epigrammdichter, lebte um die Zeitenwende (vgl. Anth. Pal. 9,280; 287; 791; 10,19), Verf. von 29 Gedichten aus dem »Kranz« des Philippos (9,264; 408 lassen sich nicht mit Sicherheit zuweisen; 16,235 wird dem jedoch sonst unbekannten Apollonios von Smyrna belassen), zum größten Teil epideiktische und Grabepigramme. Die Themen scheinen abgesehen von seltenen Ausnahmen (vgl. 7,180; 9,280, und vor allem 281, über ein menschenfressendes Pferd) konventionell. Die Gleichsetzung mit A. von Nikaia, einem Zeitgenossen des Tiberius (Diog. Laert. 9,109), ist reine Konjektur.

GA II 1,126–145; 2,147–165.   E.D./T.H.

[4] Tragiker unbekannter Zeit, zwei Fragmente überliefert bei Stob. 4,494,11 W.-H. (s. Clem. Al. paed. 3, 12 282, 23 St.) und 495, 12 W.-H. (Zuordnung nicht eindeutig); vielleicht identisch mit dem in einer Inschr. genannten A. (OGIS 51; s. TrGF 114 u. 115).

TrGF 152.   F.P.

Apollonieis (Ἀπολλωνιεῖς). Att. Demos der Phyle → Attalis (IG II² 1794ff.), 200 v. Chr. zu Ehren der Apollonis, Frau → Attalos' I. [4], geschaffen. 5 Buleutai. Lage unbekannt. 14 namentlich bezeugte Demotai.

Traill, Attica, 30, 109 Nr.18, Tab. 14 · Whitehead, 20 Anm. 66.   H. Lo.

Apollonios (Ἀπολλώνιος). **[1]** aus Karien (dann vielleicht 267 v. Chr. dort als ptolemäischer Oikonomos?), Dioiket Ptolemaios' II., April / Mai 259 – Ende 245; begleitete 252 Berenike zur Hochzeit mit Antiochos II. A. war in einer wichtigen Umbruchphase verantwortlich für die Wirtschaft des ptolemäischen Königreiches: es ging um Anpassung des Steuersystems an die monetäre Ökonomie der Lagiden; er hatte daher Kompetenzen im Finanz- und Münzwesen, in Steuer- und Außenhandelsangelegenheiten. Inhaber von Doreai in Philadelphia, Memphis, vielleicht auch in Be-

thanath (Palästina) und auf Zypern. Die Dorea in Philadelphia wurde von Zenon als Mustergut geführt (anwendungsorientiert?) Grund für das Ende der Karriere unbekannt; wohl nicht mit Thronwechsel zusammenhängend, da er noch zu Beginn der Regierung Ptolemaios' III. tätig war. PMichZen p. 5ff., PP 1/8, 16.

H. Hauben, L'expédition de Ptolémée III. en Orient et la sédition domestique de 245 av. J.-C., in: APF 36, 1990, 29–37 · C. Orrieux, Zénon de Caunos, 1985, 171ff. · R. Seider, Beiträge zur ptolemäischen Verwaltungsgesch., 1938 · M. Wörrle, Epigraphische Forschungen zur Gesch. Lykiens, 1, in: Chiron 7, 1977, 43–66, 57 Anm. 79.   W.A.

[2, Rhodios] A. Allgemeines   B. Leben
C. Verlorene Werke   D. Argonautika
E. Sprache und Stil   F. Nachleben

A. Allgemeines

Apollonios war eine der bedeutenderen schriftstellerischen Persönlichkeiten in Alexandreia im 3. Jh. v. Chr. und Dichter der *Argonautika* (= *Arg.*), der einzigen hexametrischen Ependichtung der griech. Lit. zw. → Homer und der röm. Kaiserzeit, die überliefert ist.

B. Leben

Die Hauptquellen sind: POxy. 1241, ein aus dem 2. Jh. n. Chr. stammendes Verzeichnis der Bibliothekare der königlichen Bibliothek in Alexandreia; zwei *vitae*, die zusammen mit den Hss. der *Arg.* überliefert sind und die wahrscheinlich auf → Theon (spätes 1. Jh. v. Chr.) zurückgehen; Suda α 3419. (1) Die Quellen stimmen darin überein, daß A. aus Alexandreia (oder Naukratis) stammte; den Beinamen »der Rhodier« erhielt er vielleicht aufgrund der Annahme, er habe eine Zeitlang sein Leben auf der Insel verbracht; doch es ist auch durchaus möglich, daß er (oder seine Familie) aus Rhodos gebürtig war. (2) A. war in seiner Tätigkeit als Bibliothekar und königlicher Hauslehrer Vorgänger des → Eratosthenes (POxy. 1241) und wahrscheinlich Nachfolger des → Zenodotos. (3) A. soll ein Schüler des → Kallimachos gewesen sein; späte Quellen identifizieren ihn mit dem von Kallimachos in seiner Invektive *Ibis* geschmähten Gegner. Die zahlreichen Parallelen zw. den Werken des Kallimachos und den *Arg.* sprechen jedoch eher *gegen* als für irgendeine ernsthafte schriftstellerische Auseinandersetzung zw. ihnen; A. erscheint nicht in dem Verzeichnis (PSI 1219), welche die erklärten Widersacher des Kallimachos, die → »Telchines«, anzugeben sucht. (4) Die *Vitae* berichten in verworrenen und widersprüchlichen Darstellungen vom Rückzug des A. nach Rhodos infolge eines nur schwachen Echos seiner Dichtung in Alexandreia. Diese Berichte mögen ihren Grund haben in der bekannten Existenz einer weiteren Textfassung zumindest von *Arg.* 1, die erheblich von der gemeinhin üblichen Fassung abweicht (die sog. *proékdosis*, die sechsmal in den Scholien zu *Arg.* 1 zit. wird). (5) Widerhall von → Aratos' [4] *Phainomena* (= *Phain.*) in den *Arg.* ist sehr wahrscheinlich anzunehmen (*Arg.* 1,1201–1203 = *Phain.* 422–444; *Arg.* 3,138 =

Phain. 401 gehören zu den augenscheinlichsten Entsprechungen); Aratos' Dichtung wird in der Regel auf nach 276 v.Chr. datiert. Zwei aufeinanderfolgende Episoden in den *Arg.* behandeln dasselbe Thema wie zwei Gedichte des → Theokrit: Arg. 1,1153–1357 (Hylas) vgl. Theokr. Eidyllion 13; Arg. 2,1–163 (Amykos und Polydeukes) vgl. Theokr. Eidyllion 22; wenn, was anzunehmen ist, Theokrit A. benutzte (und nicht umgekehrt), muß eine Fassung zumindest der ersten beiden Bücher der *Arg.* in der 1. H. des 3.Jh. v.Chr. (und wahrscheinlich vor 260 v.Chr.) im Umlauf gewesen sein, es ist aber durchaus möglich, daß Teile des uns vorliegenden Epos unter der Herrschaft des Ptolemaios III. Euergetes (246–222/21) abgefaßt wurden. Schlußfolgerungen in Hinsicht auf die Chronologie sind aus den offensichtlich vorhandenen intertextuellen Bezügen zw. den *Arg.* und den argonautischen Episoden in den *Aitia* des Kallimachos mit Schwierigkeiten belastet.

C. Verlorene Werke

(1) Dichtung. *Kanobos*: choliambisches Gedicht, verarbeitet ägypt. Sagentradition. Außerdem hexametrische Gedichte über »Städtegründungen« zu Kaunos (Rhodos), Alexandreia, Naukratis, Rhodos und Knidos. Zahlreiche andere verlorene Gedichte sind anzunehmen, wahrscheinlich Epigramme einschließend (vgl. Antoninus Liberalis 23); bei einem erhaltenen Epigramm, in dem Kallimachos angegriffen wird (Anth. Pal. 11,275), ist die Zuschreibung an A. sehr zweifelhaft. (2) Prosawerke. A.' Gelehrtentätigkeit umfaßte u.a. eine Monographie zum Homer. Text (Πρὸς Ζηνόδοτον); er behandelte Archilochos und Hesiod, wobei er die Echtheit des ›Schildes des Herakles‹ verteidigte und wahrscheinlich Hesiods Autorschaft der *Ornithomanteia*, überliefert nach den ›Werken und Tagen‹, bestritt.

D. Argonautika

Es handelt sich um eine hexametrische Ependichtung über die Argonautensage (die Suche nach dem Goldenen Vlies) in vier Büchern mit einem Gesamtumfang von 5835 erhaltenen Versen. Wichtige Prosaquellen bestanden in den ἱστορίαι des → Pherekydes von Athen (1. H. 5.Jh. v.Chr.) und der umfangreichen geographischen und geschichtlichen Fachlit. des 4. und des frühen 3.Jh. v.Chr. (→ Herodoros von Herakleia, → Timaios von Tauromenion usw.); Monographien lokaler Gebräuche und Riten lagen ihm als wichtige Informationsquellen vor. Ferner verdankt A. zweifellos viele Anregungen der frühen Epik (bes. den *Naupaktia*) wie auch der Elegie *Lyde* des → Antimachos (frühes 4. Jh. v.Chr.). → Pindars 4. Pythie berichtet ausführlich über die Argonautensage als »Gründungsmythos« von Kyrene; A. wurde fraglos stark beeinflußt von dieser Dichtung, denn der »Gründungsmythos« von Kyrene fungiert als narrativer Höhepunkt in den *Arg.* Die furchtbaren Geschehnisse von → Euripides' *Medea* schließlich lassen sich in B. 3 und 4 erahnen und werfen einen düsteren Schatten auf die Flucht aus → Kolchis.

A.' grundlegende dichterische Methode ist die schöpferische Neugestaltung Homers, von sprachlichen Details bis zu Erzählmustern großen Umfangs, Beschreibung materialer Welt und Technologie. Welchen wichtigen Stellenwert die *variatio* (ποικιλία) hat, zeigt sich beispielsweise in der narrativen Anlage in zweierlei Hinsicht – sowohl innerhalb der Bücher (z.B. B. 2: Handlungsszenen – Amykos, die Harpyien – stehen in scharfem Kontrast zu langen ethnographischen oder geographischen Passagen; B. 4: verschiedene Argonauten und → Medeia spielen abwechselnd führende Rollen) wie auch zw. Büchern (so steht B. 3 gesondert als ein dichtgefügtes eigenständiges Drama). Diskontinuität läßt sich auch erkennen im göttlichen Bereich, wo verschiedene olympische Götter – Athena, Apollon und Hera – sowie andere unbedeutendere Gottheiten alle von Zeit zu Zeit in den Vordergrund treten. A.' Homergebrauch ist am deutlichsten zu beobachten in Standardszenen: der Argonautenkatalog (1,23–233), der dem Schiffskatalog Homers entspricht; die Beschreibung des Mantels, den Iason bei der Begegnung mit → Hypsipyle trägt (1,721–767), mit seiner Entsprechung in der Beschreibung des Achilleusschildes; das Treffen Heras, Athenas und Aphrodites auf dem Olympos zu Beginn von B. 3, für welche sich zahlreiche Vorbilder in Homer finden lassen; die Szenen im Palast des → Aietes, die den Szenen auf Phaiakia in der Odyssee nachgebildet sind; die Reise in den westlichen Mittelmeerraum, korrespondierend mit den Abenteuern des → Odysseus auf seiner Heimreise. Auch individuelle Charaktere verdanken ihren homer. Vorgängern viel: z.B. Iason = Odysseus, Medea = Nausikaa / Kirke, Phineus = Teiresias usw.

A.' Iason ist ein Held mit Überredungsgabe und List (vgl. Odysseus). Verschwunden ist jedoch die selbstsichere Beteuerung erfolgreicher *aretē* – an ihre Stelle ist Iasons charakteristischer »Mangel an Erfindungsgabe« (*amēchanía*) getreten und ein durchgängiger Pessimismus, der eher an die dunkle Seite der att. Tragödie erinnert. Während Magie und Phantastik eine relativ geringe Rolle bei Homer spielen, waren sie im Argonautenmythos schon immer von herausragender Bedeutung: Iason mußte »übernatürlichen« Mächten – in dieser Form selbst der Odyssee kaum bekannt – entgegentreten. A.' Zeichnung der furchtbaren Leidenschaft Medeias nach Iason, im Vergleich dazu ihre Beherrschung wirkungsvoller Zaubermittel und der Naturkräfte, stellten immer den am meisten rezipierten und bewunderten Teil des Epos dar.

Generell wird – und das haben die *Arg.* mit anderer alexandrinischer Dichtung gemein – der → Aitiologie von Kult und Ritus großes Gewicht beigemessen; die *Arg.* beschreiben ausdrücklich die Argonautenfahrt zum Teil auch als Fahrt der Kulturübernahme, die eine bis zur Gegenwart bestehende griech. Tradition etabliert. A. verquickt die Zeitschichten seiner Dichtung auch in anderer Weise. Zum einen, indem er sich als auktorialer Erzähler emotional einschaltet (z.B. 1,616–619; 2,542–

545; 4,445–449), wodurch sich die *Arg.* stark von der »impersonalen« Homer. Epik unterscheiden; zum anderen in Reflexen hell. Wissenschaft und Technologie innerhalb des mythischen Materials des Werkes: Aphrodite verlockt ihren Sohn mit einem Ball, der wie ein zu A.' Zeit gebräuchlicher Weltglobus aussieht (3,131–141), in Medeias Leiden spiegeln sich zeitgenössische physiologische Theorien (3,762f.) wider, und Mopsos' Tod durch einen Schlangenbiß (4,1502–1536) stellt eine typische Mischung aus alexandrinischer Medizin und Mythos dar.

E. Sprache und Stil

Die Sprache der *Arg.* hat die Homers zur Grundlage, ausgeschmückt durch Analogie oder Durchführung von schon latent vorhandenen oder nur selten verwendeten Möglichkeiten der ep. Sprache. So werden homer. Wörtern neue Bedeutungen beigelegt, ihre Morphologie verändert, und solche, die für Homer singulär, nur ein oder zweimal belegt sind, werden üblich. Auf homer. *formulae*, wie z.B. Nomen-Epitheton-Kombinationen, und typische »Homer-Szenen« spielt A. normalerweise nur an, um sie sofort zu verändern; er übernimmt keine ganzen Verse, und sogar die Übernahme von Halbversen oder kürzeren Phrasen ist bemerkenswert selten.

Auch die frühe Epik selbst nutzte die Methode analoger Variation und Imitation und erweiterte so beständig den angestammten Fundus an *formulae* und typischen Szenen, selbst dann noch, als die *oral poetry* zunehmend schriftlichen Formen gewichen war; A. als Erbe dieser Technik von Variation des Formelschatzes wandte sie konsequent durch das gesamte Epos hindurch an, so daß er nahezu vollständig sowohl Selbstwiederholung als auch Wiederholung Homers vermied. Um einen Sonderfall handelt es sich bei den Einleitungen der Reden: in der Homer. Epik stellen sie die vielleicht formelhaftesten Verse des Epos dar, während man in den *Arg.* zw. B. 1 und B. 2–4 eine stete Entwicklung weg vom homer. Modell verfolgen kann. Einleitungssätze, die sich von Variationen Homers ableiten, sind nun ihrerseits variiert; eine grundlegende Neuerung ereignet sich auch in Struktur (außerordentliche Verdichtung) und / oder Wortschatz solcher Satzteile (z.B. nichthomer. *verba dicendi*).

In gleicher Weise gebraucht A. beim Versbau eine recht große Auswahl an möglichen Bautypen – er läßt 26 verschiedene Formen des Hexameters zu (von denen 11 häufig vorkommen), wohingegen Homer sämtliche 32 möglichen Formen einsetzt (davon 22 häufiger); A. folgt nicht den strengeren Richtlinien von z.B. Kallimachos (21 Formen des Hexameters, davon 7 häufig), er teilt jedoch mit Kallimachos und anderen Zeitgenossen eine verstärkte Neigung zu Daktylen gegenüber Spondeen, eine Vorliebe für »Zäsur nach dem dritten Trochaeus« (*caesura* κατὰ τρίτον τροχαῖον), für die »bukolische Diärese« und ganz bes. für starkes Enjambement, oft eng verknüpft mit der Bedeutung des Verses (z.B. bei Szenen mit großer Erregung oder Pathos).

F. Nachleben

Die *Arg.* setzten sich bald als *die* Standardversion der Argonautensage durch; eine große Masse an Papyri (keiner früher als aus röm. Zeit) und eine sehr reiche indirekte Tradition (insbes. das *Etymologicum Genuinum Magnum*) bezeugen seine Beliebtheit in der Spätantike. Diese Quellen machen deutlich, wie viele konkurrierende Lesarten schon von einem frühen Zeitpunkt an gleichzeitig nebeneinander vorhanden waren und zeugen von intensiver gelehrter Beschäftigung mit den *Arg.* Auch die vorzüglichen *scholia* mit *testimonia* wichtiger Kommentare und / oder Ausgaben von Theon (spätes 1. Jh. v. Chr.), Lukillos von Tarrha (spätes 1.Jh. n. Chr.) und Sophokleios (spätes 2. Jh. v. Chr.) weisen daraufhin. Es hat den Anschein, daß vor allem der geographische und myth. Reichtum den Reiz des Werkes für die Gelehrten ausmachte. Die kritischen Würdigungen von Ps.-Longinus, der A. als einen »fehlerlosen« (ἄπτωτος) Dichter (de sublimitate 33,4) beschreibt, und von → Quintilian (*Apollonius . . . non tamen contemnendum edidit opus aequali quadam mediocritate*, 10,1,54) legen nahe, daß die *Arg.* weitverbreitete Schullektüre waren.

A.' Medeia diente Moschos als wichtige Vorlage für die Charakterisierung der Europa, und die griech. Epiker der Spätant. (bes. → Quintus von Smyrna, → Nonnos) schöpfen ausgiebig aus der Sprache der *Arg.*; die *Arg.* können zudem als Hauptquelle für die späten »Orphischen Argonautica« gelten. Ferner besorgte → Varro von Atax, ein Zeitgenosse Catulls, eine lat. Übers. der *Argonautica* in Hexametern; diese Übers. oder aber das Original ist maßgeblich Vorbild für Catulls *carmen* 64, wo die Klage der → Ariadne viel der Vorlage der Apollonischen Medeia verdankt. Vergil bezog sich in der gesamten Aeneis stark auf die *Arg.*, besonders aber bei der Fahrt der Troianer in B. 3 und bei der Beziehung zw. → Aineias und → Dido. Im letzten Falle standen hauptsächlich A.' → Hypsipyle und Medeia Modell. Wiewohl A. nicht die Bedeutung Homers für den röm. Dichter erreichte, bot er doch ein anderes wichtiges ep. Modell, und zwar eines, das eine völlig verschiedene Ästhetik ansprach. Anklänge bei Ovid sind nicht selten (erwähnt sei bes. epist. 6 und 12); *Arg.* 4 lieferte das wichtigste Vorbild für → Lucans Beschreibung vom Marsch → Catos durch die schlangenverseuchte Libya (9,619–699). Die *Arg.* zusammen mit der Aeneis bilden den grundlegenden Stoff für die unvollendeten *Argonautica* des → Valerius Flaccus.

52 mittelalterliche Mss. der *Arg.*, die sich grob zwei Familien zuordnen lassen, sind bekannt. Ob sie auf einen einzigen Archetypus zurückzuführen sind oder nicht, ist umstritten, doch es ist offensichtlich, daß viele verschiedene Lesarten aus ant. Zeit erhalten sind, indem sie in neue Texte übernommen wurden. Die *editio princeps* wurde 1496 von Lascaris in Florenz veröffentlicht.

Ed.: H. Fränkel, OCT, 1961 • F. Vian, Budé, 1974–1981; B. 3, ²1993.
Scholia: C. Wendel, Scholia in Apollonium Rhodium Vetera, 1935.

KOMM. ZU DEN ARG.: G. W. MOONEY, 1912 · F. VIAN, Budé, 1974–1993 · H. FRÄNKEL, Noten zu den Argonautika des A., 1968 · A. ARDIZZONI, 1967 (zu B. 1) · F. VIAN, 1961 (zu B. 3) · R. L. HUNTER, 1989 (zu B. 3) · M. CAMPBELL, 1994 (zu B. 3, v. 1–471) · M. CAMPBELL, Studies in the Third Book of Apollonius Rhodius' Argonautica, 1983 · E. LIVREA, 1973 (zu B. 4).

FRAGMENTE: J. U. POWELL, Collectanea Alexandrina, 1925, 4–8.

LIT.: C. R. BEYE, Epic and Romance in the Argonautica of Apollonius, 1982 · M. CAMPBELL, Echoes and Imitations of Early Epic in Apollonius Rhodius, 1981 · J. F. CARSPECKEN, Apollonius Rhodius and the Homeric epic, in: YClS 13, 1952, 33–143 · P. DR+ÄGER, Argo Pasimelousa, 1993 · E. EICHGRÜN, Kallimachos und A. Rhodios, 1961 · H. ERBSE, Homerscholien und hell. Glossare bei A. Rhodios, in: Hermes 81, 1953, 163–196 · M. FANTUZZI, Ricerche su Apollonio Rodio, 1988 · D. C. FEENEY, The Gods in Epic, 1991 · H. FRÄNKEL, Einleitung zur kritischen Ausgabe der Argonautika des A., 1964 · M. FUSILLO, Il tempo delle Argonautiche, 1985 · S. GOLDHILL, The Poet's Voice, 1991 · P. HÄNDEL, Beobachtungen zur ep. Technik des A., 1954 · M. W. HASLAM, Apollonius Rhodius and the papyri, in: Illinios Classical Studies 3, 1978, 47–73 · H. HERTER, Bericht … A. von Rhodos, in: Bursians Jahresbericht 285, 1955, 213–410 · Ders., A., der Epiker, RE Suppl. 13, 1973, 15–56 · M. HÜGI, Vergils Aeneis und die hell. Dichtung, 1952 · R. L. HUNTER, The Argonautica of Apollonius. Literary Studies, 1993 · Ders., Jason and the Golden Fleece (the Argonautica), 1993 · A. HURST, A. de Rhodes, manière et cohérence, 1967 · G. O. HUTCHINSON, Hellenistic Poetry, 1988 · L. KLEIN, Die Göttertechnik in den Argonautika des A. Rhodios, in: Philologus 86, 1931, 18–51, 215–257 · A. KÖHNKEN, A. Rhodios und Theokrit, 1965 · G. PADUANO, Studi su Apollonio Rodio, 1972 · A. RENGAKOS, Zur Biographie des A. von Rhodos, in: WS 105, 1992, 39–67 · A. RENGAKOS, A. von Rhodos und die ant. Homererklärung, 1994 · A. RZACH, Grammatische Studien zu A. Rhodios, in: SB Akad. Wiss. Wien 89, 1878, 429–599 · C. WENDEL, Die Überlieferung der Scholien zu A. von Rhodos, 1932.   R. HU. / D. SI.

[3, aus Athen] Sohn des Kallistratos, Tragiker, nach einer Inschr. an der Südwand des Schatzhauses der Athener (FdD III 2, 48 36, SIG³ 711L) wohl im Jahre 106/5 (oder 97: s. TrGF app. crit. 145–151) als att. Teilnehmer an der III. Pythaïs der Techniten des Dionysos geehrt.

METTE, 72 · TrGF 151.   F. P.

[4] Komödiendichter unbekannter Zeit. Sein Name findet sich zusammen mit dem möglicherweise verstümmelten Stücktitel .].[.]επίκλητος in einem auf Papyrus erh. Dichterkatalog aus dem 2. Jh. n. Chr. [1. Nr. 11; 2. 517].

1 AUSTIN 1973, 5   2 PCG II, 1991, 517.   T. HI.

[5, Malakos] Rhetor aus Alabanda (Strab. 14, 2,13; 26; Cic. de orat. 1,126) mit dem Beinamen *Malakós*, um 160 v. Chr. Er war Schüler des Asianers → Menekles von Alabanda, siedelte um 120 nach Rhodos über, wo er selbst eine Rednerschule eröffnete. Zu seinen Schülern

gehörten M. Antonius und Mucius Scaevola. A. übte Kritik an der Philos. (Cic. de orat. 1,75); sein Perfektionismus ging so weit, daß er Schülern, die er für unzureichend begabt hielt, frühzeitig vom weiteren Studium der Rhet. abriet (1,126, 130). Ob sich Sen. contr. 7,4,5 auf A. bezieht, ist nicht sicher.

G. D. KELLOG, Study of a proverb attributed to the rhetor A., in: AJPh 28, 1907, 301–310.   M. W.

Apollonios [6, Molon] s. Molon [2]
GRAMMATIKER

[7, Sohn des Chairis] (ὁ τοῦ Χαίριδος). Griech. → Grammatiker. Wenn sein Vater, wie es scheint, wirklich der Grammatiker → Chairis, der Schüler des Aristarchos [4] von Samothrake, war, dann müßte A. Ende des 2./1. H. des 1. Jh. v. Chr. zu datieren sein. Sicher sind nur vier Fragmente: Eines bezieht sich auf Aristophanes (schol. Aristoph. Vesp. 1238b), drei betreffen Homer (ScholiaII 3, 448a; → Apollonios [12, Sophistes] 162, 12 s. v. φήνη und 171, 17 s. v. ὦπος; ganz zweifelhaft sind ScholiaII 11, 4 und ScholiaII 306–7, I 441, 17 = PRyland. 24, I 17).

R. BERNDT, De Charete, Chaeride, Alexione grammaticis, 1902, I, 50–52 · A. BLAU, De Aristarchi discipulis, 1883, 55 Anm. 2 · L. COHN, A., RE 2, 135 · F. SUSEMIHL, Neue Jbb. für Philol. und Paedagogik 139, 1889, 751–752.   F. M. / T. H.

[8] Griech. → Grammatiker, der vor allem in den Aristophanesscholien zitiert, als Anhänger Aristarchs bezeichnet und ins 2. Jh. v. Chr. datiert wird (möglicherweise ist er aber kein direkter Schüler gewesen). Wegen des Fehlens von genaueren Angaben bereitet die Existenz verschiedener Personen gleichen Namens schwere Zuweisungsprobleme: diesem A. werden die schol. Aristoph. Av. 1242c; Ran. 19, 357, 420a, 1124, 1270, 1437 zugewiesen, wahrscheinlich auch Ran. 791, 849, 1294; Pax 1126a; in anderen Fällen bleibt die Frage völlig offen. Reine Hypothese bleibt die Gleichsetzung mit dem gleichnamigen Aischineskommentator und mit Ἀ. ὁ τοῦ Θέωνος, der in ScholiaII 20, 229c¹ erwähnt wird.
→ Aristophanes [4] von Byzanz; Aristarchos [4] von Samothrake

A. BLAU, De Aristarchi discipulis, 1883, 50–56 · L. COHN, s. v. A., RE 2, 135 · M. SCHMIDT, Didymi Chalc. Fragmenta, 1854, 284–285 · H. SCHRADER, Der Aristarcheer Apollonius, Neue Jbb. für Philol. u. Paedag. 93, 1866, 227–241 · F. SUSEMIHL, Gesch. der griech. Litt. in der Alexandrinerzeit, 1891–1892, II 162–163 Anm. 101.   F. M. / T. H.

[9] Griech. → Grammatiker, nicht sicher zu datieren, wahrscheinlich Verf. eines Komm. zu Aischines. Er wird im schol. Aischin. Tim. 1,56,130 zitiert, und es ist eine Biographie des Aischines erhalten, die anscheinend als Einleitung zu seiner Ἐξήγησις diente. Reine Hypothese bleiben jedoch sowohl die Datierung ins 2. Jh. n. Chr. (SHA, Verus 2 erwähnt einen A. unter den griech. Rednern, die der Kaiser Lucius Verus hörte) als auch die Gleichsetzung mit dem homonymen aristarcheischen Grammatiker des 2. Jh. v. Chr.

ED.: V. MARTIN, G. DE BUDÉ, in Eschine, Discours, I, Paris ²1952, 4–6 • M. R. DILTS, Scholia in Aischinem, 1992, 2–5. LIT.: J. BRZOSKA, RE 2, 144 • M. H. E. MEIER, Demosthenis Oratio in Midiam, 1831, praef. xvii-xviii • H. SCHRADER, Der Aristarcheer Apollonius, Neue Jbb. für Philol. und Paedagogik 93, 1866, 240 • F. SUSEMIHL, Gesch. der griech. Litt. in der Alexandrinerzeit, 1891–1892, II 163, Anm. 101. F. M. / T. H.

[9a, Eidographos] (Ἀπολλώνιος ὁ εἰδογράφος), der »Klassifizierer«. Griech. → Grammatiker der 1. H. des 2. Jh. v. Chr., Leiter der Bibliothek von Alexandreia nach → Aristophanes [4] von Byzanz. Aus den wenigen Zeugnissen geht hervor, daß er eine Klassifikation der lyr. Dichtung sowohl nach lit. Gattungen, als auch nach den »Harmonien« vorgenommen hat (die musikalische Notation ist nicht erh.).
→ Aristophanes [4] von Byzanz; Bibliothek; Gattung; Musik

R. BLUM, Kallimachos und die Lit.verzeichnung bei den Griechen, 1977, 19 n. 14, 22 n. 26, 266 • F. MONTANARI, L'erudizione, la filologia e la grammatica, in: G. CAMBIANO et al., Lo spazio letterario della Grecia antica, I 2, 1993, 270 • B. A. MÜLLER, RE Suppl. 3, 133–134 • PFEIFFER, KPI, 214, Anm. 5, 228, 258 • L. E. ROSSI, I generi letterari e le loro leggi scritte e non scritte nelle letterature classiche, in: BICS 18, 1971, 81–82. F. M. / M.-A. S.

[10, Anteros] (ὁ Ἀντέρως) aus Alexandreia, → Grammatiker, lebte im 1. Jh. n. Chr. Zeitgenosse des Herakleides Pontikos d. J., studierte in Rom unter Claudius, war Schüler des Grammatikers Apion und verfaßte ein Werk Περὶ γραμματικῆς in 2 Büchern (Suda s. v. Ἀντέρως α 2634). Suda s. v. Ἡρακλείδης Ποντικός α 2634 erwähnt einen Grammatiker Ἄπερος, Schüler des Aristarchos, Feind des Didymos und deshalb Adressat der Λέσχαι des Herakleides Pontikos d. J., des Schülers des Didymos; die Gleichsetzung der beiden unter gleichzeitiger Herstellung von Ἀντέρως im Text der Suda bleibt ganz und gar hypothetisch.
→ Apion; Didymos; Herakleides Pontikos d. J.

L. COHN, RE 2, 135 • L. COHN, RE 1, 2697 • O. ROSSBACH, RE 1, 2355, 34 • M. SCHMIDT, Didymi Chalc. Fragmenta, 1854, 9–10. F. M. / T. H.

[11, Dyskolos] (ὁ δύσκολος). Einer der bedeutendsten griech. → Grammatiker, lebte in der 1. H. des 2. Jh. n. Chr., Sohn des Mnesitheos und Vater des Grammatikers Herodianos, geb. und gest. in Alexandreia, wo er abgesehen von einem kurzen Aufenthalt in Rom sein ganzes Leben verbrachte. Schon in der Ant. fragte man sich, ob der Beiname δύσκολος (schwierig, mürrisch) sich auf seinen Charakter beziehe oder seine Gewohnheit, schwierige Fragen zu stellen, oder auf seine dunkle Ausdrucksweise. A. und sein Sohn → Herodianos sind die beiden bedeutendsten griech. Grammatiker der Kaiserzeit. Mit ihnen wird im 2. Jh. n. Chr. eine starke Systematisierung der griech. Grammatik erreicht. Sie sind Repräsentanten einer Forschungsrichtung, die schon mit den großen Philologen → Aristophanes [4] von Byzanz und Aristarchos [4] von Samothrake begann, sich mit Dionysios Thrax durchsetzte und von Persönlichkeiten wie Tyrannion, Philoxenos, Tryphon, Alexion und Ptolemaios von Askalon fortgesetzt wurde. Indirekte Nachrichten (vor allem Priscianus) teilen uns mit, daß A. eine sehr große Zahl von Werken zu allen Themen der griech. Gramm. und Dialektologie offensichtlich in der Absicht, einen systematischen Rahmen zu bieten, verfaßt hat. Erh. sind drei Werke zu Redeteilen: Περὶ ἀντωνυμίας (über Pronomen), Περὶ ἐπιρρημάτων (über Adverbien), Περὶ συνδεσμῶν (über Konjunktionen). Seine Abhandlung über die Syntax (Περὶ συντάξεως) ist das einzige Werk zu diesem Thema, das aus der griech. Antike überliefert wurde, von Bedeutung deshalb, weil die grammatischen Untersuchungen vor und nach ihm sich zum größten Teil der Phonetik, der Morphologie und den Redeteilen widmeten, während die Syntax nur sporadisch behandelt wurde. Aus diesem Grunde übte das Werk des A. in der Folge großen Einfluß aus, indirekt auch über Priscianus, der es seiner Beschreibung der lat. Syntax zugrunde legte. Wenn A. von *syntaxis* spricht, meint er die Verbindung und die Funktion der verschiedenen Redeteile im Innern des Satzes. Neuere Untersuchungen (BLANK, SCHENKEVELD) haben herausgestellt, daß A.' Denken von einer rationalen Korrektheit der Sprache ausgeht, die sich auf Regeln gründet, die sich beschreiben lassen und von denen ausgehend Abweichungen und Fehler analysiert werden können. Im Gegensatz zur im wesentlichen empirischen Einstellung, die vor ihm auf die Beobachtung der Phänomene der gesprochenen und von den Schriftstellern geschriebenen Sprache gesetzt hatte, behauptet A., daß Sprache auf der Grundlage eines rationalen Systems von objektiven und natürlichen Regeln funktioniert, von deren korrekter Anwendung die Korrektheit der Bedeutung des Satzes abhängt. Vorher waren derlei Probleme im wesentlichen Gegenstand von Untersuchungen im Bereich der Rhet. und der Logik gewesen. Soweit sich sehen läßt, ist A. der erste, der eine systematische Unt. der Syntax als sprachwiss.-grammatisches Problem unternimmt; darin zeigt sich der Kern seiner philosoph. Einstellung gegenüber den Problemen der Sprache. Wenn ein derartiger semantischer Ansatz auch an stoischen Einfluß denken läßt, muß man doch betonen, daß die Stoiker einerseits die Beziehungen zwischen den Elementen des Satzes im Rahmen der Logik untersuchten und ihre semantischen Untersuchungen sich andererseits der Lexik widmeten. Auch hierin zeigt sich die Originalität der Lehren des A. Diese scheinen somit durch eine in vielerlei Hinsicht außergewöhnliche Persönlichkeit bedingt zu sein.
→ Alexion; Dionysios Thrax; Grammatiker; Herodianos; Philologie; Philoxenos; Priscianus; Ptolemaios von Askalon; Tryphon; Tyrannion

ED.: R. SCHNEIDER, G. UHLIG, Grammatici Graeci 2, 1878–1910 • P. MAAS, Apollonius Dyscolus. De

pronominibus. Pars generalis, 1911 · F. W. HOUSEHOLDER, The Syntax of Apollonius Dyscolus, 1981 (Übers. u. Komm.).
LIT.: H. ARMBRUSTER, Grammaticorum Graecorum inprimis Apollonii Dyscoli de infinitivi natura sententiae, Diss. 1867 · W. AX, Laut, Stimme und Sprache, 1986, 166, 227, 231, 233–40 · G. BELLI, Semantica ed etimologia nel passaggio ἤ disgiuntivo > ἤ interrogativo: Apollonio Discolo, De con. 226,23–227,20, in: Aevum 60, 1986, 31–37 · D. L. BLANK, Ancient Philosophy and Grammar. The Syntax of Apollonius Dyscolus, 1982 · D. L. BLANK, Analogy, Pathology and Apollonius Dyscolus, in: S. EVERSON (ed.), Language, 1994, 149–165 · G. J. BOTER, Apollonius Dyscolus, De constructione 357.1, in: Mnemosyne 43, 1990, 438 ff. · L. COHN, RE 2, 136–139 · V. DI BENEDETTO, Dionisio il Trace e la Techne a lui attribuita, in: ASNP 27, 1958, 169–210 und 28, 1959, 87–118 · G. DRONKE, Beiträge zur Lehre vom griech. Pronomen aus Apollonius Dyskolus, in: RhM 9, 1854, 107–117 · P. EGENOLFF, Zu A. Dyskolos, in: Neue Jbb. für class. Philol. 119, 1879, 693–698 · É. EGGER, Apollonius Dyscole, 1854 · H. ERBSE, Beiträge zur Überlieferung der Iliasscholien, 1960, 311–370 · E. A. HAHN, Apollonius Dyscolus on Mood, in: TAPhA 82, 1951, 29–48 · W. HOERSCHELMANN, Kritische Bemerkungen zu Apollonius Dyscolus de pronomine, in: RhM 35, 1880, 373–389 · J. LALLOT, Un problème en grammaire antique: l'impératif a-t-il une première personne?, in: Laies 8, 1990, 141–152 · J. LALLOT, Apollonius Dyscole et l'ambiguïté linguistique: problèmes et solutions, in: L'ambiguïté, 33–49 · F. LAMBERT, Naissance des fonctions grammaticales. Les bricolages d'A. Dyscole, in: Matériaux pour une histoire, 141–146 · L. LANGE, Das System der Syntax des A. Dyscolos, 1852 · P. MAAS, Zur Überlieferung des Apollonius Dyskolos, WkP 28, 1911, 25–27 · T. MATTHIAS, De Apollonii Dsycoli epirrhematici et syndesmici forma genuina, Leipziger Studien zur class. Philol. 6, 1883, 1–92 · F. MONTANARI, L'erudizione, la filologia, la grammatica, in: Lo spazio letterario della Grecia antica, I 2, 1993, 278–79 · K. NICKAU, Zum Sinn eines Zitates bei A. Dyskolos (Callim. fr. 813 Pf.), in: RhM 132, 1989, 298–307 · PFEIFFER, KP I, 265, 327 · A. SANCHO ROYO, Observaciones sobre la construcción de infinitivo en Apolonio Díscolo, in: Habis 18–19, 1987–88, 39–47 · D. M. SCHENKEVELD, in: Entretiens XL, 293–298 und passim · SCHMID / STÄHLIN II, 883–887 · K. SCHÖPSDAU, Zur Tempuslehre des A. Dyskolos, in: Glotta 56, 1978, 273–394 · E. SIEBENBORN, Die Lehre von der Sprachrichtigkeit und ihre Kriterien, 1976, 30–98 passim · R. F. L. SKRZECKA, Die Lehre des A. Dyskolos, Progr. Königsberg 1853, 1–28; 1855, 1–15; 1858, 1–21; 1861, 1–23; 1869, 1–21 · I. SLUITER, Ancient grammar in context, 1990, 39–140 · A. THIERFELDER, Beiträge zur Kritik und Erklärung des A. Dyskolos, Abh. Sächs. Akad. Wiss. Leipzig 43, 1935 · A. THIERFELDER, De genere quodam corruptelarum quod in Apollonii Dsycoli libris frequens esse dicitur, in: FS für Fr. Lammert, 1954, 90–96 · G. UHLIG, Die τέχναι γραμματικαί des Apollonius und Herodian, in: RhM 25, 1870, 66–74.   F. M. / T. H.

[12, Sophistes] (ὁ Σοφιστής). Griech. → Grammatiker und Lexikograph des 1. Jh. n. Chr. Als Namen des Vaters gibt die Suda (α 3423) Archebulos oder Archibios an; wahrscheinlich war es der Grammatiker Archibios aus

der Zeit Traians (α 4106), während der Grammatiker Archibios, Sohn des Apollonios (α 4105), der Sohn des unsrigen sein kann. Ferner teilt die Suda α 3215 mit, daß Apion Schüler des Apollonios, Sohn des Archibios, war: Das scheint nicht plausibel, weil A. die Γλῶσσαι Ὁμηρικαί des Apion benutzte, aber es läßt sich nicht ausschließen. Wenn es richtig ist, daß Herodianos (1,115,13; 2,472,13 LENTZ) A. zitierte, würde die Datierung dadurch bestätigt. A. war Verf. eines Homerlexikons, das vollständig, jedoch gewiß in Form einer Epitome in einer einzigen Hs. (Coisl. 345, 10. Jh.) erhalten ist. Fragmente des Lexikons werden auch durch einige Papyri (1./2. bis 5./6. Jh. n. Chr.) überliefert; sie stellen Bearbeitungen dar, die sich nicht nur von jener des Coisl. 345 unterscheiden, sondern auch untereinander. Weitere Informationen stammen aus der spätant. und byz. Lexikographie, weil A. als Quelle in Hesychios und den *Etymologica* präsent ist. Wie es Werken dieser Art oft widerfährt, wurde das Lexikon des A., das zum Standardwörterbuch für Homer geworden sein muß, die gesamte späte Kaiserzeit hindurch verschiedentlich ohne Skrupel zu Auswahlausgaben umgearbeitet; das hatte eine gewisse Instabilität des Textes zur Folge. Darin besteht der Hauptgrund für die Schwierigkeit, den urspr. Charakter des Lexikons, seine Quellen und die Art und Weise, wie diese angewandt wurden, zu bestimmen. A. stützte sich in großem Ausmaß auf glossographisches Material, wie es in den D-Scholien zu Homer zusammengeflossen ist; hinzu kommen Beobachtungen, die auf verschiedenen Wegen aus der auf Aristarchos zurückgehenden alexandrinischen Exegesetradition zu ihm gelangt waren; diese hat er in eine lexikographische Form gebracht. In dieser Hinsicht waren die mehrmals zitierten Grammatiker → Apion und → Heliodoros seine Hauptquellen. Es bleibt ungewiß, ob er die Schriften des Aristonikos, Didymos, Ptolemaios von Askalon, Philoxenos und anderer direkt benutzt hat und nicht vielmehr Produkte der Homerphilologie, die schon durch eine beträchtliche Mischung heterogenen Materials gekennzeichnet waren. A. scheint also nicht so sehr ein kümmerlicher Abschreiber noch ein origineller Philologe gewesen zu sein, sondern vielmehr ein Kompilator, der in der Lage war, das ihm zu Verfügung stehende Material zur Herstellung eines nützlichen Werkes fruchtbringend einzusetzen.

→ Apion; Grammatiker; Aristonikos; Didymos; Heliodoros; Lexikographie; Ptolemaios von Askalon; Philoxenos

ED.: I. BEKKER, Apollonii Sophistae lexicon Homericum, 1833 · K. STEINICKE, Apollonii Sophistae lexicon Homericum (litt. α – δ), Diss. 1957.
LIT.: L. COHN, RE 2, 135–136 · A. R. DYCK, The Fragments of Heliodorus Homericus, in: HSPh 95, 1993, 1–64 · H. ERBSE, Beiträge zur Überlieferung der Iliasscholien, 1960, 407–432 · K. FORSMAN, De Aristarcho lexici Apolloniani fonte, 1883 · H. GATTIKER, Das Verhältnis des Homerlexikons des Apollonios Sophistes zu den Homerscholien, Diss. 1945 · M. W. HASLAM, A new

papyrus text of Apollonius Sophista, in: ZPE 49, 1982, 31–38 • M. W. Haslam, Homeric readings lost and found, in: CPh 89, 1992, 322–325 • M. W. Haslam, The Homer Lexicon of Apollonius Sophista. I. Composition and Constituents; II. Identity and Transmission, in: CPh 89, 1994, 1–45, 107–118 • A. Henrichs, W. Müller, A. Sophistes, Homerlexicon, in: Collectanea Papyrologica in Honor of H. C. Youtie, 1976, I, 27–51 • A. Henrichs, Scholia minora zu Homer. I, in: ZPE 7, 1971, 97–149 • L. Leyde, De Apollonii Sophistae lexico Homerico, Diss. 1885 • A. Lorenzoni, Il colore del miele e Apoll. Soph. 168, 10 ss., in: Sileno 15, 1989, 39–56 • F. Martinazzoli, Hapax legomenon I 2: Il lexicon Homericum di Apollonio Sofista, 1957 • F. Montanari, L'erudizione, la filologia, la grammatica, in: Lo spazio letterario della Grecia antica, I 2, 1993, 280 • Pfeiffer, KP I, 280 • H. Schenk, Die Quellen des Homerlexikons des A. Sophistes, Diss. 1961.   F. M. / T. H.

[13, aus Perge] A. Leben B. Werk, C. Wirkungsgeschichte

A. Leben
A. stammte aus Perge in Pamphylien (Eutokios, Komm. zu A. [1. 2,168]), studierte in Alexandreia (Pappos, collectio 7,35) und lehrte dort unter Ptolemaios Euergetes (Eutokios [1. 2,168]). Seine Lebenszeit wird auf etwa 260–190 v. Chr. geschätzt (zur Problematik siehe [10. 179 f.]).

B. Werk
A. gehört neben Euklid und Archimedes zu den bedeutendsten griech. Mathematikern. Sein Hauptwerk sind die Κωνικά (Kegelschnitte). Von den 8 Büchern sind nur die ersten 4 griech. erh.; Buch 1–7 wurden im 9. Jh. ins Arab. übers.; über den Inhalt des verlorenen Buchs 8 informiert vor allem Pappos. (Kritische Ed. des griech. Textes von Buch 1–4 mit Fragmenten aus Pappos u. a. und mit dem Komm. von Eutokios durch Heiberg [1]; Ed. von Ṭābit ibn Qurras arab. Übers. der Bücher 5–7 mit engl. Übers. durch [2]; Übers. bzw. Bearbeitungen in dt. [3], engl. [4], frz. [5].) Die in den Büchern 1–4 gebrachten Ergebnisse gehen weitgehend auf A.' Vorgänger (Menaichmos, Aristaios, Euklid, Konon, Archimedes) zurück, stellen den Stoff aber ausführlicher und systematischer dar und sollen nach A.' eigenen Worten eine Einführung in die Lehre von den Kegelschnitten bilden. Neu ist die einheitliche Methode, indem die Kegelschnitte aus ein und demselben (geraden oder schrägen) Kreiskegel erzeugt werden. A. zeigt Analogien zwischen den 3 Arten von Schnitten auf, die mit den Namen Ellipse, Parabel und Hyperbel bezeichnet werden. Die Bücher 5–8 behandeln spezielle Probleme und können als originelle wiss. Monographien bezeichnet werden. Die Darstellungsform ist streng euklidisch. Dadurch, daß die Sachverhalte geometrisch formuliert und bewiesen werden, wirkt die Darstellung für den modernen Leser schwerfällig; die Behandlung der Kegelschnitte mit Hilfe der analytischen Geometrie stammt erst aus dem 17. Jh. – Zu Aufbau, Inhalt und Methodik des Werks und zur histor. Einordnung siehe vor allem [4; 7; 9; 11; 12].

Von anderen Büchern des A. erwähnt Pappos, Collectio 7,3: Verhältnisschnitt (λόγου ἀποτομή), Raumschnitt (χωρίου ἀποτομή), Bestimmter Schnitt (διωρισμένη τομή), Berührungen (ἐπαφαί), Ebene Örter (τόποι ἐπίπεδοι), Einschiebungen (νεύσεις). Sie behandeln spezielle geometrische Probleme, darunter die Bestimmung von geometrischen Örtern und die Konstruktion von Kreisen, die drei gegebene Kreise berühren. Das Werk über den Verhältnisschnitt ist in arab. Übers. erh. (lat. Ed. [6]); von den übrigen gibt es Spuren vor allem bei Pappos, Proklos und in arab. Texten. (Sammlung der griech. Fragmente: [1. 2,107–139]; zu arab. Textzeugen: [8]; zum Inhalt: [7. 175–194; 11. 434–436; 10. 188 f.])

Auch als Astronom hat A. Bedeutendes geleistet. Ptolemaios überliefert zwei Sätze des A., die zeigen, daß er die Theorie der Epizykel voll verstand und die Äquivalenz von Epizykel- und Exzentermodellen kannte (Almagest 12,1; s. [11. 395–401; 10. 189–191]), jedoch ist die Epizykeltheorie, die Ptolemaios später für die Berechnung der Planetenbewegung weiter ausbaute, keine Erfindung des A., sondern war schon vor ihm bekannt, s. [7. 195–196].

C. Wirkungsgeschichte
Im 6. Jh. besorgte Eutokios eine Ausgabe der Bücher 1–4 der Κωνικά und fügte einen Komm. hinzu. Im MA waren sie im Westen – abgesehen von den Definitionen zu Buch 1 – nur indirekt durch Erwähnungen in Witelos Perspectiva (um 1270) bekannt. Sie wurden aber ausführlich im islamischen Bereich studiert und haben die Mathematik (und Astronomie) in Europa im 17. Jh. stark beeinflußt (Kepler, Descartes, Desargues, Huygens). Zur Überlieferungsgesch. s. [1 Bd. 2. Prolegomena] und [2. xvi–xxvii]. Auch die kleinen Schriften haben großes Interesse der Mathematiker des 16. und 17. Jh. gefunden.

Ed., Übers.: **1** Apollonii Pergaei quae Graece exstant cum commentariis antiquis ed. J. L. Heiberg, 2 Bde., 1891–1893 **2** Apollonius Conics Books V to VII. The Arabic Translation of the Lost Greek Original in the Version of the Banū Mūsā. Edited with Translation and Commentary by G. J. Toomer. 2 Bde., 1990 **3** Die Kegelschnitte des A., Übers. von A. Czwalina, 1926 **4** Apollonius of Perga. Treatise on conic sections. Edited in modern notation with introductions, including an essay on the earlier history of the subject by T. L. Heath, 1896, Ndr. 1961 **5** Les Coniques d'Apollonius de Perge. Œuvres traduites pour la première fois du grec en français, avec une introduction et des notes par P. Ver Eecke, 1923 **6** E. Halley, Apollonii Pergaei de sectione rationis libri duo ex arabico MSto latine versi, accedunt ejusdem de sectione spatii libri duo restituti, 1706. Lit.: **7** T. L. Heath, A History of Greek Mathematics, Bd. 2, 1921, 126–196 **8** J. P. Hogendijk, Arabic Traces of Lost Works of Apollonius, in: Archive for History of Exact Sciences 35, 1986, 187–253 **9** O. Neugebauer, Apollonius-Studien (Studien zur Gesch. der ant. Algebra II.), in: Quellen und Studien zur Gesch. der Mathematik, Astronomie und Physik, Abt. B,2, 1933, 215–254 **10** G. Toomer, Apollonius of Perga, in: Dictionary of Scientific Biography, Bd. 1, 1970, 179–193 **11** B. L. van der

Waerden, Erwachende Wiss., 1956, 395–436
12 H. G. Zeuthen, Die Lehre von den Kegelschnitten im Altertum, 1886. M. F.

[14, von Tyana] → »Pythagoreer«, starb unter Nerva (96–98). Unter seinem Namen erh. sind nur zahlreiche Briefe, sicher unecht. Die Suda schreibt ihm überdies zu (I) ›Leben des Pythagoras‹, (II) ›Orakelsprüche‹, (III) ›Über die Opfer‹, (IV) ein ›Testament‹. Deren Echtheit ist vielleicht zu Unrecht umstritten. Eusebios (Pr. Ev. 4,12–13) zit. einen längeren Absatz aus (III), worauf sich wohl auch Porph. de abstinentia 2,34 und Philostr. Ap. (4,19; 3,41) beziehen. Iamblich (v. P. 254) stützte sich ausgiebig auf (I). Zu (IV) vgl. Philostr. Ap. 1,3. Es scheint, daß A. Pythagoras als einen »göttlichen Menschen« darstellte, der, durch Askese gereinigt, über tiefste Einsicht in den göttlichen Ursprung der Dinge und daher über wunderbare Kräfte verfügte. Diesem Ideal lebte A. nach. Dabei vertrat er eine neue Auffassung von der Philosophie. Nach Euphrates bei Philostr. Ap. 5,37 vertritt A. eine Philos., die sich nicht auf die natürlichen Fähigkeiten des Menschen stützt, sondern auf göttlicher Anrufung und Inspiration beruht. Daher vermutlich die ›Orakelsprüche‹ (vgl. die späteren → Oracula Chaldaica) und daher bestimmte religiöse Praktiken, die A. schnell den Ruf eines Wundermannes eintrugen. Jedenfalls entstand früh eine teils höchst kritische Lit. über A., in der er auch als Scharlatan oder Zauberer hingestellt wurde (Orig. contra Celsum 6,41 über Moiragenes; Lukian. Alexandros 5), während andererseits sich ein Kult des A. entwickelte. Caracalla errichtete A. ein Heroon (Cass. Dio 78,18), Alexander Severus, neben Buddha, Jesus und Zoroaster, ein Standbild (SHA Alex. 29). Alexanders Mutter, Iulia Domna, gab bei → Philostratos die *Vita Apollonii* in Auftrag (Ap. 1,3). Dieses umfangreiche Werk hat zum Ziel, A., z. B. gegen Moiragenes (Ap. 1,3), vom Vorwurf der Magie zu befreien und als wahrhaft göttlichen Menschen darzustellen. Es handelt sich um reine Hagiographie, bei der Parallelen zum Leben Jesu so offenkundig sind, daß sie beabsichtigt erscheinen können. In Anbetracht von Iulia Domnas Einstellung wird man daraus nicht auf eine antichristl. Tendenz schließen dürfen. Gegen die Christen wurde die Schrift um 300 von Hierokles (vgl. Eusebios, *Contra Hieroclem*) verwendet, um A. als Jesus überlegen zu erweisen. Nach Moiragenes (Orig. contra Celsum 6,41) waren selbst achtbare Philosophen von A. beeindruckt. Er mag der erste Theurg gewesen sein.

E. L. Bowie, Apollonius of Tyane, Tradition and Reality, in: ANRW II 16.2, 1978, 1652–99. M. Fr.

Apollonios [15, Kronos] s. Megariker
[16] Arzt des frühen 1. Jh. v. Chr. Er studierte mit Zopyros in Alexandreia und schrieb 2 Bücher über Therapeutika. Sein bes. Interesse galt Hippokrates. In 18 Büchern widerlegte er Herakleides’ Kritik an Bakcheios, obwohl er nicht immer mit letzterem übereinstimmte [11]. Er scheint selbst kein Empiriker gewesen

zu sein [12], wenn er auch diejenigen, die empirischen Methoden bei der Behandlung von Verrenkungen folgten, gegen den Herophileer Hegetor verteidigte. Evtl. ist er einer der Apollonii, die → Celsus (med. 7, prooem.), wegen ihres chirurgischen Geschicks lobend erwähnt. Im J. 70 v. Chr. Verf. eines Komm. in 3 Büchern zu der hippokratischen Schrift ›Über die Gelenke‹ (Widmung an Ptolemaios Auletes oder dessen Bruder in Zypern). In diesen stellt er eher die Prinzipien chirurgischer Orthopädik im hippokratischen Sinne dar: nur wenige Passagen des hippokratischen Textes werden detailliert ausgelegt; wesentliche Teile werden ausgelassen oder zusammengefaßt (fr. 1,22 [10]). Illustrationen sah A. in seinem Werk von Anfang an vor: in den Mss. ließ er Lücken, die im Niketas-Codex, Laur. plut. 74,7 des 10. Jh. mit schönen Malereien in maked. Stil ausgefüllt sind. Diese verweisen eindeutig auf spätant. Vorbilder und geben einen Eindruck von A.’ Originalen.
→ Chirurgie; Bacheios; Empiriker; Herakleides von Tarent; Hegetor; Hippokrates

Ed.: **1** Deichgräber, 206–209 (Ffr.) **2** Komm. in Hippokr. de articulis: F. R. Dietz, ed. princeps, 1834 **3** H. Schöne, 1896 **4** J. Kollesch, F. Kudlien (Hrsg.), J. Kollesch, D. Nickel (Übers.), CMG XI 1,1, 1965.
Lit.: **5** M. Wellmann, s. v. A., RE II, 149 **6** J. Kollesch, F. Kudlien, Bemerkungen zum Komm. des A. von Kition, in: Hermes, 1961, 322–332 **7** F. Kudlien, s. v. A., KlP I, 415–416 **8** K. Alpers, Rezension zu [4], in: Gnomon 1967, 26–29 **9** M. Michler, Die hell. Chirurgie, 1968 **10** J. Blomqvist, Der Hippokratestext des A. von Kition, 1974 **11** W. D. Smith, The Hippocratic tradition, 1979, 212–222 **12** P. Potter, Apollonius and Galen on »Joints«, in: AGM, Beiheft 32, 1993, 117–123 **13** K. Weitzmann, Geistige Grundlagen und Wesen der Maked. Renaissance, 1963, 176–223 (Illustrationen) **14** W. Waugh, M. Bernabò, M. D. Grmek, La scena ortopedica, in: KOS 1984, 33–60. V. N. / L. v. R.-B.

[17] Herophileischer Arzt aus Alexandreia, spätes 1. Jh. v. Chr., wurde von Chrysermos unterrichtet. Er schrieb ›Über die Schule des Herophilos‹ (Erörterung des Pulses), ›Über Parfum und Salben‹ und die aus mindestens 2 Büchern bestehenden *Eupórista* (›Über leicht erhältliche Arzneimittel‹ (Belege und Erörterung bei [1]). Galen (12, 979–983), kritisierte dessen Uneinheitlichkeit bei der Auflistung von Krankheiten, für die Arzneimittel empfohlen werden. Die Schrift behandelte die meisten Alltagsleiden wie Kopf-, Ohren- und Zahnschmerzen, Hautleiden, Schuppen und Trichophytien, und empfahl entsprechende Arzneien, deren Inhaltsstoffe bes. auf dem Markt von Alexandreia leicht erhältlich gewesen sein dürften. Einige der empfohlenen Verordnungen, wie z. B. Schildkrötenblut gegen Schuppen, waren jedoch in der Praxis schwer zu befolgen. Andere dagegen schienen aus der Dreckapotheke zu stammen, wie z. B. die Einnahme warmen Eselsurins gegen Halsschmerzen. Aus welchem Buch die Ernährungsvorschläge des A. stammen (Plut. mor. 912 de), muß unentschieden bleiben. A.’ Rezepte wurden bis mindestens ins 6. Jh. hinein zustimmend zit., auch wenn es jeweils schwierig zu entscheiden ist, ob es sich bei einem Apollonios um A. Mys, oder andere Pharmakologen wie z.B. A. von Pergamon oder A. von Memphis handelt.

→ Chrysermos; Pharmakologie; Herophilos

1 STADEN, 540–554.   V.N./L.v.R.-B.

[18] Sohn des Artemidoros, Bildhauer aus Tralleis. Mit seinem Bruder Tauriskos schuf er eine verlorene Marmorkopie der ›Bestrafung der Dirke durch Amphion und Zetos‹, die Asinius Pollio 42 v. Chr. aus Rhodos nach Rom brachte. Der sog. Farnesische Stier in Neapel ist die einzige erhaltene Kopie des Bronzeoriginals, das in der Nachfolge des Zeus-Altars von Pergamon steht und als dynastisches Denkmal der Samtherrschaft von Eumenes II. und Attalos II. (165–159 v.Chr.) gedeutet wird.

F. HASKELL, N. PENNY, Taste and the antique, 1981, 178–179 Abb. · P. MORENO, Scultura ellenistica, 1994, 372–379, 650–652 · OVERBECK, Nr. 2038 (Quellen) · E. POZZI (Hrsg.), Il Toro Farnese, 1991.   R.N.

[19] Sohn des Nestor, Bildhauer aus Athen. Bekannt durch seine Signatur auf dem ›Torso vom Belvedere‹, einer Kopie des 1.Jh. v.Chr. mit umstrittener Benennung und seit dem 15.Jh. reichem Nachleben in der Kunst. Eine angebliche Signatur des A. an einem bronzenen Faustkämpfer in Rom erwies sich als nicht existent.

W. FUCHS, in: Helbig I, Nr. 265 · LOEWY, Nr. 343 · W. RAECK, »Hohes Ideal« oder »entarteter Körpersinn«?, in: JDAI 103, 1988, 155–167.   R.N.

[20] Sohn des Archias, Bildhauer aus Athen. Signierte die bronzene Hermenkopie des polykletischen Doryphoros aus einer spätrepublikanischen Villa in Herculanum. Weitere dortige Bronzekopien sind ihm zuzuschreiben.

J. FREL, Apollonios son of Archias the Athenian, in: Rivista di studi pompeiani, 2, 1988, 267–268 · LOEWY, Nr. 144, 230, 341 · OVERBECK, Nr. 2215–2218 (Quellen).   R.N.

[21] Bildhauer. Signierte eine frühkaiserzeitliche Kopie des klassizistischen Typus ›Apollon von Mantua‹ aus Ariccia in Kopenhagen. Wegen fehlenden Patronymikons ist die Zuweisung einer weiteren Signatur in Sparta unbestätigt.

LOEWY, Nr. 379, 336 · P. ZANKER, Klassizistische Statuen, 1974, 61 Nr. 4.   R.N.

[22] Hell. Gemmenschneider, signierte einen hervorragenden Amethyst mit stehender Artemis (Neapel, NM) sowie Porträtarbeiten: Granat (Baltimore, WAG) u. Karneol-Frg. (Athen, NUM).

ZAZOFF, AG, 206f. Anm. 82; 85 Taf. 53, 8; Taf. 54, 1; 2.
                                                      S.MI.

Apollonios [23] s. Paradoxographoi

Apollonis (Ἀπολλωνίς). Stadt im nördl. → Lydia, von → Pergamon und → Sardeis gleichweit entfernt, je 300 Stadien (Strab. 13,4,4; ca. 53 km). E. 3.Jh. v.Chr. (an der Stelle einer älteren Ortschaft?) von → Attalos I. gegr. und nach seiner Frau Apollonis benannt; Ruinen in Palamut Kalesi, 22 km nordwestl. von → Thyateira. Nach Inschr. und Münzen fanden → Synoikismos-Maßnahmen noch unter Eumenes II. um 194 v.Chr. und später statt; unter den Kolonisten auch »Makedonen« seleukidischen Ursprungs. 133 v.Chr. vom Kronprätendenten → Aristonikos und seinen »Heliopoliten« vorübergehend eingenommen (Strab. 14,1,38).

In der röm. Prov. → Asia hatte A. offenbar eine gewisse Bed. und war, evtl. wegen treuen Festhaltens an Rom, in den Mithradatischen Kriegen (*fidelissimi socii*, Cic. Flacc. 70f.), *civitas libera*, so jedenfalls 57 v.Chr. (Cic. Flacc. 51; vgl. ad Q. fr. 1,2,10; Att. 5,13,2). 17 n.Chr. war A. unter den 12 durch eine Erdbebenkatastrophe zerstörten westkleinasiatischen Städten (Plin. nat. 2,200), die u.a. durch mehrjährigen Steuernachlaß des → Tiberius wiederaufgebaut werden konnten (Tac. ann. 2,47,3; Suet. Tib. 48,2; Cass. Dio 57,17,7).

Les Guides Bleus, Turkey, 1970, 370; 372 · G. HIRSCHFELD, s.v. A. Nr. 1, RE 2, 163 · D. MAGIE 2, 1950, 981f., 1336f., 1358f.
                                                      H.KA.

Apollonius. Ein röm. Märtyrer A. ist gemäß der ältesten Überlieferung nach dem Prozeß vor dem stadtröm. Prätorianerpräfekten Tigidius Perennis 184/185 enthauptet worden. Die Quellen bieten ein unterschiedliches Bild: Nach Eusebios, der vermutlich die griech. Akten einsehen konnte, wird A. von seinem Diener denunziert und nach einem Auftritt vor dem Senat hingerichtet (Eus. HE 5,21,2–5). → Hieronymus (Vir. ill. 42,1 und Ep. 70,4) bezeichnet ihn als Senator. Die griech. überlieferte Märtyrerakte (BHG 149) verlegt sekundär den Prozeß nach Asien und spricht von einem Apollos σακκέας; ein kynischer Philosoph spottet über den Angeklagten. In diesen Punkten steht die armen. Fassung (BHO 79) dem bei Eusebios zugrundeliegenden Original näher.

J. GEFFCKEN, Die Acta Apollonii, in: NGWG 1904, 262–284 · E. GRIFFE, Les actes du martyr A., in: Bulletin de littérature ecclésiastique 53, 1952, 65–76 · TH. KLETTE, Der Process und die Acta S. Apollonii, in: TU 15/2, 1897.   C.M.

Apollonius rex Tyri. Die spätant. lat. Version des Apollonius-Romans [1] wurde im 14.Jh. ins Italienische übersetzt. Anhand einer solchen toskanischen Prosaübers. entstand eine reimlose griech. freie Bearbeitung in 857 Fünfzehnsilbern (Διήγησις πολυπαθοῦς Ἀπολλωνίου τοῦ Τύρου [2]); darin werden das christl. Element betont, fromme spätma. Ansichten hinzugefügt. Eine weitere griech. Fassung in 1894 paarweise gereimten Fünfzehnsilbern erarbeitete im ausgehenden 15.Jh. anhand der gereimten *Istoria d'Apollonio di Tiro* des Florentiners Antonio Pucci (1310–1388) der Kreter Gabriel Akontianos (Ριμάδα τοῦ Ἀπολλωνίου τοῦ Τύρου); diese Fassung erschien des öfteren als Volksbuch in Venedig (1534 u.ö.). Der spätant. geprägte Apollonios-Stoff blieb auch in diesen beiden volkssprachlichen Versionen im wesentlichen unverändert.

1 G. A. A. KORTEKAAS, Historia Apollonii regis Tyrii, 1984
2 A. A. P. JANSSEN, Narratio neograeca Apollonii Tyrii, 1954.

H.-G. BECK, Gesch. der byzant. Volkslit., 1971, 135–138. G. MA.

Apollophanes. [1] Att. Dichter der Alten Komödie, der nach dem Zeugnis der Suda fünf Stücke verfaßt hat (Δαλίς, Δανάη, Ἰφιγέπων, Κένταυροι, Κρῆτες [1. test. 1], welche alle bis auf ganz geringe Reste verloren sind. Auf der inschr. Liste der Lenäensieger figuriert A. zwischen Nikophon und Ameipsias [1. test. 3].

1 PCG II, 1991, 518–523. T. HI.

[2] Sohn des A. von Seleukeia, Leibarzt (*archiatrós*) und *tropheús* von Antiochos III.; einflußreiches Mitglied des königlichen Rates der *phíloi*; Er beteiligte sich um 196/192 v. Chr. vermutlich an Antiochos' diplomatischer Offensive in Griechenland [1]. Er war Anführer der erfolgreichen Verschwörung gegen Hermias (Pol. 5,56). Er folgte der Medizin des Erasistratos, und erfand einen Theriak gegen Schlangenbisse (Plin. nat. 22,59; vgl. 20,264 und Gal. 14,183). Ein seleukidischer Amtsträger brachte in seinem Namen Zeus Porottenos im lydischen Gordos ein Weihegeschenk ([2] = TAM V 1, 689, Datum und Anlaß dieser Schenkung sind unbekannt). Die Identität mit dem königlichen *phílos*, der sich aus gesundheitlichen Gründen im Jahre 189 v. Chr. auf ein Priesteramt in Daphni zurückzog (WELLES 44), ist unwahrscheinlich.
→ Antiochos III.

1 PdP 1983, 64 2 AAWW 1970, 92–103. V. N. / L. v. R.-P.

[3] Indogriech. König im 1. Jh. v. Chr., nur durch seine Münzen belegt, mittelind. Apalaphana.

BOPEARACHCHI, 138f., 368. K. K.

Apologien. Die ältesten christl., griech. und lat. Texte, die man unter diesem Namen zusammenfaßt, stammen von der Gerichtsrede (*apologia* oder *defensio*), ohne ein festes lit. Genus darzustellen. Sie sind für gebildete Heiden bestimmt und dienen dem Ziel, die christl. Religion vorzustellen. Sie widerlegen insbes. die gegen die Christen oft erhobenen Beschuldigungen von Unmoral, Atheismus, Irrationalismus und Separatismus. Einige A. sind offensiv geschrieben, indem das Heidentum stark kritisiert und die Überlegenheit des Christentums betont wird.

Das 2. Jh. war das Goldene Zeitalter der christl. A.; es wird vor allem durch → Aristeides, → Iustinus, → Tat-

ianus, → Melito von Sardes, → Athenagoras, → Theophilos, den → ›Diognetos-Brief‹ (anon. griech. Werk), → Minucius Felix und → Tertullianus repräsentiert. Die Gattung entwickelte sich bis zur Zeit Konstantins und darüber hinaus weiter: Die A. werden regelrechte Abhandlungen, in denen die philos. und rationale Argumentation einen große Bed. haben (→ Origenes, → Arnobius, → Lactantius, → Eusebios von Kaisareia).

E. J. GOODSPEED, Die ältesten Apologeten, 1924 · R. M. GRANT, Greek Apologists of the Second Century, 1988 · J.-CL. FREDOUILLE, L'apologétique chrétienne antique: naissance d'un genre littéraire, in: Revue des Etudes Augustiniennes 38, 1992, 219–234. E. J.

Aponius. Verfaßte nach dem Konzil von Chalcedon (451 n. Chr.) [3.72–75] einen umfangreichen Komm. zum Hohen Lied in 12 B. In dreifacher → Allegorese legt A., angeregt durch → Origenes [2], das Hohe Lied als Gespräch zwischen Christus und der Kirche oder dem Wort Gottes und der Seele des Menschen oder, in eigenständiger Leistung [3. 58, 174], als Liebe der Seele Christi zum Logos aus. Der Komm. wurde im MA stark rezipiert, zuerst von Beda [2].

ED.: 1 B. DE VRÉGILLE / L. NEYRAND, CCL 19, 1986.
LIT.: 2 M. DIDONE, L'Explanatio di Apponio …, in: CCC 7, 1986, 77–119 3 H. KÖNIG, A.: Die Auslegung zum Lied der Lieder … B. 1–3 und … 9 eingel., übers., komm., 1992. K. P.

Apophora (ἀποφορά). Abgabe, die selbständig arbeitende Sklaven an ihren Herrn zu entrichten hatten (And. 1,38; Hyp. Ath. 9; 19; Theophr. char. 30,15). Die Höhe der *a.* ist bei Aischines (1,97) für einen ausgebildeten Handwerker mit zwei, für den Leiter des Ergasterions (ἡγεμών) mit drei Obolen täglich angegeben. Der darüber hinausgehende Ertrag blieb dem Sklaven, der dadurch Geld zum Freikauf, mitunter auch Reichtum, erwerben konnte (Xen. Ath. pol. 1,11). Wie groß die Zahl unabhängig wirtschaftender Sklaven war, läßt sich nicht schätzen. Möglicherweise bezeichnet *a.* darüber hinaus den Mietzins, den derjenige, der fremde Sklaven mietete, an den Besitzer des Sklaven zu zahlen hatte (Demosth. or. 27,20; 53,20; Hyp. Lyc. 1 f.). Die Zahl vermieteter Sklaven betrug in Einzelfällen mehrere Hundert. Xenophon nennt für den Bergbau einen Mietzins von einem Obolos netto pro Tag. Er schlug vor, die Polis Athen solle zur Steigerung ihrer Einnahmen Sklaven erwerben und an Bergwerksbetreiber vermieten (Xen. vect. 4,14–24).
→ Sklaverei

1 E. E. COHEN, Athenian Economy and Society, 1992, 93 f.
2 LAUFFER, BL, 67–71, 106–110, 175 f. W. S.

Apophoreta s. Geschenke

Apophrades hemerai s. Tagewählerei

Apophthegma. A. Definition B. Altertum C. Wirkungsgeschichte

A. Definition

Gr. ἀπόφθεγμα, lat. *facete dictum*, auch *sententia*, der in einer bestimmten, oft schwierigen Situation treffend, meist kurz, manchmal rätselhaft formulierte Ausspruch – so schon bei den frühesten überlieferten A.en des Theramenes (Xen. hell. 2,3,56), Anaxagoras (Aristot. metaph. 1009b 26), Pittakos (Aristot. rhet. 1389a 14–16), Stesichoros (Aristot. rhet. 1395a 1–2) –, der Anspruch auf Authentizität erhebt. Dadurch unterscheidet sich das A. von den verwandten Formen der → Chrie, des → Aphorismos und der (begrifflich weiteren) → Gnome.

B. Altertum

In der griech. Lit. gibt es A.en-Sammlungen nur von bestimmten Personengruppen und Epochen [3], so von den Sieben Weisen, Sokrates und den Sokratikern, anderen Philosophen bis auf Chrysippos, den Politikern, Rednern und Künstlern des 4.Jh. v.Chr., griech. Königen und Feldherren, vor allem Alexander, nach dem Ende des 3.Jh. v.Chr. fast nur noch von Römern wie Cato, Cicero und Augustus. Drei A.en-Sammlungen sind uns bei Plutarch überliefert: von Königen und Feldherren, von Spartanern und von Spartanerinnen (Plut. mor. 172–208a, 208b–240b, 240c–224d). Repräsentativ für die vielen großen, untereinander ähnlichen A.en-Sammlungen, die überliefert sind, ist das Gnomologicum Vaticanum. Im 4. und 5.Jh. n.Chr. entstanden bei den ägypt. Mönchen die griech. *Apophthegmata patrum*, die geistliche Unterweisung aufgrund eigener Erfahrung bieten und teils alphabetisch nach den Sprechern, teils systematisch nach Verhaltensweisen geordnet sind; sie wurden öfters ins Lat. übersetzt [1].

C. Wirkungsgeschichte

Im Humanismus wird die ant. Tradition in den *loci-communes*-Büchern fortgesetzt [4. 824], so in den *Adagiorum Chiliades* (1500, 1515), einer Sammlung von ant. und christl.-biblischen Sprichwörtern, und dem *Apophthegmaton opus* (1532) des Erasmus von Rotterdam. In F. Bacons *Apophthegms new and old* (1624) kommt die urspr. Situationsabhängigkeit des A. wieder zum Zuge. In Deutschland lebt das A. weiter im *Commentarius* des E.S. Piccolomini (1456) mit lat. Aussprüchen dt. Kaiser, Fürsten und Politiker sowie in den von J.W. Zincgref verfaßten ›Der Teutschen scharpfsinnige, kluge Sprüch, A. genant‹ (1626–1631). In der Barockzeit bemühte sich G.P. Harsdörfer um die *Artis apophthegmaticae continuatio* (1655/6) [4. 824]; es handelt sich dabei um Sinnsprüche, → Anekdoten und Aphorismen (im modernen Sinn), der urspr. Charakter des A. tritt zurück. In der modernen NT-Forschung wird ἀ. als Bezeichnung von Jesusworten verwendet, die aktuelle Probleme der Gemeinde betreffen [5].

1 K.S. Frank, s.v. A.ta Patrum, LThK ³1, 849 2 E. Gemoll, Das A., 1924 3 O. Gigon, K. Rupprecht, s.v. A., LAW 222–223 4 F.H. Robling, C. Strosetzki, s.v. A., HWdR 1, 823–825 5 Th. Söding, s.v. A., LThk ³1, 848 6 T. Verweyen, A. und die Scherzrede, 1970.   H.A.G.

Apophthegmata patrum (Ἀποφθέγματα πατρῶν).

Anonymes Sammelwerk von »Vätersprüchen«, zählt zu den am meisten rezipierten Werken des frühen Mönchtums. Es enthält kurze Anekdoten über das frühe monastische Leben und die → Anachorese in der ägypt. Wüste. Es sind Weisungen, prophetische Voraussagen oder Wunderhandlungen, die den Alltag der Mönche beschreiben. Charakteristisch für die *a.p.* sind jedoch vor allem jene Sprüche, die formelhaft mit der Bitte des Gläubigen eingeleitet werden, der sich als Ratsuchender an den Anachoreten wendet: ›Sag mir ein Wort, wie ich gerettet werde‹ (εἰπέ μοι ῥῆμα, πῶς σωθῶ). Sie werden entweder unter dem Namen des Anachoreten, unter der entsprechenden Tugend, oder dem entsprechenden Laster zusammengefaßt. Die Rezeption der *a.p.* als »Väterbücher« (πατερικά) oder »Bücher über die Greise« (γεροντικά) nahm eine unterschiedliche Auswahl von Sprüchen vor, die jeweils redaktionell überarbeitet wurden.

→ Askese; Ägypten

W. Bousset, Apophthegmata. Studien zur Gesch. des ältesten Mönchtums, Textüberlieferung und Charakter der A.P., 1923 (Ndr. 1969) • R. Draguet, Les Apophthegmes des moines d'Égypte. Problèmes littéraires, in: Bulletin de la classe des lettres et des sciences morales et politiques de l'académie roy. de Belgique 47, 1961, 134–149 • J.-C. Guy, Note sur l'évolution du genre apophthegmatique, in: Revue d'ascétique et de mystique 32 (1954), 63–68.   K.SA.

Apopompe (ἀποπομπή).

Ausweisung eines meist als dämonisch gedeuteten Übels (Krankheit, Fieber, Epilepsie, Unheil von Lebewesen und Land). Wie schon bei den Hethitern als Ritual häufig belegt, wird auch in Griechenland und Rom das Unheil in öde Gegenden (Meer, Berge, Einöde, Unterwelt usw. εἰς ὄρος ἢ εἰς κῦμα ist sprichwörtlich) verbannt und so unschädlich gemacht, oder auch zu den Nachbarn (Thraker sind sogar noch in christl. Formeln bevorzugt: *armorum strepitus et fera proelia in fines age Thracios* [1]), bzw. Feinden (εἰς ἐχθρῶν κεφαλάς) oder anderen Lebewesen geschickt. Hier nähert sich die A. der vom sog. Gebetsegoismus gelenkten Epipompe an, dem magischen Besenden eines andern mit Unheil. Es gibt viele Belege für ant. und christl. A. jeder Art im lit. und magischen Schrifttum; oft kommt sie am Schluß »orphischer« Hymnen vor.

1 Breviarum Rom., 30. Jan. S. Martinae Virg. et Mart. Hymn I,4.

R. Schlesier, s.v. A., HrwG 2, 37–41 • B. Schmidt, Alte Verwünschungsformeln, in: Fleckeisens Jbb. 143, 37, 1891, 561–571 • H.S. Versnel, Faith, Hope and Worship. Aspects of Religious Mentality in the Ancient World, 1981, 17–21 • O. Weinreich, Primitiver Gebetsegoismus, in: Ders., Religionsgesch. Stud., 1968, 7–44 • Ders., Ausgewählte Schriften III, 61–77, 199–223.   H.V.

Apopudobalia (Ἀποπουδοβαλία). Antike Sportart, wohl eine frühe Vorform des neuzeitlichen Fußballspiels; Einzelheiten sind jedoch nicht bekannt. bereits in den *Gymnastika* des Achilleus Taktikos (fr. 3) sind ἄνδρες ἀποπουδοβαλόντες für das frühe 4. Jh. v. Chr. in Korinth belegt. In späthell. zeit scheint der Sport auch nach Rom gelangt zu sein; jedenfalls werden in der ps.-ciceronianischen Schrift *De viris illustribus* (3,2) prominente Apopudobalonten aufgezählt. Im 1./2. Jh. n. Chr. wurde die A. durch die röm. Legionen bis nach Britannien getragen, von wo sie sich im 19. Jh. erneut ausbreitete. Trotz seiner offensichtlich hohen Popularität wurde der Sport bereits in der frühchristl. Lit. verdammt (vgl. bes. Tert. de spectaculis 31 f.); seit dem 4. Jh. ist A. nicht mehr belegt.

A. PILA, in: Ders. (Hrsg.), FS M. Sammer, 1994, 322–348 (grundlegend) · B. PEDES, A., in: Zschr. für Ant. und Sport 4, 1995, 1–19.   M. MEI.

Aporie, Aporematik (griech. ἀπορία, Gegensatz εὐπορία, lat. *dubitatio*) bedeutet Auswegslosigkeit, Not, Verlegenheit und Bedürftigkeit (Xen. An. 5,6,10; Hdt. 1,72,2; Thuk. 1,11,11).

Bei Platon kommt im *Menon* der Aspekt der Unfähigkeit, etwas beschaffen zu können, hinzu (Krat. 415c 5; symp. 203e, Men. 78c ff.). In Platons Dialogen bezeichnet die A. sowohl eine Zuständlichkeit (Empfinden eines Mangels) als auch den Anlaß dieses Zustandes (die inhaltliche Problematik eines philos. Sachverhaltes). A. ist Resultat eines elenktischen Gesprächs, in dem sich der scheinbar Wissende in Widersprüche verwickelt, die Fragwürdigkeit seiner Wissensgewißheit erkennt und den Wissensanspruch aufgibt. Bisweilen verbunden mit spielerischer Zurückhaltung von Wissen (ironischer Aspekt), oder verursacht durch Unregelmäßigkeiten in Sokrates' Argumentationsweise (taktischer Aspekt), ist Hauptursache der A. das Fehlen des zur Verteidigung der Thesen notwendigen Wissens bei Sokrates' Partnern. Kommentierende Hinweise durch Sokrates legen die Möglichkeit einer Überwindung der A. im Sinne Platons nahe [1. 78 ff., 259 ff.]. Die A. ist somit Endpunkt und Neuanfang für weiteres Suchen (methodischer Aspekt der A.).

Für Aristoteles ist der richtungsweisende Aspekt der A. von bes. Bedeutung. Denn die A. läßt das Problem erst erkennen und bereitet die Lösung vor. Deshalb steht die A. oft am Beginn der Untersuchung (met. B1, 995a 27–33) [2. Bd. III 117 ff.]. Die A. folgt aus der Gleichheit konträrer Argumente, die im Aporema, dem dialektischen Schluß auf das Gegenteil einer Behauptung (top. 145b 6–20; 162a 17 f.), herbeigeführt wird. Von Bedeutung ist die A. auch für die skeptischen Schulen Pyrrhons und der mittleren Akademie, bei denen allerdings der Aspekt des Durchgangsstadiums zurücktritt. Das ›Gleichgewicht der Gründe‹ soll zur Enthaltung vom Urteil führen (Gell. 11,5,6, Diog. Laert. 9,69 ff.) [3. 717 ff., 721 ff.]. Den Aspekt des Durchgangs gewinnt

die A. zurück im Neuplatonismus. Ähnlich wie Platon sieht Proklos in den Aporien Anfang des Fragens und betont ihren anagogischen Aspekt (Prokl. in Parm. 951,32 f. COUSIN) [4. 153 ff.).

1 M. ERLER, Der Sinn der A.n in den Dialogen Platons, 1987
2 G. REALE, Aristotele. Metafisica, ²1993 3 W. GÖRLER, Älterer Pyrrhonismus. Jüngere Akademie. Antiochos aus Askalon, in: GGPh 4, 1994 4 M. ERLER, Platons Schriftkritik und der Sinn der A.n im Parmenides nach Platon und Proklos, in: Proclus. Lecteur et interprète des anciens, 1987, 153–163.

H.-H. ILTING, A., in: H. KRINGS, M. BAUMGARTNER, C. WILD (Hrsg.): Hdb. philos. Grundbegriffe 1, 1973, 110–118 · S. MATUSCHEK, s. v. A., HWdR 1, 1992, 826–828 · B. WALDENFELS, Das sokratische Fragen. A., Elenchos, Anamnesis, 1961.   M. ER.

Aposiopese s. Figuren

Apostelbriefe. Mit A. bezeichnet man ant. christl. »Briefe«, die einem ἀπόστολος zugeschrieben wurden: a) solche, die in den ersten vier Jahrhunderten in den → Kanon des Neuen Testamentes aufgenommen wurden, und b) solche, die zu den → Apokryphen zählen: So 1. der pseudo-paulinische Laodicenerbrief, der sich in vielen lat. Bibelhss. findet, 2. der Briefwechsel zwischen den Korinthern und Paulus, 3. der Briefwechsel zwischen → Seneca und Paulus 4. der Ps.-Titusbrief ›Über den Stand der Keuschheit‹, 5. die *Epistula Petri*, ferner, aus der Briefüberlieferung der gnostischen Bibliothek von → Nag Hammadi, 6. der Jakobusbrief NHCod I,1; der Brief des Petrus an Philippus NHCod VIII,2. Nicht immer handelt es sich dabei um → »Briefe«, insbes. die Abgrenzung zur Predigt ist kaum durchzuführen. Die früher verbreitete Unterscheidung von »wirklichem Brief« (›ein Stück Leben‹) und »Epistel« (›lit. Kunstform‹) hat sich als zu eng erwiesen.

ED.: Zu 1. R. WEBER (Hrsg.) Biblia Sacra II, ²1975, 1076 · zu 2. 3 Kor: A. F. J. KLIJN, The Apocryphal Correspondence between Paul and the Corinthians, VigChr 17, 1963, 2–23 · zu 3. L. B. PALAGI (Hrsg.), Epistolaro Apocrifo di Seneca e San Paolo, 1985 · zu 4. D. DE BRUYNE (Hrsg.), PL Suppl. 2, 1522–1542 · zu 5. B. REHM, G. STRECKER (Hrsg.), Pseudoklementinen I, GCS, ² 1992, 1 f. · zu 6. D. KIRCHNER (Hrsg.), in: TU 139, 1989 · zum Petrusbrief: M. W. MEYER (Hrsg.), SBL Diss. Series 53, 1981
LIT.: W. SCHNEEMELCHER (Hrsg.), Neutestamentl. Apokryphen I/II, ⁵1987/1989 (mit Übers.) ·
A. DEISSMANN, Licht vom Osten, ⁴1923, 194–196 ·
J. L. WHITE, New Testament Epistolary Literature in the Framework of Ancient Epistolography, ANRW II 25.2, 1984, 1730–1756.   C. M.

Apostelgeschichte. Der seit Ende des 2. Jhs. bezeugte Titel (πράξεις [τῶν] ἀποστόλων bzw. *acta/actus apostolorum*) ist kaum urspr. Paulus gilt dem Autor gerade nicht als Apostel. Die A. gehört zusammen mit dem in 1,1 als πρῶτος λόγος bezeichneten Evangelium zum lukanischen Geschichtswerk. Die Doppelungen und Widersprüche (so Lk 24,50–53 bzw. Apg 1,9–11) erklären sich als *variatio*. Die Gliederung der A. wird durch 1,8 vorgegeben: Ausbreitung des Evangeliums durch ›Zeugen‹ und die ›Kraft des Heiligen Geistes in Jerusalem‹ (1,4–8,3) ›und in ganz Iudäa und Samarien‹ (8,4–12,23) ›und bis an die Grenzen der Erde‹ (13,1–28,31). In der Mitte steht der Bericht über das ›Apostelkonzil‹ (15,1–35), mit dem die Heidenmission sanktioniert wird und die von der Jerusalemer Urgemeinde dominierte Epoche endet. Die Frage nach Quellen der A. läßt sich z.Z. nicht beantworten, sowenig wie die nach der Identität des Autors → Lukas (Verhältnis zu Paulus). Eine Datierung auf ca. 90 n. Chr. wird momentan vertreten.

CHR. BURCHARD, Der dreizehnte Zeuge, in: FRLANT 103, 1970 • M. DIBELIUS, Aufsätze zur A., in: FRLANT 60, ⁵1968 • M. HENGEL, Zur urchristl. Geschichtsschreibung, ²1984 • R. PESCH, Die A., in: EKK V/1–2, 1986 • E. PLÜMACHER, Art. A., in: TRE 3, 1978 = 1993, 483–528 (Lit.) • G. SCHNEIDER, Die A., in: HThK V/1–2, 1980/1982 • Regelmäßige Forschungsberichte in der Theologischen Rundschau, zuletzt: 48, 1983, 1–56 und 49, 1984, 105–169.   C. M.

Apostelväter. Nach J. B. COTELIER, auf den der Begriff zurückgeht, gehören dazu Schriften von drei angeblichen Paulusschülern: 1. der → Barnabasbrief (Gal 2,1; 1 Kor 9,6), 2. zwei Briefe, die → Clemens von Rom (Phil 4,3) zugeschrieben werden, 3. der ›Hirt des Hermas‹ (Röm 16,4) sowie Werke zweier mutmaßlicher Johannesschüler: 4. sieben Briefe des Bischofs → Ignatius von Antiochien; 5. ein Brief und weitere Überlieferungen Polykarps von Smyrna. Heute ist es üblich, dazu noch hinzuzunehmen 6. die Fragmente des Bischofs → Papias von Hierapolis sowie 7. die Apologie des Quadratus für → Hadrian, 8. ein Anonymus, Brief an → Diognetos und schließlich 9. διδαχὴ τῶν δώδεκα ἀποστόλων. Durch die Zufälligkeit der Auswahl sind somit als A. 9 der Gattung, Theologie und Zielsetzung nach disparate Schriften des 1./2. Jhs. versammelt.

J. A. FISCHER, Die ältesten Ausg. der Patres Apostolici, in: HJ 94, 1974, 157–190; 95, 1975, 88–119 • A. LINDEMANN, H. PAULSEN, Die apostolischen Väter, 1992 • J. A. FISCHER, Schriften des Urchristentums, 2 Bde., ⁹1986/1984 • H. KRAFT, Clavis patrum apostolicorum, 1964 • J. B. LIGHTFOOT, The Apostolic Fathers, 5 Bde., 1886–1890.   C. M.

Apostoleis (αποστολεῖς). Athenische Behörde, die für die Aussendung von Flottenexpeditionen verantwortlich war und anscheinend jeweils *ad hoc* bei besonderen Gelegenheiten gebildet wurde. 357/6 v. Chr. waren sie zusammen mit den → *epimeletaí* der Werften dafür zuständig, Streitfälle unter Trierarchen vor Gericht zu bringen (Demosth. or. 47,26); 325/4 wurden 10 A. gewählt, die unter der Aufsicht des Rates tätig sein sollten (IG II/III² II 1, 1629 = TOD, 200, 251–58).

P. J. RHODES, The Athenian Boule, 1972, 119–120.   P. J. R.

Apostolische Konstitutionen. Die (Pseudo-) A. K. sind eine in der 2. Hälfte des 4. Jhs. n. Chr. wohl in Syrien entstandene Kompilation und Redaktion älterer kirchenrechtlicher und liturgischer Quellen. Im Zeitalter des aufblühenden Synodalwesens fingiert sie eine Versammlung aller Apostel beim Jerusalemer Apostelkonzil (Acta 15), die die in acht Bücher gegliederten A. K. verkündigt haben soll. Hauptquellen sind: → Didascalia Apostolorum, → Didache und die → Hippolyt zugeschriebene Traditio Apostolica (215). Inhaltlich stehen die Beschreibung der kirchlichen Ämter und ihrer Aufgaben sowie gottesdienstliche Gebetsformulare im Vordergrund. Die redaktionellen Passagen lassen auf einen Zusammenhang mit dem Verfasser der Langversion der Briefe des Ignatios und dem arianischen Hiobkommentar (einem Julian zugeschrieben) schließen. Die jüngste Forsch. hebt die → pneumatomachische Tendenz hervor. Umstritten ist, ob hier arianisierende Formeln unbewußt übernommen sind oder es sich um eine »Programmschrift« einer arianischen Gemeinde handelt.

→ Arianismus; Didache; Hippolytos von Rom; Ignatios von Antiochien.

ED.: F. X. FUNK, Didascalia et Constitutiones Apostolorum, 1905 (Ndr. 1964) • M. METZGER, Les Constitutions Apostoliques, I–III, 1985–1987 (SC 320, 329, 336). LIT.: M. R. BARNES, D. H. WILLIAMS (Hrsg.), Arianism after Arius, 1993 • T. A. KOPECEK, Neo-Arian Religion: The Evidence of the Apostolic Constitutions, in: R. C. GREGG (Hrsg.), Arianism, 1985, 153–179 • M. METZGER, Art. Konstitutionen, (Pseud-)Apostolische, TRE 19, 1990, 540–544.   K. SE.

Apostroph s. Lesezeichen

Apostrophe s. Musenanruf

Apotimema (ἀποτίμημα). Bei Vormundschaftsverhältnissen übergab der Archont das Vermögen von Waisen nach Schätzung an den Vormund bzw. einen Pächter, der dafür pfandmäßige Sicherungen, das *a.*, bereitstellte. Das Verfahren sicherte dem Mündel später einen direkten Zugriff auf die apotimierten Sachen und ermöglichte dem Vormund bzw. Pächter, sich durch Hingabe des *a.* von weiteren Ansprüchen des Mündels zu lösen. Ebenso stellte bei Dotalverhältnissen der Ehemann für die erhaltene Mitgift ein *a.* bereit, um sich bei Auflösung der Ehe aus der Rückgabepflicht der Mitgift zu lösen und um dem Kyrios der Frau den Rückstellungsanspruch zu sichern. Auch konnte der Kyrios der Frau für eine nicht ausgezahlte Mitgift dem Ehemann eine Sache als *a.* bereitstellen. Das Verfahren diente dazu, Klagen vor Gericht zu vermeiden und Ansprüche Dritter (Gläubiger/Erben) auf die apotimierten Sachen abzuwehren. Die auf diesen Sachen (Haus, Land) lastenden Bindungen wurden durch *hóroi* kenntlich gemacht.

→ Ehe; Familie; Mitgift

1 G. V. LALONDE, in: The Athenian Agora XIX, 1991, 18–21, 38–49 2 P. MILLETT, 223 3 H. J. WOLFF, in: Festschrift für E. RABEL 2, 1954, 293–333. W. S.

Apotropaioi (theoi). Götter, die Übel abhalten oder »abwenden« (ἀποτρέπω, *apotrépō*). Lit. Texte sprechen oft von Opfern für »die A.«, als existiere eine solche anonyme Gruppe [1.109–111]: z. B. als Maßnahme, die Folgen schlechter Träume (z. B. Aischyl. Pers. 201–4; 216–9; Xen. symp. 4,33; Hippokr. Vict. 4,89), schlechter Vorzeichen bei einem Opfer (Xen. hell. 3,3,4) oder Krankheiten (Plut. mor. 159f), unnatürliche Begebenheiten (Plut. mor. 197d) oder (in philos. Abwandlung) unnatürliche Wünsche (Plat. leg. 854b) abzuwenden. Die Verehrung einer solchen Gruppe ist jedoch nur in Sikyon (Paus. 2,11,1) und durch eine späte Herme in Byzantium bezeugt [2]. Einzelne Götter tragen ebenfalls den Titel Apotropaios: Ἄπολλον ἀποτρόπαιε (*Apollon apotrópaie*) ist z. B. ein beliebter Ausdruck des Entsetzens bei Aristophanes (z. B. Vesp. 161), und der Kult von Apollon Apotropaios (z. B. [3] Nr. 18 A 33, G 33: Erchia in Attika, 4. Jh. v. Chr.) und Zeus Apotropaios (z. B. [3] Nr. 25, 82: Erythrai, 3. Jh. v. Chr.), mit dem Athene Apotropaia manchmal in Verbindung gebracht wird, ist mancherorts bezeugt [4]. Diese Funktion unterscheidet sich nur wenig von derjenigen des Alexikakos, »Beschützer vor Unglück« (bes. auf → Apollon und → Herakles, aber auch auf Zeus angewandt).

Offen ist die Frage, ob ein Opfer für »die A.« in der Praxis ein Opfer für einen individuellen Apotropaios wie Apollon bedeutete. Zwei Texte deuten an, daß die A. als Gruppe einen speziellen, negativ-orientierten Charakter hatten: In Hippokr. Vict. 4,89 sind sie mit der »Erde und den Heroen« verbunden, und Plutarch (symp. 7,6,708f) verbindet sie mit den »Speisen für Hekate«, die zu Wegkreuzungen, d. h. weg von menschlichen Behausungen, gebracht und dort ungegessen zurückgelassen wurden. Es existierten wohl beide Möglichkeiten, die Anrufung eines individuellen A. oder der namenlosen Gruppe. Eine solche namenlose Gruppe nahm wahrscheinlich einige der negativen Eigenschaften des Übels an, das entfernt werden sollte (*apotrópaios* bedeutet sowohl »abwendend« als auch »abzuwenden«): Daher die Anonymität und die Seltenheit von festgelegten Kultorten (vgl. Isokr. or. 5,117; [5; 6]).

1 J. W. HEWITT, The Propitiation of Zeus, in: HSPh 19, 1908, 61–120 2 J. und L. ROBERT, in: Hellenica 9, 1950, 56 3 LSAM 4 GRAF, 172f., 199f. 5 NOCK II, 599–601 6 A. HENRICHS, Namenlosigkeit und Euphemismus, in: H. HOFMANN, A. HARDER (Hrsg.), Fragmenta dramatica, 1991, 161–201. R. PA.

Apotropaios (Epiklese) s. Apollon

Apoxyomenes s. Siegerstatuen

Apparitores. Als *a.* (von *apparere* = (auf Befehl) erscheinen) können alle Arten von Dienern bezeichnet werden. In der öffentlichen Sphäre meint *a.* speziell die freien oder unfreien Amtsdiener eines Magistrats, die (im Unterschied zu den *officiales*) als Helfer bei öffentlichen Amtshandlungen in Erscheinung treten.

In republikanischer Zeit begleiten *a.* Konsuln und Praetoren als → *lictores* mit den → *fasces* als Symbol des *imperium* (Liv. 9,46,2), dienen den Magistraten als Schreiber, Urkundenbeamte und Rechnungsführer (*scribae, librarii*), Ausrufer (*praecones*), Boten (*viatores*), »Beigeordnete« (*accensi*) und in weiteren Funktionen (Cic. Verr. 2,3,182.).

Die freien *a.* stellen den Ausgangstypus des späteren Beamtentums dar, da sie besoldet werden und ihre Dienstzeit (wie die der unfreien *a.*) allmählich die Amtsdauer der Magistrate kontinuierlich übergreift. Zudem verträgt sich die Zugehörigkeit zum Ritterstand schon in der Republik mit der Tätigkeit von *a.* als »Subalternbeamte«. Auch unfreien *a.* können wichtige Aufgaben übertragen werden, doch setzt ein Aufstieg in höhere Ränge wohl regelmäßig die Freilassung voraus. In der Kaiserzeit werden auch die Amtsdiener der Legaten, Praefekten und Prokuratoren und dann (homonym mit *officiales*) auch der gesamte Mitarbeiterstab von Amtsträgern, von den Gerichtsdienern des → *iudex* (Dig. 4, 2,23,3; Cod. Iust. 12,52 ff.) bis zum komplexen Verwaltungsstab eines → *praefectus praetorio*, als *a.* bezeichnet (Amm. 15,3,8).

→ Amt; Bruttiani; Bürokratie

MOMMSEN, Staatsrecht, 1, 306 ff. C. G.

Appellatio. Der in die heutigen Sprachen in der Bedeutung »Berufung gegen einen Richterspruch« übernommene Begriff *a.* kennzeichnete in Rom urspr. lediglich die Unterbindung eines magistratischen Erlasses. Eine solche intercedierende Wirkung verbindet die Begriffsfelder von *a.* und → *provocatio*, (Cic. Quinct. 65; Liv. 3,56,13; Plin. nat. 6,90). Sie bewirken die sofortige und unabänderliche Einstellung des laufenden Verfahrens oder Vorgehens sowie gegebenenfalls die Überweisung an den Angerufenen oder auch dessen neue Entscheidung. In dem wohl berühmtesten Beispiel einer solchen Anrufung, dem Bericht über die Verhandlung des Paulus vor Festus in Caesarea (Apg 25,11 f.; 26,32), ist Angerufener der *princeps*. Die Entwicklung dieses vorwiegend kassatorischen Rechtsbehelfs zu einer reformierenden, d. h. die Sach- und Rechtslage erneut überprüfenden Instanz, vollzog sich allmählich, wobei dem Strafprozeß eine gewisse Vorreiterrolle zukommt. Es wird heute vermutet, daß der Beginn dieser Entwicklung mit der Einrichtung der → *cognitio extra ordinem* zusammenhängt; da dort ein beamteter oder delegierter Richter entschied, lag es nahe, sich im Falle einer Beschwerde an den Deleganten oder »Dienstherren« zu richten (Dig. 49,3,3 und 1 pr.), – letzten Endes also an den Princeps. Der fungierte denn auch durchwegs als Appellationsinstanz, konnte diese Aufgabe aber natürlich seinerseits wieder delegieren: So hat bereits

Augustus für stadtröm. Fälle die Zuständigkeit des *praetor urbanus*, für Provinzfälle die von *viri consulares* eingerichtet (Suet. Aug. 33,3); Nero hat angeordnet, daß *omnes appellationes a iudicibus ad senatum fierent* (Suet. Nero 17). Spätestens ab dem Beginn der spätklass. Zeit (ca. 200) ist Appellationsinstanz für Rom der *praefectus urbi* (Dig. 4,4,38 pr.), für die Prov. zunächst der Provinzstatthalter und erst danach der *princeps*, (Dig. 49,1,21 pr.), bzw. – ab dem 4.Jh. – der *praefectus praetorio* (die Zuständigkeiten im einzelnen sind freilich recht undurchsichtig). Die wesentlichen verfahrensrechtlichen Voraussetzungen finden sich in Cod. Iust. 7,62 ff. und Dig. 49,1 ff. Danach ist eine *a.* grundsätzlich nur gegen Endurteile (spätestens seit Claudius auch der Geschworenensprüche) – nicht also gegen Interlocute – statthaft, nicht jedoch wenn diese aufgrund eines Anerkenntnisses zustandegekommen oder im Zusammenhang mit einer Vollstreckung erlassen sind (Paul. sent. 5,35,2 = 5,42,2 LIEBS). Von einer *summa gravaminis* (Beschwer) verlautet nur die *a. ad principem* (Dig. 49,1,10,1). Inappellabel sind vornehmlich Urteile des *princeps* und des Senats (Dig. 49,2,1,1 und 49,2,1,2); sonstige Urteile dagegen können mit einer weiteren *a.* in Frage gestellt werden (Iustinian beschränkte die Anzahl der *appellationes* auf zwei, Cod. Iust. 7,70,1). Die *a.* wurde beim Unterrichter (*iudex a quo*) eingelegt, *interponere appellationem*, und bewirkte einen Aufschub der Urteilswirkungen (Suspensiveffekt, Dig. 4,4,39 pr.). Sofern die vielfältigen Frist- und Formbestimmungen beachtet waren, entschied der Appellationsrichter nach erneuter Würdigung des gesamten Sach- und Streitstandes. Nur bei der *a. ad principem* gilt seit Constantinus, wenn sie in der bes. Form der *a. more consultationis* erfolgt, der Ausschluß neuen Vorbringens (*nova* Cod. Theod. 11,30,11).

I. BUTI, La »cognitio extra ordinem« in: ANRW II. 14, 1982, 29, 54 · A. BELLEN, Zur Appellation vom Senat an den Kaiser, in: ZRG 79, 1962, 143–168 · KASER, RZ, 397 · W. LITEWSKI, Die röm. Appellation in Zivilsachen, in: ANRW II.14, 1982, 60 · S. RANDAZZO, Appello civile e processo fiscale, in: Labeo 36, 1990, 337–367 · O. E. TELLEGEN-COUPERUS, Did the Senate function as a Court of Appeal in the later Roman Empire?, in: TRG 53, 1985, 309–320.   C. PA.

Appendix Platonica. Im Corpus Platonicum sind in einem Anhang einige bereits in der Ant. übereinstimmend als unecht angesehene (ὁμολογουμένως νοθευόμενοι) Dialoge überliefert. Diog. Laert. 3,62 nennt neben den in den Hss. auf die Hóroi folgenden verdächtigten Dialogen *Sisyphos*, *Demodokos* (der eigentlich vier Gespräche enthält), Περὶ δικαίου, Περὶ ἀρετῆς, *Alkyon*, *Eryxias* und *Axiochos* fünf weitere Titel. Die Herausbildung dieser Appendix hängt wesentlich mit der Verfestigung der Tetralogienordnung zusammen, doch enthalten auch die neun Tetralogien Unechtes, das offenbar zur Erreichung der Neunzahl aufgenommen wurde. Maßgeblich für die Zuweisung zur Appendix war wohl die Kürze der sokratischen Gespräche, in den meisten

von ihnen bleibt außerdem der Gesprächspartner anonym. Ein Teil weist in die ältere Akademie (*Sisyphos* – noch zu Lebzeiten Platons entstanden –, *Demodokos* I – weitgehend monologisch –, *Eryxias*). Die *Alkyon* (Verf. nach Diog. Laert. 3,62 Leon) entfernt sich thematisch – Diskussion der Möglichkeit der Metamorphose – am weitesten von den platonischen Dialogen. Im übrigen werden vor allem ethische Topoi im Anschluß an Werke Platons diskutiert.
→ Platon; Akademeia; Sokrates

H. KRÄMER, Die Ältere Akademie, In: GGPh² 3, 122–150 · C. W. MÜLLER, Die Kurzdialoge der A., 1975.   K.-H.S.

Appendix Vergiliana. Im 1.Jh. n.Chr. schrieben Lucan, Statius und Martial den → *Culex* Vergil zu, und Quintilian zitiert → *Catalepton* 2 unter dessen Namen. Vielleicht unter Rückgriff auf Sueton behauptet Donat (vita Vergiliana 56–65), daß Vergil *Catalepton et Priapea et Epigrammata et Diras, item Cirim et Culicem, cum esset annorum XVI . . . etiam de qua ambigitur Aetnam* geschrieben habe, und Servius (vita Vergiliana 14 f.) nennt *septem sive octo libros hos: Cirin Aetnam Culicem Priapea Catalepton Epigrammata Copam Diras*. Eine komplizierte hsl. Tradition [1] überliefert diese Werke als Vergilianisch, zusammen mit den → *Elegiae in Maecenatem*, → *Moretum*, zwei kleineren Stücken von Ausonius (363, p. 90; 364, p. 91) und Anth. Lat. 646. Spuren davon gibt es in ma. Dichtung und in Glossen. Die meisten der Texte wurden in der röm. Ed. von 1471 gedruckt. Die Ed. Aldina von 1517 bedeutete einen großen Fortschritt in der Textkritik. J. J. SCALIGERS Ed. (1572 f.) war der Urspr. des modernen Namens A. V. Die ersten Ausgaben, die ein klares Bild der Überlieferung zeichneten, waren die von E. BAEHRENS (1880) und F. VOLLMER (1910).

Seit der Renaissance gab es Zweifel an Vergil als Verf., die sich auf Thematik, Stil, Sprache und Chronologie begründeten. Da der *Culex* als Vergilisch gut bezeugt war, wurde vorgeschlagen, daß man jetzt nur noch eine interpolierte Version vorliegen habe [2]. Zweifel wurden stärker im wiss. 19.Jh., als viele Forscher die meisten oder alle Gedichte verwarfen. VOLLMER [3] führte die Gegenreaktion an, und viele, bes. amerikanische [4] und it. [5] biographische Werke, die noch immer Einfluß ausüben, zogen das Zeugnis der A. V. für eine phantasievolle Darstellung des geistigen Reifeprozesses des jungen Vergil heran, bevor er die Eklogen schrieb. Andere behaupteten Ovidische Verfasserschaft. – Es ist sicher, daß alle oder fast alle Werke nachvergilisch sind: Der *Culex* und einige (oder alle) Stücke des *Catalepton* scheinen Vergil bewußt untergeschoben zu sein. Andere Werke können von Buchhändlern, Gelehrten oder Schreibern falsch zugewiesen sein.

Seit der Echtheitskritik der Renaissance hatten die Gedichte wenig literarischen Einfluß. S. BRANT zeigt in seinem »Narrenschiff« (1494) angeblich den Einfluß der A. V. EDMUND SPENSER übersetzte den *Culex* (1591), und G. LEOPARDI das *Moretum* (1816). Die geschickte Parodie auf Catull (Catal. 10) inspirierte nlat. Imitatoren [6].

→ Ciris; Dirae

ED.: W. V. CLAUSEN (et al.), 1966.
LIT.: 1 M. D. REEVE, A. V., in: L. D. REYNOLDS (Hrsg.), Texts and Transmission, ²1986, 437–440 2 C. G. HEYNE, Ed. Bd. 4, ³1793, 76 3 F. VOLLMER, Die kleineren Gedichte Vergils, in: SBAW 1907, 335–374 4 T. FRANK, Vergil, ²1965 5 A. ROSTAGNI, Virgilio minore, ²1961 6 R. E. H. WESTENDORP BOERMA, Navolgingen van Catullus 4, in: Hermeneus 33, 1961, 57–63 7 R. BURTON, Classical Poets in the Florilegium Gallicum, 1983 8 A. SALVATORE, R. GIOMINI, A. V., in: EV 1, 229–239.   J. A. R.

Appenninus. Gebirgskette, das Rückgrat der it. Halbinsel in Fortsetzung der Alpen vom Colle di Cadibona oberhalb von Savona bis zur Meerenge von Messina. Höchste Erhebung ist der Gran Sasso (2912 m) in den Abruzzen. In → Liguria gipfeln die Apuanischen Berge im Auginus (h. Cimone, 2165 m), einem Kultort, wie der Monte Guragazza oberhalb von Felsina und der Monte Falterona oberhalb von Arezzo bei den Quellen des Arno; diese Gebirgszüge trennten die *regiones* VII und VIII. Im Gebiet der Casuentini entspringt auf halber Höhe der Bergkette der → Tiberis. Auf dem tiefer gelegenen Bergpaß la Scheggia (→ *via Flaminia*, bequemster Weg von Rom an die Adria) bei → Iguvium ein *templum Iovis Pennini* (Überreste). Es folgen der → *Tetrica mons*, die Sibillini (? 2476 m) und der Fiscellus (Gran Sasso?); in Samnium die Berge → Tifernus und → *mons Taburnus* mit dem Ausläufer des → *mons Lactarius* der sorrentinischen Halbinsel. Im Gebiet der → Hirpini liegt das Bergmassiv des → Voltur, an dem der Aufidus entspringt; in Lucania der Alburnus; in Bruttium die Sila bis zur Straße von Messina *(fretum Siculum)*. Berüchtigt für Erdbeben (Plin. nat. 2,194), bekannt für seine Wälder (hochwertige Hölzer; Verg. 12,702; Sil.4,744) und landwirtschaftliche Erzeugnisse wie Käse (Plin. nat. 11,240; 16,197).

NISSEN 1, 215–247 · F. TICHY, It., 1985, 33–46.   G. U. / S. W.

Appia aqua s. Wasserleitungen

Appianos A. LEBEN   B. WERK

A. LEBEN

Historiker aus Alexandreia, geb. zw. 90 und 95 n. Chr. in Alexandreia, lebte dort bis 120, dann in Rom. Die im Proömium seines Werkes erwähnte Autobiographie (pr. 15,62) ist nicht erhalten. Spärliche biographische Angaben finden sich in seinem Werk, einem Brief Frontos (1,161–2 VAN HOUT) und bei Photios, der seine ἀκμή (Blüte) in die Zeit Traians und Hadrians setzt (cod. 57, p.17a,21). In Rom war er als Anwalt tätig und bekleidete den Rang eines *procurator Augusti*. Gest. in Rom 160 n. Chr.

B. WERK

Sein Werk, das er um die Mitte des 2. Jh. begann, trägt den Titel Ῥωμαϊκά (*Historia Romana*) und gliedert sich in 24 B., die vollständig bei Photios (cod. 57, pp. 15b,21–17a,12) und teilweise (nur bis B. 17) im allg. Proömium (pr. 14,49ff.) verzeichnet sind. Sie reichen von der Königszeit bis zu den Feldzügen Traians in Dakien und Arabien. A. gliedert sein Werk nach ethnographischen Kriterien, aber berücksichtigt dabei die Reihenfolge der röm. Eroberungen. Daraus ergeben sich die Titel der einzelnen Bücher: 1: Βασιλική, 2: Ἰταλική, 3: Σαμνιτική, 4: Κελτική, 5: Σικελικὴ καὶ νησιωτική, 6: Ἰβηρική, 7: Ἀννιβαϊκή, 8: Καρχηδονιακὴ καὶ Νομαδική, 9: Μακεδονικὴ καὶ Ἰλλυρική, 10: Ἑλληνικὴ καὶ Ἀσιανή, 11: Συριακὴ καὶ Παρθική, 12: Μιθριδάτειος, 13–17: Ἐμφυλίων Α-Ε, 18–21: Αἰγυπτιακῶν Α-Δ, 22: Ἑκατονταετία, 23: Δακική, 24: Ἀράβιος.

Erh. sind neben dem Proömium des ersten B. die B. 6 und 7, der erste Teil von B. 8, der zweite Teil von B. 9, der erste Teil von B. 11, B. 12 und die 5 B. der Ἐμφύλια (›Bürgerkriege‹). Vom Rest haben sich teils umfangreiche Fragmente erhalten: aus den B. 1–5 und 9 in den *Excerpta Historica* des Konstantinos Porphyrogennetos, Passagen von B. 1 bei Photios und kleinere Zitate in der Suda und bei den Lexikographen. Völlig verloren sind die B. 10, 18–24 und das Buch über die Verwaltung des röm. Staates, das A. erwähnt (pr. 15,61).

Das Werk erhält seine Eigenart vor allem durch das ethnographische Gliederungsschema. Vermutlich benutzte es A., weil so dem Leser die Orientierung im Geschehen, das sich gleichzeitig auf verschiedenen Schauplätzen abspielte, besser gelingen sollte als in einer umfassenden Schilderung der Ereignisse, deren einigende Band nur im Bezug zu Rom gelegen hätte (GABBA, App. civ. 1, p. XIVf.). Aber auch die Behandlung nach Völkern (κατὰ ἔθνος ἕκαστον pr. 13,49) löst sich im Grunde in einzelne Monographien zu unterschiedlichen Themen auf und läßt vermuten, daß A. in seiner Darstellung den überschaubaren lokalen Rahmen dem globalen Panorama der fortschreitenden Formierung eines gewaltigen Staatsgebildes vorzog. In der Tat zeigt das Werk an verschiedenen Stellen, daß der Autor als stolzer Provinziale auch nach seinem Wechsel nach Rom ein Alexandriner geblieben war (pr. 15,62 und [1. 110ff.]).

Auch dies ist ein Merkmal der neuen Zeit: Die Unterwerfung unterschiedlicher Völkerschaften hatte zu einem einheitlichen Staatswesen geführt; die Prov., nun nicht mehr als *praedia populi Romani* betrachtet, waren zu Teilen einer *communis patria* geworden. Darstellung und Beurteilung des Geschehens aus einer Sicht, die von der röm. abweicht, machen den Autor deshalb noch nicht zum Feind Roms [2. 396–400].

Ein Geschichtswerk, das 900 Jahre und unterschiedliche Völkerschaften behandelt, läßt die Prüfung einer Vielzahl von Zeugnissen aus zahlreichen Epochen erwarten. Da aber A. nur in bes. Fällen die Quelle seiner Informationen nennt, ist nicht gewiß, ob A. so verfahren ist. Gewöhnlich schweigt er über seine Quellen und erschwert so ihre Identifikation. Man gewinnt allenfalls den Eindruck, er hätte für jedes Buch vorwiegend nur einen Autor herangezogen, sei ihm aber nicht unkritisch gefolgt, da er auch andere Zeugnisse zur Präzisierung und Korrektur nutzte.

Zweifellos sind nicht alle Teile der *Historia Romana* von gleichem histor. Wert. An Bed. ragen die 5 B. der ›Bürgerkriege‹ heraus, da sie unsere einzige umfangreiche und ausführliche Quelle für eine unvergleichlich wichtige Periode darstellen. Aber »Bedeutung« heißt nicht ohne weiteres »Zuverlässigkeit«; deshalb zielen die Versuche, die Quellen A.s zu finden, vor allem auf die Bestimmung seiner Glaubwürdigkeit.

Die Forsch. auf diesem Feld ist seit der Mitte des letzten Jhs. bes. rege (zusammenfassende Darstellung der Positionen bei [3. 496–501] und [4. 4–6]). Auf das sehr negative Urteil, das SCHWARTZ über A. fällte [5. 216–37], folgten allmählich weniger drastische Stellungnahmen, die zu einer substanziellen Neubewertung führten. Grundlegend sind die abgewogenen Arbeiten von GABBA [1], HAHN [6] und GOLDMANN [7]. Doch können die Argumente für die jeweils in Betracht gezogenen Quellen noch nicht vollständig überzeugen und lassen deshalb vermuten, daß beim heutigen Stand unserer Kenntnis das Problem der Quellen A.s nicht zu lösen ist.

1 E. GABBA, Appiano e la storia delle Guerre Civili, 1956 2 I. HAHN, G. NEMETH, Appian und Rom, ANRW II 34.1, 1993, 364–402 3 McGING, Appian's Mithridateios, ANRW II 34.1, 1993, 496–501 4 K. BRODERSEN, Appian von Alexandria. Röm. Gesch. I Teil: Die Röm. Reichsbildung, übers. v. O. VEH 5 SCHWARTZ s. v. Arrian, RE 2, 216–37 6 I. HAHN, Appian und seine Quellen, in: G. WIRTH (Hrsg.), Romanitas-Christianitas, 1982, 251–76 7 B. GOLDMANN, Einheitlichkeit und Eigenständigkeit der *Historia Romana* des Appian, 1988.

AUSG.: P. VIERECK, A. G. ROOS, 1939 (mit Erg. von E. GABBA 1962) · L. MENDELSSOHN, P. VIERECK, 1905 KOMM.: zu bell. civ. B.1: E. GABBA, 1958, B.5: E. GABBA, 1970, B.3: D. MAGNINO, 1984 TEXT MIT ENGL. ÜBERS.: H. WHITE, 1912–13 DT. ÜBERS.: O. VEH, 1988–89 SPAN. ÜBERS.: A. SANCHO ROYO, 1985 LIT.: K. Brodersen, Appian und sein Werk, in: ANRW II 34.1, 1993, 339–363 · A. M. GOWING, The Triumviral Narratives of Appian and Cassius Dio, 1992 · I. HAHN, Appien et le cercle de Sénèque, AAHung 12, 1964, 169–206 · D. MAGNINO, Le ›Guerre Civili‹ di Appiano, ANRW II 34.1, 1993, 523–554. D.M.

Appianus. Cognomen des M. Valerius Messalla (*cos.* 12 v. Chr.), hergeleitet vom Praenomen seines natürlichen Vaters Ap. → Claudius Pulcher.

KAJANTO, Cognomina, 39, 172. K.L.E.

Appius. Seltener lat. Gentilname (s. [1]) und lat. Praenomen (abgekürzt Ap., kaiserzeitl. App.), dessen bereits ant. Herleitung aus dem Sabinischen (Lib. praen. 6) nicht unbestritten ist; vornehmlich bezeugt für die patrizischen Familien der Claudii Pulchri, seltener bei den Claudii Nerones u. a. Erster bezeugter Namensträger Ap. Claudius Sabinus Inregillensis (Attus Clausus), der Begründer der Gens Claudia in Rom um 500 v. Chr. (Liv. 2,16,4). Wegen des fast auschließlichen Vorkommens innerhalb der Gens Claudia wurde das Praenomen gelegentlich wie ein Gentiliz gebraucht (Via Appia, Aqua Appia, kaiserzeitlich etwa *Appianus caedes* (Tac. ann. 11,29,1, von der Hinrichtung des Ap. Iunius Silanus) [1].

BEDEUTENDE NAMENTRÄGER IN REPUBLIK. ZEIT: 1. Ap. Claudius, der Decemvir, der im Rahmen der → Verginia-Legende eine zentrale Rolle spielt. 2. Ap. Claudius Caecus, Censor 312 v. Chr. und Erbauer der Via Appia. 3. Ap. Claudius Pulcher, cos. 54 v. Chr. **[I 1]** Ap. Annius, erhielt von Marius das Bürgerrecht (Cic. Balb. 46) [2].

1 SALOMIES, 21–22 2 D. R. SHACKLETON BAILEY, Two Studies in Roman nomenclature, ²1991, 7–8). K.L.E.

Appius [I 2, Claudius] s. Claudius

Appius [I 3, Claudius Caecus] s. Claudius

Appius [I 4, Claudius Pulcher] s. Claudius

II. KAISERZEIT

[II 1] A. Alexander, ritterlicher Prokurator unter Macrinus (Inscr. Eph. 3, 616f.; PIR² A 945). **[II 2] Alexander**, *consularis*, geehrt in Berytos, vielleicht Statthalter von Syria Phoenice 1. H. des 3. Jhs. [1]. Verwandt mit [II 1]. **[II 3] Appianus**, Senator, von → Tiberius im J. 17 aus dem Senat entfernt (Tac. ann. 2,48,3). Vielleicht verwandt mit [II 4]; PIR² A 946. **[II 4] Iunius Silanus, C.**, *praetor urbanus* im J. 25 (AE 1987, 163), *cos. ord.* im J. 28; 32 wegen *maiestas* angeklagt, aber durch einen Tribunen der Stadtkohorten aus der Gefahr befreit (Tac. ann. 6,9,3 f.); *frater arvalis*, Statthalter von Hispania citerior; von Claudius mit der Mutter Messalinas vermählt (Cass. Dio 60,14,3). 42 auf Anklage von Messalina und Narcissus hingerichtet (Cass. Dio 60,14,3–15,1 [2]); PIR² J 822. **[II 5] A. Severus, Sex.**, Senator unter → Vespasianus und → Titus (CIL VI 1348 = ILS 1003). Seine Tochter Appia Severa heiratete Ceionius Commodus (*cos.* 78;, PIR² A 953; 955.

1 J. P. REY-COQUAIS, in: Syrie romaine de Pompée à Dioclétien, JRS 68, 1978, 67 2 SCHEID, Recrutement, 195ff. W. E.

Appliken. Bezeichnung für angesetzte figürliche und pflanzliche Schmuckteile. An Bronzegefäßen sind sie im 7. Jh. v. Chr. als Protome appliziert (Greifenkessel). In Hellenismus und Kaiserzeit sind *crustae* am Tafelgerät hochgeschätzte Meisterwerke der → Toreutik, ebenso

an Kleidung, Prunkrüstungen wie Gladiatorenhelmen, an Pferdegeschirr und Wagenteilen. An Klinen-Lehnen (*fulcra*) sitzen bronzene Tierprotome, an Möbeln A. aus Elfenbein. Holzsarkophage des 4. Jh. v. Chr. in Tarent und Südrußland trugen Relief-A. aus Terrakotta.
→ Clipeus

> B. BARR-SHARRAR, The hellenistic and early Imperial decorative bust, 1987 • S. FAUST, Fulcra. Figürlicher und ornamentaler Schmuck an ant. Betten, in: MDAI(R) Ergh. 30, 1989 • W. GAUER, Die Bronzegefäße von Olympia 1, 1991 • R. LULLIES, Vergoldete Terrakotta-A. aus Tarent, in: MDAI(R) Ergh. 7, 1962 • C. ROLLEY, Die gr. Bronzen, 1984 • L. SCHNEIDER, P. ZAZOFF, Konstruktion und Rekonstruktion. Zur Lesung thrakischer und skythischer Bilder, in: JDAI 109, 1994, 143–216.   R. N.

Apponius. **[1]** Q., Offizier (Militärtribun?) des Pompeius in Spanien 46 v. Chr. (Dio 43,29,3) [1]. **[2]** Cn., Ankläger des M. → Saufeius 52 v. Chr. (Ascon. 55C).

> 1 NICOLET 2, 779–781.   K. L. E.

[3] im J. 43 v. Chr. proskribiert und ermordet (App. civ. 4,26). **[4]** Delator unbekannten sozialen Ranges, nach Neros Tod vom Volk in Rom gelyncht (Plut. Galba 8,7). **[5]** L.; zu dem in den Fasti Cuprenses erwähnten L. A. vgl. InscrIt 13,1, 246; PIR² A 933. **[6]** L., röm. Ritter im Gefolge des jüngeren → Drusus im J. 14 (Tac. ann. 1,29,2); mit ihm vielleicht der ritterliche Offizier L. A. aus Baeterrae in der Narbonensis identisch (CIL XII 4230 = ESPÉRANDIEU, Inscr., 558; 4241; [1]; DEMOUGIN, 177 f.). **[7]** **A. Saturninus, (M.),** reicher Senator praetorischen Ranges, den → Caligula um viel Geld betrog (Suet. Cal. 38,4); wohl identisch mit dem A., der nach der Ermordung Caligulas von Soldaten angegriffen wurde (Ios. ant. Iud. 19,264), ebenso mit dem Grundbesitzer in Ägypten zw. 29 und 34 (PIR² A 937). **[8]** **A. Saturninus, M.,** am ehesten Sohn von Nr. 7, kaum mit ihm identisch. *Frater Arvalis,* 57–66 bezeugt [2]. Suffektkonsul unter Nero, Statthalter von Moesia im J. 68/69; wegen Erfolgen gegen die Roxolanen von Otho mit Triumphalornamenten geehrt (Tac. hist. 1,79). Zunächst auf Seite des → Vitellius, dann zögernd zu → Vespasianus übergewechselt (Tac. hist. 2,85; 96; 3,5; 9; 11); Prokonsul von Asia (ILS 8817 = IGRR 4,644). Es ist umstritten, ob unter Nero oder nach 73 [3]; sein Herkunftsland ist vielleicht die Baetica [4].

> 1 B. DOBSON, Die Primipilares, 1978, 169 f. 2 R. SYME, Some Arval Brethren, 1980, 4 f. 3 VOGEL-WEIDEMANN, 468 ff. 4 CABALLOS, Bd. 1, 74 ff.   W. E.

[9] s. Aponius

Appuleia. A. Varilla, Tochter von Sex. Appuleius, Enkelin von → Octavia, der Schwester des Augustus; im J. 17 n. Chr. wurde sie wegen *adulterium* und wegen Maiestätsverletzung gegenüber Augustus und Tiberius angeklagt; nach Eingreifen des Princeps wurde sie je-

doch lediglich 200 Meilen von Rom entfernt (Tac. ann. 2,50).

> SYME, AA, 317, 327 • PIR² A 968.   W. E.

Ap(p)uleius. Plebeischer Gentilname (zu Form und Verbreitung [1], ThLL 2, 291). Der Dichter → Apuleius [III, von Madaura]

I. REPUBLIKANISCHE ZEIT

[I 1] **A.,** spätrepublikanischer Immobilienhändler (*praediator*) (Cic. Att. 5,11,16; 12,4,2; 12,17). **[I 2] A.,** 43 v. Chr. proskribiert, aber entkommen (App. civ. 4,166).

> 1 SCHULZE, 427.   K. L. E.

[I 3] **A., L.,** Volkstribun 391 v. Chr., durch dessen Klage M. Furius → Camillus wegen der Beuteverteilung nach der Einnahme von Veji verurteilt worden sein soll (Liv. 5,32,8 f.; wohl späte Erfindung) [2].

> 2) R. M. OGILVIE, A Commentary on Livy, Books 1–5, 1965, 498–499.   K. L. E.

[I 4] **L.,** Praetor 59 v. Chr., Propraetor 58 in Makedonien (Cic. Planc. 28,99). **[I 5] M.,** Mitglied im *consilium* des *senatusconsultum de agro Pergameno* (SHERK, 12). **[I 6] P.,** Volkstribun 43 v. Chr. Anhänger Ciceros im Senat (Cic. Phil. 6,1; ad Brut. 1,7,2; App. civ. 3,384). **[I 7] Q.,** Xvir zur Verteilung des *ager Ligustinus et Gallicus* 173 v. Chr. (Liv. 42,4,4 f.). **[I 8] Decianus, L.,** Volkstribun 98 v. Chr. (?), Anhänger des A. Saturninus, 97 deswegen exiliert (MRR 2, 4–5). **[I 9] Pansa, Q.,** Konsul 300 v. Chr. (MRR 1, 172). **[I 10] Saturninus, L.,** Xvir zur Verteilung des *ager Ligustinus et Gallicus* 173 v. Chr. (Liv. 42,4,4 f.), Praetor 166 (Liv. 45,44,2), wohl 156 Gesandter zur Untersuchung des Streites zw. König Prusias und Attalos II. (Pol. 32,16,5). **[I 11] A. Saturninus, L.,** wohl Enkel von A. [I 10], erfolgreicher Redner (Cic. Brut. 224) und einer der einflußreichsten popularen Politiker (→ *populares*) der nachgracchischen Zeit. Quaestor 105 oder 104 v. Chr. in Ostia, wegen Steigerung des Getreidepreises gegen seinen Willen von M. → Aemilius Scaurus (*cos.* 115) abgelöst und deshalb angeblich zum Gegner der Senatsherrschaft geworden (Cic. har. resp. 43; Sest. 39). Als Volkstribun 103 und 100 initiierte er ein umfangreiches, mit Unterstützung des Konsuls C. → Marius gegen den Widerstand des Senats gewaltsam durchgesetztes Gesetzgebungsprogramm in der Tradition der Gracchen zugunsten der ländlichen Unterschichten, der italischen Bundesgenossen und des Marius. Ins erste Tribunat fallen die Ansiedlung von Veteranen des Marius aus dem Krieg gegen Iugurtha in Africa (Vir. ill. 73,1) und ein Maiestätsgesetz, dessen genauer Inhalt ungeklärt ist (wohl Einrichtung einer ständigen *quaestio* mit Richtern aus dem Ritterstand; Cic. de orat. 2,107; 201 u. a. s. C. → Norbanus und [1]). Er veranlaßte die Verurteilung des Cn. → Mallius wegen der Niederlage bei Arausio gegen die Gallier 105 (Gran. Lic. 12 Criniti; vgl. Cic. de orat. 2,125; Liv. per. 67). 102 gescheiterter Versuch des Censors Q. → Caecilius Metellus Numidicus, A. aus dem Senat auszustoßen. 101 Ermordung des Mitbewerbers C. → Ninnius. Im zweiten Tribunat mit Unterstützung des Praetors C. → Servilius Glaucia Durchsetzung wohl einer *lex frumentaria* zur Reduzierung des Getreidepreises (Rhet. Her. 1,21; 2,17), ein Gesetz über die Ansiedlung von Veteranen des Marius in Sizilien, Achaea und Makedonien (Vir. ill. 73,5; vgl. Cic. Balb. 48), und vielleicht der sog. *lex de provinciis praetoriis* über die Provinzverteilung im Osten (Roman Statutes, 1996, Nr. 12). Eine *lex agraria* (Anlage von Siedlungen in der *Gallia cisalpina*) enthielt die Klausel, daß alle Senatoren die Einhaltung des Gesetzes beeiden mußten. Die Verweigerung des Eides führte zum Exil des Metellus (App. civ. 1,130–140; Plut. Mar. 29; Liv. per. 69 u. a.). Für 99 erneut zum Tribunen gewählt, ließ A. den Mitbewerber des Glaucia um das Konsulat C. → Memmius ermorden, worauf der Senat den Staatsnotstand ausrief und Marius A. fallen ließ. Er und seine Anhänger wurden in der Kurie festgesetzt, aber dort von der aufgebrachten Menge spätestens am 10. Dez. 100 ermordet (App. civ. 1,141–145; Vir. ill. 73,9–12; zur Chronologie [2]). Die Gesetze des Jahres 100 wurden wohl vom Senat annulliert (Cic. leg. 2, 14).

1 R. A. BAUMAN, The Crimen Maiestatis in the Roman Republic and Augustan Principate, 1967, 40–58
2 E. BADIAN, The Death of Saturninus, in: Chiron 14, 1984, 101–147.

BADIAN, Clientelae · CAH 9², 95–101 · J.-L. FERRARY, Recherches sur le législation de Saturninus et de Glaucia, in: MEFRA 89, 1977, 619–660 · MRR 1,563; 575–576; 3,20–23.   K. L. E.

[I 12] A. Tappo, C., Praetor in der späten Republik oder frühen Kaiserzeit (ILLRP 436).   K. L. E.

II. KAISERZEIT

[II 1] A. M., Quaestor 45 v. Chr., im selben Jahr wohl zum Auguren gewählt (Cic. Att. 12,13,2; 14,1; 15.1), 44 Proquaestor in Asien (MRR 2, 308, 314, 327). Er stellte sich auf die Seite der Caesarmörder und übergab M. → Brutus Ende 44 seine Truppen und 16000 Talente aus den Tributen Asiens (Cic. Phil. 10,24; 13,32; App. civ. 4,316). Nach App. civ. 4,195–197 (die Identifikation mit dem dort erwähnten A. ist allerdings nicht ganz gesichert) setzten ihn M. Antonius und Octavian (Augustus) auf die Proskriptionsliste (→ *proscriptio*). A. entkam jedoch auf einer abenteuerlichen Flucht zu Brutus und übernahm die Statthalterschaft von Bithynien bis zu dessen Tod. Augustus begnadigte ihn; CIL V 5027 erwähnt ihn als Legaten im J. 23; im J. 20 war er zusammen mit P. Silius Nerva *cos. ord.* [1]. A. entstammte der Ehe von Octavia maior mit Sex. A. [II 2] und war ein Bruder von Sex. A. [II 3] **[II 2] A., Sex.**, verheiratet mit Octavia maior, der Stiefschwester des Augustus. Nach einer karthagischen Inschr. (ILS 8963) war er *flamen Iulialis, quaestor und praefectus urbi* (bzw. *praetor urbanus*) [2; 3; 4]; MRR 2, 462, 474, 486.
[II 3] Sex., älterer Bruder des A. [II 1], Augur (MRR 2, 425), im J. 29 zusammen mit dem späteren Kaiser Au-

gustus *cos. ord.* (CIL IX 422, 2637, Cass. Dio 51,20,1; 21,1). Anschließend war A. Prokonsul im diesseitigen Spanien und triumphierte *ex Hispania* am 25.1.26 (InscrIt 13,1, p. 345). Vermutlich 23/22 folgte das Prokonsulat von Asia. Unter dem Jahr 12 überliefert Cass. Dio 54,30,4 eine Gerichtsszene, bei der A. zusammen mit → Maecenas einen Angeklagten verteidigte. Im J. 8 v. Chr. brachte A. als *legatus Aug.* pro praetore Illyrici das Gebiet zw. Drau und Donauknie unter röm. Herrschaft (Cassiod. Chron. Min. 2,135; [5], anders [6]). Ein Inschriftenfund aus dem Sommer 1987 belegt kult. Verehrung für den Statthalter A. in Kleinasien [7]. Möglicherweise ist A. als *flamen Iulialis* auf dem Südfries der Ara Pacis dargestellt (Identifikation nach [8], vgl. [9]).
[II 4] Sex., Sohn des vorherigen, zusammen mit Sex. → Pompeius im J. 14 n. Chr. *cos. ord.* (R. Gest. div. Aug. 8). **[II 5] Sex.**, Sohn des vorherigen und der Fabia Numantina (CIL XI 1362 = ILS 935).

1 P. V. ROHDEN, s. v. A. 14, RE 2, 258 2 R. CAGNAT, Note sur une inscription de Carthage relative a Sex. Appuleius, CRAI 1906, 471–78 3 G. HERZOG-HAUSER, s. v. Octavius (Octavia) 95, RE 17, 1858 4 SYME, AA, 37, 52, 316f. 5 D. KIENAST, Augustus, 1982, 302 6 A. E. GORDON, CPCA 3.2, 1954, 42 7 H. HALFMANN, Ein neuer Statthalterkult in der Prov. Asia, in: EA 10, 1987, 83–90.   W. W.

[III, Apuleius von Madaura] A. LEBEN B.1 WERKE B.2 FRAGMENTE C. WIRKUNGSGESCHICHTE UND ÜBERLIEFERUNG

A. LEBEN

Apuleius (voller Name nicht bekannt), geb. um 125 n. Chr. in Madaura im heutigen Algerien. Auf Lehrjahre in Karthago folgten ein längerer Studienaufenthalt in Athen und Reisen in den Orient. Vorübergehend in Rom, machte A. sich einen Namen als Literat und Redner (flor. 17,4). Nach Afrika zurückgekehrt, heiratete er in Oea die reiche Witwe Pudentilla. Man sagte ihm nach, er habe sich ihre Gunst durch Magie erobert, und es kam zu einer Anklage wegen Zauberei. Der Prozeß wurde 158/9 in Sabratha durchgeführt. Die in eigener Sache gehaltene und später veröffentlichte Verteidigungsrede (s. u.) ist erhalten. Freispruch wird allgemein angenommen [11. 1714f.]. A. lebte danach in Karthago. Ein Staatsamt hat er nie bekleidet (Aug. epist. 138,19), war aber Priester im Kaiserkult (flor. 16,38). Als angesehenem Redner wurden ihm schon zu Lebzeiten Statuen errichtet (flor. 16,36ff.). A.' Sterbejahr ist nicht bekannt. A. schrieb lat. und griech.; es sind jedoch nur lat. Werke erhalten. Außer für *Met.*, *Flor.*, *Apol.* und *De deo Socratis*, wurde die Echtheit der Werke des A. seit dem 19.Jh. ständig zur Diskussion gestellt (s. u.). Stilunterschiede zwischen den philos. und lit. Schriften spielten dabei eine Rolle. Seitdem die Einsicht an Boden gewonnen hat, daß A. als typischer Vertreter der zweiten → Sophistik und begabter Literat im Stande war, sich verschiedene Stilarten anzueignen und nach Bedarf zu verwenden, sind echtheitskritische Unt. anders angelegt worden [15].

B 1. Werke

1. *Metamorphoseon libri XI*, oder *Asinus aureus* (so Aug. civ. 18,18 [23. 292–298]). Dieser → Roman erzählt in der Ich-Form die Abenteuer eines Lucius, der im Hexenland Thessalien in einen Esel verwandelt wird und manches erleben muß, bevor er in B. 11 seine Menschengestalt dank der Gnade der Göttin → Isis wiedergewinnt. In die Haupthandlung sind viele Erzählungen eingefügt, die bekannteste ist die Novelle von *Amor und Psyche*. Die *Met.* sind eine Bearbeitung eines griech. (→ *Photios* bekannten: bibl. 129) Eselsromans, den *Metamorphoseis* des Loukios von Patrai; ein Auszug des griech. Werkes ist unter den Schriften → *Lukians* erhalten. Der Vergleich der Epitome mit dem lat. Roman verrät eine wichtige Änderung des A. am Ende: Im griech. Roman kehrt der entzauberte Loukios nach einem letzten mißglückten erotischen Abenteuer zu seiner Familie zurück. Der rel. Schluß des 11. B. der *Met.* hat Leser immer wieder überrascht. Versuche, die ideologische Einheit durch symbolische Interpretation der B. 1–10 nachzuweisen, indem man hinter dem Oberflächensinn eine Verschlüsselung der Isismysterien suchte [13], haben heuristisch gewirkt, stoßen aber auf methodische Bedenken [18. 21 f.]. Leitmotive, die verschiedene Szenen des Romans verbinden, sind: *curiositas*, *fortuna* und das Motiv der Selbsterlösung, das Rosenmotiv. Die Erzähleinlagen (nicht in der griech. Kurzfassung) erfüllen innerhalb der Haupthandlung beleuchtende und verbindende Funktionen [21. 258 ff.]. Die Annahme einer immanenten Heteronomie der *Met.* eröffnet den Blick auf das Nebeneinander rel. Erkenntnis und satirischer Sicht [18. 7 f.]. Die häufig wechselnde Erzählperspektive [23] gestattet keine Feststellung einer einheitlichen Intention des Romanautors. A. schreibt eine stark mit poetischen Elementen durchsetzte Kunstsprache (Beispiele: [2]; den Kontext berücksichtigen [3; 4]). Die Datierung der *Met.* ist unsicher. 2. *De magia* oder *Pro se de magia* (seit der Aldina Ed. 1521 ist der Titel *Apologia* (*apol.*) traditionell). Die schriftliche Version [11. 1715–19] der Rede, mit der sich A. gegen die Anklage der Magie verteidigt hat (s. o.). 3. *Florida* (*flor.*): 23 ausgewählte Fragmente unterschiedlicher Länge aus epideiktischen Reden. 4. *De deo Socratis* (*ddS*) behandelt Existenz und vermittelnde Funktion der → Dämonen und bespricht die spezielle Natur des *daimónion* des → Sokrates. Der Prolog wurde seit 1900 oft vom eigentlichen Traktat getrennt und sogar in 5 Fragmente geteilt und den *flor.* zugewiesen. Oder man sah nur Fragment 5 als *praefatio* an, die von einem verlorenen griech. Traktat zum lat. *ddS* überleitete. In der neueren Forsch. wird, auf Grund des thematischen Zusammenhangs aller 5 Fragmente untereinander und mit *ddS*, die Wiederherstellung des ganzen Prologs am urspr. Platz befürwortet [9]. 5. *De Platone et eius dogmate libri II* (*Pl.*). Eine systematische Darstellung der zu A.' Zeit anerkannten, offiziellen Lehre der Akademie. Auf eine hagiographische Lebensbeschreibung → Platons folgen Physik (1) und Ethik (2), nur zwei der in der Einleitung angekündigten drei Partien der Philos.; ein Buch über Logik fehlt (s. u.). Die Stellung von A.' *Pl.* in der Entwicklung des Mittelplatonismus ist umstritten. Aus Verwandtschaft mit der Epit. des → Albinus ergibt sich nicht zwingend eine gemeinsame Schülerschaft bei → Gaius [6. 222–227]. 6. *De mundo* (*mu.*). Ein kosmologisch-kosmographisches Werk, in dem auch die Frage nach dem einen, weltlenkenden Gott erörtert wird. Das Werk ist eine für röm. Leser bearbeitete Fassung des etwa 100 J. vorher entstandenen pseudoaristotelischen Traktates *Perí kósmou*. Der Vergleich mit dem griech. Original ergibt neue Einsichten in A.' Tätigkeit als Übersetzer [10. 399 f.]. 7. *Asclepius* (*Ascl.*). Die Übers. oder Adaption einer griech. Schrift, in der der Gott → Hermes Trismegistus seinen Schüler Asclepius über Kosmologie, Theurgie und Eschatologie unterrichtet. Die Echtheit dieses Werkes wurde fast allg. abgelehnt [6. 218], da der Name des A. fehlt, doch ist das Fehlen des Autorennamens für Schriften des → *Corpus Hermeticum* gattungsspezifisch. Augustinus (civ. 8,23) hielt A. für den Verf.; die Wortwahl weist spezifisch Apuleianische Züge auf [10. 411 f.]. 8. *Peri hermeneias* (*p.h.*). Ein Lehrbuch der formalen Logik der aristotelisch-peripatetischen Schule. Die Echtheit dieses nicht in der Haupttradition (s. u.) überlieferten Werkes wurde seit HILDEBRAND (1842) oft abgelehnt, wird aber in der neueren Forsch. mit Vorsicht bejaht [10. 408–411]. Umstritten ist, ob *p.h.* das dritte Buch zu *Pl.* ist (s. o.), und ob das Werk eine Übers. eines verlorenen griech. Traktates darstellt. Der Autor hat die lat. Fachsprache mit manchen technischen Wörtern bereichert. 9. A. zugeschriebene Gedichte: *Anechomenos ex Menandro* [7] und ein bei → Gellius (19,11,4) überliefertes Gedicht [7; 12].

B 2. Fragmente

Ein Roman oder philos. Dialog *Hermagoras* (Prisc. gramm. 2,85; 111; 135; 279; 528; Fulg. expos. serm. ant. 3); Schriften *De medicinalibus* (Prisc. gramm. 2,203); *De re rustica* (?) (Pallad. 1,35,9); *De arboribus* (Serv. georg. 2,126); eine Übers. von Platons *Phaedo* (Prisc. gramm. 2,511; 520); eine *Epitome historiarum* (l. c. 2,250 f.); *De re publica* (Fulg. expos. serm. ant. 44); *De proverbiis* (Char. gramm. p. 314,5); *Astronomica* (?) (Lyd. mens. 4,116; ost. 4; 7; 44); *Erotikos* (Lyd. mag. 3,64); weitere, auch poetische Fragmente von Werken, deren Titel und Inhalt unbekannt sind [21. 336–341].

C. Wirkungsgeschichte und Überlieferung

Christl. Autoren seit → *Tertullianus* sind A.' Sprache und Stil verpflichtet [5. 45 f.; 19]. Die Kirchenväter der ersten Generationen nach A.' Tod erwähnen ihn selten, nur als Magier und deswegen (wie → Apollonios [14, von Tyana]) als Vertreter des zeitgenössischen Paganismus [14.243 f.]. Doch lebt A. als *philosophus Platonicus* bei spätant. und ma. Autoren weiter [6. 215 f.]; seine Latinisierungen bilden eine wichtige Vorarbeit für die Rezeption des Platonismus im lat. Westen. A. stellt platonisches Gedankengut in den Kontext einer Erlösungsreligion und findet so bei christl. Philosophen Respons:

→ Augustinus erwähnt seinen Landsmann als Philosoph respektvoll neben den berühmtesten griech. Platonikern. Die Dämonologie des *ddS*, mit der sich Augustin auseinandersetzt (civ. 8,14), hat Anziehungskraft auf die Christen in Spätant. und MA ausgeübt. Als *magus* und *philosophus Platonicus* war A. auch das MA hindurch präsent [17], was sich in der Überlieferung der philos. Schriften widerspiegelt: Diese beruht auf einer nordeurop. Tradition von 6 Hss., von denen der Cod. Brux. 10054–6 (9. Jh.) die älteste und wichtigste ist [16. 16–18]. *P. h.*, ein Kettenglied in der Überlieferung der formalen Logik zwischen Aristoteles, den Stoikern und dem lat. Westen, wurde separat von der Haupttradition überliefert.

Die Rezeption und Überlieferung der lit. Werke verlief anders: In der Spätant. kannte man *met.*, *apol.* und *flor.*; die mit rel. Bekenntnis verbundene autobiographische Form der *met.* hat die Form von Augustins *Confessiones* mitbestimmt. Im 6. Jh. fing die allegorisierende Deutung der Erzählung von *Amor und Psyche* mit → Fulgentius an. Direkte Kenntnis der *met.* im MA wird nicht angenommen [17. 366 f.]. Im 14. Jh. wurden die lit. Werke wiederentdeckt. Für die Überlieferung ist der Cod. Med. Laur. plut. 68,2 (11. Jh.) der Archetypus. BOCCACCIO hat sich dieses Ms. aus Monte Cassino, das auf einen verlorenen spätant. Codex vom Ende des 4. Jh. zurückgeht, angeeignet [16. 15 f.]. Seit BOCCACCIOS Wiederentdeckung wird A. übersetzt und als Erzähler rezipiert [20]. BEROALDUS D. Ä., dessen Kommentar zu den *met.* im J. 1500 erschien, befürwortete im Lat. der Humanisten eine »apuleianische«, archaisierende Stilrichtung; diese wurde dem streng imitativen Ciceronianismus und dem quintilianischen Eklektizismus gegenübergestellt [1]. Autobiographische Form sowie episodische Struktur und das *fortuna*-Motiv der *met.* haben Einfluß ausgeübt auf spätere pikareske Romane, beginnend mit LAZARILLO DE TORMES (1554) [22. 235–243; 20. 220–225]. Bis in die moderne Literatur und bildende Kunst hinein ist die Rezeption der *met.*, und namentlich der Erzählung von *Amor und Psyche* spürbar [8. 171 f.].

ED.: Met.: R. HELM, ³1933, Ndr. 1968 · Ders., ⁸1978 (dt. Übers. von W. KRENKEL) · D. ROBERTSON, P. VALLETTE, ²1956 (frz.) · C. GIARRATANO, P. FRASSINETTI, 1960 · J. A. HANSON, 1989 (engl.) · E. BRANDT, W. EHLERS, ⁴1989 (dt.) · Ascl.: A. D. NOCK, A.-J. FESTUGIÈRE, 1945 (Corpus Hermeticum II, frz.) · P. h.: D. LONDEY, C. JOHANSON, 1987 (engl.) · Apol.: R. HELM, ⁵1972 · P. VALLETTE, ²1960 (mit flor.; frz.) · B. MOSCA, 1974 (it.) · Flor.: R. HELM, 1910, Ndr. 1959 · Philosophica: J. BEAUJEU, 1973 (mit Frg.; frz., Komm.) · C. MORESCHINI, 1991.
KOMM. ZU MET.: A. SCOBIE, 1975 (I) · R. TH. VAN DER PAARDT, 1971 (3) · B. L. HIJMANS (et al.), 1977–95 (4,1–27; 6,25–32; 7–9) · P. GRIMAL, 1963 (4,28–6,24) · E. J. KENNEY, 1990 (4,28–6,24; engl.) · J. GWYN GRIFFITHS, 1975 (11).
LIT.: C. C. SCHLAM, in: CW 64,9, 1971, 285–309 · E. L. BOWIE, S. J. HARRISON, in: JRS 83, 1993, 169–178 (met.) · M. G. BAJONI, in: Lustrum 34, 1992, 339–391 (philosophica).
INDEX: W. A. OLDFATHER, H. V. CANTER, B. E. PERRY, 1934.

1 J. F. D'AMICO, The Progress of Renaissance Latin Prose, in: RQ 37, 1984, 351–392 2 M. BERNHARD, Der Stil des A. von Madaura, 1927, Ndr. 1965 3 L. CALLEBAT, Sermo cotidianus dans les Métamorphoses d'Apulée, 1968 Ders., Formes et modes d'expression dans les œuvres d'Apulée, ANRW II 34.2, 1994, 1600–1664 5 J. FONTAINE, Aspects et problèmes de la prose d'art latine au IIIᵉ siècle, 1968 6 S. GERSH, Middle Platonism and Neoplatonism 1: The Latin Tradition, 1986 7 S. J. HARRISON, A. Eroticus: Anth. Lat. 712 Riese, in: Hermes 120, 1992, 83–89 8 E. H. HAIGHT, A. and his Influence, 1927, Ndr. 1963 9 V. HUNINK, The Prologue of A.' De Deo Socratis, in: Mnemosyne 48, 1995, 292–312 10 B. L. HIJMANS, A., Philosophus Platonicus, in: ANRW II 36.1, 1987, 395–475 11 Ders., A. Orator: Pro se de magia and Florida, ANRW II 34.2, 1994, 1708–1784 12 S. MATTIACCI, L'Odarium dell'amico di Gellio e la poesia novella, in: V. TANDOI (Hrsg.), Disiecti membra Poetae 3, 1988, 194–208 13 R. MERKELBACH, Roman und Mysterium in der Antike, 1962 14 C. MORESCHINI, Sulla fama di A. nella tarda antichità, in: Romanitas et Christianitas: Studia I. H. Waszink, 1973, 243–248 15 F. REGEN, A. Philosophus Platonicus. Unt. zur Apologie (De magia) und zu De mundo, 1971 16 L. D. REYNOLDS (Hrsg.), Texts and Transmission, 1983 17 C. C. SCHLAM, A. in the Middle Ages, in: A. Bernaro, S. Levin (Hrsg.), The Classics in the Middle Ages, 1990, 363–369 18 Ders., The Metamorphoses of A., 1992 19 V. SCHMIDT, Moralische Metaphorik bei A. und im christl. Latein am Beispiel morum squalore, in: WS 103, 1990, 139–143 20 A. SCOBIE, The Influence of A.' Metamorphoses in Renaissance Italy and Spain, in: B. L. HIJMANS, R. TH. VAN DER PAARDT, Aspects of A.' Golden Ass, 1978, 211–230 21 P. STEINMETZ, Unt. zur röm. Lit. des 2. Jh. n. Chr., 1982 22 P. G. WALSH, The Roman Novel, 1970 23 J. J. WINKLER, Auctor and Actor. A Narratological Reading of A.' Golden Ass, 1985. M. ZI.

Apries. Vierter König der 26. Dynastie (589–70 v. Chr.), ägypt. Wḥ-jb-Rᶜ, im AT Hophraᶜ, Sohn und Nachfolger Psametichs II. Interveniert zu Beginn seiner Regierung erfolglos in Palästina gegen die Chaldäerherrschaft. Ebenso erfolglos ist später seine Unterstützung der Libyer der Cyrenaika gegen die dortigen Griechen. Nach einer Niederlage erhebt das Heer → Amasis zum neuen König. A. wird geschlagen; über die Umstände seines Todes machen die Quellen widersprüchliche Angaben, er wird aber als König in Sais bestattet.

TH. SCHNEIDER, Lex. der Pharaonen, 1994, 81–83 · LÄ I, 358–360. K. J.-W.

Aprikose. Die A. (*Armeniaca vulgaris Lam.* = *Prunus armeniaca L.*) stammt von einer in Ost- und Mittelasien mit 8–9 Arten vertretenen Kernobstgattung, die man wie Pfirsich und Mandel oft nur (wie Plin. nat. 15,41–43) als Untergattung von *Prunus* ansieht. In ihrer chinesischen Heimat wird sie mindestens seit dem 3. vorchristl. Jh. kultiviert. Über Armenien gelangte der frühblühende Baum (Plin. nat. 16,103) durch den Feldzug 63 n. Chr. nach Griechenland und Italien und hieß da-

her μῆλον ἀρμενιακόν, *malum Armeniacum* (Isid. orig.
17,7,7), *Armenia(ca)*. Dioskurides 1,115 [1.1.109] = 1,165
[2.137] und Galen (12,76 und 6,593) nannten die in De
facultatibus alimentorum 2,20 [3] als bekömmlich be-
urteilten Früchte wegen ihrer frühen Reife βρεκόκκια
(πρη-, Galen), Plin. nat. 15,40 *praecocia* bzw. *praecoqua*
(Pall. agric. 2,15,20; 12,7,4 und 6).

1 M. WELLMANN (Hrsg.), Pedanii Dioscuridis de materia
medica Bd. 1, 1907, Ndr. 1958 2 J. BERENDES (Hrsg.), Des
Pedanios Dioskurides Arzneimittellehre übers. und mit Erl.
versehen, 1902, Ndr. 1970 3 G. HELMREICH (Hrsg.), De
facultatibus alimentorum (CMG V,4,2), 1923.

F. OLCK s. v. A., RE II, 270 f.   C. HÜ.

Aprissius. Atellanendichter, 2./1. Jh. v. Chr. Der nur
einmal belegte Name (Varro ling. 6,68) ist zweifelhaft,
vgl. aber Aprusius CIL XI 6712,47; die zahlreichen Konjekturen [2] konnten sich nicht durchsetzen. CICHORIUS
ersetzte den Eigennamen durch die Rollenbezeichnung
parasitus. Varro (l.c.) zitiert einen für die Atellane typischen (Ter. Maur. 2395) iambischen Septenar.

ED.: 1 CRF 273 2 P. FRASSINETTI, Atellanae Fabulae, 1967,
14, 95, 113.
LIT.: 3 BARDON 1,164 f. 4 C. CICHORIUS, Zur Gesch. der
Atellanendichtung, in: Ders.: Röm. Studien, 1922, 82–88
5 SCHANZ / HOSIUS 1, 249–253.   JÜ. BL.

Apronia. **[1]** Tochter des L. → Apronius [II 1], *cos. suff.*
8 n. Chr., im J. 24 von ihrem Mann Plautius Silvanus
getötet (Tac. ann. 4,22). **[2] Caesia**, zweite Tochter des
L. Apronius, *cos. suff.* 8 n. Chr., Frau des Lentulus Gaetulicus, *cos. ord.* 26.

VOGEL-WEIDEMANN, 76 f.   W. E.

Apronius. Lat. Eigenname mit etr. Parallelen [1] (zur
Verbreitung vgl. ThLL 2,211).
[I 1] C., Volkstribun 449 v. Chr. nach dem Ende des
Decemvirats (Liv. 3,54,13). **[I 2] Cn.,** wurde 266 als
gewesener Aedil mit seinem Kollegen Q. Fabius wegen
eines tätlichen Angriffs auf eine Gesandtschaft aus Apollonia von Rom ausgeliefert, aber von der Stadt zurückgeschickt (MRR 1,201). **[I 3] Q.,** verrufener Steuerein-
treiber des Verres auf Sizilien (Cic. Verr. 2,2,108; 2,3
passim).

1 SCHULZE, 110–111.   K. L. E.

II. KAISERZEIT
[II 1] L., wohl *homo novus*; Münzmeister, 8 n. Chr.
cos. suff. (DEGRASSI, FCIR, 6). In Dalmatien nahm er
um das J. 9 unter Vibius Postumus an mil. Unternehmungen teil (Vell. 2,116,3). Unter Germanicus 15
n. Chr. Legat in Germanien; während des Chattenfeld-
zuges wurde ihm der Schutz des Rheinufers übertragen;
dafür erhielt er die Triumphalornamente (Tac. ann.
1,56; 72). Am Prozeß gegen Libo → Drusus im J. 16
beteiligt (Tac. ann. 2,32,2). Von 18–21 Prokonsul von

Africa, begleitet von seinem Sohn A. [II 2]. Er führte
langwierige Kämpfe gegen → Tacfarinas, den Führer
der Numider; deshalb wurden die Truppen der Prov. im
Frühjahr 21 um eine Legion verstärkt (Tac. ann. 3,9,1;
21). Tacitus schildert ihn als Muster mil. Disziplin (Tac.
ann. 3,21). Möglicherweise erhielt er ein zweites Mal
die Triumphalornamente (Tac. ann. 4,23,1). Im J. 24
klagte er seinen Schwiegersohn wegen Mordes an (Tac.
ann. 4,22). Im J. 28 kämpfte er als Legat des niedergerm.
man. Heeres ohne Erfolg gegen die Friesen, deutlich
kritisiert bei Tacitus (Tac. ann. 4,73,1); ob er bis zum J.
34 Legat war, ist unsicher [1; 2. 73 ff.]. Seine beiden
Töchter waren → Apronia [1] und [2].
[II 2] Caesianus, L., Sohn von [II 1]. Als Tribun oder
comes seines Vaters in Africa kämpfte er erfolgreich gegen Tacfarinas im J. 21 (Tac. ann. 3,21,4); deshalb mit
dem Priesteramt eines VII*vir epulonum* ausgezeichnet;
Dankesweihung an die Venus Erycina in Sizilien (CIL X
7257 = ILS 939). Obwohl er mit L. → Aelius [II 19] Seianus verbunden war, wurde er 32 n. Chr. Praetor (Cass.
Dio 58,19,1 f.). Im J. 39 *cos. ord.* zusammen mit → Caligula (Cass. Dio 59,13,2). Wenn auf ihn InscrIt 4, 1,52 zu
beziehen ist, wurde er von Claudius unter die Patrizier
aufgenommen [2. 174 ff.].

1 ECK, 112 f. 2 VOGEL-WEIDEMANN.   W. E.

Apros. Urspr. thrak. Siedlung an der → *via Egnatia*
beim h. Kestridze an der Abzweigung nach Ainos und
zur thrak. Chersonesos (Plin. nat. 4,47; Ptol. 3,11,7; auf
Gefäßen aus Rogozen). Bischofssitz, bei Hierokles 312
als Theodosiupolis notiert. Einfälle von → Goti (Prok.
BG 8,27,8).   I. v. B.

Apsaros. **[1]** Das h. Gonio südl. von Batumi (Arr. per.
p. E. 6,1; Absarros: Plin. nat. 6,4; Absaros: ILS 2660; Tab.
Peut. 10,5; Prok. BG 4,2; 13; Agath. 6,1–11, Chr. pasch.
I p. 61; II p. 435). Stark befestigtes röm. Kastell an der
Mündung des A. [2]; 5 Kohorten z. Z. Arrians, z. Z.
Prokops in Ruinen, wohl im 7. Jh. erneuert. Zustand
heute: Rekonstruierte byz.-genues.-türk. Mauern, im
Innern Reste von Bauten und arch. Material ab dem 1.
Jh. n. Chr.; systematische Grabungen seit 1995. Zufalls-
fund eines Grabinventars aus dem 2./3. Jh. (Phalerae,
Goldstatuette eines Jünglings, Schmuck) außerhalb der
Festung. **[2]** Südl. Mündungsarm des → Akampsis.

A. PLONTKE-LÜNING, Das röm. Kastell Apsaros, in: Georgica
17, 1994, 23–28 (mit Lit.) · D. BRAUND, Georgia in
Antiquity, 1994, 181–187   A. P.-L.

Apsilai. Kaukasisches Volk an der nordöstl. Schwarz-
meerküste um die Mündung des Koraxes (h. Kodori)
südl. der → Abaskoi (Plin. 6,14; Arr. per. p. E. 11,3;
Prok. BG 4,3; Agath. 2,15; 4,15; Geogr. Rav. 1,17). Im
Gebiet der A. lag → Dioskurias/ Sebastopolis. Der A.-
König → Iulianus erhielt von Hadrian die Insignien.

A. P.-L.

Apsines. Valerius [1] A., Sophist aus Gadara, Schüler des Sophisten Herakleides und des Basilikos, Lehrer das Gaianos, Rivale des Fronto von Emesa in Athen während der Regierungszeit des Maximinus, wo ihm die *ornamenta consularia* verliehen wurden (Suda α 4735 AD-LER). Vater des Sophisten Onasimos (Suda α 4734, 4736), Freund des Philostratos (Philostr. soph. 2,33). Die Werke μελέται, ζητήματα und ein Demostheneskomm. (Maximos Planudes 5,517 WALZ) sind verloren; ein korruptes Werk περὶ τῶν ἐσχηματισμένων προβλημάτων folgt einer Überarbeitung seines Werks τέχνη in einem 1838 entdeckten Manuskript. A. wird von den Kommentatoren, von Sopatros und Syrianos bis hin zu Gregorios von Korinth (12.Jh.), häufig zitiert.

    1 J. H. OLIVER, in: Hesperia 10, 1941.

    ED.: WALZ 9, 467–542 · SPENGEL 1, 463–470.
    LIT.: G. KENNEDY, The art of rhetoric in the Roman world, 1972, 633–4 · PIR A 978 · J. GEIGER, in: Illinois Classical Studies 19, 1994, 224.   E. BO. / L. S.

Apsinthioi (Ἀψίνθιοι). Thrak. Stamm auf der thrak. → Chersonesos, östl. der Dolonkoi. Gegen sie ließ → Miltiades eine Mauer von Kardia bis Paktye bauen (Hdt. 6,36f.). Die A. nahmen nach der Eroberung von Sestos durch die Athener 478 v. Chr. den Perser Oiobazos gefangen und opferten ihn ihrem Gott Pleistoros (Hdt. 9,119). Die A. nannten sich nach dem Fluß Apsinthos (= → Melas). In der Apsinthis befand sich das → Hieron oros.
→ Sestos   I. v. B.

Apsis (ἁψίς). »Bogen, Wölbung«, lat. *apsis* bzw. *absida*, vgl. auch → Exedra. Halbkreisförmiges, z. T. auch polygonales, gedecktes Architekturelement, meist als Raumabschluß oder Raumteil verwandt. In der ägäischen Hausarchitektur (→ Haus) früh belegt; Häuser mit langrechteckigem Grundriß, der am rückwärtigen Ende durch eine halbkreisförmige A. abgeschlossen wird, finden sich schon in den untersten Schichten Troias (Troia I a), in der gesamten ägäischen Bronzezeit und auch in der geom. Architektur Griechenlands (u. a. Antissa, Lefkandi, Lerna, Mykene, Zagora/Andros) sowie als Kernelemente des frühen Tempelbaus (Perachora, Thermos A, → Tempel). In der kanonisierten gr. Baukunst begegnet die A. nur vereinzelt (Heroon von Kalydon); zu den Halbkreisformen der hell. Architektur (Pella, Palast; Pleuron, Prytaneion) s. → Exedra.

In der röm. Architektur ist die A. ein prägendes Element, das an verschiedensten Bautypen begegnet und dort oft zur Unterstützung und Strukturierung zeremonieller Handlungen (→ Basilica, → Palast, → Tempel, → Baptisterium, → Villa), aber auch zu profanen (→ Thermen) oder sepulkralen Zwecken (→ Grabbauten) dienen konnte. Die entweder flach oder mit einem Spitzdach über einer Halbkuppel gedeckte A. ist auf die Wirkung in Innenräumen hin konzipiert, kann jedoch in allen Bauzusammenhängen der späteren röm.

Kaiserzeit auch zu einer nach außen hin sichtbaren, fassadengestaltenden Komponente werden.

Als Chorabschluß im Kirchenbau bleibt die A. ein markantes Element auch der frühchristl.-nachant. Architekturgesch.; als regelrechtes Leitmotiv findet sich die sekundär angebaute A. bei ant. Gebäuden, die in christl. Kirchen umgewandelt wurden (sog. Phidiaswerkstatt, Olympia; Concordiatempel, Agrigent; Theseion, Athen). Die A. wird zum Bezugspunkt des ganzen Gebäudes, dessen Strukturhierarchie hier – als dem Ort der Priesterbänke und des Bischofsstuhls – ebenso kulminiert wie der Ablauf des Zeremoniells. Das Christusbildnis in der Halbkuppel ist in Kirchen mit basilikalem Grundrißkonzept der Höhepunkt der Bilderfolge. Im Innern immer halbrund, manchmal mit Nischen versehen (z. B. Sohag, Weißes Kloster), tritt die A. äußerlich als Baukörper entweder gar nicht in Erscheinung (durch vollständige Einfütterung, z. B. die 3–Apsiden-Basilika S. Petrus in Gerasa) oder wird von einer polygonal gebrochenen Umrißlinie gebildet. Daneben existiert auch die halbrunde Außenform, oft mit massiven Vertikalstreben (Basiliken von Nikopolis). Die A. als Baukörper hat sich im lat. Kirchenbau bis in den Barock tradiert; im orthodoxen Kirchenbau wird der spätbyz. Formenkanon mit allen seinen Elementen bis heute verwendet und in moderne Bautechnik (z. T. Stahlbetonguß) transponiert.

BRONZEZEITL. UND FRÜHGR. ARCHITEKTUR:
H. DRERUP, Gr. Architektur zur Zeit Homers, in: AA 1964,

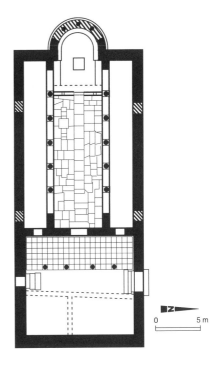

Olympia, **Werkstatt des Phidias**
(Umbau in frühchristliche Kirche)

180–219 · Ders., ArchHom O, Baukunst, 1969, 25–31 ·
S. SINOS, Die vorklass. Hausformen in der Ägäis, 1971, 81–110.
HELLENIST. ARCHITEKTUR:
E. DYGGVE, Das Heroon von Kalydon, 1934, 50–56 ·
H. LAUTER, Die Architektur des Hellenismus, 1986, 238–242.
RÖM. U. FRÜHCHRISTL. ARCHITEKTUR:
A. M. SCHNEIDER, s. v. A., RAC I, 1950, 571–573 ·
C. DELVOYE, s. v. A., RBK I, 1966, 246–261 · L. A. SCHNEIDER,
Die Domäne als Weltbild, 1983, 68–75 m. Anm. 6 · J. DECKERS,
Constantin und Christus. Das Bildprogramm in
Kaiserkulträumen und Kirchen, in: Spätant. und frühes
Christentum, Ausstellungs-Kat. Frankfurt/Main 1983,
267–278 · F. RAKOB, Ambivalente A., in: MDAI(R) 94, 1987,
1–28.   C. HÖ.

0   5 m

Antissa, **Apsishaus** (geometrisch / rekonstr. Grundriß)

Apsû (sum. *abzu*; in der griech. Überlieferung Ἀπασών
[1]). A. nannten die Mesopotamier den unter der Erd-
oberfläche befindlichen »Süßwasserozean«, aus dem
sich Brunnen und Quellen speisten. Der in Babylonien
recht hoch anstehende Grundwasserspiegel dürfte zu
der Vorstellung des *a.* geführt haben. Der *a.* galt als der
Herrschaftsbereich des Gottes Enki/Ea (Stadtgott von
Eridu und Gott der Weisheit). Dem Schöpfungsmythos
Enūma eliš zufolge sind die Götter und letztlich alles
weitere Sein aus der Verbindung der Tiāmat (des Salz-
wassers der Meere) und des *a.* (des Süßwassers) entstanden. A. wurde von Enki/Ea bezwungen. Seinen
Wohnsitz, den Tempel É-abzu, errichtete er über ihm.
Marduk, der Sohn des Ea, galt als »der aus dem *a.* Her-
vorgegangene«. Der Lehm des *a.* war die Materie, aus
der die Welt und auch der Mensch geschaffen wurde.

→ Enki/Ea; Enūma eliš; Tiāmat

1 DAMASKIOS, Περὶ τῶν πρώτων ἀρχῶν, ed. KOPP (1826),
Kap. 125.

S. N. KRAMER, J. MAIER, Myths of Enki, the Crafty God
1989 · M. W. GREEN, Eridu in Sumerian Literature,
PhD Chicago 1975.   S. M.

Apsyrtides (Ἀψυρτίδες). Liburnische Inselgruppe östl.
von Istrien, bei Theopompos (FGrH 115 fr. 130; vgl.
Strab. 2,5,20; 7,5,5) mit dem Argonautenmythos
(→ Argonautai) verbunden; auf der größten Insel Crep-
sa (h. Cres, Kroatien) im Norden Crexa/Crexi, im Süden Asporus (Plin. nat. 3,140); beide Orte seit Tiberius
→ *municipia.*
→ Liburni

J. J. WILKES, Dalmatia, 1969, 196f. · Ders., The Illyrians,
1992.   D. S.

Apsyrtos (Ἄψυρτος, lat. Absyrtus). **[1]** Sohn von Aietes
und Idyia (richtig Tzetz. Lykophr. 798), Bruder Medeias'. Von ihr im älteren Mythos als unmündiges Kind
entführt und, um den verfolgenden Vater aufzuhalten,
zerstückelt ins Wasser geworfen (Pherekyd. FGrH F 32;
Apollod. 1,132f.; auf Felder geworfen, Ov. trist. 3,9)
Nach Sophokles (fr. 343 TrGF 4) und Kallimachos (fr. 8)
wurde A. im Hause des Aietes getötet. Apollonios Rhodios macht A., mit dem Beinamen Phaethon und
Asterodeia als Mutter (3,242ff.), zum Wagenlenker des
Aietes sowie Anführer der Verfolger; er wird unter Mithilfe Medeias hinterhältig von Iason getötet (4,404ff.;
danach Val. Fl. 8,261; Orph. Arg. 1022; vgl. Hyg. fab.
23). Andere Namen: Aigialeus (Diod. 4,45,3 Mutter:
Hekate) und Metapontios (Dikaiogenes p. 775 TGF).
→ Aietes; Argonautai; Asterodeia; Iason; Medeia; Phaethon; Tomi

U. VON WILAMOWITZ-MOELLENDORFF, Hell. Dichtung in
der Zeit des Kall. Bd. 2, ²1962, 191–197.   P. D.

[2, aus Klazomenai], eine der Hauptquellen des Corpus Hippiatricorum Graecorum (CHG). Aufgrund des
chronologischen Problems, daß Theomnestos ihn zitiert, und einer genauen Untersuchung der prosopo-
graphischen und onomastischen Angaben in seinem
Werk datierte G. BJÖRCK diesen Veterinär, der seinen
Militärdienst in den Donaulegionen versah, lieber in die
Zeit zwischen 150 und 250 als in das 4. Jh. n. Chr. In den
hauptsächlich hippiatrischen Texten, die im CHG erh.
sind (sie enthalten einige magische Rezepte und Verordnungen für Großvieh), zeigt sich A. als erfahrener
Praktiker, der manchmal auch aitiologische Fragen angeht. Obwohl er seine Vorgänger Magon, Eumelos und
οἱ πρὸ ἡμῶν zit., läßt seine Terminologie keinen Rückschluß auf seine Quellen zu und erlaubt auch kaum eine
Zuordnung zu einer bestimmten medizinischen Lehre,
es sei denn vielleicht zur methodischen Schule. Der lit.
anspruchslose A. wurde von Hierokles plagiiert (dieser
beschränkte sich darauf, viele seiner Artikel in ein ele-
ganteres Griechisch zu übertragen) und von späteren

hippiatrischen Autoren, gr. wie lat., ausgiebig benutzt. Einfluß hatte er auch auf arab. Seite, bes. durch die Übersetzung der Abhandlung des Theomnestos.

→ Hippiatrika; Mulomedicina; Pelagonius; Vegetius

1 Corpus Hippiatricorum Graecorum, Hrsg. E. ODER, K. HOPPE, 2 Bde., 1924/27 2 E. ODER, A. Lebensbild des bedeutendsten altgriech. Veterinärs, in: Veterinärhistor. Jb. 2, 121–136 3 G. BJÖRCK, Zum CHG. Beiträge zur ant. Tierheilkunde, 1932 4 G. BJÖRCK, Le Parisinus grec 2244 et l'art vétérinaire grec, in: REG 48 5 G. BJÖRCK, Griech. Pferdeheilkunde in arab. Überlieferung, in: Le Monde oriental 30, 1–12 6 G. BJÖRCK, Apsyrtus, Julius Africanus et l'hippiatrique grecque, 1944 7 K. D. FISCHER, Two notes on the Hippiatrica, in: GRBS 20, 376–379 8 K. D. FISCHER, Ancient Veterinary Medicine, in: Medizinhist. Journ. 23, 191–209 9 A. M. DOYEN, The Hippiatrica and Byzantine Veterinary Medicine, in: Dumbarton Oaks Papers 38, 111–120.   A. D.-H./T. H.

Apta Iulia. Stadt der → Vulgientes; → *colonia* (CIL XII 1005; 1116; 1118; Itin. Anton. 343,3 vgl. 388,4; Sidon. epist. 9,9,1; *civitas Aptensium* (Pol. Silv. 16,3); besaß das → *ius Latii* (Plin. nat. 3,36), lag an der Straße von → Mediolanum nach → Arelate. H. Apt (Vaucluse) am Coulon, der von rechts in die Durance (nahe der Mündung in den → Rhodanus) einfließt. Im 6. Jh. n. Chr. verließen die meisten Bewohner die Stadt, um Zuflucht auf den benachbarten Höhen zu suchen.   Y. L.

Aptara. Aptera (Ἀπτάρα, Ἀπτέρα). Hafenstadt im Nordwesten von → Kreta auf 230 m hohem Plateau, h. Palaeokastro, auf Münzen und Inschr. Aptara, lit. Aptera (ant. Erklärung des Namens: Steph. Byz. s. v. A.; Paus. 10,5,10). Siedlungsspuren seit dem 2. Jt. v. Chr. In frühhell. Zeit mehrfach in zwischenstaatliche Politik involviert. 220 v. Chr. löste A. auf Druck von → Polyrrhenia das Bündnis mit → Knosos (Pol. 4,55,4). Für das 3. Jh. v. Chr. ist eine → Symmachia mit → Kydonia bezeugt [2]. Dank des Hafens in der Suda-Bucht hatte A. wirtschaftliche Bed. (in röm. Zeit nachlassend).

Teile der urspr. fast 4 km langen Stadtmauer, Tempel, Zisternen, ein röm. Theater sowie byz. Gebäude erhalten.

1 C. BURSIAN, Geogr. von Griechenland 2, 1872, 543 2 A. CHANIOTIS, 4 kret. Staatsverträge, in: Chiron 21, 1991, 241–247 3 LAUFFER, Griechenland, 125 f.   H. SO.

Apthonius s. Asmonius

Apuani. Stamm der → Ligures zw. Magra und Serchio in der nördl. Etruria (→ Etrusker), h. Apuanischen Alpen und Garfagnana. Nach heftigen Kämpfen mit den Römern (spätestens seit 187 v. Chr.: Liv. 39,2; 20; 32; 38; 40,1) besiegt; 40000 A. wurden 180 v. Chr. unter den Prokonsuln P. Cornelius Cethegus und Cn. Baebius Tamphilius nach → Samnium deportiert (*Ligures Corneliani et Baebiani*: Plin. nat. 3,105), weitere 7000 im

selben Jahr unter den Konsuln A. Postumius Albinus und Q. Fulvius Flaccus (Liv. 40,41).

G. FORNI (Hrsg.), Fontes Ligurum et Liguriae antiquae, 1976, s. v. A. · Inscr. Italiae 13, 1, 1947 · A. BARIGAZZI, Liguri Friniati e A. in Livio, in: Prometheus 17, 1991, 55–74.   M. G. A. B./S. W.

Apuli, Apulia. Oskischer Stamm zw. Daunii und → Frentani (Strab. 6,3,8), der nach Errichtung der röm. Herrschaft (Liv. 8,25; 37; 9,12 ff.; 20,4 ff. für 317 v. Chr.) der Landschaft von der Adria (mit den *Diomedeae insulae*, h. Isole Tremiti) bis zum → Appenninus mit dem in den Golf von → Tarentum mündenden Bradanus (h. Brádano), vom → Tifernus bis → Calabria den Namen gab. Geologisch bestimmen mesozoischer Kalk und Dolomit den Boden am → *mons Garganus* (h. Monte Gargano mit dem Montenero 1012 m) und ihre Überdeckungen in der apulischen Tafel. Oft von Erdbeben heimgesucht (Cic. div. 1,97), war A. problematisch wegen Wasserarmut (Strab. 6,3,5; Hor. sat. 1,5,78 f.; Ovid. met. 14,510), gerühmt wegen Waldreichtums (am Osthang des Appenninus und am *mons Garganus*: Cato agr. 151; SHA Verus 6), Ölbäumen und Weins (Varro r.r. 2,6,5). Weniger Ackerbau als Viehzucht (Pferde, Schafe: Varro r.r. 2,7,1; Strab. l.c.). Die Küstenregion war mit sumpfigen Strandseen ungesund (Caes. civ. 3,2; Vitr. 1,4,12), wenige Häfen (→ Sipontum, → Salpia).

Mit → Calabria und dem Gebiet der → Hirpini war A. seit → Augustus in der → *regio* II vereint (Plin. nat. 3,103 f.). Nach der Reichsreform des → Diocletianus unterstand A. als »Apulia et Calabria« (ohne → Teanum Apulum, CIL IX 703) einem dem *vicarius urbis* nachgeordneten *corrector* (Not. dign. occ. 44) und war so im 5. Jh. n. Chr. als 11. der 16 *provinciae* unter Kontrolle des *praefectus praetorio Italiae* (Laterculus Veronensis 10,6; Polemius Silvius, Laterculus 1,13). Schwer mitgenommen in den Gotenkriegen (535–553 n. Chr.) unter → Iustinianus, nach Eroberung durch die Lombarden im Herzogtum Benevento (die Halbinsel des *mons Garganus* blieb bis 668 n. Chr. byz.). Anf. des 9. Jhs. n. Chr. setzten sich in verschiedenen Städten von A. (Brindisi, Bari, Taranto) die Araber fest. Basileios I. (867–886) gelang es schließlich, die Araber zu vertreiben. A. war byz. bis zur Besetzung durch die Normannen 1071 (Eroberung von Bari).

M. CAGIANO DE AZVEDO, Prosperità e banditismo nella Puglia e nell' Italia meridionale durante il Basso Impero: Studi di storia pugliese in onore di G. Chianelli 1, 1972, 197–231 · P. DE LEO, s. v. A, in: LMA 1, 820–823 · A. GUILLOU, Studies on Byzantine Italy, 1970 · NISSEN 2, 833–861 · F. TICHY, It., 1985.   E. O.

Apulische Vasen. Führende Gattung der rf. → unteritalischen Vasenmalerei, ca. 430 – ca. 300 v. Chr., mit Produktionszentrum Tarent. Man unterteilt die a. V. in *plain-* und *ornate-style*, wobei in ersterem bei weitgehendem Verzicht auf Zusatzfarben vornehmlich Glocken-, Kolonettenkratere und kleinere Gefäßtypen mit einfachem Dekor und Kompositionen von einer bis vier Personen versehen werden (Sisyphos-, Tarporley-Maler). Myth. Themen bilden einen Schwerpunkt, daneben die Darstellung von Frauenköpfen, Kriegern (Kampf- und Abschiedsszenen) und des dionysischen Thiasos. Die Rückseiten der Vasen werden vornehmlich mit Manteljünglingen versehen. Nach der Mitte des 4. Jh. v. Chr. ist eine Annäherung an den *ornate-style* bei einigen späten Vertretern (Varrese-Maler) festzustellen.

Die Maler des *ornate-style* bevorzugen großflächige Volutenkratere, Amphoren, Loutrophoren und Hydrien, auf denen die schwerelos wirkenden Figuren (z. T. über 20) in mehreren Zonen auf dem Vasenkörper angeordnet sind. Reichliche Verwendung finden farbliche Zusätze, vor allem Rottöne, Goldgelb und Weiß. Nach einer anfänglich eher schlichten Darstellungsweise zeichnen sich die a. V. ab der 2. H. des 4. Jh. v. Chr. durch üppige Pflanzen- bzw. Ornamentdekoration, vor allem in den Halszonen sowie durch wohlkomponierte Seitenornamentik aus. Gleichzeitig werden perspektivische Ansichten, insbes. von Gebäuden (Naiskoi, »Unterweltspaläste«) häufiger. Ein Hauptthema des *ornate-style* (→ Iliupersis-Maler, → Dareios-, → Baltimore-Maler) sind ab ca. 360 v. Chr. Grabszenen mit Offranten, die sich um einen Naiskos oder eine Stele (→ Naiskosvasen) versammeln; aus dem Mythos sind u. a. Götterversammlungen, Amazonomachien, Bellerophon, Herakles, Troianische Sagen als Motive zu nennen, daneben eine große Anzahl sonst nur selten belegter Mythen. Die vielen dionysischen und aphrodisischen Motive stehen im Bezug zu Jenseitsvorstellungen (→ unterital. Vasenmalerei). Hierhin gehören auch die aus Blütenkelchen bzw. zwischen Ranken emporwachsenden Frauenköpfe (seltener andere Figuren wie Pan, Hermes oder Orientalen). Eros-, Frauendarstellungen und Hochzeitsbilder sind seit der 2. H. des 4. Jh. v. Chr. stark vertreten. Zahlreiche Gefäße zeugen von der Theaterleidenschaft der unterital. Griechen, sowohl für die Posse (→ Phlyakenvasen), als auch für das dramatische Theater. Alltags- und Sportdarstellungen spielen nur in der Anfangsphase eine Rolle und sind nach 370 v. Chr. aus dem Repertoire der Maler fast ganz verschwunden. Die apulischen Vasenmaler beeinflußten maßgeblich die Künstler anderer unterital. Landschaften, auch scheinen einige Vasenmaler sich in anderen Zentren (z. B. Canosa) niedergelassen zu haben. Neben der rf. Keramik stellten die apulischen Maler schwarzgefirnißte Gefäße mit aufgemaltem Dekor (→ Gnathiavasen) und polychrome → Canosiner Vasen her.

A. D. Trendall, A. Cambitoglou, Apulian Red-figured Vase-Painters of the Plain Style, 1961 · Trendall / Cambitoglou · A. D. Trendall, The rf. Vases of South Italy and Sicily, 1989, 23–28, 74–156 · K. Schauenburg, Zur Grabsymbolik a. V., in: JDAI 104, 1989, 19–60 · K. Stähler, Das Lesen a. V.-bilder, in: ΜΟΥΣΙΚΟΣ ΑΝΗΡ, FS M. Wegner, 1992, 399–423.   R. H.

Apulum. Hauptstadt der → Dacia Apulensis im südl. Siebenbürgen am Mureş, wichtiger Straßenkreuzungspunkt (Ptol. 3,8,4), das h. Alba Julia. Wirtschaftliche Basis waren Landwirtschaft und Golderz. Unter → Traianus war hier das Lager (ca. 24–30 ha groß) der *legio XIII Gemina*. Südl. davon das *municipium Aurelium Apulense* (CIL III 986), unter Kaiser Commodus *colonia Aurelia Apulensis*. Daneben entwickelte sich über einer älteren dakischen Siedlung die *colonia Nova Apulensis* (Inschr. von 250 n. Chr.), in der u. a. Bäder und ein Mithraeum entdeckt wurden. Seit Kaiser Hadrianus Sitz des *legatus Augusti* von Dacia Superior, seit Marcus Aurelius des *legatus Augusti Praefectus Praetorio Daciarum trium*. Die Stadtgottheiten waren → Aesculapius und → Hygieia. Besonders unter → Septimius Severus wurden hier viele röm. Veteranen angesiedelt. Zwei röm. Nekropolen wurden bei den Siedlungen gefunden.

I. Berciu, Cetatea Alba Iulia, 1968, 8–13 · A. Popa, I. Aldea, Colonia Aurelia Apulensis Chrysopolis, in: Apulum 10, 1972, 209–220.   I. v. B.

Apustius. Plebeischer Gentilname wohl etr. Herkunft [1], inschr. bis in die Kaiserzeit bezeugt (ThLL 2,294). **[1] L.**, Legat 215 v. Chr. (Liv. 23,18,9; 11). **[2] P.**, 161 v. Chr. Gesandter mit Cn. Cornelius → Lentulus an Ptolemaios VII. Physkon (Pol. 31,20,4). **[3] Fullo, L.**, *cos.* 226 v. Chr. **[4] Fullo, L.**, wahrscheinlich Sohn von Nr. 3, Aedil 201 v. Chr., 200 Legat in Macedonia, 196 *praetor urbanus*, 194/2 *IIIvir coloniae deducendae* nach Thurii, 190 als Legat in Kilikien gefallen (MRR 1,320–359).

1 Schulze, 71.   K. L. E.

Apyra s. Opfer

ʿAqaba. Arab. »steile Steige«, am Nordost-Ende des gleichnamigen Golfs gelegen, ist erstmals bei ma. Geographen als ʿaqabat ʾayla (Steige von Aila) bezeugt. Aila, 1 km nördl. des heutigen A., hieß in nabatä.-röm.-byz. Zeit die Nachfolgesiedlung des at. Elat. In 1 Kg 9,26–28 dient die edomitische Stadt Elat/ A. als topographische Annäherung für die Lage der Hafenstadt Ezjon-Geber, von der aus König Salomon mit Hiram von Tyrus eine Handelsschiffahrt zum Goldland Ophir, wahrscheinlich an der West-Küste Arabiens, betrieben haben soll. Zuverlässiger ist die Notiz 1 Kg 22,48–50, nach der Joschafat von Juda (871–849 v. Chr.) eine Hochseeflotte von Ezjon-Geber nach Ophir verkehren lassen wollte. In persischer Zeit wurde der Ort von den Phoinikern beherrscht, nach der Umwandlung des Nabatäerreichs in die Prov. Arabia 106 n. Chr. diente er als Sitz der X. röm. Legion.

O. Keel, M. Küchler, Orte und Landschaften der Bibel 2, 1982, 279, 288 · D. S. Whitcomb, Aqaba – Port of Palestine on the China Sea Amman, 1988.   R. L.

Aqiba. Rabbi A. (ca. 50–135 n. Chr.), bedeutender jüd. Lehrer aus der Zeit von → Jabne, erscheint in den Diskussionen um die Auslegung der Schrift häufig als Kontrahent Rabbi Jischmaels. Er spielt im Kontext früher esoterischer Traditionen eine bedeutende Rolle (vgl. die Erzählung von den Vieren, die das Paradies betraten; bHag 14b par.). Er soll Bar Kochba als Messias Israels proklamiert haben (»Stern aus Jakob«; vgl. Nm 24,5), was – wegen der vorwiegend anti-apokalyptischen Tendenz der frühen rabbinischen Zeit – Widerspruch hervorrief (yTaan 4,8 [68d]). Eine weitere Erzählung berichtet, daß Aqiba als Märtyrer der Hadrianischen Verfolgung starb (bBer 61b). Der histor. Kern dieser Traditionen kann nur vermutet, aber letztendlich nicht sicher behauptet werden.

→ Judentum

P. SCHÄFER, Rabbi Aqiva und Bar Kochba · Ders., Gesch. und Theologie des rabbinischen Judentums, in: AGJU 15, 1978, 45–64 · J. NEUSNER, Art. Akiba ben Josef, TRE 2, 1978, 146–147.   B. E.

Aqua et igni interdictio ergeht in der älteren Zeit der röm. Republik gegen einen wegen eines Kapitalverbrechens angeklagten, aber flüchtigen röm. Bürger, und zwar entscheidet darüber auf Beschluß der Volksversammlung der leitende Magistrat (Liv. 25,4,9). Mit der *a.* wird dem Betroffenen alles zum Leben Notwendige abgesprochen, der Aufenthalt auf röm. Boden wird ihm unmöglich gemacht.

Mit der Einsetzung ständiger Schwurgerichtshöfe (gegen Ende des 2. Jh. v. Chr., verstärkt durch Sulla) wird die *a.* selbst zur Strafe für Kapitalverbrechen. Sie ist Verstoßung aus der Bürgergemeinde und Entziehung des Bürgerrechts (→ *civitas*; Gai. inst. 1,128; 161; Dig. 32,1,2 Ende). Mit Verlust des Bürgerrechts werden, wie im Todesfall, gewaltabhängige Kinder des Betroffenen gewaltfrei; ein selbst Gewaltabhängiger verläßt die väterliche Gewalt. Ob die Auslieferung an den Feind, die Zurückweisung durch diesen und die Nichtaufnahme in Rom dieselbe Folge hatten, war unter den Juristen der Republik umstritten (Modestinus Dig. 49,15,4). → P. Mucius Scaevola bejahte es im Falle des an die Numantiner ausgelieferten und von diesen zurückgewiesenen Feldherrn → Hostilius Mancinus (Dig. 50,7,18).

Unter dem Prinzipat tritt an die Stelle der *a.* die vom Kaiser oder vom → *praefectus urbi* angeordnete → *deportatio* (Dig. 48,19,2,1). Mit der *a.* verbindet sich seit Tiberius der Verlust der Testierfähigkeit (Cass. Dio 57,22,5). Das Vermögen des Verurteilten (→ *bona*) verfällt der Staatskasse oder, falls überschuldet, den Gläubigern. Dasselbe gilt im Fall der *deportatio* (Dig. 28,1,8,1f.).

M. KASER, Zur Gesch. der »capitis deminutio«, in: Iura 3, 1952, 48–89, bes. 68–71 · KASER, RPR I, 33, 281, 682f. · E. LEVY, Libertas und Civitas, in: ZRG 78, 1961, 142–172, bes. 149–152 · MOMMSEN, Strafrecht, 68–73, 971–980.
                                                                D. SCH.

Aqua Ferentina. Quelle (auch *ad caput Ferentinum*, Liv. 2,38,1) in → Latium, vermutlich an der Südseite des → *mons Albanus*, im *lucus Ferentinae* (Liv. 1,50,1). Bis Mitte des 4. Jhs. v. Chr. Versammlungsort der → Latini (Liv. 1,50,1; 2,38,1; 7,25,5; Dion. Hal. ant. 3,45; 51; 4,45; 5,61). Laut röm. Annalistik (Liv. 1,51,9) wurde hier, auf Veranlassung des Tarquinius Superbus, Turnus Herdonius ertränkt.

NISSEN 2, 558 · A. ALFÖLDI, Das frühe Rom und die Latiner, 1977, 34–36.   H. SO.

Aqua Marcia. 144–140 v. Chr. errichtet vom *praetor urbanus* Q. Marcius Rex, der vom Senat beauftragt war, die Aqua Appia und Anio Vetus zu reparieren (Plin. nat. 36, 121; Frontin. aqu. 7). Sie brachte das kälteste und reinste Wasser aller stadtröm. Aquädukte bis auf das Kapitol (Plin. nat 31, 41; → Roma; → Wasserversorgung). Reparaturen führten 33 v. Chr. Agrippa, 11–4 v. Chr. Augustus (Frontin. aqu. 9; 125), 79 n. Chr. Titus (CIL 6, 1246), Hadrian, 196 Septimius Severus (CIL 6, 1247) und 212/13 Caracalla (CIL 6, 1245) durch. Die Quelle lag westl. des 83. Meilensteins der Via Sublacensis. Augustus verdoppelte die Kapazität durch Hinzufügen der Aqua Augusta, einer das Anio-Tal aufwärts liegenden Quelle. Die Leitung war damit ca. 91 km lang (Frontin. aqu. 7; 67). Die A. trat in der Nähe des 6. Meilensteins der Via Lationa an die Oberfläche, bald danach wurden ihr die Aqua Tepula und die Aqua Iulia als separate Kanäle aufgesetzt. Sie schneidet den Verlauf der Aurelianischen Stadtmauer im Nordosten der Porta Maggiore. Von dort verläuft sie, in die Mauer integriert, weiter zur Porta Tiburtina, die sie unterirdisch passiert, bis zum Wasserkastell innerhalb der Porta Collina, der Piscina Trium Aquarum in der Nähe der Nord-Ecke der Diokletiansthermen. Die A. versorgte hauptsächlich die nördl. Teile der Stadt. Abzweigungen führten auf das Kapitol sowie, am fünften Turm der Aurelian. Mauer südöstl. der Porta San Lorenzo ansetzend (Rivus Herculaneus), in ein Wasserkastell zur Versorgung der bevölkerungsreichen Gebiete um die Porta Capena. Eine dritte große Abzweigung außerhalb der Stadt unternahm Caracalla bei seiner Restaurierung. Er fügte der Leitung eine weitere Quelle hinzu, ließ sie über dem Drusus-Bogen die Via Appia überqueren und führte sie zur Versorgung der von ihm errichteten Thermen heran.

RICHARDSON, 17–18 · D. CATTALINI, in: LTUR 1, 67–69.   R. F.

Aquae

I. ITALIEN

A. Albulae: schwefelhaltige Quellen des Lago della Soforata rechtsseits des → Anio, 16 km von Rom entfernt; Kultort. Die Quellen sind kalt und heilend, → Nero ließ sie in die *Domus Aurea* leiten. Große röm. → *villa* bei Bagni della Regina. CIL XIV 3908–18.

A. Angae: In Bruttium zw. Consentia und Vibo Valentia, h. Terme Caronte von Lamezia Terme. **A. Apollinares**: Thermen zw. Careiae und → Tarquinii (It. Ant. 300), nicht identifiziert (evtl. Bagni di Stigliano oder Bagni di Vicarello; CIL XI 3285–94). **A. Auguriae**: Heilthermen in It., nicht identifiziert.

A. Caeretanae (Caerites): Thermen in → Etruria in der Gegend von Caere; h. Piano della Carlotta [2]. **A. Ciceronianae**: 2 Thermen in der *villa Academia* des → Cicero bei Puteoli (Plin. nat. 31,6). **A. Cutiliae**: Quellen im mittleren Velinotal, östl. von Cittaducale (Rieti) an der → *via Salaria*: Heilbad (Strab. 5,3,1;); See mit schwimmender Insel; Kultzentum der sabinischen Göttin → Vacuna; Kulte des Dis pater, → Silvanus und der → Victoria; *umbilicum Italiae* (Plin. 3,109). Marmorbadebecken, röm. Thermen, Theater. Hier starben → Vespasianus und → Titus. CIL IX 4663–71 [5].

A. Neapolitanae: Thermen auf → Sardinia, benannt nach dem nahegelegenen Neapolis; auf halber Strecke zw. Carales und Tharros. H. Bagni di Sardara mit Überresten in S. Maria is Acquas. **A. Nepesinae**: Thermen bei → Nepet in Etruria, heilkräftig. **A. Neptuniae**: Zw. Tarracina und Formiae, 184 eingedämmt (Liv. 34,44,6; Vitr. 8,3,15).

A. Passeris: Mart. 6,42,6; Passerianae: CIL XI 3003. Thermen an der → via Cassia zw. Forum Cassi und Volsinii, h. Bagni di Viterbo. [1] **A. Pisanae**: Thermen bei → Pisae (Plin. nat. 2,227), h. San Giuliano Terme. **A. Populoniae**: Thermen in Etruria bei → Populonia, evtl. die Thermen von Caldana (Campiglia Marittima). **A. Sinuessanae**: Berühmte Thermen (Strab. 5,3,6) bei → Sinuessa, die den → Nymphen geweiht waren (CIL X 4734; IG XIV 889); h. die Thermen von San Rocco bei Mondragone. **A. Statiellae**: → *Municipium* der → *tribus Tromentina*, Straßenknoten auf der *via Aemilia Scauri*, im Gebiet der Liguri Statielli im Monferrato, h. Acqui Terme (Alessandria). Thermalquellen mit runden Schwimmbecken aus weißem Marmor, Thermen, Aquädukt über dem Fluß Bormida. CIL V 7504–31. [3; 4].

A. Tauri: Thermalbäderzentrum in Etruria, 3 Meilen oberhalb von Civitavecchia (Plin. nat. 3,52). Prachtvolle Überreste aus dem 1.Jh. v.–2.Jh. n.Chr., darunter auch die sog. Bagni della Ferrata; h. Terme Taurine. **A. Vesevi(n)ae**: Heilthermen am Hang des → Vesuvius. **A. Volaterranae**: (A. Volaternae) Thermen in Etruria bei → Volaterrae. Nicht identifiziert, evtl. Larderello.

1 L. CATALANO, Le terme di Viterbo, 1938 2 R. COSENTINO, L'edificio termale delle A. C., 1989 3 S. FINOCCHI, Quaderni della Soprintendenza Archeologica del Piemonte 3, 1984, 31–50 4 U. MAZZINI, Piscina romana, in: Notizie degli Scavi, 1922, 200–202 5 L. SCOTONI, L'umbilicus Italiae secondo Varrone, in: RAL, s. 9,3, 1992, 193–211. G. U. / S. W.

II. AFRIKA

Mit einer Zusatzbezeichnung Name zahlreicher Orte in röm. Zeit.
[II 1] Caesaris: In der Africa proconsularis, nordwestl. von Tébessa, h. Youks. [2. 2939–2962]; AAAlg,

Bl. 28, Nr. 253. **[II 2] Calidae**: In der Mauretania Caesariensis, h. Hammam-Righa. Ptol. 4,2,6; Itin. Anton. 31,4; CIL VIII 2, 9599–9605; Suppl. 3, 21453–21463; AAAlg, Bl. 13, Nr. 28. **[II 3] Carpitanae**: Dorf in der Africa proconsularis, h. Korbous. Wohl identisch mit den Calidae Aquae bei Liv. 30,24,9; Strab. 17,3,16; Tab. Peut. 6,1; Stadiasmos 120f. (GGM I 471); Geogr. Rav. 3,8. **[II 4] Dacicae**: In der Mauretania Tingitana, h. Sidi Moulay Yakoub. Itin. Anton. 23,3; Geogr. Rav.3,10. **[II 5] Flavianae**: In der → Numidia, h. Fontaine-Chaude bei Khenchela. CIL VIII Suppl. 2, 17720–17730; Bulletin Archéologique du Comité des Travaux Historiques 1928/29, 93 f.; 1936/37, 108–110; 1955/56, 49f.; AAAlg, Bl. 28, Nr. 137. **[II 6] Herculis**: In der Numidia, h. Hammam Sidi el-Hadj, südl. von El-Kantara. AAAlg, Bl. 37, Nr. 59. **[II 7] Persianae**: In der Africa proconsularis, h. Hammam. Apul. florida. 16,1. **[II 8] Regiae**: In der Africa Byzacena, h. Henchir Katera. Itin. Anton. 53,2; 54,2; 55,2; 56,2; Victor Vitensis, hist. 3,28. **[II 9] Sirenses**: In der Mauretania Caesariensis, h. Hammam Bou Hanifia, südl. von Maskara. CIL VIII 2, 9740–9752; Suppl. 3, 21575–21580. AAAlg, Bl. 32, Nr. 18. **[II 10] Tepidae**: In der Mauretania Caesariensis, h. Les Abdellys. **[II 11] Thibilitanae**: In der Numidia, h. Hammam Meskoutine, westl. von Guelma. Itin. Anton. 42,5; Optatus, de schismate Donatistorum 1,13; Aug. epist. 53,4; Cresconius Corippus 3,27,30; CIL VIII 1, 5495–5503; Suppl. 2, 18809–18823. AAAlg, Bl. 9, Nr. 144. **[II 12] Traianae**: In der Africa proconsularis, h. Hammam Saiala. [1. 440].

1 R. CAGNAT-ALFRED, M.-L. CHATELAIN, Inscr. lat. d'Afrique, 1923 2 S. GSELL, Inscr. lat. de l'Algérie I, 1922.

Auctores varii, s. v. Aqua, A., RE 2, 294–307. W. HU.

III. BRITANNIEN, GALLIEN, GERMANIEN, PANNONIEN

[III 1] → *vicus* der → Allobroges in der Gallia Narbonensis mit warmen Quellen, h. Aix-les-Bains. Viele arch. Überreste: Thermen, Tempel, Triumphbogen (Inschr.: CIL XII 2459; 2460; 5874).

GRENIER 4, 404–409 · M. LEGLAY, PE, s. v. A. Y. L.

[III 2 Helveticae] h. Baden an der Limmat (Aargau). Nach 17 n. Chr. rasch aufblühender, 69 n. Chr. zerstörter (Tac. hist. 1,67) Badeort der *legio* von → Vindonissa westl. des Limmatübergangs der Straße → Brigantium nach Vindonissa. Alte Thermalquellen speisten einen mächtigen Bäderkomplex, der trotz Zerstörungen um 250 n.Chr. bis ins 4.Jh. n.Chr. überdauerte (CIL XVII 2,594) und vermutlich kurz nach 300 n. Chr. ummauert wurde. Überregional bedeutsam war der Handel mit den in A. produzierten Theken-Beschlägen des Gemellianus.

→ Theke; Thermen

C. DOSWALD, Zum Handwerk der Vici in der Nord- und Ostschweiz, in: Jahresber. Ges. Pro Vindonissa 1993, 3–19 · W. DRACK, Baden, in: W. DRACK, R. FELLMANN (Hrsg.),

Die Römer in der Schweiz, 1988, 348–353 · D. PAUNIER,
Eaux thermales et culte des eaux en Suisse l'époque
romaine, in: Caesarodunum 26, 1992, 385–401 ·
C. SCHUCANY, Tacitus und der Brand der jüngeren
Holzbauten von Baden/A., in: Jahresber. Ges. Pro
Vindonissa 1983 (1984), 35–79 · Ders., Zwei absolut
datierte röm. Schichten aus Solothurn und Baden, in: Arch.
Korrespondenzblatt 20, 1990, 119–123.   K. DI.

[III 3, Gran(n)i] das h. Aachen. Der auf den kelt.
Wassergott → Grannus weisende lat. Name ist nur in
ma. Urkunden belegt (zuerst 765/776 n. Chr.). Wenig
siedlungsgünstig am Südhang zw. Johannis- und Ponell-
Bach gelegen, verdankte der schon späteisenzeitlich be-
lebte Platz seine Blüte mehreren (bis 75° C) heißen
Schwefelquellen. Spätestens seit dem 2. Jahrzehnt
n. Chr. (ältestes Dendrodatum: 3 v. Chr.) diente das Bad
der sog. Kaiserquelle (Bücheltherme) dem Heilbedarf
des röm. Heeres in Niedergermanien, das auch die
Bautrupps stellte. Der wohl rechtwinklig angelegte, im
Bataveraufstand 69/70 n. Chr. zerstörte → vicus zw.
Markt, Elisengarten, Büchel und Domhof erlebte weiteren Aufschwung mit der zweiten großen Thermal-
anlage im Bereich der späteren Pfalzkapelle (Münstertherme), die seit E. des 1. Jh. n. Chr. in Betrieb war.
Beide Anlagen bestanden bis ins 4. Jh. n. Chr., als der
vicus verkleinert und umwehrt wurde. Ein Apsideinein-
bau in der Münstertherme könnte auf eine christl. Kirche weisen. Die 350/360 n. Chr. aufgegebene Kaiserquelle versorgte in karolingischer Zeit (Anf. 9. Jh.
n. Chr.) das Bad der Kaiserpfalz Karls des Gr. Aachen
wurde auf den abgebrochenen röm. Ruinen, völlig neu
konzipiert, erbaut. Mehrere Quellvorbrüche in Burt-
scheid speisten zw. dem 1. und 3. Jh. n. Chr. kleinere
Thermalanlagen. Aus derselben Zeit stammt das mehr-
periodige Höhenheiligtum aus wenigstens zwei galloröm. Umgangstempeln von Kornelimünster für die einheimischen Gottheiten Varnenus und Sunuxal.
→ Thermen

L. FALKENSTEIN, E. MEUTHEN, s. v. Aachen, LMA 1, 1–3 ·
W. M. KOCH, H. GALSTERER, Aachen in röm. Zeit, in:
Zschr. Aachener Geschichtsverein 98/99, 1992/93, 11–20,
21–27 · C. B. RÜGER. et al., Aachen, in: H. G. HORN
(Hrsg.), Die Römer in Nordrhein-Westfalen, 1987,
321–331.   K. DI.

[III 4, Mattiacae] h. Wiesbaden. Rechtsrheinischer
Kurort des obergerman. Heeres mit mindestens drei
Thermal-Komplexen mit bis zu 65° C heißen Wasser-
quellen (CIL XVII 2,626). Das hier wohl mithilfe des
gelbroten Quellsinters (pumex) hergestellte Haarfärbemittel war überregional bekannt (Mart. 14,2: pilae Mat-
tiacae; Plin. nat. 31,20). In mehreren frühkaiserzeitlichen
Militäranlagen in der Nachbarschaft des wohl schon augusteischen → vicus schützten spätestens seit Kaiser
→ Claudius (41–54 n. Chr.) diverse Kohorten den
Mainzer Brückenkopf und die Taunusübergänge: Allein
auf dem Heidenberg fanden sich vier Kastellphasen, die
letzte – in Stein aus den 80er Jahren – wurde vor 121/22
n. Chr. aufgegeben, doch blieb das Lagerareal in mil.

Obhut. Der 69/70 n. Chr. zerstörte vicus war inzwischen
Vorort der → civitas Mattiacorum mit selbständiger Verwaltung der vicani Aquenses (CIL XIII 2,1,7566a von 194
n. Chr.). Als Badeort stand er in großer Blüte bis zur
Verwüstung um 260 n. Chr., lebte im 4. Jh. n. Chr. wieder auf, ging jedoch bald nach der Mitte des Jh. an die
→ Alamannen verloren. Die ca. 520 m lange sog. »Hei-
denmauer« ohne Ecken und Abschlüsse war wohl Teil
eines großen, aber unvollendeten evtl. valentinianischen Befestigungswerks (E. 4. Jh. n. Chr.).
→ Thermen

W. CZYSZ, Wiesbaden in der Römerzeit, 1994 ·
H.-G. SIMON et al., Wiesbaden, in: D. BAATZ,
F.-R. HERRMANN (Hrsg.), Die Römer in Hessen, 1987,
485–495.   K. DI.

[III 5, Sextiae] Stadt der → Salluvii in der → Gallia
Narbonensis, h. Aix-en-Provence. Urspr. → castellum
für eine Garnison zur Bewachung der Straßen von →
Massalia zur → Druentia und vom → Rhodanus nach
Italien, wurde A. 122 v. Chr. als Bäderstadt gegr., be-
rühmt wegen ihrer warmen Quellen (Liv. ep. 61; Strab.
4,1,3; Plin. nat. 31,2). Evtl. ernannte sie → Caesar zum
Hauptort einer → civitas (nach 49 v. Chr.), seit
→ Augustus → colonia Iulia Augusta Aquae Sextiae. Ca.
375 n. Chr. wurde A. die Hauptstadt der → provincia
Narbonensis II. Die Top. der röm. A. läßt sich nur schwer
bestimmen.

P.-A. FEVRIER, Histoire de la Provence, 1990 ·
C. GOUDINEAU, PE, s. v. A. · GRENIER 3, 115–127 · Ders. 4,
68–75 · M. PY, Les Gaulois du midi, 1993.   Y. L.

[III 6] Civitas Aurelia Aquensis, h. Baden-Baden. Etwas abseits der vespasianischen Rheintalstraße am
Nordwest-Fuß des → Abnoba mons gelegen, wurde A.
offenbar wegen der Thermalquellen vom röm. Militär
gern aufgesucht und gefördert (CIL XVII 2,645). Trotz
bereits tiberisch-claudischer Funde und zahlreicher
Hinweise auf Truppen (z. B. CIL XIII 6298 – domitia-
nisch) konnte ein Kastell noch nicht nachgewiesen werden. Mehrere zivile Gebäude (z. B. Thermen) sind erforscht, auch außerhalb des Siedlungskerns, etwa auf
dem Rettig. A. blühte bes. um 100 n. Chr. und erneut in
severischer Zeit: → Caracalla förderte umfangreiche
Verschönerungen in der seitherigen civitas Aurelia
Aquensis, die in der 2. H. des 3. Jh. n. Chr. verfiel und
erst Jh. später wiederbesiedelt wurde.

P. KNIERRIEM et al., Spuren eines röm. Militärstützpunktes
auf dem Rettig in Baden-Baden, in: Arch. Ausgrabungen
Baden-Württemberg 1993, 129–134 · Ders. et al., A. –
Baden-Baden, in: Denkmalpflege Baden-Württemberg 23,
1994,139–147 · E. SCHALLMAYER, A. – Das röm.
Baden-Baden, 1989.   K. DI.

[III 7, Sulis] heute Bath (Südwest-England) im Tal des
Avon, einem Gebiet mit reichen Thermalquellen. Dort
befand sich in der späten Eisenzeit ein Kultzentrum. In
röm. Zeit war A. Teil der → civitas der → Belgae. In den
60er Jahren des 1. Jh. n. Chr. entstand hier ein umfang-

reiches Heiligtum mit großen Thermenanlagen, Altar, Tempel und evtl. Theater (CIL VII 48) [1]. Der Tempel war der lokalen kelt. Quellgöttin → Sulis Minerva geweiht und war bauplastisch reich verziert; erwähnenswert ist ein Sulis-Medaillon aus dem teilweise erh. Giebelfeld. A. zog bis ins 4. Jh. n. Chr. Verehrer auch aus anderen Teilen Britanniens und Galliens an, was zahlreiche Votivgabenfunde belegen [2]. Nach E. der Römerzeit in Britannien wurde A. verlassen.

1 B. W. CUNLIFFE, Roman Bath, 1971 2 Ders., The Temple of Sulis Minerva at Bath, 1985 3 M. B. OWEN, s. v. A., PE 78 f. 4 R. S. O. TOMLIN, Tabellae Sulis, 1988.   M. TO.

[III 8, Iasae] Siedlung seit prähistor. Zeit, h. Varaždinske Toplice, Kroatien, in der Nähe von Heilquellen angelegt (Schwefelthermalquellen; Bäder ausgegraben und konserviert; auch ein Teil des → forum und des → capitolium), die wohl zum → ager von → Poetovio gehörten. Inschr. wurden von bed. Persönlichkeiten der Prov. für die lokalen → Nymphai gesetzt [1. 458 ff.]. Das durch Feuer zerstörte Bad wurde unter Constantinus I. wiederhergestellt (ILS 704).

1 V. HOFFILLER, B. SARIA, Ant. Inschr. aus Jugoslavien 1, 1938.

B. VIKIĆ-BELANČIĆ, Arheološka istraživanja u sjevernozapadnoj Hrvatskoj = Arch. Forschungen im nordwestlichen Kroatien (Izdanja Hrvatskog arheološkog društva 2), 1978, 165–170.   M. S. K.

[III 9, Balissae] Bedeutende einheimische Siedlung in → Pannonia Superior, im Gebiet der Iasi bei den Thermalquellen beim h. Daruvar, an der Straße Siscia- Sir-

mium (Itin. Anton. 265,7). Unter → Hadrianus → municipium (Iasorum). Vgl. das municipium Latobicorum (→ Neviodunum).

A. MÓCSY, s. v. Municipium 4, RE Suppl. 11, 1003 f.   M. S. K.

Aquaeductus s. Wasserleitungen

Aquaelicium. »Wasserlocken« (auch aquilicium), ist die allg. Bezeichnung für ein röm. Ritual, um in Trockenzeiten Regen herbeizurufen (Fest. s. v. A. 2,24). Festus verbindet damit ein zu seiner Zeit obsoletes Ritual, in dem ein sonst außerhalb der Porta Capena beim Marstempel liegender lapis manalis (zu manare, fließen, vgl. Fest. 146,17) in die Stadt geholt wurde (Fest. 115,8). Lebendiger sind Bittprozessionen zum Wettergott Iuppiter, welche mit nackten Füssen (→ Nudipedalia), offenen Haaren, ohne Purpurtracht der Magistrate und mit von den Liktoren verkehrt getragenen Äxten – Zeichen ritueller Auflösung, welche sich zu einem Ritus der Krisenbewältigung fügen – durchgeführt werden (Tert. apol. 40; de ieiun. 16; Petron. 44,18). Der hier angesprochene Aspekt Iuppiters drückt sich bes. in den Epiklesen Pluvialis und Pluvius aus, wohl aber nicht in Elicius, der »(Blitze) hervorlockt«; das Ritual hat Entsprechungen im griech. Bereich.

1 G. WISSOWA, Religion und Kultus der Römer, ²1912, 120 f. 2 W. Fiedler, Ant. Wetterzauber (Würzburger Studien 1), 1931, 65 ff.   F. G.

Aquarius s. Sternbilder

Aquila [1, mil.] s. Feldzeichen

Aquila [2, naturwiss.] s. Adler, s. Sternbilder
[3] Proselyt aus → Sinope, übersetzte die hebr. Bibel ins Griech. (ca. 130 n. Chr.). Die ausgangssprachliche Orientierung dieses Werkes steht im Vordergrund, so daß manche Passagen ohne Kenntnis des hebr. Originals unverständlich bleiben. Spezifisch hebr. syntaktische Strukturen werden imitiert, hebr. Begriffe nach Möglichkeit durch lautähnliche griech. Worte wiedergeben. Das Ansehen, das seine Übersetzung genoß, bezeugt die Tatsache, daß Kaiser Justinian 553 n. Chr. neben der Septuaginta die Übersetzung A.s für den synagogalen Gebrauch erlaubte. Die jüd. Tradition sieht in A. einen Schüler des Rabbi → Aqiba und identifiziert ihn zudem mit Onqelos.
→ Septuaginta; Symmachus; Theodotion

J. REIDER, N. TURNER, An Index to Aquila, VTS 12, 1966 · D. BARTHELEMY, Les devanciers d'Aquila, VTS 10, 1963. · S. B. BROCK, Art. Bibelübers. I.2, Die Übers. des AT ins Griech., TRE 6, 1980, 163–172.   B. E.

[4] (Ἀκύλας). Ein aus dem Pontus gebürtiger, unter Claudius aus Rom nach Korinth vertriebener Jude, Zeltmacher. Er und seine Frau → Prisca (Briefe; Pris-

Aquae Sulis

2
1
N
4
4
4
3
0   50 m
5

1 Theater, vermutet
2 Heiligtum ab der späteren Eiszeit (?), darüber Tempel des 1. Jh. n. Chr. mit Altar
3 Thermenanlage, 1. Jh. n. Chr.
  a Schwimmbecken
  b Caldarium
  c Tepidarium
  d Frigidarium
  e Großes Bad
4 Siedlungsreste
5 Abona

▨▨▨ Stadtmauer (römisch)

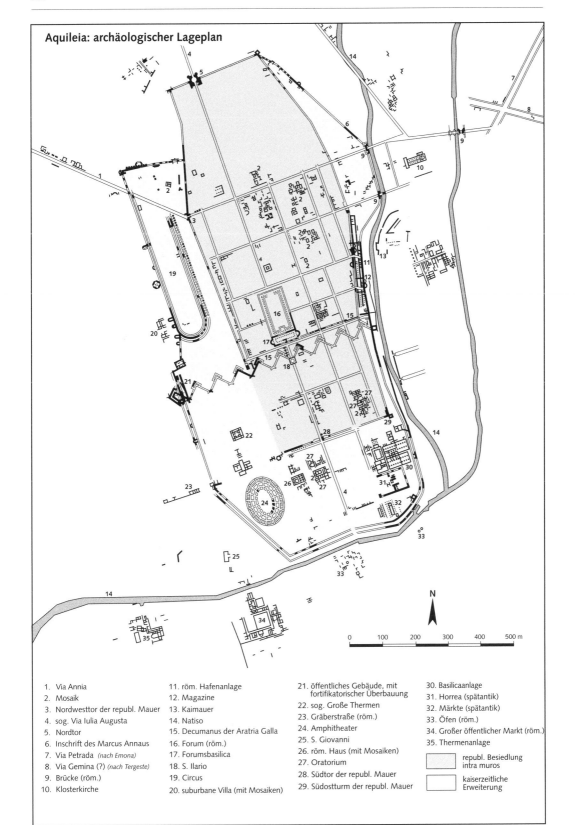

Aquileia: archäologischer Lageplan

N

0 100 200 300 400 500 m

1. Via Annia
2. Mosaik
3. Nordwesttor der republ. Mauer
4. sog. Via Iulia Augusta
5. Nordtor
6. Inschrift des Marcus Annaus
7. Via Petrada *(nach Emona)*
8. Via Gemina (?) *(nach Tergeste)*
9. Brücke (röm.)
10. Klosterkirche

11. röm. Hafenanlage
12. Magazine
13. Kaimauer
14. Natiso
15. Decumanus der Aratria Galla
16. Forum (röm.)
17. Forumsbasilica
18. S. Ilario
19. Circus
20. suburbane Villa (mit Mosaiken)

21. öffentliches Gebäude, mit
    fortifikatorischer Überbauung
22. sog. Große Thermen
23. Gräberstraße (röm.)
24. Amphitheater
25. S. Giovanni
26. röm. Haus (mit Mosaiken)
27. Oratorium
28. Südtor der republ. Mauer
29. Südostturm der republ. Mauer

30. Basilicaanlage
31. Horrea (spätantik)
32. Märkte (spätantik)
33. Öfen (röm.)
34. Großer öffentlicher Markt (röm.)
35. Thermenanlage

republ. Besiedlung
intra muros

kaiserzeitliche
Erweiterung

cilla, Apg) nehmen Paulus auf, geben ihm Arbeit und begleiten ihn nach Ephesos, wo sie Wohnsitz nehmen (Apg 18,1; 18; 26) und eine Gemeinde um ihr Haus scharen (1 Kor 16,19); vielleicht kehren sie später wieder nach Rom zurück (Röm 16,3). F.G.

[5, Romanus] Rhetor der 2. H. des 3. Jh. n. Chr., Verf. des Traktats *De figuris sententiarum et elocutionis* (auf stoischer Grundlage), der im Theoretischen auf → Alexandros [25] basiert, wie schon → Iulius Rufinianus (sowie Überlieferung B, p. 22 Halm) feststellt, der ihn seinerseits fortsetzt. Der Wert der Schrift ist geringer zu veranschlagen als der der beiden Bücher *Schēmata léxeōs* des → Rutilius Lupus. A. R. gibt aus Zeitmangel, wie er sagt, einstweilen nur *nomina ipsarum figurarum cum exemplis;* eine umfassendere Darstellung stellt er in Aussicht. Die *exempla* sind überwiegend Ciceros Reden entnommen. Das Werk ist von → Martianus Capella (B. 5) benutzt worden, in Einzelheiten wohl auch von → Marius Plotius Sacerdos (*Catholica Probi*), dazu [2]. Vielleicht bezieht sich auch → Iulius Victor in seiner Kompilation *Ars rhetorica* auf ihn (Aquili = Aquilae in Titel und Subscriptio?).

ED.: HALM p. 22–37.
LIT.: **1** HLL § 448.2 **2** G. HANTSCHE, De Sacerdote grammatico quaestiones selectae, Diss. 1911, 15 ff., 64 f.
W.-L. L.

Aquileia [1] das h. A. in Oberit., zw. → Natiso und Alsa (Plin. nat. 3,126), ca. 10 km von der Adria entfernt (Strab. 5,1,8). Der Name erklärt sich eher mit einem Flußnamen (Zos. 5,29,4) als mit Adlerflug (Iul. or. 2,72 a). Versuche von Galliern, 186 v. Chr. hier zu siedeln, wurden von Rom vereitelt und führten 181 v. Chr. zur Gründung der latinischen Kolonie A. (Liv. 39,22,6 f.; 45,6 f.; 54,1–55,6; 40,26,2; 34,2 f.; CIL V 873). Klagen der Bewohner über Gefährdung durch Barbaren bewirkten eine Verstärkung um 1500 röm. Familien (Liv. 43,1,5 f.; 17,l). Später → *municipium* (Vitr. 20,3 R.). Unter Augustus Einfall der → Iapodes (App. Ill. 18), 167 n. Chr. im Krieg gegen die → Marcomanni Belagerung (SHA Aur. 14; Amm. 29,6,1). Von → Maximinus Thrax, obwohl *Aquileiensium restitutor et conditor* (CIL V 7989), belagert (Herodian. 8,2–5), ebenso 361 n. Chr. von Truppen des → Iulianus (Amm. 21,11 f.; 22,8,49). 381 n. Chr. Konzil in A. Die Stadt ist in Kämpfe zw. → Theodosius und → Maximus (Oros. 7,35,3 f.; Zos. 4,46) sowie → Theodosius II. und Ioannes (Prok. BV 1,3,9) involviert. Im 4. Jh. n. Chr. oft Kaiserresidenz (Nov. 29 praef.) und Sitz hoher Beamter (Not. dign. occ. 11,27; 40; 49; 42,4). 452 n. Chr. Eroberung durch → Attila (Iord., Get. 42). Danach war A. weiter Bischofssitz, bis der Einfall der → Langobardi in It. 568 n. Chr. zu dessen Verlegung nach Grado führt (Paulus Diaconus, hist. Langobardorum 2,10). Damit verliert A. die Bed. (Auson. urb. 9), die es vor allem durch seine strategische Lage (Caes. Gall. 1,10,3; Tac. hist. 2,46; 85; 3,6; 8), als Verkehrsknotenpunkt (Itin. Anton.; Itin. Burdig.; Tab. Peut.) und Wirtschaftszentrum (Strab.

4,6,11; 5,1,8; 7,5,2) noch in der Spätant. (Iul. or. 2,71 d) besaß. H. zeugen davon zahlreiche arch. Überreste.

J. B. BRUSIN, Inscriptiones Aquileiae, 3 Bde., 1991–1993 • R. CHEVALLIER, Aquileé et la romanisation de l'Europe, 1990 • S. PIUSSI, Bibliografia Aquileiese, 1978 • M. VERZÁR-BASS, Scavi ad Aquileia, 1, 1991
KARTENLIT.:
B. FORLATI TAMARO et al., Da A. a Venezia, 1980. C. HEU.

[2] h. Heidenheim. Zw. 90–150 n. Chr. bemanntes Steinkastell (5,3 ha) 12 km südl. des bequemsten Albübergangs. Evtl. von Anfang an für die *ala II Flavia milliaria*; wohl kurz nach der Mitte des 2. Jhs. von → Aalen ersetzt. Die Zivilsiedlung bestand bis ins 4. Jh. n. Chr. weiter.

J. HEILIGMANN, Der »Alb-Limes«, 1990, 102–121 • B. RABOLD, Abschließende Ausgrabungen in der Heidenheimer Ploucquetstraße, in: Arch. Ausgrabungen Baden-Württemberg 1993, 162–167. K. DI.

Aquillius. Plebeischer Gentilname (seltener Aquilius; vgl. ThLL, 2,375), im 5. Jh. v. Chr. auch patrizisch, doch sind die Träger wohl unhistorisch.

I REPUBLIKANISCHE ZEIT:

[I 1] Aquillii fratres, verschworen sich angeblich gegen die neu errichete Republik und wurden hingerichtet (Liv. 2,4–5; Plut. Pobl. 4–7 [1]. **[I 2] A. (Tuscus ?), C.,** Konsul 487 v. Chr., kämpfte nach der Überlieferung gegen die Herniker und erhielt eine *ovatio* (Liv. 2,40,14; Dion. Hal. ant. 8,67,1; MRR 1,19–20).

R. M. OGILVIE, A Commentary on Livy, Books 1–5, 1965, 262. K. L. E.

[I 3] A., M'., Praetor spätestens 132 v. Chr., 129 Konsul, beendete in Asia den Krieg gegen → Aristonikos und führte die Einrichtung der Prov. durch die Festsetzung der Grenzen und Straßenbau fort. 125 oder 124 wurde er wegen Erpressung oder wegen Bestechung durch Mithradates angeklagt, aber freigesprochen.

ALEXANDER, 13 • MAGIE, 153–158 • MRR 1,504; 3,23–24. K. L. E.

[I 4] A., M'., wohl Sohn von Nr. 3, Praetor spätestens 104 v. Chr., Legat des C. → Marius im Cimbernkrieg (Plut. Mar. 14,7). Als Konsul mit Marius 101 und Prokonsul 100/199 besiegte er die aufständigen Sklaven auf Sizilien und tötete ihren Anführer → Athenion im Zweikampf (Diod. 36,10). Nach seiner Rückkehr erhielt er eine *ovatio.* 97 (?) wurde A. in einem aufsehenerregenden Prozeß wegen offenkundiger Erpressung angeklagt, aber durch die glänzende Verteidigung des M. → Antonius [I 7] auf Fürsprache des Marius und auf Grund seiner früheren Tapferkeit freigesprochen (Cic. de orat. 2,194– 196). 90–88 war er Leiter einer Dreiergesandtschaft, die die Könige Nikomedes von Bithynien und Ariobarzanes von Kappadokien wieder einsetze. A. veranlaßte aus Ehrgeiz Nikomedes zum Angriff auf → Mithradates von Pontus, der darauf den

Krieg gegen die Römer in Kleinasien eröffnete (1. Mithradatischer Krieg). 88 wurde A. am Fluß Sangarios vernichtend geschlagen, floh nach Ephesos und Mitylene auf Lesbos, wo er an Mithradates ausgeliefert wurde, der ihn als Kriegstreiber grausam töten ließ (Hauptquelle: App. Mithr. 33–80).

ALEXANDER, 44 · B. C. McGING, The Foreign Policy of Mithridates VI Eupator, King of Pontus, 1986, 79–112 · TH. REINACH, Mithridate Eupator, 1890, 116–127 · A. N. SHERWIN-WHITE, Roman Foreign Policy in the East 168 B. C. to 1 A. D., 1984, 112– 120.   K.L.E.

[I 5] A., M'., Münzmeister 109 oder 108 v. Chr., vielleicht identisch mit [I 4] (RRC 303). **[I 6] A., M'.**, Münzmeister 71 v. Chr., wohl Enkel von [I 4] (RRC 401). **[I 7] A., P.**, *legatus* 210 v. Chr. (Liv. 27,3,9). **[I 8] A. Corvus, L.**, Konsulartribun 388 v. Chr. (Liv. 6,4,7). **[I 9] A. Crassus, M'.**, Praetor 43 v. Chr., sollte auf Weisung des Senats Octavian in Picenum Widerstand leisten, wurde von ihm gefangengenommen, freigelassen und später proskribiert (App. civ. 3,93– 94). **[I 10] A. Florus**, Anhänger des M. → Antonius [I 19], starb nach der Schlacht von Actium (Cass. Dio 51,2,5–6). **[I 11] A. Florus, C.**, Konsul 259 v. Chr., kämpfte auf Sizilien gegen Hamilcar Barkas und triumphierte als Prokonsul (258 MRR 1,206–207).   K.L.E.

[I 12] Gallus, C., Jurist aus dem Ritterstand, der bedeutendste Schüler des → Q. Mucius Scaevola Pontifex (Dig. 1,2,2,42), Praetor 66 v. Chr. [4], starb vor 44 v. Chr. [3]. A. entwarf die Formeln [2] der *actio doli* (Klage zur Anfechtung eines durch Arglist herbeigeführten Rechtsgeschäfts) und wohl auch der *exceptio doli* (Einrede gegen Klagen aus einem solchen Geschäft); als Kautelarjurist [1] schuf er die *stipulatio Aquiliana*, die sämtliche Obligationen zweier Parteien durch Novation in eine Geldobligation umzugiessen und durch → acceptilatio zu tilgen erlaubt (Dig. 46,4,18), sowie eine Formel für die Erbeinsetzung des einem dem Testator vorverstorbenen Sohn geborenen Enkels (Dig. 28,2,29 pr.: *postumi aquiliani*).

1 SCHULZ, 58 f. 2 H. HONSELL, TH. MAYER-MALY, W. SELB, Röm. Recht, ⁴1987, 127 f. 3 WIEACKER, RRG, 600 f. 4 MRR 2, 152.   T.G.

[I 13] A. Gallus, L., 176 v. Chr. Praetor auf Sizilien (Liv. 41,14,5; 15,5). **[I 14] A. Gallus, P.**, widersetzte sich 55 v. Chr. als Volkstribun der Provinzvergabe an Pompeius und Crassus (MRR 2,216). **[I 15] A. Niger**, Historiker, den Suet. Aug. 11 für die Schlacht bei Mutina 43 v. Chr. benutzt [1].

1 SCHANZ/HOSIUS, 2,327 f.   K.L.E.

[I 16] Dichter der römischen Komödie (→ Palliata) im 2. Jh. v. Chr., zur Zeit des Caecilius und Terenz, von MANTERO mit → Atilius identifiziert. Die ihm zugeschriebene Komödie *Boeotia* – nach dem Vorbild des Menander oder Diphilus (fr. 22; zwei Titel der Mittleren Komödie kommen als Vorlage kaum in Betracht) – hielt Varro (Gell. 3,3,4) aus stilistischen Gründen für ein Werk des → Plautus, obwohl Accius (Gell. 3,3,9) sie diesem ausdrücklich abgesprochen hatte. In der zweiten Erwähnung der *Boeotia* (Varro ling. 6,89) ist der Verf.name aus *alii* konjiziert. In den erh. 2 Fragmenten von 1 und 9 Vers(en) beklagt sich ein hungriger Parasit über die Erfindung der Sonnenuhren. Der Stil steht dem des Plautus nahe.

ED.: CRF 33–35 · A. TRAINA, Antologia della Palliata, 1960, 135 f. LIT.: BARDON 1,36 → Atilius   JÜ.BL.

II. KAISERZEIT

[II 1] A. Felix, M.; Centurio, dem Didius Iulianus den Auftrag gegeben haben soll, → Septimius Severus zu ermorden (SHA Did. 5,8; Pesc. 2,6). Er wird mit dem ritterlichen Amtsträger für identisch gehalten, der in CIL X 6657 = ILS 1387 und AE 1945, 80 genannt wird [1]. Dieser gelangte vom Primipilat über mehrere Procuraturen zumindest bis zur Praefektur über die Flotte von Ravenna und zur Leitung des Amtes für den Census der Ritter; PIR² A 988. Zur Leitung der *ratio privata* [2]. **[II 2] A. Florus Turcianus Gallus, L.**, Senator der augusteischen Zeit, der nach längerer Laufbahn Prokonsul von Achaia wurde, wo man ihm in Athen und Korinth Statuen setzte (CIL III 551 = ILS 928); AE 1919, 1. **[II 3] A. Niger, Q.**, Suffektkonsul im J. 117 (PIR² A 996); verwandt oder identisch mit dem gleichnamigen *procos. Siciliae* von CIL X 7287. **[II 4] A. Proculus, C.** Suffektkonsul im J. 90 (AE 1949, 23); XV*vir sacris faciundis, procos. Asiae* 103/104 [3]; mit seiner Frau Iulia Proculina in Puteoli bestattet (CIL X 1699 = [4]).

[II 5] A. Regulus, M., Senator der flavischen und traianischen Zeit. Halbbruder von Vipstanus Messalla (Tac. hist. 4,42,1); aus alter senatorischer Familie stammend [5]. Unter Nero hatte er, noch nicht Mitglied im Senat, drei Konsulare angeklagt, wofür er mit der Quaestur und einem Priesteramt belohnt wurde. Dafür 70 im Senat angegriffen, aber nicht verurteilt (Tac. hist. 4,42). Auch unter Domitian ging er gegen Standesgenossen vor (Plin. epist. 1,5). Möglicherweise erhielt er ein Suffektkonsulat [5. 578]. Nach dem Tod Domitians fürchtete er eine Anklage im Senat, die jedoch wegen seines Einflusses nicht erfolgte (Plin. epist. 1,5,15; 2,11,22). Den Tod seines Sohnes betrauerte er nach Plinius epist. 4,7 in exzessiver Weise. Um 106 gestorben (Plin. epist. 6,2,1 ff.).

1 PFLAUM Bd. 2, 598 ff. 2 H. NESSELHAUF, Patrimonium und Res Privata des röm. Kaisers, SHA-Colloq. 1963, 1964, 73–93 3 W. ECK, Jahres- und Provinzialfasten, in: Chiron 12, 1982, 339 4 G. CAMODECA, Sui senatori romani d'origine flegrea, in: Puteoli 6, 1982, 55–65 5 SYME, RP 7, 555.   W.E.

Aquilonia. **[1]** Ital. Stadt am Monte Vairano bei Campobasso [1]. Die Beschreibung der mil. Operationen von 293 v. Chr. bei Liv. 10,38–44, entscheidend für den Ausgang des 3. → Samnitenkrieges, entspricht den Ergebnissen neuerer Ausgrabungen (Stadtmauer aus dem 4. Jh. v. Chr., 3 Stadttore); Straßenspuren weisen auf planvolle Urbanisierung hin.

1 VETTER Nr. 200 C: Akudunniad.

G. DE BENEDITTIS, in: S. CAPINI, E. ARSLAN (Hrsg.), Samnium, 1991, 127–130.   M. BU. / R. P. L.

[2] Stadt der → Hirpini an der → *via Appia* zwischen → Aec(u)lanum und → Venusia (Liv. 10,88,39; Plin. nat. 3,105; Ptol. 3,1,71; Tab. Peut. 6,5), h. Lacedonia. Hier wurden die → Samnites 293 v. Chr. geschlagen (Liv. 10,42,5); von den Römern anschließend erobert. Nach der Schlacht bei → Cannae (216 v. Chr.) von → Hannibal besetzt. → *municipium* mit → *augustales*. Tempel und Thermen arch. nachgewiesen. 1862 wurde das Dorf Carbonara, 15 km weiter südl., (irrtümlich) in A. umbenannt (CIL IX 986; 6255–67; ILLRP 542 f)   G. U. / S. W.

[3] Ort bei Gubbio an den Berghängen des Ingino (Tabulae Iguvinae I b, 16 und 43).

G. DEVOTO, Tabulae Iguvinae, 1937, 272.   G. U. / S. W.

Aquincum. Urspr. Siedlung der → Aravisci, das mil. und Verwaltungszentrum der → Pannonia Inferior rechts der Donau mit Lager und *canabae* (Ptol. 2,15,4; Itin. Anton. 254,7; Amm. 19,11,8; Not. Dign. occ. 33,54; Sidon. carm. 5,107), Statthalterresidenz Anf. des 2. Jhs. n. Chr., h. Budapest, III. Bezirk. 124 n. Chr. *municipium Aelium*, 194 n. Chr. *colonia Aelia Septimia*. Um 114 n. Chr. wurde hier die *legio II adiutrix* stationiert. Die arch. Funde bezeugen einen hohen Lebensstandard (Thermen, → *basilica*, → *macellum*, → *palaistra*, → *valetudinarium*, Wasserleitungen, Kanalisation, Töpfereien, Bäckerei, Tempel). Straßen nach → Brigetio, → Mursa und → Ulcisia Castra. Militärdiplome: CIL XVI 47; 123; 136. Zahlreiche arch. Funde. Links der Donau befanden sich die befestigten Vorposten Contra A. und Trans A.

J. SZILÁGYI, A., 1956 · Ders., A., RE Suppl. 11, 61–129 · A. MÓCSY, Die Bevölkerung von Pannonien bis zu den Markomannenkriegen, 1959, 59ff. · Ders., s. v. Pannonia, RE Suppl. 9, 516–776, hier: 599, 634 · TIR L 34, 1968, 30; 49, 112f.   J. BU.

Aquinum. Stadt in → *Latium adiectum* im Tal des → Liris an der *via Latina*, 80 Meilen von Rom entfernt (Itin. Anton. 303,4; Tab. Peut. 6,2; Strab. 5,3,9; Plin. nat. 3,63; Ptol. 3,1,63,4; CIL X 5382), h. Aquino. Nahe bei A. setzte Hannibal 211 v. Chr. auf dem Marsch nach Rom über den Fluß (Liv. 26,9,3). In spätrep. Zeit reiches (Purpur-Produktion, Hor. epist. 1,10,27) → *municipium* der *tribus Oufentina* (Cic. Phil. 2,106; Stat. sil. 8,405) und bald darauf → *colonia* (*liber coloniarum* 229). Heimatstadt des → Iuvenalis (Iuv. 3,319; schol. Iuv. 1,1). A. weist regelmäßige städtische Bebauung mit parallelogrammförmigen → *insulae* auf. Erh. sind Reste von Stadtmauer, Theater, Amphitheater, Tempel, Thermen und Triumphbogen. Im hl. Bezirk der → Mefitis sind Reste einer *centuriatio* gefunden worden.

C. F. GIULIANI, Aquino, in: Quaderni dell' Istituto di Topografia antica 1, 1964, 41–49 · I. RAININI, Il santuario di Mefite in Valle d'Ansanto, 1985.   S. Q. G. / R. P. L.

Aquinus Röm. Eigenname bzw. Cognomen [1; 2] **[1]** von Catull. 14,18 als schlechter zeitgenössischer Dichter genannt (bei Cic. Tusc. 5,63 Aquinius).   K. L. E.

[2] **L.**, *haruspex* 389 v. Chr. (Macr. Sat. 1,16,22; vgl. Liv. 6,1,11 u. a.). **[3]** **M.**, Senator, Legat (?) des Pompeius 46 v. Chr. in Afrika, von Caesar begnadigt (Bell. Afr. 57; 89,5), wohl identisch mit dem Legaten des C. Cassius 43–42 (Goldmünzenprägung: RRC 498/9). MRR 3, 25.

1 SCHULZE, 526, 540 2 KAJANTO, Cognomina, 184.   K. L. E.

Aquitani. Die A. lebten zw. → Pyrenaei, → Okeanos und → Garumna (Caes. Gall. 1,1; Strab. 4,1,1), eine Gemeinschaft von mehr als 20 kleinen iberischen (nicht kelt.) Stämmen (Strab. 4,2,1). 56 v. Chr. von P. Licinius Crassus (Caes. Gall. 3,27), nach mehreren Aufständen von Agrippa (38 v. Chr.) und anschließend von Messala Corvinus unterworfen. Nur Ausci, Convenae, → Tarbelli und → Vasates gehörten zu den 64 Orten, die nach der Reichsreform des Augustus am → *concilium provinciae* in → Lugdunum teilnahmen. Man kennt außerdem (vgl. die Notitia Galliarum 12–14) Aquenses, Aturenses, Benenarnenses, Bigerriones, Boates, Consorani, Elusates (→ Elusa), Ilurones, Lactorates (→ Lactora). Reiche Landwirtschaft, Bodenschätze (Gold, Eisen, Marmor), viele Thermalquellen. Zahlreiche iberische Gottheiten (u. a. Alerdostus, Baeserte, Ilixo, Lahe, Xuban). Ihr Gebiet (zunächst Lactora, CIL V 875, dann Novempopulana gen.) wurde evtl. unter Traianus in 9 Stämmen mit eigenen *concilia* unter dem Statthalter von Aquitanien organisiert; sie bildeten die von Diocletianus gegr. Prov. neben den beiden → Aquitania (Laterculus Veronesis 9,5–7; Rufius Festus, Laterculus 2,5–7) (die Notitia Galliarum l.c.: 12 Stämme in Novempopulana) [1. 1–140].

1 P. WUILLEUMIER, Inscr. lat. des 3 Gaules, 1963.

D. SCHAAD, M. VIDAL, Origines et développement urbain des cités de Saint-Bertrand-de-Comminges, d'Auch et d'Eauze, in: Villes et agglomérations urbaines antiques du Sud-Ouest de la Gaule, 1992, 211–221. · G. FABRE, Carte archéologique, Pyrénées-Atlantiques, 1993, 49f.   E. FR. / S. F.

Aquitania. Bei der Reichsreform 27 v. Chr. vereinigte Augustus unter der Bezeichnung A. 14 kelt. Stämme zw. → Garumna und → ger (Strab. 4,1,1; Plin. nat. 4 107–109; Ptol. 2,7) mit den eigentlichen → Aquitani: Arverni, Bituriges Cubi, Cadurci, Gabali, Lemovices, Ruteni, Vellavii, Nitiobriges, Petrocorii, Pictones, Santoni, Bituriges Vivisci und 2 von den 3 weiteren, die Plin. und Ptol. ll.cc. anführen. Der Statthalter residierte erst in → Mediolanum, dann in → Burdigala. Im 4. Jh. n. Chr. wurde die Prov. gegliedert in Novempopulana (9 oder 12 Stämme?), Aquitanica I (neben den 7 erstgen.

Stämmen Albigenses) und Aquitanica II (die letztgen. sowie Ecolisnenses, Bituriges Vivisci als Burdegalenses, Nitiobriges als Agennenses, Pictones als Pictavi). Das Handwerk entwickelte sich in A. nur schwach außer in größeren Städten. Von Einfällen blieb die Prov. bis zur Ankunft der Westgoten (5. Jh. n. Chr.) im wesentlichen verschont.

A. Longnon, Atlas historique de la France depuis César jusqu'à nos jours, 1885/89 · A. Chastagnol, Le diocèse civil d'Aquitaine au Bas-Empire, in: Bulletin de la Société nationale des antiquaires de France 1970, 272–291 · M. Rouche, L'Aquitaine des Wisigoths aux Arabes, 1979 · D. Schaad, M. Vidal, Villes et agglomérations urbaines antiques du Sud-Ouest de la Gaule, 1992.   E. Fr. / S. F.

Ara Pacis Augustae. Repräsentative → Altaranlage auf dem → *campus martius* nahe der Via Flaminia in → Rom, möglicherweise zusammen mit dem → Ustrinum und dem Mausoleum des Augustus Bestandteil des → Horologium Augusti. Funde seit 1568, systematische Grabungen am ant. Standort unter dem Palazzo Fiano an der Via in Lucina 1903 und 1937/38. Einweihung der in Details umstrittenen, an das Tiberufer nahe dem Augustusmausoleum versetzten Rekonstruktion (unter Verwendung von Abgüssen verstreuter Reliefteile) 1938 in einem Staatsakt in Anwesenheit Mussolinis; → FASCHISTISCHES ANTIKENBILD; die Orientierung der Anlage dabei um knapp 90° von O-W nach N-S gedreht. Die A. besteht aus einem von Schranken eingefaßten Hof (11,6 × 10,6 m; zugänglich von Osten und bes. von Westen über eine breite Treppenrampe) auf erhöhtem Unterbau, darin in eine achtstufige Erhöhung eingebaut ein Altar mit Opfertisch. Bei den z. T. bis zu einer Höhe von 6 m erhaltenen Schrankenfragmenten ist der Ansatzpunkt des oberen Abschlusses (nach Münzbildern der A. aus dem späteren 1. Jh. n. Chr. wohl

ein Dreifaszien-Architrav) unbekannt. Die Anlage besteht in allen sichtbaren Teilen aus lunensischem Marmor (aus den Brüchen von Carrara); sie wurde anläßlich der siegreichen Rückkehr des Augustus aus Gallien 13 v. Chr. (4. Juli?) vom Senat gelobt (R. Gest. div. Aug. 12; CIL I,2,320; VI 2028 b; 32347 a; X 8375; Cass. Dio 54,25) und 9 v. Chr. (30. Januar, Geburtstag der → Livia?) geweiht und wohl mit zwei jährl. Festen, der *constitutio* und der *dedicatio*, ausgestattet (Ov. fast. 1,709 ff.).

Innen- und Außenseiten der Schrankenplatten wie auch die Außenwände des Altars sind reich mit figürlichem und ornamentalem Relief dekoriert. Die Altarwangen zieren plastische, giebelförmig nach oben zulaufende Ranken, die unten in Voluten enden und auf je zwei Greifen ruhen; den ganzen Altar umzieht ein kleiner Fries mit Darstellung einer Festprozession, ferner Reliefs verschiedener → Personifikationen. Die Schrankenplatten sind innen und außen durch Pilaster architektonisch in Bildfelder unterteilt; ein horizontales Ornamentband (innen Palmetten, außen Mäander) gliedert jedes Feld in zwei Register. Die Innenseite zeigt oben 12 opulente, an Bukranien gebundene Fruchtgirlanden, darüber je eine Opferphiale in der Mitte. Das untere Register bildet eine zaunartige Vertikalstruktur, die Deutung beider Register zusammen als gemeinte Temenosabgrenzung im Freien ist umstritten. Den unteren Bereich der Außenseiten füllt ein symmetrisch angelegtes, vielfältige Flora und Fauna mit einbeziehendes Rankenornament; jedes Bildfeld ist von einer einzigen, mittig entspringenden, dann aber die ganze Fläche überwuchernden Ranke gefüllt. Die beiden äußeren Langseiten zeigen im oberen Register zwei feierliche Prozessionszüge, die sich aufeinander zubewegen; unter den Festteilnehmern Augustus mit verschiedenen Familienmitgliedern. Über die Deutung des Geschehens herrscht kein Konsens; gemeint ist hier aber wohl kaum ein bestimmtes, konkret benennbares Ereignis, sondern, ähnlich dem Fries des → Parthenon, eher eine stilisierte, raum- und zeitlose Visualisierung eines Staatsrituals mit einer Summierung vorbildlicher Tätigkeiten und Eigenschaften. Die vier oberen Reliefs an den Fronten zeigen Staatsgötter; auch deren Deutung ist in Details vieldiskutiert: Mars mit Romulus und Remus sowie Aeneas beim Opfer (an der Eingangstreppe im Westen), die personifizierte Italia (oder Tellus) und Roma am Durchgang der Ost-Seite.

Typus, Dekor, Standort und städtebauliche Einbindung der A. belegen den hochoffiziellen, politischideologischen Charakter des Monuments. Metaphorisch vermitteln Bilder und Ornamentik das Dogma vom »goldenen Zeitalter«. Die *pietas* als alte repubikanischen Tugend und der möglicherweise auf etruskischital. Traditionen rückgreifende Bautypus werden zugleich wirkungsvoll mit den de facto die Republik usurpierenden, dabei die offizielle Götterwelt genealogisch mit einverleibenden dynastischen Ambitionen des Augustus verschmolzen. Die fast als Familiendenkmal ge-

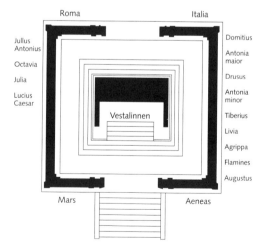

Rom, **Ara Pacis**. Grundriß mit Namensbeischriften. Constitutio: 4. 9. 13 v. Chr. Dedicatio: 30. 1. 9. v. Chr.

faßte, wie gefroren wirkende große Prozession bedient sich dabei eines an der gr. Klassik orientierten, vorbildhaft empfundenen Stils, der zugleich geeignet war, eben diese durchaus konkreten politischen Ambitionen in eine irreale, raumzeitlich unkonkrete Sphäre zu transferieren und sie so zu verklären. Die A. ist insgesamt ein Denkmal, das das komplexe und vielschichtige Selbstverständnis des augusteischen Staates mitsamt seinen Begründungszusammenhängen in umfassender Weise artikuliert.

E. SIMON, Die A., 1967 · A. H. BORBEIN, Die A., in: JDAI 90, 1975, 242–266 · E. MORETTI, Giuseppe Moretti. L'archeologo dell'A., 1976 · T. HÖLSCHER, Die Geschichtsauffassung in der röm. Repräsentationskunst, in: MDAI(R) 95, 1980, 265–321 · E. BUCHNER, Die Sonnenuhr des Augustus, 1982 · M. TORELLI, Typology and Structure of Roman Historical Reliefs, 1982, 27–61 · E. LA ROCCA, A. In occasione del restauro della fronte orientale, 1983 · T. HÖLSCHER, Staatsdenkmal und Publikum, 1984, 20–23 · E. SIMON, Augustus, 1986, 26–46 · R. DE ANGELIS BERTOLDI, Materiali dell'A., in: MDAI(R) 92, 1985, 221–234 · T. HÖLSCHER, Röm. Bildsprache als semantisches System, 1987, 45–49 · HANNESTAD, 62–74 · S. SETTIS, Die A., in: Kaiser Augustus und die verlorene Republik, Ausst.-Kat. Berlin 1988, 400–426 · R. FÖRTSCH, Ein Aurea-aetas-Schema, in: MDAI(R) 96, 1989, 333–345 · P. ZANKER, Augustus und die Macht der Bilder, ²1990 · K. GALINSKY, Venus, Polysemy, and the A., in: AJA 96, 1992, 457–475 · R. BILLOWS, The Religious Procession of the A., in: Journal of Roman Archaeology 6, 1993, 80–92 · B. S. SPAETH, The Goddess Ceres in the A., in: AJA 98, 1994, 65–100 · D. CASTRIOTA, The A., 1995.   C. HÖ.

Arabarches. [1] Amt im röm. Ägypten, zuerst 2 n. Chr. belegt (OGIS 202), aber vielleicht mit ptolemäischen Vorbildern. Ein Kollegium von A. war Mitte des 2. Jh. für die Erhebung der Einfuhrsteuer in Koptos zuständig (SB 18,13167, vers. 2,11 ff.). Unklar ist die Aufgabenteilung mit dem παραλήμπτης τῆς Ἐρύθρας θαλάσσης, doch zeigt OGIS 202 das Nebeneinander der Ämter. Der A. war auch für den Einzug der Straßengebühren auf der Straße von Koptos zum Roten Meer zuständig (OGIS 674 ohne Aussage über die Rangordnung). Eine über den Bereich des Roten Meeres hinausgehende Zuständigkeit impliziert IK 13,627 (ἀ. Αἰγύπτου), die Verbindung mit Alexandreia (Ios. ant. Iud. 20,100), ein Büro in Antinoopolis (PCairoMasp 2,67,166, 568 n. Chr.) und Cod. Iust. 4,61,9 (= Cod. Theod. 4,13,9 [381 n. Chr.]): *vectigal alabarchiae per Aegyptum atque Augustamnicum*; auch Iust. edict. 11,2 zeigt ihn in Alexandreia mit Finanzfragen des Außenhandels beschäftigt. Beibehaltung der Beschäftigung in der Familie vom Großvater bis zum Enkel (OGIS 202), Bekleidung des Amtes durch unbedeutende Personen einerseits (TAM 2,1,256; BGU 2,665; J. COOK, The Troad, 1973, 405 Nr. 31; BCH 16, 1892, 119 Nr. 44), andererseits die Bekleidung durch prominente Alexandriner (Alexandros [17], Demetrios, Ios. ant. Iud. 20,147), die Kopplung mit der Epistrategie der Thebais

(OGIS 685) und die Eingliederung in die ritterliche Laufbahn (IK 13,627) legen nahe, daß es neben einzelnen, in den Häfen tätigen A. eine Zentralstelle mit entsprechendem Rang und Prestige gab (s. Anth. Pal. 11,383?).   W. A.

[2] Im Partherreich waren der Satrapie Parapotamia (am Euphrat) über das Amt des Arabarches die Nomaden der syr. Wüste angeschlossen (Perg. Dura 10). Ähnlich dürften Seleukiden und Römer verfahren sein. Malchos I. als A. bei Ios. ant. Iud. 15,167 mag als Bezeichnung für dessen Königtum über die Nabatäer zu verstehen sein.

[3] A. als eine von [1] und [2] abgeleitete spöttische Bezeichnung: »Beduinenscheich« (Cic. Att. 2,17,3; Iuv. 1,130).

M. COLLEDGE, The Parthians, 1967 · M. ROSTOVTZEFF, Ges.- und Wirtschaftsgesch. der hell. Welt 3, 1956, 1199.   A. ME.

[4] Personenname: SB 14, 11725; 11741; 11744. Vgl. U. WILCKEN, Griech. Ostraka aus Ägypten und Nubien, 1899, 1, 351?

Lit. → Alabarches.   W. A.

Araber. Heute größte Volksgruppe semit. Sprache. Seit der assyr. Zeit (9. Jh. v. Chr.) ist *Aribi* Bezeichnung der Bewohner des arab. Steppenraums und Mat Arabi als »Steppenraum«. A. wurden zum 1. Mal auf dem Monolith Salmanasars II. (859–825 v. Chr.) als Kamelreiter erwähnt. Die Aribi standen unter Königen und auch regierenden Königinnen. Der Name bezog sich in assyr.-babylon. Zeit auf die Beduinen in Nordarabien. Seit dem Koran setzte sich der Begriff »arabisch« allg. durch. Die A. wurden von Persern und Griechen in ihre Kämpfe hineingezogen. Ausführliche Berichte liefert z. B. Hdt. 3,9; 7,69.   B. B.

Zeit Alexanders d. Gr. erstreckte sich das Siedlungsgebiet der A. bis nach Mesopotamien. Gemeinsames Merkmal seßhafter und nomadischer A. blieb ihre tribale Gesellschaftsordnung. Mit der Auflösung des Seleukidenreichs gelang es arab. Stämmen wie den Nabatäern (→ Nabataioi), unabhängige Herrschaften zu errichten. In Emesa und Edessa regierten arab. Dynastien. Nach der Etablierung Roms als neuer Ordnungsmacht der Region 64 v. Chr. wurde die Kontrolle der a. Bevölkerung im Grenzgebiet arab. Bundesgenossen überlassen. Den Nabatäern, deren Königreich 106 n. Chr. zur Prov. → Arabia umgewandelt wurde, und dem Reich von Palmyra folgten in dieser Funktion die christl. Ġassāniden und Laḥmiden als byz. bzw. sassanid. Vasallenkönigreiche. Die Einigung der Stämme der arab. Halbinsel im 7. Jh. durch den → Islam führte zur islam. Expansion, mit der eine gezielte Ansiedlung von A. im Irak, in Syrien und in Nordafrika zur Absicherung der eroberten Gebiete einherging.   J. P.

Der Stammesname Saraceni (und Landschaft Sarakene, Σαρακηνή (Ptol. 5,17,3 s. der Nabatäer) wurde seit dem 3. Jh. n. Chr. zur Sammelbezeichnung Sarakenoi = (Σαραχνοί für alle Stämme der syr. Steppe, und durch die Kirchenväter Eusebius, Hieronymus, Nilus u. a. in den Sprachgebrauch der Byzantiner und des europ. Mittelalters getragen.　　　　B.B.

→ Petra; Palmyra

G. W. BOWERSOCK, Roman Arabia, 1983 · B. BRENTJES, Die Söhne Ismaels, ²1973 · F. M. DONNER, The Early Islamic Conquests, 1981 · D. H. MÜLLER, RE 2, 344–359 · TH. NÖLDEKE, Tabaris Gesch. der Perser und A., 1879 · I. SHAHID, Byzantium and the Arabs in the Fourth Century, 1984 · DERS., Byzantium and the Arabs in the Fifth Century, 1989 · J. S. TRIMINGHAM, Christianity among the Arabs in Pre-Islamic Times, 1979.　　J.P. / B.B.

Arabia. Verdankt A. auch seinen Namen dem Wort ʿarab (Beduinen), so war doch stets der Großteil seiner Bewohner seßhaft. Günstige klimatische Bedingungen für eine intensive Landwirtschaft herrschten aber nur im südwestarab. Hochland und in großen Oasen wie → Yaṯrib/Medina (Ḥiǧāz) oder al-Yamāma im Osten. In der klass. Geogr. unterschied man A. *deserta*, das sich von Südsyrien bis zum nördl. Ḥiǧāz erstreckte, und A. *felix*, den südl. Teil der a. Halbinsel. Die von Ptolemaeus un-

ter Hinzufügung von A. *petraea* eingeführte Dreiteilung setzte sich nicht durch [1].　　　　J.P.

Seit ältester Zeit wurde der Norden in die Auseinandersetzungen der Großreiche des Nils und des Zweistromlandes hineingezogen. In diese Richtung weist auch die Josefsgeschichte (Gn 37, 25–28), wohl das älteste direkte Zeugnis über die Araber.

Häufig werden die Araber in den assyr. Inschr. genannt, zuerst in Salmanassars III. Bericht über die Schlacht bei Qarqar am Orontes (853); vor allem aber erfahren wir aus einem Bericht Tiglatpilesars III. (745–727) von einem Königreich Aribi, das sein Zentrum in Dūmat al-Ǧandal hatte und bis in die Zeit Asarhaddons (680–669) im Vasallenverhältnis zu Assyrien stand. Das Erbe der Assyrer traten die Babylonier an, deren letzter König Nabunaid 552 einen Zug gegen Taimā unternahm und dort 10 J. residierte, um die »Weihrauchstraße« zu kontrollieren. In den Inschr. Dareios' I. (522–486) erscheint Arabaya als das dem Perserkönig unterworfene Gebiet zwischen Mesopotamien und Ägypten. Über die Berührungen der Perser mit den Arabern vgl. Hdt. 3,8–9; 7,69; 3,97, danach Plin. nat. 12,80; Dion. Chrys. 1,72,9.　　　　A.D. / B.B.

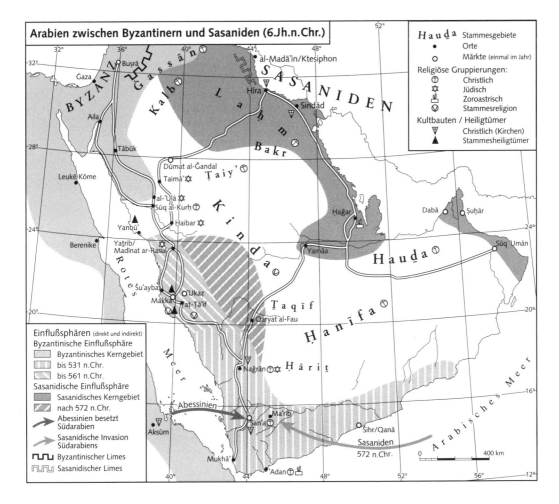

Arabien zwischen Byzantinern und Sasaniden (6.Jh.n.Chr.)

Alexander der Gr. hatte noch kurz vor seinem Tod einen Arabienfeldzug als Abschluß seiner Eroberungen geplant [2]. Der pers. Golf blieb bis zur Mitte des 2. Jhs. v. Chr. im Einflußbereich der → Seleukiden, die die Handelsroute nach Indien durch Anlage befestigter Stützpunkte (Failaka/Ikaros, Baḥrain/Tylos) kontrollierten [3]. Am → Roten Meer wickelten die Ptolemäer ihren Handel mit Indien und Ostafrika über süda. Zwischenhändler ab. A.s Hauptexportware war der in Ḥaḍramaut produzierte → Weihrauch, der bis zur Entdeckung der Monsunschiffahrt Ende des 2. Jh. v. Chr., die einen direkten Schiffsverkehr nach Indien ermöglichte, auf der Weihrauchstraße an die Mittelmeerküste und Mesopotamien befördert wurde. Die engen Handelsbeziehungen Süda.s mit Rom veranschaulicht der im 1. Jh. n. Chr. verfaßte → Periplus Maris Erythraei, eine Beschreibung der Handelsrouten im Roten Meer [4].

Auf der Grundlage des durch den Weihrauch- und Indienhandel erzielten Reichtums bildeten sich in Südarabien eine differenzierte Gesellschaft und staatliche Strukturen. Die Landwirtschaft wurde mit Hilfe großartiger Bewässerungssysteme wie des Staudamms von → Mārib ausgebaut. Das bis ca. 400 v. Chr. bestehende sabäische Großreich teilte sich in vier Teilkönigreiche auf: das Minäerreich von Maʿīn, Sabaʾ, Qatabān und Ḥaḍramaut. Um 120 v. Chr. änderten sich die Machtverhältnisse durch den Aufstand der Ḥimyar gegen Qatabān und der gleichzeitigen Eroberung Maʿīns durch Sabaʾ. Von nun an konkurrierten Sabaʾ und Ḥimyar um die Führungsrolle, bis E. des 3. Jh. n. Chr. die Ḥimyar ihre Herrschaft auf ganz Süda. ausdehnten [5].

In Nord-A. hatten nur die → Nabatäer ein eigenständiges Gemeinwesen bilden können. Die großen Stammesföderationen der in den Wüstengebieten Nord- und Zentrala.s beheimateten Nomaden nahmen aber in einer einem staatlichen Gebilde vergleichbaren Weise mit dem röm.-byz. und pers. Großreich Beziehungen auf. Zahlreiche Inschr. zeigen, in welchem Maße diese norda. Stämme zum Einflußbereich der griech.-röm. Welt gehörten. Eine stete Wanderung süda. Stämme nach Norden und eine daraus folgende ernsthafte Bedrohung der röm. Grenze scheint nicht stattgefunden zu haben. Die u. a. von Diocletian durchgeführten Befestigungsmaßnahmen im norda. Grenzgebiet dürften eher einer Kontrolle der innerhalb des Reichsgebiets lebenden a. Bevölkerung als der Abwehr eines von außen kommenden Feindes gedient haben [6].

Nachdem das Reich der Ḥimyar schon Anfang des 4. Jh. vorübergehend von den Königen von → Axum besetzt worden war, erfolgte 525 auf Drängen Justinians eine neuerliche Annektion Süda.s durch die Aithiopier. Nach 570 oder 575 bis zur Begründung des islamischen Reiches geriet Süda. unter sasanidische Herrschaft (→ Sasaniden). Die byz.-pers. Rivalität um die Kontrolle Süda.s dürfte auf der zu dieser Zeit wieder steigenden Bed. der Weihrauchstraße beruht haben. Davon profitierte auch das an dieser Route gelegene → Mekka,

das zudem durch die Existenz eines überregional bedeutenden Heiligtums, der → Kaʿaba, begünstigt war [7]. Die Prosperität der Stadt scheint auch die Ursache für einen im Verlauf des 6. Jh. erfolgten abessinischen Feldzug gegen Mekka gewesen zu sein. Mit der im → Koran (Sure 105) geschilderten Abwehr dieses Angriffs gelang es den Mekkanern offenbar, ihren Handel auf Süda. auszudehnen (Sure 106) [8].

Monotheistische Vorstellungen aufgrund christl. und jüd. Einflusses waren schon vor → Muḥammads Auftreten in A. verbreitet. In Yaṯrib / Medina siedelten verschiedene jüd. Gruppierungen, → Naǧrān war ein christl. Zentrum in Süda. [9]. Durch seine weitreichenden Handelsverbindungen stand Mekka zudem zu den städtischen Zentren Syriens und Mesopotamiens in Kontakt. Die Übernahme hell. Formen und Modelle als universales Ausdrucksmittel kultureller und rel. Lokaltraditionen führte insgesamt zu einer Einigung A.s und zum Anschluß an die übrige hell. Welt und trug somit zur schnellen Ausbreitung des Islam bei [10].

→ Araber, Fernost- bzw. Indienhandel, Jemen, limes arabicus, Mekka, Weihrauch bzw. Weihrauchstraße,

1 H. I. MACADAM, Strabo, Pliny the Elder and Ptolemy of Alexandria, in: L'Arabie préislamique, 1989, 289–315 2 P. HÖGEMANN, Alexander der Große und Arabien, 1985 3 J.-F. SALLES, The Arab-Persian Gulf under the Seleucids, in: Hellenism in the East, 1987, 75–109 4 S. E. SIDEBOTHAM, Roman Economic Policy in the Erythra Thalassa, 1986 5 H. v. WISSMANN, Die Gesch. des Sabäerreiches, ANRW II 9.1, 1976, 308–544 • M. BĀFAQĪH, L'unification du Yémen antique, 1990 6 D. F. GRAF, Rome and the Saracens, in: L'Arabie préislamique, 1989, 341–400 • F. MILLAR, The Roman Near East, 1993 7 W. M. WATT, Muhammad at Mecca, 1953 • P. CRONE, Meccan Trade and the Rise of Islam, 1987 8 I. SHAHID, Two Qurʾānic Sūras: al-Fīl and Qurayš, in: Studia Arabica et Islamica, 1981 9 J. S. TRIMINGHAM, Christianity among the Arabs in Pre-Islamic Times, 1979 10 G. W. BOWERSOCK, Hellenism in Late Antiquity, 1990. J.P.

Arabios Scholastikos. Epigrammdichter aus der Zeit Justinians (Anth. Plan. 39 und 314 feiern die Verdienste des Flavius Longinus, ὕπαρχος in Byzanz in den Jahren 537–539 und 542), Verf. von 7 manierierten Gedichten, die wahrscheinlich aus dem »Kyklos« des Agathias stammen und zum größten Teil virtuose Beschreibungen von Kunstwerken sind (bei dem locus amoenus von Anth. Pal. 9,667 könnte es sich um den Park neben dem justinianischen Ἡραῖον handeln, vgl. Paulus Silentiarius, Anth. Pal 9,663 f. und Agathias, Anth. Pal. 9,665).

AV. UND A. CAMERON, The Cycle of Agathias, in: JHS 86, 1966, 10 f. E.D. / T.H.

Arabisch. Im Unterschied zum → Altsüd-A. eigentlich Nord-A.; gehört zum nördl. Zweig der semit. Sprachen. Ab dem 9. Jh. v. Chr. begegnen (nord-) a. Personennamen in assyr. Keilschriftquellen, zeitgleich Siegel und kurze Inschr. in proto-a. Schrift. Diverse frühe nord-a. Dial. sind in modifizierten altsüd-a. Schriften (Graffiti und Grabinschr.) verfaßt, so → Thamudisch (6. Jh. v. – 4. Jh. n. Chr.; Inschr. aus Teima), Safaitisch (1. Jh. v. – 3. Jh. n. Chr.), Lihjānisch (frühe Stufe Dedān, 5. Jh. v. – 2. Jh. n. Chr), Hasaitisch (5. – 2. Jh. v. Chr.). Nord-a. Personennamen und Spracheinflüsse finden sich in → palmyren. und → nabatä. Inschriften. Zwei Z. in A. enthält bereits eine nabatä. Inschr. des 1./2. Jh. n. Chr. aus Oboda [1]; bekannt sind auch (alt-) a. Inschr. in altsüd-a. (Qaryat al-Fa'w, 4. Jh. n. Chr.) und lihjänischer Schrift (Dedān).

Aus den (alt-) a. Dial. des 1. – 6. Jh. n. Chr. entstand das klass. A. Sein aus 28 Zeichen bestehendes Alphabet entwickelte sich (ab 4. Jh. n. Chr.) aus dem nabatä.-aramäischen. In dieser Zeit wurden zahlreiche aram., pers., griech. und lat. (via Aram.) Lw. aufgenommen. Die Lit. des klass. A. umfaßt die vor- und frühislamische Poesie, den Koran, histor. Berichte über Muhammad, Papyri, Hadīṯ (Erzählungen), Sprichwörter, Anekdoten und Heldenerzählungen. Die Regeln für das klass. A., die 'Arabīja (Sprache der arab. Dichtung der nördl. Stämme), wurde erst im 8. Jh. n. Chr von Gelehrten aus Kūfa und Basra festgelegt, zuerst vom pers. Grammatiker Sībawaih.

Aus der nachklass. Periode (ab 10. Jh. n. Chr) stammen viele Übers. von griech. Literatur (Medizin, Naturwissenschaften, Philosophie); bedeutend das wiss. Zentrum Bait al-Hikma (Bagdad).

Die Umgangssprache wird als Mittel-A. bezeichnet. Das heutige Neu-A. ist in viele Dialekte (Naher Osten, Magreb, Sudan, Nigeria) aufgespalten, doch entstand ein gemeinsames (Neu-) Hoch-A. Einziger a. Dial. in lat. Schrift (mit vielen it. Wörtern) ist das Maltesische. → Semitisch

1 A. NEGEV, Obodas the God, in: IEJ 36, 1986, 56–60.

W.-D. FISCHER, H. GÄTJE (Hrsg.), Grundriß der a. Philol., 1984–1987.   C. K.

Arabissos (Ἀραβισ(σ)ός). Stadt in → Kappadokia, h. Afşin (früher Yarpuz), nahe dem Zusammenfluß von 3 Quellarmen des Pyramos (Itin. Anton. 210,11). Ende des 4. Jhs. Hauptquartier der *legio* XII *Moderatiana*. Als Suffraganbistum seit 381 n. Chr. erwähnt.

F. HILD, M. RESTLE, Kappadokien (TIB 2), 1981, 144 f.
                                                                        K. ST.

Arachnaion (Ἀραχναῖον). Kahler, ost-westl. streichender, aus Kalken aufgebauter Gebirgszug zw. der Ebene von → Argos [II 1] und → Epidauros; höchster Gipfel h. Profitis Elias (1199 m), mit Altären des → Zeus und der → Hera (Paus. 2,25,10). Von Aischyl. Ag. 309 als Standort des letzten Feuersignals von Troia her genannt. Andere Namen für A. (wörtl. »Spinnengebirge«) bei Paus. l.c. (Sapyselaton) und Hesych. s. v. Hysselinon.

PHILIPPSON / KIRSTEN 3, 1, 1959, 97 f.   C. L.

Arachne (Ἀράχνη). Die Metamorphose der Arachne (»Spinne«) erzählt Ov. met. 6,5–145 nach einer unbekannten hell. Quelle. Die Tochter des kolophonischen Wollfärbers Idmon lebt als meisterhafte Weberin im lyd. Hypaipa. Sie fordert Athena, die Patronin der Webkunst, zum Wettkampf heraus: A. übertrifft die Göttin technisch, worauf diese im Zorn das Mädchen schlägt und ihr Gewebe zerreißt. Verzweifelt erhängt sich A., Athena verwandelt sie in eine Spinne. Ovid gestaltet die Gesch. als Bestrafung von Hybris; A.s Gewebe stellt anstößige Mythen dar. Den Mythos kennen Verg. georg. 4,246 und Nonn. Dion. 18,215; 40,303. Einen Sohn von A. (Closter, eigentlich »Spindel«) nennt Plin. nat. 7,196.   F. G.

Arachosia (apers. Harauvatiš). Achäm., dann seleukidische, → Satrapie im östl. Iran / westl. Afghanistan; Mitte des 3. Jh. v. Chr. gehörte es zu Indien. Erstmals erwähnt in der Behistun-Inschr. (um 519 v. Chr.) [1 DB 17]; s. auch Arr. an., Curt. passim; Strab. 11,10,1; Plin. nat. 6,92; Ptol. 6,20; 6,61. Hauptstadt, nahe dem heutigen Kandahar (→ Alexandreia), wo eine griech.-aram. Bilingue, sowie eine griech. Inschr. des Mauryakönigs Aśoka gefunden wurde. Ausgrabungen zeigen, daß die Stadt schon z. Z. der Achämeniden bewohnt war, und daß die Verwaltung das Elam., wie in Persepolis, benutzte.

1 R. G. KENT, Old Persian, 1953.

P. BERNARD, Fouilles d'Ai Khanoum IV, 1985, Kap. 4 • P. M. FRASER, The Son of Aristonax at Kandahar, in: Afghan Stud. 2, 1979, 9–21 • S. W. HELMS, Excavations at the City and the Famous Fortress of Kandahar, in: Afghan Stud. 3/4, 1982, 1–24 • T. PETIT, Satrapes et Satrapies dans l'empire achéménide, 1990, 218 • D. SCHLUMBERGER (et al.), Une bilingue gréco-araméenne d'Asoka, JA 246, 1958, 1–48.   A. KU. u. H. S.-W.

Arachthos (Ἄραχθος). Größter Fluß im südl. → Epeiros (auch Ἄαθθος, Ἄρατθος CEG 1,145; BMC Corinth 107; Strab. 7,7,8; Dionysios Kalliphontos 42), entspringt bei den Molossi am Lakmon (Pindos), von der Mündung im Ambrakischen Golf bis → Ambrakia schiffbar. Flußbettverlagerung im Unterlauf seit ant. Zeit [1].

1 P. N. DOUKELLIS, É. FOUACHE, in: BCH 116, 1992, 375–382 **2** N. G. L. HAMMOND, Epirus, 1967 **3** PHILIPPSON/ KIRSTEN 2, 115–121.   D. S.

Arad. Platz im östl. Negev (Nm 21,1; 33,40; Jos 12,14; Ri 1,16), außerbiblisch in einer Ortsliste des Pharao Schoschenk (ca. 920 v. Chr.) erwähnt; war zunächst von ca. 3000–2650 v. Chr. besiedelt. Auf dem Tell entstand im 9. Jh. v. Chr. eine wiederholt zerstörte Festung mit Heiligtum. Im 1. Jh. v. Chr. gehörte ein röm. Fort zum herodianischen Limes Palaestinae. A. ist ein bedeutender Fundort für Ostraka mit hebr. und aram. Inschriften.

Y. Aharoni, Arad Inscriptions, 1981 · Z. Herzog,
M. Aharoni, A. F. Rainey, S. Moshkovitz, The Israelite
Fortress at Arad, in: BASOR 254, 1984, 1–34. R. L.

Aradi. Stadt der *Africa proconsularis*, h. Bou Arada westl.
von El-Fahs, bedeutende Ruinen (Inschr. CIL VIII
Suppl. 1, 12444; 12445; Suppl. 4, 23861–23869 [1. 677–
679]; BCTH 1930–1931, 126–128), darunter ein Grenz-
stein der → *fossa regia* (Bulletin Archéologique du Comité des Travaux Historiques 1934/1935, 391).

1 A. Merlin, Inscr. lat. de la Tunisie, 1944.

AATun 050, Bl. 34, Nr. 99 · H. Dessau, s. v. Aradus Nr. 4,
RE 2, 372 · C. Lepelley, Les cités de l'Afrique romaine au
Bas-Empire 2, 1981, 71 f. W. HU.

Aradius Rufinus. [1] Q. (?). Angehöriger der im frühen 3. Jh. n. Chr. in den Senat aufgestiegenen afrikan.
Familie der Aradii Rufini. Vermutlich bereits vom
4.1.304–12.2.305 *praef. urbi*, bekleidete A. dieses Amt
erneut unter Maxentius (9.2. – 27.10.312), nachdem er
die letzten Monate von 311 gemeinsam mit → Ceionius
Konsul gewesen war. Nach dem Sieg Constantins über
Maxentius war A. vom 29.11.312 bis 8.12.313 erneut
praefectus urbi. Seine Bewährung unter den verschiedenen Kaisern rühmt Avianius Symmachus (Symm. epist.
1; 2; 3). B. BL.
[2, Q.] Der stadtröm. Heide (Lib. epist. 1493) war mit
Libanios befreundet. Er wurde 363 n. Chr. unter Iulian
comes Orientis (Amm. 23,1,4) und behielt dieses Amt
auch nach Iulians Tod zumindest noch ein Jahr lang
(Lib. epist. 1219). 376 war A., der inzwischen zum Christentum übergetreten war, *praefectus urbis Romae* (Symm.
epist. 7,126; Cod. Theod. 1,6,7). Er starb vor 402
(Symm. l. c.). PLRE 1, 775 f. (Rufinus 11).

H. P. Kohns, Versorgungskrisen und Hungerrevolten im
spätant. Rom, 1961, 145 ff. W. P.

Arados. [1] Die auf einer Insel (Curt. 4,1,5) [1] gegenüber Tartus gelegene syro-phöniz. Handelsstadt (akkad. Arwada, Armad(d)a, hebr. *arwad*, h. er-ruwad) wird
erstmals im 2. Jt. in den → Amarnabriefen [2] und in
assyr. Texten seit Tiglatpileser I. genannt [3]. Im 1. Jt.
von Skyl. (104) erwähnt und bei Strab. 16,2,13 beschrieben. Eine Rationenliste Nebukadnezzars II. nennt u. a.
den König und Handwerker von Arwad (ANET 308).
Die Bewohner von A. gelten bei Ez 27,8.11 als berühmte Seefahrer und Krieger. Das Königreich von A. wurde
332 v. Chr. von Alexander erobert (Arr. an. 2,13,7;
20,1).

1 TUAT Bd. 1, 356.358 2 L. W. Moran, The Amarna
Letters, 1992, Nr. 101, 104, 105, 149 3 RLA 1, 160 f.

K. Baedeker, Palästina und Syrien, 1910, 329 ·
H. J. Katzenstein, The History of Tyre, 1973. M. K.

[2] Das h. Arad, kleinere Insel nördl. von → Bahrein
(Tylos). So wie im Fall → Tylos existierte eine gleich-

namige Stadt A. an der phöniz. Küste. Die Bewohner
des phöniz. A. behaupteten, ihre Vorfahren seien vom
Roten Meer zur phöniz. Küste gelangt (damals stand
»Rotes Meer« syn. für die Region »Persischer Golf«)
und hätten dort die gleichnamigen Orte A. und Tylos
gegründet. Nach Strab. 16,3,4 ähnelten die Tempel auf
A. und Tylos denen der Phöniker. Sowohl an der Mittelmeerküste als auch später in der Golfregion erklärt die
histor. Überlieferung die Namensgleichheit mit Migration, für die aber arch. Anhaltspunkte fehlen.

D. Potts, The Arabian Gulf in Antiquity, 1994 ·
G. W. Bowersock, Tylos and Tyre: Bahrein in the
Graeco-Roman World M. H.

Arae [1, Flaviae]. Heute Rottweil am Neckar. Durch
Cn. Pinarius Clemens 73/74 n. Chr. (CIL XVII 2,654;
[2]) an einem Straßenknoten angelegter Zentralort
(auch des → Kaiserkults) zur Erschließung der sog.
→ *decumates agri*. Neben Truppen (5 bekannte Kastelle)
entwickelte sich ein 186 n. Chr. bezeugtes, blühendes
→ *municipium* [1].

1 A. Ruesch, Das röm. Rottweil, 1981 2 B. Zimmermann,
Zur Authentizität des »Clemensfeldzuges«, in: Jahresber. aus
Augst und Kaiseraugst 13, 1992, 289–301.

Ph. Filtzinger, A. F./Rottweil, in: M. Weinmann-Walser
(Hrsg.), Histor. Interpretationen, FS G. Walser, 1995,
23–43 · C. S. Sommer, Municipium A. F., in: BRGK 73,
1992, 269–313 · Ders., Unt. im röm. und ma. Rottweil, in:
Arch. Ausgrabungen Baden-Württemberg 1993,
151–154. K. DI.

[2, Philaenorum] (Φίλαι/νων Βωμοί). Ort an der Gro-
ßen Syrte (Skyl. 109) am Ras el-Aáli (45 km westl. von
Agheila), bildete längere Zeit die Grenze des karthagi-
schen Reichs (Pol. 3,39,2; 10,40,7; Sall. Iug. 19,3), spä-
ter der röm. Prov. Africa (Ptol. 4,3,14; Stadiasmos 84;
Tab. Peut. 8,2; Oros. 1,2,90, vgl. auch Sall. Iug. 19,3–8;
Strab. 3,5,5; 17,3,20; Val. Max. 5,6 ext. 4; Mela 1,38;
Plin. nat. 5,28; Sil. 15,700 f.; Sol. 27,8).

G. Abitino, Le are dei Fileni, in: Rivista Geogr. Italiana 86,
1979, 54–72 · R. Rebuffat, s. v. Philènes, Autel des,
DCPP, 351. W. HU.

Aragos, georg. Aragvi (armen. *arag* »schnell«). Fluß
(Strab. 11,3; 2) mit drei Quellflüssen (Mtiuleti, Guda-
maqari, Psavi) in → Iberia am Süd-Hang des Großen
Kaukasus; am A. entlang führt die »Georgische Heer-
straße«; fließt in Mzcheta in den → Kyros. A. P.-L.

Arakos (Ἄρακος). [1] Spartiat, eponymer Ephor
409/08 v. Chr.; 406 zum Nauarchos gewählt, trat er 405
dieses Amt faktisch an → Lysandros ab (Xen. hell. 2,1,7;
Plut. Lys. 7,3), der nun als Epistoleus fungierte, da die
Nauarchie nicht iteriert werden durfte [1. 76,80]. Im
Frühj. 398 wurde er mit zwei Spartiaten von den Ephoren zu → Derkylidas nach Lampsakos gesandt, um ein

Lagebild zu gewinnen und die dortigen Truppen zur Disziplin zu mahnen (Xen. hell. 3,2,6–9). Im Winter 370/69 gewann er mit anderen spartanischen Gesandten Athen für ein Bündnis gegen die in die Peloponnes eingefallenen Thebaner, die sich dann vor einem athenischen Heer zurückzogen (Xen. hell. 6,5,33; 49–52).

1 J.-F. BOMMELAER, Lysandre de Sparte, 1981.   K.-W. W.

[2] (Ἄρακος, ἄραχον, ngr. ἀρακάς, lat. *arac(h)us*) bezeichnete verschiedene kleinsamige Erbsen- und Wikkenarten (Gattungen *Vicia* und *Lathyrus*), die nach Plin. nat. 21,89 von den Ägyptern gegessen wurden. Theophr. h. plant. 8,8,3 bezeichnet sie als Unkraut unter Linsen (φακοί). Gal. de facultatibus alimentorum 1,27 unterscheidet sie als schlecht bekömmliche »wilde Platterbsen« von nicht eßbaren ἀραχοί.
→ Erbsen

1 G. HELMREICH (Hrsg.), De facultatibus alimentorum (CMG V,4,2), 1923.   C. HÜ.

Aralsee. Binnengewässer zw. Uzbekistan und Kasachstan, erhält kaum Niederschläge, Wasserversorgung nur durch Syr-darja und Amu-darja.
Die in der Ant. bewässerte Fläche war mehr als doppelt so groß wie 1962. Die nach dem Abzug der nach Baktrien ziehenden Nomaden (140–120 v. Chr.) verlassenen Gebiete sind seither verwüstet, desgleichen der Westteil und der Nordostteil Chorezmiens.   B. B.

Aramäer (akkad. auch Aḫlamʾu). Bezeichnung einer urspr. halbnomadischen Ethnie des späten 2. und des 1. Jt. v. Chr., die als A. in der assyr. und biblischen Überlieferung erwähnt wird. Am Ende des 2. Jt. drangen A. aus dem Randgebiet der Wüstensteppe in das Kulturland Syriens und Mesopotamien ein. Die Könige des neuassyr. Staates haben sich mit den A. mil. auseinandergesetzt, ihre Gesch. wird daher vor allem in den assyr. Königsinschr. reflektiert. Die A. gründeten in Mesopotamien und Syrien eine Reihe von Fürstentümern, unter denen das von Damaskus (Aram) die größte Bed. besaß. Die neuen Dynastien der A. führten sich auf einen bestimmten Ahnherrn zurück; entsprechend wurden ihre Staaten oft als »Haus des … (Name des Ahnherrn)« bezeichnet. Wie aram. Inschr. zeigen, spielte unter den Göttern der A. vor allem Hadda / Hadad eine Rolle, urspr. eine Wettergottheit. Ihm war auch ein bedeutendes Heiligtum in Damaskos geweiht.
→ Ahab; Aramäisch; Damaskos; Hadad; Mesopotamien; Syrien

H. SADER, Les états araméens de Syrie depuis leur fondation jusqu'à leur transformation en provinces assyriennes, 1987.   H. KL.

Aramäisch. Leitet sich von der ethnischen Sammelbezeichnung der → Aramäer ab und gehört neben dem → Kanaanäischen zum nordwestl. Zweig der semit.

Sprachgruppe. Als Schriftsystem übernahm das A. das 22 Zeichen umfassende phöniz. → Alphabet. Die älteste Sprachstufe ist das Alt-A. (10. – 8. Jh. v. Chr.) mit Inschr. aus Nord-Mesopotamien und Syrien (Tell Feḫerije [1], Arslantaš, mit a.-assyr. Bilingue bzw. a.-assyr.-hieroglyphen-luw. Trilingue, Tell Ḥalaf, Breǧ, Zinçirli, Staatsvertrag von Tell Sfire) und Palästina (Tell Dan [2]). Es folgt Früh-A. (8. – 7. Jh. v. Chr.) mit diversen Inschr. auf Stein (Nērab) und Tontafeln. Vom 8. Jh. v. Chr. an löste das A. langsam das Akkad. als *lingua franca* im Vorderen Orient ab. Von den → Achämeniden wurde es als Verwaltungssprache (Reichs-A. 6./5. Jh. v. Chr., zeitgleich Biblisch-A.) verbreitet. Ab dem 3./2. Jh. v. Chr. vollzog sich eine auch graphisch nachweisbare Spaltung in östl. und westl. A. mit → Palmyren. und → Hatra im Osten und → Nabatä. und Qumran-A. im Westen. Die Einteilung setzt sich fort vom 3. – 7./8. n. Chr. mit den östl. Dial. → Syr., Babylon.-Jüd.-A. (babylon. Talmud) und Mandäisch, im Westen Galiläisch, Palästin.-Jüdisch, Christl.-Palästin.-, und → Samaritanisch-A. In diese Sprachstufe fällt die Blütezeit der a. Literatur, in der sich viele lat. und griech. Lw. nachweisen lassen. Mit der islamischen Eroberung (8.–10. Jh. n. Chr.) verlor das A. seine Bed. als lebende Sprache und blieb oft nur noch im rel. Gebrauch (Liturgien, Bibelübers., Mischna) bis in die Gegenwart erhalten. Die noch h. existierenden Dial. des A. sind das Neuwest-A. im Antilibanon/ Syrien (Maʿlūla, Baḫʿa, Gubb-Adīn) und im Osten das Neusyr. in den Gebieten um Mosul (Irak), Urmia (Iran) und im Ṭur-ʿAbdīn (Türkei).

1 A. ABOU-ASSAF, P. BORDREUIL, A. R. MILLARD, La Statue de Tell Fekherye, 1981 2 A. BIRAN, J. NAVEH, The Tell Dan Inscription: New Fragment, in: IEJ 45, 1995, 1–18.

K. BEYER, Die Texte vom Toten Meer, 1984, 23–153 ·
F. ROSENTHAL, Die Aramaistische Forsch. seit T. Nöldeke, 1936 · S. SEGERT, Altaram. Gramm., 1975.   C. K.

Araphen (Ἀραφήν). Att. → Paralia-Demos der Phyle → Aigeis (IG II² 1747; 2 Buleutai) an der Ostküste westl. von Raphina, das den Namen bewahrt hat. Ant. Reste (vgl. [1. 39]) in der modernen Bebauung untergegangen. In Askitario befestigtes proto-urbanes Zentrum (Frühhelladisch II) [2; 3].

1 A. MILCHHOEFER, Erläuternder Text, in: E. CURTIUS, J. A. KAUPERT (Hrsg.), Karten von Attika 3–6, 1889 2 D. THEOCHARIS, Ανασκαφη εν Αραφηι, in: Praktika 1951, 77–92; 1952, 129–151; 1953, 105–118; 1954, 104–113; 1955, 109–117 3 Ders., Ασκηταριο. Πρωτοελλαδικη Ακροπολις παρα την Ραφηναν, in: Archaiologike Ephemeris 3, 1953/54, 59–76.

TRAILL, Attica, 16f., 40, 69, 109 (Nr. 19), Tab. 2 ·
WHITEHEAD, Index s. v. A.   H. LO.

Arar. Fluß in → Gallia, früher Βρίγουλος, später → *Sauconna* gen., h. Saône (Ps.-Plut. de fluminibus 6). In den Vogesen (Alpen nach Strab. 4,1,11; 3,2; Ptol. 2,10,4 –

Verwechslung mit → Isara) entspringend, ab dem Zufluß des → Dubis schiffbar, mit auffallend langsamer Strömung, bildete er die Grenze zw. → Haedui und → Sequani (Caes. Gall. 1,12,1) und vereinigte sich mit dem → Rhodanus bei *ad Confluentes* gegenüber von → Lugdunum.

I. OPELT, A., der Grenzstrom zw. Häduern und Sequanern, in: Gymnasium, 1988, 481–492.   Y.L.

Araros. Sohn des → Aristophanes [3]; siegte an den Dionysien 387 v. Chr. mit dem *Kokalos* seines Vaters ([1. test. 1; 3], [2]) und führte wohl bald danach auch den zweiten *Aiolosikon* seines Vaters auf (Aristophanes, Aiolosikon, test. iv). Die Suda [1. test. 1] setzt den Beginn von A.' Tätigkeit in die 101. Ol. (376/5–373/2 v. Chr.), was wohl die Aufführung eigener Stücke bedeutet [2], von denen sechs Titel (drei myth. Inhalts, drei nichtmyth.) erh. sind. Alexis fr. 184 verspottet A. als frostig [1. test. 4].

1 PCG II, 524–531 2 H.-G. NESSELRATH, Die att. mittlere Komödie, 1990, 192.   B.BÄ.

Araspes (Ἀράσπας). Vornehmer Meder (βασιλέως Χαράσπου auf einer Münze [1]), in Xenophons Kyropädie (5,1,1–20; 6,1,31–44; 3,14–20 ; vgl. Plut. de prof. in virt. 15, mor. 84f; de curios. 13, mor. 521f) eine der Mustergestalten, ein treuer, zuverlässiger Freund des Kyros, wenn er auch der Leidenschaft zu der ihm anvertrauten Pantheia, Gemahlin des Königs Abradates, verfiel.

1 W. JUDEICH, s.v. A., RE 3, 381 2 W. KNAUTH, S. NADJMABADI, Das altiranische Fürstenideal, 1975. H. A. G.

Arator. Christl. Dichter des 6. Jh. aus Ligurien, gefördert durch → Ennodius, Advokatenlaufbahn am Hof zu Ravenna. Im April/Mai 544 hielt A. in Rom eine begeistert aufgenommene öffentliche Dichterlesung als inzwischen in päpstliche Dienste getretener *subdiaconus* [5. 9f.]. Die 2 Bd. *De actibus apostolorum* (Titel unsicher) behandeln in 43 locker gereihten Abschnitten ebensoviele Begebenheiten der nt. Apostelgeschichte (Prosasummarien nicht authentisch [2]). A. zeigt kein Interesse an einer epischen Gestaltung des häufig als bekannt vorausgesetzten Geschehens. Nach dem Vorbild der Volkspredigt, die z. T. auch exegetische Quelle ist, liegt das Schwergewicht auf der Schriftauslegung [5. 179–201]. Die betont trinitarische und ekklesiologische Ausrichtung zeigt sich zweckgebunden: neben den Antiarianismus tritt die Propagierung der Ansprüche der röm. Papstkirche gegenüber Byzanz. Sprachlich orientiert sich A. an Vergil, Lucan, Statius und → Sedulius, der auch in der Stoffbehandlung (Einzelepisoden, paraenetisch-didaktische Meditation) Vorbild ist [5. 161–179]. Als Schulautor war A. im MA überaus geschätzt.
→ Bibeldichtung

ED.: 1 A. P. MCKINLAY, CSEL 72, 1951 [Kritik: 5. 18–21]. LIT.: 2 P.-A. DEPROOST, L'authenticité des sommaires en prose dans l'Historia apostolica d'A., in: R. GRYSON (Hrsg.), Philologia Sacra, 1993, 596–604 3 Ders., L'Apotre Pierre dans une épopée du VIᵉ siècle, 1993 4 R. HILLIER, A. on the Acts of the Apostles, 1990 5 J. SCHWIND, A.-Studien, 1990 6 Ders., Sprachliche und exegetische Beobachtungen zu A., 1995.   J. SCH.

Aratos. [1] Legendäre Gestalt der spartanischen Frühgeschichte. Nach Iust. 3,4,8 sandte A. im 1. Messenischen Krieg die jüngeren Soldaten zurück in die Heimat, wo sie allen Frauen beiwohnen und so den spartanischen Nachwuchs sichern sollten. Die so gezeugten sog. → Partheniai gründeten später unter → Phalanthas, dem Sohn des A., Tarent.   M. MEI.

[2] Sikyonier, 271–213 v. Chr., war zw. 245 und 213 16 mal Stratege des Achäerbundes, den er seit 250 zu Wachstum und aufgrund der von → Kleomenes III. bewirkten Krise auf der Peloponnes 225/4 in das Bündnis mit Makedonien führte.

264 nach der Ermordung des Vaters Kleinias durch → Abantidas nach Argos geflohen, stürzte A. 251 in Sikyon den Tyrannen → Nikokles und schloß Sikyon den Achäern an (Plut. Aratus 2–14) [1. 394–396; 2. 16–38]; entsprechende Versuche gegen → Aristippos und → Aristomachos in Argos fruchteten erst 229 (Plut. Aratus 25–29) [1. 397–399; 2. 61–65]. Zuvor entrang A. 243 den Makedonen Akrokorinth (Plut. Aratus 18–24) [2. 48–52] und bewog 235 den Tyrannen Lydiadas von Megalopolis zur Abdankung und zum Anschluß an Achaia (Pol. 2,44; Plut. Aratus 30) [1. 401–402; 2. 86–88]; 229 wirkte A. bei der Freigabe Athens durch → Diogenes mit (Plut. Aratus 33–34) [3. 176]. Als → Ptolemaios III. nicht Achaia, sondern seinen Kriegsgegner Kleomenes III. gegen Makedonien förderte, schloß A. 225/4 ein Bündnis mit → Antigonos [3] Doson, dem A. auch Korinth überließ (FGrH 28 F 81; Plut. Aratus 36–44) [2. 152–158, 189–192]. Mit → Philipp V., als dessen Freund und Ratgeber A. im Bundesgenossenkrieg 220–217 mil. Erfolge vermissen ließ, überwarf sich A. 214 wegen Messenien, starb, angeblich von jenem vergiftet, und erhielt in Sikyon einen Kult (Pol. 8,14; Plut. Aratus 52–53).

1 H. BERVE, Die Tyrannis bei den Griechen, 1967 2 R. URBAN, Wachstum und Krise des Achäischen Bundes, 1979 3 HABICHT, Athen.   L.-M. G.

[3] Sohn von A. [2], 225/4 v. Chr. achaiische Geisel bei → Antigonos [3] Doson, 219/8 Bundesstratege (Pol. 2,51; 4,37; Plut. Aratus 42,2) [1. 145–146, 181], überwarf sich 214 wegen → Messene mit → Philipp V. (Pol. 7,11,9; Plut. Aratus 50,1–3), der als sein Gastfreund ihm die Gattin Polykrateia entführte und ihn vergiftet haben soll (Plut. Aratus 49,2; 51,2–3; Liv. 27,31,8; 32,21,23–24).

1 R. URBAN, Wachstum und Krise des Achäischen Bundes, 1979.   L.-M. G.

[4] Aus Soloi in Kilikien (ca. Ende 4. Jh. – Mitte 3. Jh. v. Chr.). A. Leben B. Die Phainomena 1. Wissenschaftliche Traditionen des Aratos 2. Verhältnis zu Hesiod C. Wirkungsgeschichte 1. Antike 2. Überlieferung

A. Leben

Nach dem Studium der stoischen (evtl. auch der peripatetischen) Philos. in Athen gelangte er 276 an den Hof des Antigonos Gonatas. Nicht nachprüfbar sind weitere Details der biographischen Tradition der vier Viten des A., die mehr oder weniger unmittelbar auf einen einzigen hell. Kommentator zurückgehen (Boethos von Sidon, wahrscheinlicher Theon). Im Umfeld des maked. Hofes entstanden die Gedichte zu Ehren des Antigonos, der Phila, Tochter des Antipatros und Mutter des Antigonos, und für den Makedonen Pausanias (nicht erh.). Verloren sind auch eine Sammlung verschiedener »leichter Dichtungen« (Κατὰ λεπτόν), die unter diesem Gesamttitel möglicherweise [18] die Totenklagen enthielt (mindestens drei Ἐπικήδεια), die Epigramme (davon wenigstens zwei erh.: Anth. Pal. 11,437 und 12,129) und die Hymnen. Der Hymnus an Pan (SH 958? [3]) entstand vermutlich anläßlich des Antigonos-Sieges über die Galater bei Lysimacheia im Jahr 277. Hinzu kommen ἠθοποιίαι ἐπιστολαί (SH 106), Charakterbriefe im Stil Ovids? [1]. Literaturgesch. bedeutsam sind seine Lehrgedichte: a) 5 Titel astronomischen Inhaltes, die zumindest teilweise Abschnitte der Φαινόμενα anführen [18]; der Κανών (»Maßstab«) bezieht sich jedoch auf ein anderes Werk über die Umlaufbahnen der Planeten, das nicht der beschreibenden, sondern der mathematischen Astronomie angehört (vgl. Leonidas, Anth. Pal. 9,25,3). b) 7 Titel handeln über anatomische und/oder pharmakologische Themen (→ Anatomie); erh. ist ein Fragment über die Schädelnähte. Die Ὀστολογία (SH 97) war aber möglicherweise kein Werk über die Anatomie der Knochen, sondern die nekromantische Praxis der Knochenschau [14]). Als Philologe betreute A. eine Ausgabe der Odyssee. Die Viten I und III berichten über einen Aufenthalt am Hofe des Antiochos von Syrien, der A. wohl dazu anregte, auch die Ilias herauszugeben.

B. Die Phainomena (= phain.)

Seinen Ruhm verdankt A. den Φαινόμενα καὶ Διοσεμεῖα, »Das, was man sieht (d. h. am Himmel: Astronomie) und die Zeichen (d. h. die des Wetters: Meteorologie)« – *Aufbau:* v. 1–18: Prooemium; 19–453: Beschreibung der Fixsterne; 454–461: die Weigerung, die Planeten zu behandeln (Thema des Κανών); 462–558: die Himmelskreise (Äquator, Tierkreis, Wendekreise); 559–732: Aufgang und Untergang der zwölf Sternzeichen; 733–757: Mondwechsel und Bewegung der Sonne und deren Einflüsse auf menschliche Handlungen (damit Vorbereitung des zweiten Teiles, der Diosemeia); 758–772: Proömium an die Diosemeia; 773–1154 Aufzählung der Wetterzeichen, die man vom Himmel, von Lebewesen oder Naturgewalten erschließen kann.

1. Wissenschaftliche Traditionen des Aratos

Der astronomische Teil der *Phainómena* sei, so die Viten I und II, eine Übertragung der gleichnamigen Abhandlung des → Eudoxos von Knidos in Verse. Antigonos habe A. ausdrücklich dazu aufgefordert. Doch war die direkte Abhängigkeit A.' von Eudoxos umstritten (vgl. Hipparchos I,2.1, p. 8.15 Manitius). Der Astronom Hipparchos (2. Jh. v. Chr.), der einen minutiösen Vergleich zwischen beiden Werken anstellte, erkannte, daß die Versübersetzung des A. nicht so wortgetreu war, um von allen als solche eingestuft werden zu können. Ex silentio läßt sich zudem annehmen, daß der Auftrag des Antigonos vielleicht eine Fiktion ist (s. das in Scholien überlieferte alternative Widmungsproömium an Antigonos, SH 85). Ein meteorologischer Abschnitt findet sich möglicherweise bereits bei Eudoxos. Mit Sicherheit haben A.' phain. 733–1154 Berührungspunkte mit einem Text (Theophr. fr. 6 Wimm.), der möglicherweise eine Epitome von einem verlorenen meteorologischen Werk des Aristoteles oder des Theophrast ist. Auch die Idee, Astronomie und Meteorologie in ein und derselben Abhandlung zu verbinden, findet sich in der Speziallit. der Epoche des A. (vgl. P2036 Pack², aus dem 3. Jh.). Insgesamt ist die Behandlung des wiss. Stoffes in den *Phain.* schwer zu beurteilen, da die Quellen dazu fehlen. Durch Hipparchos ist es jedoch möglich, einige Details über A.' bes. Darstellungsart ausfindig zu machen. Dies betrifft vor allem die Irrtümer im Vergleich zu Eudoxos [5 und 7].

2. Verhältnis zu Hesiod

A.' lit. Individualität bleibt von den Quellen unerwähnt. Diese zeigt sich insbes. in seinem Bemühen, den technischen Wortschatz dem homer. Sprachgebrauch anzupassen, und in der sorgfältigen Komposition der *Phain.*, die die beiden Werkteile durch verschiedene thematische Entsprechungen verbindet [17]. a) die sprachliche und kompositorische Anlehnung und Weiterentwicklung der ›Werke und Tage‹ Hesiods, sowie b) die stoische Neuinterpretation der ›Werke und Tage‹.

(a) A. übernimmt das metrische Schema des Hexameters, wie ihn Hesiod verwendet; er bevorzugt Wortstellungen nach dessen Vorbild, häufiger als nach Homer oder den zeitgenössischen Autoren [20], und bringt zahlreiche Anspielungen auf die Phraseologie Hesiods [17; 23]. Inhaltlich sind die *Phain.* als Entsprechung oder vielmehr thematische Ergänzung der ›Werke und Tage‹ Hesiods konzipiert [7; 8]. Hesiod verknüpft die landwirtschaftlichen Tätigkeiten mit bestimmten Jahreszeiten. Anhaltspunkte für deren Bestimmung waren vor allem der Auf- und Untergang der unterschiedlichen Gestirne (383 ff., 417 ff. usw.). Nur kurz bestimmt der in der Seefahrt unerfahrene Hesiod in astronomischen Fachbegriffen die beiden richtigen oder jeweils gefährlichen Jahreszeiten für Seefahrten (erg. 619 ff., 679 ff.). Die ›Tage‹ bieten eine Zusammenfassung der landwirtschaftlichen Tätigkeiten in Kalenderform. A.' *Phain.* ergänzen den ersten Teil der Werke als Führer zu den

astronomischen Erscheinungen (von Hesiod nicht erklärt), hinsichtlich der Mondwechsel und des Kalenders
verweisen sie auf die Tage, ohne sie erneut zu behandeln
(erg. 740–743); die Wetterzeichen, deren Nutzen A. vor
allem für die von Hesiod vernachlässigte Seefahrt begründet (erg. 758 ff.), werden dagegen eingehend analysiert. Der längste und wichtigste Exkurs der ›Werke‹,
der λόγος über die Zeitalter (erg. 106–201), wird in dem
einzigen großen Exkurs der *Phain.*, dem λόγος des A.
über die Flucht Dikes von der menschlichen Welt und
den Mythos der Lebensalter des Menschen (phain. 100–
136) wieder aufgenommen. Dieser wird jedoch »aktualisiert«, da das goldene Zeitalter nicht ohne vollkommen
friedliche Feldarbeit vorgestellt wird. Dabei handelt es
sich um wahrscheinlich stoische Begriffe, die letztendlich denen des Poseidonios verwandt sind [8; 22; 25].
Auch der kurze Hymnus an die traditionelle Zeus- Gerechtigkeit zu Beginn der ›Werke‹ (Hes. erg. 1–8) wird
in dem Prooemium der *Phain.* in Form eines kurzen
Hymnus an den Zeus-Himmel aufgenommen und aktualisiert [23].

(b) Stoische Neuinterpretation Hesiods

Eine lange Tradition von den Pythagoreern über Platon bis zu den Stoikern machte der Zusammenhang
zwischen dem *kósmos*, der mathematisch erfaßbaren
»Ordnung« und den Gottheiten gerade den Himmel mit
seinen Fixsternen zum eindeutigen Sitz des Göttlichen
und seiner Kundgebungen. Auch die offensichtlich ungleichmäßigen Umlaufbahnen der Planeten wurden mit
Hilfe des mathematischen Modells der konzentrischen
Kugelschalen des Eudoxos und des → Kallippos aus Kyzikos interpretiert (danach ergaben sich diese Schalen
aus dem Zusammenspiel der Umlaufbahnen, von denen
jede einzelne in ihrer Geschwindigkeit oder Kreisför-
migkeit gleichmäßig war). A. nun stellt Zeus in stoischen Begriffen als Personifikation des Himmels dar
[13], dessen Sternzeichen die »Signale« für die Menschen seien (768–772), über die Zeus selbst den Bauern
eine Anleitung für die Feldarbeit gebe und somit an den
βίος erinnere (6 f.) – In dieser stoischen Kosmologie unterscheidet sich A. grundsätzlich von der Theodizee der
›Werke und Tag‹ Hesiods: dort hatte Zeus nach dem
Prometheus–Betrug den βίος versteckt und den Menschen die Sorgen auferlegt, die sie mit harter Feldarbeit
und Ehrlichkeit überwinden mußten. Auch im Κανών
präsentiert A. einen stoischen *kósmos*, ›eine Art Harmonie und musikalische Sinfonie‹ (SH 90: vgl. Kleantes,
SVF I,502 ARN.), wahrscheinlich anhand eines mathematischen Modells nach dem Typus des Eudoxos oder
des Kallippos, sogar angesichts der offensichtlichen Un-
gleichmäßigkeit der Planetenumlaufbahnen.

C. WIRKUNGSGESCHICHTE I. ANTIKE

Seit dem 3. Jh. v. Chr. wurden die *Phain.* für ihre
λεπτότης, »Feinheit«/»Leichtigkeit«, gerühmt – Leonidas, Anth. Pal. 9,25; Kall. Anth. Pal. 9,507; ein unbekannter »ptolemaischer König« (SH 712,4). A. selbst
hatte eine seiner Gedichtsammlungen Καταλεπτόν genannt und scheint auf diese Eigenschaft, gleichsam als

seine Sphragis, mit dem Akrostichon λεπτή in phain.
783–787 hinzuweisen [11,15]). Gelobt wurden die ›Mühe‹ und die ›durchwachten Nächte‹ (Leonidas, Kallimachos; s. auch Helvius Cinna, FPL p. 89 MOREL) und
das reichhaltige Wissen (Leonidas), die Abfassung in
hesiodischer Manier (Kallimachos); die didaktischen
Fähigkeiten (Leonidas). Gerühmt wurde auch die
δύναμις in seiner Eigenschaft als Naturphilosoph (offensichtlich Ergebnis seiner stoischen Weltanschauung),
die im Vergleich zu den übrigen didaktischen Autoren
der Astronomie ausschließlich A. charakterisierte (so
Boethos von Sidon schol. vet. p. 12 f. MARTIN). A.
machte sich eine bereits vorhandene »Mode« zu eigen.
Schon ein Schüler von Eudoxos, Kleostratos von Tenedos, hatte begonnen, dessen Lehre in Verse zu setzen.
Phainómena – in Prosa oder in Versen – schrieben auch
Alexandros Aitoleus, anscheinend ein Zeitgenosse des
A. am Hofe des Antigonos Gonatas, ebenso Hermippos
von Smyrna (3. Jh.), Hegesianax von Alexandreia (2.
Jh.), und Alexandros von Ephesos (1. Jh.). A.' *Phain.* war
jedoch der größere Erfolg beschieden; im Unterschied
zu den anderen gleichnamigen Werken (sowie zum
Nachteil der mathematischen Astronomie) wurden sie
sofort Bestandteil des Lehrplans an den Schulen. Bereits
der älteste Papyrus der *Phain.* (v. 480–494), PHamb. 121,
erste Hälfte des 2. Jh. v. Chr., ist eine Anthologie für den
Schulgebrauch. Diese Verwendung gab Anlaß zu zahlreichen astronomischen und grammatischen Komm. in
griech. und lat. Sprache: Attalos von Rhodos (fr.), Boethos von Tarsos (fr.), Hipparchos von Nikaia (erh.),
Theon von Alexandreia (fr.), ferner Achilles, 3. Jh.
n. Chr. (erh.).

In Rom trug man dem immer weiter verbreiteten
Interesse für Astrologie und die orientalischen Astral-
religionen Rechnung: Cicero übersetzte sie in Hexameter (einige Fragmente sind überliefert), ebenso Germanicus und Avienus, Varro Atacinus (nur in Auszügen)
und Ovid; Sie wurden von Vergil als Quelle benutzt
(vor allem georg. 1,356–497) und von Manilius; von
dem Κατὰ λεπτόν, den »leichten Dichtungen« A.' leitet
sich vermutlich der Titel *Catalepton* für die Sammlung
kurzer Gedichte in der Appendix Vergiliana ab. Das
Ansehen A.' in Rom war geteilt: Ovid lobte seinen Stil
(am. 1,15,16), Plinius äußerte sich positiv (epist. 5,6,43),
Quintilian dagegen urteilt strenger (inst. 10,1,55); skeptisch hinsichtlich der wiss. Exaktheit ist Cic. de orat.
1,16,69.

Eine weitere anon. lat. Prosaübersetzung des 6. /
7. Jh. n. Chr. (Aratus Latinus cum scholiis, p. 175–306
MAASS), und einige Auszüge machten die *Phain.* zu einem der wenigen bekannten gr. Werke des lat. MA,
während sie in Byzanz Schultext blieben und weiter
komm. wurden (so von Leontios Mechanikos, p. 559–
570 MAASS). Die *Phain.* waren mit ihrer beschreibenden
Astronomie ein Pendant zur mathematischen Astronomie des Almagests von → Ptolemaios. Dieser hatte jedoch bereits im MA und vor allem in der Neuzeit weitaus mehr Erfolg.

2. ÜBERLIEFERUNG

Von den *Phainómena* und den Scholien sind 50 Codices, dazu einige Papyrusfragmente erhalten. Ältester Codex ist der Marcianus gr. 476 (M) aus dem 11./12. Jh. Vielleicht geht der Codex des Escorial S (Σ III 3), auf den gleichen Hyparchetypus zurück. Abgesehen von drei Apographen von S gehen sämtliche anderen Codices auf M zurück, mit einigen Kontaminierungen entweder von dem Überlieferungszweig des S oder von Φ, einer hypothetischen [2] spätant. Ausgabe des 2.–3. Jh. (woher der *Aratus Latinus*), die vom byz. Archetypus des M und S unabhängig sein dürfte.

→ Anatomie; Astronomie; Eudoxos von Knidos; Hellenistische Dichtung; Kallippos von Kyzikos; Lehrgedicht; Medizin; Stoa

ED. DER PHAINOMENA: J. MARTIN, 1956 · M. ERREN, 1971 (mit Übers. und Anm.; ein ausführlicher Komm., hrsg. v. D. A. Kidd, ist im Druck).
FR. DER KLEINEREN DICHTUNGEN: SH 34–42.
SCHOLIEN: MARTIN, Schol. in A. vetera, 1974.
INDEX VERBORUM (PHAIN.): M. CAMPBELL, 1988.
KOMM.: E. MAASS, Commentariorum in A. reliquiae, 1898 · C. MANITIUS, Hipparchi in A. et Eudoxi Paen. Commentariorum libri III, 1894.
1 E. MAASS, Aratea, 1892 2 J. MARTIN, Histoire du texte des Phénoménes d'A., 1956).
LIT.: 3 A. BARIGAZZI, Un frammento dell' »inno a Pan« di A., in: RhM 117, 1974, 221–246 4 P. BING, A. and His Audiences, in: Materiali e discussioni 31, 1993, 99–109 5 R. BÖKER, Die Entstehung der Sternsphäre A.s, in: Ber. der Sächsischen Akademie der Wiss. Leipzig, Naturwiss.-mathematische Kl. 99, 1952, 1–68 6 B. EFFE, Dichtung und Lehre: Unt.en zur Typologie des ant. Lehrgedichts, 1977, 40–56 7 J. FARRELL, Vergil's Georgics, 1991 8 M. ERREN, Die Phain. des A. von Soloi: Untersuchungen zum Sach- und Sinnverständnis, 1967 9 R. HUNTER, Written in the Stars: Poetry and Philos. in the »Phain.« of A., in: A. SCHIESARO, D. FOWLER (ed.), Teaching Text: Theory and Practice of Classic Didactic Poetry, 1994 10 G. O. HUTCHINSON, Hellenistic Poetry, 1988, 214–236 11 J. M. JACQUES, Sur un acrostiche d'A. (Phénoménes. 783–787), in: REA 62, 1960, 48–61 12 J. M. JACQUES, A. et Nicandre: νωθής et ἀμυδρός, in: REA 71, 1969, 38–58 13 A. W. JAMES, The Zeus Hymn of Cleanthes and A., in: Antichthon 6, 1972, 28–38 14 F. KUDLIEN, Zu A.' Ὀστολογία und Aischylos' Ὀστολόγοι, in: RhM 113, 1970, 297–304 15 W. LEVITAN, Plexed Artistry: Aratean Acrostics, in: Glyph 7, 1979, 55–68 16 A.-M. LEWIS, The Popularity of the Phain. of A.: a Reevaluation, in: C. DEROUX (ed.), Studies in Latin Literature and Roman History, VI, 1992, 94–118 17 W. LUDWIG, Die Phain. A.s als hell. Dichtung, in: Hermes 91, 1963, 425–448 18 W. LUDWIG, RE Suppl. 10, 26–39 19 J. MARTIN, Les Phénoménes d'A., in: L'astronomie dans l'antiquité classique (Act. Coll. Univ. Toulouse-Le Mirail 21–23 Oct. 1977), 1979, 91–104 20 H. N. PORTER, Hesiod and A., in: TAPhA 77, 1946, 158–170 21 A. RONCONI, A. interprete di Omero, 1937, in: A. RONCONI, Filologia e linguistica, 1968, 45–107 22 H. SCHWABL, Zur Mimesis bei A., in: Antidosis: FS für W. Kraus zum 70. Geburtstag, 1972, 336–356 23 K. SCHÜTZE, Beiträge zum Verständnis der Phain. Arats, Diss. 1935 24 F. SOLMSEN, A. on the Maiden and the Golden Age, in: Hermes 94, 1966, 124–128 25 A. TRAINA, Variazioni omeriche in A., 1956, in: A. TRAINA, Vortit barbare, 1974², 205–220.

M. FA. / G. F.-S.

Arausio. Stadt in der → Gallia Narbonensis (vgl. Liv. ep. 67: Ort der röm. Niederlage im Kampf gegen die → Cimbri 105 v. Chr.; Ptol. 2,10,8), h. Orange. Kurz nach 36 v. Chr. gründeten Veteranen der → *legio* II. 7 km östl. des → Rhodanus und südl. der Aigues die *colonia Firma Iulia Secundanorum Arausio* (CIL XII 3203). Die kelt. Vorgänger-Siedlung lag 5 km südl. davon, was Spuren ab dem 6. Jh. v. Chr. bezeugen. A. war einer der Hauptorte der Cavares (Strab. 4,1,11) und verfügte über eine bes. günstige Lage: der Hügel von St. Eutrope ermöglichte eine wirksame Kontrolle der Uferstrecke am → Rhodanus (von → Arelate nach → Vienna). A. ist nach der Schutzgottheit einer inschr. bezeugten Quelle benannt [1. 184]. Bedeutende Überreste aus röm. Zeit (Theater, Triumphbogen, Tempel).

1 A. CHASTIGNOL, Inscr. latines de Gaule Narbonnaise 2, 1992.

M.-E. BELLET, Orange antique, Guides archéologique de la France 23, 1991 · C. GOUDINEAU PE, s. v. A. · GRENIER 3, 172–193, 646, 754–765.
Y. L. / S. F.

Aravisci, Eravisci. Kelt. Stamm im Norden der → Pannonia Inferior (Plin. nat. 3,148; Tac. Germ. 28), h. die Komitaten Pest, Fejér und Tolna. Unter röm. Herrschaft → *civitas* (CIL III 10418; AE 1951, 15), die von einheimischen *principes* geleitet wurde (CIL III 3546). Als Auxiliartruppen eingesetzt (AE 1944, 102; CIL XVI 112; 123), kaum romanisiert.

A. GRAF, Übersicht der ant. Geogr. von Pannonien, 1936, 29 · M. PAVAN, La provincia romana della Pannonia Superior, in: Atti della Academia Nazionale dei Lincei 1955, Serie 8/6, 427, 483, 502 f. · A. MÓCSY, Die Bevölkerung von Pannonien bis zu den Markomannenkriegen, 1959, 59 ff. · Ders., s. v. Pannonia, RE Suppl. 9, 516–776, hier 533.
J. BU.

Araxes (Ἀράξης). **[1]** Hauptfluß Armeniens (h. Aras, georg. Rakhsî), mündet in das Kaspische Meer, wurde in seinem Gesamtlauf erst in röm. Zeit (Pompeius) bekannt (Mela 3,40; Plin. nat. 6,26; Ptolem. 5,12,3 M. u. a.). **[2]** Nach Hdt. 1,202 anderer Name für den Oxos (h. Amu-darja), der in neolithischer Zeit mit einem westl. Arm (h. Wadi Usboi) das Kaspische Meer erreichte. **[3]** Fluß in der Persis (Diod. 17,69; Curt. 5,4,9), der in den jetzigen See von Nîriz mündet (h. Kor-Bandemîr). **[4]** Von Xen. an. 1,4,19 erwähnter Fluß Obermesopotamiens, linker Nebenfluß des Euphrat, h. Khabour.

→ Aï Chanum; Khabour

B. B. U. H. T.

Arba. Eine der liburnischen → Mentores-Inseln (h. Rab, Kroatien) mit gleichnamiger Stadt. → *Municipium* seit Augustus, gehörte zur *tribus Sergia* (Plin. nat. 3,140; Ptol. 2,17,13).

→ Liburni

G. ALFÖLDY, Bevölkerung und Ges. in der röm. Prov. Dalmatien, 1965 · J. J. WILKES, Dalmatia, 1969. D. S.

Arbakes (Ἀρβάκης). **[1]** Nach der medischen Königsliste des Ktesias (Diod. 2,32–34) König der Meder, der mit Hilfe des Babyloniers Belesys den verweiblichten assyr. König → Assurbanipal besiegte und 625 v. Chr. Ninive zerstörte (Diod. 2,24–28; Athen. 12,528f–529c). Der sagenhafte Bericht des Ktesias steht im Widerspruch zur zuverlässigen Überlieferung babylon. Keilschriftdokumente. In einer Inschr. Sargons II. von Assyrien (713 v. Chr.) wird ein Arbaku als einer von vielen medischen Fürsten genannt. Obwohl die Namensform A. elam. Harbakka, akkad. Arbaku und wahrscheinlich griech. Ἅρπαγος entspricht, ist eine Identität mit dem A. des Ktesias ausgeschlossen. **[2]** Feldherr Artaxerxes' II. (Xen. an. 1,7,12).

→ Astyages

R. DREWS, Greek Accounts of Eastern History, 1973, 110–11 · F. JACOBY, s.v. Ktesias, RE 11, 2049–2050 · R. SCHMITT, Medisches und persisches Sprachgut bei Herodot, in: ZDMG 117, 1967, 119–145. A. KU. u. H. S.-W.

Arbeit. [1, Orient] Als A. galt im Alten Orient in der Regel die körperliche Tätigkeit in der Landwirtschaft und im Handwerk, ferner im Bau- und Transportwesen. Die freie A. erfolgte durch selbstwirtschaftende Produzenten sowie als Lohn-A. in den institutionellen Haushalten (Palast und Tempel). In letzteren wurde vor allem unfreie A. durch in vielfältiger Weise Abhängige sowie in Form von staatlich verordneter Dienstpflicht verrichtet. Sklaven-A. findet sich in unterschiedlichem Umfang in erster Linie im privaten ökonomischen Bereich. Der auf Abhängigkeit und Dienstverpflichtung beruhenden, auch begrifflich als ambivalent und bedrückend empfundenen A. suchte man sich durch Flucht zu entziehen oder griff zum Mittel der A.s-Verweigerung [1]. Die lit. Überlieferung verbindet die A. zwar mit Mühsal und Last, bringt zum Teil aber auch die Bed. der landwirtschaftlichen und handwerklichen Tätigkeiten für die Schaffung und Erhaltung der Lebensgrundlagen des Gemeinwesens zum Ausdruck [2].

1 G. BREKELMANS, s.v. A., in: H. HAAG (Hrsg.), Bibel-Lexikon, 1968, 100–101 2 B. BRENTJES (Hrsg.), Der arbeitende Mensch in den Ges. und Kulturen des Orients, 1978 3 W. HELCK, s.v. A., LA I, 370–371 4 B. HRUŠKA, Die landwirtschaftlichen Arbeiten in den sumerischen lit. Texten, in: J. ZABLOCKA, S. ZAWADSKI (Hrsg.), Sulmu IV: Everyday Life in Ancient Near East, 1993 5 H. KLENGEL, Formen sozialer Auseinandersetzungen im alten Vorderasien, in: Klio 61, 1979 6 H. NEUMANN, Handwerk in Mesopotamien, 1987 7 M. A. POWELL (Hrsg.), Labor in the Ancient Near East, 1987. H. N.

[2, Griechenland und Rom] Der moderne Begriff der A. im Sinne von gesellschaftlich anerkannter, objektbezogener Wertschöpfung ist für die Ant. nicht anwendbar. In einer Gesellschaft, in der die Subsistenzwirtschaft vorherrschte, wurde die bäuerliche A. nicht als Wertschöpfung, sondern als Lebenssicherung angesehen; sie wurde so mit ähnlich lebenssichernden Strategien wie Frömmigkeit, Fortpflanzung und Moralität in Verbindung gebracht. Werttheorien, die etwa der modernen Arbeitswerttheorie entsprochen hätten, konnten aufgrund der begrenzten Funktion der Märkte nicht formuliert werden. Da die ant. Anschauungen über A. zudem wesentlich von der Existenz der Sklaven-A. geprägt waren, wurde nicht der Wert der A. selbst, sondern der Wert des arbeitenden Menschen erfaßt. Es gibt Beispiele dafür, daß der Wert von Boden zusammen mit den unfreien A.-Kräften berechnet werden konnte (ML 20,44 f.); ähnlich wie im Fall von Landbesitz konnte auch ein Hirtensklave als Teil des Viehbesitzes angesehen werden (Isaios 6,33). Für Aristoteles schließlich ist der Sklave Besitz des *oíkos* (Aristot. pol. 1,4,1253b). Die Wortfelder der verschiedenen griech. und lat. Begriffe für A. orientierten sich folglich an anderen kulturellen und wirtschaftlichen Gegebenheiten als jene in modernen Sprachen. Πόνος, μόχθος, ἄθλος und *labor* bezeichnen die Mühsal und den Schmerz, die mit A. verbunden sind; *áthlos* bes. die mit Ruhm verbundene Anstrengung des Athleten und Soldaten. ἔργον/ἔργα, *opus/opera* und *industria* sind wertneutrale Begriffe für A., bezeichnen aber im weitesten Sinne menschliche Taten, Bauten, Errungenschaften, finanzielle Geschäfte, Vorführungen und Kunstwerke.

Die Gestaltung von A.-Prozessen hing wesentlich von der technischen Ausstattung ab, die der ant. Gesellschaft zur Verfügung stand. Die A. im Handwerk war, wenn man von wenigen Ausnahmen absieht, bestimmt als eine Tätigkeit, die mit einfachen Werkzeugen ausgeübt wurde; sie beruhte daher sowohl auf einem Wissen über das Werkzeug, den Gegenstand, der produziert werden sollte, und die Eigenschaften des zu bearbeitenden Materials als auch auf manueller Geschicklichkeit. Da nur für die Getreidemühle die tierische Muskelkraft oder die Wasserkraft als Antrieb genutzt werden konnte, war es notwendig, daß Menschen solche Geräte, die im Handwerk, in der Landwirtschaft und im Bergbau für die Be- bzw. Entwässerung oder im Bau- und Transportwesen verwendet wurden, mit ihrer eigenen Muskelkraft antrieben. Dies gilt etwa für Wasserhebegeräte, Kräne, aber auch für ein so einfaches Gerät wie die Töpferscheibe. Mit der Entwicklung komplexer mechanischer Geräte wie etwa der Schraubenpresse, die sowohl in der Landwirtschaft als auch in der Textilherstellung eingesetzt wurde, wandelte sich die A. und wurde zur Bedienung derartiger Geräte. Dabei wurde die A.-Effizienz erheblich gesteigert, die A. selbst blieb zweifellos anstrengend und monoton. Der Einsatz neuer Geräte in der Landwirtschaft hatte nicht allein das Ziel, die Arbeitssituation zu verbessern, sondern war, wie etwa im

Fall des gallischen Mähgerätes durch einen A.-Kräfte-
mangel bedingt (Plin. nat. 18,300). Wie wenig ein neues
technisches Gerät wie die Rotationsmühle die Lage ar-
beitender Sklaven erleichterte, zeigt die Beschreibung
der A. in einer Mühle bei Apuleius (Apul. met. 9,12).
Erst von der Wassermühle erhoffte sich der Dichter die
Befreiung des Menschen von einer körperlich anstrengenden A. (Anth. Pal. 9,418). Technische Fortschritte,
die insgesamt nicht unterschätzt werden sollten, haben
die Gestaltung der Arbeitsprozesse also nur in begrenztem Maße beeinflußt.

Wie in anderen vorindustriellen Gesellschaften waren in der Ant. etwa 80% der Bevölkerung in der Landwirtschaft tätig, in der die A. der kleinbäuerlichen Familie weit verbreitet war; primäres Ziel war es, durch
Anbau, Viehzucht und handwerkliche Tätigkeit die
Existenz der bäuerlichen Familie zu sichern. Angesichts
von Jahr zu Jahr wechselnder Witterungsbedingungen,
nährstoffarmer Böden, einer Ausstattung mit primitiven
Geräten und einem Mangel an zusätzlichen A.-Kräften
war die Land-A. außerordentlich mühevoll; sie blieb
dennoch stets vom Scheitern bedroht. Die A. der bäuerlichen Familie beschränkte sich keineswegs auf die
Produktion von Nahrungsmitteln; Geräte wie der Pflug
wurden vom Bauern selbst hergestellt, die Frauen waren
für die Textilherstellung zuständig, und außerdem ist
mit einer Keramikproduktion im Haushalt zu rechnen.
Die menschliche A.kraft wurde im bäuerlichen *oîkos*
durch die Zugkraft der Ochsen ergänzt; die Pflege der
Tiere wurde zu einem wichtigen Bestandteil der bäuerlichen Tätigkeit. Im klass. Griechenland wurde der neben dem Kleinbauerntum bestehende Großgrundbesitz
zunehmend mit Hilfe von Sklaven bewirtschaftet. Auch
in der kleinbäuerlichen Wirtschaft wurde die Famili-
en-A. teilweise durch Sklaven- oder freie Lohn-A. ergänzt. In Sparta und Thessalien wurde die Land-A. von
der unfreien, an die Scholle gebundenen Urbevölke-
rung verrichtet. In Kreta scheint ebenfalls bis in die klass.
Zeit ein System unfreier Land-A. bestanden zu haben.

Für den Hellenismus wird heute die Fortdauer der
vorgriech. Strukturen und die regionale Vielfalt von
A.-Verhältnissen betont. In Kreta und Lakonien etwa
blieben die alten Abhängigkeitsverhältnisse bestehen.
Die Sklaven-A. in der Landwirtschaft nahm aufgrund
einer wachsenden Landkonzentration in der alten
griech. Welt zu und war ferner für einzelne Gebiete des
Seleukidenreiches typisch, während im ptolemäischen
Ägypten das steuerpflichtige, freie Bauerntum vorherrschte. Für Kleinasien ist die abhängige, schollen-
gebundene und abgabenpflichtige Land-A. der λαοί
charakteristisch. Obwohl rechtlich und ökonomisch
Teil des Landbesitzes waren die *laoí* insofern keine Sklaven, als sie nicht veräußerbar waren, ihre lokalen und
familiären Bindungen aufrecht erhalten blieben und sie
daher keine entwurzelte Bevölkerung darstellten. Lo-
kalstudien sprechen dafür, daß freie Bauern in vielen
Regionen weiterhin auf ihrem eigenen Boden traditionelle, auf Subsistenz gerichtete Land-A. und Anbaumethoden praktizierten.

Im röm. It. und im Imperium Romanum bestand
eine große strukturelle Vielfalt der A.-Verhältnisse. Neben der Sklaven-A. auf den großen Gütern gehörte der
saisonale Einsatz von freier Lohn-A. aus der Umgebung
unabdingbar zu dieser Betriebsform (Cato agr. 1,3;
1,44,4; Varro rust. 1,17,2; Suet. Vesp. 1,4; CIL VIII
11824); zw. den großen Gütern (Marktproduktion) und
den Kleinbauern (Subsistenzwirtschaft) bestand ein
symbiotisches Verhältnis. Ab dem 1. Jh. v. Chr. findet
sich zunehmend die Bearbeitung des Großgrundbesitzes durch Kleinpächter (*coloni*; Colum. 1,7); im Imperium
Romanum war der Colonat in den östl. Provinzen
(Kleinasien, Syrien, Palästina), Ägypten und der Provinz
Afrika die typische landwirtschaftliche A.-Form, während in Südgallien, Griechenland und Teilen Spaniens
die Sklaven-A. vorherrschte. In der Viehwirtschaft, die
Teil der Landwirtschaft war (Varro rust. 2,2,8), arbeiteten zahlreiche Sklaven als Hirten, die die Herden während des Sommers auf ihren Wanderungen (Transhu-
manz) in das Gebirge begleiteten (Varro rust. 2,10,1).
Diese Sklaven hatten die Herden vor wilden Tieren zu
schützen und waren daher oft bewaffnet.

Obgleich die ant. Gesellschaft immer eine Agrar-
gesellschaft blieb, sollte die ökonomische Bedeutung
der Städte und der städtischen Wirtschaft nicht unterschätzt werden. Das städtische Handwerk entwickelte
sich seit der spätarcha. Zeit zu einem prosperierenden
Wirtschaftszweig, der vor allem die städtische Bevölkerung, teilweise aber auch das Umland, mit Hand-
werkserzeugnissen versorgte; es entstand die für die Ant.
charakteristische A.-Teilung zwischen Stadt und Land.
In den Städten war die kleine, unabhängige, in Eigen-A.
oder mit Hilfe weniger Sklaven betriebene Werkstatt
die vorherrschende Betriebsform des Handwerks; die
Werkstatt diente gleichzeitig als Laden, oft wurde im
Auftrag der Kunden gearbeitet. Es gab weder Manufakturen noch Fabriken, aber durchaus Werkstätten mit
einer großen Zahl von Sklaven. Für Athen ist die
Schildwerkstatt des Kephalos mit 120 Sklaven belegt
(Lys. 12,19; vgl. Demosth. or. 27,9; 37,4). Die überregionale Produktion blieb auf Produkte von hoher Qualität beschränkt. Vom städtischen Handwerk zu unterscheiden ist die handwerkliche Produktion auf den gro-
ßen Gütern der Principatszeit; sie ist in vielen Fällen
abhängig von vorhandenen Rohstoffvorkommen (z. B.
Ton). Die *fabricae* der Spätant. dienten vor allem der
Versorgung des Heeres und der Verwaltung. In größeren Städten kam es auch zu A.-Teilung innerhalb eines
A.-Zweiges, doch wurde dies als eine Maßnahme zur
qualitativen Verbesserung der Erzeugnisse und nicht zur
Erhöhung der Produktivität gesehen (Xen. Kyr. 8,2,5;
Aug. civ 7,4). Wichtiger als die innerbetriebliche A.-
Teilung war die Spezialisierung einzelner Werkstätten
und Handwerker auf bestimmte Produkte.

Die Differenz von Freiheit und Unfreiheit war für
die soziale Lage und die A.-Bedingungen der Menschen
von erheblicher Bedeutung. Der Sklave, dessen A.-
Kraft der Besitzer sich aneignete, indem er den ganzen

Menschen kaufte, war der Willkür seines Herrn weitgehend ungeschützt ausgeliefert; er konnte über seine A.-Kraft nicht mehr frei verfügen und nur versuchen, seinen Herrn durch seine A. zufriedenzustellen und so seine Freilassung zu erlangen. Obwohl Sklaven in der Regel ausreichend mit Nahrung und Kleidung versorgt wurden, um ihre A.-Kraft zu erhalten, unterlagen sie gerade in der Landwirtschaft einer umfassenden, scharfen Kontrolle, teilweise mußten sie in Fesseln arbeiten, waren in *ergastula* kaserniert und harten Bestrafungen ausgesetzt. Die A.-Bedingungen von Freien, die über keinen Besitz verfügten, waren ebenfalls in vieler Hinsicht problematisch. Wenn sie als Tagelöhner arbeiteten, wurden sie oft nur für einen Tag engagiert. Solche Tagelöhner mußten damit rechnen, nicht jeden Tag Arbeit zu finden und waren wahrscheinlich über längere Zeit unterbeschäftigt. Statusunterschiede waren insgesamt in der städtischen Wirtschaft weniger ausgeprägt als in der Landwirtschaft: Im öffentlichen Baugewerbe etwa arbeiteten freie Bürger, Fremde und Sklaven nebeneinander, und Sklaven, die im städtischen Handwerk arbeiteten, besaßen eine größere Aussicht auf Freilassung als die Sklaven auf den großen Gütern.

Die Bewertung der A. war auch davon abhängig, welchen Status derjenige besaß, der eine bestimmte A. ausführte. So wurden in den homer. Epen sowohl körperliche A. in der Landwirtschaft als auch im Handwerk positiv bewertet, solange sie entweder Ruhm oder die Erhaltung des eigenen *oíkos* zum Ziel hatten, während der von Haus zu Haus wandernde Handwerker bei Homer geringes Ansehen genoß. In den *Erga* des Hesiod werden ebenfalls weder landwirtschaftliche noch handwerkliche A. sozial degradiert, wenn sie dem eigenen *oíkos* und der Autarkie dienten. Für Hesiod ist die A. ein Übel für die gesamte Menschheit; allerdings können sich einzelne Menschen durch ihre Bereitschaft, Arbeiten auszuführen, moralisch auszeichnen (Hes. erg. 286ff.). Dementsprechend war die körperliche Anstrengung (*pónos*) ein hoher kultureller Wert (Pind. O. 11,4; I. 5,24f.; P. 10,22ff.; Soph. Phil. 1419f.; Xen. mem. 2,1,21ff.). Lohnarbeiter und Handwerker unterlagen der sozialen Geringschätzung durch Autoren aus der Oberschicht. So wurden die Handwerker als soziale Gruppe in der polit. Theorie vom Bürgerrecht ausgeschlossen (Plat. rep. 564e; 421d; 496d; leg. 920d; Aristot. pol. 3,5,1278a); dies ist auch für die röm. polit. Theorie typisch (Cic. off. 1,150f.). Allerdings wird diese Einstellung keineswegs von den griech. und röm. Handwerkern selbst geteilt. Auf Weihreliefs, Vasenbildern und röm. Grabreliefs lassen sich Handwerker stolz bei ihrer Arbeit in der Werkstatt darstellen, eine Vielzahl von Berufsangaben in röm. Grabinschr. weist in dieselbe Richtung.

Eine grundlegende Arbeitsteilung in der griech. und röm. Gesellschaft ergab sich aus den unterschiedlichen Geschlechterrollen; während Männern die öffentliche Sphäre und die Tätigkeit im Freien zustand, wurden Frauen mit Tätigkeiten im Haus identifiziert (Aristot. pol. 3,4,1277b; Xen. oik. 7). Frauen-A. umfaßte das Spinnen und Weben, was seit Homer die tugendhafte Frau schlechthin symbolisiert (Xen. oik. 7,5ff.; Suet. Aug. 64), ferner die Kindererziehung, die Zubereitung der Nahrung (Xen. oik. 7,10–13) sowie die Überwachung der Finanzen, des Besitzstandes und der Einkäufe (Xen. oik. 8,22). Außerdem gehörte es zu den Aufgaben der jungen Frauen, Wasser vom öffentlichen Brunnen zu holen, eine Tätigkeit, der auf Vasenbildern eine ähnliche symbolische Funktion wie der Textil-A. zukam. In den unteren sozialen Schichten ist die Frau allerdings weder auf das Haus fixiert, noch ist die geschlechtsspezifische Arbeitsteilung ausgeprägt. Frauen sind in den meisten städtischen Handwerkszweigen nachweisbar, sie sind in der Lit. jedoch vor allem als Marktverkäuferinnen belegt (Aristoph. Vesp. 497; Lys. 564; Plut. 1120). Häufig werden sie als → Ammen, Kinderpflegerinnen und Ärztinnen genannt (Lys. 1,9; Plat. rep. 373b; Plat. Tht. 149a–150b; Diog. Laert. 13,1,2: Hebamme und Ärztin; CIL VI 12023; V 3461; VI 9615–17: Freigelassene als Ärztinnen); Gastwirtinnen und Prostituierte standen für unwürdige Frauentätigkeiten. Auch Kinder wurden in den A.-Prozeß eingegliedert; nach Ulpian (Dig. 7,7,6) wurden Sklavenkinder vom 6. Lebensjahr an als produktive A.-Kräfte angesehen. Aus röm. Grabinschr. geht hervor, daß die Ausbildung in Handwerksberufen im Alter von 10 bis 12 Jahren begann. Auf dem Land wurden Kinder zu leichteren A. im Feld, im Wein- und Olivenanbau (Hes. erg. 469–71; Colum. 2,2,13) sowie als Hirten von Kleinvieh eingesetzt (Varro rust. 2,10,1; 3,17,6).

Geistige A. war, von der Philos. abgesehen, normalerweise nicht der körperlichen A. übergeordnet. Als Ärzte, Lehrer, Architekten und Künstler waren sowohl Freie als auch Sklaven tätig. Architekten erhielten in Athen denselben Lohn wie gelernte Handwerker, doch wurde ihnen ein Jahresgehalt statt eines Tagelohns gewährt. Eine Ausnahme bildet die hohe Bezahlung von Lehrern der Rhetorik und Philosophie. In Rom arbeiteten sie unter anderen rechtlichen Bedingungen als Lohnarbeiter; ihre Bezahlung wurde nicht als Lohn, sondern als *honorarium* bezeichnet. In der Spätant. haben christl. Autoren abweichend von den griech.-röm. Anschauungen die A. zunehmend positiv bewertet. Bereits im NT wird die Untätigkeit von Gemeindemitgliedern kritisiert und die Forderung erhoben, ein Christ solle beständig einer Arbeit nachgehen (2 Thess 3, 6–15). Neben Armut und Askese bestimmte vor allem handwerkliche A. die mönchische Lebensform. Die Verpflichtung der Mönche zur Arbeit wurde von Augustinus in *de opere monachorum* gegenteiligen Auffassungen gegenüber verteidigt und theologisch begründet. Allerdings ist kaum anzunehmen, daß solche Positionen, die ähnlich auch von anderen Kirchenvätern, etwa von Johannes Chrysostomos, formuliert wurden, noch in der Spätant. zur Ausbildung einer allg. verbindlichen Arbeitsethik führten; wirklich durchgesetzt hat sich die christl. Sicht der Arbeit erst im Verlauf des Mittelalters.

→ ergastulum, fabrica, Heloten, Sklaverei, Technik, Wirtschaft

1 P. A. BRUNT, Free Labor and Public Works at Rome, in: JRS 70, 1980, 81–100 2 D. CRAWFORD, Kerkeosiris, 1971 3 J. K. DAVIES, Cultural, Social and Economic Features of the Hellenistic World, in: CAH VII.1, 257–322 4 FINLEY, Economy, 176–98 5 J. M. FRAYN, Sheep-Rearing and the Wool Trade, 1984 6 P. GARNSEY (Hrsg.), Non-Slave Labour in the Greco-Roman World, 1980 7 M. H. JAMESON, Agricultural Labour in Ancient Greece, in: B. WELLS (Hrsg.), Agriculture in Ancient Greece, 1992 8 H. KALCYK, Unt. zum att. Silberbergbau, 1982 9 N. KAMPEN, Image and Status: Roman Working Women in Ostia, 1981 10 LAUFFER, BL 11 N. LORAUX, Ponos. Sur quelques difficultés de la paine comme nom du travail, in: Annali del Istituto Universitario Orientale di Napoli, Archeologia e Storia Antica 4/1982, 171–192 12 C. MOSSÉ, The Ancient World at Work, 1969 13 R. OSBORNE, Pride and Prejudice, Sense and Subsistence: Exchange and Society in the Greek City, in: J. W. RICH, A. WALLACE-HADRILL (Hrsg.), City and Country in the Ancient World, 1992 14 R. OSBORNE, The Economics and Politics of Slavery at Athens, in: A. POWELL, The Greek World, 1995, 17–43 15 D. RATHBONE, The Slave Mode of Production in Italy, in: JRS 73, 1983, 160–168 16 K. D. WHITE, Technology, 1984 17 WHITTAKER, 1–4.   S. v. R.

Arbeitslieder. Zwar gehörte das Lied in Griechenland eigentlich in den Bereich der Muße, doch gibt es eine Reihe von Belegen dafür, daß Musik auch Arbeit begleitete. Auf dem Schnitterrhyton aus → Hagia Triada (um 1500 v. Chr.) trägt eine Gruppe von Männern, die von der Landarbeit heimkehrt, ihre Geräte auf der Schulter; der Zug wird von singenden Musikern angeführt, von denen der erste ein Seistron schüttelt. Bei Homer ist vom λίνον (→ Ailinos) die Rede, einem Lied, das von einem Jungen bei der Traubenernte zur Begleitung von Tanz und Gesang auf der Lyra gespielt wird (Il. 18,569–572), und von einem Lied, das Hirten beim Viehhüten auf der Flöte spielen (Il. 18,525–526). Hirtengesang gab es sicher schon von sehr früher Zeit an, auch wenn er erst bei → Theokritos zu einer eigenständigen Kunstform wird. Kirke und Kalypso singen beim Weben (Hom. Od. 5,61–62; 10,221–222), und → Sappho 102 V [1] setzt die Existenz von Spinnliedern voraus. Selbst den Webstuhl hält man für musikalisch: *Etym. m.* leitet κερκίς (»Schiffchen«) von κρέκω (»weben«) ab, einem Verb, das wahrscheinlich vom Schlagen eines Gewebes auf das Schlagen eines Saiteninstruments übertragen wurde (FRISK II, 13; vgl. Soph. fr. 890 TGrF IV]. Die Suda weist → Tyrtaios Kriegslieder (μέλη πολεμιστήρια) zu, zu denen vielleicht anapästische Marschlieder gehörten (→ Embaterion), auch wenn das erh. Beispiel wahrscheinlich nicht echt ist (856 PMG; vgl. 857 PMG) [3]; Plutarch erwähnt, daß die Spartaner zu den Klängen des Kastoreion ins Feld zogen (de musica 1140c). Der → Paian wurde vor der Schlacht gesungen (Aischyl. Pers. 386–394; vgl. 858 PMG). Einige Fragmente von → Archilochos zeigen, daß Söldner

während der Wache sangen [2. 11]. Doch das Lied des Kreters Hybrias ist eher ein Skolion als ein Kriegslied [3. 178–180]. Die Ruderer in einer Trireme ruderten zu den Klängen eines *aulós*, der von einem zur Mannschaft gehörenden αὐλητής gespielt wurde (z. B. IG 2², 1951, 100 f.; Dionysos und der Chor, der den Fröschen des Aristophanes seinen Namen gibt, singen zu einem von Charon vorgegebenen Rhythmus (Aristoph. ran. 208). Ruderlieder wurden ἐρετικά genannt. POxy. 425 und 1383 geben einen Eindruck von Seemannsliedern. Athen. 618c–620a und Pollux 4,52f. zählen Bezeichnungen für viele Arten von Arbeitsliedern auf: Es gibt verschiedene ländliche Lieder wie den Ernte-οὖλος oder ἴουλος und solche, die nach Βώρμος, Μανέρως, Λιτυέρσης und Ἡριγόνη (Ἀλῆτις) benannt sind; Worfellieder (πτιστικόν oder πτισμός); Weinpreßlieder (ἐπιλήνια); Mahllieder (ἱμαλίς), von denen wir ein sehr schönes frühes Beispiel besitzen (869 PMG); Wasserzieherlieder (ἱμαῖος, vgl. Kall. fr. 260,66; Pollux, Hesychios und die Suda setzen den ἱμαῖος auch mit dem Mahllied (ἱμαλίς) gleich); Ammenlieder (καταβαυκλήσεις) und Lieder von Badedienern und Boxern (πυκτικόν); Lieder von Hirten (βουκολιασμός, ποιμενικά und συβωτικά). – Die Möglichkeit einer Beziehung zwischen νόμος und νομός bleibt verlockend [3. 150].
→ Lied; Musikinstrumente

1 E.-M. VOIGT, Sappho et Alcaeus, 1971 2 M. L. WEST, Studies in Greek elegy and iambus, 1974 3 G. LAMBIN, La chanson grecque dans l'antiquité, 1992.   E. R. / T. H.

Arbeitslosigkeit. Angesichts fehlender Konzepte wie Vollbeschäftigung und Arbeitsbevölkerung ist A. in der Ant. kein wirtschaftliches Problem. Daten aus frühmodernen Städten legen hingegen nahe, daß auch in der Ant. bis zu 25% der Erwachsenen einer städtischen Bevölkerung unfähig waren, sich selbst zu ernähren, und weitere 30–40% unter dem Existenzminimum lebten. Aristophanes unterscheidet den πτωχός (*ptōchós*; der, der nichts zum Leben hat) von dem πένης (*pénēs*; der, der bescheiden leben muß; vgl. Aristoph. Plut. 537–54). Auch im Lat. gibt es sprachliche Unterscheidungen von Armut (*inopes*, Mittellose; *egentes*, Bedürftige; *pauperes*, Arme; *humiles*, diejenigen, die für ihren Lebensunterhalt arbeiten müssen und *abiecti*, Ausgestoßene). Bettler werden seit Homer in der Lit. beschrieben (Hom. Od. 14,123 ff.). Platon thematisiert das Bettlertum (rep. 618 a) und schließt *ptōchoí* von seinem Idealstaat aus (leg. 936 b-c). Untätigkeit (griech. ἀργία; *argía*, lat. *inertia*) bestimmter Bevölkerungsteile oder von Frauen wird häufig aus moralischen Gründen beklagt (Xen. mem. 2,7: Frauen; Varr. rust. 3,2,1 ff.: in Städten im Gegensatz zum Land; Colum. 12 praef. 9: Frauen), oder aus polit. Gründen abgelehnt (Thuk. 2,40). A. konnte in Rom als sozialer Krisenherd angesehen werden (Sall. Cat. 37). Die Vermutung, daß öffentliche Bauprogramme wie etwa das des Perikles (Plut. Perikles 12) eine Arbeitsbeschaffungsmaßnahme gewesen seien, wird jedoch gegenwärtig in der Forsch. abgelehnt. In der aristokratischen Oberschicht ist die Muße (griech. *scholḗ*, lat. *otium*) ein kulturelles Ideal (Arist. pol. 2,11,1273a). Für sie ist der Arme (πένης, *humilis*) einer, der für seinen Lebensunterhalt arbeiten muß (Arist. pol. 4,4,1291b; Plat. apol. 23c; Lys. 24,6; Plot. 1,150; Cic. Tusc. 1,1–25).

→ Armut; Bettelei; Muße

1 G. Bodei Giglioni, Lavori pubblici e occupazione nell' antichità classica, 1974 2 P. A. Brunt, Free Labour and Public Works at Rome, in: JRS 70, 1980, 81–100 3 R. Hands, Charities and Social Aid in Greece and Rome, 1968 4 M. Markle, Jury Pay and Assembly Pay at Athens, in: P. Cartledge, D. Harvey (Hrsg.), Crux. Essays represented to G. E. M. de Ste. Croix on his 75th Birthday. 1985, 265–297 5 G. E. M. de Ste. Croix, The Class Struggle in the Ancient Greek World, 1981 6 R. Whittaker, Il Povero, in: A. Giardina, L'Uomo Romano, 1989, 301–333. S. v. R.

Arbeitsmarkt. Mit Bohannan und Dalton ist zwischen dem Markt a) als Ort und b) als preisregulierendem Mechanismus von Angebot und Nachfrage zu unterscheiden [1]. Während sich ein A. im Sinne von b) in der Ant. nicht herausbildete, war Arbeit wie andere Waren auf dem Marktplatz erhältlich. Entweder konnte sie dauerhaft in Form eines Sklaven gekauft, oder temporär von einem freien Lohnarbeiter »geliehen« werden (lat. *locatio*; Menander Sam. 189–95; Plaut. Trin. 843f; 853f.). Umgekehrt konnte jeder seine Arbeit auf dem Markt anbieten (Mt 20,1–16). In Athen gab es einen bes. Bereich der Agora (*kolonós místhios*), auf dem Lohnarbeiter (ἐργάτης, μισθωτής, θής; lat. *mercenarii*) ihre Arbeitskraft anboten (Schol. Aisch. I 125; Schol. Eur. I p. 411, 9–13; Schol. Aristoph. Av. 997; Etym. m., s. v. *Kolonós*; Harp./Suda s. v. Kolonetas; Poll. 7.32ff.). Dies entsprach der Aufteilung der Agora in *kýkloi* (Ringe), in denen Waren (*skeuḗ*) und Sklaven (*sṓmata*) verkauft wurden (Hesych. s. v. kykloi; Poll. 7.11). Spezialisierte Arbeit wird in den verschiedenen Bereichen innerhalb oder in der Nähe des Marktes, in denen sich bestimmte Gewerbe konzentrierten, zu finden gewesen sein (z.B. Köche in sog. *mageireíai*: Theophr. char. 6.9; Antiphanes fr. 203 Kock II 98, Schmiede in der Nähe des Hephaisteion: Anecd. Bekk. 1,316,23, Töpfer im Kerameikos). Wie sich am griech. Baugewerbe erkennen läßt, war die spezialisierte Arbeit knapp, und die Situation der ungelernten Arbeiter wegen der Unregelmäßigkeit der Aufträge prekär. Handwerker mußten mobil sein und wurden für bes. Projekte (Tempelbauten, Waffenproduktion) aus anderen Städten angeworben. So suchten die Epidaurer Arbeitskräfte aus einer Vielzahl von Städten, um ihr Tempelbauprojekt durchführen zu können [2]. Umgekehrt kamen Bauten in Kriegszeiten zum Stillstand nicht nur wegen Geldknappheit, sondern auch wegen Mangel an Arbeitskräften. Konjunkturbedingte Lohnschwankungen und Wettbewerb zw. Arbeitskräften sind nicht bekannt, vielmehr richteten sich Löhne danach, wieviel spezialisiertes Können und erlerntes Geschick eine Tätigkeit erforderte. Anreize wurden nicht über Löhne, sondern durch Privilegien, rechtl. Schutz und bes. Ehrungen geschaffen [4].

1 P. Bohannan, W. Dalton, Markets in Africa, 1962, 1–10 2 A. M. Burford, The Economics of Greek Temple Building, in: PCPhS 11, 1965, 21–34 3 J. A. Crook, Law and Life of Rome, 1967 4 P. H. Davis, The Delian Building Contracts, in: BCH 61, 1937, 119 5 A. Fuks, Kolonos Misthios. Labour Exchange in Classical Athens, in: Ders., Social Conflict in Ancient Greece, 1984, 303–305 6 R. E. Wycherley, The Market of Athens. Topography and Monuments, in: G&R 3, 1956, 2–23. S. v. R.

Arbeitsvertrag. Neben der Sklavenarbeit wurde in allen Wirtschaftszweigen der Ant. auch freie, auf Vertrag beruhende Arbeit eingesetzt. Obwohl schon bei Homer von Handwerkern und Sängern, die nur zeitweise einem Oikos angehören, die Rede ist, geht die vertragliche Lohnarbeit eher auf das Söldnerwesen des 6. Jh. v. Chr. zurück. Im klass. Athen scheinen A. normalerweise nicht schriftlich fixiert worden zu sein. Einen Sonderbereich stellen die A. anläßlich öffentlicher Bauprojekte dar, die inschr. publiziert wurden: So z.B. das Erechteion (IG I² 372–4; II² 1654–5, 5. Jh. v. Chr.), Eleusis (IG II² 1672–3, 4. Jh. v. Chr.), Epidauros (IG IV² I 102, 4. Jh. v. Chr.) und auf Delos (IG XI 2, 142, 150, Inscr. Delos 502–8, 3. Jh. v. Chr.). Aus den Bauinschr. des Erechtheions geht hervor, daß Arbeiten entweder nach Tagen (und anderen Zeiteinheiten) oder nach produzierten Stücken (und anderen Maßeinheiten) entlohnt wurden; ferner, daß Sklaven zum gleichen Preis wie Bürger oder Fremde arbeiteten, wobei der Lohn wohl an den Sklaveneigner ging [5]. In den Inschr. aus Delos werden gegenseitige Verpflichtungen, Art und Höhe des Lohns, Vorauszahlungen, Strafzahlungen bei Nichterfüllung, sowie bes. Privilegien der am Bau tätigen Fremden festgelegt [3; 6]. Im röm. Recht ist der Unterschied verschiedener Arbeitsverhältnisse gesetzlich festgelegt [2]. In den Codices der späten Kaiserzeit wird zwischen der sog. *locatio conductio operarum* und der *locatio conductio operis* (Dig. 19,2; s. auch Cic. off. 1,150) unterschieden, was die griech. Unterscheidung von Arbeit, die nach Zeit und jener, die nach geleisteter Stückzahl entlohnt wird, aufgreift und wohl auch eine soziale Differenzierung von Lohn- und Auftragsarbeit widerspiegelt [1; 6. 188–190]. Ferner wird zw. Lohnarbeit und höheren Diensten wie etwa denen von Rhetoren und Philosophen unterschieden, indem letztere nicht auf *locatio*, sondern auf dem sog. *mandatum*, einem unentgeltlichen Vertragsverhältnis, beruhen (Dig. 17,1). Das Gehalt für solche Dienstleistungen wird als *honorarium* bezeichnet [1.269f.; 6.188–190]. Aus dem röm. Ägypten sind eine Anzahl privater A. erh., die einen genauen Einblick in die Bedingungen von Lohnarbeit und höheren Dienstleistungen erlauben (P. Cornell 9; P Oxy. 724; 2586; P Fouad. I 37).

→ Sklaverei

1 A. BORKOWSKI, Textbook on Roman Law, 1994, 266–272
2 J. A. CROOK, Law and Life of Rome, 1967, 191–205
3 P. H. DAVIS, The Delian Building Contracts, in: BCH 61,
1937, 109–135 4 J. HENGSTL, Private Arbeitsverhältnisse
freier Personen in den hell. Papyri bis Diokletian, 1972
5 R. H. RANDALL, The Erechtheum Workmen, in: AJA 57,
1953, 199–210 6 G. E. M. DE STE. CROIX, The Class
Struggle in the Ancient World, 1981, 179–204. S. V. R.

Arbeitszeit. Sie orientierte sich im allg. an den Umständen, unter denen eine Arbeit geleistet wurde. So
begann die Arbeit in der Landwirtschaft bei Tagesan-
bruch und endete bei Dämmerung; Hirten, die eine
Herde an nahegelegener Weide hüteten, kehrten
abends zurück (Varro rust. 2,10,1). Auf den großen Gütern in It. wurde die A. ausgedehnt, indem z. B. Feldar-
beiter(innen) an Regen- oder Frosttagen für andere Arbeiten eingesetzt wurden; selbst Festtage wurden für
solche Arbeiten genutzt, gegen die keine rel. Bedenken
bestanden (Cato agr. 2,3; 2,4; 2,39; Colum. 12,3,6). Den
→ Agrarschriftstellern war bereits klar, daß die Arbeits-
produktivität nicht allein von der Arbeitszeit abhängt,
sondern auch von der Arbeitsgeschwindigkeit; daher
versuchten sie, dafür Normen festzulegen. (Varro rust.
1,18; Colum. 2,12). Im Handwerk wurde auch bei Lam-
penlicht gearbeitet. Mühlen wurden ohne Unterbrechung betrieben und erforderten daher Arbeit bei
Nacht (Apul. met. 9,12). Bes. lang war die A. im Bergbau, wo, wie ant. Autoren bemerken, Sklaven und
Verurteilte ohne Pausen zu arbeiten hatten (Diod.
3,12,1; 3 ff.). In den Digesten dagegen wurde festgelegt,
daß Lohnarbeitern Zeit für Mahlzeiten und zur körperlichen Erholung gelassen werden mußte (Dig.
38,1,50,1).
→ Sklaverei

1 J. A. CROOK, Law and Life of Rome, 1967, 179–205.
S. V. R.

Arbela. [1] Stadt im östl. Assyrien, am Verbindungs-
weg zum iran. Hochland, belegt seit Ende des 3. Jt.
v. Chr. (Urbilum), assyr. Arbail(u), griech. Ἄρβηλα
bzw. Region Ἀρβηλῖτις (Ptol. 6,1, 2; Plin. nat. 6, 41), h.
Erbīl. A. war Zentrum eines Ištar-Kultes und mittel-
und neuassyr. Statthaltersitz. Unter den Sargoniden
(7. Jh. v. Chr.) wurde der Tempel in A. bes. gefördert.
Erh. sind Orakelsprüche von ekstatischen Kultprophe-
tinnen. Lokaler Verwaltungssitz unter den Achämeniden, Seleukiden und Parthern, war A. in parth. Zeit
Hauptort der → Adiabene. Parth. Königsgräber in A.,
wohl der lokalen Dynastie, wurden von Caracalla 216
n. Chr. zerstört (Cass. Dio 74,1). Unter den Sasaniden
war A. Sitz eines *maupat*. Als wichtiges Zentrum des östl.
Christentums war A. (neben Ḥazza) lange Diözesansitz.
[2] Name einer von Josephos (bell. Iud. 1,305–313) befestigten Siedlung mit Höhlen in Galiläa (1 Makk 9,2),
h. Ḥān ʿIrbid. [3] Dorf im Jezreel-Tal (Eus. onomasticon 14,20).

zu Nr. 1: J. HANSMAN, s. v. A., EncIr II 277–278 • E. UNGER,
s. v. Arbailu, RLA 1, 141–142 • zu Nr. 2 und 3: TIR, 1994,
66–67. K. KE.

Arbela-Chronik Die syr. Chronik von Arbela umfaßt
den Zeitraum des 1. bis 6. Jh. n. Chr. der Gesch. der
Christen von Arbela (heute Irbil, Irak) ab. Nach ihrer
Veröffentlichung 1907 wurde sie als eine bedeutende
neue Quelle begrüßt, doch ließen der Vergleich mit anderen Quellen und verdächtige Begleitumstände bei der
Herausgabe (von [1]) den Verdacht aufkommen, daß sie
vom Herausgeber kompiliert worden sei. Die Streitfrage muß weiterhin unentschieden bleiben: Zwar sind
Einzelheiten der Partherzeit sicher erfunden, doch
konnte die Chronik andererseits wertvolles altes Material für die Zeit der Sasaniden retten. Die Zuweisung des
Werks durch [1] an Meshihazkha (6./7. Jh.), ist nicht
fundiert.

1 A. MINGANA, Sources Syriaques I, 1907 (Ed., mit frz.
Übers.) 2 P. KAWERAU, CSCO 467–8 (1985)
(photographische Ausgabe des Manuskripts aus dem 20. Jh.
mit dt. Übers.) 3 J.-M. FIEY, L'Orient Syrien 12, 1967,
265–302 4 P. KAWERAU, in: Encycl. Iran. 5, 1992,
548–9. S. BR. / S. Z.

Arbiter bedeutete urspr. wohl denjenigen, der hingeht
(*ad baetere*), und kennzeichnet damit den in Augen-
schein nehmenden Streitentscheider im Gegensatz zu
dem über ein reines Rechtsbegehren urteilenden *iudex*.
Ein solcher tatsachenkundiger Entscheider war wohl
bes. bei Teilungsklagen erforderlich, die statt auf eine
Verurteilung oder Freisprechung auf eine rechtsgestaltende Zuweisung (→ *adiudicatio*) gerichtet waren. Dieses Unterscheidungsmerkmal zwischen *a.* und *iudex*
verschwimmt jedenfalls bereits im Zwölftafelrecht
mehr und mehr (Fest. 336). Das zeigt sich bes. deutlich
an der *legis actio per iudicis arbitrive postulationem* (Gai. inst.
4,12. 17a. 20). Der für den zweiten Verfahrensabschnitt
gewählte oder bestimmte Richter heißt nun nahezu
auswechselbar *iudex* oder *a.* – Der *iudex* wird im Kontext der *actiones arbitrariae*, d. h. der vornehmlich auf
Naturalleistung zielenden Klagen *in rem*, zum *a.*, wenn
der Beklagte die Sachleistung nicht erbringt (Gai. inst.
4,163 ff.); dann schätzt der Richter entweder selbst den
vom Beklagten zu erstattenden Streitgegenstandswert
oder überträgt dies dem Kläger (*iusiurandum in litem*). –
A. wird auch genannt, wer nicht durch den Magistrat als
Richter eingesetzt, sondern aufgrund einer Parteiver-
einbarung, *compromissum*, zum Schiedsrichter bestellt
wurde und dieses Amt durch das *receptum arbitri* angenommen hat (dazu Dig. 4,8). An seine, nicht rechts-
kraftfähige (Paul. sent. 8,1; LIEBS), und in weitgehend
freier Verfahrensgestaltung (vgl. die Entgegensetzung in
Sen. benef. 3,7,5) gefundene Entscheidung banden sich
die Parteien durch Strafstipulationen in dem *compromissum*. – A. wird schließlich in spätant. Zeit auch der dele-
gierte oder beauftragte Richter genannt.
→ Condemnatio; Aestimatio litis

G. Broggini, Iudex arbiterve, 1957 · A. Magdelain, Aspects arbitraux de la justice civile archaïque à Rome, in: RIDA 27, 1980, 205–281 · K.-H. Ziegler, Das private Schiedsgericht ..., 1971 · Ders., Papinians Beitrag zum privaten Schiedsgericht, in: ZRG 109, 1992, 533–538.   C. PA.

Arbogastes. Heidnischer Franke im röm. Dienst, der 380 n. Chr. unter dem Heermeister → Bauto, vielleicht seinem Vater, diente und zw. 385 und 387 vom Heer zum *magister militum* erhoben wurde. Im Auftrag → Theodosius' I. besiegte er 388 den Usurpator → Maximus, leitete dann die Politik des westl. Reichsteils unter → Valentinian II. und verteidigte die Rheingrenze gegen die Franken (Zos. 4,33,1 f.; 53,1 f.; Greg. Tur. Franc. 2,9). A. war der erste Germane, der faktisch Teile des Röm. Reiches beherrschte. Nach Valentinians ungeklärtem Tod bestimmte er 392 → Eugenius zum Augustus des Westens (Oros. 7,35,10–12; Zos. 4,53,4–54,4). In gleicher Machtstellung auch unter ihm, 393 *cos.*, förderte er im Bündnis mit Nicomachus Flavianus die heidnische Restauration (Paul. Nol. vita Ambros. 26; 30 f.). Im Bürgerkrieg gegen den betont christl. Theodosius wurde A. am 6.9.394 am Frigidus besiegt und beging Selbstmord. (Oros. 7,35,13–19; Zos. 4,58,6; Ioh. Ant. fr. 187; PLRE 1, 95–97).

A. Demandt, Die Spätant., 1989, 134–136.   K. P. J.

Arborius. [1] Aemilius Magnus, Sohn des Caecilius Argicius Arborius und der Aemilia Corinthia Maura und Onkel mütterlicherseits des Dichters D. Magnus → Ausonius, auf dessen Ausbildung und Karriere er maßgeblichen Einfluß ausübte (Auson. 162, p. 30 f.; 206, p. 63 f.). Er wirkte als angesehener Rhet.-Professor und Advokat in Tolosa und den angrenzenden Prov. und schloß dabei wohl Freundschaft mit den Halbbrüdern Constantins I. Umstritten ist, ob er auch als *praeses* von Gallia Narbonensis fungierte (vgl. aber auch [2]). Kurz nach 330 nach Konstantinopel berufen, wirkte er als Tutor eines der Caesaren. Dort kam er evtl. im Zusammenhang mit dem Blutbad nach dem Tod Constantins 337 zu Tode. Ob er mit dem bei Sidon. epist. 5,10,3 genannten Rhetor Magnus identisch ist, muß offenbleiben. Zu PLM 5,77 Baehrens s. AL 803 Riese sowie [3; 4].

1 R. P. H. Green, The Works of Ausonius, 1991, 304–306, 352 f. 2 D. Nellen, Viri litterati, 1977, 1981, 27–29 3 G. Carugno, Il poeta A. e l'elegia Ad nympham nimis cultam, in: Giornale italiana di filologia 16, 1963, 163–170 4 D. Schaller, E. Könsgen, J. Tagliabue, Initia carminum Latinorum saeculo undecimo antiquiorum, 1977, 519 (nr. 11613; mit Lit.) · weitere Lit. → Ausonius.
                                                    W.-L. L.

[2] Sohn des Burdigalensers Pomponius Maximus, war Neffe des Dichters Ausonius (Auson. parentalia 18). Er ist evtl. identisch mit dem *comes* (*sacrarum larg.* oder *rerum privatarum?*) von 379 n. Chr. (Cod. Theod. 1,32,4) und

dem *praefectus urbis Romae* von 380. Er scheint noch um 400 gelebt zu haben (Sulp. Sev. dial. 3, 10, 6). PLRE 1, 97, Nr. 1).

H. P. Kohns, Versorgungskrisen und Hungerrevolten im spätant. Rom, 1991, 153 ff. · O. Seeck, s. v. A. [4], RE 2, 420.   W. P.

Arbucale wird bei Pol. 3,14,1 (vgl. Liv. 21,5,6) als Stadt der → Vaccaei (in den Prov. Segovia und Salamanca) bezeichnet [1. 98]. Weitere Belege bei [2]. Ihre Lage ist unbekannt. Toro und Alba de Tormes werden als mögliche Optionen erwogen [1. 323]. 220 v. Chr. mußte die Stadt sich nach heftigem Widerstand → Hannibal ergeben.

1 Tovar 3, 1989 2 E. Hübner, s. v. A., RE 2,1, 420–421.

R. Martin Valls, G. Delibes de Castro, Toro ciudad celtibérica, in: Boletín del Seminario de Estudios de Arte y Arqueologia 43, 1977, 306 ff. · F. Wattemberg, La región vaccea. Celtiberismo y romanización en la cuenca del Duero, 1959.   P. B.

Arbutus s. Erdbeerbaum

Arbyle s. Schuhe

Arca (λάρναξ). Kasten, Kiste, Truhe, dann speziell die Geldtruhe aus Holz oder metallbeschlagenem Holz im Atrium (Iuv. 11,26; 14,259 u. ö.), von denen Exemplare bzw. deren Reste aus Pompeji bekannt sind. A. hießen eine große Anzahl sakraler, staatlicher und privater Geldkassen, z. B. die der *virgines vestales*. Die A. konnten so groß sein, daß sich eine Person darin verbergen konnte (App. civ. 4,44). Aus der Spätant. haben sich kleine A. erh., die als Geschenke mit Glückwunschformeln an die Frau überreicht wurden und auf ihrem Metallbeschlag reichen Reliefschmuck aufweisen (z. B. der Projecta-Kasten [3.4–38]); sie enthielten vor allem Toilettengegenstände, Arbeitsgeräte, Schmuck u. a. Auf einigen Grabreliefs werden A. mit drei Füßen an einem Tragriemen gehalten. Des weiteren konnten Holz- oder Steinsarkophage (Liv. 40,29, → Sarkophage) A. genannt werden; dazu paßt ihre Darstellung als Symbol des Reichtums auf Grabreliefs mit Handwerkerdarstellungen [1.333–335 Abb. 79,80; 2.69].
→ Möbel

1 H. Blanck, Funde und Grabungen in Mittelital., in: AA 1970, 275–346 2 G. Zimmer, Röm. Berufsdarstellungen, 1982 3 L. Schneider, Die Domäne als Weltbild, 1983.

J. Kollwitz, s. v. A., RAC 1, 595 f. · E. Dinkler-von Schubert, Arca und Scrinium, in: JbAC 23, 1980, 141–157 · E. Brümmer, Gr. Truhenbehälter, in: JDAI 100, 1985, 1–168.   R. H.

Arcadius. Röm. Kaiser (383–1.5.408 n. Chr.), geb. 377 in Spanien, Sohn Theodosius' I. Erzogen von dem Heiden → Themistios und dem Christen Arsenios; am 19.1.383 zum Augustus ausgerufen, seit 394 (Abmarsch Theodosius' I. zum Krieg gegen Eugenius) Herrscher des Ostens, 395 zusammen mit Honorius Nachfolger Theodosius' I. A. gilt als beeinflußbar: Anfangs führte der 395 ermordete *praefectus praetorio* → Rufinus die Geschäfte, später der *praepositus sacri cubiculi* → Eutropius, der 399 gestürzt wurde, danach die Prätorianerpräfekten → Aurelianus (399–400) und → Anthemius [1] (405–414); einflußreich soll auch seine Frau → Aelia [4] Eudoxia gewesen sein. Wichtigstes Problem im Inneren waren die Germanen im Militärdienst bzw. die Persönlichkeit des *magister utriusque militae* → Gainas. Er geriet nach seinem Vorgehen gegen den rebellierenden Goten → Tribigild in den Verdacht, ein Verräter zu sein; ferner wurde er durch den Sturz des Eutropius isoliert. 400 riß er die Macht in Konstantinopel an sich, verließ aber die Hauptstadt und wurde mil. geschlagen. A. feierte den Sieg unter anderem durch die Errichtung einer Säule. Eine zweite innere Krise wurde dadurch provoziert, daß der von A. anfangs geschätzte Bischof von Konstantinopel → Iohannes Chrysostomos (398–404) Unruhe auslöste und auch mit Eudoxia aneinandergeriet. Nach seiner Absetzung durch die vom Bischof von Alexandria → Theophilos beherrschte Eichensynode verbannte A. ihn ein erstes Mal (403), rief ihn bald wieder zurück. Er exilierte ihn 404 endgültig, was zu Ausschreitungen in Konstantinopel führte. Heikel blieb das Verhältnis zum Westen, wo → Honorius Kaiser und → Stilicho anfangs maßgeblicher Politiker war; Eutropius wurde bald von Stilicho bekämpft; nach dessen Sturz gestalteten sich die Beziehungen zeitweise günstiger, wurden aber immer wieder von Krisen überschattet. Schwerwiegend waren die außenpolit. Probleme durch zahlreiche Einfälle von Germanen und Hunnen. Offensive Unternehmungen fanden nicht statt.

Die Versuche, die Entwicklungen unter A. mit Auseinandersetzungen zw. Pro- und Antigermanen [dagegen 2. 81 ff.; 4. 105 ff.], mit dem Vorhandensein einer Senatspartei [1. 204] oder mit dem Einfluß von »traditionalists« [2] zu erklären, haben sich nicht durchgesetzt; persönliches Machtstreben scheint dominant gewesen zu sein [4. 132; 6. 333 ff.]. LIEBESCHUETZ [4] betont die Differenzen zw. zivilen und mil. Gruppierungen unter Arcadius und die Kontinuität des »Arcadian establishment«.

In der Orthodoxie galt A. trotz seines Konfliktes mit Iohannes Chrysostomos als fromm (Sokr. 6,23,1; Soz. 8,1,4f.; Theod. hist. eccl. 5,25,2). Gegner stellten ihn als überfordert von seiner Aufgabe dar (Philostorgios hist. eccl. 11,3; Zos. 5,22,3; 5,24,2). Synesius warf ihm in seinem Fürstenspiegel *De regno* von 399 Trägheit vor. Zur Münzprägung [5] (PLRE 1, 99, A. 5).

1 G. DAGRON, Naissance d'une capitale, 1974
2 K. G. HOLUM, Theodosian Empresses, 1982 3 G. ALBERT, Goten in Konstantinopel, 1984 4 J. H. W. G. LIEBESCHUETZ, Barbarians and Bishops, 1990 5 J. KENT, The Coinage of Arcadius (395–408), in: NC 151, 1991, 36–57

6 Al. CAMERON, J. LONG, Barbarians and Politics at the Court of A., 1993. H. L.

Arcarius. Subalternbeamter *(officialis)* bei der Verwaltung einer → *arca*, d. h. einer öffentlichen Kasse im Verantwortungsbereich eines höheren Beamten (Cod. Theod. 11,28,6) oder mit bes. Zweckbestimmung (vgl. Dig. 50,4,1,2), vor allem aber der kaiserlichen Schatzkammer (Cod. Iust. 10,72,13). Die Aufgabe eines *a.* (Dig. 40,5,41,17; Cod. Iust. 10,72,15) nahm in republikanischer Zeit wohl ein → *scriba* wahr. Als *a.* finden sich Freie und Sklaven in der Verwaltung der Städte, der Prov., des kaiserlichen Hofes, bei Kollegien und Korporationen und im mil. Bereich als Verwalter des → *peculium castrense* der Soldaten. Ähnliche Aufgaben können von einem → *dispensator* (οἰκέτης, *oikétēs*), einem Sklaven oder Freien im öffentlichen Dienst, erfüllt werden (Dig. 11,3,16; Cod. Iust. 2,36,1). Die Handlungsvollmacht des unfreien *a.* leitet sich aus der Verantwortung und Haftung des Herrn für die Taten seines Sklaven ab (vgl. Dig. 14, Tit. 1–3), die des freien *a.* aus der → *auctoritas* des amtlich letztzuständigen Amtsträgers.

→ Amt; Auctoritas; Magistrat,

JONES, LRE, 417 · KASER, RPR, 1, 605 ff. · MOMMSEN, Staatsrecht, 1, 362 Anm. 6. C. G.

Archagathos (Ἀρχάγαθος). [1] Vor seiner Rückkehr nach Sizilien 308/7 v. Chr. übergab → Agathokles [2] das afrikan. Kommando seinem ältesten Sohn A. trotz dessen geringer mil. Begabung. Da dieser die Invasionsarmee zersplitterte, errangen die Karthager bald bedeutende Erfolge und schlossen A. in Tunes ein (Diod. 20,57–61). Auch Agathokles konnte nach seiner Rückkehr die Lage in Afrika nicht mehr wenden und floh unter Preisgabe des Heeres nach Sizilien. Infolgedessen erschlugen die erbitterten Soldaten A. (Diod. 20,68). [2] Sohn von A. [1] und Enkel von Agathokles [2]. Machte sich Hoffnungen auf die Nachfolge des Agathokles, der jedoch seinen gleichnamigen Sohn aus zweiter Ehe bevorzugte. Als letzterer deshalb von A. das Truppenkommando in Aitne übernehmen wollte, brachte ihn A. um und veranlaßte angeblich auch die Beseitigung des Agathokles. Bald nach dessen Tod 289/8 wurde er ebenfalls ermordet (Diod. 21,16; Iust. 23,2,1 ff.).

K. MEISTER, CAH 7.1, ²1984, 409. K. MEI.

[3] Aus Lakonien, Chirurg. Cassius Hemina zufolge (Plin. nat. 29,12) der erste Arzt, der 219 v. Chr. nach Rom kam. Nach anfänglich freundlicher Aufnahme erhielt er schon bald den Spitznamen *Carnifex* (»Schlächter«) und wurde von den Römern verachtet. Die Tatsache, daß ihm Bürgerrechte zugestanden wurden *(ius Quiritium* bei Plinius) und daß seine chirurgische Praxis am *Compitum Acili*, einem größeren Verkehrsknotenpunkt lag, läßt auf offizielle Protektion

schließen und zeigt im übrigen, daß der röm. Senat bei der Benennung eines staatlich bestallten Arztes wie der griech. Rat verfuhr [1; 2]. Ursache für seine Berufung sind wohl die Unterstützung, die er durch die Acilii erfuhr sowie die philhellenischen Sympathien, der Konsuln des J. 219. Ein angeblich von A. stammendes Pflaster erwähnen Celsus (de med. 5,19,27), Caelius Aurelianus, Chron, 4,1,7 sowie ein Brief an einen Arzt namens Dionysios (PMerton 115 = MARGANNE 206).
→ Medizin; Cassius Hemina

1 F. KUDLIEN, Die Stellung des Arztes in der röm. Gesellschaft, 1986, 53.   V.N. / L. v. R.-P.

Archai (αρχαί, »Amtsträger«). In den meisten griech. Staaten kam es in den → Dark Ages und der archa. Epoche zur Aufteilung der Macht eines erblichen Königs auf eine Anzahl von Beamten (*archaí* oder → *árchontes*), die gewöhnlich für ein Jahr und häufig ohne Möglichkeit der Wiederwahl bestellt wurden. Dieser Prozeß läßt sich nicht im Detail verfolgen; die Quellen neigen zu einer allzu systematischen Rekonstruktion. Neben den Ämtern, die für den Staat als Ganzes zuständig waren, wurden manchmal auch spezielle Ämter geschaffen, etwa zur Kontrolle des Staatsschatzes, zur Aufsicht über öffentliche Arbeiten oder den Markt. Es gab auch rel. Funktionäre, die man als A. betrachtete und die ebenso bestellt wurden wie die weltlichen Ämter. Ein kleiner Staat kam mit wenigen Beamten aus, ein ausgedehntes Staatswesen benötigte viele und übertrug die Aufgaben wohl auch eher Kollegien als einzelnen: In Athen entstand im 5. Jh. v. Chr. ein bes. weiter Rahmen: Nach der Angabe bei Aristot. Ath. pol. 24,3 waren 700 Beamte in Athen und 700 außerhalb tätig, obwohl die zweite Zahl vermutlich irrtümlich überliefert ist.

In Oligarchien hatten die Beamten tendenziell mehr Macht und wurden aus einem kleineren Kreis gewählt als in Demokratien. Mit der Demokratie brachte man bei zivilen Ämtern eher die Bestellung durch Los als durch Wahl in Verbindung, da man hier keine besonderen Fähigkeiten für erforderlich hielt; doch finden sich Losung ebenso wie Verbot der Wiederwahl in dasselbe Amt auch in Oligarchien. Als Zeichen einer Oligarchie betrachtete man bes. ein bestimmtes Vermögen als Bedingung für die Bekleidung eines Amtes, aber dies läßt sich auch in Athen beobachten, obwohl man im 4. Jh. aufhörte, dieses Erfordernis zu betonen (Aristot. Ath. pol. 7,3–4; vgl. 47,1). Athen und einige andere demokratische Staaten zahlten den Beamten ein geringes Gehalt. Obwohl ein bestimmtes Amt als das höchste im Staat betrachtet worden sein mag, gab es im allgemeinen weder eine Hierarchie der Ämter noch einen *cursus honorum*. Die Bürger konnten ihre Beamten durch Verfahren wie → *dokimasia* (Qualifikationsprüfung vor Amtsantritt) und → *euthynai* (Verhaltenskontrolle nach Amtsablauf) ebenso kontrollieren wie durch die Entfernung aus dem Amt oder die gerichtliche Verfolgung wegen Fehlverhaltens.

Von ganz anderer Art waren die Amtsträger der hell. Könige. Sie übten ihre Tätigkeit als Beruf aus und wurden vom König mit Geld, Naturalien oder Landschenkungen entlohnt. In Asien und Ägypten waren die höheren Positionen von Makedonen und Griechen besetzt, die unteren von Einheimischen, die nicht vor dem 2. Jh. v. Chr. in die höheren Posten gelangen konnten. Die Mitglieder der Zentralverwaltung arbeiteten in der Hauptstadt, daneben aber gab es zahlreiche höhere und niedere Beamte in allen Teilen des Königreichs. In Ägypten war die Verwaltung straff zentralisiert, im Seleukidenreich dezentral organisiert. Speziell in Ägypten herrschte eine strenge, bürokratisch aufgebaute Hierarchie. Die unteren Beamtenränge waren persönlich oft ebenso von den höheren abhängig wie die höheren vom König.

ÜBERBLICK: BUSOLT / SWOBODA · V. EHRENBERG, Der Staat der Griechen, ²1965 ATHEN UND SPARTA: G. GILBERT, Constitutional Antiquities of Sparta and Athens, 1895 · HANSEN, Democracy, Kap. 9 · H. MICHELL, Sparta, 1952 HELL. ZEIT: BENGTSON.   P. J. R.

Archaiopolis (Prok. BG 4,13 f.; Agath. 2,22 III 5 f.). Stark befestigte Hauptstadt von Lazika, am Dokonos (georg. Techuri) nördl. des → Phasis; konnte in den byz.-persischen Kriegen 550–55 nicht erobert werden; im 9. Jh. arab. Zerstörung. Ruinen im heutigen Nokalakevi (»Alte Stadt«) in West-Georgien: Mauer mit Proteichisma, Palast, Thermen, Basiliken, Akropolis. Umfangreiche Ausgrabungen.

A. M. SCHNEIDER, in: Forsch. und Fortschritte 7, 1931 Nr. 27 · Nokalakevi. Archaeological Excavations I, 1981, II, 1987 · D. BRAUND, Georgia in Antiquity, 1994, 290 f., 302 ff.   A. P.-L.

Archairesia (ἀρχαιρεσία). Bestellung von Beamten (*archaí*). In der griech. Welt wurden Beamte gewöhnlich auf ein Jahr bestellt, und zwar entweder durch Wahl (*haírēsis* im eigentlichen Sinne; der Begriff kann jedoch für jede Form von Beamtenbestellung verwendet werden) oder durch Losung (*klérōsis*). Viele Staaten hatten eine jährlich zusammentretende Wahlversammlung, bei der auch Ehrungen verliehen wurden, für die man eine bes. große Öffentlichkeit wünschte (z. B. I Priene, 7).

BUSOLT / SWOBODA.   P. J. R.

Archaisierende Schrift. Als archaisierend bezeichnet man eine Schrift, die in einem zeitlichen Abstand, der von wenigen Dezennien bis zu mehreren Jh. reichen kann, Schriftformen nachahmt, die aus der gängigen zeitgenössischen Schreibpraxis verschwunden sind. Dieses Phänomen findet sich vor allem in der späten griech. Minuskel (von der 2. H. des 13. bis zur 1. H. des 14. Jh.) und steht mit der »palaiologischen Renaissance« in Verbindung, als es, im Rahmen der Wiederaufnahme der künstlerischen und kulturellen Aktivitäten in Byzanz nach der Periode des Lat. Kaiserreiches, zu einem bemerkenswerten Aufschwung in der Produktion von Luxuscodices und zu einem imitativen Rückgriff auf die kalligraphische Minuskel des 10. und 11. Jh., im besonderen auf die sogenannte »Perlschrift«, kam. Es handelt sich hierbei um eine regelmäßige, einheitliche, elegante Schrift mit einem ausgewogenen Verhältnis der einzelnen Buchstaben zueinander. Abkürzungen sind höchst selten; Akzente und Spiritus werden relativ klein geschrieben und stets säuberlich getrennt (Spiritus bisweilen in eckiger Form). Bei den Buchstaben wechseln Majuskel- und Minuskelformen ab, wobei die letzteren überwiegen; sie sind untereinander in den verschiedensten Formen von Ligaturen verbunden, wie sie sich schon in der alten Minuskel finden. Oft ist es nicht einfach, eine archaisierende Schrift von einer tatsächlich alten zu unterscheiden, vor allem deswegen, weil es – sieht man von einer gewissen Gekünsteltheit ab – nur wenige und nicht leicht zu ermittelnde Indizien gibt, die eine späte Schrift als solche verraten. Daher kam (und kommt) es häufig zu Fehldatierungen. Auch wenn die archaisierende Schrift bisweilen in Codices mit Texten klass. Autoren verwendet wird, so tritt sie doch in ersten Linie in theologischen oder liturgischen Hss. auf; vorzügliche Beispiele archaisierender Schrift finden sich in den Codices, die im sogenannten »Skriptorium der Theodora Rhaulaina« entstanden sind, etwa im Paris. gr. 21 oder im Vat. gr. 1158.

H. HUNGER, Archaisierende Minuskel und Gebrauchsschrift zur Blütezeit der Fettaugen-Mode. Der Schreiber des Cod. Vindob. Theol. gr. 303, in: La paléographie grecque et byzantine, 1977, 283–290 · G. PRATO, Scritture librarie arcaizzanti della prima età dei Paleologi e loro modelli, in: Scrittura e Civiltà 3, 1979, 151–193 (Ndr. in: G. PRATO, Studi di Paleografia greca, 1994, 73–114) · H. HUNGER, O. KRESTEN, Archaisierende Minuskel und Hodegonstil im 14. Jh. Der Schreiber Theoktistos und die κράλαινα τῶν Τριβαλῶν, in: Jb. der Österreichischen Byzantinistik 29, 1980, 187–235.   G. P.

Archaismus [lateinische Literatur]. Als archa. werden Sprach- und Stilformen einer frühen Epoche aus dem Rückblick einer späteren Zeit, bes. aus klass. Stilempfinden heraus, bezeichnet. A. ist die absichtliche, meist von einer Stiltheorie geleitete Beibehaltung oder der Rückgriff auf veraltete, ungebräuchliche Sprach- und Stilformen mit dem Ziel ungewöhnlicher, meist erhabener Wirkung, effektiv nur bei einer gewissen Häufung und Ausdehnung auf mehrere Bereiche der Sprache (Lexikon, Semantik, Morphologie, Syntax), möglich nur in der Schriftsprache, häufiger in der Poesie als in der Prosa, nur als seltene Ausnahme in der öffentlichen Rede erträglich (Cic. de or. 3, 153; Quint. inst. 8,3,24). Als bes. Stilmittel werden A.n oft neben Neologismen gebraucht (Quint. l.c. behandelt beide Gebiete nacheinander). Archa. Reste der Umgangssprache können nicht als A. gewertet werden, da sie noch der lebendigen Sprache angehören.

Zu unterscheiden sind der A. der konservativen Sondersprachen (Gebet, Gesetze, Kanzleistil), des direkten Rückgriffs (z. B. Sallusts auf Cato) und der Gattungsstile (Historikerstil nach → Sallustius, ein ennianisierender Epenstil nach → Vergilius; Quint. inst. 1,7,78): aus den A.n werden Poetizismen (zur Theorie des A. vgl. [8. 18 ff.] und [3. 11 ff.]). Durch die Präsenz älterer Sprachstufen in rituellen Formeln der rel. und juristischen, oder sonstwie feierlichen Sprache, durch Rezitation, Aufführung, Lektüre und Auswendiglernen älterer Dichtung lagen A.n vom Beginn der lat. Lit. an immer nahe, erweckten aber auch oft Kritik und modernisierende Gegenströmung. Das Zunehmen des A. nach der Mitte des 1. Jh. wird an den häufigen, scharfen Polemiken deutlich: Seneca bemerkt eine Vorliebe für die Sprache des Zwölftafelgesetzes und den Stil der ältesten Prosaiker und Sallusts (epist. 114,13-19) und tadelt sogar Ciceros und Vergils Ennianismen (was wiederum Quintilian tadelt); Quintilian warnt als überzeugter Ciceronianer und Klassizist vor dem A. in der Rede (inst. 2,5,21) und vor der Stilmischung mit A. (8,3,60) und lehnt die romantische Anschauung ab, die den ältesten Autoren bes. Nähe zur Natur zusprach (12,10,42).

Im 2. Jh. kam der A. vollends in Mode. Die Bewegung des A. als Rückkehr zu den guten Vorbildern ist im Zusammenhang mit dem gleichzeitigen Attizismus zu sehen [5]. Man las und exzerpierte die alten Autoren und verwendete ihren Wortschatz, doch das Ziel war nie ein historisierender Stil (abgesehen von einigen Inschr.), sondern die Bereicherung der zeitgenössischen Stilmittel (entsprechend dem von Quintilian abgelehnten Mischstil).

Die Sallustmode setzte sich bis in die Spätantike (→ Ammianus) und das MA (→ Gregorius von Tours) fort und griff auch auf die christl. Autoren über (→ Arnobius; → Sulpicius Severus; → Sidonius, obwohl dieser die A.n ablehnt). Angesichts der Weiterentwicklung des gesprochenen Lateins der Spätant. muß auch die rein lit. Konservierung der klass. Hochsprache als A. gewertet werden.

→ Klassizismus

1 E. FRAENKEL, s. v. Naevius, RE Suppl. 6, 621–640 2 W. KROLL, Studien zum Verständnis der röm. Lit., 1927, 247 ff. 3 W. LEBEK, Die Anfänge des Archaisierens in der lat. Beredsamkeit und Gesch.schreibung, 1970 4 A. LUNELLI (Hrsg.), La lingua poetica latina, 1974, ²1980 5 NORDEN, Kunstprosa 6 G. MAURACH, Enchiridion Poeticum, ²1989, § 48 7 A. PENNACINI, La funzione dell'archaismo e del neologismo nelle teorie della prosa, 1974 8 H. HEUSCH, Das Archaische in der Sprache Catulls, 1954.   JÜ. BL.

Archaistische Plastik s. Plastik

Archandros und Architeles (Ἄρχανδρος, Ἀρχιτέλης). [1] Söhne oder Enkel des Achaios. Sie ziehen von Phthia nach Argos, wo Danaos ihnen zwei seiner Töchter zur Ehe gibt, worauf sie in Argos und Lakedaimon herrschen und den Bewohnern den Namen Achaier geben (Paus. 7,1,6f.). Die unterägypt. Stadt Archandrupolis soll ihren Namen von A. haben (Hdt. 2,98). **[2]** Söhne des Akastos, der mit ihnen Peleus aus Phthia vertreibt (Schol. Hom. Il. 24,488; Schol. Eur. Tro. 1128). F.G.

Arche s. Prinzip

Archebios. Indogriech. König im 1.Jh. v.Chr., nur durch seine Münzen belegt, mittelind. *Arkhebiya.*

> Bopearachchi, 110–112, 319–324. K.K.

Archebulos (Ἀρχέβουλος). Dichter aus Thera (Suda s.v. Euphorion 3801 Adler) oder evtl. auch aus Theben (Θηβαίου irrtümlich statt Θηραίου?). Lehrer des → Euphorion, daher ins frühe 3.Jh. v.Chr. datierbar. Der einzige ihm zugeschriebene Vers, der möglicherweise nicht echt ist (SH 124), wird zitiert, um das nach ihm benannte Metrum zu verdeutlichen. Dieses Metrum, das Archebuleum, besteht aus 4 Anapästen gefolgt von einem Baccheus: ⏑⏑–⏑⏑–⏑⏑–⏑⏑––⏑––. A. hat es angeblich »unmäßig« verwendet, ebenso wie → Kallimachos (fr. 228), weswegen der Vers auch nach diesem benannt wurde (vgl. auch SH 992 *adespoton*). E.R./L.S.

Archedamos. Aitoler, Stratege des aitol. Bundes 191/0, 188/7, 182/1 und 175/4 v.Chr. (IG IV 1² p.LI) [1. 99³, 132, 151]; im 2. maked. Krieg als Führer des aitolischen Kontingents bei → Flamininus maßgeblich am Sieg von Kynoskephalai beteiligt (Pol. 21,5; vgl. Liv. 32,4,2) [1. 59–60]. Der teils gemäßigte, teils radikale Romgegner (Pol. 20,9,2; Liv. 35,48,10–13; Plut. Titus 23,6) [1. 116] wechselte im 3. maked. Krieg 169 auf die maked. Seite, versuchte → Stratos für Perseus zu gewinnen und blieb bis zuletzt an dessen Seite (Pol. 28,4,8; Liv. 43,21,9–22,3; 44,43,6; Plut. Aemilius Paulus 23,6) [1. 171–172].

> 1 J. Deininger, Der polit. Widerstand gegen Rom in Griechenland, 1971. L.-M.G.

Archedemos (Ἀρχέδημος). **[1]** Athenischer Politiker um 400 v.Chr. A. stand → Sokrates und → Kriton nahe (Xen. mem. 2,9). Als Verwalter der Diobelie klagte er nach der Schlacht bei den Arginusen 406 den Strategos → Erasinides wegen Unterschlagung von Geldern und Fehlern in der Amtsführung an (Xen. hell. 1,7,2) und eröffnete damit den sog. Arginusenprozeß. Als Demagoge wurde er durch die Komödie verspottet (vgl. Aristoph. Ran. 416ff. mit schol.; PA, 2326; Traill PAA, 208855. M.MEI.
[2, von Tarsos] Stoiker, Schüler des → Zenon von Tarsos (Ind. Stoic. Herc. col. 48,8), wahrscheinlich identisch mit einem gleichnamigen Athener Schüler des Diogenes von Babylon, der eine stoische Filiale in Ba-

bylon gründete (gest. ca. 140 v.Chr.), und vielleicht auch identisch mit einem Rhetor A., der nach Aristoteles und vor Quintilian nur zwei Status ansetzte. Der Diogenes-Schüler war ein angesehener Dialektiker; in der Ethik verknüpfte er die stoische Telosformel vom ›naturgemäßen Leben‹ mit dem Pflichtbegriff. K.-H.H.

Archedikos. Dichter der Neuen Komödie, von dem 4 Fragmente und 2 Titel (*Diamartanon, Thesauros*, wo ein Koch spricht) erh. sind. Bemerkenswert ist seine Attacke gegen den Politiker → Demochares, Neffe des Demosthenes [1 test. 2 und fr. 4]. A. könnte mit dem *anagrapheús* des Jahres 320/19 identisch und als Verbündeter des maked. Reichsverwesers → Antipatros polit. tätig gewesen sein [2].

> 1 PCG II, 533–536 2 Chr. Habicht, The comic poet A., in: Hesperia 62, 1993, 253–256. B.BÄ.

Archegetes (ἀρχηγέτης). »Anführer«, Funktionstitel von Heroen und Epiklese von Apollon und Herakles. Bei Heroen bezeichnet A. vor allem die Rolle als Ahnherr und Patron – als solche sind es in Attika Demenheroen (Demosth. 43,66 [1]), in Nordgriechenland und im Pontos der thrakische Reiterheros [2]. Apollon A. bezeichnet Apollon als Hauptgott seleuk. Gründungen, nach der Rolle des Gottes im Seleukidenhaus [3], doch ist die Epiklese zur Bezeichnung von Apollons polit. Funktion weiter verbreitet, etwa in Kyrene (SEG 9,3 Z. 9). Bei Herakles bezeichnet A. seine Rolle als Führer der Dorer (Xen. hell. 6,3,6), aber auch in der *interpretatio Graeca* des → Melqart dessen Rolle als Stadtgott (CIG 2271; IG XIV 600; [4]). – Als Archegetis meint die Epiklese etwa Athena in Athen (BullEp 1981 Nr. 230 S.397).

> 1 Kearns, 150 2 Robert, OMS 3, 1971, 1579f.
> 3 Ders., in: Laodicée du Lycos. Campagnes 1961–1968, 1969, 295f. 4 H. Donner, W. Röllig, Kanaanäische und aram. Inschr., ²1969, Nr. 47. F.G.

Archelais. Stadt im südwestl. → Kappadokia, h. Aksaray. Vom letzten kappadokischen König → Archelaos [6] an der Stelle des altes Zentrums Garsau(i)ra (als κωμόπολις, komopolis: Strab. 12,2,6 mit 14,2,29) nach 36 v.Chr. errichtet. Von Kaiser → Claudius zur *Colonia Claudia Archelais* erhoben, seit dem 4.Jh. n.Chr. als Kolon(e)ia bzw. *civitas Colonia* geführt.

> D. French, Latin Inscr. from Aksaray (Colonia Archalais in Cappadocia), in: ZPE 27, 1977, 247–249 · F. Hild, M. Restle, Kappadokien (TIB 2), 1981, 207f. · G. Hirschfeld, s.v.A. (2), RE 2, 445. K.ST.

Archelaos (Ἀρχέλαος). **[1]** Sohn des → Perdikkas, König von Makedonien ca. 413–399 v.Chr., nach Platons gehässiger Darstellung (Gorg. 471) Sohn einer Sklavin und durch Mord auf den Thron gekommen; doch erscheint er um 415 in einem Vertrag mit Athen nach

Perdikkas und dessen Bruder Alketas an dritter Stelle, also als legitim (IG I³ 89,60). Die Ermordung anderer Thronanwärter ist bei den → Argeadai, die kein festes Nachfolgerecht kannten, nicht ungewöhnlich. Mit den Athenern stand er auf gutem Fuß, lieferte ihnen Holz zum Schiffbau (And. 2,11; vielleicht IG I³ 117) und hatte bei der Eroberung von → Pydna ihre Unterstützung (Diod. 13,49). Laut Thukydides (2,100; wohl nach einer Hofquelle) stärkte er Makedoniens Kriegsbereitschaft durch Straßen- und Festungsbau mehr als alle Vorgänger. Doch ist nach seinem Tod nichts davon zu sehen (→ Amyntas [3]). Mit den Königen von Obermakedonien hatte er die üblichen Schwierigkeiten, die er z. T. diplomatisch beizulegen versuchte. Er prägte gute Silbermünzen und machte → Pella zum Regierungssitz. Dort unterhielt er einen glänzenden Hof, wo u. a. → Euripides, → Agathon [1] und der Maler → Zeuxis für ihn arbeiteten. Da Makedonen, als Nichtgriechen, zu griech. Festspielen nicht zugelassen wurden, richtete er in → Dion maked. »olympische« Spiele ein. Er selbst galt seinen Feinden nicht als Grieche. Als er kurz → Larisa besetzte und die → Perrhaiboi annektierte, schrieb → Thrasymachos für die Larisaier einen Appell an die Griechen: ›Sollen wir Archelaos als Sklaven dienen, wir Griechen einem Barbaren?‹ Er wurde 399 von einem Geliebten und enttäuschten Freier seiner Tochter getötet. Es scheinen auch polit. Motive dahinter gestanden zu haben, die unsere Quellen (Aristot. pol. 5,10,1311b; Diod. 14,37,5) nicht klar benennen.

BORZA, 161–179 • HAMMOND, Hist. 2, bes. 137–141.   E.B.

[2] Sohn des → Amyntas [3], älterer Halbbruder von → Philippos, von ihm nach dem Tode des Vaters ermordet (Iust. 7,4,5; 8,3,10).   E.B.

[3] Sohn des Damas, 245/4 und 244/3 v. Chr. Alexanderpriester. PP 3/9, 5040.   W.A.

[4] Wie sein Bruder → Neoptolemos hoher Offizier (Makedone: [2. 116 Anm. 3]) im Dienst → Mithradates' VI. Er diente ihm im 1. Krieg gegen Rom (Herbst 89 v. Chr.) am Amnias; er wurde bei der Belagerung von Magnesia [1. 111¹10] verwundet (Paus. 1,20,5). 88 Eroberung der Kykladen mit Delos; Anschluß der Achaier, Spartaner und Boioter; 87 v. Chr. dreitägige Schlacht bei Chaironeia gegen den Proquaestor Q. Braetius Sura; Verteidigung des Peiraieus gegen L. Cornelius Sulla; Niederlage gegen Sulla bei Chaironeia im Sommer, bei Orchomenos im Herbst 86. A. vermittelte den Frieden von Dardanos [1. 130]. Verärgert über die Friedensbedingungen, verdächtigte der König A. nicht grundlos (vgl. Plut. Sulla 23 [1. 159]) des Verrats, weshalb dieser zum röm. Praetor L. Licinius Murena floh. Von Sulla zum *amicus et socius populi Romani* ernannt (Plut. Sulla 23,4), hat A. zu Beginn des 2. (App. Mithr. 268) und des 3. → Mithradatischen Krieges (Plut. Luc. 8 f.) die Römer mit seinem Rat unterstützt.

1 B. C. MCGING, The Foreign Policy of Mithridates VI Eupator King of Pontus, 1986 2 T. REINACH, Mithradates Eupator, ²1895 (dt. Ausg.).   E.O.

[5] Sohn des Vorigen, wurde von → Pompeius 63 v. Chr. als Priesterfürst im pontischen Komana eingesetzt. Er gab sich als Sohn des Mithradates Eupator aus, um 56 die Königin → Berenike IV. von Ägypten heiraten zu können. Als deren Vater Ptolemaios XII. von Gabinius zurückgeführt wurde (55), verlor A. sein Leben. M. → Antonius [I 9], damals Offizier unter Gabinius, sorgte für eine königliche Bestattung (App. Mithr. 114; Cic. Rab. Post. 8,20; Cass. Dio 39,57f.; Plut. Ant. 3; Strab. 12,3,34). [6] Sohn des Vorigen, Nachfolger seines Vaters als Priesterfürst von Komana. Er beteiligte sich 51 an einer Verschwörung gegen → Ariobarzanes III. von Kappadokien. Nachdem ihn Cicero (damals Statthalter von Kilikien) deswegen gezwungen hatte, außer Landes zu gehen, entzog ihm Caesar 47 sein Priesterfürstentum (App. Mithr. 121; Bell. Alex. 66; Cic. fam. 15,4; Strab. 12,3,35).

[7] A. Sisines Philopatris, Sohn des Vorigen und der Hetäre Glaphyra. Er wurde von M. Antonius 41 zum König von Kappadokien bestimmt, konnte sich aber erst 36 durchsetzen, als sein Nebenbuhler Ariarathes IX. von Antonius beseitigt wurde. In der Schlacht bei Aktium noch auf der Seite des Antonius, trat er rechtzeitig zu Augustus über, der ihm sein Reich beließ und es 20 v. Chr. um einen Teil Kilikiens sowie Klein- Armenien erweiterte. Als er von seinen Untertanen in Rom verklagt wurde, übernahm Tiberius seine Verteidigung. Da sich A. als undankbar erwies, lockte Tiberius ihn nach seiner eigenen Regierungsübernahme nach Rom und klagte ihn vor dem Senat an. Noch vor der Verurteilung starb der geistig und körperlich gebrochene A. 17 n. Chr. Sein Reich wurde als Prov. eingezogen (App. civ. 5,7; Cass. Dio 49,32,3; 51,2,1; 54,9,2; 57,17,3 ff.; Strab. 12,1,4; 12,2,7; 12,2,11; Suet. Tib. 8; 37; Tac. ann. 2,42.).

E. BLOEDOW, Beiträge zur Gesch. des Ptolemaios XII., Diss. 1963 • E. OLSHAUSEN, Rom und Ägypten von 116–51 v. Chr., Diss. 1963 • U. WILCKEN, s. v. A. 13–15, RE 2, 450–51.   M.SCH.

[8, aus Athen] Akme um 450 v. Chr., angeblich Lehrer des Sokrates, vertrat in modifizierter Form die Lehren des Anaxagoras (60 A 5 DK). Anders als bei diesem ist der Nus für A. weder immateriell noch wirk- und zielursächliches Prinzip des Kosmos (A 4; 12, anders A 10; 18). Aus der anfänglichen Materiemischung scheiden sich Wärme/Feuer und Kälte als wirkursächliche Prinzipien ab (A 4; 8), die noch Wasser, Erde, Luft entstehen lassen. Dabei griff A. auf Anaximander, Anaximenes und Empedokles zurück. Mit seiner Ansicht, ethische Normen beruhten nur auf Konvention (A 1), leitete er zur Sophistik über.

→ Anaxagoras [2]; Sokrates; Anaximandros; Empedokles; Anaximenes [1]

DIELS / KRANZ, II (60), 44–49 • E. ZELLER, I 2⁵, 1031–1038 • F. LASSERRE, Archelai philosophi fragmentum novum, Mus. Crit. 21–22, 1986–87, 187–197.   C.PI.

[9] Sohn des Apollonios, Bildhauer aus Priene. Er schuf die bei Rom aufgefundene ›Homerapotheose‹, ein Weihrelief, das den Kult Homers zu Ehren eines Dichters im Beisein von → Personifikationen, Göttern und Musen darstellt. Datierungen reichen von 130 v. Chr. bis ins 1. Jh. v. Chr., je nach den verschiedenen Zuschreibungen an die Hofkunst hell. Könige.

P. MORENO, Scultura ellenistica, 1994, 561–563, 574–579, 640–644 • OVERBECK, Nr. 2205 (Quellen) • B. S. RIDGWAY, Hellenistic sculpture 1, 1990, 257–268 Abb.   R. N.

[10] Ethnarch von → Judaia, → Idumaea und → Samaria, Sohn von Herodes [1] und dessen 4. Frau, der Samaritanerin Malthake. Von Augustus nach Thronfolgestreitigkeiten – bis auf den Königstitel – gemäß dem Testament Herodes' in sein Amt eingesetzt. Aufgrund seines Schreckensregimentes erwirkte eine jüd. Delegation bei Augustus, daß A. nach Vienna in Gallien verbannt wurde. Judäa wurde nun durch einen Prokurator unmittelbar von Rom verwaltet und röm. Provinz.

P. SCHÄFER, Gesch. der Juden in der Antike. Die Juden Palästinas von Alexander dem Großen bis zur arab. Eroberung, 1983, 119.   B. E.

Archelaos [11] s. Paradoxographoi

Archenomos (Ἀρχένομος) aus Rhodos, Sohn des Hermias, Sieg in der Mitte des 2. Jh. v. Chr. bei den Heraia auf Samos mit einem neuen Satyrspiel (DID A 11 a).

METTE, 50 • TrGF 143.   F. P.

Archermos. Bildhauer aus Chios wie seine Söhne → Bupalos und Athenis. Seine Schaffenszeit liegt um die Mitte des 6. Jh. v. Chr. Plinius (nat. 36,11–14) nennt Werke in Lesbos und Delos, wo eine Basis mit seiner Signatur gefunden wurde. Eine nahebei gefundene geflügelte Nike in archaischem Knielaufschema wird um 560–550 v. Chr. datiert und zu Recht mit einer auf → Antigonos v. Karystos zurückgehenden Notiz (Sch. Aristoph. Av. 574) verbunden, A. habe als erster Nike mit Flügeln gebildet. Eine spätere Signatur des A. fand sich auf der Akropolis, ihre Verbindung mit einer Kore ist unsicher wie alle weiteren Zuschreibungen.

FUCHS/FLOREN, 335–338 • LSAG, 294f. • J. MARCADÉ, Recueil des signatures de sculpteurs grecs 2, 1957, Nr. 21–22 • STEWART, 243 f. Abb. • A. E. RAUBITSCHEK, Dedications from the Athenian Agora, 1949, 484–487.   R. N.

Archestratos (Ἀρχέστρατος). **[1]** Mit seiner Trag. *Antaios* siegte ein unbekannter Schauspieler bei den Soteria in Delphi zwischen 267 u. 219 v. Chr. (DID B 11, 5). Er ist wohl nicht identisch mit dem bei Plut. Aristides 1,3 (318e) genannten A.

METTE, 198 • TrGF 75.   F. P.

[2] Bürger von Gela, lebte in der 2. Hälfte des 4. Jhs. v. Chr. Durch Athenaios sind 62 Fragmente seines um 330 n. Chr. geschriebenen gastronomischen Gedichts überliefert (mehr als 300 Verse). Der Titel war vielleicht Ἡδυπάθεια. Das Werk hat die Form einer gastronomischen Reise durch die Welt und gibt Beschreibungen und Regeln verschiedenartiger Lebensweisen; mehrere Fragmente betreffen die Fische. Das Gedicht ist raffiniert gestaltet: geschliffenes Metrum, eine an bunten *hapax legomena* reiche Sprache, gelehrte Homer-, aber auch Tragikerparodien. Trotz der moralisierenden Verurteilung durch Peripatetiker (Klearchos fr. 63 W.), Stoiker (Chrysippos, SVF III 199 F5) und Christen (Iust. 2; Iust. Martyr. Apol. 15,3) war die Ἡδυπάθεια nicht nur in der griech. Welt ein großer Erfolg, wo sie bes. für Komiker zu einem kanonischen Bezugspunkt wurde, sondern auch in der lat.: Ennius hatte sie bei der Abfassung seiner *Hedyphagetica* gewiß vor Augen (vgl. varia 35 f. VAHLEN zu SH 187,1–3).

SH 132–192 • O. MONTANARI, Archestrato di Gela. Testimonianze e frammenti, Bologna 1983 • E. DEGANI, Appunti di poesia gastronomica greca, »Prosimetrum e spoudogeloion«, 1982, 36–54.   P. S.-P. u. E. D./T. H.

[3] Wenig bekannter Musiktheoretiker des 3./2. Jh. v. Chr. Zwischen Pythagoreern und Aristoxenos stehend, lehrte er, daß alle Töne des harmonischen Systems Teile des sog. Pyknon sein können (Porph. in Ptol. harm. 26, 29). Die Anhänger hielten die Betrachtungen über Stimme, Ton, Intervall für Philos. und allein für μουσική (Philod. mus.4,14). Er soll περὶ αὐλητῶν verfaßt haben (Athen. 14, 634 d).

I. DÜRING, Ptol. und Porph. über die Musik, 1934, 145–149.   F. Z.

Archias (Ἀρχίας). **[1]** Sohn des Euagetes aus Korinth, gehörte wahrscheinlich zur Familie der → Bakchiadai. Er verließ nach schweren Streitigkeiten Korinth und führte auf Weisung des Orakels von Delphi Kolonisten nach Unteritalien. In Sizilien gründete er um 733 v. Chr. → Syrakusai (Thuk. 6,3,2; Strab. 6,2,4; Plut. mor. 772e–773b).
→ Kolonisation

W. LESCHHORN, Gründer der Stadt, 1984, 13–16 • H.-P. DRÖGEMÜLLER, s. v. Syrakus, RE Suppl. 13, 817–819.   E. S.-H.

[2] aus Kamarina. In seiner Heimatstadt während der 1. sizilianischen Expedition der Athener 425 Führer der prosyrakusanischen Richtung (Thuk 4,25).   K. MEI.

[3] Thebaner, der 382 v. Chr. zusammen mit → Leontiades dem Spartaner → Phoibidas half, die Kadmeia zu besetzen. Nach Etablierung einer radikalen Oligarchie war A. 379 Polemarchos in Theben. Bei dem demokratischen Umsturz an der Jahreswende 379/78 wurde er von zurückgekehrten Verbannten unter → Pelopidas ermordet (Xen. hell. 5,4,2–7; 7,3,7; Plut.

Pelopidas 5; 9; mor. 575f–577c; 586ef; 594c–597d; Diod. 15,20,2; Nep. Pelopidas 3,2–3).

→ Thebai

H.-J. GEHRKE, Stasis, 1985, 175–179 • J. DEVOTO, The Liberation of Thebes in 379/8 B. C., Daidalikon. Studies ... Schoder, 1989, 101–116.   W. S.

[4] Athener aus vermögender Familie, Hierophantes aus dem Priestergeschlecht der Eumolpidai. 379 v. Chr. warnte er seinen thebanischen Gastfreund A. [3] vor den rückkehrenden Verbannten (Plut. Pelopidas 10; mor. 596ef; Nep. Pelopidas 3,2). A. wurde später wegen → Asebeia verurteilt (Dem. 59,116).

DAVIES, 596, Nr. 2447.   W. S.

[5] Tragischer Schauspieler aus Thurioi, Schüler der Rhetoren Lakritos und → Anaximenes [2], Lehrer des Polos von Aigina. Im Auftrage des Antipatros [1] ergriff er als φυγαδοθήρας 322 die geflohenen Athener → Hypereides, → Aristonikos [1] und → Himeraios. → Demosthenes entging ihm in Kalaureia durch Selbstmord (Plut. Dem. 28, 3 ff.; mor. 846f. 849 b; Strab. 8,374; Paus. 1,8,3; Lukian encom. Dem. 28 ff.). A. starb in Armut (FGrH 156, 9, 14).   H. VO.

[6] Eunuch, begleitete Ptolemaios VI. 164/3 nach Rom, dann wohl 163 – ca. 158/7 v. Chr. Stratege Zyperns. Versuchte, Zypern an Demetrios I. zu verkaufen, erhängte sich nach Entdeckung dieser Tatsache. PP 6, 15037.

L. MOOREN, The aulic titulature in ptolemaic Egypt, 1975, 188f. Nr. 0351.   W. A.

[7] Aulus Licinius A., Dichter aus Antiocheia; er bereiste Kleinasien, Griechenland und Süditalien. Nach Rom gelangte er im Jahre 102 v. Chr., wo er die Protektion einflußreicher Familien genoß. A. verfaßte ein Gedicht über die Kimbernkriege des Marius, stellte die Taten des L. Licinius Lucullus im 3. Mithridatischen Krieg dar (Cic. Arch. 9,19; 21) und feierte vermutlich auch die Leistungen des Q. Metellus Pius (Arch. 10,25; Att. 1, 16, 15). M. Tullius Cicero verteidigte den Dichter, der auch sein Lehrer gewesen war, im Jahre 62 v. Chr. (*Pro Archia poeta*) gegen den Vorwurf, er maße sich als gebürtiger Grieche das röm. Bürgerrecht an. Ein Gedicht, das Ciceros Konsulat feiern sollte, wurde nicht vollendet. Verschiedene Epigramme der Anthologia Palatina werden A. zugeschrieben.

GA 2, 432–450 • SH 76–77 • TH. REINACH, De Archia Poeta, 1889 • D. R. SHACKLETON BAILEY (Hrsg.), Cicero's Letters to Atticus 1, 1965, 325.   C. S.

[8] Griech. → Grammatiker des 1. Jh. n. Chr., in der Suda (ε 2004, s. v. Ἐπαφρόδιτος) zitiert als Alexandriner und Lehrer des → Epaphroditos. Nur sehr wenige Zeugnisse sind erhalten, in Schriften über Homer (Apollonios Sophistes 156,26) und in lexikographischen Werken (Hesychios etc.) zu etym. und sprachlichen Problemen.

L. COHN, RE 2,1, 464 • E. LUENZNER, Epaphroditi grammatici quae supersunt, 1866, 3.   F. M. / M.-A. S.

[9] Unter dem Lemma Ἀρχίου überliefert die Anthologia Palatina 37 Epigramme (umstritten sind Anth. Pal. 5,98; 6,194; 7,165; 9,27; 64; 357; 16,154); manchmal wird der Name mit γραμματικοῦ (6,194), Μακεδόνος (7,140), Βυζαντίου (7,278), Μυτιληναίου (7,696; 9,19; 111; 339) und νεωτέρου (9,91; 10,10) näher bestimmt: 5 verschiedene Dichter, die allesamt sonst unbekannt sind. Der Versuch, das überlieferte Material, zum größten Teil pedantische Imitationen insbes. des Leonidas und des Antipatros von Sidon, auf sie zu verteilen, erweist sich als vergeblich. Daß die Gedichte zu einem Teil von dem Antiochener Licinius Archias, dem berühmten Zeitgenossen Ciceros (vgl. SH 194–199) stammen, scheint sehr wahrscheinlich.

GA II 1,400–421; 2,432–450.   E. D. / T. H.

Archiatros (ἀρχιατρός). Seit hell. Zeit urspr. als Titel eines königlichen Leibarztes verwendet, taucht das Wort zuerst im Zusammenhang mit den Seleukiden auf (IDelos 1547, vgl. TAM V 1,689. Ein ähnlicher Titel, *wr sinw*, »oberster Arzt«, ist in ägypt. Texten vorptolemaiischer Zeit belegt und fehlt nur zufällig in frühen ptolemaiischen Papyri. 50 v. Chr. gibt es Belege aus Ägypten (Athenagoras, SB 5216) und Pontus (IDelos 1573) [2. 218–226]. Ein mit Augustus bekannter Arzt führt im Alexandreia des J. 7. n. Chr. ebenfalls diesen Titel (ZPE 1990, 81–88). Um 100 n. Chr. ist A. die allg. Bezeichnung für einen Hofarzt. Das lat. Fremdwort *archiater* taucht erst im Jahre 286 auf (CJ. 7,35,2). Als Bezeichnung für einen Stadtarzt mit Steuerimmunität wird es im 2. und 3. Jh. oft inschriftlich verwendet [2]. Aus der Zeit vor jener Reform, mit der Antoninus Pius (D. 27,1,6,2–4) die Zahl der Ärzte je nach Größe der Gemeinschaft auf 5, 7 oder 10 einschränkte, existiert kein eindeutiger Beleg. In Rom gab es bis 368, als durch ein Gesetz des Valentian entsprechend der Anzahl der Stadtteile ein Kollegium mit 14 *archiatri* eingerichtet wurde, keine Stadt-*Archiatri* (so CTh. 13,3,8). Allerdings gab es bereits *archiatri*, die den Vestalischen Jungfrauen, dem Portus und dem athletischen Verein dienten. Das Gesetz von 368 legte ihren Verdienst und ihre Rangfolge fest, doch können sie aufgrund ihrer geringen Zahl nicht für ein Gesundheitssystem stehen, auf das die Durchschnittsbevölkerung Roms leicht hätte zurückgreifen können. Gegen Ende des 5. Jh. wurden die Ärzte einem *comes archiatrorum* unterstellt (Cassiod. var. 6,19). Eine ähnliche Organisation mag auch in Konstantinopel gegeben haben (Vita ss. Cosmae et Damiani 160 DEUBNER.). In der Spätant. stand das Wort sowohl im Griech. als auch im Lat. für jeden Arzt von Rang und Namen ohne Ansehen seines Tätigkeitsfeldes (Kaiserhaus, Stadt oder Institution wie Krankenhaus).

→ Medizin

1 R. BRIAU, L'archiatrie romaine, 1877 2 V. NUTTON, »Archiatri« and the medical profession in Antiquity, in:

PBSR, 1977, 191–226, wieder abgedruckt mit Ergänzungen in: V. NUTTON, From Democedes to Harvey, 1988 **3** F. KUDLIEN, Die Stellung des Arztes in der röm. Gesellschaft, in: AAWM 1979, 73–81. V.N./L.v.R.-P.

Archidamos (Ἀρχίδαμος). **[1]** II., spartanischer König, Eurypontide, Enkel und Nachfolger des Leotychidas II., der nach einem mißglückten Thessalienfeldzug (476/75 v. Chr.?) ins Exil nach Tegea ging und dort 469 starb (Paus. 3,7,10). Ob A. bereits 476/75 oder erst 469 König wurde, bleibt unsicher. Nach dem großen Erdbeben 464 wehrte er entschlossen den Überfall von → Heloten auf Sparta ab (Diod. 11,63,4–641; Plut. Kimon 16) und bewährte sich anscheinend in den folgenden Kämpfen gegen die Messenier (Xen. hell. 5,2,3). Kurz vor Ausbruch des Peloponnesischen Krieges tritt er in den innerspartanischen Debatten mit der Warnung vor übereilten Beschlüssen gegen Athen (Thuk. 1,79–85) wieder in Erscheinung, konnte sich aber gegen die »Kriegspartei« um den Ephoren Sthenelaidas nicht durchsetzen [1]. Als Befehlshaber der Spartaner und ihrer Bundesgenossen bemühte er sich nach Thukydides (2,12) vor seinem ersten Vorstoß nach Attika vergebens, die Athener noch zu Konzessionen zu bewegen [2. 48–57]. Da er auch 430 und 428 Invasionsstreitkräfte befehligte, die nach Attika vordrangen, wurde die 1. Phase des Krieges (bis 421) nach ihm benannt, obwohl er bereits 427 starb. In Sparta galt er als besonnener Mann (Thuk. 1,79,2), der sich offenbar in den spartanischen Kosmos einzuordnen wußte.

1 E. F. BLOEDOW, The Speeches of A. and Sthenelaidas at Sparta, in: Historia 30, 1981, 129–143 **2** D. KAGAN, The Archidamian War, 1974. K.-W. W.

[2] III., spartanischer König 359–338 v. Chr., Eurypontide, geb. um 400, Sohn und Nachfolger des Agesilaos [2] II. Nach der Schlacht bei Leuktra 371 zog er für seinen erkrankten Vater dem geschlagenen Heer entgegen und führte es nach Sparta zurück (Xen. hell. 6,4,18 f.; 26). Auch 367 und 364 vertrat er ihn bei Kämpfen in Arkadien; 367 siegte er mit einer vor allem aus Söldnern bestehenden Truppe in der sog. »tränenlosen Schlacht«, 364 operierte er glücklos (Xen. hell. 7,1,30 f.; 4,20–25). Isokrates widmete ihm eine epideiktische Schrift in Form einer Rede, die A. auf dem Friedenskongreß in Sparta 366 gehalten haben soll. Im 3. Hl. Krieg (357–346) unterstützte A. zunächst insgeheim die Phoker (Diod. 16,24; Paus. 3,10,3), kämpfte 352 gegen Megalopolis (Diod. 16,39) und eilte 346 offen den Phokern zu Hilfe, deren undurchsichtige Haltung ihn aber erfolglos zurückkehren ließ (Diod. 16,59; Aischin. leg. 133). Nach 344/3 kämpfte er, überwiegend mit ehemaligen Söldnern der Phoker, auf Seiten Tarents gegen Lukanier und Messapier, wurde aber 338 bei Mandurium geschlagen und fiel (Diod. 16,62 f.; 88; Plut. Agis 3; Athen. 12,536c-d; Paus. 3,10,5). A. war ein fähiger Truppenführer, aber angesichts des Niedergangs Spartas nach → Leuktra ohne Basis für polit. Aufgaben, wie sie

Isokrates 356 im 9. Brief von ihm erwartete, nämlich die Griechen zu vereinen und gegen Persien zu führen.

C. A. GIANNELLI, L'intervento di Archidamo e di Alessandro il Molosso in Magna Grecia, in: CS 8, 1969, 1–22 · C. D. HAMILTON, The Early Career of A., in: EMC 26, 1982, 5–20. K.-W. W.

[3] IV., König in Sparta zu Beginn des 3. Jh. v. Chr., Eurypontide, Sohn des Eudamidas I., Vater des Eudamidas II., unterlag Demetrios Poliorketes 294 bei Mantineia (Plut. Demetr. 35) und fiel wohl dort. K.-W. W.

[4] V., Eurypontide, Sohn des Eudamidas II. und Bruder des Reformkönigs → Agis [4] IV., floh nach dessen Ermordung 241 v. Chr. nach Messene und kehrte erst 227 aufgrund eines Vertrags mit → Kleomenes III. zurück. Da er bald darauf ermordet wurde, ist unsicher, ob er noch König geworden ist. Sein Tod wird teils Kleomenes (Pol. 5,37,1–5), teils Reformgegnern (Plut. Kleom. 5,2–4) angelastet.

→ Leotychidas; Sthenelaidas; Agesilaos [2]; Eudamidas; Demetrios

U. BERNINI, Archidamo e Cleomene III, in: Athenaeum N. S. 60, 1982, 205–223. K.-W. W.

Archiereus [1, griechisch] s. Priester

[2, jüdisch] Bereits in vormakkabäischer Zeit war der Hohepriester (hebr. *kohen ha-gadol*; griech. A.) die höchste kult. und polit. Instanz (vgl. Sir 50,1 ff.), die einer hierarchisch gegliederten, mehrere tausend Personen umfassenden Priesterschaft vorstand. Als Träger der »ewigen Heiligkeit« (mNaz 7,1) hatte er bes. Reinheitsvorschriften im Hinblick auf Verheiratung und Umgang mit Toten zu wahren. Während der Zeit → Antiochos' IV. kam es zu einer Schwächung des Amtes, da sich → Menelaos aus der einfachen Priesterfamilie Bilga die A.-Würde erkaufte und damit die zadokitische Sukzession unterbrochen wurde (172–162 v. Chr.). Dies machten sich die Makkabäer zunutze: Seit → Jonatan amtierte der polit. Führer der Makkabäer, die aus dem einfachen Priestergeschlecht Jehojarib stammten, auch als A. Daher kam es unter Johannes → Hyrkanos (135/4–104 v. Chr.) und Alexander Jannaios (103–76 v. Chr.) zu Auseinandersetzungen mit den Pharisäern, die die Legitimität des Amtes anzweifelten. → Herodes I. (40 v. Chr.) beendete die erbliche A.-Würde und bestimmte frei über den jeweiligen Träger des Amtes. Eine neue Priesteraristokratie, der Machtpolitik und Nepotismus vorgeworfen wurde, entstand. Weil ein A. mit seinen Familienmitgliedern auch nach dem Ablauf seiner Amtszeit noch über gesellschaftliche Privilegien verfügte, zu denen auch die Mitgliedschaft im Sanhedrin gehörte, erfuhr der Titel A. eine Bedeutungserweiterung, da er nun auch die Mitglieder der A.- Familien bezeichnen konnte (s. NT). Die Zerstörung des Tempels 70 n. Chr. bedeutete auch das Ende des A.-Amtes. Als wichtigstes Amt konnte sich das Patriarchat etablieren.

SCHÜRER Bd. 1, 603–606; Bd. 2, 227–338.   B.E.

Archigenes

Archigenes aus Apameia. Arzt, Schüler des → Agathinos, lebte unter Trajan (98–117 n.Chr.) und starb im Alter von 63 Jahren (Suda s.v. Archigenes). Er war Eklektiker und stand der hippokratischen Auffassung nahe, Krankheit entstehe durch eine Dyskrasie von Heiß, Kalt, Feucht und Trocken. A. stand bes. unter dem Einfluß der Pneumatiker und schrieb ausführlich über die Pulslehre. Seine Auflistung der 8 verschiedenen Pulsqualitäten kritisiert Galen (8,625–635) als zu subtil. Einige der von A. gewählten Bezeichnungen der Pulsarten wie z.B. der Doppelhammerpuls werden h. noch benutzt. Ebenso differenziert versuchte er in seiner therapeutischen Schrift zu verfahren, in der er zwischen verschiedenen Arten von Schmerz, Schlaflosigkeit und Mineralbädern unterschied.

Er verfaßte ein umfangreiches, von Gal. 9,670 gelobtes Werk über Pathologie, eine noch umfangreichere Sammlung von Briefen in 11 Büchern, in denen er seine Ratschläge an Freunde sammelte, sowie Werke über Fieber, Symptomatologie, Chirurgie und Nosologie. Auszüge aus seinen Schriften über Toxokologie sind erhalten, und er war eine wichtige Quelle für → Aetios' 13. Buch über Gifte. In seinen eigenen pharmakologischen Schriften zitiert Galen ausführlich und oftmals wortwörtlich aus A.' zwei, nach Arten geordneten Arzneibüchern. Diese 2 Bücher bezogen ihr Wissen aus einer ganzen Reihe von Autoren und Ärzten und versammelten Kenntnisse über Kräuter- und Mineralmittel und Amulette (Gal. 12,874; 13,256). Von Rufus aus Ephesos abgesehen bezog Galen aus A. trotz seiner häufig angebrachten Kritik mehr Informationen und effektive Behandlungsmethoden als von jedem anderen Autor der röm. Antike.

→ Pneumatische Schule; Rufus aus Ephesos

1 J.C.F. HARLESS, Analecta historico-critica, 1816
2 C. BRESCIA, 1955 3 G. LARIZZA CALABRÓ, Frammenti inediti di Archigene, in: Bollettino del comitato per la preparazione dell'edizione nazionale dei classici 1961, 67–72
4 SEZGIN, 61 5 ULLMANN, 69–70.

6 M. WELLMANN, s.v. Archigenes, RE II, 484–486
7 M. HERS., Die Pneumatische Schule, 1895 8 F. KUDLIEN, s.v. A., KlP 1, 507 9 C.R.S. HARRIS, The heart and the vascular system, 1973, 251–257 10 C. FABRICIUS, Galens Exzerpte, 1972, 198f.   V.N./L.v.R.-P.

Archikles

Archikles [1] s. Kleinmeisterschalen
[2] Nur inschr. bezeugter att. Komödiendichter, der (eher als Eudoxos) 181 v.Chr. wahrscheinlich den Komödienagon an den großen Dionysien gewann [1. test. 2] und auch zweimal an den Lenäen Sieger war [1. test. 1].

1 PCG II, 1991, 537.   H.-G. NE.

Archilochos

Archilochos von Paros und Thasos, einer der frühesten bekannten Dichter elegischer, iambischer und epodischer Dichtung. A. LEBEN UND DICHTUNG
B. WIRKUNGSGESCHICHTE

A. LEBEN UND DICHTUNG

A., Sohn des Telesikles, der um 675 v.Chr. eine parische Kolonie nach Thasos führte [1], dichtete ca. 670–640 [2; 3], vgl. die Erwähnung des Gyges (gest. ca. 652) als *exemplum* in 19W (= IEG) und das Unglück der Stadt Magnesia in 20W (wahrscheinlich ihre Zerstörung durch Treres, vgl. Kallinos 5W bei Strabon, 14,1,40). Die Sonnenfinsternis in 122W kann, muß aber nicht, die vom 6. April 648 sein. *Elegien*: Von den spärlichen Resten sprechen zwei Gedichte aus Anlaß von Todesfällen durch Schiffbruch Trost aus (8–12W kurze Fragmente; 13W, zehn Verse, vielleicht ein vollständiges Gedicht); drei Fragmente sind metasympotisch und stellen A. (wie es anders für einen νέος bei einem Symposion gar nicht möglich ist) als Krieger und Sänger (1W) oder als Trinkenden (2W, 4W) dar; zwei weitere (3W, 7W) stammen vielleicht aus kriegerischen Appellen (vgl. Kallinos, Tyrtaios). *Iambische Trimeter* Unter den vielfältigen Themen finden sich ein Willkommensgruß an einen unversehrt zurückgekehrten Freund (24W); Reflexionen über Ehrgeiz in einem thasischen Kontext, die einem Baumeister in den Mund gelegt sind (19W); und erotische Erzählungen (23W, eine Verführung), eine vielleicht einfühlsam (48W, über 20 Verse), einige obszön und wahrscheinlich beleidigend (z.B. 42–6W). *Trochäische Tetrameter*: Lange Fragmente aus wenigstens zwei größeren Gedichten (die 88W bzw. 105W beginnen), viele davon aus der Mnesipes- und der Sosthenesinschrift (s. unten), erzählen von Schlachten der Thasier gegen die Naxier oder Thraker, wobei die Götter eingreifen (94W, 98W) und Teilnehmer angesprochen werden (96W), unter denen sich auch A. selbst befindet (95W); andere Fragmente bieten polit. oder moralische Gedanken für Mitbürger (109W) oder Freunde (131W, ?114–5W), eines (122W) legt Reflexionen über die Ehe einer Tochter in den Mund ihres Vaters (Lykambes?, Telesikles?). Unter den wenigen erotischen Fragmenten spricht eines (118W) vom Verlangen nach Neobule (vgl. 119W). *Epoden*: In 196–196aW erzählt A. einem ἑταῖρος, wie er ein junges Mädchen verführt hat: Der wiedergegebene verbale Schlagabtausch enthält eine Beleidigung der Neobule durch A., anscheinend ihrer älteren Schwester, als Folie für ein Lob des Mädchens. Auf Neobule zielt vielleicht 188–192W, wie die Fabel vom Fuchs und vom Adler (172–181W) auf ihren Vater Lykambes; 185–7W zog ebenfalls die Moral aus einer Fabel (der Fuchs und der Affe), 168–71 und 182–4 aus Geschichten über Menschen.

Gegenwärtig wird diskutiert, ob Vorfälle und Personen (einschließlich bestimmter Elemente des dichterischen Ich des A.) fiktiv und die Personen sogar Typencharaktere sind [4; vgl. 5] oder ob Vorfälle oder Personen (oder beide) real sind [6]. Selbst wenn einige Erotica erfunden sind, zeigen die Fragmente A. nicht als einen Söldner (216W vergleicht ihn nur mit einem), sondern als eine herausragende Figur in der thasischen Politik – vgl. die Gedichte, die an Glaukos (48W, 105W; vielleicht 15W, 96W, 131W) gerichtet sind, dem später ein Kenotaph auf der Agora errichtet wurde (GVI 677 Nr. 51a) –, der seine Feinde zu Lande und zu Wasser bekämpfte und auch einmal sympotische Konventionen zu Witzen auf Freunde (114W, 117W Glaukos, 124W Perikles) als auch zu Kritik an Feinden ausnutzte (115W Leophilos; 172–81W Lykambes; ?168W Charilaos) und eine Aufforderung zum Trinken aus den Einschränkungen des Krieges (2W, 4W) oder Humor aus seinen Katastrophen ableitete. Daß er sich ebenso nicht zu sagen scheute, daß er seinen Schild fortgeworfen habe, da dieser ja ersetzbar sei [7], rief in der Ant. Kritik hervor (Kritias 88 B44, Plut. mor. 239b) und in der Gegenwart die Ansicht, daß A. die heroische Ethik Homers in Frage stelle. Doch läßt sich der Humor wie das in Komm. und Erzählung häufig anzutreffende ἐγώ, das nach verbreiteter Meinung einen neuen Individualismus bezeugen soll, besser als ein Zeichen des Gattungsunterschieds zwischen ep. und sympotischer Dichtung erklären. Außerdem läßt sich nicht sagen, wie »neu« die Arten der Dichtung waren, die A. verfaßte: Seine Leichtigkeit im Umgang mit einem großen Spektrum von Metren (von denen er einige selbst erfunden haben soll, wie man in der Ant. behauptete) und einige formelhafte Ausdrücke in Trimetern und Tetrametern (z. B. τοσαῦτ' ἐφώνει/ -εον 196, 9/42 W.) legen nahe, daß sie bereits gut eingeführt waren, und die Tatsache, daß A. und andere mehr oder weniger zeitgenössische Dichter (→ Kallinos; → Tyrtaios; → Simonides) unsere frühesten erh. Dichter sind, die in der ersten Person dichten, ist der Ausweitung des Gebrauchs des Alphabets auf die Aufzeichnung solcher Dichtung zu verdanken, nicht dessen plötzlicher Erfindung. Wörter und sogar Sätze haben homer. Parallelen (und 196aW steht vielleicht unter dem Einfluß der Διὸς ἀπάτη), die sich aber auch bei zeitgenössischen Elegikern finden: A. konnte vielleicht aus einem der ep., elegischen und sogar iambischen Dichtung gemeinsamen Fundus schöpfen. Seine Vorliebe für Reden (19W, 23W, 122W, 196aW) ist vielleicht ebenfalls eine Technik, die er nicht entlehnt, sondern mit anderen gemeinsam hat.

B. Wirkungsgeschichte [7]

A. wurde 350–300 v. Chr. in Paros mit einem μνημῆιον in Gestalt eines Kapitells mit zwei Hexametern geehrt, das vielleicht mit einem Archilocheion verbunden war. Eine Inschrift aus dem 3. Jh. (SEG 17, 517) bezeugt, daß Mnesiepes ein *témenos* und einen Altar für einen Kult des A. neben anderen Göttern errichtet hat, und bietet eine Biographie (in der A. den Musen begegnet), die lokale Überlieferung benutzt und Fragmente zitiert. Ein weiteres Denkmal wurde von Sosthenes errichtet (1. Jh. v. Chr.: IG 12, 5, 445 und suppl. p. 212), mit einer Lebensbeschreibung, die sich auf die Darstellung eines Demeas stützte und lange Berichte

über mil. Aktivitäten in Tetrametern enthielt. Für einen solchen Kult auf Thasos gibt es keinen Beleg. Außerhalb dieser Inseln wurden Teile von A.' Dichtung jedoch bald kanonisch. Heraklit (22 B42) läßt auf Vortrag von A.' Gedichten (Tetrameter?) in ἀγῶνες (vgl. Plat. Ion 531a) schließen, während Pindar einen in Olympia gesungenen Herakleshymnos (O. 9,1–4) und Invektiven (P. 2,52) kannte; Kratinos' Ἀρχίλοχοι (bes. 10K = 11 K-A, eine Parodie von 168W), Νόμοι fr. 130K = 138 K-A und eine Parodie von 109W in Πυτίνη (198K = 21 K-A) – von Aristoph. Pax 603 aufgenommen – zusammen mit 5W.1–3 (›Der Schild‹) in Pax 1298ff. und 185–7W (›Der Fuchs und der Affe‹) in Ach. 119f. zeigen, daß att. Theaterbesucher A. kannten. Herodots Erwähnung des A. (Hdt. 1,12,2) setzt ebenfalls die Bekanntschaft seiner Leser mit dessen Gedichten voraus. 5W wird auch in Kritias' Kritik an A.' Selbstverunglimpfung zitiert (88 b 44); der schlaue Fuchs von 185–7W ist Platon bekannt (rep. 365c; und später Dion von Prusa 74,15; Ail. nat. 6,64 [nichts bei den Rednern]). Aristoteles, rhet. 3,17,1418 b 28 zitiert 19W und 122W, als ob sie bekannt wären (unter der Bezeichnung ἴαμβοι). Theokrit lobt A. (epigr. 21) und spielt auf ihn an (7.65–6, vgl. 4W), wie es implizit auch Kallimachos' *íamboi* tun, vgl. fr. 380, 544. A. wird von vielen griech. Schriftstellern der Kaiserzeit zitiert, von manchen indirekt (wie wahrscheinlich von Dion von Prusa in seinem Zitat von 114W), aber gewiß aus erster Hand von Plutarch (und schließlich vielleicht auch von Synesios), und von zahlreichen Metrikern, die ungewöhnliche Kombinationen mit Beispielen belegen. Papyri zeigen, daß Ausgaben im Ägypten des 2. und 3. Jh. gelesen wurden. Aristoteles schrieb über Probleme im A., Herakleides Pontikos verfaßte zwei Bücher περὶ Ἀρχιλόχου καὶ Ὁμήρου. Ein Papyrus aus der Zeit um 250 v. Chr. (P Hib. 2, 1955, Nr. 173) vergleicht Ausdrücke von A. und Homer miteinander. ἀχνυμένη σκυτάλη in 185W, von Apollonios in περὶ Ἀρχιλόχου und von Aristarchos in Ἀρχιλόχεια ὑπομνήματα besprochen, forderte → Aristophanes [4] von Byzanz zu einer ganzen Monographie heraus: er ist möglicherweise für die gelehrte Ausgabe in vier Büchern (Elegien, Trimeter, Tetrameter, Epoden) verantwortlich; Tarditi [8] favorisiert jedoch Lysanias von Kyrene [dagegen 9]. A. wird oft neben Homer gestellt (Plat. Ion 531a Philodemos, Ps.-Longinos 13,3) und wegen seiner Kraft (l.c. 33,4) hauptsächlich in der Invektive (Cicero, Quintilian; Dion von Prusa; Ps.-Longinos; Plutarch; Sextus Empiricus; Aristeides; Hippodromos; Sidonius) bewundert. Aus seinen Angriffen auf Lykambes (Kratinos fr. 130 K; Ov. Ib. 53; 521; Lukian. pseudolog. 1–2; Iul. epist. 80) entwickelte sich die Gesch., daß A.' ἴαμβοι Lykambes und seine Töchter dazu getrieben haben sollen, sich zu erhängen (Dioskorides Anth. Pal. 7,351; Meleagros Anth. Pal. 352; Hor. epod. 6,11; epist. 1,19,23ff.; Gaitulikos Anth. Pal. 7,71, Iul. l.c. 69; 70, scholia). Weniger oft zitiert werden erotische (Klearchos bei Athen. 639a; Ps.-Lukian, amores 3; Maximos von Tyros 18,9; Athen. 688c, Synes., laudes calvitii

11,75b) oder sympotische Gedichte (1–2W, 4W, 124W
Athen.; 2W Synesios). Die elegischen Trostgedichte
sind nur bei Plutarch (8–13W) und bei Stobaios (13W)
erhalten, der auch einige γνῶμαι in Tetrametern überliefert. A.’ Stellung in der griech. Musik und die Art und
Weise, wie seine Gedichte vorgetragen wurden, zog die
Aufmerksamkeit des Glaukos von Rhegion (Ps.-Plut.
de musica 1132e), Klearchos (fr. 92W) und Chamaileon
(fr. 28W: beide bei Athen. 620c) auf sich.

1 A.J. GRAHAM, in: ABSA 73, 1978, 61–98　2 F. JACOBY, in:
CQ 35, 1941, 97–109 = Kleine philol. Schriften 1, 1961,
249–67 · 3 R. MARTIN, in: ASAA 45, 1983, 171–7 · 4
M. L. WEST, Studies in Greek elegy and iambus, 1974, 23–8
5 G. NAGY, The Best of the Achaeans, 1979, 243–52
6 C. CAREY, in: CQ 36, 1986, 60–7 7 A. VON BLUMENTHAL,
Die Schätzung des A. im Altertum, 1922　8 G. TARDITI
(Hrsg.), Archilochus, 1968, 15* 9 R. PFEIFFER, A history of
classical scholarship, 1, 1968, 146.

D. E. GERBER, in: Lustrum 33, 1991, 7–225. 401–9
(Bibliographie 1921–1989).
ED.: F. LASSERRE, A. BONNARD, (mit franz. Übers.), 1958
(Budé) · G. TARDITI, 1968 (s. 8) · M. TREU, ²1979
(griech.-dt.) · J. M. BREMMER, A. MARIA VAN ERP TALMAN
KIP, S. R. SLINGS, Some recently found Greek poems.
Text and commentary, 1987 · IEG.
KOMM.: D. A. CAMPBELL, Greek Lyric Poetry, ²1977
(ausgewählte Gedichte)
LIT.: Archiloque. Entretiens 10, 1964 · J. VAN SICKLE (et
al.), The new Archilochus, in: Arethusa 9.2, 1976,
129–229 · A. F. BURNETT, Three archaic poets, 1983 ·
F. BOSSI, Studi su Archiloco, ²1992.　　　　　　E.BO./T.H.

Archimedes [1, aus Syrakus] A. LEBEN
B. WERKE　C. WIRKUNGSGESCHICHTE

A. LEBEN
A. wurde als Sohn des Astronomen Pheidias um 287
v. Chr. in Syrakus geboren. Er war mit König Hieron II.
und seinem Sohn Gelon befreundet. A. lebte wahrscheinlich zeitweise in Alexandreia; den dort wirkenden
Mathematikern (Konon, Dositheos, Eratosthenes)
sandte er später seine Schriften zu. In Syrakus beschäftigte sich A. mit Fragen der theoretischen Mathematik
und Physik, aber auch mit Anwendungen; die von ihm
gebauten Maschinen und physikalischen Apparate (z. B.
die nach ihm benannte Schnecke als Wasserheber, Fla-
schenzüge und Planetarien) galten als technische Meisterwerke. Als die Römer Syrakus belagerten, sollen
von A. konstruierte Kriegsmaschinen die Einnahme
verzögert haben. Bei der Eroberung der Stadt (212 v.
Chr.) wurde A. von einem Soldaten erschlagen.

B. WERKE
A. hat kein zusammenfassendes Werk, sondern nur
Einzelschriften zur Mathematik und Mechanik hinter-
lassen. Sie zeigen, daß er zu Recht als bedeutendster
Mathematiker der Ant. gilt. Er war ein Meister der auf
→ Eudoxos zurückgehenden Exhaustionsmethode, die
er für infinitesimale Probleme (Bestimmung von Flä-
chen, Volumina, Tangenten, Schwerpunkte) benutzte.

Zum Inhalt seiner Schriften s. [3; 7; 11; 15. 151–207;
23. 340–380]. Folgende Werke sind in griech. Sprache
erhalten (in der von HEIBERG vermuteten chronologischen Abfolge; zu anderen zeitlichen Ansätzen s. [14;
18. 26–43]):

1. ›Über das Gleichgewicht ebener Flächen‹ (Ἐπι-
πέδων ἰσορροπίαι, 2 Bücher; Ed. [1, 2. 123–213]). Enthält eine Ableitung des Hebelgesetzes (I 6, 7) und, darauf aufbauend, Sätze über die Lage des Schwerpunkts
von Parallelogramm, Dreieck, Trapez und Parabelseg-
ment. E. MACH hat auf Lücken beim Beweis des Hebelgesetzes hingewiesen; hierzu und zur weiteren Diskussion s. [18. 66–70].

2. ›Quadratur der Parabel‹ (Τετραγωνισμὸς παρα-
βολῆς; Ed. [1, 2. 261–315]). A. gibt zwei Beweise für
den Satz, daß die Fläche des Parabelabschnitts ⅓ der
Fläche des einbeschriebenen Dreiecks beträgt. Einer davon ist geometrisch, der andere mechanisch; die Idee
des zweiten stimmt mit dem Beweis aus der »Methode«
überein, ist aber zu einem exakten Exhaustionsbeweis
umgeformt. In Verbindung mit dem geometrischen Beweis berechnet A. den Wert einer unendlichen geometrischen Reihe mit dem Quotienten ¼ (propos. 23).

3. ›Methodenlehre‹ (Ἔφοδος; Ed. [1, 2. 425–507]).
Diese in einem Palimpsest unvollständig erh. und erst
1906 von HEIBERG wiederentdeckte Schrift [12] zeigt,
wie A. aufgrund von heuristischen Methoden zu seinen
neuen Sätzen kam. Unter Verwendung mechanischer
Hilfsbetrachtungen (Abwägen von Strecken) findet er
Ergebnisse, die er dann in anderen Schriften mittels der
Exhaustionsmethode exakt beweist (z. B.: Fläche des
Parabelabschnitts; Volumen der Kugel, des Zylinderhufs
und des Körpers zwischen zwei in einen Würfel beschriebenen Zylindern).

4. ›Über Kugel und Zylinder‹ (Περὶ σφαίρας καὶ κυ-
λίνδρου, 2 Bücher; Ed. [1, 1. 1–229]) ist die umfangreichste Schrift des A. Sie beginnt mit Postulaten, die für
Rektifikationen bis in die Neuzeit grundlegend waren
(z. B.: Die Gerade ist die kürzeste Verbindungslinie
zweier Punkte; bei konvexen Gebilden ist das Umfassende stets größer als das Umfaßte. Postulat 5 ist eine
von Eukl. elementa X.1 und V Def. 4 abweichende
Fassung des sog. »Eudoxischen Axioms«). Nachdem A.
die Oberfläche eines Zylinders und eines Kegels berechnet hat, bestimmt er Oberfläche und Volumen der Kugel und ihrer Teile im Vergleich mit den entsprechenden Größen des umbeschriebenen Zylinders. In Buch 2
werden Aufgaben in Verbindung mit der Kugel formuliert, die auf kubische Gleichungen führen.

5. ›Über Spiralen‹ (Περὶ ἑλίκων; Ed. [1, 2. 1–121])
behandelt die nach A. benannte Spirale, die er durch
Drehung erzeugt (in Polarkoordinaten: $r = a\,\varphi$). A.
drückt die charakteristische Eigenschaft eines Punktes
auf der Spirale aus, bestimmt die Tangente in einem
beliebigen Punkt und den Inhalt des Flächenstücks, das
durch zwei Radien und aufeinanderfolgende Windun-
gen eingeschlossen wird.

6. ›Über Konoide und Sphäroide‹ (Περὶ κωνοειδέων καὶ σφαιροειδέων; Ed. [1, 1. 245–445]) behandelt Rotationsparaboloide, -hyperboloide und -ellipsoide. Das Ziel ist die Volumenbestimmung der Körper 2. Ordnung und ihrer Teile, d. h. des Sphäroids sowie aller Segmente von Sphäroiden oder Konoiden, die durch Ebenen abgeschnitten werden. Ferner wird auch die Fläche der Ellipse berechnet.

7. ›Über schwimmende Körper‹ (Περὶ ὀχουμένων), 2 Bücher; Ed. [1, 2. 317–413]). A. stellt zunächst fest, daß die Oberfläche jeder ruhenden Flüssigkeit kugelförmig gekrümmt ist, und leitet dann die Gesetze des Auftriebs für Körper ab, die spezifisch leichter, gleich schwer oder schwerer als die Flüssigkeit sind. Dabei formuliert er das nach ihm benannte Prinzip. Anschließend untersucht er die Gleichgewichtslagen gewisser schwimmender Körper (Segmente der Kugel und von Rotationsparaboloiden). – Vermutlich mit Hilfe des sog. »A.schen Prinzips« hat A. den Goldgehalt des Weihkranzes von König Hieron bestimmt (Vitr. 9, 9–12).

8. Der erh. Text der ›Kreismessung‹ (Κύκλου μέτρησις; Ed. [1, 1. 231–243]) besteht aus nur 3 Sätzen. In Satz 1 wird die Beziehung zwischen Kreisumfang und -fläche abgeleitet (d. h., es wird erstmals bewiesen, daß Fläche und Umfang des Kreises mit Hilfe derselben Zahl π dargestellt werden können). In Satz 3 nähert A. den Kreis durch ein- und umbeschriebene Polygone an und zeigt mit Hilfe des 96-Ecks, daß die Kreiszahl π zwischen 3 $^{10}/_{71}$ und 3 $^{10}/_{70}$ liegt. Dabei geht er von den Näherungen $^{265}/_{153}$ und $^{1351}/_{780}$ für $\sqrt{3}$ aus (zu Vermutungen über ihre Herleitung s. die in [18. 145–149] erwähnte Lit.). Die Schrift zeigt, daß A. mit Ungleichungen korrekt operieren konnte und gute numerische Rechenfertigkeiten besaß.

9. In der ›Sandrechnung‹ (Ψαμμίτης; Ed. [1, 2. 215–259]) stellt A. ein Zahlsystem dar, das geeignet ist, beliebig große Zahlen auszudrücken. Er bezeichnet diejenigen Zahlen, die im herkömmlichen griech. System darstellbar sind (d. h. von 1 bis 10_8 = 1 Myriade Myriaden), als 1. Ordnung usw., so daß jede Ordnung 10_8 Zahlen umfaßt. 10_8 Ordnungen bilden eine Periode; insgesamt gibt es 10_8 Perioden. Um die Leistungsfähigkeit dieses Systems zu zeigen, bestimmt A. die größte für ihn denkbare Zahl, nämlich die Zahl der Sandkörner, die im Weltall Platz hätten. Dabei geht er von Annahmen der griech. Astronomen über die Größenverhältnisse der Erde, der Himmelskörper und des Weltalls aus und erwähnt auch das heliozentrische System des → Aristarchos [3].

Archimedes zugeschrieben werden: 10. Das ›Rinderproblem‹ (Πρόβλημα βοεικόν; Ed. [1, 2. 527–534]) ist ein Epigramm, bei dem die Zahl der verschiedenfarbigen Stiere und Kühe des Sonnengottes aufgrund bestimmter Beziehungen zwischen ihnen ermittelt werden soll. Die Aufgabe läuft auf die Berechnung von 8 Unbekannten aus 7 unbestimmten quadratischen Gleichungen mit komplizierten Nebenbedingungen hinaus, deren Lösung erst 1880 veröffentlicht wurde.

11. Arab. erh. sind die ›Lemmata‹ (*Liber assumptorum*; lat. Ed. [1, 2. 509–525]), die auf A. zurückgehende Sätze enthalten, u. a. über die Quadratur von durch Kreisbögen begrenzten Figuren und eine Proposition, mit deren Hilfe Winkeldreiteilungen durch Einschiebungen (νεῦσις) möglich sind.

12. Ebenfalls auf A. zurück geht die arab. erh. Schrift ›Über einander berührende Kreise‹ (dt. Übers. in [1, 4]; s. [8]). Sie behandelt Sätze über Beziehungen zwischen sich berührenden Kreisen und als Satz 15 die sog. »Prämisse des A.«, mit dessen Hilfe man eine Sehnentrigonometrie aufbauen und Sehnentafeln berechnen kann (s. [21]).

Fragmentarisch erh. Schriften: ›Stomachion‹ (Ed. [1, 2. 415–424]): ein Spiel, bei dem Stücke, die durch Schnitte aus einem Quadrat entstehen, zusammengesetzt werden. – Aus einer Schrift über das regelmäßige Siebeneck kennen wir aus arab. Quellen das Verfahren, mit dem A. dieses Polygon konstruiert hat, wobei er von Flächengleichheiten ausgeht (s. [10. 69–72; 19. 74–84; 22]; grundlegend [13]). – Nach Pappos, collectio 5,34 [Ed. 1, 2. 536–541] hat A. eine Abhandlung über halbregelmäßige Körper verfaßt, in der er 13 solcher Körper beschrieben hat. – Nach al-Bīrūnī ist A. der Entdecker der sog. »Heronischen Formel« für den Flächeninhalt des Dreiecks [s. 10. 73–78]. – Bruchstücke verlorener mechanischer Schriften des A. (›Über den Schwerpunkt‹; ›Über Säulen‹; ›Über Waagen‹) hat man aus Herons ›Mechanik‹ zu rekonstruieren versucht (s. [9; 17. 97–128; 18. 70–77]). – Zu weiteren verlorenen Schriften s. [20. 135 f.] und [1, 2. 542–554] (Ed. von Testimonien und Fragmenten).

C. WIRKUNGSGESCHICHTE

A. galt schon zu seiner Zeit als der bedeutendste Mathematiker der Ant., blieb jedoch ohne unmittelbare Nachfolger. → Eutokios verfaßte im 6. Jh. Komm. zu den Schriften 1, 4 und 8. Aus Byzanz kennen wir nur 3 griech. A.-Hs., die vor dem 15. Jh. entstanden. Die Araber haben vor allem ›Kugel und Zylinder‹ und ›Kreismessung‹ intensiv studiert und A.s Methoden weitergeführt. Arab. Übers. und Bearbeitungen sind vorhanden von den Schriften 4, 7, 8, 11 und 12; indirekt bekannt war Nr. 1. Die ›Kreismessung‹ wurde im 12. Jh. zweimal aus dem Arab. ins Lat. übersetzt und in der Folgezeit vielfach weiterentwickelt; außerdem waren Teile von ›Kugel und Zylinder‹ und auf A. zurückgehende Schriften wie die *Verba filiorum* der Banū Mūsā im Westen bekannt. Nicht sehr verbreitet war die lat. Übers. fast aller Schriften des A. aus dem Griech. durch Wilhelm von Moerbeke (1269, Viterbo; Autograph: Vat. Ottob. lat. 1850). Eine neue Übers. aus dem Griech. verfaßte Jacobus Cremonensis um 1450. Aus der Analyse der mathematischen Schriften des A. im 16. Jh. durch Maurolico, Tartaglia, Commandino u. a. entstanden Methoden, die im 17. Jh. zur Ausbildung der modernen Infinitesimalrechnung durch Kepler, Cavalieri, Huygens, Newton und Leibniz führten. Zur Überlieferungsgeschichte im allg. siehe [1, 3. Prolegomena]; im

arab. Bereich [20. 121–136]; im westlichen MA [5]; zur ›Kreismessung‹ [16, 373–816].
→ Geometrie; Mathematik

ED., ÜBERS.: **1** Archimedis opera omnia cum commentariis Eutocii, ed. J. L. HEIBERG, 3 Bde., ²1910–1915, Ndr. 1972; Bd. 4: A. Über einander berührende Kreise. Aus dem Arab. übers. und mit Anm. versehen von Y. DOLD-SAMPLONIUS, H. HERMELINK und M. SCHRAMM, 1975 **2** A. Werke, übers. und mit Anm. versehen von A. CZWALINA, ²1963 **3** The works of A. Edited in modern notation with introductory chapters by T. L. HEATH, ²1953 **4** Œuvres complètes d'Archimède; suivies des commentaires d'Eutocius d'Ascalon. Traduites du grec en français avec une introduction et des notes par P. VER EECKE, 2 Bde., ²1960. LIT.: **5** M. CLAGETT, A. in the Middle Ages, Bde. 1–5, 1964–1984 **6** M. CLAGETT, A., in: Dictionary of Scientific Biography 1, 1970, 213–231 **7** E. J. DIJKSTERHUIS, Archimedes, 1956, ²1987 **8** Y. DOLD-SAMPLONIUS, A. Einander berührende Kreise, in: Sudhoffs Archiv 57, 1973, 15–40 **9** A. G. DRACHMANN, Fragments from A. in Heron's Mechanics, in: Centaurus 8, 1963, 91–145 **10** M. FOLKERTS, R. LORCH, Some geometrical theorems attributed to A. and their appearance in the West, in: Archimede: Mito, tradizione, scienza. Siracusa-Catania, 9–12 ottobre 1989. A cura di Corrado Dollo, 1992, 61–79 **11** T. L. HEATH, A History of Greek Mathematics, Bd. 2, 1921, 16–109 **12** J. L. HEIBERG, Eine neue A.-Hs., in: Hermes 42, 1907, 234–303 **13** J. HOGENDIJK, Greek and Arabic Constructions of the Regular Heptagon, in: Archive for History of Exact Sciences 30, 1984, 197–330 **14** W. R. KNORR, A. and the Elements: Proposal for a revised chronological ordering of the Archimedean corpus, in: Archive for History of Exact Sciences 19, 1978, 211–290 **15** W. R. KNORR, The Ancient Tradition of Geometric Problems, 1986 **16** W. R. KNORR, Textual Studies in Ancient and Medieval Geometry, 1989 **17** F. KRAFFT, Dynamische und statische Betrachtungsweise in der ant. Mechanik, 1970 **18** I. SCHNEIDER, A. Ingenieur, Naturwissenschaftler und Mathematiker, 1979 **19** C. SCHOY, Die trigonometrischen Lehren des persischen Astronomen Abū'l-Raiḥān Muḥ. ibn Aḥmad al-Bīrūnī, 1927 **20** F. SEZGIN, Gesch. des arab. Schrifttums, Bd. 5, 1974 **21** J. TROPFKE, A. und die Trigonometrie, in: Archiv für Gesch. der Mathematik, der Naturwiss. und der Technik 20, 1928, 432–463 **22** J. TROPFKE, Die Siebeneckabhandlung des A., in: Osiris 1, 1936, 636–651 **23** B. L. VAN DER WAERDEN, Erwachende Wiss., 1956.   M. F.

[2] Verf. eines reizvollen Epigramms, das wahrscheinlich aus dem »Kranz« des Philippos stammt (Anth. Pal. 7,50): ein zeitgenössischer Dichter wird davor gewarnt, den scheinbar ebenen, in Wirklichkeit aber von Hindernissen übersäten Weg einzuschlagen, der seinerzeit von Euripides eröffnet wurde. Die Tatsache, daß man nichts über diesen A. weiß, veranlaßte BRUNCK (und in seinem Gefolge JACOBS, DÜBNER und BECKBY) dazu, das Lemma der codices (Ἀρχιμήδου) in Ἀρχιμήλου (vgl. Athen. 5,209b) zu berichtigen; doch scheint die Konjektur nicht angemessen begründet.

FGE 24 f.   E. D. / T. H.

Archimelos. Verfasser eines langen Epigramms, welches ein gigantisches Schiff beschreibt, das Hieron II.

bauen ließ: nach dem Zeugnis des Historikers und Paradoxographen Moschion (FGrH 575 IIIB p. 677), den Athenaios (5,209b-c) wörtlich zit., soll der Herrscher den Dichter entlohnt haben, indem er ihm 1000 Medimnen Korn ›in den Piräus‹ schickte. Wenn das stimmte, wäre A. in die 2. H. des 3. Jh. v. Chr. zu setzen, doch läßt die Unzuverlässigkeit der Quelle Raum für begründeten Zweifel. Das Gedicht ist von geringer Qualität und zeigt Berührungspunkte mit → Antipatros von Sidon (Anth. Pal. 7,748,3–5).

FGE 26–29 · SH 202.   E. D. / T. H.

Archimimus (*archimima*). Wohl Ehrentitel für hervorragende Schauspieler des → Mimus, unabhängig von deren Rolle im Ensemble, daher konnte es auch mehrere *a.* innerhalb einer Truppe geben [1.179–181]. Da im Mimus auch Frauen auftraten, gab es *archimimae* (CIL VI 10106/7). An Popularität kam der *a.* Sorix dem Komödienspieler → Roscius gleich (Plut. Sulla 36,2). Stars trugen Künstlernamen: Lepos (Porph. Hor. sat. 2,6,72), Favor (Suet. Vesp. 19,6; Namenliste [2.1583]). Als Freigelassene spielten *a.* für Tagesgage (*a. diurnus*, CIL XIV 2408) oder festen Sold (*a. officialis*, CIL III 6113).

1 H. WIEMKEN, Der griech. Mimus, 1972 **2** M. BONARIA, s. v. Pantomimo, Enciclopedio dello spettacolo 7, 1960, 1580–85.

H. LEPPIN, Histrionen, 1992.   H. BL.

Archinos (Ἀρχῖνος). Athener, um 404 v. Chr. zunächst Anhänger der polit. Gruppe um → Theramenes (Aristot. Ath. pol. 34,3). 404/3 nahm er mit → Thrasybulos von Phyle aus den Kampf gegen die 30 Tyrannen (→ Triakonta) auf (Demosth. or. 24,135). Nach dem Sieg setzte er sich für die Erhaltung der allg. Amnestie und gegen eine Ausweitung des athen. Bürgerrechtes ein (Aristot. Ath. pol. 40,1 f.). Die Einführung des ion. Alphabetes in Athen 403/2 geht auf seinen Vorschlag zurück (Theop. FGrH 115 F 155; PA, 2526; TRAILL PAA, 213880).   M. MEI.

Archippos. [1] Dichter der Alten Komödie, siegte einmal an den Dionysien in der 91. Ol. (415–412 v. Chr.) [1. test. 1. 2]. 61 Fragmente und 6 Titel sind erh., darunter ein *Amphitryon* und ein *Plutos*. Der *Rhinon* und die ›Fische‹ (*Ichthyes*) – in denen ein Fisch-Staat (vgl. den Vogel-Staat des Aristophanes) in Auseinandersetzung mit den Athenern dargestellt war – lassen sich wohl bald nach 403 datieren. Gelegentlich wurden auch 4 Stücke des Aristophanes dem A. zugewiesen [1. test. 4].

1 PCG II, 538–557.   B. BÄ.

[2] Pythagoreer, entkam laut Aristoxenos fr. 18 WEHRLI (= Iambl. v. P. 249 f.; vgl. Neanthes FGrH 84 F 30 = Porph. v. P. 55; Diog. Laert. 8,39; ferner Porph. v. P. 57) zusammen mit Lysis dem um 450 [1] oder zw. 440 und 415 v. Chr. [2. 62 ff.] datierten Brandanschlag auf das

Versammlungslokal der Pythagoreer in Kroton und zog sich dann nach Tarent zurück; zur Frage der Historizität s. [2. 46ff.].

→ Pythagoreische Schule

1 K. von Fritz, s. v. Pythagoreer, RE 24, 215–216 2 D. Musti, Le rivolte antipitagoriche e la concezione pitagorica del tempo, in: QUCC 65, 1990, 35–65. C.RI.

Archisynagogos (hebr. *rosh ha-knässet*). Titel des Synagogenvorstehers, in dessen Verantwortung der Ablauf des Gottesdienstes stand. Das Amt ist für Palästina und die Diaspora lit. (u. a. Mk 5,21–43; Lk 13,14; Act 18,8) und epigraphisch belegt (u. a. CIJ II 991; 1404; 741; 766; CIJ I 265; 336; 383). Da der Titel in späterer Zeit für Frauen und Kinder verwendet wurde, wird diskutiert, ob auch Frauen das Amt innehaben konnten oder ob die Bezeichnung lediglich als Ehrentitel diente .

Schürer, Bd. 2, 434–436. B.E.

Architekt A. Etymologie, Begrifflichkeit, Abgrenzung B. Griechische Antike C. Römische Antike

A. Etymologie, Begrifflichkeit, Abgrenzung

Der erst für das 5. Jh. v. Chr. bezeugte Begriff A. leitet sich vom griech. ἀρχιτέκτων her (Hdt. 3.60; 4.87); dieser Terminus ist wiederum abgeleitet von τέκτων; τεκτωσύνε (Zimmermannshandwerk), was zeigt, daß der A. früharcha. Zeit zunächst mit → Holz und erst später auch mit Stein als Baumaterial konfrontiert war. Diesem griech. Wortfeld ist das lat. *arc(h)itectus* entlehnt. A. bezeichnet mit dem Bauen verbundene banausisch-handwerkliche Tätigkeiten; nicht im heutigen Sinne eine visionäre Profession, sondern die Summe verschiedener τέχναι (→ Könnensbewußtsein), deren Bündelung auf eine Person wohl im Kontext der Organisation erster großer Bauprojekte der griech. Bürgergemeinschaft steht. Das Tätigkeitsbild wie auch die soziale und ökonomische Stellung des A. wandelt sich von früharcha. bis in spätröm. Zeit erheblich, jedoch sind Details dieses Wandels wegen der sehr fragmentarischen Quellenlage oft nur vermutbar. Zu Aspekten der Logistik und Organisation des Bauens → Bauwesen; zu sozialgeschichtlichen Fragen s. auch → Künstler; zu Material und Technik → Bautechnik; zu Einzelheiten des Holzbaus → *Materiatio*.

B. Griechische Antike

Das Tätigkeitsspektrum und die Verantwortlichkeiten des griech. A. im Bauwesen variieren, sie sind determiniert durch das jeweilige Verhältnis zum Auftraggeber, das zudem die soziale Stellung des A. innerhalb einzelner Gesellschaftsformationen bestimmte. Aus der griech. Ant. sind gut 100 A. namentlich überliefert, bei keinem läßt sich aber Lebenslauf oder Œuvre insgesamt rekonstruieren. Schon in archa. Zeit konnten A. verein-

zelt Prominenz und damit Prestige über den bloßen Handwerkerstatus hinaus erlangen, sei es durch vielbewunderte Tätigkeit an einem Tyrannenhof (→ Theodoros und → Rhoikos unter Polykrates von Samos, beide berühmt auch für ihre Erfindungen und Fertigkeiten in anderen τέχναι wie Bildhauerei, Toreutik oder Glyptik; Hdt. 3,60) oder durch erste theoretische Schriften (→ Chersiphron und → Metagenes aus Ephesos; → Architekturtheorie). Ein einmaliges Zeugnis von Handwerkerselbstbewußtsein in archa. Zeit ist die »Signatur« des Apollontempels von Syrakus durch die A. Kleomenes und Epikles; daß auch sonst mehrere A. zusammen an einem Bauwerk arbeiteten, ist mehrfach bezeugt, wobei aber in keinem Fall Klarheit über die Arbeitsteilung besteht.

Auch in klass. Zeit sind A. öffentlicher Bauten keine autonomen Gestalter, sondern eingebunden in das Institutionengefüge einer Polis; oft scheint der A. ein technisch begabter »Autodidakt« und nicht notwendig ein im Bauwesen Erwerbstätiger gewesen zu sein. In dieser »kollektiven Phase« des griech. Bauwesens tritt der A. als Individuum kaum in Erscheinung und wenn, dann lassen sich selbst prominente Namen oft nur mit wenigen, bisweilen nur einem einzigen Bauwerk konkret verbinden (→ Libon; → Kallikrates; → Iktinos; → Mnesikles). Im klass. Athen waren die A. jenseits ihrer bauwerksbezogenen Tätigkeiten Mittler zwischen dem lokalen Bauhandwerk und den Polisgremien, verantwortlich der Volksversammlung und zugleich abhängig von den durch die Baukommissionen und andere Exekutiv- und Kontrollgremien abgesteckten finanziellen Spielräumen. A. wurden projektgebunden beschäftigt und erhielten mit 1 Drachme pro Tag prinzipiell das gleiche Honorar wie im Tagelohn beschäftigte Handwerker, wurden jedoch mit Jahresgehältern entlohnt, die die Feiertage einschlossen. Kleinere Bauaufgaben, etwa Wohnhäuser, scheinen nicht einzeln für sich, sondern nur im Zusammenhang mit übergreifender Stadtplanung (→ Städtebau; → Hippodamos) Betätigungsfeld eines A. gewesen zu sein.

In spätklass.-hell. Zeit entwickelt sich der A. zum Spezialisten mit bisweilen auch theoretischem Anspruch (→ Hermogenes; → Pytheos; → Satyros), der häufig an Königshöfen (z. B. → Deinokrates am Hofe Alexanders d. Gr.), von Priesterschaften oder Polisgremien dauerhaft beschäftigt war. Begehrten Hof-A. wurden bisweilen exzeptionelle Zugeständnisse gemacht; so wurde z. B. → Sostratos gestattet, den Pharos von Alexandria nach Vollendung mit einer Inschrift, die ihn nahezu in den Rang des Bauherren erhob, dem eigentlichen Auftraggeber und Finanzier Ptolemaios II. zu weihen (Strab. 17,1,791).

Der A. benötigte universelle Beurteilungskompetenz handwerklicher Fähigkeiten und Kenntnisse, was ihn über auf einzelne τέχναι spezialisierte Handwerker und Künstler hinaushob: neben Stein und Holz waren Ton, Stuck, Wachs, Glas und verschiedene Metalle die Werkstoffe, Toreutik, Wachsformerei, Bildhauerei und Malerei, aber auch Maschinenbau, Mechanik und → Poliorketik die zu beherrschenden Techniken. Zudem benötigte der A. für seine Tätigkeit Geometrie, Mathematik und Zeichenkunst ebenso wie Organisations- und Kalkulationsvermögen und schriftliche Darstellungsfähigkeit; schließlich war er in seiner Stellung zwischen Auftraggebern, Behörden und Unternehmern auch auf Eloquenz und persönliche Verläßlichkeit angewiesen (Konventionalstrafen für Säumnisse und Fehler, wie bei kontraktnehmenden Handwerkern üblich, sind für A. aber nicht bezeugt). Gegenstand der Tätigkeit war neben der Erstellung eines Baudesigns vor allem dessen logistische Umsetzung, mithin die Planung und Organisation des Bauvorgangs; seit dem 4. Jh., bes. im Kontext zeitlich unüberschaubar gewordener Großprojekte (z.B. hell. Didymeion) gewinnen Verwaltungsaufgaben überhand, und mit den handwerklich-praktischen Aspekten wird oft ein ὑπαρχιτέκτων betraut.

C. RÖMISCHE ANTIKE

Das an den modernen Ingenieur erinnernde Berufsbild des A., wie es Vitruv (1, 1–18) beschreibt, scheint sich erst seit späthell. Zeit herauskristallisiert zu haben, war in der röm. Kaiserzeit dann aber die Regel (weiteres zu Ausbildung, Tätigkeit und sozialer Stellung des röm. A. → Vitruvius). Zugleich ist die röm. Architektur noch anonymer als die griech. und Bauten sind überwiegend mit den Namen der Auftraggeber, kaum mit einem A. verbunden (den knapp 30 namentlich überlieferten röm. A. läßt sich nur selten ein erh. Bauwerk zuschreiben). Der röm. A. ist nicht nur vielseitiger Handwerker, sondern zunehmend auch Techniker; das Tätigkeitsspektrum wird um baurechtliche Aspekte, vor allem aber um neue Fertigkeiten in Folge der technischen Innovationen im röm. Bauwesen (→ *opus caementitium*) und der Entwicklung neuer Bauaufgaben (z.B. Wasser-, Straßen- und Brückenbau; Militärarchitektur) erweitert. Besondere technische Herausforderungen erwuchsen vor allem aus der Idee der Überwindung und Umformung von Natur durch Architektur, z.B. der Bau der *Domus Aurea* durch die A. Severus und Celer (Tac. An. 15,42) oder die Anlage des Trajansforums (→ Apollodoros [14]).

Der röm. A. konnte in hoher gesellschaftlicher Position und in persönlicher Bindung zum Kaiser oder zu höheren Magistraten in den Provinzen (→ Cossutius) stehen und unmittelbar am Hofe, im Heer oder als städtischer A. beschäftigt sein. Hatte es der griech. A. im Bauprozeß mit einer vergleichsweise kleinen Zahl hochqualifizierter Unternehmer-Handwerker zu tun, dirigierte der röm. A. bei Großbauten Heerscharen ungelernter Hilfsarbeiter; von dieser röm.-kaiserzeitlichen Baurealität ist etwa das Bild geprägt, das Plutarch (Perikles 12–13) von der perikleischen Akropolisbebauung des 5. Jh. v. Chr. zeichnet. Daß A. in der röm. Kaiserzeit ein prestigeträchtiger Beruf sein konnte, belegen verschiedene Versuche röm. Kaiser, selbst als A. zu dilettieren (z.B. Hadrian: Cass. Dio 69,4).

J. A. BUNDGAARD, Mnesikles. A Greek A. at Work, 1957 · A. BURFORD, The Temple Builders of Epidauros, 1969 · dies., Künstler und Handwerker in Griechenland u. Rom, 1985, 115–128 · J. J. COULTON, Greek A. at Work, 1977 · H. EITELJORG, The Greek Architect of the 4th Century B.C., 1973 · A. L. FROTHINGHAM, The A. in History II. Roman A., in: The Architectural Record 25, 1909, 179–192; 281–303 · D. GOGUEY, La formation de l'architecture, in: Recherches sur les artes à Rome, Kongr. Dijon, 1978, 110–115 · P. GROS, Aurea Templa, 1976, 53–78 · Ders., Statut social et rôle culturel des A., in: Architecture et Société, Kongr. Rom 1980, 1983, 425–452 · W. H. GROSS, Zur Stellung des A. in klass. Zeit, in: H.-G. BUCHHOLZ (Hrsg.), Hellas ewig unsre Liebe, FS W. Zschietzschmann, 1975, 33–50 · N. HIMMELMANN, Zur Entlohnung künstlerischer Tätigkeit in klass. Bauinschriften, in: JDAI 94, 1979, 127–142 · C. HÖCKER, Planung und Konzeption der klass. Ringhallentempel von Agrigent, 1993, 153–166 · H. LAUTER, Zur gesellschaftl. Stellung des bildenden Künstlers i.d. griech. Klassik, 1974 · ders., Architektur des Hellenismus, 1986, 27–32 · W. MÜLLER, A. in der Welt der Ant., 1989 · W. MÜLLER-WIENER, Griech. Bauwesen in der Ant., 1988, 18–25 · A. PETRONOTIS, Der A. in Byzanz, in: DiskAB 4, 1984, 329–343 · R. H. RANDALL, The Erechtheum Workmen, in: AJA 57, 1953, 199–210 · J. M. C. TOYNBEE, Some Notes on Artists in the Roman World, 1951, 9–15 · B. WESENBERG, Kunst und Lohn am Erechtheion, in: AA 1985, 55–65 · A. WITTENBURG, Griech. Baukommissionen des 5. u. 4. Jh., 1978.   C. HÖ.

Architektur [1] A. VORDERER ORIENT UND ÄGYPTEN B. GRIECHISCHE UND RÖMISCHE ANTIKE

[1] A. I. VORDERER ORIENT

Wichtigstes Baumaterial Mesopotamiens ist seit dem Neolithikum der ungebrannte Lehmziegel. Ausgiebigere Verwendung von Stein begegnet in westl. Regionen des Alten Orients, insbes. in Kleinasien, und im perserzeitlichen Iran. Das typische neuassyr. Wohnhaus ist zweigeteilt in Vorhof mit Wirtschaftsräumen und Innenhof mit Wohnquartieren. Demgegenüber sind die Räume beim babylon. Wohnhaus seit dem 3. Jt. üblicherweise um einen einzigen Zentralhof angeordnet. Größe und Ausstattung variiert je nach Familienstruktur und Wohlstand der Bewohner; die Raumaufteilung, z.B. zwischen Freien und Unfreien oder Männern und Frauen, ist weitgehend unbekannt.

Für neuassyr. Herrscher bildete die Bautätigkeit den Gradmesser der Königsmacht. Bes. Augenmerk galt dem Palastbau. Neue Herrscher errichteten jeweils eigene Paläste, z. T. auch gänzlich neue Residenzstädte. Paläste liegen zumeist erhöht über dem Stadtgebiet und gliedern sich, analog den zeitgenöss. Wohnhäusern, in einen äußeren »Torteil« und einen inneren »Hausteil«. Scharnier dazwischen ist der Thronsaal. Große Pracht entfaltete sich im Palastinneren, u. a. Orthostatenreliefs, die in propagandistischer Überhöhung den König, seine Kriegstaten und seine Rolle im Kult darstellten. Nach dem Sieg über die Assyrer errichteten die spätbabylon. Herrscher in ihrer Hauptstadt → Babylon gewaltige Paläste; bedeutendster und besterforschter Komplex ist die »Südburg« Nebukadnezars II. mit mehreren parallel geschalteten Höfen, um die sich, kaum anders als in Assyrien, im vorderen Teil Verwaltungstrakte und im hinteren Teil private Quartiere des Königs und der Königin gruppierten; der Thronsaal mit reichem Glasurziegelschmuck liegt am Zentralhof.

Der Sakralbau ist in neuassyr. Zeit dem Palastbau grundsätzlich nachgeordnet. Charakteristische Merkmale eines neuassyr. Tempels sind die längsgerichtete Cella und ein erhöhtes, über Stufen zugängliches Adyton; Vorläufer sind bis ins 3. Jt. zurückzuverfolgen (Ebla, Tempel D). In Babylonien behielten bis in sumer. Zeit zurückreichende Tempelbezirke ihre beherrschende Stellung auch in chaldäischer Zeit. Die → Ziqqurrat des Stadtgottes von Babylon wird in sieben Stufen bis zu einer Höhe von ca. 91 m aufgetürmt. Kennzeichnend für den babylon. Tempeltyp, dessen Entwicklung am Übergang vom 3. zum 2. Jt. einsetzt, ist eine breitgelagerte, am Eingang von Türmen flankierte Kultraumgruppe mit Türen zur Vorcella und Cella sowie Kultnische mit Kultpostament auf einer durchlaufenden Achse. Ähnlich wie in Assyrien weisen die Tempelmauern als Gliederung flache Vor- und Rücksprünge auf.

A. II. Ägypten

Die ägypt. A. ist überwiegend durch Funerär- bzw. Sakral-A. bekannt, die Zahl der freigelegten Wohn- und Administrationsbauten steht demgegenüber deutlich zurück. Größere Stadtanlagen sind nur in Ausnahmefällen erforscht. Die Gründe für diese von Vorderasien abweichende Quellenlage bilden Spezifika in Baumaterial und Bebauungsstruktur. Steinbauweise bzw. Lage am Wüstenrand sicherten insbes. Grabanlagen, in geringerem Maße auch Tempeln Dauerhaftigkeit. In Ziegel-, Holz- und Schilfbauweise errichtete und im feuchten, intensiv genutzten Fruchtland gelegene Profan-A. hat sich weit weniger gut erhalten und geriet deswegen erst spät in den Blickpunkt der Forschung. Während der Profanbau praktischen Bedürfnissen Rechnung trägt, stellt die ägypt. Sakralarchitektur eine Übertragung komplexer religiöser Gedankenwelten in Stein dar. Charakteristisch ist das Beharren an einmal geprägten Formen und Symbolen, die z. T. der Ziegel-, Holz- und Schilfbauweise entlehnt sind. Andere Bauformen wie → Pyramide und → Obelisk sind Resultat religiöser Spekulation.

In der Wohn-A. des NR lassen sich einfachen Einfamilienhäusern und Serienbautypen der Arbeitersiedlungen mit zentralem Wohnzimmer großzügige Beamtenvillen gegenüberstellen, die sich in streng geschiedene Bereiche für Öffentlichkeit, hausgemeinschaftliches Leben und Privatsphäre des Hausbesitzers und seiner Familie gliedern. Der Königspalast umfaßt ähnlich wie im Vorderen Orient nicht nur die Wohnstatt des Königs, sondern auch Verwaltungs- und Wirtschaftseinrichtungen. Als Bühne für das Königszeremoniell dienen Audienzhallen, Thronsäle und bes. Stätten des Königskultes. Tempelarchitektur läßt sich in Ägypten nicht scharf eingrenzen, da einerseits die Übergänge zwischen Tempeln für Götter und Könige und Bauten des Totenkults fließend sind und andererseits enge Beziehungen zwischen Tempel- und Palastarchitektur bestehen. Auch eine Typologie ägypt. Tempel bleibt schwierig, der große Variantenreichtum entzieht sich bislang verbindlicher Systematisierung. Der im NR vorherrschende Tempel besteht aus Pylon, Festhof, Erscheinungssaal, Opfertischsaal und zumeist drei Sanktuaren.

D. ARNOLD, s. v. Haus, LÄ 2, 1977, 1055–1061 · Ders., s. v. Palast, LÄ 4, 1982, 644–646 · Ders., s. v. Tempelarchitektur, LÄ 6, 1986, 359–363 · Ders. Die Tempel Ägyptens, 1992 · E. HEINRICH, A. von der alt- bis zur spätbabylon. Zeit, in: PropKg 14, 1975, 241–287 · E. HEINRICH, Die Tempel und Heiligtümer im alten Mesopotamien, in: Denkmäler ant. A. 14, 1982 · E. HEINRICH, Die Paläste im alten Mesopotamien, in: Denkmäler ant. A. 15, 1984 · D. WILDUNG, s. v. A., LÄ 1, 1975, 395–399.   U.S.

[2] B. Griechische und Römische Antike

I. ABGRENZUNG UND BEGRIFFSDEFINITION
II. RAHMENBEDINGUNGEN UND KONTEXTFELDER
II.1. FORSCHUNGS- UND BETRACHTUNGSGESCHICHTE II.2. ARCHITEKTUR ALS REPRÄSENTATIONSMEDIUM UND BEDEUTUNGSTRÄGER II.3. FORM UND STRUKTUR III. EINZELNE FUNKTIONSBEREICHE III.1. WOHN- UND GRAB-ARCHITEKTUR III.2. WIRTSCHAFTS- UND INFRASTRUKTURBAUTEN III.3. SAKRAL-ARCHITEKTUR III.4. VERWALTUNGS- UND VERSAMMLUNGSBAUTEN III.5. MILITÄR-ARCHITEKTUR III.6. SPORT-, FREI-ZEIT- UND FEST-ARCHITEKTUR III.7. WEIH- UND EHREN-ARCHITEKTUR IV. ARCHITEKTURKONGLOMERATE

I. ABGRENZUNG UND BEGRIFFSDEFINITION

A. bezeichnet in der Klass. Archäologie heute eine Monumentgattung, deren zusammenfassende Darstellung oft technische, konstruktive, planerische und materielle Aspekte mit einschließt. Die hier gegebene Übersicht beschränkt sich demgegenüber auf Bauensembles, Gebäude und A.-Teile in ihren funktionalen, formal-strukturellen und ideologischen Kontexten im engeren Sinne; zu Material und Konstruktion → Bautechnik; zu Organisations-, Planungs-, Finanzierungs- und Rechtsfragen → Bauwesen; zu Urbanismus und Stadtplanung → Städtebau; zu sozialen und handwerklichen Fragen auch → Architekt, → Könnensbewußtsein, zu Ästhetik- und Konzeptfragen auch → Architekturtheorie.

Der moderne Begriff A. ist dem lat. *architectura* entlehnt; dieser bezeichnet die Baukunst theoretisch-wissenschaftlicher Ausprägung (im Gegensatz zum praktischen Bauhandwerk, der *fabrica*); zur griech. Etymologie des Wortes → Architekt. Das sich hier manifestierende Verständnis von A. als Sammelbegriff für Bauten jedweder Erscheinungsform in allen Materialien sowie für Baustile, aber auch für Bauästhetik begegnet explizit zuerst bei Vitruv (1,2,1 – 1,3,2; → Architekturtheorie); es ist den Begriffskategorien archa. und klass. griech. Zeit zunächst ebenso fremd wie der erst seit dem Hellenismus mit der A. verbundene Kunstcharakter (Vitr. 1,1,1–2, → Könnensbewußtsein). Die sachlich dem lat. *architectura* vergleichbare griech. Entsprechung ἀρχιτεκτονική scheint vor Aristoteles (eth. Nic. 1094 a 14; metaph. 1013 a 14; poet. 1456 b 11, vgl. auch ἀρχιτεκτονεύμα bei Biton 61,2) nicht bezeugt; die Analogisierung lat. mit griech. Termini bei Vitr. 1,2,1 ist in vielen Einzelheiten umstritten.

II. RAHMENBEDINGUNGEN UND KONTEXT-FELDER. 1. FORSCHUNGS- UND BETRACHTUNGS-GESCHICHTE

Die Aufarbeitung der Forschungsgesch. zur ant. A. ist ein Desiderat. Die wiss. Auseinandersetzung mit der griech. A. beginnt mit der Wiederentdeckung Griechenlands im 18. Jh. [45]. Die hell.-röm. Auffassung von A. als ästhetischen Kriterien und Grundbedingungen folgender Bau*kunst* ist lange Zeit vorherrschend; eine Sichtweise, die bereits, bezugnehmend auf röm. A., in der Renaissance aktualisiert und im Europa des 18. und 19. Jh. als fast selbstverständlich angesehen wurde. In bes. Maße wurde dabei die Sakral-A., allem voran der Säulenbau, als Kunstgegenstand aufgefaßt [3]; Profan-A. und vor allem A. aus weniger dauerhaften, deshalb als minderwertig angesehenen Materialien (Holz, Lehmziegel, Bruchstein) blieb weitgehend unbeachtet. Der Ästhetisierung der in Formen und Elementen variationsarmen und wenig wandlungsfähigen griech. A. wurde eine röm. A. gegenübergestellt, die als Verkörperung souveräner Technikbeherrschung und fortschrittlicher Dynamik galt [11]. Hinzu trat eine durch solche Leitaspekte geformte Beschränkung des Blicks auf geogr. und histor. Ausschnitte der Antike (Griechenland, Kleinasien, Italien; Archaik, Klassik, späte röm. Republik und Kaiserzeit bis Hadrian). Auch wenn die 1870 entstandene arch. Bauforsch. aufgrund der Herkunft der Protagonisten aus den Ingenieurswiss. zu einer Erweiterung des Blickwinkels und zu einer Ent-Emotionalisierung von A. geführt hat, so bleibt doch die Auffassung von A. als Eigengesetzlichkeiten unterworfene Kunstgattung bis heute lebendig [34]. Seit den 1960er-Jahren hat sich im Gefolge anderer Wiss. (Kunstgesch., Wirtschafts- und Sozialgesch., Semiotik und Kommunikationswiss.) eine alternative Betrachtungsweise etabliert, die A. als wesentlich von sozialen, ökonom. und polit. Faktoren und weniger von einem »Kunstwollen« geprägt ansieht; A. wird hier als bewußt intendierte und rezipierte, aber auch als unbewußt wirksame Manifestation von inner- wie zwischengesellschaftlichen Situationen, Spannungen und Veränderungsprozessen verstanden. Die Ausformulierung dieser Sicht hat zu zahlreichen neuen Fragen und Erkenntnissen geführt und insges. die A.-Forschung der letzten Jahre geprägt [1; 4; 6–8; 12; 13; 16; 23; 24; 40–43].

II.2. ARCHITEKTUR ALS REPRÄSENTATIONSMEDIUM UND BEDEUTUNGSTRÄGER

A. ist jenseits des Form- bzw. Kunstaspekts oft auf ihren baulichen Zweck im engeren Sinne hin reduziert und betrachtet worden; die Erkenntnis, daß – als Teil ihrer Funktionalität – A. auch in der Antike dauerhafter und optisch herausragender Bedeutungsträger war, dabei zu den zentralen Repräsentationsmedien zählte und gerade hier ein weites Forschungsfeld vorliegt, hat sich in den Altertumswiss. erst seit wenigen Jahrzehnten durchgesetzt. Repräsentation konnte auf verschiedenste Weisen artikuliert werden. Bauten können, wie z. B. der → Parthenon [42] oder auch die röm. → Triumphbogen [42], als Träger von plastischem Schmuck fungieren (→ Bauplastik, → Relief), der durch subtile Bildinszenierung bisweilen regelrecht programmatische Züge aufweist. Ornamentaler Dekor und prunkvolle Innen- und Außenausstattung privater wie öffentlicher Bauten mit → Polychromie, Metallapplikationen und Glasflußeinlagen, → Mosaik, → Malerei, Holzschnitzerei, → Textilkunst, → Stuck und kostbarem Interieur konnten den Wohlstand des Bauträgers (Bürgergemeinschaft, Priesterschaft, König, Kaiser, Magistrat oder vermögende Privatperson) bezeugen [10; 44], bisweilen aber auch als Prunksucht empfunden werden [10]; auch die Zurschaustellung von Kriegsbeute in sekundär-spolienhafter Anbringung an einer A. war ein repräsentativer Akt [10; 42]. Zeichenhaft kann die Plazierung von A. im jeweiligen baulichen Umfeld sein: Lage und Ausrichtung sind dann Produkt einer bestärkenden oder ablehnenden Bezugnahme auf Vorhandenes [4; 42; 47]. Baustile, archaistische Rückgriffe auf Baukonzepte [25] oder die reflektierte Verwendung von Bauordnungen [37], Baumaterial [35] oder gezielte Adaptionen von Bauformen aus anderen Kulturkreisen konnten ebenso Absichten und Bedeutungen visualisieren wie die Herstellung von »Refinements« (→ Kurvatur, → Inklination, → Entasis) als öffentlich vielbeachtete Demonstration technischer Fertigkeiten durch absichtsvolle Erschwerung einer Bauaufgabe [42]. Schließlich auch das Verhältnis zwischen A. und Natur: Schon in der griech. A. zeigen sich im 5. Jh. v. Chr. Tendenzen, natürliche Gegebenheiten umzuformen bzw. zu ignorieren (Terrassierungen, Planierungen und Anschüttungen, z. B. an der Südseite der Athener Akropolis [42]; seit dem späten 4. Jh. v. Chr. gegen den Geländeverlauf gebaute Stadtmauern und ganze Stadtanlagen, z. B. Priene [14]). In der röm. A. ist Naturüberwindung und -beherrschung Ideologem und Leitmotiv des Bauens schlechthin, wie u. a. der Bau von Substruktionen, Aquädukten und Kanalisationen, der Straßen- und Villenbau zeigt [6–8; 12]. Ein Paradigma für das enge Nebeneinander von funktionalen und semiotischen Aspekten bis hin zum Symbol bildet das A.-Motiv der Stadtmauer: Als ein grundsätzlich in hohem Maße zweckgebundenes Bauwerk kann sie in längeren Friedenszeiten zum funktionsuntauglichen Zeichen administrativer Autonomie werden (z. B. im nach 31 v. Chr. in sicherer Lage inmitten des röm. Reiches neugegründeten → Nikopolis) und darüber hinaus seit dem Hellenismus in Gestalt der Mauerkrone bei Stadttychen und verwandten → Personifikationen zur Chiffre städtischer Unabhängigkeit.

II.3. Form und Struktur

Griech. und röm. A. ist typisiert und jeweils die Summe einer überschaubaren Zahl von Einzelelementen [31; 35]. Im Gegensatz zur bautechnisch und formal vielfältigen, aber oft schlecht überlieferten Alltags-A. besteht die öffentliche A. Griechenlands, die im frühen 7. Jh. als monumentalisierte Sakral-A. und im 6. Jh. dann weitgehend als Stein-A. in Erscheinung tritt, lange Zeit aus nur wenigen Grundmustern, die in verschiedener Form den eckigen oder runden Quaderbau mit dem Säulen- und Gebälkmotiv kombinieren und oft durch eine Diskrepanz von ungestaltetem Innenraum bei zugleich zeichenhaft strukturierter Außenfassade geprägt sind [27]. Vorherrschend sind Hallen- und Peristylbauten in verschiedensten Funktionszusammenhängen sowie ungedeckte Anlagen (Theater). Erst die durch künstlerische Ausgestaltung der Profan-A., durch Experimentierfreudigkeit und die Übernahme von Bauformen aus anderen Kulturkreisen charakterisierte hell. A. erweitert Typenvorrat, Grund- und Aufrißkonzepte (Risalit- und Geschoßbauten); im Kontext veränderter Nutzung entsteht ein auch auf den Innenraum hin gerichtetes A.-Verständnis [27]. Fast durchweg typisiert ist die röm. A., deren Formspektrum aus traditionell ital.-etr. Elementen und Adaptionen aus der griech. A. zusammengesetzt ist und die für nahezu jeden Funktionsbereich einen eigenen Bautyp ausprägt [1; 31; 46] (wenige Ausnahmen, z. B. → Bibliotheksgebäude). Die röm. A. besteht bis in spätrepublikanische Zeit hinein überwiegend aus gemörtelten Ziegeln oder Tuffquadern und ist, gemessen an der gleichzeitigen griech. A., unprätentiös [47]; verbindende Gemeinsamkeit der großen öffentlichen Marmor- und Travertin-A. seit sullanischer Zeit ist die Betonung der Fassade (vorgeblendete Kombinationen von Pfeiler oder Säule mit Giebel oder Bogen; Konsolengebälke als horizontales Gliederungselement), oft als mehrgeschossige Prunkfassade mit Statuenschmuck z. B. für Bühnengebäude, Nymphäen u. a. m. oder als Übereinanderstockung verschiedener Bauordnungen [19]. Das im Vergleich zur griech. A. reichhaltige Formenspektrum ist dabei wesentlich von Neuerungen der → Bautechnik geprägt [1; 31; 46] (→ Gewölbe- und Bogenbau, → Kuppelbau, → *opus caementitium*, → Ziegel). Sowohl in der griech. als auch in der röm. A. ist die Struktur einzelner A.-Typen nach deren Ausbildung in gewissen, meist technisch-funktional oder repräsentativ motivierten Grenzen variabel. Ästhetische Kategorien haben zwar seit dem späten 4. Jh. v. Chr. die ant. A. zunehmend mitgeprägt (→ Architekturtheorie, → Kunsttheorie), auf Strukturveränderungen einzelner Bautypen aber nur geringen Einfluß gehabt.

III. Einzelne Funktionsbereiche 1. Wohn- und Grabarchitektur

Wohn-A. in jedweder Ausprägung ist seit der Seßhaftwerdung Hauptgegenstand des Bauens; in bes. Ma-

ße artikulieren sich hier Primärbedürfnisse, im Spannungsfeld von Privatheit und Öffentlichkeit aber auch Wünsche nach Repräsentation [9; 14; 22]; neuere Grabungen und die dadurch verbesserte Möglichkeit, aus der Analyse von Wohn-A. Rückschlüsse auf soziale und wirtschaftliche Verhältnisse zu ziehen, haben die lange vernachlässigte Forschung stark belebt. Die Gestaltung von Wohn-A. ist abhängig von Umweltfaktoren (Klima, Baustoffe), vor allem aber von den jeweiligen ökonomischen und sozialen Möglichkeiten zur Umsetzung von Lebensbedürfnissen. Weitgehend von ihrer praktischen Nutzung geprägt war die ländliche A. Gehöfte und Farmen, z. T. mit Verteidigungsanlagen [29]. Eine Erfindung der röm. Oberschicht, die auf Elemente des hell. → Palastes zurückgreift, ist die luxuriöse → Villa in naturbeherrschender Lage als Repräsentationsbau außerhalb urbaner Zentren [6; 7; 12]; sie ist z. T. mit künstlich gestalteter Natur ausgestattet (*piscinae*, Grotten und Höhlen) und erreicht mitunter fast städtische Dimensionen (Sall. Catil. 12,3; Ov. fast. 6,641). Die Villa wird, bes. in der Spätant., zum Fluchtpunkt einer vom städtischen Leben abgekehrten Welt [41]. Das ebenfalls von seinem ökonomischen Umfeld nicht abtrennbare griech. → Haus tritt im 9. Jh. v. Chr. als flache Lehmziegel- oder Flechtwerk-A. über einem Bruchsteinsockel mit lang-ovalem oder rechteckigem Grundriß in Erscheinung [9]; von Einzelformen wie dem (für die griech. Wohn- und Sakral-A. dann allerdings konstitutiven) → Megaron abgesehen, scheint keine Tradition von der min.-myk. Zeit zu bestehen. Verdichtung der Bebauung führt in den griech. Poleis zu aneinandergesetzten zweistöckigen Hausformen mit Trennung von Frauentrakt und Männern vorbehaltenem Wirtschafts- und Repräsentationsbereich [22]; das großflächige Peristylhaus (Pella, Delos, Olynth) begegnet in gesteigerter Dimension auch als hell. → Palast. In röm. Landstädten ist die meist aus mehreren Siedlungseinheiten bestehende → Insula in zur Straße orientierte Wirtschafts- und nach innen gekehrte Wohnbereiche unterteilt (→ Pompeji); in röm. Großstädten machte die Überbevölkerung die bis zu siebengeschossigen Mietshäuser zu Spekulationsobjekten und sozialen Brennpunkten. In ihrer architektonischen Ausformung sind die → Grabbauten in Etrurien, Griechenland und Kleinasien oft ein Spiegel der Wohn-A.; etr. und maked. Kammer- und kleinasiatische Felsgräber können Aufschlüsse über Interieur, Raumverteilungen und Fassadengestaltung der zeitgenössischen Wohn-A. geben [38].

III.2. Wirtschafts- und Infrastrukturbauten

Bauten für Gewerbe, Handel, Produktion, aber auch zur Erschließung und Nutzbarmachung natürlicher Ressourcen bilden ein A.-Spektrum, das in seiner formalen Gestaltung nur scheinbar ausschließlich zweckgebunden ist. Tatsächlich waren die Errichtung einer öffentlichen → Wasserversorgung mit Tunneln, Überlandleitungen, → Brunnen und → Zisternen, der Bau einer → Kanalisation oder die Einrichtung einer Ent- oder →

Bewässerung für die Landwirtschaft, ferner → Hafenanlagen, Werften (→ Werftanlagen) und der → Straßen- und Brückenbau Maßnahmen, die nur in gemeinschaftlicher Anstrengung zu bewältigen waren und von ihren Protagonisten (Bürgergemeinschaften, Tyrannen, Königen, Kaisern) immer als öffentlichkeitswirksame Prestigetaten gefeiert wurden [4; 10; 14], in der röm. A. auch zur Arbeitsbeschaffung dienten. Die oft bes. aufwendige Bauweise, z.B. von Brunnenhäusern, unterstreicht ihre öffentliche Bedeutung. Die meist zweigeschossige → Stoa und die mehrschiffige → Basilica waren parzellierte Hallenbauten für Handel und Dienstleistungen, aber auch für Jurisdiktion und andere öffentliche Inszenierungen; wie Arsenale, Lager- und Vorratsbauten (→ Horrea) waren sie in der Regel Stiftungen von Herrschern oder begüterten Privatleuten. Die vielfältigen Zweckbauten der Gewerbebetriebe (Erzaufbereitung, Ziegelei, Töpferei, Lebensmittel- und Rohstoffhandel, Gastgewerbe u. a. m.) befanden sich meist in Privatbesitz; die schlechte Überlieferungslage hat bislang nur in Ausnahmefällen fundierte Forschung (u. a. Pompeji, Ostia) ermöglicht.

III.3. Sakral-Architektur

Die Entstehung der Sakral-A. als erste und lange Zeit dominante gemeinschaftliche Bauaufgabe der griech. Ant. hängt vermutlich zusammen mit der während der Ausbildung der → Polis erfolgten Erweiterung der an Ritus und Opfer teilnehmenden Personengruppen und der dadurch begründeten Verlagerung des Herds als Opfer- und Gemeinschaftsplatz aus dem häuslichen → Megaron ins Freie [9; 13; 33] (→ Altar, → Heiligtum, → Opfer). Über die Herleitung, aber auch die Funktion der mit Ringhalle umgebenen → Tempel, die zunächst in Holz-, ab dem 7. Jh. dann umgesetzt in Steinbauweise in verschiedenen, zunehmend differenzierten Bauordnungen (→ Säule; → Dipteros) in Erscheinung treten und – neben kleineren, nur mit Säulenfront versehenen Antentempeln – als gemeinsame Weihung der Bürgergemeinschaft zum optischen Mittelpunkt von Heiligtümern und Städten wurde, herrscht weiterhin Dissens [9; anders 33]. Ebenfalls mit sakraler Aura behaftet sein konnten Propylon-Bauten, prunkvolle Zugänge zu einem Heiligtum, wo das Tempelmotiv der Säulenfront mit → Giebel aufgegriffen ist. Die z. T. unkanonische Form von Sakral-A. (z. B. Erechtheion auf der Akropolis von Athen oder verschieden architektonisch ausgestaltete Grotten und Höhlen) wird von Kultgegebenheiten bestimmt. Die Ausweitung von Kulthandlungen über die myth. Götter- und Heroenwelt hinaus auf lebende Personen und heroisierte Tote (→ Herrscherkult; → Heroenkult) findet in neuen Formen hell. [27] und röm. Sakral-A. eine Entsprechung (Naiskoi und Schreine, → Kenotaph, Heroon → Grabbauten, → Basilica mit → Apsis im röm. Kaiserkult). Der Podiumstempel mit breiter, auf einen Platz ausgerichteter Freitreppe vor der Front und oft dreiräumiger Cella als Zentrum jeder röm. Siedlung entstammt der tuskan.-etr. Tradition [2] und wird später im Dekor oft mit hell.-griech. Formen

und Bauordnungen versehen (korinth. Kompositordnung, → Säule). In der Kirchen-A. nachkonstantinischer Zeit werden verschiedene Typen des röm. Profanbaus (→ Basilica, → Baptisterium) zu Hallenbauten verschmolzen und ab dem 5. Jh. zunehmend auch zum → Zentralbau mit Vierung und → Kuppel darüber; bisweilen entstehen fast städtische Strukturen als Folge der Anhäufung vieler ineinander verschachtelter Kirchenbauten (Nea Anchialos, Amphipolis, Philippi) [26].

III.4. Verwaltungs- und Versammlungsbauten

Neben Sakral- und Infrastrukturbauten entsteht in Griechenland erst zu Ende des 6. Jh. weitere öffentliche A.; sie steht in unmittelbarem Zusammenhang mit dem polit. Umbruch von der Oligarchie zur Demokratie. Neue Entscheidungsgremien und die Ausdifferenzierung der Verwaltung machen A. notwendig, die einerseits für Versammlungen zweckmäßig war, andererseits das neue Selbstverständnis der demokratischen Polis visualisieren konnte; solche Gebäude entstanden meist auf der → Agora. Bouleuterion und Prytaneion waren die → Versammlungsbauten der Gremien; die Volksversammlung tagte oft im → Theater oder in theaterähnlichen → Cavea-Anlagen (Pnyx in Athen). Im Metroon wurden Maße und Gewichte verwahrt, und auch für die Münzprägung entstanden Bauten. In dem Maße, in dem solche A. im Kontext der Auf- und Ablösung der Demokratie an der Schwelle zum Hellenismus polit. entbehrlich wurde, traten Verwaltungsbauten als symbolische Proklamationen städtischer Autonomie gehäuft und in gesteigerter Monumentalität in Erscheinung (Kassope, Olynth, Priene, [22]). Die Verwaltungs- und Versammlungs-A. der röm. Republik bestand im wesentlichen aus Comitium und Curia (→ Versammlungsbauten), beides Kernbestandteile des → Forums der ital. Städte, die aber durch die Dominanz Roms seit dem 1. Jh. v. Chr. polit. obsolet wurden. In Rom war die Versammlungs-A. der republikanischen Ära auf dem Forum Romanum temporärer Art und ist durch spätere Überbauung aus dem Stadtbild getilgt worden [24; 47]. Lediglich die stadtröm. Curia als Sitz des Senats sowie die → Rednerbühne blieben in der Kaiserzeit als Reminiszenz an die Republik von Bedeutung [47].

III.5. Militär-Architektur

Es erstaunt kaum, daß gerade ant. Militär-A. von hohem semiotischen Gehalt sein kann. Sie bildet neben der Wohn-A. den wichtigsten Bereich des zweckgebundenen Bauens, indem sie Haus, Siedlung oder ganze Kulturen vor Feindseligkeiten schützt; zugleich ist Militär-A. wie z. B. der sorgfältig orthogonal oder polygonal gefügte, stabile Bauverbund der Stadtmauer seit myken. Zeit (Kyklopenmauerwerk) das weithin sichtbare Symbol für die Autonomie der Polis und kann bes. Schmuckcharakter aufweisen (Spitzeisendekor, z. B. Eleusis; polygonale Spiegelsteine, z. B. Xanthos; Polsterquader, z. B. Magnesia/Mäander [35]). Unter Bedrohung hastig aufgetürmte, aber auch kalkuliert gebaute Befestigungsanlagen (→ Befestigungswesen), Abriegelungen von ganzen Landstrichen (att. Dema-Mauer; → Limes) sind in ihrer Abfolge von vorspringenden Türmen und dahinter zurückgezogenen Mauerstrecken, in Bauweise und Verlauf immer Defensivreaktionen auf Fortschritte der → Poliorketik des möglichen Gegners; die im Zusammenhang der kriegerischen Offensive entstandene A. (Belagerungsrampen etc.) ist selten erhalten (→ Azaila, → Paphos), war aber immer eine wichtige Aufgabe für den → Architekten (→ Apollodoros [14]). Für die Anlage von röm. Koloniestädten konstitutiv war das als Metapher von Ordnung und Zivilisation in barbarischer Diaspora empfundene röm. → *castellum* mit → *principia* als Zentrum und zwei sich dort kreuzenden, rechtwinkeligen Straßenachsen (→ Städtebau [30]); als Konzept fand diese Raumordnung auch bei Kasernenbauten, z. B. für die Prätorianergarde in Rom, Anwendung. Magazine und Arsenale waren Zweckbauten, stellten in ihrer Funktionsgebundenheit zugleich aber auch bes. technische Herausforderungen an den Architekten (Arsenal des Philon im → Peiraieus, IG II/III² 1668).

III.6. Sport-, Freizeit- und Fest-Architektur

A. für Lebenskontexte jenseits von Wohn- und Wehr-, Kult-, Verwaltungs- und Wirtschaftsaspekten ist generell ein gesellschaftlicher Luxus; der sich gerade in diesem Bereich vermeintlich artikulierende Unterschied zwischen einer tiefgründigen griech. »Gesittung« und einer oberflächlich-dekadenten röm. Kultur ist eine Verklärung von Romantik und Humanismus, hat aber bis heute das Image beider Kulturen beeinflußt.

Das »agonale Prinzip« durchdrang alle öffentlichen und privaten Lebensbereiche der griech. Kultur seit früh, archa. Zeit, hat jedoch erst ab dem 4. Jh. bedeutendere architektonische Spuren hinterlassen: → Stadion, → Palaistra, → Xystos und → Gymnasion sind von ihren Funktionen geformte Bauten, die zugleich Stätten der Muße und des Wettbewerbs waren; das → Theater und das gedeckte → Odeion dienten als Bauformen vor ihrer Nutzung als agonale Unterhaltungs-A. zunächst polit. Bedürfnissen (→ Versammlungsbauten). Besondere A. erforderten die großen Festzüge, z. B. das Pompeion im Kerameikos von Athen, wo sich der Panathenäenzug organisierte, aber auch die in verschiedenen Heiligtümern vorhandenen Banketthäuser sind ebenso der Fest-A. zugehörig wie temporäre Zeltanlagen mit z. T. erheblichem Ausstattungsluxus (z. B. Festzelt des Ptolemaios II., Athen. 5, 196 ff. [20]).

In röm. Villen und Palästen begegnen mehrfach Grotten und Höhlen, die als Fest-A. reich mit Dekor ausgestaltet sind (z. B. Sperlonga). In der röm. Kaiserzeit bekommen »Brot und Spiele« oft den Charakter eines politischen Programms; entsprechend variantenreich, aber auch für die Aufrechterhaltung der öffentlichen Ordnung funktional sind Lage und Art der dafür gebauten A.; → Amphitheater, → Circus und → Hippodrom waren als Orte möglicher Ausschreitungen lange Zeit

nur in Gestalt temporär genutzter Holz-A. präsent und meist am Stadtrand plaziert; als Stein-A. kanalisierten sie den Publikumsverkehr über zahlreiche separate Ein- und Ausgänge [24]. Freizeitcharakter hatte bes. auch das Sanitärwesen; → Bäder und → Thermen, aber auch → Latrinen waren, jenseits des Privathauses, öffentliche Bereiche für Zeitvertreib und deshalb in den ersten nachchristlichen Jh. bevorzugte Bauaufgabe und Medium der Selbstdarstellung von Kaisern und Statthaltern [36].

III.7. Weih- und Ehren-Architektur

Von großer Vielfältigkeit sind diejenigen A., die weniger Bauten im Sinne von ummauertem und überdachtem Raum als vielmehr weitestgehend auf ihr Äußeres reduzierte Denkmäler sind; in bes. Maße lag ihre Funktion in der Repräsentation. Die Schatzhäuser (→ Thesauros) in den griech. Heiligtümern des 6. und 5. Jh. v. Chr. waren Weihgeschenke der Poleis in der Form des Antentempels; sie dienten der Verwahrung anderer Weihungen, hatten als Bauten darüber hinaus selbst Anathem-Charakter. Die verschiedenen kleinasiatischen Mausoleen und Heroa des 4. und 3. Jh. waren → Grabbauten, bei denen der sepulkrale Zweck aber oft der den Herrscher rühmenden Prachtentfaltung untergeordnet war (→ Maussolleion). Ehrenbauten der athenischen Demokratie waren die Choregendenkmäler im Süden und Osten der Akropolis [42] (→ Athen), während die hell. Pfeilermonumente monarchische Repräsentationsansprüche in den überregionalen Heiligtümern formulierten. Denkmäler mit A.-Charakter waren die zahlreichen temporären, später auch dauerhaft erbauten Tropaia als Siegesmale. Die bekannteste Ehren-A. der röm. Kaiserzeit ist der → Triumphbogen, oft eine Stiftung städtischer Magistrate an den Kaiser für erbrachte Wohltaten. Die röm. Grabbauten schließlich säumten die Ausfallstraßen; sie waren insges. als extrovertierte Bauensembles ein Abbild der sozialen und wirtschaftlichen Verhältnisse der Stadt [21].

IV. Architekturkonglomerate

Von bes. Bedeutung für die ant. A. ist das Zusammenwirken verschiedener A.-Formen und A.-Funktionen in größeren baulichen Kontexten und die histor. Wandlungen solcher Konglomerate; erst hier zeigt sich der Grad an Reflektion im Umgang mit einem genuin limitierten Formen- und Teilespektrum ebenso wie das jeweilige Verhältnis zu A.-Formen anderer Kulturkreise, aber auch zu Traditionen der eigenen A. Drei Aspekte haben hier in jüngerer Zeit die Forschung bestimmt. Von Interesse war zunächst die Kombination von Einzelelementen und Einzelfunktionen zu einem neuen Ganzen als kreativer, schöpferischer Akt: Heiligtümer werden z. B. durch den Bau von Banketthäusern und Hallen um wichtige Nutzaspekte erweitert [13]; Neuanlagen wie die von Lindos und Kos kombinierten Hallen- und Tempel-A. auf verschiedenen planierten Niveaus, die mit repräsentativen Freitreppen untereinander verknüpft sind [27] und so die Aufnahme orientalischer Baumotive (→ Persepolis) in die griech. A. bezeugen (ähnlich auch die hell.-röm. Heiligtumsanlagen von → Baalbek und → Gerasa); die hell. Stadtanlage von Pergamon verbindet verschiedene altertümliche Baumuster und -stile als Reminiszenz an das vorbildlich empfundene klass. Athen, und im röm.-spätant. → Palast- und Villenbau entstehen bisweilen gigantische Neukombinationen von Wohn-, Sport-, Unterhaltungs-, Ehren- und Militär-A. (Maxentius-Villa an der Via Appia; Galerius-Palast in Thessaloniki [41]).

Ein zweiter Schwerpunkt der Forsch. betrifft Veränderungsprozesse von gewachsenen Platzanlagen: Entstehung und Wandel der Agorai (→ Agora) von Korinth und Athen oder des Forum Romanum [47] sind Dokumente von Geschichte, deren genaue Beobachtung Rückschlüsse über Wertungen, Relativierungen und auch Tilgungen von einzelnen histor. Phasen zuläßt; bes. unter solch komparativem, Synchronie und Diachronie verbindendem Blickwinkel kann A. im konkreten Einzelfall als eine unmittelbar mit der polit., wirtschaftlichen und sozialen Geschichte verbundene Artikulation begriffen werden.

Ein drittes Hauptaugenmerk der Forsch. betrifft schließlich planerisch-konzeptionelle Gesamtentwürfe von A.-Komplexen, z.B. das Ineinandergreifen von Wohn-, Wirtschafts- und Verwaltungsbereichen in neukonzipierten Städten (Priene, Milet, Olynth, Kassope) und der jeweilige Verbund der Funktionen innerhalb der Bereiche im Detail. Gegenstand der Überlegungen sind hier bereits zunehmend städtebauliche Aspekte, wie sie etwa in der seit → Hippodamos lebendigen staatstheoretischen Vorstellung von der geplanten Stadt als dem Ideal funktionaler Ordnung Ausdruck finden und wie sie in röm. Zeit durch die Einbindung von gerasterter Stadt-A. in ein das ganze Reich überziehendes System der Flurverteilung (*centuriatio* → Feldmesser; *limitatio* → Limitation) zu einer umfassenden Manifestation des Herrschafts- und Verwaltungsverständnisses erweitert werden [14; 17; 22; 30; 42]; zu diesen Aspekten → Städtebau.

1 A. BAMMER, A. und Ges. in der Ant., 1974 2 A. BOËTHIUS, J. B. WARD-PERKINS, Etr. and Roman A., 1970 3 K. BOETTICHER, Die Tektonik der Hellenen, Bd. 1, 1874, Bd. 2, 1877 4 A. DEMANDT, Symbolfunktionen ant. Baukust, in 39), 49–62 5 W. B. DINSMOOR, The A. of ancient Greece, ³1950 6 H. DRERUP, Bildraum u. Realraum in der röm. A. in: MDAI(R) 66, 1959, 147–174 7 ders., Die röm. Villa, in: MarbWPr 1959, 1–24 8 ders., A. als Symbol, in: Gymnasium 73, 1966, 181–196 9 ders., Griech. Baukunst in geometr. Zeit, in: Arch. Hom. II, O, 1969 10 Ders., Zum Ausstattungsluxus in der röm. A., ²1981 11 J. DURM, Die Baukunst der Etr. u. Röm., 1905 12 B. FEHR, Plattform u. Blickbasis, in: MarbWPr 1969, 31–67 13 Ders., Zur Gesch. d. Apollonheiligt. v. Didyma, in: MarbWPr 1971/72, 14–59 14 Ders., Kosmos und Chreia, in: Hephaistos 2, 1980, 155–185 15 R. GINOUVÈS, R. MARTIN, Dictionnaire méthodique de l'A. grecque et romaine, 1. Matériaux, techniques de construction, techniques et formes du décor, 1985 16 P. GROS, A. et Société à Rome, 1978 17 P. GROS, M. TORELLI, Storia dell'urbanistica. Il mondo Romano, 1988 18 R. GÜNTER, Wand, Fenster und Licht, 1968 19 H. v. HESBERG, Zur Entstehung des Gebälkes der röm. Repräsentations-A., in: Hellenismus in Mittelitalien, Kongr. Göttingen 1976, 439–449 20 Ders., Temporäre Bilder oder die Grenzen der Kunst, JDAI 104, 1989, 61–82 21 Ders., Röm. Grabbauten, 1992 22 W. HOEPFNER, E. L. SCHWANDNER, Haus u. Stadt im klass. Griechenland, ²1994 23 C. HÖCKER, Planung u. Konzeption der klass. Ringhallentempel von Agrigent, 1993 24 M. HÜLSEMANN, Theater, Kult und bürgerl. Widerstand, 1987 25 H. KNELL, Die Anfänge des Archaismus i.d. griech. A., 1993 26 R. KRAUTHEIMER, Early Christian and Byzantine A., 1965 27 H. LAUTER, Die A. d. Hellenismus, 1986 28 A. W. LAWRENCE, Greek A., 1957 29 H. LOHMANN, Atene, 1993 30 T. LORENZ, Röm. Städte, 1987 31 W. L. MACDONALD, The A. of the Roman Empire Bd. 1, ²1982, Bd. 2, 1986 32 R. MARTIN, A. et urbanisme, 1987 33 W. MARTINI, Vom Herdhaus zum Peripteros, in: JDAI 101, 1986, 23–36 34 D. MERTENS, Der Tempel von Segesta, 1980 35 W. MÜLLER-WIENER, Griech. Bauwesen i.d. Ant., 1988 36 R. NEUDECKER, Die Pracht der Latrine, 1994 37 J. ONIANS, Bearers of Meaning, 1988 38 F. PRAYON, Frühetr. Grab- u. Haus-A., 22. Ergh. MDAI(R), 1975 39 D. PAPENFUSS, V. M. STROCKA (Hrsg.), Palast und Hütte, Kongr. Berlin, 1982 40 M. PEARSON, C. RICHARDS, A. and Order, 1993 41 L. SCHNEIDER, Die Domäne als Weltbild, 1983 42 L. SCHNEIDER, C. HÖCKER, Die Akropolis von Athen, 1990 43 W. SCHULLER u. a. (Hrsg.), Demokratie u. A., Der hippodam. Städtebau u. die Entstehung der Demokratie, Kongr. Konstanz, 1989 44 E. M. STERN, Die Kapitelle der Nordhalle des Erechtheion, in: MDAI(A) 100, 1985, 405–426 45 J. STUART, N. REVETT, Antiquities of Athens 3 Bde., 1762–1794 46 J. B. WARD-PERKINS, Roman Imperial A., 1981 47 P. ZANKER, Forum Romanum, 1972.   C. HÖ.

Architekturtheorie.

Der Begriff A. war offensichtlich in ant. Zeiten unbekannt und ist nicht durch Schriften ant. → Architekten oder anderer Autoren überliefert. Er entspricht neuzeitlichem Sprachgebrauch, ohne daß eine allg. verbindliche Begriffsklärung entwickelt worden wäre. Statt dessen dient eine unausgesprochene Übereinkunft als ersatzweise Definition, nach der prinzipielle Aussagen über Architektur, die über die reine Beschreibung eines Bauwerks hinausgehen, einer A. zugeordnet werden.

Mit Ausnahme der 10 Bücher des → Vitruvius [2] über Architektur ist kein Werk aus ant. Zeiten bekannt, das als A. bezeichnet werden könnte. Deshalb gilt Vitruvs Sehweise und Zielsetzung als Richtschnur, wenn die Frage nach A. auf ältere Zeiten zurückprojiziert wird. Im Mittelpunkt der Betrachtung stehen somit auf dem von Vitruv vorgezeichneten Weg Probleme der Ästhetik und Regeln, mit deren Hilfe vollkommene Schönheit angestrebt wird.

Als Vorstufen zur A. gelten Beschreibungen, die von griech. Architekten seit archaischer Zeit zur Erläuterung ihrer Bauwerke formuliert worden sind (→ Architekt; → Bauwesen). Allerdings werden solche als *syngraphé* bezeichnete Schriften weniger dazu gedient haben, theoretische Grundlagen zur Architektur zu publizieren, sondern sollten vielmehr Plandaten zusammenstellen, wie sie für einen Bauauftrag erforderlich waren [10]. Trotzdem dürften sie, soweit in ihnen ein dem Entwurf unterlegtes Proportionsgerüst erläutert wurde, nicht unwesentlich zur Entstehung von A. beigetragen haben. Freilich sind von solchen Schriften außer Autorennamen und einzelnen Titeln kaum explizite Aussagen bekannt. Deshalb wurden wiederholt Versuche unternommen, durch Interpretation überlieferter Baubefunde einzelne Entwürfe zu entschlüsseln, wenngleich dies den Inhalt verlorener Schriften nicht ersetzen kann. Zu den frühesten Architekten, deren Namen als Autoren bekannt sind, gehören → Theodoros von Samos, sowie → Chersiphron und → Metagenes, die Baumeister des archa. Artemistempels in → Ephesos. Mit dem Übergang zur Klassik treten konzeptionelle und theoretische Aspekte deutlicher in Erscheinung. Vor allem Proportionsfragen und Bemühungen, heterogene Bestandteile von Architektur zum Ausgleich zu bringen, bestimmen Entwürfe bedeutender Bauten, deren Ergebnisse ohne vorangegangene theoretische Durchdringung anstehender Aufgaben kaum vorstellbar sind. Zwar bleiben solche Erwägungen hypothetisch, doch sprechen bestimmte Überlieferungen für ihre Wahrscheinlichkeit. Beispielhaft sei auf → Libon und den Zeustempel in → Olympia verwiesen, dessen stringent konzipierter Entwurf [6] wohl das Ergebnis eines theoretisch geplanten Kalküls ist.

Unstrittig ist, daß seit dem 5. Jh. theoretische und konzeptionelle Dispositionen für Architektur wichtiger geworden sind. Grundsätzliche Voraussetzung war der in Philos. und Sprache vollzogene Erkenntnisschritt, nach dem vieles Einzelne auf höherer Abstraktionsebene auf einen Nenner gebracht wurde. Erst auf solcher Grundlage konnte Theoriebildung an sich und somit auch A. möglich werden [7].

Für die Baukunst wurde die *symmetría* zum dominanten Begriff und Prinzip. Mit ihr sollten ideale Verhältnisse und schlüssiger Ausgleich von Teilen und Gliedern zum Ausdruck kommen. *Symmetría* wurde fortan zum Leitmotiv von A. Zugleich weisen Überlieferungen zu anderen Gattungen darauf hin, daß mit *symmetría* ein Begriff gefunden war, der über Architektur hinaus die Theoriebildung der Klassik nachhaltig beeinflußte [4]. Dies gilt für den Kanon des → Polykleitos ebenso wie für philos. Lehrsätze, nach denen ein durch *symmetría* bewirkter Ausgleich zum Ideal schlechthin erklärt wird. Angesichts eines solchen Klimas erstaunt es nicht, daß auch Baumeister entsprechende Idealprojektionen aufgegriffen und in Analogie zu anderen Gattungen auf ihre Werke übertragen haben. Dies zeigt, daß die theoretische Auseinandersetzung mit Architektur keinem isolierten und aus der Gattung selbst heraus entstandenen Bedürfnis entsprach, sondern in anderen Disziplinen diskutierte theoretische Modelle auf Architektur übertragen worden zu sein scheinen.

Die Konturen eines solchen Prozesses bleiben unscharf. Vielleicht gehörte → Hippodamos zu den ersten Baumeistern, die sich entsprechende Theoriebildungen zu eigen gemacht hatten. Zumindest thesenartig wurden ihm die Systematisierung des → Städtebaus und ein normierender Idealhaustypus (→ Haus) für die in einer demokratisch verfaßten Polis ansässige Bevölkerung zugeschrieben [3. 7–9; 256–258]. Darüber hinaus kann für seinen vielleicht etwas jüngeren Zeitgenossen → Iktinos vermutet werden, daß der Inhalt einer von ihm mitverfaßten Schrift zum Parthenon über eine gängige *syngraphḗ* hinausging. Allerdings gründet sich eine solche Annahme vor allem auf eine neuzeitliche Bewertung der besonderen Qualität dieses Tempels und auf das beträchtliche architekturtheoretische Potential seines konsequent durchproportionierten Entwurfs [1].

Zu den ersten Architekten, die sich schlüssiger und weiter ausgreifend über Architektur im Sinne von A. geäußert haben, könnte → Pytheos gehören. Zumindest scheint er dem Architekten eine Bedeutung beigemessen zu haben, die weit über das hinausging, was von einem Baumeister zu erwarten war (→ Architekt). Auch sein konsequent entwickelter Entwurf für den Athenatempel in → Priene verweist auf ein besonderes theoretisches Interesse. Darüber hinaus wurde ihm der Stadtplan Prienes zugeschrieben, dessen Konzept sowohl Prinzipien ant. Harmonielehre als auch Zahlenideale der Pythagoräer unterlegt sein sollen [3. 81–83], wenngleich solche Thesen nicht unstrittig sind.

Daß seit dem 4. Jh. Themen von Interesse waren, die nicht nur einzelne Baubeschreibungen betrafen, ist gut bezeugt. Allerdings blieben lediglich Namen von Autoren und Titel von Schriften erh. [8].

Ein sonst unbekannter Silenos schrieb über Symmetrien der dor. Ordnung (→ Säule), Arkesios über die korinth. Ordnung (→ Säule) und → Philon über die Symmetrien des Tempelbaus (→ Tempel).

Wichtig für die Geschichte der A. scheint → Hermogenes gewesen zu sein. Auf dem Umweg über Vitruv sind Idealproportionen und Architekturideale des Hermogenes erh. Allerdings stimmen entsprechende Angaben keineswegs lückenlos, sondern lediglich auszugsweise mit Bauten, die auf Hermogenes zurückgehen, überein [2]. Deshalb ist ungeklärt, ob Hermogenes aus der Summe seiner Erfahrungen und unabhängig von einzelnen Baubeschreibungen eine Schrift im Sinne von A. verfaßt hatte, oder ob Vitruv aus Exzerpten ein theoretisch überhöhtes Architekturideal konstruiert hat. Zu den Quellen Vitruvs können über Hermogenes hinaus Entwürfe anderer Architekten hell. Zeit gehört haben, die Vitruv für sein zentrales Paradigma – den Tempelentwurf – nutzte [9]. Daß er nicht der erste war, der über Architektur in lat. Sprache schrieb, geht aus seinem Quellenregister (Vitr. 7 praef. 14) hervor, wenngleich Inhalt und Bedeutung dieser Schriften unbekannt bleiben.

Erst mit Vitruvs enzyklopädisch angelegtem Werk entstand eine eindeutig als A. zu qualifizierende Schrift. Im Mittelpunkt seiner lehrbuchartigen und kompliziert anmutenden A. steht die Auseinandersetzung mit der *symmetría*, deren dogmatisch betonte Bedeutung durch die allg. bekannte Proportionsfigur [11] unterstrichen wird. Zusätzlich zu aufwendig erläuterten Entwurfsidealen werden seine Bücher durch weitere, z. T. auch ideologisierende Textpassagen ergänzt. Sie betreffen Themen, die einen breit angelegten Rahmen beschreiben und zugleich ein legitimierendes Fundament seiner A. entstehen lassen.

Auf solcher Grundlage wird für Architektur der Rang einer hohen Kunst eingefordert. Als Ursprung und Mutter aller Künste und jeden gesitteten Lebens der Menschheit beansprucht sie eine führende Rolle [5], deren aufwendige Begründungen Vitruvs Werk nach Anspruch, Konzeption und Durchführung als A. verstehen lassen. Trotzdem konzentriert sie sich vornehmlich auf Normen der Ästhetik oder Proportionslehre. Sie hat damit ihrerseits und im Rückblick auf ältere Zeiten die Vorstellung von ant. A. nachhaltig geprägt.

Zwar blieb Vitruv der von ihm erwünschte Erfolg in seiner Zeit und während folgender ant. Jahrhunderte weitgehend versagt, doch wurde seinem Werk seit der Renaissance zuerst durch Alberti und später vor allem durch Palladio eine Aufmerksamkeit zuteil, die Vitruv zum Nestor der A. schlechthin werden ließ.

1 G. GRUBEN, Die Tempel der Griechen, ³1980, 172–174
2 L. HASELBERGER, Der Eustylos des Hermogenes, in: W. HOEPFNER, E. L. SCHWANDNER (Hrsg.), Hermogenes und die hochhell. Architektur, 1990, 81–83 3 W. HOEPFNER, E. L. SCHWANDNER, Haus und Stadt im klass. Griechenland. Wohnen in der klass. Polis 1, ²1994 4 H. KNELL, Symmetrie in der Antike. Form, Begriff und Bedeutung, in: Symmetrie 1, Ausstellungskat. Darmstadt, 1986, 157–175 5 H. KNELL, Vitruvs Architekturtheorie. Versuch einer Interpretation, ²1991, 166–170 6 A. MALLWITZ, Olympia und seine Bauten, 1972, 231–233 7 F. PREISSHOFEN, Zur Theoriebildung, in: DiskAB 4, 1983, 26–30 8 F. W. SCHLIKKER, Hell. Vorstellungen von der Schönheit des Bauwerks nach Vitruv, 1940, 10–14 9 B. WESENBERG, Beiträge zur Rekonstruktion griech. Architektur nach lit. Quellen, MDAI(A) Beih. 9, 1983, 164–178 10 B. WESENBERG, Zu den Schriften der griech. Architekten, in: DiskAB 4, 1983, 39–48 11 F. ZÖLLNER, Vitruvs Proportionsfigur. Quellenkrit. Stud. zur Kunstlit. im 15. und 16. Jh., 1987.

G. GERMANN, Einführung in die Gesch. der A., 1980, 10–29 · A. HORN ONCKEN, Über das Schickliche. Studien zur Gesch. der A. 1, 1967 · H.-W. KRUFT, Gesch. der A. von der Ant. bis zur Gegenwart, 1985, 20–30 · J. ONIANS, Art and Thought in the Hellenistic Age, 1979, 53; 79–81 · Ders., Beareres of Meaning. The class. orders in Antiquity, Middle Ages and the Renaissance, 1988, 33–51.   H. KN.

Architeles, Architelos s. Archandros

Architrav s. Epistylion

Archiv A. BEGRIFF B. GESCHICHTE B.1 ÄGYPTEN UND DER VORDERE ORIENT   B.2 DIE GRIECHISCHE WELT, B.3 DIE RÖMISCHE WELT 3.1 ROM 3.2 PROVINZEN

A. BEGRIFF

Ἀρχεῖον leitet sich von ἀρχή (Behörde) her und bezeichnete zunächst das Amtsgebäude (Xen. Kyr. 1,2,3; Lys. 9,9), später auch die dort ausgefertigten und gesammelten Urkunden (SIG³ 684,7–8; Ios. c.Ap. 1,143); andere Bezeichnungen dafür sind δημόσιον (IG II² 1,28; Demosth. or. 18,142) und γραμματοφυλάκιον (Plut. Arist. 21), in Ägypten auch βιβλιοθήκη [1] und γραφεῖον (P Ryland. 65,4, 1. Jh. v. Chr.). Bes. im kirchlichen Bereich [2,619–27] nannte man A. häufig → »Bibliotheken«.

Bei den Römern hieß das A. *tabularium* (Cic. Arch. 4,8; Liv. 43,16) oder *instrumentum* (Suet. Cal. 8,5; Apul. flor. 9,8); das Lehnwort *archium* bzw. *archiv(i)um* erschien erst später (Fronto, p. 12,2 VAN DEN HOUT; Dig. 48,19,96). Generell wurde zw. dem A. als dem Ort der Aufbewahrung von Urkunden und der Kanzlei, die diese verwaltete, nicht unterschieden.

B. GESCHICHTE   B.1 ÄGYPTEN UND DER VORDERE ORIENT

Bedeutendster A.-Fund aus Ägypten ist die Keilschriftkorrespondenz der Pharaonen → Amenophis III. und IV. (1411–1358 v. Chr.; → Amarna-Briefe). Als einziges Papyrus-A. alter Zeit gilt das der jüd. Kolonie von → Elephantine in Oberägypten.

Bei der Masse der in Mesopotamien und Syrien in regulären Ausgrabungen sowie bei Raubgrabungen zutage gekommenen Tontafeln sind organische Zusammenhänge zw. den Schriftstücken bei den Grabungen arch. nicht immer eindeutig faßbar gewesen bzw. anfangs nur ungenügend beachtet worden oder, im Falle der Raubgrabungen, nur noch indirekt feststellbar. Trotzdem gelingt es zunehmend, zusammengehörige Komplexe von Rechts- und Verwaltungsurkunden sowie von Briefen mit den Mitteln der Prosopographie zu bestimmen. Diese Komplexe werden – in lockerer Anwendung des Begriffs – als A. bezeichnet. Bedeutsame Funde aus Mesopotamien, Syrien und dem Achaimenidenreich stammen u. a. aus → Uruk (ca. 3200 v. Chr.; 6.–3. Jh. v. Chr.), → Ebla (24. Jh.), → Girsu (24.–21. Jh.), → Mari (18. Jh.), Nuzi (15. Jh.), Ugarit (15.–13 Jh.), → Persepolis (6. / 5. Jh.). Diese A. bestehen aus Aufzeichnungen, Urkunden und Briefen, die administrative Vorgänge innerhalb institutioneller Haushalte (Tempel oder Palast) betreffen, aber auch aus Schriftgut, das sich auf Rechtsverhältnisse, Rechtsgeschäfte und geschäftliche Transaktionen von Individuen oder Familien über Generationen hinweg bezieht. Es steht außer Zweifel, daß das Aufbewahren von Schriftgut administrativer und juridischer Natur Zwecken der Verwaltung oder zur Dokumentation von rechtlichen Ansprüchen diente. Nicht mehr für erheblich gehaltenes Schriftgut wurde »entsorgt«. Insofern bieten A.-Funde meist nur eine Momentaufnahme von Verwaltungsgeschehen innerhalb eines institutionellen Haushalts.

Administratives Schriftgut wurde innerhalb institutioneller Haushalte in gesonderten Räumen abgelegt.

Diese lagen oft in unmittelbarer Nähe der Räumlich-
keiten, in denen Tätigkeiten oder Verwaltungsakte
stattfanden, die in den Urkunden und Aufzeichnungen
dokumentiert wurden. Die Urkunden wurden in Kör-
ben oder Tonkisten aufbewahrt, die mit Etiketten mit
Angaben über Inhalt und Zeitraum der Schriftgutes versehen waren. Die Tafelbehälter waren auf gemauerten
Bänken oder in Regalen gelagert. Die A.-Räume wurden zuweilen versiegelt und durften dann nur von den
dafür Verantwortlichen geöffnet und wieder mit ihrem
persönlichen Siegel versiegelt werden. In Wohnhäusern
von Privatpersonen wurden Urkunden und Briefe
meist in Tonkrügen aufbewahrt.

Texte aus dem Bereich der gelehrten Überlieferung
wurden von einem anderen Personenkreis in einem anderen räumlichen und sachlichen Kontext verfaßt und
tradiert. Schriftgut dieser Art wurde deshalb an anderen
Orten innerhalb von Palästen und Tempeln aufbewahrt
als administratives und juridisches Schriftgut. Man
spricht in diesem Zusammenhang von Bibliotheken.

B.2 Die griechische Welt

Die myk. Palastwirtschaft bediente sich genauer In-
ventare und Listen, die auf ungebrannten Tontafeln in
der frühgriech. Silbenschrift »Linear B« eingeritzt wurden. Sie waren – ähnlich wie im vorderasiatischen
Raum – nur für kurzfristigen Gebrauch bestimmt. Bei
der Zerstörung der Paläste (um 1200 v. Chr.) wurden
jedoch die gerade vorhandenen Tafeln durch den Brand
gehärtet und sind so teilweise (bes. in → Knosos und
Pylos) erh. geblieben [3]. Nach dem Untergang der
myk. Herrschaft im 12. Jh. verschwand mit der Schrift
auch jede Möglichkeit der Archivierung.

Erst im 5. Jh. begann die athenische Demokratie,
Gesetze, Beschlüsse, Protokolle etc. nicht nur öffentlich
(als Inschr.) auszustellen, sondern auch im
→ Buleuterion auf der Agora aufzubewahren. Das Gebäude behielt diese Funktion, als der Rat im späten 5. Jh.
in das sog. »Neue Buleuterion« umzog; es diente nun
zudem als Heiligtum der phrygischen Göttermutter und
wurde deshalb → Metroon genannt [4]. In Tempeln und
in den Amtslokalen der einzelnen Behörden wurden
zwar ebenfalls Urkunden, z. B. Verträge (auch zw. Privatpersonen), gesammelt, doch entwickelte sich das
Metroon im 4. Jh. zum zentralen Staats-A., das auch den
Bürgern zur Verfügung stand [5]. Es wurde von Staats-
klaven geführt (Demosth. or. 19, 129). An der Spitze
stand wohl der Ratsschreiber (γραμματεὺς τῆς βουλῆς),
der auch für Protokoll und Publikation der Beschlüsse
zuständig war; er war zunächst ein gewähltes Ratsmitglied, später ein Beamter. Generell galten die archivierten Urkunden als Original (αὐτόγραφον), die öffentlich
ausgestellte Inschrift dagegen, ungeachtet ihrer politischen und praktischen Funktion, allenfalls als Abschrift
(ἀντίγραφον) [6]. Auch in anderen griech. Städten wurden A. (betreut etwa von einem γραμματοφύλαξ CIG
3137; 3. Jh.) im Verlauf des 4. Jhs. immer wichtiger. Sie
sind (meist inschr.) bis in die röm. Kaiserzeit hinein bezeugt [7. 558]; selten erfahren wir etwas über den Inhalt

[8. 74–80]. Die Kanzlei → Alexandros' [4] d. Gr. wurde
von → Eumenes von Kardia verwaltet; sie bildete eine
wichtige Grundlage der Reichspolitik und war stark
vom persischen A.- Wesen geprägt. Gesammelt wurden
neben den die Verwaltung betreffenden Dokumenten
auch ἐφεμερίδες, Tagesberichte [9]. Das A.-Wesen der
→ Diadochen war von dieser Praxis beeinflußt, nutzte
aber auch lokale Traditionen; dies gilt bes. für das hell.
Ägypten, über dessen A. (auch im Privatbereich) wir
durch Papyrusfunde gut informiert sind [1; 10. 136–
159].

B.3 Die römische Welt   3.1 Rom

In Rom entwickelte sich das staatliche A.-Wesen
langsamer als in Griechenland und in Abhängigkeit von
der oligarchischen Herrschaftsform. Die Magistrate bewahrten die Urkunden ihrer Amtszeit (darunter die
→ commentarii: Amtstagebücher) in ihren privaten A.
(tablina) auf. Im aerarium Saturni, der Staatskasse, archivierten Quaestoren und Aedile schon früh Senatsbeschlüsse und Gesetze (auf Wachstafeln: tabulae ceratae);
78 v. Chr. wurde am Südostabhang des Capitols sogar
ein eigenes Gebäude (tabularium) zur Aufbewahrung
dieser Urkunden erbaut [11. 1962–64]. Für ein allg.
nutzbares, zentrales A. fehlten aber die räumlichen, per-
sonellen und polit. Voraussetzungen [12]. Die Archivierung erfolgte wohl eher aus formalen Gründen, in
Zweifelsfällen war das persönliche Zeugnis bzw. das
Privat-A. der Konsuln entscheidend (Cic. leg. agr. 2,37;
[13. 69f.]). Erst in der Kaiserzeit wurde ein zentrales A.
gebildet und zum wichtigen Verwaltungs- und Herr-
schaftsinstrument: An die Stelle des nur schwer zu be-
nutzenden aerarium Saturni (Kaiser Tiberius suchte es
immerhin 16 n. Chr. durch drei curatores tabularum publi-
carum zu reorganisieren), trat nun das kaiserliche A. [14.
63–73]. Es bildete kein organisches Ganzes, sondern war
in verschiedene Bereiche getrennt: neben dem Privat-A. (→ sacrarium, auch secretarium genannt) waren das
röm. tabularium castrense (Rechnungsabteilung des
kaiserlichen Haushalts), das tabularium principis (mit Urkunden bes. über Grundbesitz) sowie die Kanzleien ab
→ epistulis, a → libellis und a → memoria wichtig.

3.2 Provinzen

Im Westen des Reiches entstanden in der Kaiserzeit
städtische A. (tabularia civitatis), in denen Sitzungs- und
Prozeßprotokolle, Verträge etc. gesammelt waren; die
Verantwortung für diese acta publica hatten die duumviri
und der curator der Stadt. Außerdem gab es A. der kaiserlichen procuratores (für Karthago vgl. CIL VIII p. 1301–
1338), die fiskalischen Zwecken dienten (etwa der Do-
mänenverwaltung), und in den Provinzhauptstädten die
A. der Statthalter, die vom jeweiligen Vorgänger übernommen wurden [15]; den Kern bildete hier jeweils das
Tagebuch (commentarii) des Amtsinhabers, das ihre Tätigkeit (auch die Gerichtsentscheide) dokumentierte; die
Korrespondenzen gehörten wohl ebenfalls dazu. Ferner
gab es Unterlagen (professiones) über die Geburten röm.
Kinder, die aber vielleicht im A. der Finanzverwaltung
aufbewahrt wurden. Eine Sonderstellung nahm wohl

die Kanzlei des *praefectus Aegypti* ein [1], doch wird die Beurteilung dadurch erschwert, daß andere Prov. über keine den Papyri vergleichbare Quellengattung verfügen. Die Funktion mil. A. (*tabularia*) zeigen Funde aus → Dura-Europos/Syrien (Papyrus) [16], aus → Vindolanda/Britannien (Holztäfelchen) [17] und aus Bu Njem/Tripolitanien (Ostraka) [18]; allerdings findet sich nur in Dura-Europos Material (der *cohors XX Palmyrenorum*), das längerfristig archiviert werden sollte.

1 F. BURKHALTER, Archives locales et archives centrales en Égypte romain, in: Chiron 20, 1990, 191–216 2 K. GROSS, s. v. A., RAC 1, 1950, 614–631 3 ST. HILLER, O. PANAGL, Die frühgriech. Texte aus myk. Zeit, ²1986 4 T. L. SHEAR Jr., Bouleuterion, Metroon and the Archives at Athens, in: M. H. HANSEN, K. RAAFLAUB (Hrsg.), Studies in the Ancient Greek Polis, 1995, 157–190 5 W. C. WEST, The Public Archives in Fourth-Century Athens, in: GRBS 30, 1989, 529–543 6 L. BOFFO, Ancora una volta sugli »archivi« nel mondo greco, in: Athenaeum 83, 1995, 91–130 7 C. DZIATZKO, s. v. A., RE 2, 553–564 8 S. M. SHERWIN-WHITE, Ancient Archives, in: JHS 105, 1985, 69–89 9 N. G. L. HAMMOND, The Royal Journal of Alexander, in: Historia 37, 1988, 129–150 10 E. POSNER, Archives in the Ancient World, 1972 11 E. SACHERS, s. v. tabularium, RE 4A, 1962–69 12 PH. CULHAM, Archives and Alternatives in Republican Rome, in: CPh 84, 1989, 100–115 13 M. COUDRY, Sénatus-consultes und acta senatus, in: La mémoire perdue. À la recherche des archives oubliées, publiques et privées de la Rome antique, 1994, 65–102 14 C. MOATTI, Archives et partage de la terre dans le monde romain, 1993 15 R. HAENSCH, Das Statthalter-A., in: ZRG 109, 1992, 209–317 16 C. B. WELLES et al., The Excavations at Dura Europos, 1959 17 A. K. BOWMAN, J. D. THOMAS, Vindolanda, 2 Bde., 1983 und 1994 18 R. MARICHAL, Les ostraca de Bu Njem, 1992. K. V.

Archon. [1] Maked. Offizier im Heer → Alexandros' [4], 326 v. Chr. einer der Trierarchen der Flotte auf dem → Hydaspes, vor Alexandros' Tod Satrap von Babylonien, was er nach der Neuordnung von Babylon blieb (Diod. 18,3,3). Bald aber sandte ihm → Perdikkas → Dokimos als Nachfolger. Im Kampf gegen ihn fiel A. (Arr. succ. FGrH 156 F 10).

BERVE 2, Nr. 103. E. B.

[2] Aus Aigeira, Bruder des → Xenarchos, wie → Philopoimen und → Lykortas Vertreter einer achaiischen Politik des begrenzten Widerstandes gegen Rom (Pol. 22,10) [1. 113, 127] und Widersacher des Kallikrates [1. 144–145, 177–184]; Bundesstratege 187 v. Chr. (?) [1. 121, 114]; 174 exponierte sich A. für einen Ausgleich mit Perseus (Liv. 41,24) und 168/8 für eine aktive Unterstützung durch die Ptolemaier (Pol. 29,23,3; 25,6) [1. 182–184; 2. 55–58, 84]. Er verhielt sich zuweilen opportunistisch, zumal als Stratege 172/1 und 169/8 (Pol. 27,2,11; 28,6,7–7,12; 29,23,3) [1. 146, 18, 179–181; 2. 63, 95].

1 J. DEININGER, Der polit. Widerstand gegen Rom in Griechenland, 1971 2 H. NOTTMEYER, Polybios und das Ende des Achaierbundes, 1995. L.-M. G.

Archonides (Ἀρχωνίδης). [1] König von Herbita und anderer sizilischer Gemeinden. Beteiligte sich an der Gründung von → Kale Akte durch Duketios ca. 446/5 v. Chr. (Diod. 12,8,2) und starb ca. 414 als Freund der Athener (Thuk. 7,1,4). [2] König von Herbita und Freund der Athener (IG II² 32). Schloß 403/2 Frieden mit → Dionysios I. und gründete die Stadt Halaisa Archonideios (Diod. 14,16). K. MEI.

Archontes [I, Amt] (ἄρχοντες, ἄρχων). Im allgemeinen die Bezeichnung für alle Inhaber von → *archaí*. Doch der Begriff wurde häufig auch als Titel eines besonderen Amtes benutzt, zumindest urspr. für das höchste Staatsamt. A. in dieser Bedeutung finden sich in den meisten Staaten Mittelgriechenlands, einschließlich Athens, und in den von Athen abhängigen oder beeinflußten Staaten.

In Athen wichen nach Aristot. Ath. pol. 3 die Könige den zuerst auf Lebenszeit, dann auf zehn Jahre und schließlich für ein Jahr bestellten A. In der späteren Archontenliste war der Beginn des einjährigen Archontats um das Jahr 683/2 v. Chr. verzeichnet. Diese Entwicklung ruht wahrscheinlich nicht auf authentischer Tradition, sondern ist spätere Rekonstruktion. Man darf jedoch annehmen, daß die Machtbefugnisse des Königs schließlich auf drei jährlich bestellte Beamte verteilt wurden, und zwar auf den *árchōn* als ziviles Staatsoberhaupt, den → *polémarchos* als militärischen Kommandeur und den → *basileús*, der den alten Königstitel beibehielt und im besonderen das religiöse Oberhaupt des Staates darstellte. Als später noch sechs → *thesmothétai*, die primär als Gerichtsbeamte fungierten, hinzukamen, galten die neun A. als Kollegium ranghöchster Staatsbeamter. Im 5. oder 4. Jh. wurde das Kollegium auf zehn erweitert, indem ein sogenannter Sekretär der *thesmothétai* hinzugefügt wurde. Damit konnte von jeder der zehn Kleisthenischen Phylen eine Position besetzt werden.

Vor → Solon (594/3) war die Besetzung aus den Reihen der führenden Familien (nach Geburt und Besitz: Aristot. Ath. pol. 3) unumgänglich. Solon gründete die Wählbarkeit für diese und andere Ämter allein auf den Besitz und definierte sie entsprechend seinen vier Vermögensklassen (Aristot. Ath. pol. 7,3–8,1): das Archontat war urspr. vielleicht auf die oberste Klasse beschränkt, im frühen 5. Jh. stand es den beiden höchsten Klassen offen. 457/6 wurde auch die dritte Klasse der *zeugítai* (d. h. der Hopliten) zugelassen (Ath. pol. 26,2) und im 4. Jh. wurden Vermögensqualifikationen nicht mehr geltend gemacht.

Bekanntlich herrscht ein Widerspruch zwischen Ath. pol. 8,1–2, wonach Solon die Bestellung durch den Areopag aufhob und die *klḗrōsis ek prokrítōn* einführte (Losung aus einer kurzen Liste von vorher Gewählten), und Aristot. pol. 2,1273b 35 – 1274a 17; 3,1281b 25–34, wonach Solon das »aristokratische« Prinzip der Wahl nicht veränderte. Jede Version findet ihre Befürworter, aber die aristotelische *Ath. pol.* gründet sich auf eine gute und detaillierte Quelle zu Solon und trifft daher eher das

Richtige als die kurzen Hinweise in der ›Politik‹, die das Verfahren nur allgemein erläutern sollen. (Die angebliche Bestellung durch den Areopag vor Solon mag jedoch auf einem Mißverständnis einer → *dokimasía* durch den Areopag beruhen.) Wenn *Ath. pol.* zutrifft, müssen die Tyrannen im 6. Jh. zur direkten Wahl zurückgekehrt sein, da 487/6 die *klḗrōsis ek prokrítōn* wieder eingeführt wurde (Aristot. Ath. pol. 22,5), jedoch sicher nicht aus 500 *prókritoi*. Später fand das Losverfahren auf die erste und die zweite Stufe der Bestellung Anwendung (Ath. pol. 8,1).

Mit an Sicherheit grenzender Wahrscheinlichkeit konnte man nur einmal im Leben zum Kollegium der A. gehören und nur am Ende des Amtsjahres wurde man Mitglied des Areopags auf Lebenszeit (Ath. pol. 3,6; anders aber [3]).

Im 6. Jh., vermutlich auch davor, waren die A. und im besonderen der *árchōn*, die bedeutendsten Beamten des athen. Staates. Solon war *árchōn* als er 594/3 mit der Reform des Staates beauftragt wurde (Ath. pol. 5,2); es zeugt von fortwährenden Unruhen, wenn es danach Jahre gab, in denen kein *árchōn* bestellt oder keiner als in gültiger Wahl Bestellter akzeptiert wurde und wenn ein *árchōn* (→ Damasias) sich weigerte, am Ende seines Amtsjahrs zurückzutreten (Ath. pol. 13,1–2). → Hippias [1] war *árchōn* 526/5, dem erstmöglichen Jahr nach dem Tod seines Vaters → Peisistratos [3] (ML, 6, fr. c); → Isagoras wurde nach dem Fall der Tyrannis für 508/7 im Lauf der Auseinandersetzung mit → Kleisthenes [2] um die Vormacht zum *árchōn* bestellt (Dion. Hal. ant. 1,74,6; 5,1,1).

Mit der Schaffung von zehn alljährlich gewählten und wiederwählbaren → *strategoí* (»Generälen«) durch Kleisthenes setzte eine Entwicklung ein, die im 5. Jh. die *strategoí* zu den wichtigsten Beamten werden ließ, während die A. zu Routinebeamten herabsanken. Dieser Prozeß wurde durch die Reform des → Ephialtes 462/1 abgeschlossen, als der Areopag alle polit. bedeutenden Kompetenzen verlor.

Im späten 5. Jh. und danach lagen die Aufgaben der A. in erster Linie im richterlichen und rel. Bereich. Früher hatten sie Prozesse in eigener Vollmacht entscheiden können; diese Befugnis war zuerst von Solon durch die Einführung der Berufung gegen ihre Urteile an einen Geschworenengerichtshof gemindert worden (Aristot. Ath. pol. 9,1); nach der Mitte des 5. Jh. verfügten sie noch über eine begrenzte Kompetenz, Geldstrafen aufzuerlegen, aber meistens führten sie eine einleitende Untersuchung (*anákrisis*) durch und dann den Vorsitz im Geschworenengericht, das das Urteil fällte.

Der *árchōn* war für eine Anzahl von rel. Festen, für Erbtöchter (→ *epíklēroi*) und Waisen sowie für Prozesse in Familienangelegenheiten zuständig. Der *basileús* war für die Mehrzahl rel. Angelegenheiten und für Mordprozesse verantwortlich. In der Zuständigkeit des *polémarchos* lagen einige Feste, einschließlich der Spiele zu Ehren der Kriegsgefallenen, und Prozesse, in die Nichtbürger verwickelt waren. Die *thesmothétai* trugen die

Verantwortung für das gesamte System der Geschworenengerichtshöfe und für die meisten »öffentlichen« Prozesse, in denen jeder beliebige Bürger (*ho boulómenos*) als Kläger auftreten konnte. Innerhalb der ausgeklügelten Organisation des Systems der Gerichtshöfe, das im 4. Jh. entwickelt wurde, waren alle zehn Mitglieder des Kollegiums der A. in die Auswahl der täglich amtierenden Geschworenen einbezogen, wobei jeder das Verfahren in seiner Phyle überwachte (Ath. pol. 56–59; 63–65).

Wie alle Beamten Athens hatten sich auch die A. vor Amtsantritt einer *dokimasía* zu unterziehen. Ursprünglich wurde sie vielleicht vom Areopag durchgeführt; im 4. Jh. durchliefen die A. eine zweistufige *dokimasía* im Rat der 500 und vor einem Geschworenengericht. Die Fragen bezogen sich auf Abstammung, Familienheiligtümer und Gräber, gute Behandlung der Eltern, Entrichtung von Steuern und Ableistung des Wehrdienstes. Nach dem Durchlaufen dieser *dokimasía* leisteten die A. einen Eid, den Gesetzen gemäß zu handeln und keine Bestechungsgelder anzunehmen. Bei Amtsantritt verkündete der *árchōn*, die Bürger würden sicher im Besitz ihres Vermögens bleiben. *Árchōn*, *basileús* und *polémarchos*, hatten jeweils zwei Gehilfen (*páredroi*), die sie selbst auswählen durften (Ath. pol. 55,2–56,2).

Zum Ende des 5. Jh. war es übliche Praxis geworden, das Jahr nach dem jeweiligen *árchōn* zu benennen, weshalb der *árchōn* zuweilen als eponymer *árchōn* bezeichnet wird. Dieser Ausdruck findet sich jedoch bis in die röm. Epoche nicht in griech. Texten.

Überblick: 1 Busolt / Swoboda 2 V. von Schoeffer, RE 2,1, 1895, 566–569
Athen: 3 W. G. Forrest, D. L. Stockton, The Athenian archons. A note, in: Historia 36, 1987, 235–240 4 Hansen, Democracy, Kap. 9 5 Rhodes 6 D. L. Stockton, The Classical Athenian Democracy, 1990, 108–111
Liste der athen. Archonten: 7 Develin 8 B. D. Meritt, Athenian archons 347/6 – 48/7 B. C., in: Historia 26, 1977, 161–191 (347/6 – 48/7: nach dem Jahr 292/1 gibt es noch Unklarheiten) 9 A. E. Samuel, Greek and Roman Chronology, 1972, 195–237.   P. J. R.

[II, gnostisch] In den gnostischen Systemen sind A. (»Herrscher«) negative Mächte, welche in der Welt unterhalb der Fixsternsphäre, der → Hebdomas, wohnen. Sie sind einzelnen Planeten zugeordnet und können, wie die Planeten, Herrscher des Schicksals sein. In einigen Systemen steht an ihrer Spitze ein erster A. (Prot-A.), der dann zugleich der Schöpfer der Welt ist und in der → Ogdoas, dem Fixsternhimmel, lebt (etwa Ophiten, Iren. 1,29,4 – hier ist der Prot-A. Vater einer Reihe negativer Potenzen); in der Gnosis des → Basileides steht je ein A. der Ogdoas und der Hebdomas vor, derjenige in der Hebdomas ist identifiziert mit dem »Gott von Abraham, von Isaak, von Jakob« und Schöpfer der sublunaren Welt (Hippolyt. ref. 7,23–26).

Ausführlicher, aber ohne genaue Entsprechungen in anderen Texten geht die koptische Schrift ›Das Wesen der Archonten‹ (so der Titel am Ende, am Anfang lautet er ›Über das Wesen der Mächte‹ auf die Entstehung und die Rolle der A. (Nag Hammadi, Codex II 86,20–97,23 [1]). – Im System des → Mani sind die A. die Dämonenfürsten (»Söhne der Finsternis«), aus denen der Demiurg im Verlauf der Wiedergewinnung des in die Materie gedrungenen Lichts die Sterne schafft und diese ihr Licht auf die Erde abgeben (Mythos von der »Verführung der A.« [2. 60–62]).

1 C. ANDRESEN, M. KRAUSE, K. RUDOLPH (Hrsg.), Die Gnosis Bd. 2: Kopt. und mandäische Quellen (dt. Übersetzung), 1971, 53–62 2 G. WIDENGREN, Mani und der Manichäer, 1961.   F.G.

[III, Byzanz] Neben der gängigen Bed. »hoher kirchlicher oder weltlicher Amtsträger, Fürst, Magnat, Angehöriger der Oberschicht, vornehmer Mensch« im Griech. aller Zeiten, begegnet das Wort *árchon* (ἄρχων) in mittelgriech. Quellen als t.t. für den Verwalter eines Bezirks (z.B. der Slavenlehrer Methodios am Strymon), für Oberhäupter fremder Stämme auf oström. Boden, für fremde Herrscher (z.B. die Russenfürstin Olga im 10.Jh.). Bei letzteren unterstreicht der Gebrauch des Wortes deren ideelle Abhängigkeit vom Kaiser.

JA. FERLUGA, Archon, in: N. KAMP, J. WOLLACH (Hrsg.), Tradition als histor. Kraft, 1982, 254–266 · D. JACOBY, Les archontes grecs et la féodalité en Morée franque, Travaux et Mémoires 2, 1967, 421–481.   G.MA.

Archytas [1, aus Tarent]   A. LEBEN
B. PHILOSOPHIE

A. LEBEN

Bedeutender pythagoreischer Philosoph der »mathematischen« Richtung und Politiker aus Tarent, Freund Platons. Leben und Lehre sind wegen der ungünstigen Überlieferungslage nur noch in Umrissen kenntlich; die echten Werke sind mit Ausnahme weniger Fragmente verloren, ebenso Aristoxenos' Biographie, Aristoteles' Schrift über A.' Philos. und seine Gegenüberstellung von Platons *Timaios* und A. (Nr. 94 bei Diog. Laert. 5,25 = Nr. 85 in Hesychs Kat.). A. wird als Sohn des Mnesagoras (Diog. Laert. 8,79) oder Hestiaios bezeichnet (Aristoxenos fr. 47 WEHRLI bei Diog. Laert. 8,79; der Name Hestiaios erscheint auch in der Liste der tarentinischen Pythagoreer bei Iambl. v. P. 267); er gilt als Schüler des Philolaos (Cic. or. 3,139) und hörte nach eigenem Bekunden Eurytos (Theophr. Metaph. 6a 19–22). In seiner Heimatstadt sehr angesehen, wurde er sechs- (Ail. var. 7,14) bzw. siebenmal zum Strategen gewählt, obwohl das Gesetz laut Diog. Laert. 8,79 es verbot, länger als ein Jahr dieses Amt zu bekleiden; als Stratege erlitt er niemals eine Niederlage (Aristox. fr. 48 WEHRLI = Diog. Laert. 8,82; allg. zu seiner polit. Bedeutung für Tarent Ps.-Demosth. Erot. 46 und Strab. 6,3,4). In anekdotischen Erzählungen werden seine Selbstbeherrschung und hohe Sittlichkeit gerühmt (Aristox. fr. 30 und fr. 50 WEHRLI, dazu Cic. Cato 39–

41; Ail. var. 14,19). Sein Grabmal (ein Kenotaph?) am *litus Matinum* (wohl in der Nähe von Tarent) erwähnt Hor. carm. 1,28,3 (vgl. [1]).

B. PHILOSOPHIE

Die engen Beziehungen zu Platon, der bereits bei seiner ersten sizilischen Reise (ca. 388 v. Chr.) mit A. in Kontakt getreten sein dürfte (vgl. Cic. fin. 5,87; rep. 1,16 etc.; [2]), dokumentiert der platonische 7. Brief [3]. Inwieweit Platon in seiner Philos. von A. beeinflußt war, läßt sich aus heutiger Sicht kaum mehr ermessen (vgl. u. a. [5. 27, 78, 92 f., 386; 3. 169¹⁸]; bei Philod. Academ. col. 6,12 f. wird A. unter den Schülern Platons aufgeführt; ähnliche Tendenz laut [3. 168] auch im 7. Brief); darauf, daß Übereinstimmungen bestanden, deutet schon der Titel einer verlorenen Schrift des Aristoteles hin (s. o.).

Die erh. Fragmente und Testimonien (s. [6; 7]) weisen A. als vielseitig interessierten Wissenschaftler aus, der sich neben seiner polit. Tätigkeit vornehmlich mit Spezialproblemen der Musik, Mathematik und Mechanik beschäftigte. Er erklärte die Tonhöhe im Anschluß an ältere Denker mit der unterschiedlichen Ausbreitungsgeschwindigkeit des Schalls (schnelle Bewegung = hoher Ton: A 19a und B 1, dessen Echtheit von [5. 379⁴⁶] in Zweifel gezogen wurde, doch vgl. [8; 9; 10. 39–42]), stellte Berechnungen über die Intervalle der drei Tongeschlechter (enharmonisch, chromatisch, diatonisch) an (A 16; vgl. [10. 43–52; 11]) und soll ein Buch περὶ αὐλῶν verfaßt haben (Athen. 4,84, 184e; vgl. den Hinweis auf die αὐλοί gegen Ende von B 1). Seine Hauptleistung in der Mathematik, die für A. mit der Musik wesensverwandt ist (B 1; vgl. B 2: das arithmetische, das geometrische u. das harmonische Mittel als musikalische Proportionen), besteht in der Lösung des Problems der Würfelverdopplung (A 14 = Eudemos fr. 141 WEHRLI; vgl. [12; 5. 449]); außerdem ebnete er mit dem Beweis, daß ein ›überteiliges Verhältnis‹, d. h. $(n+1) : n$, nicht durch eine mittlere Proportionale teilbar ist, den Weg zu einer allg. Zahlentheorie, wie wir sie später bei Euklid finden (A 19; vgl. [5. 442–447; 13]). Laut Diog. Laert. 8,83 behandelte er die Mechanik ›als erster methodisch unter Anwendung der mathematischen Prinzipien‹; auf eine eigene Erklärung der Bewegung wird in A 23 = Eudemos fr. 60 WEHRLI angespielt; A. soll im übrigen nicht bei der Theorie stehengeblieben sein, sondern auch eine Taube aus Holz hergestellt haben, die fliegen konnte (A 10a); sein praktisches Talent bezeugt ebenfalls die Überlieferung, er habe eine Rassel für Kinder erfunden (A 10). Seit späthell. Zeit wurde A. zu einem beliebten Decknamen für ps.-pythagoreische Fälschungen überwiegend ethischen und philos. (insbes. Kategorienlehre) Inhalts (zu den Ethica s. [14; 15], zu den Kategorienschriften [16], allg. [17]).

→ Mathematik; Pythagoreische Schule

1 B. FRISCHER, Horace and the Monuments, in: HSPh 88, 1984, 80–82 2 B. MATHIEU, A. de Tarente, in: BAGB 1987, 246–247 3 G. E. R. LLOYD, Plato and Archytas in Plato's Seventh Letter, in: Phronesis 35, 1990, 159–174

4 H. Thesleff, Okkelos, A., and Plato, in: Eranos 60, 1962, 8–36 5 W. Burkert, Lore and Science in Ancient Pythagoreanism, 1972 6 Diels / Kranz, Nr. 47 7 M. Timpanaro Cardini (Hrsg.), Pitagorici II, 1962, 262–385 8 A. C. Bowen, The Foundations of Early Pythagorean Harmonic Science, in: Ancient Philosophy 2, 1982, 79–104 9 C. A. Huffman, The Authenticity of A. fr. I, in: CQ 35, 1985, 344–348 10 A. Barker (Hrsg.), Greek Musical Writings II, 1989 11 M. L. West, Ancient Greek Music, 1992, 168, 236–238 12 B. L. van der Waerden, Erwachende Wiss., 1956, 249–253 13 B. L. van der Waerden, Die Pythagoreer, 1979, 406–410 14 S. Giani (Hrsg.), Pseudo Archita, L'educazione morale, 1993 15 B. Centrone (Hrsg.), Pseudopythagorica ethica, 1990 16 Th. A. Szlezák (Hrsg.), Pseudo-A., Über die Kategorien, 1972 17 B. Centrone, s.v. Pseudo-A., in: Goulet I, 1989, 342–345. C. RI.

[2, Ps.-Archytas] Ein großer Teil der in der Spätant. umlaufenden *Pseudopythagorea* wurde Archytas zugeschrieben, stammt aber von ganz verschiedenen Autoren aus verschiedener Zeit. Zwei dieser Werke sind erh.: (I) ›Über die universale Aussage oder die 10 Kategorien‹ und (II) ›Die 10 universalen Aussagen‹. Eng mit (I) verwandt ist (III) ›Über die Gegensätze‹, von dem sich zahlreiche Fragmente bei Simpl. in cat. finden. Alle drei Schriften dienen u. a. dazu, die Lehre der aristotelischen Kategorienschrift als pythagoreisch zu erweisen. Einen *terminus ante quem* für (I) bildet vielleicht Hippolytos (refutatio 6,24), der von der pythagoreischen Lehre von den Kategorien berichtet, diese allerdings in anderer Reihenfolge aufzählt, sicher aber Iamblichos (vgl. Simpl. in cat. 2,14–25), der ausgiebig auf unsere Schrift zurückgreift und ihr damit eine histor. Bed. gibt, die ihr Inhalt in nichts rechtfertigt. Einen *terminus post quem* stellt Andronikos Rhodios dar, der den 2. Teil der Kategorienschrift, die sog. Postprädikamente, abtrennt, bzw. athetiert. Darin, aber auch in anderem, folgt ihm (I). (III) setzt (I) voraus, da es bei (III) darum geht, auch die von (I) ausgelassenen Postprädikamente als pythagoreisch darzustellen, stammt also vermutlich nicht vom Autor von (I). (II) ist eine sehr elementare und kurze Einführung in die Kategorien, welche bereits eingangs (3,17–18 Th.) ihre Abhängigkeit von Porphyrios (Isagoge 12,24) beweist. Es ist unklar, wann die Schrift entstanden ist und ob sie nicht erst sekundär durch ganz oberflächliche Dorisierung in ein Pseudepigraphon verwandelt worden ist.

T. A. Szlezák, Pseudo-A., Über die Kategorien, 1972. M. FR.

[3, aus Amphissa] Vermutlich Zeitgenosse des Euphorion und Eratosthenes (3. Jh. v. Chr.). Es ist nicht zu entscheiden, ob er mit dem im Homonymenverzeichnis des Diog. Laert. 8,82 genannten Epigrammdichter A. identisch ist. Von dem Verf. myth.-ethnologischer Epen zitiert Plutarch einen Hexameter (mor. 295a), der sich auf den Ursprung des Namens der ozolischen Lokrer bezieht. Nach Athen. 3,82a wird A. neben Euphorion als Verf. des Γέρανος (*Géranos*) genannt.

B. A. v. Groningen (Hrsg.), Euphorion, 1977, 234–235 · A. Meineke, Analecta Alexandrina, 1843, 353–355 · CollAlex 23. C. S.

Arco di Portogallo. Nur unter seinem populären Namen bekannter, 1662 von Papst Alexander VII. zur Erweiterung der via del Corso zerstörter Bogen, südl. der via delle Vite in Rom. Zeichnungen von Dosio (vor 1569) und Schenck (vor 1705) zeigen einen eintorigen Bau, auf jeder Seite mit Säulenpaaren aus Verde antico dekoriert, die auf Kompositkapitellen einen Akanthusrankenfries tragen. An seiner Nord-Seite waren zwei stark restaurierte, möglicherweise hadrianische Reliefs mit der Apotheose einer Frau (früher »Apotheose der Sabina«) sowie einer *adlocutio* (beide Rom, KM) angebracht, die urspr. nicht zu einem Bogenmonument gehörten (→ Spolien). Errichtet wurde er wohl im 4./5. Jh. über der via Lata.

Richardson, 21–22 · M. Torelli, in: LTUR I, 77–79. R. F.

Arcturus s. Sternbilder

Arcus [1, Arcadii, Honorii et Theodosii] Die letzte Weihung eines Ehrenbogens durch den stadtröm. Senat zwischen 402 und 408 n. Chr. galt Arcadius (gest. 408 n. Chr.), Honorius und Theodosius II. (geb. 402 n. Chr.) für Siege über die Germanen. Nach der Inschr. (CIL 6, 1196) trug der Bogen Statuen der drei Kaiser sowie Waffenreliefs (?). Dekoration und Ton der Inschrift deuten auf einen Ehrenbogen in heidnischer Tradition.

Richardson, 23 · C. Lega, in: LTUR I, 79–80. R. F.

[2 Augusti, 1] (29 v. Chr.). Für den Sieg von Actium 31 v. Chr. und die Eroberung Ägyptens wurde in Brindisi und auf dem Forum Romanum je ein Bogen errichtet (Cass. Dio 51, 19, 1). Der stadtröm. gehörte zur ersten Phase der Neugestaltung des → Forum Romanum durch Octavian. Er weihte außerdem, gleichzeitig mit seinem Triumph, den Divus Iulius-Tempel sowie die Curia. Ein Denar aus der Zeit vor der Annahme des Augustus-Titels (RIC I², 60 Nr. 264–274) überliefert einen eintorigen Bogen, an seinen Pfeilern *imagines clipeatae*, in den Bogenzwickeln fliegende Gestalten, auf der Attika mit der Inschrift IMP. CAESAR eine Triumphalquadriga. Der Standort des A. ist unbekannt; → Arcus [3 Augusti, 2] (19 v. Chr).

E. Nedergaard, in: LTUR I, 80–81. R. F.

[3 Augusti, 2] (19 v. Chr.). Bogen auf dem → Forum Romanum, im Süden des Divus Iulius-Tempels (Schol. Veron. zu Verg. Aen. 7, 606), der 19 v. Chr. für die Rückführung der Parther-Feldzeichen geweiht wurde (Cass. Dio 54, 8, 3). Aurei und Denare von 18/17 v. Chr. in den West-Prov. (RIC I², 50 Nr. 131–137 Taf. 3, 131) zeigen den A., wahrscheinlich auch stadtröm. Denare des Münzmeisters L. Vinicius von 16 v. Chr.

(RIC I², 68 Nr. 359). Über dem größeren Mitteldurchgang nimmt Augustus in einer Quadriga die Feldzeichen von zwei Parthern entgegen, die auf den Seitendurchgängen stehen. Der A. trug Fasti Capitolini Consulares (Inscr ItXII/1, 1–142).

RICHARDSON, 23 • E. NEDERGAARD, in: LTUR 1, 81–85.   R.F.

[4, Marci Aurelii] 176 n. Chr. beschloß der Senat in Rom einen Bogen *in Capitolio* für die Siege Marc Aurels über die Germanen und Sarmaten (CIL 6, 1014); die Lokalisierung ist unsicher. Möglicherweise zugehörig sind zwei Serien von insgesamt elf Reliefs. Serie A umfaßt acht Reliefs in der Attikazone des → Arcus [7] Constantini, Serie B, früher in der Kirche SS. Luca e Martina am Forum Romanum, ist seit 1515 im Treppenhaus des Konservatorenpalastes eingemauert.

RICHARDSON, 23–24 • M. TORELLI, in: LTUR 1, 98–99.   R.F.

[5, Argentariorum] (Arcus Septimii Severi in Foro Boario). 204 n. Chr. errichteten die *argentarii et negotiantes boari huius loci* (CIL 6, 1035; vgl. CIL 6, 31232) in Rom einen Bogen bzw. Eingangsbau, der vom Vicus Iugarius zum Forum Boarium führte. Er besteht aus zwei großen Pfeilern, deren rechter in die Kirche S. Giorgio in Velabro vermauert ist. Die Pfeiler werden an den Ecken von Rankenpilastern gerahmt, die Reliefs einfassen. Sie zeigen in der Unterzone einen Stieropferfries, darüber einen Streifen mit Opfergeräten. In der Hauptzone folgen großformatig Caracalla, ein gefangener Barbar sowie, im Durchgang, Caracalla bzw. Septimius Severus und Iulia Domna beim Opfer. In der Oberzone sind Siegesgöttinnen mit Girlanden sowie Adler mit Feldzeichen dargestellt.

Die Weihinschr. in der Attikazone wird von Herakles und einem Genius gerahmt und nennt Septimius Severus und Caracalla, Geta, Iulia Domna, Plautilla und möglicherweise den Prätorianerpräfekten Fulvius Plautianus. Inschr. und Reliefs wurden nach dem Sturz des Plautianus, nach dem Exil (205) oder der Ermordung (211) Plautillas sowie nach der Ermordung Getas eradiert bzw. umgearbeitet.

RICHARDSON, 29 • S. DIEBNER, in: LTUR 1, 105–106.   R.F.

[6, Claudii] (Aqua Virgo). Stadtröm. Bogen, vom Senat für Claudius' Sieg über Britannien (43 n. Chr.) geweiht; 51/52 n. Chr. an der heutigen via del Corso, auf der Höhe des Palazzo Sciarra errichtet. Der Bau war in den Wiederaufbau der Aqua Virgo einbezogen und leitete diese über die via Lata (Suet. Cal. 21; CIL 6, 920–923). In der Umgebung gefundene Inschr. deuten an, daß der Bogen eine Reihe von Porträtstatuen aus dem Kaiserhaus trug. Teile des Reliefschmucks (heute Rom, Villa Medici) wurden am → Arcus [8] Diocletiani wiederverwendet (→ Spolien).

RICHARDSON, 24 • E. RODRÍGUEZ-ALMEIDA, in: LTUR 1, 85–86.   R.F.

[7, Constantini] 315/316 n. Chr. in Rom vom Senat für Constantin errichtet (CIL 6, 1139) für den Sieg über Maxentius, aber zugleich zur Feier seiner Dezennalien. Der dreitorige A. liegt am Nord-Ende zwischen Palatin und Celio auf dem Weg der Triumphzüge zwischen dem Circus Maximus und dem → Forum Romanum. Grabungen an den Fundamenten zeigen eine neronische (Monumentaleingang zu einem Gebäude der → Domus aurea?) und eine flavische Phase sowie einen Bogen der 1. H. des 2. Jh. v. Chr. Beobachtungen an den Reliefs und der Mauerstruktur bestätigen dies, die Konsequenzen sind aber noch nicht ausdiskutiert. Der bereits seit der 1. H. des 2. Jh. bestehende untere Teil des A. wurde in konstantinischer Zeit mit älteren (→ Spolien) sowie zeitgenössischen Reliefs und Bauornamenten dekoriert. Die bekannten hadrianischen Relieftondi befinden sich offenbar *in situ*. Die Attikazone wurde im Kern neu aufgehöht und in Marmor verkleidet, darunter die Reliefs, die Dakerstatuen etc.

RICHARDSON, 24–25 • A. CAPODIFERRO, in: LTUR 1, 86–91 • A. M. STEINER, Chi costruì l'arco di Costantino? in: Archeo 9, 1994, H. 5, 38–45.   R.F.

[8, Diocletiani] (Arcus Novus). Die konstantinische Regionenbeschreibung Roms führt in der 7. Region einen Arcus Novus des Diocletian auf. Er wurde 293 n. Chr. zur Feier der Dezennalien des Diocletian dediziert, wie ein Relief mit der Inschr. VOTIS X ET XX (CIL 6, 31383) zeigt, das zugleich, über die Erwähnung bei Marliano (Urbis Romae Topografia, 1534, 136), die Verbindung des zugehörigen Reliefzyklus mit dem Bogen bei S. Maria in via Lata, dem wahrscheinlichen Arcus Novus, sichert. In Erstverwendung wohl am → Arcus [6] Claudii angebracht (→ Spolien), gelangten die Reliefs 1523 in die Sammlung DELLA VALLE und 1584 in die Villa Medici. Weitere Reliefs des A. stammten von einem claudischen Altarbau. Zur Errichtung selbst gehören möglicherweise die mit Viktorien, Soldaten, Gefangenen und Dioskuren reliefierten Sockel tetrarchischer Zeit in den Boboligärten in Florenz. Programmatische Aussagen der früheren Gebäude sind offenbar auf die Tetrarchen bezogen, das Claudius-Porträt ist in einen tetrarchischen Kopf umgearbeitet. Die Platte, auf der Venus die Siege des Claudius auf einem von der *corona civica* gerahmten Schild verzeichnete, wurde zum Träger der tetrarchischen Vota-Inschrift. Hierin kann sich auch der Sieg über den Usurpator Carausius in Britannien spiegeln – feierte der nur 150 m entfernte Claudius-Bogen doch die erstmalige Eroberung Britanniens.

RICHARDSON, 27 • M. TORELLI, in: LTUR 1, 101–102 • E. LAROCCA, A. et arae Claudii, in: V. M. STROCKA (Hrsg.), Die Regierungszeit des Kaisers Claudius, Kongr. Freiburg 1991, 1994, 267–293.   R.F.

[9, Dolabellae et Silani] 10 n. Chr. errichteten die Konsuln P. Cornelius Dolabella und C. Iunius Silanus in Rom auf Senatsbeschluß (CIL 6, 1384) einen schmucklosen Travertinbogen als Erneuerung der Porta Caeli-montana der Servianischen Stadtmauer, von Nero als Substruktion seiner Erweiterung der Aqua Claudia auf den Caelio genutzt.

RICHARDSON, 25 · Z. MARI, in: LTUR 1, 91–92. R.F.

[10, Domitiani] (Clivus Palatinus). Stadtröm., noch in Fundamenten erh. Bogen, der am Ende des 64 n.Chr. entstandenen Clivus Palatinus errichtet wurde und ein-deutig später als dieser ist. Da sekundäre Eingriffe in trajanische Zeit datieren, kann es sich um einen der vie-len Bögen Domitians handeln, der, anders als die mei-sten, nach der *damnatio memoriae* (Cass. Dio 68,1,1) nicht zerstört wurde. Er stand am Eingang des Vorplatzes zur Domus Flavia und bildete die Grenze zwischen öffent-lichem Raum und kaiserlichem Privatbesitz.

A. CASSATELLA, in: LTUR 1, 92. R.F.

[11, Domitiani] (Fortuna Redux). 92 n.Chr. errich-tete Domitian im Vorgriff auf seine Rückkehr vom Markomannen-Sarmaten-Feldzug in Rom ein Tetra-pylon, gekrönt von zwei Elefantenquadrigen, die er sel-ber lenkte (Mart. 8,65). Innerhalb der Stadtmauer in der Nähe der Porta Capena gelegen, war der Bau nur als Teil eines großen, neu konzipierten Fortuna Redux-Komplexes gedacht und wurde von Konstantin zerstört.

RICHARDSON, 25 · E. RODRÍGUEZ-ALMEIDA, in: LTUR 1, 92. R.F.

Arcus [12, Drusi et Germanici] s. Forum Augusti

Arcus [13, Fabiorum] s. Fabianus Fornix

[14, Gallieni] (Porta Esquilina). Anstelle der Porta Esquilina, durch die der Clivus Suburanus die Serviani-sche Stadtmauer verließ, wurde in augusteischer Zeit in Rom ein dreitoriger Travertinbogen mit unkan-nelierten Pilastern und einfachen Kapitell- und Gesims-formen errichtet. Seine eradierte Inschr. ersetzte M. Aurelius Victor durch eine Weihinschr. für Gallie-nus und Salonina (CIL 6, 1106).

RICHARDSON, 25–26 · E. RODRÍGUEZ-ALMEIDA, in: LTUR 1, 93–94. R.F.

[15, Germanici in Circo Flaminio] Die Tabula Siarensis nennt als Senatsbeschlüsse zu den postumen Ehrungen für den 19 n.Chr. verstorbenen Germanicus Bögen in Syrien, Germanien sowie in Rom nahe dem Circus Flaminius. Der stadtröm. Bogen wurde neben einer Statuenweihung des C. Norbanus Flaccus für den vergöttlichten Augustus und seine Familie errichtet und sollte vergoldete Statuen der von Germanicus unter-worfenen Völker tragen, dazu elf Porträtstatuen von Germanicus (im Triumphwagen) und seiner Familie. Eine Inschr. sollte auf seine mil. Leistungen hinweisen und auf seinen Tod im Dienste des Vaterlandes. Die mögliche Identifikation mit einem Bogen auf der → Forma Urbi zwischen den Propyläen der Porticus

Octavia und dem Marcellus-Theater sowie die Zuwei-sung von Relieffragmenten sind nicht ausdiskutiert.

RICHARDSON, 26 · E. RODRÍGUEZ-ALMEIDA, in: LTUR 1, 94–95. R.F.

[16, Gratiani, Valentiniani et Theodosii] Zwischen 379 und 383 n.Chr. von den drei Herrschern in Rom *pecunia sua* errichtet, also keine Weihung des Senats, sondern eine Bauleistung zur Verschönerung der Stadt (CIL 6, 1184). Der Bogen sollte nach der Inschr. die Porticus Maximae abschließen und zugleich den mo-numentalen Zugang zum Pons Aelius bieten. Er lag auf der wichtigen Verbindungsstraße zwischen den Basili-ken St. Paul und St. Peter.

RICHARDSON, 26 · C. LEGA, in: LTUR 95–96. R.F.

[17, ad Isis] Ein dreitoriger, durch die Attika-Inschr. bezeichneter Bogen in Rom, der auf einem Relief des Haterier-Grabes dargestellt ist. Die Durchgänge werden von Säulenstellungen auf Plinthen gerahmt, Reliefs zei-gen Waffen und Sakralgerät. Statuen auf Plinthen stehen in den Durchgängen, eine Minerva im Hauptdurch-gang, zwei weibliche Figuren in den Seitentoren. Die Attika trägt eine zentrale Quadriga, daneben Statuen von Gefangenen zu Füßen von Palmen, flankiert von Tropaia. Eine topografische Interpretation der Aufrei-hung liegt aufgrund der Inschr. sowie des im Relief ebenfalls dargestellten → Kolosseums nahe, ist aber bis-her nicht klar gelungen. In Frage kämen, in der Nähe des Kolosseums, das Iseum Metellinum; ohne topogra-fischen Bezug der dargestellten Denkmäler zueinander könnte das Iseum et Serapeum des → Campus Martius gemeint sein. Möglicherweise sind lediglich Bauten wiedergegeben, an deren Errichtung die domitianszeit-liche Unternehmerfamilie der Haterier beteiligt war.

RICHARDSON, 26–27 · F. COARELLI, in: LTUR 1, 97. R.F.

[18, Lentuli et Crispini] Von den Konsuln des Jahres 2 n.Chr., P. Lentulus Scipio und T. Quinctius Crispinus Valerianus (CIL 6, 1385) in Rom errichteter Travertin-bogen, der zwischen S. Maria in Cosmedin und dem Tiber den Clivus Publicius überspannte. Wahrschein-lich war der Bogen die augusteische Erneuerung der Porta Trigemina in der Servianischen Stadtmauer.

RICHARDSON, 27 · Z. MARI, in: LTUR 1, 97. R.F.

[19, Neronis] 58 n.Chr. beschloß der Senat für Nero in Rom einen Bogen *medio Capitolini montis* (Tac. ann. 15, 18, 1), der erst vier Jahre später errichtet wurde. Nach stadtröm. und lugdunensischen Sesterzen des Jah-res 64 (RIC I², 161 Nr. 143 ff., 175 ff., Nr. 392 f. 498 ff., 573 ff.) war der A. eintorig und ungewöhnlich ausge-stattet. Statuen standen auf freistehenden korinthischen Säulen mit verkröpften Basen sowie in Nischen (Mars), die Fassade trug Reliefs: Viktorien an der Attika, ein Genius am Kämpferstein, Wassergottheiten in den Zwickeln, tropaionbekränzende Viktorien neben dem Durchgang und bewegte Szenen auf den Säulenbasen.

Auf der Attika begleiteten Pax und Victoria eine vergoldete Gruppe des Nero im Triumphwagen.

RICHARDSON, 27 · F.S. KLEINER, in: LTUR 1, 101. R.F.

[20, Octavii] Nach Plin. nat. 36, 36 errichtete Augustus zu Ehren seines Vaters C. Octavius auf dem Palatin in Rom einen Bogen mit singulärem Aufbau. Er trug eine *aedicula columnis adornata*, in der Artemis und Apollon eine Quadriga lenkten. Sie sei von Lysias, möglicherweise einem griech. Bildhauer des 2. Jh. v. Chr., aus einem Stein gearbeitet worden.

RICHARDSON, 28 · F.S. KLEINER, in: LTUR 1, 102. R.F.

Arcus [21, Scipionis] s. Mons Palatinus

Arcus [22, Septimii Severi] s. Forum Romanum

Arcus [23, Tiberii]
s. Campus Martius, s. Forum Romanum

Arcus [24, Titi] s. Forum Romanum

Arcus [25, Traiani] s. Forum Traiani

Ardabur. [1] Flavius, Alane, Vater von Aspar Ardabur. Konsul 427 n. Chr. Als *magister utriusque militiae* führte er 421–422 erfolgreich Krieg gegen den persischen Feldherrn Narses. 424 als *magister utriusque mil. (praesentalis?)* zusammen mit seinem Sohn von Theodosius II. gegen den Usurpator Iohannes, der nach dem Tod des Honorius 423 die Macht ergriffen hatte, nach It. geschickt, wurde er bereits bei der Überfahrt gefangen, von Iohannes in Ravenna festgehalten, aber 425 von seinem Sohn befreit (PLRE 2, 137f., A. 3). W.ED.

[2] Aspar, Flavius, Sohn von Nr. 1, Konsul 434 n. Chr. Als hoher Militär von 424–471 im Dienst mehrerer Kaiser, vielleicht seit 424, sicher seit 431; als *magister utriusque mil.* A. begleitete 424 seinen Vater gegen den Usurpator Iohannes, führte den Krieg nach dessen Gefangennahme fort und beendete ihn 425 mit der Eroberung Ravennas; er unterstützte 431–432 in Afrika den *comes* Bonifatius gegen die Vandalen, ohne sie jedoch vertreiben zu können, handelte nach einer Niederlage gegen Attila (441) einen Waffenstillstand aus und erreichte den Höhepunkt seiner Macht, als es ihm gelang, zwei Kaiser (Markianos 450 und Leo 457) auf den Thron zu heben und seine Hausmacht auszubauen: Sein Sohn A. wurde 453 *magister militum per Orientem*, sein Sohn Patricius für den Thron vorgesehen, 470 zum Caesar ernannt und mit einer Tochter Leos verheiratet. Aber sein Stern hatte bereits zu sinken begonnen, weil sich Leo in Zenon und seinen isaurischen Truppen ein Gegengewicht gegen A. geschaffen hatte und es A. nicht gelang, Zenon auszuschalten. Dennoch wagte es Leo erst 471 den wegen seiner Freigebigkeit in Konstantiopel beliebten A. und seine Söhne mit Hilfe einer Intrige umzubringen (PLRE 2, 164–169).

JONES, LRE, 181 f., 221 ff., 327 ff. W.ED.

[3] Ältester Sohn von Nr. 2, bereits als Kind 434 n. Chr. Praetor, Konsul 447. Kämpfte nach 450 in Thrakien (als *comes* oder *magister utriusque mil.?*) und befand sich seit 453 bereits als *patricius* und *magister militum per Orientem* in Antiochia, ohne mil. Wesentliches zu leisten. 466 wegen angeblich verräterischer Beziehungen zu den Persern abberufen, beteiligte er sich an der Seite seines Vaters an den Machtkämpfen in Konstantinopel und wurde 471 zusammen mit ihm ermordet (PLRE 2, 135–137, A. 1). W.ED.

Ardaschir. [1] A. I., Gründer des Sasanidenreiches, dessen Herkunft und Anfänge teilweise im dunkeln liegen. Sicher scheint zu sein, daß er der Sohn Papaks, eines persischen Kleinfürsten unter parthischer Oberhoheit war. Die Einordnung des Ahnherrn Sasan in seinen Stammbaum erweist sich dagegen als schwierig, obwohl die Überlieferung Sasan zum Oberpriester im Anahitatempel bei Istachr (Fars) und zu Papaks Vater macht. Noch zu Lebzeiten Papaks begann A., das Herrschaftsgebiet seines Hauses auszudehnen. Ein Bruder Schapur, von Papak als Nachfolger vorgesehen, kam nach dem Tode des Vaters unter dubiosen Umständen um. Ebenso verlor A.s Oberherr, der Parther → Artabanos [8] IV., am 28.4.224 n. Chr. bei Hormizdâgan Schlacht und Leben. Der Widerstand der Anhänger des anderen Partherkönigs → Vologaeses scheint sich noch bis 228 hingezogen zu haben. In den folgenden Jahren unterwarf A., der nach dem Sieg über Artabanos den Titel »König der Könige« angenommen hatte, große Teile Irans. Ein Konflikt mit Rom zu Beginn der 230er Jahre endete zunächst mit einem Patt; erst zw. April und September 240 wurde Hatra, das sich den Römern angeschlossen hatte, erobert. Im selben J. erhob er seinen Sohn Schapur I. zum Mitregenten und lebte noch bis Anf. 242. Seine Herrschaftsauffassung läßt sich z. B. an der Wiederaufnahme der Goldprägung ablesen, die unter den Parthern geruht hatte.

W. FELIX, Ant. lit. Quellen zur Außenpolitik des Sâsânidenstaates, 1, 1985 · R.N. FRYE, in: CHI 3, 1983, 116 ff. · E. KETTENHOFEN, TAVO B V 11, 1982 · T. NÖLDEKE, s.v. Artaxerxes (5), RE 2, 1321–1325 · K. SCHIPPMANN, Grundzüge der Gesch. des sasanidischen Reiches, 1990 · G. WIDENGREN, The Establishment of the Sasanidian Dynasty in the Light of new Evidence, in: La Persia nel Medioevo, 1971, 711–782 · J. WIESEHÖFER, H. LUSCHEY, s.v. Ardasir I, EncIr 2, 371–380 · J. WIESEHÖFER, Das ant. Persien, 1994, Register s.v. Ardaxsir. M.SCH.

[2] II., sasanidischer König, der sich 344 und 376 n. Chr. als »König« (Prinzstatthalter) von Adiabene an der Christenverfolgung seines Bruders → Schapur II. beteiligte und 379 dessen Nachfolger wurde. 383 verlor er den Thron an Schapur III. **[3]** III., sasanidischer König, wurde nach dem Tod seines Vaters Kavad II. als siebenjähriger Knabe zum Herrscher ausgerufen (Sept. 628 n. Chr). Bald darauf erhob sich der Feldherr Sharwaraz, nahm am 27. April 629 Ktesiphon ein und ließ A. mit seinen Beratern töten.

M. AZARNOUSH, in: AMI 19, 1986, 219–247 · TH. NÖLDEKE, s. v. Artaxerxes 6–7, RE 2, 1325 · A.SH. SHAHBARI, s. v. Ardasir II-III, EncIr 2, 380–382. M.SCH.

Ardaschir [4–6] s. Artaxerxes [1–3]

Ardea. Stadt der Rutuli in Latium an der *via Ardeatina* (Fest. 356,20), ca. 4,5 km vor der Küste, ca. 35,5 km von Rom entfernt, am Fuß des → *mons Albanus*, h. A. (zuvor Casalazzara und Pomezia). Verbunden mit der Legende von → Aeneas. Im 1. röm.-karthagischen Vertrag erwähnt (Pol. 3,22,11), Mitglied des → Latinischen Städtebundes (Cato fr. 58), seit 442 v. Chr. *colonia Latina* (Liv. 4,9–11), verfiel in spätrepublikanischer Zeit. Akropolis mit Resten aus der späten Bronze- und frühen Eisenzeit. Archa. Stadt auf dem Hügel von Civitavecchia (östl. der Akropolis), die auf 3 Seiten natürlich und im Nordosten durch einen Wall mit Graben geschützt war. Die Akropolis war teilweise befestigt. Reste eines Tempels (evtl. der Iuno Regina. Malereien des M. Plautius) mit 3 *cellae*. → *Domus* des P. Cervisius mit Mosaiken. In Casalinaccio ein Tempel und eine Basilika in *opus incertum*. Nekropolen in Casalazzaro und Valle Guarniera (Gräber mit bemalten Kammern, 4.–3. Jh. v. Chr.). In der Umgebung ein große röm. → *villa* und christl. Hypogaion (S. Marina).

A. ANDRÉN, Scavi scoperte sull'acropoli di A., in: Acta Institutis Sueciae 21, 1961, 1–68 · A. BOËTHIUS, Le fortificazioni di A., in: Acta Institutis Sueciae 22, 1962, 29–43 · P. G. GIEROW, The Iron Age Culture in Latium, in: Acta Institutis Sueciae 26, 1966, 1, 440ff. · R. PERONI, Considerazioni ed ipotesi sul ripostglio di A., in: Bolletino di Paletnologia Italiana 75, 1966, 176–96 · L. QUILICI, A proposito del secondo aggere di A., in: ArchCl 20, 1968, 137–40 · C. MORSELLI, E. TORTORICI, A., 1982. G.U./S.W.

Arderikka (Ardevrikka). **[1]** Nach Hdt. 1,185 »assyr.« κώμη am Euphrat oberhalb Babylons, sonst unbekannt. Der künstlich umgeleitete Fluß soll den Ort dreimal umspült haben.
[2] Nach Hdt. 6,119 Besitzung Dareios I. im Lande der Kivssioi, wo 490 v. Chr. Gefangene aus dem euboiischen Eretria angesiedelt waren. Nach Herodot ca. 50–60 km nördl. von Susa unweit eines Asphalt liefernden Brunnens (letzterer bei Kir-Ab vermutet [1]).

Griech. Histor. Weltatlas I, Karte 10b. J. OE.

Ardiaei. Mächtiges, sog. illyr. Volk, seit dem 4. Jh. v. Chr. bezeugt, später als Piraten bekannt. Strab. 7,5,5 zufolge siedelten die A. am → Naro gegenüber der Insel Pharus nahe den Daorsi und → Pleraei (vgl. Ptol. 2,16,8; anders PAPAZOGLU, der die A. im südillyr. Gebiet (Montenegro) sucht). Im Hinterland (evtl. am oberen Naro, oder beim Lacus Labeatis) grenzten sie an die Au-

tariatae, mit denen sie um die Salzquellen stritten (Strab. 7,5,11; vgl. App. Illyr. 3). Die A. gründeten unter → Agron [3] das illyr. Königreich (vor 230 v. Chr.). Seit der Niederlage gegen Ser. Fulvius Flaccus 135 v. Chr. (App. Illyr. 10; Liv. Per. 56) konstanter Niedergang. E. des 1. Jhs. v. Chr. wurden sie auch Vardaei genannt und siedelten im Hinterland von → Narona (vgl. Cic. fam. 5,9; 13,77,2f.). Mitte der 1. Jhs. n. Chr. waren die A. ein unbedeutender Stamm in → Dalmatia mit nur 20 → *decuriae* (Plin. nat. 3,143).
→ Illyricum; Labeates; Seeraub

M. ŠAŠEL KOS, A Historical Outline of the Region between Aquileia, the Adriatic, and Sirmium in Cassius Dio and Herodian, 1986, 54–84. M.S.K.

Arduenna. Waldgebirge in → Gallia; genaue Lage und Ausdehnung schon in der Ant. unklar (Strab. 4,3,5; Tac. ann. 3,42). Es umfaßte im Kern die h. Eifel und die Ardennen, erstreckte sich aber offenbar im Nordwesten über die Höhen von Artois bis ins Gebiet der → Atrebates und → Morini am Pas de Calais. F.SCH.

Ardys (Ἄρδυς). **[1]** Lyd. König aus der Heraklidendynastie. Die Heraklidenliste bei Herodot (1,7) und FGrH 90 Nikolaos (aus Xanthos) ist ein Konstrukt der Kroisoszeit, als man den Beistand Spartas suchte. A. soll zeitweise Wagenbauer und Chef einer Karawanserei (*kapeleion*) in Kyme gewesen sein (FGrH 90 F 44).
[2] Lyd. König von ca. 645 v. Chr. Sohn und Nachfolger des → Gyges, des Begründers der Mermnadendynastie. Die Raubzüge der Kimmerier – jetzt in Verbindung mit Treren und Lykiern – hielten unter A. an; sie eroberten Sardes mit Ausnahme der Zitadelle (Hdt. 1,15; Strab. 13,4,8; Kallisthenes, Kallinos FGrH 124 F 29). A. suchte daraufhin, wie schon Gyges, um Beistand bei Assurbanipal von Assyrien nach und wurde dessen ›Knecht‹ (Rassam-Zylinder Col.II, Z.111–125 edd. Cogan / Tadmor, Or 46, 1977, 79). Die kimmerische Bedrohung blieb latent. In A.' Zeit fallen die ersten Elektronprägungen und der Anfang der Schwarzmeerkolonisation, und zwar mit Hilfe Milets, das er zuvor bekriegt hatte (Hdt.1,15), da die Lyder generell danach strebten, dem Reich durch die Eingliederung Milets eine maritime Komponente zu verschaffen. P.HÖ.

Areia. [1] Altpersisch Haraiva, achäm. → Satrapie in der Gegend von Herat (→ Alexandreia [6], am Hari Rud, Afghanistan). Erste Erwähnung in der Behistun-Inschr. [1] außerdem bei Herodot (3,93), Polybios (10,49; 11,39), Plinius (nat. 6,21) und Ammianus Marcellinus (23,6,69). Im 3.Jh. v. Chr. war A. seleukidisch, dann gehörte es zum graeko-baktrischen Königreich und wurde schließlich dem Partherreich einverleibt. Das Flußtal war bes. gut für den Weinbau geeignet (Strab. 11,10,1–2).

1 R. G. KENT, Old Persian, Inschr. des Dareios I aus Behistun 6, 1953.

F. L. HOLT, Alexander the Great and Bactria, 1989 ·
T. PETIT, Satrapes et Satrapies dans l'empire achéménide,
1990, 216f. A. KU. u. H. S.-W.

[2] Epiklese, welche die Bindung einer Göttin an Ares
ausdrückt. Sie findet sich bei Athena im mil. Kontext
(Eid: BCH 102, 1978, 334; Dedikation: IG XII⁵, 913;
Plataiai: Paus. 9,4,1). In Athen ist sie im Epheneneid
(TOD 2 Nr. 204) und wohl auch im zugehörigen Tempel
von Acharnai mit Ares verbunden, und ihr Altar stand
auf dem Areopag (Paus. 1,28,5). In Sparta trägt Aphrodite diese Epiklese (Paus. 3,17,5); sie ist hier auch sonst
mit der Welt des Krieges verbunden.

1 O. JESSEN, s. v. A., RE II, 620f. 2 F. GRAF, Women, war,
and warlike divinities, in: ZPE 55, 1984, 245–254. F. G.

Areion (Ἀρείων, hsl. auch Ἀρίων, auf Münzen Ἐρίων).
Gottentstammtes Pferd des Adrastos (Hom. Il. 23,346).
Poseidon hatte es mit Demeter, die sich ihm durch Verwandlung in eine Stute hatte entziehen wollen, in Form
eines Hengstes bei Thelpusa in Arkadien gezeugt: Der
Mythos erklärt die Epiklesen der beiden Gottheiten,
Hippios und Erinys (die »Zürnende«, Paus. 8,25,4–8).
Nach der kyklischen *Thebais* rettete sich Adrastos auf
ihm als einziger aus dem Kampf der Sieben gegen Theben (Paus. 8,25,8). Vor Adrast besaß der Arkader Onkos,
dann Herakles das Pferd (Hes. scut. 120).

PRELLER / ROBERT I, 590–592 · I. KRAUSKOPF, s. v. A.,
LIMC 2, 477–479. F. G.

Areios [1, Didymos] Doxograph, vielleicht iden-
tisch mit dem stoischen Philosophen und Vertrauten des
Augustus aus dem 1. Jh. v. Chr., → Areios [3].
Verschiedene Quellen aus der späteren Ant. verweisen auf die Schriften eines Didymos oder A. Eusebios
bietet in seiner *Praeparatio Evangelica* ein Zitat aus ἐκ τῶν
Διδύμῳ ›Περὶ τῶν ἀρεσκόντων Πλάτωνι‹ συντεταγμένων
(11,23,2–6) und verschiedene Fragmente zur stoischen
Physik ἀπὸ τῶν ›Ἐπιτομῶν Ἀρείου‹ Διδύμου (Buch 15);
Stobaios nennt ihn zu Beginn zweier Exzerpte,
Διδύμου ἐκ τοῦ ›Περὶ αἱρέσεως‹ (ekl. 2,1,17, ἐκ τῶν Δι-
δύμου Ἐπιτομῆς (Anth. 4,39,28); ob sich weitere Ver-
weise bei Klemens von Alexandreia und Priscianus Lydus auf denselben Autor beziehen, bleibt unklar.
MEINEKE bemerkte als erster, daß das zweite Exzerpt des
Stobaios in einem früheren, ausführlichen Exposé der
peripatetischen Ethik wiederholt wird, und stellte die
Hypothese auf, daß das gesamte Exzerpt zur Ethik in
Stob. ekl. 2,7,1–17, p. 37–152 von A. stamme [1]. Dieser
Abschnitt ist in drei getrennte Doxographien gegliedert,
eine allg. Erörterung der Ethik zur Einführung und
dann lange Resümees der stoischen bzw. peripatetischen Ethik. MEINEKES Theorie wurde von DIELS erweitert, der überzeugend nachweisen konnte, daß Stobaios auch substantielle Fragmente zur Physik in Buch I
der *Eklogai* aufnahm [2. 69–88], und eine Sammlung
von 40 Fragmenten veröffentlichte [2. 447–472].

MEINEKE und DIELS sprachen sich darüber hinaus für die
Gleichsetzung des Verf. dieser Exzerpte mit Areios, dem
stoischen Hofphilosophen und Vertrauten von Augustus, aus. Diese unter den Gelehrten [3; 4; 5] allg.
anerkannte Gleichsetzung ist jedoch soeben von T. GÖ-
RANSSON mit dem Hinweis auf die Tatsache in Frage
gestellt worden, daß der Doxograph immer Didymos
heißt, der Stoiker jedoch nie [6]. Wenn die Gleichsetzung abgelehnt wird, wird die Datierung der Exzerpte
unsicher und kann bis in das 2. Jh. n. Chr. hinaufgehen.
Eine weitere Komplikation stellen die wörtlichen Parallelen zwischen dem Exzerpt aus Platon bei Eusebios
und Kap. 12 des *Didaskalikos* des → Alkinoos dar, dessen
Datierung ebenfalls unsicher ist. Wenn Alkinoos A. herangezogen hat, dann enthält dieses Werk möglicherweise weiteres Material aus A., das sich jedoch nicht
mehr identifizieren läßt [9]. Eine vollständige Neuaus-
gabe und Übers. der Fragmente des A. ist ein dringendes
Desiderat [8].
Über die Struktur seines doxographischen Kompen-
diums hat es eine intensive gelehrte Diskussion gegeben.
Nach der einfachsten Hypothese, die von der Mehrzahl
der Gelehrten akzeptiert wird, beziehen sich alle oben
genannten Verweise auf dasselbe Werk, eine Zusammenfassung der philos. Lehren Platons, des Aristoteles
und der Stoa in der Tradition der Περὶ αἱρέσεων-Lit.
(→ Doxographie). Das vorhandene Material läßt kein
Interesse an der epikureischen Schule erkennen. Die
Darstellung der Schulen war jeweils in Abschnitte zur
Logik, Physik und Ethik unterteilt. Insbes. die Darstellungen der aristotelischen und stoischen Ethik sind
wertvolle Dokumente, das erste für die Aristotelesre-
zeption im 1. Jh. v. Chr. (A. kannte und benutzte das
Corpus des Andronikos [9], das zweite für unsere
Kenntnis der stoischen Ethik in hell. Zeit (enge Parallelen zu Cicero) [4]. A.' Zusammenfassungen sind zwar
schulmeisterhaft (von der Methode der διαίρεσις wird
übermäßiger Gebrauch gemacht), aber kompetent und
gut gegliedert. Seine eigenen philos. Ansichten machen
sich nicht bemerkbar. Dafür, daß er selbst Stoiker gewesen sei, gibt es keinen Beleg. Viele Fragen zu dem
Verf. dieser wichtigen doxographischen Texte bleibt
daher im Unklaren.
→ Doxographie

1 A. MEINEKE, Zu Stobaeus, in: Mützells Zschr. 13, 1859,
563–565 2 DIELS, DG, 1879 3 W. W. FORTENBAUGH
(Hrsg.), On Stoic and Peripatetic Ethics: the Work of Arius
Didymus, 1983 4 D. E. HAHM, The Ethical Doxography of
Arius Didymus', in: ANRW II 36.4, 2935–3055
5 B. INWOOD, s. v. A. D., in GOULET I, 345–347
6 T. GÖRANSSON, Albinus, Alcinous, Arius Didymus, 1995
7 J. WHITTAKER, P. LOUIS, Alcinoos Enseignement des
doctrines de Platon, 1990, 109 8 D. T. RUNIA, Additional
Fragments of Arius Didymus on Physics in Polyhistor, in: FS
J. Mansfeld, 1996 9 MORAUX I, 1973, 259–450. D. T. R. / T. H.

[2] Stoischer Philosoph des 1. Jh. v. Chr., Vertrauter des
Augustus. Aus Alexandreia gebürtig, wird A. sowohl
Lehrer (Suet. Aug. 89) als auch Vertrauter von Kaiser

Augustus genannt [1. 33–35]. Verschiedene Quellen behaupten, daß Augustus, als er nach der Niederlage des Antonius in Alexandreia einzog, A. bei der Hand nahm und erklärte, einer der drei Gründe, daß er die Stadt verschone, sei, daß er A. einen Gefallen erweisen wolle (Plut. Antonius 80,1; Cass. Dio 51,16,4). Beim Tode des Drusus 9 v. Chr. schrieb A. eine Trostschrift für Augustus' Frau Livia, die sie nach Sen. *consolatio ad Marciam* 4,1 sehr hilfreich gefunden haben soll (Seneca paraphrasiert seine Worte wahrscheinlich in § 4–5). Dies ist das letzte datierbare Ereignis in seinem Leben. Man kann davon ausgehen, daß er von ca. 70 v. Chr. bis kurz nach der Zeitenwende gelebt hat. Daß A. der Stoa angehörte, wird dadurch bewiesen, daß Diogenes Laertios ihm am Ende von Buch VII eine Biographie widmete (nicht erh.; der Titel findet sich jedoch im *index locupletior* einiger Hss.). A. ist gemeinhin mit dem Doxographen Areios Didymos identifiziert worden, doch hat man diese Gleichsetzung jüngst mit Nachdruck abgelehnt [2. 203–218].

1 G. W. BOWERSOCK, Augustus and the Greek World, 1965
2 T. GÖRANSSON, Albinus, Alcinous, Arius Didymus, 1995. D. T. R. / T. H.

[3] Der alexandrinische Presbyter A. († 336 n. Chr.) gab Anlaß zur schwersten dogmatischen Auseinandersetzung der alten Kirche (Beginn 318 n. Chr.) [1], die zur Formulierung des trinitarischen und christologischen Dogmas führte [2].
→ Arianismus; Platonismus; Metrik

1 H.-G. OPITZ, Urkunden zur Gesch. des arianischen Streites, 318–328, Athanasius Werke III/1, 1934f.
2 C. STEAD, Arius in Modern Research, in: Journal of Theological Studies, N.S. 45, 1994, 24–36 (dort weitere Quellenangaben). K. SE.

Areios pagos (Ἄρειος πάγος). Der »Areshügel« in Athen, nordwestl. der Akropolis. Er verlieh dem alten Rat, der sich dort traf, den Namen (»Areopag«). Auf dem Hügel finden sich keine ansehnlichen Relikte; der Tagungsort wird wohl auf der Nordost-Seite gelegen haben. Wahrscheinlich wurde der Rat anfangs einfach als *boulé* bezeichnet und erst nach dem Hügel benannt, als → Solon einen weiteren Rat geschaffen hatte.
Zur Zeit Solons bestand der Rat aus allen ehemaligen → *árchontes*, die am Ende ihres Amtsjahres eintraten (anders aber [1]). Er hatte wohl an die 150 Mitglieder.
Vermutlich diente der Rat anfangs als Beratergremium des König und später der *árchontes*, doch ist dies nicht unbestritten [7]. Zur Zeit Solons hatte er eine gewisse Gerichtsbarkeit erworben, bes. in Mordfällen. Vielleicht bildete er auch das Gremium, das die *dokimasía* durchführte, um die Qualifikation der Beamten bei der Bestellung zu prüfen, und ebenso die *euthýnai* zur Prüfung ihres Verhaltens am Ende der Dienstzeit. Seine Beschreibung als Wächter des Staates oder der Gesetze spiegelt die machtvolle Stellung des A. im frühen Athen wider und mag als Grundlage einer Erweiterung seiner Macht genutzt worden sein. Solon verlieh oder bestätigte ihm das Recht, → *eisangelíai* zu verhandeln, Anklagen wegen gewichtiger Verbrechen gegen den Staat (Aristot. Ath. pol. 8,4). Mit der Schaffung eines neuen Rates, der die Geschäfte für die Volksversammlung vorbereitete, begann jedoch der Niedergang der Macht des A.

Um die Mitte des 5. Jh. v. Chr. waren die *árchontes* nicht mehr die wichtigsten Personen in Athen und ein machtvoller A. schien so ein Anachronismus zu sein. Die Herrschaft des Areopags in Athen nach den Perserkriegen (Ath. pol. 23; 25,1) kann eine Erfindung späterer Autoren sein, um die Notwendigkeit einer Reform zu erklären. Was aber tatsächlich die Reform des Areopags hervorgerufen haben mag, war die Nutzung seiner rechtlichen Befugnisse zum Vorteil des → Kimon [2].
→ Ephialtes soll dem A. die richterlichen Befugnisse entzogen haben, die ihn zum Wächter des Staates machten: dazu gehörten vermutlich die Behandlung der *eisangelíai* (falls sie ihm nicht schon früher entzogen worden war), die *dokimasíai* und *euthýnai*. Er behielt das Recht, in Fällen von Totschlag, Körperverletzung und Brandstiftung sowie in einigen rel. Rechtsfällen zu verhandeln. Die Reform war umstritten – Kimon wurde ostrakisiert, Ephialtes ermordet, der A. als Gerichtshof für Mordfälle 458 in den *Eumeniden* des Aischylos großartig zur Schau gestellt – aber sie blieb bestehen, und für einige Zeit hörte der A. auf, ein polit. bedeutsames Gremium zu sein (Ath. pol. 25; Plut. Kimon 15,2–3).
Ein Vorschlag, den A. 403/2 zum Wächter der revidierten Gesetzessammlung zu machen (And. 1,84), blieb anscheinend erfolglos, aber in der Mitte des 4. Jh. lebte seine Bedeutung wieder auf. Isokrates feierte in seinem *Areopagitikos* die Macht des A. in der glorreichen Vergangenheit; seit den 340er Jahren durfte er der Volksversammlung einen Bericht (*apóphasis*) vorlegen, der die Volksversammlung tätig werden lassen oder zu einem Geschworenenprozeß führen konnte, und seine richterlichen Befugnisse wurden erweitert. Viele seiner Entscheidungen waren für → Demosthenes vorteilhaft, aber bei der Untersuchung der Affäre um → Harpalos 323 sprach er sich gegen ihn aus.
Unter → Demetrios von Phaleron (317–307) wurden dem A. wohl neue Befugnisse zur Überwachung der Sitten zugestanden (Philochoros FGrH 328 F 65). Später wurde er beigezogen, um Mittel zum Widerstand gegen Makedonien zu beschaffen; seine rechtlichen Befugnisse umfaßten auch Streitfälle um Maße und Gewichte. Im Hellenismus wurde es für ehrgeizige Männer wieder üblich, als *árchontes* zu fungieren, so daß der A. erneut zu einem Rat hervorragender Athener wurde. Im römischen Prinzipat rangierte er neben der *boulé* und der Volksversammlung als eines der Hauptgremien Athens und sein Herold wurde zu einem der wichtigsten Staatsbeamten.

1 W. G. FORREST, D. L. STOCKTON, The Athenian archons. A note, in: Historia 36, 1987, 235–240 2 D. J. GEAGAN,

The Athenian Constitution after Sulla, 1967 **3** HANSEN, Democracy, Kap. 3 u. 12 **4** D.M.MacDowell, Athenian Homicide Law in the Age of the Orators, 1963 **5** P.J.RHODES, Judicial Procedures in Fourth-Century Athens, in: EDER, Demokratie, 303–319 **6** P.J.RHODES, The Athenian Revolution, CAH 5²,67–77 **7** R.W.WALLACE, The Areopagos Council, to 307 B.C., 1989.   P.J.R.

Areithoos (Ἀρηίθοος). **[1]** Arkadischer Heros, dessen Waffe eine eiserne Keule ist. Nestor erzählt, wie er den Arkader → Ereuthalion erschlug, der die Keule des A. trug; → Lykurgos hatte sie A. in einem Hohlweg abgenommen und seinem Gefolgsmann Ereuthalion geschenkt (Il. 7,137–150). Sein Grab sah Pausanias in einem Hohlweg bei Mantineia (8,11,4). **[2]** Kurz vorher, aber noch außerhalb von Nestors Bericht, wird Menesthios, Sohn des Keulenträgers A. aus Arne, genannt, den Paris erschoß (Il. 7,7–16); daß Arne gewöhnlich in Boiotien angesetzt wird (Il. 2,507), die Sagenchronologie auch Probleme macht, haben schon die ant. Homererklärer festgestellt und mit Aufspaltung in zwei Gestalten erklärt; die Unstimmigkeit ist Folge der homer. Improvisationstechnik. **[3]** Öfters in der Ilias verwendeter Name (z.B. 20,487).

W. KULLMANN, Die Quellen der Ilias · F. BADER, Rhapsodies homériques et irlandaises, in: R. BLOCH (Hrsg.), Recherches sur les religions de l'antiquité classique, 1980, 9–83.   F.G.

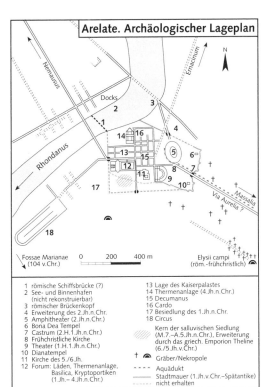

Arelate. Archäologischer Lageplan

Fossae Marianae (104 v.Chr.)

0   200   400 m

Elysii campi (röm.-frühchristlich)

1 römische Schiffsbrücke (?)
2 See- und Binnenhafen (nicht rekonstruierbar)
3 römischer Brückenkopf
4 Erweiterung des 2.Jh.n.Chr.
5 Amphitheater (2.Jh.n.Chr.)
6 Bona Dea Tempel
7 Castrum (2.H.1.Jh.n.Chr.)
8 Frühchristliche Kirche
9 Theater (1.H.1.Jh.n.Chr.)
10 Dianatempel
11 Kirche des 5./6.Jh.
12 Forum: Läden, Thermenanlage, Basilica, Kryptoportiken (1.Jh.–4.Jh.n.Chr.)

13 Lage des Kaiserpalastes
14 Thermenanlage (4.Jh.n.Chr.)
15 Decumanus
16 Cardo
17 Besiedlung des 1.Jh.n.Chr.
18 Circus
Kern der salluvischen Siedlung (M.7.–A.5.Jh.n.Chr.), Erweiterung durch das griech. Emporion Theline (6./5.Jh.v.Chr.)

† ⌂ Gräber/Nekropole

---- Aquädukt
—— Stadtmauer (1.Jh.v.Chr.–Spätantike)
······· nicht erhalten

Arelate. Stadt in der → Gallia Narbonensis. Von den Griechen urspr. Theline genannt (Avien. 689ff. – Phokische Gründung?), führte die Stadt einen kelto-ligurischen Namen (Itin. Anton. 299,4; Plin. nat. 3,36). Seit dem 6.Jh. v.Chr. besiedelt, erlebte A. – durch die Verschlammung des Rhône-Deltas im Schiffsverkehr stark eingeschränkt – dank der Kanäle, die → Marius 104 v.Chr. von A. bis zur Bucht von Fos ziehen ließ (fossae Marianae; Plin. nat. 3,34), einen merklichen Aufschwung, ebenso dank der Nutzung der Stadt als Kriegshafen 49 v.Chr. bei der Belagerung von → Massalia durch → Caesar. Die 46 v.Chr. gegr. colonia Iulia Paterna Arelate Sextanorum wurde in der Zeit des → Augustus nach einheitlichem Plan, dessen Struktur im unteren Teil der Stadt noch nachweisbar ist, ausgebaut. Die bedeutendsten Überreste von A. stammen aus der frühen Kaiserzeit und der Zeit des → Constantinus. E. des 6. Jhs. n.Chr. Sitz der → praefectura → Gallia. A. wurde ca. 480 n.Chr. von den → Westgoten, 536 n.Chr. von den → Franci besetzt.

R. AMY, s. v. A., in: PE 87f. · J.-M. ROUQUETTE, C. SINTÈS, Arles antique, Guides archéologique de la France 17, 1989.   Y.L./S.F.

Aremorica. Caesar (Gall. 5,53,6; 7,75,4; 8,31,4) meint mit A. (aus dem kelt. are-mori, entlang des Meeres) das Küstengebiet der Volksstämme zw. → Liger und → Sequana. Nach Plin. nat. 4,105 hieß → Aquitania früher A.   Y.L.

Arena s. Amphitheatrum, s. Circus

Arenacium. (H)arenatio, nach Itin. Anton. 254,3 und Tab. Peut. 2,4, vermutlich das h. Kleve-Rindern. 70/1 n.Chr. Winterquartier der legio X Gemina im Gebiet der → Batavi (Tac. hist. 5,20,1). Das Auxiliarkastell ist in Kleve noch nicht ausgemacht.

J. SEIBERT, s. v. A., RGA 1, ²1973, 399 · H.G.HORN, Kleve-Rindern, in: Ders. (Hrsg.), Die Römer in Nordrhein-Westfalen, 1987, 458.   K.DI.

Areobindus **[1]** Flavius A., Vater des Dagalaifus, Großvater des A. [2], 434 n.Chr. Konsul zusammen mit Aspar Ardabur. Besiegte als magister militum (comes foederatorum?) 422 im Zweikampf einen persischen Offizier, wurde 441 als magister militum von Theodosius II. gegen die Vandalen nach Afrika geschickt, verspielte aber den Erfolg durch langen Aufenthalt in Sizilien. Er unterlag 443 (wie Aspar) dem Attila. Seit 447 patricius; gestorben 449 (PLRE 2, 145f., A. 2).
[2] Flavius Areobindus Dagalaifus Areobindus, Sohn des Dagalaifus, Enkel von Nr. 1, Urenkel des Aspar → Ardabur [2], Gatte der Anicia Iuliana und somit Schwiegersohn des Kaisers Olybrius, Konsul 506 v.Chr. Als magister utriusque militiae 503–504 kämpfte er an der Spitze einer großen Armee mit wechselndem Erfolg gegen Cobades und die Perser, wurde aber vor dem

Waffenstillstand (506) abgelöst. 512 entzog er sich dem Wunsch des Volkes von Konstantinopel, das mit der Religionspolitik des Kaisers Anastasius unzufrieden war, die Kaiserwürde anzunehmen, und starb vermutlich kurz darauf (PLRE 2, 143 f. A. 1) [1].

[3] (Areobinda, Areobindas), wohl verwandt mit A. [1] und [2], *patricius* und mit einer Nichte des Kaisers Iustinian verheiratet. Schon in jungen Jahren wurde er 545 n. Chr. als *magister militum* von Iustinian mit einer kleinen Streitmacht nach Afrika gesandt, um einen Aufstand der Mauren zu unterdrücken. Er erwies sich als entscheidungsschwach und mil. unfähig, wurde vom *dux* Numidiens, Guntharis hintergangen und in dessen Auftrag im selben Jahr beseitigt (Prok. BV, 2,25,1–26,33; PLRE 3 A, 107–109, A. 2).

1 JONES, LRE, 231–234.   W. ED.

Areopag s. Areios Pagos

Ares (Ἄρης). A. GENEALOGIE B. NACHKOMMEN
C. URSPRÜNGE D. FUNKTIONEN E. MYTHEN UND
LEGENDEN F. DARSTELLUNGEN IN DER KUNST
G. KULT

A. GENEALOGIE

Sohn von Zeus und Hera (Hes. theog. 921–923; Homer [1], vgl. Apollod. 1,13). Mit seinen Schwestern Eileithyia und Hebe Verbindung der göttl. Verkörperungen von Beginn, Höhepunkt und oft gewaltsamem Ende des Lebens. Eris ist als Tochter von Zeus und Hera eine weitere Schwester von A. (Hom. Il. 4,440 f.), bei Hesiod (theog. 225) jedoch Tochter der Nyx. Zeus nennt A. den am meisten verhaßten der Olympier (Hom. Il. 5,890) und schreibt seinen unzügelbaren und unnachgiebigen Sinn seiner Mutter Hera zu (Hom. Il. 5,892 f.).

B. NACHKOMMEN

Aus überlieferten Epen (weitere bei Apollod.; s. [2]): Mit Aphrodite die Harmonia (Hes. theog. 937), Deimos und Phobos (Hes. theog. 934; vgl. Hom. Il. 13,299) und Kyknos (Hes. scut. 57–59), Pyrene (Apollod. 2,114), Pelopia (Apollod. 2,155) und die Erde.

C. URSPRÜNGE

Homer nennt A. einen Thraker (Il. 13,301; Od. 8,361). Dies ist jedoch ein poetisches Mittel, um den anti-sozialen Charakter des Gottes als Gegensatz zur idealen, wohlgeordneten Polis zu betonen. A.' Name erscheint auf Linear-B-Täfelchen aus Knossos, mindestens einmal in unzweifelhaft rel. Zusammenhang und als Element in Eigennamen. Ähnlich auch das Alter-Ego des hellenischen Ares, Enyalios (s. u.). Die beiden Götter waren entweder im Charakter so ähnlich, daß die frühen Hellenen sie miteinander identifizieren konnten, oder Enyalios war in der Br.-Zeit bereits ein Epitheton von A. Unter die »jüngeren Götter« kann A. jedenfalls nicht eingeordnet werden [3. 517–519].

D. FUNKTIONEN

A. war seit Homer die Verkörperung der widerwärtigsten Aspekte des Kriegs. Es gibt nichts Edles an ihm, keine Würde und kein Schamgefühl; deshalb kann er auch als Feigling im Kampf, Betrüger und Ehebrecher dargestellt werden. Diese von Homer geprägte Vorstellung wird von späteren Autoren beibehalten [4]. Etymologien verbinden seinen Namen mit ἀρή, ἄρος. Evtl. waren die myk. A. und Enyalios Götter der kriegerischen Herrschaft der *Wánakes*, die sich bis in die frühharcha. Zeit hielten und dann von den Herrschern der Polis-Zeit übernommen wurden.

In der Lit. waren A. und Enyalios Synonyme für die Gewalttätigkeit der Kriegsführung. Es gibt unzählige lit. Zeugnisse der Gleichsetzung von A. mit Krieg und Schlacht. Dies sind poetische Mittel, die vom Wesen des Gottes, wie ihn Hom. beschreibt, abgeleitet werden, aber nicht notwendigerweise eine getreue Darstellung von A. als Gott geben [4].

E. MYTHEN UND LEGENDEN

1. Im troianischen Krieg kämpft A. als »Thraker« auf der Seite von Troia [5]. 2. Die berühmteste bzw. berüchtigste Erzählung ist wohl in der Odyssee (8,266–366), wo er von Aphrodites Ehemann Hephaistos beim Ehebruch ertappt wird. Aphrodite und A. werden meistens als »legitimes« Paar dargestellt. Es ist die Ehe mit Hephaistos, die ungewöhnlich ist und möglicherweise einen lokalen Kult in Lemnos widerspiegelt. Die eifersüchtige Aphrodite bestraft sogar Eos für eine Liaison mit A. (Apollod. 1,27). Das Motiv der Fesselung von A. (mit oder ohne Aphrodite) spiegelt Kultpraktiken: Die Kultstatuen werden an ihren Platz gebunden, damit sie das Heiligtum nicht verlassen können (s. u.; [3. 82 f.]). 3. A. wurde ein weiteres Mal gebunden: Die → Aloaden Otos und Ephialtes ketteten A. in einem Bronzefaß an, aus dem er erst nach 13 Monaten durch Hermes befreit wurde (Hom. Il. 5,385–391; vgl. Apollod. 1,55). 4. Eine Darstellung, wie Herakles den Aressohn Kyknos umbringt, (Apollod. 2,114; 2,155 [8]) befindet sich auf einer boiot. sf. Lekane aus dem letzten Viertel des 5. Jh. v. Chr.: Herakles, unterstützt von Athena, steht »Gaganes« gegenüber, der von A. unterstützt wird (CVA France 26, Louvre 17, Pl. 34).

5. A. zwingt Hephaistos, Hera freizulassen (Alk. fr. 349 L-P). 6. A. gehörte zu den Göttern, die den Menschen dienen mußten (Panyassis fr. 16 EpGF) [9]. 7. A. war Vater des Drachen, der von Kadmos erlegt wurde (Apollod. 3,22); seine Mutter war Tilphossa Erinys (schol. Soph. Ant. 126). Die 5 überlebenden Krieger, die aus den Zähnen des Drachen entstanden – die Spartoi – waren die Vorfahren der bed. Familien von Sparta. 8. Evtl. war A. auch der Vater des Drachen, der in Kolchis das Goldene Vlies bewachte (Apoll. Rhod. 2,1268–1270). 9. Aition des Areopags: A. wurde dort von den Göttern gerichtet, jedoch freigesprochen. Er hatte Halirrhothios, den Sohn von Poseidon und Eurypyle, der seine und Agraulos' Tochter Alkippe zu vergewaltigen versuchte, getötet (Apollod. 3,108; vgl. [10]).

F. Darstellungen in der Kunst

Ab dem 7. Jh. von A. und Aphrodite [11. 482f.]; aus dem 2. Viertel des 6. Jh. Herakles und A. [11. 484]; auf der François-Vase, ca. 570 v. Chr., von A. und der Rückkehr des Hephaistos [9. 484]; aus dem 3. Viertel des 4. Jh. A., der Hephaistos zwingt, Hera freizulassen, und aus dem frühen 6. Jh. weitere Mythen [11. 485f.].

G. Kult

Regelmäßig Partner von Aphrodite als Patronin der Magistrate der Polis [7. 40f.]. Äußerst deutlich in Theben, wo Kadmos, Sohn des Oikistos, mit Harmonia, der Tochter von A. und Aphrodite, vermählt wird [10]. A./ Enyalios und Aphrodite erscheinen regelmäßig zusammen in der archa. Periode, d. h. den frühen Bildungsstadien der Poleis, als starke mil. Präsenz nötig war. A./ Enyalios vertrat vielleicht die militärische Macht der Gründungs-Aristokratie. Der Aufstieg der Hoplitenklasse könnte die Marginalisation von A./Enyalios zu Gunsten des lokalen Poliouchos, meist Athena, bewirkt haben. Kultorte: **1.** A. allein: »A-re« auf einigen Linear B-Täfelchen in Knossos (KN 201 = Fp 14.2; Mc 4462, X 5816) [13]. Kultstätten in Hermione (Paus. 2,35,10) und Troizen (Paus. 2,35,10; 2,32,9), Geronthrai (Paus. 3,22,6), Tegeatis (Paus. 8,44,7f.; vgl. [12]) und Tegea: Relief des A. auf der Agora Gynaikothoinas, dem nur Frauen opfern durften (Paus. 8,48,4–6) [14]. Keine Zeugnisse über einen Kult in Zusammenhang mit dem Areopag. **2.** Als A. Enyalios: Ein Priester von A. Enyalios in Hermione (IG 4,717), in Orchomenos in Arkadien (IG 5,2,343; vgl. [14]). **3.** A. = Enyalios: zwischen Sparta und Therapnai als A. Theritas (Paus. 3,19,7f.; vgl. Hesych s. v. Theritas). Andere Beispiele des Enyalioskults s. [3; 14; 15]). Pausanias beschreibt in Sparta ein altes Kultbild von Enyalios in Fesseln (3,15,7). **4.** A. und Aphrodite: in Athen (s. u. 5.), Theben [12], vermutlich in Megalopolis als Imitation von Theben (Paus. 8,32,2f.), in Argos an der Straße nach Mantineia (Paus. 2,25,1), in Olympia im Heratempel (Paus. 5,18,5; vgl. [16]), ein Altar von A. und zwei Kultbilder von Aphrodite in Lykosoura (Paus. 8,37,12), in Lato (BCH 62, 1938, 386–408) und in Knossos (SIG 56; M-L 42). **5.** Mit Athena: In Acharnai mit Athena Areia [16]. In Athen: ephebischer Schwur, in dem als Zeugen Aglauros, Hestia, Enyo, Enyalios, Ares und Athena Areia, Zeus, Thallo, Auxo, Hegemone und Herakles angerufen wurden. Der A.-Tempel mit zwei Kultbildern von Aphrodite, je einem von A., Athena und Enyo auf der Agora (Paus. 1,8,4) stand urspr. in Acharnai und wurde im 1. Jh. n. Chr. nach Athen versetzt [17; 18] (Orchomenos in Arkadien s. o. 2.). Ein Vertrag zwischen den Boiotern und Aitolern wird vor Zeus, Ge, Helios, Poseidon, Ares und Athena Areia bezeugt (IG 9² 1,170).

6. Als Epitheton anderer Götter: Athena → Areia in Orchomenos (s. o. 2.), in Athen / Acharnai (s. o. 5.) und in Plataia [13]; als Aphrodite Areia in Sparta (Paus. 3,17,5). Als Zeus Areus in Orchomenos (s. o. 2.) und als Hermes Areias auf Linear B-Täfelchen in Pylos (PY Tn 316,7; vgl. [13]). **7.** Monate, die nach A. genannt wurden: Areios, Ἄρεος, Ἄρηος, Aresion sind allg. erst spät bezeugt [17]. **8.** Männernamen: Beispiele nur aus Linear B: Are(i)os (KN Vc 208 und KN 213), Are(i)menes auf Bügelkannen in Theben (TH III und V) und Areizeweus (TH Of 37).

1 M. L. West, Komm. zu Hesiod: Theogonie, 1966, zu V. 922 **2** C. Parada, Genealogical guide to Greek mythology, in: Studies in Mediterranean archaeology 107, 1993, 25 **3** Nilsson, GGR 1, 1955 **4** Burkert, 262–264 **5** Chantraine, 108 **6** Frisk, 138 **7** A. Schachter, Policy, Cult and the Placing of Greek Sanctuaries, in: Le sanctuaire grec, 1992, 40f., 55f. **8** J. G. Frazer, Apollodorus, 1946 **9** V. J. Matthews (Hrsg.), Panyassis of Halikarnassos, 1974, 94 **10** Kearns, 144f. **11** P. Bruneau, s. v. A., LIMC 2.1, 479–492 **12** Schachter, 38–41; 127f. **13** Ventris / Chadwick, 26; 172; 411 **14** Jost, 515ff. **15** R. Lonis, Guerre et religion en Grèce à l' époque classique, 1979, 121 Anm. 48 **16** L. Robert, Études épigraphiques et philologiques, 1938, 293–307 **17** Travlos, Athen, 104–111 **18** J. M. Camp, The Athenian Agora, 1986, 184–186 **19** E. Samuel, Greek and Roman Chronologoy, 1992, Index.   A. S.

[Ikonographie] Deutungen dargestellter Krieger als A. sind oft nur durch Namensbeischrift oder durch den myth. Kontext zu sichern. In der Bauplastik begegnet A. in Götterversammlungen (Parthenon-O-Fries, 442/438 v. Chr.; Siphnier-Schatzhaus in Delphi, O-Fries, um 525 v. Chr.) und Gigantomachien (Siphnier-Schatzhaus, N-Fries; Parthenon, O-Metope 3 (?), 448/442 v. Chr.; O-Fries des Pergamonaltars, um 160 v. Chr.; nicht gesichert die Deutung der Kriegerfigur im Giebel des Megara-Schatzhauses in Olympia, 520/510 v. Chr.), auf Vasenbildern z. B. bei der Rückführung des Hephaistos in den Olymp (»François«-Krater, Florenz, um 570 v. Chr.), in Heraklesabenteuern (vgl. Hydria des Madrid-Malers, Rom, Vatikan, um 510 v. Chr.: A. als Verbündeter seines Sohnes Kyknos), A. als Begleiter Aphrodites (Dinos des → Sophilos, London, BM, um 580/570 v. Chr.: bei der Hochzeit von Thetis und Peleus) oder bei der Geburt Athenas (Tyrrhenische Amphora, Paris, Louvre, 2. Viertel 6. Jh. v. Chr.). Frühe Darstellungen zeigen A. als bärtigen Hopliten, meist in voller Rüstung. Bartlos, verjüngt erscheint A. etwa seit der Klassik, oft nur mit Lanze (Parthenonfries), häufiger mit Lanze und Helm, bisweilen auch mit Schild. Als statuarische Typen sind überliefert: der jugendliche »A. Borghese« (hadrianische, ungesicherte Identifizierung des Originals mit dem Kultbild des → Alkamenes: Paus. 1,8,4), der »A. des Kresilas« (Typus Lecce-Borghese; antoninisch, Original um 420 v. Chr.; unsichere Zuschreibung an → Kresilas) und der sitzende »A. Ludovisi« (antoninisch; Original des 4. Jh. v. Chr., → Skopas?; zur Sitzhaltung vgl. den A. vom Parthenon-O-Fries).

J. Beck, A. in Vasenmalerei, Relief und Rundplastik, 1984 · Ph. Bruneau, s. v. A., LIMC II,1, 1984, 479–492 · K. J. Hartswick, The A. Borghese reconsidered, in: RA 1990, 227–283 · E. Simon, G. Bauchhenss, s. v. A./Mars, LIMC II,1, 1984, 505–580.   A. L.

Arestor (Ἀρέστωρ). Sohn des Phorbas, Urenkel des Argos [1], durch Mykene Vater des Argos [2] (Hes. fr. 246; Pherekydes FGrH 3 F 66f.). Nach ihm heißen die Argiver Arestoridai (Kallim. h. 5,34). In einer anderen Version Sohn des Ekbasos, Enkel des Argos [1], Vater von Pelasgos und Io (Charax FGrH 103 F 13, 15). Die Varianten zeigen, daß er Produkt der Systematisierungen von Stammbäumen, kaum eine eigenständige Gestalt ist [1].

ED. MEYER, Forsch. zur Alten Gesch., 1, 92–94.   F.G.

Aretaios, aus Kappadokien. Griech. Arzt, der als Hippokratiker von pneumatischen Lehren beeinflußt wurde. Von [13] daher in die Mitte des 1. Jh. n. Chr. datiert. Als Autor einer Schrift über Prophylaxe zuerst Ende des 2. Jh. erwähnt von Ps.-Alex. Aphr. De febribus 1, 92, 97, 105 der A.' Namen erwähnt; Galen aber wiederholt in Subfig. emp. 10 = DEICHGRÄBER 75–9, die von A. in morb. chron. 4,13,20 geschilderte Gesch. eines Leprosen ohne Quellenangabe. 30 Jahre später behauptete Gal. in Simp. med. fac. 11 p.r = Gal. 12,312, daß er diese Episode während seiner Jugend, d. h. etwa in den 140er Jahren in Kleinasien erlebt hätte. Daß Galen A. in seinen Schriften nirgends erwähnt, schließt nicht aus, daß beide etwa Zeitgenossen waren. A. schrieb über Fieber und Chirurgie, doch sind nur seine 4 Bücher ›Über die Ursachen und Symptome akuter und chronischer Krankheiten‹ sowie 4 weitere über deren Therapie derselben erhalten. A. schreibt ein hochstilisiertes hippokratisches Griech. und spielt häufig auf Texte aus dem Corpus Hippocraticum an. Er beschreibt für jede Krankheit exakt und systematisch den Sitz (einschließlich anatomischer Gesichtspunkte), die Bedeutung des Namens, die Symptome sowie die Ursachen unter bes. Berücksichtigung des Alters und Geschlechts des Patienten und der Jahreszeit. Krankheiten wie z. B. die Synkope (caus. 2,3) Asthma (chron. 1,11) und Diabetes (chron. 2,2) sind genau beobachtet, korrekt beschrieben und klar dargelegt. Seine Behandlungsvorschläge sind typisch hippokratisch und umfassen Ernährung, Heilpflanzen, Aderlaß und Schröpfen, selten jedoch chirurgische Eingriffe.

→ Medizin; Pneumatische Schule

ED.: **1** ed. princeps, 1554 **2** C. G. KÜHN, 1828 (nach wie vor wichtige Komm. und Notizen) **3** F. ADAMS, 1856 (mit wertvollem Komm.) **4** K. HUDE, CMG II, 1923, ²1958 **5** W. MÜRI, Der Arzt im Altertum, ³1962, 218–231 (Teil-Ed.) **6** A. MANN, 1858, Ndr. 1969 (dt. Übers.). LIT.: **7** M. WELLMANN, s. v. A., RE II, 669f. **8** F. KUDLIEN, s. v. A., KlP 1, 529 **9** F. KUDLIEN, Zu Aretaeus, in: Philologus 1956, 316–328 **10** F. KUDLIEN, Untersuchungen zu Aretaeus von Kappadokien, in: AAWM 11, 1963, 1151–1230 **11** K. DEICHGRÄBER, Aretaeus von Kappadokien als medizinischer Schriftsteller, in: ASAW, 63, 1971,3 **12** S. OBERHELMAN, Aretaeus of Cappadocia – the Pneumatic physician of the first century A.D., in: ANRW II 37.2, 941–96 **13** F. KUDLIEN, Der Beginn des medizinischen Denkens bei den Griechen, 1967, 100–106

(zu Datierungsfragen) **14** W. D. SMITH, The Hippocratic tradition, 1979, 230, 243–245 **15** V. NUTTON, Style and context in the Method of Healing, in: F. KUDLIEN, R. J. DURLING (Hrsg.), Galen's Method of Healing, 1991, 11–13.   V.N./ L. v. R.-P.

Aretalogoi (ἀρεταλόγοι). Funktionäre an Heiligtümern, die die großen Taten (ἀρεταί) der lokalen Gottheit den Pilgern erzählen, vor allem in Heil- und Isiskulten [1; 2]. Im Lat. im Sinn von »Aufschneider« gebraucht. Formgeschichtlicher Zusammenhang zum Evangelium [3].

1 NILSSON, GGR 2, 228f. **2** H. S. VERSNEL, Ter unus, 1990, 191f. **3** J. Z. SMITH, Map is not Territory, 1978, 190–207.

E. NORDEN, Agnostos Theos, 1913, 143–277.   C.A.

Aretas (inschr. *hritt* = Haritat, griech. Ἀρέτας, auch Ἀρέθας). Name mehrerer Herrscher der arabischen → Nabataioi.

[1] A. I., erwähnt in der ältesten nabatäischen Inschr. als ›König der Nabatäer‹ [1. 545 f.], ist wahrscheinlich mit dem im 2 Makk 5,8 erwähnten A., ›Tyrannen der Araber‹, identisch, bei dem der abgesetzte jüd. Hohepriester → Iason nach seinem gescheiterten Anschlag auf Jerusalem 168 v. Chr. vergeblich Zuflucht suchte. **[2]** A. II. (Herotimos). Der in Ios. ant. Iud. 13, 360 erwähnte A., »König der Araber«, den das von → Alexandros Iannaios II. 96 v. Chr. belagerte Gaza um Hilfe anrief, ist wohl mit dem König Herotimos identisch, von dem Pompeius Trogus (Iust. 39,5,5 f.) berichtet, daß er die Schwäche der Ptolemäer und Seleukiden zur Expansion auf Kosten beider nutzte. **[3]** A. III., 87–62 v. Chr., dehnte aufgrund eines Hilferufs der von dem Ituräerfürsten → Ptolemaios von Chalkis bedrängten Damaszener seine Herrschaft auf Koilesyrien und zeitweise auf Damaskos aus und nahm den Beinamen Φιλέλλην an. Er besiegte 82 Alexandros Iannaios II. bei Adida östl. Lydda (Ios. ant. Iud. 13,392; bell. Iud. 1,103) und unterstützte nach 67 → Hyrkanos II. auf Vermittlung des → Antipatros [4] im Thronstreit mit dessen Bruder → Aristobulos II. Er belagerte diesen in Jerusalem, doch wurde er von dem Legaten des Pompeius, M. → Aemilius Scaurus gezwungen, die Belagerung aufzuheben. Von Scaurus 62 bis vor seine Hauptstadt Petra verfolgt, erkaufte er sich auf Antipatros' Vermittlung um 300 Talente den Frieden (Ios. ant. Iud. 14,14–33 und 80f.; bell. Iud. 123–130; 159).

[4] A. IV., 9 v. – 40 n. Chr., trat seine Herrschaft ohne Zustimmung des Augustus an (Ios. ant. Iud. 16,294–297), fand aber später dessen Anerkennung (ant. Iud. 16,253–255). Er betonte seine Selbständigkeit und nannte sich inschr. *rahem 'ammeh* = Φιλόπατρις, d. h. der sein Volk (und nicht die Römer oder den Caesar) liebt. 4 v. Chr. schickte er dem Statthalter von Syrien, P. Quinctilius → Varus, zur Niederschlagung der nach dem Tod → Herodes' d. Gr. ausgebrochenen jüd. Unruhen Hilfstruppen, die wegen ihrer Ausschreitungen jedoch zurückgeschickt wurden (ant. Iud. 17,287: 296; bell. Iud. 2,76). Im Zuge der territorialen Neuordnung Palästinas wurde das Nabatäerreich wohl für drei Jahre der direkten röm. Herrschaft unterstellt (vgl. Strab. 16,4,21), doch fungierte A. nach Ausweis der Münzen seit 1 n. Chr. wieder als König. Weil der Tetrarch von Galiläa und Peräa, → Herodes Antipas, die Tochter des A. verstieß, um → Herodias zu heiraten, kam es – auch wegen Grenzstreitigkeiten – 36 zu einem Krieg, in dem Herodes besiegt wurde. Die von Tiberius befohlene Strafexpedition gegen A. brach der Statthalter von Syrien, L. → Vitellius, auf die Nachricht vom Tode des Kaisers hin ab (ant. Iud. 18, 109,125). Aus dem Bericht des Paulus in 2 Kor 11,32 kann geschlossen werden, daß es A. damals gelang, Damaskos erneut nabatäischer Kontrolle zu unterstellen.

1 A. NEGEV, The Nabateans and the Provincia Arabia, ANRW II 8, 1977.

G. W. BOWERSOCK, Roman Arabia, 1983 • weitere LIT.: s. → Nabataioi.   K. BR.

Arete [1] (Ἀρήτη). Gattin und Schwester des Phaiakenkönigs → Alkinoos (Hes. fr. 222). Ihr Wohlwollen kam Odysseus (Hom. Od. 7) wie Iason und Medeia zugute: Sie vermittelte zw. Argonauten und Kolchern (Apoll. Rhod. 4,1068–1120), vermählte Iason und Medeia (Apollod. 1,138 f.) und gab dem Paar zwölf Dienerinnen, die bei der Hochzeitsfeier die Helden scherzhaft neckten; ein Aition im Kult des Apollon Aigletes [1].

U. HÖLSCHER, Das Schweigen der A., in: Hermes 88, 1960, 257–265 • O. TOUCHEFEU-MEYNIER, s. v. Allkinoos, LIMC 1.1, 545, Nr. 1 f.   F. G.

[2] Tochter des → Aristippos [3] und Mutter des → Aristippos [4]. A. führte ihren Sohn in die Philos. ein, weshalb dieser den Beinamen »der Mutterschüler« (ὁ Μητροδίδακτος) erhielt (so Diog. Laert. 2,86; Strab. 17,3,22 u. ö.). Der im Corpus der Sokratikerbriefe (Nr. 27) überlieferte Brief des Aristippos [3] an seine Tochter A. ist unecht.

ED.: SSR IV B.   K. D.

Arete [3] s. Dion

Arete [4] s. Tugend

Arethas. Bibliophiler Kommentator von Klassiker-Hss., Verf. theologisch-exegetischer Schriften und Polemiker. Bald nach 850 in Patras geboren, Schüler des → Photios, war er zunächst als Gelehrter in Konstantinopel tätig. Bedeutende Hss. mit Werken des Platon (Bodl. Clark 39, Vatic. gr. 1, Paris. gr. 1807) und des Aristoteles (Vatic. Urb. 35) gehen auf seine editorischen Initiativen zurück oder wurden zumindest in seinem Auftrag kopiert. Weitere Hss. wurden ebenfalls im Auf-

trag von A. von der Majuskel in die Minuskel transliteriert bzw. von ihm eigenhändig mit Scholien versehen (vor allem Athenaios, Dion Chrysostomos, Epiktetos, Hesychios, Julian, Marcus Aurelius, Pausanias, Strabon, *Bibliotheke* des Photios). Die Dichtung (3 traditionell geprägte, geschwollene Epitymbien auf die Schwester Anna, Anth. Pal. 15,34) scheint ihn kaum, die Gesch.sschreibung wenig, der Attizismus bes. interessiert zu haben. Metropolit von Kaisareia (Kappadokien) seit ca. 902, wandte er sich theologischen Themen zu. In kirchenpolit. Kontroversen seiner Zeit (unregelmäßige 4. Ehe des Kaisers Leon VI., Abwehr der gegen ihn erhobenen Paganismusvorwürfe) wechselte A. leicht Haltung und Ansichten.

ED.: MIGNE, PG 106, 500–785 • L. WESTERINK, Arethae archiepiscopi Caesariensis, Scripta minora, I–II, 1968–1972 (wertvolle Einleitung). • LIT.: H.-G. BECK, Kirche und theol. Lit., ²1970, 591–594 • S. B. KUGEAS, Ὁ Καισαρείας Ἀρέθας καὶ τὸ ἔργον αὐτοῦ, 1913 (Ndr. 1985) • P. LEMERLE, Le premier humanisme byzantin, 1971, 214–241 (mit ausführlicher Lit.) • FR. TINNEFELD, s. v. A., TRE 3, 690–692 • N. G. WILSON, Scholars of Byzantium, 1983, 120–135.   G. MA.

Arethusa (Ἀρέθουσα). Häufiger Name von Quellen.
[1] Quelle auf Homers → Ithake, an der die Schweine des → Eumaios weiden (Hom. Od. 13,408; Plut. mor. 776 E; Steph. Byz. s. v. A.). A. mit der Quelle Perapigadi auf dem h. Ithaka 5 km südöstl. Vathy gleichzusetzen, ist Spekulation.

A. HEUBECK, A commentary on Homer's Odyssey, 1992, 189 f. • A. J. WACE, F. H. STUBBINGS, A companion to Homer, 1963, 414–416.   D. S.

[2] Der von zahlreichen Autoren überlieferte Name für die Hauptquelle von → Chalkis auf → Euboia. Sie ist vermutlich in der großen Gruppe starker Quellen im Süden von Chalkis zu suchen (Strab. 10,1,13; Athen. 7,278e).

PHILIPPSON / KIRSTEN 1, 600.   H. KAL.

[3] Quelle in → Boiotia (Plin. nat. 4,25), nach Solin. 7,22 in der Nähe von → Thebai gelegen.   P. F.
[4] Quelle bei → Argos [II 1] (schol. Hom. Od. 13,408).
[5] Bei Smyrna (schol. Hom. Od. 13,408 und Eustath. z. St.).   Y. L.
[6] Im Schol. Theokr. 1,117 irrtümlich auf die Insel Samos verlegte Quelle, wohl mit → Same auf → Kephallenia verwechselt.   H. SO.
[7] Reiche Süßwasserquelle am Hafen von Syrakus (Cic. Verr. 2,4,118). Nach verbreiteter ant. Ansicht identisch mit dem peloponnesischen Alpheios, der unterseeisch hierher fließe (Strab. 6,2,4; Protest: Pol. 12,4d). Den zugehörigen Mythos (seit Pind. N. 1,1 bekannt) erzählt ausführlich Ovid (met. 5,573–641): Die peloponnesische Nymphe A. floh vor dem sie verfolgenden Flußgott Alpheios mit Artemis' Hilfe unter dem Meer nach Sizilien. In der geläufigeren und zur geogr.

Ansicht stimmenden Fassung ist Alpheios ihr gefolgt und mischt sein Wasser mit demjenigen der Quelle (Moschos id. 7; Verg. Aen. 3,694–696; Ov. am. 3,6,29 f.; Paus. 5,7,2). F.G.

[8] Nicht lokalisierbare Stadt im Hügelgebiet zw. dem Bolbesee und der Ägäis (Skyl. 66; Ps.-Skymn. 635; Strab. 7,331; fr. 36), wahrscheinlich von Chalkidern gegr.; kaum identisch mit Bormiskos (Amm. 27,4,8; Steph. Byz. s. v. B.).
→ Bolbe; Chalkidike

S. CASSON, Macedonia, Thracia and Illyria, 1925, 86. I. v. B.

Areus (Ἀρεύς). **[1]** Spartan. König 309 – ca. 265 v. Chr., Agiade, Sohn des → Akrotatos [1], suchte 281 unter Ausnutzung der Niederlage des → Antigonos [2] Gonatas gegen → Ptolemaios Keraunos im Bunde mit peloponnes. Gemeinwesen Hellas von der maked. Herrschaft zu befreien, unterlag aber den mit Antigonos verbündeten Aitolern (Iust. 24,1,5 f.). Von Kämpfen auf Kreta zurückgekehrt, rettete er 272 im Bunde mit Antigonos Sparta vor dem Zugriff des → Pyrrhos (Plut. Pyrrhos 27,2; 29,11; 30,4; 32,4; Paus. 1,13,6; 3,6,3). Einige Jahre später schuf er ein großes Bündnis gegen Antigonos, fiel aber im sog. → Chremonideischen Krieg etwa 265 bei Korinth (SIG³ 434/5; StV 3, 476; Diod. 20,29,1; Iust. 26,1; Iust. prol. 26; Plut. Agis 3,7; Paus. 3,6,4). A. wollte in Sparta Herrschaftsformen nach dem Vorbild der hell. Diadochenreiche einführen und ließ als erster König Spartas Silbermünzen mit seinem Bild prägen.

P. CARTLEDGE, A. SPAWFORTH, Hellenistic and Roman Sparta, 1989, 28–37 · G. MARASCO, Sparta agli inizi dell'età ellenistica. Il regno di Areo I, 309/8–265/4, 1980. K.-W. W.

[2] Enkel des Vorigen, nominell spartanischer König von seiner Geburt 262 bis 254 v. Chr. Auf ihn bezieht sich die Inschr. SIG³ 430. K.-W. W.

Arevaci. Keltiberer, die in Altkastilien (Prov. Soria) siedelten, anläßlich des Numantinischen Krieges erstmals erwähnt (vgl. Pol. 35,2), leisteten unter → Viriatus und → Sertorius den Römern hartnäckigen Widerstand. Als Kavallerie-Einheiten dienten sie im röm. Heer der Kaiserzeit (CIL XVI 26 ff.).

W. SCHÜLE, Die Meseta-Kulturen der iberischen Halbinsel, 1969. P. B.

Argaios [1] (Ἀργαῖος). Sohn Ptolemaios' I. (und der Eurydike?); von Ptolemaios II. (wegen einer Verschwörung?) nach 282 v. Chr. ermordet. PP 6, 14489.

C. HABICHT, Argaeus, Ptolemy II. and Alexander's corpse, AHB 2,4, 1988, 88–89. W. A.

[2] (Ἀργαῖος, auch Ἀργαῖον ὄρος). Erciyes Daǧı, höchstes Vulkanmassiv in → Kappadokia (3917 m) südl. Kayseri. Gleichnamiger Vulkankegel (h. Hasan Daǧı) in Südwestkappadokia (3268 m).

F. HILD, M. RESTLE, Kappadokien (TIB 2), 1981, 149 · G. HIRSCHFELD, s. v. Argaion oros, RE 2, 684. K. ST.

Argas (Ἀργᾶς). Dichter und Kitharoide (1. H. 4. Jh. v. Chr.), von dem keine Fragmente erh. sind. Seinen Namen kennen wir nur aus Quellen, die einen sprichwörtlich schlechten Dichter vermuten lassen: Plutarch nennt als Spitznamen des Demosthenes Ἀργᾶς, einen Dichter ›schlechter und widerlicher Lieder‹ (νόμων πονηρῶν καὶ ἀργαλέων) und setzt ἀργᾶς synonym mit ὄφις, Schlange (Demosth. 4,8; vgl. Hesych. s. v. ἀργᾶς 7013 LATTE). Es gibt unschmeichelhafte Erwähnungen bei Phainias von Ephesos (FHG II,299), Alexis (PCG II,19) und Anaxandrides (PCG II,16; 42), wonach er bei der Hochzeit des Iphikrates im Jahre 382 v. Chr. sang. Man wollte seinen Namen in einem korrupten Abschnitt in Aristot. poet. 2,1448a 15 emendieren, doch scheint dies unwahrscheinlich, da sich Hinweise auf ihn auf die Qualität seines Werkes, nicht auf das moralische Niveau seines Charakters beziehen (worum es Aristoteles hier geht). E. R. / L. S.

Argaseis. Demos von → Miletos südl. der Milesia am Golf von Akbük. Ortsname (*Argasa) karisch [2. § 89–1]. Mehrere Inschr. bezeugen ein (profanes?) Temenos der A. [1 Nr. 66–69].

1 A. REHM, A. HARDER, Didyma II. Die Inschr., 1958
2 L. ZGUSTA, Kleinasiatische ON, 1984.

M. PIÉRART, Athènes et Milet I. Tribus et dèmes Milésiens, in: MH 40, 1983, 1 – 18 · Ders., Athènes et Milet II. L'organisation du territoire, in: MH 42, 1985, 276 – 299 · H. LOHMANN, Survey in der Chora von Milet. Vorber. über die Kampagnen der J. 1994 und 1995, in: AA 1996. H. LO.

Argeadai. Erstes maked. Königshaus, beherrschte um 510 v. Chr., bei → Amyntas' [1] Erscheinen in der Gesch., von Aigai aus die maked. Küstenebene. Amyntas unterwarf sich Dareios und wurde mit Gebietserweiterung und Verbindung mit den → Achaimenidai belohnt. Sein Sohn → Alexandros [2] blieb → Xerxes bei der Invasion von Griechenland treu, nahm aber mit den Griechen Fühlung auf und war zuletzt auf der Seite der Sieger. Sein auf Sage und falsche Etym. gestützter Anspruch, von den → Temenidai (Argos) abzustammen, wurde in → Olympia anerkannt. Seitdem galten und benahmen sich die A. als über Barbaren herrschende griech. Aristokraten. Die stärkeren setzten ihre Anerkennung als Oberherren durch die obermaked. Könige durch. Mangels eines festen Nachfolgerechts blieb Makedonien aber schwach, da beim Tod eines Königs jeweils Kriege zw. Prätendenten und Invasionen drohten. → Philippos gelang es, den Staat zu zentralisieren und so die Basis für seine Erfolge und die seines Sohnes → Alexandros [4] zu legen. Da dieser aber keinen Nachfolger bestimmte, zerfiel das Reich nach seinem Tod.

BORZA, bes. 80 ff. · ERRINGTON, 11–120. E. B.

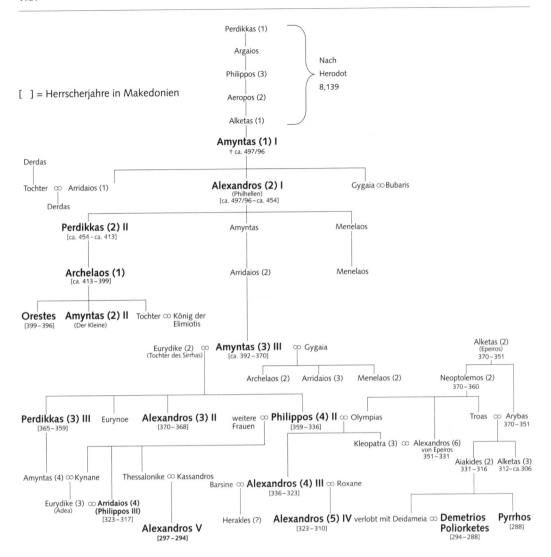

[ ] = Herrscherjahre in Makedonien

Argei. Alljährlich am 14. Mai wurden 27 menschenähnliche Puppen aus Binsenstroh vom Pons Sublicius durch Vestalinnen in den Tiber geworfen. Mit demselben Namen A. wurden aber auch die ebenfalls 27 *sacraria* (Varro, ling. 5,45 ff.) benannt, zu denen am 16./17. März eine Prozession ging (Ov. fast. 3, 791). Man vermutet, daß dabei die Puppen bis zum 14. Mai in den *sacraria* deponiert wurden.

Die Bed. des Rituals ist im Altertum wie in der Neuzeit unbekannt. ›Die Hoffnung auf volle Aufklärung muß angesichts des verschwindend geringen Materiales an Thatsachen aufgegeben werden‹ (WISSOWA) [1. 694; 2. 414]. Die bis in die neueste Zeit geltende Ableitung des Namens von Ἀργεῖοι = Griechen (Variante s. [4]) ist nicht unproblematisch. Das ältere Latein kennt für Griechen nur Argivi [2. 412 f]. Auf griech. bzw. nichtröm. Einflüsse jedoch könnten die Zahl 27 (3 × 9 in sibyllinischen Riten) sowie die geraden Monatstage der Feste hinweisen. Es gibt aber auch nicht-griech. Züge,

wie das Fehlen der *XV viri sacris faciundis*, der Vollzug durch Vestalinnen in Gegenwart der Pontifices und bestimmte Gebote für die Flaminica [3. 329]. Das Fehlen im Kalender ließe sich daraus erklären, daß das Fest nicht *pro populo*, sondern *pro sacellis*, also nicht für die Gesamtgemeinde gefeiert wurde. Vor allem in (fraglicher) Verbindung mit dem Sprichwort *sexagenarios de ponte* wird der Ritus oft als ein stellvertretendes Menschenopfer erklärt, wobei – falls richtig – jedoch eher an symbolische Repräsentierung *in effigie* als an histor. »Ablösung« zu denken wäre. Jedenfalls ist man sich weithin darin einig, daß es sich um eine Reinigungs- bzw. Sühnezeremonie handelt [5; 6], wobei mit einer Mischung aus älteren und neueren Ritualelementen zu rechnen ist.

1 G. WISSOWA, s. v. A., RE II, 689–700 = Gesammelte Abh. 211 ff. 2 LATTE, 412 ff. 3 F. BÖMER, Ovid, Die Fasten, 1958, 2,327 ff. (mit älterer Lit.) 4 G. MADDOLI, Il rito degli Argei e le origini del culto di Hera a Roma, in: PP 26, 1971, 153–66

5 B. NAGY, The Argei Puzzle, in: AJAH 10, 1985, 1–27
6 G. RADKE, Röm. Feste des Monats März, in: Tyche 8, 1993, 129–142.

D. P. HARMON, in: ANRW II 16.2, 1978, 1446–59 ·
D. PORTE, La noyade rituelle des hommes de jonc, in: Beiträge zur altital. Geistesgesch., in: FS G. Radke, 1986, 193–211 · G. RADKE, Gibt es Antworten auf die »Argeerfrage«?, in: Latomus 49, 1990, 5–19 · SCHILLING, in: ANRW I 2, 1972, 317ff.   H. V.

Argeia (Ἀργεία, Argia). Als »Frau von Argos« erscheint sie als Nebengestalt verschiedener Mythen, die mit Argos zu tun haben. **[1]** Tochter des Okeanos, Schwester und Frau des Inachos, Mutter des argiv. Urkönigs Phoroneus und der Io (Hyg. fab. 143). **[2]** Ältere Tochter des Adrastos und der Amphithea, Frau des Polyneikes (Hyg. fab. 69,5). Sie nahm an Oidipous' Begräbnis teil (Hes. fr. 192) und half Antigone, den toten Polyneikes zu bewachen, konnte aber vor Kreons Verfolgung fliehen (Stat. Theb. 2,266; Hyg. fab. 72). Ihr Sohn Thersandros war einer der 7 Epigonoi (Hyg. fab. 71,2). **[3]** Tochter des Autesion, Ururenkelin des Polyneikes, Frau des Herakliden Aristodemos (Hdt. 6,52; Paus. 4,3,4); nach dessen Tod gebar sie die Zwillinge Eurysthenes und Prokles (Apollod. 2,173; Paus. 3,1,7).   F. G.

Argeiadas. Bronzebildner aus Argos. Er war in Olympia Mitarbeiter am umfangreichen Weihgeschenk eines Praxiteles, datiert zwischen 484 und 461 v. Chr.

W. DITTENBERGER, Die Inschr. von Olympia, 1896, Nr. 266, 630, 631 · F. ECKSTEIN, Ἀναθήματα, 1969, 61–64 · LOEWY, Nr. 30 S. XVIII.   R. N.

Argeioi s. Argolis

Argeios (Ἀργεῖος). **[1]** Sohn des Likymnios. In zwei Mythen ist er todgeweihter Kampfgefährte des Herakles. Er begleitet ihn zusammen mit seinem Bruder Melas zur Eroberung Oichalias; beide fallen und werden von Herakles bestattet (Apollod. 2,156). Nach einer anderen Version begleitet er trotz des Widerstands seines Vaters Herakles auf seinem Troiazug; Herakles mußte einen Eid schwören, daß er ihn zurückbringe. Als er vor Troia fällt, verbrennt Herakles den Leichnam und bringt die Asche zurück (Schol. Hom. Il. 1,52). **[2]** Sohn des Pelops und der Hippodameia, heiratet Hegesandra, Tochter des Amyklas (Pherekydes FGrH 3 F 132). **[3]** Freier der Penelope (Apollod. ep. 7,27).   F. G.

Argemone (ἀργεμώνη), bei Dioskurides 2,177 [1. 1.245 f.] = 2,208 [2.253], die nach der Verwendung ihres Milchsaftes (ὀπός) u. a. gegen Leukom (ἄργεμα) heißen soll, wird ebenso wie μήκων ῥοιάς bei Dioskurides 4,63 [1.2.217 f.] = 4,64 [2.397] und wie *argemonia* bei Plin. nat. 25,102 (medizinische Verwendung z. B. gegen Angina bei Plin. nat. 26,23) mit dem Keulenmohn *Papaver argemone L.* identifiziert, von anderen mit dem

ähnlich blühenden Herbst-Adonis (*Adonis autumnalis L.*; vgl. *adonium* Plin. nat. 21,60).
→ Mohn

1 M. WELLMANN (Hrsg.), Pedanii Dioscuridis de materia medica Bd. 1.2, 1906/07, Ndr. 1958 2 J. BERENDES (Hrsg.), Des Pedanios Dioskurides Arzneimittellehre übers. und mit Erl. versehen, 1902, Ndr. 1970.   C. HÜ.

Argentarius. [1, Marcus] Epigrammdichter, höchstwahrscheinlich mit dem gleichnamigen Rhetor gleichzusetzen, der in augusteischer Zeit Schüler des Cestius Pius war und den Seneca maior als einen wortgewandten Mann mit bissigem Humor schildert (contr. 2,6,11; suas. 7,7,12 usw.). Seine 37 hauptsächlich erotisch-sympotischen Epigramme aus dem »Kranz« des Philippos sind im allg. ebenso gelungene wie elegante Variationen konventioneller Themen (bemerkenswert ist Anth. Pal. 10,4 über die Rückkehr des Frühlings, vgl. Leonidas, Anth. Pal. 10,1); oft werden sie durch einen charakteristischen Witz belebt, der auch vor dem »alten Hesiod« nicht halt macht (9,161, ein Gedicht, das von dem englischen Dichter Austin Dobson nachgeahmt wurde).

GA II 1,146–169; 2,166–186.   E. D./T. H.

[2] Das Wort a. (von *argentum*, Geld) bezeichnet diejenigen, die sich professionell mit Geld beschäftigen; es ist die lat. Übers. des griech. Wortes → *trapezítēs*. Während der Republik und des Principats verstand man unter a. Bankiers, die Geld aufbewahrten, wechselten und Münzen prüften.

Die ersten a. ließen sich nach 318 v. Chr. auf dem Forum nieder; zur Zeit des Plautus waren ihre Aktivitäten denen der *trapezítai* sehr ähnlich [2.333–357; 6.67–93]. Seit Beginn des 2. Jh. v. Chr. traten sie regelmäßig bei Versteigerungen (*auctiones*) auf, um für Verkäufer die Preise festzusetzen, Käufern einen kurzfristigen Kredit zu gewähren (mit einer Laufzeit bis zu einem Jahr) und die Verkäufe in ihren Büchern zu verzeichnen. Diese Form der Kreditvergabe verbreitete sich im gesamten westl. Mittelmeerraum und machte einen wichtigen Teil der Tätigkeit der a. aus [1; 7]. Daneben haben die a. – wie auch die *trapezítai* – weiterhin Konten geführt und Geld verliehen. Die *trapezítai* im Osten des Imperium Romanum waren hingegen an den Versteigerungen nicht beteiligt.

Die meisten der uns bekannten a. waren in It. tätig wie etwa L. Caecilius Iucundus, der in der Zeit zwischen ca. 20 und 60 n. Chr. Bankier in Pompei war. 153 seiner Zahlungsbelege, die meist Versteigerungen betreffen, wurden in seinem Haus gefunden [1]. Der Status dieser professionellen Bankiers, die oft zu den Freigelassenen gehörten, war deutlich niedriger als der der reicher Senatoren oder *equites*, die sich an Geldgeschäften beteiligten [2.359–441]. Vor allem auf lokaler Ebene trugen die a. dazu bei, das Kreditgeschäft in einem sozialen Milieu zu verbreiten, dessen Reichtum nur mittelmäßig war. Sie beeinflußten durch ihre Aktivitäten bei den Versteigerungen auf den Märkten für den Groß- oder Einzelhandel auch das wirtschaftliche Leben der Städte .

Nach Mitte des 3.Jh. n.Chr. verschwanden die *a.* vollständig. Unter Constantin wurde das Wort *a.* für Silberschmiede verwendet; diese begannen, im späten 4.Jh. Konten zu führen sowie Geld zu verleihen, und wurden so wiederum zu Geldwechslern. In der Zeit des Justinian waren sie weiterhin als Bankiers tätig, hatten aber nichts mehr mit Versteigerungen zu tun.
→ Auktion, Banken, Geldwirtschaft, Handel

1 J.ANDREAU, Les Affaires de Monsieur Jucundus, 1974
2 J.ANDREAU, Vie financière dans le monde romain, 1987
3 CH.T. BARLOW, Bankers, Moneylenders and Interest Rates in the Roman Republic, 1982 **4** A.BÜRGE, Fiktion und Wirklichkeit: Soziale und rechtliche Strukturen des röm. Bankenwesens, in: ZRG 104, 1987, 465–558
5 G.MASELLI, Argentaria, 1986 **6** A.PETRUCCI, Mensam exercere, 1991 **7** N.RAUH, Finances and Estate Sales in Republican Rome, in: Aevum 63, 1989, 45–76.　J.A./C.P.

Argenteus. Wörtlich »silberne Münze« lautend [2.7], stellt der A. in den fragmentarischen Edikten von Aphrodisias und Aezani ein in der → Münzreform des Diocletian um 294/6 n.Chr. eingeführtes Silberstück dar, das der kursierenden Münze mit dem Gewicht von etwa 3,0–3,3 g (⅟₉₆ des röm. Pfundes in Silber) und damit dem neronischen Denar entspricht. Der Feingehalt beträgt 90% und mehr [1.110]. Der festgesetzte Wert von 50 Denaren wird nach dem Preisedikt 301 n.Chr. verdoppelt [4.94 ff.]. Der A. wird nur in 6 Münzstätten (Aquileia, Karthago, Ostia, Rom, Serdica und Trier) geprägt und setzt nach 307 n.Chr. allmählich aus. Mit der Münzreform des Constantin I. um 313 n.Chr. wird der A. durch die Siliqua und das Miliarense ersetzt [3.4].
→ Denar; Miliarense; Münzreformen; Siliqua

1 J.HAMMER, Der Feingehalt der gr. und röm. Münzen, in: ZfN 26, 1908, 1–144 **2** K.MENADIER, Die Münzen und das Münzsystem bei den SHA, in: ZfN 31, 1914, 1–144
3 RIC 7, 1966 **4** J.JAHN, Zur Geld- und Wirtschaftspolitik Diocletians, in: JNG 35, 1975, 91–105.

A.JELOĀNIK, The Sisak Hoard of Argentei of the Early Tetrarchy, 1961 · RIC 6, 1967, 93 f.; 100.　A.M.

Argentorate. Heute Strasbourg, inschr. erstmals erwähnt z.Z. Vespasians (CIL XIII 9082). Eine kleinere mil. Anlage augusteischer Zeit machte nach der → Varus-Schlacht 9 n.Chr. einem Legionslager Platz, das bis zum Britannien-Feldzug des → Claudius 43 n.Chr. von der → *legio II* belegt war. Von Detachements anderer Einheiten benutzt, erhielt A. neueren arch. Unt. zur Folge Ende des 1. Jhs. n.Chr. [2] (dagegen noch [1. 89]: Anf. der 70er Jahre) mit der 8. Legion wieder eine permanente Legionsbesatzung. 357 n.Chr. errang hier → Iulianus einen Sieg über die → Alamanni (Amm. 16,12).
→ Triboci

1 J.-J. HATT, Strasbourg Romain, 1980 **2** M.REDDÉ, Les ouvrages militaires en Gaule sous le haut empire, in: JRGZ 34, 1987 (1989), 343–368.　F.SCH.

Arges (Ἄργης). Neben Brontes (*brontḗ*, »Donner«), Steropes (*steropḗ*, »Blitz«) einer der drei → Kyklopen. Sein Name gehört zu *argés*, einem stehenden Beiwort zum Blitz (Hes. theog. 140; Apollod. 1,1).　F.G.

Argestes (Ἀργεστής). Der Nordwestwind, z.B. bei Aristot. meteor. 2,6,364a 14, der auf der astronomischen Windrose als mittlerer Wind zwischen dem Nord- und Westwind (ζέφυρος) in den Sonnenuntergangspunkt der Sommersonnenwende gesetzt wird. Er galt als kräftig, kühl, aufheiternd und trocken. Andere Namen: *Skiron* in Attika, bei den gr. Sizilienfahrern *Iapyx* und an der ital. Westküste Κερκίας. Bei Plin. nat. 2,119, Vitr. 1,6,1 und Sen. nat. 5,16,5 heißt er *Corus*. Aristot. Ἀνέμων θέσεις, 973b 13–15 gibt für den Ἰᾶπυξ die Lokalnamen Σκυλητῖνος, Φρυγίας und Φαραγγίτης an.

R.BÖKER, s. v. Winde, RE VIII A, 2245,43 ff.　C.HÜ.

Argias graphe (ἀργίας γραφή). Nachdem bereits Drakon (vor 600 v.Chr.), wohl zur Erhaltung der Haushalte mit erblichem Grundeigentum, ein Gesetz gegen Müßiggang erlassen und diese mit → *atimia* bedroht hatte, machte Solon (594/3 v.Chr.) die Klage zu einer öffentlichen, setzte die Strafe auf eine Geldstrafe herab und ließ erst bei dreimaliger Verurteilung *atimia* eintreten.

E.RUSCHENBUSCH, Unt. zur Gesch. des athenischen Strafrechts, 1968, 50 f.　G.T.

Argidava. Militärlager und Zivilstadt (arch. Reste) in → Dacia Superior, *statio* an der Straße Lederata-Tibiscum (Ptol. 3,8,9; Arcidaba: Geogr. Rav. 4,14), h. Varadia bei Oravita (Rumänien, Banat). Garnison der *cohors I Vindelicorum milliaria civium Romanorum*, die um 100 n.Chr. wohl in den Dakerkriegen von → Moesia Superior nach A. versetzt wurde.

W.WAGNER, Die Dislokation der röm. Auxiliarformationen, 1938, 198 · G.ALFÖLDY, Die Hilfstruppen in der röm. Prov. Germania Inferior, 1969, 75 · TIR L 34, 1968, 30.　J.BU.

Argiletum. Im Nordosten des → Forum Romanum gelegener Hauptzugang, der die Verbindung mit der Subura herstellte. Die *aedes Iani Gemini* soll *ad infimum Argiletum* gelegen haben (Liv. 1,19,2). Zum augusteischen Verlauf gehören die Straßenreste zwischen dem Forum Iulium, der Curia und der Basilica Aemilia.

RICHARDSON, 39 · E.TORTORICI, in: LTUR I, 125 f.　R.F.

Argilos (Ἄργιλος). Gründung von Siedlern aus Andros, ca. 3 km oberhalb der Mündung des Strymon. Mitglied des → att.-delischen Seebundes, fiel 424/23 v. Chr. von Athen ab (Thuk. 4,103,4) und blieb bis zur Eroberung von Amphipolis durch Philippos II. autonom. Eine Siedlung existierte noch in der röm. Kaiserzeit.

M. ZAHRNT, Olynth und die Chalkidier, 1971, 158–160 · F. PAPAZOGLOU, Les villes de Macédoine, 1988, 363.

MA. ER.

Arginusai (Ἀργινοῦσ(σ)αι). Name von 3 kleinen Inseln am südl. Eingang in den Sund von → Lesbos an der aiol. Küste (Hauptinsel h. Garip Adası), bekannt durch den Seesieg der Athener über die Spartaner unter ihrem Strategen → Kallikratidas, an den sich der »Arginusen-Prozeß« anschloß (406 v. Chr.). Darin verurteilten die Athener die verantwortlichen Strategen en bloc, weil diese es unterlassen hatten, die Gefallenen und Schiffbrüchigen aus dem Sturm im Anschluß an die Seeschlacht zu retten. → Sokrates erhob damals als einziger gegen das gesetzwidrige Gerichtsverfahren Einspruch (Thuk. 8,101; Xen. hell. 1,6; 19ff.; Cic. off. 1,24; Strab. 13,1,68; 2,2; Plut. Perikles 37; Lysandros 7). E. O. u. W. SO.

Argiope (Ἀργιόπη). [1] Nymphe. Sie wird von ihrem Liebhaber Philammon verstoßen, wandert vom Parnassos zu den thrak. Odrysen und gebiert dort den Sänger → Thamyris (Apollod. 1,16; Paus. 4,33,3) [1]. [2] Thrak. Frau des Orpheus, für die er in die Unterwelt geht (Hermesianax fr. 7,1–14 POWELL). [3] Tochter des Teuthras, des Königs von Mysien, Frau des → Telephos (Diod. 4,33). [4] Tochter des Neilos, Frau des → Agenor, Mutter des → Kadmos (Pherekydes FGrH 3 F 21; Hyg. fab. 6).

1 A. NERCESSIAN, s. v. A., LIMC 2.1, 591. F. G.

Argissa (Ἄργισσα). Die im Schiffskatalog der Ilias (Hom. Il. 2,738) gen. Stadt des Lapithen → Polypoites wurde schon in der Ant. mit der Stadt Argura gleichgesetzt (Strab. 9,5,19). Diese lag 40 Stadien (ca. 7 km) östl. von → Atrax am → Peneios. Nach einem Münzfund mit dem Namen Argura wird A. heute (gegen [1. 99f.]) auf der Gremnos-Magula, ca. 7 km westl. von → Larisa lokalisiert, auf der sich Siedlungsspuren seit der Dimini-Kultur (ca. 6000 v. Chr.) finden. Nach gewaltsamer Besetzung E. der frühen Bronzezeit (ca. 2600–2000 v. Chr.) ist Siedlungskontinuität bis in röm. Zeit nachgewiesen.

1 F. STÄHLIN, Das hellenische Thessalien, 1924.

P. R. FRANKE, Eine bisher unbekannte thessal. Mz., in: AA 1955, 231f. · E. MEYER, s. v. Argura Nr. 1, RE Suppl. 12, 90 · V. MILOJČIĆ et al., Argissa-Magula, 1–4, 1962–1981. HE. KR.

Argo (Ἀργώ). Argonauten-Schiff (Hom. Od. 12,70). Aus Fichten des Pelion (Eur. Med. 3 f.) vom Phrixossohn Argos unter Anleitung Athenes als Fünfzigruderer erbaut (Apollod. 1,110). Nach ihrem Erbauer (Apollod.

l.c; Pherekydes FGrH F 106) oder ihrer Schnelligkeit benannt (Diod. 4,41,3). Von einem Stück Holz der dodonäischen Eiche, das Athene in den Bug einsetzte (Apollod. a.O; Apoll. Rhod. 1,526f.), hatte die A. ihre Redefähigkeit (Pherekydes FGrH F 111a; Aischyl. fr. 20 TrGF 3). Nach der Rückkehr weihte Iason sie Poseidon (Apollod. 1,144) oder Hera und wurde durch das morsche Heck erschlagen (Eur. Med. 1386 mit schol.). Verstirnung der A. (Hyg. fab. 14,33). Die Vorstellung von der A. als erstem Schiff beruht auf Mißdeutung von Eur. Andr. 864f. (erste Symplegaden-Durchfahrt [1. 322 Anm. 1]).

→ Argonautai; Argos; Dodona; Iason; Sternbilder; Symplegaden

1 U. VON WILAMOWITZ-MOELLENDORFF, Hell. Dichtung in der Zeit des Kall. Bd. 2, ²1962. P. D.

Argoi lithoi s. Baitylia

Argolis (Argeioi; Ἀργολίς, Ἀργεῖοι). Heute übliche Gesamtbezeichnung der nordöstl. Landschaft der → Peloponnesos, bestehend aus der argiv. Ebene mit ihren Randgebieten und der gebirgigen argolischen Akte. Auch im Alt. wurde A. im h. Sinn gebraucht neben der gewöhnlichen Form des Ethnikons Ἀργεῖα, das meist ausschließlich das Gebiet von → Argos meint (Plut. Agesilaos 31). Die ganze Landschaft gehört nach Landschaftscharakter und Klima zur ostgriech. Trokkenzone (πολυδίψιον Ἄργος: Hom. Il 4,171). Die A. war bereits im Neolithikum besiedelt und in der Bronzezeit die wohl am dichtesten besiedelte und kulturell führende Landschaft Griechenlands. Schon aus FH Zeit ist in → Lerna eine mehrräumige befestigte Palastanlage bekannt [1], wie auch der große Rundbau unter dem Palast von → Tiryns schon in FH Zeit zurückgeht. In MH und myk. Zeit [2] bestanden neben den großen Zentren → Mykenai, → Tiryns und → Argos mehrere Fürstensitze und Burgen wie → Mideia (reiches Kuppelgrab) oder Prosymna (beim späteren Heraion, Kuppelgrab). Mit der → Dor. Wanderung [4] wurde die A. dorisiert, doch mag die in Argos neben den alten drei dor. Phylen bestehende Phyle Hyrnathioi für die Vorbevölkerung bestimmt gewesen sein. Der Name ist auch für → Epidauros belegt (Paus. 2,28,3–7). Argos wurde die mächtigste Stadt, die schon in frühhistor. Zeit begann, sich die kleineren Orte wie → Nauplia und → Asine einzuverleiben. Im 5.Jh. v. Chr. wurden auch die letzten Orte der argiv. Ebene erobert und z. T. zerstört wie Mykenai und Tiryns, deren Bewohner z. T. auswanderten. Die Ortsnamen lebten in Argos als Demen und Phratrien weiter. Das Staatsgebiet von Argos umfaßte in klass. Zeit die ganze argiv. Ebene mit Umgebung, auch → Kleonai im Norden, selbständig blieben nur die Städte der Akte, Hermione, → Troizen und Epidauros. Gemeinsames Heiligtum war das Heraion am Ostrand der Ebene südl. von Mykenai. Straßen und Grenzen der A. waren an vielen Stellen durch Festungen und Wachttürme aus verschiedener Zeit geschützt (Strab. 8,6,1–19; Paus. 2,15–38) [3. 260–341].

1 J. CASKEY, Lerna in the Early Bronze Age, in: AJA 72, 1968, 313–316 2 S. DIETZ, The Argolid at the Transition to the Mycenaean Age, 1991 3 D. MUSTI, M. TORELLI, Pausania. Guida della Grecia 2. La Corinzia e l'Argolide, 1986 4 M. PIÉRART, Le tradizioni epiche e il loro rapporto con la questione dorica: Argo e l'Argolide, in: D. MUSTI (Hrsg.), Dori e mondo egeo, 1986, 277–292.

M. F. BILLOT, Apollon Pythéen et l'Argolide archaïque. Histoire et Mythes, in: Ἀρχαιογνωσία 6, 1989/1990 (1992), 35–98 • A. FOLEY, The Argolid 800–600 B. C., Stud. In Mediterranean Archaeology 80, 1988 • R. HÄGG, Die Gräber der A. in submyk., protogeom. und geom. Zeit, 1974 • C. N. RUNNELS, T. H. VAN ANDEL, The evolution of settlement in the Southern Argolid, Greece, in: Hesperia 56, 1987, 303–334 • R. A. TOMLINSON, Argos and the Argolid from the End of the Bronze Age to the Roman Occupation, 1972.   Y. L.

BYZANTINISCHE ZEIT

In den Jahren 267 und 395 Einfälle von Goten, 586 von Awaro-Slawen; Charakter und Umfang der slawischen Landnahme umstritten [1]. Die Offenheit zum Meer bewahrt das byz. Interesse an der A. (Eingliederung in das Thema Peloponnes spätestens im 9. Jh.), führt aber auch zu arab. Überfällen (vgl. Vita des Bischofs Petros von → Argos).

→ Avares; Slaven; Peloponnesos; Argos; Asine; Epidauros; Halieis; Hermione; Methana; Mideia; Mykene; Korinth; Nauplia; Tegea; Tiryns; Troizen

1 P. AUBERT, Les slaves à Argos, in: BCH 113, 1989, 417–419.

BCH Suppl. 6, 1980, 323–492 • A. BON, Le Péloponnèse byzantin jusqu'en 1204, 1951 (Bibliothèque byzantine. Études 1) • M. H. JAMESON, C. N. RUNNELS, T. H. VAN ANDEL, A Greek Countryside. The Southern Argolid from Prehistory to the Present Day, 1994 • ODB 1, 1991, 163 f.   E. W.

Argonautai (Ἀργοναῦται). A. TEILNEHMER
B. URSPRUNG/VERANLASSUNG
B.1 VORHOMERISCH B.2 PINDAR B.3 APOLLONIOS
RHODIOS/ORPHEUS ARGONAUTIKA
B.4 DIONYSIOS SKYTOBRACHION/VALERIUS
FLACCUS C. FAHRTSTATIONEN

A. TEILNEHMER

A. ist Gesamtbezeichnung der auch Minyer gen., meist der vortroianischen Generation angehörenden Helden, die unter Iasons Führung im Auftrag des Pelias auf der Argo das Fell des Widders aus Aia holten, auf dem einst Phrixos und Helle geflohen waren. Schon in den ältesten Quellen ist es mit dem Goldenen Vlies des Argonautenmythos identifiziert, obwohl die Sagenkreise urspr. wohl nichts miteinander zu tun hatten. Die vollständigen A.Kataloge (Pind. P. 4 zählt nur 10 Göttersöhne auf, dazu Iason, Mopsos) nennen – jeweils mit Iason – 47 (Apollod. 1,111 ff.), 55 (Apoll. Rhod.), 52 (Val. Fl.), 51 (Orph. Arg.), 66 (Hyg. fab. 14) A., wozu teilweise noch Zugänge unterwegs kommen (z. B. Phrixossöhne). Neben Iason werden übereinstimmend 27 A. genannt, die zu den ältesten gehören dürften, u. a. Akastos, Ankaios, Argos, Erginos, Euphemos, Hylas, Idas, Idmon, Kalais, Kastor, Lynkeus, Orpheus, Peleus, Polydeukes, Polyphemos, Tiphys, Zetes; Herakles scheidet meist vorzeitig aus.

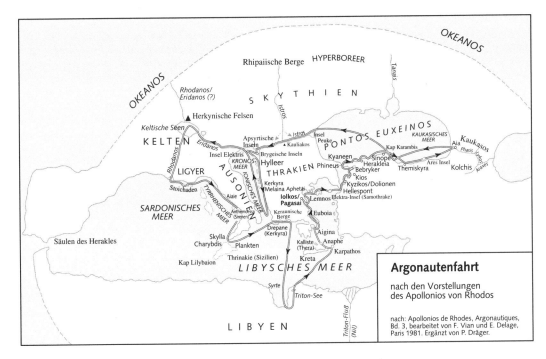

Argonautenfahrt
nach den Vorstellungen des Apollonios von Rhodos

nach: Apollonios de Rhodes, Argonautiques, Bd. 3, bearbeitet von F. Vian und E. Delage, Paris 1981. Ergänzt von P. Dräger.

B. Ursprung / Veranlassung

B.1 Vorhomerisch

(Ἥρη Ἀργοναυτική): Aus den ältesten lit. Einzelbelegen (z. B. Hom. Od. 12,70–72; Hes. theog. 992 ff.; Mimn. fr. 10 Poetae Elegici GENTILI / PRATO), die sich bei Pherekydes (FGrH F 105 = Apollod. 1,107–109) vereinigt wiederfinden, ergibt sich als frühest erreichbares Stadium eine Konkurrenz zw. dem älteren Herakult (thessalisches Binnenland) und der jüngeren Poseidonverehrung (Küste). Pelias, Poseidonide und Hera-Verächter, Zwillingsbruder des Neleus, erhält anläßlich einer dodonäischen Orakelbefragung wegen der Thronfolge beim Tod des Kretheus die Warnung vor dem »Einschuhigen«. Als sich der Kretheide Iason, Sohn seines Halbbruders Aison, nach einer Flußdurchwatung als jener zeigt, beauftragt Pelias ihn aufgrund Iasons Selbstverpflichtung mit der Fahrt nach Aia; den Gedanken hat Hera in Iason initiiert, damit Medeia zum Unheil für Pelias wird: Mythos als Träger der Heldensage [1].

B.2 Pindar

Ἀπόλλων Ἀργοναυτικός: In der für den pythischen Wagensieg (462 v. Chr.) des kyrenischen Königs Arkesilaos IV. geschriebenen Ode (P. 4) läßt Pindar den Argonautenzug unter dem teleologischen Zweck der durch Delphoi veranlaßten Gründung Kyrenes (631 v. Chr.) stattfinden, dessen Herrscher (Battiaden) sich traditionell durch das lemnische Abenteuer vom A. Euphemos ableiten (Hdt. 4,145 ff., vgl. 179). Pelias stürzt als Poseidonide und ältester Tyrossohn den als ältesten legitimen Kretheiden herrschenden Aison. Das zwecks Sicherung der Herrschaft befragte delphische Orakel warnt vor einem einschuhigen Aioliden. Kurz bevor Iason nach 20 Jahren von Cheiron zurückkehrt, erscheint dem Pelias, der von Iasons Existenz nichts ahnt, Phrixos im Traum und bittet um Rückführung seiner durch kolchische Fellbestattung in das Goldene Vlies eingegangenen Seele, womit Pelias nach erneutem Bescheid Delphis Iason beauftragt. Auf der Rückfahrt aus Kolchis erhält Euphemos in Libyen von Triton eine Erdscholle, die verlorengeht und auf Thera angespült wird. Hier prophezeit Medeia den künftigen Besitz Libyens durch die Nachkommen, die Euphemos auf Lemnos zeugen wird, was Pindar deshalb auf den Rückweg verlegt: Mythos als polit. Auftragsdichtung im Sinne delphischer Propaganda.

B.3 Apollonios Rhodios / Orpheus Argonautika

Ζεὺς Ἀργοναυτικός: Phrixos, gerade in Kolchis gestorben, droht dem Pelias im Traum (Vorbild: Pindar) mit unversöhnlichem Zorn des Zeus gegen die Aioliden (2,1194 ff.; 3,333 ff.) wegen der kolchischen Fellbestattung eines Griechen. Bei einer Anfrage in Delphi erhält Pelias als Hera-Verächter die Warnung vor dem Einschuhigen, die er jedoch verschweigt, als er kraft seiner legalen Machtstellung den Hera-Verehrer Iason (vgl. 3,61 ff.) mit dem Herbeiholen des Goldenen Vlieses beauftragt. Auf der Hinfahrt treffen die A. durch Zeus'

Regie die gleichzeitig (mit 1,8 vgl. 2,1152) aus Kolchis nach Griechenland abgereisten Phrixos-Söhne, die auf der Ares-Insel Schiffbruch erlitten haben (2,1190 ff.). Diese und ihre Mutter Chalkiope, Medeias Schwester, dienen den A. in Kolchis als Vermittler; die Gründung Kyrenes durch Euphemiden, Pindars Telos, ist nur eines von vielen Aitia (vgl. Hom. Il. 1,5). – Zumeist von Apollonios Rhodios hängen Orpheus' Argonautika ab (ohne den Zeus-Zorn; motiviert ist die Fahrt durch Pelias' Angst vor einem Sturz durch Iason).

B.4 Donysios Skytobrachion / Valerius Flaccus

Iuppiter Argonauticus: Der rechtmäßig, aber tyrannisch regierende Pelias lebt in ständiger Angst vor Anschlägen Iasons und beauftragt ihn daher aufgrund einer fingierten Traumerscheinung des angeblich ermordeten Phrixus mit dem Herbeiholen des Vlieses. Der nach Ruhm strebende Hera-Verehrer Iason befragt vor der Fahrt die Orakel in Dodona und Delphi (3,299 ff.; 617 ff.). Bei dieser Gelegenheit enthüllt Iuppiter seinen dreistufigen Weltenplan (1,530 ff.), demzufolge die Macht mit dem Besitz des Vlieses – analog den Penaten – von Asien auf Griechenland, zuletzt auf Rom übergehen wird: Das ist Mythos im Dienst der Romidee und flavischer Herrscherpanegyrik bzw. als Instrument der Vergil-imitatio. – Vorlage ist Dionysios Skytobrachion (fr. 14 ff. RUSTEN = Diod. 4,40 ff.: euhemeristisch, z. B. ohne Einschuhigenorakel).

C. Fahrtstationen

Nach Apollod. / Pherekyd. / Hes. (Zusätze in Klammern, vgl. Abb.): **Lemnos** (bei Pind. auf Rückweg): Liebesverbindung A. / Lemnierinnen – (Troas: Befreiung der Hesione durch Herakles bei Diod., Val. Fl.) – **Dolionen**: Unabsichtliche Tötung des Kyzikos durch Iason (Besiegung der Gegeneis durch Herakles bei Apoll. Rhod.) – **Mysien**: Verlust des Hylas, Herakles, Polyphemos – **Bebryker**: Sieg des Polydeukes über Amykos – **Salmydessos**: Phineus-Prophezeiung aus Dankbarkeit über Vertreibung der Harpyien durch Boreaden – **Symplegaden**durchfahrt mit Rat des Phineus und Hilfe Heras – **Mariandyner**: Tod des Idmon, Tiphys – (**Aresinsel**: Verscheuchung der Stymphalischen Vögel, Begegnung mit Phrixos-Söhnen bei Apoll. Rhod.) – Ankunft bei **Aietes**: Gewinnung des Vlieses durch Iason mit Hilfe Medeias – Rückfahrt: über den südl. **Okeanos** mit Zerstückeln des Kindes Apsyrtos durch Medeia, Tragen der Argo durch **Libyen** (Hes. fr. 241, Antim. fr. 65 IEG) bzw. Fahrt durch **Nil** (Hekataios, FGrH F 18) bzw. Schollenübergabe an Euphemos bei Pind., bei dem jetzt wegen Kyrene Thera und Lemnos folgen; Rückfahrt über **Tanais** mit Landtransport der Argo, nördl. **Okeanos** und Säulen des Herakles bei Timaios FGrH F 85, Skymnos fr. 5 ; Orph. Arg.; durch den **Bosporos** mit 2. Aufenthalt in der Troas bei Diod.; durch **Istros**, **Adrias**, **Eridanos**, **Rhodanos**, **Tyrrhenisches Meer** (Apollod., Timagetos und Apoll. Rhod., bei letzteren irren die A. jetzt nach Libyen) – **Aiaie Nesos**: Entsühnung durch Kirke wegen Mord an Apsyrtos im **Adrias** – Sirenen – Charybdis/Skylla – Planktendurchfahrt mit Hilfe Heras – **Trinakie**/Heliosrinder – **Phaiaken**: Rettung Medeias durch Hochzeit mit Iason durch List Aretes (auf Hister-Insel Peuce bei Val. Fl.) – (libysches Abenteuer bei Apoll. Rhod.) – **Anaphe** – **Kreta**: Bezwingung des Talos (bei Apoll. Rhod. vor Anaphe) – **Aigina – Iolkos**: Tod des Pelias durch List Medeias.

→ Aia; Aietes; Aison; Akastos; Amykos; Apsyrtos; Arete; Argo; Argos; Bebrykes; Charybdis; Euphemos; Harpyiai; Hera; Herakles; Hesione; Hylas; Iason; Kirke; Kolchis; Kyrene; Lemnos; Medeia; Minyer; Neleus; Orpheus; Pelias; Phaiakes; Phineus; Phrixos; Planktai; Polydeukes; Polyphemos; Seirenes; Skylla; Stymphalides; Symplegades; Talos; Trinakie; Triton

1 ULRICH V. WILAMOWITZ-MOELLENDORFF, Hell. Dichtung in der Zeit des Kall. Bd. 2, ²1962, 232–248 **2** RE III A, 666f.

O. JESSEN, s. v. A., RE II, 743–787 • K. MEULI, Odyssee und Argonautika, 1921 ²1974 • A. LESKY, Aia, in: WS 23, 1948, 23–68 • P. DRÄGER, Argo pasimelousa I, 1993 • W. KULLMANN, Homer. Motive, 1993, 125–129 • M. VOJATZI, Frühe Argonautenbilder, 1982.   P. D.

Argoos Limen (Ἀργῷος λιμήν). Hafen auf → Ilva, benannt nach der Rast der → Argonauten (Strab. 5,2,6; Apoll. Rhod. 4,658), h. Portoferraio.   G. U. / S. W.

Argos (Ἄργος). I. MYTHISCHE PERSONEN II. STADT

I. MYTHISCHE PERSONEN
[I 1] Sohn des Zeus und der Niobe, Bruder des Pelasgos (Akusilaos FGrH 2 F 25), Mann der Euadne, Vater u. a. von Epidauros (Hes. fr. 247), oder der Peitho (Pherekydes FGrH 3 F 66). Er folgt Pelasgos als argiv. König nach, gründet die Stadt A. [II 1], die wie die Landschaft nach ihm heißt (Apollod. 2,3). Er soll das erste Getreide aus Libyen eingeführt haben. Er erhält Kult an seinem Grab bei A. (Hdt. 6,78; Paus. 2,22,5 [1]). **[I 2]** Sohn des Arestor (Apoll. Rhod. 1,112) oder des Polybos und der Argeia oder des Phrixos und Chalkiope, der Schwester der Medea. Bildschnitzer und namengebender Erbauer der → Argo, an deren Fahrt er teilnimmt (Apoll. Rhod. 1,226, vgl. 1117; Diod. 4,41,3). **[I 3]** Als Sohn des Phrixos wird er manchmal von [2] unterschieden: Mit seinen Brüdern floh er aus Kolchis nach Orchomenos, erlitt unterwegs Schiffbruch, strandete auf der Insel des Ares, wo die Argonauten sie antrafen; mit ihnen zusammen setzten sie die Rückfahrt fort (Hyg. fab. 3; 14; 21; Apoll. Rhod. 2,1122). **[I 4]** Eponym des stadtröm. → *vicus Argiletum* (Verg. Aen. 8,345), vielleicht Erfindung Vergils. **[I 5]** Wächter der in eine Kuh verwandelten → Io, weil er »allsehend« (πανόπτης) war und drei (Pherekydes FGrH 3 F 66), vier (Aigimios, Hes. fr. 294), hundert oder unzählige Augen hatte. Er kann entweder alle gleichzeitig oder die Hälfte

abwechselnd offen halten. Seine Wachsamkeit wird sprichwörtlich (Plaut. Aul. 555). Hermes schläfert ihn mit einem Flötenlied ein und tötet ihn dann, um Io zu entführen: Dahinter steht eine Deutung des homer. Epithetons ἀργειφόντης. Hera verwandelt den toten A. in einen Pfau oder setzt seine Augen in die Pfauenfedern. Die Genealogien lassen ihn entweder erdgeboren sein (Aischyl. Prom. 567; Akusilaos FGrH 2 F 27) und geben ihm → Arestor (Pherekydes FGrH 3 F 66, → Argos [1]), den Flußgott Inachos (Asklepiades FGrH 12 F 16) oder Argos [1] zum Vater (Apollod. 2,6).

1 G.-P. WOIMANT, s. v. A., LIMC 2.1, 599f.   F.G.

[II 1, Stadt] A. LAGE   B. BAUBESTAND C. GESCHICHTE

A. LAGE
Der Hauptort der ostpeloponnesischen Landschaft → Argolis, A. noch heute. Er liegt in der Ebene etwa 5 km von der Küste entfernt am Ostfuß des steilen Burgbergs der → Larisa (289 m), an den sich nach Nordosten mit dem Sattel Deiras (54 m) [1] die knapp 100 m hohe flache Kuppe Aspis anschließt. A. liegt am Schnittpunkt der Straßen nach → Korinthos und → Arkadia wie auch zu den Häfen im Golf von → Nauplia, die Handel mit den Inseln der Ägäis trieben.

B. BAUBESTAND
Die ant. Reste von A. sind gering, am bedeutendsten das große, in den Fels geschlagene Theater [2] am Südostfuß der Larisa (klass. mit Umbauten röm. Zeit), südl. daneben ein kleineres röm. Odeion über einer Anlage klass. Zeit mit geraden Sitzstufen [3], wohl dem alten Volksversammlungsplatz, 100 m nördl. des Theaters am Abhang der Larisa die von einer polygonalen Stützmauer gehaltene Terrasse des Kriterion mit Brunnenhaus röm. Zeit, zu dem eine Wasserleitung aus der Gegend von Kato-Belesi führte. In der Ebene vor dem Theater steht die Ruine großer röm. Thermen noch 10 m an. Ausgegraben sind Teile der Agora und ihrer Umgebung mit Tempeln, Säulenhallen, Straßen, Häusern, ferner das Heiligtum des → Apollon Pythios oder Deiradiotes am Abhang der Aspis etwas über dem Deiras-Sattel mit mehreren Gebäuden auf vier Terrassen, dazu viele Gräber vor allem an der Aspis und am Südrand der h. Stadt (Paus. 2,19,3). Die Gräber verdeutlichen den bes. auf der Landwirtschaft (mit abhängigen Bauern, den → Gymnetes) beruhenden Reichtum des Adels in archa. Zeit. Auf der Larisa sind außer den myk. Burgmauern unter dem venezianischen Kastell Fundamente der archa. Tempel des → Zeus Larisaios und der → Athena Polias gefunden, von der Stadtmauer Teile bes. an Larisa und Aspis.

C. GESCHICHTE
Die Siedlungsgesch. von A. beginnt mit frühhelladischen Gräbern am Südrand der Stadt, einer zeitweiligen mittelhelladischen Siedlung hier und einer bereits befestigten mittelhelladischen Siedlung auf der Kuppe der Aspis. In myk. Zeit erhob sich auf der Larisa eine

Burg; eine große Nekropole lag am Südabhang der Aspis. Sehr reich sind die Grabfunde geom. Zeit [4] vor allem am Südrand der Stadt. Die Hauptbed. von A. lag in der archa. Zeit, in der der Herrschaftsbereich an die ganze Ostküste der → Parnon-Halbinsel hinab bis einschließlich → Kythera reichte. Die Inbesitznahme der Argolis (Baubeginn des Heraion an der Straße von → Mykenai um 750–725 v.Chr., Zerstörung von → Asine ca. 725–700 v.Chr.) befriedigte die Bedürfnisse der A.: Sie beteiligten sich nicht an der Großen Kolonisation, bemühten sich auch nicht um den Export ihrer Erzeugnisse. Die ehemals führende Stellung von A. drückt sich auch in der bedeutenden Rolle aus, die A. in der griech. Sage spielt. Ein Höhepunkt polit. Macht war unter dem »Tyrannen« → Pheidon erreicht, dessen Leben rätselhaft und umstritten ist: Er soll E. des 7./Anf. des 6.Jh. v.Chr. A. beherrscht und an der Gründung der nemeischen Spiele (→ Nemea) teilgenommen haben. Man schreibt ihm eine Reform des Gewicht- und Maßsystems zu. In frühhistor. und klass. Zeit ging die Machtstellung vor allem in den Kämpfen mit → Sparta zurück; große Teile seines Gebietes verlor A. an Sparta. Der Sieg der A. bei → Hysiai (669 v.Chr.) soll die Spartiaten zur Aufgabe ihrer Gebietsansprüche gebracht haben. Doch verlor A. 546 v.Chr. nach einer Niederlage die Herrschaft über die → Thyreatis. E. des 6.Jh. oder Anf. des 5.Jh. v.Chr. machte A. nach der Niederlage von Sepeia eine große Krise durch, die eine demokratische Öffnung der Stadt zur Folge hatte. Das Königtum hielt sich in A. bis ins 5.Jh. v.Chr. [5], eine demokratische Verfassung [6; 7. 49–141] hatte A. seit etwa 460 v.Chr. Im 5.Jh. v.Chr. wurden die kleineren Orte der argiv. Ebene und Umgebung, soweit sie nicht schon zu A. gehörten, unterworfen und z.T. zerstört wie → Mykenai und → Tiryns, während mit dem Gewinn von → Kleonai auch die Leitung der nemeischen Spiele an A. überging. Während des → Peloponnesischen Kriegs war A. mit → Athenai verbündet (Thuk. 5,47). 392 v.Chr. konnte A. sogar Korinthos nach demokratischer Revolution eingemeinden, mußte aber im Antalkidas-Frieden wieder darauf verzichten. In der Diadochenzeit wechselte A. mehrfach den Herren und stand in der 1. H. des 3. Jhs. v. Chr. unter »Tyrannen« (Liv. 34,26). Seit 229 v.Chr. gehörte es zum Achaiischen Bund (→ Achaioi).

267 und 395 n.Chr. wurde A. von den → Goten schwer verwüstet und größtenteils zerstört, bestand aber durch das ganze MA weiter. A. war die Heimat bedeutender Künstler wie der Bildhauer → Ageladas und → Polykleitos sowie des Dichters und Musikers → Sakadas. Bürgerschaft und Landgebiet waren eingeteilt in Phylen, Phratrien und Demen [8], die z.T. nach Ortschaften benannt waren (Strab. 8,6,7–10; Paus. 2,18–24; 4) [9. 274–293]. Neue Funde: BCH 115, 1991, 667–686; BCH 116, 1992, 673–684.

1 U. BULTRIGHINI, Pausania e le tradizioni democratiche. Argo ed Elide, 1990 2 P. CARLIER, La royauté en Grèce avant Alexandre, 1984 3 P. CHARNEUX, M. PIÉRART, Note sur trois noms de Phratries Argiennes, in: BCH 105, 1981, 611–613 4 P. COURBIN, Tombes géométriques d'A., in: Etudes Péloponnésiennes 7, 1974 5 J. DESHAYES, A. Les fouilles de la Deiras, 1966 6 R. GINOUVÈS, Le Théatron à gradins droits et l'Odéon d'A., in: Études Péloponnésiennes 4, 1972 7 J. C. MORETTI, Théâtres d'A., 1993 8 M. PIÉRART, Phratries et Kômai d'A., in: BCH 108, 1984, 207–227 9 Ders., Á Propos des subdivisions de la population argienne, in: BCH 109, 1985, 345–356 10 D. MUSTI, M. TORELLI, Pausania. Guida della Grecia 2. La Corinzia e l'Argolide, 1986 11 M. WÖRRLE, Unt. zu der polit. Verfassung von A. im 5.Jh. v.Chr., 1964.

P. AUPERT, Pausanias et l'Asclépiéion d'A., in: BCH 111, 1987, 511–517 · P. CHARNEUX, Décrets argiens, in: BCH 114, 1990, 395–415 · Ders., En Relisant les Décrets Argiens, in: BCH 115, 1991, 297–323 · Etudes Argiennes, BCH Suppl. 6, 1980 · T. KELLY, A History of A. to 500 B.C., 1976 · P. MARCHETTI, Recherches sur les mythes et la top. d'A. I: Hermès et Aphrodite, in: BCH 117, 1993, 211–223 · Ders., II: Présentation du site. III: Le téménos de Zeus, in: BCH 118, 1994, 131–160 · M. PIÉRART (Hrsg.), Polydipsion A. A. de la fin des palais mycéniens à la constitution de l'Etat classique, BCH Suppl. 22, 1992. Y.L.

BYZANTINISCHE ZEIT

Erwähnt in der Tab. Peut. VI 5, sowie bei Hierokles 647,4 und Konst. Porph. De them. 90 PERTUSI. Bistum, zu Korinth gehörig, seit 1189 Metropolis [1. 110]; Bischöfe bezeugt bei den Konzilien 449, 451, 680/681, 879, 920 (Petrus) sowie in der Briefserie von 457/458 [2]. 267 und 395 Zerstörungen durch Goten, 586 durch Awaro-Slawen [3]. Grabungen erbrachten zahlreiche Spuren kirchlicher und profaner Bautätigkeit aus spätant. und byz. Zeit (Berichte in BCH bis 116, 1992).

1 A. BON, Le Péloponnèse byzantin jusqu'en 1204, 1951 (Bibliothèque byzantine. Études 1) 2 ACO II 5, 95 f. 3 P. AUBERT, Les slaves à Argos, in: BCH 113, 1989, 417–419 (mit weiteren Hinweisen).

CH. BOURAS, City and Village. Urban Design and Architecture, JÖByz 31, 611–653, hier: 619, 640, 643, 648 · DHGE 4, 1930, 80 f. · LAUFFER, Griechenland, 128–131 · A. VASILIEV, The »Life« of St. Peter of A. and its Historical Significance, Traditio 5, 1947, 163–191. E.W.

Argumentatio. Bezüglich des einzelnen Überzeugungsmittels das sprachlich ausformulierte Argument im Unterschied zu dessen gedanklichem Inhalt, dem *argumentum* (Quint. inst. 5,14,1; Fortun. 2,23). Eine Behauptung zu prüfen, zu stützen, zu verteidigen bzw. anzuklagen haben für Aristot. rhet. 1354a 1–6 → Rhet. und → Dialektik gemeinsam. Geleistet werden sollte das in der Rede durch Überzeugungsmittel (πίστεις: 1354a 13–14; → *probationes*), was in den voraristotelischen rhet. *téchnai* vernachlässigt wurde. Nach Quint. inst. 5, pr. 1 f. sehen dann auch jene Rhetoriker, die die Einwirkung auf die Gefühle (*adfectus*; Cicero: *movere*) und das Bereiten von Vergnügen (*voluptas*; Cic.: *delectare*) unzweifelhaft für Aufgaben des Redners halten, in der Begründung des eigenen parteiischen Standpunktes (*sua confirmare*) und der Widerlegung dessen, was der Gegner vorbringt (*refutare*), also im *docere*, die eigentümliche und wichtigste Aufgabe des Redners, somit in der πίστις/*a*. den zentralen Teil der Rede. Weist man das Begründen und Widerlegen zwei getrennten, aufeinander folgenden Redeteilen zu, wobei das Widerlegen als der schwierigere gilt (Quint. inst. 5,13,2), wird der erste bezeichnet als βεβαίωσις (Aristot. rhet. Alex. 1438b 29), πίστις (rhet. 1414a 35–36, b 7–9), κατασκευή (Quint. inst. 2,4,18), *probatio* (5, pr. 5), *confirmatio* (Cic. inv. 1,34), *a*. (Fortun. 2,19), *firmamentum* für die *firmissima argumentatio* (Cic. inv. 1,19). Das Begründen muß mindestens ein Überzeugungsmittel umfassen. Die Widerlegung des Gegners heißt dann wie der einzelne Gegensyllogismus oder Einwand ἀνασκευή (Quint. inst. 2,4,18), λύσις (Aristot. rhet. 1402a 30), *reprehensio* (Cic. inv. 1,19), *confutatio* (Rhet. ad Her. 1,3,4; 2,2,2), *refutatio* (Quint. inst. 3,9,1).

Aristot. rhet. 1355b 25f. definiert die Rhet. als die Fähigkeit, bei jedem einzelnen das möglicherweise Glaubhaftmachende zu erkennen. Das Prinzip aller *a*. besteht folglich darin, Zweifelhaftes durch Gesichertes glaubhaft zu machen (Quint. inst. 5,10,8). Daraus ergibt sich die fundamentale Schwierigkeit allen Argumentierens: Seine Voraussetzungen sind in der Regel keine wahren, sondern wahr scheinende Sätze, die dem Publikum bzw. Gesprächspartner einleuchten (Aristot. rhet. 1357a 22–29). So müssen zuweilen zuerst die Voraussetzungen eines Arguments glaubhaft gemacht werden (Quint. inst. 5,12,2). Denn einleuchtend ist etwas nur in bezug auf einen bestimmten Gegenstand (Aristot. rhet. 1357a 34–b 1) und für ein bestimmtes Publikum (1395b 31–1396a 3) oder einen bestimmten Gesprächspartner. Deren Denk- und Erlebnisweisen zu kennen ist deshalb eine notwendige Bedingung erfolgreichen Argumentierens. Dazu legten schon Sophisten im 5. Jh. v. Chr. Sammlungen von Topoi (→ Topik) an und befaßten sich mit den Affekten (Quint. inst. 3,1,12). Um mit Enthymemen (Wahrscheinlichkeitsschlüssen) überzeugen zu können, benötigt man ein ausreichendes Sach- und Fachwissen (Aristot. rhet. 1396a 3–6) sowie eine detaillierte Kenntnis des zur Diskussion stehenden Einzelfalls (1396b 1–10); bei der systematischen Suche nach Enthymemen aus dem Einzelfall und deren Auswahl muß man sich an den speziellen Topoi orientieren (18–20). Daneben gibt es allg. Topoi, »Gesichtspunkte«, für die Bildung von Enthymemen (1396b 28–1397a 3): Gewonnen werden sie aus den Werten, von Aristot. rhet. 1360b 1–1365b 20 dargestellt als Mittel des Zu- und Abratens bei der Beratungsrede; den Tugenden und Lastern, die man bes. für Lob und Tadel, aber auch für die Beratung benötigt (1366a 23–1368a 1); den menschlichen Charakteren, Affekten und Verhaltensweisen, die man vor allem für Anklage und Verteidigung kennen muß (1369b 9–1372a 3). Allg. Topoi für beweisende, widerlegende und scheinbare Enthymeme sind schließlich jene abstrakten »Denkschemata« (1397a 1–1402a 28), die zum Teil auch in der Dialektik benützt werden.

Die *a*. ist keine bloße Aneinanderreihung von Enthymemen. Vielmehr müssen die Voraussetzungen der einzelnen Enthymeme anschaulich, einprägsam und präsent gemacht, deren Gedankenstrukturen häufig verdeutlicht, die Enthymeme insgesamt so gestaltet werden, daß die *a*. auch emotional wirkt und ästhetisch befriedigt. Diesem Ziel dienen auch rhet. → Figuren. Zum erfolgreichen Argumentieren gehört es auch, aus den Argumenten situationsgerecht auszuwählen, starke Argumente zur vollen Wirkung zu bringen sowie schwache so miteinander zu verbinden, daß sie sich in ihrer Wirkung gegenseitig stärken, und die Argumente entsprechend ihrer Stärke in der richtigen Reihenfolge anzuordnen (Quint. inst. 5,12).

O. A. Baumhauer, Die sophistische Rhet., 1986 · Lausberg § 348–430 · J. Kopperschmidt, Allg. Rhet., ²1976 · J. Martin, Ant. Rhet., 1974 · Ch. Perelman, L. Olbrechts-Tyteca, Traité de l'argumentation. La nouvelle rhétorique, ³1976.   O. B.

Argumentum. 1. Angabe des Inhalts eines Dramas oder Gedichts (griech. ὑπόθεσις), auch im Sinne »großer Entwurf« (Verg. Aen. 7,791; vgl. Quint. inst. 5,10,9 f.). 2. Innerhalb der Klassifizierung von narrativen Texten nach dem Wahrheitsgehalt steht das *a*. zwischen *fabula* und *historia:* als erfundene, aber der Lebenswirklichkeit entsprechende Erzählung (Cic. inv. 1,27; Rhet. Her. 1,12 f.). In der Spätant. verwischt sich diese scharfe Trennung [1].

3. Aus der Tradition griech. Philos. und Rhet.: »Grund«, »Beweis«, meist zusammen mit *signa* und *exempla* als Teil der → *probatio artificialis* verstanden (Quint. inst. 5,9,1). Bisweilen – gerade in Ciceros *De inventione* – in der Bed. von → *argumentatio* gebraucht (Victorin. inv. 1,29, Rhet. Lat. min., p. 232 H.).
→ Hypothesis

1 C. Lazzarini, Historia / Fabula, in: Materiali e discussioni per l' analisi di testi classici 27, 1984, 117–144.   U. E.

Argynnos (Ἄργυννος). Schöner boiotischer Knabe. In Aulis verliebte sich Agamemnon in ihn und vergaß sein Heer. Als A. im boiotischen Kephisos ertrank, stiftete Agamemnon der Aphrodite Argynnis einen Kult (Phanokles fr. 5 Powell, vgl. Prop. 3,7,22).   F. G.

Argyraspides. »Silberschildler«, ein Elitekorps schwerer maked. Infanterie, zu identifizieren mit den Hypaspisten Alexanders des Gr. Ob der Name schon gegen Ende seiner Herrschaft (frühestens beim Indienzug) gebräuchlich war oder erst unter den Diadochen, ist unklar. Als bes. königstreu geltend wurden sie 318/17 Teil des Heeres des Eumenes; nach dessen durch ihre Untreue mitverschuldetem Ende von Antigonos nach Arachosien gesandt und dann aufgelöst. Später wird eine Einheit der seleukidischen Armee nach ihrem Vorbild so genannt.   L. B.

Argyrologoi nees (ἀργυρολόγοι νῆες). Mit Beginn des Peloponnesischen Krieges entsandten die Athener spezielle Schiffe, um rückständige Tribute (φόροι) oder darüber hinausgehende Abgaben bei den Mitgliedern des Attischen Seebundes einzutreiben. Die Schiffe standen unter dem Kommando von Strategen (Thuk. 2,69,1; 3,19,1; 4,50,1; 4,75,1; Aristoph. Equ. 1070f.; Aristot. Ath. pol. 24,3; Xen. hell. 1,1,8; 1,1,12). Das Wort ἀργυρολογεῖν wird auch sonst für das Eintreiben von Geldern gebraucht (Xen. hell. 4,8,30; Aischin. Ctes. 159).

→ Attischer Seebund

1 S. HORNBLOWER, A Commentary on Thucydides 1, 1991, 354 f.   W.S.

Argyruntum. Stadt am Fuße der Alpes Delmaticae (h. Velebit) an der norddalmatinischen Küste (h. Starigrad-Paklenica, Kroatien), im 3. Jh. v. Chr. zeitweise von den → Iapodes besetzt, aber seit dem 4. Jh. v. Chr. den → Liburni zugeschrieben (Ps.-Skyl. 21). Liburnisches → *oppidum* (Plin. nat. 3,140), setzte sich A. aus eingewanderter und einheimischer Bevölkerung zusammen; wohl unter → Augustus → *municipium* der → *tribus Claudia* (kaum unter Tiberius, obwohl die Stadt unter diesem Stadtmauern und Türme erhielt [1. 2894] (vgl. Ptol. 2,16,3). Über 400 Gräber eines röm. Friedhofes (1. /2. Jh. n. Chr.) wurden freigelegt. Die letzten Münzen datieren aus der Zeit des Diocletian (284–305 n. Chr.), letzte Erwähnung bei Geogr. Rav. 4,22; 5,14 (vgl. Guido 116).

1 A. und J. ŠAŠEL, Inscr. Lat. quae in Jugoslavia inter annos 1940 et 1960 repertae et editae sunt, 1963.

M. ZANINIVIĆ, Antička naselja ispod Velebita = Gli abitati antichi sotto il Velebit, in: Senjski zbornik 8, 1980, 187–196.   M.S.K.

Ariadne (Ἀριάδνη, Etymol. umstritten). Tochter des Minos und der Pasiphaë oder der Krete. A. erscheint schon in der Ilias (18,590 ff.), wo der für sie von Daidalos erbaute Tanzplatz erwähnt wird. In der Odyssee (11,321 ff.) trifft Odysseus sie in der Unterwelt an: Artemis hat sie auf der Insel Dia getötet ›nach dem Zeugnis‹ des Dionyos, als Theseus sie nach Athen wegführte. Bei Hesiod (theog. 947 ff.) ist sie Gattin des Dionysos, die Zeus unsterblich machte; auch daß Theseus sie verließ, ist wohl belegt (Hes. fr. 298 M-W). Beide Traditionen finden sich im kanonischen Bericht (Pherekydes FGrH 3 F 148) vereint, wonach A. sich in Theseus verliebt, der mit den athenischen Opfern für den Minotauros nach Kreta kam, ihm ein Garnknäuel gibt und die Gänge des Labyrinths erklärt. Sie verläßt ihre Heimat und folgt Theseus, der sie auf Dia zurückläßt, wo sie die Gattin des Dionysos wird (Apoll. Rhod. 3,997 ff.; Theokr. 2,44 ff.; Catull. 64,50 ff.; Prop. 1,3,1; Ov. met. 8,169 ff.; Non. Dion. 47,265 ff.). Eine kret. Überlieferung (FGrH 457 F 19 = Hyg. astr. 2,5) setzt die Begegnung zw. Di-

onysos und A. auf Kreta selbst an (Him. or. 9,5), die demnach den Gott wegen eines Sterblichen verlassen hätte, was zur Strafe führte, die in der Odyssee (Eur. Hipp. 399) erwähnt wird. Plutarch (Theseus 20) macht auf die vielen unterschiedlichen Überlieferungen über A.s Abenteuer aufmerksam. A. wird von Theseus bald durch eigenen Entschluß (Schol. Apoll. Rhod. 3,997; Prop. 2,24,43; Hyg. fab. 42), bald wegen göttl. Eingreifens verlassen (Pherekydes FGrH 3 F 148; Diod. 4,61; 5,51,4; Apollod. epit. 1,9; Paus. 10,29,4; Q. Smyrn. 4,386 ff.). Die meisten alten Überlieferungen lassen A. sterben, selbst nach ihrer Hochzeit mit Dionysos, der nur die Erinnerung an seine Gemahlin verewigt habe, indem er ihre Krone unter die Sternen versetzte (Eratosth. Catast. 5 = Hyg. astr. 2,5; Arat. 71–2; Diod. 4,61,4–5; Paus. 10,29,3; Nonn. Dion. 47,265 ff.). Zahlreiche Kinder stammen sowohl aus der Verbindung mit Theseus (Plut. Theseus 20) als auch aus derjenigen mit Dionysos (schol. Apoll. Rhod. 3,997; Hyg. fab. 14; Apollod. epit. 1,9).

Auf Kreta besitzt A. kaum Kulte, auch wenn man oft in ihr die knossische »Herrin des Labyrinths« (Lin. B) gesehen hat. Auf Naxos, dem mythischen Dia, wurde sie als die auf der Insel verstorbene Gattin des Theseus in Trauer, als Gattin des Dionysos in Freude verehrt (Plut. Theseus 20). Dort soll sie auch Oinaros, den Priester des Gottes, geheiratet haben (Plut. a. O.); Reigen von jungen Mädchen scheinen dort die schlafende A. verehrt zu haben (Kall. fr. 67,13–14 PFEIFFER). Auf Zypern, wo eine lokale Tradition ihr Verlassenwerden durch Theseus situiert, wurde sie mit einem seltsamen Kult in einem *álsos* der A.-Aphrodite, in welchem sich ihr Grab befand (Plut. Theseus 20), verehrt. Auf Delos war ein von A. dem Theseus gegebenes *xóanon* dem Apollon geweiht (Paus. 9,40,3–4). In Argos zeigte man ihr Grab im Heiligtum des Dionysos *Krēsios* (Paus. 2,23,7). Eine zweifelhafte Tradition erwähnt Riten für A. in Lokris (Vitae Hom. et Hes. 14 WILAMOWITZ). Schließlich diente vielleicht die Verbindung zw. A. und Dionysos als Kultmythos für die Hochzeit zw. dem Gott und der Basilinna an den athenischen Anthesterien (Aristot. Ath. Pol. 3,5).

Die ältesten gesicherten Darstellungen von A. mit einem Garnknäuel (7. Jh.) verbinden sie mit Theseus und dem Minotauros. Etwas später wird sie mit einer Krone in der Hand dem Theseus mit einer Lyra gegenübergestellt (Paus. 5,19,1). Das ikonographische Motiv ihres Verlassenwerdens und ihrer Heirat mit Dionysos kommt im 5. Jh. auf und wird in der hell. und röm. Epoche häufig dargestellt.

Welchen Urspr. auch immer die schwer auszumachende Figur der A. hat, ihr häufig in Mythen und Riten vorausgesetzter Tod oder »Verschwinden« und ihre Beziehung zu Dionysos ordnet sie Gestalten wie Adonis, Hymenaeus, Hyakinthos zu, die einen verfrühten Tod erleiden und eine problematische Sexualität haben. In der Götterwelt steht sie zugleich Artemis und Aphrodite nahe. Ihr Mythos faßt die Krisen des menschlichen

Daseins zusammen und setzt sie manchmal in Beziehung zu den Lebenszyklen, was die verschiedenen Interpretationen von A. in der Forsch. erklärt.

L. PALLAT, De Fabula Ariadnaea, 1891 · A. M. MARINI, Il mito di Arianna, in: A&R 13, 1932, 60–97, 121–142 · NILSSON, MMR, 523–28 · M.-L. BERNHARD, W. A. DASZEWSKI, s. v. A., LIMC 3, 1050–1070 · F. JUGEIT, s. v. Ariatha, in: LIMC 3, 1070–1077 · C. CALAME, Thésée et l'imaginaire athénien, 1991, 106–120, 198–206, 242–250 · G. CASADIO, Storia del culto di Dioniso in Argolide, 1994, 123–222.   V. P.-D.

Ariaios (Ἀριαῖος). Freund und Truppenführer des jüngeren → Kyros bei Kunaxa (Xen. an. 1,7,5; 9,31; 10,1; oik. 4,18 f.; Plut. Artaxerxes 11) dem die Griechen nach Kyros' Tod die persische Krone anboten; A. lehnte ab (Xen. an. 2,2,1). Kurz nach der Gefangennahme der griech. Feldherren befand er sich schon an → Tissaphernes' Seite und war diesem vielleicht in seinem Komplott gegen Artaxerxes II. behilflich (Xen. an. 2,5,35). 395 v. Chr. war A. Satrap von Phrygien und am Mord an Tissaphernes beteiligt (Diod. 14,80,6–8; Polyain. 7,16,1; Hell. Oxyrh. 13,19,39).

S. HIRSCH, The Friendship of the Barbarians, 1985 · A. S. SHAHBAZI, s. v. Ariaeus, EncIr 2, 405–406.   A. KU.

Ariamazes. Herr einer Felsenfestung in → Sogdiane, wohin 327 v. Chr. viele Sogdier vor → Alexandros [4] d. Gr. flohen. Sie schien so uneinnehmbar, daß A. gesagt haben soll, nur Soldaten mit Flügeln könnten sie erobern. Einer kleinen Einheit geübter Kletterer gelang es aber, den Gipfel über den Befestigungen zu ersteigen. Darauf ergab sich A. bedingungslos; er wurde hingerichtet. Unter den Geflohenen, die in Alexandros' Hände fielen, war auch → Roxane.

BERVE 2, Nr. 113.   E. B.

Arianismus. A. DEFINITION   B. HAUPTGESTALTUNGSFORMEN   C. JÜNGSTE FORSCHUNG

A. DEFINITION

Polemischer Sammelbegriff, geprägt von der sich in den trinitarischen Auseinandersetzungen des 4. Jhs. n. Chr. (ca. 318–381 [2]) durchsetzenden Orthodoxie, für die in vielfältigen Schattierungen existierende theologische und kirchenpolit. Gegenpartei. Bei differenzierter Handhabung heute insbes. für → Areios selbst samt Umfeld und für den Neo-Arianismus weiterhin brauchbar. Hauptmerkmal ist eine klar gestufte Hypostasen-Trinität, in der die zweite (Logos bzw. Sohn) und dritte (Hl. Geist) Hypostase, obwohl Gott genannt, von der eigentlichen Gottheit ausgeschlossen sind.

B. HAUPTGESTALTUNGSFORMEN

1. Areios und Syllukianisten 318 – ca. 337 (bes. Eusebios von Nikomedien): der allein unabgeleitete, ewige Vater-Gott schafft bzw. zeugt (Terminologie schwankend) vor allen Zeiten, nicht als Teil seines Wesens, aber in voller Gleichheit mit dem Vater, aus dem Nichts den Sohn bzw. Logos (Wahrung der Aseität und Apathie Gottes); verurteilt auf dem 1. ökumenischen Konzil von Nikaia (325; Sohn im Nizänum ὁμοούσιος τῷ πατρί; noch vieldeutig). 2. Origenisten während der Regierung der Konstantinsöhne (ab 337) und insbes. der Alleinherrschaft des Constantius II. (351/3–361), die sich in Homöer (Valens von Mursa, Ursacius von Singidunum, Akakios von Kaisareia; Sohn ist dem Vater ὅμοιος κατὰ τὰς γραφάς; nur mit Zurückhaltung »Arianer« zu nennen) und Homöusianer (Basilios von Ankyra, Eustathios von Sebaste, Georgios von Laodikeia; früher fälschlich »Semiarianer« genannt; Sohn ist ὅμοιος κατ' οὐσίαν) spalteten. Letztere verschmolzen mit den Homousianern zur jungnizänischen Orthodoxie. 3. Die Neo-Arianer, Aetios und Eunomios von Cyzicus († 392/5), seit etwa 356/7 bes. aktiv, dialektisch argumentierend, aber keine Aristoteliker, sondern Neuplatoniker (das Wesen Gottes ist Ungezeugtheit; der Sohn ist ἀνόμοιος τῇ οὐσίᾳ τῷ πατρί), unterscheiden sich von Areios darin, daß Gott als menschlicher Erkenntnis zugänglich gedacht wird. 4. Die Pneumatomachen, d. h. Leugner der Gottheit des Hl. Geistes, aus den Homoiusianern hervorgegangen und ca. zwischen 362–381 aktiv. 5. Nach 381 Niedergang im Osten. Im Westen Übergang in die »germanischen« Nationalkirchen.

C. JÜNGSTE FORSCHUNG

Neueste Erkenntnisse gewinnen dem Arianismus »religiöse«, d. h. soteriologische Aspekte ab, die bisher als Stärke der Orthodoxie galten. Ferner wird die »origenistische Mitte« in ihrer Äquidistanz zu Arianern und Altnizänern neu wahrgenommen. Neue Quellen sind in Auswertung (z. B. Psalmenkommtar des Asterios und Hiobkommentar des Julian). Schließlich werden die arianischen Kirchentümer Gegenstand religionssoziologischer Studien.

→ Apostolische Konstitutionen; Areios; Asterios (2); Eunomios von Cyzicus; Eusebios von Nikomedien; Eustathios von Sebaste; Georgios von Laodikaia; Constantius II.; Lukian von Antiochien; Platonismus; Pneumatomachen

M. R. BARNES, D. H. WILLIAMS (Hrsg.), Arianism after Arius, 1993 · T. BÖHM, Die Christologie des Arius, 1991 · Ders., Die Thalia des Arius..., VigChr 46, 1992, 334–355 · H. C. BRENNECKE, Studien zur Gesch. der Homöer, in: BhTh 73, 1988 · P. BRUNS, Arius hellenizans?..., in: ZKG 101, 1990, 21–57 · R. C. GREGG, D. E. GROH, Early Arianism, 1981 · R. C. GREGG (Hrsg.), Arianism, 1985 · C. HAAS, The Arians of Alexandria, in: VigChr 47, 1993, 234–245 · R. P. C. HANSON, The Search for the Christian Doctrine of God, The Arian Controversy 318–381, 1987 · C. KANNENGIESSER, Arius and the Arians, in: ThSt 44, 1983, 456–475 · T. A. KOPECEK, A History of Neo-Arianism, Bde. 1/2, 1979 · W. A. LOEHR, Die Entstehung der homöischen und homöusianischen Kirchenparteien, Diss. 1986 · F. LOOFS, Art. A. RE 2, 6–45 · R. LORENZ, Arius judaizans?, 1979 (Quellenzusammenstellung) · K. METZLER, Ein Beitrag zur Rekonstruktion der »Thalia«

des Arius, in: Ariana und Athanasiana, hrsg. von ders. und F. SIMON, 1991, 11–45 · A. M. RITTER, Art. A., TRE 3, 692–719 (Quellenangaben) · E. SCHWARTZ, Gesammelte Schriften Bd. 3, 1959 · K.-H. UTHEMANN, Die Sprache der Theologie nach Eunomius von Cyzicus, in: ZKG 104, 1993, 143–175 · R. WILLIAMS, Arius, 1987.   K. SE.

Ariapeithes (Ἀριαπείθης). König der Skythen, 1. H. des 5. Jhs. v. Chr., ermordet vom Agathyrsenkönig Spargapeithes. Aus 3 Ehen des A. gingen 3 Söhne hervor: Mit der Tochter des thrak. Herrschers Teres → Oktamasades, mit einer Griechin aus Histria → Skyles und mit der Skythin Opoia Orikos. Thymnes, der Vertraute des A., war mündliche Quelle für Herodot (Hdt. 4,76–80).

J. R. GARDINER-GARDEN, Dareios' Scythian Expedition and its Aftermath, in: Klio 69, 1987, 326–350, 345–349.   U. P.

Ariaramnes (Ἀριαράμνης, apers. Ariyāramna). Persischer König, Sohn des Teispes und Enkel des → Achaimenes; Dareios I. nennt ihn in der Behistun-Inschr. [1. 116,5] seinen Urgroßvater. Die Echtheit einer zu Hamadan gefundenen Inschr., worin A. sich ›Großkönig‹ und ›König der Könige‹ nennt [1. AmH], ist umstritten; falls eine Fälschung, datiert sie wahrscheinlich aus der Zeit Artaxerxes II.
→ Achaimenidai; Dareios I.; Teispes

1 R. G. KENT, Old Persian, 1953.

J. BALCER, Prosopographical Study of the Ancient Persians, 1993, 64–65 · P. LECOQ, L'écriture cunéiforme vieuxperse, in: Acta Iranica 3, 1974, 25–107, bes. 48–52.   A. KU. u. H. .S.-W.

Ariarath(e)ia (Ἀριαράθεια). Stadt in → Kappadokia, Strategie Sargarausene, h. Pınarbaşı (früher Aziziye), von Ariarathes IV. gegründet. Als Suffraganbistum seit 431 n. Chr. belegt. Unter Constantinus zur → Armenia Minor geschlagen.

F. HILD, M. RESTLE, Kappadokien (TIB 2), 1981, 151 · G. HIRSCHFELD, s. v. A., RE 2, 815.   K. ST.

Ariaspai. Durch den Alexanderzug (→ Alexandros [4]) bekannter Stamm in der Hilmend-Ebene (Arr. an. 3,27,4). Grabungen brachten eisenzeitliche Siedlungen mit Tempeln des Feuerkultes zutage, so in Dahan-i Ghulaman, evtl. das alte *Zarina drangiana*. Wahrscheinlich waren sie mit den Εὐεργέται bei Arr. 4,6,6 und Diod. 18,81 identisch.

U. Scerrato, Evidence of religious life at Dahan-e Ghalaman, Sistan, in: South Asian Archaeology 1977, 1979, 709–733.   B. B.

Aricia. Alte, bedeutende Stadt in → Latium (Plin. nat. 3,63; Dion. Hal. ant. 5,61) am 16. Meilenstein der → *via*

Appia auf dem → *mons Albanus*, h. Ariccia. (Tab. Peut. 6,1). 338 v. Chr. von den Römern unterworfen, wurde A. → *municipium* der → *tribus Horatia*. Viele arch. Zeugnisse: Stadtmauer, Alae-Tempel aus republikanischer Zeit, → Thermen. In der Nähe befindet sich ein aus Quadersteinen erbauter Viadukt (231 m). Hier befand sich auch ein Tempel der → Diana Nemorense (Ausgrabungen) im *nemus Aricinus* am Ufer des *lacus Nemorensis* (*speculum Dianae*; h. Lago di Nemi).
→ alae [1]

G. GHINI, La ripresa delle indagini al Santuario di Diana a Nemi, in: Quaderni di Archeologia etrusco-italica 21, 1993, 277–289 · L. RICHARDSON jr., s. v. A., PE, 92 f. S. Q. G. / R. P. L.

Arier. Als A. (vgl. altind. árya-, iran. *arya-; Etymologie umstritten) bezeichneten sich die Völkerschaften Altindiens und Altirans, die »arische« Sprachen sprachen. Im 19. Jh. wurden die bis dahin rein sprachwiss. Begriffe A./»arisch« zeitweilig synonym mit »Indogermanen«/»indogermanisch« benutzt und fanden so Eingang in die Anthropologie und Rassenkunde, die sie in der NS-Zeit in antisemit. Tendenz zum positiven Pendant von »Juden«/»jüdisch« pervertierte.

Sprach- und rel.-histor. Gründe sprechen dafür, in den A. eine urspr. einheitliche (nomadisierende) Ethnie (mit Zentralasien als »Heimat«) zu sehen, die sich spätestens zu Beginn des 2. Jt. v. Chr. in Indo-A. und Iraner aufspaltete.

Indoarische Gruppen spielten eine Rolle im hurrit. Mittan(n)i-Reich in Obermesopotamien im 17./16. Jh., wo sich ihr Einfluß vor allem in Herrscher- und Götternamen sowie Fachtermini der Pferdehaltung widerspiegelt. Vermutlich um die Mitte des 2. Jt. wanderten Indo-A. in mehreren Schüben nach Nordwest- Indien ein und setzten sich auf dem Subkontinent im Kampf gegen die nicht-idg. Vorbevölkerung, die Dāsa (oder Dasyu) der vedischen Texte, durch. Die Einwanderung iran. »Stämme« in das iran. Hochland scheint spätestens zum Ende des 2. Jt. erfolgt zu sein. Zahlreiche Begriffe bzw. Einrichtungen des polit., rel., sozialen und wirtschaftlichen Lebens, die Indo-A. und Iranern gemeinsam sind, sind protoarisches Erbe; Indo-A. und Iraner verband zudem eine bes. Vorliebe für mündlich tradierte und von Sängern vorgetragene, vor allem rel.- myth. bestimmte Dichtung. In Iran kam es in frühsasanidischer Zeit zur Ausbildung einer spezifischen polit., rel. und ethnischen Vorstellung von Iran als »Reich der A.« (Ērānšahr).

A. KAMMENHUBER, Die A. im Vorderen Orient, 1968 · M. MAYRHOFER, in: Investigationes philologicae et comparativae. GS Kronasser, 1982, 72–90 · R. SCHMITT, s. v. Aryans, EncIr 2, 1987, 684–687 · G. GNOLI, The Idea of Iran, 1989.   J. W.

Aries [1] s. Schaf

Aries [2] s. Poliorketik

Aries [3] s. Sternbilder

Arikamedu (Virapatnam). Dorf und arch. Stätte an der Ostküste Südindiens, im Süden von Pondicherry, Podouke des peripl. m. r. und Ptol.; A. hat sowohl eine Chronologie für südindische Arch. als auch die erste arch. Evidenz für den röm.-indischen Handel erbracht [1]. Röm. Münzen sowie Amphoren [2. 151ff.] und Terra sigillata [2. 134ff.] aus der 1. Hälfte des 1.Jh.

1 J.M.CASAL, G.CASAL, Fouilles de Virapatnam-A.: rapport de l'Inde et de l'occident aux environs de l'ère chrétienne, 1949 2 V.BEGLEY, R.D.DE PUMA (Hrsg.), Rome and India. The Ancient Sea Trade, 1991.

V.BEGLEY, A. Reconsidered, in: AJA 87, 1983, 461–481.   K.K.

Arimaspoi (Ἀριμασποί). Mythisches Volk Einäugiger im hohen Norden, jenseits der Issedones und diesseits des Landes der Greifen, deren Gold es nach dem Epos von → Aristeas von Prokonnesos angeblich wiederholt entwendete (Hdt. 3,116; 4,13; 27). Der früheste ikonograph. Beleg ist der Spiegel von Kelermes, ca. 570 v.Chr. [1. 260 Taf. 303]. Im Gegensatz zu älteren Interpretationen [2. 112–6] wird die Gesch. h. als Bestandteil einer anspruchsvollen Darstellung des Fremden – mit der griech. Lebenswelt als Bezugspunkt – verstanden.
→ Skythai; Aristeas von Prokonnesos; Issedones

1 J.BOARDMAN, The Greeks Overseas, ²1980
2 E.MINNS, Scythians and Greeks in South Russia, 1913.

J.D.P.BOLTON, Aristeas of Proconnessus, 1962 ·
F.HARTOG, Le Miroir d'Hérodote, 1980.   R.G.

Ariminum. Stadt der → Umbri in der Emilia rechts der Ariminus-Mündung (Hafenkanal), h. Rimini. Arch. Reste aus der → Villanova-Kultur und der → Kelten, att. Keramik. Seit 268 v.Chr. *colonia Latina* (6000 Kolonisten; Vell. 1,14,6; Eutr.2,16); strategischer Vorposten in der → Gallia Cisalpina (Pol. 3,61,11; Strab. 5,2,9), seit 220 v.Chr. mit Rom über die → *via Flaminia* verbunden. Keramikverarbeitung seit der Gründung. Seit 43 v.Chr. *colonia civium Romanorum* (App. civ. 4,3), später *Augusta*. Rechtwinklige Anlage mit → *cardo,* → *decumanus maximus* und → *forum* an deren Schnittpunkt; ungleichmäßiger Mauerverlauf (z.Z. des → Aurelianus [4] vergrößert, mit Amphitheater). Die *via Flaminia* führte durch ein monumentales Tor von Osten her in die Stadt (Augustusbogen, 27 v.Chr.); die *via Aemilia* führte aus dem westl. Tor hinaus, überquerte die Marecchia über die Brücke des Augustus und Tiberius. Theater westl. des Forums. Amphitheater (118 × 88 m, Arena 73 × 44 m; Backstein) aus der Zeit des → Hadrianus. Kaiserzeitliche Häuser mit Mosaiken.

R.CHEVALLIER, Contribution à l'histoire des antiquités de Rimini, in: Studi Romagnoli 20, 1969, 481–97 ·
A.DONATI, Rimini antica, 1981 · Dies., Analisi di Rimini antica, 1981.   G.U./S.W.

Ariminus. Fluß in → Umbria (Strab. 5,1,11), mündet bei → Ariminum in die Adria, h. Marecchia.   G.U./S.W.

Arimnestos. Etr. König, der laut → Pausanias (5,12,5) als erster Fremder ein Weihgeschenk nach Olympia weihte: einen Thron, der im Zeustempel aufgestellt war. Vgl. dazu als älteste fremde Weihung in Delphi den Thron des Phrygerkönigs Midas.

M. CRISTOFANI (Hrsg.), Dizionario della civiltà etrusca, 1985.   F.PR.

Arintheus. Flavius A., evtl. ein Gote, war ein hoher Militär christl. Glaubens. Er zeichnete sich 355 n.Chr. als stellvertretender Kommandeur einer Palastschola im Alamannenkrieg Constantius' II. aus (Amm. 15,4,10). Im Perserkrieg von 363 führte er als *comes rei militaris* die Reiterei des linken Flügels (Amm. 24,1,2). Nach dem Tod Iulianus' trat er für die Wahl eines christl. Kaisers ein (Amm. 25,5,2). Er befürwortete die Wahl Valentinians I. (Philostorg. hist. eccl. 8,8). Als *magister peditum praesentalis* (366–378) hatte er an fast allen Kriegen des Valens maßgeblichen Anteil (Amm. 26 und 27). 372 war er Konsul. Bei seinem Tode (wohl 378) empfing der mit Basilius d. Gr. befreundete A. die Taufe (Basil. epist. 269).   W.P.

Ariobarzanes (Ἀριοβαρζάνης, apers. *Ariyabrdana). [1]** 407 v.Chr. Unterstatthalter unter → Pharnabazos, Satrap von Daskyleion, und vielleicht dessen ältester Sohn (Xen. hell. 1,4,7) [1]; Gastfreund des Spartaners → Antalkidas (Xen. hell. 5,1,28). 387 v.Chr. Nachfolger des Pharnabazos als Satrap am Propontis [1]. 368 v.Chr. gelang es A. durch seinen Vertrauten → Philiskos, sich des Beistandes Athens und Spartas zu versichern (Xen. hell. 7,1,27), den er tatsächlich während seiner Revolte gegen Artaxerxes II. erhielt (367 v.Chr.). Zum Dank überließ er Athen Sestos und Krithote; zusammen mit seinen Söhnen erhielt er das att. Bürgerrecht (Demosth. or. 23,141.202). Im Verlauf der Unruhen in Kleinasien [3] wurde er von seinem Sohn Mithridates verraten und gekreuzigt (Xen. Kyr. 8,8,4). **[2]** Sohn des Artabazos [4], persischer Heerführer in der Schlacht bei → Gaugamela (Arr. an. 3,18,2; Curt. 5,4,23–24); Satrap der Persis [1], die er gegen Alexander hartnäckig verteidigte [3].
→ Artaxerxes II.; Antalkidas; Daskyleion; Pharnabazos; Propontis; Satrapie

1 T.PETIT, Satrapes et satrapies dans l'empire achéménide, 1990, 212f. 2 M.WEISKOPF, The so-called »Great Satraps' Revolt«, 366–360 B.C., 1989 3 A.B.BOSWORTH, A Historical Commentary on Arrian's History of Alexander I, 1980, 325, 351.

A.S.SHAHBAZI, s.v.A., EncIr 2, 406–408.   A.KU.u.H.S.-W.

[3] Philorhomaios. Kappadokischer Adliger, der nach dem Aussterben des dortigen Herrscherhauses 96/95 v.Chr. zum König gewählt wurde. In den mithradati-

schen Wirren wurde er mindestens sechsmal von
→ Mithradates Eupator, bzw. dessen Verbündeten vertrieben. Als Bundesgenosse der Römer erhielt er 65/64
die armen. Landschaften Sophene und Gordyene sowie
die kilikischen Städte Kastabala und Kybistra. 63/62
dankte er zugunsten seines Sohnes ab. [4] II. Philopator,
Sohn und Nachfolger des Vorigen, fiel 52/51 einem
Mordkomplott zum Opfer. [5] III. Eusebes Philorhomaios, Sohn und Nachfolger des Vorigen. Er überstand
51 eine Verschwörung des Priesterfürsten → Archelaos
[6] sowie später seine Parteinahme für Pompeius gegen
Caesar, der ihm sogar einen Teil Klein-Armeniens
überließ. Der Caesar-Mörder Cassius ließ ihn ca. 42 beseitigen.

P. LECOQ, s. v. A. 3–5, EncIr 2, 408–9 • B. NIESE, s. v. A. 5–7,
RE 2, 833–835.   M. SCH.

[6] Sohn und Nachfolger → Mithradates' I. von Pontos,
regierte ca. 265–255 v. Chr. [7] I. von Atropatene, König seit ca. 65 v. Chr. [8] II., Enkel des Vorigen. Von
→ Augustus ca. 20 v. Chr. zum König von Atropatene
eingesetzt und einige Jahre später durch parthischen
Einfluß entthront, wurde er vom Kaiser kurz nach der
Zeitwende zum König von Armenien gemacht, starb
aber bald darauf.

E. MEYER, s. v. A. 4a–c, RE Suppl. 1, 129–30 •
M. SCHOTTKY, Gibt es Mz. atropatenischer Könige?, in:
AMI 23, 1990, 211–227, 212 • Ders., Parther, Meder und
Hyrtzanier, in: AMI 24, 1991, 61–134, 67 ff.   M. SCH.

Arion (Ἀρίων). Lyrischer Dichter aus Methymna auf
Lesbos. Nach Aussage der Suda lag seine *akmē* in Ol. 38
(628–624 v. Chr.), und es wird dort auch gesagt, er sei
ein Schüler des → Alkman gewesen. Hdt. 1,23 berichtet, er sei der erste gewesen, der einen → Dithyrambos
komponiert, ihm einen Namen gegeben und ihn in Korinth zur Aufführung gebracht habe. Die Notiz in der
Suda spricht ihm das Verdienst zu, er habe als erster ›einen Chor zusammengestellt, einen Dithyrambos gesungen und dem, was der Chor sang, einen Namen gegeben, und als erster Satyrn Verse sprechen lassen‹. Auch
andere Quellen nennen ihn als den Begründer des Dithyrambos (Schol. Pind. O. 13,25; Schol. Aristoph. Av.
1403, wo Hellanikos und Dikaiarchos als Quellen angeführt werden und A. ein κυκλιοδιδάσκαλον genannt
wird). Er war für die Entwicklung dieser Gattung von
Bedeutung. Da Archilochos sagt, er führe den Dithyrambos an (1,120 IEG), kann dieser nicht mit A. seinen
Anfang genommen haben. Aber A. war es vermutlich,
der daraus eine feste Form der Dichtkunst machte. Die
zusätzliche Bemerkung der Suda im Vergleich mit
Herodot legt auch nahe, daß A. eine Rolle bei der Entwicklung der Tragödie gespielt hat, was durch Iohannes
Diakonos bestätigt wird: seiner Aussage nach hat Solon
in seinen Elegien behauptet, daß A. als erster Dramen
zur Aufführung gebracht habe (2,30a IEG). Es ist unklar,
ob die Aufzählung der Verdienste des A. in der Suda sich

auf eine einzige Sache oder auf verschiedene Leistungen
bezieht. Wenn sie die Beschreibung einer einzigen Errungenschaft ist [1. 38–40; 2], dann hätte A. seine kyklischen Chöre (daher die Bezeichnung der Suda als
Κυκλέως υἱός) von ihm selbst komponierte Dichtungen
singen lassen, deren Themen und Titel von ihm stammten, für die er aber gleichzeitig die alte Bezeichnung
»Dithyrambos« verwendete, und er hätte dann die
Satyrn, die zur Begleitung des Dionysos gehörten, als
Tänzer eingeführt. Die Angabe, sie hätten ›Verse gesprochen‹, ist ungenau – der Chor kann nicht gesprochen und gleichzeitig eine zunehmend wichtige Rolle
beim Gesang gespielt haben. Eine solche Hypothese
bringt unsere Quellen weitgehend in Einklang und
stimmt auch mit der Angabe des Aristoteles überein, der
in poet. 4,1449a den Ursprung der Tragödie mit dem
Dithyrambos und dem Satyrspiel in Verbindung bringt.
Herodot sagt von A., er habe den größeren Teil seines
Lebens am Hofe des Periander von Korinth verbracht:
Als er nach einer Reise in Italien und Sizilien von Tarent
aus dorthin zurückkehren wollte, beraubten ihn die korinth. Seeleute und zwangen ihn, ins Meer zu springen;
sie erlaubten ihm aber, ein Abschiedskonzert zu singen,
und er sang zu seiner eigenen Begleitung auf der Kithara
den ὄρθιος νόμος (der → Terpandros zugeschrieben
wird). Ein Delphin rettete ihn und trug ihn ans sichere
Land; auf diese Weise überlebte er und konnte die Seeleute bei ihrer Rückkehr vor Periander überführen. In
Tainaron weihte er eine Bronzefigur. Ailian überliefert
die Inschrift [3. 499] sowie den Dankeshymnos an Poseidon (939 PMG). Beide sind wahrscheinlich hell. Ursprungs. Darstellungen des A. gab es auf Münzen aus
Methymna und auf Mosaiken [4. 602–603].

1 A. LESKY, Die trag. Dichtung der Hellenen, ³1972
2 PICKARD-CAMBRIDGE / WEBSTER, 97–101 3 FGE
4 H. A. CAHN in: LIMC II.1, 1984.   E. R. / A. WI.

Ariovistus. König eines german. Volkes. Plin. nat.
2,170 nennt ihn (ohne daß der Name A. explizit fällt) *rex
Sueborum*, Mela 3,45 *rex Botorum* (= Nep. F 29), Caes.
Gall. 1,31,10 bzw. Front. strat. 2,1,16 *rex Germanorum*
und Liv. per. 104 *dux*. Die röm. Bezeichnungen sind
unbestimmt (der Begriff Sueben war nur Sammelbezeichnung für rechtsrheinische Germanenstämme,
die Boti sind unbekannt), vielleicht war A. Fürst der im
Elsaß bzw. der Pfalz anzusiedelnden Triboker [2. 510:
Tribocorum statt Botorum]. Unsere Kenntnisse beruhen fast ausschließlich auf dem Bericht Caesars (Gall.
1,30–54), einige wenige Ergänzungen dazu finden sich
bei Flor. 1,45,9–13, Cass. Dio 38,34–50, und Oros.
6,7,6–10. Diesen Quellen liegt wohl das verlorene 104.
Buch des Livius zugrunde, das hier wiederum auf Caesar
fußt. Substantiell Neues bieten diese Berichte also nicht
(die Vermutung, Cass. Dio beruhe auf Asinius Pollio
[3. 28], bleibt Spekulation), verraten aber, daß Caesars
Sicht schon der Ant. korrekturbedürftig erschien. Caesars Darstellung ist durch die polit. Absichten gefiltert,

hinter dem Ariovistus, der dem Leser dort entgegentritt, ist der histor. nur in Umrissen zu erkennen. Die Schilderung des Königs (durch den Mund des → Diviticiacus) als *superbus, crudelis, barbarus, temerarius, iracundus* entspricht herkömmlicher Barbaren- bzw. Germanentopik [1. 8 ff.]. Um seine Ziele zu verdeutlichen, greift Caesar so häufig wie in keinem anderen Abschnitt der Commentarii zum Mittel der indirekten Rede. Die Informationen werden auf das begrenzt, was der Autor für das Verständnis seiner Politik als unbedingt notwendig erachtet. Der Aufbau ähnelt stark dem im *bellum Helveticum* (Gall. 1–29) verwendeten Schema: 1. Vorgeschichte (Helv.: 2–5; Ariov. 30–31). 2. Interventionsbegründung (H.: 6–11; A.: 32–33) 3. Verhandlungen (H.: 13–14; A.: 34–36, 42–46) 4. Schlacht und Sieg (H.: 15–29; A.: 47–54). A. kam ca. 72/71 v. Chr. in linksrheinisches Gebiet (Gall. 1,36,7). Laut Caesars zu hoch gegriffenen Angaben führte er zunächst 15 000 Germanen über den Rhein, später erhöhte sich die Zahl auf 120 000, die Ankunft von 24 000 Haruden stand 58 bevor (1,31). A. kontrollierte ein Drittel des Gebietes der Sequaner, die ihn als Söldner gedungen hatten, ein zweites forderte er. Basis seiner Macht war der zusammen mit den Sequanern im J. 61 bei Magetobriga errungene Sieg über die → Haedui. Falls sich Plin. nat. 2,170 auf A. bezieht, trat dieser wohl schon 62 mit Rom in Kontakt, auf Empfehlung des Consuls Caesar machte ihn der Senat 59 zum *amicus populi Romani*. Nach dem Sieg über die Helvetier im Sommer 58 stand A. jedoch der weiteren Ausdehnung röm. Macht ins östl. Gallien im Weg, und Caesar änderte seine Politik. Zwar bot er A. Verhandlungen an, doch zeigen seine Forderungen, die auf eine Revision der Grundlage des im Jahr zuvor geschlossenen Freundschaftsvertrages hinausliefen, daß er nicht an eine gütliche Einigung dachte. Caesar besetzte zunächst Vesontio (Besançon), das er von A. gefährdet wähnte, und stieß von dort ins Oberelsaß vor. Etwa Mitte September 58 kam es nach neuerlichen ergebnislosen Verhandlungen, vielleicht in der Gegend von Mülhausen, zu mehrtägigen Gefechten, in denen die numerisch unterlegenen Truppen A.' besiegt wurden. A. konnte über den Rhein entkommen. Beide Frauen des Königs sowie eine Tochter wurden auf der Flucht getötet. A. selbst starb vor dem Jahre 54 (Gall. 5,29,3). Die Formulierung Caesars (aus einer Rede des Titurius), ›die Germanen seien über den Tod des A. erbittert‹, suggeriert, A. habe größere Ziele verfolgt. Auf weitergestreckte Pläne läßt auch die Ehe mit der Schwester des Norikerkönigs Voccio schließen, doch bleiben sie unklar.

→ Caesar; Germanen

1 J. JÜTHNER, Hellenen und Barbaren, 1923   2 L. SCHMIDT, A., in: Hermes 42, 1907 509 f.   3 G. WALSER, Caesar und die Germanen, 1956.

H. CALLIES, A., RGA 1, 407 f. · K. CHRIST, Caesar und A., in: Chiron 4, 1974, 251–292 · H. DILLER, Caesar und A., in: Hum. Gymn. 46, 1935, 189–202 · E. KÖSTERMANN, Caesar und A., in: Klio 33, 1940, 308–334 · J. SZIDAT, Caesars diplomatische Tätigkeit im Gallischen Krieg, 1970.   W. W.

Ariphron. Aus Sikyon, Chorlyriker (Aufführung in Athen: 406/398 v. Chr.: IG II² 3092). Verf. eines bis in die Kaiserzeit vielerorts berühmten → Paians an → Hygieia. Das in → Daktyloepitriten komponierte Gedicht bittet die zur Gottheit personifizierte (noch nicht mit Apollon/Asklepios genealogisch verbundene) »Gesundheit« um Zuwendung. Es gehört wohl in den Kontext des Asklepioskultes von Epidauros und Athen [3]. Von der Forschung fälschlich mit → Likymnios verbunden [1; 2].

→ Chorlyrik

1 K. KEYSSNER, PhW 53, 1933, 1289–1296   2 U. V. WILAMOWITZ-MOELLENDORFF, Griech. Verskunst, 1921, 494 f.   3 WILAMOWITZ 2, ²1955, 221 f.

ED.: PMG 813 · L. KÄPPEL, Paian, 1992, 368 f.
ÜBERS.: Greek Lyric V, ed. & tr. D. A. CAMPBELL, 1993, 134–137.   L. K.

Aristagoras (Ἀρισταγόρας, ion. Ἀρισταγόρης). **[1]** Tyrann von Kyzikos, bei Hdt. 4,138 erwähnt, weil er mit einem Flottenkontingent den Perserkönig → Dareios beim Feldzug gegen die Skythen ca. 513 v. Chr. unterstützte [1. 87, 569].

[2] Sohn des Herakleides, Tyrann von Kyme, von Herodot (4,138) neben A. [1] als bedeutend in der Aiolis genannt; er war vor Ausbruch des Ion. Aufstands 499 v. Chr. an der Expedition gegen Naxos beteiligt, wurde dann auf Veranlassung von A. [3] festgesetzt, aber von den Kymaiern entlassen (Hdt. 5,36–38) [1. 91, 572].

[3] Molpagoras' Sohn, Tyrann von Milet. Während Dareios seinen Vetter und Schwiegervater → Histiaios in Susa festhielt (Hdt. 5,30,2), »vertrat« er ihn (ἐπίτροπος, l.c.; 106,1) in Milet. A. ist nach Herodot die treibende Kraft bei der schließlich mißglückten Expedition gegen Naxos (5,30–34) und – möglicherweise neben Histiaios – beim Ion. Aufstand (Hdt. 5,35–38). Sein Motiv ist persönlicher Ehrgeiz, auch wenn er nicht nur die Tyrannen der anderen ion. Städte vertrieb, sondern auch selbst formell der Tyrannis in Milet entsagte. Unterstützung durch Sparta gewann er nicht (Hdt. 5,49–54), aber durch Athen und Eretria (5,97; 99). Während die Perser Ionien zurückeroberten, führte A. 497 v. Chr., nach Herodot fluchtartig und zur Erleichterung der Milesier, Kolonisten nach → Myrkinos in Thrakien; dort fiel er alsbald gegen die thrak. → Edones (Hdt. 5,124; 126; 6,1; 5; Thuk. 4,102,2–3; Diod. 12,68,1–2). A. repräsentiert wie A. [1] und A. [2] am Ende der älteren Tyrannis den Typ des von den Persern gestützten Vasallen (δοῦλος, Xerxes bei Hdt. 7,8,3), deren Zeit mit dem Ion. Aufstand endete. [1. 86, 103–104, 569, 579–581].

1 H. BERVE, Die Tyrannis, 1967.   J. CO.

[4] Dichter der Alten Komödie, von dem der Titel *Mammakythos* erh. ist.

1 PCG II, 1991, 558–559.   B. BÄ.

Aristainetos (Ἀρισταίνετος). Eingebürgerter Name für den Autor einer Sammlung von Liebesbriefen in zwei Büchern, wohl aus dem 1. Viertel des 6. Jh. n. Chr. In Wahrheit heißt A. der Absender des ersten erh. Briefes, aber in der Hs. fehlt am Anfang mindestens ein Folio und damit der wirkliche Name des Autors. A. benutzt als Vorlagen hauptsächlich Platon, Menandros, Lukian, Alkiphron, Philostrat und die Romanautoren sowie Liebeselegien des → Kallimachos (Aristain. 1,10. 15), deren Inhalt sich so teilweise rekonstruieren läßt; insgesamt stellen die Briefe des A. eine Art Sammlung der erotischen Motive der ant. Lit. dar. Seine Sprache ist klass. Vorbildern verpflichtet, weist aber auch individuelle Züge auf. Alles Erotische wird mit einer an Prüderie grenzenden Zurückhaltung dargestellt; vielleicht deswegen ist A. nur in einem Codex (Vindob. philol. gr. 310, 12. Jh.) überliefert.

ED.: O. MAZAL, 1971 (dazu: G. ARNOTT, MPhL 1, 1975, 9–31) · J.-R. VIEILLEFONDS, 1992.
ÜBERS.: A. LESKY, 1951.
LIT.: W. G. ARNOTT, Imitation, variation, exploitation, in: GRBS 14, 1973, 197–211 · Ders., Pastiche, pleasantery, prudish erotism, in: YClS 27, 1982, 291–320 · P. MAGRINI, Lessico Platonico e motivi comici nelle lettere erotiche di A., in: Prometheus 7, 1981, 146–158 · R. MARZULLO, Osservazioni sulla imitatio homerica in A., in: Koinonia 6, 1982, 43–50 · G. ZANETTO, Un epistolografo al lavoro, in: SIFC 5, 1987, 193–211 · Ders., Osservazioni sul testo di A., in: Koinonia 12, 1988, 145–161.   M. W.

Aristainos. Aus Megalopolis, Exponent der extrem proröm. Partei im Achäerbund und Gegenspieler des → Philopoimen (Pol. 24,11–13; Plut. Philop. 17,4–5 [1. 109–115]; Bundesstratege 198/7 v. Chr., 195 und 186/5; inaugurierte 198 in Sikyon die entscheidende Wende zu den Römern (Pol. 18,13,8–10; Liv. 32,19,5–23,3) [1. 40–45] und bewog 197 auch die Boioter zum röm. Bündnis (Liv. 33,2,4). A. agitierte 195 gegen die Aitoler und Nabis (Liv. 34,34,24), 186 gegen das achäisch-ptolemäische Bündnis und für eine romgefällige Spartapolitik (Pol. 22,12–13) [1. 120–122].

1 J. DEININGER, Der polit. Widerstand gegen Rom in Griechenland, 1971.   L.-M. G.

Aristaios (Ἀρισταῖος). **[1]** Ländliche Gottheit, die mit Schafen, dem Auffinden von Olivenöl und Honig, Jagen, Heilen, Weissagen und dem Beenden einer Dürreperiode auf Keos verbunden ist (vgl. Apoll. Rhod. 2,500 ff.).
Lit. bekannt ist er dadurch, daß seine Bienen starben, weil er an → Euridikes' Tod Schuld trug und er erfolgreich nach Wegen zur Regeneration der Bienenvölker suchte (Verg. georg. 4,315–558).
A. ist eine komplexe Figur, die in Zentralgriechenland, in Arkadien, auf Keos und in Kyrene beheimatet ist. Er war Gatte der Autonoe, einer Tochter des Kadmos (Hes. theog. 977). Ihr Sohn ist Aktaion (Hes. cat. fr.

217A). A. ist Sohn von Apoll und Kyrene (Hes. cat fr. 216; vgl. 217; 244). Geburt (Pind. P. 9,59–69): Kyrene, Tochter des Lapithenkönigs Hypseus, lebte auf dem Pelion. Apollon entführte sie nach Libyen, wo sie ihm A. gebar. Hermes ließ das Kind von den Horen und Gaia als Zeus-Apollon-A. unsterblich machen (Hes. Cat. fr. 217; Diod. 4,81,1–3). Sein »Sohn« Aktaion hat ebenfalls Verbindungen zum Pelion, weil er dort vom Kentauren Chiron erzogen wurde. A. soll nach Aktaions Tod an verschiedene Orte gelangt sein, so nach Keos, Libyen, Sardinien, Sizilien und Thrakien (Diod. 4,82,1–6).

Das Ritual, mit dem A. verbunden wird, ist für eine Dürreperiode in der Ägäis bezeugt. Die Inselbewohner wurden vom Orakel aufgefordert, den Priester und Propheten A., Sohn von Apoll, herbeizurufen. Dieser brachte arkad. Priester, Nachfahren des Lykaon, mit sich nach Keos, errichtete dem Zeus Ikmaios auf einem Berg einen Altar, opferte auf ihm an Zeus Ikmaios und Seirios, den Hundsstern, worauf die »etesischen Winde« entstanden (vgl. den Ritus auf dem Pelion, Herakleides Kretikos 2,8 PFISTER). Die Verbindung mit dem arkad. Lykaion führt zurück nach Thessalien und Boiotien: An all diesen Orten gibt es eine Tradition von Menschenopfern an Zeus auf einem Berggipfel [1; 2]. A. ist nicht selbst eine Kultfigur, sondern scheint – wie sein Name »von den *aristoí*« andeutet – die herrschende Klasse zu repräsentieren. Er führt die Rituale für ihre Gesellschaft aus und muß wahrscheinlich auch dafür büßen, wenn sie nicht effektiv sind.

A. ist oft in der archa. Kunst dargestellt (nicht beschriftet [3]). Seine geflügelte Figur trägt einen Krug für Öl oder Honig, Saatgut in einem Sack und eine Hacke oder auch nur einen der Gegenstände.

1 W. BURKERT, Homo Necans, 1972, 125–133
2 SCHACHTER³, 107 f. 3 B. F. COOK, s. v. A., LIMC 2.1, 603–607.   A. S.

[2, von Samos] (Pappos, collectio 7,1,29), »der Ältere« genannt, lebte nach Menaichmos und vor Euklid, also etwa um 350–330 v. Chr. A. spielte eine wichtige Rolle in der Entwicklung der Kegelschnitte nach Menaichmos.

Pappos erwähnt ein (heute verlorenes) Werk des A. in 5 Büchern, Τόποι στερεοί (collectio 7,3), das mit den Kegelschnitten zusammenhing (συνεχῆ τοῖς κωνικοῖς: collectio 7,30). Dabei handelte es sich wahrscheinlich um geometrische Örter, die Kegelschnitte darstellen [1. 1,438; 1. 2,116–119]. A. gab eine unvollständige Lösung des Problems des »Orts zu vier Geraden«, d. h. der Bestimmung des geometrischen Orts für diejenigen Punkte, deren Abstände a, b, c, d von vier Geraden der Gleichung ac/bd = const. genügen. Diese auf Kegelschnitte führende Aufgabe wurde später von → Apollonios [13] aus Perge und anderen behandelt (s. [3. 578–581, 587–591; 5. 126–150]).

A. beschäftigte sich auch mit den regelmäßigen Polyedern. Hypsikles, der Autor von Buch 14 von Euklids ›Elemente‹, erwähnt, daß A. in einer (ebenfalls nicht erh.) Abhandlung mit dem Titel Τῶν ε' σχημάτων σύγκρισις folgenden Satz bewies: ›Derselbe Kreis umschließt das Fünfeck des Dodekaeders und das Dreieck des Ikosaeders, wenn beide Körper derselben Kugel einbeschrieben sind‹ ([2. 5. 6, Z.19–23] s. [1. 1,420; 3. 577f.]).

→ Geometrie; Mathematik

1 T. L. HEATH, A History of Greek Mathematics, 2 Bde., 1921 **2** Euclidis Elementa, ed. J. L. HEIBERG, Bd. 5, 1888 **3** Pappus of Alexandria, Book 7 of the »Collection«. Edited with Translation and Commentary by A. JONES, 1986 **4** K. VOGEL, Aristaeus, in: Dictionary of Scientific Biography 1, 1970, 245 f. • **5** H. G. ZEUTHEN, Die Lehre von den Kegelschnitten im Altertum, 1886.   M. F.

Aristandros. [1] Seher aus → Telmessos, im Dienste → Philippos', dann → Alexandros' [4] d. Gr., Held vieler Anekdoten, die nur von erfolgreichen Vorhersagen berichten; nach dem Tod des → Kleitos nicht mehr erwähnt. Prophezeiungen künftiger Erfolge einiger → Diadochen erwiesen sich als Fälschungen.

BERVE 2, Nr. 117.   E. B.

[2] Bronzebildner aus Paros. An dem Dreifuß, den die Spartaner nach Aigospotamoi (405 v. Chr.) in Amyklai weihten, schuf er als Stütze eine Bronzestatue der lokalen Göttin Alexandra mit Lyra. Daß A. der Vater des berühmten → Skopas sei, geht auf das Patronymikon eines späteren A. zurück, der in Delos – aber nicht sicher als Bildhauer – bezeugt ist.

H. HITZIG, H. BLUEMNER, Pausaniae Graeciae descriptio 1, 1899, 809–811 • LIPPOLD, 230 • OVERBECK, Nr. 942 (Quellen).   R. N.

Aristarchos (Ἀρίσταρχος). **[1]** Athenischer Politiker, erbittertster Gegner des Demos unter den 400 Oligarchen 411 v. Chr. in Athen (Thuk. 8,90,1). A. war als Strategos an der Befestigung der → Eetioneia beteiligt (Xen. hell. 2,3,46). Nach dem Sturz des Regimes verriet er das Grenzkastell Oinoe an die Boioter (Thuk. 8,98), wofür er 406 (?) hingerichtet wurde (Lykurg. Leokr. 115; PA, 1663; TRAILL PAA, 164155).   M. MEI.

[2, aus Tegea] Tragiker, Zeitgenosse des Euripides, soll über 100 Jahre alt geworden sein, Verf. von 70 Tragödien, zwei Siege (Suda α 3893); erster Dionysiensieg vielleicht 453 (DID D 3); laut Suda (ibid.) soll er die Dramen auf ihr heutiges μῆκος gebracht haben (vielleicht Beziehung zu Aristot. poet. 1449b 12 ff., 1450b 21 ff.). Einige Trag. des Ennius nach A. (Gloss. Lat. I 568 LINDSAY und [1.161 ff.]). Überlieferte Titel: *Asklepios, Tantalos, Achilleus.*

1 H. D. JOCELYN, The Tragedies of Ennius, 1967.

METTE, 161 u.195. • B. GAULY et al. (Hrsg.), Musa Tragica, 1991, 14 • TRGF 14.   F. P.

[3, von Samos]. Über sein Leben ist nur bekannt, daß er Schüler des Straton von Lampsakos war (DIELS, DG 313), 280 v. Chr. die Sommersonnenwende beobachtete und vor Archimedes lebte. Danach schätzt man seine Lebenszeit auf etwa 310 bis 230 v. Chr.

Nur ein Werk des A. ist erh.: Περὶ μεγεθῶν καὶ ἀποστημάτων ἡλίου καὶ σελήνης (Ed. [1. 351–414], zur Überlieferungsgesch. [3]). Es stellt den ersten Versuch dar, astronomische Entfernungen mit mathematischen Methoden zu bestimmen. Ausgehend von Beobachtungswerten (Winkel zwischen Mond und Sonne, wenn der Mond im ersten bzw. letzten Viertel steht; Durchmesser des Mondes), berechnete A. nach Art des Euklid Durchmesser und Entfernungen von Sonne und Mond, gemessen in Erddurchmessern. A. erhielt für die Entfernung Erde–Sonne einen Wert zwischen 18 und 20 Erde-Mond-Entfernungen, für den Durchmesser der Sonne einen Wert zwischen $^{19}/_3$ und $^{43}/_6$ Erddurchmesser. Trotz des korrekten theoretischen Ansatzes waren diese Ergebnisse wegen der Ungenauigkeit der Messungen unzutreffend.

A. ist vor allem berühmt durch sein heliozentrisches System, das er in einem (verlorenen) Werk dargestellt hat [1. 303] und über das Archimedes (Arenarius 1,5) berichtet. Danach lehrte A., daß sich die Sonne in der Mitte der Erdbahn befinde, daß Fixsterne und Sonne unbeweglich seien und daß Erde und Fixsterne um die Sonne kreisten, wobei der Durchmesser der Erdbahn gegenüber dem der Fixsternsphäre vernachlässigbar klein sei.

Vom üblichen geozentrischen System abgewichen waren vor A. schon der Pythagoreer Philolaos (Erde und Gegenerde laufen um das Zentralfeuer um) und Herakleides Pontikos (Drehung der Erde um ihre Achse; Venus und Merkur umkreisen die Sonne). Zwar wurde die heliozentrische Theorie des A. schon in der Ant. verworfen, jedoch war sie bis hin zu Copernicus bekannt, der das geozentrische Weltbild des → Ptolemaios endgültig durch das heliozentrische ersetzte. Copernicus erwähnte A.s Idee im Entwurf zu seinem Hauptwerk *De revolutionibus orbium coelestium libri VI* (gedruckt 1543) [5].

Nach Vitr. 9,8,1 ersetzte A. den bis dahin gebräuchlichen Schattenstab des Berosos durch das genauere Beobachtungsgerät des Sonnenstandes, die Skaphe, eine Kugelkalotte. Optische Arbeiten werden von den Doxographen (DIELS, DG 313, 404) erwähnt.

1 T. L. HEATH, Aristarchus of Samos, the ancient Copernicus. A history of Greek astronomy to Aristarchus together with Aristarchus's treatise on the sizes and distances of the sun and moon, 1913 **2** T. L. HEATH, A History of Greek Mathematics, Bd. 2, 1921, 1–15 **3** B. NOACK, Aristarch von Samos: Unt. zur Überlieferungsgesch. der Schrift Περὶ μεγεθῶν καὶ ἀποστημάτων ἡλίου καὶ σελήνης, 1992 **4** W. H. STAHL, Aristarchus of Samos, Gillispie 1, 1970, 246–250 **5** E. ZINNER, Entstehung und Ausbreitung der copernicanischen Lehre, ²1988.   M. F.

[4, von Samothrake] Der bedeutendste und bekannteste alexandrinische Grammatiker

A. LEBEN   B. PHILOLOGISCHE ARBEITEN

A. Leben

Geb. 216?, gest. 144 v. Chr. Auf Samothrake geboren, lebte und wirkte A. in Alexandreia. Dort war er Schüler des → Aristophanes [4] von Byzanz und Nachfolger des → Apollonios [9] Eidographos in der Leitung der Bibliothek (fünfter Leiter nach Zenodot). Sein Wirken fällt zum größten Teil in die Regierungszeit von Ptolemaios VI. Philometor (180 – 145 v. Chr.), und wie viele bei Hofe angesehene Persönlichkeiten des kulturellen Lebens war er Hauslehrer der königlichen Familie. Im Jahre 144 wurde Ptolemaios VII., der ein Jahr zuvor den Thron bestiegen hatte, von Ptolemaios VIII. umgebracht; dieser riß die Herrschaft an sich und ließ die Anhänger des ermordeten jungen Königs verfolgen. A. flüchtete nach Zypern, wo er wenig später gestorben sein soll; seine Schüler, die ebenfalls aus Alexandreia fliehen mußten, verstreuten sich auf verschiedene Orte. Seinen Ruf und seinen Einfluß verdankt er auch seiner Schule, zu der etwa vierzig direkte bzw. indirekte Schüler gerechnet werden. Aristonikos und Didymos verfaßten neben anderen Werke in aristarchischer Tradition, durch die Material ihres Lehrers bis in die Scholiencorpora überliefert wurde.

B. Philologische Arbeiten

Aristophanes von Byzanz und A. stellen den Höhepunkt der alexandrinischen → Philologie dar und spielten in der Überlieferung der klass. Texte wie der klass. Kultur eine große Rolle. A. ist darüber hinaus bedeutend, weil er eine große Zahl von fortlaufenden Kommentaren (ὑπομνήματα) und Monographien (συγγράμματα) über Spezialthemen schrieb (zuweilen in polemischer Absicht; viele galten homer. Fragen) und dabei der Interpretation der Texte den ersten Rang zuwies. Zur Autorenexegese gesellte sich die Textkritik im Hinblick auf die Produktion neuer Ausgaben (ἐκδόσεις). Was die Form seiner Arbeit am Homertext betrifft, so ist umstritten, ob er eine ἔκδοσις und ein ὑπόμνημα in einer oder mehreren Bearbeitungen verfaßt hat oder nur ein ὑπόμνημα, das auch seine Ansichten zum Zustand des Textes (= ἔκδοσις) enthielt. Nach vorherrschender Meinung war die ἔκδοσις vom Komm. getrennt, und die Verbindung wurde mittels → kritischer Zeichen (σημεῖα) hergestellt; des weiteren stellt sich die Frage, ob die Ausgabe tatsächlich einen neuen, zur Gänze ausgeschriebenen Text bot oder ob es sich um einen vorliegenden Text handelte, der zu diesem Zweck ausgewählt und mit Marginalvarianten versehen wurde. Außerdem wurden Zahl und Funktion der kritischen Zeichen erweitert: abgesehen von dem schon traditionellen *obelós* (für Athetierungsvorschläge) waren die *diplé* (für verschiedene exegetische Beobachtungen und gelehrte Notizen) und die *diplé periestiménē* (um anzugeben, wo seine Meinung von der des Zenodot abwich) charakteristisch; hinzu kamen der *asterískos*, die *stigmé* und das *antísigma*. Das Prinzip, dem zufolge ein Autor sein bester Interpret ist, wurde auf die Untersuchung der homer. Sprache (mit dem zweckmäßigen Korrektiv des *hápax legómenon*), auf das Studium der Realien und

auch generell auf die Inhalte angewandt. Die berühmte Maxime ›Homer aus Homer verstehen‹ (Ὅμηρον ἐξ Ὁμήρου σαφηνίζειν) scheint in dieser Formulierung wohl nicht von ihm zu stammen, doch kommt das seiner Methode zugrundeliegende Prinzip darin sicher vollkommen zum Ausdruck. Für ihn war Homer (wie für Aristoteles) Verf. von Ilias *und* Odyssee (sowie des *Margítēs*), und er polemisierte gegen die Chorizonten, Grammatiker, die zwei verschiedene Verfasser für die beiden großen Epen annahmen. Seine unitarische Untersuchung von Sprache, Realien wie von Sitten und Gebräuchen war auf die Definition des spezifisch Homerischen (τὸ Ὁμηρικόν) ausgerichtet, insofern es sich vom Kyklischen, Hesiodeischen und überhaupt vom Späteren unterschied. Das Prinzip der internen, analogen Kritik, das sowohl im Hinblick auf die Formen als auch auf die Inhalte seine Wirksamkeit entfalten konnte, führte zu einer histor.-lit. Gesamtsicht. Seine philol. Arbeitsweise war von Zurückhaltung gekennzeichnet und stützte sich auf die Untersuchung verschiedener Abschriften und die Entscheidung zwischen überlieferten Varianten, auf Heranziehung der Überlieferung und kritisches Urteil, ohne auf konjekturale Eingriffe und die Ressourcen einer sprichwörtlichen Akribie zu verzichten (schon in der Ant. wurde er als μάντις bezeichnet): nach A. (und für die alexandrinische Philol. im allgemeinen, wenn auch in verschiedener Hinsicht) können die beiden Vorgehensweisen einander nicht ausschließen, sondern nur ergänzen. Man sollte sich auch davor hüten, sich dem voreiligen Vorwurf anzuschließen, der ihm manchmal im Vergleich zur ungeheuren Gelehrsamkeit des Didymos gemacht wird, daß er die Kenntnis der Realien ausschließlich zugunsten einer allzu formalen Philol. vernachlässigt habe.

Abgesehen von seinen Homerstudien sind wir am besten über seine Arbeit am Pindartext informiert (ungefähr 70 Zitate in den Scholien: es handelte sich wahrscheinlich um einen Komm. zum Gesamtwerk Pindars, der den von der Ausgabe des Aristophanes von Byzanz eingeschlagenen Weg weiterverfolgte), doch wissen wir, daß er sich auch mit Bakchylides beschäftigte. Bezeugt sind Kommentare zu Hesiod, Archilochos, Alkman; gesichert ist eine Alkaiosausgabe, wahrscheinlich ist eine des Anakreon; von Eingriffen in Hipponax, Semonides und vielleicht auch Mimnermos sind Spuren erhalten. Was das Theater betrifft, sind die Nachrichten spärlicher: bekannt ist, daß er an Aischylos, Sophokles und Ion arbeitete, weniger Anhaltspunkte haben wir für Euripides; aus den Quellen geht hervor, daß er mindestens acht Komödien des Aristophanes kommentierte. Er ist der erste, von dem wir mit Sicherheit wissen, daß er Prosaschriftsteller kommentierte, vornehmlich Historiker: wir besitzen ein Fragment seines *hypómnema* zu Herodot; zu Thukydides gibt es keine expliziten Nachrichten. Für seine herausgeberische und exegetische Tätigkeit stellte sein Vorgänger Aristophanes von Byzanz eine wichtige Grundlage dar: Daß von diesem viel weniger Material erhalten ist, hat seinen Grund aus-

schließlich darin, daß die beiden sich oft in Übereinstimmung befanden.

A. führte die grammatischen Beobachtungen seines
Vorgängers fort und erweiterte sie; so wurden, parallel
zur Erarbeitung textkritischer und exegetischer Studien
und aus ihnen heraus, die Grundlagen für die Lehren
von der Flexion und den Redeteilen gelegt; dadurch
wurde der Grammatik der Weg zu einer selbständigen
Disziplin geebnet, die ihre ersten Ergebnisse im Werk
seines Schülers Dionysios Thrax zeitigte. Unter anderem wurde das Prinzip der sprachwiss.-gramm. *Analogie*
befestigt (das, wie man sehen konnte, auch in der Exegese angewandt wurde). Hierin und in der entschiedenen Ablehnung der allegorischen Interpretation (einer
Methode, die allerdings schon eine lange Tradition vorweisen konnte und in philos. Kreisen gepflegt wurde)
sind die wesentlichen Punkte seiner Abweichung von
den pergamenischen Philologen und seiner polemischen Auseinandersetzung mit ihnen zu sehen, besonders mit der stoizisierenden Kritik des Krates von Mallos
und seiner Anhänger, die in der Sprachwiss. die Anomalie und in der Exegese die Allegorese zum Prinzip
erhoben hatten.

→ Aristophanes [4] von Byzanz; Apollonios Eidographos; Grammatiker; Kritische Zeichen; Philologie; Zenodotos

M. J. APTHORP, The Manuscript Evidence for Interpolation
in Homer, 1980 · W. Ax, Aristarch und die »Grammatik«,
in: Glotta 60, 1982, 96–109 · R. BLUM, Kallimachos und
die Literaturverzeichnung bei den Griechen, 1977, passim ·
P. BOUDREAUX, Le texte d'Aristophane et ses
commentateurs, 1919, 52ff. · L. COHN, RE 2, 862–873 ·
Entretiens XL, 1994, passim · H. ERBSE, Über Aristarchs
Iliasausgaben, in: Hermes 87, 1959, 275–303 · H. ERBSE,
Zur normativen Gramm. der Alexandriner, in: Glotta 58,
1980, 236–258 · J. IRIGOIN, Histoire du texte de Pindare,
1952, 51ff. · K. LEHRS, De Aristarchi studiis Homericis,
³1882 · A. LUDWICH, Aristarchs Homer. Textkritik,
1884–85 · D. LÜHRS, Unt.en zu den Athetesen Aristarchs
in der Ilias, 1992 · K. MCNAMEE, Aristarchus and
»Everyman's« Homer, in: GRBS 22, 1981, 247–255 · K.
MCNAMEE, Sigla and Selecet Marginalia in Greek Literary
Papyri, 1992 · R. MEIJERING, Literary and Rhetorical
Theories in Greek Scholia, 1987, passim · F. MONTANARI, Il
grammatico Tolomeo Pindarione, i poemi omerici e la
scrittura, in: Ricerche di Filologia Classica, I, 1981, 97–114 ·
F. MONTANARI, L'erudizione, la filologia, la grammatica, in:
Lo spazio letterario della Grecia antica, I 2, 1993, 270–73 ·
G. PASQUALI, Storia della tradizione e critica del testo,
²1952, 154–55, 205–247, 314 · PFEIFFER, KP I, 258–285 ·
A. PORRO, Vetera Alcaica 1994 · J. J. PORTER, Hermeneutic
Lines and Circles: Aristarchus and Crates on the Exegesis of
Homer, in: R. LAMBERTON, J. J. KEANEY (Hrsg.), Homer's
Ancient Readers, 1992, 67–114 · L. M. RAFFAELLI,
Aristarco interprete dei poeti lirici, Diss. Dottorato 1992
(Fragmente mit Komm.) · A. RENGAKOS, Der Homertext
und die hell. Dichter, 1993, passim · A. RENGAKOS,
Apollonios Rhodios und die ant. Homererklärung, 1994,
passim · A. ROEMER, Aristarchs Athetesen in der
Homerkritik, 1912 · A. ROEMER, Die Homerexegese
Aristarchs, 1924 · D. M. SCHENKEVELD, Aristarchus and

Ὅμηρος φιλότεχνος, in: Mnemosyne 23, 1970, 162–178 ·
A. SEVERYNS, Le cycle épique dans l'école d'Aristarque,
1928 · H. VAN THIEL, Zenodot, Aristarch und andere, in:
ZPE 90, 1992, 1–32 · M. VAN DER VALK, Researches on
the Text and Scholia of the Iliad, 1963/64, passim (bes. 2,
84–263, 370–476) · A. WARTELLE, Histoire du texte
d'Eschyle dans l'antiquité, 1971, 164ff.   F. M. / T. H.

Aristeas. [1] von der Insel Prokonnesos in der Propontis. Die Suda siedelt ihn in der Zeit des Kroisos und
Kyrosan. A. erzählte in seinem Epos Ἀριμάσπεια (*Ari-
máspeia*) von seinen Reisen in das Land der Skythen und
der weiter nördl. lebenden Issedonen. Nach Hdt. 4,13–
15 sei A. von den Issedonen über die einäugigen Ari-
maspen, die Gold hütenden Greifen und die Hyper-
boreer informiert worden. In diese Beschreibung myth.
sowie histor. bezeugter Völker und Orte fügte A. eine
Erklärung des Einfalls der → Kimmerioi: Die Arimas-
pen hätten ihre Nachbarn, die Issedonen, bedrängt, diese die Skythen, und die Skythen die Kimmerioi, die so
zum Verlassen ihrer Heimat gezwungen worden seien.
Herodots Bericht von der Fähigkeit des A., seinen Körper zu verlassen (vgl. Suda s. v. Ἀριστέας, 3900 ADLER),
weist auf Einflüsse des → Schamanismus hin.

J. D. P. BOLTON, A. of Proconnesus, 1962 · EpGF 81–88 ·
E. R. DODDS, The Greeks and the Irrational, 1951,
140–141 · K. MEULI, Scythica, in: Hermes 70, 1935,
121–176.   C. S.

[2, Aristeasbrief] Fiktiver Bericht in Form eines
Briefromans des heidnischen Beamten A. über die Umstände, die zur Übers. des → Pentateuchs ins Griech.
führten. Verfaßt in guter → Koine von einem alexandrinischen Juden gegen Ende des 2. Jhs. v. Chr., verteidigt A. die Geltung der Tora, deutet die rituellen Gebote
allegorisch, unterstreicht die Zuverlässigkeit der → Septuaginta. A. wendet sich apologetisch an Juden: Der jüd.
Gott ist mit dem der Philosophen identisch, jüd. Weisheit und Ethik ist der heidnisch-griech. überlegen.

→ Allegoria; Apologeten; Monotheismus.

A. PELLETIER, Lettre d'Aristée à Philocrate, SC 89, 1962,
7–98 · M. HARL, La bible grecque des Septante, 1988, 40–44
(Lit.).   A. M. S.

Aristeides (Ἀριστείδης). **[1]** Aus Athen, Sohn des Lysimachos, einer der prominentesten Politiker und Strategen Athens z. Z. der Perserkriege. Bei Marathon war
te er wahrscheinlich als Stratege. 489/88 v. Chr. war er
eponymer Archon (Plut. Aristeides 1,2, vgl. IG I³ 1031).
482 wurde er ostrakisiert (→ Ostraka) (Hdt. 8,79; Aristot. Ath. pol. 22,7; Plut. Aristeides 7,1 ff.). Dabei spielte
wohl seine bereits bei Herodot bezeugte Rivalität mit
→ Themistokles eine Rolle (8,79). Sachlicher Hintergrund dürften allerdings kaum innenpolit. Differenzen
über die Gestaltung der Verfassung gewesen sein, wie in
der älteren Forsch. angenommen wurde. Die polit. Lage, d. h. die drohende zweite Invasion der Perser und

der Konflikt mit Aigina, spricht ebenso wie das zeitliche Zusammentreffen mit dem Flottengesetz des Themistokles dafür, daß unterschiedliche Positionen in bezug auf den außenpolit.-mil. Kurs den Ausschlag gaben. In die gleiche Richtung weist auch die Beischrift auf einem Ostrakon, die A. der Perserfreundlichkeit bezichtigte (ML S. 42). Während seines Exils hielt Aristeides sich in Aigina auf. 480 konnte er im Zuge einer Generalamnestie zurückkehren. Er begab sich sofort zur Flotte nach Salamis und führte die athenischen Hopliten an, die die Insel Psyttaleia eroberten (Hdt. 8,95). Danach gewann A. schnell wieder polit. Einfluß. 479/78 und 478/77 wurde er zum Strategen gewählt. 479 war er Befehlshaber der athenischen Truppen in der Schlacht bei Plataiai (Hdt. 9,28). Danach ging er mit Themistokles als Gesandter nach Sparta. Er unterstützte ihn bei der Realisierung seiner Pläne für einen zügigen Wiederaufbau der Mauern Athens, gegen den die Spartaner opponierten (Thuk. 1,91). Im J. 478 kommandierte A. das athenische Flottenkontingent, das unter dem Befehl des spartan. Oberbefehlshabers → Pausanias an den mil. Operationen des Hellenenbundes teilnahm. Dabei soll es wesentlich sein Einfluß gewesen sein, der die Ionier und Inselgriechen dazu veranlaßte, sich von Pausanias abzuwenden. Als daraufhin 477 der → att.-delische Seebund unter athenischer Leitung gegründet wurde, war A. wesentlich an seiner Organisation beteiligt. Er setzte die Höhe der Tribute für diejenigen Mitglieder fest, die keine Schiffe zur Verfügung stellten (Thuk. 1,96; Aristot. Ath. pol. 23,5). Um 467 starb A. Er wurde im Phaleron bestattet.

Schon Herodot betonte die Ehrenhaftigkeit und Gerechtigkeit des A. (8,79). Vom 4.Jh. an ist für A. der Beiname »der Gerechte« überliefert. Das in der späteren Tradition (Plutarch, Nepos) gängige Bild des A. als eines konservativen Aristokraten, der mit dem Demokraten Themistokles um polit. Einfluß konkurrierte, ist jedoch erst später entstanden. Zwar ist eine Rivalität zw. A. und Themistokles in den 80er Jahren zweifellos historisch. Aber noch der Autor der aristotelischen Ath. pol. bezeichnet A. an einer Stelle als einen »Führer des Volkes«, der gemeinsam mit Themistokles agierte (23,3), während er an anderer Stelle als »Führer der Vornehmen« dem Volksführer Themistokles gegenübergestellt wird (28,2). Die Kanonisierung des A.-Bildes war zu dieser Zeit also noch nicht abgeschlossen. Überhaupt ist an keiner Stelle bezeugt, daß A. und Themistokles nach 480 noch unterschiedliche Positionen vertreten hätten. Beide traten vorbehaltlos für einen Ausbau der athenischen Machtposition ein. Die zuerst in der aristotelischen Ath. pol. (28) formulierte These, in jeder Phase der histor. Entwicklung Athens hätten sich aristokratische und demokratische Politiker bekämpft, bietet also kein schlüssiges Erklärungsmodell für diese Epoche und für die Politik des A.

DAVIES, 1695 · M.OSTWALD, in: CAH 4², 1988, 325–346 · RHODES, 280–281, 292–294, 348–349 · P.J.RHODES, in: CAH 5², 1992, 34–49. E.S.-H.

[2, aus Milet] Verf. der ›Milesischen Ge-schichten‹ (Μιλησιακά), lebte vielleicht im 2.Jh. v.Chr. Sein Werk, von dem uns nur ein einziges Wort erh. ist (Harpokr. Δ 23 KEANEY), bestand aus einer Novellensammlung lockeren Inhalts (manche haben auch an einen Roman gedacht [1]) und erfreute sich in der Ant. großer Beliebtheit (Plut. Crassus 32; Ov. trist. 2,413–414; 443–444). Aristeides präsentierte sich selbst darin vielleicht nur als Zuhörer anderer Erzähler, deren Geschichten er einfach wiedergebe (Lukian. Am. 1). Die ›Milesischen Geschichten‹ wurden von Sisenna, dem Historiker aus sullanischer Zeit, ins Lat. übersetzt. Bekannt ist, daß das Werk des A. die lat. Romane des → Petronius und → Apuleius III (vgl. Apul. met. 1,1) beeinflußt hat: Die Novelle von der ephesischen Witwe Petron. 111 f. wird von vielen als Beispiel einer *fabula Milesia* angesehen.
→ Apuleius; Milesische Geschichten; Novelle; Petronius; Roman; Sisenna

1 K.BÜRGER, Der ant. Roman vor Petronius, in: Hermes 27, 1892, 345–358.

FGrH 495 · C.W.MÜLLER, Die Witwe von Ephesus – Petrons Novelle und die »Milesiaka« des Aristeides, in: A&A 26, 1980, 103–121 · C.MORESCHINI, Le Metamorfosi di Apuleio, la »fabula Milesia« e il romanzo, in: Materiali e Discussioni 25, 1990, 11–127. M.FU.u.L.G./T.H.

[3, P. Ailios] A. LEBEN B. WERKE C. WIRKUNGSGESCHICHTE

A. LEBEN

P. Aelius A., Sohn des Eudaimon, nahm 147 n.Chr. den Beinamen Theodoros an (50,53). Er wurde am 27. November 117 n.Chr. [1] in Mysien als Sohn einer einflußreichen Familie in Hadrianutherai, oder Hadriani, wie die Stadt nach ihrer Gründung durch Hadrian im J. 123 n.Chr. genannt wurde, geboren. Dies ist vielleicht auch der Zeitpunkt, an dem sie das röm. Bürgerrecht erhielt. A. nahm, wahrscheinlich in Smyrna (wo er ebenfalls das Bürgerrecht besaß), Unterricht bei dem Grammatiker Alexandros [32] von Kotiaeion; in Smyrna hörte er auch Polemon, ferner in Pergamon → Aristokles, in Athen → Herodes Atticus. Der Hinwendung zum Beruf des Sophisten folgte um das J. 141 ein Besuch Ägyptens. Auf der Fahrt dorthin trat er unterwegs als Deklamator in Kos, Knidos, Rhodos und Alexandria auf. In Ägypten, wo er ausgedehnte Reisen unternahm, kam er nilaufwärts bis zur äthiopischen Grenze hinter Philai, am ersten Katarakt aber erkrankte er (die Erlebnisse in Ägypten griff er später in or. 36 auf). Zurück in Smyrna am 25. April 142 dankte er → Sarapis mit der Rede ›Auf Sarapis‹ (or. 45) für seine wohlbehaltene Rückkehr (aber nicht, wie es scheint, für eine Heilung). Trotz einer ernsthaften Erkältung brach er im Dezember 143 auf dem Landweg zu einem öffentlichen Vortrag nach Rom auf, wo er im J. 144 mit großer Verzögerung und schwer krank ankam. Ein Paian, den er um den 13. Juli (den *ludi Apollinares*) verfaßte, verhalf nicht zur Genesung. So kehrte er wieder auf dem Seeweg heim. Auf ärztlichen Rat hin begab er sich zu den warmen Quellen nahe Smyrna, wo ihm von Asklepios Hilfe widerfuhr, der ihn später, im J. 145, zum Asklepieion von Pergamon kommen hieß, wo er zwei Jahre lang die Verordnungen des Gottes und der Doktoren befolgte, zusammen mit einer Gruppe von gebildeten Hypochondern, zu der z. B. auch Pardalas und Cuspius Rufinus zählten. Nach und nach nahm er dabei seine Vortragstätigkeit wieder auf. In den Jahren 147–154 kämpfte er, obwohl er seine Lehrtätigkeit noch nicht wieder begonnen hatte, gegen Versuche, ihn mit kostspieligen Ämter zu betrauen (*asiárchēs, eirēnárchēs, prýtanis*). Seine vollständige Rückkehr ins Berufsleben des Deklamators war verbunden mit einer erneuten Reise nach Rom, um dort die Rede or. 26 zu halten; er widmete sich beidem, der Lehre wie auch des Vortrags, und trat in der Provinz Asia als öffentlicher Redner auf; einer seiner Schüler war damals Flavius Damianus. Obgleich er 166 n. Chr. von der Pest befallen wurde, übte er seinen Beruf bis mindestens 176 n. Chr. aus, dem Jahr, in dem er eine Deklamation vor → Marcus Aurelius hielt. Seine letzten datierbaren Werke (or. 18–21) stellen eine Reaktion auf das Erdbeben, welches Smyrna im J. 177 zerstörte, dar. Er starb im Alter von 60 oder 70 Jahren (Philostr. soph. 2,9).

A. ist der einzige der bei Philostrat genannten Sophisten, von dem noch – dank seines hohen Ansehens unter seinen Zeitgenossen wie auch in spätant. und byz. Zeit – ein Textcorpus in nennenswertem Umfang erhalten ist (44 Reden, wenn man die rhodische Rede, or. 25 Ῥοδιακός, und die Rede an den Kaiser, or. 35 εἰς βασιλέα, nicht zu seinen Werken zählt; gegen die Echtheit von or. 35 vgl. [2; 3; 5; 6; 7], anders [4]; seine Urheberschaft ist auch bei anderen Reden bestritten worden). Obwohl er einige Schüler hatte, betonte er selbst den Unterschied zu anderen Sophisten. Sein eindrucksvoller Periodenstil – erfolgreich orientiert an att. Diktion und beeinflußt von Isokrates und Demosthenes – stellte ein geeignetes Medium dar zum einem für Festreden (z. B. or. 27, ›Über den Tempel zu Kyzikos‹; or. 26, εἰς Ῥώμην), zum anderen aber auch für seine großen Rechtfertigungsschriften, mit denen er die Rhetorik gegen die Philosophie verteidigte. Seine Prosahymnen (or. 37–46) zeigen eher dichterische Charakteristika, und seine *monodía* auf Smyrna (or. 18, 177 n. Chr.) ist in Rhythmen und kurzen Kola asianischen Stiles gehalten. Die ›heiligen Reden‹ (ἱεροὶ λόγοι) geben über das kulturelle Leben im Asklepieion im 2. Jh. n. Chr. und über soziale und ökonomische Verhältnisse der Provinz Asia im allgemeinen Aufschluß genauso wie über medizinische Ansichten und Verfahren und spiegeln A.' eigene angeborene Neugier.

B. WERKE

(a) Prunkreden. (1) Für Feste: dazu gehört or. 1, *Panathenaicus*, wahrscheinlich abgefaßt für die Panathenäen im August 155 [8. 428], eine Rede, die A. im Altertum den größten Ruhm eintrug und die der Rhetor Menander als ein meisterhaftes Vorbild epideiktischer Rede

hinstellte; or. 18, A.' Reaktion auf die Zerstörung Smyrnas im J. 177 oder 178 n. Chr. (vgl. damit or. 20, wo es sich strenggenommen nicht um eine Prunkrede, sondern einfach um eine Würdigung von Smyrnas Wiederaufbau im J. 178 n. Chr. handelt); or. 21, eine Rede zur Begrüßung des *proconsul Asiae* zum Wiederaufbau Smyrnas im J.179; or. 22, A.' Reaktion auf die Plünderung von Eleusis durch die Kostobokoi 171 n. Chr.; or. 26, ein Panegyrikos auf Rom, wahrscheinlich aus dem J. 155 (vgl. [9. 373]), der zeigt, wie ein talentierter Rhetor Argumente für die röm. Herrschaft über die griech. Welt finden kann, aber oft von Geschichtsschreibern unbedacht benützt wird; or. 27, für die Wiedereinweihung des Hadrianeums in Kyzikos im J. 166, eine Rede, die zweimal, im *buleutḗrion* und am Fest selbst, gehalten wurde (vgl. 51,16); or. 46, für die Isthmischen Spiele des Jahres 156. (2) Für Begräbnisse (ἐπιτάφιοι): or. 31, für Eteoneus, ca. 161 n. Chr.; or. 32, für seinen Lehrer Alexandros von Kotiaeion, ca. 150 n. Chr. (3) Für Geburtstage (γενεθλιακοί): or. 30, Apellas (bezweifelt von [10; 11], verteidigt von [9. 389]), 147 n. Chr. (b) Symbuleutische und polemische Werke. (1) Polit. Reden: or. 23, mit der eindringlichen Forderung an die Städte von Asia, ihre Rivalitäten zu mäßigen, 163 n. Chr.; or. 24, mit dem Appell an die Rhodier, sich der internen Klüngelei zu enthalten. (2) Reden mit Bezug auf A.' rhetorische Laufbahn: or. 2, zur Verteidigung der Rhetorik, gerichtet gegen Platons *Gorgias* und damit gegen die Ansprüche der Philosophen insgesamt, zw. 145 und 147 n. Chr.; or. 4, eine in einer einzigen Nacht (or. 4,32) verfaßte Replik auf kritische Angriffe, ca. 147 n. Chr.; Kritik war auch der Grund für die Entstehung von or. 3, der heftigen ›Verteidigung der vier (Staatsmänner)‹ Miltiades, Kimon, Themistokles, Perikles (alle von Platon im *Gorgias* angegriffen) zw. 161 und 165 n. Chr.; or. 28, ›Über die Abschweifung‹, zw. 145 und 147 n. Chr. (alle diese Reden waren wahrscheinlich eher für schriftliche Verbreitung konzipiert als für tatsächlichen Vortrag); or. 29, ›Ratschlag gegen die Komödie‹ (Περὶ τοῦ μὴ δεῖν κωμῳδεῖν), gehalten in Smyrna zw. 157 und 165 n. Chr.; or. 33, ein Brief an all diejenigen, die ihm vorwerfen, er halte keine Schuldeklamationen, im J. 166; or. 34, eine Verherrlichung der Redekunst, gehalten im *buleutḗrion* von Smyrna, im Januar 170 n. Chr. (vgl. 51,38–41). (c) or. 36, ein Essay über die Nilquellen, in dem er häufig gegen Herodot polemisiert. (d) Eigentliche Schuldeklamationen (μελέται): or. 5 und 6, die Entsendung von Verstärkungstruppen nach Sizilien erörtern; or. 7 und 8, die Athen eindringlich zum Friedensschluß mit Sparta drängen (im J. 425 v. Chr.) und Sparta zur Milde gegenüber Athen auffordern (im J. 405 v. Chr.); Thema von or. 9 und 10 ist Athens Streben nach einer Allianz mit Theben im J. 338 v. Chr.; bei den Reden or. 11–15 handelt es sich um fünf Reden, die die Situation verschiedener Städte nach der Schlacht bei Leuktra im J. 371 v. Chr. schildern, Reden, die – ihrer *hypóthesis* nach zu schließen – sehr bewundert wurden; der *Presbeutikos* or. 16, eine Rede über eine Gesandtschaft an Achilleus (vgl. Ilias 9). (e) Die Reden or. 37–46, bei denen es sich um Prosahymnen handelt, eine Gattung, von der A. – kaum glaubhaft – für sich in Anspruch nimmt, ihr Schöpfer zu sein, und die von Menander als μαντευτοί bezeichnet werden (Menander Rhetor, διαίρησις ἐπιδεικτικῶν 344,1 = RUSSELL-WILSON 1,26) waren vielleicht für öffentlichen Vortrag gedacht, bevor das eigentliche rednerische Feuerwerk der μελέται dargeboten wurde (vgl. ihre Beschreibung des Apsines als προοίμια).

C. WIRKUNGSGESCHICHTE

Dem Werk des A. wurden bald auch Schriften anderer Autoren zugewiesen (s.o.); so stammen z.B. die ihm zugeschriebenen *Rhetorica* [13; 14] nicht von ihm. Viele seiner Reden wurden sehr bewundert: or. 1 von Menander Rhetor, or. 3 von Synesios (Dion 40); obwohl sein Werk Gegenstand philosophischer Angriffe war – vgl. z.B. Porphyrios' 7 Bücher ›Gegen A.‹ [15] – war es dem Olympiodoros (vit. Plat. 4,5) und dem Proklos (ad Plat. Timaeum 1,121,7) bekannt. Libanios antwortete auf or. 16 mit decl. 5, einer Rede für Achilleus. Sopatros verfaßte Kommentare zu or. 1 und zu den Reden, in denen die Rhetorik verteidigt wird, zwei Schriften wurden von Photios zusammengefaßt. A. wurde selbst im 12. und 13.Jh. in Konstantinopel noch gelesen.

1 C. A. BEHR, Aelius Aristides' birth date corrected to November 26 117 A.D., in: AJPh 90, 1969, 75–77 2 C. P. JONES, in: JRS 62, 1972, 134–152 3 Ders., in: CQ 31, 1981, 224f. 4 S. A. STERTZ, in: CQ 29, 1979, 172–197 5 L. DE BLOIS, in: GRBS 27, 1986, 279–288 6 C. A. BEHR, ANRW II 34,2, 1994, 1219–1223 7 D. LIBRALE, ANRW II 34,2, 1994, 1271–1313 8 C. A. BEHR, 1, 198. (Übers. or. 1–16) 9 C. A. BEHR, 2, 1981 (Übers. or. 17–52) 10 B. KEIL, Aelii Aristidis Smyrnaei quae supersunt omnia, 1898, Ndr. 1958 11 F. EGLE, Unters. über die Echtheit der Rede Ἀπελλᾶ γενεθλιακός, 1906 13 W. SCHMIDT (Hrsg.), Rhetores Graeci 5, 1926 14 Ders., in: RhM 72, 1917/18, 113ff., 238ff. 15 C. A. BEHR, in: AJPh 89, 1968, 186–199.

ED.: E. BONINO, 1517 · W. DINDORF, 1829 · F. W. LENZ, C. A. BEHR (Hrsg.), 1979–80 (or. 1–16) · B. KEIL, Aelii Aristidis Smyrnaei quae supersunt omnia, 1898, Ndr. 1958 (or. 17–52) · C. A. BEHR, Orationes 1 and 2 (ed. with Engl. transl.), 1973 (Loeb Classical library) · F. W. LENZ, 1959 (Prolegomena) · W. FROMMEL (HRSG.), 1826 (Scholien).
ÜBERS. REDEN:
C. A. BEHR, Bd. 1 (or. 1–16), 1986, Bd. 2 (or. 17–52), 1981 ·
HIEROI LOGOI:
S. NICOSIA, Discorsi sacri, 1984 · A. J. FESTUGIÈRE, Discours sacrés, 1986 · H. O. SCHRÖDER, 1986.
KOMM. OR. 1 PANATHENAICUS:
J. H. OLIVER, in: TAPhS 58,1 1968 · OR. 5–6:
L. PERNOT, Les »Discours siciliens«, 1981 · OR. 26 εἰς Ῥώμην:
L. A. STELLA, 1940 · J. H. OLIVER, in: TAPhS 43,4 1953.
OR. 27 ›Über den Tempel zu Kyzikos‹:
TH. HEINZE, Studien zum ant. Kleinasien 3, 1995, 63–100 ·
PROSAHYMNEN:
G. JÖHRENS, Der Athenahymnos des Ailios A., 1981 ·
W. WAHL, Der Herakleshymnos des Ailios A., 1946 ·

W. VOLL, Der Dionysos-Hymnos des Ailios A., 1948 · W. UERSCHELS, Der Dionysoshymnos des Ailios A., 1962 · J. AMANN, Die Zeusrede des Ailios A., 1931 · A. HÖFLER, Der Sarapishymnos des Ailios A., 1935.
LIT.: H. BAUMGART, Aelius A. als Repräsentant der sophistischen Rhetorik, 1874 · A. BOULANGER, Aelius A. et la sophistique, 1923 · U. VON WILAMOWITZ, SPrAW 1925, 333 · F. W. LENZ, Unters. zu den A.-Scholien, 1964 · Ders., A.-Studien, 1964 · G. W. BOWERSOCK, Greek sophists in the Roman empire, 1965 · B. P. REARDON, Courants Littéraire grecs, 1971 · L. PERNOT, La rhétorique de l'éloge dans le monde gréco-romain, 1993 · C. A. BEHR, Studies on the biography of Aristides, ANRW 2,34,2, 1994, 1140–1233 · C. MORESCHINI, Elio Aristide tra retorica e filosofia, ebd., 1234–1247 · S. A. STERTZ, Aelius A.' political thought, ebd., 1248–1270 · S. SWAIN, Hellenism and empire, 1996, 254–297 · OR. 26 εἰς Ῥώμην: J. BLEICKEN, Nachr. der Akad. der Wiss. in Göttingen, Phil.-histor. Kl. 1966, Nr.7, 223–277 · PROSAHYMNEN: J. MESK, Raccolta ... Ramorino, 1927, 660–672 · D. GIGLI, Prometheus 1, 1975, 237–265 · D. A. RUSSELL, in: Ders. (Hrsg.), Antonine Literature, 1990, 199–219 · HIEROI LOGOI (OR. 47–52): G. MISCH, Gesch. der Autobiographie, 1949–52 i(2), 505–517 · E. R. DODDS, Greek and the irrational, 1951, 109–116 · A.-J. FESTUGIÈRE, Personal religion among the Greeks, 1954, 85–104 · E. R. DODDS, Pagan and Christian in an age of anxiety, 1965, 39–45 · C. A. BEHR, Aelius A. and *the sacred tales*, 1968 · D. GOUREVITCH, Le triangle hippocratique, Bibl. des Écoles françaises d'Athènes et de Rome, 251, 1984, 17–71 · J. BOMPAIRE, REG 102, 1989, 28–39 · O. TEMKIN, Hippocrates in a world of pagans and Christians, 1991, 184–187 · M. OUET, in: BASLEZ, HOFFMANN, PERNOT (Hrsg.), L'invention de l'autobiographie d'Hésiode à Saint Augustin, 1993 · DICHTUNG: E.L. BOWIE, Greek sophists and Greek poetry, ANRW II 33,1, 213–221. E. BO./D. SI.

[4, von Athen] A. richtet nach Eus. HE 4,3,33 eine Apologie des Christentums an Kaiser Hadrian. Spuren davon in einem armen. Fragment aus dem 10.Jh., das 1878 in Venedig publiziert wurde. J. RENDELL HARRIS [1] entdeckte 1889 eine vollständige Version im Sinaikloster. ROBINSON [1] legte dar, daß die griech. Überlieferung des Textes in Kapitel 26 und 27 von Barlaam und Ioasaph existiert. 2 weitere Fragmente wurden von MILNE [2] und KRÜGER [3] entdeckt. In der Apologie betont A. den Vorrang des Christentums als dem »vierten Geschlecht« gegenüber den drei früheren, die es ablöst (Barbaren, Griechen und Juden), weil es allein die wahre Vorstellung von Gott enthalte.

→ Apologeten

1 The Apology of Aristides on Behalf of the Christians from a Syriac MS preserved on Mount Sinai, hrsg. von J. RENDELL HARRIS, with an appendix continuing the main portion of the original Greek Text by J. A. ROBINSON, ²1893, Texts and studies 1/1 2 H. J. M. MILNE, A New Fragment of the Apology of Aristides, in: Journal of theological studies 25, 1924, 73–77 3 G. KRÜGER, Theologische Literaturzeitung 49, 1924 47ff.

Aristides, Apologie, hrsg. von E. HENNECK, 1893, Texte und Unt. 4/3. K. SA.

[5] Bronzebildner, Schüler des → Polykleitos, somit um 400 v. Chr. tätig. Er schuf Pferdegespanne und kann weder mit einem der berühmten homonymen Maler gleichgesetzt werden, noch mit dem Erfinder der Startschranken in Olympia (Paus. 6,20, 14).

D. Arnold, Die Polykletnachfolge (JDAI Ergh. 25), 1969, 6f. · E. Kroker, Gleichnamige gr. Künstler, 1883, 25–27 · Lippold, 216f. · Overbeck, Nr. 978, 981 (Quellen).   R. N.

[6] Zwei griech. Maler gleichen Namens, Großvater und Enkel (?). Datier. und Abfolge der bei Plinius (nat. 35,98–100; 108; 110) mit etlichen Werken erwähnten Künstler sind umstritten; daher dort zugeschriebene Fortschritte in Malstil und -technik dem einzelnen jeweils auch nicht genau zuzuordnen. Der ältere A. aus Theben, Vater des → Nikomachos (?), wirkte wohl schon seit dem zweiten Viertel des 4. Jh. und war Mitbegründer der att.-thebanischen Malerschule. Der jüngere A., Zeitgenosse des → Apelles [4], war etwa seit 340 v. Chr. bis ins frühe 3. Jh. tätig. Die Farbgebung seiner Bilder war »hart«(→ Farbe). Die lit. überlieferte Fähigkeit, den Charakter und Gemütszustand der Protagonisten einer dramatischen Handlung (ἤθη / perturbationes) malerisch auszudrücken, könnten nach Ausweis erh. Denkmäler in Vasenmalerei und Plastik beide Maler beanspruchen. Manche Sujets der Bilder legen die Darstellung solcher psychologischer Reaktionen nahe. Überliefert ist auch eine vom Tyrannen Mnason von Elateia bestellte, teuer bezahlte vielfigurige Perserschlacht. Die Wertschätzung seiner Werke belegt u. a. die spätere Restaurierung eines Knabenbildes (Plin. nat. 35,100).

G. Bröker, s. v. A. Nr. 2, AKL 5, 88 · E. C. Keuls, The Brink of Death in Class. Greek Painting, in: MededRom 44/45, 1983, 13 f.; 18 · Overbeck, Nr. 1778–1785 (Quellen) · A. Rouveret, Histoire Et Imaginaire De La Peinture Ancienne, 1989, passim · I. Scheibler, Griech. Malerei der Ant., 1994, passim.   N. H.

[7, Quintilianus] bekannt als Verf. der unter dem Namen Ἀριστείδου τοῦ Κοιντιλιανοῦ überlieferten Schrift Περὶ μουσικῆς (De musica) in 3 Büchern, entstanden nach Cicero, der im Text gen. ist (70 Meibom), und vor Martianus Capella, der in lib. IX Teile aus A. (bes. 5 – 19 Mb) übers. hat. Die genauere Datierung des teilweise korrupt überlieferten Werkes ist seit langem strittig, wohl nicht vor Ende des 2., vielleicht erst 3. – 4. Jh. Neuplatonikern nahestehend, schrieb A. eine einzigartige Zusammenfassung und -schau des weitgespannten, vom Untergang bedrohten Wissens der Alten über die μουσική (Pythagoreer, Damon, Platon, Aristoteles, Aristoxenos u. a.), verbunden mit eigenen Reflexionen. Auf der Basis einer differenzierten Einteilung des Stoffes (θεωρητικόν – πρακτικόν), steigt die Darstellung auf von den Elementarlehren über den Bereich der Seele zu Philos. und Spekulation. Der erh. Text ist von unterschiedlicher Qualität. Buch I: Prooemium mit Widmung an Eusebios und Florentius, 4 Definitionen der μουσική (6), Einteilung des Stoffs (7), Harmonik (9, dar-

in eine von Alypios abweichende Notation [1]), Rhythmik (31, auch in den Bildenden Künsten) und Metrik (43). Einbeziehung der Seele in Buch II: Bedeutung der μουσική für die Erziehung (59), Ethos und Paideia bei Platon (67, 68) und Cicero (70), Wirkung auf die Seele (75) in ihrer dualen männlichen und weiblichen Gestalt, besonders durch poetische, rhetorische, gestische, musikalische Mittel (91) sowie durch Instrumente. Buch III: Zahlengrundlagen in Musik und Natur, Proportionenlehre (119), Zahlenspekulation (121), Analogien von Musik, Seele, Kosmos (139), Sphärenharmonie (145), Platons Lehre von der Weltseele (155), Schlußbetrachtung.

1 R. P. Winnington-Ingram, The first notational diagram of A. Q., in: Philologus 117, 1973, 243–49 · Ders., Two studies in Greek musical notation, ebd. 122, 1978, 237–248.

R. P. Winnington-Ingram, A. Q., De musica, 1963 (krit. Ed.) · Th. Mathiesen, A. Q., On music in three books, 1983 (engl. Übers. mit Komm.) · R. Schäfke, A. Q., Von der Musik, 1937 (dt. Übers. mit Komm.) · A. D. Barker, A. Q. and constructions in early music theory, in: CQ 32, 1982, 184–197 · A. J. Festugière, L'âme et la musique d'après A. Q., in: TAPhA 85, 1954, 55–78 · E. Pöhlmann, Musiktheorie in spätant. Sammelhss., in: FS H. Flashar 1994, 182–194 · H. Potiron, Les notations d'A. Q., in: Revue de musicologie 47, 1961, 159–176.   F. Z.

Aristias [1] (Aristeas). Bildhauer aus → Aphrodisias [1], tätig im frühen 2. Jh. n. Chr. Er signierte gemeinsam mit Papias die Statuen eines alten und eines jungen Kentauren aus dunklem Marmor, Kopien eines hell. Bronzewerkes aus der Villa des Hadrian bei Tivoli.

H. von Steuben, in: Helbig II, Nr. 1398 · J. Raeder, Die statuarische Ausstattung der Villa Hadriana bei Tivoli, 1983, 236–238 · M. Squarciapino, La Scuola di Afrodisia, 1943, 32–34.   R. N.

[2, aus Phleius] Tragiker, Sohn des Pratinas, mit dessen Stücken er 467 v. Chr. zweiter nach Aischylos wurde (DID C 4); erster Sieg ca. 460 (DID A 3a, 17). Er soll sich auch als Satyrspieldichter ausgezeichnet haben. Überlieferte Titel: Antaios, Atalante, Keres, Kyklops, Orpheus.

Mette, 161 · B. Gauly et al. (Hrsg.), Musa Tragica, 1991, 9 · TrGF 9.   F. P.

Aristion (Ἀριστίων). **[1]** Epikureischer Philosoph, der in Athen mit Hilfe → Mithradates' VI. 88 v. Chr. großen Einfluß gewann (»Tyrann«). Um die Griechen für Mithradates einzunehmen, unterstützte A. → Archelaos, so im Kampf gegen den Proquaestor Q. Braetius Sura bei → Chaironeia. Im Frühjahr 87 v. Chr. zog er sich vor → Sulla nach Athen zurück. Die Stadt fiel am 1.3.86 v. Chr.; A. konnte sich noch kurz auf der Akropolis halten, gab dann auf und wurde auf Sullas Befehl getötet (Strab. 9,1,20; Plut. Sulla 11–14; App. Mithr. 109–114, 149–151).

J. Deininger, Der polit. Widerstand gegen Rom in
Griechenland 217–86 v. Chr., 1971, 255–261 • HN,
385.   E. O.

[2] Bildhauer aus Paros, tätig in Attika in der 2. H. des 6.
Jh. v. Chr. Erh. sind die an der Basis signierte Kore Phra-
sikleia aus Myrrhinous und mehrere Basen für Grab-
statuen.

Fuchs/Floren, 161–165, 184 • Loewy, Nr.
11,12,395.   R. N.

Aristippos [1].

Aus Argos, Freund der Antigoniden,
gegen den sein Rivale Aristeas 272 v. Chr. → Pyrrhos in
die Stadt rief (Plut. Pyrrh. 30,2); nach 272/1 wohl Tyrann [1. 396]. **[2]** Enkel von [1] [1. 711], Sohn des Tyrannen → Aristomachos [3], Tyrann 240–235/4; erlag in
einem Hinterhalt bei Kleonai den fortgesetzten Anschlägen des → Aratos [2] (Plut. Arat. 27–29 [2. 61–63],
den A. schon nach einem ersten völkerrechtswidrigen
Überfall auf Argos verklagt hatte (Plut. Arat. 25). Seine
Tochter Apia heiratete → Nabis von Sparta (IG IV² 621).
Das Bild vom ruchlosen und feigen Tyrannen (Plut.
Arat. 25–26) ist tendenziös [1. 397].

1 H. Berve, Die Tyrannis bei den Griechen, 1967
2 R. Urban, Wachstum und Krise des Achäischen Bundes,
1979.   L.-M.G.

[3, der Ältere] Aus Kyrene, Schüler des Sokrates; Lebenszeit ca. 430–355 v. Chr. A. scheint viel in der Welt
herumgereist zu sein; mindestens einmal, höchstwahrscheinlich aber mehrfach hielt er sich am Hof von Syrakus auf. Sein Charakter wird in den erh. Zeugnissen
(vielfach Anekdoten) beschrieben als der eines Mannes,
der, wo immer er sich befindet, Luxus und Amüsement
sucht, ohne doch darauf angewiesen zu sein; der souverän alle Lebenssituationen, auch die mißlichsten, zu
meistern versteht, weil er sich an nichts bindet, sondern
allen Menschen und Dingen gegenüber seine Unabhängigkeit bewahrt und der deshalb die Gunst reicher Po-
tentaten, wie der Tyrannen in Syrakus, zu nutzen versteht, ohne je in die Gefahr zu geraten, der Liebedie-
nerei zu verfallen. Kennzeichnend für seinen Umgang
mit Menschen und Dingen ist der berühmte Ausspruch,
mit dem er sein Verhältnis zu der Hetäre Laïs beschrieben haben soll: ›Ich habe sie, aber sie hat mich nicht‹
(Diog. Laert. 2,75; Cic. fam. 9,26,2 u.ö.). Was wir an
Informationen über Schriften des A. haben, ist äußerst
wirr. Daß er Schriften verfaßt hat, kann aber als sicher
gelten.
   A. soll der erste Sokratesschüler gewesen sein, der für
seine Unterrichtstätigkeit Bezahlung forderte (Diog.
Laert. 2,65). Seine Schüler und Nachfolger wurden
nach seiner Heimatstadt → »Kyrenaïker« (Κυρηναϊκοί)
genannt. Unklar ist, wieviel von den Lehren, die in den
erh. Zeugnissen pauschal den Kyrenaïkern zugeschrieben werden, schon auf A. zurückgeht. Zwar ist sicher,
daß schon er die Lust (ἡδονή) als größtes Gut und Le-
bensziel (τέλος) ansah (Euseb. Pr. Ev. 14,18,31); unge-

wiß ist jedoch, ob er diese seine Auffassung theoretisch
begründete. Nicht wenige Interpreten bezweifeln dies
und sehen in A. daher in erster Linie einen Lebenskünst-
ler. Andere meinen, daß die den Kyrenaïkern zugeschriebenen Lehren zumindest im Kern schon auf A.
zurückgehen. Näheres → Kyrenaïker.

[4 der Jüngere] Aus Kyrene, Enkel des Sokrates-
schülers A. [3], genannt »der Mutterschüler« (ὁ Μητροδίδακτος), weil er von seiner Mutter → Arete [2] in die
Philos. eingeführt wurde (Diog. Laert. 2,86; Strab.
17,3,22 u. ö.). Seine Lebenszeit läßt sich nicht näher
bestimmen. Eine Notiz bei Euseb. Pr. Ev. 14,18,31–32)
besagt, erst A. habe der Lustlehre seines Großvaters eine
feste Form gegeben. Wieweit diese Behauptung zutrifft
und möglicherweise über die Lustlehre hinaus auszudehnen ist, ist umstritten. Näheres → Kyrenaïker.

Ed.: 1 E. Mannebach (Hrsg.), Aristippi et Cyrenaicorum
fragmenta, 1961 2 SSR IV B.
Lit.: 3 K. Döring, Der Sokratesschüler Aristipp und die
Kyrenaïker, 1988, 20–23, 58–61 4 K. Döring, Aristipp aus
Kyrene und sein gleichnamiger Enkel, GGPh 2.1, 1996,
§ 19 A (mit weiterer Lit.; im Druck) 5 W. Mann, The
life of Aristippus, AGPh 1996 (im Druck).   K.D.

[5] In der Homonymenliste bei Diog. Laert. 2,83 wird
als vierter A. ein Mitglied der Neuen Akademie ge-
nannt, nach Eus. Pr. Ev. 14,7,14, der ihn unter den
Schülern des Lakydes bes. hervorhebt (vgl. Philod.
Acad. col. 27,9), ebenfalls aus Kyrene stammend.
→ Akademeia; Lakydes   K.-H.S.

Aristius.

Röm. Familienname (ThLL 2,646f.) [1].

1 Schulze, 128.   K.L.E.

[1] M., Militärtribun in Caesars Heer während des gallischen Aufstandes von 52 v. Chr. (Caes. Gall. 7,42,5;
43,1).   W.W.

[2] Fuscus, Dichter und *grammaticus*, enger Freund und
Kritiker des → Horaz, der an ihn carm. 1,22 und epist.
1,10 gerichtet hat. Sat. 1,9,61–74 zeigt seinen Sinn für
Humor.

R. G. M. Nisbet, M. Hubbard, A Commentary on Horace:
Odes, Book 1, 1970, 261f.   K.L.E.

Aristobulos.

[1] Iudas A. I., Sohn und Nachfolger des
Iohannes → Hyrkanos, Hohepriester 104–103 v. Chr.,
ließ zur Sicherung seiner Herrschaft seine Mutter und
seine Brüder einkerkern bzw. töten. Dies und seine
philhell. Neigungen bestimmen sein negatives Bild in
der jüd. Überlieferung. Die Behauptung des Iosephos,
er habe den Königstitel angenommen, wird durch (seltene) Münzen mit der hebr. Legende: ›Iudas der Hohepriester und der Ältestenrat der Juden‹ in Frage gestellt. Bei seinem Feldzug gegen die Ituräer annektierte
er Galiläa und judaisierte die heidnische Bevölkerung.
(Ios. ant. Iud. 12,301–319; bell. Iud. 1,70–84). [1. 216–
218]. **[2]** A. II., Sohn des → Alexandros II. Iannaios,
Hohepriester und König 67–63 v. Chr., erhob sich noch

zu Lebzeiten der Mutter, → Alexandra Salome, gegen seinen zur Nachfolge in der weltlichen Herrschaft bestimmten Bruder, → Hyrkanos II., und zwang ihn zum Verzicht auf Königtum und Hohepriesteramt. Auf Veranlassung des Strategen von Idumäa → Antipatros [4] nahm Hyrkanos den Kampf um die Herrschaft mit Hilfe des Nabatäerkönigs → Aretas [3] III. wieder auf. A. wurde auf dem Tempelberg belagert, es gelang ihm jedoch, durch Bestechung den Legaten des Pompeius, M.→ Aemilius [I 38] Scaurus, auf seine Seite zu ziehen und sich in Judäa zu behaupten. Durch ungeschicktes Taktieren verscherzte er sich die Gunst des Pompeius, der A. gefangennahm und im Herbst 63 Jerusalem einnahm. A. und seine Kinder wurden 61 im Triumphzug des Pompeius mitgeführt, 56 gelang ihm mit seinem Sohn → Antigonos [5] die Flucht aus Rom. Der Versuch, sich Judäas zu bemächtigen, scheiterte; A. wurde wieder in Rom interniert. 49 von Caesar befreit, ging er erneut nach Judäa, um für Caesar gegen die Pompeianer zu kämpfen, und wurde im selben Jahr vergiftet (Ios. ant. Iud. 14,1–79; bell. Iud. 1,120–158) [1. 233–242]

1 SCHÜRER, Bd. 1.   K.BR.

[3] **Jonathan A.**, Sohn des Alexandros, des Sohnes von A. [2], und der Alexandra, der Tochter des → Hyrkanos II., wurde auf Betreiben seiner Mutter und auf Intervention von Antonius und Kleopatra im J. 36 v. Chr. als 16jähriger von seinem Schwager → Herodes d.Gr. als Hoherpriester eingesetzt. Nach einem Fluchtversuch und Sympathiekundgebungen des Volkes ließ ihn Herodes, der ihn als Rivalen betrachtete, 35 in Jericho umbringen (Jos. ant. Iud. 15,23–56; bell. Iud. 1,437).

A. SCHALIT, König Herodes, 1969, 101–113.   K.BR.

[4] Sohn → Herodes' d. Gr. und der → Mariamme, in Rom erzogen und 17 v. Chr. mit Berenike, einer Nichte seines Vaters, verheiratet, wurde in die Thronfolgekämpfe zw. der Verwandtschaft des Herodes (→ Salome) und den Söhnen der Mariamme verwickelt. Von Herodes bei Augustus zweimal verklagt, wurde A. zuletzt von einem in Berytos tagenden Gericht verurteilt und zusammen mit seinem Bruder 7 v. Chr. in Sebaste (Samaria) auf Befehl des Herodes hingerichtet (Ios. ant. Iud. 15,342–16,394; bell. Iud. 1,435–437).

A. SCHALIT, König Herodes, 1969, 588–628.   K.BR.

[5] Sohn von A. [4] und verheiratet mit Iotape, Tochter des Königs → Sampsigeramos von Emesa. Mit seinem Bruder → Herodes Agrippa I. verfeindet, überführte er ihn beim Statthalter von Syrien, L. Pomponius Flaccus, der Annahme von Bestechungsgeldern in einem sidonisch-damaszenischen Grenzstreit. 40 n. Chr. leitete er die jüd. Delegation, die → Petronius veranlaßte, die von Caligula angeordnete Aufstellung seines Bildes im Jerusalemer Tempel nicht vorzunehmen. Bei Kaiser Claudius in hoher Gunst stehend, starb er 45 als Privatmann (Ios. ant. Iud. 18,133–278; 20,13; bell. Iud. 2,221f). [6] Sohn des Herodes von Chalkis und der Mariamme, En-

kelin → Herodes' d. Gr. verheiratet mit Salome, Tochter des Tetrarchen → Philippos und der → Herodias, erhielt von Nero 54 die Herrschaft über Kleinarmenien und 60 über Teile Großarmeniens. Vielleicht ist er identisch mit dem für das 4. Jahr Vespasians bezeugten König von Chalkidike (Chalkis ad Libanum oder ad Belum). (Ios. ant. Iud. 18,134; 137; 20,13; 104; 158; bell. Iud. 2,221; 252; 7,226; Tac. ann. 13,7; 14,26).   K.BR.

[7] Bürger von Kassandreia, wo er wohl seine letzten Jahre zubrachte. Da er Ägypten gut kennt, lebte er vermutlich auch eine Zeitlang in → Alexandreia. Die Schlacht von → Ipsos (301 v. Chr.) erlebte er sicher noch. Wahrscheinlich einer der → Hetairoi des → Philippos, begleitete er → Alexandros [4] auf allen Feldzügen und führte Aufträge aus, bes. die Restauration des Grabmals von → Kyros, das er genau beschrieb. Im 84. Lebensjahr verfaßte er, z. T. nach eigenen Notizen und Erinnerungen, z. T. nach früheren → Alexanderhistorikern, eine Gesch. der Feldzüge, aus der viele Zitate (aber nicht alle echt und keines im Wortlaut) erh. sind; Titel und Einteilung sind unbekannt. → Arrianos [2] machte ihn und → Ptolemaios, die er für vorurteilslose Primärquellen hielt, zu seinen Hauptquellen für die *Anabasis*. Tatsächlich ist A. vielleicht der eifrigste Apologet Alexandros'. So behauptet er, der König habe den Knoten von → Gordion richtig gelöst, → Kallistenes nicht hinrichten, sondern nur verhaften lassen und nie Neigung zum übermäßigen Trinken gezeigt: An Gelagen habe er nur der Hetairoi zuliebe teilgenommen und wenig getrunken, vor seinem Tod habe er nur wegen des Fieberdursts Wein getrunken und der Tod des Kleitos' sei ganz dessen eigene Schuld. Er berichtete breit, bes. vor Alexandros' Tod, über ihn betreffende Omen und Wunder und erfand anscheinend die der Vulgata (s. Alexanderhistoriker) unbekannte Gesch., Alexandros habe sich in → Ilion die der Athena im Trojanischen Krieg dargebrachten Waffen angeeignet und sie in der Schlacht vor sich hertragen lassen. (Nur Arr. an. 1,11,7f., vgl. 6,9,3). So können auch viele der homer. Reminiszenzen, die bei Arrianos den Marsch durch Kleinasien schmücken, von A. stammen. Seine geogr. und ethnographischen Interessen (bei Arrianos nur vereinzelt ausgedrückt) machten ihn zu einer wichtigen Quelle → Strabons über Babylonien und Indien. So beschrieb er z.B. in Indien die Weisen, den Feuertod der Witwen, den Monsunregen, den Anbau von Reis, die Flora und Fauna entlang der Ströme, in → Gedrosia die Bäume der Wüste und am Unterlauf des Euphrat das Kanalsystem. Er polemisiert gegen Wundererzählungen seiner Vorgänger, doch sind seine Berichte von Fehlern entstellt. Am Ende beschrieb er genau Alexandros' Vorbereitungen zum Angriff auf Arabien und gab zu, daß ihn unersättlicher Expansionsdrang und Wunsch nach Vergöttlichung dazu trieben (FGrH 139).

BERVE 2, Nr. 121 · P. A. BRUNT, Notes on A. of Cassandria, in: CQ 24, 1974, 65–69 · SCHWARTZ, s.v. A., RE 2, 911–18.   E.B.

[8] Von Ptolemaios I. 311 v.Chr. zu Antigonos gesandt, um dessen Vertragseid entgegenzunehmen; nach 305 ptolemäischer Beauftragter in Karien. Identisch mit → A. [7] (Alexanderhistoriker)?

E. OLSHAUSEN, Prosopographie, 1, 1974, 25 Nr. 9.   W. A.

Aristodemos (Ἀριστόδημος). **[1]** Ururenkel des Herakles, einer der drei Herakliden, welche die Dorier auf die Peloponnes führten. Nach der verbreiteten Sagenversion (Plat. leg. 3,692b; Apollod. 2,173; Paus. 3,1,6) starb A. noch außerhalb der Peloponnes unter Hinterlassung von Zwillingssöhnen, Eurysthenes und Prokles, die dann Lakonien erhielten und die Stammväter der beiden spartanischen Königshäuser wurden. Nach spartanischer Überlieferung führte A. selber die Spartaner heim, starb aber kurz nach der Geburt der Zwillingssöhne, für die Theras vormundschaftlich regierte (Hdt. 4,147. 6,52) [1].

F. PRINZ, Gründungsmythen und Sagenchronologie, 1979, 282ff.   F. G.

[2] Spartiat, der krankheitsbedingt nicht an der Schlacht bei den Thermopylen (480) teilnehmen konnte. Weil er deshalb allein überlebte, verfiel er in Sparta der Atimie. Um diesen Makel zu tilgen, verließ er in der Schlacht von Plataiai (479) die Phalanx und fand nach zahlreichen Heldentaten den Tod; dennoch wurden ihm aufgrund der alten Schande keine Ehrungen zuteil (Hdt. 7,229–231; 9,71). **[3]** Vormund des spartanischen Königs Agesipolis I., Agiade. A. übernahm 394 v.Chr. im Korinthischen Krieg die Führung eines lakedaimonischen Heeres. Nachdem ihm die Vereinigung seiner Truppen mit großen Teilen der Verbündeten gelungen war, besiegte er am Fluß Nemea (nahe Korinth) die gegnerische Allianz aus Korinthern, Athenern, Boiotern und Argivern (Xen. hell. 4,2,9ff.; Paus. 3,5,7; Diod. 14,83,2). **[4]** Legendärer messenischer Held zur Zeit des 1. Messenischen Krieges. A. soll nach dem Rückzug der Messenier auf den Berg Ithome aufgrund der Forderung des delph. Orakels, daß zur Rettung Messeniens eine Jungfrau aus dem Aipytidengeschlecht geopfert werden müsse, seine eigene Tochter zu diesem Zweck dargeboten haben. Als ihr Verlobter dies verhindern wollte und schließlich sogar behauptete, die Frau erwarte ein Kind von ihm, habe A. sie getötet, ihren Leib aufgeschnitten und so bewiesen, daß sie nicht schwanger war. Nach dem Tod des messenischen Königs Euphaes (nach ant. Chronologie im 14. Kriegsj.) soll A. zu seinem Nachfolger gewählt worden sein. Schließlich aber (im 20. Kriegsj.) hätten ihm unheilvolle Vorzeichen und Orakel ein böses Kriegsende vorausgesagt, woraufhin er verzweifelt am Grab seiner Tochter Selbstmord begangen habe; wenige Monate später hätten die Messenier tatsächlich Ithome räumen müssen (Paus. 4,9–13; Diod. fr. 8,8). Die kaum histor. Figur des A. geht wahrscheinlich auf Myron von Priene (3.Jh. v.Chr.), den Verf. eines Werkes über den 1. Messenischen Krieg, zurück,

der seinen Helden ganz im Stil der tragischen Geschichtsschreibung gezeichnet hat und auf den sich Pausanias als die einzige erh. Quelle zu A. stützt (vgl. Paus. 4,6,2).

L. PEARSON, The Pseudo-History of Messenia and its Authors, in: Historia 11, 1962, 397–426.   M. MEI.

[5] Aus Kyme. Beiname Malakos, »der Weichliche«, Sohn des Aristokrates. Er rettete 524 v.Chr. das kampanische Kyme vor Etruskern, Umbrern und Dauniern und verteidigte 505 das von den Etruskern unter Aruns, Sohn des Porsenna, belagerte Aricia. Gestützt auf Heer und Demos errichtete er danach in Kyme eine typische → Tyrannis: Er schuf sich eine Leibwache, tötete die adeligen Standesgenossen und konfiszierte ihr Vermögen, versprach den Armen Landverteilung und Schuldentilgung; außerdem warb er Söldner, gab Sklaven das Bürgerrecht, entwaffnete und entpolitisierte die Bürger. Dem aus Rom vertriebenen → Tarquinius Superbus gewährte A. nach der Schlacht am See Regillus 495 v.Chr. (vgl. Liv. 2,21,5) Zuflucht (Liv. 2,14.21,5; Dion. Hal. ant. 6,21). Um 490 eroberten die Söhne der Aristokraten Kyme zurück und töteten den Tyrannen samt seinem Hause. Nach Plut. mor. 262 geschah dies unter Mitwirkung seiner Frau Xenokrite (Dion. Hal. ant. 7,2–12, wohl nach einer griech. Stadtchronik von Kyme).

A. ALFÖLDI, Early Rome and the Latins, 1963, 56ff. · H. BERVE, Die Tyrannis bei den Griechen, 2 Bd., 1967, Bd. 1, 160ff., Bd. 2, 611 · T. J. CORNELL, Notes on the Sources for Campanian History in the Fifth Century B.C., in: MH 31, 1974, 193–208 · CAH 7.2, ²1989, 1f., 93f., 177, 257f., 263, 651.   K. MEI.

[6] Aus Phigaleia, Adoptivsohn des Tritaios aus Megalopolis, dort Tyrann ca. 265 (?) – 252 v.Chr., wohl unter der Protektion des → Antigonos [2] Gonatas, aber auch akzeptiert von den Bürgern, wie sein Beiname »Chrestos« und das Überdauern seines Grabmals bezeugen (Paus. 8,27,11; 37,5) [1. 401]. A. schmückte die Stadt mit diversen Bauten (Paus. 8,30,7; 32,5; 35,5). Ob sich der spartanische Angriff auf Megalopolis 263/2, bei dem → Akrotatos [2] fiel (Plut. Agis 3,7), gegen die Tyrannis richtete, ist fraglich [2. 175; 3. 44,190]. A. wurde von Verbannten um → Ekdemos ermordet (Pol. 10,22,2) [1. 401; 3. 34].

1 H. BERVE, Die Tyrannis bei den Griechen, 1967
2 H. HEINEN, Unt. zur hell. Gesch. des 3.Jh. v.Chr., 1972
3 R. URBAN, Wachstum und Krise des Achäischen Bundes, 1979.   L.-M. G.

[7] Griechischer → Grammatiker des 2.Jh. n.Chr., Schüler des Aristarchos [4] von Samothrake, Verf. eines Werkes über Pindar (Περὶ Πινδάρου: Athen. 9,495f), mehrfach in den schol. Pind. zitiert, wo er als ὁ Ἀριστάρχου μαθητής (schol. Pind. N. 7,1a) und als Ἀλεξανδρεύς (schol. Pind. I. 1,11c) bezeichnet wird. Die Gleichsetzung mit A., dem Verf. von Θηβαϊκά (ἐπιγράμματα), wird von [5] und [2] (FGrH 383) ohne weiteres akzeptiert, aber kann nicht frei von Zweifeln genannt werden. Weniger Glück hat der Vorschlag einer (von [3] akzeptierten, von [5] zurückgewiesenen) Gleichsetzung ([2] ist zurückhaltend) mit Ἀ. ὁ Ἠλεῖος, Verf. eines Werkes, in dem er von den Olympischen Spielen sprach (FGrH 414). Der Name ist weit verbreitet: A., Verf. eines Werkes Περὶ εὑρημάτων (Clem. Al. stromata 1,16,77,1); A., Verf. von Γελοῖα ἀπομνημονεύματα (Athen. 6,244f; 246d; 8,338a; 345b; 13,585a: A. Körte, in: Hermes 54, 1919, 91–92); A. von Karien, Verf. einer Schrift über die Malerei (Philostr. imag., Prooem.); A., Kompilator einer Universalgesch. (FGrH 104).

→ Aristarchos [4] von Samothrake; Grammatiker; Philologie

Ed.: **1** FHG 3, 307–311 **2** Jacoby, FGrH 383.
Lit.: **3** A. Blau, De Aristarchi discipulis, 1883, 37–39 **4** A. Boeckh, Pindari Opera, 1819, II praef. XIV–XV **5** E. Schwartz, RE 2, 925 **6** J. Irigoin, Histoire du texte de Pindare, 1952, 59–60 **7** W. Radtke, Aristodems Ἐπιγράμματα Θηβαικά, in: Hermes 36, 1901, 36–71 **8** U. v. Wilamowitz-Moellendorff, Die Sieben Thore Thebens, in: Hermes 26, 1891, 209–241.   F.M./T.H.

Aristodemos [8] s. Sokratiker

Aristodikos. Epigrammdichter aus Rhodos, von dem zwei farblose Epitymbien (Anth. Pal. 7,189; 473) auf uns gekommen sind, die höchstwahrscheinlich aus dem »Kranz« des Meleagros stammen. Im Anschluß an → Anyte (dadurch erklärt sich das unwahrscheinliche Ἀνύτης des Planudes) bezieht sich das erste Gedicht auf eine Heuschrecke. Es gibt keinen Beweis dafür, daß dieser unbekannte Dichter der A. ist, der in dem anonymen arithmetischen Epigramm 14,2,6 erwähnt wird.

GA I 1,42; 2, 107–109.   E.D./T.H.

Aristogeiton (Ἀριστογείτων). **[1]** A. und → Harmodios, Mitglieder der Familie der Gephyraier, verschworen sich mit anderen, um den Tyrannen → Hippias und seinen Bruder → Hipparchos bei den Panathenäen 514 v.Chr. zu ermorden. Der Plan mißlang; nur Hipparchos fiel dem Anschlag zum Opfer, Hippias blieb unversehrt. Seine Tyrannis wurde erst 511/10 mit mil. Unterstützung Spartas beendet. Harmodios wurde sofort nach dem Attentat getötet. A. wurde verhaftet, gefoltert und hingerichtet (Hdt. 5,55ff.; Thuk. 1,20; 6,54ff.; Aristot. Ath. pol. 18). Die Geschichtsschreibung des 5. und 4.Jh. läßt als Motiv für die Tat nur private Gründe – eine homoerotische Liebesgeschichte und eine persönliche Kränkung – gelten, doch wurden A. und Harmodios schon bald als polit. motivierte Tyrannenmörder, als Freiheitskämpfer und Stifter der Demokratie angesehen. In der Phase der Entstehung und Konsolidierung der Demokratie avancierten sie deshalb zu zentralen Identifikationsfiguren. Ein Skolion von ca. 510 v.Chr. feiert sie bereits als diejenigen, die Athen die → *isonomía* brachten (Athen.

15,695). Wenig später ehrte man sie durch die öffentliche Aufstellung von bronzenen Standbildern aus der Werkstatt des → Antenor. Als diese 480 von den Persern geraubt wurden, ersetzte man sie durch eine Statuengruppe der Bildhauer → Kritios und → Nesiotes. An den Gräbern der Tyrannenmörder auf dem Kerameikos wurde regelmäßig geopfert. Ihre Nachfahren genossen das Privileg der Speisung im → Prytaneion.

H. Berve, Die Tyrannis bei den Griechen Bd. 1, 1967, 68–74 • B. Fehr, Die Tyrannentöter, 1984.   E.S.-H.

[2] Sohn des Kydimachos, als notorischer → Sykophant und zur → Atimia verurteilter Staatsschuldner beschrieben, soll dennoch athenisches Ratsmitglied 325/4 v.Chr., Antragsteller mehrerer Dekrete vor 323 sowie Redner in der Volksversammlung gewesen sein (Demosth. or. 25,41–42, 64 und 94; 26,17; ep. 3,16; Deinarch. 2,12–13). A. klagte mehrfach → Demosthenes und erfolglos 338/7 → Hypereides wegen seiner Notstandsdekrete nach der Schlacht von Chaironeia an. Ca. 325 wurde A. von → Lykurgos mit einer Endeixis belangt und angeblich verurteilt. In den Harpalosprozessen (→ Harpalos) 324/23 wurde A. von der Anklage der Bestechlichkeit freigesprochen (PA 1775; Develin 397). → Rhetoren

Berve 2, 122 • R. Sealey, Who was A.? in: BICS 7, 1960, 33–43 • Ders., Pseudo-Demosthenes XIII and XXV, in: REG 80, 1967, 250–255 • I. Worthington, A Historical Commentary on Dinarchus, 1992, 287–312.   J.E.

Aristokleides (Ἀριστοκλείδης). Kitharode aus der Schule Terpanders, hat Phrynis, der als Aulode begann, für die Kitharodie gewonnen (schol. Aristoph. Nub. 971).   F.Z.

Aristokles (Ἀριστοκλῆς). **[1, aus Messene]** Peripatetiker der frühen Kaiserzeit. Seine Hauptschrift, Περὶ φιλοσοφίας in 10 Büchern, enthielt eine kritische Übersicht über die Lehren aller Schulen; Auszüge bei Eus. pr. ev. 14–15. Andere ihm bisher zugeschriebene Lehren gehören dem → Aristoteles aus Mytilene. Wegen der Verwechslung mit letzterem hielt man A. für einen Lehrer des Alexandros von Aphrodisias und setzte seine Lebenszeit ins späte 2.Jh.; tatsächlich scheint er erheblich früher gelebt zu haben.

W. Heiland, A. Messenii Reliquiae, 1925 • P. Moraux, in: AGPh 49, 1967, 174ff • Moraux, II, 1984, 83ff. • H.B. Gottschalk, in: ANRW II 36.2, 1987, 1160ff.   H.G.

[2] Bildhauer in Athen am Ende des 6.Jh. v.Chr. Mehrere Basen von Grabmonumenten mit seiner Signatur waren in der Themistokles-Mauer verbaut. Erh. ist die Stele des Aristion, stilistisch um 510 v. Chr. datiert. Weitere Verbindungen mit Grabskulpturen sowie Zuschreibungen wurden vorgeschlagen. Nicht identisch sind ein namensgleicher Bronzebildner in Olympia und ein Bruder des Kanachos.

FUCHS/FLOREN, 212f.; 287; 289 · G. RICHTER, The archaic gravestones of Attica, 1961, 47,170 Abb. · D. VIVIERS, Recherches sur les ateliers de sculpteurs et la cité d'Athènes à l'époque archaique. Endoios, Philergos, Aristoklès, 1992.   R. N.

[3, aus Rhodos] Redner und → Grammatiker, von Strabon 14,655 als Zeitgenosse erwähnt (2. H. des 1. Jh. v. Chr). Er widmete sich der Interpretation von → Hippokrates, → Pindar, → Platon; er schrieb über grammatikalische Probleme und verfaßte einen Traktat Περί ποιητικῆς. Neben den Zeugnissen von A. ›aus Rhodos‹ werden ihm grammatikalische Fragmente zugewiesen, in denen ohne genauere Angaben ein Grammatiker A. zit. wird. Er muß jedoch von dem gleichnamigen Musikgelehrten Aristokles (Ende des 2. Jh. v. Chr., oft zitiert bei Athenaios) unterschieden werden.

FGH IV 329–332 · L. ROSSETTI, P. LIVIABELLA FURIANI, Rodi, in: G. CAMBINO et al., Lo spazio letterario della Grecia antica, I 2, 1993, 713. · G. WENTZEL, RE 2.1, 935–937.   F. M. / M.-A. S.

[4, aus Pergamon] Ti. Claudius A., Peripatetiker des 2. Jh. n. Chr., zum Sophisten bekehrt durch Herodes' Deklamationen in Rom. Dieser sandte ihm später Schüler nach Pergamon. Seinem zurückhaltenden → Attizismus mangelte es an Wohlklang (Philostr. soph. 2,3). Phrynichos widmete ihm die Bücher 1–3, 10 und 13 seiner *Praeparatio Sophistica* (zwischen 166–177). Nach seiner Wahl in den Senat (Phot. bibl. 100b), wurde er *consul suffectus* (Inschr. Olympia 462; vgl. Philostr. l.c.); er wurde sehr alt und starb ca. 180 (Philostr. soph.). Werke: eine τέχνη, Briefe, 5 Bücher über Rhet., Deklamationen (Suda α 3918 ADLER). Synesios (Dio 1) kennt philos. Schriften (? ἠθικά, vgl. Suda α 3916); Eus. (Pr. Ev.) zitiert Buch 7 und 8 aus einer daraus.

E. L. BOWIE, The importance of sophists, in: YClS 27, 1982, 48–49 · PIR² C 789.   E. BO. / L. S.

Aristokles [5] s. Paradoxographoi

Aristokrates. [1] Legendärer König des arkadischen Orchomenos (Apollod. FGrH 244 F 334; nach Paus. 4,17,2; 8,5,13 König von Trapezus) z. Z. des 2. Messenischen Krieges (2. H. 7. Jh. v. Chr.), nach Diog. Laert. 1,94 mit seinem Sohn Herrscher über fast ganz Arkadien.

A. soll als Anführer der Arkader mehrfach die verbündeten Messenier unter → Aristomenes an Sparta verraten haben (Paus. 4,17,2–8; 22,1–6) und dafür zuletzt von den eigenen Leuten gesteinigt worden sein (Paus. 4,22,7). Kallisthenes FGrH 124 F 23 bezog eine Inschr. über einen Verräter Messeniens am Altar des Zeus Lykaios auf A. (vgl. Pol. 4,33; Paus. 4,22,7). Zwar scheinen sich die bislang unsicheren Nachrichten über eine antispartanische Koalition unter Beteiligung der Arkader im 2. Messenischen Krieg durch einen neueren Tyrtaiosfund (P Oxy. 3316 = Tyrt. fr. 10a G/P) zu be-

stätigen [1. 5], doch muß die Historizität des A. weiterhin unsicher bleiben.

1 M. W. HASLAM, The Oxyrhynchus Papyri 47, 1980, 1–6.   M. MEI.

[2] Athener vornehmer Herkunft, 421 v. Chr. an der eidlichen Sanktionierung des Nikiasfriedens beteiligt (Thuk. 5,19; 24), 413/2 als Strategos nach Chios gesandt (Thuk. 8,9,2). Unter der Herrschaft der 400 Oligarchen 411 v. Chr. unterstützte er die gemäßigte Politik des → Theramenes (Thuk. 8,99,2; Aristot. Ath. pol. 33,2) und war an Bau und Abriß der Befestigung der → Eetioneia beteiligt (Thuk. 8,92; Demosth. or. 58,67). 410 wurde er mit Theramenes und dem Demokraten → Thrasyllos zum Strategos gewählt und bekleidete dieses Amt durchgehend seit 408/7 bis zu seiner Hinrichtung im Rahmen des Arginusenprozesses 406 v. Chr. (Xen. hell. 1,7,2; 34f.; PA, 1904; TRAILL PAA, 171040).   M. MEI.

[3] Kommandant einer Flotte, die Sparta ca. 374/73 v. Chr. den Zakynthiern im Kampf gegen die dort verbannten und mit Athen verbündeten Demokraten zur Hilfe sandte (Diod. 15,45; Xen. hell. 6,2,3). **[4]** Spartaner, Sohn des Hipparchos. A. verfaßte vermutlich in der frühen Kaiserzeit einen histor.- mythographischen Roman in mindestens 4 Büchern über die spartanische Gesch. von Lykurg bis Nabis oder darüber hinaus (FGrH 591). Dieses *Lakonike* betitelte Werk, das insbes. den am alten Sparta interessierten Reisenden eine Fülle von exotischem Material bot, wurde später u. a. von Plutarch (Lykurgos 4; Philopoimen 16,4) benutzt.

T. A. BORING, Literacy in Ancient Sparta, 1979.   M. MEI.

[5] Tragiker, nach 85 v. Chr. Sieg bei den Museia in Thespiai mit einer neuen Tragödie (DID A 8, 2).

METTE, 59 · TrGF 174.   F. P.

Aristokratia (ἀριστοκρατία, »die Macht in den Händen der Besten«). In den griech. Staaten gab es keine Instanz, um Familien zu adeln, aber in der archaischen Zeit betrachteten sich die Familien, die sich nach den → Dark Ages als die erfolgreichsten erwiesen hatten und durch Reichtum und Status hervorragten, selbst als die Besten (*áristoi*). An die Stelle eines regierenden Königs trat die Regierung durch Mitglieder dieser führenden Familien: Einige frühe Zeugnisse erwähnen ausdrücklich, daß Ernennungen, *aristíndēn*, also aus den Reihen der Besten, erfolgten (etwa im Ozolischen Lokris: ML, 13; TOD, 34). In der modernen Forschung werden diese frühen Regierungsformen als Aristokratien bezeichnet, aber das griech. Kompositum *aristokratía* ist bis ins 5. Jh. nicht bezeugt und wurde vielleicht erst in Reaktion auf *dēmokratía* geprägt.

In vielen Staaten schuf im 7. und 6. Jh. v. Chr. die Unzufriedenheit mit der Herrschaft der Aristokraten die Gelegenheit, die Macht als Tyrann zu ergreifen. Nach zwei oder drei Generationen machten sich wiederum die Tyrannen unbeliebt, wurden gestürzt und machten Regierungsformen Platz, die sich auf eine ziemlich breite Basis stützten, in denen aber die Aristokraten nach wie vor eine führende Rolle zu spielen versuchten. In Athen wurden vor → Solon führende Positionen sowohl nach aristokratischer Herkunft als auch nach Besitz besetzt (Aristot. Ath. pol. 3), Solon aber machte den Besitz zum einzigen Kriterium für die Amtsführung, um Möglichkeiten für Bewerber zu schaffen, die nicht zum Kreis der aristokratischen Familien gehörten (Ath. pol. 7,3–8,1). Die etablierten Familien stellten weiterhin die polit. Führer bis in die Zeit des Perikles, doch im letzten Viertel des 5. Jh. gelangten auch Leute in führende Positionen, deren Familien sich vorher in der Politik nicht hervorgetan hatten. Im archa. Megara klagte → Theognis über Leute, die bei der Heirat auf Geld, aber nicht auf Geburt achteten, und über Neureiche, die sich für *áristoi* hielten (z. B. 183–92, 53–62).

Später wurde der Begriff *aristokratía* vornehmlich benutzt, um eine Oligarchie in ein günstiges Licht zu stellen. In Platons ›Republik‹ wird mit A. eine ideale Verfassungsform bezeichnet, in der eher mehrere herrschen als nur ein einziger (4,445d). In der dreiteiligen Ordnung der Verfassungen in Monarchien, Oligarchien und Demokratien steht *aristokratía* für die gute Form der Oligarchie (Plat. rep. 291e; Aristot. pol. 3,1279a-b).
→ Adel

E. Stein-Hölkeskamp, Adelskultur und Polisgesellschaft, 1989.   P.J.R.

Aristokreon. Sohn der Schwester des Chrysippos und dessen Schüler; ihm widmete Chrysippos nicht wenige Werke (Diog. Laert. 7,185; 196f.; 202). Nach dem Tode seines Onkels (207 v. Chr.) ehrte A. dessen Andenken mit einer Schrift Χρυσίππου ταφαί (Ind. Stoic. Herc. 46,3) und – nach dem Zeugnis des Plutarch (de Stoicorum repugnantibus 2,1033e) – mit der Aufstellung einer Bronzestatue: Auf diese ließ er ein Distichon (= Anth. Pal. append. 1,129c) einschlagen (ἐπέγραψε), in dem Chrysippos geistreich ›Säbel (κοπίς), der den akademischen Knoten durchschneidet‹ (V. 2) genannt wird. Daß A. auch der Verf. dieses Epigramms ist, läßt sich umso weniger anzweifeln.

FGE 469.   E.D./T.H.

Aristokritos (Ἀριστόκριτος, von Milet?). Datierung unsicher, jedoch vor Parthenios (1. Jh. v. Chr.). Schrieb 1 B. *Perí Milétou*: Stadtgeschichte oder Periegese. Identifizierung mit dem Verf. des Buches ›Gegen Herakleodoros‹ nach Jacoby ›ganz zweifelhaft‹ (FGrH 493 mit Komm.).   K.MEI.

Aristolaos (Ἀριστόλαος). Sohn des Ameinias, weiht eine Statue Ptolemaios' II. in Olympia. Stratege Kariens zw. 270 und 259 v. Chr., Inhaber einer Dorea (PP 6, 15036).   W.A.

Aristolocheia. Die ἀριστολόχεια bei Nikander und Dioskurides 3,4 [1.2.6 ff. = 2.263 ff.], ἀριστολοχία bei Hippokrates, Theophr. h. plant. 9,20,4 (Wirkung gegen Schlangenbiß) und Plin. nat. 25,95 ff. u.ö. wurde als die heutige Gattung *Aristolochia* identifiziert. Ihre 3 im Mittelmeergebiet häufigeren Arten *A. clematitis, longa* und *rotunda* unterschieden bereits Dioskurides und Plinius. Beide leiten den deutsch zu Osterluzei entstellten Namen von ihrer Geburten erleichternden Wirkung her. Sie soll nach Dioskurides u. a. auch gegen Geschwüre und Schlangenbiß helfen. Plin. nat. 25,98 kennt die mit Kalk ins Meer gestreute zerriebene Wurzel der *rotunda* als Fischköder in Kampanien.

1 M. Wellmann (Hrsg.), Pedanii Dioscuridis de materia medica Bd. 2, 1906; Ndr. 1958 2 J. Berendes (Hrsg.), Des Pedanios Dioskurides Arzneimittellehre übers. und mit Erl. versehen, 1902, Ndr. 1970.   C.HÜ.

Aristomache (Ἀριστομάχη). Ältere Schwester Dions, seit 397 v. Chr. eine der Gemahlinnen → Dionysios' I. (Diod. 14,44,8). Arete, eine Tochter aus dieser Ehe, heiratete später Dionysios. Nach seiner Ermordung 354 kamen A. und Arete ins Gefängnis. Sie wurden zwar im folgenden Jahr befreit, kamen aber auf der Seefahrt nach der Peloponnes um (Plut. Dion 57f.).   K.MEI.

Aristomachos (Ἀριστόμαχος). **[1]** Urenkel des Herakles, Sohn des Kleodaios (Hdt. 6,52; Apollod. 2,171; Paus. 2,7,6). Sein Versuch, die Peloponnes zu erobern, scheiterte an einem falsch verstandenen Orakel. Er fiel in der Schlacht; seine Söhne Temenos, Kresphontes und (in spartanischer Version) Aristodemos [1] eroberten das Land (Hyg. fab. 124. 137) [1]. **[2]** Heilheros in Rhamnus. Sein Heiligtum liegt südwestl. der Akropolis von Rhamnus auf einem Hügel. Er heißt auch einfach *hērōs iatrós*, wird inschr. auch mit → Amphiaraos identifiziert (IG² II 1322, 4436, 4436) [1; 2].

1 J. Pouilloux, La forteresse de Rhamnonte, 1954, 93–103 2 Kearns, 172.   F.G.

[3] Sohn und Nachfolger des → Aristippos [1], Tyrann von → Argos. Kämpfte mit den Athenern gegen den von → Antigonos [2] Gonatas abgefallenen Alexander von Korinth und vermittelte einen Frieden, für den er in einem att. Volksbeschluß geehrt wurde (IG II² 774). Kurz nach einem Attentatsversuch des → Aratos wurde er 240 v. Chr. von seinen Sklaven ermordet (Plut. Aratos 25; Pol. 2,59,9). **[4]** Sohn des vorigen, Bruder und Nachfolger des Aristippos. Er besetzte 235 v. Chr. im Konflikt mit Aratos und dem achaiischen Bund mit den Truppen des → Demetrios II. von Makedonien Argos und behauptete die → Tyrannis (Plut. Aratos 29). Nach dem Tod des Demetrios 229 erhielt er von Aratos 50 Talente zur Auflösung seines Heeres und schloß auf das Versprechen, das Strategenamt zu erhalten, Argos dem achaiischen Bund an (Plut. Aratos 35; Pol. 2,44,6; Paus. 2,8,6). Im Krieg gegen Sparta bald als Stratege abgelöst, ermöglichte er → Kleomenes III. von Sparta die Einnahme von Argos (Plut. Aratos 35; Kleomenes 4; Pol. 2,60,5). Nach dem Übertritt der wohl um Reformen getäuschten Argiver zu → Antigonos [3] Doson und den Achaiern wurde A. 224 hingerichtet (Plut. Aratos 44; Pol. 2,60,7).

H. BERVE, Die Tyrannis bei den Griechen, 1967, 395–400, 711 f. · J. MANDEL, Ä propos d'une dynastie des tyrans à Argos, in: Athenaeum 57, 1979, 293–307.   B.P.

[5] Führer der Volkspartei in → Kroton [1. 10–12], riet 215 v. Chr. zu Übergaben an die Bruttier, floh dann auf die Akropolis, später zu Hanno (Liv. 24,2–3).

1 D. A. KUKOFKA, Südit. im 2. Pun. Krieg, 1990.   L.-M.G.

Aristomenes (Ἀριστομένης). **[1]** Messenischer Freiheitsheld, der den Aipytiden zugeordnet wird. A. soll mit Unterstützung von Arkadern und Argivern einen langjährigen messenischen Aufstand gegen Sparta geleitet haben. Nach Paus. 4,14,6–24,3 zog er sich, als er nach ersten Erfolgen in der sog. Schlacht am »Großen Graben« durch den Verrat des arkad. Königs → Aristokrates [1] geschlagen wurde, auf die nordmessenische Bergfestung Hira zurück, von wo aus er die Spartaner in einen verlustreichen Guerillakrieg verwickelte. Als Hira nach elfjähriger Belagerung gefallen sei, habe er sich über Delphi, wo er eine seiner Töchter dem König Damagetos von Ialysos vermählt habe, nach Rhodos begeben. Ein kaum durchdringliches Netz von Legenden, die sich insbes. seit der Befreiung Messeniens (369) um A. ranken, macht seine Person nahezu ungreifbar. Seine Lebensdaten sind unklar; Paus. l.c. setzt ihn in den zweiten Messenischen Krieg (2. H. 7.Jh. v.Chr.), eine seiner Quellen, Myron von Priene, in den ersten; nach Ansicht einiger moderner Historiker leitete A. einen messenischen Aufstand um 490, dessen Existenz jedoch fraglich ist. Wahrscheinlich ist A. um das Ende des 7.Jh. anzusetzen, doch ist letztlich auch seine Historizität umstritten. Die Messenier feierten ihn als Nationalhelden; selbst auf Rhodos wurde er kult. verehrt (IG XII 1,8).

G. L. HUXLEY, Early Sparta, 1962, 89 ff. · P. OLIVA, Sparta and her Social Problems, 1971, 139 ff. · H. T. WADE-GERY, in: FS V. Ehrenberg, hrsg. von E. BADIAN, 1966, 289–302.   M. MEI.

[2] Sohn des Menneas; 216 v. Chr. Vertreter seiner Heimatstadt Alyzeia in der akarnanischen Bundesversammlung; ging nach Ägypten, wo er von → Agathokles [6] protegiert wurde. 204/3 Alexanderpriester, 203 Somatophylax. Er überstand den Sturz des Agathokles und wird ca. 201 *epítropos* Ptolemaios' V., vielleicht auch Dioiket. 197 gelingt es ihm noch, den Aitoler → Skopas als Heereskommandanten zu entfernen, stürzt dann selber zw. 196 und 192 nach der Mündigkeitserklärung Ptolemaios' V. A. scheint in der schwierigen inneren wie äußeren Lage Ägyptens erfolgreich agiert zu haben: 197 kann Samos zurückerobert werden, 196 vermittelt

er noch den Frieden mit → Antiochos [5] III. Er versuchte, → Ptolemaios V. zum Krieg gegen die aufständische Thebais zu bewegen, und tat viel für die Zentralisierung und Effizienz ptolemäischer Herrschaft: der kypr. Stratege wird gleichzeitig *archiereús* (Tempeleinkünfte!), in Ägypten werden die Epistrategie und ein neues System von Hofrangtiteln geschaffen. PP 1/8, 19; 3/9, 5020; 6, 14592.

L. MOOREN, The aulic titulature in Ptolemaic Egypt, 1975, 76 f. Nr. 036 · L. MOOREN, Hiérarchie de cour ptolemaique, 1977, 51 ff. · D. WOELK, Agatharchides von Knidos, 1965, 100 ff.   W. A.

[3] Dichter der Alten Komödie mit langer Schaffenszeit, aber nur geringer Produktion (fünf Stücktitel bekannt): Erste Aufführung an den Dionysien von 439 [1. test. *5,4]; erster Lenäensieg (von zwei bezeugten) noch vor Kratinos [1. test. 3]; ein Dionysienerfolg 394 [1. test. 5,1]. A. war an den Lenäen von 424 [1. test. 4a] wie auch noch im J. 388 [1. test. 4b] Rivale des Aristophanes; bereits im ant. Urteil galt er nur als zweitrangiger Dichter [1. test. 1].

1 PCG II, 1991, 562–568.   H.-G. NE.

Ariston (Ἀρίστων). **[1, aus Athen]** Sohn des Menelaos (vielleicht identisch mit TrGF 137), Vater des Komikers Alexandros (FdD III 2, 48 Z. 3 und 15; 49), Dichter von Satyrspielen und Tragödien, nach einer Inschr. an der Südwand des Schatzhauses der Athener (FdD III 2, 48 17, Z. 30 und 35, SIG³ 711 L) als att. Teilnehmer an der III. Pythaïs der Techniten des Dionysos in Delphi wohl im Jahre 106/5 (oder 97 laut TrGF app. crit. 145–151) geehrt.

METTE, 72 · TrGF 146.   F. P.

[2, aus Alexandreia] Mitte 1.Jh. v. Chr., Peripatetiker (vorher Akademiker: Ind. Herc. Acad. col. 35,8–15 MEKLER; vgl. Cic. ac. 2 2,12). Kommentator von Aristoteles' ›Kategorien‹, dem die Einführung der subalternen Modi (Barbari, Celaront, usw.) des Syllogismus zugeschrieben wird.

→ Aristoteles-Kommentatoren; Ariston [3]; Peripatos

I. MARIOTTI, Aristone di Alessandria, 1966 · MORAUX 1, 1973, 181–193.   R. S. / E. KR.

[3, von Keos] Peripatetiker (2. H. 3.Jh. v. Chr.), möglicherweise Lykons Nachfolger als Oberhaupt der Schule. Fragmente bei [1]. Seine Schriften (vgl. Diog. Laert. 7,163) sind von populärwiss. Charakter; er war die Quelle des Diogenes Laertios für das Testament des Aristoteles und seiner Nachfolger und möglicherweise für die Liste von Aristoteles' Schriften [2]. Eine Unterscheidung zwischen rationaler und irrationaler Seele stammt vielleicht eher von ihm als von Ariston [6] oder Ariston [2], s. [4].

1 WEHRLI, Schule 6, ²1968, 27–67 2 P. MORAUX, Listes anciennes des ouvrages d'Aristote, 1951, 237 ff.

3 A.M. IOPPOLO, Aristone di Chio, 1980, 272–278
4 A. GRILLI, Un frammento d'Aristone Alessandrino in Porfirio, in: Giornale Italiano di Filologia 23, 1971, 292–307. R.S./E.KR.

[4 von Kos] Nachfolger des A. [3] als Oberhaupt der peripatetischen Schule (Strab. 14,658).
→ Aristoteles R.S./E.KR.

[5, von Kos], d.J., Schüler des → Kritolaos, bekannt für seine Feindschaft zur Rhet. (Quint. inst. 2,15,19, vgl. S. Emp. 2,61). Wahrscheinlich nicht identisch mit Ariston [4] [1. 50]. Fragmente in [2. 79–84].

1 WEHRLI, Schule 6², 1969 **2** WEHRLI, Schule 10², 1969. R.S./E.KR.

[6] Verf. von 3 Epigrammen aus dem »Kranz« des Meleagros, aber nicht von Anth. Pal. 9,77, das von Planudes alternativ Ariston oder Hermodoros, von PAGE jedoch Antipatros von Thessalonike zugewiesen wird, was plausibler scheint. In ihnen erweist sich A. als pedantischer Nachahmer des Leonidas, Anth. Pal. 6,303: Bitte an die Mäuse, weniger armselige Behausungen heimzusuchen; 6,306: ein Koch weiht dem Hermes Küchenutensilien; 7,457: Epitymbion auf eine alte Säuferin, die in einem Bottich ertrunken ist.

GA I 1,42f.; 2,109–112. E.D./T.H.

[7, von Chios] Stoiker, Schüler des → Zenon von Kition und befreundet mit → Kleanthes, auch mit → Persaios; ἀκμή daher um 250 v.Chr. Obwohl schon Panaitios und Sosikrates meinten, A. habe fast nichts geschrieben, sind ihm alle 14 Titel des bei Diog. Laert. 7,163 überlieferten Schriftenverzeichnisses zuzuschreiben [1. 39–55]. Sein Denken galt lange als unstoisch und als Gefahr für den Fortbestand der Schule: ›A. tat recht daran, sich von der Stoa zu trennen‹ [2. 163]. Nach [1] knüpfte indes auch A. in legitimer Weise an Zenon an, als er das kynische Element der Stoa entfaltete und die dialektische Tradition abbrach: Philos. ist für A. wie für die anderen Stoiker ein Wissen, das sich unmittelbar in Praxis umsetzt; es bezieht sich auf den λόγος (lógos), in Übereinstimmung mit dem es zu handeln gilt. Unter dem lógos verstand A. freilich nicht die Weltvernunft, sondern die menschliche Vernunft. Aus dem Curriculum der Philos. schloß er daher die Dialektik und die Physik aus und hielt allein an der Ethik fest, die er aber ihrerseits unter Weglassung alles Pädagogischen auf die Prinzipien der Philos. und die Formulierung des höchsten Guts beschränkte. Es kommt also allein auf die absolute Stimmigkeit zwischen dem Individuum und seinem eigenen lógos an, weshalb A. auch sagte, das einzige Gut sei die Tugend (ἀρετή); alle äußeren Dinge seien irrelevant, ἀδιάφορα.

1 A.M. IOPPOLO, Aristone di Chio e lo Stoicismo Antico, 1980 **2** M. POHLENZ, Die Stoa Bd. 1, ⁵1978.

SVF I, 75–90. K.-H.H.

[8, von Pella/Dekapolis] Christl. griech. ›Schriftsteller des 2. Jhs., Verfasser des nicht erhaltenen ›Dialogs zwischen Jason und Papiskus über Christus‹, einem fiktiven Gespräch zwischen einem Judenchristen und einem Juden. Durch Weissagungsbeweise aus dem AT wird der Jude Papiskos von der Wahrheit des Christentums überzeugt und begehrt die Taufe. A. ist somit wie → Iustinus Repräsentant der frühchristl. Apologetik, die die christl. Lehren gegenüber jüd. Angriffen verteidigen.

BARDENHEWER, GAL I, 202–206 • ALTANER, S.V.A. B.E.

Aristonikos (Ἀριστόνικος). **[1]** Aus Marathon, reich und polit. auf Seiten des → Lykurgos und des → Demosthenes (Plut. mor. 846a), beantragte 336/5 v.Chr. das Gesetz über die kleinen → Panathenäen (LSCG Nr. 33), 335/4 mit Lykurgos das Psephisma über den Einsatz der athenischen Flotte gegen Piraten (IG II² 1623, B 276–285) und vor 322 Gesetze bei den → Nomothetai (Alexis PCG 2, fr. 131,2). 324/23 wurde A. in den Harpalosprozessen (→ Harpalos) angeklagt (Deinarch. fr. XXVII und fr. 4 p. 146 CONOMIS). 323/22 bewirkte er mit einer → Phasis die Konfiskation einer Triere (IG II² 1632, B 190). Am Ende des Lamischen Krieges 322 floh A. mit anderen demokratischen und antimaked. Rednern aus Athen, wurde zum Tode verurteilt, ergriffen und von Antipatros hingerichtet (Plut. Demosth. 28,4; Lukian. Enk. Demosth. 31). PA 2028 (vgl. PA 2023; DEVELIN 444).
→ Lamischer Krieg; Lykurgos

BERVE 2, 130 • C.J. SCHWENK, Athens in the Age of Alexander, 1985, Nr. 17. J.E.

[2] Von → Memnon. 333 v.Chr. als Tyrann von → Methymma eingesetzt, mit seiner kleinen Flotte 331 von → Hegelochos gefangen und zu → Alexandros [4] nach Ägypten gebracht. Dieser übergab ihn den Methymnaiern, die ihn zu Tode folterten.

BERVE 2, Nr. 131. E.B.

[3] Sohn des Aristonikos [2], Eunuch aus Alexandreia, sýntrophos Ptolemaios' V. 188/7 v.Chr. auf einer Gesandtschaftsreise zum próxenos von Delphi gemacht, 187/6 Alexanderpriester, 186 Oberst der Hipparchen und 186/5 zur Anwerbung von Söldnern in Griechenland. Noch 173 als eponymer Offizier belegt.

L. MOOREN, The aulic titulature in Ptolemaic Egypt, 1975, 146ff., Nr. 0191. W.A.

[4] Unehelicher Sohn des Königs Attalos II., erhob 133 v.Chr., als die Römer durch das Testament des gerade kinderlos gestorbenen Attalos III. das Reich Pergamon erbten, Anspruch auf dieses unter dem dynastischen Namen Eumenes III. Die Griechenstädte, bes. Pergamon und Ephesos, unterstützten ihn nicht, stellten sich ihm sogar entgegen (Seeschlacht bei Kyme); jedoch gewann A. Teile der Stadtbevölkerungen, die großenteils nichtgriech. Landbevölkerung und Sklaven: Er zog ins Landesinnere und rief die Ausgebeuteten, Armen und

Unfreien, deren es angesichts der landwirtschaftlichen Großgüter viele gab, zum Befreiungskampf der Unterdrückten gegen die Unterdrücker, d. h. auch der Landgegen die Stadtbewohner und wohl auch von Nichtgriechen gegen Griechen, auf, und wollte mit seinen »Sonnenbürgern« eine wie auch immer beschaffene soziale und wirtschaftliche Gerechtigkeit herstellen und dies mit seinem Kampf um das von ihm beanspruchte Erbe verbinden. Die sozialrevolutionäre Komponente in A.' Kampf wurde durch den Stoiker Blossius aus Cumae repräsentiert, der zuvor Tib. Gracchus beraten hatte. A. bot ein großes Heer auf; Kleinasien geriet in Aufruhr, dessen die Truppen der nunmehr schwer leidenden Städte und der Könige der Pergamon benachbarten Reiche nicht Herr wurden. Seit 131 kämpfte ein röm. Heer gegen A.: Anfang 130 erlitt es bei Leukai eine Niederlage, sein Befehlshaber, der Konsul P. Licinius Crassus, wurde gefangen und getötet. Sein Nachfolger M. Perperna überraschte jedoch A. in Stratonikeia am Kaikos, schloß ihn ein und zwang ihn und sein Heer zur Kapitulation. A. wurde nach Rom gebracht und dort getötet. Die Revolte wurde erst 129 durch Perpernas Nachfolger M.' Aquilius endgültig niedergeschlagen. Der A.-Aufstand kann wegen des persönlichen Zieles seines Entfachers und Anführers nur bedingt zu den Sklavenaufständen der Ant. gezählt werden (OGIS 338; Diod. 34/35,2,26; Strab. 14,646; Plut. Flam. 21,10; Gracch. 20,5–7; Flor. 1,35; Iust. 36,4–37,1).

M. BASILE, Le città greche ed Aristonico, in: Seia 2, 1988, 104–116 · T. BLAVATSKAJA, E. GOLUBCOVA, A. PAVLOVSKAJA, Die Sklaverei in hell. Staaten im 3.–1. Jh. v. Chr., 1972 · GRUEN, Rome · J. HOPPE, Unt. zur Gesch. der letzten Attaliden, 1977 · I. KERTÉSZ, Zur Sozialpolitik der Attaliden, in: Tyche 6, 1992, 133–141 · M. LEVI, Nè liberi nè schiavi, 1976 · D. MAGIE, Roman Rule in Asia Minor, 1950 · J. VOGT, Sklaverei und Humanität, ²1972 · WILL, Histoire politique du monde hellénistique II, ²1982. A. ME.

[5] Grammatiker aus augusteischer Zeit, Zeitgenosse des Strabon (Strab. 1,2,31) und des Didymos. Athen. 11,481d und Herodianos, ScholiaII. 4,423 zitieren einen Ptolemaios, Sohn des Grammatikers A.; Suda π 3036 erwähnt einen Ptolemaios, Vater des Grammatikers A., und sagt, daß beide in Rom lehrten. Soweit sich aus dem Erhaltenen ersehen läßt, scheinen seine Interessen sich auf die ep. und lyrische Dichtung der archa. Zeit gerichtet zu haben, doch ist wahrscheinlich viel verloren. Daß A. einer der uns besser bekannten griech. Grammatiker der hell.-röm. Zeit ist, verdanken wir vor allem der Überlieferung der Homerphilologie. Ein unbekannter spätant. Grammatiker verfaßte einen Komm., in dem er die Werke des A., des Didymos, des Nikanor und des Herodianos kompilierte, der deshalb → Viermännerkommentar heißt (VMK): *excerpta* aus dem VMK sind in verschiedene gelehrte Sammlungen eingegangen, vor allem aber in die reichen Scholien des *codex Ven. A* der Ilias, wo am Ende eines jeden Gesanges (mit kleinen Variationen) geschrieben steht: παράκειται τὰ Ἀριστο-

νίκου σημεῖα καὶ τὰ Διδύμου περὶ τῆς Ἀρισταρχείου διορθώσεως, τινὰ δὲ καὶ ἐκ τῆς Ἰλιακῆς προσῳδίας Ἡρωδιανοῦ καὶ ἐκ τοῦ Νικάνορος περὶ στιγμῆς. Daher wissen wir, daß A. sich besonders mit detaillierten Erklärungen der → kritischen Zeichen beschäftigte, die Aristarchos in seinen Homertext setzte, und damit eine großen Menge exegetischen Materials übermittelte, das auf den großen Lehrer zurückging. Seine Arbeit betraf sowohl die Ilias als auch die Odyssee, vielleicht in einem einzigen Werk, dessen Titel nicht ganz gesichert ist : Περὶ (τῶν) σημείων (τῶν) (τῆς) Ἰλιάδος καὶ (τῆς) Ὀδυσσείας. Anscheinend hat A. neben der Arbeit über die kritischen Zeichen des Aristarchos auch separate *hypomnémata* zur Ilias und zur Odyssee verfaßt. Die Zeugnisse sind zwar nicht über jeden Zweifel erhaben (Etym. Gud. 348, 20 und 334, 12; Ammonios, de Adfinium vocabulorum differentia 352 NICKAU), doch ist die Annahme durchaus wahrscheinlich. Im Rahmen der Homerexegese schließlich bezieht Strabon sich mit der Angabe περὶ τῆς Μενελάου πλάνης (1,2,31) vielleicht eher auf einen Teil seines Komm. zum 4. Buch der Odyssee als auf ein eigenständiges *sýngramma*. Zu Hesiod finden wir in der Suda den Titel Περὶ τῶν σημείων τῶν ἐν τῇ Θεογονίᾳ Ἡσιόδου, eine zu seinen Homerstudien offensichtlich analoge Arbeit. Die Zitate in den Scholien zu Pindar (O. 1,35c; 3,31a; 7,154a; N. 1 insc. b; N. 1,37) lassen an einen Pindarkomm. (zu den Epinikien?) denken. Daß er sich mit Alkman beschäftigt hat, geht aus POxy 2387 (PMG fr. 3; E. G. TURNER, Greek Papyri, ²1980, 93) hervor. Schließlich sind noch die Titel zweier Monographien zu nennen: Ἀσυντάκτων ὀνομάτων βιβλία ἕξ (Suda); Περὶ τοῦ ἐν Ἀλεχανδρείᾳ Μουσείου (Phot. bibl. 104b 40), wovon Sopatros von Apameia eine Epitome anfertigte.

→ Aristarchos [4] von Samothrake; Grammatiker; Philologie; Scholia; Viermännerkommentar

ED.: L. FRIEDLÄNDER, Aristonici Περὶ σημείων Ἰλιάδος reliquiae, 1853 · O. CARNUTH, Aristonici Περὶ σημείων Ὀδυσσείας reliquiae, 1869 · ScholiaII. I-V passim.
LIT.: L. COHN, in: RE I, 964–966 · Entretiens XL, passim · H. ERBSE, Beiträge zur Überlieferung der Iliasscholien, 1960, 174–183 · J. IRIGOIN, Histoire du texte de Pindare, 1952, 65 · K. LEHRS, De Aristarchi studiis Homericis, ³1882, 1–15 · A. LUDWICH, Aristarchs Homerische Textkritik, 1884–85, I, 61–64 und passim · F. MONTANARI, L'erudizione, la filologia, la grammatica, in: Lo spazio letterario della Grecia antica, I 2, Rom 1993, 279 · PFEIFFER, KP I, 262, 267–70, 277, 280, 284, 292 · M. VAN DER VALK, Researches on the Text and Scholia of the Iliad, Leiden 1963–64, I, 553–592. F. M. / T. H.

Aristonus (Ἀριστόνους). **[1]** A. von Gela, einer der Gründer von Akragas ca. 580 v. Chr. (Thuk. 6,4,4). **[2]** Schwager des Tyrannen → Gelon von Syrakus und einer der Vormünder seines Sohnes Timaios (FGrH 566 F 21). K. MEI.
[3] Diente als → Somatophylax (seit 328 v. Chr.?) unter → Alexandros [4] und war → Trierarch der Hydas-

pesflotte; nach Alexandros' Tod Offizier des → Perdikkas, dann unter → Polyperchon und → Olympias. 315
übergab er Amphipolis an → Kassandros, der ihn ermorden ließ.

HECKEL 275 f.   E.B.

[4] (Aristonoos, -nus) aus Korinth, Sohn des Nikosthenes, Verf. zweier inschr. am Schatzhaus der Athener
in Delphi erh. Gedichte, eines → Paians an Apollon in
aiol. Versmaß und eines → Hymnos an Hestia in Daktyloepitriten (3. Viertel d. 4.Jh. v.Chr.); wertvolle
Zeugnisse für die delphische Konstruktion eigener
myth. Geschichte. Möglicherweise identisch mit dem
Kitharoden und sechsfachen Pythioniken, dem (jungen?) Zeitgenossen Lysanders (Plut. Lysander 18,10).
→ Chorlyrik

Collectanea Alexandrina, ed. J. U. POWELL, 1925, 162–165 ·
L. KÄPPEL, Paian, 1992, 384–386 (mit Lit.).   L.K.

Aristonymos. Dichter der Alten Komödie, von dem
die Titel *Theseus* und *Helios Rhigon* sowie acht Fragmente überliefert sind.

1 PCG II, 1991, 571–573.   B.BÄ.

Aristophanes (Ἀριστοφάνης). **[1]** Sohn des → Niko-
phemos, eines Vertrauten des → Konon. Mehrfach
Choregos und Trierarch. 393 v. Chr. sollte er im Auftrag
Konons → Dionysios I. von Syrakus mit Hilfe einer
Heiratsallianz mit → Euagoras von Salamis für Athen als
Verbündeten gewinnen. Als Athen 390/89 dem Euagoras 10 Trieren gegen die Perser schickte, half A. bei
der Finanzierung und nahm als Gesandter teil. Von dem
erfolglosen Zug zurückgekehrt, wurden A. und sein
Vater mittels Apagoge hingerichtet, ihr Vermögen konfisziert. Für den Schwager des A., der sich vorher Teile
des Vermögens angeeignet haben soll, schrieb Lysias die
19. Rede (388 oder 387).

DAVIES, 201 f., Nr. 5951 · P. FUNKE, Homónoia und Arché,
1980, 126 f., 130 f.   W.S.

[2] Korinther, Sohn des Menandros, Neffe der Philosophen Hierios und Diogenes. Zw. 337 und 340
n. Chr. *duovir.* Angeblich wegen eines Erbschaftsstreites,
wohl aber, um seinen kurialen Pflichten zu entkommen, verließ A. Korinth und wurde *agens in rebus.* 359
wurde er in Ägypten in einem Hochverratsprozeß angeklagt, entging jedoch der Strafe. Sein Vermögen
schwand u. a. durch ein zweites Duovirat. 362 empfahl
ihn Libanios in or. 14 Kaiser Julianus, wobei er vor allem
A.' Heidentum betonte. Dies und sein Umgang mit
Heiden wie Fortunatianos, dem *magister officiorum* Mu-
sonios und dem *comes Orientis* Modestos, erlaubt aber
nicht den Schluß, A. sei fanatischer Heide gewesen. Julianus gewährte A. die Rehabilitation und ein Amt, vielleicht das Vicariat von Makedonien. Nach dem Tod des
Julianus kompilierte A. eine erste Edition seiner Briefe.

O. SEECK, Die Briefe des Libanios, 1966 · H. U. WIEMER,
Libanius und Julian, 1995 125–150.   M.R.

Aristophanes [3, aus Athen] A. LEBEN
B. DICHTERISCHER WERDEGANG UND WERK
1. CHRONOLOGIE   2. DRAMATURGIE
C. NACHLEBEN
Bedeutendster Dichter der att. Alten Komödie, Sohn
des Philippos, aus dem Demos → Kydathenaion [1. test.
1.9]. Angaben über eine nicht-athenische Herkunft (aus
Rhodos [1. test. 1,21 f. 2,1–3.11]; aus Aigina [1. test.
1,22.10]; aus Ägypten [1. test. 2,3.12]) beruhen auf Verwechslung oder sind aus einzelnen Komödienstellen
herausgesponnen.

A. LEBEN
A. dürfte um oder bald nach der Mitte des 5.Jh.
v. Chr. geboren sein, denn bei seinem Bühnendebüt 427
sei er noch ein Jüngling gewesen [1. test. 19]; in Nub.
530 f. sagt er von sich selbst, als »Jungfrau« habe er am
Anfang noch nicht selber Regie führen dürfen. Bereits
im zweiten J. seiner Theaterkarriere (426) machte er sich
mit den *Babylonioi* den Politiker → Kleon zum Feind,
der A. (oder seinen Regisseur?) vor dem athenischen
Rat beschuldigte, in diesem Stück seien Athen und seine
Amtsträger verunglimpft worden [1. test. 24]. Gleichwohl griff A. Kleon bereits wieder in den ›Acharnern‹
und dann bes. heftig 424 in den ›Rittern‹ an, in denen er
(erstmals?) selbst Regie führte. Die neue scharfe Gegenreaktion Kleons ist in Vesp. 1284–1291 [1. test. 25] etwas
änigmatisch umschrieben: Vielleicht strengte er jetzt die
in der Überlieferung mehrfach erwähnte γραφὴ ξενίας
gegen A. an [2a. 2 f.]. A. mußte offenbar einlenken
(Vesp. 1290), attackierte Kleon aber in den ›Wolken‹
(423) und in den ›Wespen‹ (422) erneut. Die Auseinandersetzung fand ihr Ende, als Kleon schließlich 422 in
der Schlacht von Amphipolis fiel. Aus späteren Jahren ist
kaum Persönliches über A. bekannt. Die Verbindung zu
den Sokrates-Anklägern Anytos und Meletos, die A.
aufgrund der ›Wolken‹ später nachgesagt wurde
[1. test. 30–35], ist Spekulation. In den frühen Jahren des
4.Jh. bekleidete A. das Amt eines Prytanen für seine
Phyle Pandionis [1. test. 9]; er starb wohl über siebzig-
jährig in den 380er Jahren. Als Nachkommen sind zwei
Söhne sicher bezeugt, → Araros, der ebenfalls Komödien schrieb [1. test. 1,54–57, 2,8, 3,14, 7], und
→ Philippos, auch er Komödiendichter und Regisseur
des → Eubulos [1. test. 1,55–57, 2,8 f., 3,13]; der Name
eines dritten ist unsicher [1. test. 1,56; 2,9; 3,14–16; 8].

B. DICHTERISCHER WERDEGANG UND WERK
Die Gesamtzahl von A.' Komödien wird – 4 umstrittene Stücke (*Poiesis, Nauagos, Nesoi, Niobos*) ein-
gerechnet – mit 44 [1. test. 1,59, 2,11] bzw. 54 [1. test.
4,11] angegeben; insgesamt 45 Stücktitel sind erh., sofern man in 5 Fällen (*Aiolosikon,* ›Frieden‹, *Plutos,* ›Thesmophoriazusen‹, ›Wolken‹) eine bezeugte 2. Fassung
einbezieht. Gemessen an A.' etwa vierzigjähriger Bühnenkarriere und seiner schon frühen Prominenz als Ko-

mödiendichter wirkt die Zahl seiner bezeugten Erfolge in den dramatischen Agonen nicht sehr hoch: An den Lenäen errang A. wahrscheinlich vier erste Plätze (sicher ›Acharner‹, ›Ritter‹ und ›Frösche‹; *Proagon*?) und einen zweiten (›Wespen‹, an den Dionysien vielleicht einen sehr frühen 1. Platz (*Babylonioi*?) und einen ganz späten (*Kokalos*, von seinem Sohn → Araros aufgeführt), dazu zweimal einen zweiten (›Frieden‹, ›Vögel‹) und einmal einen dritten (›Wolken‹), ferner einen weiteren 2. Platz mit seinem allerersten Stück (*Daitales*) an einem der beiden Feste. A. ließ oft seine Stücke von anderen inszenieren (vor allem in seinen früheren Jahren, aber auch noch 414, 411 und 405): fünfmal durch Kallistratos (*Daitales*, *Babylonioi*, ›Acharner‹, ›Vögel‹, *Lysistrate*), viermal durch Philonides (*Proagon*, ›Wespen‹, *Amphiaraos*, ›Frösche‹); ein System läßt sich dabei nicht entdecken ([1. test. 4,8 f. und 23,3] sind widersprüchlich]).

B. 1 CHRONOLOGIE

A. scheint nahezu gleichzeitig mit → Eupolis auf der att. Bühne debütiert zu haben [vgl. 1. test. *20], der in den nächsten 15 Jahren sein schärfster Konkurrent blieb; wenigstens einmal (im Fall der ›Ritter‹ bzw. des *Marikas* des Eupolis) beschuldigten beide sich gegenseitig des Plagiats [1. test. 45]. In A.' erstem Stück, den *Daitales* (»Die Leute von Freßhausen«: der Chor des Stücks bestand aus Teilnehmern an einem Fest im Herakles-Heiligtum) von 427, waren zwei höchst unterschiedliche Söhne eines Vaters miteinander kontrastiert, ein nach guter alter Sitte erzogener und ein Nichtsnutz, der bei den Sophisten in die Schule gegangen war (vgl. die ›Wolken‹). Im nächsten Jahr trugen die an den Dionysien aufgeführten *Babylonioi* (test. iv) A.' ersten großen Angriff gegen die Politik der leitenden Amtsträger Athens vor (s.o.); die »Babylonier« des Titels waren der aus gebrandmarkten fremdländischen Sklaven bestehende Chor des Stücks (vgl. fr. 71, 81, 90, 95, 99), in dem offenbar sogar Dionysos selbst auftrat und von athenischen Demagogen in Schwierigkeiten gebracht wurde (fr. 75). Seinen ersten sicher bezeugten Komödiensieg errang A. an den Lenäen von 425 mit den ›Acharnern‹, dem ältesten erh. Stück, in dessen eigenwillig-ingeniös handelndem Helden Dikaiopolis die in weiten Teilen der att. Bevölkerung verbreitete Sehnsucht nach einem Ende des Peloponnesischen Krieges konkrete Gestalt annahm. An den Lenäen des nächsten Jahres wurden die ›Ritter‹ zum schärfsten Angriff gegen Kleon: A. brachte ihn als großmäuligen Sklaven Paphlagon auf die Bühne und ließ ihn ein heftiges Ringen um die Gunst seines Herrn Demos gegen einen noch demagogischeren Wursthändler verlieren, der sich jedoch am Schluß wundersam wandelte und Demos zu neuer Jugend verhalf. Nach dem Sieg mit diesem Stück kam A. mit den ›Wolken‹, in denen er Sokrates als Protagonisten der verderblichen neuen sophistischen Jugenderziehung durchhechelte (vgl. die *Daitales*), an den Dionysien von 423 nur auf den 3. Platz; eine Überarbeitung dieses Stücks (diese 2. Fassung ist in den Hss. überliefert), wurde offenbar nie bühnenfertig. Ungeachtet dieser Niederlage war A. an den Lenäen des folgenden Jahres sogar mit zwei Stücken vertreten: Der unter Philonides' Namen aufgeführte *Proagon* (in dem A. wie schon in den ›Acharnern‹ Euripides auf die Bühne brachte: test. iv) erhielt dabei den 1. Preis (test. iii), die noch erh. ›Wespen‹, die die Auswüchse zeitgenössischer athenischer Prozessierlust vorführen und einen Kleon-hörigen Vater einem vernünftigeren Sohn gegenüberstellen, den zweiten. Diesen erzielte A. auch an den Dionysien von 421 (kurz vor dem Abschluß des Nikias-Friedens) mit dem ›Frieden‹, in dem er erstmals (soweit uns bekannt) zu einem ausgesprochen phantastischen Handlungsstrang griff: Sein Held, der Bauer Trygaios, reitet auf einem riesigen Mistkäfer gen Himmel, befreit die dort vom Kriegsgott Polemos gefangengehaltene Friedensgöttin und bringt sie auf die Erde zurück. Dieser ersten Schaffensphase A.' gehören wohl noch zwei weitere (verlorene) Stücke an, die *Georgoi* (424–422) und die *Holkades* (Lenäen 423): Die *Georgoi* behandelten wie ›Acharner‹ und ›Frieden‹ die Sehnsucht vor allem der att. Landbevölkerung nach einem Ende des Krieges; in den *Holkades* (»Lastschiffe«; der Titel weist auf den phantastisch hergerichteten Chor hin, vgl. fr. 428–431) scheinen Athener und Spartaner zusammen ihre vom Krieg verursachten Leiden beklagt zu haben (fr. 415, 420).

Erst aus dem J. 414 ist wieder ein Stück erh., die ›Vögel‹, die an den Dionysien den zweiten Preis erhielten und A.' vielleicht märchenhaftestes Sujet behandelten: die Errichtung eines mächtigen Vogelreiches durch den Athener Peisetairos, der sich damit nicht nur die Menschen, sondern auch die Götter untertan macht; das Stück darf als A.' Komm. zu den »Wolkenkuckucksheim«-Plänen der gleichzeitigen Sizilischen Expedition gelten. An den Lenäen des gleichen J. kam der *Amphiaraos* auf die Bühne (test. iii), in dem ein szenisch dargestellter Besuch des Amphiaraos-Heiligtums in Oropos die dortigen rel. Praktiken aufs Korn nahm (vgl. den Tempelschlafbericht im *Plutos*). In die Jahre zw. 420 und 412 scheinen noch folgende Stücke zu gehören: Dem *Anagyros* lag vielleicht eine trag., dem euripideischen *Hippolytos* ähnliche, Gesch. zugrunde (fr. 53 ist Parodie von Eur. Hipp. 219). In den *Horai* wurden die Kulte fremder Götter verspottet und diese offenbar als Nichtathener aus der Stadt geworfen (test. *ii; fr. 577); in den *Heroes* traten einheimische Heroen Attikas als Chor auf und ermahnten zur Befolgung der alten rel. Sitten (fr. 318–322). Aus dem J. 411 sind zwei Stücke erh., die *Lysistrate*, wahrscheinlich an den Lenäen, und die ›Thesmophoriazusen‹, wahrscheinlich an den Dionysien aufgeführt [2h. 2]. Die *Lysistrate* steht in der polit. Tradition der ›Acharner‹ und des ›Friedens‹: Diesmal ergreift eine Frau, die »Heerlöserin« Lysistrate, beherzt die Initiative und überredet ihre Geschlechtsgenossinnen zu Maßnahmen (einschließlich eines Ehestreiks), die die verfeindeten spartanischen und athenischen Männer schließlich zum Friedensschluß bewegen. Die ›Thesmophoriazusen‹ sind ein Stück mit rein lit. Sujet (vgl.

Proagon und ›Frösche‹), eingekleidet in eine Posse: Euripides' Versuch, die finsteren Absichten der von ihm so oft geschmähten Frauen auszukundschaften, schlägt fehl, und nach einer Reihe vergeblicher Versuche, seinen Spion wieder aus ihren Händen zu befreien, muß er sich zuletzt mit ihnen gütlich einigen; die Euripides-Parodie, bereits in den ›Acharnern‹ ein beachtliches Nebenthema, wird hier zur Hauptsache. Bis zum nächsten erh. Stück, den ›Fröschen‹, sind vielleicht noch folgende Komödien anzusetzen: Wohl bald nach 411 wurde der *Triphales* aufgeführt (vgl. fr. 564); bald nach 409 könnte das *Geras* aufgeführt worden sein (wenn die in fr. 152 gen. »Losmaschine« mit einer 410/9 eingeführten Neuerung bei der Platzzuweisung im Buleuterion zusammenhängt [2a. 4 Anm. 24]), in dem Greise wundersam verjüngt wurden (vgl. das Ende der ›Ritter‹), die dann über die Stränge schlugen (vgl. fr. 129). Im J. 408 kam der erste *Plutos* auf die Bühne (test. iii), in dem es auch bereits um die Heilung des blinden Gottes Plutos ging (fr. 458). Vielleicht in die J. 408 oder 407 gehört der *Gerytades*, der auch inhaltlich den ›Fröschen‹ nahesteht: Eine Abordnung der in Athen tätigen Dichter wird in die Unterwelt entsandt (fr. 156). Vielleicht 407 oder 406 kamen die zweiten ›Thesmophoriazusen‹ auf die Bühne; sie waren in manchem von den erh. ersten verschieden (vgl. fr. 331, 345).

Im J. 405 konnte A. seinen wohl größten Bühnenerfolg mit den ›Fröschen‹ feiern, in denen der Theatergott Dionysos selbst (nebst seinem vorwitzigen Sklaven Xanthias) in den Hades hinabsteigt, um den kürzlich verstorbenen Euripides wieder auf die Erde zu holen, dann aber – nachdem Euripides in einem spannenden Wettkampf dem alten Aischylos unterlegen ist – mit Aischylos an die Oberwelt zurückkehrt. Das Stück, hinter dessen rein lit. Sujet die bedrohliche Lage Athens im Endstadium des Peloponnesischen Krieges sichtbar wird, kam so gut an, daß es auf Volksbeschluß noch einmal aufgeführt wurde. Erst über ein Jahrzehnt später wurde das nächste erh. Stück gespielt, die ›Ekklesiazusen‹, bei denen die Ansätze heute zwischen 393 und 391 [9a. 163; 168] schwanken, A.' wohl letztes großes Frauenstück, dessen Protagonistin Praxagora in einem geschickt inszenierten Umsturz den athenischen Frauen die Macht in die Hände spielt und dann daran geht, einen materiellen und sexuellen Kommunismus einzuführen, dessen Scheitern sich freilich in den letzten Szenen bereits andeutet. Im J. 388 inszenierte A. zum letzten Mal eines seiner Stücke selbst, den zweiten *Plutos*, der die Märchen-Idee umsetzt, daß sich der Reichtum auf Erden gerechter verteilen und die Armut vertreiben ließe, wenn man den Gott des Reichtums nur sehend machen könnte, damit er zu den richtigen Menschen kommt. Im folgenden Jahr ließ A. seinen Sohn → Araros den *Kokalos* inszenieren, ein mythisches Sujet vielleicht nach Sophokles' *Kamikoi* (Minos findet bei der Verfolgung des Daidalos im sizilischen Reich des Kokalos den Tod); Araros gewann damit an den Dionysien von 387 den ersten Preis. Vielleicht schon im

Jahr darauf führte Araros auch eine 2. Fassung von A.' *Aiolosikon* auf, in dem augenscheinlich der euripideische *Aiolos* parodiert (vgl. fr. 1) und travestiert war (der Koch Sikon in der Rolle des trag. Aiolos); die in den Fragmenten noch erh. lyrischen Chorverse gehen wohl auf die 1. Fassung dieses Stücks zurück (vgl. test. vi), die nicht mehr genauer datierbar ist. Unsicher bleibt auch die Datier. der meisten anderen verlorenen Stücke, darunter nicht wenige mit mythischen Sujets (wahrscheinlich wurden diese erst in einer späteren Phase von A.' Werdegang geschrieben, da Stücke dieser Art um und nach 400 auf der att. Bühne allg. stark zunehmen).

B.2 DRAMATURGIE

Die Vielfalt von A.' Themen und seine Genialität in Parodie und Wortwitz läßt sich auch an den Fragmenten der verlorenen Stücke erkennen, seine dramatische Kunst und deren Entwicklungstendenzen dagegen nur noch an den elf erh. Stücken: Die erste Phase von A.' Bühnenkarriere, mit fünf erh. Stücken dokumentiert, dürfte den Typus der Alten Komödie, wie er sich bis zu A. entwickelt hatte, gut repräsentieren. Diese Stücke zerfallen dank der prominenten Rolle ihres Chores in mehrere recht selbständige Teile: Ein Prologteil exponiert entweder durch einen Monolog des Haupthelden (›Acharner‹, ›Wolken‹) oder durch einen Dialog zweier sekundärer Personen, die danach sehr zurücktreten oder ganz verschwinden (›Ritter‹, ›Wespen‹, ›Frieden‹), die krisenhafte Ausgangslage und präsentiert auch die Idee, die zu ihrer entscheidenden Verbesserung führen soll. Mit der anschließenden → Parodos des Chores gelangt eine Gruppe auf die Bühne, die dem Haupthelden entweder geneigt (›Ritter‹, ›Frieden‹) oder abgeneigt (›Acharner‹, ›Wespen‹) ist, und mit der er – vor allem im letzteren Fall – eine längere verbal-agonale Auseinandersetzung bestehen muß. Mit ihr kann der Held das Hauptanliegen des Stücks oft bereits erfolgreich durchsetzen: In den ›Acharnern‹ behauptet Dikaiopolis seinen Privatfrieden, in den ›Wespen‹ weist Bdelykleon den »wespenhaften« Richtergreisen die üblen Folgen der athenischen Prozessierlust nach, im ›Frieden‹ befreit Trygaios die Titelfigur; in den ›Rittern‹ und in den ›Wolken‹ allerdings geht die Auseinandersetzung weiter, weil nicht der Chor hier den Gegenpol des Helden darstellt. Immer aber kommt die Handlung des Stücks etwa in der Mitte durch die Parabase, in der der Chor seine dramatische Rolle abstreift und sich als direktes Sprachrohr des Dichters an das Publikum wendet, fürs erste zum Stillstand. Nach der Parabase werden gern in einer Reihe von locker aneinandergefügten Szenen die Folgen des »Sieges« des Helden dargestellt; am Schluß steht – mit Ausnahme der ›Wolken‹ – meist festliche Ausschweifung (›Acharner‹, ›Wespen‹, ›Frieden‹; in den ›Rittern‹ eine Verjüngung). In der zweiten Phase bis etwa 410 lassen sich in den drei aus diesem Jahrzehnt erh. Stücken neue Entwicklungen erkennen. In den ›Vögeln‹ sind alle bisher gen. Komödienteile noch in vollem Umfang vorhanden, allerdings erheblich stärker zu einem Ganzen zusammengefügt: Eine der Prologfiguren wandelt sich zum Haupthelden und wird am Schluß gar zum Weltherrscher; in der Parabase ergreift der Chor nicht mehr im Namen des Dichters das Wort, sondern bleibt in seiner dramatischen Rolle; das früh angekündigte Ziel der Handlung (die Errichtung der Vogelherrschaft über Menschen und Götter) wird keineswegs schon vor der Parabase, sondern erst am Schluß erreicht; und schließlich läßt das Handlungsergebnis (die Tyrannis des Peisetairos) erstmals ambivalente Töne anklingen, die auch in späteren Stücken hörbar werden. *Lysistrate* und ›Thesmophoriazusen‹ halten an der durchgezogenen Handlungslinie fest, und erstmals sind die Chorpartien der Parabase merklich reduziert; in den ›Thesmophoriazusen‹ enthält die gerade 60 Verse umfassende Parabase keine eigentlich lyrischen Partien mehr. In den ›Fröschen‹ von 405 scheint die Tendenz zur Integration und Reduktion der Chorrolle noch einmal angehalten und sogar gewendet: Nicht nur treten hier sogar zwei Chöre auf, sondern die Parabase teilt das Stück in zwei inhaltlich deutlich geschiedene Hälften; in ihr tritt der Chor noch einmal aus seiner dramatischen Rolle heraus und gibt dem Publikum polit. Ratschläge, die A. eben die außergewöhnliche Wiederaufführung eingetragen haben sollen. In den dreizehn oder vierzehn Jahre später aufgeführten ›Ekklesiazusen‹ setzt sich der Schwund des Chores jedoch fort: Eine Parabase fehlt nun ganz, und an Stellen, wo der Chor singen soll, taucht der Vermerk χοροῦ auf; im zweiten *Plutos* ist dies (mit Ausnahme der Parodos) die Regel. Das Ziel der Handlung wird in den Schlußszenen der ›Ekklesiazusen‹ ironisch unterminiert; eine ähnliche Distanzierung von den Folgen des sehend gewordenen Reichtums ist im *Plutos* angedeutet, denn die personifizierte Armut wird zwar brachial von der Bühne verjagt, aber nicht argumentativ widerlegt. Diese ambivalenten Schlüsse sind recht verschieden von den optimistischen End-Tableaus der Mehrzahl der früheren Komödien; auf der anderen Seite bilden agonal-verbale Auseinandersetzungen und lockerere Szenenführung in der zweiten Stückhälfte auch in diesen letzten Stücken noch typische Merkmale von A.' Kunst, und man sollte sie nicht einfach schon zur Mittleren Komödie rechnen.

C. NACHLEBEN

Die Entwicklung der att. Komödie, die bereits in den letzten Jahrzehnten von A.' Schaffenszeit einsetzte und schließlich zum ganz anders gearteten Drama des → Menandros führte, ermöglichte A.' Stücken kein lebendiges Weiterleben auf der ant. Bühne mehr (doch wurden seine phantastischen Handlungselemente von der Menippischen Satire und von → Lukianos aufgegriffen). Schon die aristotelische ›Poetik‹ stellt A. als Dichter zwar neben Sophokles, betrachtet aber die dramatische Poesie (somit auch die Komödie) unter Gesichtspunkten, die nur einer jüngeren Form der Komödie angemessen waren und den Zugang zu A.' Stücken auf sehr lange Zeit erschwerten; überwunden wurde diese Betrachtungsweise von der philol. Forsch. wohl erst gegen Ende des 19.Jh. [12. 176–178]. Daß A.' Œuv-

re dennoch nicht unterging und sogar zum einzigen der gesamten griech. Komödie wurde, von dem ganze Stücke bis in die abendländische Neuzeit tradiert wurden, dafür sorgte zunächst das große Interesse alexandrinischer und pergamenischer Gelehrter in hell. Zeit, die die Stücke (auch h. verlorene) edierten und kommentierten [1. test. 113–123, 126f.]. Diese exegetische Tätigkeit ging in der röm. Kaiserzeit und in Byzanz weiter [1. test. 124f., 128] und hat zu dem großen Corpus der A.-Scholien geführt, das heute den wichtigsten Fundus ant. Philol.gesch. neben den Homerscholien darstellt. Seit dem Beginn der Kaiserzeit war es für das Fortleben wenigstens eines Teils der A.-Stücke sehr günstig, daß der → Attizismus gerade A. als eine der Hauptquellen für reines altes Att. ansah [1. test. 69, 87–89], was der als Komödienautor noch bis in die spätere Kaiserzeit viel lieber gelesene Menander (vgl. die Papyrusfunde), den z.B. Plutarch als komischen Dichter dem A. klar vorzog [1. test. 68], in den Augen der attizistischen Puristen nicht leisten konnte. In den auf spätant. Grammatikern fußenden *Prolegomena de comoedia* und verwandten Texten byz. Zeit ist A. zum zentralen Autor der griech. Komödie (in »goldener« Mittellage zwischen Kratinos und Eupolis) avanciert, der eine zuvor in der Komödie herrschende Zucht- und Regellosigkeit beseitigt und entscheidende Impulse zur Entwicklung der Neuen Komödie gegeben habe [1. test. 1,2–6, 46–54; test. 79–81]. Unzählige A.-Reminiszenzen bezeugen die eifrige A.-Lektüre der Byzantiner [10; 11], bei denen A. wenigstens seit dem 11.Jh. Schulautor war [6. 1568]; das zeigt auch die (pädagogische Gesichtspunkte widerspiegelnde) sehr unterschiedliche Gewichtung der einzelnen Stücke mit ihrer je verschiedenen Präsenz in den Hss.: Am häufigsten findet sich der *Plutos*, dann die ›Wolken‹ und ›Frösche‹; diese drei wurden als »byz. Trias« bes. eifrig traktiert, während die übrigen acht viel weniger Aufmerksamkeit fanden (am Ende der Skala stehen *Lysistrate* und *Thesmophoriazusen* mit nur einer maßgeblichen Hs. und ganz wenigen Abschriften).

In dieser Gewichtung hat Byzanz die 11 Stücke auch dem Westen Europas vererbt (der *Plutos* wurde bereits vor der ersten gedruckten A.-Ausgabe und dann bis 1550 noch neun weitere Male ins Lat. übers. [12. 23]). Der Erstdruck (eine Aldina von 1498) umfaßte zunächst nur 9 Stücke; 1515 kamen in einer Juntina noch *Lysistrate* und ›Thesmophoriazusen‹ hinzu. Seit der Renaissance hat A. in Westeuropa höchst unterschiedliche Wertungen erfahren: Erasmus von Rotterdam schätzte ihn pädagogisch ungemein hoch [12. 30f.]; um 1500 schuf Macchiavelli eine (verlorengegangene) Nachahmung der ›Wolken‹ (*Le Maschere* [12. 23]); der Verf. des um 1520 entstandenen *Eckius dedolatus* war ebenfalls im A. zu Hause [12. 25–27]. Der Einfluß des *Plutos* zeigt sich auch im engl. Drama des 16. und 17.Jh.; als guter Kenner A.' erweist sich hier vor allem Ben Jonson [12. 53–55; 13. 155–161]. In Frankreich übers. Ronsard den *Plutos*; Rabelais ließ sich vielfach von A. inspirieren;

1578 veröffentlichte P. Le Loyer eine Nachschöpfung der ›Vögel‹ (»Nephelococygie« [12. 58–76]), und Racine bildete die ›Wespen‹ nach (*Les plaideurs* [12. 80–83]). Die poetische Theorie dagegen fixierte ihr Ideal weiterhin in der Neuen Komödie [12. 33–42]; so konnte A. im 17. und 18. Jh. in Frankreich nur selten mit Menander, Terenz und Molière konkurrieren [12. 79, 83–88, 90]. Den *Plutos* immerhin schätzte man auch im frz. Klassizismus [12. 95 f.], A.' Reputation dagegen abträglich waren die ›Wolken‹, weil sie dem Sokrates so übel mitgespielt hatten [12. 97–99]. Auch in Deutschland beschäftigte der Streit um die ›Wolken‹ im 18. Jh. die Gemüter und spiegelt sich in den schwankenden Äußerungen Wielands über A. [12. 106–8], der sich 1775 selbst als Sokrates in den (größtenteils verlorenen) *Wolken* des Sturm-und-Drang-Dichters Lenz verspottet sah [12. 115f.]. Der junge Goethe schuf 1780 eine Nachbildung der ›Vögel‹, der »klass.« gewordene wußte mit A. nicht mehr viel anzufangen [12. 116–119]. Im 19. Jh. hat vor allem die philol. Forsch. mit dem »Wolkenproblem« gerungen; einer positiveren Gesamtbewertung des A. hat dann das Kunstverständnis der Romantik (Fr. Schlegel und Tieck) den Weg gebahnt [12. 127–130]. Hegel, der A. hochschätzte, suchte den ›Wolken‹ mit der Dialektik von These, Antithese und Synthese beizukommen; seine Schüler dehnten diese Betrachtungsweise auf andere Stücke aus [12. 133–142]. In der histor. Kritik des 19. Jh. hing die Beurteilung der ›Wolken‹ (und des A. allg.) eng zusammen mit der Bewertung der radikalen att. Demokratie; sah man sie positiv, mußte man A.' Kritik an ihr als reaktionär empfinden. Dichterische Nachahmung des A. findet sich in den Komödien Platens, in den über Hegel und die Hegelianer, aber auch die zeitgenössische lit. Situation spottenden Stücken von Gruppe, Rosenkranz, Prutz, des »Struwwelpeter«-Verf. Hoffmann, in der ›Frösche‹-Nachahmung Sittewalds und noch in anderen Produktionen [12. 144–164]; auch frz. Autoren des 19. Jh. ahmten in satirischen Dramen A.' Manier nach [13. 150–153]. J. Richter schrieb 1871–74 aristophanische Stücke sogar in der griech. Originalsprache [12. 165–174]. Im 20. Jh., dessen Theater zu dramaturgischen Mitteln gegriffen hat, die denen der Alten Komödie z. T. erstaunlich ähneln [14], ist A. auch selbst, z. T. in modernen Bearbeitungen, wieder zur Aufführung gekommen; allein für den dt.sprachigen Raum lassen sich jeweils mehrere Inszenierungen von insgesamt 9 der 11 erh. Stücke nachweisen [15].

1 PCG III 2, 1984 2 A. H. SOMMERSTEIN, The Comedies of A. 1–8, 1980 – 1994 (a. Acharnians; b. Knights; c. Clouds; d. Wasps; e. Peace; f. Birds; g. Lysistrata; h. Thesmophoriazusae) 3 N. DUNBAR, A., Birds, 1995 4 K. DOVER, A., Frogs, 1993 5 M. VETTA, D. DEL CORNO, Aristofane, Le donne all'assemblea, 1989 6 TH. GELZER, A., RE Suppl. 12, 1392–1569 7 C. F. RUSSO, A. An Author for the Stage, 1994 (urspr. it. 1962, ²1984) 8 B. ZIMMERMANN, Unt. zur Form und dramatischen Technik der Aristophanischen Komödien 1–3, 1985–1987 9 B. ZIMMERMANN, Griech. Komödie (Forsch.ber. 1971–1991), a: A. I, in: AAHG 45, 1992, 161–184; b: A. II, in: AAHG 47, 1994, 1–18 10 W. KRAUS, Testimonia Aristophanea, 1931 11 R. KASSEL, KS, 1991, 218–255 12 W. SÜSS, A. und die Nachwelt, 1911 13 L. E. LORD, A., his plays and his influence, 1925 (Ndr. 1963) 14 G. FRANÇOIS, Aristophane et le théâtre moderne, in: AC 40, 1971, 38–79 15 H. FLASHAR, Inszenierung der Ant., 1991, 397 f.   H.-G. NE.

[4, von Byzanz] Einer der bedeutendsten alexan- drinischen → Grammatiker (ca. 265 – ca. 190 bzw. ca. 257 – 180 v. Chr.). A. wurde in Byzantion geboren und zog in sehr jungem Alter mit seinem Vater Apelles nach Alexandreia. Nach unseren Quellen sind die Grammatiker Dionysios Iambos, Euphronios und Machon seine Lehrer gewesen, aber A. wird auch Schüler des Zenodotos, des Kallimachos und des Eratosthenes genannt, als ob man aus ihm den Erben der gesamten ersten großen Periode der alexandrinischen → Philologie machen wollte. Doch auch bei der früheren Datierung bleibt es sehr unwahrscheinlich, daß er jemals Zenodotos gehört hat. Als er Nachfolger des Eratosthenes in der Leitung der berühmten Bibliothek wurde, soll er 62 gewesen sein. Wenn diese Information stimmt und wenn es richtig ist, daß Eratosthenes um 195 starb, ergibt sich die spätere Datierung, nach der er um 180 starb (der Tod soll im Alter von 77 Jahren eingetreten sein). Die Gesch. von einer geplanten Flucht nach Pergamon (nach 197; aus welchem Grunde, ist unbekannt), scheint absichtlich in die Welt gesetzt worden zu sein, um jene Stadt, die im Begriff war, Alexandreia als Kulturzentrum Konkurrenz zu machen, in den Vordergrund zu rücken. A. und sein Schüler → Aristarchos [4] von Samothrake stellen den Höhepunkt der alexandrinischen Philol. dar und spielten eine bedeutende Rolle in der Überlieferung der klass. Texte wie der klass. Kultur. Das Beispiel des A. war eine wichtige Grundlage für die herausgeberische und exegetische Tätigkeit des Aristarchos. Daß von A. viel weniger Material erhalten ist, hat seinen Grund ausschließlich darin, daß die beiden sich oft in Übereinstimmung befanden.

A. war hauptsächlich Herausgeber von Texten; Kommentare aus seiner Feder sind nicht bezeugt (zur Form der alexandrinischen ἔκδοσις → Aristarchos [4]). Seine Homerausgabe unterschied sich von der des Zenodotos durch größere Zurückhaltung und nahm viele von Zenodotos ausgeschiedene Verse wieder auf. A. zog es vor, Athetierungsvorschläge in größerem Umfang einfach durch den *obélos* anzuzeigen. Es scheint, daß er den Vergleich von Abschriften um die Entscheidung zwischen Lesarten erweitert hat, was auf eine konservativere, weniger stark eingreifende Haltung hindeutet (auch wenn er den Rückgriff auf Konjekturen nicht völlig unterließ). Er vermehrte Funktion und Zahl der → kritischen Zeichen, die nunmehr integrativer Bestandteil der philol. Praxis waren: zum zenodoteischen *obélos* kamen der *asterískos* für iterierte Verse und das Paar *sígma – antísigma* für zwei aufeinanderfolgende Verse gleichen Inhalts hinzu. In der Notierung der Akzente

und in der Ausweitung des Systems der Interpunktions-
zeichen waren seine Innovationen dauerhaft. Diese
fortgeschrittene Technik setzte er bei der Durchführung
kritischer Ausgaben ein, die große Bedeutung erlangen
sollten. Abgesehen von Homer beschäftigte er sich auch
mit Hesiod (er zweifelte an der Echtheit des *Scutum*) und
führte markante Neuerungen vor allem im Bereich der
lyrischen und dramatischen Dichtung ein. Berühmt ist
die Anordnung der Gedichte Pindars in 17 Büchern;
dabei kamen weitere Zeichen zur Anwendung: Eine
koronís trennte die Gedichte voneinander, eine *parágra-
phos* kennzeichnete den Strophenbeginn. Im gesamten
Bereich der lyrischen Dichtung hatte er entscheidenden
Einfluß auf die herausgeberische Praxis, auf Klassifikation und Terminologie: Die Gedichte wurden in rhythmische *kóla* unterteilt, in der Analyse der metrischen
Struktur wurden entscheidende Fortschritte erzielt.
Entsprechendes gilt für die Chorpartien der dramatischen Dichtung. In diesem Bereich waren seine *Hypo-
théseis* zu den Theaterstücken berühmt und wichtig; in
ihnen wurden Informationen über den Anlaß der ersten
Aufführung, Bühnenausstattung, Personen und Handlung geboten. Sein Interesse an der Komödie ist gewiß
auch von seinen Lehrern Euphronios und Machon (ein
komischer Dichter) gefördert worden. Sicher bezeugt
ist eine Ausgabe des Aristophanes; Menander bewunderte er, doch ist unklar, wie und in welchem Umfang
er sich mit ihm beschäftigt hat. Was die Tragödie betrifft, so wissen wir von seiner kritischen Arbeit am Text
des Sophokles und des Euripides.

Die Sammlung glossographischen und lexikographischen Materials hatte bei den Alexandrinern Tradition. Das Ergebnis dieser Arbeit bestand aus *glóssai*,
»schwierigen« Wörtern in klass. Autoren, die mit einer
spezifischen Interpretation verbunden waren, und aus
léxeis, Wörtern, die als Stichwort für die Behandlung
eines sprachlich-lexikalischen, philol. oder antiquarischen Gegenstandes dienten. Auch auf diesem Gebiet
war die Leistung des A. beeindruckend: Seine *Léxeis*, die
in verschiedene thematische Abschnitte eingeteilt waren, stellten im Hinblick auf Methode, Breite der
Kenntnisse und Materialreichtum ein Vorbild dar. Die
Verbindung mit der Philol. und der Autorenexegese war
eng, so daß in dieses Werk wahrscheinlich viele Beobachtungen eingegangen sind, die zum größten Teil aus
der Textinterpretation stammten. Doch führte ihn die
Breite seiner Interessen auch zur Beschäftigung mit der
gesprochene Sprache. Aus einer ähnlichen Perspektive
heraus arbeitete A. auch an paroimiographischem Material. Wir besitzen einige Fragmente aus zwei Sammlungen, von denen die eine metrischen, die andere
nichtmetrischen Sprichwörtern gewidmet ist. Es gibt
zwar keinen Beweis dafür, daß A. den Terminus »Analogie« (ἀναλογία) eingeführt hat, noch dafür, daß er der
Verf. einer Schrift Περὶ ἀναλογίας ist, doch scheinen das
Konzept und das Prinzip schon deutlich wirksam (fr.
370–375 SLATER): A. machte Beobachtungen über verschiedene morphologische Regelmäßigkeiten der Spra-

che und über die Regelmäßigkeit von Flexionsschema-
ta, die Aristarchos weiterführte. So wurde der
Gramm. der Weg zu einer selbständigen Disziplin geebnet.

Von seinen Monographien besitzen wir nicht viel.
Eine war dem Ausdruck ἀχνυμένη σκυτάλη bei Archilochos gewidmet; die Schriften Περὶ προσώπων und
Περὶ (τῶν Ἀθήνησιν) ἑταιρῶν scheinen mit den Studien
zur Komödie verbunden zu sein, wie auch eine Schrift
über die Parallelen zwischen Menander und anderen
Autoren. Der Titel Πρὸς τοὺς Καλλιμάχου πίνακας
zeigt keine polemische Schrift an, sondern eine Ver-
vollständigung des Katalogwerkes des Kallimachos.
Diogenes Laertios (3,61) bezieht sich wahrscheinlich
darauf, wenn er sagt, daß A. die Dialoge Platons in Tri-
logien anordnete (eine Platonausgabe ist hier wohl nicht
anzunehmen). Die Schrift Περὶ ζῴων war eine Epitome
der *Historia animalium* des Aristoteles, mit sporadischen
Ergänzungen aus anderen Quellen (wie z.B. Theophrast). Das Werk fällt in einen Interessensbereich, die
Naturwissenschaften, den die alexandrinischen Gelehrten aus aristotelischer und peripatetischer Tradition
übernommen hatten und mit dem sie sich oft beschäftigten. Es scheint, daß A. eine entscheidende Rolle in
dem Prozeß spielte, der zur Bildung eines Kanons aus-
gewählter (ἐγκριθέντες) Autoren führte, wenigstens für
den Bereich der ep., lyrischen und dramatischen Autoren. Das Urteil der Philologen über Größe und Schwäche der Schriftsteller sollte eine folgenreiche Zukunft
haben.

→ Aristarchos [4]; Bibliothek; Dionysios Iambos; Euphronios; Kritische Zeichen; Lexikographie; Machon

ED.: A. NAUCK, Aristophanis Byzantii Fragmenta, 1848 ·
S. LAMBROS, Aristophanis Historiae animalium epitome,
Supplementum Aristotelicum I 1, 1885 · W.J. SLATER,
Aristophanis Byzantii Fragmenta, SGLG 6.
LIT.: W. AX, Aristophanes von Byzanz als Analogist, in:
Glotta 68, 1990, 4–18 · D.L. BLANK, A.R. DYCK,
Aristophanes of Byzantium and Problem-Solving in the
Museum: Notes on a Recent Reassessment, in: ZPE 56,
1984, 17–24 · R. BLUM, Kallimachos und die
Lit.verzeichnung bei den Griechen, 1977, passim · F. BOSSI,
in: Eikasmos 1, 1990, 167–69 · C.K. CALLANAN, Die
Sprachbeschreibung bei Aristophanes von Byzanz, 1987 ·
L. COHN, in: RE 2, 994–1005 · CPE I 1*, 247–250, 338–345
(24, 36T) · Entretiens XL, 1994 (N.J. RICHARDSON,
J. IRIGOIN, R. TOSI, D.M. SCHENKEVELD) · F. LASSERRE,
Aristophanis Byz. fragmenta neglecta, in: Museum
Criticum 21/22, 1986/87, 303–315 · O. LONGO, Le
denominazioni di parentela in Aristofane di Bisanzio, in:
G. BOLOGNESI, V. PISANI (Hrsg.), Linguistica e Filologia,
1987, 319–326 · R. MEIJERING, Aristophanes of Byzantium
and Scholia on the Composition of the Dramatic Chorus,
in: Σχόλια. Studia D. Holwerda, 1985, 91–102 ·
F. MONTANARI, L'erudizione, la filologia, la grammatica, in:
Lo spazio letterario della Grecia antica, I 2, 1993, 268–70 ·
G. PASQUALI, Storia della tradizione e critica del testo,
²1952, 154f., 199–228, 234–240, 264–266 · PFEIFFER, KP I,
213–257 · A. PORRO, Vetera Alcaica, 1994, 3–20, 223f.,
238 · A. RENGAKOS, Der Homertext und die hell. Dichter,

1993, passim · A. RENGAKOS, Apollonios Rhodios und die ant. Homererklärung, 1994, passim · A. ROSELLI, Un frammento dell'epitome Περὶ ζῴων di Aristofane di Bisanzio, in: ZPE 33, 1979, 13–16 · D. M. SCHENKEVELD, in: Mnemosyne 43, 1990, 290–298 · W. J. SLATER, A. of Byzantium on the »Pinakes« of Callimachus, in: Phoenix 30, 1976, 234 ff. · W. J. SLATER, A. of Byzantium and Problem-Solving in the Museum, in: CQ 32, 1982, 336–349 · H. VAN THIEL, Zenodot, Aristarch und andere, in: ZPE 90, 1992, 16 · R. TOSI, in: Museum Criticum 25–28, 1990–1993, 302–304 · R. TOSI, Osservazioni sul rapporto fra Aristofane di Bisanzio e l'Antiatticista, FS G. Morelli, 1996.   F. M. / T. H.

Aristophon (Ἀριστοφῶν). **[1]** Mitglied des Regimes der 400 Oligarchen 411 v. Chr. in Athen. Von diesen als Gesandter nach Sparta geschickt, wurde er von athen. Demokraten und Argivern nach Samos entführt (Thuk. 8,86,9; PA, 2102; TRAILL PAA, 175995. **[2]** Athen. Politiker, wurde 403 v. Chr. wegen seiner Verdienste im Widerstand gegen die 30 Tyrannen (→ Triakonta) durch → Ateleia (ἀτέλεια) geehrt (Demosth. or. 20,148). Bis zu seinem Tod (vor 330) im Alter von fast 100 Jahren (schol. Aisch. Ctes. 64) trat er mehrfach als Politiker und Redner hervor, so etwa im Bundesgenossenkrieg als Ankläger des → Iphikrates und des → Timotheos (356/5). 363/2 war er als Strategos in Keos (PA und DAVIES 2108; TRAILL PAA, 176170.   M. MEI. **[3]** Griech. Maler aus Thasos, einer der jüngeren Brüder des berühmten → Polygnotos, Schaffenszeit mittleres bis späteres 5. Jh. v. Chr. Von seinem Stil ist nichts bekannt, doch geben bei Plin. nat. 35,138 erwähnte Bilder mit leidenden mythischen Heroen und Personifikationen Hinweise auf einen ähnlichen Stand gewisser malerischer Mittel und Interessen wie in den Werken Polygnots.

G. BRÖKER, s. v. A., AKL 5, 95 · OVERBECK, Nr. 1127–1129 (Quellen).   N. H.

[4] Dichter der ausgehenden Mittleren Ko- mödie; siegte im 4. Jh. an den Lenäen [1. test. 1]. Acht Titel – u. a. *Didymai* (oder -*oi*) (›Die Zwillinge‹) und *Iatros* (›Der Arzt‹) – und fünfzehn Fragmente sind erh. Im *Platon* und im *Pythagoristes* – befleißigte sich A. des Philosophenspotts, in zwei Fragmenten – fr. 5, fr. 10 – treten wendige Parasiten in Erscheinung.

1 PCG IV, 1–11.   B. BÄ.

Aristos. Aus Salamis, späthell. → Alexanderhistoriker, erfand eine röm. Gesandtschaft, der → Alexandros [4] die Größe Roms prophezeite (FGrH 143).   E. B.

Aristoteles (Ἀριστοτέλης). **[1]** Athenischer Oligarch, der als athenischer Verbannter 404 v. Chr. von → Lysandros nach Sparta gesandt wurde (Xen. hell. 2,2,118). Später gehörte er zu den 30 Tyrannen in Athen (Xen. hell. 2,3,2; → Triakonta), von denen er mit der Bitte um eine spartanische Besatzungstruppe nach Spar-

ta geschickt wurde (Xen. hell. 2,3,13). TRAILL, PAA, 174765.   M. MEI.
[2] Rhodier, bat 166/5 v. Chr. als Gesandter in Rom vergeblich den Senat um die Erneuerung der *amicitia* (Pol. 30,23,2–4) [1. 167,2; 2. 208]. **[3]** A. aus Agros, brachte 224 als Freund des → Aratos [2] die Stadt zum Abfall von → Kleomenes III. und zurück in den Achäerbund (Plut. Aratos 44). **[4]** A. aus Sikyon, der *Dialektiker*, tötete 252 den Tyrannen → Abantidas beim Disputieren auf dem Markt (Plut. Aratos 4,3) [3. 394].

1 H. H. SCHMITT, Rom und Rhodos, 1957 2 J. DEININGER, Der polit. Widerstand gegen Rom in Griechenland, 1971 3 H. BERVE, Die Tyrannis bei den Griechen, 1967.   L.-M. G.

[5] 279/8 v. Chr. ptolemäischer Beamter in Lykien (Lykiarch?), dem → Philokles untergeordnet.

M. WÖRRLE, Epigraphische Forschungen zur Geschichte Lykiens, 2, in: Chiron 8, 1978, 227–246.   W. A.

[6, Sohn des Nikomachos, aus Stageira] A. LEBEN B. ABBILDUNGEN C. WERKE 1. VERÖFFENTLICHTE BÜCHER 2. MATERIALSAMMLUNGEN 3. LEHRSCHRIFTEN 4. GEDICHTE 5. UMSTRITTENES UND UNECHTES D. DIE LEHRE IM GRUNDZUG E. DIE GESCH. VON A.' WERKEN IM ALTERTUM [1] F. DER ARISTOTELISCHE ›STAAT DER ATHENER‹

A. LEBEN

A. wurde 384 v. Chr. in Stageira auf der Halbinsel Chalkidike geboren, die damals unter maked. Oberherrschaft stand. Sein Vater Nikomachos war Arzt, gehörte zur Asklepiadenfamilie und wurde später Hofarzt des Königs Amyntas. Nach dem frühen Tod des Vaters schickte sein Vormund den 17–jährigen A. zum Studium an Platons Akademie nach Athen. Das weitere Leben des A. läßt sich in vier Phasen einteilen: 1. Studienzeit (367 – ca. 357), 2. Lehrtätigkeit an der Akademie bis zu Platons Tod (357–347), 3. »Wanderjahre« (Assos in Kleinasien, 347–345, Lesbos, 345–344, Aufenthalt am maked. Königshof in Pella als Lehrer Alexanders, 343–340, Stageira, 340–335), 4. Lehrtätigkeit in Athen nach der Gründung seiner eigenen Schule am Lykeion (335–322).

Trotz einer reichen biographischen Tradition [2] sind die Informationen über die vier Stadien des Lebens von A. wenig ergiebig zur Rekonstruktion seiner intellektuellen Biographie, weil Legendäres (ob im gutwilligen oder böswilligen Sinne) nur schwer von Authentischem zu trennen ist. So ist nicht klar, wieviel Kontakt A. während seiner Studienzeit zu Platon selbst hatte, da dieser sich von 367–364 und 361–359 in Sizilien aufhielt, und die Schulleitung in anderen Händen lag (vielleicht von → Eudoxos, dem Mathematiker und Astronomen und später von → Herakleides Pontikos, einem Naturforscher und Historiker). Sein Studium unter solchen Autoritäten dürfte A.' Interesse an den naturwiss. Fächern gestärkt haben, das vielleicht bereits durch eine medizinische Lehrzeit bei seinem Vater vorgeprägt war.

Eine Distanz zu Platons Philos. war somit früh angelegt und stellt keinen so drastischen Bruch dar, wie vielfach angenommen wird. Da A. nach Abschluß seiner Studien lange Jahre als Lehrer an der → Akademeia tätig war, dürfte er die Grundzüge seiner eigenen philos. Vorstellungen noch zu Platons Lebzeiten entwickelt haben. Es ist denkbar, daß A. der Unterricht in denjenigen Fächern übertragen wurde, an denen Platon nur wenig Interesse hatte, wie etwa in der Naturphilos. oder der Rhetorik. Über die Gründe für A.' »Sezession« von der Akademie nach Platons Tod ist nichts Genaues auszumachen. So ist nicht klar, ob A. sich aus sachlichen oder aus persönlichen Gründen nicht mit der Nachfolge von Platons Neffen Speusippos als Schulhaupt abfinden wollte, sondern vorzog, mit Xenokrates nach Assos zu übersiedeln, wo sich ein Kreis von ehemaligen Akademikern auf Ermutigung des aufgeklärten Tyrannen Hermeias zusammengefunden hatte. Auch über A.' weitere Wanderungen ist wenig bekannt. Es ist möglich, daß er Assos bald wieder verließ, um sich mit seinem Schüler, Freund und späteren Nachfolger Theophrast in Mytilene auf Lesbos biologischen Studien, vor allem der Meerestiere, zu widmen. Legendenumwoben ist aber vor allem die Zeit, die A. als Lehrer des jungen Alexander am Hofe König Philipps II. zubrachte. Die Vorstellung, daß der große Philosoph Gelegenheit hatte, mit der Erziehung des zukünftigen Welthcrrschers Platons Traum vom Philosophenkönig zu verwirklichen, hat durch viele Jh. hindurch immer wieder die Phantasie angeregt. Da Alexander 443 aber erst 13 Jahre alt war, dürfte der Unterricht vor allem in Dichterinterpretationen, vielleicht auch in Gesch. und Rhet. bestanden haben. Überdies muß das Schülerverhältnis spätestens 340 ein Ende gefunden haben, als König Philipp seinen Sohn zum Mitregenten ernannte. Wie eng der Kontakt zwischen A. und Alexander in der Folgezeit war, ist unklar. Zwar wurde A.' Neffe Kallisthenes der offizielle Historiker auf dem Alexander-Zug, und Alexander selbst soll die Schule des A. durch Geld wie auch durch Zusendung wiss. Materials unterstützt haben. A.' deutliche Parteinahme für ein Leben in Frieden in der überschaubaren Polis spricht aber dafür, daß er den Weltreichsvorstellungen seines Schülers skeptisch gegenüber stand (eth. Nic. 1170b 31f.; 1177b 4–12; 1179a 4–8). Zur Rückkehr nach Athen und zur Gründung einer eigenen Schule hat A. sich ant. Berichten zufolge entschlossen, nachdem in der Akademie Xenokrates zum Nachfolger von Platons Neffen und Erben Speusippos gewählt worden war. Ob wirklich enttäuschte Erwartungen oder eine finanzielle Förderung durch Alexander der Anlaß zur Gründung einer eigenen Schule am Lykeion war (einem Heiligtum mit Sportstätten am Fuße des Lykabetos, mit einer dazugehörigen Wandelhalle »Peripatos«, nach der die Mitglieder der Schule auch »Peripatetiker« genannt wurden), steht dahin. An der Schule wurden Forsch.projekte im großen Stil betrieben, neben naturwiss. Studien auch Wiss.gesch., polit. und Kulturgesch.; dazu hat A. eine Bibliothek mit einem umfangreichen Archiv angelegt, das zum Vorbild der Bibliothek von Alexandreia werden sollte [3]. An diesen Unternehmungen beteiligten sich namhafte Gelehrte. So schrieb Theophrast eine Gesch. der Naturwiss., Eudemos eine Gesch. der Mathematik, Aristoxenos das maßgebende Lehrbuch über Harmonielehre. Vor allem die Sammlung empirischen Materials für seine ›Politik‹, mit Beschreibungen der Verfassungen und Gesch. von 158 griech. Stadtstaaten, muß eine Schar von Helfern beschäftigt haben. Von Form und Inhalt des Unterrichts an der Schule zeugen die erh. Werke des A., bei denen es sich im wesentlichen um unpolierte Mss. handelt, die nicht zur Veröffentlichung gedacht waren, sondern immer wieder Revisionen und Ergänzungen unterworfen wurden. Aus seiner erfolgreichen Lehr- und Forschungstätigkeit wurde A. herausgerissen, als Alexander d. Gr. 323 plötzlich im Alter von 33 Jahren in Babylon starb, und in Athen daraufhin die antimaked. Partei Auftrieb erhielt. Die Anklage gegen A. wegen Gottlosigkeit war ein reines Politikum. Er entzog sich ihr durch Flucht nach Chalkis auf der Insel Euboia, wo er von seiner Mutter ein Haus geerbt hatte. Dort starb er im folgenden Jahr (322).

B. ABBILDUNGEN

Aus der röm. Kaiserzeit sind 20 Repliken einer Marmorbüste erhalten, die als authentische Kopien einer Statue angesehen werden, die Alexander d. Gr. zu Ehren von A. aufgestellt haben soll. Am besten erh. ist die Kopie des Kunsthistor. Museums in Wien [1. 229–30].

C. WERKE

Ein Vergleich der erh. Werke des A. mit den ant. Listen [4], zeigt, daß nur ein Teil seiner Schriften erh. geblieben ist.

1. VERÖFFENTLICHE BÜCHER

Es handelt sich um die sog. »exoterischen« (ἐξωτερικοί) Schriften, deren alternative Bezeichnung »ekdedoménoi« anzeigt, daß sie einem breiteren Publikum zugedacht waren. Keine dieser Schriften ist erh. geblieben. Wie einige der insgesamt 20 Titel nahelegen (Symposion, Menexenos, Sophistes, Politikos) waren sie z. T. – nach dem Vorbild Platons – in Dialogform abgefaßt. Der Dialog Eudemos war einem früh verstorbenen Freund gewidmet; er knüpfte an den Phaidon an, scheint aber die Wiedererinnerungslehre modifiziert zu haben. Wie eng sich A. in diesen Dialogen an Platons Lehre anschloß, ist nicht mehr auszumachen [1. 217–219, 316–320]. Da Cicero (Att. 13,19,4) seine Dialoge, in denen er selbst die Diskussion leitet, als »aristotelisch« bezeichnet, dürfte in der Form ein deutlicher Unterschied zu Platon gelegen haben. Cicero lobt an diesen Dialogen die Lesbarkeit und den eleganten Stil (ac. 2,119); das erklärt ihre Beliebtheit in hell. Zeit, in der die sprachlich so spröden Lehrschriften ganz unbeachtet blieben. Aus der Zeit der zunehmenden Auseinandersetzung mit Platon dürften die Schriften ›Über das Gute‹, ›Über die Philos.‹ und ›Über die Ideen‹ stammen [5]. Große Wirkung auf die Nachwelt hatte vor allem A.' Protreptikos, eine Werbeschrift, die beim Leser eine Hinwendung (*protropḗ*) zur Philos. bewirken sollte. Sie wurde zum Vorbild weiterer »protreptischer« Literatur. Cicero hat sie seiner (verlorenen) Schrift *Hortensius* zugrundegelegt, und der Neuplatoniker Iamblich hat ganze Stücke in seinen eigenen *Protreptikos* integriert. Ob die exoterischen Schriften auf die erste Schaffensphase in A.' Leben beschränkt blieben, oder ob er auch später noch mit leichter faßlichen Ergänzungen zu seinen Lehrschriften an die Öffentlichkeit trat, ist ungewiß.

2. MATERIALSAMMLUNGEN

Seine Hinwendung zu empirischer Forsch. und zur Gesch. und Wissenschaftsgesch. manifestiert sich bei A. in ausgedehnter archivarischer Tätigkeit (eth. Nic. 1181 b 6–12). So legte er seiner Schrift über die Politik die oben erwähnte Materialsammlung über Verfassungen und Gesch. von 158 griech. Stadtstaaten zugrunde. Aus dieser Sammlung ist nur ein großer Teil des ›Staat der Athener‹ (*Athenaion Politeia*) auf einem Papyros erh., der 1890 entdeckt wurde [6]. Auch Material zur Kulturgesch. wurde gesammelt. So gab es eine Dokumentation über Aufführungen von Trag. und Komödie (*didaskalíai*) und deren Fehlern (*aítiai poiētikaí*), sowie eine Liste der Sieger bei den Olympischen und Pythischen Spielen. Unter die Rubrik »Materialsammlungen« lassen sich schließlich auch Einzeluntersuchungen zur Philosophiegesch. subsumieren, wie die verlorene Monographie über die Pythagoreer (metaph. 986 a 12). Diese wiss. Tätigkeit wurde von anderen Mitarbeitern noch ergänzt: es entstanden Monographien über Archytas, Demokrit, Speusipp und Xenokrates. Aus dieser Tradition stammt auch die nacharistotelische Schrift ›Über Melissus, Xenokrates, Gorgias‹ (abgekürzt *MXG*). Überdies gab es eine Sammlung zur Botanik und zur Mineralogie, zu der auch Alexander d. Gr. beigetragen haben soll.

3. LEHRSCHRIFTEN

Zu dieser Gattung gehören sämtliche uns erh. Schriften. Daß sie der Lehre dienten und von A. nicht zur Veröffentlichung gedacht waren, ist an Stil und Sprache der Werke abzulesen. Zwar ist es unzutreffend, von »Notizen« zu sprechen, weil es sich nicht bloß um Stichworte handelt. Die äußerst knappe Ausdrucksweise deutet aber darauf hin, daß A. vieles im mündlichen Unterricht weiter ausgeführt und durch Beispiele ergänzt haben dürfte. Daß die Lehrschriften A. als Vorlesungs-Mss. dienten, erklärt auch, warum man sich bis heute trotz intensiver Diskussion seit beinahe hundert Jahren mit ihrer chronologischen Ordnung schwer tut. Eine Reihung machen nicht nur spätere Querverweise schwierig, sondern auch zahllose Ergänzungen und Verbesserungen. So ist die Diskussion, die vor allem durch W. JAEGERS Versuch angestoßen wurde, die Urbestandteile der Aristotelischen Philos. herauszupräparieren [7], bisher zu keinem befriedigenden Abschluß gekommen. Immerhin ist durch diese Diskussion dem Mythos von einem monolithischen Lehrgebäude des A. der Boden entzogen worden, der sich bis zum Ende des 19. Jh. beharrlich gehalten hat.

Der Mythos von einem in sich geschlossenen aristotelischen Lehrgebäude ist freilich keine reine Erfindung aus späteren Zeiten, denn A. hat sich intensiv um die Systematisierung der Philos. bemüht. Anders als sein Lehrer Platon, der moralische, polit., metaphysische und methodische Fragen in seinen Dialogen nicht trennt, hat A. daraus Einzeldisziplinen mit jeweils eigenen Prinzipien und Methoden gemacht. Er geht von einer Dreiteilung aller menschlichen Betätigungen, der entsprechenden Denkvermögen und ihrer Gegenstände aus (metaph. E 1): es gibt (a) theoretische (b) praktische und (c) produktive Disziplinen (letztere gehören nicht zur Philos.). Innerhalb der theoretischen Philos. ist noch zu differenzieren (metaph. E 1,1026 a 18–23): die Metaphysik (bei A. ›erste Philos.‹ genannt) befaßt sich mit Unveränderlichem, und die ›Physik‹ (›zweite Philos.‹) mit allem Veränderlichen, einschließlich der Astronomie, Biologie und der Psychologie, – die Mathematik nimmt eine Mittelstellung ein. Die Logik ist nach A. keine selbständige Disziplin sondern eine Hilfswiss.; daher hat man später den logischen Schriften von A. den Namen *Organon*, d. h. ›Werkzeug‹ gegeben. Diese Systematisierung ist aber nicht mit einem geschlossenen System zu verwechseln. Ein System versuchten freilich bereits die ant. Herausgeber der Lehrschriften herzustellen, die der hell. Einteilung in Logik, Physik und Ethik folgten. Diese kanonische Einteilung der Schriften, (der auch die Gesamtausgabe von I. BECKER folgt, nach der A. heute zit. wird), entspricht aber nicht nur nicht A.' eigener Einteilung, sie täuscht darüber hinweg, daß A.' Denken sich einer systematischen Einteilung vielfach widersetzt, weil er in seiner Diskussion über die Grenzen der betreffenden Disziplin hinausgreift. Die Einordnung der Schriften zeugt oft mehr von dem Systematisierungsbestreben des Herausgebers als von der Intention des Autors. Die ›Kategorienschrift‹ (*Categoriae*) ist an den Anfang des *Organons* gestellt worden, weil man von einer Progression der Schriften vom Einfachen zum Komplexen ausging: Begriffe (*Categoriae*) – Satzlehre (*De interpretatione*) – Syllogismen (*Analytica priora*, 2 Bücher) – Demonstrationen (*Analytica posteriora*, 2 Bücher) – dialektische Schlüsse (*Topica*, 8 Bücher) – Trugschlüsse (*Sophistici elenchi*). In dieser kanonisch gewordenen Anordnung, der später noch die ›Einführung‹ (*Isagoge*) des Porphyrios vorangestellt wurde, hat man in der Spätant. und im MA »die aristotelische Logik« studiert. – Man kann jedoch mit Grund bezweifeln, daß es sich hier um eine Gliederung im Sinne des A. handelt. Als Schrift über Logik im eigentlichen Sinn sind nur die Ersten Analytiken mit der Schlußlehre zu bezeichnen [8]. Die Zweiten Analytiken sind dagegen weniger der Logik als vielmehr der Wiss.theorie zuzurechnen [9]. Im Zentrum steht hier die Frage nach den inhaltlichen Bedingungen für die Prämissen für wiss. Beweise, nicht eine Theorie der Notwendigkeitsschlüsse als solcher (an. post. 71 b 19–72 a 5). Die »Kategorienlehre« ist eher als eine metaphysische, denn als Sprach-Theorie zu betrachten, selbst wenn A. sich bei der Unterscheidung der zehn Kategorien des Seins auch auf sprachliche Beobachtungen stützt [10]. Die ontologischen Unterscheidungen aus der »Kategorienlehre« spielen dagegen in der »Satzlehre« keine Rolle, noch dienen alle grammatikalischen Unterscheidungen in *De interpretatione* der Einführung in die Syllogistik [11]. Die Konzeption des dialektischen Umgangs mit Argumenten und mit Trugschlüssen in der ›Topik‹ und den ›Sophistischen Widerlegungen‹ geht der Entwicklung der aristotelischen Syllogistik voraus, diese Schriften enthalten also ihre Vorstufen, keine Ergänzung.

Da A. zur »Natur« alle Dinge zählt, die ein Prinzip der Bewegung bzw. jeder Art von Veränderung in sich tragen (phys. 192 b 13–15, im Gegensatz zu den Artefakten, bei denen das Prinzip der Veränderung von außen, vom Hersteller, kommt), befassen sich die physikalischen Schriften sowohl mit der anorganischen als auch mit der organischen Natur. Die ›Vorlesung zur Physik‹ (*Physica*, 8 Bücher) legt dazu mit einer Analyse der Prinzipien von Veränderungsprozessen die Grundlagen [12]. Sie untersucht Ausgangs- und Endpunkt von Bewegungen, die Arten von Ursachen, die Begriffe von Raum, Zeit und Kontinuum, das Problem des Vakuums und bestimmt die erste Ursache, den Unbewegten Beweger. An die Physikvorlesung schließen an die Schriften ›Über den Himmel‹ (*De caelo*, 4 Bücher), ›Über Werden und Vergehen‹ (*De generatione et corruptione*, 2 Bücher), ›Über Himmelserscheinungen‹ (*Meteorologica*, 4 Bücher, worunter A. alle Phänomene versteht, die sich in der sublunaren Sphäre abspielen). Auch die Schrift ›Über die Seele‹ (*De anima*, 3 Bücher) wird zu den naturwiss. Werken gezählt; das hat insofern seine Berechtigung, als A. die Seele als »Wirklichkeit (*entelécheia*) eines belebten Körpers« definiert (*De anima* 412a 21–28) und einen großen Teil der Seelenfunktionen zugleich als physiologische Prozesse begreift. Die Diskussion der Denkvermögen und des Begehrens im dritten Buch überschreitet jedoch die Grenzen der Physiologie und führt in das Gebiet der Erkenntnistheorie und in das der Ethik [13]. Die Schrift über die Seele wird durch eine Reihe von kleineren Einzeluntersuchungen ergänzt, die sog. *Parva Naturalia*, die sich mit einzelnen Seelen- und Körperfunktionen befassen (›Über die Sinne und Sinnesobjekte‹, ›Über das Gedächtnis und die Wiedererinnerung‹, ›Über Schlaf und Erwachen‹, ›Über Träume und Wahrsagung‹, ›Über Langlebigkeit und Kurzlebigkeit‹, ›Über Jugend und Alter‹, ›Über Leben und Tod‹, ›Über das Atmen‹).

Die Grundlagen zur aristotelischen Biologie enthält seine ›Tiergesch.‹ (*Historia animalium*, 10 Bücher). Die Übers. von *Historia* mit »Tiergesch.« ist freilich irreführend, »Beschreibung« wäre angemessener, da das Werk eine ausführliche Diskussion der verschiedenen Arten von Tieren und ihrer Anatomie enthält. Sie findet ihre Ergänzung in Einzeluntersuchungen: ›Über die Teile der Tiere‹ (*De partibus animalium*, 4 Bücher), ›Über die Bewegung der Tiere‹ (*De motu animalium*), ›Über die Fortbewegung der Tiere‹ (*De incessu animalium*), ›Über

die Entstehung der Tiere‹ (*De generatione animalium*, 5 Bücher). Mit diesen Werken wurde A. zum Begründer der Biologie und zum Urvater aller Zoologen (die Pflanzenkunde hat er seinem Schüler, Freund und Mitarbeiter Theophrast überlassen). Waren die biologischen Schriften lange Zeit ausschließlich die Domäne der Wiss.historiker, so wird in jüngster Zeit auch ihr wiss.theoretischer und philos. Gehalt wieder stärker gewürdigt [14]. Der ›Physik‹ im weitesten Sinne hat der ant. Herausgeber die ›Metaphysik‹ (*Metaphysica*, 14 Bücher) folgen lassen. Da sich das Wort »Metaphysik« bei A. selbst nicht findet (er spricht von ›erster Philos.‹, metaph. E 1026a 16), ist anzunehmen, daß sich der Herausgeber diesen Titel (Τὰ μετὰ τὰ φυσικά) zur Zusammenfassung der sehr heterogenen Bücher ausgedacht hat, die sich mit den Grundlagen der Philos. überhaupt beschäftigen. Ob der Titel nur der Bibliotheksordnung entstammt (»nach der Physik«, weil die Metaphysik in der hell. Dreiteilung der Philos in Logik, Physik, Ethik keinen Ort hat), oder ob der Herausgeber damit auch den Inhalt kennzeichnen wollte (»was jenseits der Physik steht«), ist eine bis heute umstrittene Frage. Obwohl zwischen verschiedenen ihrer Bücher ein innerer Zusammenhang besteht, ist diese Schrift sicher nicht von A. selbst als einheitliches Werk konzipiert worden. Buch A enthält eine allg. Einleitung in die »theoretische Philos.« mit einer Diskussion ihrer Ursachen und Prinzipien und dem bei A. üblichen histor. Überblick und Kritik an der Lehre seiner Vorgänger. Diese Einleitung wird durch das »aporetische« Buch B ergänzt, in dem A. die wichtigsten Probleme der Metaphysik aufzählt. Diese Fragen werden dann in den Büchern Γ, E, I, M, N diskutiert, wobei die sog. »Substanzbücher« Z, H, C eine sinnvolle Erweiterung der metaphysischen Diskussion darstellen. Andere Bücher sind aber offensichtlich vom Herausgeber mangels eines passenderen Ortes eingeschoben worden. Buch α («*Alpha minor*«) ist vermutlich die Nachschrift eines Schülers, Buch Δ ein Lexikon philos. Begriffe, Buch K enthält eine Kurzfassung von Buch B, Γ, E und von ›Physik‹ II, III und V. Buch Λ bietet eine erneute Diskussion des Substanzbegriffes, die zwar die »Substanzbücher« insofern ergänzt, als sie außer auf die körperlichen auch auf die unkörperlichen Substanzen eingeht und dabei vor allem die Theorie vom Unbewegten Beweger aus der Physik weiter ausführt, es scheint sich aber um eine von den »Substanzbüchern« unabhängig verf. Einzelschrift zu handeln.

Von den drei unter A.' Namen überlieferten Ethiken sind zwei nach ihren ant. Redaktoren genannt, die ›Eudemische Ethik‹ (*Ethica Eudemia*, 7 Bücher) nach seinem Freund und Mitarbeiter Eudemos, die ›Nikomachische Ethik‹ (*Ethica Nicomachea*, 10 Bücher) nach seinem Sohn Nikomachos. Die ›Nikomachische Ethik‹ wird gemeinhin als die spätere, reifere Version angesehen [15]; fraglich ist dagegen, ob die gemeinsamen, mittleren Bücher (eth. Nic. V-VII) urspr. zur *EE* oder zur *EN* gehörten. Die dritte Schrift trägt den irreführenden Titel ›Große Ethik‹ (*Magna Moralia*, 2 Bücher), sie steht der Qualität nach deutlich hinter den beiden anderen Ethiken zurück; es ist umstritten, ob es sich um eine Frühschrift des A. oder um die Vorlesungsnachschrift eines Schülers handelt.

Wie das erste und das letzte Kapitel der ›Nikomachischen Ethik‹ anzeigen (1094 a 27–b 11; 1181 b 12–23), ist ›Politik‹ (*Politica*, 8 Bücher) für A. als philos. Disziplin die Fortsetzung der Ethik, weil sie die Grundbedingungen des menschlichen Zusammenlebens zum Gegenstand hat [16]. Bei seiner Analyse der Verfassungen und politischen Einrichtungen beschränkt sich A. nicht auf die Konzipierung einer idealen politischen Verfassung (dazu bes. die Bücher II + III, VII + VIII), sondern er diskutiert auch die bestehenden Verfassungen und die sie erhaltenden bzw. zerstörenden Faktoren (bes. in den Büchern III-VI). So ist die ›Politik‹ die bemerkenswerte Kombination eines utopistischen Entwurfs in der Nachfolge Platons mit einem durchaus kritischen Realismus, der sich auf die handfesten empirischen Forschungen seiner Materialsammlungen stützt. Als Ergänzung zur Politik hat der ant. Herausgeber ihr die ›Rhet.‹ (*Ars rhetorica*, 3 Bücher) [17] und die ›Poetik‹ (*De arte poetica*) [18] nachgestellt. Auch bei diesen beiden Werken handelt es sich offensichtlich um Texte, die A. zum Unterricht benutzt hat. Ihre Kernbestandteile mögen bereits aus A.' Lehrtätigkeit an der Akademie stammen. Die beiden ersten Bücher der Rhet. gehen systematisch auf die verschiedenen Redearten (Polit. Rede, Gerichtsrede und »Schau-« oder Prunkrede), ihre Gegenstände (Nutzen und Schaden; Schuld und Unschuld; Tugend und Laster) und die dafür angemessene Behandlung der Emotionen ein. Das dritte Buch beschäftigt sich mit dem Stil. Die Poetik umfaßte urspr. zwei Bücher, von denen aber nur das erste enthalten ist, das sich mit der Trag. und (weit weniger ausführlich) dem Epos befaßt [19]. Das zweite Buch war der Komödie gewidmet, dürfte aber auch die versprochene Diskussion des Begriffs der Katharsis und vielleicht auch der Dithyrambendichtung enthalten haben (poet. 1447 a 13–16; 1449 a 32–37). Da die arab. Übers. dieses Buch nicht enthalten, muß es bereits in der Spätant. verloren gegangen sein [20].

4. Gedichte

Wegen des kargen Stils seiner Lehrschriften kann man sich A. nur schwer als Dichter vorstellen. Unser Urteil würde anders ausfallen, wenn uns seine Kunstprosa erh. wäre. Dafür spricht nicht nur Ciceros Lob, sondern auch der Hymnos auf Hermeias, der ihm zugeschrieben wird, sowie die Bruchstücke von Elegien.

5. Umstrittenes und Unechtes

Unter den Werken des Corpus der aristotelischen Schriften befinden sich auch Schriften, die man A. aus verschiedenen Gründen nicht selbst zuschreibt, bzw. von denen es zweifelhaft ist, ob er der Autor ist [21]. Zu den umstrittenen Werken gehört z. B. der zweite Teil der Kategorienschrift, die sog. »Postprädikamente« (cat. 11 b 16 ff.). Es könnte ein Bruchstück einer unabhängigen Schrift des A. sein, es könnte aber auch, wie die meisten anderen *dubia*, dem Lehrbetrieb des Peripatos

entstammen: *Problemata Physica* (in 38 Büchern über physikalische, biologische, medizinische und moralische Fragen), die ›Große Ethik‹, der *Oeconomicus*, *Metaphysica* α. und K, und verschiedene *Opuscula*, die von Mitarbeitern oder Nachfolgern im Peripatos als Ergänzungen zu den *Parva Naturalia* verf. wurden (›Über Farben‹, ›Über Hörbares‹, ›Physiognomie‹, ›Über die Pflanzen‹, ›Über Wunderbares‹, ›Probleme der Mechanik‹, ›Über unteilbare Linien‹, ›Über Melissus, Xenophanes, Gorgias‹). Unecht ist gewiß die kurze Abhandlung ›Über Tugenden und Laster‹ und die sog. ›Rhet. für Alexander‹, ein auf der ›Rhetorik‹ basierendes Werk des Sophisten Anaximenes von Lampsakos. Bes. einflußreich waren in der Spätant. zwei Schriften, die nicht im Corpus Aristotelicum enthalten sind, das stark stoisch gefärbte Werk ›Über den Kosmos‹ (*De mundo*) und das ›Buch über die Ursachen‹ (*Liber de causis*), ein neuplatonisch inspiriertes Werk, das in der Spätant. und im MA sehr einflußreich war und gemeinhin als aristotelisch galt, bis Thomas v. Aquin sich für seine Unechtheit aussprach.

D. Die Lehre im Grundzug

Das seit der Ant. vorherrschende Bild des Systematikers A., dessen monolithisches Lehrgebäude entweder in Einklang oder in Widerspruch zu Platon dargestellt wurde, ist in diesem Jh. gründlich revidiert worden. Der entscheidende Anstoß zu dieser Revision ist W. Jaegers [7] Bemühungen zu verdanken, als Urbestandteile der verschiedenen philos. Disziplinen eine Urethik, eine Urphysik, eine Urmetaphysik usw. zu rekonstruieren. Obgleich die nachfolgende Kritik die Anfechtbarkeit seiner Rekonstruktionen herausgestellt hat, hat sich Jaegers Entwicklungshypothese insofern als überaus fruchtbar erwiesen, als Inkonsistenzen bei A. nicht länger als Peinlichkeiten behandelt werden, die man nach Möglichkeit wegerklären sollte, sondern als Zeichen der Flexibilität eines unabhängigen Geistes gelten, der sich an selbstgesetzte Vorgaben und Grenzen nicht gebunden fühlt. Dennoch ist es insofern gerechtfertigt, von einer Einheit des aristotelischen Denkens und Forschens zu sprechen, als es gewisse metaphysische und methodische Eckpfeiler gibt, die sich durch sein gesamtes Werk ziehen. So ist der Begriff der Substanz der »Baustein« des Universums, auf den sich sowohl die Metaphysik (991 b 1–2) als auch die Naturphilos. stützt (phys. 185 a 23–32) [22]. Methodisch gesehen stellt die aristotelische Vier-Ursachenlehre auf allen Gebieten eine analoge Einheit her (metaph. A 983a–32; phys. 194b 23–35): jeder Gegenstand, jede Veränderung oder Handlung ist zu erklären mit Hilfe 1. der Formalursache, 2. der Materialursache, 3. der Bewegungsursache und 4. der Finalursache (*télos*). Ähnlich »fachübergreifend« ist die Unterscheidung von *dýnamis* und *énergeia* (Potentialität und Aktualität) (phys. 191 b 27–34; metaphys. 1042 b 9–11; Buch Θ). Diese Grundunterscheidungen bilden auch die Basis von A.' Kritik an der platonischen Ideenlehre: statt inhaltlich festgelegter, ewig unveränderlicher Wesenheiten, den Ideen, sieht A.

überall analoge Grundprinzipien am Werk. Die Unterscheidung zwischen der Substanz, den für sie konstitutiven Eigenschaften und den bloß sekundären, akzidentellen Qualitäten, wie auch die Unterscheidung zwischen Potentialität und Aktualität erlauben eine »immanente« Erklärung der Natur der Dinge, ihrer Eigenschaften, ihres Verhaltens, wie auch ihrer Entwicklung: die Natur jedes Dinges erklärt sich aus den für diesen Gegenstand charakteristischen Eigenschaften und Fähigkeiten. Um welche Eigenschaften und Fähigkeiten es sich jeweils handelt, läßt sich nach A. nicht durch allg. Überlegungen a priori, sondern nur durch empirische Beobachtungen feststellen. An dieser Grundkonzeption aristotelischen Philosophierens hat sich bei aller Differenzierung der Begriffsverwendungen auch später nichts Wesentliches geändert.

Das Bild vom unermüdlichen Prinzipienforscher, der sich auf allen Gebieten in gleicher Weise mit »archäologischer« Wühlarbeit beschäftigt, sollte nicht den Eindruck erwecken, als sei A. dabei unerbittlich und schematisch nach dem gleichen Strickmuster verfahren [23]. Was A. auszeichnet, ist nicht nur die Fähigkeit, gleiche Verhältnisse in ganz verschiedenen Gebieten zu entdecken, sondern ebensosehr die Fähigkeit, sich auf die Besonderheiten des jeweiligen Sachgebietes einzustellen. Das erklärt, warum A. auf den verschiedensten Gebieten, in denen er tätig war, jeweils Pionierarbeit geleistet hat – in der Metaphysik und Physik ebenso wie in der Biologie und Psychologie, in der Syllogistik ebenso wie in der Ethik, Politik, Rhet. und der Poetik. A. war zwar der erste große Systematisierer der Wiss., er errichtete aber kein in sich geschlossenes Lehrgebäude, sondern lieferte überall nur den Unterbau, an dem andere weiterbauen sollten. Wenn spätere Zeiten daraus ein geschlossenes System zimmerten, so taten sie das aus einem Interesse heraus, das den Forschungsabsichten von A. selbst durchaus nicht gerecht wird.

E. Die Geschichte von Aristoteles' Werken im Altertum

Nach A.' Tod scheinen die Lehrschriften bis ins erste vorchristl. Jh. kaum Beachtung gefunden zu haben, während die leichter zugänglichen »exoterischen« Schriften sich großer Beliebtheit erfreuten. Auch wenn der Bericht Strabons vom Verfall des Corpus der Lehrschriften in einem Keller in Skepsis in Kleinasien weithin als Legende angesehen wird, weil es ganz unwahrscheinlich ist, daß es in Athen im Lykeion keine weiteren Exemplare der Lehrschriften gegeben haben sollte, ist dennoch unbestreitbar, daß die Lehrschriften erst mit der kritischen Edition von Andronikos v. Rhodos im 1. Jh. v. Chr. wieder Beachtung fanden. Mit Andronikos setzte zugleich auch die Kommentiertätigkeit ein, die während der Spätant. nicht mehr abriß und die auch die philos. Betätigung im MA prägen sollte (→ Aristoteles-Kommentatoren). Dieses neue Interesse an den Lehrschriften hatte zur Folge, daß die populären »exoterischen« Schriften, die bis in die Zeit Ciceros das Bild des Aristotelismus prägten, zunehmend vernach-

lässigt wurden und schließlich ganz verloren gingen [24]. Der bedeutendste der Kommentatoren, → Alexandros [26] von Aphrodisias (2.–3. Jh. n. Chr.), scheint der letzte gewesen zu sein, der die populären Schriften des A. noch gekannt und benutzt hat.

1 H. FLASHAR (Hrsg. und Bearb.), GGPh² 3, (mit ausführlichen Bibliographien: Ausg., Übers., Sekundärlit.) 2 I. DÜRING, Aristotle in the Ancient Biographical Tradition, 1957 3 J. P. LYNCH, Aristotle's School, 1972 4 P. Moraux, Les listes anciennes des ouvrages d'Aristote, 1951 5 G. FINE, On Ideas, 1993 6 J. P. RHODES, A Commentary on the Aristotelian Athenian Constitution, 1981 7 W. JAEGER, A., Die Gesch. seiner Entwicklung, ²1955 8 G. PATZIG, Die aristotelische Syllogistik, ³1969 9 K. OEHLER, A. Kategorien (übers. u. erl.) 1984 10 H. WEIDEMANN, A. Peri Hermeneias (übers. u. erl.), 1994 11 W. DETEL (übers. u. erl.), A. Analytica Posteriora, 1993 12 L. JUDSON (Hrsg.), Aristotle's Physics, a collection of critical essays, 1993 13 M. NUSSBAUM, A. O. RORTY (Hrsg.), Essays on Aristotle's De anima, 1992 14 A. GOTTHELF, J. LENNOX (Hrsg.), Philosophical Issues in Aristotle's Biology, 1987 15 S. BROADIE, Ethics with Aristotle, 1991 16 G. PATZIG (Hrsg.), A.' ›Politik‹, 1990 17 D. J. FURLEY, A. NEHAMAS (Hrsg.), Aristotle's Rhetoric. Philosophical Essays, 1994 18 S. HALLIWELL, Aristotle's Poetics, 1986 19 A. O. RORTY, Essays on Aristotle's Poetics, 1992 20 R. JANKO, Aristotle On Comedy, 1985 21 P. MORAUX, J. WIESNER (Hrsg.), Zweifelhaftes im Corpus Aristotelicum, 1983 22 M. FREDE, G. PATZIG, A.' Metaphysik Z (Übers. mit Komm.), 1988 23 T. IRWIN, Aristotle's Principles, 1990, 24 MORAUX 25 R. SORABJI (Hrsg.), Aristotle Transformed: the ancient commentators and their influence, 1990.

EDD.: I. BEKKER, Aristotelis Opera, 1831–70, mit H. Bonitz, Index Aristotelicus · W. D. ROSS et al., Oxford (editio major: with introduction and notes, editio minor, text) · J. TRICOT et al., Paris (Edition Budé). BIBLIOGRAPHIE: R. SORABJI (Hrsg.), Aristotle – A bibliography, 1981. GESAMTDARSTELLUNGEN: J. L. ACKRILL, Aristotle the Philosopher, 1981 · I. DÜRING, A., 1966 · W. D. ROSS, Aristotle, 1923 · M. A. SINACOEUR, Aristote aujourd'hui, 1988. ANT. KOMMENTATOREN: H. DIELS (Hrsg.), CAG, 1883–1907 (23 Bde., 4 Supplementbde.) · R. SORABJI (HRSG.), Ancient Commentators on Aristotle, 1987. ÜBERS. INS DT.: P. GOHLKE, Die Lehrschriften, 9 Bde, 1947–61 (wenig verläßlich) · E. GRUMACH, H. FLASHAR, A., Werke in Dt. Übers., 1956ff. (eingeleitet und erl.).

D. FR.

F. Aristotelischer Staat der Athener

(Ἀθηναίων πολιτεία, ›Athenaion Politeia‹). Aristoteles wird die Beschäftigung mit den Verfassungen von 158 Staaten zugeschrieben: Ein Papyrus, der fast den ganzen Text vom ›Staat der Athener‹ enthält (nur der Anfang fehlt), wurde vom Britischen Museum erworben und 1891 publiziert.

Etwa die ersten zwei Drittel (Kap. 0–41) bieten eine Gesch. der Verfassung bis zur Wiederherstellung der Demokratie nach dem Regime der »30 Tyrannen«. Dieser Teil stammt aus unterschiedlichen Quellen und ist von schwankendem Wert, enthält aber in seinen besten

Partien wertvolle, sonst nicht überlieferte Informationen. Das verbleibende Drittel (Kap. 42–69) liefert einen äußerst wertvollen Bericht über das Funktionieren der Verfassung zu Lebzeiten des Autors und stützt sich offensichtlich auf die Gesetze Athens und eigene Beobachtungen des Verfassers.

Die Frage nach dem Autor des Werkes war und ist Gegenstand einer umfangreichen Kontroverse: In der Ant. wurde es regelmäßig dem A. zugeordnet; geschrieben wurde es in der Zeit, in der sich A. in Athen aufhielt (in den 330er-Jahren mit einigen Veränderungen in den 320er-Jahren). Zwar finden sich im ›Staat der Athener‹ einige auffällige Übereinstimmungen mit der ›Politik‹ des Aristoteles (z. B. sei Solon nicht für die radikale Demokratie verantwortlich zu machen, auch wenn sie auf den von ihm gelegten Fundamenten ruhe: Ath. pol. 9,2; pol. 2,1274a5–21), aber auch einige auffällige Abweichungen (etwa die Maßnahmen Solons zur Bestellung der → árchontes; Quellen s. dort). Abgesehen von wenigen Passagen unterscheidet sich der Stil von dem des Aristotelischen Corpus; allerdings ist das Werk auch von anderer Art als die Hauptwerke des A. Einige Gelehrte halten A. für den Autor der Schrift, doch kann A. kaum alle ihm zugeschriebenen Werke selbst verfaßt haben. Zudem war er weder Athener noch ein Bewunderer der Demokratie. Mit höherer Wahrscheinlichkeit ist deshalb das Werk einem Schüler zuzuordnen. Ungeachtet der Autorschaft des A. ist die Schrift von beträchtlichem Wert für den Historiker.

TEXT: M. CHAMBERS, 1986.
DT. ÜBERS. UND KOMM.: M. CHAMBERS, Aristot. Werke 10,1, 1990. ENGL. KOMM.: RHODES.   P. J. R.

[7, aus Kyrene] Zeitgenosse → Stilpons, der ihm zwei Schüler abwarb (Diog. Laert. 2,113). [1] führt unter seinem Namen fünf Zeugnisse an, doch ist unsicher, ob sich alle diese Zeugnisse wirklich auf dieselbe Person beziehen. In einem der Zeugnisse (Diog. Laert. 2,113) wird A. (möglicherweise zu Unrecht) als »Kyrenaïker« bezeichnet, in einem anderen (Diog. Laert. 5,35) wird ihm eine Schrift ›Über Dichtkunst‹ zugeschrieben.

1 SSR IV E.   K. D.

[8, aus Mytilene] Peripatetiker des 2. Jh. n. Chr, Lehrer des → Alexandros von Aphrodisias. Letzterer referiert (de anima mantissa 110–3 BRUNS) seine Interpretation der aristotelischen Nuslehre, nach welcher der »aktive Nus« als im Weltall immanent gedeutet wurde. A. wurde oft mit Aristokles [1] aus Messene verwechselt (die Quellentexte wurden »emendiert«), bis [1] den wahren Sachverhalt darlegte. Die Einwände von [2] schlagen nicht durch.

1 P. MORAUX, in: AGPh 49, 1967, 169–82 · MORAUX II, 1984, 399–425   2 P. THILLET, ed. Alexander, De Fato, 1984, XI-XXXI (Einl.).

H. B. GOTTSCHALK, in: ANRW II 36.2, 1987, 1160–62.   H. G.

Aristoteles-Kommentatoren. Die Tradition der gr. A.-K. ging auf → Andronikos aus Rhodos zurück und dauerte fast ununterbrochen bis in die spätbyz. Zeit. Innerhalb dieses Zeitraums sind drei Perioden zu unterscheiden:

I. VON ANDRONIKOS (CA. 50 V. CHR.) BIS ALEXANDER VON APHRODISIAS (CA. 210 N. CHR.)

Die meisten Komm. dieser Zeit standen in engem Zusammenhang mit der Lehrtätigkeit der aristotelischen Schulen. Daneben hören wir auch von solchen, die von Stoikern wie Athenodoros und Cornutus oder Platonikern wie Eudoros, Lucius und Nikostratos in polemischer Absicht verfaßt oder von Privatgelehrten für das eigene Studium geschrieben waren (s. Gal. Libri proprii c. 11, 14; Lampriaskatalog zu Plutarch Nr. 56). Die Form der Komm. variierte von reinen Paraphrasen bis zu gründlichen wiss. Untersuchungen (s. Simpl. in cat. 1,8 ff). Erh. sind 2 unvollständige Komm. zur ›Nikomachischen Ethik‹ aus der Mitte des 2. Jh., einer anonym, der andere von Aspasios, und zu den *Analytica priora* I, den *Topica*, den *Meteorologica* und den *Metaphysica* I–5 von Alexander von Aphrodisias.

2. DIE PERIODE DES NEUPLATONISMUS (CA. 230 – 600 N. CHR.)

Durch → Porphyrios wurde das Studium der aristotelischen Hauptschriften in den neuplatonischen Lehrzyklus einverleibt, und fast jeder namhafte Philosoph veröffentlichte Komm. zu ihnen, meistens Nachschriften von Vorlesungen; erh. sind solche von Porphyrios, Dexippos, Syrianos, Asklepios, Simplikios, Ammonios, Philoponos, Olympiodoros, Elias, David und Stephanos. Zu den schon früher behandelten Problemen traten neue, das Verhältnis zwischen aristotelischen und platonischen Lehren betreffende. Die Form des Komm. erreichte ihre endgültige Entwicklung: gewöhnlich wurde die philos. Interpretation der Erklärung des Wortlauts getrennt und allg.ere Fragen über Zweck, Echtheit, Stil usw. des zu kommentierenden Werks in einer Einleitung erörtert. Abseits dieser Tradition stand → Themistios, der sich noch im 4. Jh. als Peripatetiker fühlte und möglichst objektive Paraphrasen schrieb. Lat. A.-Komm. verfaßten → Marius Victorinus im 4. und → Boethius am Ende des 5. Jh.; letzterer hat im Westen eine starke Wirkung ausgeübt, aber eine eigentliche Kommentatoren-Tradition hat sich erst im späteren MA entwickelt.

3. NACH 600

Nach 600 nahm die Produktion stark ab, hörte aber nie ganz auf; kürzere, meistens anon. Komm. und Scholiensammlungen finden sich in vielen Mss. Erst im 12. Jh. wurde die alte Tradition durch Eustratios und Michael von Ephesos erneuert. Unter der Anleitung von Anna Komnena schufen sie eine Reihe von neuen Komm., wobei sie besonders die bisher vernachlässigten Schriften, wie die Rhet. und die zoologischen Werke, berücksichtigten. Diese Tradition wurde später von Sophonias, Leon Magentinos und anderen fortgesetzt.
→ Aristotelismus

Textausgaben: CAG · L. Tarán, Anonymous Comm. on Aristotle's De int., 1978 · R. Sorabji (Hrsg.), Aristotle Transformed: The Ancient Commentators and their Influence, 1990 (mit Bibliogr.).   H.G.

Aristotelismus A. Einleitung B.1 Hellenistische Epoche B.2 Römische Kaiserzeit B.3 Spätantike C. Mittelalter und Renaissance (Ausblick)

A. Einleitung

Der A. ist die Philos. des Aristoteles in der Form, welche ihr von seinen Schülern und ihren Nachfolgern gegeben wurde.

Aristoteles starb 322 v. Chr. in Chalkis, wohin er vor drohenden polit. Unruhen in Athen geflüchtet war. Sein Testament (bei Diog. Laert. 5,11 ff.) enthält Bestimmungen über seine Familie und sein Privatvermögen, aber kein Wort von seinem lit. Nachlaß oder einer Schule; es scheint, daß er wenig Hoffnung auf die Veröffentlichung seiner Hauptschriften oder die Fortsetzung seiner Lehre hatte. Trotzdem gelang es seinen Schülern, eine Schule (den → Peripatos) zu gründen, in welcher seine Lehre verbreitet und weiter entwickelt wurde. Damit begann eine Tradition, die bis zum Anfang des modernen Zeitalters dauerte; zweitausend Jahre lang war der A. einer der wichtigsten Faktoren in der Philos. Europas und des nahen Ostens. Seine Entwicklung verlief ungleichmäßig, wurde aber nie ganz unterbrochen; dabei lassen sich verschiedene Epochen unterscheiden, von welchen die drei ersten in das klass. Alt. fallen.

B.1 Hellenistische Epoche

Von Theophrast bis Andronikos von Rhodos, ca. 322 – 60 v. Chr. (1. *Epoche*): Ausgangspunkt waren Aristoteles' Lehrschriften und seine Hauptlehren, die Kategorienlehre, die Syllogistik, die Teleologie, die Dichotomien zwischen Potentialität und Aktualität, Stoff und Form, die Qualitätenlehre, die Lehren von den fünf einfachen Körpern, der Ewigkeit und Begrenztheit der Welt und dem »Unbewegten Beweger«, die Tugendlehre der »goldenen Mitte« usw. Sie wurden von der ersten Schülergeneration als selbstverständlich ihren Arbeiten zugrundegelegt. Aber es wurde nicht nur Überliefertes tradiert. Wissensgebiete, welche Aristoteles nur gestreift hatte, z. B. die Botanik, Mineralogie und vergleichende Rechtswiss., wurden von → Theophrastos bearbeitet. In den Natur- und Sozialwiss. wurden die Kenntnisse durch neue Beobachtungen vermehrt. Neuerungen in der Logik stellten den ersten Schritt dar auf dem Weg, der von der aristotelischen zur »Schullogik« führen sollte (→ Eudemos). Dabei sind zwei Tendenzen bemerkbar: einerseits die Systematisierung im Grundsätzlichen und in der Terminologie, andererseits die erhöhte Aufmerksamkeit gegenüber Einzelphänomenen und ihren unmittelbaren, materiellen und instrumentalen Ursachen. Das führte zu Unstimmigkeitem z. B. in Theophrasts Wärmelehre (Ign. 5 f.) und Windlehre (Vent. 15 ff.) und zu einer Aporetik Theophrasts welche, u. a. Aristoteles' Definition vom Ort und sogar das Wirkungsgebiet der Teleologie in Frage stellte (Fr. 146 F-S, Metaph. 15,9). Trotzdem blieb Theophrast prinzipiell seinem Lehrer treu; nur in einem Punkt hat er den Rahmen seiner Gedankenwelt endgültig durchbrochen: Es handelt sich dabei um die Annahme, daß die Materie nicht kontinuierlich ist, sondern aus feinen Partikeln und mikroskopischen Vacua besteht. Dazu wurde er durch die Beobachtung verleitet, daß oberflächlicher Kontakt zwischen zwei Körpern mit entgegengesetzten Qualitäten nicht immer genügt, um eine Reaktion hervorzurufen; z. B. trockene Hitze schmilzt Metalle, aber Dampf nicht, weil die »Poren« der Metalle zu klein sind, um die relativ großen Dampfpartikel einzulassen (Ign. 42). So ein Zusammenspiel zwischen dynamisch-formalen und strukturell-mechanischen Ursachen war für Theophrasts Naturerklärung charakteristisch. Sie erwuchs aus seinen Forschungen über die »niederen« Teile des Weltalls und setzt Tendenzen fort, welche sich schon in Aristoteles' *Meteorologica* und zoologischen Werken finden (zum Problem s. PA 1.1; GA 5.1). Es ist verfehlt, Theophrasts Partikeltheorie als schlechten Kompromiß mit dem Atomismus erklären zu wollen; wenn man nach einer äußeren Quelle suchen will, wäre eher an Platons *Timaios* zu denken.

Erst Theophrasts Nachfolger Straton (Schulhaupt 288/6–270/68) zog die Konsequenz aus Theophrasts Aristoteleskritik. Er baute die Partikeltheorie weiter aus, aber in anderen Punkten ging er noch radikaler vor. Er leugnete den »Unbewegten Beweger« und die Äthertheorie und stellte die Natur als immanentes, unbewußtes Prinzip der Bewegung dar, welches durch die vier Grundqualitäten wirkte. Die Seele der Lebewesen identifizierte er mit dem ihnen innewohnenden Pneuma. Auch in der Raum-, Zeit- und Bewegungstheorie wich er von seinen Vorgängern ab. Eine gewisse Nachwirkung seiner Lehren ist noch bei Boethos und vielleicht Andronikos bemerkbar, aber im ganzen hat die Schule seine Neuerungen abgelehnt; das ps.-aristotelische *De spiritu*, aus der Mitte des 3.Jh., bezeugt eine Reaktion gegen seine Gleichsetzung der Seele mit dem Pneuma (c. 5 und 9).

Die Arbeit an den zentralen Themen des A. wurde ergänzt durch solche über entlegenere Gebiete wie die Musiktheorie (→ Aristoxenos) oder die Geographie (→ Dikaiarchos), deren Methode von Aristoteles stark beeinflußt war. Noch nicht völlig geklärt ist das Verhältnis des Peripatos zur Medizin. Menon verfaßte auf Aristoteles' Anregung eine Gesch. der Medizin, und Schriften über medizinische Fragen sind für Theophrast und Straton bezeugt. Daß ein gewisser Gedankenaustausch des Aristoteles mit Diokles von Karystos und seiner Nachfolger mit Herophilos und Erasistratos bestand, läßt sich kaum bezweifeln, aber das Verhältnis war zweiseitig; Diokles war zu alt, um als Aristoteles' Schüler zu gelten, und der Peripatos gab keinen praktischen medizinischen Unterricht.

Den *schriftlichen Niederschlag* der Arbeit dieser Generationen finden wir nicht nur in ihren namentlich überlieferten Büchern und Fragmenten, sondern auch in den erh. Pseudaristotelica. Einige davon lassen sich bestimmten Autoren zuweisen: *Meteorologica IV*, *De coloribus* und *De lineis insecabilibus* dem Theophrast (ersteres vielleicht als Überarbeitung einer aristotelischen Schrift), *De audibilibus* und *Mechanica* dem Straton, während *De spiritu* der Generation nach Straton zugehört. Auch die großen Sammelwerke, bes. die *Problemata*, haben altperipatetisches Material erhalten.

Die genannten Schriften waren für den Gebrauch innerhalb der Schule verfaßt, in engem Zusammenhang mit dem Lehrbetrieb. Daneben ging eine große Produktion »exoterischer« Werke ethischen, histor., biographischen und lit.-histor. Inhalts für einen breiteren Leserkreis einher. Nach Stratons Tod konzentrierte sich die Tätigkeit der Schule fast ganz auf solche Schriftstellerei und die entsprechende populäre Lehre, während die Forschung zurückging; 200 Jahre lang wurde der Peripatos zur reinen Bildungsanstalt und Vertreter einer gemäßigten Weltweisheit. Zweck dieser Wendung war augenscheinlich die Werbung von Studenten. Der Andrang war unter Stratons Scholarchat stark zurückgegangen (s. Plut. mor. 472e), während die Schule unter Lykon (Scholarch 288/6–226/4) und seinen Nachfolgern in ihrer neuen Rolle erheblichen Erfolg hatte.

Doch sogar in dieser Zeit finden sich Anzeichen, daß wenigstens einige Peripatetiker sich an den Debatten zwischen den Schulen beteiligten. Lykons Zeitgenosse Hieronymos von Rhodos schrieb ein Buch Περὶ ἐποχῆς (Fr. 24 WEHRLI), und eine Lehre vom Kriterion, welche S. Emp. 7,217–26 ›Aristoteles und Theophrast und den Peripatetikern allg.‹ zuschreibt, scheint auf einen Versuch zurückzugehen, die aristotelische Epistemologie der Problematik des 2. Jh. v. Chr. anzupassen. Kritolaos (Scholarch um die Mitte des 2. Jh.) verteidigte die Lehre von der Ewigkeit der Welt, allerdings mit schwächeren Argumenten, als den von Aristoteles gebrauchten. Mehrere Peripatetiker stellten Telosdefinitionen nach stoischem Muster auf, und so wurde der stoische Oikeiosisbegriff der aristotelischen Ethik »aufgepfropft«. Der philos. Geist war im Peripatos sehr reduziert, aber doch nicht ganz verschwunden.

B.2 RÖMISCHE KAISERZEIT

Von Andronikos bis Alexander von Aphrodisias, ca. 60 v. Chr. – 230 n. Chr. (2. *Epoche*): Die Wiederbelebung der wiss. Seite des A. wurde von → Andronikos aus Rhodos mit einer neuen Ausgabe der ›Pragmatien‹ des Aristoteles und Theophrast eingeleitet, in der Absicht, die Aufmerksamkeit der Zeitgenossen auf den echten A. zurückzulenken. Das entsprach dem Zeitgeist: auch in der → Akademeia suchte man Erneuerung durch eine Rückkehr zu den Klassikern der Philos. Aber die Schwierigkeit der aristotelischen Lehrschriften und die Mängel der vorhandenen Texte machten zu ihrem Verständnis größere philol. und histor.-kritische Vorarbeiten nötig. Daraus erwuchs eine Kommentierungstradition (→ Aristoteles-Kommentatoren), beginnend mit einem Komm. zur Kategorienschrift, von Andronikos selber verfaßt, welche bald zum Hauptteil des Peripatetischen Lehrbetriebs und Merkmal der »Peripatetischen Scholastik« wurde. Sie war durch die Vorlesungen der frühen Aristotelesschüler vorgezeichnet; aber während diese den A. nicht nur weitergeben, sondern auch fortbilden wollten, genügte den Späteren die Exegese und Verteidigung der überkommen Positionen. Etwaige Neuerungen wurden prinzipiell als Interpretationen des aristotelischen Wortlauts dargestellt, und nur in besonderen Fällen, wo der Streit der Schulen Probleme hervorgerufen hatte, welche Aristoteles nicht oder nur nebenbei behandelte, wurde versucht, Neues in die Lehre einzubauen.

Ziel dieser Exegese war, den A. als einheitliches System darzustellen und etwaige Widersprüche zu beseitigen; dabei wurden weder genetische noch allg. histor. Faktoren berücksichtigt. Die Fragestellung war also einseitig und für heutige Begriffe »unmodern«, aber die Erklärungen beruhten auf einer genauen Kenntnis des gesamten peripatetischen Schrifttums und einer der aristotelischen noch relativ nahestehenden Problematik und haben auch heute noch bleibenden Wert. Man hat zwar behauptet, daß die Systematisierung des A. ihn entstellt habe, aber Ansätze zu dem Weltsystem, welches seine Nachfolger ausführten, finden sich schon bei Aristoteles. Doch konnte diese Scholastik zum Mißverständnis einzelner Bücher oder Argumente führen, sogar wenn sie dem Geist des A. als ganzem treu blieb.

Trotz dieser Beschränkungen finden sich interessante Gedanken bes. bei → Andronikos und → Boethos. In der weiteren Entwicklung des A. zeigt sich eine ausgesprochen konservative Tendenz. Spuren hell., bes. stoischer Annahmen, die sich hier und da bei Andronikos und Boethos finden, wurden von späteren Kommentatoren wie Aspasios zurückgewiesen. Man bemühte sich, nur den echten Aristoteles wiederzugewinnen.

Gleichzeitig wirkte die Schule weiter durch eine populäre Lehrtätigkeit und Schriftstellerei auf das breitere Publikum. Die »exoterischen« Schriften des Aristoteles und Handbücher aus der hell. Zeit wurden weiter gelesen. Bes. Außenstehende, wie Philon von Alexandreia, Sextus Empiricus, Diogenes Laertios und Clemens von Alexandreia, schöpften ihre Kenntnisse des A. größtenteils aus solchen Quellen.

Die meisten peripatetischen Schriften dieser Epoche sind verloren. Erhaltenes: Kompendien der aristotelischen Physik (nur Fragmente) und Ethik von Areios Didymos, bei Stobaios 1–2; Auszüge (syr.) aus Nikolaos von Damaskos, ›Über die Philos. des Aristoteles‹; Ps.-Archytas, Περὶ τοῦ καθόλου λόγου, eine Bearbeitung der Kategorienschrift; Ps.-Aristot. *De Mundo* und *De virtutibus et vitiis*; Ps.-Andronikos, Περὶ παθῶν; logische Kompendien von Apuleius und Galen; zwei Komm. zur ›Nikomachischen Ethik‹, einer anonym, der andere von Aspasios; vier Komm. und mehrere Abhandlungen des Alexander von Aphrodisias.

B.3 Spätantike

Bis ca. 600 (*3. Epoche*): Mit Alexanders Tod endete die Peripatetische Schule. In der Folgezeit war Themistios der einzige, der sich noch als Peripatetiker fühlte und von diesem Standpunkt aus Paraphrasen aristotelischer Werke schrieb. Sonst wurde der A. völlig vom → Neuplatonismus absorbiert. Die Anfänge dieses Prozesses lassen sich schon im 2.Jh. bei Mittelplatonikern wie Alkinoos beobachten, obwohl andere Anhänger Platons, wie Attikos und später Plotin, dem A. kritisch gegenüberstanden. Der entscheidende Impuls kam jedoch von Porphyrios, der in seinem großen Kategorienkomm. Plotins Einwände zu entkräften suchte und den Grundsatz aufstellte, daß es zwi der platonischen Philos. und dem (richtig verstandenen) A. keine wesentlichen Konflikte gab. Daraufhin wurde die gesamte aristotelische Logik, große Teile der Naturphilos. und sogar gewisse Partien der Metaphysik den neuplatonischen Systemen einverleibt. Doch wurde der A. nur als Propädeutik zur platonischen Philos. gewertet. Um die Grundlagen des Platonismus nicht zu gefährden, mußten manche Sätze des A. platonisch »gedeutet« werden; das Verhältnis zwischen den beiden Philos. wurde zum ständigen Problem. Aber trotz mancher Verzerrungen blieben auf diese Weise wesentl. Erkenntnisse des A. erhalten.

Zur Auseinandersetzung mit dem A. wählten die Neuplatoniker vornehmlich die Form von oft großangelegten Komm., welche meistens auf Vorlesungen basierten (weiteres → Aristoteles-Kommentatoren).

C. Mittelalter und Renaissance (Ausblick)

Am Ende der Ant. teilte sich die Tradition in drei Strömungen: die byz., oriental. und westliche (*4. Epoche*). (a) Im Byz. Reich wurde die Kommentatorentradition im Anschluß an die Neuplatoniker weitergeführt, aber wenig Neues geleistet. Dabei hatte der A. sowohl gegen die kirchliche Orthodoxie wie den Platonismus zu kämpfen. (b) Seit dem 5.Jh. wurden aristotelische Schriften und Komm. ins Syr. und im 9. und 10. ins Arab. übersetzt. Daran knüpfte sich eine Kommentierung, welche bes. bei den Arabern wichtige neue Entwicklungen hervorrief. (c) Eine lat. Tradition begann mit Marius Victorinus im 4.Jh. und Boethius um 500 und wurde, trotz ihrer Beschränkung auf Teile des Organons (die sog. *Logica Vetus*), eine wichtige Quelle der Frühscholastik.

5. Epoche: Im 12. und 13.Jh. wurden diese Strömungen wieder vereint. Durch Übers. aus dem Arab. und Griech. wurden die bisher unbekannten Werke des Aristoteles und viele ant. und arab. Komm. im lat. Westen verbreitet und bildeten die Grundlage der Hochscholastik.

6. Epoche: Im späten MA und der Renaissance wurde der A. zum Grundstock der »Schulphilos.«, rief aber gerade deshalb eine Reaktion hervor, die sich einerseits auf unabhängige logische und naturwiss. Forsch., andererseits auf den Platonismus und später auf andere, neu aufgefundene ant. Lehren, bes. den Atomismus und den Skeptizismus, stützte.

Fr.:

im obigen Artikel wird Theophrast nach der Sammlung von W. FORTENBAUGH, R. SHARPLES, P. HUBY, D. GUTAS, 1992, die übrigen Frühperipatetiker nach WEHRLI, SCHULE, ²1969, zitiert. Weiteres s. unter den einzelnen Autoren.

LIT.:

1. Epoche: F. WEHRLI, in: GGPh 3, 1983. 2. Epoche: MORAUX, 1973–84 · H.B. GOTTSCHALK, in: ANRW II 36.2, 1987, 1079–1174 · R.W. SHARPLES, in: ANRW II 36.2, 1987, 1176–1243. 3. Epoche: R. SORABJI (Hrsg.), Aristotle Transformed, 1990.   H.G.

Aristotimos. Aus Elis, Sohn des Demaratos, 271/70 v. Chr. Tyrann in Elis, gestützt auf (osk.?) Söldner und die Protektion des → Antigonos [2] Gonatas; seinem Terrorregime, vor dem 800 Bürger zu den Aitolern flohen und ihre Familien dem Wüterich preisgaben, machte die Verschwörung des Kyllon (vgl. SIG 423) ein Ende mit der Ermordung des A. im Tempelasyl, wobei auch seine Familie ausgelöscht wurde (Paus. 5,5,1.6; 14,11; Plut. mor. 250f–253f; Iust. 26,1,4–10) [1. 403–404, 713].

1 H. BERVE, Die Tyrannis bei den Griechen, 1967.   L.-M.G.

Aristoxenos (Ἀριστόξενος). **[1]** von Tarent, Musiker, Musiktheoretiker, Philosoph, Biograph, μουσικός genannt. Nach Suda Sohn des Mnesias oder des Musikers Spintharos, Schüler des Vaters, eines Lampros von Erythrai, des Pythagoreers Xenophilos und zuletzt des Aristoteles. In Mantineia wandte A. sich der Philos. zu. In Korinth will er vom Tyrannen Dionysios II. (nach dessen Verbannung aus Sizilien 344) die Geschichte von Damon und Phintias gehört haben (fr. 31). Als Akme nennt Suda die Ol. 111 (336); demnach 376 oder bald danach geboren, gehörte A. mit dem ihm nahestehenden Dikaiarchos und wie Theophrast zu den ältesten Schülern des Aristoteles. Doch bestimmte letzterer Theophrast zu seinem Nachfolger und nicht A., wie dieser erwartet hatte. Von angeblich 453 Büchern sind erh.: 1) unter dem Titel Ἁρμονικὰ στοιχεῖα (*Elementa harmonica*) 3 nicht aufeinander abgestimmte Bücher, lückenhaft (vielleicht: I; II + III, Schluß fehlt), 2) Ausschnitte aus Ῥυθμικὰ στοιχεῖα (*Elementa rhythmica*), 3) Frg. aus verlorenen Schriften, u. a. über Pythagoras, pythagoreische Aussprüche, pythagoreische Lebensführung, Gesetzgebung, Erziehung, Archytas, Sokrates, Platon, Sympotika, Μουσική, Melopoiia, Auloi und ihre Bohrung, Auleten, Chöre, tragischen Tanz, Trag.dichter und den Dithyrambendichter Telestes. A., der das philos. Werk des Aristoteles nicht fortsetzte, lehrte eine von der Harmonik der → Pythagoreer unabhängige, nicht von Instrumenten abgeleitete musikalische Harmonik, die auf dem Urteil des Gehörs basiert. In den wohl für Lehrkurse bestimmten Texten legte A. den Grund zur offenbar nicht mehr vollendeten »Wissenschaft vom Melos« (περὶ μέλους ἐπιστήμη), die außer Harmonik und Rhythmik auch Metrik und Organik umfassen sollte (Harm. 32 Mb.). – In den *Elementa har-*

Augustus (Stemma)   303f., 4 (Mitte)   Scribonia ∞ (2) *Octavius* (3)

   303f.,13 (rechts)   *Caes.* Augustus Germanicus

   303f.,22 (rechts)   L. Domitius Ahenobarbus ∞ (1) *Octavia*

   303f.,24 (rechts)   (3) *Statilia* Messalina (Aug.)

Aurelius   324, nach 39   ergänze: *[33] A. Victor, s. Victor A.*

Avestaschrift   368, 2   Neu gegenüber den *älteren* oriental. Alphabeten

B (sprachwissenschaftlich)   379, 42   κάββαλε < κατ-; *ab-breuiare* < *ad-*;

Balāwāt   417, 47   More Balawat *Gates*

Ballspiele   427, 38f.   Some notes on the Spartan σφαιρεῖς, in: *ABSA*

Barbaren   441, 29f.   *Aristoteles* vertrat die Auffassung von der »Knechtsnatur«

Bauplastik I.   507, 44   Hathortempel zu → *Dendara*).

Begehren C.   544, 22   von Unlust (ad *Menoeceum* 130; RS 15).

Berberisch   564, 28   so wird *in* phöniz. PN ʿ*abd-*, »Diener des«,

Boëthos [7]   726, 41   Cicero (Verr. *2,4,32*)

Brief D. 1.   773, 24   Grußformeln auf *[8]*.

   773, 26   Wirtschaftsorganisation [7. 393; *2*]

   774, 2   in: *Jaarbericht* Ex Oriente Lux 16, 1964, 16–39

Brettspiele   VIII,   AM 23, *1898,* 2 Abb. 1, 2.

Bryson   808, 6   in: GGPh 2.1, *1997/8*

Bubastis   808, 14f.   *Spätestens seit ptolem. Zeit (4./3. Jh. v. Chr.)* wird B. auch Hauptstadt

Buch D.   815, 48   Autorenlesungen, *in: Kommunikation durch Zeichen und Wort, 1995, 265–332*

Bürgschaft A.   822, 10   von der Mitte des 3. Jt. v. Chr. [2. 253]

   822, 11   in hell. Zeit [*3*. 64–69]

Caecilius (Stemma)   885f.,15f. (Mitte)   M. Licinius *Crassus*

Calpurnius   941, 36   Plut. Numa 21,2 u.a.; *Porträt des Numa auf Mz. der Calpurnier: RRC 446; RIC I² 390–394).*

   941,38f.   I. *Hofmann-Löbl, Die Calpurnii. Polit. Wirken*

Cento   1061, 23f.   B. *GRIECHISCH C. LATEINISCH*

   1062, 9   *B. GRIECHISCH*

   1062, 30   *C. LATEINISCH*

Chairephon   1083, 6   Sokrates, in: GGPh 2.1, *1997/8*

Chalkidike   1087, 35   statt Chalkidike (Χαλκιδική): *Chalkidische Halbinsel*

   1087, 36   statt Ch.: *Chalkidike (Χαλκιδική)*

   1088, 23; 24   statt Ch.: *ch.H.*

Chalkiope [2]   1089, 7   Mutter des Argos, *des Melas, des* Phrontis

Charax Spasinu   1097, 18   gest. zwischen *120* und 109/8

Chares [3]   1098, 32   Spätes 4. *bis* frühes *3.* Jh. v. Chr.

Charisius [3]   1102, 34   Lit.: *P.L. Schmidt,* in: HLL § 523,2.

Charon   1108, 18   Chantraine, s.v. Ch.; Frisk, *s.v. Ch.*

Chemmis [3]   1115, 35   J. KARIG, s.v. *Achmim*

Chigi–Maler   1120, 32ff.   Arybolloi und Olpen mit Tierfriesen, *seltener mit Mythenbildern (etwa Bellerophon, Kentauromachie) bemalt werden, dazu Olpen mit verschiedenfarbigen Blattzungen.*

Chorat   1145, 23   ABEL [1. *Bd. 1,* 484f.]

Chorezmien   1147, 1f.   Pamjatniki *zodčestva* Chorezma, *1987*

Chorzene   1148, 50   (*Erzerum*)

Christliche Archäologie   1166, 30f.   Christliche Archäologie s. *Byzantion, Byzanz III.*; Spätantike Archäologie

Chremonideïscher Krieg   1151, 30   Aithalidai [1. *176–185; 2; 3*]. Auf seinen Antrag

   1151, 32   weiteren Staaten *[12]*. Offizielle Ziele

   1151, 40   sind umstritten *(die hier gen. Daten folgen [10. 147 und Anm. 78]; vgl. jedoch [4. 102–117; 5; 6. 26f.]).*

   1151, 47   Athen. 6,250f.; *zu den inschr. Quellen [10. 147–153]*) in einer Schlacht

   1151, 51   sind nicht sicher *([8. 146–151] datiert auf 255/4, aber [7] auf ca. 262/1).* Infolge seines Sieges

   1152, 3   Phaleron *(zu den Friedensregelungen [9. 13–26; 10. 151, 154–159; 13])* mit der »Aufsicht«

   1152, 3   die Politik Athens *(Anm. entfällt).*

   1152, 20   Zeit, 1982   **10** HABICHT   **11** *PA 15572*   **12** IG II² 686–687 = *StV Nr. 476*   **13** *StV Nr. 477*.

Chrysippos   1182, 49   → Stoa; Zenon von Kition; Kleanthes; Karneades; *STOIZISMUS*

Chthonische Götter II. B. 3.   1187, 53   Chthonia: LSCG 96,25)

   1188, 4   im Totenkult (Attika: *IG III, Add. 101,* und vor allem

   1188, 12f.   im sizilischen Hermione: *Syll.³ 1051 = IG IV 679*)

Berichtigte Kürzel für Autorennamen:

Altar   555, 59   C.HÖ. *u.* F.PR. (Christoph Höcker *und* Friedhelm Prayon)
Alcimus [1] Latinus A. Alethius   448, 47   W.-L.L. *(Wolf-Lüder Liebermann)*
Apollonios [2] Rhodios   879, 41   R.HU. *u.* M.FA. / *(Richard Hunter und Marco Fantuzzi) /*
Artabannes [1] und [2]   41, 34   M.Sch. *(Martin Schottky)*
Artabanos [4] und [5]   43, 53   M.Sch. *(Martin Schottky)*
Artavasdes [3] – [6]   47, 25   M.Sch. *(Martin Schottky)*
Artaxias [1] – [4]   49, 46   M.Sch. *(Martin Schottky)*
Assur [1] und [2]   114, 33   S.HA. *(Stefan Hauser)*
Autobiographie I.   349, 22   B.P.-L. *(Beate Pongratz-Leisten)*
Belesys   547, 42   A. KU. *u.* H.S.-W. (Amélie Kuhrt *und* Heleen Sancisi-Weerdenburg)
Bestattung A. und B.   589, 13   S.HA. *(Stefan Hauser)*
Bewaffnung I.   610, 57   L.B. *(Leonhard Burckhardt)*
Biton   703, 56   H. Schn. *(Helmuth Schneider)*
Blei   709,5   H. Schn. *(Helmuth Schneider)*
Bodenschätze   719,3   H. Schn. *(Helmuth Schneider)*
Byzantion, Byzanz Karten-Lit. 874, 16   ergänze: *J.N. (Johannes Niehoff)*
Castellum [I 4] Tingitanum   1020, 38   W.HU. *(Werner Huß)*
Cento A.   1062, 8   H.A.G. *u.* W.-L.L. (Hans Armin Gärtner *und) Wolf-Lüder Liebermann*
Cento C.   1063, 42   ergänze: *W.-L.L. (Wolf-Lüder Liebermann)*
Charon [2]   1108, 27   M.D.MA. *(Massimo Di Marco)*

Corrigenda zu Band 1 und 2

DNP-Spalten haben – je nach Seitenlayout – etwa 55–59 Zeilen. Die Zeilenzählung in
der folgenden Liste geht jeweils vom Beginn der Spalte aus; Leerzeilen werden nicht mitgezählt.
Die korrigierten Wörter sind durch *Kursivierung* hervorgehoben.

Stichwort   Spalte, Zeile   *neu* (im Kontext)

BAND I
Abba   9, 29   *varia lectio* Obba
Abrote   33, 27   ihre Tracht ἀφάβρωμα
Achaia   56, 50   Thessaloi (Thessalia) (vgl. *Syll.³* 796A)
   57, 10   (*Syll.³* 814)
Achaioi, Achaia   68, 25   τῶν Ἀχαιῶν
   68, nach 29   ergänze: *Römische Zeit s. Achaia [römische Provinz]*
   68, 30   → Griechische Dialekte*; Achijawa*
Adolios   120, 23   (Prok. *BP 2,3*; 21; 24f.).
Aetna   211, nach 57   ergänze: *zum Berg s. → Aitne [1].*
Afrika 1. A.   217, 28   zum ersten Mal bei Pind. P. 9,*8*
   217, 52   → *Makedonen*
   218, 11   Ἄννωνος περίπλους
Agonothetes   266,9   ἀγωνοθέτης
Aggar [2]   256, 37   nahe Ousseltia. 232 *n.* Chr.
Aglaosthenes   261, 46   Verfasser von Ναξιακά
Agone   266,8   s. Skenikoi agones; *s. Wettbewerbe (künstlerisch)*
Agrippa   294, 35f.   Agrippa. *Nach moderner Etym. sei der Name Agrippa von* *agrei-pod-*
   »vorn die Füße habend« abzuleiten (lt. LEUMANN, *398, »sehr zweifelhaft«).* Urspr. ein Praenomen
Agrippina [3]   298, 14   Geburt des Sohnes Nero im J. *37*
Ahura Mazdā   305, 17   der *zoroastrischen* Gemeinde
Aia   307, 7   in derselben östl. Gegend [*2.* 236, 247]
Aias   309, 36   Τελαμώνιος
Aigilips   319, 41   *V.* BURR
Aigimios [1]   319, 43f.   Sohn *(oder Vater)* des Doros, Vater von Dyman und *Pamphylos*
Ailianos [2]   327, 33   Menandros (IG 14,1168; *1183*)
   327, 39   ἀφέλεια
   328, 10   von C. *Peruscus*
Aineias   331, 47   (Wolfenbütteler Forschungen 75), *1997*
   347, 23   in: GGPh 2.1, *1997/8*
Aison [1]   358, 4   Sohn des Kretheus und der *Tyro*
   358, 6–8   Vater Iasons (Hom. Od. 11,258 ...) und des *Promachos*
Aithalidai   365, 52   Zusammenhang mit → *Eupyridai*
Aius Locutius   379, 55   *indigitamenta*
Akastos   397, 32f.   Pind. N. *4,*54ff.
Akoniti   405, 25   auf einem *haltér (→ Sportgeräte)*
   411, nach 22   ergänze: *Akropolis s. Städtebau*
Aktia   415, 8   Cass. Dio *41,1*
Alalkomenai   428, 52   wahrscheinlich *nördl.* unterhalb vom h. Solinarion
   429, 1   nordwestl. bei *Ajia* Paraskevi
Alexandros [28]   483, 26   Narzißmus *als Gesandter* (? 138) ärgerte sich
Alexinos   486, 35   in: GGPh 2.1, *1997/8*
Alkimede   504, 36f.   Tochter des Phylakos und der (Eteo-)*Klymene*
Alphabet   541, 3   [*13.* 805ff. *fig. 100* Nr. 13]
   544, 55   oder mehr *(⅝)* Erfolg propagiert haben;
Altar B. 3.   554, Abb.   Auriol, Tischaltar, 5. Jh. *n.* Chr.
Ampelusia   608, 35   Nach *Ps.*-Skyl. 112
Amyrtaios   638,36   H. DE MEULENAERE, s.v. A., *LÄ* I, 252f.
Amythaon   638, 46   Amythaonia; *vor* Pelias und Neleus

Anaitis   645, 16–18   Der avest. Name, *Aredvī–Sūrā-Anāhitā*, Göttin der Gewässer,
besteht aus drei Epitheta (z.B. *anāhitā* = »unbefleckt«).

Anastasios [1]   656, 4   des Söldnerführers *Vitalian* 513/515.

Anaxagoras [1]   667, 25   ergänze unter Anax: *Anaxagoras* [1] Bronzebildner aus Aigina,

Anchises   678, 27f.   begleitet er *auch* auf den Tabulae Iliacae, also vielleicht bei *Stesichoros*

Antiocheia [6]   765, 49   h. Ruinenstätte *Antiokya.*

Annikeris   711, 41f.   in: GGPh 2.1, *1997/8*

Antipatros [12]   780, 53f.   *Inter consulares* gewählt und Lehrer von Caracalla und Geta
(soph.; vgl. IK 16,2026,17–18: *von 200–205*)

Antisthenes [1]   794, 46f.   in: GGPh 2.1, *1997/8*

Aphobetos   833, 43   zw. 377/76 und 353/2 *Hypogrammateus* und → *Grammateus*

Aphrodisias [1]   836, 34   besuchter Pilgerort; im 5. Jh. n. Chr.
836, 36   Karia *später* in *Stauropolis* umbenannt.

Apolinarios   855, 13ff.   Hinweis: identisch mit Apollinarios [3] von Laodikeia

Apophthegma B.   893, 26   (Plut. mor. 172–208a, 208b–240b, 240c–*242d*).

Aptara, Aptera   921, 30   h. *Aptara*, auf Münzen und Inschr. Aptara

Apuleius   922, 7   ergänze vor Apuli, Apulia: *Apuleius s. Ap(p)uleius*

Aquae [II 11] Thibilitanae   928, 27f.   Aug. epist. 53,4; *contra Cresconium grammaticum* 3,27,30;

Arachthos   950, 37   auch Ἄραθθος, Ἄρατθος

Arae [2] Philaenorum   952, 30   Φιλαίνων Βωμοί
952, 31   Syrte (*Ps.*-Skyl. 109)

Aratos [4] C. 1.   960, 14f.   Schon *einer der Vorgänger des* Eudoxos, Kleostratos von Tenedos,
hatte *als erster seine Lehre von der Astronomie in Verse gesetzt.*

Arbeit [1, Orient]   963, 39   A.s-Verweigerung [*5. 278–281*].
963, 43   Gemeinwesens zum Ausdruck [*4. 109–117; 6. 25 mit Anm. 33*].
963, 47   W. HELCK, s.v. A., *LÄ* 1, 370f.

Archimedes [1]   999, 39   d.h. von 1 bis 10^8
999, 40–42   daß jede Ordnung 10^8 Zahlen umfaßt. 10^8 Ordnungen bilden eine Periode;
insgesamt gibt es 10^8 Perioden.

Archilochos A.   995, 33   → Tyrtaios; → *Semonides*) unsere frühesten

Arderikka   1039, 36   Ἀρδέρικκα

Argonautai   1067, 30   ältester *Tyro-Sohn*
1068, 7   Aitia: *Mythos als artifizielles Spiel alexandrinischer Gelehrsamkeit bzw. Instrument der Homer-Imitatio*
1068, 11   *Dionysios* Skythobrachion
1068, 53   Skymnos fr. 5 *[2]*;

Argos [II. Stadt] A.   1070, 20   Deiras (54 m) *[5]* die knapp 100 m

Argos [II. Stadt] B.   1070, 27   Theater *[7]* am Südostfuß
1070, 30   Sitzstufen *[6]*, wohl dem alten

Argos [II. Stadt] C.   1071, 30f.   bis ins 5. Jh. v. Chr. *[2]*, eine demokratische Verfassung [*11; 1. 49–141*] hatte A.
1071, 52   Phratrien und Demen [*3; 8; 9*]
1071, 54   [*10. 274–293*]. Neue Funde: BCH 115, 1991, 667–686;

Ariovistus   1085, 3   (durch den Mund des → *Divitiacus*)

Aristeides [3]   1096, 30   Er wurde am *26.* November 117 n. Chr.
1100, 33   M. *Quet*, in: BASLEZ, HOFMANN, PERNOT (Hrsg.)

Aristippos [4]   1104, 20f.   in: GGPh 2.1, *1997/8*
1104, 22f.   W.-R. MANN, The life of Aristippus, in: AGPh *78, 1996, 97–119.*

Ariston [3]   1116, 50   eher von ihm als von Ariston *[7]* oder Ariston [2]

BAND 2

Arzt   71, 55   Chirurgie; *Medizin*; MEDIZINGESCHICHTE

Asklepiades [3]   89, 24f.   K. DÖRING, Menedemos, in: GGPh 2.1, *1997/8*

Athleten   207, 23   in: Nikephoros 7, 1994, *7–64*

Atomismus   219, 18   statt → PHILOSOPHIE; PHILOSOPHIEGESCHICHTE lies: → ATOMISTIK

Aton   219, 34   (*1353–1336 v. Chr.*)

Attaleia [2] und **[3]**   226, 34; 49   *L.* Bürchner

Augustalia   293, 32   → *Ludi*

Augustinus, Aurelius   299, 36   → *Autobiographie; AUGUSTINISMUS*; AUTOBIOGRAPHIE *monica* arbeitete A. tragende Begriffe der ἁρμονικὴ ἐπιστήμη scharfsinnig heraus, seine Vorgänger allenthalben kritisierend (Epigonos, Eratokles, anonyme Harmoniker und Pythagoreer). Aristotelischem Denken verpflichtet (Bewegung, Ort, Zeit, Kontinuum), faßte A. die Bewegung der Stimme (κίνησις τῆς φωνῆς) – beim Sprechen verläuft sie kontinuierlich (συνεχής), beim Singen intervallisch (διαστηματική) – als »örtliches« Phänomen auf (κατὰ τόπον, 8). Trotzdem beschrieb er deren Steigen und Fallen analog zur schwingenden Saite als Anspannen (ἐπίτασις) und Nachlassen (ἄνεσις), wie überhaupt die Töne noch nicht mit Raumvorstellungen (hoch/tief) assoziiert erscheinen. Die musikalische Harmonik gliederte A. in 7 Teile (35 f.): Geschlechter, Intervalle, Ton, Systeme, Tonoi, Metabole und Melopoiia (die 3 letzten weitgehend verloren). Melodische Intervalle und die vieltönigen Systeme erhielten in der Theorie des Melos neues Gewicht. Anhand des Tetrachords bot A. eine unübertroffene Beschreibung der Tongeschlechter (diatonisch, chromatisch, enharmonisch) und eine einfache Erklärung der »zusammengesetzten« Systeme (→ Musik II). Mittels der συμφωνίαι Quarte, Quinte und Oktave durchmaß A. den vollständigen Stimmzyklus in 12 Schritten (daß er von Temperierung wußte, ergibt sich nicht aus dem Text). Die Notation schloß er von seiner Harmonik aus. Die *Elementa rhythmica* bestätigen die in Dramen des 5. Jh. aufgekommene Überformung des Metrums durch den musikalischen Rhythmus. A. trennte den Begriff des Rhythmus vom ῥυθμιζόμενον (Sprachlaut, Ton, Körperbewegung) und führte den für die ant. → Rhythmik fundamentalen Begriff der »kleinsten Zeiteinheit« (πρῶτος χρόνος) ein. A. lehrte eine Systematik der Rhythmen nach Arsis und Thesis. Als Schöpfer der Philosophenbiographie fand A. in der Ant. ein weitreichendes Echo. Er stützte sich auf Aussagen von Zeitzeugen, etwa von Pythagoreern (fr. 19), und beurteilte wohl von dorther Sokrates und Platon eher kritisch (→ Biographie).

ED. MIT KOMM.:
Elem. harm.: M. MEIBOM, Antiquae musicae auctores septem, 1652, I, 1–132 (mit lat. Übers.); Ndr. 1977 •

P. MARQUARD, 1868 (mit dt. Übers.) • H. ST. MACRAN, 1902, Ndr. 1974 (mit engl. Übers.) • R. DA RIOS, 1954 (mit it. Übers.) • Elem. rhyth.: L. PEARSON, 1990 (mit engl. Übers.) • Fragmenta, Testimonia: F. WEHRLI, Schule, H. II, ²1967 • A. BRANCACCI U. A., Aristoxenica, Menandrea Fragmenta philosophica, 1988.
SEKUNDÄRLIT.:
A. D. BARKER, A.' theorems and the foundations of harmonic science, in: Ancient Philosophy 4, 1984, 26–64 • Ders., A.' harmonics and Aristotle's theory of science, in: A. C. BOWEN (Hrsg.), Science and Philosophy in Classical Greece, 1991, 188–226 • A. BÉLIS, A. de T. et Aristote, 1986 • W. JAEGER, Diokles von Karystos und A. v. T. über die Prinzipien, in: FS O. Regenbogen, 1952, 94–103 • P. KUCHARSKI, Le *Philèbe* et les *Eléments harmoniques* d'A., in: Revue philosophique 149, 1959, 41–72 • L. LALOY, A. de T. et la musique de l'antiquité, 1904 • F. R. LEVIN, Synesis in Aristoxenian theory, in: TAPhA 103, 1972, 211–234 • E. PÖHLMANN, Musiktheorie in spätant. Sammelhss., in: FS H. Flashar, 1994, 182–194 • F. WEHRLI, A., in: GGPh² 3, 540–546 • R. WESTPHAL, A. von Tarent, 2 Bde., 1883–93, Ndr. 1965.   F. Z.

[2] Griech. Arzt, der Anf. bis Mitte des 1. Jh. n. Chr. lebte und Schüler des → Alexandros [31] Philalethes war. Er verfaßte einen polemischen Traktat ›Über die Schule des → Herophilos‹ [1]. Von seinem klinischen Œuvre ist wenig erh., doch scheint er Galens Hauptquelle zu den unter den Herophileern geführten Debatten über den Puls zu sein.

1 STADEN, 559–563.   V. N. / L. v. R.-B.

Arithmetik s. Mathematik

Arithmos. Als mil. t. t. in mittelbyz. Zeit eine der Bezeichnungen für Grundeinheiten des Heeres (auch *vigla*, *tagma* und *bandon* → *bandum* genannt). Finanztechnisch war A. die staatlich festgesetzte Anzahl der → *paroikoi* von kaiserlichen Landzuwendungen.

T. KOLIAS, s. v. Heer, LMA 4, 2002–2004 • G. OSTROGORSKY, Quelques problèmes d'histoire de la paysannerie byzantine, 1956, 27–31.   G. MA.